KRÖNERS TASCHENAUSGABE BAND 407

GERO VON WILPERT

GOETHE-LEXIKON

ALFRED KRÖNER VERLAG STUTTGART

Gero von Wilpert

Goethe-Lexikon
Stuttgart: Kröner 1998
(Kröners Taschenausgabe; Band 407)
ISBN 3-520-40701-9

VORWORT

»Wenn einem Autor ein Lexikon nachkommen kann, so taugt er nichts«, behauptet Goethe in den *Maximen und Reflexionen* (1059) und hatte dabei allerdings wohl eine andere Art von Lexikon im Sinn. Wenn also hier ein *Goethe-Lexikon* vorgelegt wird, so nicht in der Absicht, Goethe zum Taugenichts zu stempeln; vielmehr verlangt schon die branchenübliche Captatio benevolentiae das Zugeständnis, ein Lexikon wie dieses könne Goethe natürlich nicht in vollem Maße nachkommen.

In solcher wohlmöglich weisen Erkenntnis hat die deutsche Goethe-Forschung es tunlicherweise unterlassen, mehr als anderthalb Versuche zu einem größeren Goethe-Lexikon zu unternehmen, die ihrerseits nunmehr schon acht bzw. vier Jahrzehnte zurückliegen, so daß der 40-Jahre-Rhythmus zur Rechtfertigung dieses neuen Unterfangens dienen mag, das nun als Einmann-Unternehmen mit allen Vor- und Nachteilen einer solchen Anmaßung, dafür aber ohne jede staatliche oder institutionelle Unterstützung, seinen bescheidenen Platz innerhalb der Goethe-Literatur zum 250. Geburtstag des Dichters einnehmen möchte.

Es setzt sich zum Ziel, im Rahmen des umfangmäßig Möglichen mit rd. 4000 Artikeln alle wesentlichen und heute noch interessierenden Namen, Titel, Sachen, Örtlichkeiten und Begriffe aus Goethes Leben, Werk und Welt zu erfassen und kurz und faktenreich in ihrem Bezug zu Goethe zu erläutern, ohne dabei Vollständigkeit aller Neben- und Randerscheinungen anzustreben. Es umfaßt:

Personen aus Goethes Lebenskreis und Erfahrungswelt: Familienmitglieder, Verwandte, Freunde und Freundinnen, Bekannte, Schriftsteller, Philosophen, Wissenschaftler, Künstler, Musiker, Theaterleute, Schauspieler, Verleger, Fürsten, Politiker, Beamte, Frauen, Bedienstete sowie wichtigere Besucher, Gesprächspartner und Korrespondenten u. ä., mit denen oder deren Werk Goethe in Berührung kam; sie alle grundsätzlich nicht in ihrer Ganzheit um ihrer selbst willen behandelt, sondern zur Kennzeichnung von Goethes Umwelt im Sinne eines »Goethe und ...« nur in ihrer Beziehung zu Goethe und ihrer Bedeutung für ihn dargestellt;

Geographische Namen: Länder, Landschaften, die Goethe bereiste, Orte, Örtlichkeiten und Bauten, an denen er sich, wenn auch teils nur kurzfristig, aufhielt oder die er zu Schauplätzen seiner Dichtungen wählte; nicht aber prinzipiell jeden Ort, den er erwähnt, den er durchquerte oder in dem er beinahe übernachtet hätte;

Werke Goethes: dichterische, autobiographische, essayistische und wissenschaftliche Schriften, auch Gedichtzyklen und wichtigere Einzelgedichte (unter ihrer Überschrift) mit Angaben zu Entstehung, Veröffentlichung, ggf. Aufführung, Vertonung und Nachwirkung, knapper

Inhaltsübersicht und ersten Hinweisen zur Interpretation; auch Zeitungen, Zeitschriften und Sammelwerke, an denen Goethe sich beteiligte; alle Titel, Überschriften wie auch die Zitate in behutsam modernisierter Schreibung;

Figuren aus Goethes Werken: historische Personen und antike, biblische, fiktive und wichtigere, z. B. wiederkehrende mythologische Figuren mit deren Charakteristik und Bedeutung für den Handlungszusammenhang, jedoch nicht jede vereinzelte mythologische Anspielung, deren Erläuterung im Kontext Sache eines Kommentars ist;

Stoffe, Motive, historisch-politische Ereignisse in Goethes Werken mit Hinweisen zu deren Herkunft, Bearbeitungen und Bedeutung;

Literarische Formen, Gattungen, Techniken und Gedicht- und Versformen und deren Auftreten in Goethes Werk;

Hauptbegriffe aus Goethes Weltanschauung und seinem naturwissenschaftlichen Denken, die für sein Weltbild spezifisch und charakteristisch sind. Nicht dagegen Aufnahme fanden unspezifische Allgemeinbegriffe wie Welt, Mensch, Leben, Kultur, Volk, Geist, Seele u. ä., deren detailliertere, halbwegs zufriedenstellende Behandlung im Sinne Goethes den Rahmen dieses Lexikons sprengen oder in eine bloße Zitatenmontage ausarten würde.

Erstrebt wurde also ein praktisches Goethe-Lexikon, das auf gezielte Fragen knappe, klare Antworten gibt, kein allgemeines Konversationslexikon, das im Sinne eines früheren Goethekults Gott und die Welt und alles Mögliche von Goethe aus zu erschließen sucht, jede Erwähnung bei Goethe zum Anlaß der Wissensausbreitung nimmt und dem letzten Weimarer Pferdeknecht als Zeitgenossen des Dichters Unsterblichkeit attestiert. Für dieses Lexikon stehen der Mensch Goethe und sein dichterisches Werk im Mittelpunkt. Es bemüht sich nicht, ein Sammelpunkt alles Wissens um Goethe zu werden, sondern nur, alles Wichtige knapp und bündig greifbar zu machen. Kein Monumentaldenkmal des Geistesheroen in allen Fächern und Wissenschaften als Sammelsurium einer Goethe-Wissenschaft soll errichtet werden. So sehr auch die naturwissenschaftlichen Studien und die Verwaltungstätigkeit des Ministers vertreten sind, so sehr seine Bemühungen um Kunst und Musik kritisch hinterfragt werden – in erster Linie will dieses Lexikon ein Handbuch für die Goethefreunde und Goetheleser von heute sein und rechtfertigt daraus seinen Schwerpunkt auf dem dichterischen Werk. Im Hinblick auf diesen Benutzerkreis wurde auch versucht, den üblichen Telegrammstil eines Lexikons zugunsten größerer Lesbarkeit in ganzen Sätzen und ohne Abkürzungen (Ausnahme: G. = Goethe) abzuwandeln: das Buch will bewußt auch zum Schmökern einladen und glaubt dazu genug Interessantes, auch Kurioses und nahezu Unbekanntes zu bieten.

Das *Goethe-Lexikon* wurde großenteils aus den Quellen selbst erarbeitet und versucht, neben der notwendigerweise teils vereinfachend-apodiktischen Sachinformation auch nach bestem Vermögen den gegenwärtigen Forschungsstand und die wissenschaftliche Diskussion zumindest in den Literaturhinweisen zu spiegeln, soweit diese bei der lexikalischen Kürze von Relevanz sein können. Es hat nicht das Ziel, selbst die Goethe-Forschung voranzutreiben und neue Erkenntnisse zu bieten, sondern die bisherigen zu sichern; wo es mitunter darüber hinaus neue Perspektiven eröffnet, mag der Benutzer das als Surplus betrachten.

Der Verfasser bekennt gern seine Dankesschuld gegenüber vielen Goethe-Forschern und insbesondere Kommentatoren, ohne deren Leistung dieses Lexikon nicht hätte entstehen können. Mein Dank gebührt ferner den Freunden und Kollegen, die mich durch Rat und Hinweise unterstützten, dem Verlag für sein anhaltendes Interesse und meiner Frau für ihre Ermutigung, ihren Zuspruch, ihre Anteilnahme und Mithilfe.

Sydney, Sommer 1998   *Gero von Wilpert*

BENUTZUNGSHINWEISE

Die Umlaute Ä, Ö und Ü werden wie Ae, Oe und Ue alphabetisiert.

Für die alphabetische Einordnung der Artikel gilt das gesamte Stichwort, z. B. ein Werktitel, als ein Wort in normaler Buchstabenfolge. Dabei bleibt zwecks leichterer Auffindbarkeit lediglich ein vorangestellter bestimmter Artikel im Nominativ (der, die, das) unberücksichtigt (*Der **K**önig in Thule*, aber *D**es Epimenides Erwachen*). Gedichte an Personen werden normalerweise nicht unter ihrer Überschrift, sondern im betreffenden Personenartikel behandelt.

Kaiser, Könige, Fürsten usw. erscheinen schon zur Vereinfachung der Verweise nicht unter den Ländernamen, sondern unter ihrem bzw. ihren Vornamen (Louise, Herzogin von Sachsen-Weimar-Eisenach).

Die zeitübliche Schreibweise der Vornamen wurde beibehalten (Carl August, Louise usw.).

Die chronologisch angeordneten Literaturhinweise geben aus Raumgründen nur die auf Goethe bezügliche Spezialliteratur zum betreffenden Artikel (z. B. nicht allgemeine Literatur zu Bach, Napoleon, Schiller usw.). Sie verzichten zumeist auf Angabe von Neudrucken, besonders in Sammelbänden, und auf Hinweise auf allgemeine Goethe-Monographien, -Handbücher und Lexika, die das Stichwort unter Umständen auch behandeln, sowie auf lange, aufschließende Untertitel. Nicht aufgenommen wurden aus Raumgründen die zahlreichen Text- und kommentierten Editionen der Einzelwerke, Briefe, Briefwechsel usw., deren jüngste bzw. verfügbare Ausgaben jeder Bibliothekskatalog oder die Bibliographien erschließen.

Ein Verweis (→) verweist nur auf solche Artikel, die Weiteres zum aufgeschlagenen Artikel bieten, nicht auf jedes ohnehin enthaltene Stichwort.

Mangels einer allgemein verbindlichen neueren Gesamtausgabe aller Schriften, Tagebücher und Briefe Goethes − der Besitz der Weimarer Ausgabe kann nicht bei jedem Benutzer vorausgesetzt werden − mußten Texthinweise und Zitatbelege nach Werktiteln und deren Büchern und Kapiteln oder Akten und Szenen bzw. Verszahlen gegeben werden. Briefe und Gespräche werden mit »an« und dem Briefempfänger und Datum, Gespräche mit »zu« und dem Gesprächspartner bzw. Gewährsmann und Datum belegt. Daß die überlieferten mündlichen Äußerungen Goethes hinsichtlich ihrer Authentizität mit Vorsicht zu behandeln sind, versteht sich von selbst. Zur Numerierung der →*Xenien* und →*Maximen und Reflexionen* siehe die betreffenden Artikel.

ABKÜRZUNGEN FÜR ZEITSCHRIFTENTITEL

ADA	Anzeiger für deutsches Altertum und deutsche Literatur
AfK	Archiv für Kulturgeschichte
AG	Acta Germanica
Archiv	Archiv für das Studium der neueren Sprachen und Literaturen
AuA	Antike und Abendland
AUMLA	AUMLA, Journal of the Australasian Universities Modern Language and Literature Association
CG	Colloquia Germanica
CGP	Carleton Germanic Papers
ChWGV	Chronik des Wiener Goethe-Vereins
CL	Comparative Literature
DBgÜ	Deutsche Beiträge zur geistigen Überlieferung
DD	Diskussion Deutsch
DR	Deutsche Rundschau
DU	Der Deutschunterricht, Stuttgart
DVJ	Deutsche Vierteljahrsschrift für Literaturwissenschaft und Geistesgeschichte
EG	Etudes Germaniques
Euph	Euphorion
FMLS	Forum for Modern Language Studies
FuF	Forschungen und Fortschritte
GJb	Goethe-Jahrbuch
GKal	Goethe-Kalender
GLL	German Life and Letters
GQ	German Quarterly
GR	Germanic Review
GRM	Germanisch-Romanische Monatsschrift
GW	Germanica Wratislaviensia
GYb	Goethe Yearbook
IASL	Internationales Archiv für Sozialgeschichte der deutschen Literatur
JbSKipp	Jahrbuch der Sammlung Kippenberg
JbWGV	Jahrbuch des Wiener Goethe-Vereins
JEGP	Journal of English and Germanic Philology
JFDH	Jahrbuch des Freien Deutschen Hochstifts
JGG	Jahrbuch der Goethe-Gesellschaft
JIG	Jahrbuch für Internationale Germanistik
LfL	Literatur für Leser
LiLi	LiLi, Zeitschrift für Literaturwissenschaft und Linguistik
LJb	Literaturwissenschaftliches Jahrbuch
LK	Literatur und Kritik
LM	Les langues modernes
LGS	London German Studies
LWU	Literatur in Wissenschaft und Unterricht

Abkürzungen für Zeitschriftentitel

X

MDU	Monatshefte für deutschen Unterricht, deutsche Sprache und Literatur
MGS	Michigan Germanic Studies
MLN	Modern Language Notes
MLQ	Modern Language Quarterly
MLR	Modern Language Review
MuK	Maske und Kothurn
NDH	Neue Deutsche Hefte
NDL	Neue deutsche Literatur
Neophil	Neophilologus
NF, NS	*nach Zeitschriftentitel:* Neue Folge bzw. Serie
NGS	New German Studies
NJbb	Neue Jahrbücher für das klassische Altertum, Geschichte und deutsche Literatur
NJbbWJ	Neue Jahrbücher für Wissenschaft und Jugendbildung
NR	Neue Rundschau
NS	Die Neueren Sprachen
OGS	Oxford German Studies
OL	Orbis litterarum
PEGS	Publications of the English Goethe Society
PMLA	Publications of the Modern Language Association of America
PrJbb	Preußische Jahrbücher
RA	Revue de l'Allemagne
RG	Recherches germaniques
RLC	Revue de littérature comparée
RLV	Revue des langues vivantes
SchillerJb	Jahrbuch der Deutschen Schillergesellschaft
SuF	Sinn und Form
TeKo	Text und Kontext
TuK	Text und Kritik
WB	Weimarer Beiträge
WMh	Westermanns Monatshefte
WW	Wirkendes Wort
WZ	Wissenschaftliche Zeitschrift der ... Universität ...
YCGL	Yearbook of comparative and general literature
ZDA	Zeitschrift für deutsches Altertum und deutsche Literatur
ZDB	Zeitschrift für deutsche Bildung
ZDP	Zeitschrift für deutsche Philologie
ZfÄ	Zeitschrift für Ästhetik
ZfB	Zeitschrift für Bücherfreunde
ZfD	Zeitschrift für Deutschkunde
ZfdU	Zeitschrift für deutschen Unterricht
ZfG	Zeitschrift für Germanistik
ZvL	Zeitschrift für vergleichende Literaturgeschichte

Aachen. Die Stadt, die G. nie besucht hat, war ihm gleichwohl als Kaiserpfalz Karls des Großen, als Krönungsstätte deutscher Kaiser und als Aufbewahrungsort der 1764 zur Krönung Josephs II. nach Frankfurt überführten Reichsinsignien (*Dichtung und Wahrheit* I,5), als Ort des Aachener Friedens von 1748 sowie als Bad bekannt. Auf ihre Bedeutung spielt auch *Reineke Fuchs* (V,32) an.

H. Schiffers, G. und A., 1949.

Abbé. Eine der Lenkerfiguren in *Wilhelm Meisters Lehrjahre*: Anfangs ein Wilhelms Wege kreuzender geheimnisvoller Unbekannter (I,17), scheinbar katholischer Landgeistlicher, der pädagogisch an ihm Anteil nimmt, seine Bildung lenkt und beaufsichtigt. Er enthüllt sich schließlich (VII,9) als Abgesandter und fast geistiger Leiter der Turmgesellschaft und damit Personifizierung unaufdringlicher Bildungskräfte in dienender Menschenliebe.

Abbt, Thomas (1738–1766). Dem popularphilosophischen Schriftsteller (*Vom Tode fürs Vaterland*, 1761; *Vom Verdienste*, 1765), Nachfolger Lessings als Redakteur der *Briefe, die neueste Literatur betreffend* und Vorgänger Herders als Konsistorialrat des Grafen von Schaumburg-Lippe in Bückeburg, der im Sinne des Sturm und Drang gegen den Rationalismus Stellung nahm, widmet G. in *Dichtung und Wahrheit* (III,12) einen lobenden Nachruf.

A. Bender, T. A., 1922.

Abeken, Bernhard Rudolf (1780–1866). Der Osnabrücker Philologe, Klassikerkommentator und Herausgeber Justus Mösers war 1808–10 Hauslehrer der Kinder Schillers in Weimar, dann Konrektor in Rudolstadt und ab 1815 in Osnabrück. Er erregte nach einem frühen Zusammentreffen bei J. J. Griesbach in Jena (1800) G.s Aufmerksamkeit vor allem durch seine verständnisvolle Rezension der *Wahlverwandtschaften* in Cottas *Morgenblatt* (22.–24. 1. 1810), die G. nachdrucken und verteilen ließ, und war ein gern gesehener, kenntnisreicher und liebenswürdiger Gast im Hause G.s. Wertvolle biographische Quellen sind seine Erinnerungen *Ein Stück aus G.s Leben* (1845), *G. in den Jahren 1771–1775* (1861) und *G. in meinem Leben* von 1828 (hg. 1904).

Abendlieder. G. dichtet keine Abendlieder in der besinnlichen Tradition des 17. und 18. Jahrhunderts (Gryphius, Gerhardt, Claudius), die das Abendmotiv zum Anlaß von Betrachtungen über Leben und Tod und als Parallele dazu nehmen oder der Nachtangst der Zeit Ausdruck geben. Das Übergangsstadium zwischen Tag und Nacht tritt bei ihm zurück zugunsten von Nacht- und Mondliedern, die weniger eine Entwicklung als einen Zustand schildern, in dem das Naturerlebnis vielfach in eine Sehnsucht nach der Geliebten mündet (*Die Nacht*, 1768; *An den Mond* I, 1768; *Willkommen und Abschied*, 1770; *An Belinden*, 1775; *Um Mitternacht*, 1818; *Dem aufgehenden Vollmonde*, 1828), den Hintergrund einer Liebesnacht malt (*Römische Elegien* V, VII und IX, 1790) oder im Verlangen nach Ruhe und innerem Frieden des ganz individuell geprägten, erlebenden Ich gipfelt (*An den Mond* II, 1777; *Wandrers Nachtlied* I/II, 1776, 1780; *Dämmrung senkte sich von oben*, 1830). Eine Verbindung beider als Rollenlied stellt *Jägers Nachtlied* (1776) dar.

Abendmahl →Leonardo da Vinci

Aberglaube. G. versteht den Aberglauben nicht als ein im Gegensatz zur Kirchenlehre stehendes, sondern allgemein irrationales Glaubenselement, das dem Religiösen verwandt ist und als verdrängte Denkform aus prälogischer Zeit zum Wesen des Menschen gehört (*Maximen und Reflexionen* 171, 500). Er wertet ihn als positives Kennzeichen hochgesinnter Geister im Gegensatz zum bloßen Unglauben beschränkter Gemüter (*Farbenlehre: Roger Bacon*, 1810), versteht ihn teils als falschen Ersatz für noch unerklärte Naturwirkungen (ebd.) und betrachtet ihn als schädlich erst dann, wenn er die Menschen grundlos beunruhigt oder zur Wundersucht verleitet wie Lavater. Züge von G.s persönlichem Aberglauben sind sein Vertrauen auf Ahnungen, Wachträume, Vorzeichen, Zweites Gesicht und Telepathie (*Dichtung und Wahrheit*), seine gelegentliche Beschäftigung mit Geheimwissenschaften wie Alchemie und Magie sowie sein eingestandener Aberglaube, über unvollendete Werke nicht reden zu sollen (*Tag- und Jahreshefte* 1801 und 1803) oder nach einem Achsenbruch eine Reise aufzugeben (ebd. 1816). Dichterisch verwendet G. das Motiv des Aberglaubens als »Poesie des Lebens« (*Justus Möser*, 1823) oder geistesgeschichtlichen Hintergrund vor allem in *Groß-Cophta* und *Faust* sowie in den Balladen *Erlkönig*, *Der Zauberlehrling* und *Der Schatzgräber.* Wesentliche Erkenntnisse sprechen Faust (zur Sorge, II,11408–19) und Mittler in den *Wahlverwandtschaften* (I,18) aus.

W. Aron, G.s Stellung zum A., GJb 33–34, 1912f., D. Ward, A., Österreichische Zeitschrift für Volkskunde 50, 1996.

Abschied. Die lyrischen Motive Abschied und Trennung mit Rück- und Vorausschau an einer einschneidenden Zäsur des Lebens finden vielfache Gestaltung bei G., u. a. in vier Gedichten mit dieser Überschrift: 1. *Der Abschied* (»Laß mein Aug' den Abschied sagen«), im März 1770 entstandenes, aber erst 1789 veröffentlichtes Abschiedsgedicht an eine »Fränzchen« genannte Frankfurter Freundin (Franziska Crespel) bei der Abreise nach Straßburg, das einer Beziehung ein endgültiges Ende setzt und anakreontische Verspieltheit der Bilder in Trennungsschmerz ausklingen läßt. – 2. *Abschied* (»Zu lieblich ist's, ein Wort zu brechen«) vom 24. 5. 1797, ein mehrfach, u. a. von M. Giuliani und J. F. Reichardt, vertontes Rollenlied eines betrogenen Liebhabers, vielleicht Umarbeitung der für *Wilhelm Meisters theatralische Sendung* gedachten Verse vom 4. 2. 1781 »Im Abendrot liegt See und Himmel still«. – 3. *Abschied* (»War unersättlich«) im Zyklus der *Sonette* von 1807/08, Gedicht einer schicksalhaften Trennung oder Entsagung, nach der die Welt der entbehrten Geliebten verinnerlicht und sie innerer Besitz im Herzen wird, mit thematischen Anklängen an *Alexis und Dora*. – 4. *Abschied* (»Am Ende bin ich nun«), ein wohl im April 1800 entstandenes Gelegenheitsgedicht und lyrischer Nachklang anläßlich des antizipierten vermeintlichen Abschlusses von *Faust* bei dessen Wiederaufnahme, Ausdruck eines Abstandes vom Barbarisch-Nordischen und Wendung zur klassischen Kunst. Vgl. auch *Aeolsharfen, Willkommen und Abschied*.

Ch. Widmer, Der A. in G.s Dichtung, Diss. Basel 1956; K. H. Bohrer, Der A., 1996.

Achilleis. G.s frühe Vertrautheit mit Homers *Ilias* und *Odyssee* und deren wiederholtes Studium führten ihn zu der Frage, ob zwischen dem Abschluß der *Ilias* mit dem Tod Hektors und dem Einsatz der *Odyssee* mit der Abfahrt der Griechen von Troja noch ein Stoff für ein drittes Epos stecke. Sein Gedankenaustausch mit Schiller über das Verhältnis von epischer und dramatischer Dichtung regte ihn Ende Dezember 1797 zur eigenen Schöpfung eines kürzeren Hexameterepos an, und nach erneutem Studium der *Ilias* im April/Mai 1798 und längeren Vorarbeiten entstand vom 10. 3. bis 5. 4. 1799 in Weimar und Jena der 1. Gesang der *Achilleis* in 651 Versen, über den das Werk jedoch nicht hinaus gedeihen sollte. Eine erneute Beschäftigung damit 1805/06 und die metrischen Verbesserungsvorschläge von H. Voß führten um 1807 zu dem ebenfalls nicht ausgeführten Plan einer Behandlung des Stoffes in Romanform. Als Quelle benutzte G. die von angeblichen Mitkämpfern bei Troja verfaßten spätantiken Trojaromane von Diktys und Dares; danach entwarf er am 31. 3. 1798 ein erstes Schema für acht Gesänge. Der 1. Gesang setzt im Griechenlager vor Troja ein. Achill beobachtet die Flamme von Hektors Scheiterhaufen in Troja, ergeht sich in Todesgedanken und läßt einen ungeheuren Grabhügel für seine und des Freundes Patroklos Asche errichten. Gleichzeitig beraten die Götter im Olymp sein Schicksal. Da Troja erst nach dem Tode Achills fallen kann, will Hera Achill dafür opfern, doch Zeus ist zurückhaltend. Wieder vor Troja entfaltet sich das große, ermutigende Gespräch Athenes mit Achill über Heldentum, Tragik und Schicksal, mit dem das Fragment schließt.

Das Schema zur Fortsetzung sah Friedensbemühungen auf bei-

den Seiten vor. Die Troer wollen Menelaos durch eine Troerprin-
zessin für Helena entschädigen und finden beim Volk Unterstützung. Achill und Ajax lehnen den Vorschlag ab, doch Odysseus gewinnt die Mehrheit für eine Annahme. Kaum werden Kassandra
und Polyxena, beide Töchter des Priamos, ins Lager der Griechen
geführt, ergreift Achill eine Leidenschaft für Polyxena; er tritt nunmehr selbst für den Frieden ein, verwirft die Todesgedanken und
will Polyxena gegen den Widerstand von Odysseus und Diomedes
heiraten. Bei der Hochzeitsfeier im Tempel von Thymbra wird
Achill auf Anstiftung Apollos getötet und in seinem Grabhügel beigesetzt. In Verdopplung des Tragischen tötet sich der zweite Held,
Ajax, im Wahnsinn. Der Krieg wird von den Mittelmäßigen fortgesetzt.

Schon der Plot erweist, daß die edle Einfalt und stille Größe der
Helden Homers wie bereits in den Quellen zu individuellen Leidenschaften und Intrigen degeneriert. Statt um antike Waffengänge
spielt G.s *Achilleis* während einer Waffenruhe und führt durch das
sentimentale Thema leidenschaftlicher Liebe des hier nicht wild,
sondern seelenvoll gezeichneten Achill sowie durch die verstärkte
Tragik Züge der modernen individuellen Tragödie in eine epische
Dichtung ein. Trotz solcher Modernisierungen und einzelner
glanzvoller Partien und Verse erschweren der mythologische Ballast,
homerische Wendungen und Gleichnisse und der metrische Zwang
des Voss'schen Hexameters den Zugang zum Werk. Solche Stil-
mischungen und die G. wesensfremde Homer-Pastiche (an Schiller
12.5. 1798) als angelesene Kunstformen mögen zum Abbruch der
Arbeit geführt haben, die 1808 im 10. Band der *Werke* erschien.

A. Fries, G.s A., 1901; M. Morris, G.s A., ChWGV 15, 1901, auch in ders., G.-Stu-
dien 2, 1902; O. Regenbogen, Über G.s A., in ders., Griechische Gegenwart, 1942, und
Kleine Schriften, 1961; K. Reinhardt, Tod und Held in G.s A., DBgÜ 1, 1947, auch in
ders., Tradition und Geist, 1960; A. Fingerle, Homer und G.s A., in: Festschrift H. L.
Held, 1950; W. Schadewaldt, G.s A., in ders., G.-Studien, 1963; M. Gerhard, Götter-
Kosmos und Gesetzes-Suche, MDU 56, 1964, auch in dies., Leben im Gesetz, 1966;
F. Sengle, G.s Ikarus-Flug, in: G.zeit, hg. G. Hoffmeister 1981; D. Constantine, A. und
Nausikaa, OGS 15, 1984; W. Dietrich, A., in: G.s Erzählwerk, hg. P. M. Lützeler 1985;
E. Dreisbach, G.s A., 1994.

Ackerwand. Der von G. oft benutzte Weg in Weimar führte vom
Gartentor seines Hauses am Frauenplan direkt zum Haus der Charlotte von Stein.

Addison, Joseph (1672–1719). Der englische Staatsmann und
Schriftsteller, dessen Berufskombination von Politik und Literatur
schon Vergleiche mit Goethe nahelegt, war in Deutschland vor
allem durch seine in Verbindung mit R. Steele betreuten und vielgelesenen Moralischen Wochenschriften *The Tatler* (1709–11), *The
Spectator* (1711–12), der auch im *Clavigo* (II) erwähnt wird, und *The
Guardian* (1713) bekannt, die G. neben ihren deutschen Übersel-
zungen und Nachahmungen durch Bodmer, Gottsched u. a. wohl

in der Leipziger Studienzeit kennenlernte. G. lobte seine »verständige reine Rechtlichkeit« (*Zu brüderlichem Andenken Wielands*, 1813)
und empfahl am 6. 12. 1765 auch seiner Schwester Cornelia die
Lektüre des *Spectator*.

Adel. Auf Betreiben Herzog Carl Augusts und dessen Antrag vom
25. 3. 1782 wurde G. mit einem am 10. 4. 1782 ausgestellten Adels-
diplom, das er am 3. 6. 1782 erhielt, von Kaiser Joseph II. als »von
G.« in den erblichen Adelsstand erhoben und erhielt als →Wappen
einen sechsstrahligen silbernen Morgenstern, von dem er schon am
24. 12. 1775 als Wappen im Brief an Carl August geschwärmt hatte.
Obwohl G. die Adelsverleihung, die übrigens 362 Reichstaler
kostete, zunächst nicht wichtig nahm – »Wir Frankfurter Patrizier
hielten uns immer dem Adel gleich« (zu Eckermann 26. 9. 1827) –
und erst Jahre später mit »von G.« unterschrieb, bestätigte und hob
sie seine soziale Stellung als Standesperson in Weimar, galt als Anerkennung seiner Zugehörigkeit zum Hof wie zum engeren Kreis des
Herzogs und gestattete ihm die allmähliche Annahme von Haltung
und gesellschaftlichen Lebensformen des Adels. Dem Adelsstand
selbst als Anerkennung der Leistung bedeutender Vorväter stand G.
trotz einiger aus der Figurenperspektive erklärlicher Kritik an Aus-
wüchsen im *Werther* im Prinzip positiv gegenüber, ohne deshalb
seine Sympathie für die Tugenden, die Leiden und die reine
Menschlichkeit der einfachen Leute einzuschränken. Er betrachtete
den Adel ohne Hochmut als konservatives, auf Dauer und Ordnung
abzielendes Prinzip, als Anerkennung einer edlen Elite und zugleich
wie Friedrich der Große als Verpflichtung zum Dienen (zu Riemer
13. 8. 1809). Gemäß der Bedeutung des Adels in der Gesellschaft
des 18. Jahrhunderts vor wie nach der Französischen Revolution
werden Probleme des Adels in *Egmont, Tasso, Der Bürgergeneral, Die
Aufgeregten* (III,1) und in *Wilhelm Meisters Lehrjahre* (III,2,9; IV,2;
V,3) sowie vielfach in den Gesprächen mit Eckermann erörtert.

K. J. Schröer, Die Verleihung des Reichsadels an G., ChWGV 2, 1888; J. A. v. Bradish,
G.s Erhebung in den Reichsadelsstand, 1933; R. Smekal, G.s Wiener Adelserhebung,
Adler 1, 1947–49; H. O. Burger, Europäisches Adelsideal und deutsche Klassik, in ders.,
Dasein heißt eine Rolle spielen, 1963; Legitimationskrisen des deutschen A.s, hg. P. U.
Hohendahl 1979; J. Biermez, G. et l'idée de la noblesse, Nouvelle revue française 390 f.,
1985.

Adelbert →Weislingen, Adelbert von

Adelheid von Walldorf. Im *Götz von Berlichingen* eine unhistorische Figur am Hof des Bischofs von Bamberg, ist sie der Typ der
skrupellosen, ehrgeizigen Intrigantin, die ihre dämonische Schönheit und erotische Ausstrahlung bedenkenlos kalkulierend in den
Dienst ihres persönlichen Machthungers stellt und dabei zur fast
dämonischen femme fatale wird. Bereits Witwe, fasziniert und heiratet sie den erotisch bestimmbaren Weislingen, verleitet ihn damit

zu Verrat und Treubruch gegenüber Götz und Maria, benutzt ihn als Mittel zur Erreichung ihrer Zwecke, ist jedoch auch sonst mit ihrer Gunst recht freigebig – in der 1. Fassung erliegen ihr auch der Knappe Franz und Franz von Sickingen – und vergiftet Weislingen, als er ihrer Verbindung zum späteren Kaiser Karl im Wege steht. Sie endet vor dem Femegericht. In *Dichtung und Wahrheit* (III,13) bekennt G., er habe sich bei der liebenswürdigen Schilderung Adelheids in der 1. Fassung »selbst in sie verliebt, unwillkürlich war meine Feder nur ihr gewidmet«. Die 2. Fassung streicht und kürzt diese melodramatischen Szenen, doch erhalten Adelheids Aktionen während Götz' Untätigkeit die Spannung mit aufrecht.

Adler und Taube. Das im Stoff an Lafontaines Fabeln gemahnende Gedicht in Freien Rhythmen stammt wohl aus der Zeit 1772/73. Es erschien erstmals im Göttinger *Musenalmanach 1774* mit der Überschrift *Der Adler und die Taube* und danach sprachlich leicht geglättet in den *Schriften* von 1789. Auch ohne biographische Bezüge auf Mahnungen einer heimatlichen Bürgerwelt, die vielleicht der Brief an Kestner vom 15. 9. 1773 andeutet, erklärt sich verallgemeinert der Gegensatz beider in der Überschrift angesprochenen Vögel: einerseits das Genie, dessen einsamer, himmelstürmender Höhenflug durch einen schicksalhaften Zwischenfall endet, der ihm die Schwingkraft nimmt, d. h. den Flügel stutzt, das sich aber mit der Philosteridylle behaglich-betulicher Genügsamkeit nicht abfinden kann, andererseits die Tauben als Verkörperung eben jener Spießbürgerlichkeit, der der Drang zum Höheren für immer unverständlich bleiben wird und die in ihrer Beschränkung auf eine »ruhige Glückseligkeit« gar nicht merken, welche Kränkung ihr tröstender Aufruf zur Selbstbescheidung darstellt.

D. Jacoby, Zu dem Gedicht A. u. T., GJb 3, 1882; A. H. Krappe, Über die Quelle von G.s Ä. u. T., Archiv 174, 1938; W. Bunzel, Das gelähmte Genie, WW 41, 1991.

Aeolsharfen. Das Gedicht in Wechselrede entstand am 24./25. 7. 1822 anläßlich einer Abreise G.s von Marienbad nach Eger. Am 6. 8. 1822 schrieb G. es mit der Überschrift *Liebschmerzlicher Zwiegesang unmittelbar nach dem Scheiden* dem Prager Kapellmeister und Komponisten seiner Lieder W. J. Tomaschek ins Stammbuch, am 14. 12. 1822 legte er es mit einer später nicht veröffentlichten, verallgemeinernden Schlußstrophe und der Bitte um Vertonung einem Brief an Zelter bei: »Man möchte es eine Duettkantate, vom unmittelbaren Scheiden bis in immer weiter- und weitere Entfernung nennen, da denn der Regenbogen abschließt, der Nahes und Fernes verbindet.« (an Zelter 18. 1. 1823), und wiederum am 9. 1. 1824 bittet er Zelter – übrigens vergeblich – um Komposition, wobei er den Schlußvers abweichend zitiert (»und immer gleich und immer neu«). Der Erstdruck in den *Werken* von 1827 teilt das Gedicht in Einheiten von zwei und drei Strophen, stellt es im Anschluß an die

Marienbader Elegie und bestätigt damit die Beziehung auf Ulrike von Levetzow. Das »Gespräch« ist eigentlich keine aufeinander bezogene Wechselrede, sondern zwei parallellaufende, fast traumhaft-geträumte Monologe der Sehnsucht in der Form des mittelhochdeutschen »Wechsels«. Es greift das Bild zweier im Garten aufgestellter, gleichgestimmter Windharfen auf, die eine Brise harmonisch erklingen läßt: Kommunikation seelischen Einklangs aus gleichem Erleben auch über die Entfernung hin. Der Liebende, dem auch die Natur weder bei Tag noch bei Nacht Trost gewährt und in dessen Sehnsucht ihre Strophen einstimmen, findet das Bild der Geliebten im Inneren wieder. Das Symbol des Regenbogens (Iris) jenseits der Tränen erneuert dieses Bild als Offenbarung, Wunderzeichen ewiger Liebe aus dem Unendlichen jenseits der abweichenden Gegenwart.

Ärzte. Bei der Wahl seiner Ärzte bevorzugte G. die fachgerecht ausgebildeten, nüchtern-sachlichen Vertreter der praktischen Schulmedizin, die auch auf die Patienten eingingen, gegenüber den in romantischer Naturphilosophie spekulierenden und experimentierenden Modeärzten. Seine hauptsächlichen Ärzte waren in Leipzig G. Ch. →Reichel, in Frankfurt J. J. Burggrave und J. F. →Metz, in Weimar Ch. W. →Hufeland, J. Ch. →Stark, W. →Rehbein, W. E. Ch. →Huschke und C. →Vogel sowie auf Reisen J. Ch. →Reil in Halle, Ch. E. →Kapp und C. A. W. →Berends in Karlsbad und C. J. →Heidler in Marienbad. Vgl. →Krankheiten.

E. Hochstetter, G. und die Ä., Deutsche Medizinische Wochenschrift 58, 1932.

Aeschylus →Aischylos

Äsop (Aisopos). Der legendäre griechische Fabeldichter des 6. Jahrhunderts v. Chr., dem fast alle griechischen Fabeln zugeschrieben wurden, gehörte wegen seiner Verbindung von Morallehre mit ansprechender bildhaft-sinnlicher Form zum geschätzten Bildungsgut der Aufklärung und erfreute sich großer Beliebtheit in Nachahmungen (*Dichtung und Wahrheit* II,7 nennt Gellert, Lichtwer, Lessing) und besonders als Schullektüre. G. mußte noch im Elementarunterricht Fabeln Äsops nacherzählen und übersetzen (vier davon erhalten) und befaßte sich in Straßburg anläßlich des Äsop-Buches von E. L. D. Huch (1769) mit dessen Fabeldefinition. Anregungen von Äsop gingen in den *Satyros* und *Reineke Fuchs* ein, *Parabolisch* Nr. 8 paraphrasiert eine Fabel Äsops, und eine Handschrift aus dem Nachlaß (vor 1804) beschreibt ein Äsop-Gemälde. G.s Wendung zum Symbolischen bedeutete dann eine Abkehr von der Fabel.

Ästhetik. G.s ästhetische Überlegungen, anfangs und z. T. auch später weitgehend von der Tradition des 18. Jahrhunderts (Lessing,

Sulzer, Oeser u. a.) beeinflußt, gehen nicht von einer philosophischen Theorie, sondern stets vom konkreten Material und vorzugsweise der Bildkunst aus und fanden keine systematische Zusammenfassung. In ihrem Mittelpunkt steht die Unterscheidung der Methoden/Stilmittel und Ziele/Absichten der Schwesterkünste Bildkunst und Literatur, indem die Bildkunst in erster Linie als Darstellung der sinnlich faßbaren, jedoch unaussprechlichen →Schönheit und Vollkommenheit menschlicher Formen, aber auch der Natur und Landschaft, Literatur als die in der Imagination nachvollziehbare Darstellung menschlicher Denk- und Verhaltensweisen im Spiel der Einbildungskraft verstanden wird. Aus G.s Festhalten an der Überlegenheit der Bildkunst zumindest als Ausgangspunkt seiner ästhetischen Überlegungen ergibt sich als zweites Problem das Verhältnis von →Natur und Kunst und daraus wiederum seine Bevorzugung eines an der Antike geschulten Klassizismus.

W. Bode, G.s Ä., 1901; R. Kohler, Die Grundformen von G.s Ä., Diss. München 1921; P. Menzer, G.s Ä., 1957; H. Pyritz, G.s römische Ä., in ders., G.-Studien, 1962; H. Perls, G.s Ä., 1969; A. Gulyga, G. als Ästhetiker und Kunsttheoretiker, GJb 96, 1979; V. Lange, Bilder, Ideen, Begriffe, 1991; Ch. Schärf, G.s Ä., 1994.

Ätna. Den 3330 m hohen Vulkan auf Sizilien sah G. während der Italienreise erstmals am 30. 4. 1787 von Castro Giovanni aus, konnte jedoch auf Anraten Ortskundiger des Schnees wegen am 5. 5. 1787 von Catania aus nur den südlichen Nebenkegel Monte Rosso besteigen (*Italienische Reise*). Seither galt dem Berg und Ereignissen um ihn sein Interesse, so dem Vulkanausbruch vom 18. 7. 1787 (ebd. 12. 9. 1787), der Besteigung durch andere (Ph. Hackert) und seiner Bedeutung für die Landschaft und Landschaftsmalerei (*Philipp Hackert*). Im *Buch Suleika* des *West-östlichen Divan* vergleicht Hatem eine heiße Liebesleidenschaft mit einem Vulkanausbruch des Ätna.

Äußere Erscheinung. Die Zeugnisse der Zeitgenossen über G.s Aussehen im Wandel der Jahrzehnte sammelte Emil Schaeffer 1914:

G. Seine ä. E., 1914; ergänzt hg. J. Göres 1980.

Affe. G.s bekannte Abneigung gegen Affen, ihre Zurschaustellung auf Jahrmärkten, ihre Haltung an Fürstenhöfen und ihre Darstellung in der Kunst, zumal in Karikaturen, beruht u. a. auf seiner Aversion gegen alle Zerrbilder des Menschlichen, die der Affe bietet. Ihm erschien die Häßlichkeit des Affen »desto unangenehmer, je ähnlicher die Rasse dem Menschen sei« (zu Eckermann 9. 7. 1827). Auch *Reineke Fuchs* (XI, 180 ff.) berichtet mit Entsetzen von seiner Erkundung der Affenhöhle. Dieser Haltung entsprechend ist Lucianes Vernarrtheit in Affen (*Wahlverwandtschaften* II,4) als negativer Charakterzug im Gegensatz zu Ottiliens Abneigung (ebd. II,7: *Aus Ottiliens Tagebuch*) zu verstehen. Als Schimpfwort benutzt G.

»Affe« selbst durchaus zur Bezeichnung des Niedrigen, Grotesken und Abstrusen.

Agincourt, Jean Baptiste Louis George Seroux d' (1730–1814). Den reichen französischen Kunstsammler und Kunsthistoriker, der seit 1778 ständig in Italien lebte und auf der Grundlage seiner eigenen reichhaltigen Sammlung als Fortsetzung von Winckelmanns *Geschichte der Kunst des Altertums* eine Kunstgeschichte des Mittelalters und der Renaissance schrieb (*Histoire de l'art par les monuments depuis sa décadence au IVe siècle jusqu' à son renouvellement au XVIe siècle*, VI 1810–23), lernte G. in Rom kennen (*Italienische Reise* 22. 7. 1787) und schätzen. Er benutzte und pries sein Werk in *Über Kunst und Altertum* sowie in Briefen an die Boisserées (29. 1. und 16. 12. 1816) und würdigte seine Auffassung von Kontinuität und Entwicklung in der Kunstgeschichte.

Ph. Schweinfurth, G. und Seroux d'A., RLC 12, 1932.

Agricola, Georg (1494–1555). Den Chemnitzer Mineralogen, Geologen und Bergbaufachmann, Begründer eines Systems der Mineralien und einer Theorie der Erdbeben und der Gebirgsentstehung, schätzte G. wegen seiner »menschenverständigen Anschauung« (*Tag- und Jahreshefte* 1806). Er kannte seine Schriften schon vor der *Campagne in Frankreich* (30. 6. 1792), gedachte seiner ausführlich in der *Geschichte der Farbenlehre* und studierte u. a. im August 1806 seine mineralogischen Schriften.

Agrigent(o), griechisch Akragas, bis 1927 Girgenti. G. besuchte die ehemals bedeutende, seit der Eroberung durch Karthago 406 v. Chr. abgesunkene griechische Stadtgründung auf Sizilien am 23.–28. 4 1787 (*Italienische Reise*) und besichtigte die großen griechischen Tempel der Juno, des Herkules, des Vulkan (G.: Äskulap) und Asklepios, der damals noch als christliche Kapelle diente, die Ruinen des großen Jupiter-Tempels und das Grabmal des Theron, die G. und Kniep z. T. zeichneten, das antike Stadttor der Porta Aurea sowie im Dom einen attischen Hippolytos-Sarkophag (»Beispiel der anmutigsten Zeit griechischer Kunst«) und einen rotfigurigen Kolonetten-Krater. Ein Gemälde des Jupiter-Tempels von Agrigent, das G. 1828 von L. von Klenze erhielt, beschreibt er in *Über Kunst und Altertum* (6,2).

Aguillon, François d' (Franciscus Aguilonius, 1567–1617). Mit dem Werk des Antwerpener Jesuiten, Mathematikers und Optikers *Opticorum libri VI* (1613) befaßte G. sich intensiv vom Herbst 1807 bis zum Frühjahr 1808 im Zuge seiner Arbeiten zur Geschichte der Farbenlehre. Er würdigt ihn als einen »ernsten und tüchtigen Mann« (*Geschichte der Farbenlehre*), als »der erste, der das Kapitel von den Farben ausführlich behandelt.« (*Anzeige und Übersicht des Goethischen Werkes zur Farbenlehre*, 1810).

Ahlefeld, Charlotte Wilhelmine von, geborene von Seebach (1777 oder 1781–1849). Die in Weimar aufgewachsene Verfasserin von rd. 50 mäßigen Unterhaltungsromanen, die bei ihrer Freundin Charlotte von Stein 1798 den Schleswiger Gutsbesitzer Rudolf Johann von Ahlefeld kennengelernt und geheiratet hatte, aber seit 1807 von ihm getrennt und seit 1821 in Weimar lebte, wurde im engen Kreis um Frau von Stein auch mit Goethe bekannt. Von ihm stammt ein Eintrag in ihrem Stammbuch, datiert »Fastnacht 1830«.

Ahnen →Familie

Ahnung (Ahndung). Die Goethezeit benutzt den Begriff im Gegensatz zur rationalen Vermutung für eine dunkel-irrationale, fast unbewußte Empfindung für Zusammenhänge elementarer Art, etwa aus Einfühlung in die Natur, die dem empfindenden Ich ohne eigene Bemühung quasi von außen zufliegt, und bevorzugt daher die unpersönliche Form: »es ahnt mir« u. a. (so noch *Werther*, 16. Junius). Ahnung ist ihr daher weniger Vorgriff auf Zukünftiges im heutigen Wortsinn als eine ohne eigenes Zutun ankommende, vorrationale Einsicht. G. dagegen leitet die Ahnung aus einem aktiven individuellen Ahnungsvermögen als persönliche Leistung eines als Anlage mitgegebenen Seelenorgans ab, die sich durch eine trübe Ungewißheit von der klaren Intuition unterscheidet, eine Situation nach ihrer Bedeutung befragt und auch Antizipation des Schicksals sein kann (*Warum gabst du uns die tiefen Blicke*). Die andeutende Vorwegnahme späteren Geschehens als Ahnung oder Traum wird besonders in G.s Lyrik und Dramatik zur bewußten poetischen Technik (*Götz, Faust, Egmont, Iphigenie, Tasso*), und die Handlung der *Wahlverwandtschaften* beruht weitgehend auf Ahnungen.

Aischylos (Aeschylus, 525–456 v. Chr.). Der vermutliche Schöpfer und älteste Vertreter der attischen Tragödie, dessen Werke noch den Ursprung aus der Kulthandlung durchscheinen lassen, war G. seit der Straßburger Zeit vertraut und ihm zeitlebens Vorbild und Ansporn zur Nachahmung und Nachschöpfung sowie zu Vergleichen mit anderen tragischen Stoffen wie denen der anderen Tragiker und schottischen Volksballaden (zu Riemer, Dezember 1804). G.s frühes *Prometheus*-Fragment (1773) zeigt nur geringe Anklänge an Aischylos. Ein späterer Plan zur Fortsetzung der *Prometheia* als *Die Befreiung des Prometheus* (1794–97) kam ebensowenig zur Ausführung wie die bereits »im Kopfe ausgeführte« dritte Tragödie zur *Schutzflehenden*-Trilogie *Die Danaiden* (Riemer 29. 8. 1809) oder die Versuche einer Restaurierung von Aischylos' *Philoktet* (zu Eckermann 31. 1. 1827), dessen verschiedene Gestaltungen G. 1826 vergleicht (an Zelter 20. 5. 1826). G.s lebhaftes Interesse fanden auch die zeitgenössischen Aischylos-Übersetzungen durch G. Ch. Tobler (Tagebuch 9. 2. 1782; an Ch. von Stein 17. 3. 1782), F. L. Graf zu Stolberg, den G. im Mai/Juni 1784 um Proben bat, vor allem W. von Humboldts *Agamemnon*, an dem G. starken Anteil nahm (an W. von Humboldt 1. 9. 1816), und J. T. L. Danz, die G. im März 1806 las, ferner die gelehrten Abhandlungen über Aischylos von H. Blümner und J. G. J. Hermann sowie J. Flaxmans Umrißzeichnungen zu den Tragödien, die eine Handschrift aus dem Nachlaß 1799 aufzählt. Stärksten direkten Einfluß des Tragikers zeigen über den Trimeter hinaus die Helenaszenen des *Faust*. »Aber gegen … Äschylus … bin ich doch gar nichts« (zu W. Zahn 7. 9. 1827).

Aja. Der schon 1774 belegte Scherzname für G.s Mutter Catharina Elisabeth Goethe, wohl nach italienisch »aja« = Erzieherin, wurde von den Brüdern Stolberg 1775 mit der gleichnamigen Mutter der →*Haimonskinder* identifiziert (*Dichtung und Wahrheit* IV,18).

Akademie der Olympier (Accademia Olimpica). An einer Sitzung dieser 1556 gegründeten gelehrten Gesellschaft zur Pflege von Literatur und Wissenschaft in einem Saal neben dem Teatro Olimpico in Vicenza nahm G. am 22. 9. 1786 teil (*Italienische Reise*).

Akademiestreit, Französischer bzw. Pariser →Cuvier, →*Principes de philosophie zoologique*

Akt. G. benutzt das Wort für eine in sich geschlossene Teileinheit des Dramas gleichbedeutend und mitunter für das gleiche Drama wechselnd (*Götz*; *Die Aufgeregten*) mit deutsch »Aufzug«, das freilich auch die zweite Bedeutung von Massenaufzügen, Masken- und Festzügen hat. Er achtet auf tektonische und gehaltliche Geschlossenheit der Akte und gute, monologische oder tableauhafte Aktschlüsse, ohne sich streng an die noch von Lessing beachtete Regel der Franzosen zu halten, bei Aktschluß müsse die Bühne leer sein (*Die Mitschuldigen* II, *Götz* IV, *Egmont* II), und immer auf die Ortseinheit innerhalb eines Aktes Wert zu legen (*Faust*; dagegen *Iphigenie, Tasso*).

Alba, Fernando Alvarez de Toledo, Herzog von Alba (1507–1582). Der bewährte spanische Feldherr und Staatsmann wurde 1567 als Generalkapitän mit einem Heer zur Unterstützung der spanischen Statthalterin Margarete von Parma in die Niederlande entsandt, um dort einen Aufstand zu verhindern, und war nach deren Abdankung 1567–73 Statthalter Philipps II. in den Niederlanden. Als solcher veranlaßte er die Verhaftung und Hinrichtung Egmonts. G.s *Egmont* verwendet die historische Figur als Gegenspieler Egmonts, verzeichnet dabei jedoch gemäß den Erfordernissen dramatischer Konfliktsteigerung seinen Charakter als gefühl- und seelenlosen, kaltherzig und listig berechnenden Politiker von eiserner Zielstrebigkeit im Dienst eines menschenfeindlichen Absolutismus, verhaßtes negatives Gegenbild zu Egmont, dem gleichwohl etwas Dämonisches anhaftet.

Albacini, Carlo (18. Jahrhundert). G. besuchte den italienischen Bildhauer (Grabmäler für Piranesi und Mengs), Restaurateur und Kunstprofessor an der Accademia di San Luca, der die Sammlung Farnese für den König von Neapel restaurierte, am 17. 7. 1787 in Rom, um daraus einen Torso, wie er meinte des Apollo oder Bacchus, tatsächlich wohl eines griechischen ruhenden Dionysos aus dem 3. Jahrhundert v. Chr., zu besichtigen, den er mehrfach für eine der schönsten ihm bekannten antiken Plastiken erklärte (*Italienische Reise* 16. und 20. 7. 1787).

Albani, Alessandro (1692–1779). Der einer reichen Familie entstammende, sehr weltmännische italienische Kardinal und größte Antikensammler Roms errichtete seit 1746 für seine reichhaltige, mit Hilfe seines Freundes und Bibliothekars Winckelmann glücklich erweiterte Kunstsammlung die Villa Albani bei Rom. G. besichtigte sie am 8. 11. 1786 und am 13. 3. 1788, notierte ihre Plünderung durch Napoleon 1796, ihre teilweise Wiederherstellung und widmete Albani ein kurzes Kapitel in *Winckelmann und sein Jahrhundert*.

Albani, Francesco (1578–1660). Der italienische Maler aus der Schule der Carracci malte später mythologische Liebesszenen und Amorettentänze in weichlicher Manier. G. preist ihn im Zusammenhang mit Guido Reni in der *Farbenlehre*. Er besaß selbst einige Stiche nach Albani, sah Stiche nach seinen Gemälden in Paris und empfahl J. H. Meyer 1809 die Anschaffung einer Stichfolge nach Fresken Albanis in der Galerie des Palazzo Verospi in Rom (1609–16) für die Weimarer Bibliothek.

Albano. G. berührte die Stadt an den Albanerbergen südöstlich von Rom kurz am 22. 2. 1787 auf dem Weg nach Neapel, besuchte sie dann Ende Juni 1787 und wegen ihrer landschaftlichen Schönheit und der »heiteren, reinen Luft« wiederholt am 27. 9., 4.–6. 10. und 11./12. 12. 1787, als eine Reihe von Landschaftszeichnungen entstand.

Albert. Die Figur im *Werther*, als Verlobter und späterer Gatte Lottes absoluter Gegenspieler Werthers, verkörpert, z. T. in negativer Figurenperspektive gesehen, alle jene rationalen Bürgertugenden und -grundsätze, die Werther abgehen: Fleiß, Ordnungssinn, Sparsamkeit, Moral, Pflichttreue und gelassene Vernunft. Das historische Vorbild der Figur, Charlotte Buffs Verlobter Johann Christian →Kestner, wurde wohl angereichert durch Charakterzüge des

Frankfurter Kaufmanns Peter Brentano, des Gatten der Maximiliane, geb. La Roche.

Alberti, Domenico (um 1710–1740). Über den venezianischen Sänger, Cembalisten und Komponisten von Klaviersonaten, der in *Rameaus Neffe* von Diderot erwähnt wird, steuerte G. in seiner Übersetzung eine lobende Anmerkung bei, die belegt, daß Alberti im Unterschied zu den anderen erwähnten Komponisten wohl nicht mehr als bekannt vorausgesetzt werden konnte.

Albertus Magnus (1193–1280). G. beschäftigte sich im Zusammenhang seiner Studien zur älteren Naturwissenschaft um den 19.–26. 9. 1807 »mit wenigem Erfolg« mit den naturwissenschaftlichen Schriften des Dominikaners, Universalgelehrten und Aristoteles-Vermittlers.

E. Küster, A. M. und G., Die Naturwissenschaften 6, 1918; A. Keyserling, A. M. und G., JbWGV 69, 1965.

Albrecht, Johann Georg (1694–1770). Der Rektor des Barfüßer-Gymnasiums in Frankfurt 1748–66 erteilte G. um 1762–65 Privatstunden in Hebräisch und amüsierte sich, ohne sich zu kompromittieren, über G.s Fragen zu Widersprüchen und Unmöglichkeiten der biblischen Überlieferung. Das teils gefürchtete, aber geachtete, sarkastische und satyrhafte Frankfurter Original, das G. in *Dichtung und Wahrheit* (I,4) im Unterschied zu seinen sonstigen Lehrern recht ausführlich beschreibt, mag mit Anstöße für die Gestaltung des *Satyros* gegeben haben.

E. Mentzel, Wolfgang und Cornelia G.s Lehrer, 1909.

Alcamo. G. verweilte in dem »stillen reinlichen Städtchen« im Nordwesten Siziliens, von Palermo kommend, am 18.–20. 4. 1787, interessierte sich jedoch weniger für die mittelalterlich-staufischen Baureste als für die Landschaft, die »Großheit der Gegend«, deren Geologie und Flora. Er besuchte von Alcamo aus den Tempel von Segesta. (*Italienische Reise*).

Alchemie. Die mystisch dunkle Vorstufe wissenschaftlicher Chemie in Verbindung mit Magie und Aberglauben galt seit altersher als die »königliche Kunst«, den »Stein der Weisen« zu gewinnen, d. h. das Elixier oder die letzte Quintessenz, den Urstoff, der alle unedlen Metalle zu Gold veredeln und, als Tinktur genossen, ewige Gesundheit gewähren sollte. Sie lebte unterschwellig bis in die Goethezeit fort, und G. versteht unter Alchemie alle experimentelle Chemie auf abergläubischer oder okkulter Grundlage. Von G.s theoretischer und praktischer Beschäftigung mit der Alchemie in der Frankfurter Krisenzeit 1768–70 und der Lektüre alchemistischer Werke von Paracelsus, Basilius Valentinus, Georg Welling,

Johann Baptist van Helmont, George Starkey und der *Aurea Catena Homeri* berichten die *Ephemerides* von 1770 und *Dichtung und Wahrheit* (II,8). Aus distanzierter Haltung gegenüber dem Mißbrauch entstand 1807 das Kapitel »Alchymisten« in der *Geschichte der Farbenlehre*, und eigene Erfahrungen finden z. T. Niederschlag in den alchemistischen Szenen des *Faust*: Vor dem Tor v. 1034–55, Hexenküche v. 2529–86, Homunculus v. 6819 ff. Terminologie und Elemente der Alchemie finden sich verstreut in den naturwissenschaftlichen Schriften. Auf theoretischer Ebene zeigen G.s Studien zur Morphologie, Metamorphose, Mineralogie und Analogie und seine Suche nach einer Ursubstanz wie der Urpflanze Verwandtschaft mit der Alchemie, ohne die theoretische Spekulation für eine spekulative Praxis zu mißbrauchen.

R. D. Gray, G. the alchemist, Cambridge 1952; G. F. Hartlaub, G. als Alchemist, Euph 48, 1954.

Aldobrandini, Pietro (1571–1621). Der den Künsten und Wissenschaften aufgeschlossene Neffe des Papstes Clemens VIII. und 1593 Kardinal ließ für seine anwachsenden Kunstsammlungen 1603 nach einem Entwurf von Giacomo della Porta die Villa Aldobrandini in Frascati bei Rom errichten. Goethe besuchte sie, derzeit im Besitz der Borghese, auf Einladung des Prinzen Paolo Aldobrandini-Borghese im September 1787 (*Italienische Reise*) und rühmte besonders die Fresken Domenichinos zu Ovids *Metamorphosen* im Apollo-Saal (*Maximen und Reflexionen* 232) sowie die Gärten (*Wilhelm Tischbeins Idyllen*). Von der Aldobrandinischen Gemäldesammlung, die nach Erlöschen des römischen Zweigs der Familie 1681 zumeist in den Besitz der Borghese gelangt war, sah G. den im Palazzo Borghese in Rom untergebrachten Teil, der später in Napoleonischer Zeit verstreut wurde, am 12. 8. 1787 in Gesellschaft von Angelica Kauffmann (*Italienische Reise* 18. 8. 1787). Das von ihm gerühmte »treffliche« Bild Leonardo da Vincis »Christus unter den Schriftgelehrten« wird heute Bernardino Luini zugeschrieben (National Gallery, London).

Aldobrandinische Hochzeit. Das nach dem ersten Besitzer, Kardinal Cintio Aldobrandini, benannte, 1605 auf dem Esquilin in Rom entdeckte Wandgemälde aus augusteischer Zeit (Rom, Musei Vaticani) befand sich zur Zeit von G.s Italienreise unzugänglich in Privatbesitz. Während der 3. Schweizer Reise erhielt er jedoch am 17. 10. 1797 in Stäfa eine Kopie von der Hand J. H. Meyers und nahm diese in seinem Gepäck mit nach Weimar. Eines der von G. am höchsten geschätzten Kunstwerke und vielfacher Gesprächsgegenstand (z. B. zu Eckermann 14. 10. 1823), hängt es seither im Junozimmer des Hauses am Frauenplan. Eine Beschreibung geben G.s Brief an Cotta vom 17. 10. 1797 (*Reise in die Schweiz 1797*), die *Geschichte der Farbenlehre*, die auch eine Studie Meyers über die Far-

ben des Bildes enthält, und indirekt auch *Wilhelm Meisters Lehrjahre*
(VIII,5) anläßlich eines Gemäldes, das im Saal der Vergangenheit
hängt. Das Bild selbst, das auch Rubens, van Dyck und Poussin anregte, fand in der Kunstgeschichte zahlreiche, z. T. sehr unterschiedliche Deutungen.

W. Handrick, Die A. H., Goethe 25, 1963; W. Keller, G.s Gedicht Der Bräutigam und
die A. H., GRM NF 18, 1968.

Alembert, Jean Le Rond d' (1717–1783). Den französischen
Philosophen, Mathematiker und Mitherausgeber der *Encyclopédie*
(1751–72) schätzte G. ganz allgemein als bedeutenden Schriftstel-
ler. Er verteidigte sein Streben nach umfassender Bildung über sein
Fachgebiet hinaus gegen französische Neider und den Charakter
d'Alemberts gegen die Verspottung in Charles Palissots Komödie
Les philosophes (1760) in Anmerkungen zu seiner Übersetzung von
Diderots *Rameaus Neffe*.

Alexander I., Kaiser (Zar) von Rußland (1777–1825). G. wurde
am 26. 9. 1808 dem Zaren vorgestellt, der sich am 25.–27. 9. 1808
in Weimar aufhielt und ihm bei erneuter Durchreise am
15. 10. 1808 den Annenorden verlieh. Er begegnete ihm wiederum
am 24. 10. 1813, als die Fürsten sich nach der Völkerschlacht von
Leipzig am 24.–30. 10. in Weimar aufhielten. Auf Ifflands Bitte vom
6. 5. 1814, dem Berliner Theater ein Festspiel für die Rückkehr
König Friedrich Wilhelms III. und des Zaren aus den Napoleonischen Kriegen zu schreiben, entwarf G. im Mai/Juni 1814 *Des Epimenides Erwachen,* das jedoch erst am 30. 3. 1815 uraufgeführt
wurde. Ein Porträt des Zaren von M. Gérard (1814) beschreibt G.
in *Über Kunst und Altertum* (V,3, 1826).

Alexandriner. Der steigend alternierende 12- bzw. (weiblich) 13-
silbige Vers mit feststehender Mittelzäsur [◡ — ◡ — ◡ — // ◡ — ◡
— ◡ — (◡)] der französischen Alexanderepik und klassische Vers der
französischen Tragödie herrschte auch in der deutschen Literatur
bis zu seiner Ablösung durch den Blankvers in der 2. Hälfte des 18.
Jahrhunderts. Er war G. besonders durch das französische Theater in
Frankfurt und durch seine Racine-Aufführung vertraut (*Dichtung
und Wahrheit* I,3) und fand neben verlorenen Jugenddichtungen bis
1770 Verwendung in der fragmentarischen Übersetzung von Corneilles *Der Lügner,* einzelnen Gedichten (*An den Kuchenbäcker
Händel*) und den Lustspielen *Die Laune des Verliebten* und *Die Mitschuldigen,* später parodiert im *Jahrmarktsfest zu Plundersweilern* und
schließlich würdevoll im *Faust II,* v. 10849–11042.

K. Bartsch, G. und der A., GJb 1, 1880.

Alexis, Willibald (eigentlich Georg Wilhelm Heinrich Häring,
1798–1871). Der Berliner Schriftsteller historischer Romane be-

suchte G. in Weimar am 13. 9. 1824 zu einem sehr formell-unverbindlichen Empfang, sodann auf der Rückreise von Paris am 12. 8. 1829 zu einem warmherzigen, teilnahmsvollen Gespräch im Gartenhaus.

L. Thomas, G. and W. A., PEGS 46, 1976.

Alexis und Dora. Die Elegie in Distichen, von G. im Untertitel Idylle genannt, entstand am 12.–14. 5. 1796 in Jena, wurde am 15. 6. 1796 an Schiller gesandt und bildet das Einleitungsgedicht zu dessen *Musenalmanach für das Jahr 1797*, den Xenien-Almanach, dann stark metrisch überarbeitet das Einleitungsgedicht des 2. Buches der Elegien in den *Neuen Schriften* (Bd. 7, 1800). Rein stoffliche Anregung bot vielleicht die Legende vom Hl. →Alexius, die G. auf der 2. Schweizer Reise kennenlernte, als eine Wirtin (in Fiesch/Wallis) ihn und Carl August am 11. 11. 1779 mit der ihnen vorher unbekannten Erzählung zu Tränen rührte und sie sie anschließend in Martin von Kochems Heiligenlegenden nachlasen (*Briefe aus der Schweiz*, 11. 11. 1779). Das Motiv des bewußten, willentlich/unwillentlichen Abschieds von einer Geliebten und erneuter Leidenschaft bei der Trennung, eine der Grunderfahrungen G.s, läßt sich jedoch nicht auf biographische Einzelheiten (Maddalena Riggi, Lili Schönemann) festlegen oder daraus erklären, wie frühere Deutungen es versuchten. Schon die Verlegung einer ursprünglichen Heiligenlegende in das Umfeld antiken Götterglaubens, das allgemeine mediterrane Lokalkolorit und der Name Dora (= Dorothea, Göttergeschenk) stilisieren das Geschehen ins Überpersönliche und Überzeitliche. Die Elegie ist bis auf die vier Schlußverse ein objektivierter Rollenmonolog aus der erregten Seele des Alexis, dessen Liebe erst im prägnanten Augenblick des Abschieds vor der Seefahrt zum Durchbruch und Bewußtsein gelangt und der seinen augenblicklichen Abschiedsschmerz mit idyllischen Bildern der Liebe aus der Erinnerung zu überdecken versucht und in diesem Zustand des Sich-selbst-Überlassenseins auf dem Meer und der leidenschaftlich bewegten Selbsterfahrung auch zwischen Glück und Sorge, Wonne und Schmerz, zwischen Hoffnung auf ein Wiedersehen und Eifersucht auf einen Rivalen schwankt. Schillers und G.s Briefwechsel über das Gedicht (18. 6.–7. 7. 1796) ist aufschlußreich für die explizite Rationalität Schillers und G.s Berufung auf Natur, Leidenschaft und naiven Instinkt. Die Elegie, schon vor dem Erstdruck handschriftlich verbreitet, fand allgemein starken Beifall (Schiller, F. Schlegel, W. v. Humboldt, Wieland, J. H. Meyer, Gleim, Körner). G. zeigte eine spezielle Vorliebe für sie.

J. Kassewitz, Darlegung der dichterischen Technik und literarhistorischen Stellung von G.s Elegie A. u. D., 1893; D. Jacoby, Zu A. u. D. von G., Euph 2, 1895; W. Richter, A. u. D., JGG 5, 1918; F. Schallehn, Ursprung und Entstehung der Elegie A. u. D., JGG 16, 1930; F. P. Pickering, Der zierlichen Bilder Verknüpfung, Euph 52, 1958; A. Schöne, Götterzeichen, Liebeszauber, Satanskult, 1982; R. C. Ockenden, G's A. u. D., OGS 15, 1984; D. Borchmeyer, A. u. D., in: G.s Erzählwerk, hg. P. M. Lützeler 1985; D. Borchmeyer, Des Rätsels Lösung in G.s A. u. D., in: Bausteine zu einem neuen G., hg.

P.Chiarini 1987; R.Blaß, Subjektivität und Goldenes Alter, GJb 108, 1991; I.Tanaka, Das nicht gelöste Rätsel, GJb Tokyo 35, 1993; R.Hillenbrand, Die Geburt der Idylle aus dem Geist der Elegie, Seminar 31, 1995.

Alexius, Alexis, christlicher Heiliger. Nach der im 5. Jahrhundert in Syrien entstandenen Legende, die zuerst griechisch und im Mittelalter in den Volkssprachen Gestaltung fand (altfranzösisches *Alexiuslied*, Konrad von Würzburg u. a.), war Alexius ein vornehmer Römer, der nach dem Wunsch seiner reichen Eltern eine schöne Jungfrau heiratet, aber gleich nach der Trauung und vor der Hochzeitsnacht zu Schiff ins Heilige Land fährt, weil seine Liebe Gott gilt. Dort führt er 17 Jahre lang in Edessa ein Gott wohlgefälliges Leben in freiwilliger Armut, kehrt nach wechselhaften Schicksalen als Bettler unerkannt zurück und findet weitere 17 Jahre Obdach unter der Treppe seines Elternhauses. An die Legende, die G. auf der 2. Schweizer Reise erzählen hörte, lehnt sich seine Elegie →*Alexis und Dora* an.

Alfieri, Vittorio Graf (1749–1803). Werke des klassizistischen italienischen Tragödiendichters waren G. seit 1793 bekannt (an F.H. Jacobi 1.2.1793), am 20.–24.1.1800 beschäftigte er sich wieder mit ihm, und am 2./3.5.1809 las er seine Selbstbiographie. In *Über Kunst und Altertum* (III,1: *Indicazione …*) bekennt G. 1821, er habe sich »genugsam an ihm herumgequält« und spielt damit auf Knebels Übersetzung von Alfieris *Saul* an, an der G. in Sommer und Herbst 1809 Anteil nahm und die er mit viel Mühe 1809 und wiederholt 1811 auf die Weimarer Bühne brachte. G. beanstandet Alfieris Trockenheit, seinen Lakonismus, die geringe Figurenzahl und das Fehlen von Vertrautenrollen in seinen Stücken, die daher zu langen Monologen neigen – so auch in *Wilhelm Meisters Wanderjahre* (III,3). »Er ist merkwürdiger als genießbar« (an Zelter 3.12.1812).

H. Rüdiger, Die Kritik der Romantiker und G.s an den Tragödien A.s, in ders., G. und Europa, 1990.

Alfons II. d'Este, Herzog von Ferrara (1533–1597). Der eitle Sohn Ercoles II. (Herkules' II.) und seiner Gattin Renata, der Tochter Ludwigs XII. von Frankreich, Bruder von Leonore d'Este und Lucretia d'Este, die unglücklich mit dem Erbprinzen von Urbino verheiratet war, setzte als Gönner von Torquato →Tasso das traditionelle Mäzenatentum seines Hauses fort. Figur in G.s →*Torquato Tasso.*

Alkestis (Alceste). Die Tochter des Pelias und Gattin des Königs Admet(os) opferte sich nach der griechischen Sage stellvertretend für ihren Gatten, dem die Moiren das Leben schenken wollten, falls jemand für ihn in den Tod ginge. Der genesene Admet verzehrte sich in Sehnsucht nach seiner Gattin, bis sein Gastfreund Herakles sie dem Hades abrang und zurückbrachte. Auf den u. a. von Euripi-

des und in Wielands Singspiel *Alceste* behandelten Stoff spielt G.s
Achilleis v. 242 und 545 an. Sie wird zur dramatischen Figur und
Kritikerin Wielands in G.s Farce *Götter, Helden und Wieland.*

Allegorie und Symbol. Für die Ästhetik des 18. Jahrhunderts,
u. a. J. G. Sulzers *Allgemeine Theorie der schönen Künste* (1771–74), ist
Allegorie jeder bildliche Ausdruck, der eine abstrakte Vorstellung als
sinnlich anschauliches Bild darstellt. Erst G. unterscheidet im Anschluß an Kant deutlicher als seine Zeitgenossen Allegorie und
Symbol je nach ihrer intellektuellen oder intuitiven Entstehungs-
weise und ihrem Verhältnis des Besonderen zum Allgemeinen und
bricht allmählich dem Symbolbegriff als dem höheren, irrationalen,
unwillkürlichen und eigentlich poetischen gegenüber der nur
äußerlichen Verknüpfung der Allegorie positive Bahn. Die klassischen Begriffsbestimmungen finden sich in G.s *Maximen und Reflexionen*: »Die Allegorie verwandelt die Erscheinung in einen Begriff,
den Begriff in ein Bild, doch so, daß der Begriff im Bilde immer
noch begrenzt und vollständig zu halten und an demselben auszusprechen sei.« (1112) »Die Symbolik verwandelt
die Erscheinung in Idee, die Idee in ein Bild, und so, daß die Idee
im Bild immer unendlich wirksam und unerreichbar bleibt und,
selbst in allen Sprachen ausgesprochen, doch unaussprechlich
bliebe.« (1113) »Es ist ein großer Unterschied, ob der Dichter zum
Allgemeinen das Besondere sucht oder im Besondern das Allgemeine schaut. Aus jener entsteht Allegorie, wo das Besondere nur
als Beispiel, als Exempel des Allgemeinen gilt; die letztere aber ist
eigentlich die Natur der Poesie, sie spricht ein Besonderes aus, ohne
ans Allgemeine zu denken oder darauf hinzuweisen. Wer nun dieses Besondere lebendig faßt, erhält zugleich das Allgemeine mit,
ohne es gewahr zu werden, oder erst spät.« (279) In einer Betrachtung über *Kunstgegenstände* (*Über Kunst und Altertum* II,3, 1820)
heißt es anläßlich der Monatsbilder Paul Brils: »Wie weit steht nicht
dagegen Allegorie zurück; sie ist vielleicht geistreich witzig, aber
doch meist rhetorisch und konventionell und immer besser, je
mehr sie sich demjenigen nähert, was wir Symbol nennen.« Trotz
solcher Werturteile negiert G. weder Bedeutung noch Beliebtheit
der Allegorie in Kunst und Dichtung seit der Renaissance und
greift selbst im *Faust* und in Festspielen auf Allegorien zurück, die
er auch in *Was wir bringen* (Lauchstädt 1802, 17. Auftritt) scherzhaft
umspielt.

M. Schlesinger, Schiller und G. in ihrer Stellung zum Symbolbegriff, GJb 30, 1909;
J. Rouge, G. et la notion du symbole, in: G., Paris 1932; X. Torau-Bayle, Le symbolisme
du second Faust, Paris 1933; C. R. Müller, Die geschichtlichen Voraussetzungen des
Symbolbegriffs in G.s Kunstanschauung, 1937 u. ö.; C. R. Müller, Der Symbolbegriff
in G.s Kunstanschauung, Goethe 8, 1943; W. Emrich, Die Symbolik von Faust II, 1943
u. ö.; A. Bangert, G.s Natursymbolik, Diss. Freiburg 1948; E. A. Meyer, Politische Symbolik bei G., 1949; W. Emrich, Das Problem der Symbolinterpretation im Hinblick
auf G.s Wanderjahre, DVJ 26, 1952, auch in ders., Protest und Verheißung, 1960;
W. Emrich, Symbolinterpretation und Mythenforschung, Euph 47, 1953, auch in ders.,

Protest und Verheißung, 1960; M. Marache, Le symbole dans la pensée et l'oeuvre de G., Paris 1960; D. Starr, Über den Begriff des Symbols in der deutschen Klassik und Romantik, 1964; M. Jurgensen, Symbol als Idee, 1968; B. A. Sørensen, Altersstil und Symboltheorie, GJb 94, 1977; Formen und Funktionen der A., hg. W. Haug 1979; W. Binder, Das offenbare Geheimnis, in: Welt der Symbole, hg. G. Benedetti 1988; S. H. Krueger, Allegory and symbol in the G.zeit, in: The age of G. today, hg. G. B. Pickar 1990; B. Fischer, Kunstautonomie und Ende der Ikonographie, DVJ 64, 1990; K. Vogel, Das Symbolische bei G., 1997.

Allegri, Gregorio (1582–1652). G. hörte das seinerzeit berühmte neunstimmige *Miserere* (1638) des römischen Komponisten, das bis 1870 in der Karfreitagsliturgie in der Sixtinischen Kapelle von Kastraten gesungen wurde, zuerst in der Karwoche 1788 in einem Saal in Rom und am Karfreitag in der Sixtinischen Kapelle und erlag wie viele andere der durch Lokal, Stimmung und Autosuggestion bestimmten Verzauberung des »unglaublich simplen Kunstwerks« (*Italienische Reise* 14. und 22. 3. 1788).

Allerdings. Das »heitere Reimstück« entstand wohl im Mai 1820 und erschien mit einem erklärenden Vorspruch (»Freundlicher Zuruf«) in den Heften *Zur Morphologie* I,3 (1820). Es widerspricht den in Anführungszeichen gesetzten, im 18. Jahrhundert oft angeführten Zitaten aus A. von Hallers Alexandriner-Lehrgedicht *Die Falschheit menschlicher Tugenden* (1730, v. 289 f.) und ihrer Meinung, der Mensch sehe nur die äußere Schale, nicht das Innere der Natur, mit der Auffassung, Kern und Schale, Außen und Innen seien in der Natur untrennbar, in der äußeren Gestalt werde das innere Wesen der Natur sichtbar. Die proklamierte Unerforschbarkeit der Natur ist für G. Philisterweisheit. Der Gedanke wird fortgeführt im Gedicht *Ultimatum* in den *Zahmen Xenien*.

Alles gaben Götter ... Das überschriftlose Vierzeiler-Gedicht aus einem Brief an die ihm nur brieflich bekannte Gräfin Auguste zu Stolberg vom 17. 7. 1777 wurde erstmals in einem Aufsatz von F. L. Graf zu Stolberg im *Deutschen Museum* von 1780 gedruckt, und zwar mit der falschen Lesart »Alles geben die Götter ...«. Es wird im Brief als spontanes Lied in einer herrlichen Mondnacht und damit als poetisches Nebenprodukt ausgegeben. Es gilt jedoch zu bedenken, daß G. einen Monat zuvor, am 16. 6. (»dunkler, zerrissner Tag«), die Nachricht vom Tod seiner geliebten Schwester Cornelia erreichte, den der Brief auch ganz beiläufig und emotionsfrei erwähnt: Das tiefe Gefühl vertraut G. nur der Lyrik an, die das Unsagbare in stimmungshaft knappe Verse bannt. Das dichte, kleine Meisterwerk wurde häufig vertont.

D. Lüders, A. g. d. G., GRM 18, 1968.

Allesina, Johann Maria. Der aus Piemont gebürtige, vermögende Frankfurter Seidenhändler heiratete dort 1724 Franziska Klara Brentano. G. war am 30. 5. 1774 Gast zu deren Goldener Hochzeit in Sindlingen bei Hoechst und erhielt die zu diesem Anlaß geprägte Medaille. Beider älteste Tochter Pauline Maria heiratete Franz Maria Schweitzer (eigentlich Suaicara aus Verona), der sich seither, um den Namen nicht aussterben zu lassen, Allesina-Schweitzer nannte und, geadelt, Haupt der italienischen Kolonie Frankfurts wurde. G. verkehrte häufig in ihrem gastfreien Haus; er erinnert sich ihrer in *Dichtung und Wahrheit* (III,13) und in der *Italienischen Reise* (14. 9. 1786) anläßlich seiner Verhaftung in Malcesine.

S. Scheibe, Die goldene Hochzeit des Ehepaares A., GJb 105, 1988.

Allgemeine Deutsche Bibliothek. Die von F. Nicolai 1765 begründete und geleitete, 1793–1806 als *Neue Allgemeine Deutsche Bibliothek* erscheinende Zeitschrift mit einer Durchschnittsauflage von 1500 Exemplaren war das führende kritische Organ der protestantischen Berliner Aufklärung, an dem u. a. Nicolai, Heyne, Mendelssohn, Kästner, aber auch Herder und Merck mitarbeiteten. Sie gab ein umfassendes Bild der derzeitigen deutschen Geisteskultur und nahm im Sinne von Toleranz und Geistesfreiheit gegen Pietismus, Dogmatismus, Glaubens- und Gewissenszwang, später aber auch gegen den Sturm und Drang und den Irrationalismus Stellung und überlebte damit schließlich sich selbst. G. verfolgte sie genau, benutzte sie als Quelle für *Dichtung und Wahrheit*, zitiert sie dort ausführlich (II,9) und gedenkt ihrer wiederholt, bemerkt aber auch ihre zunehmende Antiquiertheit (ebd. II,7) und verspottet sie später als veraltet (*Xenien* 254: *A.D.B.*) und als »die alte Mühle« (Walpurgisnacht, *Faust* v. 4155).

G. Ost, F. Nicolais A.D.B., 1928; U. Schneider, F. Nicolais A. D. B., 1995.

Allgemeine Literatur-Zeitung. Das führende bibliographisch-kritische Rezensionsorgan für deutsche und wichtigere außerdeutsche Neuerscheinungen der klassisch-romantischen Zeit wurde als Fortsetzung der *Jenaischen gelehrten Zeitungen* 1785 in Jena unter Mitwirkung F. J. Bertuchs von Chr. G. Schütz und G. Hufeland gegründet und erwies sich mit einer Auflage von 2000 Exemplaren als großer Erfolg. Das Niveau stieg nach 1790 durch Beschränkung auf reine Wissenschaft und Gewinnung führender Gelehrter weiter an. Nach Weggang mehrerer Mitarbeiter von Jena verlegte Schütz die Zeitung 1804 nach Halle und damit Preußen. G. erkannte die Bedeutung der Zeitschrift für die Universität Jena und gründete 1804 mit dem Jenaer Professor H. K. A. Eichstädt als Redakteur die *Jenaische Allgemeine Literaturzeitung* in gleicher Ausstattung mit Kant, Schiller, W. v. Humboldt, A. W. Schlegel, Schelling u. a. als Mitarbeitern (*Tag- und Jahreshefte* 1803). Er behielt sich die Gesamtleitung und Begutachtung der Rezensionen vor und steuerte selbst Rezensionen über Voß' *Lyrische Gedichte* (16./17. 4. 1804), Hebels *Alemannische Gedichte* (13./14. 2. 1805), Arnims und Brentanos *Des Knaben Wunderhorn* (21./22. 1. 1806) u. a. bei. Auch die Weimarer

Preisaufgaben wurden dort veröffentlicht. Die *Jenaische Allgemeine Literaturzeitung* lebte 1842–48 als *Neue Literatur-Zeitung* fort.

G. v. Loeper, Über G.s Anteil an der Jenaischen A.L.Z. 1806 und 1807, GJb 3, 1882; W. Schönfuß, Das erste Jahrzehnt der A.L.Z., Diss. Leipzig 1914; E. Naumann, Die A.L.Z. und ihre Stellung zur Literatur in den Jahren 1804–32, Diss. Halle 1935; O. Fambach, Ein G.sches Zeitungsunternehmen, Euph 56, 1962; O. Fambach, Zur Jenaischen A.L.Z., DVJ 68, 1964; I. Schmid, Die Gründung der Jenaischen A.L.Z., Impulse 10, 1987.

All-Leben. Das Gedicht aus dem *West-östlichen Divan* entstand am 29. 7. 1814 nachts auf dem Weg von Frankfurt nach Wiesbaden bei Hitze und Gewitterschwüle. Es greift das Motiv des Staubs in den Liedern des Hafis auf, erinnert an Trockenheit und Staub, wie sie G. in Italien erlebte, und schließt mit dem symbolischen Bild, wie selbst aus dem verachteten Staub mithilfe des Gewitterregens neues Leben keimt und grünt.

Allstedt. Das Landstädtchen, einstige Kaiserpfalz, im weimarischen Verwaltungsbezirk Apolda und das nahe gelegene Dorf →Kalbsrieth, Stammsitz der Familie von Kalb, besuchte G. vor der Italienreise wiederholt zur Jagd, zur Rekrutenaushebung, zur Besichtigung des Gestüts oder als Station auf der Durchreise, wie Bitten um Post nach Allstedt und zahlreiche von hier datierte Briefe an Ch. von Stein belegen.

Almanache →Musenalmanache

Alpen. Es darf doch wohl in aller Objektivität festgestellt werden, daß die Alpen – er nennt sie oft das Tiroler Gebirge – für G. trotz zweimaliger Überquerung bei der italienischen Reise und trotz dreier Schweizer Reisen praktisch literarisch nicht stattfinden, d. h. im Gegensatz zu Haller, Geßner und selbst Schiller in seiner Dichtung kaum Niederschlag gefunden haben und die unübersehbare, unerforschte, gefürchtete terra incognita bleiben, so daß man den »schnellen Übergang über die Alpen« (*Geschichte meiner botanischen Studien*) durchaus als ein Positivum verbuchen mag. Trotz großer Worte von der »unvergleichlichen Landschaft« (zu Eckermann 6. 5. 1827) und »Nun ging mir eine neue Welt auf« (*Italienische Reise* 7. 9. 1786) bleibt das Alpenerlebnis aus noch zu untersuchenden Gründen merkwürdigerweise literarisch wie gefühlsmäßig recht unfruchtbar. Es erreicht seinen Höhepunkt in dem lebhaften Bericht von der Überquerung des →Furkapasses in den *Briefen aus der Schweiz 1779.* Der Plan, in diese »reizende, herrliche und großartige Natur« (alle Adjektive für die Alpen bleiben vage) ein Hexameterepos um Wilhelm Tell anzusiedeln (*Tag- und Jahreshefte* 1804 und 1806; zu Eckermann 6. 5. 1827), blieb unausgeführt, die Landschaftsbeschreibungen Schiller überlassend. Das Gedicht *Euphrosyne* (Ende September 1797 wohl am Zürichsee konzipiert) und *Wilhelm Meisters Wanderjahre* I,1 haben die Alpen zum Hintergrund, und ebd. II,7 werden Alpengemälde beschrieben. Nur für die Terzinen zu Anfang des *Faust II* (v. 4679–4727) räumt G. den Einfluß der Alpenlandschaft ein (zu Eckermann 6. 5. 1827). Und es scheint auch, als hätten G.s geologische und mineralogische Interessen und die am Harz und im Thüringer Gebirge begonnenen geologischen Studien an diesem zeitraubenden und unübersehbar großen Gebiet außer einem erwachenden Interesse an vergleichenden Landschaftsstudien nur unzusammenhängende Einzelbeobachtungen erbracht.

J. Hartmann, G. und die A., Zeitschrift des deutschen und österreichischen Alpenvereins 39, 1908; R. Weiss, Das A.erlebnis in der deutschen Literatur des 18. Jahrhunderts, 1933; H. Wolff, G.s Kenntnisse der A., Sudhoffs Archiv 70, 1986; L. Fehrle-Burger, 1786. Mit G. über die A., 1986; P. Raymond, Von der Landschaft im Kopf zur Landschaft aus Sprache, 1993.

Altdorf. G. besuchte den Hauptort des Schweizer Kantons Uri und Schauplatz von Tells Apfelschuß auf allen drei Schweizer Reisen jeweils auf dem Wege zum und/oder vom St. Gotthard: am 19./20. 6. 1775 und wenige Tage darauf, am 15. 11. 1779 sowie am 30. 9./ 1. 10. und 5./6. 10. 1797 mit Übernachtung im »Schwarzen Löwen« (*Reise in die Schweiz 1797*) und faßte hier den Plan eines Hexameterepos über Wilhelm Tell (*Tag- und Jahreshefte* 1804 und 1806).

Altenberg. G. besuchte die durch Zinnbergwerke bekannte Stadt im sächsischen Erzgebirge im Zuge einer den Zinnvorkommen gewidmeten Besichtigungsfahrt von Teplitz aus am 10. 7. 1813 und berichtete darüber in *Reise nach Zinnwalde und Altenberg* (1813).

Alton, Eduard Joseph Wilhelm d' (1772–1840). Der vielseitig gebildete und weitgereiste Anatom, Archäologe, Kupferstecher, Kunstkenner und -sammler lebte 1808–10 als herzoglicher Pferdezüchter im Park von Tiefurt, ging dann nach Würzburg und 1818 als a. o. (1826 o.) Professor für Archäologie nach Bonn. Mit G. verbanden ihn eine Vielzahl gleicher Interessen und verwandte Anschauungen über Kunsttheorie, Entwicklungsgeschichte und Naturwissenschaft, so die Auffassung vom Genie als potenzierter Natur und vom Kunstwerk als organischem Ausdruck einer in der Ausführung nur weiter entwickelten Idee. Nach anfänglichen, von G. geschätzten Kontakten und geistvollen Gesprächen in Weimar ergaben sich seit 1820 neue Anknüpfungspunkte auf dem Gebiet der Osteologie, Morphologie und Naturphilosophie, die zum gegenseitigen Austausch von Schriften und zu Besuchen d'Altons in Weimar (11. 4., 16. 4., 11. 5. 1825; 9. 6. 1826; 26. 7. 1830) führten. G. besprach das von ihm häufig selbst benutzte und zitierte Tafelwerk d'Altons *Vergleichende Osteologie* (*Zur Morphologie* I,4,1822 und II,2,1824), holte oft das Urteil des Kenners ein und besaß eine Gipsbüste d'Altons.

K. T. Gaedertz, Bei G. zu Gaste, 1900.

Amadis. G. erwähnt den phantasievollen spanischen Ritterroman des 16. Jahrhunderts (zuerst 1508), der in zahllosen Folgen, Varianten und Nachahmungen in ganz Europa ritterliche Tugend- und Tapferkeitsideale des Mittelalters und höfische Galanterie verschmilzt, schon in einem Brief an Cornelia vom 27. 9. 1766, las ihn aber erst im Januar 1805 in der Bearbeitung des Grafen L. E. de Tressan *Amadis des Gaules* (1779) und bedauerte, »ein so vorzügliches Werk« bisher nur »aus dem Munde der Parodisten gekannt zu haben« (an Schiller 14. 1. 1805). Zu ihnen rechnet auch Wielands Satire *Der neue Amadis* (1771), dem G. sein Gedicht *Der neue Amadis* (1771, 1774?) zur Seite stellte, das humorvoll und mehr an französischen Feenmärchen orientiert das Dahinschwinden jugendlicher Phantasieträume bedauert und damit einer nostalgischen Stimmung entspricht, die auch ein Brief an Salzmann vom 19. 6. 1771 ähnlich beschreibt.

S. J. Barber, G. and the A. von Gallien, Daphnis 13, 1984.

Amazonen. Bei der Vorstellung von den sagenhaften Amazonen, die sich nach der griechischen Überlieferung zwecks besserer Handhabung des Bogens eine Brust wegschneiden ließen und sich zu einem männerfeindlichen Weiberstaat verbanden, war dem Augenmenschen G. schon angesichts dieses visuellen Bildes offensichtlich nicht ganz wohl, da sie »jenen reinlichen Reiz, den Schmuck der Weiber, entbehren« (*Achilleis* v. 343). In Kleists *Penthesilea* grenzt für G. die Argumentation über die Konzentrierung der Gefühle auf die eine Brust »völlig an das Hochkomische« (zu J. D. Falk 1809). Bei der Besprechung des griechischen Amazonenfrieses vom Apollotempel in Bassai-Phigalia (*Relief von Phigalia*, 1818 und an J. H. Meyer 26. 3. 1818) dagegen findet die vollbrüstige Darstellung der Amazonen G.s ästhetische Rechtfertigung. In die Dichtung dringen Anspielungen auf die Amazonen bemerkenswert spät und im abstrakt-konventionellen Sinn von Mannweibern ein: *Egmont* (III,2) vergleicht Margarete von Parma einer Amazone, *Iphigenie* (v. 777) wird für eine Amazone gehalten und vergleicht sich einer solchen (v. 1910), und auch Eugenie wird mit einer Amazone verglichen (*Die natürliche Tochter* v. 127). Wenn schließlich Natalie in *Wilhelm Meisters Lehrjahren* (IV,6–VIII,2 und VIII,7) fast stereotyp als »die schöne Amazone« u. ä. bezeichnet wird, solange Wilhelm ihren Namen nicht kennt, so bezieht sich diese Bezeichnung zunächst durchaus auf ihr erstes Auftreten als Reiterin und gewinnt erst später z. T. androgynen, aber nunmehr positiven Beiklang. Eine Amazonenschlacht stellen die Künstler in *Wilhelm Meisters Wanderjahre* (II,8) dar, und im Märchen *Der neue Paris* (*Dichtung und Wahrheit* I,2) spielen die Kinder eine solche mit Figuren. Parallelen der böhmischen Libussa-Sage mit den Amazonen bemerkt G. zu Eckermann (6. und 10. 4. 1829).

W. Larrett, Wilhelm Meister and the A.s, PEGS 39, 1969; H.-J. Schings, Wilhelm Meisters schöne A., SchillerJb 29, 1985.

Ambras. G. besichtigte die Kunstsammlungen der Habsburger im Schloß Ambras bei Innsbruck auf der Venedigreise am 22. 3. 1790 und bemerkte besonders eine Handschrift von Wolframs von Eschenbach *Willehalm* von 1387. Sein Vortrag *Über die verschiedenen Zweige der hiesigen Tätigkeit* stellt die Sammlung, mit der er sich auch am 10. 3. 1820 anläßlich des Katalogs von A. Primisser (1819) befaßte, als vorbildlich und nachahmenswert hin.

Ameisen. Wenn G. in der Klassischen Walpurgisnacht (*Faust* v. 7104 ff., 7187, 7586 ff.) Ameisen »von der kolossalen Art« einführt, die Gold sammeln und im Berg verstecken, so sind diese Wesen ebensowenig Resultate seiner zoologischen Studien wie die Arimaspen, die ihnen angeblich das Gold entführen. Vielmehr gehen sie auf Herodot (*Historien* III,102) zurück, der über Ameisen, »kleiner als Hunde, aber größer als Füchse«, in Indien berichtet, die beim Bau ihrer unterirdischen Wohnungen goldhaltigen Sand auswürfen – eine alte indische Goldgräbersage. Die Arimaspen sind nach derselben Quelle (III,116; IV,13 und 27) ein einäugiges skythisches Reitervolk, das den Greifen ihr Gold raubt. In beiden mythischen Rassen verkörpern sich Raffgier und Habsucht, die vermutlich nicht auf Insekten beschränkt sind. Eine kleinere, aggressivere Ameisenart beschreibt auch *Die neue Melusine* (*Wilhelm Meisters Wanderjahre* III,6).

K. Reinhardt, Die klassische Walpurgisnacht, in ders., Tradition und Geist, 1960.

Amerika. Wenn in G.s stark europazentrisch-mediterranem Weltbild Amerika – und das heißt zumeist Nordamerika – nur eine periphere Rolle bei besonderen Anlässen spielt, so weicht es darin kaum von dem seiner Zeitgenossen ab. Der amerikanische Unabhängigkeitskrieg und die Amerika-Auswanderung gehören für ihn zur erlebten Zeitgeschichte (*Dichtung und Wahrheit* IV,17), die gelegentlich gestreift wird. Das oft zitierte Gedicht *Amerika, du hast es besser* (Juni 1827) jedoch verdankt seine Entstehung nicht einem unqualifizierten Zukunftsoptimismus, sondern der Beschäftigung mit der Geologie und Mineralogie der USA anläßlich des Werkes von P. Cleaveland *An elementary treatise on mineralogy and geology* (1816; vgl. Tagebuch 16.–18. 6. 1818), das den lang anhaltenden Streit der Neptunisten und Vulkanisten über die Herkunft des →Basalt für Amerika mangels Vorkommens als überflüssig erweist (vgl. *Eines verjährten Neptunisten Schlußbekenntnis*, 18. 9. 1819). Allgemeines Interesse für Amerika in den 1820er Jahren, gefördert durch die Amerikareise Herzog Bernhards von Weimar (1825), zeigt das Logengedicht auf dessen Rückkehr (»Das Segel steigt …«, 1826) und belegt die Lektüre von Amerika-Literatur, besonders von A. v. Humboldts Reiseberichten (Mai 1821, Februar 1827) und des Auswanderungsberichts von H. L. Gall (*Meine Auswanderung*, 1822), den G. in *Über Kunst und Altertum* VI,1 (1827) bespricht. Besucher aus Amerika vermerken oft erstaunt G.s Kenntnisse ihrer Heimat, so u. a. der Harvarder Geologe J. G. Cogswell (27. 3. 1817, 10. 5. und 17. 8. 1819), der Historiker und Politiker G. Bancroft (12. 10. 1819 und 7. 3. 1821), der Schriftsteller G. H. Calvert (27. 3. 1825) und J. B. Harrison (25. 3. 1830), durch die persönliche Kontakte zu den Vereinigten Staaten entstehen. Auch über das →Panamakanal-Projekt äußert sich G. ausführlich (zu Eckermann 21. 2. 1827), und der Harvard University stiftet er eine Sendung seiner Schriften (11. 8. 1819). Im literarischen Sinne wird thematisch wird Amerika allerdings nur im *Wilhelm Meister:* Lotharios Amerika-Aufenthalt (*Wilhelm Meisters Lehrjahre* IV,16) und Jarnos Auswanderungsplan (ebd. VII,3 und VIII,7) sowie schließlich die Auswanderung von Wilhelm und Natalie, Jarno und Lydia, Friedrich und Philine (*Wilhelm Meisters Wanderjahre* I,7 u. ö.), in der G.s Amerikabild kulminiert, allerdings ein wenig anders als die jugendliche Idee einer eigenen Auswanderung nach Amerika mit Lili Schönemann vom Jahr 1775, von der *Dichtung und Wahrheit* (IV,19) und Soret (5. 3. 1830) berichten.

H. S. White, G. und A., GJb 5,1884; W. Wadepuhl, A., du hast es besser, GR 7, 1932; W. Wadepuhl, G's interest in the New World, 1934; E. Beutler, Von der Ilm zum Susquehanna, GKal 28, 1935, auch in ders., Essays um G. I, 1941 u. ö.; A. Hellersberg-Wendriner, A. in the world view of the aged G., GR 14, 1939; J. Mühlberger, G. und A., Welt und Wort 4, 1949; C. F. Melz, G. and A., English Journal 38, 1949; J. Urzidil, Das Glück der Gegenwart, 1958; V. Lange, G.s A.bild, in: Amerika in der deutschen Literatur, hg. S. Bauschinger 1975; W. Baumann, G. und A., Akten des 5. Internationalen Germanisten-Kongresses 3, 1976; H. Jantz, A. and the younger G., MLN 97, 1982; P. Boerner, A., du hast es besser?, in: Germanistik aus interkultureller Perspektive, Festschrift G.-L. Fink, 1989; W. Kriegleder, Wilhelm Meisters A., JbWGV 95, 1991.

Amine. Das verlorene Jugendwerk G.s aus der Frankfurter Zeit vor Oktober 1765 war ein Schäferspiel von vermutlich nur wenigen Szenen im französischen Stil und Vorläufer der *Laune des Verliebten,* die mit dem Mädchennamen vielleicht auch einige Züge übernahm. G. ließ das Manuskript bei der Abreise nach Leipzig bei seiner Schwester Cornelia zurück. Auf die Nachricht von einer Liebhaberaufführung des Stücks wegen dessen Unvollkommenheiten verärgert, erbat er 1767 die Verbrennung des Manuskripts (an Cornelia 15. 5. und 12. 10. 1767).

Amor. G.s Huldigungsgedicht an die Herzogin Louise von Weimar anläßlich ihres Geburtstags am 30. 1. 1782 läßt den Liebesgott selbst die Gefeierte grüßen und segnen. Dem feierlichen Anlaß entsprechend ist es jedoch nicht der leichtfertig verspielte, rokokohafte Cupido wie seine »falschen Brüder«, sondern ein zarter Mahner zu Treue und zeitlos »wahrem Glück«. Das Gedicht wird im *Pantomimischen Ballett* (sog. *Der Geist der Jugend*), das zu diesem Tag aufgeführt wurde, »auf Bänder gedruckt«, mit einem Geschenkkörbchen von Amor der Herzogin überreicht.

Amor als Landschaftsmaler. Das Gedicht, wohl im Herbst 1787 in Italien (Castel Gandolfo?) entstanden und am 22. 2. 1788 (Brief an Herder) erstmals erwähnt, erschien zuerst in den *Schriften* 1789.

Das Motiv von Amor als Maler, der dem Künstler hier erst die
Augen für die Schönheit einer Landschaft eröffnet und nicht nur
diese, sondern auch eine weibliche Schönheit in die Landschaft
malt, erscheint auch in italienischer Lyrik (Giovanni Gherardo de'
Rossi, *Amore Pittore*, in *Scherzi poetici et pittorici*, 1795, von August
Graf von Platen 1814 als *Der neue Maler* übersetzt). Den biographischen Hintergrund bieten G.s Versuche im Landschaftszeichnen in
den Albanerbergen im Oktober 1787 (*Italienische Reise* 5. 10. 1787
und Bericht Oktober 1787) und wohl auch die Begegnung mit der
»schönen Mailänderin« Maddalena Riggi in Castel Gandolfo (ebd.).
Doch steht das halb scherzhafte Gedicht des durch den Einbruch
der Liebe verwirrten Malers, eines der wenigen lyrischen Ergebnisse der Italienreise, durchaus auf eigenen Füßen. Indem es im
Sinne von Lessings *Laokoon* nicht ein Kunstwerk, sondern das Entstehen eines Kunstwerks poetisch beschreibt, verbindet es Kunst und
Dichtung, und indem die Figur aus dem Bilde heraustritt, darüber
hinaus Kunst und Leben: Die Liebe läßt nicht nur die Landschaft
anders sehen, sondern verlebendigt sie und beseelt ihre Figuren.

F. R. Schröder, G., A. a. L., in: Literatur und Geistesgeschichte, hg. R. Grimm 1968;
Th. Ziolkowski, Die Natur als Nachahmung der Kunst bei G., in: Wissen aus Erfahrungen, hg. A. v. Bormann 1976; H. Eilert, A. a. L., Bruckmanns Pantheon 51, 1993.

Amor und Psyche →Psyche

Amtliche Tätigkeit. Die Versuche Carl Augusts, G. durch Ämter
und Aufgaben im Staatsdienst dauernd mit Weimar zu verbinden,
stießen anfangs auf Widerstand der amtierenden Räte und Minister.
Auf lange Sicht hin bestätigte sich jedoch die Einschätzung G.s
durch Carl August, mit der dieser das empörte Entlassungsgesuch
des Ministers J. F. Freiherr von Fritsch am 10. 5. 1776 beantwortete:
»Einen Mann von Genie nicht an dem Orte gebrauchen, wo er
seine außerordentlichen Talente gebrauchen kann, heißt denselben
mißbrauchen.« Die auf dem persönlichen Verhältnis zum Herzog
und der Vertrauensbasis aufbauenden amtlichen Tätigkeiten und
Pflichten förderten durch G.s persönliche Kontakte mit seiner Umwelt seine Persönlichkeitsbildung, Selbstdisziplin und Reife zur Ver-
antwortlichkeit öffentlichen Handelns und hatten trotz gelegentlicher Klagen über nutzlose Ämter entschiedenen Anteil an der
Wandlung vom jugendlichen Stürmer und Dränger zum humanitären Klassiker.

Ein Curriculum von G.s wichtigsten amtlichen Stellungen, Obliegenheiten und Tätigkeiten würde etwa so aussehen:

11. 6. 1776   Geheimer Legationsrat mit Sitz und Stimme im Geheimen Consilium, der obersten Landesbehörde (bis Februar
1785 regelmäßige Teilnahme, dann nur bei besonderen Anlässen,
nominell bis zur Umwandlung in ein Staatsministerium am 1. 12.
1815)

25. 6. 1776   Amtseinführung und Vereidigung als Beamter

14. 11. 1777   Bergwerkskommission (bis rd. 1800)
5. 1. 1779   Leitung der Kriegskommission (ökonomische Verwaltung und Rekrutenaushebung; bis 1786)
19. 1. 1779   Leitung der Wegebaukommission (Inspektion des Straßenbaus; bis 1786)
5. 9. 1779   Titel Geheimer Rat im Ministerrang
29. 3.–18. 4. und 8.–18. 5. 1782   Diplomatische Missionen an thüringischen Höfen
11. 6. 1782   Präsidium der Kammer, d. h. Leiter der gesamten Finanzverwaltung einschließlich der Domänen und Forsten (1787 auf Wunsch entbunden, doch mit Recht auf Teilnahme im Sitz des Herzogs)
29. 8. 1783   Bergwerkskommission, mit Chr. G. von Voigt
6. 7. 1784–1805   Ilmenauer Steuerkommission (nominell bis 1818)
18. 6. 1788   nach der Italienreise auf Wunsch Entlastung von vielen früheren Ämtern
1788   Mit-Oberaufsicht des Freien Zeichen-Instituts in Weimar (ab 1797 alleinige Oberaufsicht)
23. 3. 1789–1. 8. 1803   Schloßbaukommission zum Wiederaufbau des abgebrannten Weimarer Schlosses
21. 10. 1790   Leitung der Wasserbaukommission (bis zu deren Auflösung am 1. 9. 1803)
17. 1. 1791   Oberaufsicht und Leitung des Weimarer Hoftheaters und des Theaters in Bad Lauchstädt (Rücktritt 13. 4. 1817)
20. 2. 1794   Verwaltung der Botanischen Anstalt in Jena, mit Voigt
9. 12. 1797   Leitung der herzoglichen Bibliotheken in Weimar und Jena und des Münzkabinetts, mit Voigt
1.–7. 3. 1798   Ordnung der Naturaliensammlung im Weimarer Schloß
11. 11. 1803   Oberaufsicht über die Museen in Jena (mineralogische, anatomische, zoologische, physikalisch-chemische Sammlungen, mit Voigt)
13. 9. 1804   Wirklicher Geheimer Rat mit dem Prädikat Exzellenz
1809   Zentrale Verwaltung der künstlerischen und wissenschaftlichen Institute des Landes, mit Voigt (Bibliotheken, Kunstsammlungen, Kunstschulen, Sternwarte, botanische Gärten u. a.), 1815 umbenannt in: →Oberaufsicht über die unmittelbaren Anstalten für Wissenschaft und Kunst in Weimar und Jena, mit Voigt
21. 4. 1812   Oberaufsicht über die Sternwarte in Jena
12. 12. 1815   Ernennung zum Staatsminister
1816   Oberaufsicht über die Tierarzneischule in Jena
1817   Errichtung eines botanischen Museums in Jena
7. 10. 1817   Oberleitung beim Umbau und der Reorganisation der Universitätsbibliothek Jena
7. 11. 1825   Goldenes Dienstjubiläum.

G.s Gehalt für diese Tätigkeit betrug 1776: 1200 Reichstaler jährlich, 1781: 1400, 1785: 1600, 1788: 1800, 1798: 1900, 1810: 2000 und 1816: 3100 Reichstaler.

G. nahm seine Aufgabe, Leistung und Wirkung als Beamter sehr ernst und wies auch im hohen Alter den Vorwurf der Zeitverschwendung auf Politik statt Dichtung mit dem Hinweis auf das Symbolische all seines Wirkens zurück; ihre Erforschung tritt jedoch aus verständlichen Gründen hinter derjenigen des literarischen Werks zurück.

E. Hagemann, G. as minister of state, PEGS 7, 1893; F. Hartung, G. als Staatsmann, JGG 9, 1922; J. A. v. Bradish, G.s Beamtenlaufbahn, New York 1937; W. Flach, G.forschung und Verwaltungsgeschichte, 1952; E. Hübener, Der Verwaltungsmann G., Goethe 16, 1954; W. Flach, G.s a. T. und seine amtlichen Schriften, Wissenschaftliche Annalen 4, 1955; A. Fuchs, G. im Staatsdienst, in ders., G.-Studien, 1968; H. Tümmler, Das klassische Weimar, 1975; H. Tümmler, G. als Staatsmann, 1976; G. A. Craig, G. als Staatsmann, in ders., Die Politik der Unpolitischen, 1993.

Amyntas. Die Elegie in Distichen entstand am 19.–25. 9. 1797 auf der 3. Schweizer Reise bei Schaffhausen, wurde am 25. 11. 1797 an Schiller gesandt, der sie am 28. 11. pries, und erschien in dessen *Musenalmanach für das Jahr 1799* (1798), dann umgearbeitet in *Neue Schriften* Band 7 (1800). Die Handschrift der *Reise in die Schweiz im Jahre 1797* zeigt einen konventionelleren Schluß: »… Es ist die schönste von allen, / Wenn uns das Mädchen gewährt, alles zu opfern für sie.« Die Idyllen Theokrits gaben die der Elegientradition angemessenen griechischen Namen Amyntas (VIII,2) und Nikias (XI,2) für einen Arzt auf der Suche nach einem Heilmittel gegen die Liebe. Auch der Topos des Selbstopfers in der Liebe findet sich bereits in der *Anthologia Graeca* (IX,231; vgl. Herders Übersetzung *Der erstorbene Ulmbaum* in *Blumen, aus der griechischen Anthologie*) und bei Catull (62). Dennoch ist das Gedicht nicht allegorische Gestaltung eines angelernten oder vorgefaßten Gedankens, sondern, wie die Eintragung im Reisetagebuch vom 19. 9. 1797 (»Der Baum und der Efeu Anlaß zur Elegie«) belegt, beim Anblick der Natur erlebtes und erfühltes Symbol für G.s Grunderlebnis der Erfüllung in freudiger, liebender Selbsthingabe, Bild und Gleichnis seelischen Zustands ineins.

A. Kosenina, Lust und Leid durch tausend Ranken der Liebe, SchillerJb 33, 1989; R. Stockhammer, Spiraltendenzen der Sprache, Poetica 25, 1993.

Anachronismus. Der Begriff ist bei G. noch nicht auf die heutige Bedeutung einer versehentlich oder mit komischer Absicht bewußt falschen Einordnung von Ereignissen, Personen, Sachen oder Vorstellungen in eine andere, meist frühere Zeit eingeengt. G. verwendet ihn vielfach im Sinne des Unhistorischen, zumal für die Ausstattung historischer oder pseudohistorischer literarischer Figuren mit Ideen und Denkformen, die ihrer historischen Zeit nicht entsprechen. Er kann in diesem Sinne mit Recht behaupten, daß auch aus Gründen der poetischen Ökonomie und der Einheit des Kunstwerks »alle Poesie eigentlich in Anachronismen verkehre« (Rezension von Manzonis *Adelchi*, 1827) oder: »Was uns von wahrer Poesie übriggeblieben ist, lebt und atmet nur in Anachronismen« (ebd.), insofern sich bei jeder Bearbeitung historischer Stoffe durch einen späteren Schriftsteller nicht nur das derzeitige Weltbild, sondern auch oder ausschließlich das des Autors reflektieren, um den Stoff seiner Zeit annehmbar zu machen. Solche Aktualisierung für seine Zeit sei das »unveräußerliche Recht des Dichters« (ebd.). G. selbst verweist auf Unhistorisches im *Egmont*, in *Iphigenie* und *Tasso* (zu Eckermann 31. 1. 1827) und findet Shakespeares »Anachronismen höchst lobenswürdig« (*Shakespeare und kein Ende*, 1815), denn »für den Dichter ist keine Person historisch« (Rezension von Manzonis *Il conte di Carmagnola*, 1820). Die Beckmessereien der Gelehrten werden daher verspottet wie in *Der Sammler und die Seinen* (7. Brief, 1798/99). Anachronismen G.s im heutigen Sinne etwa sind die Bezeichnungen »in usum Delphini« (II, 1) und »Perücken« für Richter im *Götz* (II, 10: Herberge), humorvoll beabsichtigt der »Toback«, »Totenschein« und das »Wochenblättchen« im *Faust* (v. 830, 2872, 3012), vielleicht auch der »Champagner« in Auerbachs Keller (*Faust* v. 2268), und bewußt ist das Erscheinen Helenas auf der erst 1249 erbauten Burg Mistra (*Faust* v. 9001), wohl Versehen dagegen, wenn Hatem als Zeitgenosse von Hafis den zwei Jahrhunderte jüngeren Schah Abbas erwähnt (*West-östlicher Divan*, »Buch Suleika«). →Anaxagoras, →Nostradamus.

Anakreon (um 580 – um 495 v. Chr.). Der griechische Lyriker einer festlichen Daseinsfreude in erlesener Gesellschaft, der in seinen anmutigen, musischen Liedern der Liebe und des Weins die Schönheit der Welt preist – nur drei davon sind vollständig erhalten –, ist bekanntlich unschuldig an der nach ihm benannten →Anakreontik, die von den ihm fälschlich zugeschriebenen Pseudo-Anakreontea ihren Ausgang nahm. G.s frühe Lektüre von Anakreon (und Theokrit) belegt ein Brief an Herder etwa vom 10. 7. 1772, *Wandrers Sturmlied* zeichnet Anakreon als »tändelnd« und »blumenglücklich«, und ein Briefentwurf an Zelter vom 11. 5. 1820 bestätigt, daß G. zwischen dem echten Anakreon, den er sehr schätzte, und den leichtgesinnten »untergeschobenen Gedichten« sehr wohl zu unterscheiden weiß. Dem Dichter Anakreon gelten die Übersetzung seines Gedichts *An die Zikade* (Herbst 1781, im *Tiefurter Journal* Nr. 9, 1781) und die freie Kombination anakreontischer Motive im Gedicht *Der Becher* (September 1781, ebd.) sowie die Hommage im Epigramm *Anakreons Grab* (um 1785), das nochmals die Anmut A.s beschwört. Den ihm am 29. 11. 1816 zugesandten Anakreon-Übersetzungsproben von W. Ch. L. Gerhard stand G. kritisch gegenüber (an Gerhard 3. 12. 1816).

Anakreontik. Die Strömung in der deutschen Lyrik etwa zwischen 1740 und 1775 geht nicht auf Anakreon selbst zurück, son-

dern auf die pseudo-anakreontische griechische Sammlung der
»Anakreontea«, die Henri Etienne (Henricus Stephanus) seiner
Anakreon-Ausgabe von 1554 mit französischer Übersetzung beige-
fügt hatte und deren Wiederentdeckung durch die französische
Rokokolyrik die deutsche Anakreontik mit ihrer leichtfertig-
lebensfrohen Kleinkunst der tändelnden Wein- und Liebeslieder
beeinflußte. Ihr gehören vor allem J. W. L. Gleims *Versuch in scherzhaften Liedern* (1744), J. P. Uz' und J. N. Götz' Übersetzung der *Oden
Anakreons* (1746), ferner F. von Hagedorn und J. G. Jacobi an. Andere Autoren wie Lessing, Ch. F. Weiße, J. M. R. Lenz, Schiller und
auch G. stehen ihr zeitweilig nahe. G.s tändelnd erotische Leipziger
Lyrik in galant mythologischer Verkleidung, das Buch *Annette* und
die Sesenheimer Lieder, besonders *Kleine Blumen, kleine Blätter*
sowie Gedichte an Lili neigen jedoch oft dazu, im unverbindlichen,
leicht frivolen Spiel Andeutungen wahrer Empfindung und tiefen
Naturgefühls zu geben, so daß es sich zu Recht eingebürgert hat,
sie eher im großen Zusammenhang der Rokokolyrik zu sehen,
deren Spuren bis zum *West-östlichen Divan* reichen.

F. Baldensperger, L'anacréontisme du jeune G., in ders., Études d'histoire littéraire 4,
1939; H. Zeman, Die deutsche anakreontische Dichtung, 1972; H. Zeman, G.s anakreontische Lyrik der Weimarer Zeit, ZDP 94, 1975.

Analyse und Synthese. Das gegensätzliche Begriffspaar der
geistes- und naturwissenschaftlichen Methoden von Analyse als
unterscheidende Zergliederung und Synthese als hypothetische
Zusammenschau entspricht G.s polarem Denken, das dennoch entgegengesetzte Verfahrensweisen als einander komplimentär betrachtet wie Erfahrung und Idee, Trennung und Verbindung, Systole und
Diastole oder, mit Goethes Lieblingsbild, Ein- und Ausatmen. Auch
in der Natur glaubt G. Analyse und Synthese als Verfahren von Trennen und Verbinden am Werk. Selber in den naturwissenschaftlichen
Studien durchaus die Analyse verwendend, nimmt er zugleich
gegen die Ausschließlichkeit dieses Verfahrens Stellung. Die Analyse,
die er als Künstler mit Mißtrauen betrachtet, dürfe nie empirischer
Selbzweck sein, sondern müsse eine immanente Synthese voraussetzen, diese auf ihre Richtigkeit hin hinterfragen und in sie münden, so daß beide Verfahren einander ergänzen. Zweck und Ziel
aller wissenschaftlichen Forschung jedoch lägen letztlich immer in
der Synthese, wie der Aufsatz *Analyse und Synthese* (1829) ausführt.
Im dichterischen Verfahren entspricht die Analyse der Quellenfor-
schung und Materialsammlung, die sich schon in frühem Stadium
an der erstrebten Synthese orientiert: Synthese entspricht dem
Wesen der Dichtung, während wiederum Analyse das Verfahren der
Kritik bildet. Vgl. zu Eckermann 2. 8. 1830.

Anatomie. G.s Studien zur naturwissenschaftlichen, vergleichenden wie zur angewandten Anatomie begleiten sein ganzes Leben

von den Studienjahren in Leipzig und Frankfurt, gefördert durch
den Umgang mit jungen Medizinern, und weiter über die Zusammenarbeit mit Lavater 1775/76, die anatomischen Studien unter
J. C. Loder in Jena (besonders im Oktober 1781, Dezember 1794,
März 1796), Erfahrungen der künstlerischen Anatomie mit J. H. W.
Tischbein in Rom 1787/88, die Breslauer Studien im August – Oktober 1790 (*Versuch über die Gestalt der Tiere*), den *Ersten Entwurf einer
allgemeinen Einleitung in die vergleichende Anatomie* vom Januar 1795,
die *Vorträge über die drei ersten Kapitel des Entwurfs einer allgemeinen
Einleitung in die vergleichende Anatomie* von 1796 bis hin zu den
osteologisch-anatomischen Studien an Fischen und Vögeln (Oktober – Dezember 1796) sowie an Insekten und Weichtieren (Mai
1797). Sie gipfeln in G.s Entdeckung des bisher vermißten →Zwi-
schenkieferknochens beim Menschen wenigstens in seiner
rudimentären Form (1784). Eine praktische Rolle spielen daneben
die angewandte Anatomie des Menschen und Proportionslehre für
Künstler und Kunstliebhaber oder -kritiker. G. verwendete daher
sein anatomisches Wissen im November 1781/Januar 1782 als Lehrer der Anatomie für Künstler an der Zeichenschule in Weimar. Das
Programm dazu entwerfen die Briefe an Carl August vom 4. 11.
1781 sowie an J. H. Merck und Lavater vom 14. 11. 1781. In Rom
1787/88 und in Venedig 1790 macht sich G. mit der Anatomie der
edlen, schönen Form anhand antiker Plastiken vertraut (*Italienische
Reise* 20. 1. und 28. 8. 1787), die im März 1788 zu seinem Modell
eines menschlichen Fußes führen. Um dem derzeit verbreiteten
Leichenraub für anatomische Zwecke zu begegnen, bittet G. am
4. 2. 1832 mit seinem Entwurf *Plastische Anatomie* P. C. W. Beuth in
Berlin um Erstellung von plastischen anatomischen Modellen,
allerdings vergeblich. Die Bedeutung der Anatomie für die bildende
Kunst betonen noch die *Einleitung in die Propyläen* (1798) und das
Kapitel über Wilhelm Meisters anatomische Studien (*Wilhelm Meisters Wanderjahre* III,3).

K. v. Bardeleben, G. als Anatom, GJb 13, 1892; R. Disselhorst, G.s anatomische Studien, in: G. als Seher und Erforscher der Natur, hg. J. Walther 1930; V. Franz, G.s anato-
misch-zoologische Studien, FuF 8, 1932; J. Henriet, G. et l'a., Straßburg 1934; H. Steiner, G. und die vergleichende A., Gesnerus 6/3–4, 1949; B. v. Hagen, Die A. im Leben
und Schaffen G.s, Anatomischer Anzeiger 109, 1961.

Anaxagoras (um 500–428 v. Chr.). Der ionische Naturphilosoph
beschrieb die Sonne als eine glühende Metallmasse und soll den
Fall eines Meteors als Stück aus der Sonne vorhergesagt haben.
Entsprechend macht G. ihn bei einem solchen Ereignis in der Klassischen Walpurgisnacht (*Faust II*, v. 7851 ff.) im Streitgespräch mit
dem Neptunisten →Thales anachronistisch zum Vertreter des
Vulkanismus, der überall das Wirken seismischer Kräfte sieht. G. erwähnt ihn ferner im Gedicht *Die Weisen und die Leute*, in *Maximen
und Reflexionen* 1191 und in der Rezension *Euripides' Phaeton*
(1827).

E. A. Meyer, Thales und A. in der klassischen Walpurgisnacht, in dies., Politische Symbolik bei G., 1949; B. Laine, By water by fire, GR 50, 1975.

An Belinden. Das oft vertonte Liebeslied an Lili Schönemann, wie in der Widmung von *Erwin und Elmire* versteckt hinter dem anakreontischen Schäferinnennamen oder dem einer alle verzaubernden, flirtenden Koketten aus A. Popes *Lockenraub*, entstand im Februar 1775, erschien schon im März 1775 in der *Iris* (II,3) und dann 1789 in den *Schriften*. Es ist lyrische Gestaltung der gleichzeitig auch im Brief vom 13. 2. 1775 an Auguste Gräfin zu Stolberg verbalisierten Problematik im Liebesverhältnis des zum persönlichen und künstlerischen Selbstbewußtsein vorgestoßenen Sturm und Drang-Dichters mit dem Streben nach Natürlichkeit, der auch seine Dichtung folgt, und der ihm unangemessenen, dem Luxus und Spiel huldigenden Prunkwelt der konventionellen Rokokogesellschaft um die Geliebte. Beide werden miteinander kontrastiert, sogar die Gefahr einer Selbstentfremdung wird angedeutet, doch das Lied mündet ins Paradox, daß Lilis Wesen, Jugend, Liebe und Güte ihm eben doch als »Natur« erscheinen. G. kommentiert das Gedicht in *Dichtung und Wahrheit* (IV,17, ebd. IV,20).

K. Weimar, G.s Gedichte 1768–75, 1982.

An den Geist des Johannes Secundus →Johannes Secundus

An den Kuchenbäcker Händel. Die im März 1767 entstandene Ode auf den Wirt eines Ausfluglokals im Leipziger Vorort Reudnitz, dort an die Wand geschrieben, ist ein Studentenulk G.s, Parodie auf den bombastischen, rhetorischen Odenstil seines Lehrers, des Professors für Philosophie und Poetik Ch. A. →Clodius, Spezialist für Gedichte zu allen Gelegenheiten, der im Frühjahr 1766 ein ähnlich parodistisch-ironisches Gelegenheitsgedicht G.s zur Hochzeit eines Onkels scharf kritisiert hatte. G., der das Gedicht nicht unter seine Lyrik aufnahm, sondern es nur mit einem Bericht zu seiner Entstehung in *Dichtung und Wahrheit* (II,7, 1812) erstmals abdruckte, hebt dort die »Kraft- und Machtworte« hervor, mit denen Clodius Eindruck machen wollte. Auch hier dienen Wortpomp und hohler klassischer Bildungsprunk am falschen Objekt dem Spott auf einen unehrlichen Stil.

An den Mond I: »Schwester von dem ersten Licht …« G.s erstes Mondlied entstand wohl bald nach der Rückkehr nach Frankfurt um September 1768/Februar 1769, wurde zuerst im Oktober 1769 in den *Neuen Liedern* (1770) gedruckt und mit einer ersetzten 3. Strophe in die *Werke* (1815) aufgenommen, und zwar dort unter dem Titel *An Luna* zur Unterscheidung von dem inzwischen entstandenen →*An den Mond* II (»Füllest wieder …«), zur Anpassung an die Anrede »Schwester« (dies in Anlehnung an F. de Bernis' *La* *nuit:* »soeur aimable du soleil«, wo das Französische die Wortgeschlechter umkehrt) oder zur Verdeutlichung der 1815 eingeführten mythologischen Anspielung auf Endymion. Das Gedicht bezeichnet das Ausklingen von G.s anakreontischer oder Rokoko-Phase, indem es zwar noch mit preziösen Umschreibungen (und Klopstockschen Adjektivkomposita) arbeitet und in der 1. Fassung mit einer frivolen Schlußpointe bewußt die Stimmung zerbricht und ins ironische Spiel des Witzes zurückleitet – eine Praxis der geselligen Lyrik, die erst romantische Einsamkeitslyrik als Stilbruch empfand –, andererseits aber in der Darstellung der Natur und der Sehnsucht durchaus auch echte Gefühle auszusprechen und seelische Vorgänge zu schildern wagt. Die Fassung der *Werke* führt diese Stimmung zum Nachteil der geistvollen Rokoko-Pointe einheitlich durch.

J. Göres, G.s Mondgedichte, 1989.

An den Mond II: »Füllest wieder Busch und Tal ...«. Das kurze, aber in der Forschung wohl meistumstrittene Gedicht G.s entstand zwischen 1776 und 1778. Eine undatierte Handschrift der 1. Fassung fand sich unter G.s Briefen an Ch. von Stein und war vielleicht das »Beikommende« des Briefes vom 11. 8. 1777. Ihr liegt als Gesangsstimme eine 1777 gedruckte Melodie des Zürcher Komponisten Ph. Ch. Kayser für das Lied *An den Mond* von H. L. Wagner bei, die entweder G. zu den Versen inspirierte oder von ihm als passend übernommen wurde. Jedenfalls verwendet eine zwischen Oktober 1777 und März 1778 entstandene handschriftliche Liedersammlung G.s bereits diese Melodie. Eine zweite oder letzte, wesentlich veränderte Fassung des Gedichts erschien 1789 in den *Schriften* und mag kurz zuvor oder nach der Italienreise entstanden sein. Die gemilderte handschriftliche Fassung Ch. von Steins *An den Mond. Nach meiner Manier* kann von der 1. oder einer verlorenen mittleren Fassung ausgehen oder, wenig wahrscheinlich, G. nach Italien nachgesandt worden sein und seine letzte Fassung angeregt haben. Ein von Fritz von Stein vermuteter Bezug des »Gespensts« in Strophe 3 auf den Freitod der Christiane von Laßberg in der Ilm am 16. 1. 1778 ist unwahrscheinlich. Die philologische Problematik darf indessen nicht die Kühnheit und Größe dieser Ichaussprache einer einsamen, unruhig umhergetriebenen Seele in nächtlicher Landschaft als Monolog an den Mond verstellen, die in der Liebe, in stiller Freundschaft und Weltabkehr oder, gleich zu Anfang, in einer »Lösung« im Tode ein Ende ihrer Seelenqualen ersehnt: Suche nach Frieden, Harmonie, Abgeschiedenheit und einer verständnisvollen liebenden Seele. Unter den über 50 Vertonungen ragen die von F. Schubert (1815 und 1816) hervor.

J. Petersen, G.s Mondlied, DVJ 1, 1923, auch in ders., Aus der Goethezeit, 1932; M. Thalmann, G.s A. d. M., ZfD 41, 1927; O. Walzel, G.s Mondlied, ZDA 64, 1927; R. Petsch, G.s Mondlyrik, ZDB 4, 1928; J. Körner, G.s Mondlied, 1936; H. Jantz, Goethe's lyric A. d. M., GQ 26, 1953; J. Elema, Zur Interpretation von G.s A. d. M.,

Neophil 46, 1962; S. G. Flygt, G's A. d. M., GQ 36, 1963; J. R. Williams, G's A. d. M., GLL 28, 1974 f.; K. G. Negus, G's A. d. M., University of Dayton Review 15, 1982; R. Posner, Sprachliche Mittel literarischer Interpretation, in: Vielfalt der Perspektiven, hg. H. W. Eroms 1984; H. Arntzen, Unerkanntes Bekanntes, LfL 1987; J. Göres, G.s Mondgedichte, 1989; G. Ruhl-Anglade, G.s A. d. M. nach Ch. v. Steins Manier, GJb 109, 1992.

Andermatt. Das »reinliche Örtchen« im Schweizer Kanton Uri, das G. noch Ursseren (an der Matt) nennt, besuchte G. auf den drei Schweizer Reisen anläßlich der St. Gotthard-Besteigungen: am 21./22. 6. 1775 mit Übernachtung im Gasthaus »Zu den drei Königen«, kurz am 13. 9. 1779, am 2. 10. 1797 beim Aufstieg und wieder am 5. 10. 1797 beim Abstieg, wo er die Mineralienkabinette von J. A. Nager und Dr. Halter besichtigte und im gleichen Gasthaus zu Mittag aß. Sein besonderes Interesse fanden die örtlichen Mineralien (*Dichtung und Wahrheit* IV,18; *Reise in die Schweiz 1797*).

Andernach. G. besuchte die linksrheinische Römergründung am 20. 7. 1774 auf der Geniereise mit Lavater und Basedow und während seiner Rheinreise mit dem Freiherrn vom und zum Stein am 25. und 28. 7. 1815 wohl als Mittagsstation auf dem Wege nach und von Köln und zu einem Abstecher nach Maria Laach und benachbarten Basaltgruben.

An die Unschuld. Das undatierte Gedicht mag um 1768 in Leipzig oder wohl eher kurz nach der Heimkehr in Frankfurt entstanden sein. Es erschien erstmals im Oktober 1769 in den *Neuen Liedern* (1770), dann unverändert mit dem Titel *Unschuld* in den *Werken* (1815). Es scheint nur nach Überschrift und Stil noch anakreontisch, meint »Unschuld« hier doch nicht die sexuelle Unversehrtheit, sondern als »Tugend der Seele« die noch nicht von Reflexion gebrochene Naivität im besten Sinne, die im Stadium ihres Bewußtwerdens (»kennen«) durch das Licht der Vernunft (»Phoebus«) nicht mehr spürbar ist und verschwindet. G. nimmt damit in zarter lyrischer Form Erkenntnisse vorweg, die später Kleists *Aufsatz über das Marionettentheater* (mit demselben Bild des Paradieses) verbalisieren soll. Die nur im Nebel erscheinende Vision, die bei klarem Licht wieder entschwindet, wird eines von G.s Lieblingsbildern (*Zueignung, Marienbader Elegie, Faust II*, 4. Akt).

André, Johann (1741–1799). Den Offenbacher Kaufmann, Musiker, Komponisten und ab 1774 auch Musikverleger, der talentvoll, doch ohne regelmäßige Ausbildung in Dichtung und Musik dilettierte, besuchte G. im Juni/Juli 1764, als er sich um Aufnahme in die »Arkadische Gesellschaft zu Phylandria« bemühte. Er führte G. wohl auch im Januar 1775 in das Haus der ihm verwandten Schönemanns ein und ließ G. im Frühjahr 1775 gelegentlich bei sich wohnen, wenn Lili Schönemann sich ebenfalls in Offenbach aufhielt. André unterhielt dort auch mit Musik die Liebenden beim abendlichen Zusammensein und trug mit G. sein Melodrama (1775) nach Bürgers *Lenore*, im September 1775 G.s *Bundeslied* zur Hochzeit des Offenbacher Pfarrers J. L. Ewald in seiner Vertonung und andere Stegreifdichtungen G.s (*Sie kommt nicht!*, 23. 6. 1775) vor. Der Erfolg von Andrés nach französischen Vorlagen selbst gedichtetem und vertontem Singspiel *Der Töpfer* (1773) rief G.s Interesse am Singspiel wach, und André vertonte auf G.s Wunsch 1775 auch *Erwin und Elmire*, 1778 *Claudine von Villa Bella*. 1777–84 Musikdirektor der Doebbelinschen Schauspieltruppe in Berlin, dirigierte André dort 1782 u. a. 22 Aufführungen von *Erwin und Elmire*. Mit seiner Rückkehr nach Offenbach als populärer Komponist und Musikverleger scheint die Verbindung mit G. zu erlöschen, doch auch sein Sohn Johann Anton (1775–1842) vertonte drei Lieder G.s. (*Dichtung und Wahrheit* IV,17).

E. Schramm, G. und J. A., in: G. und Offenbach, hg. A. Völker 1932; W. Stauder, J. A., Archiv für Musikforschung 1, 1936.

Andrea del Sarto →Sarto, Andrea del

Andreae, Johann Valentin (1586–1654). Der schwäbische lutherische Theologe und Ausgangspunkt der Rosenkreuzer-Bewegung verband in seinem Werk Mystik, Theosophie und Alchemie mit einem lebenspraktischen Aufruf zu christlicher Liebestätigkeit statt dogmatischer Kontroversen. G. mag seine Schrift *Chymische Hochzeyt des Christiani Rosenkreutz* (1616), auf deren Neudruck von 1781 ihn Herder aufmerksam machte, im Zuge seiner pietistischen Neigungen schon um 1768–71 gelesen haben und kannte sicher Herders Neuausgabe seiner *Dichtungen* (1786). Erneut beschäftigte er sich mit der *Chymischen Hochzeyt* 1784/85 für den gedanklichen Hintergrund seines religiösen Epenfragments *Die Geheimnisse* (1784 f.), und am 19. 8. 1796 verzeichnet das Tagebuch neue Beschäftigung mit Andreae. Ein Briefgedicht an Charlotte von Stein *Woher sind wir geboren?* (vom 28. 6. 1786?) kombiniert Kantatenverse der *Chymischen Hochzeyt* zu einem Lobpreis der Liebe. G.s Kenntnis von Andreaes lateinischer Komödie *Turbo* (1616), die sich mit der Frage nach Recht und Unrecht von Wissensdurst und Wahrheitssuche dem Faust-Stoff nähert, ist nicht nachweisbar.

Andres (Anders), Friedrich Christian (um 1735–?). G. besuchte den böhmischen Maler und Mengs-Schüler, der durch Vermittlung Philipp Hackerts als Galerieinspektor der Gemäldesammlung in Capodimonte die Gemälde des Königs von Neapel restaurierte, am 15. 3. 1787 im alten Schloß in Neapel, verbrachte »mehrere vergnügte und bedeutende Stunden« bei ihm und war von seiner Restaurierungskunst tief beeindruckt. Er berichtet darüber in der *Italienischen Reise*, in seiner Biographie *Philipp Hackert* und beschreibt seine Technik im Gutachten *Reinigen und Restaurieren schadhafter Gemälde* (1816).

An ein goldenes Herz, das er am Halse trug. Das Gedicht, eines der letzten an Lili Schönemann, mag im Winter 1775/76 in Weimar entstanden sein und erschien zuerst 1789 in den *Schriften*. Ein goldenes Herz, das Lili ihm einst umhängte und das G. noch lange am Bande (nicht: Kettchen) um den Hals trägt, erinnert ihn an die nunmehr vollzogene Trennung und verwendet das Bild des Bandes und Fadens für eine noch nachwirkende Bindung. Wenn G. das Gedicht in *Dichtung und Wahrheit* (IV,19) anläßlich eines Blicks auf Herz und Band zitiert, will er nicht den Eindruck erwecken, es sei schon am 23. 6. 1775 (Lilis Geburtstag) auf der Schweizer Reise auf dem St. Gotthard entstanden, sondern schaltet das später aus diesem oder gleichem Erleben entstandene nur aus gegebenem Anlaß dort ein. Die beschriebene Landschaft entspricht eher Thüringen, zumal die nur in einer Abschrift Herders erhaltene 1. Fassung »Hügel« statt »Täler« hatte.

Anekdoten. Die über G. umlaufenden Anekdoten sammeln A. und W. Dietzes *Treffliche Wirkungen* (II 1987).

Anekdote unsrer Tage. Das Gedicht, das in der Weimarer Gedichtsammlung für Frau von Stein von 1778 diese Überschrift trägt, entstand wohl im August 1774, vielleicht beim Besuch der Düsseldorfer Galerie; es erschien zuerst 1775 in J. H. Voß' *Musenalmanach für das Jahr 1776* unter dem Titel *Der Kenner*, dann als *Kenner und Enthusiast* 1789 in den *Schriften*. Es steht in einem nicht ganz deutlichen Zusammenhang mit einer verlorenen *Epistel an die Akademisten* von F. H. Jacobi, auf die G. im Brief vom 21. 8. 1774 mit ähnlichen Bildern und Wendungen eingeht. Im Sinne jugendlichen Sturms und Drangs verspottet G. hier wie in anderen Kenner-Versen einen vermeintlichen Kunstexperten, der sich durch Herummäkeln und Kritisieren an allem – vom »Maidel« (im Bordell?) bis zu den Gemälden in der Galerie – den Schein hoher Kennerschaft zu geben weiß und den enthusiastischen Freund damit zur Verzweiflung bringt.

Anekdote zu den Freuden des jungen Werthers. Die im Februar 1775 entstandene kurze Prosaszene eines Dialogs zwischen Werther und Lotte nimmt den Begriff »Anekdote« wörtlich als etwas nicht Herausgegebenes. Sie persifliert ihrerseits F. Nicolais im Januar 1775 erschienene *Werther*-Parodie *Freuden des jungen Werthers*. Dort leiht Albert Werther nur mit Hühnerblut geladene Pistolen, rettet ihn damit vor dem Selbstmord und verzichtet dann zugunsten Werthers auf Lotte. G.s Satire spielt nach der Hochzeit, als Lotte in den Flitterwochen Werthers vom Schuß angegriffene Augen kuriert. Ihre Anklagen über Alberts »Hanswurstens Einfall« wenden sich indirekt gegen die platte Vernünftelei und Verständnislosigkeit Nicolais, der »von der ganzen Sache gar nichts begriffen«

habe. Gleichzeitig zeigen sich wie bei Nicolai die ersten Anzeichen
spießbürgerlichen Ehealltags für Lotte und Werther. An eine Veröffentlichung dieser mehr zur privaten Erleichterung verfaßten
Spottschrift war, nachdem H. C. Boie sie abgelehnt hatte, wohl
kaum mehr gedacht; sie unterblieb, zumal Nicolais *Allgemeine deutsche Bibliothek* 1775 eine günstige Rezension des *Werther* veröffentlichte. Die *Werther*-Fehde mit Nicolai spiegeln auch die Knittelverse *Nicolai auf Werthers Grabe* (Frühjahr 1775) und *Die Leiden des
jungen Werthers an Nicolai* (Februar 1775). Als G. sich 1813 in *Dichtung und Wahrheit* (III,13) seiner Satire nicht immer ganz richtig –
Werther erblindet nicht – erinnert, mußte er sie für verloren halten; erst 1862 wurde eine von G. korrigierte Handschrift aufgefun-
den und herausgegeben.

Anet. In dem Dorf des Schweizer Kantons Bern übernachteten
G. und Carl August am 6./7. 10. 1779 nach einem Ausflug zum
Neuenburger See.

Angelus Silesius, eigentlich Johann Scheffler (1624–1677). Die
Lektüre »geistlicher Sprüche« aus dem *Cherubinischen Wandersmann*
(1657) dieses schlesischen Barockmystikers verzeichnet G.s Tagebuch am 9. 8. 1820.

Angers →David d'Angers

Anhalt-Dessau →Leopold III. von Anhalt-Dessau

An Lida. G. sandte das wohl am gleichen Tag entstandene Liebesgedicht am 9. 10. 1781 von einem kurzen Aufenthalt in Gotha mit
einem Brief an Charlotte von Stein. In dieser Fassung trägt es noch
in der 1. Zeile den Namen Lotte, der für den Erstdruck in J. F.
Reichardts *Deutschen Gesängen* (1788) in »Psyche«, für die *Schriften*
(1789) in »Lida« abgeändert wurde. Den Decknamen →Lida für
Charlotte von Stein führen auch andere Gedichte; seine definitive
Enthüllung brachte erst die Veröffentlichung der Briefe G.s an Frau
von Stein (1848–51).

An Luna →*An den Mond* (I)

An Madame Marie Szymanowska. Die polnische Hofpianistin
aus St. Petersburg Marie →Szymanowska beeindruckte G. am
14.–18. 8. 1823 in Marienbad (und ebenso am 24. 10.–5. 11. 1823
in Weimar) zutiefst mit ihrem Klavierspiel und vermittelte G. das
Erlebnis der »ungeheuren Gewalt der Musik« (an Zelter 24. 8.
1823), von dem mehrere seiner Briefe und das Tagebuch Zeugnis
ablegen. Dem Gebrauch der Zeit entsprechend brachten die Pianistin und ihre Schwester G. ihre Stammbücher, und für sie schrieb

er am 16.–18. 8. 1823 das Gelegenheitsgedicht und fügte für die des
Deutschen wenig mächtigen Künstlerinnen gleich eine französische Übersetzung bei, die er im Januar 1824 durch F. Soret neu
fassen ließ. Die allgemeingültigen Verse von der reinigenden, erhebenden und tröstenden Wirkung der Musik und der Überwindung
der Leidenschaft durch ihre heilende Kraft ermöglichten ihm, das
am frühesten entstandene Gedicht später unter der Überschrift *Aussöhnung* als letztes und Schlußteil in die →*Trilogie der Leidenschaft* zu
übernehmen. Seit der Ausgabe letzter Hand von 1827 findet sich
dasselbe Gedicht daher unter zwei verschiedenen Titeln in den
Werken.

An Mignon. G. sandte das wohl kurz zuvor entstandene Gedicht
am 28. 5. 1797 an Schiller, der sich auch nicht an dem doch wohl
schon damals kühnen fünffachen Reim von Herzen und Schmerzen stieß, den außer G. wohl niemand gewagt hätte, und es in den
Musenalmanach für das Jahr 1798 (1797), den Balladenalmanach, aufnahm. →Mignon, die Verkörperung von Sehnsucht, Leid und
Schmerz in *Wilhelm Meisters Lehrjahren*, war zwar in dem acht Monate zuvor erschienenen Schlußband des Romans in den Tod gegangen, doch sie ist als verwandte Seele Adressatin der Verse, die
vielleicht wegen der »schönen Kleider« als Rollenlied einer Frau
betrachtet werden und überdies das Bild der Schiffe enthalten, das
die »anmutige Mailänderin« Maddalena Riggi G. zum Abschied be-
schwor (*Italienische Reise*, Bericht April 1788). Das war älterer, biographisch orientierter Forschung Grund genug, das Gedicht einer
trauernden M. Riggi in den Mund zu legen. Trotz der kunstvollen
und reimstrengen Form mag jedoch in die Verse an eine Leidens-
genossin – im Leiden wie im Ausdruck des Leidens – auch viel verschleierte, dunkle Leidensstimmung des Dichters selbst eingeflossen
sein, die sonst der hellen klassischen Harmonie weichen mußte.
Unter den vielen Vertonungen stehen die von Zelter, Schubert und
L. Spohr obenan.

M. Morris, G.s Gedicht A. M., Euph 20, 1913.

Anna Amalia, Herzogin von Sachsen-Weimar-Eisenach (1739–
1807). Die Tochter des Herzogs Carl von Braunschweig-Wolfen-
büttel und der Herzogin Philippine Charlotte, einer Schwester
Friedrichs des Großen, vermählte sich 1756 mit dem Herzog Ernst
August II. Constantin von Sachsen-Weimar-Eisenach und übernahm nach dessen frühem Tod 1758, noch vor der Geburt ihres
zweiten Sohnes, neben der Erziehung der Kinder für 17 Jahre die
Regentschaft bis zur Großjährigkeit Carl Augusts 1775. Dann zog
sie sich ins Privatleben ins Weimarer →Wittumspalais und in die
Sommerschlösser Tiefurt und Ettersburg zurück. Durch ihre umsichtige Leitung der Landesverwaltung zumal in der schwierigen
Zeit des Siebenjährigen Krieges und des Weimarer Schloßbrandes,

ihre künstlerischen und musikalischen Neigungen bis hin zu be-
achtlichen Kompositionen, die Errichtung der →Weimarer Bibliothek und die Berufung Wielands als Prinzenerzieher (1772) schuf
sie die Grundlage für den Aufstieg der kleinen Residenz Weimar zu
einem geistigen und kulturellen Mittelpunkt Deutschlands, den
rokokohaft-unsentimentalen →Musenhof Anna Amalias mit ihrer
→Tafelrunde. Ihre unbeirrte Unterstützung und Förderung G.s,
dessen menschliche Bedeutung und literarischen Rang sie sogleich
erkannte und bewunderte, krönte diese Bestrebungen. In fast müt-
terlicher Fürsorge, die auch in ihrem Briefwechsel mit G.s Mutter
zum Ausdruck kommt (die sie am 15. 6. 1778 in Frankfurt besuchte), und in verständnisvoller, mitunter besänftigender Hin-
nahme des anfänglich kraftgenialischen Treibens bekundet sie
ebenso tiefe menschliche Anteilnahme wie in ihrem ehrlichen
Interesse an G.s Schaffen, das sie mit Teilnahme und Verständnis verfolgte. So mahnte sie G. zum Abschluß von *Wilhelm Meisters Lehrjahre.* Für das von ihr besonders geförderte höfische Liebhabertheater schrieb und arrangierte G. heitere kleine Festspiele (*Die
Fischerin, Paläophron und Neoterpe,* auch *Jahrmarktsfest zu Plundersweilern*). Sie vertonte selbst deren Gesänge und schrieb 1776 auch die
Musik zu G.s *Erwin und Elmire.* Dichtungen ihres Kreises wurden
1781–84 im *Tiefurter Journal* handschriftlich verbreitet. G. widmete
ihr *Paläophron und Neoterpe, Winckelmann und sein Jahrhundert* und
auch ein Exemplar der *Venetianischen Epigramme.* G.s Italienreise
regte sie zu einer eigenen Reise September 1788–Mai 1790 an, die
G. vorbereitete und von der er sie im Mai 1790 von Venedig aus
heimgeleitete. Zu ihrem Geburtstag am 24. 10. 1800 dichtete er
den Theater-Epilog *Die du der Musen reinste Kunst gesogen.* Die Napoleonischen Wirren, vor denen sie mit ihrer Enkelin in Braunschweig Zuflucht suchen wollte, aber nur bis Kassel gelangte, be-
schleunigten ihr Ende. G. widmete ihr einen rührenden Nachruf
(*Zum feierlichen Angedenken der durchlauchtigsten Fürstin und Frau
Anna Amalia*), der z. T. von den Kanzeln des Herzogtums verlesen
wurde, und nannte sie eine »vollkommene Fürstin mit vollkommen
menschlichem Sinne und Neigung zu Lebensgenuß« (zu Eckermann 10. 2. 1829).

F. Bornhak, A. A., 1892; W. Bode, Amalie Herzogin von Weimar, III 1908; O. Heuschele, Herzogin A. A., 1947; U. Salentin, A. A., 1996.

Annalen. Für die jahrweise Aufarbeitung seiner Biographie, an der
er 1817–26 mit vielen Unterbrechungen arbeitete, verwendet G. in
den Tagebüchern wechselnde Titel wie »summarische Biographie«
(26. 7. 1819), »Lebensgeschichte« (29. 7. 1819), »Chronik meines
Lebens« (13. 12. 1823; 23. 9. 1829), »Chronik« (4. 8. 1824), »Jahrbücher« (6. 10. 1829), »Tages- und Jahresbücher« (18. 11. 1829). Seit
Mai 1825 werden sie zeitweilig vorwiegend »Annalen« genannt
(8. 5. 1825, 25. 5. 1825 u. ö.), und über Sinn und Beweggründe

ihrer Niederschrift berichtet 1823 der Aufsatz *Entstehung der biographischen Annalen* (in *Über Kunst und Altertum* IV,1). Die *Anzeige von
Goethes Sämtlichen Werken. Vollständige Ausgabe letzter Hand* (1826)
kündigt für Band 28/29 »Annalen meines Lebens« an und rechtfertigt diesen Titel wohl im Hinblick auf den der Historiographie entlehnten Begriff damit, die Darstellung nehme »durch wiederholtes
Eingreifen in das Öffentliche die Bedeutung der Annalen an; sie
wird geschichtlich, sogar weltgeschichtlich …« Ab 21. 11. 1829 jedoch nennt G. das Werk *Tag- und Jahreshefte*, und diesen Titel behält
es als damit authentischen Titel in der Ausgabe letzter Hand (Bd.
31/32, 1830). Eckermanns Quartausgabe von 1836/37 kombiniert
die Titel zu »Annalen oder Tag- und Jahreshefte«, und spätere Ausgaben wie die Weimarer Ausgabe (I/35–36) finden sich mit der einfachen Bezeichnung »Annalen« ab, die jedoch nicht als von G. sank-
tioniert gelten kann. Zum Werk selbst →*Tag- und Jahreshefte*.

Annette. Der Name ist die rokokohafte, vielleicht durch Marmontel (*La nouvelle Annette et Lubin*, 1767) beeinflußte Form des ersten Vornamens von Anna Katharina (Käthchen) →Schönkopf in
Leipzig, die G. als Decknamen für die Geliebte als Adressatin und
Figur seiner Leipziger Lyrik verwendet. Sie wurde zum Titel für das
Buch *Annette*, eine von G.s Freund E. W. Behrisch im August 1767
in Schönschrift hergestellte Sammlung von zuerst 12, dann 19 von
ihm und G. ausgewählten anakreontischen Leipziger Liedern, Gedichten und Erzählungen des 18jährigen G., die damit dem Autodafé von 1768 entgingen. Als G. in *Dichtung und Wahrheit* (II,7) von
der Sammlung berichtete, mußte er das lange nicht gesehene Original für verloren halten. Die mit Vignetten verzierte Prachthandschrift tauchte jedoch 1894 im Nachlaß des Weimarer Hoffräuleins
Luise von Göchhausen auf und gelangte 1895 ans Goethe- und
Schiller-Archiv in Weimar. Den ersten zusammenhängenden Abdruck der vorher nur zum Teil bekannten Texte gab die Weimarer
Ausgabe (I/37, 1896). Die Texte selbst belegen in Motiven, Situationen, Versbau, Stil und Pointen noch die Abhängigkeit des jungen
G. von deutschen und französischen Anakreontikern und seine
virtuose Beherrschung ihrer routinierten, unpersönlich verspielten
Formen witzig-erotischer Gesellschaftslyrik. Aus den hier noch
ganz konventionellen Anklängen an die Vorbilder formt sich erst
allmählich die G. eigene Ausdrucksweise.

A. Leitzmann, Zu G.s Liederbuch A., Euph 4, 1897; O. Pniower, Das Liederbuch A.,
in ders., Dichtungen und Dichter, 1912; A. Anger, A. an ihren Geliebten, DVJ 37, 1963;
W. v. Nordheim, G.s Buch A., JFDH 1967.

An Schwager Kronos. Anfang Oktober 1774 empfing G. Klop-
stock, der auf der Durchreise nach Karlsruhe mehrere Tage in
Frankfurt Station machte, und begleitete ihn anschließend im
Wagen ein Stück Weges (bis Darmstadt?). Die durch die literarische

Anerkennung und den Besuch des verehrten Dichters gesteigerte
Hochstimmung G.s auf der einsamen Rückfahrt nach Frankfurt in
der Postkutsche am 10. 10. 1774 gestaltet die laut (später weggelas-
senem) Untertitel damals im Postwagen entstandene Hymne, die
stilistisch sehr gemildert zuerst in den *Schriften* (1789) erschien. Für
sie verschmilzt der zur Eile angespornte Droschkenkutscher
(»Schwager«) mit dem antiken Zeitbeherrscher Chronos und dem
Göttervater Kronos, die Postkutschenreise wird zur kraftvollen Le-
bensfahrt auf teils holprigen Wegen mit Auffahrt zum Gipfel und
langsamer Abwärtsfahrt der sinkenden Sonne entgegen. Sie ruft den
jugendlichen Wunsch hervor, lieber in Fülle, Kraft und Ansehen in
die Unterwelt zu fahren und dort als Genie begrüßt zu werden wie
Apollo im homerischen Apollo-Hymnus, als einem kraftlosen,
langsam verlöschenden Greisenalter entgegenzugehen. Symptomatisch ist die nicht als Allegorie gesuchte, sondern aus einem geringen Anlaß und einer alltäglichen Situation heraus entfaltete Symbolik. Dem Ungestüm des Lebensdrangs entsprechen der zugleich
klangmalerische Rhythmus und die harte Fügung der Sprache;
Pathos und Übermut werden gedämpft durch realistische und
humorvolle Züge und umgangssprachliche wie mundartliche Ausdrücke. Eine Vertonung des Gedichts schuf F. Schubert 1816.

    K. K. Polheim, G.: A. S. K., in: Festschrift J. F. Schütz, 1954; L. G. Lyon, G's A. S. K. and
Schubart's »An Chronos«, GLL 91, 1976; J. Isler, Der Dichter und der Musiker, in: Littérature et civilisation 1, Nancy 1990; A. E. Wright, G's A. S. K, GQ 65, 1992.

Antaios (Antäus). Das Bild der griechischen Mythologie vom
libyschen Riesen, Sohn Poseidons und der Gaia, der im Ringkampf
unbesiegbar ist, weil er bei jeder Berührung aus dem Boden, d. h.
seiner Mutter Erde, neue Kräfte saugt, und den Herkules daher nur
emporgehoben erwürgen kann, ist ein beliebter Vergleich G.s sowohl für seine eigenen Kraftquellen in der Natur (*Italienische Reise*
20. 10. 1786; ähnlich schon im Gedicht *Auf dem See*, 1775) als auch
für die seiner Dramenfiguren: *Egmont* V,2; *Faust* II, v. 7075–77,
9609–11, 9937 f. Den Mythos schildert auch G.s Beschreibung *Philostrats Gemälde* (1818).

Antepirrhema. G.s Gedicht entstand im Zusammenhang seiner
morphologischen Studien um 1819 und erschien erstmals als poetischer Abschluß des Aufsatzes *Bedenken und Ergebung* in den Heften
Zur Morphologie I,2 (1820) ohne Überschrift. Erst die weltanschauliche Gedichtgruppe »Gott und Welt« in der Ausgabe letzter Hand
(1827) fügt es mit den Metamorphose-Gedichten und zwei anderen Kurzgedichten zusammen, die als Überschriften Bezeichnungen für Anreden des Chorführers an das Publikum im griechischen
Drama tragen: *Parabase, Epirrhema* und *Antepirrhema*. Das hier beschworene Bild vom Webstuhl der Natur mit Längs- und Quer-
fäden (Kette und Schuß bzw. Zettel und Einschlag) in Vers 2–6

übernimmt fast wörtlich das ironische Argument Mephistos in der Schülerszene des *Faust* I, v. 1923–27. Es bezieht sich hier jedoch auf das untrennbare Miteinander und nur gedanklich Trennbare von dauernder Gesetzlichkeit und zeitlicher Wandelbarkeit der Natur als generelle Idee und als spezifischer Eingriff (»Einschlag«) Gottes bzw. des Schicksals. Dasselbe Bild erscheint ähnlich auch in *Dichtung und Wahrheit* (IV,40), in den *Maximen und Reflexionen* 230, im Brief an Ch. von Stein vom 8.7.1781 und im letzten Brief G.s, dem an W. von Humboldt vom 17.3.1832.

C. G. Snyder, G's loom poem A., in: Goethezeit, hg. G. Hoffmeister 1981.

Anthing, Johann Friedrich (1753–1805). Der Schriftsteller, Adjutant und Biograph des russischen Feldmarschalls Suwarow bereiste 1783–1800 als Silhouetteur Europa, um Silhouetten berühmter Zeitgenossen anzufertigen, die in seiner *Collection de 100 silhouettes* (1791) erschienen. G., den er am 7.9.1789 silhouettierte, schrieb ihm einen Vierzeiler (»Es mag ganz artig sein …«) ins Stammbuch.

C. Schüddekopf, J. F. A., 1913; H. v. Maltzahn, A.s G.-Silhouette, Insel-Almanach 1960.

Antike. Der zur Goethezeit noch vergleichsweise weniger differenzierte Begriff umfaßte generell die mediterrane Kulturwelt des vorchristlichen, »klassischen« Altertums in Griechenland, Großgriechenland und dem römischen Weltreich. Ihre Geschichte und die zumindest theoretische Kenntnis ihrer Leistungen in Philosophie, Mythologie, Rhetorik, Literatur und bildender Kunst (Architektur, Malerei, Plastik, Kleinkunst) gehörte im 18. Jahrhundert mit dem sich anbahnenden gesamteuropäischen Klassizismus in sehr viel stärkerem Maße als in späteren Jahrhunderten zum selbstverständlichen allgemeinen Bildungsgut, so besonders die klassische Mythologie und Rhetoriktheorie. G.s Vorliebe für die Antike, die er mit vielen großen Zeitgenossen und noch mehr weniger bedeutenden Geistern teilt, ist daher zunächst auf vorgegebene Bildungseinflüsse und die Vorbilder Lessing, Winckelmann und Oeser zurückzuführen. Sie bleibt zeitlebens, auch wo G. fast fachwissenschaftlich in einzelne Gebiete tiefer eindringt, ein von zufälligen Begegnungen und von Gelegenheiten bestimmter Dilettantismus im besten Sinne des Wortes, da die Antike nicht als wissenschaftliche Forschungsaufgabe, sondern bewußt als ein die Persönlichkeit prägender Bildungseinfluß durch Anschauung »erlebt« und teils in künstlerischer Nachschöpfung angeeignet wird. Die fast uneingeschränkte Vorbildlichkeit, die G. ihr in allen Kulturbereichen zuerkennt und von der das Erlebnis der Gotik (Straßburg) und der Renaissance und des Barock (Italien) nur kurzfristig ablenken, erklärt sich zumindest anfangs aus dem Fehlen einer anderen, in gleichem Maße alle Lebensbereiche umfassenden, vorbildlichen Stileinheit nationalen oder allgemein nordeuropäischen Zuschnitts – da es eine deutsche

Klassik erst zu schaffen gilt –, sodann besonders seit der Italienreise
aus dem Erlebnis der Einheit von antiker Kunst und Natur; sie wird
im späteren Lebensalter zugleich auch als Festigung und Verteidigung der eigenen, an die klassische Antike angelehnten Leistung
etwa gegenüber der Mittelalter-Faszination der aufkommenden
Romantik zu verstehen sein. G.s oft kritisierte Bemühungen um
Wiederbelebung der klassischen Architekturformen in seiner Zeit
beruhen auf einer Verkennung moderner Bauaufgaben und Stilent-
wicklungen, die gleiches Stilerlebnis nicht voraussetzen konnten,
und münden mitunter in statische Reproduktionen ohne inneren
Aussagewert.

Auf literarischem Gebiet erfolgt G.s Zugang zur Antike frühzeitig, da antike Dichtformen (z. B. Epos, Elegie, Distichon), Stilhal-
tungen (z. B. Anakreontik) und mythologische Stoffe (z. B. Prometheus, Ganymed, Iphigenie, Nausikaa, Achilleus) als klassisches Erbe
bereits in der Literatur des französischen Klassizismus sowie der
deutschen Barock- und Aufklärungsliteratur aufbereitet und neben
den klassischen Texten selbst zur Hand waren. Auf dem Gebiet der
bildenden Kunst fehlte G. zunächst nach theoretischer Vorbereitung
durch Winckelmann und Oeser bis auf gelegentliche Begegnungen
(z. B. Mannheimer Antikensaal, 1769) die konkrete Anschauung, die
erst die Italienreise bot. Dabei ist zu berücksichtigen, daß auch diese
Anschauung in erster Linie römische Architektur, Plastik und De-
korationsmalerei (Pompeji, Herculanum) betraf und griechische
Kunst nur in kolonialgriechischen Ausprägungen (Paestum, Sizilien) oder meist in römischen Kopien rezipiert wurde und daß G.
für originalgriechische Kunstwerke damals wie späterhin – da eine
Griechenlandreise nicht zustande kam – weitgehend auf seine
künstlerische Einbildungskraft und seinen Spürsinn für das Echte
und Originale anhand teils bloßer Umrißzeichnungen angewiesen
war. Aus dieser Quellenlage mag sich G.s Vorliebe für antike Gemmen erklären, die wenigstens auch als Abdrucke (derer er über 3000
besaß) doch einen größeren Authentizitätsgrad besaßen. Wesentliche Dokumente der Auseinandersetzung G.s mit dem Kultur-
anspruch der Antike sind neben der *Italienischen Reise* die Aufsätze
über *Winckelmann* (1804), *Philostrats Gemälde* (1818), *Antik und modern* (1818) sowie auf schöngeistigem Gebiet die seit 1815 auftauchende Gedichtgruppe *Antiker Form sich nähernd*; sie seien hier nur
als Beispiele einer schöpferischen Auseinandersetzung erwähnt, die
im Grunde das gesamte Werk G.s durchzieht.

R. Hering, Der Einfluß des klassischen Altertumes auf den Bildungsgang des jungen
G., JFDH 1902; E. Maaß, G. und die A., 1912; F. Strich, G. und die A., in ders., Dichtung und Zivilisation, 1928; L. Curtius, G. und die A., NJbbWJ 8, 1932; R. Alewyn, G.
und die A., Das humanistische Gymnasium 43, 1932, auch in ders., Probleme und Gestalten, 1974 u. ö.; W. Rehm, Griechentum und G.zeit, 1936 u. ö.; M. Enzinger, G. und
die A., Archiv 172, 1937; R. Benz, G.s Glaube an die klassische Kunst, GKal 1941;
M. Wegner, G.s Anschauung antiker Kunst, 1944 u. ö.; A. Beck, Griechisch-deutsche
Begegnung, 1947; J. Jahn, Die Wiederentdeckung antiker Kunst und G., Goethe 10,
1947; H. Trevelyan, G. und die Griechen, 1949; E. Grumach, G. und die A., II 1949;

A. Rumpf, G. und die Antiken, 1951; W. F. Otto, G. und die A., in ders., Mythos und Welt, 1962; W. Schadewaldt, G.-Studien, 1963; A. Lesky, G. der Hellene, JbWGV 67, 1963; H. Schlaffer, A. als Gesellschaftsspiel, Annali. Studi tedeschi 30, 1987.

Antiker Form sich nähernd. Die erstmals in Band 2 der *Werke* von 1815 eingerichtete Abteilung innerhalb von G.s Lyrik meinte zunächst historisch diejenigen Gedichte in antiken Formen, die vor den antikisierenden Großformen der 90er Jahre (*Römische Elegien, Venetianische Sonette, Elegien* sowie die Hexameterepen *Hermann und Dorothea* und *Achilleis*) entstanden. Sie faßt daher Sinnsprüche, auch als solche verwendete Inschriften und Epigramme in Distichen und (zum geringeren Teil) Hexametern zusammen, die vielfach auch auf antike Mythologie zurückgreifen. Die meisten entstehen vor der Italienreise, um 1782–85, erschienen geschlossen bereits in der »Zweiten Sammlung« der »Vermischten Gedichte« von 1789 und 1806 und wurden vor 1815 teils metrisch stark überarbeitet. Die Hinzufügung späterer Gedichte aus den 90er Jahren sowie eine Sammlung unter gleicher Überschrift aus dem Nachlaß verwässert die historische Intention der Zusammenstellung.

A. Kabell, Metrische Studien 2: A. F. s. n., Uppsala 1960.

Antik und modern. G.s am 14.–16. 6. 1818 entstandener Aufsatz wurde als Nachtrag zum Aufsatz über *Philostrats Gemälde* in *Über Kunst und Altertum* (II,1, 1818) veröffentlicht. Er bezieht Stellung gegen die u. a. von Karl Ernst Schubarth (*Zur Beurteilung G.s*, 1817, erweitert 1818) aufgegriffene Behauptung von G.s einseitiger Bevorzugung der griechischen Antike als günstigstes Vorbild und bestes Muster für »eine hohe, vollendete Bildung der Menschheit«. G. erkennt das Ringen um Vollendung der Neueren, u. a. bei Raffael, den Carraci und Rubens als großen Talenten eigener Prägung voll an. Er findet jedoch »die Klarheit der Ansicht, die Heiterkeit der Aufnahme, die Leichtigkeit der Mitteilung …, geleistet am edelsten Stoff, am würdigsten Gehalt, mit sicherer und vollendeter Ausführung« in der griechischen Kunst und den in der Antike vorhandenen freien Entfaltungsmöglichkeiten am ehesten gegeben. Der Aufsatz ist eine Kernstelle für G.s Antikerezeption: »Jeder sei auf seine Art ein Grieche! Aber er sei's.«

Antixenien →Xenien

Antonelli. Die fiktive neapolitanische Sängerin ist Hauptfigur von G.s Gespenstergeschichte in den *Unterhaltungen deutscher Ausgewanderten* und dient dort der Verfremdung der ursprünglich der französischen Tragödin Mlle →Clairon in Paris zugestoßenen Ereignisse in ein anderes Milieu. Damit wird dem Politiktabu von Schillers *Horen*, in denen die Erzählung zuerst erschien, äußerlich Genüge getan, unter der Hand jedoch der Bezug auf die Französische Revolution und das Schicksal Ludwigs XVI. ahnen gelassen.

E. F. Hoffmann, Die Geschichte von der Sängerin A., GJb 102, 1985; V. Ziegler, G. and the French actress, MDU 76, 1984; G. v. Wilpert, Die politische Sängerin, Seminar 27, 1991.

Antonio (Montecatino). G. wählte zum Gegenspieler der Titelfigur in *Torquato Tasso* zuerst einen Staatssekretär und Hofhistoriker des Herzogs Alfons II. d'Este in Ferrara namens Giambattista (Battista) Pigna, der Nebenbuhler Tassos in der Liebe zu Lukrezia Bendidio war und übrigens auch dichtete. Nach der Lektüre von P. Serassis *La vita di Torquato Tasso* (1785) jedoch entschied er sich im November 1788 aus unklaren Gründen (Pignas früher Tod 1575 oder eine historische Versöhnung zwischen Tasso und Antonio) für Pignas Nachfolger Antonio Montecatino, der nur das Amt des Staatssekretärs bekleidete – Hofhistoriker war Tasso geworden –, 1568 Philosophieprofessor in Ferrara wurde und 1599 starb. In der Dramenhandlung wird Antonio als prosaische Kontrastfigur zum genialisch-subjektiven Tasso ausgestaltet: ein nüchterner, intelligenter Weltmann, verläßlicher und maßvoller Staatsmann in einer selbstgenugsam gewordenen politischen Welt, der allerdings Tasso um die scheinbar mühelose Anerkennung beneidet, die er selbst erst mühsam erringen mußte, und der seine Verdienste nicht gebührend gewürdigt glaubt.

H. Willenbücher, A. und Leonore Sanvitale in G.s Torquato Tasso, ZfdU 24, 1910.

Anwaltspraxis →Rechtsanwaltspraxis

An Werther. Das Gedicht entstand am 24./25. 3. 1824 auf die Bitte des Verlegers Weygand um ein Vorwort für eine *Werther*-Ausgabe zum 50jährigen Druckjubiläum des Werkes und erschien darin 1825. In der Ansprache an den wie ein Jugendfreund als reale Person wiederbegegnenden Werther über gemeinsame und entgegengesetzte Lebenserfahrungen mischt sich ein Ton von Skepsis, Resignation, selbst Sarkasmus, der in G.s Lyrik sonst selten und nie so krass auftritt: Zur tragischen Wetzlarer Jugendliebe tritt als letzte entscheidende Erfahrung die schmerzvolle Erschütterung durch die Liebe zu Ulrike von Levetzow in Marienbad 1823. Sie bildet das Band, das G. veranlaßt, dieses als letztes der drei entstandene Gedicht mit einem *Tasso*-Zitat zu schließen und es in der Ausgabe letzter Hand (1827) an den Anfang der →*Trilogie der Leidenschaft* zu stellen.

E. Meyer, G. und Werther, Geistige Welt 1, 1946.

Apel, Johann August (1771–1816). Der Leipziger Jurist, romantische Erzähler (*Gespensterbuch*, mit F. Laun, IV 1810–12), Dramatiker und Metriker war der Sohn des Leipziger Bürgermeisters H. F. I. Apel, in dessen »königlichem« Garten G. während seiner Leipziger Studienjahre 1765–68 auf poetische »Bilderjagd« ging. Er fiel G. zuerst auf durch seine Rezensionen, u. a. von Schillers *Jung-frau von Orleans* (1802). Seine antikisierende Tragödie *Polyidos* (1805), die G. Ende 1807 von J. D. Gries vorlesen ließ, fand keine Anerkennung.

Apenninen. G. sah das Hauptgebirge der italienischen Halbinsel auf seiner Italienreise zuerst am 17. 10. 1786 von Cento aus und am 18. 10. 1786 vom Turm in Bologna aus. Er überquerte sie am 21.–23. 10. auf der Strecke Bologna–Florenz und gab am 22. 10. eine geologische Beschreibung von diesem »merkwürdig Stück Welt«. Er folgte dem Westabhang des Gebirges bis gegen Rom, was zu Wetterbeobachtungen führte, und sah sie am 22. 11. 1786 vom Dach der Peterskirche wieder.

F. Cantoni, G. nell'A. bolognese, Bologna 1924.

Aperçu. Das Wort hat in G.s Sprachgebrauch, in den es ab 1785/86 eindringt, noch nicht den heutigen Sinn eines geistreich erhellen-den, prägnant gefaßten Augenblickseinfalls, sondern bezeichnet – bei G. vor allem innerhalb der Naturwissenschaft – ein intuitives, prägnantes Erfassen der Wahrheit, ein »Gewahrwerden dessen, was eigentlich den Erscheinungen zum Grunde liegt« (*Geschichte der Farbenlehre*, Kap. Galilei) oder die »Betätigung eines originalen Wahrheitsgefühles, das, im stillen längst ausgebildet, unversehens, mit Blitzesschnelle zu einer fruchtbaren Erkenntnis führt« (*Maxi-men und Reflexionen* 562), und ist im Erkenntnisprozeß »Mittelglied einer großen, produktiv aufsteigenden Kette« (ebd. 416).

Aphorismen →*Maximen und Reflexionen*

Apolda. Die drittgrößte Stadt des Herzogtums Sachsen-Weimar-Eisenach mit 1786 rd. 4000 Einwohnern nordöstlich von Weimar war schon früh Industriestadt und zeitweilig Zentrum der deut-schen Strumpfwarenindustrie. G. besuchte sie wiederholt zum Vogelschießen (15. 7. 1776), zur Jagd (30./31. 12. 1778 u. ö.), zur Rekrutenaushebung (5./6. 3. 1779), zur Brandbekämpfung (21. 7. 1779), auf Dienstreisen (18. 3. 1782) oder von seinem 1798 erwor-benen benachbarten Gut Oberroßla aus. Beim Aufenthalt vom März 1779 befaßt er sich ausführlicher mit der wirtschaflichen Notlage der in Heimarbeit arbeitenden Strumpfwirker (Tagebuch) und beklagt sich darüber, daß er dort zwischen den Amtsgeschäften keine Ruhe zur Fortsetzung der *Iphigenie* finde: »Hier will das Drama gar nicht fort, es ist verflucht, der König von Tauris soll reden, als wenn kein Strumpfwürcker in Apolda hungerte« (an Ch. von Stein 6. 3. 1779).

Apoll von Belvedere. Die verlorene Bronzestatue vermutlich des attischen Bildhauers Leochares um 330/320 v. Chr. bzw. deren römische Marmorkopie im Vatikan galt nach Winckelmanns begeisterter Würdigung in der Goethezeit als eines der Meisterwerke der Antike. G. lernte sie zuerst nach einem Gipsabguß im Mannheimer Antikensaal im Oktober 1769 kennen und bewunderte »den schlanken Bau, die freie Bewegung, den siegenden Blick« (*Dichtung und Wahrheit* III,11; an Herder, Oktober 1771; vgl. *Wandrers Sturmlied, Das Tagebuch*). Er besaß in Weimar zunächst eine schlechte, verkleinerte Kopie; der Herzog von Gotha schenkte ihm am 15. 1. 1782 einen »Abguß der wahren Büste«, doch als er Anfang November 1786 das vermeintliche Original im Vatikan sah, versank ihm auch dieser Abguß zur Bedeutungslosigkeit (an den Freundeskreis 7. 11. 1786).

Appiani, Andrea (1754–1817). Der lombardische Maler klassizistischen Stils im Gefolge von J. L. David wurde als Napoleons erster italienischer Hofmaler mit der Ausschmückung des Palazzo Reale in Mailand durch allegorisch-mythologische Fresken zur Verherrlichung der Tugenden und Taten des Kaisers beauftragt, die er 1808–11 vollendete. G. sah davon am 1. 11. 1823 in der Weimarer Bibliothek eine 1820 in Mailand erschienene Stichfolge von 32 Blättern nach dem Chiaroscuro-Fries Napoleonischer Schlachten und Siege, betrachtete sie in der Folgezeit mit Meyer, Zelter und F. von Müller, wiederholt auch 1824, 1826 und 1829 und regte Meyer zu einem Aufsatz an, der erst postum in *Über Kunst und Altertum* (VI,3) erschien. Noch 1831 dankt er H. Mylius für einen Stich von Garavaglia nach Appianis Ölgemälde *Jakob und Rahel*.

Aquarellmalerei. Da es G. bei seinen künstlerischen Versuchen mehr auf die klaren Umrisse der Gegenstände als auf deren Farbwerte ankam, ist das reine Aquarell ohne vorgegebene Konturen seine Sache nicht. Er verwendet dagegen Wasserfarben seit seiner Jugend gelegentlich dazu, Stift- oder Federzeichnungen nachträglich zu kolorieren. Erst auf der Italienreise bewegen ihn die Intensität der Farben und die dem Aquarell entgegenkommende »dunstige Klarheit« und die »Weichheit des Ganzen« zu intensiveren Versuchen mit der gerade wieder auflebenden Aquarellmalerei, und während der Überfahrt von Neapel nach Palermo (29. 3.–2. 4. 1787) läßt er sich vom Maler C. H. Kniep genauer in die Technik der Aquarellmalerei und besonders der Farbenmischung einführen (*Italienische Reise* 3. 4. 1787). Doch bleibt er der Gattung bis auf einzelne Versuche nicht treu. Erst beim Aufenthalt in Jena im Mai–Juni 1809 und auf der böhmischen Reise nach Karlsbad, Teplitz und Dresden im Mai–Oktober 1810 widmet er sich wieder stärker der Aquarellmalerei, deren spezielle Vorzüge auch die *Farbenlehre* (Kap. »Gründe«) behandelt.

Arabesken. Mit den dekorativen Friesen vegetabiler Ornamente in den Häusern Pompejis, den Titusthermen in Rom und Raffaels

Arabien

viel reicheren Arabesken und Grotesken in den Loggien des Vatikans befaßt sich G.s Aufsatz *Von Arabesken* in Wielands *Teutschem Merkur* (Februar 1789): »Fröhlichkeit, Leichtsinn, Lust zum Schmuck scheinen die Arabesken erfunden und verbreitet zu haben.«

K. K. Polheim, Die A., 1966.

Arabien. G. hatte sich in seiner Jugend »ein wenig mit Arabisch beschäftigt« (zu J. G. Stickel 22. 3. 1831), war aber »bei den ungeheuren Schwierigkeiten des Erlernens dieser arabischen Sprache« (zu F. von Müller 24. 9. 1823) kaum über die bald vergessenen Anfangsgründe hinausgelangt und bedauerte vor allem bei der Arbeit am *West-östlichen Divan*, daß ihm die »Sprache so gut wie gar nicht bekannt gewesen« (*Noten und Abhandlungen*, Kap. von Diez; ähnlich an H. F. von Diez 15. 11. 1815). Diese Beschäftigung erfolgte 1772, als G. sich unter Einfluß Herders vom Studium der Bibel zu dem des *Korans* geführt sah und ein *Mahomet*-Drama plante, von dem sich ein Fragment mit dem Gedicht *Mahomets Gesang* (1772/73) erhalten hat (*Dichtung und Wahrheit* III,14). Sein Interesse an arabischer Literatur konzentrierte sich seither auf die Zeit Mohammeds, den *Koran* und die vorislamische Beduinenlyrik mit ihrer noch unbefangenen Sinnlichkeit und Erotik. 1783 versuchte G. die *Muallaqat* zu übertragen. Die auf Drängen Carl Augusts vorgenommene Übersetzung von Voltaires *Mahomet* für das Weimarer Theater 1799 mildert dessen satirisches Bild des Propheten ab. Mit der Arbeit am *West-östlichen Divan*, angeregt durch die Übersetzungen J. von Hammer-Purgstalls, wendet sich G.s Interesse seit 1814 wieder dem Orient zu (*Tag- und Jahreshefte* 1815), jetzt jedoch der persischen Literatur, während Mohammed und die arabische Literatur in den *Noten und Abhandlungen* nur flüchtig behandelt werden, doch fügt G. ihnen seine deutsche Version eines Blutracheliedes von Ta'abbata Scharran (»Unter dem Felsen am Wege«) nach der Übersetzung von S. W. Freytag (1814) ein. Außerhalb der arabischen Lyrik kannte G. schon früh die Märchensammlung *1001 Nacht*, deren Erzählfigur Scheherazade er öfter erwähnt (z. B. *Faust* II, v. 6032 ff.) und deren Rahmenerzählform ihm zum Muster der *Unterhaltungen deutscher Ausgewanderten* diente (zu Riemer 1805), obwohl darin die Baronin gerade die Schachtelung-Form ablehnt. Trotz ihrer schmalen Basis ist G.s Beschäftigung mit arabischer Literatur ein Schritt auf dem Wege zur »Weltliteratur« und zur orientalisierenden Dichtung der Romantik.

H. Krüger-Westend, G. und das Arabische, GJb 24, 1903; H. H. Schaeder, G.s Erlebnis des Ostens, 1938; K. Mommsen, G. und 1001 Nacht, 1960 u. ö.; K. Mommsen, G. und die arabische Welt, 1988.

Arbeit, Arbeitsweise. Aus G.s Hochschätzung der Tätigkeit (→Tat) und seiner Stellung in der Zeit des Übergangs von einer ad-

ligen Leisure-Class zur bürgerlichen Arbeitswelt und der aufkommenden Industrie resultiert seine zunehmende Achtung vor der –
auch kollektiven – handwerklichen Arbeit, die vor allem in *Wilhelm
Meisters Wanderjahre* thematisiert wird (→Handwerk). Über seine
eigene literarische Arbeitsweise äußert sich G. nur in Einzelfällen
genauer und verklärt sie mitunter als spontane Intuition.

R. Weinrich, Vom Wort und Gedanken der A. bei G., 1939; E. Spranger, G. und die
Welt der A., Goethe 14f., 1952 f.; Ph. Buschinger, Die A. in G.s Wilhelm Meister,
1986. – R. M. Meyer, G.s Art zu arbeiten, GJb 14, 1893; E. Frederking, G.s A.sweise,
Diss. Gießen 1911; K. H. Hahn, Die A. des Dichters, Habil. Jena 1963.

Arcadia (Accademia degli Arcadi). In die 1690 in Rom gegründete Akademie ursprünglich zur Pflege der Schäferpoesie, bald
allgemein der volkssprachlichen Literatur und der italienischen
Literatursprache überhaupt, wurde G. am 4. 1. 1787 (nicht, wie in
der *Italienischen Reise*: 1788) durch den Fürsten P. J. von Liechtenstein eingeführt und am gleichen Tag unter dem Schäfernamen
Megalio Melpomenio in aller Form mit zeremoniellem Aufnahme-
akt und (erhaltenem) Diplom aufgenommen. G. machte sich nicht
viel aus der Ehrung (Briefe vom 4. und 6. 1. 1787) und erwähnt sie
nie wieder, doch gehörten auch Winckelmann, R. A. Mengs und
A. Kauffmann der Gesellschaft an.

F. Noack, G. und die A., GJb 25, 1904.

Archenholz, Johann Wilhelm von (1743–1812). Von den Werken
des preußischen Offiziers, Historikers und Reiseschriftstellers benutzte G. in Italien *England und Italien* (1785), das er wegen seiner
arroganten Verachtung italienischen Wesens tadelt (*Italienische Reise*
22. 10. und 2. 12. 1786). Archenholz' *Geschichte des Siebenjährigen
Krieges* (1793) las G. im Oktober/November 1809 und Juli 1811.
Für seine historische Zeitschrift *Minerva* hat das Xenion 261 sanften Spott.

Architektur. Frühe architektonische Eindrücke vermittelten G.
das mittelalterliche Stadtbild Frankfurts, die Prospekte römischer
Bauten im Elternhaus und die großzügigen Stadthäuser Leipzigs.
Zum gefühlhaften Erlebnis und Gegenstand ernsthafter Auseinandersetzung wird die Architektur erst angesichts des Straßburger
Münsters, verbalisiert im Hymnus auf die Gotik Erwin von Stein-
bachs in *Von deutscher Baukunst* (1772). Die Italienreise steht stark
unter dem begeisternden Eindruck der Architektur Palladios, der
seinerseits als kongenialer Anverwandler antiker Traditionen wieder
zur Beschäftigung mit der antiken Architekturtheorie Vitruvs führt
(*Baukunst*, 1788) und die Eindrücke der Renaissance- und Barock-
architektur Italiens überschattet. Hinter der römischen Architektur
sieht G., zuerst in Paestum, das griechische Vorbild, dem sein eigentliches Interesse gilt. Die Aufgabenbereiche in Weimar gaben
G. reichlich Gelegenheit zur beratenden Beteiligung an Weimarer

Bauvorhaben, und der Aufsatz *Baukunst* von 1795 stellt Grundsätze zur Betrachtung von Bauwerken nach antiken Mustern zusammen. Für die Erhaltung mittelalterlicher Bauten tritt der den frühesten Titel wieder aufnehmende Aufsatz *Von deutscher Baukunst* (1823) ein. G., der es immer wieder bedauert, nicht die technischen Kenntnisse für den Architektenberuf zu haben, beschäftigt sich theoretisch wiederholt mit den Problemen einer humanen Architektur, die sittliche Begriffe wie Maß und Ordnung darstellt, auch das Auge befriedigt, ein Wechselverhältnis von gestaltetem Raum und Körpergefühl schafft und deren Harmonie der Teile dem der Musik ähnelt (*Faust* II, v.6447).

T. Fischer, G.s Verhältnis zur Baukunst, 1948; K. Weickert, Die Baukunst in G.s Werk, 1950; G. Wietek, Untersuchungen über G.s Verhältnis zur A., Diss. Kiel 1951; H. v. Einem, Man denke sich den Orpheus, JbWGV 81/83, 1977/79; G. F. Koch, G. und die Baukunst, in: G., hg. H. Böhme 1984.

Archiv →Goethe- und Schiller-Archiv

Arendt, Martin Friedrich, Dr. (1769–1824). Der privatisierende nordische Altertumsforscher und Runenkundler war ein gelehrter Sonderling, der in schäbigem Aufzug mit Stock und Tornister in ruhelosen Fußwanderungen bis Madrid und Neapel Europa bereiste und dabei eine Abschrift der damals noch ungedruckten *Saemundar-Edda* mit sich führte. Er besuchte G. am 13., 14. und 24. 1. 1809, und man sprach über Runenschriften, nordische Altertümer und isländische Kultur des 11./12. Jahrhunderts. G. erkannte hinter dem »unscheinbaren, ärmlichen äußeren Ansehen« (an Ch. von Stein 16. 1. 1809) des »Wundergeschöpfs« mit seinen merkwürdigen Tischsitten den kenntnisreichen Gelehrten und lud ihn auf den 18. 1. zu einem Vortrag vor der Mittwochsgesellschaft ein, wo er durch seinen »bestimmten, lebhaften und heiteren Vortrag« (ebd.) Interesse erregte (an N. Meyer 10. 2. 1809; *Tag- und Jahreshefte* 1809; Riemer zum 13./24. 1. 1809).

Arens, Johann August (1757–1806). G. lernte den von ihm (wohl über Gebühr) geschätzten Hamburger Architekten 1787 in Rom kennen und empfahl ihn Hardenberg für ein Rom-Stipendium. Er versuchte 1789 vergeblich, ihn für den Wiederaufbau des Weimarer Schlosses an Weimar zu binden. Arens kam nur dreimal, Mai/Juni 1789, Januar 1790 und Mai 1794, nach Weimar und sandte sonst Bauzeichnungen von Hamburg aus. Auch ein ihm von G. erwirktes Patent als »Fürstlicher Baurat« 1789 und persönliche Verhandlungen des Architekten K. F. C. Steiner in Hamburg 1792 blieben nutzlos. Arens' Einfluß zeigt sich jedoch in der Einheitlichkeit der neuen Schloßanlage, besonders am (von Gentz veränderten) Ostflügel zur Ilm sowie am Römischen Haus im Park. Die späteren Weimarer Architekten Gentz und Coudray erwiesen sich als dem nüchternen Hamburger künstlerisch überlegen.

G. Wietek, Der Hamburger Architekt J. A. A. als Baumeister G.s, in: Bewahren und gestalten, Festschrift G. Grundmann 1962; Architekt J. A. A., Katalog Altona 1972.

Aretino, Pietro (1492–1556). Eine Kenntnis der Werke dieses satirischen Schriftstellers der italienischen Renaissance (*Kurtisanengespräche*) läßt sich für G. nicht nachweisen. Er besaß jedoch ein paar Porträtmedaillen, die Aretino selbst prägen ließ und Freunden verehrte (*Bedeutung des Individuellen*). Umso merkwürdiger erscheint es, wenn G. nach Ausweis der Tagebücher am 2. 4. 1807 wohl im Zusammenhang seiner Lektüre von Roscoes Biographie Papst Leos X. die »Überlegung einer Biographie von Aretin« anstellt.

Arezzo. G. durchfuhr die Provinzhauptstadt im Südosten der Toscana wohl am 24. 10. 1786 auf dem Wege nach Perugia, interessierte sich jedoch mehr für den Ackerbau in der Gegend.

Argenville, Antoine Joseph Dézallier d' (1680–1765). G. las den *Abrégé de la vie des plus fameux peintres* (1762), der Argenvilles Biographien französischer und italienischer Künstler mit Descamps Darstellungen der flämischen, holländischen und deutschen Künstler vereint, in der deutschen Übersetzung (1767 f.) als Student in Leipzig zur Einführung in die Kunstgeschichte (*Dichtung und Wahrheit* II,8). Er griff 1799 und 1814 darauf zurück.

Arianne an Wetty. Der Briefroman, von dem nur ein etwa zwei Seiten starkes Fragment aus der Mitte aus dem Besitz Ch. von Steins erhalten ist, entstand 1770/71 in der Straßburger Zeit und gestaltet eine rokokohafte Liebesaffäre mit Anklängen an Käthchen Schönkopf.

H. Funck, A. a. W. von G., GJb 20, 1899; H. Fischer-Lamberg, Die Datierung des G.schen Romanfragments A. a. W., Goethe 17, 1955; A. Fink-Langlois, Le fragment de roman épistolaire de G., in: G.-L.Fink, G., Paris 1980.

Ariel. Die Figur des Luftgeists aus Shakespeares *Sturm* übernahm G. in seinen *Faust* I (Walpurgisnachtstraum, v. 4239 ff. und 4391 ff.) und *Faust* II (v. 4613–78).

F. Stock, Vom A., Arcadia 7, 1972.

Arimaspen →Ameisen

Ariosto, Lodovico (1474–1533). Sicher war es mehr als die gemeinsame berufliche Kombination von Verwaltungsämtern und Dichtung, die G. mit dem italienischen Renaissancedichter und Verfasser des *Orlando furioso* verband, der seit 1518 im Dienst des Herzogs Alfonso I. d'Este in Ferrara stand. G. war, wie der Brief an Cornelia vom 27. 9. 1766 belegt, mit seinem Hauptwerk, vielleicht sogar italienisch, seit seiner Studienzeit vertraut, kannte auch die Prosaübersetzung des *Orlando furioso* von W. Heinse (1782/83, vgl.

Nachlaß-Xenion 177) und die von J. D. Gries (1804–08) und zitierte ihn oft. Vor allem in den Jahren 1807/08 studierte er intensiv auch das Gesamtwerk der Satiren, Komödien und Gedichte, während gleichzeitig C. L. Fernow an einer Ariost-Biographie arbeitete und Teile daraus zwischen dem 20. 8. 1807 und dem 3. 1. 1808 vorlas. Er besaß überdies zwei Porträtmedaillen von Ariost. Auf der Italienreise besuchte er am 16. 10. 1786 Ariosts Grabmal in Ferrara, damals in der Kirche S. Benedetto, aber anscheinend nicht sein Wohnhaus. Den Höhepunkt von G.s Ariost-Rezeption bildet der *Torquato Tasso*, wo der Schatten von Tassos Vorgänger seit dem 1. Akt (v. 16 ff., 74, 780 ff.) ständig im Hintergrund steht, gipfelnd im Preis des Dichters durch Antonio (v. 179 ff.).

Aristeia der Mutter. Unter dieser Überschrift, die auf die Tugendschilderungen der Helden Homers anspielt, stellte G. aus Aufzeichnungen Bettina von Arnims von 1810 und einer eigenen Einleitung ein Charakterbild seiner Mutter zusammen. Es sollte später in *Dichtung und Wahrheit* eingefügt werden, wo, wie G. zu Recht empfand, die Mutter nicht wie Vater, Geschwister und Freunde eine eigene zusammenhängende Charakteristik erhalten hatte. Als jedoch Bettinas *Goethes Briefwechsel mit einem Kinde* 1835 dieselben Erinnerungen veröffentlichte, unterließ Eckermann die Einfügung. Sie erschien später postum in den *Biographischen Einzelnheiten*.

Aristophanes (um 445–um 385 v. Chr.). G.s Beschäftigung mit dem attischen Komödiendichter, dem »ungezognen Liebling der Grazien« (Epilog zu *Die Vögel*), dessen Werke als eher realistische Alltags-Gegenbilder zur erhabenen Antike ihn immer wieder anregten, begann im Herbst 1777–Frühjahr 1778 und umfaßte zunächst die Lektüre zumindest der Komödien *Die Frösche* (Februar/März und Dezember 1778), *Die Wolken* (1779) und *Die Vögel* (1780). Am 11. 1. 1798 las er *Die Ritter* und am 10. 6. 1812 *Die Acharner* in Wielands Übersetzung und nahm gelegentlich auch die Übersetzungen von F. G. Welcker, F. A. Wolf, K. Reisig und J. H. Voß zur Kenntnis. Literarische Einflüsse des Aristophanes zeigt schon der *Triumph der Empfindsamkeit*, sodann vor allem die Bearbeitung der → *Vögel* zur Satire auf den zeitgenössischen Literaturbetrieb, an deren Aufführung am 18. 8. 1780 in Ettersburg unter G.s Mitwirkung dieser sich noch in Malcesine erinnert fühlt (*Italienische Reise* 14. 9. 1786). Formale Anregungen übernahm G. in der Parodie tragischer Trimeter und der Parabase in den Phorkyas-Reden des Helena-Akts im *Faust*.

P. Friedländer, A. in Deutschland, Antike 8, 1932; S. Atkins, G., A., and the classical Walpurgisnight, CL 6, 1954; T. Gelzer, A. in der Klassischen Walpurgisnacht, in: J. W. G., hg. A. Maler 1983.

Aristoteles (384–322 v. Chr.). G.s Kenntnis der Werke des neben Platon bedeutendsten griechischen Philosophen ist durchaus begrenzt und sporadisch, obwohl die Auseinandersetzung mit ihm seit 1797 sein ganzes Leben begleitet. Ihm galt Aristoteles weniger als Metaphysiker denn als empirischer Forscher und Systematiker der Wissenschaft, dessen Physik, Metaphysik und Ethik kaum sein Interesse fanden. Die punktuelle Auseinandersetzung betraf vor allem die Farbenlehre und die Poetik. In der Farbenlehre sieht G. sich von Aristoteles in den einschlägigen Stellen der naturwissenschaftlichen Schriften bestätigt, hält aber die peripatetische Schrift *De coloribus*, die er im Januar–Oktober 1801 für die *Geschichte der Farbenlehre* (1810) übersetzt, fälschlich für ein Werk des Philosophen. Die *Poetik* las G. erstmals 1767. Im April–Juni 1797 erfolgte eine intensive Beschäftigung damit zusammen mit Schiller, die in beider Aufsatz →*Über epische und dramatische Dichtung* gipfelt. Wiederum beschäftigte ihn die *Poetik* am 12. 9. 1800, 1824 und 12. 8. 1826–1827 im Zusammenhang der →Katharsis-Lehre, für die G. in der *Nachlese zu Aristoteles' Poetik* (1827) seine eigene, wenn auch den Aristoteles mißverstehende Auslegung gibt: Katharsis sei der dem Kunstwerk immanente Ausgleich der in ihm erregten Leidenschaften. Die allgemeine Hochschätzung des Aristoteles bekundet sich in den Briefen an Zelter vom 29. 3. 1827 und 31. 12. 1829 sowie im Gespräch zu Eckermann vom 1. 10. 1828.

P. Petersen, G. und A., 1914; K. Schlechta, G. in seinem Verhältnis zu A., 1938; F. Schmidt, Aristotelica bei G., Goethe 26, 1964.

Arkadia →Arcadia

Arkadien. Das Motto G.s für die Erstausgabe der *Italienischen Reise* in beiden Bänden »Auch ich in Arkadien!« nach dem Lateinischen »Et in Arcadia ego« beruht auf einem weitverbreiteten Mißverständnis. Das karge Bergland Arkadiens auf dem Peloponnes war durch die griechische Hirtendichtung, Vergil und Sannazaros Schäferroman *Arcadia* (1480) zu einem paradiesischen Land des Glücks, der Zärtlichkeit und Liebe hochstilisiert worden. Ein frühes Gemälde Guercinos um 1615 und weitere von N. Poussin und J. Reynolds verwenden die Inschrift in anderem Sinne: Hier ist es der Tod, der zu verstehen gibt: »Auch in Arkadien herrsche ich.« Seit Poussins Biograph A. Félibien (1685) jedoch wurde die Grabinschrift nicht dem Tod, sondern den Toten in den Mund gelegt des Sinnes: »Auch ich habe im Arkadien (dem Lande des Glücks) gelebt.« Dieser irrtümlichen Deutung folgt die deutsche Literatur des 18. Jahrhunderts und vor allem im *Torquato Tasso* auch G., der überdies wie schon Herder (*Angedenken an Neapel*, 1789) Arkadien mit Italien gleichsetzt.

W. Weisbach, Et in Arcadia ego, Die Antike, 1930; E. Panofsky, Et in Arcadia ego, in: Philosophy and History, hg. R. Klibansky, Oxford 1936; B. Snell, A., AuA 1, 1945, auch in ders., Die Entdeckung des Geistes, 1948 u. ö.; H. Petriconi, Das neue A., AuA 3, 1947; L. Blumenthal, A. in G.s Tasso, Goethe 21, 1959; R. Stephan, L'arcadie de G., EG 31, 1976; W. H. McCain, The Arcadian fiction in G.s Torquato Tasso, in: Vistas and vectors, hg. L. B. Jennings, Austin 1979; P. Maisak, Et in Arcadia ego, in: G. in Italien, hg. J. Görres 1986; Verlust und Ursprung, hg. A. Maass 1989.

Arkadische Gesellschaft zu Phylandria. Der exklusive literarisch-künstlerische Verein junger Angehöriger der Oberschicht in Offenbach, dessen Mitglieder Schäfernamen trugen, ging aus einem schwärmerischen literarischen Kränzchen hervor. Er wurde um 1764 von L. Ysenburg von →Buri geleitet, um 1765 in eine aristokratische Freimaurerloge umgewandelt und bestand bis 1771. G. bewarb sich am 23. 5. 1764 mit seinem ersten erhaltenen Brief und wiederholt am 2. 6. 1764 unter Berufung auf seinen Freund F. C. Schweitzer (der jedoch gegen ihn intrigierte) um Aufnahme, die jedoch stillschweigend abgelehnt wurde. →Arcadia.

L. Geiger, G. und die A. G., GJb 24, 1903.

Arkas. Die Nebenfigur in G.s *Iphigenie*, ein Grieche im Dienst des Barbarenkönigs, der für beide Seiten Verständnis hat und zu einer Konvenienzlösung rät, übernimmt teilweise die Funktion des aushorchenden und beratenden Gesprächspartners, die im Drama des Euripides dem Chor obliegt.

Arlon. In dem »schönen Städtchen« westlich von Luxemburg fand G. während der Campagne in Frankreich am 13.–14. 10. 1792 freundliche Aufnahme.

Arndt, Ernst Moritz (1769–1860). Der Historiker, Schriftsteller und Publizist der deutschen Freiheitsbewegung gegen Napoleon sah während seines Jenaer Studienjahrs 1793 G. mehrmals in Jena und Weimar, ohne ihm näherzutreten. Erst am 21. 4. 1813 lernte G. den ihm durch seine patriotischen Schriften bekannten Arndt im Hause Körners in Dresden persönlich kennen und enttäuschte ihn durch seine kühle Resignation gegenüber dem jugendlichen Überschwang des Freiheitsdrangs (»Der Mann [Napoleon] ist euch zu groß«), der ihm die nationale Einheit zu bedrohen schien (zu J. N. von Ringeis, April 1814). Am 26. 7. 1815 traf G. auf seiner Rheinreise mit dem Reichsfreiherrn vom und zum Stein im Kölner Dom wiederum Arndt, der sich ihnen für ein paar Tage anschloß und dabei ein günstigeres Bild von G. gewann, allerdings auch G.s formelle Devotion gegenüber jungen Adligen als unterwürfige Fürstendienerei betrachtete. Merkwürdigerweise erwähnen G.s Aufzeichnungen der Reise Arndt nicht, und er scheint auch seine späteren Schicksale nicht zur Kenntnis genommen zu haben. Gegen Arndts Vorwurf nationaler Indifferenz sollte G. sich später mit seinem reiferen Alter mit seiner Vorliebe für allmähliche, organische Entwicklungen und seiner Abneigung gegen Sprunghaftes und Gewalt rechtfertigen, gegen den Vorwurf der Fürstendienerei mit dem Hinweis, daß diese Fürsten ihrerseits wiederum Diener zum Wohle ihres Volkes seien (zu Eckermann 27. 4. 1825).

F. Höck, G. und A., Diss. Wien 1911; P. Meinhold, A. und G., Unser Pommerland 17, 1932; W. Victor, Der Tag und die Ewigkeit, 1963.

Arnim, Achim (eigentlich Ludwig Joachim) von (1781–1831). Die erste belegte Begegnung G.s mit dem märkischen Landedelmann und romantischen Dichter erfolgte im Juni 1801 bei G.s Besuch in Göttingen. Dort inszenierte der damalige Student eine Huldigung der Studenten für G., und dieser besuchte am 8.6.1801 ihn und T. F. A. Kestner, den fünften Sohn von Charlotte Kestner, geb. Buff. Nähere Beziehungen und Korrespondenzen ergaben sich, als im Oktober 1805 der G. gewidmete 1. Band von *Des Knaben Wunderhorn* erschien, den G. am 21./22.1.1806 in der *Jenaischen Allgemeinen Literaturzeitung* ausführlich und positiv besprach. Im Dezember 1805 besuchte Arnim auf der Durchreise G. in Weimar und Jena, am 8.11.1807 in Weimar. Weitere Kontakte gaben Arnims Bitte um G.s Mitarbeit an der *Zeitung für Einsiedler* (1.4.1808) und die Übersendung der Bände 2 und 3 des *Wunderhorns* (14.11.1808). Bei einem erneuten Aufenthalt in Weimar am 19.–25.12.1808 war Arnim oft bei G. zu Tisch und las ihm seine *Liebesgeschichte des Kanzlers Schlick* vor. Auf weitere Werke reagierte G. weniger positiv. Als Arnim am 25.8.–21.9.1811 nach seiner Heirat (1811) mit Bettina, geb. Brentano, wieder in Weimar weilte, kam es am 13.9. durch eine Taktlosigkeit Bettinas zum Streit mit Christiane und damit zum Bruch auch der Freundschaft mit Arnim, die sich trotz äußerlicher Annäherung nach Christianes Tod nicht wieder voll herstellen ließ (*Tag- und Jahreshefte* 1811). Im Juli 1812 in Karlsbad ignorierte G. Arnim (an Christiane 5.8.1812; Epigramm *Die Zudringlichen*, 5.8.1812?). 1814 trug er sich mit dem Gedanken einer Bühnenbearbeitung von Arnims Schauspielen, und der persönliche Kontakt blieb durch Buchsendungen, Geschenke und weitere Besuche Arnims in Weimar (22.10.1817; 4.12.1820; 8.2.1826) erhalten, obwohl G. sein Verdikt über die Romantik (»Torheiten«, »Narrenwust«, »formlos«) auch auf die Werke Arnims ausdehnte: »Er ist wie ein Faß, wo der Böttcher vergessen hat, die Reifen festzuschlagen, da läuft's denn auf allen Seiten heraus« (zu Varnhagen 8.7.1825).

R. Guignard, A. et G., in: Mélanges H. Lichtenberger, Paris 1934; O. Mallon, G. und Des Knaben Wunderhorn, Philobiblon 7, 1934.

Arnim, Bettina (eigentlich Elisabeth) von (1785–1859). Die Tochter des Frankfurter Kaufmanns Peter Anton →Brentano und seiner zweiten Frau, G.s Jugendfreundin Maximiliane, geb. von →La Roche, war die Enkelin der Romanschriftstellerin Sophie von La Roche, Schwester von Clemens Brentano und seit 1811 Gattin von Achim von →Arnim. In G.s Leben spielte sie durch ihr Temperament und ihre Exaltiertheit eine zwiespältige Rolle. In ihrer G.-Begeisterung suchte sie 1806 in Frankfurt die Freundschaft von G.s Mutter und ließ sich von ihr vieles aus G.s Kindheit und Jugend erzählen, das ihm später für *Dichtung und Wahrheit* zustatten kam und in die geplante Ergänzung →*Aristeia der Mutter* einging. Am 23.4.1807, vermittelt durch Wieland, und wiederum am 1.–10.11.1807 besuchte sie, jetzt mit ihren beiden Schwestern, Tag für Tag G. in Weimar, und ihre frische, kindhafte Fröhlichkeit sowie ihre ausgelassene Begeisterung verfehlten ihren Eindruck auf G. nicht, der sich zum »Bewunderer ihres geistreichen, aber auch barocken Wesens« erklärte (Riemer 11. 11. 1807). Seit dem 15. 7. 1807 datiert der Briefwechsel, mit dem viele kleine Geschenke an G. und seine Familie verbunden waren. Auch beim Zusammentreffen in Teplitz am 9.–12. 8. 1810 bemerkt G. ihre Liebenswürdigkeit (an Christiane 13. 8. 1810). Als Bettina sich vom 25. 8. bis 21. 9. 1811 nunmehr mit ihrem Gatten von Arnim wieder in Weimar aufhielt, kam es am 13. 9. jedoch in der Öffentlichkeit zu einer von ihr provozierten unliebsamen Szene mit Christiane, die dem vertrauten Verkehr und der Freundschaft ein Ende setzte (*Tag- und Jahreshefte* 1811). Die Entfremdung überschattete auch ihre späteren Besuche nach Christianes Tod (8. 11. 1821; 26./27. 7. und 19./20. 10. 1824; 27. 8.–11. 9. 1826), so daß G. bei ihrem letzten Besuch in Weimar am 7. 8. 1830 ins Tagebuch eintrug: »Frau von Arnims Zudringlichkeit abgewiesen«. Als Komponistin versuchte sich Bettina dilettantisch 1809 an G.s *Faust*, als Künstlerin 1823 am Entwurf eines Denkmals zur Verherrlichung G.s, das ihm etwas peinlich war (an C. L. F. Schultz 3. 7. 1824). Bettinas sprudelnde Lebhaftigkeit lieh ohne ihr Wissen der Luciane in den *Wahlverwandtschaften* einzelne Züge, und einige von G.s *Sonetten* von 1807/08 mögen auf sie zurückgehen. Wenn Bettina jedoch in ihrem nach G.s Tod erschienenen eigenartigen Erinnerungsbuch *Goethes Briefwechsel mit einem Kinde* (III 1835) nicht nur sich in ein günstiges Licht setzt und ihre eigene Bedeutung übertreibt, sondern auch ihre früheren Briefe so umformuliert, als hätten G.s *Sonette* nur ihre Briefe versifiziert, und die Lösung des 17. Sonetts *Charade* auf sich statt auf Minchen Herzlieb bezieht, so grenzt dieses Verfahren bedenklich an literarische Fälschung. Ihre Wahres und Falsches, Ereignisse und Erfindungen untrennbar mischende Phantasie beschäftigte lange die G.-Philologie und setzte ihre Beziehung zu G. in ein schiefes Licht.

R. Steig, G. in Bettinens Darstellung, JFDH 1904; L. Geiger, B. Brentano und ihre Besuche bei G., Archiv 131, 1913; R. Steig, Christiane von G. und B. Brentano, JGG 3, 1916; F. Bergemann, Bettinas G.denkmal, JbSKipp 2, 1922; A. Germain, G. et Bettina, Paris 1939; W. Milch, Bettina und Marianne, 1947; G. Bianquis, G. et Bettina, in dies., Etudes sur G., Paris 1951; C. Kahn-Wallerstein, Bettine, 1952; W. Schoof, G. und B. Brentano, Goethe 20, 1958; W. Vordtriede, Bettina und G. in Teplitz, JFDH 1964; E. M. Gajek, B. v. A. und G., in: Die Liebe soll auferstehen, hg. W. Böhme 1985; I. Staff, J. W. v. G. und B. v. A., in: Allerhand G., hg. D. Kimpel 1985; K. Bäumer, Bettine, Psyche, Mignon, 1986; B. Weißenborn, B. v. A. und G., 1987; K. Bäumer/H. Schulz, B. v. A., 1995; W. Schmitz, Bettina in Weimar, Internationales Jahrbuch der B. v. A.-Gesellschaft 6/7, 1994 f.

Arnold, Gottfried (1660–1714). G. las die umfangreiche *Unparteiische Kirchen- und Ketzerhistorie* (IV 1699–1700) des radikalen pietistischen Theologen in der Frankfurter Zeit der Rekonvaleszenz um 1769 (*Dichtung und Wahrheit* II,8). Arnolds Eintreten für eine außerkirchliche Frömmigkeit und gegen eine einseitige Orthodoxie, die ihn zum Verteidiger der »Ketzer« aus religiösem Erlebnis machte, prägte seine Weltanschauung mit und zeigt ihre Wirkung bis in den *Faust*.

R. Brinkmann, G.s Werther und G. A.s Kirchen- und Ketzerhistorie, in: Versuche zu G., hg. V. Dürr 1976.

Arnold, Johann Georg Daniel (1780–1829). Der Straßburger Schriftsteller und spätere Professor der Rechte und der Geschichte besuchte nach seinem Studium in Göttingen auf einer Bildungsreise am 9. 8. 1803 Schiller in Weimar und am 18. 8. 1803 mit dessen warmherzigen Empfehlungsbrief auch G. Sein Straßburger Dialektlustspiel in Alexandrinern *Der Pfingstmontag* (1816) gibt ein lebendiges Bild des bürgerlichen Familienlebens in vorrevolutionärer Zeit. G.s eingehende Beschäftigung damit rief Straßburger Erinnerungen wach. Er besprach es in *Über Kunst und Altertum* (II,2 und III,1, 1820 f.) sehr ausführlich und wohl über Verdienst anerkennend, während die Aufnahme des Werks in Straßburg durchaus kritisch war (an G. 28. 8. 1822). Vor allem durch G.s Lob ist Arnolds Name bekannt geblieben.

F. E. Schneegans, G. et G. D. A., L'Alsace française 12, 1932.

Artischocken. G.s Vorliebe für Artischocken, die er sich gern von Frankfurter Freunden schicken ließ, spiegelt sich in drei Gelegenheitsgedichten über dieses Gemüse: »Ein Liebchen ist der Zeitvertreib« (an Christiane 28. 7. 1814), »Mein Kind, Sie wissen's nicht zu machen« (an K. P. von Martius 13. 9. 1824) und »Gegen Früchte aller Arten« (an Frau von Martius 11. 8. 1831).

Asch. Die böhmische Stadt nordwestlich von Eger war Poststation auf G.s Reisen nach Böhmen, so daß er dort jeweils eine Reisepause einlegte oder übernachtete, erstmals am 30. 6./1. 7. 1806, als sich seine Gesellschaft die Aufführung von Kotzebues *Die Hussiten vor Naumburg* in einer Scheune ansah, ferner 1807, 1808, 1810–12 und 1818–22 und zuletzt am 29. 6. und 11. 9. 1823, als ihm ein »Naturdichter« Gedichte überreichte.

K. Alberti, G. in A. und Umgebung, 1899.

Aschersleben. G. durchquerte die Stadt im Nordharz, als er die Herzogin Louise zur Garnison Carl Augusts in Aschersleben begleitete, und auf dem Rückweg vom Harz nach Leipzig (29. 9.–7. 10. 1789), dann wiederum auf dem Rückweg vom Harz Ende August 1805.

K. Ziesenitz, G., A. und der Harz, in: Festschrift zur 600-Jahrfeier des Stephaneums zu A., 1925.

Assisi. G. besuchte die umbrische Stadt am 26. 10. 1786 auf dem Weg von Perugia nach Terni. Er besichtigte nur den als Kirche S. Maria della Minerva benutzten antiken Minervatempel des 1. Jahrhunderts mit seiner unversehrt erhaltenen Tempelfront, »das erste vollständige Denkmal der alten Zeit, das ich erblickte« und das ihm als Muster antiker Natürlichkeit erschien. Nicht beachtet wurden die mittelalterlichen Kirchen: weder die gotische Grabeskirche San Francesco mit den berühmten Fresken von Cimabue und Giotto noch der romanische Dom (*Italienische Reise* und Tagebuch).

Astrologie. G.s Stellung zur Astrologie wandelt sich im Laufe seines Lebens. In der Jugend steht er dem Einfluß der Sterne auf Charakter und Schicksal offen gegenüber. Er verzeichnet auch in *Dichtung und Wahrheit* (I,1 Anfang) den Planetenstand seiner Geburtsstunde (→Horoskop) und läßt in Briefen seine Kenntnis astrologischer Methoden durchscheinen (an F. Oeser 13. 2. 1769, an L. J. F. Höpfner 7. 5. 1773, an H. C. Boie 23. 12. 1774). Seit den empirischen Studien zur Farbenlehre wendet er sich gegen eine dogmatische und rein mathematische Astrologie (*Entoptische Farben*, Kap. 32: Paradoxer Seitenblick auf die Astrologie; *Geschichte der Farbenlehre*, Kap. Roger Bacon; an Schiller 8. 12. 1798). Solche Ablehnung der Astrologie gestattet dennoch deren historisch gerechtfertigte Anwendung im literarischen Werk. Wallensteins Glaube an Astrologie entspringe seiner Entschlußunfähigkeit (*Rezension der Piccolomini*, 1799). In ähnlichem Sinne unterliegt der Hofastrolog in *Faust II* (v.4955–70, 6391–6563) den Einflüsterungen Mephistos. In *Wilhelm Meisters Wanderjahren* (I,10 und III,15) schließlich symbolisiert die mysteriöse Verbindung Makariens mit der Sternenwelt den Einklang der sittlichen und kosmischen Gesetze.

A. Kniepf, G. und die A., Psychische Studien 45, 1918; J. Schiff, G. und die A., PrJbb 210, 1927; J. Hoffmeister, G. und die A., Geisteskultur 39, 1930.

Astronomie. G.s Bemerkung zu Eckermann (1. 2. 1827), er habe sich »nie mit Astronomie beschäftigt«, weil sie als Wissenschaft der Instrumente und Apparate die unmittelbare sinnliche Wahrnehmung überschreite (vgl. *Maximen und Reflexionen* 706), ist richtigzustellen. Trotz seiner Abneigung gegen Mikroskope und Teleskope, ja selbst Brillen, verzeichnen die Tagebücher und *Tag- und Jahreshefte* für 1799 und 1800 ausgedehnte Mondbeobachtungen mit einem Spiegelteleskop (vgl. an Schiller 21. 8. 1799) und am 7. 9. 1820 die Beobachtung einer Sonnenfinsternis in Jena (an Conta 11. 9. 1820). G.s Interesse an der Entdeckung des kleinen Planeten Ceres 1801, seine Oberaufsicht der Sternwarte Jena seit 1812 und ein allgemeines Lob der Astronomie (zu F. von Müller 16. 12. 1812) sind weitere Indikatoren für ein vorhandenes Interesse, das sich auch in der Figur des Astronomen in *Wilhelm Meisters Wanderjahren* (I,10 und III,15) bekundet.

D. Wattenberg, G. und die Sternenwelt, Goethe 31, 1969.

Atheismusstreit, Jenaer →Fichte, J. G.

Athenaeum. An der von August Wilhelm und Friedrich Schlegel 1798–1800 herausgegebenen führenden Zeitschrift der Frühromantik, die schon durch den Namen die Verbindung zum Klassischen suchte, nahm G. regen Anteil, ohne selbst mitzuarbeiten, und beriet auch A. W. Schlegel mündlich in Jena. Ihr Lob G.s, der als oberster Maßstab der Poesie galt, gipfelt in F. Schlegels umfangreichem Essay *Über Goethes Wilhelm Meister* (I, 2, 1798).

Atreus. Auf Drängen von Thoas erzählt Iphigenie (*Iphigenie* I, 3 v. 300 ff.) ihm die Geschichte ihrer Ahnen »aus Tantalus' Geschlecht«, in deren Mittelpunkt Atreus steht. Dieser Sohn des Pelops und der Hippodameia ermordet mit seinem Bruder Thyestes den Stiefbruder und Lieblingssohn des Vaters Chrysippos. Hippodameia wird von Atreus des Mordes verdächtigt und begeht Selbstmord. Die Brüder fliehen vor dem Fluch des Pelops nach Mykene und herrschen dort gemeinsam. Thyestes verführt Atreus' Frau Aerope und wird von ihm vertrieben. Er nimmt jedoch Atreus' Sohn aus erster Ehe Pleisthenes mit sich, zieht ihn als sein Kind auf und schickt ihn als Mörder zu Atreus. Dieser kommt dem Anschlag zuvor, läßt Pleisthenes hinrichten und erkennt zu spät, daß er sein eigenes Kind traf. Als Rache gibt Atreus vor, sich mit dem Bruder versöhnen zu wollen, und setzt dem heimkehrenden Thyestes dessen Kinder zum Mahle vor. Hier endet Iphigenies Bericht. In der Fortsetzung des griechischen Mythos zeugt Thyestes unwissentlich mit seiner Tochter Pelopeia, die Atreus kurz darauf heiratet, einen Sohn Aigisthos, den Atreus für seinen Sohn hält und später als Mörder zu Thyestes schickt. Der Anschlag mißlingt, Thyestes erkennt seinen Sohn, läßt ihn nunmehr Atreus ermorden und wird König in Mykene, nachdem Pelopeia sich in Erkenntnis ihrer Blutschande ins Schwert gestürzt hat. Atreus' überlebende Söhne Menelaos und Agamemnon, der Vater Iphigenies und Orests, bilden das Geschlecht der Atriden.

Aubuisson de Voisins, Jean François d' (1769–1841). G. benutzte und lobte den *Traité de Géognosie* (II 1819) des Toulouser Geologen, der 1797–1802 an der Bergakademie in Freiberg studiert hatte, im Tagebuch (2. 10. 1821), in den *Tag- und Jahresheften* 1821 und in den *Maximen und Reflexionen* 1274.

Auerbachs Keller. Der vom Leipziger Ratsherrn und Professor Heinrich Stromer aus Auerbach 1530–38 angelegte Keller in der Grimmaischen Straße war später als Weinstube der Studenten beliebt. Er ist in der Überlieferung des Leipziger Chronisten Andreas Höhl erst seit etwa 1625 der Ort, wo Faust auf einem Weinfaß die Treppe hinauffritt. Diese Szene und eine Trinkszene Fausts mit den Studenten sind dort seit 1625 als Wandbilder von Andreas Bretschneider festgehalten. Den Weinrebenzauber lokalisiert das Volksbuch von 1589 noch in Erfurt. Während der Leipziger Studentenzeit verkehrte G. mit Behrisch, Stock u. a. auch in Auerbachs Keller.

Doch mögen für die Gestaltung der Szene »Auerbachs Keller« im *Faust* (v.2073–2336), die wohl 1775 entstand, auch Reminiszenzen aus ähnlichen Szenen bei Chr. Reuter und J. F. W. Zachariae mitgewirkt haben. Im Drama kommt ihr nach dem Spott auf die Lehrer in der Wagnerszene und der satirischen Schülerszene die Funktion zu, Hohlheit und Leere des Studentenlebens aufzuzeigen und zugleich die Primitivität der Mittel bloßzustellen, mit denen Mephisto Faust glaubt ködern zu können.

E. Kroker, Dr. Faust und A. K., 1903; O. Pniower, Die Szene A. K. in G.s Urfaust, in: Funde und Forschungen, Festschrift J. Wahle, 1921; E. Wennig, Einige Bemerkungen zur Szene A. K. in G.s Urfaust, GRM 12, 1924; J. A. v. Bradish, Geschichte und Legende um A. K., GQ 16, 1943, auch in ders., Von Walther von der Vogelweide bis A. Wildgans, 1965; J. Hennig, The A. K. scene and She Stoops to Conquer, CL 7, 1955; H.-P. M. Gerhardt, A. K. im Original, Faust-Blätter 33, 1977; J. Schmidt, Gesellschaftliche Unvernunft und Französische Revolution in G.s Faust, in: Gesellige Vernunft, hg. O. Gutjahr 1993.

Auersberg, Joseph Graf von (1769–1829). G. lernte den hohen Beamten und Kunstfreund, mit dem ihn auch mineralogische Interessen verbanden, 1810 in Karlsbad kennen und besuchte ihn dreimal für ein paar Tage auf seinem Schloß Hartenberg bei Falkenau in Böhmen: am 27.–29.8.1821, als zu seinem Geburtstag ein Feuerwerk gegeben wurde (Tagebuch; an Carl August 12.9.1821; J.S. Grüner, Gespräche 27./28.8.1821), am 4.–5.8.1822 (Tagebuch; an Knebel 23.8.1822; J.S. Grüner, Gespräche 4./5.8.1822) und am 5.–7.9.1823 (Tagebuch).

Auf Christianen R. →Christel

Auf dem See. Das Gedicht entstand am 15.6.1775 nach einer längeren, schönen Fahrt auf dem Zürichsee während G.s 1. Schweizer Reise mit den Grafen Stolberg. Es erschien erstmals in den *Schriften* 1789. Die ganz spontane, intuitive erste Version im Tagebuch klingt im Eingangsbild (»Ich saug' an meiner Nabelschnur …«) noch stärker an Klopstocks Ode *Der Zürichsee* mit der Anrede »Mutter Natur« an. Die in ihrer Dreigliederung an die Sonatenform erinnernde Druckfassung beginnt mit einem Ich, das frische Lebenskraft aus der Natur gewinnt, und geht noch in der 1. Strophe in eine Situationsbeschreibung über. Die 3. Strophe macht spiegelbildlich den umgekehrten Weg von der Naturbeschreibung zum Ich, das, in der »reifenden Frucht« symbolisiert, nach dem Naturerlebnis einen Reifeprozeß durchgemacht hat. Der längerzeilige Mittelteil folgt derselben Umkehrung von aufkommender Erinnerung und deren Zurückweisung: Es ist symptomatisch für G., wie hier eine eindeutig biographische Situation, die Erinnerung an die Liebe zu Lili Schönemann, die die Schweizer Reise abklären soll, in verallgemeinerten Bildern verschlüsselt und generalisiert wird und wie im ganzen Gedicht persönliche, spontane Stimmungen mit ihren Wechseln und Gegensätzen aus sich heraus zu einer tektonischen Form finden.

W. Silz, G's A.d.S., in: Studies in honor of J. A. Walz, Lancaster, Pa. 1941; M. Scherer, G., A. d. S., WW 4, 1953 f.; S. Burckhardt, The metaphorical structure of G's A. d. S., GR 31, 1956; H. Lehnert, Struktur und Sprachmagie, 1966; J. Dyck, Die Physiognomie der Selbsterkenntnis, Euph 67, 1973; A. Schneider, Zu G.s Gedicht A. d. S., GJb 92, 1975; H. Pätzold, Naturerlebnis, Emanzipation und Gesellschaftsflucht, in: Naturlyrik und Gesellschaft, hg. N. Mecklenburg 1977; H. J. Geerdts, Ich saug an meiner Nabelschnur, in: Ansichten zur deutschen Klassik, hg. H. Brandt 1981; N. Boyle, Maifest and A. d. S., GLL 36, 1982 f.; G. Kaiser, Mutter Natur am Zürcher See, Schweizer Monatshefte 64, 1984, auch in ders., Augenblicke deutscher Lyrik, 1987; B. Peuker, G's mirror of art, GYb 2, 1984; R. Paulin, Von »Der Zürchersee« zu »Aufm Zürichersee«, JFDH 1987; K. Gerth, G.: A. d. S., Praxis Deutsch 16, 1989; A. Hamburger u. a., in: Methoden in der Diskussion, hg. J. Cremerius 1996.

Die Aufgeregten. G.s drittes politisches Drama im Gefolge der Französischen Revolution nach *Der Groß-Cophta* und *Der Bürgergeneral* wurde wohl 1792/93 als fünfaktige Prosakomödie für das Weimarer Repertoire begonnen, jedoch nicht zu Ende geführt. Von Akt 3 und 5 mit den tumultuarischen Massenszenen gibt er nur Zusammenfassungen der Handlung, und so erschien das Fragment 1817 im 10. Band der *Werke*.

Im Unterschied zu den satirischen Vorgängern beschränkt sich das Komische hier auf die L. Holbergs *Politischem Kannegießer* entlehnte Figur des überheblich bramarbasierenden Dorfbarbiers Breme von Bremenfeld, der sich ruhmredig mit großen historischen Personen gleichstellt. Unter dem Eindruck der Französischen Revolution putscht er die Bauern der Umgegend zum Aufstand wegen widerrechtlich erzwungener Frondienste auf, deren längst vereinbarte Abschaffung nur ein egoistischer Amtmann hintertrieben hat. Die »Aufregung« erweist sich daher als Sturm im Wasserglas. Die aus dem revolutionären Paris zurückkehrende Gräfin hat längst eingesehen, daß die »Aufstände der unteren Klassen eine Folge der Ungerechtigkeit der Großen sind« (zu Eckermann 4. 1. 1824), und will aus eigenen Stücken sofort deren Rechte anerkennen. Sie als Muster dafür, »wie der Adel eigentlich denken soll« (ebd.) und bereit, jedes soziale Unrecht auch gegen ihre Standesgenossen öffentlich anzuprangern, sowie der bürgerliche Hofrat werden als positive Figuren zu Sprachrohren von G.s konservativer Überzeugung, daß eine dauerhafte, vernünftige, harmonische und humanitäre Sozialordnung bei Einsicht und gutem Willen aller ohne Revolution herstellbar sei. Die Schwächen des Stücks liegen im Mangel echter, durchgeführter Konflikte und (auch nur vorübergehender) schicksalhafter Bedrohung. Auch eine 1970 in Zürich aufgeführte Bühnenbearbeitung von A. Muschg fand nur wenig Anklang.

P. Demetz, G.s D. A., 1952; A. v. Gronicka, Humanität und Hybris im deutschen Drama, GR 38, 1963; H. M. Waidson, G., D. A., and A. Muschg, PEGS 43, 1972 f.; L. Kreutzer, Mein Gott G., 1980; P. Wesollek, G. als politischer Agitator, in: Werte in kommunikativen Prozessen, hg. G. Großklaus 1980.

Auf Miedings Tod. Johann Martin Mieding (1725–1782), Hoftischler in Weimar, der 1776 das Mobiliar für G.s Gartenhaus schuf

und als Theatermeister des Weimarer Liebhabertheaters für Bühnenbild und Maschinerie zuständig war, starb am 27. 1. 1782 inmitten der Vorbereitungen für die Geburtstagsfeier der Herzogin
Louise. Er war bei der Hofgesellschaft allgemein beliebt, und G.
schätzte ihn besonders als biederen, unermüdlich tüchtigen und bescheidenen Charakter, der (wie der Staatsmann G.) mit bescheidenen Mitteln hohen Anforderungen genügt und selbstlos und
hingebungsvoll hinter seinem Werk zurücktritt. Sein Gedicht, im
Februar–16. 3. 1782 entstanden, März 1782 im *Tiefurter Journal*
Nr. 23 verbreitet und 1789 in den *Schriften* gedruckt, setzt dem
braven Handwerker ebenso ein Denkmal wie seine Erwähnung im
Walpurgisnachtstraum von *Faust I* (v. 4224) und fand allgemeinen
Beifall in seiner Verbindung von humorvoller Anschaulichkeit und
feierlicher Würde, vom Lob Weimars als Musensitz und der Huldigung von (und an) Corona Schröter.

H. Düntzer, G.s Gedichte A. M. T. und Ilmenau, ZDP 27, 1895; E. Scheidemantel,
J. M. Mieding, Almanach des Weimar-Bundes deutscher Mädchen und Frauen 1920.

Aufzug →Akt

Aufzug der vier Weltalter, Aufzug des Winters →Maskenzüge

Auge. »Das Auge war vor allen anderen das Organ, womit ich die
Welt faßte« (*Dichtung und Wahrheit* II,6), es ist »der klarste Sinn«
(*Shakespeare und kein Ende*), »welt- und erdgemäß Organ« (*Faust*
v. 11907) und dem Gehör weit überlegen (*Aug' um Ohr*, Sprüche).
Dem Augenmenschen oder »visuellen Typus« G., der auch die Italienreise als Schulung des Auges betrachtet (*Italienische Reise* 11. 9.
1786), erschließt sich die Welt in der optischen Wahrnehmung, die
zur Grundlage seines Weltbildes wird. Aus ihr erklärt sich G.s
Hinwendung zu denjenigen Wissenschaften (Natur, Farbenlehre,
Optik) und Künsten (Malerei, Plastik, Architektur, Zeichnen), die
sich am Sichtbaren orientieren und an das Auge wenden. Auch in
seiner Dichtung, vor allem im *Faust*, überwiegen die Ausdrücke und
Verben der optischen Wahrnehmung, und in den Gretchenszenen
wird der Augenkontakt zum Prüfstein der Wahrhaftigkeit (v. 3188,
3446). Aus solcher Neigung zum Gegenständlichen resultieren die
Anschaulichkeit und Bildhaftigkeit von G.s Dichtung, die auch das
Innere und Abstrakte als Bild vorstellbar zu erfassen sucht. Ihren
Gipfel bildet das Türmerlied des →Lynkeus in *Faust II* (v. 11289 ff.):
»Zum Sehen geboren… Ihr glücklichen Augen…«. →Brillen.

Ch. Sarauw, G. A.n, Kopenhagen 1919; F. Bruns, A. und Ohr in G.s Lyrik, JEGP 27,
1928; R. H. Kahn, G.s A.n, in: G. im Spiegel der Lebensforschung, 1932; R. Matthaei,
G.s A., Goethe 5, 1940; H. Kirchmair, G.s A.n, Medizinische Monatsschrift 12, 1958;
H. v. Einem, Das A., der edelste Sinn, in ders., G.-Studien, 1972; P. Utz, Das A. und das
Ohr im Text, 1990.

Augereau, Pierre François Charles (1757–1816). Der aus niederen
Verhältnissen zum Herzog von Castiglione und französischen

Marschall aufgestiegene Offizier Napoleons quartierte sich am
16./17. 10. 1806 bei G. in Weimar ein. Nach Weimarer Gerüchten
riet er ihm zur Heirat mit Christiane (G. von Reinbeck, Gespräche). Beim Rückzug der Großen Armee bezog Augereau am
5. 10. 1813 Quartier in Jena.

Augsburg. G. streifte die »prächtigste Reichsstadt« (Tagebuch Paul
Götzes), in der schon eine Szene des *Götz* (III,1) gespielt hatte, vielleicht, wie vorgehabt (an Carl August 17. 3. 1788) Anfang Juni 1788
bei der Rückkehr von Italien auf dem Weg von Konstanz nach Weimar. Auf der Venedigreise hielt er sich am 16.–19. 3. 1790 in Augsburg auf, wohnte im »Weißen Lamm« und besichtigte wohl die
Kunstsammlungen des Freiherrn von Reischach, Dom, Kreuz-
kirche und St. Ulrich und Afra, ohne die Bauten Elias Holls zu erwähnen, und machte auch auf dem Rückweg am 9. 6. 1790 hier
Station. Spätere Kontakte ergaben sich zu Cottas Druckerei in
Augsburg, die seit 1827 die Ausgabe letzter Hand druckte.

August   →Goethe, August von

August, Prinz von Preußen, eigentlich Friedrich Wilhelm
Heinrich August (1779–1843). G. begegnete dem Enkel Friedrich
Wilhelms I. und Chef der preußischen Artillerie, der sich nach der
Völkerschlacht von Leipzig in Weimar aufhielt, am 1., 8., 13. und
14. 11. 1813.

August, Prinz von Sachsen-Gotha und Altenburg (1747–
1806). G. lernte den Bruder des regierenden Herzogs Ernst II. Ludwig und niederländischen General im Dezember 1775 in Gotha
kennen, schätzte ihn wegen seiner hohen Bildung, seiner literarischen Interessen (selbst schriftstellernd) und seines ungezwunge-
nen, humorvollen Wesens. Die freundschaftliche Beziehung mit der
»gar lieben Seele« (an Ch. von Stein 9. 5. 1782) führte in den 80er
Jahren zu fast jährlichen längeren Besuchen, gipfelnd in G.s Aufenthalt in Gotha am 24.–30. 8. 1801 mit der Feier seines Geburtstags.

    B. Suphan, G. und Prinz A. von Gotha, GJb 6, 1885.

Augusta, eig. Maria Louise Augusta, Prinzessin von Sachsen-
Weimar (1811–1890). Der Tochter Herzog Carl Friedrichs und
Enkelin Carl Augusts, deren Entwicklung G. mit Freude und
Wohlwollen verfolgte, widmete er zum 9. Geburtstag am 30. 9.
1820 das Gedicht »Alle Pappeln hoch…« mit einem Kupferstich
von A. Elsheimers »Aurora«. Sie heiratete 1829 in Weimar den Prinzen Wilhelm von Preußen, wurde 1861 Königin von Preußen und
1871 erste deutsche Kaiserin.

Auguste →Friederike Christiane Auguste, Kurprinzessin von Hessen-Kassel

Augustinus, Aurelius (354–430). G.s Studium von des Kirchenvaters *De civitate Dei* beschränkt sich auf einen wenig kongenialen Aspekt, indem er 1790 im Gefolge seiner *Priapeia*-Studien in lateinischen Exzerpten die heidnischen Gottheiten der Liebe, Zeugung und Geburt zusammenstellt.

W. v. Loewenich, A. und G., in ders., Von A. zu Luther, 1959.

Aulhorn, Johann Adam (1729–1808). Der frühere Schauspieler, 1766 Hoftanzmeister und Tanzlehrer der Prinzen, dann Schauspiellehrer, wirkte am höfischen Liebhabertheater Weimars mit und spielte u. a. den alten Fischer bei der Uraufführung von G.s *Die Fischerin* in Tiefurt am 22. 6. 1782.

Aurea Catena Homeri. G. studierte die 1723 anonym erschienene, Joseph Kirchweger von Forchenbronn zugeschriebene neuplatonische Geheimlehre während der Rekonvaleszenz in Frankfurt 1769 und fand Gefallen daran, wie »die Natur, wenn auch vielleicht auf phantastische Weise, in einer schönen Verknüpfung dargestellt wird« (*Dichtung und Wahrheit* II,8). Spuren davon gingen in *Faust* I,1 ein.

Aurelie. Die tragische Nebenfigur der Schauspielerin in *Wilhelm Meisters Lehrjahren* wurde wohl von der exzentrischen Schauspielerin Charlotte Ackermann angeregt. Aurelie, die Schwester des Theaterdirektors Serlo und Witwe, klammert sich selbstquälerisch bis zu ihrem Tod an ihre Liebe zu Lothario, der seine Zuneigung mit Liebe verwechselte und sich ihr längst entfremdet hat und dem sie nach der Lektüre der »Bekenntnisse einer schönen Seele« auf dem Totenbett verzeiht. Bereits in *Wilhelm Meisters theatralischer Sendung* legt ihr Serlo zynisch die Rolle der Ophelia nahe (VI,8), und deren Erörterung mit Wilhelm rührt sie zu Tränen (*Sendung* VI,9–11, *Lehrjahre* IV,13–16) und veranlaßt sie zur Erzählung ihres Schicksals.

G. Storz, A., in ders., G.-Vigilien, 1953.

Auschowitz. G. sprach über das damals aufkommende kleine Bad nahe Marienbad am 29. 6. 1811 mit dem Postmeister in Asch und besuchte es selbst am 5. 8. 1821 und 7. 7. 1822.

Ausgaben, Ausgabe letzter Hand →Werkausgaben

Aus Goethes Brieftasche. Unter diesem Titel erschienen zwei Aufsätze und einige Gedichte G.s zum Thema Kunst, die er im Herbst 1775 H. L. Wagner zum Druck überlassen hatte, im Anhang zu dessen durch G. veranlaßter Übersetzung von S. Merciers *Neuer Versuch einer Schauspielkunst* (1776). Er umfaßt ein Nachwort zu Mercier und sodann: 1. *Nach Falconet und über Falconet*, 2. *Dritte Wallfahrt nach Erwins Grabe im Juli 1775*, 3. *Brief* (»Mein altes Evangelium«), 4. *Guter Rat auf ein Reisbrett* (»Geschieht wohl…«), 5. *Kenner und Künstler* (»Gut brav mein Herr«), 6. *Wahrhaftes Mährgen*, später u. d. T. *Anekdote unsrer Tage*, 7. *Künstlers Morgenlied*.

Aus Makariens Archiv. Die Aphorismensammlung, die G. im Februar/März 1829 dem 3. Buch von *Wilhelm Meisters Wanderjahre* (wie die *Betrachtungen im Sinne der Wanderer* dem 2. Buch) anhängt, sammeln eigene und fremde Erkenntnisse (Hippokrates, Plotin, Sterne u. a.), die aus dem Roman und dessen Gesprächen hervorgehen und mit ihm thematisch zusammenhängen, z. T. sogar aus dem Roman herausgenommen wurden. G.s vordergründige Rechtfertigung mit einer Auffüllung der zu schmal geratenen Bände (zu Eckermann 15. 2. 1829 und 15. 5. 1831) verschweigt den später betonten inneren Zusammenhang mit dem einheitlichen Geist des Romans, der hier noch ausgeweitet wird. Eckermanns spätere Herausnahme der Sprüche zugunsten der *Maximen und Reflexionen* in postumen Ausgaben widerspricht damit der geistigen Werkintention.

M. Wundt, A. M. A., GRM 7, 1915–19; W. Flitner, A. M. A., GKal 36, 1943; V. Neuhaus, Die Archivfiktion in Wilhelm Meisters Wanderjahren, Euph 62, 1968.

Aus meinem Leben   →*Dichtung und Wahrheit*

Aussichten in die Ewigkeit. G.s kritische Rezension von Lavaters gleichnamigem Werk (2. Aufl. 1773) in den *Frankfurter Gelehrten Anzeigen* vom 3. 11. 1772 bemängelt vor allem die enge, im Standesdenken verhaftete und allzu persönlichkeitsbezogene Jenseitsvorstellung des Autors.

Aussig. G.s Besuche in der nordböhmischen Stadt am 26. 7. 1812, 13. 6. 1813 und 2. 8. 1813 verfolgten vor allem mineralogische Interessen, doch sah und lobte er auch A. R. Mengs Gemälde »Mater dolorosa«.

J. Weyde, G. in A., Beiträge zur Heimatkunde des A.-Karbitzer Bezirks 11, 1932.

Aussöhnung   →*An Madame Marie Szymanowska* und →*Trilogie der Leidenschaft*

Australien. G.s Interesse an Australien hielt sich durchaus in Grenzen und betraf anfangs nur das Exotische: am 12. 8. 1813 befaßt er sich in Dresden mit den Eigenarten australischer Flora und am 25. 5. 1827 mit australischen Vulkanen (Tagebuch). Am 22. 9. 1820 beschäftigt ihn Henry Grey Bennets *A letter to Earl Bathurst … on*

the condition of the colonies in New South Wales and Vandieman's Land
(1820; an J. C. Hüttner 22. 9. 1820), für den 3. und 4. 4. 1831 verzeichnet das Tagebuch die Lektüre von James Atkinsons *An acount
of the state of agriculture and grazing in New South Wales* (1826), und
am 7. 4. 1831 sprach man über die »Ansiedelungen in Sydney«. Inzwischen hatte nämlich G. seine vermutlich erste und einzige Bekanntschaft mit Australiern gemacht: am 15. 12. 1829 führte Froriep
den Großgrundbesitzer und späteren bedeutenden Politiker James
→Macarthur und seinen Bruder bei G. ein, und sie »erzählten viel
Interessantes von ihren dortigen Zuständen.« Die schmerzliche
Lücke in der Literatur über G.s Verhältnis zu diesem jüngsten Kontinent füllt Michael Schultes amüsante Nonsense-Erzählung *Goethes Reise nach Australien* (1976).

Auswanderung. Seit Lili Schönemanns Bereitschaft, mit ihm notfalls nach Amerika zu gehen (*Dichtung und Wahrheit* IV,19; Soret
5. 3. 1830), beschäftigt G. das Problem der Emigration im Unterschied zum unfreiwilligen Exil (*Iphigenie*). Sie wird zum ethisch-
sozialen Zeitproblem durch die Wirren der Französischen Revolution, die eine vorübergehende, erzwungene Auswanderung zur
Lebenssicherung auslöst (*Unterhaltungen deutscher Ausgewanderten;
Hermann und Dorothea).* Sie kann schließlich wie in *Wilhelm Meisters
Wanderjahren* (III,5 und 12–13) als Ausbruch aus der Enge und den
Beschränkungen der Alten Welt, Suche nach neuen, menschenwür-
digen Möglichkeiten der Entfaltung in neuen sozialen Formen bis
an die Realisation herangeführt werden.

W. Müller-Seidel, A.en in G.s dichterischer Welt, JbWGV 81/83, 1977/79, auch in
ders., Die Geschichtlichkeit der deutschen Klassik, 1983.

Auszüge aus einem Reisejournal →*Teutscher Merkur*

Autobiographische Schriften. Zu G.s Gesamtdarstellung des eigenen Lebens 1749–1775 in →*Dichtung und Wahrheit* treten als zeitlich begrenzte Einzelschriften für die Zeit 1749–1822 die →*Tag-
und Jahreshefte,* für 1779 die →*Briefe aus der Schweiz,* für 1786–88 die
→*Italienische Reise,* für 1792–93 die →*Campagne in Frankreich* und
die →*Belagerung von Mainz,* für 1797 die →*Reise in die Schweiz 1797*
sowie eine Reihe von punktuellen Berichten über Einzelereignisse
wie z. B. die →*Unterredung mit Napoleon.* Bloße Materialsammlun-
gen bilden für 1770/71 die →*Ephemerides,* für 1775–1832 (mit
Lücken) die →*Tagebücher.* Als nicht autobiographisch gedachte
Quellen haben ferner die Briefe und Gespräche G.s und seiner
Zeitgenossen zu gelten.

S. Koranyi, Autobiographik und Wissenschaft im Denken G.s, 1984; Ch. Jost, Das Ich
als Symbol, 1990; N. Boyle, Geschichtsschreibung und Autobiographik bei G., GJb 110,
1993.

Autodafés. Vielleicht weniger zum Schaden der Literatur als zum
Bedauern der G.-Philologie unternahm G. an entscheidenden

Wendepunkten seines Lebens fast regelmäßig eine Durchsicht und Vernichtung angehäufter unvollendeter oder unbefriedigender Manuskripte, Pläne, Entwürfe und z. T. Briefe durch Verbrennen. Solche Autodafés, wie er sie nennt, waren teils Akte künstlerischer Selbstkritik und Selbstzucht aus Mißbehagen am Halbvollendeten, teils Häutungsprozesse für neue Aufgaben, teils gewiß auch bedingt durch persönliche Rücksichten. Die wichtigsten erfolgten im Oktober 1767 (an Cornelia 18. 10. 1767) und August 1768 in Leipzig, der nur das Buch *Annette*, die *Lieder mit Melodien*, die *Oden an meinen Freund* und *Die Laune des Verliebten* entkamen (*Dichtung und Wahrheit* II,6), im März 1770 in Frankfurt vor der Abreise nach Straßburg, die *Die Mitschuldigen* überstanden (ebd. II,8), am 7. 8. 1779 in Weimar vor dem 30. Geburtstag (Tagebuch) und 1786 die Verbrennung aller Briefe vor der Italienreise (zu F. von Müller 18. 2. 1830). Im November 1792 verbrannte G. in Pempelfort ein teils satirisches Tagebuch der Campagne in Frankreich (*Campagne in Frankreich*), am 2. und 9.7. 1797 vor der Schweizer Reise alle seit 1792 eingetroffenen Briefe (Tagebuch, *Tag- und Jahreshefte* 1797), Anfang 1818 (?) alle Papiere aus Neapel und Sizilien (an Zelter 16. 2. 1818) und 1829 die Papiere des zweiten römischen Aufenthalts. Durch zufällige Abschriften überlebten der *Urfaust* und *Wilhelm Meisters theatralische Sendung* G.s Maßnahmen.

Autographen →Handschrift

Aventinus (eigentlich Turmair), Johannes (1477–1534). G. studierte die *Bayrische Chronik* (1522) des bayerischen Hofhistoriographen am 16./17. 12. 1808 und am 12. 1. 1818 und erwähnt sie mehrfach lobend in anderen Zusammenhängen.

Babo, Joseph Marius von (1756–1822). Von dem Münchner Hoftheaterintendanten und Hauptvertreter des handfesten Ritterdramas ließ G. in Weimar trotz seiner Abneigung gegen diese Gattung in der Nachfolge seines *Götz* die Stücke *Otto von Wittelsbach* 1791–97, *Die Strelitzen* 1791–99 und *Bürgerglück* 1792–95 aufführen.

Baccalaureus. Der Schüler der Schülerszene in *Faust* I (v.1868–2048) hat es im *Faust* II (v.6689–6818) immerhin bis zum untersten akademischen Grad eines Baccalaureus gebracht. Aber aus seiner Schüchternheit, seinem Übereifer und Wissensdurst sind großsprecherisches, dreistes Selbstbewußtsein, Verachtung von Erfahrung und Wissen, Pochen auf das Recht der Jugend und Leugnung der Existenzberechtigung und Weisheit des Alters geworden. Angesichts seiner phrasenhaften, idealistisch-irrational-subjektiven Haltung vermutete Eckermann wohl zu Recht in ihm eine Ironisierung von Fichtes idealistischer Philosophie, doch G. wich diplomatisch aus und verallgemeinerte ihn zum Musterfall jugendlicher Anmaßung und Großmannssucht besonders seit den Befreiungskriegen, die alles nur auf sich beziehe (zu Eckermann 6. 12. 1829). Der Baccalaureus ist damit weniger Reinkarnation des früheren, strebenden Faust als vielmehr pessimistisches Bild einer Jugend, die nicht sucht, sondern alles − und besser − weiß und alles einschließlich der Welt selbst geschaffen zu haben glaubt.

J. Budich, Der B. im 2. Teil des Faust, Jahrbuch der Schopenhauer-Gesellschaft 2, 1913; J. Frankenberger, Faust und der B., JFDH 1927; W. Scheu, Der B. im 2. Teile des G.schen Faust, Diss. Leipzig 1931.

Bacci, Pietro Giacomo (?−1656). G. las am 12.−16. 11. 1810 die *Vita del B. Filippo Neri fiorentino* (1622) des römischen Oratorianers in einer Ausgabe von 1745 und benutzte sie für seine Schilderung vom Fest des Heiligen Filippo →Neri, dem er am 26. 5. 1787 in Neapel beigewohnt hatte (*Italienische Reise* 26. 5. 1787).

Bach, Carl Philipp Emanuel (1714−1788). G. ließ sich seit 1814 gern Klavierstücke des zweiten Sohnes von J. S. Bach vom Pianisten J. H. F. →Schütz in Berka vorspielen. Als dessen Noten bei einem Hausbrand vernichtet wurden, bat er Zelter um deren Ersatz (an Zelter 3. 5. 1816; 4. 1. 1819).

Bach, Johann Sebastian (1685−1750). Als Folge musikalischen Geschmackswandels war anscheinend der Leipziger Thomaskantor zu G.s Leipziger Studienzeit dort ebenso vergessen wie der Weimarer Hoforganist (1708−17) bei G.s Einzug in Weimar. So lernte G. Werke des bedeutendsten deutschen Barockkomponisten erst im Juni 1814 (weiter 1815, 1816, 1819) in Berka durch oft stundenlangen Klaviervortrag des dortigen Pianisten J. H. F. →Schütz kennen (*Tag- und Jahreshefte* 1814; an Zelter 3. 5. 1816; 4. 1. 1819; Riemer 15. 6. 1814). Weitere Gelegenheiten waren Zelters und F. Mendelssohns Vorspielen im November 1821 und Oktober 1822, Zelters Berichte von der Berliner Singakademie 1827 und von der Aufführung der *Matthäus-Passion* in Berlin 1829 sowie Mendelssohns erneutes Vorspielen im Mai 1830 (an Zelter 3. 6. 1830). Auch Riemer, Rellstab und Genast belegen G.s Vorliebe für Bach, selbst wenn ihm für die Fugenkomposition die musikalische Vorbildung fehlte (Rellstab 1821). Interessanterweise verband sich das Hören Bachscher Musik bei G. stets mit visuellen Eindrücken: Meeresrauschen (an Zelter 28. 3. 1829), Weltschöpfungsharmonie (an Zelter 21. 6. 1827), mathematische Aufgaben (zu Genast 6. 6. 1814) oder eine »Reihe geputzter Leute, die von einer großen Treppe heruntersteigen« (Mendelssohn 1830). G.s Lieblingsstück war neben den Fugen und Sonaten das vermeintliche »Trompeterstückchen« aus dem *Capriccio* BWV 992.

J. Müller-Blattau, G.s Weg zu J. S. B., Goethe 12, 1950; W. Kramer, G. und B., 1951; F. Smend, G.s Verhältnis zu B., 1955; W. Wiora, G.s Wort über B., in: Hans Albrecht in memoriam, hg. W. Brennecke 1962.

Bachmann, Karl Friedrich (1784–1855). Der Hegelschüler, 1813 Professor der Philosophie in Jena, trat seit Februar 1813 in engeren persönlichen Verkehr mit G., der ihn oft in Jena sah, seine natur-wissenschaftlich-mineralogischen Interessen teilte, seine Schriften aber teils kritisch beurteilte (an Bachmann 2. 2. 1822).

Bacon, Francis, Baron Verulam (1561–1621). Mit dem Begründer der modernen, empirischen Naturwissenschaft (*Novum Organon*) setzte G. sich 1805–1809 besonders im Kapitel »Baco von Verulam« der *Geschichte der Farbenlehre* auseinander. Bei aller Hochachtung vor dem scharfen Blick des »außerordentlichen Mannes« tadelt er dessen abwertende Geringschätzng der antiken Tradition sowie sei-nen allzu engen und äußerlichen Begriff der Erfahrung als Grund-lage der Wissenschaft. Indem Bacon unkritisch zum bloßen, ziellosen Sammeln von Erfahrungen aufrufe, lasse er eine Vorent-scheidung über den Erkenntniswert der einzelnen Beobachtung vermissen, unterschätze den Einzelfall in seiner möglichen allge-meinen Bedeutung und könne daher nicht zu den Urphänomenen vorstoßen.

J. Hennig, A note on G. and F. B., MLQ 12, 1951.

Bacon, Roger (1214–1294). Mit dem *Opus maius* des englischen Franziskaners, Naturforschers und Mathematikers, »einer der rein-sten, liebenswürdigsten Gestalten« der Wissenschaftsgeschichte, be-faßte sich G. September 1807–September 1808 bei der Zusam-menstellung der *Geschichte der Farbenlehre* (Kapitel »Roger Bacon«). Er schätzte seine vorurteilsfreie Klarheit und verübelte es ihm nicht einmal, daß er die G. verhaßte Mathematik wenigstens symbolisch zum Fundament aller Wissenschaft erklärte. Da Bacon keine Far-benlehre hinterließ, entwickelte G. aus dessen ihm verwandter Lichtmetaphysik eine Farbenlehre, die Bacon hätte schreiben kön-nen und die in wesentlichen Punkten derjenigen G.s entspricht. Im Gespräch mit J. D. Falk (28. 2. 1809) führte G. die Breite und Viel-seitigkeit der von Bacon vorausgeahnten Erfindungen vor.

Baden/Badekuren. Im Gegensatz zu den meisten seiner Zeit-genossen war G. als Anhänger Rousseaus von Jugend auf ein Freund des kalten, ggf. auch nackten Badens im Freien, das er als Student in Leipzig (*Dichtung und Wahrheit* II,8), auf der 1. Schweizer Reise mit den Stolbergs in Darmstadt, in der Reuß und zum Entsetzen der Schweizer im Zürichsee (ebd. IV,18–19), in Weimar auch im Winter in der Ilm und auf Reisen in Lahn, Rhein und Tiber (*Ita-lienische Reise* 1. 8. 1787) praktizierte und das ihm auch ein ästhe-tisch-sinnenhaftes Erlebnis war (vgl. *Wilhelm Meisters Wanderjahre* II,11). Von 1785 bis 1823 schrieben ihm mancherlei Leiden den all-jährlichen, wochen- oder monatelangen Gebrauch von Heilquellen in Badeorten vor allem Nordböhmens vor: Karlsbad (1785, 1786,

1795, 1806–08, 1810–12, 1818–20, 1823), Eger (1791, 1794), Franzensbad (1808), Teplitz (1810, 1812–13), Marienbad (1821–23), daneben auch Pyrmont (1796, 1799, 1801, 1808), Wiesbaden (1812, 1814–15) oder die Weimar nahen Bäder Lauchstädt (1805), Tennstedt (1816) und oft das 1812 von ihm mit begründete Bad Berka (1814 ff.). Nur selten wurden Badeaufenthalte durch häusliche Trink- und Badekuren ersetzt (1800, 1809). Neben gesundheitlichen Rücksichten dienten die Badeaufenthalte auch der Lösung von der Alltagswelt und der Öffnung zu neuen Anregungen und Einflüssen in der kosmopolitischen Gesellschaft der Fürsten, Diplomaten, Militärs, Künstler, Musiker u. a. Zufallsbekanntschaften, die man teils jährlich wieder traf. Überdies förderten sie als Freizeitbeschäftigungen geologische, mineralogische und Zeichen-Studien.

J. Urzidil, G. in Böhmen, 1932 u. ö.; R. Koch, Der Zauber der Heilquellen, 1932; M. Oberhoffer, G.s Krankengeschichte, 1949; D. Lüders, G.s Badereisen, JFDH 1977; G.s Badeaufenthalte, Katalog 1983; H. Zeman, Vom Badereisen und vom Dichten, in: Zwischen Aufklärung und Restauration, hg. W. Frühwald 1989.

Baden-Baden. G.s geplanter Kuraufenthalt im aufstrebenden, schon 1815 von Carl August besuchten und für G. auch geologisch interessanten Badeort endete vor seinem Beginn, als der Wagen am 20. 7. 1816 nach zweistündiger Fahrt kurz hinter Weimar umstürzte, die Achse brach und J. H. Meyer eine Kopfverletzung eintrug. Man brach, vielleicht nicht ganz ohne Aberglauben, die Reise ab, G. ging für sieben Wochen nach Bad Tennstedt und sah Süddeutschland nie wieder.

Bad Lauchstädt →Lauchstädt

Bad Tennstedt →Tennstedt

Bähr, Johann Karl (1801–1869). Der baltische Historienmaler und Schriftsteller besuchte auf seiner Reise von Dresden nach Italien am 14. 5. 1827 G. in seinem Gartenhaus. Später Professor an der Kunstakademie Dresden, trat er für G.s Farbenlehre ein (*Vorträge über Newton's und Göthe's Farbenlehre*, 1863).

Bätely →*Jery und Bätely*

Bager, Johann Daniel (1734–1815). Der Frankfurter Porträtmaler schuf im Oktoker 1773 ein ovales Porträt G.s für Lavater. Ein Stich danach von J. G. Salter erschien in Lavaters *Physiognomischen Fragmenten* (III, 1777), ein anderer von G. G. Geyser in Himburgs Nachdruck von G.s *Schriften* (1775).

Baggesen, Jens Immanuel (1764–1826). Der dänische satirische Schriftsteller des Klassizismus besuchte im Mai 1789 mit einem Reisestipendium u. a. Wieland in Weimar und Schiller in Jena, suchte jedoch keinen Kontakt mit G., dessen *Venetianische Epigramme* er 1796 in (später weggelassenen und verlorenen) Versen seines Epigramms *Schillers Musenalmanach 1796* verspottete (Schiller an G. 25. 7. 1796). G. revanchierte sich mit dem ziemlich zahmen Xenion 275 »*B.*«. Trotz Baggesens später versöhnlicherer Haltung beharrte G. auf dessen »fratzenhaftem Talent« (an Eichstädt 17. 8. 1804), fand jedoch in dessen Epos *Parthenais* im August 1807 »anmutige und anregende Unterhaltung«. Nachdem Baggesen 1809 in Heidelberg August von G. begegnet war, genoß G. am 25. 5. 1819 den Besuch von Baggesens Sohn August in Weimar (*Tag- und Jahreshefte* 1819).

Bagheria. G. nahm am 9. 4. 1787 heftigen Anstoß am grotesken spätbarocken Figurenschmuck der 1715 erbauten Villa Palagonia in Bagheria bei Palermo, dem Lustschloß des Principe di →Palagonia (den er am 12. 4. 1787 in Palermo sah) mit seinen Gartenstatuen von Musikern, Zwergen, Ungeheuern, Drachen, Tieren und Chimären – »mißgestalteten, abgeschmackten Gebilden«, »Elementen der Tollheit«, »Spitzruten des Wahnsinns« – und der Kuriositätensammlung im Inneren (*Italienische Reise* 9. 4. 1787).

Literatur →Palagonia

Bahrdt, Carl Friedrich (1740–1792). Der vielumstrittene Leipziger, Erfurter und 1771–75 Gießener Theologieprofessor hatte 1773/74 eine rationalistisch flache Bearbeitung des Neuen Testaments verfaßt (*Neueste Offenbarungen Gottes in Briefen und Erzählungen*). G. verspottete deren neumodische Sprache in der kurzen, satirischen Szene *Prolog zu den neuesten Offenbarungen Gottes* (IV 1773 f.), in der die vier Evangelisten mit ihren Tieren vergeblich bei Bahrdt protestieren. Bahrdt nahm ihm die Satire nicht übel und suchte bei einem Besuch 1775 seine Freundschaft (*Dichtung und Wahrheit* III,13). Möglicherweise ist das Wortspiel von Pfarrer und Komödiant (*Faust* v. 524–529) auf Bahrdt gemünzt, der zeitweilig Gastwirt bei Halle war. Zum Streit um Bahrdt vgl. auch Kotzebues Pasquill *Doctor Bahrdt mit der eisernen Stirn* (1790), dessen Ankündigung G. im Tagebuch vom 23. 1. 1818 notiert.

B. Schyra, C. F. B., Diss. Leipzig 1962; B. Schyra, G.s Verhältnis zu C. F. B., Goethe 27, 1965; C. F. B., hg. G. Sauder 1992.

Baia. G. besuchte den in der Antike beliebten Badeort Baiae am Golf von Pozzuoli bei Neapel am 1. 3. 1787 bei einem Ausflug mit Tischbein und Fürst Christian August von Waldeck und war nach Ausweis einer Zeichnung Tischbeins auch auf dem benachbarten Cap Misenum. *Venetianische Epigramme* 25 vergleicht Baia positiv mit Venedig.

Bakchylides (um 505–um 430 v. Chr.). Von dem griechischen Lyriker, dessen Werk erst 1896 durch einen Papyrusfund in größerem Unfang bekannt wurde, übersetzte G. wohl noch vor 1800 ein Odenfragment (»Süßer Drang …«, Snell, fragm. 4, v. 23–40).

Bakis → *Weissagungen des Bakis*

Balde, Jakob (1604–1668). G. las die Übersetzung des neulateini-
schen Lyrikers und Jesuiten (ohne dessen Namensnennung) in
Herders *Terpsichore* (1794, datiert 1795), die derzeit in Weimar viel
Beachtung fand (*Tag- und Jahreshefte* 1795). Er dankte Herder im
Mai 1794 dafür und sandte sie auch an Frau von Kalb (29. 4. 1794).
Das Balde-Zitat, das G. als Motto seiner Besprechung von Calde-
rons *Die Tochter der Luft* (1822) voranstellt, wird durch Herauslösung
aus dem grammatischen Zusammenhang sinnentstellt.

Balingen. Das württembergische Städtchen war Poststation auf G.s
3. Schweizer Reise. Er rastete dort am 16. 9. 1797 auf der Strecke
Tübingen – Tuttlingen, wunderte sich über die engen, unhygieni-
schen Verhältnisse und übernachtete dort auf der Rückfahrt am
28./29. 10. 1797 (*Reise in die Schweiz 1797*).

Ballade. G.s letzte Ballade entstand Ende Oktober 1813 (Strophe
1–9) und Dezember 1816 (Strophe 10–11) und erschien zuerst in
Über Kunst und Altertum (II,3, 1820) mit der einfachen Gattungsbezeichnung als Titel, die sich zugleich auf den Vortrag der Ballade in
der Ballade bezieht. In *Bedeutende Fördernis durch ein einziges geistreiches Wort* (1823) nennt G. sie *Der Sänger und die Kinder* und berichtet, er habe den Stoff jahrzehntelang mit sich herumgetragen (ähnlich zu Eckermann 16. 12. 1828). Die *Ballade* vereinigt Motive aus
Boccacios *Decamerone* (II,8) mit solchen der altschottischen Ballade
The beggar's daugther of Bednall Green aus T. Percys *Reliques of ancient
English poetry* (1765). G.s Plan einer Bearbeitung als Operntext *Der
Löwenstuhl* vom Juli 1814 blieb Fragment (*Tag- und Jahreshefte* 1813;
an Christiane 28. 7. 1814); die Ballade vertonte u. a. C. Loewe. Eine
eigene Auslegung mit genauer Einbeziehung der intendierten
Leserreaktionen gibt G.s Aufsatz *Ballade, Betrachtung und Auslegung*
(*Über Kunst und Altertum* III,1, 1821. Darüber hinaus ergeben sich
aktuelle Bezüge auf die politische Situation der Entstehungszeit
kurz nach der Völkerschlacht bei Leipzig: Der Graf als Anhänger des
rechtmäßigen Königs muß durch eine »gewaltsame Regierungsver-
änderung« mit seiner kleinen Tochter vor dem Parteigänger des
Usurpators aus seinem Schloß fliehen und zieht mit ihr als fahren-
der Sänger unerkannt durch die Lande, auch nachdem der neue
Schloßbesitzer die vermeintliche Bettlerstochter geheiratet hat. Mit
der Restauration der alten Macht- und Besitzverhältnisse kehrt er
auf sein Schloß zurück, trägt als Sänger unerkannt den Enkeln seine
eigene Geschichte als Märchen vor, kann sich dem über das »Bett-
lergeschlecht« empörten Schwiegersohn als nunmehr rechtmäßiger
Besitzer ausweisen, entkräftet damit dessen soziale Herablassung
und ist versöhnlich zu einem Arrangement mit ihm bereit. Durch
Nachholung der Vorgeschichte als angebliches Märchen, Er/Ich

Wechsel und sinnvolle Steuerung der Lesererwartung auf Enthüllung und Selbstoffenbarung kann die *Ballade* ein Lebensschicksal
auf elf Strophen verdichten: Unrecht, Gewalt, Schicksalswende und
Sieg versöhnender Güte und Menschlichkeit. Sie und nicht das Pri-
vatschicksal eines Adligen im Exil bilden das Sinnzentrum.

S. Waetzold, G.s B., ZfdU 3, 1889; M. Kommerell, G.s Ballade, NR 47, 1936, auch
in ders., Gedanken über Gedichte, 1943 u. ö.; H. Laufhütte, Die deutsche Kunstballade,
1979; M. Mayer, Die Kinder sie hören es gerne, JFDH 1987.

Balladen. Die frühere Volksballade und der volkstümliche Bänkel-
sang wurden von der Aufklärung als außerliterarisch und unkünst-
lerisch abgewertet und nur als »komische Romanze«, scherzhaftes
Erzählgedicht (Gleim), toleriert. Erst Macphersons *Ossian*-Fäl-
schung 1762 und T. Percys *Reliques of ancient English poetry* (1765)
führten auch in Deutschland seit rd. 1770 zu einer Neueinschät-
zung der Volksdichtung, und auf Anregung Herders sammelte G.
1771 mündlich überlieferte »Volksballaden aus dem Elsaß« und
deren Melodien. Unabhängig von der gleichzeitig im Göttinger
Hain (Hölty, Bürger) einsetzenden Erneuerung der Schauerballade
regte die Volksballade G. zu eigenen, volkstümlich schlichten, kurzen und sangbaren Balladen in einfacher Sprache an. Sie schildern
mit dämonisch-magischen Zügen, oft auf eine lyrische Situation
konzentriert, vielfach Motive der Liebe jenseits der Standesschran-
ken (*Heideröslein*, 1771; *Das Veilchen*, 1773/74; *Der König in Thule*,
1774; *Der untreue Knabe*, 1774/75; *Vor Gericht*, 1775/76). In den
frühen Weimarer Jahren folgen ihnen als G.s neue, eigene Schöpfung naturmagische Balladen vom lockenden und tötenden Zauber
der Natur und des Elementarischen in seiner Wirkung auf das
menschliche Unbewußte (*Der Fischer*, 1778; *Erlkönig*, 1782) und *Der
Sänger* (1783), der den Balladenvortrag selbst thematisiert. Einen
Neueinsatz bringt nach 14jähriger Unterbrechung das »Balladen-
jahr« 1797, angeregt durch die intensive Erörterung von Wesen und
Gattungsgesetzen der Ballade im Gespräch und Briefwechsel mit
Schiller im Mai/Juni 1797 in Jena, der G. zur Vollendung schon
lange in sich herumgetragener Stoffe, teils Lesefrüchte, ansporte.
Im Unterschied zu Schillers Balladen von der freien sittlichen Ent-
scheidung des Menschen bevorzugt G. in seinen nunmehr auch
handlungsstarken und gedanklich vertieften Balladen die magische
Einwirkung höherer Mächte. Schillers *Musen-Almanach für das Jahr
1798*, der sog. »Balladen-Almanach«, bringt im Oktober 1797 G.s
*Der Schatzgräber, Legende, Die Braut von Korinth, Der Gott und die
Bajadere* und *Der Zauberlehrling*.
    Die späteren Balladen sind weniger magisch-mysteriöse als z. T.
humorvolle, oft in Vers und Klangmalerei sprachlich virtuose und
geschickt pointiert erzählte Handlungen, gelegentlich auch Lokal-
sagen, zur Vorlesung im geselligen Kreis und für breitere Hörer-
schichten gedacht, die ihr Kunstcharakter vor Parodien wie denen

Schillers bewahrt (*Ritter Kurts Brautfahrt*, 1802; *Hochzeitslied*, 1802; *Wirkung in die Ferne*, 1808; *Johanna Sebus*, 1810; *Groß ist die Diana der Epheser*, 1812; *Der getreue Eckart*, 1813; *Der Totentanz*, 1813; *Die wandelnde Glocke*, 1813 und *Ballade*, 1813–16). G.s Poetik der Ballade, im Briefwechsel mit Schiller 1797 entwickelt, betont das Mysteriöse und Geheimnisvolle in der Vortragsweise und den lyrischen Charakter des Refrains. Sie sieht im Wechsel von lyrischen, epischen und dramatischen Formen die Ballade als »Urei« »aller drei Grundarten der Poesie« (*Ballade, Betrachtung und Auslegung*, 1821) und betont wiederholt, daß die Ballade nur in mündlichem, gesungenem Vortrag ihre volle Wirkungskraft erreicht.

P. L. Kämpchen, Die numinose B., 1930; W. Kayser, Geschichte der deutschen B., 1936 u. ö.; M. Ennemoser, G.s magische B., 1939; M. Kommerell, G.s B., in ders., Gedanken über Gedichte, 1943 u. ö.; I. Feuerlicht, G.s früheste B., JEGP 48, 1949; I. Feuerlicht, G.s B., MDU 45, 1953; W. S. Seiferth, G.s B. des Jahres 1797 und ihr Verhältnis zum Faust, GQ 34, 1961; G. Rodger, G's Ur-Ei in theory and practice, MLR 59, 1964; W. Hinck, Die deutsche B., 1968 u. ö.; N. Mecklenburg, B. der Klassik, in: Deutsche Literatur zur Zeit der Klassik, hg. K. O. Conrady 1977; C. Träger, Die B. als Modellfall genretheoretischer Erörterung bei G., GJb 94, 1977; H. Laufhütte, Die deutsche Kunstballade, 1979; N. Oellers, G.s und Schillers B. vom Juni 1797, in: Unser Commercium, hg. W. Barner 1984.

Ballett. In der Sturm und Drang-Zeit dem »unnatürlichen« Ballett fernstehend, bezog G. später in der höfischen Gesellschaft Weimars vor allem in seinen Maskenzügen, Festspielen (*Pandora*, 1815) und Singspielen choreographische Formationen, Pantomime, Ballett und Tanz in untergeordnetem Rang ein, so im Maskenzug von 1782 *Der Geist der Jugend*. Pantomimisches Ballett und im Schlußballett des Maskenzugs von 1784. Am Weimarer Theater im Gegensatz zur Oper spielte das Ballett schon aus Kostengründen eine geringe Rolle und wurde ggf. von Schauspielern ausgeführt. Ballettabende blieben Gastspielen überlassen.

Balsamo, Giuseppe →Cagliostro

Balzac, Honoré de (1799–1850). Von dem großen französischen Romancier des frühen 19. Jahrhunderts las G. nur am 11./12. 10. 1831 den Roman *La peau de chagrin* (1831), den er trotz Schwächen im Detail als »Produkt eines ganz vorzüglichen Geistes« und ein »vortreffliches Werk neuster Art« bezeichnete und an dem er die Verwendung des Wunderbaren lobte (Tagebuch 10.–12. 10. 1831; an F. von Müller 17. 11. 1831; zu Soret 27. 2. 1832). David d'Angers sandte ihm am 7. 3. 1830 u. a. ein Reliefporträt Balzacs.

A. H. Krappe, G. et B., Neuphilologische Mitteilungen 40, 1939; F. Neubert, B. und G., in: Gedächtnisschrift A. Hämel, 1953.

Bamberg. Die fränkische Bischofsstadt und Residenz war G. nur dem Namen nach vertraut, als er sie im *Götz von Berlichingen* als Zentrum der Gegenpartei Götzens um den Bischof von Bamberg stark in den Mittelpunkt rückte. Kennenlernen sollte er sie erst spä-

ter auf mehrfachen Durchreisen: im Juni 1788 auf der Rückreise
von Italien, am 14. 3. 1790 auf dem Weg nach Venedig und am
16. 11. 1797 auf dem Rückweg von der 3. Schweizer Reise, wo das
Tagebuch kurz von Bamberg Notiz nimmt.

Bancroft, George (1800–1891). Der amerikanische Diplomat und
Historiker schildert Besuche und literarische Gespräche bei Goethe
während seiner Studienzeit (1818–21 Göttingen und Berlin) am
12. 10. 1819, 7. und 12. 3. 1821. Sein Artikel *The life and genius of
Goethe* (*North American Review*, Oktober 1824) machte Amerika auf
G. aufmerksam. G.s Tagebuch notiert den Namen teils fälschlich als
Beresford.

O. W. Long, G. and B., Studies in philology 28, 1931.

Bandello, Matteo (um 1485–1562). G. las die *Novellen* (1554–73)
des italienischen Renaissancedichters in der Boccaccio-Nachfolge,
denen u. a. Shakespeare den Romeo und Julia-Stoff entnahm, am
14.–25. 10. 1811, blieb aber wenig beeindruckt (*Tag- und Jahreshefte*
1811).

Bandinelli, Baccio (1493–1560). G.s anfängliche Hochschätzung
des manieristischen Florentiner Malers und Bildhauers, nach dem
er auch Stiche besaß (an Carl August 8. 12. 1787 und 16. 2. 1788),
erlitt einen Rückschlag, als er bei der Übersetzung des *Benvenuto
Cellini* dessen Urteil über Charakter und Werk des Künstlers übernahm.

Banks, John (um 1652–1706). Die Tragödie *Der Graf von Essex* des
englischen Dramatikers, nach G.s Urteil ein »altes, zwar interessantes, aber schlecht geschriebenes Stück« (an W. von Humboldt 4. 11.
1813), wurde in Weimar am 13. 11. 1813 in einer Bearbeitung von
J. G. Dyk (1777) aufgeführt. Auf Wunsch der Darstellerin der Elisabeth, A. Wolff, die einen besseren Abgang haben wollte, schrieb G.
für sie am 17.–20. 10. 1813 nach historischen Studien den *Epilog
zum Trauerspiele Essex*, den er nach Fouqués Zeugnis auch am 3. 12.
1813 bei J. Schopenhauer »wie ein donnernder Jupiter« vortrug. G.
wunderte sich später selbst über einige »ominose Stellen« und »pro-
phetische Worte«, die sich auf die während der Entstehung tobende
Völkerschlacht bei Leipzig und den Sturz Napoleons beziehen lassen (an W. von Humboldt 4. 11. 1813; Rezension von F. Rochlitz'
Für Freunde der Tonkunst, 1824), und erklärt in den *Tag- und Jahresheften* 1813 diese Flucht ins Entfernteste als seine Art des politischen
Eskapismus.

Barbara. Die Figur der alten Dienerin Marianes in *Wilhelm Meisters Lehrjahre* (I,1) eröffnet Wilhelm später (VII,8), daß Felix sein
eigener Sohn ist.

Barby. In der Herrnhuterkolonie bei Magdeburg weilte G. mit Carl August am 7.–9. 12. 1776 von Dessau aus. Der Aufenthalt markiert seine Entfremdung vom früher angenommenen →Pietismus.

Barchfeld. G. besuchte den Landgrafen von Hessen-Philippsthal-Barchfeld auf seinem Schloß in Barchfeld bei Schmalkalden am 9. 12. 1781, 8. 4. und 13.–16. 4. 1782, ohne zu ihm nähere Beziehungen zu gewinnen.

Barclay de Tolly, Michael (1761–1818). Der russische General aus deutschbaltischer Familie schottischer Herkunft, 1810–12 Kriegsminister, dann Oberbefehlshaber gegen Napoleon, besuchte G. am 13. 6. 1812 und wiederum, nunmehr Fürst und Feldherr, am 24. 10. 1815 in Weimar. Auch sein Neffe Andreas, Geschäftsträger der russischen Botschaft in Dresden, besuchte G. am 27. 9. 1818 und 31. 10. 1829 in Weimar, G. ihn am 10. 7. 1822 in Marienbad.

Bardendichtung. Die modische Nachahmung von Macphersons *Ossian* in Deutschland durch M. Denis, K. F. Kretschmann, Gerstenberg, Klopstock u. a. und ihre bald zu bloßem Wortgeklingel entartete Verherrlichung nordischen Heldentums verspottete G. nach anfänglicher Anerkennung (*Werther*, 12. Oktober) im *Jahrmarktsfest zu Plundersweilern* (1774). In *Dichtung und Wahrheit* (III,2) führt er die Erscheinung auf einen ziellosen, aggressiven Patriotismus zurück.

Bardolino. Der kleine Ort am Ostufer des Gardasees war der Landeplatz für das Schiff, das G. am 14. 9. 1786 von Malcesine brachte; von hier ging es per Maultier nach Verona.

Bardua, Caroline (eigentlich Pardois, 1781–1864). Die recht dilettantische Porträtmalerin war seit 1805 Schülerin von J. H. Meyer in Weimar und, auch als Sängerin, gern gesehener Gast bei G. Sie begann am 12. 12. 1806 ihr erstes G.-Porträt, im März 1807 ein zweites und malte auch Christiane (1807) und August von G. (1808). Vor ihrer Harzreise schrieb G. ihr am 12. 5. 1807 einen Vers ins Stammbuch. Im Frühjahr 1808 siedelte sie als Schülerin von G. von Kügelgen, dessen G.-Porträt sie mehrfach kopierte, nach Dresden über und ging 1822 als Porträtmalerin nach Berlin. Der Briefkontakt mit G. riß nie ganz ab; am 2. 11. 1827 und 1. 6. 1829 besuchte sie ihn in Weimar.

J. Werner, Die Schwestern B., 1929 u. ö.

Barmekiden. Die Nachkommen des Priester-Arztes Barmek, ein persisches Adelsgeschlecht, waren einflußreiche Staatsdiener, z. T. Großwesire am Kalifenhof in Bagdad im 8. Jahrhundert bis zu ihrer Entmachtung 803 durch Harun al Raschid. G. assoziiert mit ihnen im *West-östlichen Divan* ein Goldenes Zeitalter des Friedens, der

Künste und Wissenschaften, dessen Parallelen er am Hof der Este in
Ferrara (*Torquato Tasso*) und am Weimarer Hof seiner Zeit sieht. In
der österreichischen Kaiserin Maria Ludovica aus dem 1797 von
Bonaparte vertriebenen Geschlecht der Este erscheint ihm diese
Zeit verkörpert. Vgl. Motto zum »Buch des Sängers« und *Noten und
Abhandlungen* zum *West-östlichen Divan.*

K. Mommsen, Die B. im West-östlichen Divan, Goethe 14/15, 1952/53; G. Jung-
bluth, Zu einem Motto im West-östlichen Divan, OL 13, 1958; U. Wertheim, Noch
einmal: Die B. im Divan, Goethe 27, 1965, auch in dies., G.-Studien, 1968.

Barocci, Federico (1535–1612). Von dem italienischen Maler des
Manierismus besaß G. ein Porträt des Herzogs Francesco Maria II.
von Urbino, des Freundes von Tasso, vom Jahr 1583. Von F. Bury in
Rom für ihn gekauft, hing es im danach benannten Urbino-Zim-
mer des Hauses am Frauenplan.

M. Schuette, Das Bildnis des Herzogs von Urbino im Goethehaus, Goethe 5, 1940.

Bartels, Johann Heinrich (1761–1850). Der Jurist und spätere
Hamburger Bürgermeister hatte im gleichen Jahr wie G. Italien be-
reist und in seinen »treuen und guten, aber etwas weitschweifigen«
(*Philipp Hackert*, Nachträge) *Briefen über Calabrien und Sicilien* (III
1787–92) auf die griechischen Baudenkmäler Siziliens hingewiesen.

Bartsch, Johann Adam Bernhard, Ritter von (1757–1821). Der
Kustos der Kupferstichsammlung der Wiener Hofbibliothek gab
1803–21 den noch heute benutzten Kupferstichkatalog *Le peintre
graveur* (XXII) heraus, den G. häufig auch für seine eigene Sammlung zu Rate zog und zitierte. Der »vortreffliche Kunstkenner« besuchte G. am 23. 11. 1817.

Basalt. Die Herkunft des kristallin strukturierten jüngeren Erguß-
gesteins war zur Goethezeit heftig umstritten. Die »Vulkanisten«
betrachteten Basalt richtig als vulkanischen Ursprungs, d. h. als
dicht erstarrte Lava; die »Neptunisten« führten ihn wegen seiner
horizontalen Lagerung ohne Krater auf Meeresausscheidungen
zurück. G., der sich zeitweise stark für die säulenartige Absonderung
des Basalts interessierte und sie besonders in Böhmen (Karlsbad,
Tepl, Eger), Italien und Schlesien untersuchte, neigte anfangs den
Vulkanisten, später den Neptunisten zu und schlug zeitweise einen
Mittelweg vor, der Basalt als Abscheidung eines durch vulkanische
Hitze siedenden Urmeers erklärte (*Vergleichsvorschläge, die Vulkanier
und Neptunier über die Entstehung des Basalts zu vereinigen,* um 1790).
Doch wurde noch zu G.s Lebzeiten der →Neptunismus als Lehr-
meinung aufgegeben. Die schwebende Streitfrage veranlaßte G.
zum Gedicht *Den Vereinigten Staaten* (1818), nach dem Amerika es
besser habe, weil es (vermeintlich) keine Basalte habe und also kei-

nen Geologenstreit provoziere. Hinter G.s Problemlösung steht letztlich die philosophisch-ethische Entscheidung für eine langsam und ruhig wirkende und gegen eine tumultuarisch-chaotisch eingreifende Naturkraft.

Basedow, Johann Bernhard (1724–1790). Den aufklärerisch-dogmenfeindlichen Pädagogen und Schulreformer lernte G. im Juli 1774 in Frankfurt kennen und reiste mit ihm nach Ems zu Lavater. Dort entstand am 15. 7. 1774 das Gedicht →*Diné zu Coblenz*, in dem »das Weltkind [G.] in der Mitten« zwischen beiden sehr unterschiedlichen »Propheten« sitzt. Die am 18. 7. anschließende »Geniereise« führte die drei zu Schiff lahn- und rheinabwärts bis Neuwied, wo Basedow zu einem Besuch ausstieg und am 25. 7. 1774 bei der Rückfahrt nach Ems wieder abgeholt wurde. Die Gesellschaft blieb vom 27. 7. bis 12. 8. 1774 in Ems. Am 12. 8. kehrten G. und Basedow nach Frankfurt zurück, und Basedow weilte noch einige Wochen ohne näheren Kontakt zu G. in Frankfurt, um anschließend seine berühmte Musterschule »Philanthropinum« in Dessau zu gründen und (bis 1778) zu leiten. G.s weitere Beziehungen beschränkten sich auf einen Besuch in Dessau mit Carl August und Chr. Kaufmann am 15. 12. 1776. Er schätzte die erzieherischen Ideale des originellen, aber gesellschaftlich schwierigen und aggressiven Geistes höher als dessen pädagogische Praxis und als sein unsystematisches *Elementarbuch für die Jugend* (IV 1774). Ein amüsantes Charakterbild zeichnet *Dichtung und Wahrheit* III,14. Basedows ständige Redewendung »Ergo bibamus«, von der G. in der *Farbenlehre* erzählt, regte auf Anstoß Riemers zu G.s Gedicht *Ergo bibamus* (1810) an.

J. Rammelt, G. und B., 1935.

Basel. Die Stadt, die G. vor allem wegen ihrer Kunstwerke und Kunsthändler schätzte, sah er zweimal: am 8./9. 8. 1775 auf der Rückfahrt von der 1. Schweizer Reise, mit einem Besuch beim Philosophen Isaak Iselin, und am 1.–3. 9. 1779 auf der Hinfahrt zur 2. Schweizer Reise.

Basilius Valentinus →Valentinus

Bassenheim, Johann Maria Rudolf, Reichsgraf von und zu (1731–1805). Der Präsident des Reichskammergerichts in Wetzlar (1763–1777) zu G.s Wetzlarer Zeit war gesellig und führte ein gastfreies Haus. Selbst frei von Standesdünkel und bemüht, die Spannungen zwischen Adel und Bürgertum zu mindern, schätzte er den jungen Jerusalem (= Werther), konnte jedoch seinen einzigen bürgerlichen Gast vor der Brüskierung durch die Adligen nicht schützen. G.s *Leiden des jungen Werthers* schildern ihn als Graf C. in dieser historisch verbürgten Szene.

Bassompierre, François de (1579–1646). Der französische Marschall und Diplomat aus lothringischem Adel schrieb als Gefangener Richelieus in der Bastille (1631–43) seine *Memoiren.* G. las sie 1794/95 in einer Kölner Ausgabe von 1666 und entlehnte ihnen 1. die Geschichte von der schönen Krämerin in den *Unterhaltungen deutscher Ausgewanderten* (1795), die als Musterfall der »unerhörten Begebenheit« gelten kann und die später Hugo von Hofmannsthal als *Das Erlebnis des Marschalls von Bassompierre* (1900) bearbeitete, ferner 2. die kurze, daran anschließende Geschichte vom Schleier, die Emil Strauß' Novelle *Der Schleier* (1920) weiter ausführt, sowie 3. den Stoff zur Ballade *Ritter Kurts Brautfahrt* (1802).

F. Meyer von Waldeck, Die Memoiren des Marschalls von B. und G.s Unterhaltungen deutscher Ausgewanderten, Archiv 87, 1891; W. Kraft, Von B. zu Hofmannsthal, RLC 15, 1935, auch in ders., Wort und Gedanke, 1959; H. H. Remak, Novellistische Struktur, 1983; P. Oster, Leben und Form, in: Romanistik als vergleichende Literaturwissenschaft, hg. W. Graeber 1996.

Batsch, August Johann Georg Carl (1761–1802). G. lernte den Naturwissenschaftler 1785/86 kennen, harmonierte mit seiner Vorliebe für botanische Systematik, fand in ihm einen kenntnisreichen Berater in botanischen Fragen und erörterte mit ihm u. a. seine Ideen zur Metamorphose der Pflanzen (*Geschichte meines botanischen Studiums,* 1817). Er setzte sich 1787 für seine Ernennung zum Professor in Jena und zum Leiter des unter G.s Oberaufsicht 1794 neugegründeten Botanischen Gartens in Jena ein. 1793 gründete Batsch die Naturforschende Gesellschaft in Jena, nach deren Sitzung im Juli 1794 die Freundschaft G.s und Schillers begann. G. schätzte die klare Ordnungsliebe, selbstlose Hilfsbereitschaft und den unermüdlichen Fleiß des frühverstorbenen Batsch sehr hoch ein und ordnete selbst die schwierigen Nachlaßfragen für seine Witwe.

Batteux, Charles (1713–1780). Mit dem rationalistischen französischen Ästhetiker (*Traité des beaux arts réduits à un seul principe,* 1746) und seiner Lehre von der Kunst als Nachahmung des Naturschönen wurde G. durch eine Vorlesung Gellerts in Leipzig vertraut. In bewußtem Gegensatz zu ihm nennt er seine *Neuen Lieder* (1770) »nicht ein Strich Nachahmung, alles Natur« (an E. T. Langer, Anfang 1770). In den *Leiden des jungen Werthers* (Brief vom 17. Mai) zählt er zum bloßen Bildungswissen im Gegensatz zu Werthers Kunst als Gefühlserleben, und die Anmerkungen zu G.s Übersetzung von Diderots *Rameaus Neffe* (1805) nennen ihn einen »Apostel des halbwahren Evangeliums der Nachahmung der Natur«, weil er und seine Nachbeter über den bloßen Sensualismus nicht hinausgelangen.

Batty, George (?–1820). Der von Merck empfohlene Engländer wurde 1779 als Weimarischer Landkommissar zur Verbesserung und

Bewässerung der Kammergüter angestellt. G. schätzte ihn wegen seiner gründlichen Fachkenntnisse und seiner Tüchtigkeit als energischer Praktiker; Tagebücher (z. B. 14. 7. 1779, 13. 5. 1780) und Briefe (z. B. an Knebel 17. 4. 1782) geben seinem Lob 1779–84 wiederholt Ausdruck.

Baubo. Eine reichlich obskure mythologische Figur aus dem griechischen Demetermythos, eine Art Verkörperung des Mutterschoßes als Symbol der Fruchtbarkeit: Wohl Amme der Demeter oder ihres Sohnes Iakchos, heitert sie die um den Verlust ihrer Tochter Persephone trauernde Demeter durch Entblößung ihres eigenen Mutterschoßes auf und erinnert sie an ihre Gebärfähigkeit. Wenn sie wohl als Figur mit gespreizten Beinen im römischen Karneval fortlebend »die Geheimnisse der Gebärerin entweiht« (*Das Römische Carneval*), entnahm G. wohl diesem obszönen Bild die Anregung, sie – als einziges antikes Einsprengsel – in die Walpurgisnacht als auf einem Mutterschwein reitende Anführerin der Hexen einzuführen (*Faust* I, v.3962 ff.).

O. Kern, B. in der Walpurgisnacht, GJb 18, 1897.

Baucis →Philemon und Baucis

Baudissin, Wolf Heinrich Friedrich Carl, Graf von (1789–1878). Der spätere Shakespeareübersetzer besuchte als Göttinger Student G. am 23. und 24. 5. 1809 in Jena und gab in einem Brief an seine Schwester vom 1. 7. 1809 eine überschwengliche Schilderung von G.s Schönheit (»ein geborner König der Welt«).

Bauer, Charlotte von. Die sonst unbekannte Malerin schuf 1792 eine herzlich unähnliche Kreidezeichnung G.s.

Baukunst allgemein →Architektur. – Von G.s zwei kurzen Aufsätzen dieses Titels behandelt der frühere vom Oktober 1788 im *Teutschen Merkur* die griechische Tempelarchitektur und bezieht Stellung gegen die Gotik. Der zweite vom November 1795, postum in der Weimarer Ausgabe gedruckt, behandelt die Bauformen und Bauelemente der Antike im Hinblick auf Palladio.

Baumannshöhle. G., immer von Höhlen fasziniert, besichtigte die große Tropfsteinhöhle bei Rübeland im Harz am 1. 12. und ganztägig am 2. 12. 1777 und wiederum mit Fritz von Stein am 12. 9. 1783. Er beschreibt den Eindruck in *Campagne in Frankreich* (Duisburg, November 1792).

K. Bürger, G. und die B., Zeitschrift des Harz-Vereins 61, 1928.

Baumgarten, Peter im (1761–1794?). Den Hirtenknaben aus Meiringen im Berner Oberland hatte Heinrich Julius von →Lin-

dau, den G. 1775 in der Schweiz kennenlernte, als Pflegesohn angenommen, um ihm eine gute Erziehung zu geben, und hatte ihn
auf Kosten eines Freundeskreises im Erziehungsinstitut von Salis in
Marschlins untergebracht. G. hatte sich bei Lindaus Besuch in Weimar im Januar 1776 verpflichtet, im Falle von Lindaus Tod die
Sorge für seinen Schützling zu übernehmen. Lindau fiel am 16. 11.
1776 als hessischer Offizier in Amerika und hinterließ ein Legat für
Peters Erziehung von 2000 Reichstalern. Doch Peter, der obligatorischen Fremdsprachentage überdrüssig, verließ am 28. 4. 1777 eigenmächtig das Institut und erschien am 12. 8. 1777, pfeifenrau-
chend und von einem bellenden Hund begleitet, bei G. in Weimar,
der ihn in sein Haus aufnahm und Frau von Stein an der Erziehung
beteiligte. Als Peter sich jedoch als schwer erziehbar erwies und u. a.
Lavaters Büste mit Tinte schwärzte, gab er ihn 1779 außer Haus,
ließ ihn in Ilmenau den Jägerberuf erlernen und durch J. F. Krafft
beaufsichtigen und unterrichten. Peter behielt sein unstetes Wesen
bei, wurde Kupferstecher, heiratete 1786, verließ jedoch 1793 seine
Frau mit sechs Kindern, und sein weiterer Verbleib ist unklar. Vgl.
an C. L. A. von Scholley 26. 4. 1779.

F. Ernst, Aus G.s Freundeskreis, 1941; E. Beutler, P. i. B., in ders., Essays um G. 2,
1947; H. v. Maltzahn, G.s Schweizer Pflegesohn, Insel-Almanach 1958.

Bause, Johann Friedrich (1738–1814). Der durch seine Porträtstiche berühmte Kupferstecher war seit 1766 neben Oeser Professor an der Leipziger Kunstakademie, wo G. ihn kennenlernte. Er
besuchte ihn ferner bei seinen Aufenthalten in Leipzig am 27. 12.
1782 und am 1. 5. 1800 und besichtigte seine Kunstsammlungen.

Bayle, Pierre (1647–1706). Das *Dictionnaire historique et critique* (IV
1697) des französischen Historikers und Philosphen, der in seiner
Scheidung von Glauben und Wissen und in seiner Quellenkritik als
Vorläufer der Aufklärung gilt, stand in der Bibliothek von G.s Vater.
Bei seinen frühen Studien darin 1764 empfand G. es wie ein »Labyrinth« (*Dichtung und Wahrheit* II,6). 1770 nahm er Anstoß an
Bayles Artikel über Giordano Bruno (*Ephemerides*). Ihm verdankt G.
vor allem 1774 den Anstoß zur näheren Beschäftigung mit der Philosophie Spinozas, und in der Erinnerung daran nennt er es 1813
»wegen Gelehrsamkeit und Scharfsinn ebenso schätzbar und nützlich, als wegen Klätscherei und Salbaderei lächerlich und schädlich«
(ebd. IV,16).

Bearbeitungen →Bühnenbearbeitungen, →Übersetzungen

Beauharnais, Eugène, Vicomte de (1781–1824). Den von Napoleon adoptierten Sohn der Josephine aus erster Ehe, 1805–14
Vizekönig von Italien, 1817 Herzog von Leuchtenberg und Fürst
von Eichstädt, traf und sprach G. am 20. 7. 1823 bei einem Ball in

Marienbad »umständlich« »über bedeutende Gegenstände« (Tagebuch; an Willemer 9. 9. 1823) und vielleicht auch beim Tanztee am 3. 8. 1823 (Tagebuch; an Ottilie 4. 8. 1823). G. schätzte ihn als »einen ausgezeichneten Mann, der viel gesehn und erfahren habe und ... sich verständig und interessant darüber auszusprechen wisse« (zu L. Parthey 23. 7. 1823). Eine allgemeine Würdigung gibt G. anläßlich seines Todes (zu Eckermann 22. 3. 1824).

Beaumarchais, Pierre-Auguste Caron de (1732–1799). G. fühlte sich dem französischen Schriftsteller in seiner »romantischen Jugendkraft« (an F. H. Jacobi 21. 8. 1774) insgeheim verwandt, interessierte sich für sein an Abenteuern, Prozessen und Intrigen reiches Leben und sympathisierte mit dem unbekümmerten Kraftüberschuß seiner Bühnenfiguren. Er las daher alle seine wesentlichen Werke bald nach Erscheinen: 1768 *Eugénie* (1767), 1776 *Le barbier de Séville* (1775), 1785 *Le mariage de Figaro* (1778, Druck 1785), 1796 deren Fortsetzung *La mère coupable* (1792) und sah 1800 Salieris Oper nach Beaumarchais' *Tarare* (1786). Er bewunderte seinen klaren Stil, seinen Theatersinn und seine geistige Kühnheit. Vor allem jedoch gab ihm das vierte der *Mémoires* (1774) von Beaumarchais um Ereignisse des Jahres 1764 den (vom Autor schon in *Eugénie* behandelten) Stoff zum Drama *Clavigo* (1774), in dem Beaumarchais als Figur auftritt und an dem dieser zwei erweiternde Motive bemängelte (*Dichtung und Wahrheit* II,7 und III,15).

J. A. Frantzen, G. und B., Neophil 1, 1915; P. H. Meyer, G. lecteur de B., Actes du 4e Congrès de l'A.I.L.C., Den Haag 1966.

Beaurepaire, Nicolas Joseph de (1740–1792). Die Tat des Kommandanten von Verdun erregte seinerzeit Aufsehen: Auf Drängen der Bürger, die eine völlige Vernichtung der belagerten Stadt befürchteten, stimmte er am 2. 9. 1792 der Übergabe an die Preußen zu, erschoß sich jedoch anschließend: »ein Beispiel höchster patriotischer Aufopferung« (*Campagne in Frankreich*).

Beccaria–Bonesano, Cesare, Marchese di (1738–1794). Der Mailänder Professor für Strafrecht trat in seiner aufsehenerregenden und weitverbreiteten Schrift *Dei delitti e delle pene* (1764) für die Abschaffung von Folter und Todesstrafe zugunsten eines präventiven Strafrechts ein. In *Wilhelm Meisters Wanderjahren* (I,6) rühmt Juliette seine »Maximen einer allgemeinen Menschlichkeit«.

Der Becher. Das Ende September 1781 entstandene, in den *Schriften* (8, 1789) zuerst gedruckte Liebesgedicht führt im *Tiefurter Journal* (9, 1781) noch die irreführende Überschrift »Aus dem Griechischen«, um vom persönlichen Bezug auf Frau von Stein abzulenken, der G. das Gedicht am 22. 9. 1781 brieflich ankündigt. Das Bechermotiv erscheint in den Anakreontea nur am Rande und kann bestenfalls eine Anregung gegeben haben.

Bechtolsheim, Juliane Auguste Christine (1751–1847). Die geborene Gräfin von Keller war seit 1774 mit dem späteren Kanzler und
quasi Weimarer Statthalter in Eisenach Johann Ludwig von
Bechtolsheim verheiratet, mit dem G. auch amtlich zu tun hatte.
Wieland, der gern in ihrem Elternhaus in Stedten bei Erfurt verkehrte und sie »Psyche« nannte, führte G. dort am 1./2. 1. 1776 ein
und machte ihn mit der »niedlichen Bechtolsheim« (an Ch. von
Stein 27. 1. 1776) bekannt. Wielands Gedicht *An Psychen* (1776)
childert poetisch überhöht diesen Tag und führt den jungen G. als
»Zauberer« ein. G. hielt bis zur Italienreise enge Verbindung mit der
Familie Bechtolsheim in Eisenach. Er verfolgte und unterstützte
1818 auch ihre lyrischen Versuche, die u. a. in der von Ottilie von
G. herausgegebenen Zeitschrift *Chaos* erschienen, und steuerte am
1. 3. 1818 »einige Stanzen« dazu bei (»Der einmal ein Zaubrer
hieß«, in *Zahme Xenien* VIII).

Beck, Heinrich (1760–1803). Der Schauspieler und »jugendliche
Liebhaber« am Mannheimer Nationaltheater, »ein interessanter Akteur, der denkt und sich Mühe gibt« (an Knebel 1. 1. 1791), lehnte
auch nach einem beeindruckenden Gastspiel in Weimar im
Dezember 1790/Januar 1791 ein Angebot, als Bühnenleiter nach
Weimar zu kommen, ab. G. schrieb ihm am 31. 1. 1791 einen
lobenden Vers ins Stammbuch. Unter G.s Leitung spielte das Weimarer Theater Becks Lustspiele: 1798 *Die Schachmaschine* (bis 1823
36mal), 1794 *Alles aus Eigennutz*, 1807 *Rettung für Rettung* und 1796
Die Quälgeister.
    H. Knudsen, H. B., 1912; H.Hartmann, Moral war mein Augenmerk, WB 37, 1991.

Beck, Henriette (1759–1833). Die Schauspielerin und Frau des
Schauspielers J. Chr. Beck war von 1784 bis zu ihrer Pensionierung
1823 für Rollen »gutmütiger und bösartiger Mütter, Schwestern,
Tanten« (*Tag- und Jahreshefte* 1794), für zärtliche und komische Alte
am Weimarer Theater engagiert und sehr beliebt.

Beck, Johann Christoph, gen. Hans (1754–?). Dem 1783–1800 in
Weimar engagierten Schauspieler für niedrig-komische Rollen,
Bruder von Heinrich und Gatte von Henriette Beck, schrieb G.
1793 die Rolle des Schnaps in *Der Bürgergeneral* auf den Leib.

Becker, Carl Wilhelm (1772–1830). Der Frankfurter Kaufmann,
Kunstsammler, Kunsthändler, besonders Münzhändler und auch
Münzfälscher stand seit seinem Besuch bei G. in Berka am 21. 6.
1814 bis 1816 in brieflicher Verbindung mit ihm, der ihn am 1. 9.
1815 besuchte (*Tag- und Jahreshefte* 1815), seine Fachkenntnis
schätzte, bei ihm Münzen kaufte und Doubletten verkaufte. Vgl.
sein Lob in *Kunst und Altertum am Rhein und Main* (1817).

Becker 84

Becker, Christiane (Amalie Louise), geb. Neumann (1778–1797). Die anmutige und schauspielerisch begabte Tochter des Weimarer Schauspielerpaares Johann Christian und Johanna Elisabeth →Neumann, Schülerin von Corona Schröter und Lieblingsschülerin G.s, stand schon als Kind auf der Weimarer Bühne und spielte später tragische Rollen, Liebhaberinnen, Landmädchen und Hosenrollen in strengem, edlem Stil, »das liebenswürdigste, natürlichste Talent« (*Tag- und Jahreshefte* 1791). G. bevorzugte sie als Sprecherin für Epiloge (zum Jahresende 31. 12. 1791) und Prologe (zu Goldonis *Der Krieg* 15. 10. 1793; zu Ifflands *Alte und neue Zeit* 6. 10. 1794). 15jährig mit dem Schauspieler Heinrich Becker verheiratet, erlag sie am 22. 9. 1797 einem Lungenleiden. G. erreichte die Nachricht vom Tod »dieser geliebten Person« in der Schweiz, und er setzte der Frühverstorbenen ein »liebreiches, ehrenvolles Angedenken« (*Tag-und Jahreshefte* 1797) in seinem Gedicht →*Euphrosyne*. Den Schmerz über ihren Verlust bekennt ein Brief an K. A. Böttiger (25. 10. 1797): »Sie war mir in mehr als einem Sinne lieb … Es kann größere Talente geben, aber kein für mich anmutigeres.« 1799 ließ G. ihr ein nach Entwurf von J. H. Meyer von F. W. E. →Döll geschaffenes Denkmal in Gestalt einer Bildsäule im Weimarer Park an der Ilm (heute auf dem Friedhof) setzen. Noch 1829 erinnert er sich, in all seinen Jahren als Theaterleiter habe er »nur eine einzige gefunden, der das Höhere lebendig ward und an deren Entwicklung man Freude haben konnte. Es war die Euphrosyne.« (Eckermann an A. Kladzig Januar 1829).

O. Klein, G.s Euphrosyne Ch. Neumann-B., 1909; M. v. Röllfeld, Euphrosyne, ChWGV 27, 1913; B. Litzmann, G.s Euphrosyne, DR 166, 1916; J.C. Normann, G.s Euphrosyne, Edda 13, 1920.

Becker, Heinrich, eigentlich von Blumenthal (1764–1822). Der aus Kurland gebürtige Schauspieler für jugendliche, ältere und komische Charakterrollen gehörte 1791–1809 und 1818–20 zum Ensemble des Weimarer Theaters. Er spielte u. a. Antonio in *Torquato Tasso*, den Weltgeistlichen in *Die natürliche Tochter*, den Marquis im *Groß-Cophta* und den Wirt in *Die Mitschuldigen*. Er war 1793–97 mit Christiane Neumann (→Becker), 1803–05 mit Amalie Malcolmi und ab 1807 mit Karoline Ambrosch, sämtlich Schauspielerinnen, verheiratet. Ab 1796 auch Regisseur, hatte er öfter mit G. zu tun, der ihn trotz einiger Absonderlichkeiten sehr schätzte, und war besonders 1803–07 öfter dessen Gast. Im Streit G.s mit C. Jagemann nahm er deren Partei und mußte daher 1809 gehen, erhielt aber 1818–20 ein neues Engagement in Weimar.

Becker, Sophie (1754–1789). Die baltische Schriftstellerin und Reisebegleiterin der Elisa von der Recke auf ihrer Deutschlandreise 1784–86 traf G. am 29. 12. 1784 bei einem Diner bei Frau von Stein und gab eine Beschreibung seines steifen, wortkargen Benehmens. Weitere Begegnungen erfolgten Anfang März 1785 bei der

Gräfin Ch. E. von Bernstorff in Weimar und im Sommer 1785 in Karlsbad.

Becker, Wilhelm Gottlieb (1753–1813). Der Dichter und Schriftsteller wurde im März/April 1776 in Leipzig durch seinen Freund Oeser mit G. bekannt (an Oeser 6. 4. 1776) und veröffentlichte 1776 in seiner Wochenschrift *Die Muse* G.s Gedicht *An Venus*. 1782 Professor der Ritterakademie in Dresden, wurde er 1795 Inspektor der dortigen Antikengalerie, des Münzkabinetts und 1804 auch Leiter des Grünen Gewölbes und beschrieb die antiken Denkmäler Dresdens im öfter von G. benutzten *Augusteum* (III 1804–11). Den Herausgeber des *Taschenbuchs zum geselligen Vergnügen* 1794–1814 und des Journals *Erholungen* 1796–1810 nehmen die *Xenien* 132 (*B**s Taschenbuch*), 276 (*Erholungen, 2. Stück*) und Nachlaß-Xenion Nr. 110 (*Beckers Taschenbuch*) aufs Korn. G., der Beckers archäologische, kunsthistorische und gartenkundliche Publikationen schätzte, traf ihn am 11.–14. 8. und bis 6. 9. 1807 sowie am 28. 7. 1808 als Kurgast in Karlsbad und am 15. 8. und 17. 9. 1810 in Teplitz wieder.

Bedenken und Ergebung. Der kleine Aufsatz in *Zur Morphologie* (I,2, 1820) zum Problem der Kluft von Idee und Erfahrung in der Naturwissenschaft versucht eine dichterische Lösung des philosophischen Dilemmas durch Analogie mit dem Hinweis auf das Gedicht →*Antepirrhema*.

Bedeutende Fördernis durch ein einziges geistreiches Wort. Dieser Aufsatz, im März 1823 entstanden und in *Zur Morphologie* (II,1, 1823) gedruckt, ist ein wichtiges Selbstzeugnis für G.s Denk- und Verfahrensweise beim Natur- und Welterfassen. G. erhielt am 29. 10. 1822 als Geschenk des Verfassers das *Lehrbuch der Anthropologie* (1822) des Leipziger Professors für Psychiatrie J. C. F. A. Heinroth, das er im Dezember 1822 las und später auch in *Über Kunst und Altertum* (V,2, 1825) durchaus kritisch besprach. Im Kapitel »Über die Standpunkte anthropologischer Forschung« charakterisierte Heinroth als einen der vier möglichen Standpunkte den »des gegenständlichen Denkens, den wir zugleich mit der Methode selbst einem Genius verdanken, welcher von den meisten nur für einen Dichter, nicht auch für einen Denker gehalten wird. Es ist Goethe«, der nicht abstrakt, sondern gegenständlich tätig sei, »so daß sein Anschauen selbst ein Denken, sein Denken ein Anschauen ist.« G., der gleich Th. Mann treffende Formulierungen anderer für sein Schaffen gern adoptierte, macht sich die vom »gegenständlichen Denken« zu eigen, führt aus eigener Beobachtung die Richtigkeit dieser Kennzeichnung weiter aus, zieht daraus Konsequenzen für zukünftige Arbeit und wendet sie am Beispiel seiner Balladen auch auf sein literarisches Werk als »gegenständliche Dichtung« an.

Beer, Michael (1800–1833). Der junge Dramatiker, Bruder des Komponisten Meyerbeer, dessen Berliner Theatererfolg *Klytämnestra* G. am 25.6.1819 gelesen hatte, besuchte G. am 16.1.1824 in Weimar, um ihn für sein Trauerspiel *Der Paria* zu interessieren. G., der im März 1823 seine Balladen-Trilogie →*Paria* abgeschlossen hatte, las das Stück aus Interesse sogleich und lobte es (an Ottilie 18.1.1824, zu F. von Müller 20.1.1824). Er veranlaßte eine Rezension von Eckermann für *Über Kunst und Altertum* (V,1, 1824), zu der er selbst am 23.2.1824 einen Anhang *Die drei Paria* schrieb, in dem er auf Delavignes gleichnamige Tragödie und seine eigene *Paria-Trilogie* hinwies. Einem erneuten Besuch Beers am 15.10.1824 folgte am 6.11.1824 in G.s Anwesenheit die Weimarer Aufführung von *Der Paria*, deren Theaterzettel G. an Beer sandte.

Beerdigungen →Bestattungen

Beethoven, Ludwig van (1770–1827). Das Verhältnis des größten deutschen Dichters und des größten deutschen Komponisten zueinander beruhte weitgehend auf höchster gegenseitiger Anerkennung dank einer letztlichen Unfähigkeit, dem anderen in alle Feinheiten seiner Kunst zu folgen, und einer menschlich-temperamentsmäßigen Unvereinbarkeit trotz allen Verständnisses und aller Hochschätzung. G. wußte von Beethoven durch Zelter und Henriette Häßler, die bei ihm am 13.10.1807 eine Szene von Beethoven sang, bevor Bettina von Arnim den Komponisten im Mai 1810 besuchte, wo er ihr seine Kompositionen von *Mignon* (»Kennst du das Land«) und *Wonne der Wehmut* vorspielte und von der *Egmont*-Musik sprach. Sie wird G. spätestens am 11.8.1810 ausführlich davon berichtet haben. Beethoven seinerseits kündigte G. im verehrungsvollen Brief vom 12.4.1811 Auszüge des *Egmont* an, und sein Freund Baron F. von Oliva spielte G. am 3./6.5.1811 in Weimar Lieder daraus vor. (Die komplette *Egmont*-Musik wurde in Weimar am 23.1. und 20.2.1812 gespielt:»Beethoven ist mit bewundernswertem Genie in meine Intentionen eingegangen«, zu F. Förster um 1821.) G.s Antwortbrief vom 25.6.1811 drückte u.a. den Wunsch aus, den Komponisten in Weimar zu sehen. Die erste persönliche Begegnung fand jedoch in Teplitz statt, als G. am 19.7.1812 Beethoven dort aufsuchte, am 20.7. eine gemeinsame Spazierfahrt in Richtung Bilin unternahm und sich am 21. und 23.7. bei ihm am Klavier vorspielen ließ (»Er spielt köstlich«, Tagebuch). Eine erneute Begegnung ergab sich am 8.9.1812 in Karlsbad durch einen Besuch Beethovens bei G. und einen gemeinsamen Spaziergang. Über seine Eindrücke berichtet G. am 19.7.1812 an Christiane und am 2.9.1812 an Zelter. Um diese Treffen ranken sich mehrere unbeglaubigte Anekdoten; auf jeden Fall war der kultivierte Hofmensch G. bei aller Anerkennung durch das ungebändigte Benehmen Beethovens befremdet, und Beethoven reizte trotz

aller Fürsorge G.s dessen höfisches Verhalten. Beethovens *Fidelio*
wurde am 25. 9. und 9. 11. 1816 in Anwesenheit G.s in Weimar aufgeführt. Weitere Berührungen mit Beethovens Musik ergaben sich
durch Vorspielen von J. H. F. Schütz, J. N. Hummel, F. Schmidt,
M. von Willemer und besonders F. Mendelssohn (November 1821),
der G. im Mai 1830 auch den 1. Satz der 5. Symphonie vorspielte
(»Das ist grandios! ... Das ist sehr groß, ganz toll!«).

Beethovens Vertonungen von Texten G.s umfassen neben der
Egmont-Bühnenmusik (Ouvertüre und neun Nummern, Op. 84,
1810) folgende Lieder: Zwei Arien aus *Claudine von Villa Bella* (Prü-
fung des Küssens; Mit Mädeln sich vertragen, WoO, 1790), *Mailied*
(Wie herrlich ..., Op.52/4, um 1792), »Ich komme schon durch
manches Land«: Marmotte aus *Jahrmarktsfest zu Plundersweilern* (Op.
52/7, um 1792), *Nähe des Geliebten* (WoO, 1799), Mephistos Flohlied aus *Faust* (Es war einmal ein König, Op. 75/3, um 1800),
Mignon (Nur wer die Sehnsucht ..., WoO 134, 1807/08), *Mignon*
(Kennst du das Land ..., Op. 75/1, 1808), *Neue Liebe, neues Leben*
(Op.75/2, 1798/99, 2. Fassung 1809), *Wonne der Wehmut* (Op. 83/1,
1810), *Sehnsucht* (Op. 83/2, 1810), *Mit einem gemalten Bande* (Op.
83/3, 1810), *Meeresstille* und *Glückliche Fahrt* (Op. 112, 1815), *Bundeslied* (Op.122, 1822/23) und *Das Göttliche* (Edel sei der Mensch,
WoO 151, 1823).

R. Koegel, G. und B., in: Forschungen zur deutschen Philologie, Festschrift R.Hil-
debrand,1894;W. Nagel, G. und B., 1902;W. Nohl, G. und B., 1927; R. Rolland, G. und
B., 1928; O. E. Deutsch, B.s G.-Kompositionen, JbSKipp 8, 1930; W.Engelsmann, G.
und B., 1931; R. Benz, G. und B., 1942 u. ö.; J. Racek, B. und G. in Bad Teplitz 1812,
in: Festschrift E. Schenk, 1962; A. Fecker, Die Entstehung von B.s Musik zu G.s Trauerspiel Egmont, 1978; S. P. Scher, Comparing poetry and music, in: Sensus communis,
hg. J. Riesz 1986; M.Calhoun, Music as subversive text, Mosaic 20, 1987.

Die Befreiung des Prometheus. Im April 1795 in Jena (Schiller
an Körner 10. 4. 1795) und noch 1797 beschäftigte G. sich mit dem
Plan, ein klassizistisches Drama in Geist und Form des Aischylos als
Ersatz für dessen Fortsetzung seines *Gefesselten Prometheus* zu schreiben. Das Vorhaben wurde zugunsten der *Achilleis* aufgegeben, der
Stoff ging z. T. in die *Pandora* ein. Erhalten sind davon nur ein
»Chor der Nereiden« und zwei Fragmente, insgesamt 23 beängsti-
gend klassizistisch erstarrte Verse. Über den vorgesehenen Gang der
Handlung gibt es nur Vermutungen: Prometheus könnte seine Freiheit und Aussöhnung mit Zeus dadurch erkauft haben, daß er ihm
sein Geheimnis anvertraute, ein Sohn aus dessen Bund mit Thetis
drohe seine Herrschaft zu stürzen.

H. Düntzer, G.s befreiter P., in ders., Zur G.forschung, 1891; H. Henkel, Zu G.s
Bruchstück D. B. d. P., Studien zur vergleichenden Literaturgeschichte 7, 1907.

Befreiungskriege →Freiheitskriege

Begas, Carl (1794–1854). Zu seinem Geburtstag 1827 erhielt G. als
Geschenk Zelters dessen Porträt von dem Berliner Historien- und

Porträtmaler und Akademieprofessor C. Begas, das ihn nicht nur des
Dargestellten wegen sehr erfreute und ihm wiederholt zu Betrachtungen über zeitgenössische Malerei und deren wechselnde Stilvor-
bilder Anlaß gab: Begas hatte sich vom französischen Spätklassizis-
mus zum Nazarenertum gewandelt (um später über die Romantik
zum Realismus zu finden). G. dankte auch Begas am 1. 9. 1827.

Beherzigung. Die sinnspruchhafte Lebenslehre ist wohl 1777 entstanden und wurde 1789 in den *Schriften* gedruckt. Sie antwortet in
der 2. Strophe, wenn auch höchst vage anheimstellend (»Eines
schickt sich nicht für alle«), mit »wie« auf die Fragen in v. 1–4 und
mit »wo« auf die in v. 5–8 der 1. Strophe. Sie klingt mit einer Para-
phrase von 1. Korinther 10,12 aus.

Behr, Isaschar Falkensohn (1746–1781). Der promovierte Mediziner und praktische Arzt in Hasenpoth/Kurland wurde von
M. Mendelssohn in die Literatur eingeführt und veröffentlichte
1771 anonym *Gedichte von einem polnischen Juden* und 1772 einen
Anhang dazu, tändelnd-galante Liebesgedichte im Rokokostil. G.s
Rezension in den *Frankfurter Gelehrten Anzeigen* (1. 9. 1771) lehnt
sie bei aller Anerkennung der erschwerten Entstehungsbedingun-
gen als unoriginell und mittelmäßig ab.

W. Kraft, Gedichte von einem polnischen Juden, NDH 28, 1981, auch in ders., G.,
1986.

Behrisch, Ernst Wolfgang (1736–1809). G.s engster und ein-
flußreichster Jugendfreund aus der Leipziger Studentenzeit war, als
G. ihn um die Ostermesse 1766 durch seinen späteren Schwager
J. G. Schlosser bei der Tafelrunde der Frankfurter in der Weinwirtschaft von Chr. G. Schönkopf kennenlernte, bereits durch Vermittlung Gellerts seit 1760 Hofmeister des jungen Grafen C. H. A. von
Lindenau in Leipzig und elf Jahre älter als G.: ein in Erscheinung,
Kleidung, Anstand und Auftreten vollendeter, bewußt affektierter
Hofmann von literarischer Bildung und Geschmack. Seine Wohnung in Auerbachs Hof wurde zum Treffpunkt des Freundeskreises,
zu dem er den jungen Grafen ebenso hinzuzog wie zu den harmlosen, nie geschmacklosen Späßen und »unschädlichen Torheiten«,
für die der sarkastische Spötter und Pedant Behrisch eine Vorliebe
hatte. Seiner kauzigen, preziösen Abneigung gegen den Buchdruck
– G. sollte nichts drucken lassen – verdankt G.s Liederbuch →*Annette* (1767) seine Entstehung. Der Spott des Freundeskreises auf
Prof. Clodius sowie üble Verleumdungen und Klatschgeschichten
wegen angeblich allzu freien, rufschädigenden Umgangs führten im
Oktober 1767 zu Behrischs Aufgabe der Hofmeisterstelle. Durch
Gellerts Vermittlung fand er sogleich eine bessere Position als Hof-
meister am Hof des Fürsten →Leopold III. Friedrich Franz von
Anhalt in Dessau und Erzieher von dessen natürlichem Sohn. Er

reiste am 13.10.1767 aus Leipzig ab. G.s leidenschaftlich partei-
nehmende drei Oden an Behrisch (*Oden an meinen Freund*, 1767)
üben angesichts dieser Trennung erstmals Kritik an der Leipziger
Gesellschaft. Seine frühen, exaltierten Briefe an den Freund vom
Oktober 1767 bis Mai 1768 schildern G.s Liebeskummer und Eifersucht auf Käthchen Schönkopf, allerdings in überhitzt dramati-
siertem Stil, und entwickeln den Brief als spontane literarische Aus-
drucksform. Die Freundschaft überdauerte eine längere Trennung
1768–76 und wurde fortgesetzt bei G.s Besuchen in Dessau wohl
am 15.12.1776, 26.5.1778, 1781, 1782, 1794 und am 4.1.1797,
wo Behrisch ab 1789 als pensionierter Hofrat und Schriftsteller
lebte. 1780 besuchte er G. in Weimar. G. setzt dem Jugendfreund,
der als erster seine literarische Begabung erkannte und förderte, in
Dichtung und Wahrheit (II,7) ein ausführliches Denkmal und betont
zwar sein kauziges Wesen, aber auch seinen positiven Einfluß auf
G.s gesellschaftliches Verhalten, sein Denken und Schaffen. Noch
1830 erzählt G. Anekdoten von Behrisch (zu Eckermann 24.1.
1830). G.s *Elegie auf den Tod des Bruders meines Freundes* (1767) bezieht sich auf Behrischs älteren Bruder, ist jedoch bei freier Umgestaltung der Fakten eher ein Stilversuch im Ton der Elegie.

    W. Hosäus, E. W. B., 1883; A. Kohut, E. W. B. als Dichter, ZfB NF 1, 1910; R.Plate,
Allegorische Bilderjagd, SchillerJb 31, 1987.

Bei Betrachtung von Schillers Schädel (»Im ernsten Beinhaus
war's…«). Das am 25./26.9.1826 entstandene Gedicht in Terzinen
hat keinen authentischen Titel, sondern erschien zuerst in der Ausgabe letzter Hand (Bd. 23, 1829) am Ende von *Wilhelm Meisters
Wanderjahren* im Druckbild abgesetzt, ohne Überschrift und mit
dem Zusatz »Ist fortzusetzen«, dessen Bezug auf den Roman oder
das Gedicht unklar bleibt. Riemer und Eckermann, mit der Entstehung vertraut, gaben ihm als Herausgeber der *Nachgelassenen Werke*
(Bd. 7, 1833) die heute geläufige Überschrift, E. von der Hellen
nennt es im Anschluß an eine Bezeichnung G.s (an Zelter 24.10.
1827) *Schillers Reliquien* (Jubiläumsausgabe, 1902). Schiller selbst
wird im Gedicht bewußt nicht erwähnt, und die Situation des betrachtenden Ich in einem »Beinhaus«, wo seinerzeit ausgegrabene
menschliche Gebeine (aber nicht die Schillers) verwahrt wurden,
ebenso bewußt fiktionalisiert. Der wirkliche Anlaß war eine notwendig gewordene Umbettung der Gebeine Schillers aus dem zer-
fallenden Sarg im Kassengewölbe des Weimarer Jacobifriedhofs, bei
der Schillers Schädel am 17.9.1826 einstweilig im Sockel von
Danneckers Schiller-Büste in der Weimarer Bibliothek feierlich deponiert wurde, bevor er mit den Gebeinen am 16.12.1827 seine
endgültige Ruhestätte in der Weimarer Fürstengruft fand. Im Zuge
dieser Umbettung wurde Schillers Schädel am 24.–26.9.1826 in
G.s Haus sachgemäß gereinigt, und diese Arbeit gab G. wie auch
Riemer und W. von Humboldt (Brief an Caroline, 29.12.1826)

Gelegenheit zur Betrachtung des Schädels. Das lyrische Ich des Gedichts kann durch das osteologisch-morphologisch-physiognomische Interesse mit G. identifiziert werden. Ihm offenbart sich in den Knochen jedoch nicht der barocke Tod im Sinne eines »Memento mori«, sondern in der vollendeten, erhabenen Form ein ästhetisches Erlebnis (»Wie mich geheimnisvoll die Form entzückte!«), das in der toten Materie den Geist als lebendige Gestalt und die leiblich-geistige Einheit erfährt, in der sich »Gott-Natur« ihm öffnet. Auf diese Weise wird aus dem Makabren, leicht Skandalösen der Situation eine höhere Sphären einschließende, kunstvoll verschlüsselte Huldigung an das Genie des Verstorbenen.

J. T. Hatfield, G's poem Im ernsten Beinhaus, PMLA 36, 1921; G. Müller, G., Schillers Reliquien, in: Gedicht und Gedanke, hg. H. O. Burger 1942, auch in: Die deutsche Lyrik 1, hg. B. v. Wiese 1957; K. Viëtor, »Ist fortzusetzen«. Zu G.s Gedicht auf Schillers Schädel, PMLA 59, 1944, erw. in ders., Geist und Form, 1952; F. H. Mautner, »Ist fortzusetzen«, PMLA 59, 1944; E. Feise, G.s Terzinen, PMLA 59, 1944; M. Lederer, Noch einmal Schillers Reliquien, MLN 62, 1947; J. Müller, G.s Terzinengedicht, in: Natur und Idee, hg. H.Holtzhauer 1966, auch in ders., Neue G.-Studien, 1969; W. Martens, G.s Gedicht B. B. v. Sch. Sch., SchillerJb 12, 1968.

Beil, Johann David (1754–1794). Von dem Ekhof-Schüler und Charakterschauspieler am Mannheimer Nationaltheater spielte das Weimarer Theater unter G.s Leitung in den 90er Jahren die Lustspiele *Die Schauspielerschule, Die Spieler* und das Rührstück *Die Familie Spaden.*

Beireis, Gottfried Christoph (1730–1809). Der Professor der Physik und Medizin an der Universität Helmstedt, Universalgelehrter und Kunstsammler, war eines der wenigen Originale, die aus der Barockzeit in die Goethezeit hineinragten. Der seit 1759 in Helmstedt ansässige, reiche Sonderling hatte sein Haus wie ein barockes Kunst- und Raritätenkabinett mit seltenen Mineralien, darunter einem gänseeigroßen angeblichen Diamanten, mit Magneten, Münzen, Kuriositäten, nicht mehr funktionierenden Automaten (mechanischer Flötenspieler, pickende Enten), ausgestopften Tieren u. a. sowie italienischen und altdeutschen Gemälden (teils aus der Säkularisierung der Klöster) von höchst fragwürdiger bis unmöglicher Zuschreibung und Datierung angefüllt. Letztere waren nicht an den Wänden aufgehängt, sondern im Schlafzimmer gestapelt und waren nicht nach ästhetischen Gesichtspunkten, sondern dilettantisch nach der Naturähnlichkeit und dem angeblichen materiellen Wert erworben worden. Auch das G. sehr beeindruckende Dürer-Selbstporträt von 1493 war nur eine Kopie nach dem Louvre-Bild. G. besuchte den 75jährigen, »der wie ein geheimnisvoller Greif über außerordentlichen und kaum denkbaren Schätzen waltete« (*Tag- und Jahreshefte* 1805), am 17.–19. 8. 1805 mit seinem Sohn August und F. A. Wolf, brauchte allein drei Tage, um die Schätze des »Hamsternests« (an Carl August 10. 8. 1805) zu besichtigen und wagte weder kritische Einwände noch Widerspruch:

»Altes und Neues, Kunst und Natur, Wertes und Unwertes, Brauch-
bares und Unnützes hat sein unbedingter Sammelgeist an sich gezogen« (an Carl August 28. 8. 1805). G.s amüsante und amüsierte
Schilderung seines Besuchs in den *Tag- und Jahresheften* für 1805, die
er am 3.–7. 6. 1825 unter Heranziehung von K. Sybels Biographie
Beireis' (1811) schrieb, wächst dank des ergiebigen Gegenstands zu
einer selbständigen Kurzgeschichte aus.

A. Bessmertny, G. Ch. B., JbSKipp 9, 1931; R. Tischner, G. bei B., ZDP 61, 1936;
D. Matthes, G.s Reise nach Helmstedt, Braunschweigisches Jahrbuch 49, 1968.

Beiträge zur Optik. Unter diesem bald aufgegebenen Serientitel
plante G. seine ersten Veröffentlichungen zur Farbenlehre in sechs
kleineren Abhandlungen (an Forster 25. 6. 1792), doch erschienen
nur ein »Erstes Stück« im August 1791 und ein »Zweites Stück« im
Mai 1792. Die als Drittes Stück geplante Abhandlung *Von den farbigen Schatten* (Juni 1792) wurde nicht veröffentlicht, und das Vierte
Stück *Versuch, die Elemente der Farbenlehre zu entdecken* (1793) exi-
stierte nur als Handschrift. Der Inhalt dieser Abhandlungen ging
vollständig in die *Farbenlehre* von 1810 ein.

Bekenntnisse einer schönen Seele. Das 6. Buch von *Wilhelm
Meisters Lehrjahren* schaltet in die Erzählhandlung unter dieser
Überschrift die innere Entwicklungsgeschichte einer Pietistin ein,
die G. von Mitte März bis 16. 5. 1795 auf der Grundlage des Lebenslaufs, der Unterhaltungen und Briefe der Susanna Catharina
von →Klettenberg (vgl. *Dichtung und Wahrheit* II,8), jedoch in vielen Fakten, Namen, Örtlichkeiten und in der Komposition frei und
durchaus im eigenen Stil niederschrieb. Die Ich-Form der Bekenntnisse und der befremdende Gegensatz dieses Zeugnisses
pietistischer Frömmigkeit zur mehr weltlichen Haltung des Ro-
manganzen verleiteten früher zu der irrigen Auffassung, dieses
Buch sei im wesentlichen geistiges Eigentum der Klettenberg. Von
G.s Zeitgenossen hatten Körner und Humboldt wenig Verständnis
für das Buch; Schiller und F. Schlegel dagegen erkannten seine innere Notwendigkeit als Gegenbild zur sonstigen Weltlichkeit. Tatsache ist, daß die Bekenntnisse zwar aus der Sichtweise und im
Sinne der pietistischen Geisteswelt der S. von Klettenberg und der
Fürstin Amalia von Gallitzin geschrieben wurden und daß G. seine
Erinnerungen an Unterhaltungen mit ihnen und damals noch vorhandene Briefe heranzog, um einer alternativen Bildungsmacht seiner Zeit das Wort zu geben, die zur Abrundung des Weltbildes unerläßlich ist. Ein Vergleich mit den erhaltenen Schriften und Briefen
der S. von Klettenberg lehrt jedoch, daß Stil und Darstellungsweise
bei allem Willen zum Multiperspektivismus durchaus sein Eigentum sind. Die Einbindung in den Romanvorgang an dieser Stelle
ist fiktional dadurch gegeben, daß der Arzt hier ein Dokument einbringt, daß auf Wilhelm und Aurelie bereits starken Eindruck ge-

macht hat, daß der Leser im folgenden 7. Buch genau in denjenigen Menschenkreis eingeführt wird, der sich im 6. Buch darstellte,
und daß auch religiöse Motive im 8. Buch wieder auftreten. Sie
greift jedoch noch weiter aus, wenn Wilhelms Lehrjahren in einer
äußeren, säkularen und ästhetischen Welt hier die Lehrjahre einer
christlichen, einwärts gewandten Seele gegenübergestellt werden.
Die Bekenntnisse holen quasi kompakt und objektiviert eine erzieherische Einflußsphäre des Religiösen allgemein nach, die der
Roman bisher vernachlässigt hatte und die schließlich für G.s eigenen Werdegang zeitweilig nicht unwichtig war.

W. Bettermann, G.s B. e. sch. S. und die Religion, Zeitschrift für Brüdergeschichte 6,
1912; H. F. Müller, Zur Geschichte des Begriffs sch. S., GRM 7, 1915 ff.; S. Fleischer,
B. e. sch. S., MLN 83, 1968; F. J. Beharriell, The hidden meaning of G's B. e. sch. S., in:
Lebendige Form, Festschrift H. Henel, 1970; D. J. Farrelly, G. and inner harmony, Shan-
non 1973; P. Oury, La belle âme de Zinzendorf à G., EG 29, 1974; S. Zantop, Eignes
Selbst und fremde Formen, GYb 3, 1986; B. Becker-Cantarino, Die B. e. sch. S., in: Verantwortung und Utopie, hg. W. Wittkowski 1988; K. Blesken, Von der pietistischen
Selbstschau zum weiblichen Lebensentwurf, in: Geschriebenes Leben, hg. M. Hollen-
ried 1995.

Bekker, Balthasar (1634–1698). Der holländische reformierte Prediger trat in seinem Werk *De betoverte wereld* (III 1691–93, deutsch
als *Bezauberte Welt*, 1693 u. ö.) gegen den Dämonen-, Hexen- und
Geisterglauben wie den Aberglauben überhaupt ein. G. studierte
die Schrift u. a. am 16. 12. 1800 und im Februar 1801 für die Arbeit
am *Faust.*

Belagerung von Mainz. Die als Teil der Autobiographie geplante
Einzelschrift entstand auf der Grundlage des eigenen Tagebuchs
und desjenigen des herzoglich weimarischen Kämmerers Johann
Conrad →Wagner sowie historischer Berichte wie A. Hoffmanns
Darstellung der Mainzer Revolution (II 1793/94) in der Zeit vom
12.–22. 2. 1820, wurde im März/April 1822 für die Publikation
überarbeitet und erschien 1822 zusammen mit der *Campagne in
Frankreich* als *Aus meinem Leben. Zweiter Abteilung Fünfter Teil.* Sie berichtet von G.s Erlebnissen während der Belagerung und Rücker-
oberung der Festung und Stadt Mainz, die im 1. Revolutionskrieg
mithilfe der Mainzer Sympathisanten der Französischen Revolution (Jakobiner-Clubisten) am 21. 10. 1792 von der französischen
Revolutionsarmee unter Custine eingenommen worden war und
durch Belagerung der Koalitionsarmee unter General Graf
Kalckreuth vom 15. 4.–22. 7. 1793 am 23. 7. 1793 zur Übergabe
gezwungen wurde. G. traf am 27. 5. 1793 im Lager des preußischen
Kürassierregiments unter Herzog Carl August in Marienborn ein.
Er verzeichnet anfangs knapp Tag für Tag die Ereignisse des Feld-
und Lagerlebens, die Erfolge und die Mißerfolge der Alliierten infolge mangelnder Koordination der Einsätze. Die Beschießung der
Stadt, deren Hauptbauwerke in Flammen aufgehen, wird anfangs
wie ein ästhetisches »Schauspiel« (eines der Schlüsselwörter) aus

sicherem Abstand betrachtet: »ein seltener wichtiger Fall, wo das
Unglück selbst malerisch zu werden versprach« (15. 7.), und erst bei
der Besichtigung der Trümmer der geliebten Stadt am
26./27. 7. zeigt sich das materielle und menschliche Chaos in dem
»durch Unsinn aufgelösten bürgerlichen Zustand«: »Ordnung« ist
ein weiteres Schlüsselwort der Darstellung, die mit einem durch
seine Verständnislosigkeit deprimierenden Besuch beim Schwager
Schlosser in Heidelberg ausklingt. Es ist nicht unwichtig, sich vor
Augen zu halten, daß G. während der militärischen Unterdrückung
dieses ersten Ausdehnungsversuchs der Französischen Revolution
auf deutschen Boden »fleißig« am *Reineke Fuchs* arbeitet (8. 6.).

V. Pollak, Zur B. v. M., GJb 19, 1898; W. Andreas, G. und Carl August während der
B. v. M., 1956; H. Thiele, G.s B. v. M. im Zusammenhang seines Lebens, Mainzer Zeitschrift 58, 1963; G. Horn, G.s autobiographische Schriften Campagne in Frankreich
und B. v. M., in: Ansichten der deutschen Klassik, hg. H. Brandt 1981; E. Mannack, G.s
B. v. M., EG 38, 1983; T. P. Saine, Campagne in Frankreich/B. v. M., in: G.s Erzählwerk,
hg. P. M. Lützeler 1985; H. Reiss, Zu G.s B. v. M., in: Romantik und Moderne, hg.
E. Huber-Thoma 1986.

Belinde. G.s poetischer Deckname für Lili →Schönemann.

Bellini, Gentile (1429–1507) und Giovanni (um 1430–1516). Von
den beiden Brüdern und venezianischen Malern der Renaissance
kannte G. eine Porträtmedaille Gentiles (von Bertoldo da Giovanni:
an S. Boisserée 24. 11. 1831) und mag Gemälde von ihm in Venedig
gesehen haben. Auf die heimatlichen Wurzeln von Giovannis Kunst
verweist das *Venetianische Epigramm* 36. G. erwähnt ihn öfter in
historischem Zusammenhang mit dem Beginn der Renaissancemalerei und war mit seinem Werk über die Gemälde in Venedig
hinaus besonders auch durch einen Aufsatz von J. H. Meyer vertraut, der durch seine Vermittlung 1795 in Schillers *Horen* erschien.

Bellomo, Joseph (1754–1833). Der frühere Theaterdirektor in
Graz und Dresden wurde vom 1. 1. 1784 bis zum 5. 4. 1791 mit seiner Truppe (»Deutsche Schauspieler-Gesellschaft«) gegen monatlichen Zuschuß für das Redouten- und Komödienhaus in Weimar
(ohne Hoftheaterrang) und Abstecherbühnen in der Umgebung,
besonders Lauchstädt, verpflichtet. Zu den drei öffentlichen Aufführungen wöchentlich hatte die Hofgesellschaft freien Zutritt.
Spielplan (besonders Singspiele, Rührstücke und Ritterdramen)
sowie Personalwechsel bedurften der Genehmigung des Hofmar-
schallamts. Die mittelmäßige Truppe spielte auch Shakespeare sowie
die Jugenddramen G.s und Schillers. Das Mißbehagen mit dem
»Bellemoischen Schlendrian« führte Ende 1790 zur Vertragsauf-
lösung und zur Reorganisation der Bühne als Hoftheater unter Leitung G.s, der nur wenige Schauspieler und Repertoirestücke übernahm (*Tag- und Jahreshefte* 1791). →Theater.

W. Stieda, J. B., Thüringisch-sächsische Zeitschrift für Geschichte und Kunst 18,
1929.

Belriguardo. Das einst großangelegte Sommerschloß des Herzogs Alfonso d'Este bei Ferrara mit seinen weiten Gärten und Gewässern, von dem G. aus seinen Quellen erfuhr, ist der Schauplatz von G.s *Torquato Tasso*, für deren Schilderung allerdings die Boboli-Gärten des Palazzo Pitti in Florenz eher als Vorbild dienten.

Belsazar. Das Jugendwerk G.s um den biblischen König, eine noch vom Barockdrama und Gottsched beeinflußte Tragödie in fünf Akten, wurde vor 1765 in Frankfurt mit einer Prosafassung der Akte I–IV begonnen, die im Oktober/November 1765 in Leipzig in Alexandriner umgeformt wurden, und im Mai 1767 mit einem 5. Akt in Blankversen abgeschlossen, dann aber im Oktober 1767 in Leipzig bei einem Autodafé mit anderen biblischen Jugendwerken verbrannt (an Cornelia 7. 12. 1765, 11. 5. und 12. 10. 1767). Erhalten haben sich lediglich 20 Alexandriner vom Anfang von I,1 (im Brief an Cornelia vom 7. 12. 1765), 44 Alexandriner eines Monologs von Belsazar aus II,1 (in *Wilhelm Meisters theatralische Sendung* II,5) sowie eine erläuternde Inhaltsangabe des dort Wilhelm Meister zugeschriebenen Stücks (ebd. III,9). Diese Überlieferung in Form von Bruchstücken wirft die Fragen auf, ob sie definitiv aus G.s Original stammen, ob das ursprüngliche Stück wirklich ganz verbrannt wurde, ob Wilhelm Meister G.s Verse aus dem Gedächtnis zitiert, ob sie vielleicht ad hoc neu geschaffen wurden und ob die Inhaltsangabe im Roman mit dem vernichteten Werk übereinstimmt. Auf jeden Fall legt der Wechsel vom Alexandriner zum Blankvers eine Wendung vom französischen Theater zum englischen Drama Shakespeares nahe.

W. Glenk, B. in seinen verschiedenen Bearbeitungen, Programm München 1910; L. Fränkel, Von G.s B., GJb 33, 1912.

Belvedere. Das Schlößchen aus einem leicht rokokohaften Mittelbau und zwei durch Durchfahrten abgesetzten Seitenflügeln sowie Nebengebäuden auf einer Anhöhe kurz südlich von Weimar wurde 1724–32 als Jagdschloß erbaut und diente seit 1756 als Sommerresidenz für Herzog Ernst August und Anna Amalia, die den Park im englischen Stil umgestalten ließ und auch später dort gern Gäste wie G., Wieland, Herder oder Böttiger um sich versammelte. 1776 ging es in den Besitz der Herzogin Louise, Gattin Carl Augusts, über, die es bis in die 90er Jahre als Sommerresidenz bewohnte, so daß G. oft dort erschien. Carl August gestaltete den Park u. a. mit Hilfe G.s zu einem weltbekannten exotisch-botanischen Garten mit Pflanzkulturen und Baumschulen um. G. legte im Mai 1776 im Park eine Einsiedelei an, trieb dort botanische Studien und vollendete dort im Mai 1789 den *Torquato Tasso*. 1798–1801 beherbergte das Belvedere ein Erziehungsinstitut des französischen Emigranten J. J. Mounier für künftige Staatsbeamte besonders aus englischem Adel, das G. mehrfach mit Gästen besuchte, und 1803–06 eine kurzlebige Militärakademie. 1806 erlebte das Schloß als Sommersitz von Carl Augusts Sohn Carl Friedrich und dessen Gemahlin Maria Paulowna seine letzte Umgestaltung innerhalb eines Landschaftsgartens mit einem kleinen französischen Garten und (1823) einem Naturtheater, während Carl August unter starkem Anteil G.s die Orangerie weiter pflegte.

W. Deetjen, Schloß B., 1926; O. Sckell, 200 Jahre B., 1928; W. Scheidig, Schloß B., 1965; J. Beyer/J. Seifert, Weimarer Klassikerstätten, 1995.

Benda, Christian Hermann (1763–1805). Der Sohn von Georg →Benda war 1791–1805 Hofschauspieler und Opernsänger in Weimar (Tenor; Liebhaberrollen in Opern Mozarts, Cimarosas, u. a. Pedro in *Claudine von Villa Bella*), erhielt jedoch auf dem Sprechtheater wegen einer gewissen Steifheit nur Nebenrollen.

Benda, Georg (1722–1795). Von dem Opernkomponisten und Schöpfer des kurzlebigen deutschen Melodramas, den G. als Gothaer Hofkapellmeister (1750–78) kennengelernt haben mag, spielte das Weimarer Theater 1793 u. ö. *Ariadne auf Naxos* (1775) und 1782 u. ö. *Pygmalion* (1779), letzteres wiederholt 1798 mit Iffland, 1811 mit P. A. Wolff. Über Wert und Unwert des *Pygmalion* diskutierten G. und Schiller im Briefwechsel vom 24. 4.–2. 5. 1798.

Benecke, Georg Friedrich (1762–1844). Den Göttinger Bibliothekar und Professor der Germanistik und Anglistik lernte G. im Sommer 1801 beim Besuch in Göttingen kennen. Spätere Korrespondenz betraf 1822 Lord Byrons geplante Widmung des *Sardanapal* (1821), dann die wirkliche des *Werner* (1823) an G. und 1826 ein englisches Byron-Denkmal, zu dem G. beisteuerte.

Benediktbeuren. G. sah das oberbayrische Benediktinerkloster, ohne sich dort aufzuhalten, auf der Reise nach Italien am 6. 9. 1786 und war von dessen landschaftlicher Lage begeistert (*Italienische Reise*).

Bensberg. G. besuchte das 1705–16 erbaute Jagdschloß des Kurfürsten von der Pfalz auf einer Anhöhe östlich von Köln am 24. 7. 1774 mit den Brüdern Jacobi und W. Heinse. In *Dichtung und Wahrheit* (III,14) schwärmt er geradezu von den eigens für das Schloß angefertigten Stilleben mit erlegtem Wild des niederländischen Malers Jan →Weenix.

Benvenuto Cellini   →Cellini

Béranger, Pierre Jean de (1780–1857). G., sonst durchaus kein Freund des politischen Liedes, kannte die Chansons des seinerzeit sehr volkstümlichen, berühmtesten französischen Chanson-Dichters seit Mai 1823 und erwähnt ihn wiederholt in literarischen Aufsätzen und Gesprächen, besonders mit dem Béranger-Kenner Eckermann (4. 1., 21. 1. und 31. 1. 1827; 14. 3. 1830; 8. 3. 1831; zu Soret 14. 3. 1830). Er anerkannte durchaus das zeitgemäße Talent, die Grazie und die lyrische Formkunst (Refrains!) Bérangers, seinen Einsatz für nationale und soziale Belange (zu Eckermann 14. 3. 1830), seinen populären Napoleonkult (ebd. 4. 5. 1827) und sein Eintreten gegen einen drohenden Machtzuwachs des Klerus in Frankreich (ebd. 14. 3. 1830). Er lobt seine Unparteilichkeit (ebd. 2. 5. 1831) und entschuldigt seine Leichtfertigkeiten, Freiheiten und Frivolitäten aus seiner niederen Herkunft (ebd. 3. 5. 1827), seinem Parisertum, seiner Kunst sowie seiner distanziert spottenden Haltung zur Sittenverderbnis, die ihn an freie Geister wie Horaz und Hafis gemahnt (ebd. 29. 1. 1827). J. J. Ampère zufolge (22. 4. 1827) wußte G. sogar ganze Lieder Bérangers auswendig. Obwohl die Dichter nie in direkten Kontakt kamen, berief sich Béranger, wegen des unsittlichen Inhalts seiner Lieder angegriffen, zur Verteidigung auf das ihm bekannte positive Urteil G.s, der allerdings angesichts von Bérangers jüngsten Gedichten 1829 dessen Gefängnisstrafe guthieß (ebd. 2. 4. 1829).

J. B. Segall, An estimate of B. by G., MLN 14, 1899; G. Jaffé, L'influence de B. en Allemagne, RLC 21, 1947.

Berendis, Hieronymus Dietrich (1719–1782). Der preußische Hauptmann erhielt durch Vermittlung seines Jugendfreundes J. J. Winckelmann eine Hofmeisterstelle beim Grafen Bünau, wurde durch dessen Vermittlung weimarischer Kriegsrat, 1762 Kammerrat, 1765 Hofrat und 1775 Geheimsekretär Anna Amalias und war als solcher G. bekannt (*Dichtung und Wahrheit* IV,20). Aus dem Nachlaß von Berendis im Besitz Anna Amalias erhielt G. 1799 27 Briefe Winckelmanns an diesen; er referierte sie in der *Jenaischen Allgemeinen Literaturzeitung* (Nr. 26, 1804: *Ungedruckte Winckelmannische Briefe*) und veröffentlichte sie 1805 mit einem biographischen Abriß über Berendis in → *Winckelmann und sein Jahrhundert.*

Berends, Carl August Wilhelm (1759–1826). Der Professor für Medizin in Frankfurt/Oder, Breslau und ab 1815 Berlin zählte seit 1818 zu G.s »bedeutenden Bekanntschaften« aus den Karlsbader Kuraufenthalten im Sommer 1818 und 1819, dessen Rat und Unterhaltung G. gern suchte, so daß man sich in Karlsbad gegenseitig besuchte (*Tag- und Jahreshefte* 1819; an L. F. Schultz 8. 1. 1819, an Carl August 15. 9. 1819, an Zelter 7. 10. 1819).

Berg, Caroline Friederike von (1760–1826). Die Freundin der Herders und Hofdame in Berlin wurde seit etwa 1792 Mittelpunkt eines Kreises von G.-Verehrern am Berliner Hofe. Eine persönliche Begegnung ist jedoch nur für den 17. 8. 1815 in Frankfurt anzunehmen, da G.s Tagebucheintragungen über »Fr. v. Berg« sich sonst immer auf Hedwig Dorothea von →Berg beziehen. Ihre Tochter, Louise Gräfin Voß, besuchte G. in Weimar am 13. 8. 1806 und 5. 3. 1830.

Berg, Hedwig Dorothea von (1764–1830). Eine Verbindung mit der Gattin des baltischen Generals Gregor von Berg ergab sich durch ihre Tochter Anna Maria Eleonora, die als Hofdame der Großfürstin Maria Paulowna nach Weimar gekommen war und dort 1806 den Freiherrn Friedrich von Ziegesar geheiratet hatte. G. traf die Mutter zuerst am 3. 7. 1808 in Karlsbad, und es entspann sich ein reger geselliger Verkehr, der im Oktober 1808 in Jena, Juli 1809 in Weimar, August und September 1810 in Teplitz, Oktober 1810 in Weimar und Juni 1813 in Teplitz fortgesetzt wurde. Am 20. 7. 1809 schrieb ihr G. die Widmungsverse »Wie es dampft ...« ins Stammbuch.

Bergbau. G.s praktisches Interesse am Bergbau datiert seit seiner Reise durch Elsaß und Lothringen im Juni/Juli 1770 (→Dudweiler u. a., *Dichtung und Wahrheit* II,10) und ging mit seinen geologischen Interessen zusammen. Es führte nach seiner Übersiedlung nach Weimar und einem Besuch des Bergwerks in Ilmenau (Mai und Juli/August 1776) zu seiner Betrauung mit der Leitung der am 14. 11. 1777 gegründeten weimarischen Bergwerkskommission (mit J. A. A. von Kalb und J. L. von Eckardt, 1783 G. und Chr. G. Voigt), die sich erst um 1807 auflöste. Erweiterung seiner Fachkenntnisse und Einblick in technische Neuerungen brachten u. a. die Harzreise im Dezember 1777 mit Besichtigung der Berg- und Hüttenwerke in Clausthal, die Reisen in Oberschlesien mit Carl August und Besichtigung der Bergwerke Anfang September 1790, durch das Lahntal im Juli 1815, das Studium der böhmischen Erzvorkommen in Zinnwald und Altenberg im Juli 1813, in Schlaggenwald im Juli 1811 und Sommer 1818 sowie zahlreiche weitere Einzelbesichtigungen. Im Mittelpunkt von G.s Bemühungen stand lange die Wiederaufnahme des Bergbaus in →Ilmenau am 24. 2. 1784, der jedoch im Mai 1800 eingestellt wurde. Bergbau und Bergmannsleben fanden auch literarischen Niederschlag in *Wilhelm Meisters Lehrjahre* (II,4), *Wanderjahre* (I,4), *Faust II* und Gedichten wie *Ilmenau* (1783).

A. Boehm, G. und der B., Zeitschrift für das Berg-, Hütten- und Salinenwesen 79, 1931 und 80, 1932; J. Dürler, Die Bedeutung des B. bei G. und in der deutschen Romantik, 1936; P. Colonge, G. und der B., Germanica 16, 1995.

Bergen. Das Dorf nordöstlich von Frankfurt, jetzt Bergen-Enkheim, war am Karfreitag, 13. 4. 1759, im Verlauf des Siebenjährigen Krieges Schauplatz der Niederlage der Preußen unter Herzog Ferdinand von Braunschweig gegen die Frankfurt okkupierenden Franzosen unter Marschall V. F. Duc de Broglie. Auf den jungen G.,

der sie vom Dachboden des Vaterhauses zwar nicht sehen, aber
hören konnte, machten sie, der Transport der Verwundeten und die
gefährliche Auseinandersetzung des preußisch gesinnten Vaters mit
dem bei ihm einquartierten Königsleutnant de Thoranc einen bleibenden Eindruck (*Dichtung und Wahrheit* I,3).

Bergern. Das Rittergut mit einem kleinen Dorf bei Berka an der
Ilm hatte Kanzler von Müller 1828 erworben. G. lobte diesen
Schritt und besuchte ihn dort am 27. 9. 1829 mit seinem Enkel
Wolfgang.

Bergman, Torbern Olof (1735–1784). Der schwedische Naturwissenschaftler und Chemieprofessor in Uppsala entwickelte in seiner
Schrift *De attractionibus electivis* (1775), die deutsch von Hein Tabor
1782 ff. als *Wahlverwandtschaften* erschien, eben jene chemische Affi-
nitätslehre von der wechselseitigen Anziehung (→Wahlverwandt-
schaft), die G. als geistreiches poetisches Symbol empfand (zu
Riemer 24. 7. 1809) und seinem Roman *Die Wahlverwandtschaften*
zugrunde legte.

Bergmann, Gustav (seit 1787) von (1749–1814). Der spätere baltische Pfarrer und Schriftsteller war 1767–70 als Leipziger Theologiestudent G.s Studiengenosse und vielleicht Mitglied der Tischgesellschaft bei Schönkopf. Eine von G.s Seite aus nicht bestätigte
Familienüberlieferung, höchstwahrscheinlich Legende, berichtet
von Eifersucht wegen Käthchen Schönkopf, einer spitzen Bemerkung G.s, einer Ohrfeige Bergmanns und einem Duell, bei dem der
gute Fechter Bergmann G. am Oberarm verwundet habe.

Bergschloß. Das wohl im April/Mai 1802 entstandene, volksliedhafte Gedicht erschien zuerst 1803 unter den »der Geselligkeit
gewidmeten Liedern« in G.s und Wielands *Taschenbuch auf das Jahr
1804.* Es nimmt die Burgruine von Lobeda bei Jena zur Szene. Auf
dem ihr benachbarten Gut Drakendorf der Familie von Ziegesar
war G. 1802 häufig zu Gast, besonders der Tochter Silvie zuliebe,
auf die »mein Liebchen« (v. 28) und die Trauungsvision anspielen.

Bergwerkskommission →Amtliche Tätigkeit, →Bergbau

Berka. Das Städtchen 12 km südlich von Weimar im geologisch
interessanten Ilmtal kannte G. von einem ersten Besuch am 17. 7.
1776, von zahlreichen Durchfahrten auf dem Weg nach Ilmenau
oder Großkochberg und von Besuchen beim Bildhauer Klauer her,
der dort 1773–78 eine Werkstatt betrieb. 1812 erhielt er vom Erbprinz Carl Friedrich den Auftrag, die Chancen zur Errichtung eines
Kurbades mit Benutzung der Schwefelquellen zu untersuchen. Ein
Aufenthalt dort am 30. 10. 1812 und die Analyse des Wassers durch

Prof. Döbereiner und Kieser führten zu einer zur Vorsicht mahnenden Denkschrift G.s vom 22.11.1812. Dennoch wurden am 24.6.1813 Bad und Kurhaus von Carl August eröffnet und für die Weimarer Hofgesellschaft zunächst ein Erfolg. G. selbst wählte Berka zum Kuraufenthalt vom 13.5. bis 25.6.1814, wohnte wie meist beim als Badeinspektor eingesetzten Organisten J.H.F Schütz, der ihn mit Bach-Fugen erheiterte, und beschwerte sich bei J.H.Meyer (18.5.1814), in Berka sei der Tag so lang, daß er manchmal langweilig wird – was allerdings der Dichtung zugute kam (erste Gedichte des *West-östlichen Divan; Des Epimenides Erwachen* u.a.). Er wiederholte die Kur nicht; spätere Besuche (u.a. 26.4.1816, 10.8.1817, 10.10.1817, 5.4.1820, 24.9.1827) waren meist amtlicher Natur oder dienten wie der am 17.11.–6.12.1818 der Schreibkonzentration (*Maskenzug 1818*). Ein Tagesausflug nach Berka am 28.10.1831 war G.s letzte Fahrt.

H.G.Gräf, G. in B., 1911; auch in ders., G., 1924; W. Victor, Das Edelhof-Memorial, 1964.

Berlichingen, Götz (Gottfried) von (1480–1562). Das historische Urbild entspricht nicht durchweg der Hauptfigur in G.s → *Götz von Berlichingen* (1773), für die G. sich von dessen seit 1557 geschriebener, 1731 veröffentlichter *Lebens-Beschreibung* anregen ließ. Der Reichsritter aus einem sonst nie besonders hervorgetretenen schwäbischen Adelsgeschlecht war weder bloßer Raubritter noch Helfer der Bedrängten oder idealistischer Freiheitskämpfer, sondern ein Vertreter jenes an Machtverfall leidenden Reichsrittertums, das seine politische und soziale Bedeutungslosigkeit durch skrupellos-störrisches Festhalten an obsolet gewordenen Adelsrechten und überholten Privilegien in zahlreichen Fehden gegen die Reichsstädte und die Territorialherren zu verteidigen und aufrechtzuerhalten suchte und zur finanziellen Erhaltung seiner Streitmacht durch Lohn und Beute ohne Ansehen der Parteien auch Söldnerdienste übernahm. In Jagsthausen geboren, im Gefolge des Markgrafen Friedrich IV. von Brandenburg-Ansbach aufgewachsen, verlor Götz bei der Belagerung von Landshut 1504 seine rechte Hand, die er durch eine künstliche, eiserne ersetzen ließ, führte 15 Fehden besonders gegen Nürnberg und Kurmainz, wurde 1512 wegen Überfalls auf Nürnberger Kaufleute bei Forchheim und 1518 wegen Gefangennahme des Grafen von Waldeck in Reichsacht getan, kämpfte 1519 für Herzog Ulrich von Württemberg gegen den Schwäbischen Bund, wurde gefangengenommen und bis 1522 in Heilbronn in Haft gehalten. Im Bauernkrieg übernahm er 1525 nur gezwungenermaßen und im Interesse einer Eindämmung der Radikalen die Leitung der aufständischen Odenwälder Bauern. Er wurde zwar vom Reichskammergericht für schuldlos erklärt, vom Schwäbischen Bund aber 1528–30 in Augsburg gefangengesetzt und erhielt anschließend bis 1540 Hausarrest. 1542 focht er auf

kaiserlicher Seite gegen die Türken und 1544 gegen Frankreich
und verbrachte dann einen ruhigen Lebensabend auf seiner Burg
Hornberg am Neckar.

H. Ulmschneider, G. v. B., 1974; C. Gräter, G. v. B., 1986.

Berlin. G.s einziger Aufenthalt in der preußischen Hauptstadt fällt
in die Zeit vom 15. bis 20. 5. 1778. Er reiste als Begleiter des (an-
onym als »von Ahlefeld« reisenden) Herzogs Carl August mit dem
Fürsten Leopold III. Friedrich Franz von Anhalt-Dessau, die in
Potsdam die Haltung Friedrichs II. von Preußen im drohenden
Bayrischen Erbfolgekrieg erkunden wollten. In Berlin stieg man im
Hôtel au Soleil d'or oder im Hôtel de Russie (Unter den Linden
23 oder 8) ab. Am 16. 5. besichtigte man die Königliche Porzellan-
Manufaktur, Opernhaus, St. Hedwigskirche, Prinz Heinrich-Palais
(später Universität) und Bibliothek. G. besuchte den Maler A. Graff
und den Kupferstecher D. Chodowiecki und sah im Comödienhaus
Sheridans *Nebenbuhler*. Am Sonntag, 17. 5., besuchte G. den Musikdirektor J. André, den Maler J. C. Frisch, unternahm eine Stadt-
rundfahrt, hörte eine Predigt J. J. Spaldings in der Nicolaikirche, war
zu Mittag bei Prinz Heinrich von Preußen in dessen Palais und
nachmittags im Tiergarten. Am 18. 5. besichtigte man Zeughaus
(damals noch richtig Waffen-Arsenal) und Wollmanufaktur, und G.
besuchte A. L. Karsch. Am 19. 5. wohnte er einem Manöver preußischer Truppen auf dem Exerzierplatz bei, besuchte den Minister
F. A. Freiherr von Zedlitz und war abends im Konzert. Am 20. 5.
war G. vormittags nochmals bei Chodowiecki und reiste dann
durch die Vororte nach Potsdam, wo die Gesellschaft bis 23. 5. in der
Residenz Friedrichs II. blieb. Der Berlin-Aufenthalt vermittelte G.
das einzige und befremdliche Erlebnis einer modernen deutschen
Großstadt (rd. 140 000 Einwohner); zahlreiche spätere Einladungen
schlug der aus Selbstschutz zur Kleinstadt neigende, der Betrieb-
samkeit und Zerstreuung abholde Dichter aus. Entsprechend lauten
seine Kommentare bei allem Staunen weniger enthusiastisch als
vielmehr gedämpft zurückhaltend und verwundert (an Ch. von Stein
17.–24. 5. 1778).

Vor wie nach der Reise verband G. eine Vielzahl indirekter
Beziehungen zu Berlin und Berlinern. Von den Berliner Verlegern
hatte F. Nicolai als Verleger der Berliner Spätaufklärung mit seiner
Werther-Parodie G.s Unmut auf sich gezogen und wurde entsprechend gemieden und verspottet. Andere Verleger publizierten
Werke G.s: A. Mylius *Stella* und *Claudine von Villa Bella* (beide
1776), J. F. Unger den *Groß-Cophta* (1792) und *Neue Schriften* (VII
1792–1800), Vieweg *Hermann und Dorothea* (1798) und C. F.
Himburg eine unrechtmäßige Gesamtausgabe der *Schriften* (IV
1775–79). Die Berliner Theater brachten neben vielen Aufführungen u. a. die Uraufführungen von *Götz von Berlichingen* (14. 4.
1774), *Des Epimenides Erwachen* (30. 3. 1815) und *Prolog zur Eröff-*

nung des Berliner Theaters (21. 5. 1821), und mit den Theaterleitern
Iffland und Graf Brühl war G. gut bekannt, ebenso mit Berliner
Künstlern wie C. D. Rauch, G. Schadow und K. F. Schinkel und
Wissenschaftlern wie W. und A. von Humboldt. G.s intimer Freund
und quasi Stellvertreter in Berlin, der Musiker C. F. Zelter, berich-
tete häufig über kulturelle Ereignisse. Schließlich trug auch der
Kreis zeitweilig in Berlin wohnender Verehrer und Verehrerinnen
wie K. P. Moritz, L. Tieck, M. und S. Meyer, Rahel Varnhagen,
F. und A. W. Schlegel, B. von Arnim u. a. zum Berliner G.-Kult bei.

O. Pniower, G. in B. und Potsdam, 1925; E. Arnhold, G.s B.er Beziehungen, 1925; G.
in B., hg. F. Moser 1949; W. Victor, G. in B., 1955 u. ö.; K. Voss, Auf den Spuren G.s in
B., London 1982.

Berlinische Nachrichten von Staats- und gelehrten Sachen.
Mit den Theaterkritiken dieses auch »Haude- und Spenersche Zeitung« (1740–1874) genannten Blattes befassen sich lobend G.s Aufsätze *Wunsch und freundliches Begehren* und *Nach Berlin* (*Über Kunst
und Altertum* IV,1–2, 1823). Die Parteinahme eines anonymen Rezensenten von F. K. J Schütz' Schrift *Goethe und Pustkuchen* (1823)
zuungunsten G.s in der Nummer 149/1822 dagegen erregte G.s
Zorn und gab Anlaß zur Invektive *Goethe und Pustkuchen*.

Berlinisches Archiv der Zeit und ihres Geschmacks. In der
1795–97 von F. L. W. Meyer, 1798–1800 von J. A. Feßler herausgegebenen Berliner Monatsschrift erschien im März 1795 ein Aufsatz
von Daniel Jenisch *Über Prose und Beredsamkeit der Deutschen*, dessen
abfälliges Urteil über die zeitgenössische deutsche Literatur G.s
Zorn erregte und sein Manifest →*Literarischer Sansculottismus* (*Horen*
I/5, 1795) hervorrief. Eine Replik darauf erschien im September-
heft 1795, und der Aufsatz wurde nicht fortgesetzt. Auch die *Xenien*
(255 und Xenion aus dem Nachlaß 103) verspotten die Zeitschrift.

Berlioz, Hector (1803–1869). Der französische romantische Kom-
ponist sandte G. am 10. 4. 1829 seine *Huit scènes de »Faust«* (1829)
für Chor und Orchester nach der Übersetzung von G. de Nerval.
G., der nur das Notenbild »wunderlich« fand, bat am 28. 4. 1829
Zelter um seine Meinung; als diese ablehnend ausfiel, bedankte sich
G. nicht beim Komponisten. Berlioz erweiterte das Werk 1846 zum
Oratorium *Damnation de Faust*; daraus haben Mephistos *Flohlied*
und *Der König in Thule* sich auch als selbständige Lieder bewährt.
Berlioz' Vertonung von *Der Fischer* (um 1828) wurde 1831 ins
Monodrama *Lélio* eingearbeitet.

W. Mönch, Dichtung und Musik, in: Beiträge zur vergleichenden Literaturgeschichte, hg. J. Hösle 1972; U. Weisstein, Beyond salvation? H. B.s magnificent obses-
sion with Faust, in: Literature and other media, hg. E. W. B. Hess-Lüttich 1991.

Bern. G. traf am 7. 10. 1779 auf der 2. Schweizer Reise mit Carl
August in der »fröhlichen und nahrhaften und reichen« Schweizer

Bernard

Kantonshauptstadt ein, übernachtete im »Falken« und weilte nach einer einwöchigen Gebirgstour wieder am 15.–19. 10. 1779 in Bern, an dessen Stadtbild er die Reinlichkeit und bürgerliche Gleichheit der Bauten ohne Neigung zu Prunk lobt (an Ch. von Stein 9. und 16. 10. 1779).

Bernard, Nicolas (1709–1780). Der Onkel von Lili Schönemann, »Onkel Bernard« genannt, gründete 1732 in Offenbach a. M. eine florierende Schnupftabakfabrik mit Hunderten von Arbeitern und führte nahe der Fabrik ein großes Haus mit Gartenterrassen zum Main, die G. und Lili durchstreiften. G. verwendet diese Szene in *Claudine von Villa Bella* und Nicolas Bernard als Bernardo in *Erwin und Elmire* sowie in dem verlorenen kleinen Familienstück *Sie kommt nicht!* (1775; vgl. *Dichtung und Wahrheit* IV,17). Seine Nichte Jeanne Rahel (1751–1822) heiratete 1769 Lili Schönemanns Vetter Jean George d'Orville, bei dem G. und Lili ebenfalls zu Gast waren. Ihnen widmete G. am 30. 7. 1775 einen Versbrief. Sein Neffe, G.s theaterbegeisterter Freund Peter Bernard (1755–1805), Teilhaber d'Orvilles, verkehrte mit Lavater und Iffland, verfügte über ein Privattheater und Orchester und war 1792–1800 Mitglied der Frankfurter Theaterdirektion. Ein anderer Neffe, Johann Friedrich Bernard, war Lili Schönemanns zweiter Verlobter, floh aber vor dem Bankrott seiner Tabakfabrik 1776 ins Ausland und starb auf Jamaika.

W. Heraeus, N. B. und sein Verwandtenkreis, Alt-Offenbach 9, 1933.

Bernardin de Saint-Pierre, Jacques Henri (1737–1814). G. las den exotisch-idyllischen Roman *Paul et Virginie* (1787) des französischen Naturforschers am 10./11. 12. 1826 und zählte ihn in seinen Gesprächen und Notizen neben Chateaubriand zu den beachtenswerten französischen Autoren der Jahrhundertwende um 1800.

Bernburg. In der kleinen Residenz der Fürsten von Anhalt-Bernburg machte G. am 14. 8. 1805 auf seiner Reise nach Helmstedt mit F. A. Wolf und seinem Sohn August Station (*Tag- und Jahreshefte* 1805).

Bernhard, Herzog von Sachsen-Weimar (1604–1639). Am Weimarer und Gothaer Hof erhoffte man von G. eine Biographie des berühmten Vorfahren, der als protestantischer Heerführer im Dreißigjährigen Krieg unter Gustav Adolf gekämpft und nach dessen Tod die Schlacht bei Lützen gewonnen hatte. G.s Materialsammlung und seine Vorstudien zu Person und Umwelt seit Februar 1780 ergaben jedoch ohne breiten historischen Hintergrund kein sehr positives Persönlichkeitsbild (*Tag- und Jahreshefte* bis 1780), so daß der Plan um 1782 endgültig aufgegeben wurde. In einem Gespräch am 1. 10. 1812 mit dem Jenaer Historiker H. Luden, dem Voigt später denselben Vorschlag gemacht hatte, geht G. unverblümt

auf die Gründe dafür ein. Zum Plan vgl. an Herzog Ernst II. von
Sachsen-Gotha 28. 2. 1780, an Merck 3. 4. 1780.

H. Wahl, G.s geplante Biographie B.s von Weimar, Goethe 4, 1939.

Bernhard, eigentlich Carl Bernhard, Prinz von Sachsen-Weimar-
Eisenach mit Herzogstitel (1792–1862). Der tatkräftige zweite Sohn
Carl Augusts schlug die Offizierslaufbahn ein, kämpfte bei Waterloo
mit, heiratete 1817 Ida Prinzessin von Sachsen-Meiningen und war
später niederländischer Generalmajor, Provinzialkommandant in
Ostflandern und 1847 niederländischer Kommandant in Java. Er
unternahm 1825/26 eine Studienreise nach Nordamerika. G. begrüßte ihn bei der Rückkehr mit einem Logengedicht (»Das Segel
steigt...«, 15. 9. 1826) und beschäftigte sich 1826 ausführlich mit
seinem Reisejournal.

Bernhard von Clairvaux (1091–1153). Der französische Heilige
und Kirchenvater wird wohl zu unrecht von einigen als Vorbild für
den »Pater Profundus« (*Faust* II, v. 11866–89) oder den »Doctor Marianus« (ebd. v. 11989–12031 und 12096–12103) angesehen, da G.
die Bezeichnungen nur im allgemeinen Sinn verwendet. Schiller
wies G. am 17. 3. 1802 auf den »weltklugen geistlichen Schuft« hin,
und G. erwähnt seine Maxime »Spernere mundum« in *Philipp Neri.*

Bernhardi, Felix Theodor von, gen. von Knorring (1803–1887).
Der spätere Geschichtsforscher und Diplomat besuchte als Student
G. am 11. und 12. 8. 1823 in Marienbad und am 21. 8. 1823 in
Eger. G. fand die Unterhaltung »höchsterfreulich« und lud ihn auch
nach Weimar ein.

Bernini, Giovanni Lorenzo (1598–1680). Von dem bedeutendsten
Architekten und Bildhauer des Barock in Rom sah G. 1787 die
Kolonnaden der Peterskirche (»die schöne Form«) und die Skulp-
tur der Hl. Therese in S. Maria della Vittoria, ohne ihnen bei seiner
Abneigung gegen alles Barocke größere Beachtung zu schenken.

Bernstorff, Auguste Louise, Gräfin →Stolberg-Stolberg, Auguste
Louise, Gräfin zu

Bernstorff, Charitas Emilie, Gräfin (1733–1820). Die künstlerisch
und literarisch interessierte Witwe eines dänischen Staatsmanns
lebte seit 1779 in Weimar im Kreis der Anna Amalia, nahm am
Liebhabertheater teil und sah in ihrem gastfreien Haus G. in den
frühen Weimarer Jahren öfter zu Gast.

Bernstorff, Christian Günther, Graf von (1769–1835). Der Neffe
der Grafen zu Stolberg-Stolberg, 1800 dänischer, 1818–32 preußischer Außenminister und Verfechter der Karlsbader Beschlüsse im

Sinne Metternichs, besuchte G. am 3. und 4.9.1819 in Karlsbad und war ihm 1825 bei der Privilegierung der Ausgabe letzter Hand durch den Bundestag behilflich.

Berthier, Alexandre (1753–1815). Der französische Marschall Napoleons war in dessen Gefolge nach der Schlacht bei Jena am 15.–17.10.1806 in Weimar, bei der Unterredung G.s mit Napoleon in Erfurt am 2.10.1808 und mit G. bei der Weimarer Hoftafel für Napoleon und Alexander I. von Rußland am 6.10.1808 anwesend.

Bertotti-Scamozzi, Ottavio (1719–1790). G. besuchte den von Palladio beeinflußten Architekten zahlreicher Palazzi in und um Vicenza am 21.9.1786 (*Italienische Reise*). Er studierte und schätzte insbesondere das von ihm 1776–83 herausgegebene Tafelwerk über Palladio *Le fabbriche e i disegni di A. Palladio.*

<small>Ch. Kamm-Kyburz, Der Architekt O. B. S., 1983.</small>

Bertram, Johann Baptist (1776–1841). Der Kölner Jurist lernte 1800 Sulpiz →Boisserée kennen und wurde dessen geistiger Mentor, der ihn mit den Ideen F. Schlegels vertraut machte, ihn zur Aufgabe des Kaufmannsberufs und zum Kunstsammeln veranlaßte, mit den Brüdern Boisserée 1803/04 nach Paris zu F. Schlegel reiste und als der Dritte im Bunde – »Balthasar«, wie ihn G. in Anspielung auf die Heiligen Drei Könige nennt – ihre Kunstsammlung in Köln, später Heidelberg, aufbaute.

Bertuch, Friedrich Johann Justin (1747–1822). Der Großindustrielle der Goethezeit: Der Weimarer Arztsohn und Jurist ließ sich 1773 als Schriftsteller und Übersetzer (Cervantes, *Don Quichote*, 1775–77) in seiner Vaterstadt nieder, wurde Mitarbeiter und 1782–86 Mitherausgeber von Wielands *Teutschem Merkur*, schrieb und übersetzte Stücke für das Hoftheater, war Mitglied des Liebhabertheaters und gewann Zugang zu Anna Amalia. Seine amtliche Tätigkeit als Geheimsekretär und Schatullenverwalter (Schatzmeister) Carl Augusts 1775–1796 brachte ihm G.s Freundschaft und seine Teilhabe an der Freitagsgesellschaft ein (»Kam Bertuch. Entsetzlich behaglicher Laps.« Tagebuch 19.1.1780). Gleichzeitig entfaltete er eine vielseitige und erfolgreiche verlegerische Initiative, die ihn zum bedeutendsten Unternehmer Weimars zur Goethezeit mit bis zu 500 Beschäftigten machte: 1785 Gründung der *Allgemeinen Literatur-Zeitung*, 1786 des →*Journals des Luxus und der Moden*, der ersten deutschen Modezeitung, 1791 des Landes-Industrie-Comptoirs, anfangs Manufaktur, ab 1800 Verlag und Druckerei für wissenschaftliche, praktische und politische Fachzeitschriften (u. a. G.s *Beiträge zur Optik* 1791 f.) und Reihenwerke. Daneben investierte er in Salinen, Kohlengruben und Hüttenwerken, und seine Frau Caroline gründete 1782 eine Fabrik künstlicher Blumen, in der zeitweilig auch Christiane Vulpius beschäftigt war. Das anfangs gute Duzverhältnis zu G. kühlte durch das Genietreiben zum höflichen Umgang ab, erlitt durch die *Xenien* (262) und durch G.s Gründung der rivalisierenden *Jenaischen Allgemeinen Literaturzeitung* 1803 zeitweilig einen Bruch und blieb bei gesellschaftlicher Distanz und geschäftlichen Beziehungen: Bertuch besorgte G. Bücher und vermittelte 1786 die erste rechtmäßige Gesamtausgabe der *Schriften* bei Göschen. G. schätzte unvermindert Bertuchs praktische Tatkraft, unermüdlichen Willen und findigen, gemeinnützigen Unternehmungsgeist höher als seinen Geschäftssinn. Auch Bertuchs politisch aktiver Sohn Karl (1777–1815) stand in geschäftlichen Beziehungen zu G. und war wiederholt sein Gast.

W. Feldmann, F. J. B., 1902; J. H. Eckardt, F. J. B., 1905; F. Pischel, F. J. B., 1925; F. Fink, F. J. B., 1934; A. v. Heinemann, F. J. J. B., 1950; A. v. Heinemann, Ein Kaufmann der Goethezeit, 1955; S. Hohenstein, F. J. B., Katalog Mainz 1985 und 1989.

Berzelius, Jöns Jacob, Freiherr von (1779–1848). Der berühmte Stockholmer Chemiker lernte G. am 30. 7. 1822 in Eger kennen und unternahm mit ihm in Gesellschaft nachmittags eine geologisch-mineralogische Exkursion auf den nahen →Kammerberg, dessen vulkanische Entstehung er abweichend von G.s früherem Aufsatz *Der Kammerberg bei Eger* (1809) erklärte. G. ergänzte seine frühere Darstellung daher in *Zur Naturwissenschaft überhaupt* (II,1, 1823). Am 31. 7. ergötzte Berzelius G. durch Mineralbestimmung mit dem Lötrohr. 1822 und 1823 bereicherte er G.s Mineraliensammlung durch Sendungen aus Schweden, und am 20. 8. 1828 besuchte er ihn nochmals in Dornburg.

J. Schiff, Eine Begegnung zwischen G. und B., in: Stunden mit G. 6, hg. W. Bode 1910.

Beschränkung. Der Grundbegriff von G.s Lebensauffassung seit der Italienreise und seiner klassizistischen Kunstauffassung schlechthin im Gegensatz zur zerfließenden Romantik zielt auf eine den Mitteln angemessene und dem Talent entsprechende Ökonomie und Selbstzucht des künstlerischen Schaffens als Voraussetzung des Vollkommenen. Kernstellen sind der Brief an Ch. von Stein vom 22. 7. 1776, der Aufsatz *Material der bildenden Kunst* (1788), das Lauchstädter Vorspiel *Was wir bringen* (1802; 19. Auftritt), das Gedicht *Das Sonett* (1807), *Wilhelm Meisters Lehrjahre* (1796, VI und VIII,5), insbesondere aber *Wilhelm Meisters Wanderjahre* (1821, z. B. I,12 und III,5).

Besitz. G., der das Wort juristisch unscharf gleichbedeutend mit Eigentum gebrauchte, war als Besitzbürger und Sammler durchaus vom Wert des Eigentums überzeugt (*Wilhelm Meisters Wanderjahre* III,9), unterscheidet aber sehr wohl bloß äußeres Haben und innere Aneignung (*Faust* I, v. 682 f.). Besitz ist ihm zugleich soziale Verpflichtung zu dessen Verwaltung im Gemeinsinn, wie die Inschrift im Haus des Oheims »Besitz und Gemeingut« (*Wilhelm Meisters*

Wanderjahre I,6) lehrt. Seinen eigenen Besitz betrachtete G. zugleich
als Bildungsgut (zu F. von Müller 23. 10. 1812), stellte aber die Leistung über den Besitz (*Wilhelm Meisters Wanderjahre* III,9).

Beskow, Bernhard, Freiherr von (1796–1868). Der schwedische
Dramatiker der Romantik besuchte den verehrten G. am 20. 11.
1819 in Weimar und gab in seinen Erinnerungen 1833 eine enthusiastische Schilderung von G.s Erscheinung, Persönlichkeit und Gesprächsführung. Der Eindruck des des Deutschen wenig mächtigen
Beskow auf G., der seinen Namen im Tagebuch vergaß, mag weniger überwältigend gewesen sein.

B. v. B., GJb 27, 1906 und 32, 1911.

Besser, Johann von (1654–1729). Anläßlich seiner Besprechung
von K. A. Varnhagen von Enses *Biographischen Denkmalen* (*Über
Kunst und Altertum* VI,1,1827) erinnert G. sich nicht ohne Schau-
dern, daß er anhand der »gestaltlosen« und »gehaltleeren« Werke
solcher spätbarocken Hofpoeten wie Besser oder F. von Canitz (er
schließt Paul Fleming mit ein) lesen lernte, die in Prunkausgaben in
der väterlichen Bibliothek standen und wie ein Alptraum wirkten.

Bestattungen. Beerdigungen und das Defilee vor aufgebahrten
Leichen waren G. ein Graus, dem er sich nach Möglichkeit entzog,
um sich das seelenvolle Bild der Lebenden nicht zerstören zu lassen
(zu J. D. Falk 25. 1. 1813). Entsprechend nahm er nicht an den Be-
stattungsfeierlichkeiten für Herder, Schiller, Anna Amalia, Wieland,
Carl August und Großherzogin Louise teil. Daß seine eigene Bestattung (→Tod und Bestattung) denselben zeremoniellen Formen
folgte, hat er nicht verhindern können, und seinen literarischen
Figuren wie Ottilie (*Wahlverwandtschaften* II,18) oder Mignon (*Wilhelm Meisters Lehrjahre* VIII,8) ließ er detailliert beschriebene Totenfeiern zuteil werden.

F. Koch, G.s Stellung zu Tod und Unsterblichkeit, 1932.

Der Besuch. Das schelmische Erzählgedicht entstand in der Frühzeit der Liebe zu Christiane etwa im August 1788, wurde jedoch
aus Diskretionsgründen aus dem Manuskript zu den *Schriften* Band
8 (1789) zurückgezogen (an Göschen 6. 11. 1788) und erschien zuerst 1795 in Schillers *Musen-Almanach für das Jahr 1796.* Die Situation einer heimlichen Beobachtung der schlafenden Geliebten ist
seit Properz' Elegie I,3 traditionelles Motiv der Liebeslyrik und erscheint auch in G.s *Römische Elegien* V. Auch der rücksichtsvolle Verzicht darauf, die Schlafende zu stören, wäre angesichts der zu er-
wartenden späteren Belohnung eher als galante Geste zu bewerten,
griffe die persönliche Gefühlsaussprache hier nicht weit über die
bewußt heruntergespielte erotische Situation hinaus.

G. Herwig-Hager, G.s Properz-Begegnung, in: Synusia, Festgabe für W. Schadewaldt,
1965.

Bethmann. Die seit 1725 in Frankfurt ansässige Bankiersfamilie
war über mehrere Generationen mit der Familie G. freundschaftlich
verbunden, und ihre Mitglieder spielen in der Briefen von G.s
Mutter eine Rolle. Zu G.s Zeit und seit 1748 führten die Brüder
Johann Philipp (1715–1793) und Simon Moritz (1721–1782) das
Frankfurter Bankhaus, mit dem G. auch später, etwa bei seiner Ita-
lienreise, in Geschäftsbeziehungen trat. Von den Kindern Johann
Philipps, mit denen G. und Cornelia befreundet waren, heiratete
Susanna Elisabeth (1763–1831) 1780 den Bankier J. J. (Bethmann-)
Hollweg. G. sah sie am 7. 8. 1814 in Wiesbaden, am 28. 8. 1815 in
Frankfurt und öfter. Ihr Bruder Simon Moritz (1768–1826), Staatsrat, Generalkonsul, angesehener Förderer der Künste und Wissenschaften in Frankfurt, beherbergte und bewirtete in seinem Landhaus Kaiser, Könige und Fürsten allen Couleurs. Er erhielt die
Jugendfreundschaft mit G. aufrecht und sah ihn 1796/97 in Leipzig, 1797 in Frankfurt, 1812 in Teplitz und stets auf seinen Reisen
über Weimar (1797, 1801, 1804 und 1809). G. besuchte ihn und
sein Antikenmuseum mehrfach im September/Oktober 1814. Der
dritte der erstgenannten Brüder Johann Philipp und Simon Moritz,
nämlich Johann Jakob (1717–1792), Kaufmann in Bordeaux, war
G. nur durch dessen Tochter Katharina Elisabeth (1753–1813)
namentlich bekannt, die mit den Geschwistern G. spielte, auch
beim Puppenspiel mitwirkte und die G. im April–August 1766 zu
Verwandtenbesuch in Leipzig, wenn auch in feineren Kreisen als
der Student verkehrend, wiedersah (an Cornelia 31. 5. und 12. 10.
1766). Sie heiratete 1769 den Bankier P. H. (Bethmann-)Metzler,
und Frau Rat G. berichtet von der G.-Verehrung in ihrem Hause.
G. besuchte am 9. 8. 1797 auch ihre schöne Tochter Sophie, verh.
Schwartzkopf (1774–1806), und deren Gatten in Frankfurt.

   H. Pallmann, Die Familien G. und B., in: Festschrift zu G.s 150. Geburtstagsfeier,
1899; C. Helbing, Die B.s, 1948.

Bethmann, Friederike →Unzelmann, Friederike

Betrachtungen im Sinne der Wanderer. Die Spruchsammlung
am Ende des 2. Buches von *Wilhelm Meisters Wanderjahren* folgt denselben Formgesetzen und Intentionen wie die Sammlung →»Aus
Makariens Archiv«.

Bettina →Arnim, Bettina von

Beulwitz, Friedrich Wilhelm Ludwig von (1755–1829). Der
Staatsmann und 1814 Kanzler des Fürstentums Schwarzburg-
Rudolstadt, G. seit den frühen Weimarer Jahren bekannt, war in er-
ster Ehe bis 1794 mit Schillers Schwägerin Caroline von Lengefeld
verheiratet (und las 1796 deren anonym erschienenen, lange für ein
Werk G.s gehaltenen Roman *Agnes von Lilien* mit seiner zweiten

Frau »mit ganz erstaunlichem Interesse und Bewunderung«, ohn
die wahre Verfasserschaft zu ahnen; Schiller an G. 12. 12. 1796). I.
seiner Rudolstädter Wohnung fand am 7. 9. 1788 in größerer Ge
sellschaft die erste persönliche Begegnung G.s mit Schiller statt, di
jedoch noch zu keiner Annäherung oder Aussprache führte.

Beulwitz, Heinrich Emil Friedrich August von (1785–1871). De
hohe Offizier, Kammerherr und Vertraute der Herzöge von Weima
trat seit 1809 in amtliche und private Beziehungen zu G., die z
häufigen Begegnungen in Weimar, Jena, 1810 Teplitz, 1821 un
1823 in Marienbad führten. G. ließ 1830 von Schmeller ein Porträ
von Beulwitz für sich zeichnen. Seit 1821 Generaladjutant des Erb
großherzogs Carl Friedrich, war Beulwitz mit diesem und Mari
Paulowna beim Tod Carl Augusts in Petersburg und schrieb i
deren Namen einen Brief an G. Dieser antwortete am 18. 7. 182?
mit dem Aufsehen erregenden »Dornburger Brief«, der aus der Kul
turlandschaft heraus Wesen und Leistung Carl Augusts und G.s Ver
hältnis zu ihm deutet.

Beust, Friederike Karoline (1785–1847). Die Witwe eines Mainze
Kammerherrn war 1805–15 Hofdame der Weimarer Erbprinzessi
Maria Paulowna und begegnete G. häufig bei Abendgesellschafte
des Hofkreises, auch 1813 in Teplitz und 1821 in Marienbad, ode
besuchte ihn in Gesellschaft, 1821 und 1823 auch mit ihrer Toch
ter Flavie. Beide nahmen am *Maskenzug* von 1818 teil.

Beuther, Friedrich Christian (1777–1856). Der Schauspieler un
Theaterdekorateur, Schüler von G. Fuentes, schuf 1815–18 un
1825 als Hoftheatermaler in Weimar die Bühnenbilder zahlreiche
Dramen- und Operninszenierungen, u. a. zur *Zauberflöte*, und wa
maßgeblich an der bühnentechnischen Verbesserung des Komö
dienhauses beteiligt. G. schätzte den seinen Stilabsichten entspre
chenden, wenig variablen, lichten klassizistischen Stil Beuthers
empfahl ihn als Berater für den Theaterneubau 1825 und preis
seine Perspektivkunst in *Tag- und Jahreshefte* 1815.

Beyle, Henri →Stendhal

Bibel. G.s bis ins Alter gerühmte Bibelfestigkeit vor allem im AT
nahm ihren Anfang in der Betrachtung der Merian-Bibel (*Dichtun,
und Wahrheit* I,1), in der überdurchschnittlich intensiven Bibel
lektüre in Schule und Haus sowie im Studium des NT teils aucl
im Urtext. Galt ihm die Bibel ursprünglich als unfehlbares Wor
Gottes, so fielen ihm doch bald Unwahrscheinlichkeiten und Wi
dersprüche auf, die er mit seinem Lehrer J. G. Albrecht anhand de
Kommentare zu lösen versuchte (ebd. I,4). In der Leipziger Stu
dienzeit trat die Bibellektüre trotz des Einflusses von E. T. Lange

instweilen zurück, doch in der Frankfurter Rekonvaleszentenzeit
and sie unter Einfluß des Pietismus (S. von Klettenberg, Lavater)
wieder starkes persönliches Interesse. In der Straßburger Zeit
weicht die unkritische Lektüre unter Anleitung Herders einer
historisch-kritischen Betrachtung (ebd. III,12) nicht im Sinne göttlicher Offenbarung wie bei Lavater, sondern als historisch-religiö-
es Traditionswerk, das nicht in Glaubens-, wohl aber in histori-
chen Aspekten der Kritik offensteht (*Zwo wichtige bisher unerörterte
iblische Fragen*, 1773; *Brief des Pastors zu *** an den neuen Pastor zu
****, 1773). Seit der Übersiedlung nach Weimar, dem Abnehmen
eligiösen Interesses und einer teils kritischen Stellung zum Chri-
tentum tritt die Bibel zeitweilig gegenüber neuen naturwissen-
chaftlichen Interessen in den Hintergrund. Doch führen die Suche
ach poetischen biblischen Stoffen 1797 und analytisch-kritische
Fragen zu Datierungsproblemen zu Studien über den Auszug Israels
us Ägypten (*Israel in der Wüste*, gedruckt in den *Noten und Abhand-
ungen* zum *Westöstlichen Divan* 1819). Die Arbeit an *Dichtung und
Wahrheit*, besonders I,4, gibt 1811/12 Anlaß zu erneuter Bibellek-
üre, und die Vorstudien zur orientalischen Dichtung für den *West-
östlichen Divan* beginnen im August/September 1816 beim AT und
en Psalmen. Dieses Bibelstudium findet auch Niederschlag in den
Maximen und Reflexionen (z. B. 334, 335, 373, 672, 822), und selbst
die *Geschichte der Farbenlehre* nennt die Bibel »das Buch der Völker,
weil sie das Schicksale eines Volkes zum Symbol aller übrigen auf-
tellt« (Kap. Überliefertes).

  Biblische Stoffe bilden, noch barocker Tradition folgend, vielfach
den Inhalt von G.s später vernichteten Jugenddichtungen *Die Ge-
chichte Josephs* (*Dichtung und Wahrheit* I,4), *Belsazar, Thronfolger Pha-
aos, Jsabel, Ruth* und *Selima* (an Cornelia 12. 10. 1767). Als einziges
rhalten sind die *Poetischen Gedanken über die Höllenfahrt Jesu Christi*
1765). 1774/75 entstanden, ebenfalls verloren, eine Übersetzung
des *Hohelieds* (wohl aufgrund von Paraphrasen; vgl. an Merck Ok-
ober 1775) und die Parabel *Salomons, König von Israel und Juda, gül-
dene Worte von der Ceder bis zum Ysop*. Von den späteren Dichtungen
eigt der »Prolog im Himmel« (um 1800) des *Faust* bekanntlich
Anklänge an den biblischen Hiob, und die Parabel *Groß ist die Diana
der Epheser* (1812) solche an Apostelgeschichte 19,39. Von einem
geplanten *Simson*-Drama nahm G. 1812 Abstand (an Zelter 19. 5.
812). Noch *Wilhelm Meisters Wanderjahre* (1819, II,2) nehmen eine
konographie der biblischen Geschichten zum Anlaß für einen
Preis des AT.

  Den stärksten Einfluß der Bibel auf G.s Dichtung bewirken die
tets bewunderte Sprache von Luthers kernigem Bibeldeutsch, auf
das G. immer wieder gern zurückgreift, und die biblischen Wendungen, Bilder und Gleichnisse, die sein ganzes Werk durchziehen.
Als Lebensbuch und Grundlage seiner sittlichen Bildung wie auch
ls Dichtung schätzte G. bei aller Kritik im einzelnen die Bibel

allezeit hoch und verachtete pietätlose Angriffe (*Dichtung und Wahrheit* II,7 und III,12), doch tritt die religiöse Wirkung der Bibel bei ihm zurück hinter ihrer Bedeutung als sprachliche und stoffliche Anregung. Auch darin antizipiert G. spätere Entwicklungen.

V. Hehn, G. und die Sprache der B., GJb 8, 1887; H. Henkel, G. und die B., 1890; L. Deutschländer, G. und das AT, 1923; A. Ettlinger, G. und das AT, 1923; G. Janzer, G. und die B., 1929; R. Eberhard, G. und das AT, 1932; P. Althaus, G. und das Evangelium, 1951; H. Fischer-Lamberg, Das B.zitat beim jungen G., in: Gedenkschrift für F. J. Schneider, 1956; O. Durrani, Faust and the B., 1977; G. Niggl, Biblische Welt in G.s Dichtung, in: Im Anschaun ewger Liebe, hg. W. Böhme 1982; H. Timm, Das heilige Original, in: Invaliden des Apoll, hg. H. Anton 1982; G. Kaiser, Faust und die B., DVJ 58, 1984; W. Schottroff, G. als B.wissenschaftler, in: Allerhand G., hg. D. Kimpel 1984.

Bibliographie. Der Ermittlung von Literatur über G. und sein Werk dienen die folgend genannten Bibliographien, in die ältere, speziellere, zeitlich oder regional begrenzte Bibliographien zumeist aufgegangen sind. Sie wären über den in [ ] genannten Berichtszeitraum hinaus zu ergänzen aus den unten angeführten periodischen Bibliographien. Für Literatur zu Einzelwerken geben auch jüngste kommentierte Werkausgaben nützliche Hinweise.

I. Gesamtbibliographien:
Karl Goedeke, *Grundriß zur Geschichte der deutschen Dichtung*, Band IV, Abteilung 2–4, 3. A. 1910–13. Neudruck 1955 [bis 1911] und Abteilung 5, 1960 [1912–1950]
Hans Pyritz u. a., *G.-Bibliographie*, 2 Bände 1965–68 [Auswahl des Wesentlichen bis 1964]
Helmut G. Hermann, *G.-Bibliographie. Literatur zum dichterischen Werk.* 1991 [Auswahl bis 1990]

II. Spezialbibliographien
Günther Schmid, *G. und die Naturwissenschaften*, 1940
Waltraud Hagen, *Die Gesamt- und Einzeldrucke von G.s Werken*, 1956, 2. A. 1983

III. Periodische Bibliographien in:
Goethe. Neue Folge des Jahrbuchs der G.-Gesellschaft 14/15–33, 1952/53–1971 [1951–1970]
Goethe-Jahrbuch 89 ff., 1972 ff. [1971 ff.]
Internationale Bibliographie zur deutschen Klassik 1750–1850, anfangs in *Weimarer Beiträge* I ff., 1955 ff., ab 1964 selbständig [1954 ff.]
Bibliographie der deutschen Literaturwissenschaft, I ff., 1957 ff. [1945 ff.]
Germanistik. Internationales Referatenorgan, I ff., 1960 ff. [1960 ff.]

Bibliothek. G.s Vergleich einer Bibliothek mit einem »großen Kapital, das geräuschlos unberechenbare Zinsen spendet« (*Tag- und Jahreshefte* 1801, über Göttingen) läßt sich gleicherweise auf die reiche Bibliothek seines Vaters (*Dichtung und Wahrheit* I,1) wie auf seine eigene Bibliothek beziehen. Im einem Hinterzimmer des Hauses

m Frauenplan auf kargen Brettergerüsten neben seinem Arbeits-
immer aufgestellt und weniger bibliophile Sammlung als vielmehr
»raktische Handbibliothek, umfaßte sie bei seinem Tod rd. 6500
3ände (5424 Titel) aus antiker, europäischer und orientalischer
Literatur sowie aus allen Wissensgebieten mit Schwerpunkten auf
iprache, Naturwissenschaften, Kunst, Theologie, Philosophie, Ge-
chichte und Biographie sowie 137 Nachschlagewerke und Wör-
erbücher. Darüber hinaus war G. einer der eifrigsten Benutzer
ler →Weimarer Bibliothek, die seit 9. 12. 1797 unter seiner und
C. G. Voigts Aufsicht stand. Auch die Universitätsbibliothek Jena,
lie G. jahrzehntelang unterstützte und benutzte und die seit 1817
mit der herzoglichen Schloßbibliothek in Jena vereinigt wurde (rd.
00 000 Bände), geriet 1817 offiziell unter G.s und Voigts Aufsicht.
F. Götting, Die B. von G.s Vater, Nassauische Annalen 64, 1953; H. Ruppert, G.s B., Katalog, 1958 u. ö.

Bibra, Ludwig Carl von (1749–1795). Der Offizier und Reise-
marschall des Prinzen von Sachsen-Meiningen, »ein gar recht-
chaffner guter Mensch« (an Ch. von Stein 14. 4. 1782) gehörte zu
G.s vertrauten Bekannten. Bei ihm wohnte er auf seiner diploma-
ischen Reise an Thüringer Höfe am 12.–14. 4. 1782 (und
l0.–12. 5. 1782?).

Bidpai. Die dem indischen Philospen Bidpai zugeschriebene
Fabelsammlung, eigentlich eine arabische Version der altindischen
Fabelsammlung *Paie dem in,* studierte G. im September 1818 in
leutscher und französischer Übersetzung (*Tag- und Jahreshefte* 1818)
und erwähnt sie mehrfach in den *Noten und Abhandlungen* zum
West-östlichen Divan.

Biebrich. G. kannte das Schloß Biebrich, Sommerresidenz der
Herzöge von Nassau bei Wiesbaden am Rhein, durch Ausflüge von
Frankfurt aus seit 1765 (*Dichtung und Wahrheit* II,6). Er sah das 1806
weiter ausgebaute, um einen größeren Park und eine neugotische
»Moosburg« erweiterte »wohlerhaltene Lustschloß« anläßlich seiner
Aufenthalte in Wiesbaden 1814 und 1815 wieder und speiste jeden
Sonntag im August 1814 (7., 14., 21., 28. 8.: G.s Geburtstag sowie
11. 9.) in Gesellschaft an der Tafel des Herzogs →Friedrich August
von Nassau-Usingen, am 25. 8. auch mit Carl August, ferner am
9. und 16. 7. 1815 (Waterloo-Siegesfeier mit Erzherzog Carl von
Österreich) und zuletzt am 6. 8. 1815. Eine kurze Beschreibung
gibt *Kunst und Altertum am Rhein und Main* (1816), ausführlicher der
Brief an Christiane vom 8. 8. 1814. In der nach Pestalozzis Grundsätzen geleiteten Elementarschule in Biebrich wohnte G. im August
1815 wiederholt dem Unterricht und Prüfungen bei (zu S. Boisserée 5. 8. 1815).

Biel. In dem Ort des Kantons Bern weilte G. am 5.–6. 10. 177 und machte am 5. 10. eine Schiffahrt auf dem Bieler See zu St. Petersinsel, der Zuflucht J. J. Rousseaus im Sommer 1765.

Bielke, Friedrich Wilhelm von (1780–1850). Der Weimarer Kammerherr und 1817 Hofmarschall der Erbgroßherzogin Mari Paulowna war G.s Verbindungsmann zu dieser und häufiger Gas G.s, dem er u. a. hohe Gäste vorstellte.

Bier. Obwohl eigentlich Weintrinker, trank G. tatsächlich in de Leipziger und Straßburger Studentenzeit studentischem Gebrauch gemäß (*Faust* v. 830) Bier, doch es »verdüsterte mein Gehirn« (*Dichtung und Wahrheit* II,8). In Weimar trat das Bier zurück, und im Alte wollte G. dem Biertrinken und Rauchen den künftigen Verfall de deutschen Literatur anlasten (zu Knebel, undatiert, Artemis-Ausg 22,518).

Bild. Aus der auf das Gegenständliche ausgerichteten Sehensweise des Augenmenschen G., seiner mit von der Naturforschung geprägten Anschaulichkeit und seiner Auffassung vom bildhaften Charakter des Wortes und der Sprache ergibt sich die außerordentliche Bildhaftigkeit seiner Dichtung, die über die traditionellen Typen der bildlichen Ausdrücke (→Allegorie und Symbol) hinaus zum Wesen seiner Dichtung gehört und in den einzelnen Epochen seines Schaffens Wandlungen unterworfen ist.

H. A. Korff, G. im B.wandel seiner Lyrik, 1958; H. Rehder, Studies in G's poetic imagery, Texas studies in literature and language 6, 1964; E. Wolf, Macht und Übermacht der Bilder in G.s Dasein, Goethe 24, 1962; W. Keller, G.s dichterische Bildlichkeit, 1972; L. A. Willoughby, G.s Bildersprache, in ders. und E. M. Wilkinson, G., 1974 R. Mühlher, Wort und B. bei G., Sprachkunst 6, 1975.

Bildbeschreibungen. Trotz seiner Skepsis gegenüber den Möglichkeiten einer sprachlichen Wiedergabe von Bildeindrücken versucht G. in den Schriften zur Kunst ein auf der Einheit von Stoff, Form und Gehalt basierendes Beschreibungsverfahren, das den Bildeindruck nicht ersetzen, sondern dem Leser, der möglichst eine Reproduktion zur Hand haben sollte, eine reflektierte Anschauung und Deutung vermitteln will.

E. Osterkamp, Im Buchstabenbilde, 1991.

Bildende Kunst →Kunst

Bildhauerkunst →Skulptur

Bildnisse Goethes →Porträts

Bildung. Dieser Zentralbegriff G.s hat in seinem Wortschatz dreierlei verschiedene, obzwar verwandte Bedeutungen: – 1. Er mein morphologischem Sinn etwa in Botanik oder Zoologie die estalt, aber nicht als etwas Statisches, sondern als etwas lebendig-ynamisch sich Entwickelndes im Sinne von Gestaltwerdung. – Er bezeichnet im physiognomischen Sinn die äußere Gestalt des Ienschen, seine äußere Erscheinung, Gesicht oder allgemein Figur .B. *Hermann und Dorothea* V,167; VII,6; IV,57), auch als Ausdruck es inneren Wesens gemäß den Lehren Lavaters. – 3. Er umfaßt hließlich im übertragenen, geistigen Sinne die Formung, Gestal-ung oder Ausbildung des geistigen Menschen und seiner Fähigkei-n zu einer in sich gerundeten, abgeschlossenen und allseitig har-ionischen Persönlichkeit durch Schulung und Entfaltung aller in im angelegten Kräfte im Sinne des klassischen Humanitätsideals. ie nimmt wie bei G. selbst ihren Ausgang in der Aneignung der orgegebenen Bildungsquellen und erlernbaren Bildungsgüter und ähert sich anfangs einem fast asozial-egoistischen Bildungsideal er bloßen Geisteskultur als Selbstzweck, wird aber bald durch das eben und die Welterfahrung als charakterbildende Mittel auf die esellschaftlichen Einflüsse und Herausforderungen verwiesen und veitet sich, wie im Übergang von *Wilhelm Meisters Lehrjahren* zu en *Wanderjahren* dargestellt, von der Selbstverwirklichung als End-iel zur Selbstbescheidung im Dienst der Allgemeinheit, für die das ollausgebildete Individuum nur durch werteschaffende Brauch-arkeit von Nutzen ist. Daraus resultiert über das universelle Allge-ieinbildung hinaus der Ruf nach →Beschränkung, Spezialisierung nd Vertiefung in ein sozial-praktisches Gebiet, zu altruistischer)ienstbarkeit und Pflichterfüllung. Dies ist jedoch keine Absage an as humanistische Bildungsideal zugunsten utilitaristischen Fach-pezialistentums, sondern Endstufe einer Entwicklung, die zu ihrer insichtsvollen Verwirklichung der vorhergehenden Stufen bedarf. →Bildungsroman.

E. Cassirer, G.s Idee der B. und Erziehung, Pädagogisches Zentralblatt 12, 1932; I. Leser, Die deutsch-klassische B.sidee, 1928; L. Kiehn, G.s Begriff der B., 1932; .M. Finsterbusch, Bilden und B. im Klassizismus und in der Romantik, Diss. Wien 943; A. B. Wachsmuth, B. und Wirkung, Goethe 10, 1947; E. Rupprecht, Das Problem er B. in G.s Wilhelm Meister, in ders., Die Botschaft der Dichter, 1947; O. F. Bollnow, orbetrachtungen zum Verständnis der B.sidee in G.s Wilhelm Meister, Die Sammlung), 1955; J. Müller, Phasen der B.sidee im Wilhelm Meister, Goethe 24, 1962, auch in ers., Neue G.-Studien, 1968; T. P. Saine, Über Wilhelm Meisters B., in: Lebendige orm, hg. J. L. Sammons 1970; G.-L. Fink, Die B. des Bürgers zum Bürger, RG 2, 1972; :. Günzler, B. und Erziehung im Denken G.s, 1981; H. Zdarzil, G.s Anschauungen zu 1enschenb., JbWGV 86/88, 1982/84; B. C. Sax, Images of identity, 1987; F. Jannidis,)as Individuum und sein Jahrhundert, 1996.

Bildungsroman. Die von K. Morgenstern um 1820 im Hinblick uf *Wilhelm Meister* geprägte, von W. Dilthey verbreitete Bezeich-iung meint einen Roman, der die geistig-moralische Entwicklung ines Charakters, dessen →Bildung, unter dem Einfluß der Bil-lungsgüter (Philosophie, Literatur, Kunst, Theater u. a.) sowie in Jesprächen mit welterfahrenen Personen und durch die Auseinan-lersetzung mit der Welt und der Gesellschaft schlechthin themati-

siert. Ein solches Thema war wesensgemäß erst im 18. Jahrhunder
im Zuge des wachsenden Interesses an der individuellen Charakter
und Persönlichkeitsentfaltung, pietistischer Verinnerlichung un
Selbsterforschung und des von Herder entwickelten Sinnes für di
Stadien geschichtlicher Entwicklung möglich. Seine Entstehun
aber verdankt der Bildungsroman der Integration des klassisch
humanistischen Bildungsideals in die Romanhandlung. In dieser
Sinne ist Wielands *Geschichte des Agathon* (1766 f.) der erste deutsch
Bildungsroman, und G.s *Wilhelm Meister* ist die für Generatione
vorbildliche Ausprägung, die bis in die Gegenwart fortwirkt un
trotz der bei G. vorhandenen sozialen Komponente den deutsche
Roman lange zum Nachteil des sozialen oder Gesellschaftsroman
auf die Thematik der Introversion und der individuellen Persön
lichkeitsentwicklung festgeschrieben hat.

E. L. Stahl, Die religiöse und humanitätsphilosophische Bildungsidee und die Ent
wicklung des deutschen B.s im 18. Jahrhundert, 1934; F. Martini, Der B., DVJ 35, 196
L. Köhn, Entwicklungs- und B., 1969; J. Jacobs, Wilhelm Meister und seine Brüde
1972; M. Swales, The German B., Princeton 1978; R. Selbmann, Der deutsche B., 198
u. ö.; Zur Geschichte des deutschen B., hg. R. Selbmann 1988; D. F. Mahoney, Th
apprenticeship of the reader, in: Reflection and action, hg. J. Hardin, Columbia 1991

Bildungstrieb. Das Wort bezeichnet nicht das, was man sich ger
darunter vorstellen würde, etwa einen natürlichen Drang nach All
gemeinbildung. Vielmehr ist es in G.s gleichnamigem naturwissen
schaftlichen Aufsatz vom 17. 9. 1817 (*Zur Morphologie* I,2, 1820) di
von J. F. Blumenbach (*Über den Bildungstrieb*, 1789) übernommene
wegen ihrer Zweideutigkeit (→Bildung) nicht ganz glücklich
Übersetzung von dessen »nisus formativus«, dem hinsichtlich seine
Ursachen umstrittenen Anstoß zur Evolution bzw. Metamorphos
der Formen in der organischen Natur. Zur Sache vgl. G.s Aufsat
Bildung und Umbildung organischer Naturen von 1807 (*Zur Morpholo
gie* I,1, 1817).

Bilin. Der böhmische Kurort war wegen seiner Landschaft, de
barocken Lobkowitz-Schlosses und des Borschen-Felsens, die G
wiederholt zeichnete, ein beliebtes und häufiges Ausflugsziel G.s be
seinen Aufenthalten in Teplitz 1810, 1812 und 1813, zu dem e
auch Freunde und Bekannte begleitete.

Bingen. Die »herrlich gelegene« Stadt am Rhein sah G. zuerst un
den 19./20. 9. 1772 bei seiner Rheinfahrt von Ehrenbreitstein mi
Merck (*Dichtung und Wahrheit* III,13), dann auch dem Weg zu
Campagne in Frankreich am 21./22. 8. 1792 und am 9. 6. 1793 be
der Belagerung von Mainz. Die Stadt selbst besichtigte er mi
Zelter von Wiesbaden aus am 16. 8. 1814 zum ausführlich be
schriebenen →*Sankt Rochus-Fest zu Bingen* (1816) mit anschließen
der Bootsfahrt durch das Binger Loch, und am 5. 9. 1814 bei einer
Ausflug von Winkel aus (*Im Rheingau Herbsttage*). Für die wieder-

aufgebaute Sankt-Rochus-Kapelle stiftete G. 1816 ein nach eigener Skizze und einer Zeichnung von J. H. Meyer von L. Seidler ausgeführtes Altarbild des Heiligen (*Über Kunst und Altertum* I,2, 1817; an P. Servière 1. 2. 1816, an S. Boisserée 24. 6. 1816).

Biographien. Wissenschaftlich akzeptable oder populärere Gesamtdarstellungen von G.s Leben, die zumeist den äußeren Lebenslauf mit einer Deutung der Werke verbinden, setzen erst gegen Ende des 19. Jahrhunderts ein. Die wichtigsten erschienen in mehreren Auflagen: R. M. Meyer III 1895, K. Heinemann II 1895, A. Bielschowsky II 1896–1904, G. Witkowski 1899, F. Gundolf 1916, E. Kühnemann II 1930, G. Müller 1947, H. Meyer 1951, E. Staiger III 1953–59, R. Friedenthal 1963, K. O. Conrady II 1982–85, C. Hohoff 1989, N. Boyle, Oxford II 1991, deutsch 1995 ff. – →Chronik.

H. Maync, Geschichte der deutschen G.-B., 1914; W. Leppmann, G. und die Deutschen, 1962; H.-M. Kruckis, Ein potenziertes Abbild der Menschheit, 1995.

Biographische Einzelnheiten. Unter diesem Sammeltitel, wohlgemerkt nicht: autobiographische Einzelnheiten, vereinigte Eckermann in der sog. Quartausgabe der Werke G.s 1836/37 kürzere, nach Bedeutung und Wert sehr unterschiedliche Skizzen G.s aus dem Nachlaß. Sie waren teils den autobiographischen Arbeiten entsprossen und dort nicht eingefügt worden oder sollten später Berücksichtigung finden; teils geben sie kurze Übersichten zu Nebenthemen oder Charakterisierungen von Zeitgenossen. Ihre biographisch interessantesten Beiträge sind die *Erste Bekanntschaft mit Schiller* (1817) und die *Unterredung mit Napoleon* (1824).

Biologie. Zu G.s biologischen Forschungen und Anschauungen vgl. einzeln →Botanik, →Zoologie, allgemein →Naturwissenschaften.

J. Schuster, G. und die B., 1932; A. Kiesselbach, G. und die B., in: G. Hochschulwoche Düsseldorf, 1963; E. Callot, La philosophie biologique de G., Paris 1971; H. J. Becker/E. Lieb, G.s B., JbWGV 86/88, 1982/84.

Birch, Thomas (1705–1766). Der englische Theologe und Historiker war 1752–65 Sekretär der Royal Society of London und gab als solcher u. d. T. *History of the Royal Society of London* (IV 1756 f.) die Sitzungsprotokolle dieser naturforschenden Gesellschaft heraus. G. studierte sie im Juni 1804 für die *Geschichte der Farbenlehre* (»18. Jahrhundert«), machte ausführliche Auszüge und fand sie »unbestritten ganz unschätzbar« (*Tag- und Jahreshefte* 1804).

J. Hennig, G's extracts from B's History, MLR 52, 1957.

Birkenstock, Johann Melchior, Edler von (1738–1809). Der Wiener Hofrat und Erziehungsminister hinterließ seine außerordentlich umfangreiche Sammlung von Gemälden, Kupferstichen, Handzeichnungen und Antiquitäten seiner mit Franz Brentano verheirateten Tochter Antonia Josepha, die die wertvollsten Stücke daraus im Privatmuseum ihres Frankfurter Hauses Kunstfreunden zugänglich machte. G. studierte die Sammlung im September/Oktober 1814 und wieder am 5. und 14. 9. 1815 mit S. Boisserée und beschreibt sie in *Kunst und Altertum an Rhein und Main* (1816).

K. Pleyer, G. und der Wiener Kunstsammler B., Wiener Geschichtsblätter 8, 1953.

Biscari, Vincenzo, Principe di (1742–?). G. lernte den bei Catania reichbegüterten Fürsten, dessen Frau und Mutter am 3. 5. 1787 im Palazzo Biscari in Catania kennen, als er unter seiner und seines Hausgeistlichen (→Sestini?) Führung die vom Vater des Fürsten, Ignazio Vincenzo Biscari (1719–1786), zusammengetragene Antiken-, Münzen- und Gemmensammlung besichtigte (*Italienische Reise*).

Bischofswerda. In der kleinen Stadt der Lausitz übernachtete G. am 24. 9. 1790 auf der Rückreise von Schlesien.

Bismann, Johann Andreas (1715–1811). Der Frankfurter Kantor (1758) und spätere Vizekapelldirektor an der ehem. Barfüßerkirche (1792) wurde seit dem Tode seines Vorgängers, Kapellmeister Beck, 1759 der favorisierte Klavier- und Gesangslehrer der Frankfurter Gesellschaft, unter dem seit 1763 auch G. und seine Schwester Cornelia ihre ersten Tastenversuche machten. Mit welchen Mätzchen er für seinen »trocknen Unterricht« neue Schüler anlockte, berichtet sein berühmtester Schüler vergnüglich in *Dichtung und Wahrheit* (I,4).

Björkland. Dem skandinavischen Studenten in Leipzig schrieb G. am 24. 9. 1766 die Verse »Ich sah wie Doris …« ins Stammbuch, das älteste (im Buch *Annette*) erhaltene Leipziger Gedicht G.s.

Blanchet, François (1707–1784). Die *Apologues et contes orientaux* (1785) des französischen Abbé, Bibliothekars und Schriftstellers machten G. Anfang September 1785 in Weimar »gute Stunden« (an Ch. von Stein 8. 9. 1785).

Blankenburg/Harz. Auf seiner 2. Harzreise übernachtete G. am 11. 9. 1783 mit Fritz von Stein in dieser Stadt, und Anfang September 1784 auf seiner 3. Harzreise weilte er wiederholt mit G. M. Kraus dort.

Blankenburg/Thüringen. In der Bergbaustadt befuhr G. Anfang Juli 1781 mit Knebel ein Kupferbergwerk und knüpfte Beziehungen zu einem »alten Bergmeister« an (an Carl August und Ch. von Stein 5. 7. 1781).

Blankenhain. Die Herrschaft Blankenhain südlich von Weimar fiel 1815 an Sachsen-Weimar, und G., der den Ort schon früher oft berührt hatte, bemühte sich im November und Dezember 1815 persönlich um die Bergung alter Kunstschätze aus dem Schloß der Grafen von Hatzfeld.

Blankvers. Der reimlose fünfhebige Jambus oder steigend-alternierende Vers zu 10 (männlich) oder 11 Silben (weiblich) mit freier Zäsur wurde vor allem durch seine Verwendung bei Shakespeare bekannt, in dessen Gefolge im 18. Jahrhundert als Ablösung des Alexandriners auch in Deutschland verbreitet und seit Lessings *Nathan der Weise* zum bevorzugten Dramenvers. G. verwendet ihn nach frühen Versuchen (*Belsazar*) erst in den Versdramen der klassischen Zeit: *Iphigenie, Erwin und Elmire, Claudine von Villa Bella, Torquato Tasso, Die natürliche Tochter* u. a. sowie in Theaterreden, Übersetzungen und einzelnen Partien anderer Dramen, da er seinem Streben nach einem klassisch gebundenen Theaterstil entgegenkam.

L. Hettich, Der fünffüßige Jambus in den Dramen G.s, 1913; P. Ringger, G.s B., Diss. Zürich 1948; R. Haller, Studie über den deutschen B., DVJ 31, 1957; F. M. Fowler, G. on the road to blank verse drama, LGS 4, 1992.

Blessenbach. In dem kleinen Taunusdorf übernachtete G. am 21. 7. 1815 auf der Fahrt von Wiesbaden über Limburg und Nassau nach Köln beim Dorfpfarrer Meß.

Blinde Kuh. Das erstmals 1789 (*Schriften* Bd. 8) gedruckte scherzhafte Gedicht mag 1771 in Sesenheim oder 1775 in Weimar entstanden sein, wo auch Blindekuh gespielt wurde. Seine Adressatin Therese müßte man G.s Damenkatalog hinzufügen, glaubte man sie nicht um des Reimes willen so benannt oder gar überhaupt um der Pointe willen erfunden.

Blocksberg. So heißt der in der Geographie als →Brocken bekannte höchste Berg im Harz in der Volksmythologie, wenn nicht die Erhebung gemeint ist, sondern der Treffpunkt der Teufel, Hexen und bösen Geister zwecks Begehung der orgiastischen →Walpurgisnacht. Auch G. unterscheidet zwischen dem von ihm mehrfach bestiegenen Brocken und dem von kleineren Geistern beflogenen Blocksberg in der Walpurgisnacht von *Faust* I.

Blondel, Jacques François (1705–1774). G. studierte vom 7. 12. 1778 bis Januar 1779 intensiv des bedeutenden französischen Architekten reich illustrierten *Cours d' architecture, ou traité de la décoration, distribution et construction des bâtiments* (IX 1771–77). Er zeichnete auch die Abbildungen nach und schuf damit die Grundlage seiner späteren Studien klassischer Architektur.

Blücher, Gebhard Leberecht von, Fürst von Wahlstadt (1742–1819). Der preußische Feldmarschall der Befreiungskriege und Sieger von Waterloo genoß G.s uneingeschränkte Bewunderung nicht nur wegen seiner militärischen Erfolge, die ihn den Helden der Antike gleichsetzten (zu Eckermann 24. 11. 1824), sondern G. lobte auch »seine Geistesgegenwart, seine persönliche Bravour, seine Art, das Zutrauen und die Liebe seiner Soldaten zu gewinnen, dann seine Reden« (zu Grüner 31. 8. 1821) mit ihren kraftvollen, treffsicheren Formulierungen. Seine Verehrung überdauerte auch die persönliche Bekanntschaft mit »unserem verehrten Fürsten« und »Helden-Greis« in Karlsbad, wo Blücher am 1. 8.–10. 9. 1818 G. gegenüber wohnte. G. besuchte ihn am 18. 8. und 8. 9. Seine erste literarische Huldigung an den »Marschall Vorwärts« ist das vielfach wiederholte »Vorwärts« im Festspiel *Des Epimenides Erwachen* (1814; II,7); mit dem Vorsingen dieser Szene in Zelters Komposition rührte dessen Berliner Singakademie den Feldherrn bei seiner Rückkehr nach Berlin 1814 zu Tränen. Als die mecklenburgischen Stände 1815 beschlossen, Vater Blücher in seiner Heimatstadt Rostock ein Denkmal zu setzen, bat man G. um seine Mitwirkung. Er beriet am 25. 1.–10. 2. 1816 mit Schadow in Weimar dessen letzten Entwurf. Das am 26. 8. 1819 enthüllte Denkmal trug auf dem Sockel G.s am 4. 7. 1817 entworfene Inschrift (»In Harren und Krieg …«). Über die Entstehung berichten G.s Aufsatz *Blüchers Denkmal* (*Über Kunst und Altertum* I,3, 1817) und die *Tag- und Jahreshefte* 1816.

F. Zucker, G.s Vierzeiler auf sein und B.s Denkmal, JGG 12, 1926; W. Krogmann, G.s Anteil am B.denkmal zu Rostock, Mecklenburgische Monatshefte 8, 1932; E. Weniger, G. und die Generale, 1942, erw. 1959; H. Roloff, G. und die Mecklenburger, Goethe 24, 1962.

Blümner, Heinrich (1765–1839). Der Leipziger Oberhofgerichtsrat und Schriftsteller publizierte 1814 eine Schrift *Über die Idee des Schicksals in den Tragödien des Äschylus,* die G. in *Shakespeare und kein Ende* (1815) eine »höchst schätzbare Abhandlung« nennt.

Blumauer, Johann Aloys (1755–1798). Die mitunter recht derbe, aber seinerzeit sehr erfolgreiche Vergil-Travestie *Abenteuer des frommen Helden Aeneas oder Virgils Aeneis travestiert* (1784) des Wiener Ex-Jesuiten, Lehrers und Buchhändlers konnte natürlich dem Klassiker G. nicht gefallen. Bei der ersten Lektüre am 11. 7. 1820 erschrak er direkt über ihre »grenzenlose Nüchternheit und Plattheit« (*Tag- und Jahreshefte* 1820). Ein Jahr später und milder, im Aufsatz über *Byrons Don Juan* (1821), mußte er doch zugeben, daß ihn der komische Kontrast »belustigt« habe.

Blumenbach, Johann Friedrich (1752–1840). Der Göttinger Professor der Medizin, richtungsweisend in der vergleichenden Anatomie und Anthropologie, besuchte G. im April 1783 in Weimar (Blu-

menbach an C. G. Heyne 4. 5. 1783), und das entstehende freund-
schaftlich-sympathische Verhältnis führte seit 1793 zu einem regen
Briefwechsel über osteologische, mineralogische und botanische
Probleme, in dessen Mittelpunkt bald morphologische Fragen wie
der von Blumenbach benannte organische →Bildungstrieb und der
Zwischenkieferknochen traten. Am 14. 10. 1796 besuchte Blumenbach G. wieder in Weimar, am 7. 6., 21. und 26. 7. und 7. 8. 1801
war G. sein Gast in Göttingen und besichtigte seine Schädelsamm-
lung, und am 2. , 9. und 10. 10. 1802 sowie am 8.–10. 10. 1820 und
10.–12. 10. 1822 war Blumenbach, teils mit seiner Familie, wieder
in Weimar bei G., in dessen Bibliothek sich neun seiner Bücher befinden.

Blumengruß. G.s Gedicht mit den hohen Ziffern mag 1810 oder
früher entstanden sein; jedenfalls übergab er es im August 1810 in
Teplitz Zelter zur Vertonung, und dieser folgten nach dem Druck
in *Werke* (1815) 24 weitere Kompositionen desselben Textes.

Blumenmalerei. Der kurze, in dilettantischer Weise gutgemeinte
Aufsatz G.s (in *Über Kunst und Altertum* I,3, 1817) versucht, einen
ersten knappen und lückenhaften Überblick über die Blumen in
der Kunst von der antiken Dekoration über die niederländischen
Stilleben des 17./18. Jahrhunderts bis zur botanischen Illustration
und den Kiefern (!) F. L. Bauers zu geben.

Blumenstein, Wilhelm Johann von, genannt Kayer (1768–1835).
Der französische Emigrant, Wahlpreuße und preußische Hauptmann, zuletzt Generalmajor und Kommandant von Erfurt, fand
nach einer ersten Begegnung mit G. am 3./4. 10. 1806 in Jena
schon bei der nächsten am 7. 6. 1807 in Karlsbad als heiterer Gesellschafter rasch G.s Freundschaft und war dort bis 17. 8. 1807 sein
fast täglicher Umgang (*Tag- und Jahreshefte* 1806, 1807). Er besuchte
ihn noch am 12. 11. 1816 in Weimar.
    E. Weniger, G. und die Generale, 1942, erw. 1959.

Boccaccio, Giovanni di (1313–1375). Von dem Hauptvertreter der
italienischen Renaissance-Novellistik kannte und besaß G. eine
italienische *Decamerone*-Ausgabe aus der väterlichen Bibliothek und
war damit so vertraut, daß er die Schwester Cornelia im Dezember
1765 zweimal ausdrücklich vor der Lektüre warnte. Ein im August
1776 geplantes Liebesdrama vom *Falken* nach Boccaccios bekannter Falkennovelle (*Decamerone* V,9) sollte wohl die lange, entsagungsvolle Verehrung des Helden (G.s für Frau von Stein) mit dem
Drängen der Verwandten der Heldin (G.s Lili Schönemann) auf
eine reiche Heirat verbinden, ist aber nicht erhalten (an Ch. von
Stein 8. 8. 1776; Tagebuch 10.–12. 8. 1776). 1794 gab das *Decamerone* als gerahmte Novellensammlung die Anregung für die Kom-

position der *Unterhaltungen deutscher Ausgewanderten*; die Situation
der vor der Pest von 1348 fliehenden Florentiner, die sich durch
Novellenerzählen von der aktuellen Notlage ablenken wollen, entspricht bei G. derjenigen der Flüchtlinge vor der Französischen Revolutionsarmee in den linksrheinischen Gebieten und deren Tabui-
sierung aktueller politischer Themen. Für den 7. 5. 1807 belegt G.s
Tagebuch im Zusammenhang mit den Novellen des *Wilhelm Meister* erneute *Decamerone*-Lektüre, und dessen Novelle II,8 gab 1813
die Anregung zu G.s →*Ballade*. Auch wenn direkte Anspielungen
und Bezüge nicht allzu zahlreich sind, verdankt die deutsche Literatur G.s Auseinandersetzung mit Boccaccio und anderen romanischen Renaissance-Novellisten die Entstehung der deutschen Novelle.

Bode, Johann Joachim Christoph (1730–1793). Der massige, heitere und temperamentvolle Selfmademan war eine nicht zu über-
sehende Erscheinung im Weimarer Kulturleben. Anfangs Musiker
und Komponist, Übersetzer englischer und französischer Literatur,
Journalist, 1766–78 Verleger seines Freundes Lessing (*Hamburgische
Dramaturgie*) und Herders in Hamburg, wohnte er seit 1779 als
Sekretär der Gräfin C. E. von Bernstorff in Weimar. Er befreundete
sich mit Wieland, Herder und Bertuch und zählte zum Kreis um
Anna Amalia, nahm aktiv an deren Kammermusikabenden und am
höfischen Liebhabertheater teil und erwirkte als führender Freimaurer G.s Aufnahme in die Loge »Anna Amalia« am 23. 6.
1780. Ein näheres Verhältnis G.s zu dem »sehr ehrlichen Mann«
(Tagebuch 17. 1. 1780) bestand kaum.

Bodensee. Dreimal berührten G.s Reiserouten das »Schwäbische
Meer«: am 7.–8. 6. 1775 (Schaffhausen – Konstanz) auf der Hinfahrt
zur 1. Schweizer Reise, am 2. 12. 1779 (Konstanz – Schaffhausen)
auf der Rückfahrt von der 2. Schweizer Reise sowie am 2.–3. 6.
1788 (Feldkirch – Fussach – Konstanz) auf der Rückkehr von der
Italienreise.

Bodmer, Johann Jacob (1698–1783). Die Schriften des Züricher
Geschichtsprofessors, Literaturtheoretikers, Gottsched-Gegners und
mehr produktiven als bedeutenden Dichters biblischer Epen und
vaterländischer Dramen las G. wohl schon in der Bibliothek seines
Vaters und in Leipzig und fand sie schon damals überholt (*Dichtung
und Wahrheit* II,7). Auf der 1. Schweizer Reise machte er ihm dennoch am 15. und 29. 6. 1775 in Zürich mit den Grafen Stolberg
einen Höflichkeitsbesuch (ausführlich beschrieben in *Dichtung und
Wahrheit* IV,18), ebenso am 20. und 26. 11. 1779 mit Carl August
und Lavater. G. ehrte in ihm mehr den überlebten und kindlichen,
doch »würdigen Patriarchen« (ebd.). Seinen Homer dagegen fand
er »völlig falsch übersetzt« (*Versuch, eine Homerische dunkle Stelle zu*

erklären, 1787). Bodmers Verständnislosigkeit für die moderne Dichtung gab Anlaß zu seiner Verspottung als »alter Schuhu« in G.s Bearbeitung der *Vögel*.

K. Hurlebusch, Der junge G. über den alten B., in: Festschrift H. Gronemeyer, 1993.

Boehlendorff, Casimir Ulrich (1775–1825). Der baltische Dichter und 1794–97 Jenaer Student sandte G. 1801 im Manuskript sein Trauerspiel *Ugolino Gherardesca* (1801), das dieser nach der Buchausgabe in der *Jenaischen Allgemeinen Literaturzeitung* vom 14. 2. 1805 ablehnend rezensierte (vgl. an Eichstädt 21. 3. 1804).

Böhme, Jakob (1575–1624). Es gibt keinerlei Belege dafür, daß G. Werke des schlesischen Barockmystikers kannte. Die einzige Anspielung auf Böhme im Zusammenhang mit seinem eigenen Palladio-Erlebnis (Tagebuch der italienischen Reise 4. 10. 1786 bzw. *Italienische Reise* 8. 10. 1786) entnahm G. der Böhme-Biographie (1637) Abraham von Franckenbergs. Abweichende Hypothesen entsprechen nur nationalistischem Wunschdenken an eine verborgene Tradition deutscher »Innerlichkeit«.

J. Richter, J. B. und G., JFDH 1934 f.

Böhme, Johann Gottlob (1717–1780). Der Leipziger Professor für Geschichte und Staatsrecht, dessen recht trockene Vorlesungen G. besuchte, nahm als G.s Studienberater einmal entscheidenden Einfluß auf das Leben G.s, als er, selbst keineswegs unmusisch, G. 1766 mit gewichtigen Argumenten den Plan ausredete, das (für seine spätere Laufbahn so wichtige) Jurastudium zugunsten der Philologie und der schönen Wissenschaften aufzugeben. Auch seine kränkliche Frau Maria Rosine (1725–1767) zog den Studenten ins Haus und bemühte sich, ihm über das Kartenspielen hinaus auch den Leipziger gesellschaftlichen Schliff und literarischen Geschmack zu vermitteln. Ihrem kritischen Werturteil fielen auch G.s eigene Gedichte, anonym vorgetragen, zum Opfer (*Dichtung und Wahrheit* II,6–7).

Böhmen. Über drei Jahre seines Lebens, zusammengerechnet, also längere Zeit als in Leipzig, Straßburg oder selbst Italien, verbrachte G. in den Jahren 1785–1823 bei 17 Kuraufenthalten im damals österreichischen Böhmen, vorwiegend im Sommer und Herbst in den Bädern und Kurorten Nordböhmens: Karlsbad, Marienbad, Franzensbad und Teplitz mit Zwischenstationen in Eger und Ausflügen in umliegende Orte (→Baden/Badekuren). Der Aufenthalt an den Heilquellen und der mehr oder weniger gewissenhafte Gebrauch der Bäder – nach damaligem Brauch reichte dasselbe Badewasser oft für mehrere Gäste nacheinander – waren ihm jedoch nicht nur ein therapeutisch-gesundheitliches Bedürfnis besonders im höheren Alter. Sie dienten vielmehr zugleich auch der Erkundung des Landes, des Volkes, seiner Industrie, Kultur, Geschichte und Folklore. Die gebirgige Landesnatur förderte G.s Interesse an der Geologie, Mineralogie, an Bergbau, aber auch Botanik und Meteorologie und bot Möglichkeiten zur Erweiterung seiner Mineraliensammlung. Vor allem aber waren die böhmischen Kurorte derzeit in der Saison zugleich Treffpunkte einer fast internationalen politischen und geistig-kulturellen Oberschicht aus deutschen, österreichischen und osteuropäischen Ländern (Rußland, Polen, Ungarn): Hervorragende Vertreter aus Hochadel, Politik, Militär, Diplomatie, Wissenschaften und Künsten zeigten sich fern ihren heimischen Geschäften und Pflichten ansprechbarer, geselliger und mitteilsamer als sonst und öffneten sich dem geselligen Leben, der Unterhaltung und dem Gedankenaustausch mit der politischen oder kulturellen Elite. Viele Bekanntschaften G.s ergaben sich in Böhmen, erneuerten sich im Saisonrhythmus oder führten zu andauerndem Briefwechsel, z. B. Zar Alexander I., Kaiserin Maria Ludovica, August Prinz von Preußen, der Herzog von Leuchtenberg, die Fürsten Blücher, Liechtenstein, Ligne, Metternich und Schwarzenberg, die Grafen Auersperg, Reinhard und Sternberg, Louis Bonaparte, Beethoven und Maria Szymanowska. Auf anderer, persönlicher Ebene stehen die Liebesneigungen zu Silvie von Ziegesar (1808) und Ulrike von Levetzow (1821–23). Auch die Dichtung kam nicht zu kurz: Werke wie die Novellen der *Wanderjahre*, *Pandora*, *Die Wahlverwandtschaften*, *Novelle*, Balladen und die *Marienbader Elegie* sind ganz oder teilweise in Böhmen entstanden. Alles in allem bestärkte die deutsch-internationale Atmosphäre Böhmens in G. jenen kosmopolitischen Zug, der auch in seiner Postulierung einer Weltliteratur gipfelt.

A. Sauer, G. und Österreich, II 1902 f.; J. Urzidil, G. in B., 1932, erw. 1962 u. ö.; H. Siebenschein, G. in B., SuF 8, 1956; H. Rösel, J. W. v. G. und B., in: G. und die Welt der Slawen, hg. H.-B. Harder 1981; H. Braun und M. Neubauer, G. in B., 1982.

Böhmer, Caroline →Schelling, Caroline

Boerhaave, Herman (1668–1738). Die Schriften des berühmten Leidener Mediziners und Mitbegründers der wissenschaftlichen Chemie führten G. von der Alchemie und Pansophie zur exakten Wissenschaft. Während seiner Frankfurter Rekonvaleszenzzeit las er im Januar 1769 dessen *Institutiones et experimenta chemiae* (1724) und *Aphorismi* (1709); Exzerpte daraus finden sich in G.s *Ephemerides* von 1770 (*Dichtung und Wahrheit* II,8).

Böser Geist. Der Böse Geist in *Faust* v. 3778–3832 bzw. *Urfaust* v. 1311–1369 ist kein höllischer Geist, sondern ein dramaturgischer Notbehelf G.s, die Seelennot Gretchens und den Widerstreit in ihrem Inneren durch die allegorische Personifikation der Stimme ihres Gewissens bühnenmäßig darstellbar und anschaulich zu machen. Böse heißt er daher nur aus Gretchens Sicht, weil seine Ein-

lüsterungen ihre Ängste und ihr Schuldbewußtsein artikulieren, sie
n die Enge treiben und ihr keinen Ausweg zeigen wie der böse
Geist in v. 1832.

Boethius (um 480–524). G. hat es außer im Tagebuch nie erwähnt,
aber am 23. 9. 1808, vier Tage nach Erhalt der Nachricht vom Tode
seiner Mutter, las er die *Consolatio philosophiae* (523/524) des spätantiken Philosophen und Staatsmanns – vielleicht auch im Zusammenhang der *Farbenlehre*.

Böttiger, Karl August (1760–1835). Einer der weniger angenehmen Zeitgenossen G.s: Der gelehrte klassische Philologe und Archäologe war während seiner durch Herder vermittelten Anstellung
als Gymnasialdirektor in Weimar 1791–1804 aktives Mitglied der
Freitagsgesellschaft und der Weimarer Kunstfreunde, ein Freund
Wielands, dessen *Teutschen Merkur* er 1797–1809 redigierte, und
Bertuchs, dessen *Journal des Luxus und der Moden* er ebenfalls
1795–1803 redigierte, auch Mitarbeiter der *Horen* und der *Propyläen*
und Berater G.s in metrischen und archäologischen Fragen. 1797
vermittelte er G.s *Hermann und Dorothea* an den Verleger Vieweg in
Berlin. Nachdem er sich jedoch durch Indiskretionen, unbefugte
Weitergabe von Manuskripten (Schillers *Wallensteins Lager*), un-
seriöse Klatschgeschichten und eine (von G. unterdrückte) aggressive Kritik an G.s Regie der Uraufführung von A. W. von Schlegels
Ion am 2. 1. 1802 das ursprüngliche Wohlwollen von G., Schiller
und Herder verscherzt hatte, wurde er als »Meister Ubique« (Schiller) ein Hauptziel von G.s Invektiven (*Der neue Alcinous, B. und K.,
Triumvirat, K … und B …*, »Gottheiten zwei …«, »Welch ein vereh-
rendes Gedränge …«, »Die Wolle …«, Xenion 155 u. a.). 1804 ging
er daher als Leiter des Pagen-Instituts nach Dresden und wurde
dort 1813 Inspektor der Antikensammlungen. Auch sein als Quelle
wenig verläßliches Nachlaßwerk *Literarische Zustände und Zeitgenossen* (II 1838) verbindet interessante Aufschlüsse mit böswilligen
Skandalgeschichten.

O. Francke, K. A. B., Euph 3, 1896; B. Maurach, Zeitgenosse G., JFDH 1978;
E. F. Sondermann, K. A. B., 1983.

Bogatzky, Carl Heinrich von (1690–1774). Der fast bis zur Selbstaufgabe fromme, selbstlose und tugendsame Theologe aus dem
Kreis des Haller Pietismus der Franckeschen Stiftungen trat als Erbauungsschriftsteller mit geistlichen Liedern, Gebeten und vor
allem mit der weitverbreiteten Sammlung erbaulicher Sprüche und
Verse *Güldenes Schatz-Kästlein der Kinder Gottes* (1718) hervor, die
G.s Mutter nicht nur eifrig las, sondern auch, weniger gottergeben,
als →Buchorakel (Stechorakel) benutzte (*Dichtung und Wahrheit* I,3).
In ihr Exemplar trug G. am Tag seiner Abreise nach Leipzig, 30. 9.
1765, die Verse »Dies ist mein Leib…« ein.

Boie, Heinrich Christian (1744–1806). Der Mitbegründer des Göttinger Hains, Lyriker und vor allem Herausgeber literarischer Periodika (1770–74 Göttinger *Musenalmanach*, 1776–88 *Deutsches Museum*, 1789–91 *Neues Deutsches Museum*) kam im Juni 1772 durch Vermittlung von G.s Wetzlarer Kollegen F. W. Gotter mit G. in Verbindung, der ihm am 10. 7. 1773 Gedichte für den *Musenalmanach 1774* übersandte. Pseudonym, mit falschen Initialen, erschienen darin: *Der Wandrer, Mahomets Gesang, Der Adler und die Taube* und *Sprache*. Boie dagegen half G. beim Vertrieb des in Mercks Selbstverlag erschienenen *Götz* in Göttingen. Bei einem persönlichen Besuch Boies in Frankfurt am 15. und 17. 10. 1774 las G. ihm aus dem entstehenden *Faust* vor (»Goethes Herz ist so groß als sein Geist«). Als Boie G. 1796 sein Exemplar der englischen Cellini-Übersetzung (von T. Nugent, 1771) überließ, revanchierte sich G. mit seinen *Schriften* und erinnerte sich gern der Frankfurter Begegnung (an Boie 6. 6. 1797).

Boileau-Despréaux, Nicolas (1636–1711). G.s Verhältnis zu dem führenden französischen Kritiker und Poetiker des Klassizismus wandelt sich entsprechend dem literarischen Geschmackswandel. In Frankfurt mag der junge G. von Boileaus *Art poétique* beeindruckt gewesen sein. In den Briefen an Cornelia (18. 5. und 27. 7. 1766) empfiehlt er ihr die Lektüre des »critique achevé« und »guide fidel« als geschmacksbildend. 1807 und 1824 bleibt die Lektüre der 12. bzw. 10. Satire ohne Echo, und 1830 ist Boileau schlichtweg ein literarischer Despot (zu A. E. Kozmian 8. 5. 1830).

Boisserée, Johann Sulpiz Melchior Dominikus (1783–1854). Das Verhältnis G.s zu Boisserée ist ein schönes Beispiel einer über alle Unterschiede in Alter, Bildung, Meinungen und Vorlieben hinausgreifenden persönlichen Freundschaft im Zeichen der Kunst. Der vermögende Kölner Kaufmann und sein jüngerer Bruder Melchior Hermann Joseph Georg (1786–1851) sowie der ihnen befreundete Kölner Jurist Johann Baptist →Bertram begeisterten sich 1800 unter dem Eindruck der Kunstschriften Tiecks und Wackenroders für die mittelalterliche einheimische Kunst und Architektur, machten eine Kunstreise in die Niederlande und Belgien, besichtigten September 1803–April 1804 in Paris die von Napoleon zusammengetragenen Schätze alter Kunst und gewannen dort das Verständnis und die Förderung ihres Hausgenossen F. Schlegel. Nach der Rückkehr nach Köln setzte die Auflösung der Klöster und des Kirchenbesitzes durch die Säkularisation von 1803 sie in die Lage, zur Erhaltung und Rettung dieses Kunsterbes binnen kurzer Zeit eine bedeutende Sammlung altdeutscher und altniederländischer Gemälde aufzubauen, auf deren Rang F. Schlegel schon im Mai 1808 hinwies. Sulpiz Boisserée setzte sich daneben energisch für die Erhaltung mittelalterlicher Baudenkmäler und sein Traumprojekt

einer Vollendung des →Kölner Doms – zunächst in Abbildungen –
ein. Trotz G.s Abwendung von der →Gotik zugunsten der Antike
suchte er dessen Unterstützung und Einfluß für sein Vorhaben zu
gewinnen. Auf Empfehlung des Ministers Graf Reinhard sandte er
1810 Umrißzeichnungen des Doms an G. und wandte sich am 8. 5.
1810 in einem »sehr hübschen, verständigen« Brief an ihn. Das
»Märchen vom Turme zu Babel an den Ufern des Rheines« (an
Reinhard 14. 5. 1810) fand bei aller Skepsis doch G.s Anerkennung und brachte die Einladung zum Besuch in Weimar. Dieser
Besuch, bei dem Boisserée auch *Faust*-Zeichnungen von Peter
Cornelius mitbrachte, erfolgte am 3.–12. 5. 1811, gipfelte in einer
Ausstellung der Baurisse und Zeichnungen bei Hofe, erweckte G.s
Interesse an der gotischen Baukunst und legte den Grundstein zur
Freundschaft mit dem taktvollen, kenntnisreichen und selbstsiche-
ren Gast. G. erwiderte den Besuch bei seiner Reise an den Rhein
1814. Boisserée traf G. am 17. 9. 1814 in Frankfurt, blieb an seiner
Seite, führte ihn nach Heidelberg (24. 9.–9. 10. 1814), wohin die
Sammlung 1809 umgesiedelt war, und begleitete ihn anschließend
am 9.–11. 10 nach Darmstadt. Das Studium der Sammlung eröff-
nete G. bei aller Reserve ein neues Verständnis der ihm bisher frem-
den, verachteten altdeutschen Malerei und wurde 1815 wiederholt.
Nach G.s Besichtigung des unvollendeten Kölner Doms mit dem
Freiherrn vom Stein und E. M. Arndt am 26. 7. 1815 traf man sich
am 2. 8. 1815 in Wiesbaden, und Boisserée begleitete G. über
Mainz, Frankfurt und Darmstadt nach Heidelberg (20. 9.–7. 10.
1815), auf einen Abstecher nach Karlsruhe (3.–5. 10.) und auf der
Rückfahrt am 7.–9. 10. bis Würzburg. Das Kunsterlebnis fand
Niederschlag in G.s Aufsatz *Kunst und Altertum an Rhein und Main*
(1816), zu dessen Bildbeschreibungen Boisserée Konzepte lieferte.
Eine dritte, bereits angetretene Reise nach Heidelberg mit
J. H. Meyer 1816 wurde wegen eines Wagensturzes abgebrochen,
doch obwohl G. sich als wenig bekehrungsfreudig erwies und sich
in der Folgezeit wieder dem klassischen Italienerlebnis zuwandte,
blieb das Freundschaftsverhältnis ungetrübt. G. besprach den
1. Band von Boisserées Werk *Ansichten, Risse und einzelne Teile des
Doms zu Köln* (1821–31) in seinem Aufsatz *Von deutscher Baukunst*
(*Über Kunst und Altertum* IV,2, 1823) und verwies als Freundesdienst
und ganz ungewöhnlicherweise auch in *Dichtung und Wahrheit* (II,9
und III,14) darauf. Boisserée führte 1825/26 in G.s Auftrag die Verhandlungen mit Cotta über die Ausgabe letzter Hand; sein letzter
Besuch in Weimar am 17. 5.–2. 6. 1826 nahm zwanglos-familiäre
Formen an. Boisserée, dessen Gemäldesammlung 1827 in bayrischen Besitz überging und heute den Grundbestand mittelalterlicher Kunst der Alten Pinakothek in München bildet, erlebte noch
die Wiederaufnahme des Baus am Kölner Dom. Sein Briefwechsel
mit G. und seine Tagebücher gehören zu den bedeutendsten
Dokumenten über den späten G.

Sulpiz B., hg. M. Rapp II 1862; A. Denecke, G. und B., ZfdU 27, 1913; E. Firmenich-Richartz, Die Brüder B. I, 1916; R. Benz u. a., G. und Heidelberg, 1949; M. Rychner, G. und S. B., in ders., Sphären der Bücherwelt, 1952; A. Götze, G.s Beziehungen zur Lithographischen Anstalt der Gebrüder B. in Stuttgart, DVJ 44, 1970; E. H. Gombrich, G. und die Kunstsammlung der Brüder B., in ders., Gastspiele, 1992; G. Schuster, G. und die Sammlung B. in Heidelberg, 1996; M. Koltes, »ohne Volks Versammlung noch die Bestimmung als Volksredner zu erfüllen«, in: Das G.- und Schiller-Archiv, hg. J. Golz 1996.

Boisserée, Melchior →Boisserée, Johann Sulpiz

Bologna. G.s Aufenthalt in der »alten, ehrwürdigen, gelehrten« italienischen Universitätsstadt am 18.–21. 10. 1786 litt unter seiner Hast und Ungeduld. Sein Führer »jagte« ihn durch die Straßen, Kirchen und Paläste, ohne daß er sich alle einzelnen Bauwerke merken konnte, doch notiert er den Palazzo Celesi, später Universität, und bestieg den Torre degli Asinelli und den schiefen Torre Garisenda, den G. fälschlich für absichtlich schief gebaut hielt. Von den betrachteten Gemälden vermerkt er u. a. Raffaels »Hl. Cäcilie« und »Hl. Agathe«, letztere eigentlich von Guercino, Guido Renis »Madonna della Pietà« sowie Werke von den Carracci, Francia, Domenichino, Perugino und Guercino. Der 20. 10. galt einer geologischen Exkursion nach Paderno auf der erfolgreichen Suche nach phosphoreszierendem Bologneser Schwerspat, den schon *Werther* (18. 7.) als Bononischen Stein erwähnt. In G.s Dichtung ist Bologna Gesprächsgegenstand im *Götz* (I,4) und in der *Prokurator*-Novelle der *Unterhaltungen deutscher Ausgewanderten.*

A. Sorbelli, G. V. G. a B., Il commune di B. 16, 1929.

Boltschaus, Hans Heinrich (1754–1812). Der Mannheimer Hofmedailleur schuf um 1775 nach einem Relief von J. P. Melchior die erste G.-Medaille, von der G. ein goldenes Exemplar besaß.

Bonaparte →Napoleon und →Louis Bonaparte

Bonn. Von den fünf Gelegenheiten, bei denen G. die Residenzstadt sah, führte nur die letzte zu näherem Besuch. Auf der Rheinreise mit Lavater wurde auf der Hinfahrt am 20. 7. 1774 nur zwei Stunden in Bonn gerastet und auf der Rückfahrt stromaufwärts am 25. 7. vorbeigefahren. Bei der Rückkehr von der Campagne in Frankreich am 4./5. 11. 1792 mußte G. sich nach einer abenteuerlichen nächtlichen Talfahrt und Übernachtung im lecken Schiff in einem Bonner Wirtshaus »so gut als möglich zu trocknen« versuchen (*Campagne in Frankreich*). Bei der Rheinreise mit dem Freiherrn vom Stein fuhr das Schiff auf der Hinfahrt am 25. 7. 1815 abends an Bonn vorbei, und erst auf dem Rückweg gab ein Aufenthalt am 27. und 28. 7. 1815 Gelegenheit zur Besichtigung der Kirchen und der Sammlung meist kirchlicher Altertümer des Kanonikus Pick, die G. in *Kunst und Altertum am Rhein und Main*

1816) beschreibt. Zur Frage der Wiederbegründung der 1797 geschlossenen Universität Bonn verhielt sich G. im Interesse der Kölner Freunde neutral, unterhielt jedoch später vielfache Verbindungen zu Bonner Professoren.

J. Joesten, G. in B., in ders., Kulturbilder aus dem Rheinland, 1902; I. Wolf, Der Kunst nd der Liebe wegen, Bonner Geschichtsblätter 35, 1983.

Bordone, Paris (1500–1571). G. war am 2. 11. 1786 von einem Gemälde »Hl. Georg und der Drache« im Quirinalspalast in Rom beeindruckt und erkundigte sich nach dem Namen des Malers. Ein kleiner, bescheidener, bisher lautloser Mann« (*Italienische Reise*) belehrte ihn, es sei von Pordenone. So begann G.s Freundschaft mit . H. →Meyer – allerdings gleich mit einer falschen Auskunft, denn das Gemälde gilt jetzt als Werk des Tizianschülers Bordone, von dem auch A. Kauffmann ein Bild besaß.

Borghese. Haupt der seit Camillo Borghese (1605 als Papst Paul V.) wohlhabenden und einflußreichen römischen Adelsfamilie war zu G.s Zeit der Fürst Marco Antonio III. Borghese (1730–1800). Ihm gehörte in Rom u. a. der 1787/88 von G. mehrfach besuchte Palazzo Borghese (1590 ff.) nahe dem Tiber mit der berühmten Galerie Borghese und ihren »unsäglichen Kunstschätzen« (1891 in die Villa Borghese verlegt) und der (1800 verkauften) Galerie Aldobrandini seines Onkels Fürst Paolo Borghese-Aldobrandini, ferner die 1782 u. a. von Hackert klassizistisch umgestaltete Villa Borghese (1613–15) am nördlichen Stadtrand am Fuß des Pincio, ein »reicher, herrlicher, würdiger Palast« (*Kunst und Handwerk*, 1797) in weitem Park mit dem Casino Borghese, das die Skulpturensammlung der Borghese beherbergte. Der »Borghesische Fechter«, eine römische Marmorkopie des 1. Jahrhunderts v. Chr. nach Agasias von Ephesos, wurde von Napoleon aus der Villa in den Louvre überführt. Vor allem im Park der Villa Borghese zeichnete und arbeitete G. an *Iphigenie, Egmont* (an Ch. von Stein 4. 8. 1787) und der »Hexenküche« des *Faust* (zu Eckermann 10. 4. 1829).

Borghesischer Fechter →Borghese

Borgia, Camillo, Cavaliere. Der Malteserritter und Bruder des Kardinals Stefano Borgia (1731–1804) besaß in Velletri an den Albanerbergen eine Kunstkammer mit ägyptischen, etruskischen u. a. Altertümern, die G. am 22. 2. 1787 auf der Reise nach Neapel besichtigte und in der *Italienischen Reise* beschreibt.

Born, Jakob Heinrich (ab 1768) von (1750–1782). Der Sohn eines Leipziger Ratsherrn war G.s Studienfreund in Leipzig, mit dem G. Englisch lernte, und ab Mai 1772 sein Hausgenosse und ebenfalls Praktikant in Wetzlar. Er war Zeuge von G.s plötzlich entflammter

Leidenschaft zu Charlotte →Buff bei dem Ball in Volpertshausen am 9. 6. 1772, warnte G. vor den Verwicklungen seiner Liebe und begleitete ihn bei der fluchtartigen Abreise aus Wetzlar. 1776 wurde er Hof- und Justizrat in Dresden.

Borschen →Bilin

Bossi, Giuseppe (1777–1815). Der Mailänder Maler und Sekretär der Kunstakademie schuf 1809 im Auftrag des Vizekönigs von Italien Eugène Beauharnais unter Heranziehung anderer Kopien eine Kopie von Leonardo da Vincis »Abendmahl«, die als Vorlage für eine Mosaikkopie in Originalgröße durch Giacomo Raffaelli (1817) dienen sollte. Durchzeichnungen davon auf Transparentpapier, die Carl August 1817 in Mailand erwarb, wurden im November 1817 in Weimar ausgestellt. Sie gaben G., der das schlecht erhaltene Original am 23. 5. 1788 in Mailand bewundert hatte, Anstoß zur Beschäftigung mit Leonardo und seinem Werk und mit Bossis Monographie *Del cenacolo di Leonardo da Vinci* (1810) vom 16. 11. bis 29. 12. 1817. Diese führten zu G.s umfangreicher, am 31. 1. 1818 beendeter Abhandlung *Joseph Bossi über Leonard da Vincis Abendmahl zu Mailand* (*Über Kunst und Altertum* I,3, 1817), deren teils an Bossi anschließende, aber dynamisch eingehende Interpretation des Freskos 1817 ins Französische, 1821 ins Englische übersetzt wurde und ihrerseits wiederum eine reiche Tertiärliteratur hervorrief.

L. Mazzucchetti, G. e il Cenacolo di Leonardo, Mailand 1939; W. Scheidig, Leonardo-G.-B., in: Leonardo da Vinci, 1952; E. Möller, Das Abendmahl des Leonardo da Vinci, 1952.

Botanik. Innerhalb von G.s naturwissenschaftlichen Studien nimmt die Pflanzenkunde einen nicht unbeträchtlichen Raum ein. Sie beginnt mit Sammeln, Ordnen, Beschreibung und Pflanzengeographie und wird gefördert durch seine amtliche Tätigkeit in der Verwaltung der Forsten, Parks und botanischen Gärten und seine Reisen in Deutschland, der Schweiz, Italien und Böhmen, wo er genaue Beobachtungen und Aufzeichnungen zur Vegetation macht und gern botanische Gärten besucht (Padua 1786 und 1790, Palermo 1787, Dresden 1794 u. ö., Frankfurt 1815, Karlsruhe 1815, Jena und Belvedere). In naturphilosophischer Sicht schreitet die Bestandsaufnahme der Artenvielfalt fort zur idealistischen →Morphologie, zur Annahme einer Entfaltung des Pflanzenreichs aus der idealen, dynamischen →Urpflanze als Bauplan durch →Metamorphose des Blatts. Die *Geschichte meines botanischen Studiums* faßt G. selbst 1817 (*Zur Morphologie* I,1; erweitert 1831 u. d. T. →*Der Verfasser teilt die Geschichte seiner botanischen Studien mit*) zusammen. Ihre erste, systematische Phase setzt im März und Juni 1785 in Jena bzw. Ilmenau ein; sie führt im November 1785 zum intensiven Studium von Linnés *Philosophia botanica* (1751), wieder aufgegriffen 1816, konzentriert sich seit Juli 1786 auf die Idee der Metamorphose und gipfelt im *Versuch, die Metamorphose der Pflanzen zu erklären* (1790). Dieses Thema bildet am 20.7.1794 auch den Ausgangspunkt der Freundschaft mit Schiller. Die Verwaltung der Botanischen Anstalt in Jena 1794 und Gespräche mit den Jenaer Botanikern wie Batsch, C. F. Wolff und Voigt lenken die botanische Forschung in mehr praktische und experimentelle Bahnen; wiederholte Phasen intensiven Studiums botanischer Literatur 1809, 1816, 1820 und 1828 zeugen von anhaltendem Interesse, das sich in den sechs Heften *Zur Naturwissenschaft überhaupt, besonders zur Morphologie* (1817–24) niederschlägt und noch 1830/31, angeregt durch Martius, zum Aufsatz *Über die Spiraltendenz* führt.

O. Porsch, G. und die Pflanze, Biologia generalis 9, 1933; A. Arber, G's botany, Chronica Botanica 10, 1946; M. Kleinschnieder, G.s Naturstudien, 1971; W. Lötschert, G. und die Pflanze, JFDH 1982; G. Klotz, Der Beitrag J. W. G.s zur Konstituierung der B., in: G. und die Wissenschaften, hg. B. Wilhelmi 1984; T. Butterfaß, G. und die Wissenschaft von der Pflanze, in: Allerhand G., hg. D. Kimpel 1985; B. Löffler, Revolutionary evolution, NGS 10, 1994; →Biologie, →Naturwissenschaft.

Botticelli, Sandro (1444–1510). G.s Urteil über den Florentiner Maler, dem er ein Steckenbleiben in der Naturnachahmung (*Cellini,* Anhang III) und vordergründige Verständlichkeit der Bildinhalte (an J. G. von Quandt 7.7.1830) nachsagt, läßt sich bestenfalls als literarische Übernahme ohne Werkkenntnis entschuldigen.

Boucher, Alexandre Jean (1778–1861). Der französische Schauspieler und Violinvirtuose, damals allerdings nicht mehr das Wunderkind, und seine Frau, die Harfenistin Céleste, besuchten G. am 20.2.1821 mit einer Empfehlung von Willemers, gaben am 22.2. bei ihm ein kleines Hauskonzert vor Freunden und gastierten am 27.2. in Weimar (*Tag- und Jahreshefte* 1821; Tagebuch; an J. J. von Willemer 2.4.1821).

Boucher, François (1703–1770). Der französische Rokokomaler freizügiger mythologischer und Schäferszenen entsprach schon dem Geschmack des jungen G., der sein Frankfurter Zimmer 1768 mit einem Mädchenbild B.s dekorierte, bis sein pietistischer Arzt Dr. Metz es wegen allzu starker Reize durch ein Altfrauenbild von →Dou ersetzte (an F. Oeser 6.11.1768), und der den Boucher-Schüler G. M. Kraus 1775 für die Weimarer Zeichenschule gewann. Trotz J. H. Meyers radikalem und kategorischem Verdikt über »die süßliche, lüsterne, fade Manier des Boucher« (*Geschichte der Farbenlehre* und an G. 21.12.1796) erwarb G. 1814 und 1831 zwei Handzeichnungen und im Januar 1818 einige Stiche Bouchers und wollte dessen Stich nach Watteaus Selbstporträt »um keinen Preis hergeben« (an J. H. Meyer 26.3.1818). G.s Graphiksammlung enthielt zwei Handzeichnungen und sechs Graphiken Bouchers, den er 1825 bei der Niederschrift von *Dichtung und Wahrheit* (IV,20) »immer noch höchst respektabel« fand.

Bourbon-Conti, Stéphanie Louise de (1762–1825). Die natürliche Tochter des französischen Prinzen Louis François de Bourbon-Conti, eines Verwandten des Königshauses, und der Herzogin von Mazarin wurde, um ihre Anerkennung als legitime Prinzessin durch Ludwig XV. zu vermeiden, auf Betreiben ihrer Mutter und eines Halbbruders ins Kloster entführt, für tot erklärt und unter falschen Angaben gewaltsam mit einem Rechtsanwalt verheiratet. Im Streben nach Recht und Rache veröffentlichte sie 1798 ihre Lebensgeschichte in ihren *Mémoires historiques*. Sie waren Gegenstand eines Gesprächs zwischen Schiller und G. am 18. 11. 1799 in Jena, nach dem sich G. den 1. Band auslieh und tags darauf den zweiten erbat und erhielt. Er las die Bände sogleich und benutzte sie als Stoffquelle für →*Die natürliche Tochter*, die sich in der äußeren Handlung, der Motivierung, den Figuren und ihrer Charakterisierung stark an die Memoiren anlehnt.

Bourdon, Sébastien (1616–1671). Von dem französischen Maler von Historiengemälden und Kupferstecher biblischer Szenen und Landschaften im Gefolge Poussins und Claude Lorrains besaß G. 15 Stiche und Radierungen. Vier Radierungen zur Flucht nach Ägypten beschreibt er im Anhang *Antik und Modern* zu *Philostrats Gemälde* (1818).

Bourgoing, Jean François, Baron de (1748–1811). Der französische Diplomat und ab 1807 Gesandte in Dresden war Verfasser einer *Nouvelle voyage en Espagne*, die G. am 5.–8. 4. 1801 las. Er war sein Tischnachbar in Erfurt am 1. 10. 1808, dem Tag vor der Begegnung mit Napoleon. Während seines Aufenthalts in Dresden am 18.–21. 9. 1810 sah G. ihn täglich und besuchte seine Galerie.

Bouterwek, Friedrich (1766–1828). Auf den Göttinger Philosophieprofessor war G. nicht gut zu sprechen. Er lernte ihn am 9. 6. 1801 in Göttingen kennen, machte mit ihm eine »angenehme Landfahrt« nach Weende (*Tag- und Jahreshefte* 1801) und am 9. 8. einen Spaziergang (Tagebuch) und beschäftigte sich Anfang August 1807 und im Februar 1813 (für *Dichtung und Wahrheit* II,7) mit Bouterweks *Geschichte der Poesie und Beredsamkeit seit dem Ende des 13. Jahrhunderts* (XII 1801–09). Bouterweks verschwommene und altmodische, wenngleich vielbesuchte Vorlesungen über Ästhetik jedoch waren Gegenstand des Spotts im Xenion aus dem Nachlaß 217 sowie in den Briefen an Schiller (19. 4. 1797, 10. 1. 1798) und Zelter (20. 8. 1831), und G.s Meinung mag wohl außer im Wortlaut mit der Schillers übereingestimmt haben, der Bouterwek nach einem Besuch in Jena den »seichtesten lamentabelsten Tropf« nennt, der seine »frühzeitige Impotenz und Nullität unter einer Kennermiene zu verstecken« suche (an G. 18. 4. 1797), oder ihn als »den flachen belletristischen Schwätzer mit dem konfusen Kopf« bezeichnet.

Bouts, Dieric →Memling, Hans

Boyle, Robert (1627–1691). G. betrachtete den führenden englischen Chemiker und Physiker seiner Zeit als einen seiner beiden
Vorgänger (neben Theophrast) in der Farbenlehre. Seine Schriften,
besonders die *Experimenta et considerationes de coloribus* (1665; zuerst
englisch als *Experiments and considerations upon colour,* 1663) waren
eine wichtige und oft zitierte Quelle für G., dessen *Geschichte der
Farbenlehre* ihm ein längeres Kapitel widmet. Die *Tag- und Jahreshefte*
für 1807 und die Tagebücher notieren für 1798, 1808 und 1809 das
Studium Boyles, und im Mai/Juni 1805 entlieh G. weitere sechs
Schriften aus der Bibliothek.

Bozen. Auf der ersten Italienreise erreichte G. die Südtiroler Stadt
nach einer Nachtfahrt vom Brenner am 10.9.1786 vormittags. Er
macht sich Notizen über Klima und Weinbau, Obstmarkt und Tex-
tilmesse und hat ein Gespräch mit einer Wirtstochter über die Lage
der Weinbauern, fährt jedoch noch am gleichen Vormittag weiter
nach Trient, wo er abends eintrifft. Auf der Venedigreise 1790 wurde
Bozen am 23.3. und auf dem Rückweg Anfang Juni nur durchfah-
ren.

Brackenburg, Fritz. Nebenfigur im *Egmont,* ist der unpolitisch
biedere Bürgersohn Brackenburg eher pedestre Komplementär- als
Kontrastfigur zum großherzig-idealistischen Egmont: überlebender
Durchschnitt. Als sentimentaler Liebhaber und Quasi-Verlobter
Klärchens ohne sein Wissen durch Egmont verdrängt, bietet er ihr
dennoch die von der Mutter empfohlene Versorgungsheirat, ist aber
jedes großen Gefühls und jeder idealistischen Großtat unfähig. Den
Tod aus Liebesschmerz, mit dem er nur melancholisch spielt, gibt
sich Klärchen mit eben seinem Mittel.

Der Bräutigam. Eines der rätselhaftesten, in Bezügen und Deutung daher umstrittensten Gedichte G.s, wohl um 1824 entstanden,
von G. nie erwähnt und zu seinen Lebzeiten nur anonym in der als
Privatdruck verbreiteten Zeitschrift Ottilies *Chaos* (I,3 September
1829) gedruckt. Beziehungen lassen sich zu vielen Frauen in G.s
Leben, besonders Lili Schönemann, aufweisen, jedoch ohne Ausschließlichkeit. Sie dokumentieren in ihrer Gesamtheit gerade die
Allgemeingültigkeit dieses Rollengedichts, von dessen Strophen
I–III im Imperfekt, IV im Präsens stehen: Auf die aus dem Unbewußten beschworene Erinnerung (mit Anklang an das *Hohelied* 5,2)
einer Mitternacht (v. 1) im einstigen Bräutigamsstand folgt in IV
die einsame Mitternacht (v. 13) der Gegenwart, die Traum-Gegen-
wart am Grabe mit dem Wunsch nach Tod und Wiedervereinigung
(oder an der »Schwelle« der Brautkammer, wo der Bräutigam »aus-
zuruhn« wünscht?). Auch der Strophenschluß »gut« meint in v. 8

einen Tag, in v. 16 das ganze Leben, das für den Bräutigam ein
Leben der Hoffnung ist.

G. W. Hertz, G.s Gedicht D. B., GRM 19, 1931; P. Stöcklein, G.s Altersgedicht D. B.,
DVJ 22, 1944, auch in ders., Wege zum späten G., 1949 u. ö.; L. Blumenthal, G.s Gedicht D. B., Goethe 14/15, 1952 f.; W. Müller-Seidel, G.s Gedicht D. B., Goethe 20,
1958, auch in ders., Die Geschichtlichkeit der deutschen Klassik, 1983; D. W. Schumann, Bemerkungen zu zwei G.schen Gedichten, Goethe 25, 1963; W. Keller, G.s
Gedicht D. B. und die Aldobrandinische Hochzeit, GRM NF 18, 1968; H. Schlaffer,
Poesie und Prosa, in ders., Der Bürger als Held, 1973; E. Trunz, G.s Gedicht D. B., in:
Fruchtblätter, hg. H. Hartung 1977; W. Hof, Behutsamkeit und Wortlaut, GRM NF 29,
1979; A. Muschg, D. B., in: G.: Verweile doch, hg. M. Reich-Ranicki 1992.

Brahe, Tycho (1546–1601). Das Weltsystem des dänischen Astronomen am Hof Kaiser Rudolfs II. in Prag postuliert die Bewegung
von Mond und Sonne um die Erde, aller übrigen Planeten um die
Sonne. Dieses »absurde Mittelsystem« zwischen ptolemäischem und
kopernikanischem Weltsystem verleitet G. in historischem Rückblick gelegentlich zu ungerechter Beurteilung Brahes, so in der *Geschichte der Farbenlehre* (Kap. Kepler) und *Maximen und Reflexionen*
1284.

Branconi, Maria Antonia von (1746–1793). Die wohl schönste
Frau in G.s Leben: Tochter eines deutschen Majors von Elsener in
Neapel und einer Italienerin, wurde mit 12 Jahren 1758 mit dem
neapolitanischen Beamten Francesco Pessina de Branconi verheira-
tet, Mutter zweier Kinder, kurz nach dem Tod ihres Gatten 1766
Mätresse des Erbprinzen und späteren Herzogs Carl Wilhelm
Ferdinand von Braunschweig, des Bruders von Anna Amalia. Ihm
gebar sie 1776 einen Sohn, späteren Graf Forstenburg, der bis 1777
von J. J. Eschenburg erzogen wurde. Auf ihrem 1776 erworbenen
Besitz Langenstein bei Halberstadt erbaute sie sich ein Schlößchen,
das bald Mittelpunkt eines gesellig-kultivierten Kreises wurde.
Nach Erlöschen der erbprinzlichen Liebe lebte sie daneben zeitweise in Straßburg, Zürich und Lausanne. G. hatte bereits im Juli
1775 in Straßburg mit I. G. Zimmermann einen Schattenriß von
ihr (und Ch. von Stein) aus Lavaters Sammlung gesehen und phy-
siognomisch gedeutet (an Lavater August 1775). Nach einem Hinweis Lavaters suchte er auf der 2. Schweizer Reise die »gar liebliche
Branconi« (an Lavater 29. 10. 1779) am 22. und 23. 10. 1779 in Lausanne auf und berichtete am 23. 10. an Ch. von Stein: »Sie kommt
mir so schön und angenehm vor, daß ich mich etlichemal in ihrer
Gegenwart stille fragte, obs auch wahr sein möchte, daß sie so schön
sei.« Die »überschöne« Branconi erwiderte den Besuch am 26. und
27. 8. 1780 in Weimar, wo G. sie im Gartenhaus empfängt, sie spa-
zieren führt und abends mit ihr »sehr artig« (an Ch. von Stein 27. 8.)
im Garten sitzt. Am 27. 8. führt er sie nach Tiefurt, arrangiert ein
Mittagessen im Borkenhäuschen des Ilmparks und führt sie nachmittags zum Schloß Belvedere. »Ich möchte mir solch ein Bild
nicht durch die Gemeinschaft einer flüchtigen Begierde besudlen.
Und Gott bewahre uns für einem ernstlichen Band, an dem sie mir

die Seele aus den Gliedern winden würde« (an Lavater 20. 9. 1780).
Frau von Branconi besuchte anschließend auch G.s Mutter in
Frankfurt, wo sie einen Willkommensgruß G.s vom 28. 8. 1780 vorfand: »daß es dem Himmel nach so viel verunglückten Versuchen
auch einmal gefallen und geglückt hat, etwas Ihresgleichen zu machen.« Ihre Antwort darauf erreichte G. am Abend des 6. 9. 1780
auf dem Kickelhahn, wo am gleichen Datum *Wandrers Nachtlied*
(»Über allen Gipfeln«) entstand (an Branconi 16. 10. 1780; G. vergleicht sie einem Kometen und zählt wie seine Mutter »auch eine
Epoche von dem Tage Ihrer Bekanntschaft«). G.s spätere Besuche
bei Frau von Branconi in Langenstein am 9. 9. 1783 mit Fritz von
Stein und September 1784 dagegen verliefen in herkömmlichen
Bahnen.

W. Rimpau, Frau von B., Zeitschrift des Harz-Vereins für Geschichte und Altertums-
kunde 33, 1900; W. Bode, Frau von B., in ders., Stunden mit G. 5, 1909; K. R. Eissler,
Die B.-Episode, SuF 42, 1990.

Brandt, Henri François (1789–1845). Der seit 1817 in Berlin tätige
Schweizer Medailleur schuf neben einer Medaille Carl Augusts
(1825) in dessen Auftrag und nach langen Verhandlungen eine
Medaille zum 50jährigen Dienstjubiläum G.s, zu der ein Besuch in
Weimar am 10.–25. 3. 1826 nötig war. Die mit einjähriger Verspä-
tung am 7. 11. 1826 überreichte Medaille fand nur geteilte Zustimmung (an F. I. von Streber 3. 11. 1826, an C. D. Rauch 3. 11. 1826
und 3. 11. 1827).

P. v. Bojanowski, G.s Jubiläums-Medaille, GJb 20, 1899.

Brandt, Susanna Margarethe. Die 25jährige Frankfurter Dienst-
magd, Schwester eines Sergeanten, gebar und tötete am 1. 8. 1771
ihr uneheliches Kind, floh nach Mainz, kehrte am 3. 8. 1771 mittellos wieder nach Frankfurt zurück, wurde am Tor verhaftet und in
ein Gefängnis nahe G.s Elternhaus gebracht. Bei dem anschließenden Prozeß wegen Kindsmords leitete u. a. G.s Onkel J. J. Textor
die Untersuchung, sein Arzt Dr. Metz war Gerichtsarzt, und sein
späterer Schwager J. G. Schlosser zeichnete für den Scharfrichter.
Das Urteil auf Enthauptung wurde am 11. 1. 1772 verkündet und
am 14. 1. 1772 auf einem Schaffot am Brunnen vor der Haupt-
wache vollstreckt. Der Fall erregte während G.s früher Advokaten-
zeit in Frankfurt viel Aufsehen, und G. oder sein Vater besaßen eine
Teilabschrift der Protokolle. Nicht die Person, aber Motive der
Handlung fanden später Eingang in die Gretchentragödie des *Faust.*

E. Beutler, Die Kindsmörderin, in ders., Essays um G., 1941 u. ö.; Leben und Sterben der Kindsmörderin S. M. B., hg. S. Birkner 1973.

Brasilien. G.s vorwiegend geologisch-mineralogisches und botanisches Interesse an den Ländern der Neuen Welt erstreckte sich
auch auf Brasilien, das sich seit der Loslösung vom Mutterland Portugal 1808 bzw. 1822 Reisenden, Forschern und dem Handel öff-

nete. Von den Brasilien-Reisenden besuchten G. am 16. 1. und
11. 5. 1822 der Geologe W. L. von Eschwege (*Journal von Brasilien*,
1818; *Nachrichten aus Portugal und dessen Colonien*, 1820; *Geognostisches Gemälde von Brasilien*, 1822), am 30. und 31. 7. 1822 in Eger
J. B. E. Pohl (*Plantarum Brasileae icones*), am 13. 9. 1824 der Botaniker
C. F. P. Martius (*Reise in Brasilien*, III 1823–31; *Die Physiognomie des
Pflanzenreiches in Brasilien*; *Flora brasiliensis*) und 1827 der Botaniker
Prof. J. C. Mikan. Sie befriedigten durch ihre Schriften und gesprächsweise G.s Weltneugier. Von der Brasilien-Literatur waren G.
überdies auch J. Mawes *Reisen ins Innere Brasiliens* (1817) u. a. bekannt. Nachdichtungen brasilianischer Volkslieder sind G.s *Todeslied
eines Gefangenen* (1782) und *Liebeslied eines Wilden* (1782, 2. Fassung:
Schlange, halt stille, 1825).

Braunschweig. G. besuchte die Residenz des durch Anna Amalia
den Weimarer Herzögen verwandten Braunschweiger Herzogshauses unter →Carl Wilhelm Ferdinand von Braunschweig am
16. 8.–1. 9. 1784 als Geheimschreiber Carl Augusts auf dessen politischer Reise in Angelegenheiten des »Fürstenbundes« und war bis
auf einen Opernbesuch am 18. 8. und einen Ausflug zum Lustschloß Salzdahlum am 23. 8. ganz »in den Fesseln des Hofs«. In den
französisch geschriebenen Briefen an Ch. von Stein findet sich eine
Strophe vom 24. 8. 1784 für das Fragment gebliebene Epos *Die
Geheimnisse* (»Gewiß, ich wäre schon…«). Weitere Beziehungen
ergaben sich später durch den Braunschweiger Verleger Vieweg für
Hermann und Dorothea (1798) und die Uraufführung des *Faust*
durch E. A. F. Klingemann in Braunschweig am 19. 1. 1829.

Die Braut von Korinth. In dem Kompendium des Dämonen-
und Gespensterglaubens *Anthropodemus Plutonicus* (1666) von Johannes Praetorius, den er auch für die Teufeleien des *Faust* zurate
zog, fand G. die Nacherzählung einer Gespenstergeschichte aus
Phlegons von Tralles Wunderbuch *Peri thaumasion kai makrobion*
(2. Jahrhundert n. Chr.): Ein reisender Jüngling umarmt nachts die
Tochter seiner Wirte, ohne zu ahnen, daß sie schon vor sechs Monaten verstarb. Dienstboten bemerken ihr Erscheinen und melden
es ihren Eltern. Als diese bei ihrem Wiedererscheinen in der folgenden Nacht entzückt hereintreten, sinkt sie tot zusammen. Ihr
Leichnam wird den wilden Tieren vorgeworfen, der Jüngling aber
stirbt ihr bald nach. Diese antike Gespenstergeschichte ließ G. lange
innerlich reifen (*Bedeutende Fördernis…*) und schuf dann am 4.–6. 6.
1797 seine »große Gespensterromanze« (an Christiane 6. 6. 1797),
die im Oktober 1797 in Schillers *Musen-Almanach für das Jahr 1798*
erschien. Formal in einer eigenständigen, wirkungsvollen Balladenstrophe gehalten, gibt sie dem kuriosen Stoff tiefere Bedeutung,
indem sie Orte und Figuren (Athen/Korinth, Heide/Christin) an
der weltgeschichtlichen Wende von antiker Sinnenfreude zu christ-

icher Askese ansiedelt und die christliche Sinnenfeindlichkeit anklagen läßt. Die Ballade ist gleichzeitig die erste größere Gestaltung
des slavisch-serbischen Vampirmotivs in der deutschen Literatur.
Ihre Aufnahme bei den Zeitgenossen war zwiespältig: W. von Humboldt war begeistert, Herder lehnte ihre christentumsfeindliche
Haltung, Erotik und Nekrophilie ab.

G. Mayer, D. B. v. K., PrJbb 182, 1920; L. Heilbrunn, D. B. v. K., 1926; H.-G. Thal-
heim, G.s Ballade D. B. v. K, Goethe 20, 1958, auch in ders., Zur Literatur der G.zeit,
1969; E. Feise, Die Gestaltung von G.s B. v. K., MLN 76, 1961; W. Müller-Seidel,
. W. G.: D. B. v. K., in: Geschichte im Gedicht, hg. W. Hinck 1979, auch in ders., Die
Geschichtlichkeit der deutschen Klassik, 1983; E. Wright, Ambiguity and ambivalence,
PEGS 51, 1981; W. Schemme, G.: D. B. v. K., WW 36, 1986; R. E. Dye, G's D. B. v. K.,
GYb 4, 1988; I. Graham, Die Theologie tanzt, in dies., Schauen und Glauben, 1988;
G. Schulz, Liebesüberfluß, JFDH 1996.

Breitinger, Johann Jacob (1701–1776). Mit dem Schweizer Litera-
turtheoretiker und kritischen Mitstreiter J. J. Bodmers gegen Gottsched traf G. bei seinem Aufenthalt in Zürich 1775 anscheinend
nicht zusammen. Doch war ihm seine *Critische Abhandlung von der
Natur, den Absichten und dem Gebrauche der Gleichnisse* (1740) wohl
schon aus der väterlichen Bibliothek vertraut, und die *Critische
Dichtkunst* (1740) des »tüchtigen, gelehrten, einsichtsvollen Mannes« studierte er spätestens in Leipzig (und wiederum 1811/12 für
Dichtung und Wahrheit) und anerkennt seine Verdienste und seine
Wirkung besonders auf die Fabeldichtung der Aufklärung (*Dichtung
und Wahrheit* II,7).

Breitkopf. Von der Leipziger Buchdrucker- und Verlegerfamilie, in
deren Haus »Zum Goldenen Bären«, wo auch Gottsched wohnte,
G. in seiner Leipziger Zeit häufig verkehrte, lernte G. noch den Fir-
mengründer Bernhard Christoph Breitkopf (1695–1777) kennen.
Firmenchef der Druckerei seit 1745 und des Verlags seit 1762 war
dessen Sohn Johann Gottlieb Immanuel (1719–1794), verdient um
Schriftkunst und Buchdruck, von dessen reicher Bibliothek G.
wohl Gebrauch machen durfte. Mit dessen Tochter Theodora
Sophie Constanze (1748–1818), der Freundin von G.s Freund
J. A. Horn und Käthchen Schönkopf, und den beiden Söhnen
Christoph Gottlob (1750–1800) und Bernhard Theodor (1749–
1820) war G. eng befreundet. Bei einer Liebhaberaufführung von
Minna von Barnhelm im Hause spielte Constanze die Titelrolle, G.
den Wachtmeister Werner; andere Konstellationen spiegeln sich in
G.s *Die Laune des Verliebten*. Bernhard Theodor war musisch begabt
und vertonte G.s anakreontisches »Leipziger Liederbuch«, das im
Herbst 1769 als →*Neue Lieder in Melodien gesetzt von Bernhard Theodor Breitkopf. 1770* im väterlichen Verlag, doch ohne Namensnennung G.s, erschien – einziges Werk G.s im Verlag Breitkopf, der ab
1798 als »Breitkopf und Härtel« von G. C. Härtel geleitet wurde.
Vgl. *Dichtung und Wahrheit* II,8.

J. Vogel, G. und die Familie B., Der Bär, 1925; E. Schenk, B.s Musik zum Leipziger
Liederbuch, in ders., Ausgewählte Aufsätze, 1967.

Breme von Bremenfeld →*Die Aufgeregten*

Brenner. Dreimal überquerte G. den Alpenpaß, dessen Symbolik
als Wasserscheide und »Grenzscheide des Südens und Nordens« ihm
durchaus bewußt war: auf der ersten Italienreise übernachtete er am
8./9. 9. 1786 im Brenner-Wirtshaus, benutzte den Tag zur Rekapi-
tulation des bisher Erlebten und einer Zeichnung »Gegen den
Brenner« und reiste am 9. 9. abends weiter. Auf der Venedigreise
wurde auf der Hin- und Rückreise am 22. 3. und Anfang Juni 1790
durchgefahren.

S. M. Prem, G. auf dem B., ChWGV 20, 1907.

Brenta-Kanal. Auf der Hinfahrt der Italienreise benutzte G. am
28. 9. 1786 von Padua nach Venedig das Postschiff auf dem künstlichen Wasserweg, der die Wasser der Brenta nach Fusina in der
Lagune von Venedig leitet und beiderseits von den Palästen und
Villen der großen venezianischen Familien, teils von Palladio erbaut, gesäumt wird. Die Venedigreise nahm am 31. 3. 1790 hin und
am 22. 5. 1790 zurück denselben Weg.

Brentano, Bettina →Arnim, Bettina von

Brentano, Clemens (1778–1842). Der romantische Dichter, drittes
Kind von Peter Anton →Brentano und G.s Jugendfreundin Maximiliane, geb. von →La Roche, Bruder der Bettina von →Arnim, war
ein großer Verehrer von G.s Werken, doch blieb die Bewunderung
einseitig. Zwar bedachte G. das von Brentano und A. von Arnim
herausgegebene *Des Knaben Wunderhorn*, dessen erster Band G. gewidmet war, mit verhaltenem Lob (*Jenaische Allgemeine Literaturzeitung* Nr. 18/19, 21./22. 1. 1806), Brentanos Lustspiel *Ponce de Leon*
aber, 1801 für ein Preisausschreiben der *Propyläen* für das beste
Intrigenstück eingereicht, blieb als wenig bühnengerecht unpreis-
gekrönt (»Alles geht durchaus ins Form- und Charakterlose«, an
Zelter 30. 10. 1808). Zwar mag G. Brentano bei zwei Besuchen am
9. 11. 1807 und am 8. 8. 1809 (in Jena) durchaus freundlich empfangen haben, seinem romantisch verwirrten Leben und der aus-
ufernden Romantik seines Werkes stand er recht befremdet und ab-
weisend gegenüber.

F. Scholz, C. B. und G., 1927; S. Sudhof, B. in Weimar, ZDP 87, 1968.

Brentano, Franz Dominicus Josef Maria (1765–1844). Der zweite
Sohn von Peter Anton →Brentano, dessen Nachfolger als Firmenchef und 1816 Senator, wurde durch seine Frau Antonia und die
Erbschaft der Sammlung →Birkenstock künstlerischen Interessen
aufgeschlossen. G. traf das Ehepaar am 7. und 8. 7. 1812 in Karlsbad,
empfing sie am 7. 8. 1814 in Wiesbaden, war auf ihre Einladung am
1.–8. 9. 1814 ihr Gast auf dem Landgut der Familie in →Winkel am

Rhein, unternahm von dort Ausflüge u. a. nach Rüdesheim und Bingen und besuchte sie und ihre Galerie häufig im September und Oktober 1814 in Frankfurt. Im nächsten Jahr besuchte das Ehepaar wieder G. in Wiesbaden (6. 6., 1. 7., 9. 8. 1815), er war bei ihnen in Frankfurt am 5. und 14. 9. 1815 und besichtigte die Galerie mit S. Boisserée. G. dankte mit mehreren Gelegenheitsgedichten für die Gastfreundschaft und gelegentliche Weinsendungen.

Brentano, Maximiliane →La Roche, Maximiliane von

Brentano, Peter Anton (1735–1797). Der Sohn eines in Frankfurt eingebürgerten italienischen Kaufmanns, selbst erfolgreicher und angesehener Handelsmann, hatte sechs Kinder aus erster Ehe, darunter Franz Dominicus →Brentano, 12 Kinder aus der am 9. 1. 1774 zu G.s Bestürzung geschlossenen Ehe mit dessen Jugendfreundin Maximiliane von →La Roche, darunter Clemens →Brentano und Bettina Brentano, verh. von →Arnim, schließlich zwei Kinder aus einer dritten Ehe. G. verkehrte seit 1774 in seinem Frankfurter Haus und half Maximiliane über Anpassungsschwierigkeiten hinweg.

Brentano, Sophie →Mereau, Sophie

Breslau. Eine Reise Carl Augusts zur Teilnahme an preußischen Manövern im Schlesischen Feldlager führte G. als dessen Begleiter in die schlesische Hauptstadt und Festung, das »lärmende, schmutzige, stinkende Breslau« (an Herder 11. 9. 1790), »wo ein soldatischer Hof und zugleich der Adel einer der ersten Provinzen des Königreichs glänzte« (*Tag- und Jahreshefte* 1790). Carl August und G. wohnten zuerst am 9.–12. 8. 1790 im Herrenhaus Gräbschen, dann 12.–26. 8. und nach Abstechern nach Glatz, Oberschlesien und Polen, wieder 10.–19. 9. 1790 im Hotel zum roten Hause. Während G. sich gern mit Studien zur vergleichenden Anatomie beschäftigte, vermittelte ein gedrängter Terminkalender ihm die Bekanntschaften und teils anhaltende Kontakte mit hohen Amtsträgern wie den Ministern Graf von Hoym, Freiherr von Schuckmann, Freiherr von Danckelmann und dem Fürsten von Hohenlohe sowie den Schriftstellern J. T. Hermes, J. G. Schummel und Ch. Garve. →Schlesien.

A. Hoffmann, G. in B. und Oberschlesien, 1898; K. Schindler, G.s Begegnung mit dem kirchlichen B., Jahrbuch der Schlesischen Friedrich-Wilhelms-Universität zu B. 25, 1984.

Brief des Pastors zu ★★★ an den neuen Pastor zu ★★★. Unter der doppelten Maske einer Übersetzung aus dem Französischen und eines angeblichen Sendschreibens eines alten, erfahrenen Pfarrers an seinen jungen Amtsbruder entstand im Spätjahr 1772 diese theologische Flugschrift, die Anfang Januar 1773 in Frankfurt gedruckt erschien (*Dichtung und Wahrheit* III,12). Sie ist das wichtigste Dokument der religiösen Entwicklung des jungen G. vom formellen Religionsunterricht durch die erste Glaubenskrise und die religiöse Indifferenz der Leipziger Zeit bis zum Einfluß des Pietismus S.von Klettenbergs und der vorsichtigen Ablösung davon und integriert literarische Einflüsse von Rousseau (*Profession de foi du vicaire savoyard* in *Emile* IV, 1762), Hamann und Herder. In ihrem Plädoyer gegen Dogmatismus, Erbsündenlehre und Heidenverdammung, gegen sektiererische oder rationalistische Rechthaberei, Frömmelei wie Vernünftelei, dagegen für ein naturnahes, weltoffenes Christentum des Herzens, Gefühlsfrömmigkeit und vor allem religiöse Toleranz spiegelt sie wohl den Stand größter Annäherung G.s an ein Christentum der Liebe und liebenden Verstehens und beeindruckte u. a. Lavater, Claudius, Bodmer und J.G.von Zimmermann.

<small>H. Barner, Zwei »theologische« Schriften G.s, Diss. Leipzig 1930; E. Köppe, Das Verhältnis des jungen G. zum Christentum, Diss. Marburg 1939; C. Riemann, G.s Gedanken über Toleranz, Goethe 21, 1959; C. Brunnert, G. und Lavater, 1989; M. Willems, Das Problem der Individualität, 1995.</small>

Briefe/Briefwechsel. »Briefe gehören unter die wichtigsten Denkmäler, die der einzelne Mensch hinterlassen kann«, heißt es in der »Vorrede« zu *Winckelmann und sein Jahrhundert* (1805), und G. war darin nicht kleinlich. Trotz gelegentlicher →Autodafés alter Briefschaften bis 1797 hinterließ er als Mensch des vortelekommunikativen Briefschreibezeitalters ein großes Briefarchiv empfangener Briefe und ein stattliches Korpus von über 14 380 eigenen Briefen und Briefentwürfen aller Arten, Stile und Töne auf deutsch, französisch und englisch: Vom jugendlichen spontanen Gefühlserguß z. T. in Mundart, den burschikosen Freundesbriefen aus der Studentenzeit, empfindsamer Seelenerforschung und →Briefgedichten über die langen und bekenntnishaften Briefe der späten Jahre und Auseinandersetzungen über wissenschaftliche und künstlerische Probleme bis zum gedrechselten Behördendeutsch der meist diktierten und oft überarbeiteten amtlichen Schriftstücke, den kühlen Adressen in höfischer Rhetorik und schließlich zu kurzen Anweisungen und ephemeren Billets. Nur die indiskrete Klatschsucht und selbstzweckhafte Geschwätzigkeit einiger seiner schreibseligen Zeitgenossen geht G. ab, ihm gelten nur Ernst und augenblickliche Wirklichkeit. In ihrer Gesamtheit sind die Briefe G.s neben den autobiographischen Schriften, den Tagebüchern und Gesprächen die wichtigsten authentischen Dokumente seines Lebens, seines Denkens und seiner Umwelt, zugleich »eine Art von Selbstgespräch« (*Winckelmann,* Vorrede) und »so viel wert, weil sie das Unmittelbare des Daseins aufbewahren« (*Aristeia der Mutter*).

Obwohl zur Goethezeit Briefe oft vorgelesen, herumgereicht oder abgeschrieben wurden, sind die wenigsten Briefe G.s zum bloßen Vorzeigen oder mit Veröffentlichungsabsicht geschrieben. Bei ihrer Veröffentlichung wie bei den *Briefen aus der Schweiz* oder

der *Italienischen Reise* wurden sie meist überarbeitet. Die Form des fiktiven Briefes und des modischen Briefromans verwendete G. in einem um 1770 geplanten »Roman in Briefen«, dem *Brief des Pastors zu* *** *an den neuen Pastor zu* *** (1773), in *Die Leiden des jungen Werthers* (1774), *Der Sammler und die Seinigen* (1799) sowie den Briefeinlagen in *Die Wahlverwandtschaften* und *Wilhelm Meisters Wanderjahre.*

Die vollständige Ausgabe aller bekannten Briefe von G., jedoch ohne die Gegenbriefe teils unverständlich, unkommentiert und chronologisch teils unsicher, bietet die IV. Abteilung der Weimarer Ausgabe in 50 Bänden 1887–1912 und drei Ergänzungsbänden von P. Raabe 1990. Auswahlen, teils sorgfältig kommentiert, gaben P. Stein (VIII 1902–05), E. von der Hellen (VI 1901–13), R. M. Meyer (III 1909–11), die Artemis-Gedenkausgabe (Bd. 18–21, 1949–51) und K. R. Mandelkow (IV 1962–66). Von den für das volle Verständnis unumgänglichen Briefen an G. veröffentlichte K. R. Mandelkow eine kommentierte Auswahl (II 1965–69); eine einstweilige Erschließung aller Briefe an G. versuchen die *Briefe an G. Gesamtausgabe in Regestform,* hg. K.-H. Hahn 1980 ff. Den Dialogcharakter der Briefe mit einzelnen Briefpartnern wahren am besten die Ausgaben der Briefwechsel, darunter als wichtigste (chronologisch nach den ersten Ausgaben) die mit: Schiller (1827 f.), Zelter (1833 f.), Knebel (1851), S. Boisserée (1862), Carl August (1863), A. und W. von Humboldt (1876), M. und J. J. von Willemer (1877), Lavater (1896), Christiane (1916), J. H. Meyer (1917–32), A. W. und F. Schlegel (1926), C. G. Voigt (1949–62) und Cotta (1979–83); zu genaueren Angaben, jüngeren Ausgaben und weiteren Briefwechseln vgl. die →Bibliographien.

Briefe aus der Schweiz. Die Reisebrieferzählungen verarbeiten die Aufzeichnungen und Briefe an Freunde von G.s Schweizer Reisen 1775 mit den Stolbergs und 1779 mit Carl August. Die sogenannte I. Abteilung, am 18./19. 2. 1796, also später, entstanden und unvollendet abgebrochen, gestaltet als episodenhafte Brieferzählung eine novellistische Begebenheit aus der 1. Schweizer Reise, von der auch *Dichtung und Wahrheit* (IV,18) berichtet, wohl aufgrund von Aufzeichnungen während dieser Reise im empfindsamen Werther-Stil und schreibt sie selbst Werther zu: man behaupte, »sie unter Werthers Papieren gefunden zu haben« (Vorwort). Das Tagebuch vom 18. 2. 1796 und *Dichtung und Wahrheit* IV,19 nennen sie daher *Werthers Reise.* Erstdruck *Werke* (11, 1808).

Die II. Abteilung, noch stark unter dem Eindruck der Reise im 1. Viertel 1780 entstanden und in den *Tag- und Jahresheften* 1780 als *Wanderung von Genf auf den Gotthard* bezeichnet, greift stärker auf Originalbriefe an die Weimarer Freunde, besonders Ch. von Stein, zurück, die G. auswählt, redigiert und künstlerisch zum Ganzen rundet. Auf Schillers Bitte um Beiträge für die *Horen* sandte G. sie ihm am 12. 2. 1796, und sie erschienen unter dem Titel *Briefe auf einer Reise nach dem Gotthard* (*Horen* 8, 1796). Die II. Abteilung ist ein Dokument für die schwer erkämpfte Ablösung vom Unbedingtheitsanspruch des Sturm und Drang und den Übergang zu klassischer Bescheidung auf die Grenzen der menschlichen Existenz als Gegensatz zum Elementaren der Wolkenbildungen und der Mächtigkeit der Alpengipfel in der Abendsonne: Konfrontation menschlichen Maßes mit der Größe und Erhabenheit der Natur und der ewigen Ordnungen, hinter die das Ich zurücktritt. Beide Abteilungen erschienen vereint erst in Band 11 der *Werke* (1808) unter dem gemeinsamen Obertitel *Briefe aus der Schweiz*.

F. L. Müller, Quellen und Redaktion von Werthers Reise, Euph 8, 1909; W. Vordtriede, Kunst und Natur in Werthers Schweizerreise, MDU 41, 1949; M. Link, G.s Wertheriade B. a. d. Sch. I, Doitsu bungaku 32, 1964; H. R. Vaget, G.s B. a. d. Sch. I, JbWGV 70, 1966; B. Schnyder-Seidel, Frei wären die Schweizer?, Schweizer Monatshefte 62, 1982; N. Haas, Sehen und Beschreiben, in: Reise und soziale Realität am Ende des 18. Jahrhunderts, hg. W. Griep 1983.

Briefgedichte. Der junge G. teilt mit seinen Zeitgenossen die Angewohnheit, Briefe an Angehörige, Freunde und Freundinnen gelegentlich in Form poetischer Episteln, meist in Blankversen, zu schreiben. In *Dichtung und Wahrheit* (I,5) erzählt er, wie er als Knabe eine Probe dieses Könnens lieferte. Solche Briefgedichte mit direkter Ansprache des Adressaten gingen etwa 1767 an die Mutter, 1768 an Cornelia, Behrisch und F. Oeser, 1770 an F. Brion, 1773 an Kestner, Lotte und J. Fahlmer, 1774 an Merck und Schlosser, 1775 an Carl August und 1780/81 an Ch. von Stein. Widmungsverse zu Geschenken (Bücher, Zeichnungen) oder Versbeilagen in Briefen bilden den Übergang zum eigentlichen Stegreif-Gelegenheitsgedicht der späteren Jahre.

J. Bab, G.s B., GKal 23, 1930.

Briefroman. In *Dichtung und Wahrheit* (I,4) erzählt G., wie er aus Überdruß an den Fremdsprachen-Lesetexten 1762 einen Briefroman von mehreren in alle Welt verstreuten Geschwistern in verschiedenen Sprachen begann. In Leipzig reichte er für Gellerts Stilübungen 1765/66 oft einen kleinen Roman in Briefen ein (ebd. II,6). Im Herbst 1770 begann er in Straßburg einen »Roman in Briefen«, von dem ein Fragment →*Arianne an Wetty* erhalten ist – alles nur Vorstufen zu G.s großem Briefroman →*Die Leiden des jungen Werthers* (1774). Auch in spätere Romane wie *Die Wahlverwandtschaften* und *Wilhelm Meisters Wanderjahre* werden Briefe eingeschaltet.

E. T. Voss, Erzählprobleme des B., Diss. Bonn 1958; D. Kimpel, Entstehung und Formen des B. in Deutschland, Diss. Wien 1962.

Briefwechsel mit einem Kinde →Arnim, Bettina von

Briefwechsel mit Schiller. »Seine Briefe sind das schönste Andenken, das ich von ihm besitze, und sie gehören mit zu dem Vortrefflichsten, was er geschrieben«, bemerkt G. (zu Eckermann 18. 1.
1825) bei der Vorbereitung zur Herausgabe seines Briefwechsels mit
Schiller (VI 1828–29). 1009 Briefe wechselten die beiden Klassiker
in der Zeit vom 13. 6. 1794 bis 26. 4. 1805, ausführlichere im ersten
Jahrfünft bei räumlicher Distanz, seltenere und kürzere, seit Schillers Umzug nach Weimar 1799 Gelegenheiten zum direkten Gespräch bot, das der Leser dazuzudenken hat. Bei aller Anerkennung
der menschlichen und künstlerischen Wesensverschiedenheit beider
Briefpartner und der Erfahrung der Grenzen gegenseitigen Verständnisses – z. B. G.s Abneigung gegen Theoretisieren, Abstraktio-
nen, Enthüllung von Unfertigem und eine gewisse Reserviertheit
und Bekenntnisscheu – ergibt sich nach Überwindung der Vorga-
ben von Furcht, Mißtrauen und Beunruhigung durch den anderen
rasch eine gegenseitige Verständnisbrücke aufgrund des Bewußtseins wechselseitigen Aufeinander-Angewiesenseins und gemeinsamer Anliegen. Sie führt zu einem Briefwechsel jenseits locker-
hemdsärmeliger Vertraulichkeit und zu einer Dichterfreundschaft,
die G. beim Tod Schillers »die Hälfte meines Daseins« verloren glauben läßt (an Zelter 1. 6. 1805). Die literarische Erörterung in allen
Stufen von Anregung, Überzeugungsversuch, Abwehr, Rechtfertigung oder Verständigung spornt das literarische Schaffen an, führt
G. zu einem neuen Schaffensfrühling und mündet in gemeinsame
Unternehmungen (*Xenien*, Balladen). Werkstattgespräche geben
Einsichten in die Schaffensweise, Künstlerpsychologie, Arbeitsklima
und Typologie (naiv – sentimentalisch) und führen zur Diskussion
der Gattungsprobleme (epische und dramatische Dichtung). Die
Erörterung von Plänen besonders Schillers und die Einsicht in entstehende Werke G.s (*Wilhelm Meister*) bietet Anlässe zu gegenseitiger kritischer Beurteilung und Beratung. Solcherart wird der Briefwechsel mit Schiller über die aktuellen Probleme hinaus zu einem
der menschlich und künstlerisch aufschlußreichsten Dokumente
der deutschen Klassik.

E. Sternberg, Die ästhetischen Gedanken G.s in seinem B. m. Sch., JGG 6, 1919;
I. Hofmann, Studien zum G.-Schillerschen B., 1937; A. Carlsson, G. und Schiller in
ihren Briefen, GRM 31, 1943; M. Gerhard, Der B. zwischen Schiller und G., GR 30,
1955; I. Graham, Zweiheit im Einklang, GJb 95, 1978.

Brienz. In Tracht bei Brienz, Kanton Bern, übernachteten G. und
Carl August auf der 2. Schweizer Reise am 13./14. 10. 1779, um am
folgenden Morgen zu Schiff auf dem Brienzer See nach Interlaken
zu fahren, was G. an das Sirenenabenteuer des Odysseus erinnerte.

Brig. In dem kleinen Ort im oberen Rhonetal des Kantons Wallis
übernachteten G. und Carl August auf der 2. Schweizer Reise nach
einem Fußmarsch von Leukerbad am 10./11. 11. 1779. Nach Erwägung der von Furchtsamen vorgeschlagenen Alternativroute

über Simplon/Lago Maggiore/St. Gotthard hielt man am nächsten Tag doch am ursprünglichen Reiseplan über den verschneiten Furka-Paß zum St.Gotthard fest und ging rhoneaufwärts nach Münster.

Brill, Paul (1556–1626). G. schätzte den in Rom tätigen Antwerpener Landschaftsmaler als – man müßte heute einschränken: unter Einfluß Adam Elsheimers – Begründer der heroisch-idealen Landschaftsmalerei (*Landschaftliche Malerei; Künstlerische Behandlung landschaftlicher Gegenstände*). Er besaß mehrere Zeichnungen und Stiche Brills, u. a. auch die berühmten Monatsbilder (*Philostrats Gemälde,* Nachtrag I).

Brille. Es mag komisch klingen, aber G., obwohl selbst geringfügig kurzsichtig und der Gläser bedürftig, war allergisch gegen Brillen und Brillenträger und machte daraus keinen Hehl, sondern verbreitete sich gern weitschweifig darüber und suchte Proselyten zu gewinnen. Die Psychoanalytiker werden eine andere Erklärung dafür haben, aber G. begründet (zu Eckermann 5. 4. 1830 u. a.) seine Aversion damit, der Brillenträger setze sich eine Maske auf, die ihn als überlegen darstelle, den direkten Blick in die Augen durch Blenden verwehre, ihn selbst aber sittenwidrig mehr sehen ließe, als er von Natur aus solle. Unter dieser Maske wolle er sein Gegenüber indiskret bis ins »geheimste Innere« prüfen, räume aber dem unbewaffneten Auge des anderen keine Chancengleichheit ein (vgl. das Gedicht *Feindseliger Blick:* »Ich rede kein vernünftig Wort / mit einem durch die Brille«). G. überträgt diese Brillenfeindschaft auf seine Figuren: Ottilie in den *Wahlverwandtschaften* (II,5: »Es käme niemand mit der Brille auf der Nase in ein vertrauliches Gemach, wenn er wüßte, daß uns Frauen sogleich die Lust vergeht, ihn anzusehen und uns mit ihm zu unterhalten«) und Wilhelm Meister (*Wanderjahre* I,10) stehen ihm bei. Entsprechend wurde Besuchern mit Brille gelegentlich geraten, diese vorher abzulegen, wollten sie nicht kurz abgefertigt werden (Tagebuch 29. 3. 1827). Nur Zelter und Varnhagen hatten Ausnahmegenehmigung. Den Siegeszug der Bügelbrille als Ablösung der Lorgnette hat G. nicht aufhalten können.

R. Greeff, G. und die Brillen, Klinische Monatsblätter für Augenheilkunde 82, 1929; H. Kirsch, G. und die B., Klinische Monatsblätter für Augenheilkunde 115, 1949; K. Müller, G.s Augengläser, Klinische Monatsblätter für Augenheilkunde 138, 1961; P. D. Strauss, Why did G. hate glasses?, JEGP 80, 1981.

Brinckmann, Carl Gustav von (1764–1847). Der mit vielen führenden Geistern der Zeit bekannte schwedische Diplomat und Schriftsteller (1807 Gesandter in Berlin, 1808 in London, 1810 schwedischer Hofkanzler) war als Legationssekretär in Berlin (1792–98) ein Freund W. von Humboldts und besuchte mit dessen und Hirts Empfehlung auf seiner Reise von Berlin nach Paris am

18.–22. 2. 1798 G. in Weimar und auf dessen Empfehlung am 19. 2.
auch Schiller und A. W. Schlegel in Jena. G. war von den weitreichenden Interessen und Kenntnissen (u. a. in der Metrik) des
unterhaltenden Gesellschafters beeindruckt (an Schiller 18.–25. 2.
1798) und sah ihn gern als seinen Tischgast. Gelegentliche Briefwechsel erstrecken sich noch bis 1804, als Brinckmanns *Gedichte*
mit einem Widmungsgedicht an G. erschienen.

Brion, Familie. Als G. im Oktober 1770 durch seinen Straßburger
Studienfreund und Tischgenossen F. L. Weyland in das evangelische
Pfarrhaus in →Sesenheim eingeführt wurde, bestand die Familie des
lebensfrohen, gastfreundlichen Pfarrers Johann Jakob Brion
(1717–1787) und seiner Frau Magdalena Salomea, geb. Schöll
(1724–1786) noch aus fünf (von zehn) Kindern: – 1. Katharina
Magdalena (1747–1772), mit Pfarrer Gockel in Eichstetten/Baden
verheiratet, – 2. Maria Salomea (1749–1807), die 1782 den Pfarrer
Marx in Diersburg, später Meißenheim/Baden heiratete, – 3. Friederike Elisabeth (1752–1813), →Brion, Friederike, – 4. Sophie
Jacobea (1756–1838) und – 5. Christian (1763–1817), ab 1787
Pfarrer in Rothau/Elsaß u. a. Orten.

Brion, Friederike (1752–1813). Die dritte Tochter des Pfarrers
→Brion in Sesenheim/Elsaß lernte G. etwa am 10./13. 10. 1770 bei
einem Besuch mit Weyland bei der diesem verwandten Familie
kennen und lieben. Er besuchte sie wieder Ende Oktober, Anfang
November, im Dezember 1770 und am 18. 5.–23. 6. 1771, verließ
sie aber dann etwa am 7. 8. 1771, als man sich Hoffnung auf eine
engere Bindung machte, ohne weitere Erklärung, die er von Frankfurt brieflich nachreichte. Die Dokumente über ihr Verhältnis zu G.
sind dürftig: ein Briefkonzept G.s an sie vom 15. 10. 1770 (rd. 30
weitere Briefe, die G. gern zurückerhalten hätte, verbrannte die
Schwester Sophie), fünf vag-emphatische Briefe G.s an J. D. Salzmann vom 17. 5.–19. 6. 1771, G.s Brief an Ch. von Stein vom 28. 9.
1779 nach einem Besuch in Sesenheim auf der 2. Schweizer Reise
am 25./26. 9. 1779 und eine kurze späte Notiz *Besuch in Sesenheim*,
hauptsächlich über J. M. R. Lenz' Suche nach Manuskripten in Sesenheim. Die literarisch auch durch O. Goldsmiths *Vicar of Wakefield*
mitbestimmte Schilderung der sogenannten Sesenheimer Idylle in
Dichtung und Wahrheit (II,10–III,11) mag durchaus ein künstlerisch
geschöntes, positiveres Bild oder Wunschbild geben, in dem die
Dichtung die Wahrheit in der Erinnerung verschleiert und verklärt;
verläßlich ist sie, erst 1811/12 geschrieben, keinesfalls. Die mehr
halsbrecherischen als wissenschaftlichen Spekulationen der positivi-
stischen Literaturforschung, der eine Dichtung ohne zugrundelie-
gendes Erlebnis undenkbar war und die daher im Bedarfsfall die Erlebnisse literarischer Figuren auf den Autor zurückprojizierte, hat
das Friederike-Problem zeitweilig zur Gretchenfrage der G.-For-

schung gemacht und sämtliche Schuldkomplexe sämtlicher Figuren
G.s (Weislingen, Clavigo, Faust) auf das Sesenheim-Erlebnis
zurückgeführt, als ob literarische Figuren kein Recht auf eigene
Schuld hätten und das Thema des verlassenen Mädchens kein land-
läufiges Motiv wäre. Die Klärung des Unklärbaren erübrigt sich jedoch, wenn man als das einzig Wesentliche festhält, daß die erwiderte Liebe G.s zu Friederike in der ländlichen Umgebung ihm
nach der rokokohaften Tändelei in Leipzig eine bisher ungekannte
Gefühlsintensität offenbarte, die zugleich in den →Sesenheimer
Liedern (*Ich komme bald…, Kleine Blumen, Willkomm und Abschied,
Mailied* u. a.) eine ebenso echte, ungebrochene, unreflektiert-volks-
mäßige Aussprache findet. Ob Friederike nur Projektionsfigur eines
Liebebedürfnisses war, dem sie wesensmäßig nicht gewachsen war,
ob G.s Abkehr, aus welchen Gründen auch immer, und spätere
Gleichgültigkeit sie wirklich so vernichtete, daß sie später die Leere
vergeblich durch unklare Beziehungen zu J. M. R. Lenz, zum Pfarrer K. C. Gambs auszufüllen suchte und Ende der 80er Jahre aus
einem anderen Verhältnis ein uneheliches Kind hatte, wie ein Neffe
1868 (!) berichtet, bleibt ungeklärt. Jedenfalls begegnete sie G. noch
ein letztes Mal am 25./26. 9. 1779 mit »herzlicher Freundschaft«,
ohne auf sein früheres Verhalten zurückzukommen, zog nach dem
Tod ihres Vaters 1787/88 mit ihrer ebenfalls unverheirateten
Schwester Sophie in die Pfarre ihres Bruders Christian nach
Rothau, betrieb dort einen kleinen Handel und siedelte nach 1801
zu ihrem Schwager Marx nach Diersburg und später nach Meißen-
heim über.

A. Metz, F. B., 1911 u. ö.; W. Bode, Die Schicksale der F. B., 1920; Th. Reik, Warum
verließ G. Friederike?, 1930 u. ö.; W. Krogmann, Das Friederikenmotiv in den Dichtungen G.s, 1932 u. ö.; S. Ley, G. und Friederike, 1947; M. Marache, F. B. et l'Urfaust,
RA 3, 1971; R. Matzen, G., Friederike und Sesenheim, 1983; R. Matzen, G. und F. B.,
1995; H. S. Madland, Poetic transformations and 19th century scholarship: The Friede-
rikenliteratur, GYb 8, 1996.

Bristol, Frederic Augustus Hervey, Earl of (1730–1805). Es muß
eine merkwürdige Unterredung gewesen sein, die G. am Abend des
10. 6. 1797 auf dessen Wunsch mit dem durch Jena reisenden,
wegen seiner Grobheit bekannten englischen Bischof von Derry
hatte. Zweimal hat er den Eindruck schriftlich fixiert, im Charakterbild *Lord Bristol, Bischof von Derry* (1797) noch am gleichen
Abend und im Brief an Carl August vom 12. 6. 1797, und mindestens zweimal hat er sie erzählt (zu F. von Müller 30. 5. 1814, zu
Soret/Eckermann 17. 3. 1830). »Er empfing mich gleich mit ein
paar solennen Grobheiten«, indem er G. die durch den »unmoralischen, verdammungswürdigen« *Werther* ausgelösten Selbstmorde
vorwarf, doch G. blieb ihm nichts schuldig und verwies auf die von
der Kirche abgesegneten Kriegsopfer, die Opfer des englischen
Handelssystems und die Selbstmorde aus Angst vor den von der
Kirche verkündeten Höllenstrafen. Man verstand sich, scherzte,

chied »mit aller Höflichkeit« und in Frieden, und G. anerkannte
Rechtschaffenheit, Wissen, Liberalität und Feinsinn hinter der großen Fassade des »wunderlichen Originals«.

J. Hennig, G. and Lord B., Ulster journal of archaeology 3/10, 1947.

Brizzi, Antonio (1774–1830). Der berühmte, aber auch kostspie-
ige Operntenor gastierte, von G. auf Carl Augusts Wunsch eingeladen (an Carl August 14. 9. 1810), 1810, 1811, 1813 und 1816 in
Weimar und verhalf der dortigen Oper zu Ansehen (*Tag- und
Jahreshefte*).

Brocken. G. bestieg die höchste Erhebung im →Harz, die als
→Blocksberg Schauplatz der Walpurgisnacht ist, auf allen drei Harzreisen, zuerst am 10. 12. 1777 mit einem Förster, wobei er den Granit und farbige Schatten studierte (*Harzreise im Winter* und G.s Erläuterungen dazu in *Über Kunst und Altertum* III,2, 1821; an
Ch. von Stein 10./11. 12. 1777), dann wieder am 21. 9. 1783 mit
dem Berghauptmann von Trebra und Fritz von Stein und zuletzt am
4. 9. 1784 mit G. M. Kraus.

G. Deneke, G.s erste B.besteigung, Inselschiff 9, 1927 f.; W. Grosse, G. und der B., Der
Harz 30, 1927; G. und der B., 1928; A. Fuchs, Faust sur le B., in: Vergleichen und Verändern, hg. A. Goetze 1970.

Broglie, Victor-François, Duc de (1718–1804). G. erinnert sich in
Dichtung und Wahrheit (I,3), den französischen Marschall und rang-
höchsten französischen Offizier in Frankfurt 1759 als Besucher des
Königsleutnants Thoranc in seinem Vaterhaus gesehen zu haben.
Nach dem Sieg im Siebenjährigen Krieg über die Preußen bei Ber-
gen wurde er vom deutschen Kaiser zum Reichsfürsten erhoben,
1789 kurzfristig Kriegsminister Ludwigs XVI., emigrierte nach der
Revolution nach Deutschland und führte bei der Campagne in
Frankreich 1792 die royalistischen Truppen.

Brueghel, Jan d. Ä. (1568–1625, »Samt- oder Blumenbrueghel«).
G. unterschied die vier flämischen Maler namens Brueghel nicht
oder kannte nur diesen Sohn des »Bauernbrueghel« und Bruder des
»Höllenbrueghel«. Von ihm sah er 1810 in der Dresdner Galerie einige Gemälde, und auf seine Landschaften bezieht sich ein Absatz
im späten Aufsatz *Landschaftliche Malerei*.

Brühl, Carl Friedrich Moritz Paul, Graf (1772–1837). Den Sohn
von Hans Moritz Graf →Brühl und später 1815–28 als Nachfolger
Ifflands Generalintendanten der Kgl. Schauspiele in Berlin sah G.
schon in Karlsbad 1785 mit seinen Eltern, die ihn in Weimar erziehen lassen wollten. Bei seinen häufigen und längeren Besuchen
in Weimar, besonders 1799, wurde er mit dem Weimarer Theaterstil
vertraut, erntete als Mitwirkender im Weimarer höfischen Lieb-

habertheater (u. a. in *Paläophron und Neoterpe*, 31. 10. 1800) G.s Lob
und verkehrte im Mai/Juni 1813 in Teplitz und im November/
Dezember 1813 sowie zuletzt am 7.–19. 11. 1826 in Weimar mit
G., der ihm mehrere Gedichthandschriften widmete. Vom Berliner
Intendantenposten des Freundes versprach sich G. zu Recht eine
größere Präsenz in der Hauptstadt, auch wenn er den Einladungen
Brühls nicht folgte. Brühl engagierte P. A. Wolff als Schauspielregis-
seur, setzte viele Dramen G.s auf den Spielplan, brachte die Uraufführung von *Des Epimenides Erwachen* (30. 3. 1815) und anläßlich
von August und Ottilie von G.s Aufenthalt in Berlin am 10. 5. 1819
die *Iphigenie* und am 24. 5. 1819 zwei Szenen aus dem *Faust* heraus.
G. schrieb auf seinen Wunsch den *Prolog zur Eröffnung des Berliner
Theaters* zur Einweihung des neuen Schauspielhauses am 26. 5. 1821
und 1828 den *Prolog zu dem dramatischen Gedicht Hans Sachs* für das
Schauspiel von J. L. Deinhardstein. Brühl bekannte sich im Theater-
wesen allgemein wie in seiner Kostüm- und Bühnenbildreform als
dankbarer Schüler G.s.

Brühl, Christine Gräfin →Brühl, Hans Moritz

Brühl, Hans Moritz, Graf (1746–1811). Den jüngsten Sohn des
berühmten sächsischen Ministers und preußischen Offizier lernte
G. am 11. 7. 1781 auf einer Gesellschaft am Weimarer Hof kennen.
Ein Aufenthalt in Weimar im März/April 1782 mit seiner Frau
Johanna Margaretha Christine (1756–1816), der exzentrischen
»schönen Tina«, führte zu näherer Bekanntschaft, und im Juli/
August 1785 sah man sich in Karlsbad wieder, wo G. ihm zu seinem Geburtstag am 26. 7. das *Bänkelsängerlied* und ihr zwei Stammbuchverse (»Warum siehst du…«, »Auf den Auen…«) widmete. Am
1. 9. 1785 sandte G. ihr eine Luxusausgabe seiner Werke, im
Juni/Juli 1786 erregte ihre Anwesenheit in Weimar wohl die Eifersucht der Ch. von Stein, und nach des Grafen Tod sah und besuchte
G. sie im Mai/Juni 1813 öfter in Teplitz. Von einer geplanten Erziehung des Sohnes C. F. M. P. →Brühl in Weimar riet G. am 4. 12.
1785 ab.

Brun, Friederike Sophie Christiane (1765–1835). Die Tochter des
lutherischen Predigers und Kirchenliederdichters B. Münter, selbst als
Lyrikerin Matthisson-Epigonin, machte seit ihrer Heirat mit dem
dänischen Kaufmann und Konsul C. Brun 1783–1810 größere
Reisen durch Europa. Sie traf und sah G. am 7.–20. 7. 1795 in
Karlsbad fast täglich, jedoch nahm dieser ihre schwärmerische
Eigenart zwiespältig auf (an Schiller 19. 7. 1795) und gab ihr im
Xenion 273 (*An Madame B* ** *und ihre Schwestern*) eine ernüch-
ternde Prognose. Bei einem Besuch mit ihren Kindern bei G. in
Jena am 8. 8. 1803 wie beim Empfang eines Geschenks von ihr am
22. 10. 1821 verschanzte G. sich hinter Höflichkeiten, die sie in

hrem Tagebuch positiv mißdeutete. Zelters Vertonung ihres Gedichts *Ich denke dein* regte G. 1795 nur wegen der glücklichen Me-
odie zu seinem Gedicht →*Nähe des Geliebten* an (an F. H. Unger
3. 6. 1796).

G. Rosenthal, G. und F. B., ZfdU 26, 1912.

Bruno, Giordano (1548–1600). Die Werke des italienischen
Renaissancephilosophen, vor allem auch ihre magisch-okkulten
Seiten, zogen G. immer wieder an. Nach den ersten Zitaten in den
Ephemerides von 1770 verzeichnet das Tagebuch weitere Lektüre am
8.–20. 1. und 15. 8. 1812, 27. 7. 1818 und 24.–26. 12. 1829, doch
cheint ihm das Gute unter zuviel Schlacke verborgen (*Tag- und
Jahreshefte* 1812) und für die Gegenwart unbrauchbar (Tagebuch
5. 8. 1812). Brunos Begriff einer »anima terrae« mag allenfalls die
Namengebung von G.s Erdgeist beeinflußt haben.

H. Brunnhofer, G. B.s Einfluß auf G., GJb 7, 1886; L. Kuhlenbeck, G. B.s Einfluß auf
G. und Schiller, 1907; W. Saenger, G. und G. B., 1930; M. Fancelli, G. und G. B., in:
G. B., hg. W. Hirdt 1993.

Bryophyllum calycinum. Das aus den Tropen stammende Brut-
blatt, heute Kalanchoë pinnata genannt, aus der Familie der Dick-
blattgewächse (Crassulaceae) ist eine von G. wegen ihrer hohen
vegetativen Reproduktionsfähigkeit seit Ende 1818 genau studierte
und kultivierte Pflanze. Ihre in den Kerben des Blattrandes gebildeten Brutknospen können nach Abfallen zu jungen Pflanzen her-
anwachsen. G. war »leidenschaftlich diesem Geschöpfe zugetan« (an
Nees von Esenbeck 23. 7. 1820), beobachtete ihr Verhalten genau,
begann am 11. 9. 1820 und 24. 3. 1826 Vorarbeiten zu einer (nicht
weiter ausgeführten) Monographie über die Pflanze, zeigte sie gern
vor und versandte mehrfach Blätter mit Brutpflänzchen und Anweisungen zur Kultivierung an Freunde.

G. Balzer, G.s B., 1949; G. Steiger, Diesem Geschöpfe leidenschaftlich zugetan, 1979.

Buch, Christian Leopold von, Freiherr von Gelmersdorf (1774–
1853). Dem weitgereisten Geologen, Gutsbesitzer, Privatgelehrten
und preußischen Kammerherrn, dessen dogmatische vulkanistische
Theorie (→Neptunismus) er wiederholt scharf ablehnte, begegnete
G. am 26. 6., 1. und 8. 7. 1822 in Marienbad sehr kühl, um einen
wissenschaftlichen Streit zu vermeiden; die *Tag- und Jahreshefte* 1822
dagegen berichten von einem »angenehmen und lehrreichen Ein-
sprechen«. Am 23. 4. 1829 besuchte ihn Buch in Weimar.

Buch Annette →*Annette*

Buch der Liebe, **Buch der Sprüche** →*West-östlicher Divan*

Buch des Kabus →Kabus

Buchdruck. Obwohl keineswegs bibliophil, wußte G. gutes Papier, ein angenehmes Druckbild und zu einer Zeit, da Broschur die Regel war, einen gediegenen Bucheinband neben dem Inhalt sehr wohl zu schätzen. Dazu legten Behrischs esoterische Kalligraphie und der Umgang im Hause Breitkopf in Leipzig die Grundlagen. G. nahm Interesse an der Typographie seiner Werke, erbat z. T. Probeseiten, erörterte das äußere Erscheinungsbild seiner Werke und war unnachsichtig gegenüber Druckfehlern.

Buchfart. Das Dorf an der Ilm südlich Weimar mit Höhlenkammern einer frühgeschichtlichen Befestigung in der Felswand war vor allem in G.s ersten Weimarer Jahren Ziel von Ausritten und Landpartien, so am 17. 2. 1777, 13. 4. 1777 und 2. 5. 1778.

Buchholz, Wilhelm Heinrich Sebastian (1734–1798). Der lebenslustige Weimarer Arzt, Hofapotheker und 1777 Hofmedicus war als angesehener Naturwissenschaftler G.s früher Mentor und Berater in botanischen und chemischen Fragen (*Geschichte meiner botanischen Studien*) sowie 1791 aktives Gründungsmitglied der Freitagsgesellschaft. Angeregt durch die Brüder →Montgolfier und nach gemeinsamen Vorarbeiten mit G. ließ er Anfang (2. ?) Juni 1784 und wieder im Mai 1785 in Weimar erfolgreich einen unbemannten Heißluftballon steigen, der viel Aufsehen erregte (an S. T. von Sömmering 9. 6. 1784).

O. Zekert, Berühmte Apotheker, 1955; R. Denker, Luftfahrt auf montgolfierische Art in G.s Dichten und Denken, Goethe 26, 1964; M. Wenzel, B. peinigt vergebens die Lüfte, JFDH 1988.

Buchorakel. Trotz felsenfesten Glaubens an die göttliche Vorsehung konnten sich auch die Pietisten, darunter G.s Mutter und S. von Klettenberg, nicht enthalten, dieselbe durch zweckentsprechendes Befragen ohne Ausweichmöglichkeit zur Preisgabe zukünftiger Geschehnisse zu überlisten. Dazu bediente man sich der Bibel oder eines Erbauungsbuches, »zwischen dessen Blätter man eine Nadel versenkt und die dadurch bezeichnete Stelle beim Aufschlagen gläubig beachtet« (»Buchorakel«, in *Noten und Abhandlungen*, Nachtrag). So erbrachte ein Buchorakel der Mutter bei G.s Erkrankung im Dezember 1768 als Antwort Jeremia 51,8, und G. spielt öfter auf diese Schwäche der Mutter an. →*Weissagungen des Bakis.*

Buchsweiler. Im Hauptort der Grafschaft Hanau-Lichtenberg und Heimatstadt seines Studienfreundes Weyland nordwestlich Straßburgs im Unterelsaß hielt sich G. im Juni 1770 auf (*Dichtung und Wahrheit* II,10).

H. Stotz, Erinnerungen an G. in Babenhausen und in Bouxwiller, 1982.

Bühne →Theater

Bühnenbearbeitungen. Die Adaption und eventuelle Kürzung
bühnentechnisch ungenügender oder schwer aufführbarer deutscher wie fremdsprachiger Dramen zu einem spielbaren Text für das
einheimische Publikum und die jeweiligen Bühnenmöglichkeiten,
sonst Aufgabe eines Theaterdichters, später des Dramaturgen, waren
angesichts des schmalen Repertoires wertvoller und spielbarer
Stücke eine Aufgabe, die G. als Theaterleiter vielfach sich vorbehielt
oder sich mit Schiller teilte. Bei fremdsprachigen Werken ging sie
oft Hand in Hand mit der Übersetzung der Texte. Im Unterschied
zu Schillers oft radikalen Umgestaltungen (*Nathan der Weise,
Egmont*: »grausam«, G., *Iphigenie, Stella, Macbeth, Turandot, Phädra,
Othello*) waren G.s Umgestaltungen schonender, pietätvoller, und
versuchten auch bei notwendigen Straffungen, der individuellen
Eigenart der Vorlagen gerecht zu werden: *Götz* (22. 9. 1804, Straf-
ung), *Tasso* (16. 2. 1807, Straffung), Voltaires *Mahomet* (30. 1. 1800,
Milderung, Blankvers) und *Tancred* (31. 1. 1801, Blankvers), Calde-
ons *Der standhafte Prinz* (30. 1. 1811, Straffung) Shakespeares *Romeo
und Julia* (1. 2. 1812, Straffung und Milderung). Gleiche Aufgaben
erfüllt übrigens Wilhelm Meister in *Wilhelm Meisters theatralische
Sendung* (V,2).

Bühnenbild. Die vorwiegende Wortregie des klassizistischen Weimarer Theaterstils unter G.s Leitung lehnte schon aus Kostengründen prunkvolle Bühnenbilder und Kostüme zugunsten einer ver-
einfachten, symbolischen Ausstattung ab und kam mit wenigen,
hellen und schwachfarbigen Szenensets, aber malerischen, »schönen« Schlußprospekten nach klassizistischen Wandbildern u. a. nach
N. Poussin aus, bei denen G. auf Farbharmonie ebenso wie auf
Kontrastwirkung von Kostüm und Dekoration Wert legte. Möbel
und Requisiten wurden z. T. ausgeliehen. Lichteffekte waren bei
dem im Zuschauerraum stets brennenden Kronleuchter auf partielle Abdunkelung und Farbeffekte mittels Ölpapierfilter beschränkt.
G. griff mitunter selbst in die Bühnenbild-Entwürfe ein und lieferte
einen noch vorhandenen zur *Zauberflöte*. Der 1815 als Bühnenbildner engagierte Fuentes-Schüler F. C. →Beuther verwirklichte G.s
Vorstellungen.

Bülach. In dem Schweizer Städtchen im Kanton Zürich bewunderte G. am 19. 9. 1797 auf der 3. Schweizer Reise die bunten Glasfenster der Kirche von 1570. Auf der Heimfahrt am 26. 10 reiste er
durch (*Reise in die Schweiz 1797*).

Bürgel. In dem Dorf östlich von Jena weilte G. am 26. 12. 1775 bei
einem Ausflug mit Einsiedel, Kalb, Bertuch und Kraus (an Carl
August 26. 12. 1775), zur Jagd im Forst Waldeck am 24./25. 10.
1776 und 1780. Auf der Rückreise von Dresden übernachtete er
dort am 1./2. 10. 1810.

Bürger, Gottfried August (1747–1794). Im Wandel von G.s Verhältnis zum Sturm und Drang-Lyriker Bürger spiegelt sich modellhaft G.s Ablösung von seiner eigenen Sturm und Drang-Vergangenheit. So wie G. Bürgers *Lenore* (1773) bewunderte und rezitierte (*Dichtung und Wahrheit* IV,17), so begrüßte Bürger schwärmerisch den *Götz* dieses »deutschen Shakespeare« (Bürger an Boie 8.6. 1773). G.s freundlicher Brief vom 12.2.1774 mit Übersendung der 2. Auflage des *Götz* leitet einen sparsamen, aber emphatischen Briefwechsel ein, der später von Wärme in Distanz und vom Du zum Sie übergeht. 1776 sah G. Bürgers jambische Übersetzung des 6. Gesangs der *Ilias* durch und sammelte und sandte (am 20.4. 1778), einem Aufruf folgend, Geld, um Bürger die vollständige Übersetzung zu ermöglichen, die jedoch nie erschien. Im Mai 1781 bat Bürger G. um Vermittlung einer anderen Stellung und gab auf G.s Verlangen vom 30.5.1781 eine Darlegung seiner unglücklichen Lage am Amtmann. G. mußte nach Einsicht in die Situation und den Charakter Bürgers am 20.2.1782 ablehnen und empfahl Bürger eine akademische Stellung, die er 1784 in Göttingen erhielt. Die erste persönliche Begegnung war zugleich die letzte: Bürger entrüstete sich über den kühlen, unpersönlichen Empfang bei seinem Besuch bei G. Ende April 1789 und machte seinem Ärger in einem Epigramm Luft. G. anerkannte später Bürgers »Talent, aber ohne Grund und ohne Geschmack, so platt wie sein Publikum« (an Zelter 6.11.1830) und rügte seine Geschmacksverirrungen und mangelnde Entwicklung (zu Eckermann 12.5.1825). Vgl. *Maximen und Reflexionen* 76.

Der Bürgergeneral. Das »Lustspiel in einem Aufzuge« in Prosa entstand binnen drei Tagen Ende April 1793, wurde bereits am 2.5. 1793 im Weimarer Hoftheater aufgeführt und erschien als Buch in Berlin 1793. Zur Entstehung berichtet G. in der *Campagne in Frankreich*, wie ihn die glanzvolle Darstellung des Schauspielers Johann Christoph Beck in der Rolle des Schnaps in zwei in Weimar aufgeführten Stücken von Anton Wall (eigentlich Christian Leberecht Heyne) *Die beiden Billets* (1782, nach C. de Florians *Les deux billets* 1779) und *Der Stammbaum* zu einem eigenen Lustspiel mit denselben Figuren verleitete, das als zusätzlichen Hintergrund die Französische Revolution erhielt. In der vordergründig banalen, nur durch gelegentliche Dialogpointen aufgeputzten Handlung gibt sich der großsprecherische und betrügerische Barbier Schnaps vor einem alten Bauern in einer »ererbten« Uniform als »Bürgergeneral« einer imaginären Jakobinerarmee aus, die die Revolution im Dorf eröffnen solle, verwirrt ihn durch revolutionäres Gerede von Freiheit, Gleichheit, Brüderlichkeit und stellt ihm einen Richterposten in Aussicht, nur um zu einem kostenlosen Frühstück zu kommen. Er wird jedoch von dem Unrat witternden Sohn des Bauern dingfest gemacht und dem Gericht übergeben. Nur das einschreiten des volksnahen, verständnisvollen Edelmannes verhindert einen bösen Ausgang. Die polemische Karikatur des Jakobinertums, dessen selbstsüchtiger Umtriebe und hohler Versprechungen anhand seines armseligsten Typus geht Hand in Hand mit dem Lob des einfachen, genügsamen, unpolitischen Landlebens und einer Verherrlichung der aufgeschlossenen, liberalen Monarchie nach dem (unausgesprochenen) Muster Weimars. Nach G.s Bericht war die Wirkung des Stückes dergestalt, daß Freunde seine Autorschaft abstritten. Das Stück gehört mit dem *Groß-Cophta* und den *Aufgeregten* zu der frühen, vorbeugenden Auseinandersetzung G.s mit der Französischen Revolution, deren menschlichen Auswirkungen erst *Hermann und Dorothea*, *Die natürliche Tochter* und die *Unterhaltungen deutscher Ausgewanderten* gerecht werden sollten.

S. Ritter v. Schöppl Sonnwalden, Von Florians Les deux billets zu G.s B., Programm Laibach 1909; L. Kreutzer, Die kleineren Dramen zum Thema Französische Revolution, in: G.s Dramen, hg. W. Hinderer 1980; P. Wesollek, G. als politischer Agitator, in: Werte in kommunikativen Prozessen, hg. G. Großklaus 1980.

Büsching, Johann Gustav Gottlieb (1783–1829). G. schätzte den Breslauer Germanisten, 1811 Archivar und 1817 Professor der Altertumswissenschaften als Kenner der altdeutschen Literatur und Kunst. Er stand mit ihm 1807–24 in Briefwechsel, u. a. wegen Zeichnungen aus einer *Sachsenspiegel*-Handschrift, erhielt seine Publikationen und las 1809 teils im Freundeskreis seine Editionen von *Tristan und Isalde* (*Buch der Liebe*, 1809) und *König Rother* (*Deutsche Gedichte des Mittelalters*, 1808), 1811 Hartmanns von Aue *Armen Heinrich* (1810; vgl. *Tag- und Jahreshefte* 1811), 1820 seine Bearbeitung von *Leben und Abenteuer des schlesischen Ritters Hans von Schweichen* (1820), ferner neben anderen Schriften 1821–23 mit besonderem Interesse Büschings *Versuch einer Einleitung in die Geschichte der altdeutschen Bauart* (1821). Wiederholt verweist er auch auf Büschings Zeitschrift *Wöchentliche Nachrichten für Freunde der Geschichte, Kunst und Gelahrtheit des Mittelalters*.

Büsten Goethes →Porträts

Büttner, Christian Wilhelm (1716–1801). Der Göttinger Professor und Polyhistor in Natur- und Sprachwissenschaft verkaufte 1783 seine rd. 40 000 Bände umfassende, wertvolle Bibliothek gegen Leibrente und Unterkunft im Jenaer Schloß, wo G. ihn öfter aufsuchte, an Carl August. Nach seinem Tod oblag ihre Sichtung und Einordnung in die Jenaer Bibliothek G., der das vorgefundene Chaos (»literarische Schweinigelei«) recht drastisch beschreibt (*Tag- und Jahreshefte* 1802; an C. G. Voigt 22. 1. 1802) und seiner nur mit Hilfe von C. A. Vulpius Herr wurde.

Buff, Charlotte Sophie Henriette (1753–1828). Das Urbild von Werthers Lotte war die zweite Tochter unter 16 Kindern des Wetz-

larer Deutschordens-Amtmanns Heinrich Adam Buff (1711–95
und seiner Frau Magdalena Ernestina (1731–1770). Sie führte nach
dem Tod der Mutter den kinderreichen Haushalt im »Deutschen
Haus«. 1768 verlobte sie sich mit dem hannoverschen Legationssekretär J. Chr. →Kestner (1741–1800, im *Werther* »Albert«). G
lernte sie am 9. 7. 1772 auf einem Ball in →Volpertshausen kennen
und wurde durch ihren frischen, natürlichen Liebreiz, ihre fröhliche
Laune, lebhafte Empfindung und häuslich-praktische Tüchtigkeit
wie die Ausgewogenheit ihres Charakters bald völlig »eingespon-
nen und gefesselt« (*Dichtung und Wahrheit* III,12) und suchte seither
ständig ihre Nähe. Durch seine aufrichtige Freundschaft mit Kestner in ein Dilemma versetzt und unfähig, seine Neigung und Eifersucht weiter zu zügeln, verließ er nach brieflichem Abschied von
beiden am 11. 9. 1772 abrupt Wetzlar auf dem Weg nach Ehrenbreitstein. Charlotte heiratete am 4. 4. 1773 Kestner und gebar ihm
in 27jähriger Ehe zwölf Kinder (die den *Werther* nicht lesen sollten). Der Briefkontakt wurde 1772–74 bis zum Erscheinen des
Werther intensiv aufrechterhalten und auch nach dem Umzug des
Paars nach Hannover lockerer fortgesetzt. Auf Charlottes Bitte im
Brief vom 15. 10. 1813 erwirkte G. ihrem Sohn Theodor, den er
1801 in Göttingen getroffen hatte, die Zulassung als Arzt in Frankfurt; andere Söhne traf er im August/September in Frankfurt, den
Sohn Georg am 4. 9. 1819 in Karlsbad. Bei ihrem Aufenthalt in
Weimar am 22. 9.–31. 10. 1816 bei ihrer dort mit Kammerrat
J. C. R. Ridel verheirateten Schwester Amalie lud G. sie am 25. 9.
mit ihren Verwandten zum Essen und sandte ihr seine Equipage; er
traf sie auch am 14. 10. zum Tee in kleiner Gesellschaft bei Kanzler
von Müller und am 21. 10.; bei der Aufführung von *Des Epimenides
Erwachen* am 19. 10. 1816 saß sie in seiner Loge, doch verlief die
Wiederbegegnung wohl auch infolge G.s Krankheit etwas steif und
konventionell. Als →Lotte in *Die Leiden des jungen Werthers* (1774)
dichterisch und aus der verliebten Sicht Werthers verklärt, lebt sie
in dieser jugendlichen Gestalt – und als alte Dame in Th. Manns
Lotte in Weimar (1939) fort.

O. Ulrich, Charlotte Kestner, 1921 u. ö.; H. Gloël, G. und Lotte, 1922; S. Rösch, Die
Familie B., 1953; R. Rahmeyer, Werthers Lotte, 1994.

Buffon, Georges Louis Leclerc, Comte de (1707–1788). G. lernte
die *Histoire naturelle* (1749–88) des berühmten französischen Naturforschers wohl spätestens in der Leipziger Studienzeit kennen
(*Dichtung und Wahrheit* II,6). Er zitiert ihn oft in den naturwissenschaftlichen Schriften und berührte sich mit seiner Auffassung vom
einheitlichen Bauplan der Natur und der Wandlungsfähigkeit des
Organischen. Zoologische Studien führten ihn noch 1830/31
wieder zu Buffon zurück (*Principes de philosophie zoologique* II,
1832).

I. I. Kanajew, G. und B., Goethe 33, 1971.

Bundeslied. Zur Hochzeit des Offenbacher Pfarrers J. L. →Ewald
mit Rachel Gertrud du Fay am 10. 9. 1775 dichtete G. das *Bundes-
lied, einem jungen Paar gesungen von Vieren*, d. h. im Namen von G.,
Lili Schönemann, dem Komponisten André und seiner Frau, in der
Form des Gesellschaftsliedes barocker Tradition und darüberhinaus
Ausdruck eines geselligen, lebensfrohen, unkonventionellen, durch
Sympathie zusammengehörigen Kreises, sein bevorstehendes
Ausscheiden in der (6., vielleicht nachträglich hinzugedichteten?)
Schlußstrophe schon andeutend. Das bewußt kunstlose Gedicht
stellt sich auf Sprache, Bildung und Ideale des Kreises ein. In dieser
Form erschien es im Februar 1776 im *Teutschen Merkur*. Spätere Umdichtungen beseitigen die Hinweise auf den konkreten Anlaß, lassen
die persönliche Schlußstrophe fort und formen es zu einem allgemeinen, für G. ungewöhnlich rhetorischen Gesellschaftslied zur Feier
eines Freundschaftsbundes und seiner Ideale um. Diese letzte Fas-
ung erschien als *Bundeslied* in Band 8 der *Schriften* (1789) und wurde
u. a. von Beethoven, J. F. Reichardt, Schubert und Zelter vertont.

Buquoy (Boucquoi), Georg Franz August, Graf von (1781–
1851). Mit dem weitgereisten böhmischen Gutsbesitzer, Glasfabri-
kanten und Naturwissenschaftler traf G. im August 1807, Juni 1810
und August 1818 in Karlsbad, im Juli 1812 und Juli 1813 in Teplitz
zusammen und erörterte mit ihm Probleme der Farbenlehre. In den
Jahren 1821–24 beschäftigte er sich mit dessen naturwissenschaft-
lich-mathematischen Schriften.

R. Teichl, G. und G. Graf v. B., ChWGV 19, 1905; M. Gräfin v. Buquoy, Begegnungen in Böhmen, 1987.

Burgau. Das Dorf an der Saale 5 km südlich von Jena war auch für
G. ein beliebtes Ziel für Ausflüge, Boots- oder Schlittenpartien, so
u. a. am 28. 5. 1783, am 8. und 14. 2. 1799, am 8. 10. 1827. Vgl. das
Gedicht *Die Lustigen von Weimar.*

Buri, Ludwig Carl Ernst Ysenburg von (1747–1806). Der gebildete
und selbstbewußte, aber auch später weder durch literarische noch
militärische Großtaten bekannte Schriftsteller und Offizier leitete
als 15jähriger »Argon« 1762 die →»Arkadische Gesellschaft zu Phylandria« in Neuhof bei Offenburg und funktionierte sie 1764 von
einem literarischen Jugendzirkel und Tugendbund zu einem freimaurerischen Geheimbund um. An ihn sind die drei frühesten erhaltenen Briefe G.s (23. 5., 2. 6. und 6. 7. 1764) gerichtet: Bewer-
bungen um Aufnahme in den Bund, die Buri erst dilatorisch
behandelte, dann aber infolge Intrigen von G.s Jugendfreund
F. C. Schweitzer stillschweigend scheitern ließ. G., der die Intrige
wohl nicht durchschaute und Buri nichts nachtrug, traf ihn 1774 in
Neuwied und gab ihm einige Gedichte mit, die er später nicht
zurückerhielt (an S. von La Roche 21. 3. 1775).

A. Schöne, Soziale Kontrolle als Regulativ der Textverfassung, in: Wissen aus Erfahrungen, hg. A. v. Bormann 1976.

Burns, Robert (1759–1796). Von dem vorromantischen schottischen Dichter volkstümlicher Lieder, teils in Mundart, kannte G.
schon einzelne Gedichte, bevor T. Carlyle (an G. 25. 9. 1828) ihn auf
den »man of the most decisive genius« aufmerksam machte, und
zählte ihn zu den »ersten Dichtergeistern« des 18. Jahrhunderts
(Einleitung zu Carlyles *Leben Schillers*). Lektüre seiner Lieder und
seines Lebens verzeichnen das Tagebuch vom 9. 10. 1828 und 14. 4.
1830 sowie der Brief an Carlyle vom 25. 6. 1829. G. führte Burns'
Popularität auf seine frühe Begegnung mit schottischen Volksliedern zurück, die seine eigenen Lieder im Gegensatz zu den deutschen Versuchen »volkstümlicher Lieder« unmittelbar zum Sanges-
gut des Volkes werden ließ (zu Eckermann 3. 5. 1827). Seiner
Einleitung zur deutschen Ausgabe von T. Carlyles *Leben Schillers*
(1830) fügte G. eine selbst übersetzte Würdigung Burns' aus
J. G. Lockharts *The life of Robert Burns* (1828) ein, die seiner eigenen
Hochschätzung entsprach.

Bury, Friedrich (1763–1823). Der Hanauer Porträt- und Historienmaler war 1782 mit seinem Freund H. Lips nach Italien gegangen und war 1784–86 in Rom Hausgenosse J. H. W. Tischbeins,
also zeitweise auch G.s, der die »passionierte Existenz« (an Anna
Amalia 31. 10. 1788) und »heitere Naivität« (an C. F. Tieck 23. 4.
1828) des »vernünftigen Kindskopfs« (an F. von Stein 16. 2. 1788)
mochte und ihn im Sinne seiner Kunstanschauung zu lenken
suchte. Bei G.s Abreise aus Rom 1788 bezog Bury dessen Wohnung
und nutzte später G.s finanzielle Großzügigkeit aus. Auf G.s Empfehlung begleitete er 1788/89 Anna Amalia und Herder nach Neapel und Venedig und war im Mai 1789 in Venedig und Mantua mit
G. zusammen, dem er inzwischen ein Porträt des Herzogs von Urbino von Barocci vermittelt hatte, später auch andere Ankäufe vermittelte und eigene Kopien nach Michelangelo und Tizian lieferte.
Erst 1799 verließ Bury Italien und lebte November 1799 – August
1800 in Weimar, besprach mit G. kunsthistorische und -theoretische
Themen und schuf Kreidezeichnungen G.s und Christianes
(Februar/März 1800) sowie im Juni/Juli 1800 ein Porträt G.s mit
Theaterattributen. Nach Burys Weggang nach Petersburg 1801/02
kühlte die Freundschaft bis auf gelegentliche Briefe ab. Den inzwischen als Porträtmaler in Berlin Arrivierten sah G. am 23.–27. 7.
1808 in Karlsbad wieder, wo eine weitere Porträtzeichnung entstand. 1809 sandte Bury eine Zeichnung zu G.s Gedicht *Johanna
Sebus*, und am 15./16. 9. 1816 besuchte er G. in Weimar.

K. Siebert, Die Beziehungen des Malers F. B. zu G., Hessenland 34, 1920; W. Beils,
G.s Beziehungen zu dem Hanauer Maler F. B., Hanauisches Magazin 11, 1932.

Buttstädt. Die kleine Stadt nördlich von Weimar besuchte G. zumeist in amtlicher Eigenschaft, am 31. 10. 1777 und 31. 10. 1799

um Viehmarkt, am 27. 6. 1779 in Steuersachen, am 7.–9. 3. 1779
zur Rekrutenaushebung, die er sinnigerweise mit der Arbeit an
Iphigenie verband, wie ein anderer Aufenthalt am 20./21. 3. 1782
der Fortführung von *Egmont* und *Wilhelm Meister* diente (an
Ch. von Stein 20. 3. 1782).

Byron, George Gordon Noël, Lord (1788–1824). »Byron allein
lasse ich neben mir gelten!«, sagt G. von der Höhe seines Ruhmes
herab zu Kanzler von Müller (2. 10. 1823) und stellt ihn Shake-
peare gleich (zu Eckermann 24. 2. 1825). Kein anderer zeitgenössi-
cher Dichter hat beim späten G. soviel Interesse und Anteilnahme
erregt wie Werk und Persönlichkeit des englischen Romantikers,
mit dem ihn weder persönliche Bekanntschaft noch ein eigentlicher Briefwechsel verbanden und dessen Bild überdies durch un-
ichtige Details und die zeitgenössischen Legenden entstellt war.
Dabei war der Anstoß von peinlicher Banalität: englische Presse-
berichte über Byrons Eheskandal lenkten G.s Aufmerksamkeit auf
Person, Leben und Umwelt des Dichters, und seit 1816 datiert die
ebenslang anhaltende, lebhafte, oft von Übersetzungsversuchen
und einigen Rezensionen begleitete Lektüre seiner Werke: *The
Corsair* und *Lara* (23./24. 5. 1816), *The Siege of Corinth, Parisina, The
Prisoner of Chillon* (2.–16. 6. 1817), *Manfred* (11.–16. 10. 1817, dazu
2.–9. 11. 1817 Übersetzungsversuche und Rezension, erschienen in
Über Kunst und Altertum II,2, 1820, ferner 6. 10. 1821 H. Dörings
Übersetzung), *The Vampyr* (4. 5. 1819), *Don Juan* (6./7. 12. 1819,
dazu Rezension in *Über Kunst und Altertum* III,1, 1821), *English
Bards and Scotch Reviewers* (16.–22. 1. und 2. 3. 1821), *Marino Falieri*
18./19. 7. 1821), *Sardanapalus* (25. 3. 1823), *Cain* (10.–19. 10. 1823,
dazu Rezension in *Über Kunst und Altertum* V,1, 1824), *Heaven and
Earth* (12. 10. 1823), *The Island* (13.–15. 10. 1823), *The Vision of
Judgment* (12. 2. 1824), *The Deformed Transformed* (Der verwechselte
Wechselbalg, 8. 11. 1826), *Letters and Journals* (3. 3. und 18. 6. 1830,
3.–6. 3. 1831), schließlich Biographien Byrons.

Byron seinerseits, seit 1816 mit G.s *Faust* bekannt, von dem sich
Anklänge im *Manfred* finden, und von dessen lobender Rezension
durch G. begeistert, schreibt ihm am 14. 10. 1820 aus Ravenna und
möchte ihm erst *Marino Falieri*, dann *Sardanapalus* widmen, doch erscheint eine kurze Widmung durch Versäumnis des Verlegers erst
1823 im *Werner;* den ursprünglichen eigenhändigen Text der Widmung Byrons erhielt G. am 7. 11. 1822. Als im Mai 1823 der junge
Engländer C. J. Sterling mit einem eigenhändigen Empfehlungsbrief Byrons zu G. kam und das Gerücht von der geplanten Teilnahme Byrons am griechischen Freiheitskampf aufkam, sandte G.
ihm am 22. 6. 1823 das Gedicht *An Lord Byron* (»Ein freundlich
Wort …«). Es erreichte Byron am 22. 7. 1823 kurz vor seiner Abfahrt in Livorno, und er bedankt sich in einem längeren, herzlichen
Brief vom 24. 7. 1823. Auf die Nachricht von Byrons Tod in Mis-

solunghi am 19. 4. 1824 – »der schönste Stern des dichterischen
Jahrhunderts ist untergegangen« (15. 6. 1824) – schrieb G. am
12.–21. 7. *Goethes Beitrag zum Andenken Lord Byrons* für T. Medwin
Journal of the Conversations of Lord Byron (1824), der dort zweisprachig und in Cottas *Morgenblatt für die gebildeten Stände* (Nr. 239
5. 10. 1824) deutsch erschien. G.s dichterische Totenklagen auf B
sind das Gedicht *Stark von Faust ...* (Juni 1825) und der Trauer-
gesang für Euphorion in *Faust II* (v. 9902). Symbolischen Ausdruck
findet das Schicksal Byrons vor allem in der Figur Euphorions in
Faust. Einer der Gründe für G.s Faszination durch Byron lag wohl
darin, daß G. im dämonischen Zauber und titanischen Tatendrang
Byrons gewissermaßen mit den Augen eines Vaters die eigene stür-
mische Jugend der Geniezeit mit ihrem Glanz und Schmerz, aber
auch seinen Werther wie seinen Faust auf einer neuen Ebene widergespiegelt sah und seine Entwicklung daher mit Freude wie mit
Angst und Sorge verfolgte. Seine zahlreichen Äußerungen zu
Byron in den Jahren 1823–26 haben vor allem Kanzler von Müller
und Eckermann aufgezeichnet.

F. Althaus, On the personal relations between G. and B., PEGS 4, 1888; A. Brandl,
G.s Verhältnis zu B., GJb 20, 1899; J. G. Robertson, G. and B., London 1926; J. Koch
G. und B., Archiv 163, 1933; F. Strich, G. und die Weltliteratur, 1946; W. F. Schirmer, G
und B., in: Forschungsprobleme der vergleichenden Literaturgeschichte, hg. K. Wais
1951; E. Kitzinger, G. und B., Diss. München 1954; E. M. Butler, B., G. and Prof
Benecke, PEGS NS 24, 1955; E. M. Butler, G. and B., London 1956; J. Müller, G.s
B.denkmal, in ders., Der Augenblick ist Ewigkeit, 1960; K. Schön, G. und B., Horizonte
10, 1986.

Caecilie. Eine der Hauptfiguren in G.s Drama →*Stella*: Die vor
acht Jahren von ihrem Gatten Ferdinand verlassene Frau, die sich
jetzt Mme Sommer nennt, will ihre Tochter Lucie der jungen Baronesse Stella als Gesellschafterin anvertrauen, unwissend, daß Stella
die von ihm vor drei Jahren ebenfalls verlassene Geliebte Ferdinands war. Mit Ferdinands unerwartetem Auftauchen entsteht der
Liebeskonflikt, den die 1. Fassung des Dramas (1776) auf Caecilies
Vorschlag nach dem Vorbild des Grafen von Gleichen in eine
ménage à trois auflöst, die 2. Fassung (1805) dagegen in den Ver-
zweiflungsselbstmorden von Ferdinand und Stella enden läßt.

Caesar, Gaius Julius (100–44 v. Chr.). Die Gestalt des römischen
Staatsmanns begleitete als historische Figur wie als Dramenstoff G.
fast durchs ganze Leben und blieb sich erstaunlich gleich in seiner
positiven Auffassung von einer zielstrebigen, erhabenen, dynamischen Persönlichkeit von weltgeschichtlicher Größe und einer
Symbolfigur mit historischer Mission, die G. anfangs zum Vergleich
mit Friedrich dem Großen und dann natürlich mit Napoleon anregte (zu Eckermann 17. 1. 1827). Nebenbei glaubten Herder und
die Weimarer Freunde auch eine physiognomische Ähnlichkeit
Caesars mit G. festzustellen (Herder an Knebel Herbst 1784). Caesar gegenüber erschien Brutus G. als »niederträchtig« (zu Bodmer

uni 1775) und Caesars Ermordung als »die abgeschmackteste Tat, die je begangen worden« (*Geschichte der Farbenlehre*, Kap. Römer). Mit dem Plan einer Caesar-Tragödie befaßte sich G. noch vor dem *Götz* in seiner Straßburger Sturm und Drang-Zeit, im Zuge seiner Shakespeare-Studien und seiner Begeisterung für große Männer und geniale Kraftnaturen. Bruchstücke von Dialogen enthalten bereits die *Ephemerides* von 1770/71, eine Charakteristik auch G.s Beitrag zu Lavaters *Physiognomischen Fragmenten* von 1774/75. 1775 erzählte G. Wieland in Weimar in vielen Einzelheiten den Plan der Tragödie, die wohl den ganzen Lebenslauf in Kernszenen erfassen und in Umkehrung von Shakespeares *Julius Caesar* mit einer Verdammung der Mörder enden sollte. An Schönborn schrieb G. am 1. 6. 1774: »Mein Caesar ... scheint sich auch zu bilden«, und am 4. 2. 1775 meldete Carl August, G. arbeite an einem Trauerspiel »Der Tod J. Caesars«. Zu einer Aufführung von Shakespeares *Julius Caesar* schrieb G. am 1. und 8. 10. 1803 einige verlorene Zusätze und plante einen Epilog. Seit 1806 tauchte der Tragödienplan wieder auf. Im Zusammenhang mit einer französischen Aufführung von Voltaires *La mort de César* am 6. 10. 1808 in Weimar forderte Napoleon G. bei der Unterredung am 2. 10. 1808 auf, einen »Tod Caesars auf eine vollwürdige Weise, großartiger als Voltaire«, zu schreiben (F. von Müller 2. 10. 1808). Doch unterblieb die Ausführung, die seinerzeit als indirekte Verherrlichung Napoleons verstanden worden wäre, während die Hochschätzung Caesars anhielt, so in den *Zahmen Xenien* (»Und wenn man auch den Tyrannen ersticht ...«), zu Beginn der Klassischen Walpurgisnacht (*Faust II*, v. 7012–24) und in dem kunsthistorischen Essay *Julius Cäsars Triumphzug, gemalt von Mantegna* (1823).

F. Gundelfinger, C. in der deutschen Literatur, 1904; F. Gundolf, C. Geschichte seines Ruhms, 1924 u. ö.

Cagliostro, Alessandro Graf, richtig: Giuseppe Balsamo (1743–1795). »Eins der sonderbarsten Ungeheuer ..., welche in unserm Jahrhundert erschienen sind« (Papiere zur *Italienischen Reise*). Der berüchtigtste Betrüger, Hochstapler, Scharlatan und Abenteurer seiner Zeit, Sohn eines bankrotten Händlers aus Palermo, der unter verschiedenen angenommenen Namen durch ganz Europa reiste, sich Aberglauben und Leichtgläubigkeit seiner Zeitgenossen finanziell zunutze machte, viele Existenzen zerstörte, sich als göttlichen Tugendritter anbeten ließ und 1785 auch in die →Halsbandaffäre verwickelt war, faszinierte G. seit 1781 aus mehreren Gründen: einmal psychologisch als Typ des angeblich dämonischen Menschen, der durch eine vermeintlich irrationale Kraft unglaubliche Gewalt über seine abergläubischen Mitmenschen erlangte (*Tag- und Jahreshefte* 1805), zum anderen als zeitsymptomatisch für das durch Aufklärung und Vernunftglauben nur oberflächlich verdeckte Bedürfnis der Menschen nach Wunder- und Geisterglauben, Mystizismus,

Alchemie, Zauberei, Wunderheilung und Hellseherei (an F. H
Jacobi 1. 6. 1791), hinter dem G. den Niedergang der Gesellschaf
seiner Zeit und seit der Halsbandaffäre auch des ancien régime sah
Anders als einige Schriftsteller, Aristokraten und besonders Frauer
seiner Zeit (u. a. Lavater, J. G. Schlosser, E. von der Recke, M. A
Branconi) zeigte G., der mit Cagliostro nie persönlich zusammen-
traf, von Anfang an tiefes Mißtrauen gegenüber dem genialer
Schwindler und seinen angeblichen geheimen Künsten (an Lavater
22. 6. 1781), interessierte sich aber für alle Nachrichten von ihn
und die zahlreichen Schriften für und gegen Cagliostro, die vor
allem von Nicolai in Berlin, aber auch im Weimarer Kreis (Bertuch,
Boie, Jagemann) übersetzt und publiziert wurden. Neugier auf die
Hintergründe einer so ungewöhnlichen Existenz veranlaßte ihn, ir
Palermo das *Mémoire* des dortigen Juristen Vivona über Cagliostros
Herkunft durchzusehen. Am 13. und 14. 4. 1787 nahm er in Pa-
lermo als angeblicher Engländer – Cagliostro war gerade in Eng-
land – Kontakt mit der Familie Balsamo auf, ließ sich die Identität
Cagliostros mit Giuseppe Balsamo bestätigen und nahm sogar einen
Brief der Mutter Cagliostros an diesen mit. Das Ergebnis dieser
Nachforschungen und einen von ihm aufgestellten Stammbaum
teilte G. detailreich im Sinne einer soziologischen Studie zuerst am
23. 3. 1792 in einem Vortrag in der Freitagsgesellschaft (gedruckt in
Neue Schriften I, 1792) und dann 1817 in der *Italienischen Reise* und
deren Papieren und Paralipomena mit. Bereits in Rom entstand
1787 der Plan zu einer Cagliostro-Oper *Die Mystifizierten* (an
P. C. Kayser 14. 8. 1787, *Campagne in Frankreich*), die Reichardt
komponieren sollte. Aus ihr gingen die beiden →*Kophtischen Lieder*
später in die Prosakomödie →*Der Groß-Cophta* (1792) ein, mit dem
für G. das Thema Cagliostro erschöpft war. Das Honorar dafür
stellte G. der notleidenden, ja auch von ihm durch falsche Identität
hintergangenen Familie Balsamo in Palermo zur Verfügung. G. steht
damit nach drei Komödien Katharina der Großen von Rußland
und Schillers *Der Geisterseher* (1789) am Beginn einer reichen Tradition der Behandlung des Cagliostro-Stoffes in der Weltliteratur.

E. M. Butler, G. and C., PEGS NS 16, 1947; W. Müller-Seidel, C. und die Vorgeschichte der deutschen Klassik, in: Literaturwissenschaft und Geistesgeschichte, hg.
J. Brummack 1981, auch in ders., Die Geschichtlichkeit der deutschen Klassik, 1983;
K. H. Kiefer, Okkultismus und Aufklärung, in: Klassik und Moderne, hg. K. Richter
1983; W. Ross, Filangieri, C. und das römische Carneval, Annali. Studi tedeschi 30,
1987; C., hg. K. H. Kiefer 1991; M. Vogel, Musiktheater Bd. XI: C., 1995.

Calderon de la Barca, Pedro (1600–1681). Des Spanischen kaum
mächtig und auf Übersetzungen angewiesen, lernt G. den Haupt-
autor des spanischen Barockdramas erst im Gefolge romantischer
Calderon-Rezeption seit September 1802 in A. W. Schlegels *Spani-
schem Theater* (I 1803) bzw. dessen Manuskript kennen (*Tag- und Jahreshefte* 1802) und ist sogleich beeindruckt. Er liest Ende September
1802 *Die Andacht zum Kreuz*, am 22. 4. 1803 *Über allem Zauber Liebe*

und *Die Schärpe und die Blume* und im Januar 1804 *Der standhafte Prinz*, dessen Poesie ihn spontan begeistert (an Schiller 28. 1. 1804). G. stellt Calderon wiederholt Shakespeare gleich (Anmerkungen zu *Rameaus Neffe*, 1805; an Zelter 28. 4. 1829) und liest seine Dramen gern vor, so den *Standhaften Prinz* bei Johanna Schopenhauer (12.–22. 3. 1807) oder am Hofe (30. 3.–1. 4. 1808), *Die Schärpe und die Blume* in der Mittwochsgesellschaft (1.–8. 3. 1809) u. a. m. Für den 8./10. und 20. 8. und 8. 9. 1807 vermerkt das Tagebuch den Plan eines romantischen »Trauerspiels in der Christenheit«, das 1810 nochmals aufgegriffen wird und wohl eine Märtyrertragödie aus dem Religionskonflikt Christentum/Heidentum im Stil Calderons ergeben sollte, jedoch an der Wesensfremdheit religiöser Konflikte für G. und am rhetorischen Stil des Vorbilds scheiterte. Die *Bruchstücke einer* → *Tragödie aus der Zeit Karls des Großen* erschienen postum 1836. Gleichzeitig erkennt der Theatermann G. die Bühnenwirksamkeit Calderons und setzt den *Standhaften Prinz* (30. 1. 1811, deutsch von A. W. Schlegel), *Das Leben ein Traum* (30. 3. 1812, deutsch von Einsiedel) und *Die große Zenobia* (30. 1. 1815, deutsch von Gries) erfolgreich auf den Weimarer Spielplan. Auf der Suche nach spielbaren Texten schreitet die Calderon-Lektüre fort: 1812 *Der wundertätige Magus*, 1817 *Der Arzt seiner Ehre*, 1820 *Dame Kobold*, 1821 *Die Tochter der Luft*, 1824 *Der Richter von Zalamea* u. a. m. Unbefriedigt von den bisherigen Übersetzungsversuchen von A. W. Schlegel, F. W. Riemer und F. H. Einsiedel veranlaßt G. 1815 J. D. Gries zu neuen Calderon-Übersetzungen, die er mit Interesse, Lob und öffentlicher Anerkennung begleitet, so in der Besprechung von *Die Tochter der Luft* (in *Über Kunst und Altertum* III,3, 1822), der Summe von G.s Calderon-Studien. Bei aller Anerkennung des hohen Kunstverständnisses, der präzisen Dramentechnik und Wirkungsabsicht Calderons läßt der Enthusiasmus G.s seit 1816 wohl angesichts der gleichbleibenden religiös-höfischen Thematik Calderons merklich nach:»Shakespeare reicht uns … die volle, reife Traube vom Stock … Bei Calderon dagegen … empfangen [wir] abgezogenen, höchst rektifizierten Weingeist, mit manchen Spezereien geschärft, mit Süßigkeiten gemildert.« (Rezension von *Die Tochter der Luft*; vgl. auch *Maximen und Reflexionen* 738, 740, 741, 1041). Schließlich streitet G. eine Beeinflussung durch Calderon als ihm wesensfremd ab (zu Eckermann 12. 5. 1825).

H. Schuchardt, G. und C., in ders., Romanisches und Keltisches, 1886; G. und C., hg. E. Dorer 1881; K. Wolff, G. und C., GJb 34, 1913; F. Strich, G. und die Weltliteratur, 1946; G. Lepiorz, G.s Verhältnis zu C., Neuphilologische Zeitschrift 1, 1949; S. Atkins, G., C., and Faust II, GR 28, 1953; S. L. Hardy, G., C. und die romantische Theorie des Dramas, 1965.

Caltanisetta. Das »wohlgelegene und wohlgebaute« Caltanisetta inmitten der »Kornkammer« Siziliens, wo G. auf dem Weg von Agrigent nach Enna und Catania am 28. 4. 1787 nur mit Mühe Unterkunft und Verpflegung fand, ist der Ort, wo G. seine Geschichtskenntnisse verleugnete und den Tod Friedrichs des Großen (17. 8. 1786), von dem er noch vor seiner Abreise in Karlsbad erfahren hatte, verschwieg, »um nicht durch eine so unselige Nachricht unsern Wirten verhaßt zu werden« (*Italienische Reise*).

Calvert, George Henry (1803–1889). Der amerikanische Schriftsteller, spätere Übersetzer des G.-Schiller-Briefwechsels und G.-Biograph (1872), besuchte G. als Göttinger Student am 27. 3. 1825 und gab in *First years in Europe* (1866) eine amüsante Schilderung der Begegnung.

H. W. Pfund, G. H. C., admirer of G., in: Studies in honor of J. A. Walz, Lancaster 1941.

Camoes, Luis Vaz de (1524/25–1580). Mit dem portugiesischen Nationalepos *Os Lusiadas* (1572) von Camoes beschäftigte sich G., der schon früher Teilübersetzungen von Wieland und Seckendorf gelesen hatte, besonders in den Jahren 1819/20 anhand des Originaltexts, deutscher und französischer Übersetzungen und einer von F. P. de Gérard illustrierten Pariser Luxusausgabe, die J. H. Meyer in *Über Kunst und Altertum* (II,2, 1820) besprach.

Campagne in Frankreich. G.s autobiographische Schrift, im Dezember 1819–März 1822 aus fast 30jährigem Abstand von den historisch längst überholten Ereignissen entstanden, wurde von vornherein nicht als Kriegsbericht, sondern als Teil der fortzusetzenden Autobiographie *Dichtung und Wahrheit* konzipiert und erschien daher auch 1822 zuerst u. d. T. *Aus meinem Leben. 2. Abteilung 5. Teil* zusammen mit der *Belagerung von Mainz*. Erst die Ausgabe letzter Hand 1829 gibt beiden Schriften gesonderte Titel. Ihr geschichtlicher Hintergrund ist der Feldzug der preußischen und österreichischen Armeen unter der Führung des Herzogs Carl Wilhelm Ferdinand von Braunschweig gegen das jakobinische Frankreich zur Wiederaufrichtung der Monarchie im Juni – Oktober 1792, der an der Energie- und Entschlußlosigkeit der alliierten Führung bei unklarem Oberbefehl – da auch Friedrich Wilhelm II. von Preußen am Feldzug teilnahm – scheiterte. Zwar drang man bis in die Champagne vor, stieß aber dort am 20. 9. 1792 bei der Kanonade von →Valmy (»Von hier und heute geht eine neue Epoche der Weltgeschichte aus«, G.) auf den unerwarteten Widerstandswillen der patriotischen französischen Revolutionsarmee unter C. F. Dumouriez und sah sich ohne offene Feldschlacht zum unrühmlichen Rückzug aus dem durch Regengüsse aufgeweichten Gelände nach Luxemburg genötigt. Herzog Carl August, als Chef einer preußischen Kavalleriebrigade seit Juni im Feld, wünschte G.s Anwesenheit als Gesellschafter, und dieser, gerade durch das Geschenk des Hauses am Frauenplan ihm besonders verpflichtet, reiste schweren Herzens am 8. 8. 1792 von Weimar ab, hielt sich am 12.–20. 8. bei seiner Mutter in Frankfurt auf und erreichte über

Mainz und Trier am 27. 8. das Feldlager bei Longwy. Er begleitete
den Herzog beim Vormarsch durch Verdun in die Champagne
(6.–19. 9.) und seit 29. 9. auf dem Rückzug über Verdun nach Luxemburg (14. 10.). Dort trennte er sich nach Abschluß der Campagne vom Heer und ging nach Trier (22.–31. 10.), von dort auf einer
Moselfahrt nach Koblenz (2. 11.), zu Jacobis nach Pempelfort bei
Düsseldorf (6. 11.–4. 12.), weiter über Duisburg nach Münster zur
Fürstin Gallitzin (6.–10. 12.) und war am 19. 12. zurück in Weimar.
Die Darstellung dieser »Reise« ist schon in ihrer Ausdehnung über
die Kriegshandlung hinaus in die friedliche Welt der Freundeskreise
nicht mehr Geschichtsschreibung mit politischem Hintergrund.
Zwar zog G. für die Niederschrift eigene (vernichtete) Tagebücher
und fremde Erinnerungen (J. C. Wagner, A. L. von Massenbach,
F. C. Laukhard, P. Götze), selbst die Memoiren von Dumouriez
heran. Dennoch bleibt sein Werk der bildhaft-szenische Erlebnisbericht in Tagebuchform eines militärisch desinteressierten
Augenzeugen aus der Ganzheit und Gleichzeitigkeit des Lebenszu-
sammenhangs, in den wissenschaftliche Interessen ebenso Eingang
finden wie Stimmungsbilder, genrehafte oder symbolische Episoden, Kunsterlebnisse, Begegnungen, Gespräche und Freundschaften
sowie zahlreiche Exkurse, deren Verbindung mit dem nachträglich
hervorgehobenen Titelthema nur in der Einheit und Vielfalt eines
erlebten Lebens liegt. Sie bilden wie die Beschäftigung mit Farbenlehre und Geologie ein geistiges Gegengewicht gegen die »unendliche Langeweile des Feldzugs«. G. enthält sich der Analyse und
Deutung des Gesehenen ebenso wie der direkten Parteinahme. Nur
sehr indirekt, in der Wiedergabe heuchlerischer Phrasen, in Kritik
Dritter an der Führung und in überscharfen Beschreibungen von
Militärs bildet sich auch die Erkenntnis vom Untergang des friderizianischen Nimbus mit seinem militärischen Führungsanspruch.
Die »neue Epoche« bezeichnet daher das Scheitern monarchischer
Restaurationsversuche vor den Mächten der Revolution.

H. Hüffer, Zu G.s C. i. F., GJb 4, 1883; G. Roethe, G.s C. i. F., 1919; P. Lahnstein, Die
C. i. F., NR 74, 1963; J. Müller, G.s C. i. F., 1974; G. Horn, G.s C. i. F., Diss. Jena 1978;
L. Kreutzer, Stillschweigen über die K. i. F., in ders., Mein Gott G., 1980; G. Horn, G.s
autobiographische Schriften C. i. F., in: Ansichten der deutschen Klassik, hg. H. Brandt
1981; T. P. Saine, G.s Roman C. i. F., in: Unser Commercium, hg. W. Barner 1984;
H. Reiss, G. on war, PEGS 53, 1984, deutsch GJb 104, 1987; T. P. Saine, C. i. F., in: G.s
Erzählwerk, hg. P. M. Lützeler 1985; E. Zehm, Der Frankreichfeldzug von 1792, 1985;
R. Fisher, Dichter und Geschichte, GYb 4, 1988; R. Wild, Krieg und Frieden, Gewalt
und Recht, JbWGV 92 f., 1988 f.; E. Krippendorff, C. i. F., in: Frankreich, Europa, Welt-
politik, hg. H. Elsenhans 1989; M. Schilar, Epochenzäsur und Realismus, WB 36, 1990;
K.-D. Müller, G.s C. i. F., GJb 107, 1990.

Campanella, Tommaso (1568–1639). Von dem italienischen
Naturphilosophen und Staatstheoretiker (*Civitas solis*, 1602) las G.
nachweislich nur 1817 die Schrift *De sensu rerum et magia* (1620;
Tag- und Jahreshefte 1817), doch mag er direkt oder indirekt auch
mit seinen Gedanken zum Dämonischen und zur Allbeseelung der
Natur vertraut gewesen sein.

Campe, Joachim Heinrich (1746–1818). Der spätaufklärerische Pädagoge, 1769–1773 und 1775 Erzieher von W. und A. von Humboldt in Tegel, Jugendschriftsteller und seit 1787 Verleger in Braunschweig, war als Lexikograph (*Wörterbuch der deutschen Sprache*, V 1807–12) Purist und nach einer Frankreichreise mit W. von Humboldt 1789 zeitweilig Anhänger der Französischen Revolution. G., der ihn zuerst 1776 in Dessau, dann am 22.6.1810 in Karlsbad traf (zu Eckermann 29.3.1830) verabscheute sein Jakobinertum (an Schiller 3.3.1798) und verspottete seine pedantische Sprachreinigung in den *Xenien* 87, 151 und 152 und vielleicht auch in der Figur des Puristen in *Faust* v. 4279 ff.

Camper, Petrus bzw. Pieter (1722–1789). Der berühmte holländische Anatom und Professor der Medizin, Chirurgie und Anatomie in Amsterdam und Groningen, den G. hochschätzte und oft zitierte, erhielt im September 1785 über Merck und Sömmerring eine Prachthandschrift mit lateinischer Übersetzung (*Specimen osteologicum*) von G.s 1784 verfaßter, erst 1820 erweitert gedruckter Abhandlung über den →Zwischenkieferknochen. Er bestätigte in einem (verlorenen) Briefwechsel G.s Beobachtungen zum Zwischenkieferknochen bei Tieren, lehnte wie fast alle Anatomen der Zeit einen solchen für den Menschen jedoch ab. Vgl. G.s Bericht in *Principes de philosophie zoologique*.

Candolle, Augustin Pyrame de (1778–1841). Im Zusammenhang mit seinen morphologischen Studien besonders zur Metamorphose der Pflanzen beschäftigte sich G. seit 1817 intensiv mit zahlreichen Werken des berühmten Schweizer Botanikers in Paris, Montpellier und Genf. Zumal mit der *Organographie végétale* und der *Théorie élémentaire de la botanique* fand er viele Übereinstimmungen mehr im Prinzip als in der Methode.

J. Hennig, G. and De C., MLQ 10, 1949.

Canitz, Friedrich Rudolf Ludwig, Freiherr von (1654–1699). Die *Gedichte* (2. Aufl. 1734) des spätbarocken Berliner Hofpoeten aus der väterlichen Bibliothek gehörten mit zu G. frühester Lektüre (*Dichtung und Wahrheit* I,2; *Varnhagen von Enses Biographien*, 1827). Es ist aufschlußreich, daß sie nicht in G.s Weimarer Bibliothek übernommen wurden.

Canova, Antonio (1757–1822). Anscheinend hat G. den auch von ihm geschätzten klassizistischen italienischen Bildhauer weder in Rom getroffen noch wesentliche seiner Bildwerke im Original gesehen. Vielmehr kannte er die einzigen von ihm genannten Werke »Herkules und Lichas« (1811) und »Theseus und der Kentaur« (1817) nur nach Repliken oder Abbildungen (*Reizmittel in der bildenden Kunst*, nach 1825). Daraus erklären sich eine Verkennung von

Canovas Abhängigkeit von antiken Mustern in dynamischer Bewegtheit und die Außerachtlassung seiner bekannteren, mehr statischen Werke in ihrer ungriechischen Zartheit, Anmut und leicht sentimental-erotischen Süßlichkeit.

Cap Misenum →Baia

Capo d'Istrias, Johannes Anton, Graf (1776–1831). G. lernte den bedeutenden Diplomaten Rußlands und (später ermordeten) griechischen Freiheitskämpfer am 14.8.1818 in Karlsbad als seinen Hausgenossen kennen und empfing ihn am 2./3.9.1822 und 7.5.1827 als Besucher in Weimar. Er schätzte ihn als edlen und anregenden, aber unsoldatischen Menschen, der sich daher im Freiheitskampf nicht werde halten können (zu Eckermann 2.4.1829).

Capri. Auf der damals noch nicht so berühmten Insel am Golf von Neapel war G. nun wirklich nicht, obwohl er sie von Neapel und Umgebung aus ständig vor sich sah und am 30.3.1787 bei der Schiffsreise von Neapel nach Palermo dicht an ihr vorbeisegelte. Wie er aber beinahe doch und auch noch ganz wider Willen auf der Rückfahrt dort gestrandet wäre, erzählt er in der *Italienischen Reise* unter dem 14.5.1787.

Capua. Die Stadt nördlich von Neapel war G.s letzter Mittagsrastpunkt vor dem Eintreffen in Neapel am 25.2.1787. Die Überreste des antiken Capua in S.Maria Capua vetere mit dem römischen Amphitheater des 1./2. Jahrhunderts n.Chr. besuchte er Mitte März 1787 von Caserta aus.

Caravaggio, Michelangelo Merisi da (1573–1610). Obwohl G. den italienischen Maler eines barocken Naturalismus und Meister des Chiaroscuro mehrfach erwähnt, bleibt unklar, ob und ggf. welche seiner Werke er (in Rom?) im Original gesehen hat und welche er nur nach Stichen kannte. Das gilt auch für die mehrfach erwähnten »Kartenspieler«. Die beiden Caravaggio-Gemälde, die G. in der Dresdner Galerie sah, gelten heute als nicht authentisch.

Carl (eigentlich Friedrich Carl Alexander), Prinz von Preußen (1801–1883). Der dritte Sohn Friedrich Wilhelms III. von Preußen besuchte G. mit seinem Bruder Prinz Wilhelm (→Wilhelm I.) in Weimar am 12.11.1826, 1.2.1827 und 9.11.1828.

Carl Alexander, Großherzog von Sachsen-Weimar-Eisenach (1818–1901). G. feierte die Geburt des Sohnes des späteren Großherzogs Carl Friedrich und seiner Gemahlin Maria Paulowna im *Maskenzug 1818.* Er nahm an der Entwicklung des jungen Prinzen interessiert und beratend Anteil, empfahl 1822 die Berufung des

Schweizers Frédéric →Soret als Prinzenerzieher und erörterte mit
ihm und Eckermann, der zum Unterricht G.s Enkel hinzuzog,
pädagogische Fragen. Zunächst preußischer Offizier, heiratete Carl
Alexander 1842 die Prinzessin →Sophie Wilhelmine Marie Louise
der Niederlande. 1853 Großherzog, trug er durch wesentliche
Gründungen zum Andenken G.s und zur Bewahrung und Wiederbelebung der Tradition Weimars als geistig-literarisches Zentrum
bei und zog Schriftsteller, Musiker und Maler nach Weimar.

K. Muthesius, G. und C. A., 1910.

Carl August, Herzog, ab 1815 Großherzog von Sachsen-Weimar-
Eisenach (1757–1828). Der fürstliche Freund G.s, Sohn des Herzogs Ernst August II. Constantin (1737–1758) und seiner Gemahlin →Anna Amalia, wurde nach dem frühen Tod des Vaters unter der
Vormundschaft seiner Mutter, die zugleich 1758–75 die Regentschaft übernahm, von Wieland erzogen. Auf einer Reise nach Paris
lernte er am 11. 12. 1774 in Frankfurt G. kennen, der auf seine Einladung am 13.–15. 12. bei ihm in Mainz war (*Dichtung und Wahrheit*
III,15). Er traf ihn im Mai 1775 in Karlsruhe wieder, nunmehr mit
seiner Braut Louise von Hessen-Darmstadt, die er am 3. 10. 1775 in
Karlsruhe heiratete. Auf der Hinreise zur Hochzeit war Carl August
am 22. 9. wieder in Frankfurt, lud G. aus spontaner Laune zu einem
Besuch in Weimar ein und traf damit wohl die folgenreichste Entscheidung seines Lebens. Auf der Rückreise nach Weimar war das
prinzliche Paar am 12. 10. 1775 wieder in Frankfurt und wiederholte die Einladung. Als jedoch der zu seiner Abholung bestimmte
Kammerjunker von Kalb zum bestimmten Termin nicht in Frankfurt erschien, entschied sich G. auf Zureden seines Vaters Ende Oktober 1775 zu einer Italienreise, wurde aber am 3. 11. in Heidelberg
von einer Stafette des verspäteten von Kalb eingeholt und ging
trotz Abraten des Vaters nach Weimar, wo er am 7. 11. 1775 eintraf
und einen Freund und eine Lebensaufgabe fand. Der junge, literarisch, künstlerisch und wissenschaftlich interessierte Carl August,
seit seiner Volljährigkeit 1775 Herzog, bewunderte G., und die erwiderte Zuneigung führte von einer bloßen Jugendschwärmerei zu
einer auf gegenseitiger Anerkennung, Dankbarkeit und Hochachtung beruhenden, engen und lebenslangen Freundschaft und 53
Jahre währenden Lebensgemeinschaft, die sich auch im täglichen
Umgang über die nicht seltenen persönlichen und politisch-intel-
lektuellen Differenzen und Krisen hinaus und gerade in ihnen bewährte. Nach einer Periode kraftgenialischen Jugendübermuts in
Jagden und Reiten als Ausbruchsversuchen aus einer antiquierten
Regierungsbürokratie leitete der acht Jahre ältere G. den Herzog zu
Selbstbeherrschung, Pflichterfüllung und Arbeitseifer an und übernahm als engste Vertrauensperson auf dessen Wunsch hin und trotz
anfänglichen Widerstrebens des Ministers von Fritsch nach und
nach eine Vielzahl von Staatsämtern (→Amtliche Tätigkeit). Eine

gemeinsame →Schweizer Reise führte 1779 zur Abklärung jugendlicher Unrast zugunsten einer männlich klaren, charakterfesten Persönlichkeit, wie sie G.s Geburtstagsgedicht für Carl August *Ilmenau* (1783) kennzeichnet. Dem fürstlichen Freund und Mäzen verdankte G. 1776 sein Gartenhaus, 1782 seine Adelung, 1794 das Haus am Frauenplan und allgemein eine seinen Neigungen und Fähigkeiten entsprechende Vertrauensstellung in Weimar sowie die Nachsicht bei seinem Aufbruch zur Italienischen Reise (1786–88). Während dieser trat der militärisch ambitionierte Carl August 1788(–94) zum Leidwesen G.s in die preußische Armee ein und nahm G., der die »realpolitischen« Aspirationen seines Fürsten nicht ohne Sorge betrachtete, später als (eher widerwilligen) Begleiter mit in das Feldlager in Schlesien (1790), die Campagne in Frankreich (1792) und zur Belagerung von Mainz (1793). Auch im hohen Mannesalter blieb G. trotz Meinungsverschiedenheiten in der liberalen Sozialpolitik für treue Berater und – bis in Ehe- und Familienangelegenheiten (die »Nebenehe« mit C. →Jagemann) – intime Vertraute seines Herzogs, der seinerseits G.s Werkschaffen mit freundschaftlichem, echtem Verständnis, seinen Ruhm vielleicht auch nicht ohne Neid begleitete. Nach dem Tod Carl August zog sich der schwer getroffene Dichter monatelang zu innerer Sammlung nach Dornburg zurück. Die zwar komplizierte und mitunter labile Freundschaft zwischen Herzog und Dichter schuf dennoch die idealen Lebensbedingungen einer deutschen literarischen Klassik und gab Weimar im Verein mit der fortschrittlichen Reformfreude und Toleranz des Fürsten seine zentrale Stellung im deutschen Geistesleben der Zeit. G.s Preis des Herzogs bekundet sich neben zahlreichen Gelegenheitsgedichten am eindrucksvollsten im »Lobgedicht« in den *Venetianischen Epigrammen* (17, 1789) und im langen Gespräch mit Eckermann am 23. 10. 1828: »Der Großherzog war freilich ein geborener großer Mensch, womit alles gesagt und getan ist.«

H. Düntzer, G. und K. A., 1861 u. ö.; W. Bode, K. A. von Weimar, 1913; F. Hartung, Das Großherzogtum Sachsen unter der Regierung C. A.s, 1923; H. v. Maltzahn, C. A. von Weimar, 1930; A. Bergmann, C. A.-Bibliographie, 1933; C. Kahn-Wallerstein, Aus C.s Lebenskreis, 1946; W. Andreas, C. A. von Weimar. Ein Leben mit G. I:1757–1783, 1953; J. A. v. Bradish, G. im Dienste C. A.s, JbWGV 67, 1963; H. Tümmler, C. A. von Weimar, 1978; H. Tümmler, Konfliktsmomente im Verhältnis G.s und C. A.s, GJb 96, 1979; K.-H. Hahn, C. A. von Sachsen-Weimar, Impulse 5, 1982; F. Sengle, Das Genie und sein Fürst, 1993.

Carl August, Herzog von Sachsen-Meiningen (1754–1782). G. lernte den damaligen Prinzen und seinen Bruder Prinz Georg Friedrich am 3. 2. 1775 kennen, als sie auf der Durchreise nach Straßburg in Frankfurt Station machten, besuchte ihn am 25. 5. 1775 in Straßburg und wieder am 12. und 20. 10. 1775 in Frankfurt. Von Weimar aus sah er die Brüder am 13. 9. 1778 in Eisenach und auf einer diplomatischen Mission am 11./12. 4. und 10.–12. 5. 1782 in Meiningen, wo sie gemeinsam regierten.

Carl Bernhard, Prinz von Sachsen-Weimar-Eisenach →Bernhard

Carl Eugen, Herzog von Württemberg (1728–1793). Schillers Herzog lernte G. am 14.12.1779 als Begleiter des incognito reisenden Herzogs Carl August auf der Rückfahrt von der Schweizer Reise in Stuttgart kennen, als beide an der Seite des Herzogs an den Feierlichkeiten zum Stiftungstag der Militärakademie (→Hohe Karlsschule) teilnahmen (an Ch. von Stein 20.12.1779). Bei dieser Gelegenheit sah Schiller, der mehrere Preise erhielt, unbekannterweise G. zum erstenmal. Bei seinem zweiten Aufenthalt in Stuttgart am 30.8.–6.9.1797 zieht G. nach Carl Eugens Tod ein Resümee von dessen oft spontanen kulturellen Unternehmungen und übt scharfe Kritik an seinem architektonischem Geschmack für altmodisch-französisierende Repräsentationsbauten in den Schlössern Ludwigsburg, Stuttgart und Hohenheim (*Aus einer Reise in die Schweiz 1797*; an Carl August 11.9.1797).

Carl Friedrich, Großherzog von Sachsen-Weimar-Eisenach (1783–1853). Der älteste Sohn Carl Augusts, dessen Geburt G. mit dem Gedicht »Vor vierzehn Tagen harrten wir …« feierte, verlebte seine Jugend in nahem Umgang mit G. Nach seiner Heirat mit der russischen Großfürstin →Maria Paulowna in Petersburg 1804 dehnte sich seine Verehrung des Dichters auch auf seine von G. hochgeschätzte Gemahlin aus. Nach dem Tod Carl Augusts übernahm Carl Friedrich die Regentschaft, wurde jedoch an Tatkraft und Popularität durch Maria Paulowna übertroffen. Am Todestag G.s bestimmte er dessen Bestattung neben Carl August in der Weimarer Fürstengruft.

Carl Friedrich, 1746 Markgraf, 1803 Kurfürst, 1806 Großherzog von Baden (1728–1811). Der aufgeklärte und reformfreudige Fürst, der seine Residenz Karlsruhe zum geistigen Zentrum machen wollte und vergeblich Klopstock an seinen Hof zu ziehen suchte, lernte G. zuerst auf dem Hinweg zur 1. Schweizer Reise am 17.–21.5.1775 in Karlsruhe kennen (*Dichtung und Wahrheit* IV,18), wo G. auch wieder auf Carl August und seine Braut traf. Er begegnete ihm wieder auf dem Heimweg von der 2. Schweizer Reise mit Carl August am 19./20.12.1779 in Karlsruhe. Auch seine Besuche in Weimar im April 1781 und Oktober 1783 führten jedoch zu keinem näheren Verhältnis zum Weimarer Hof. G. nennt ihn »wegen seiner Regententugenden« einen »vorbildlichen Fürsten« (*Dichtung und Wahrheit* III,12; IV,16 und 18).

Carl Ludwig Johann, Erzherzog von Österreich (1771–1847). Mit dem österreichischen Generalfeldmarschall verkehrte G. im August 1814 und Juni–August 1815 bei seinen Aufenthalten in Wiesbaden mehrfach als Gast im Kreise des österreichischen Generalstabs auf Schloß Biebrich. Im Juni/Juli 1815 beschäftigte er sich auch mit des Erzherzogs Werk *Grundsätze der Strategie* (1814), das ihm dieser 1815 schenkte (*Tag- und Jahreshefte* 1815).

R.-H. Steinmetz, G., Guibert und C. v. Ö., GJb 111, 1994.

Carl Wilhelm Ferdinand, Herzog von Braunschweig (1735–1806). Der Neffe Friedrichs des Großen und Bruder von Anna Amalia war preußischer General im Siebenjährigen Krieg, erregte durch seine Liaison mit M. A. von →Branconi Aufsehen, wurde 1780 regierender Herzog und galt seit dem Tode Friedrichs des Großen als führender deutscher Feldherr. Er erfüllte jedoch im 1. Koalitionskrieg gegen das revolutionäre Frankreich, an dem G. in der Campagne in Frankreich 1792 und der Belagerung von Mainz als Beobachter teilnahm, nicht die in seinen Oberbefehl gesetzten Erwartungen, suchte Ausflüchte, verlor an Ansehen und in der Schlacht bei Jena und Auerstedt 1806 Sieg und Leben. G. besuchte ihn mit Carl August in Angelegenheiten des Fürstenbundes im August 1784 in Braunschweig.

E. Weniger, G. und die Generale, 2. A. 1959.

Carlos. Der rationale Freigeist Carlos im →*Clavigo* (1774) will durch seine Behauptung einer Ausnahmemoral für den zu Großem berufenen Dichter seinen Freund Clavigo vor der ihn ins Bürgerliche herabziehenden Ehe mit Marie von Beaumarchais bewahren. Nach G.s Motivierung der Tragödie sollte in Carlos der »reine Weltverstand mit wahrer Freundschaft gegen Leidenschaft, Neigung und äußere Bedrängnis wirken« (*Dichtung und Wahrheit* III,15).

Carlyle, Thomas (1795–1881). Der bedeutendste und einflußreichste Vermittler G.s (und der deutschen Literatur überhaupt) zu seiner Zeit, der schottische Schriftsteller, Übersetzer, Kritiker und Historiker, begegnete G. nie persönlich, und G. nahm nur einen schmalen Teil seines Werkes, der sich meist auf ihn selbst und Schiller bezieht, zur Kenntnis. Die Korrespondenz begann mit Carlyles Übersendung seiner Übersetzung von *Wilhelm Meisters Lehrjahren* (1824) am 24. 6. 1824, gefolgt am 15. 4. 1827 von *Life of Schiller* (1825) und *German Romance* (1827, mit *Wanderjahre*-Übersetzung). G. liest sie am 15.–20. 5. 1827, bedankt sich jeweils lobend und ermutigend, sendet eigene Werke und nimmt persönliches Interesse an Carlyles Lebensumständen. Der anschließende Austausch kleiner Geschenke schließt auch Mrs. Jane Carlyle und Ottilie ein. G.s Rezension der zweiten Sendung in *Über Kunst und Altertum* (VI,2, 1828) steht bereits im Zeichen seines Begriffs der Weltliteratur. Auf Carlyles fragmentarische Übersetzung der Helena-Szene aus *Faust II* reagiert G. mit dem allegorischen Gedicht *Ein Gleichnis* (»Jüngst pflück ich …«, 1829). Zur deutschen Über-

setzung von Carlyles *Leben Schillers* (1830) schreibt G. im März/
April 1830 ein persönlich gehaltenes Vorwort, und auf seine Anregung vom 5. 10. 1830 hin ernennt die »Gesellschaft für ausländische
schöne Literatur zu Berlin« Carlyle aufgrund dieses Werkes zum
Ehrenmitglied. Carlyle seinerseits gibt 1831 Anlaß zu einer Huldigungsadresse mit goldenem Siegel von 15 englischen G.-Verehrern
zu G.s 82. Geburtstag, die G. mit dem Gedicht *Den fünfzehn englischen Freunden* (»Worte, die der Dichter spricht«) beantwortet.
Carlyles zahlreiche G.-Studien seit 1822 sind weniger literatur-
ästhetisch als an den aufgeworfenen moralischen Problemen einer
werktätigen Menschenliebe und puritanischen Leistungsethik
interessiert und bestimmen damit auf lange Sicht das englische G.-
Bild. G.s Wertschätzung Carlyles (u. a. zu Eckermann 15. und 25. 7.
1827) anerkennt ihn als »moralische Macht von großer Bedeutung«, beruht aber stärker auf Carlyles Ansatz zu einer praktischen
Verwirklichung weltliterarischen Austauschs: Carlyle machte ihn
mit dem Werk von W. Burns vertraut.

M. Müller, G. and C., PEGS 1, 1886; O. Baumgarten, C. und G., 1906; C. F. Harrold,
C. and German thought, New Haven 1934; H. Plagens, C.s Weg zu G., Diss. Berlin
1938; A. Kippenberg, C.s Weg zu G., 1946 u. ö.; F. Strich, G. und die Weltliteratur, 1946;
N. Kimura, C. und G., in: Symposium Deutsche Literatur und Sprache, 1992.

Caroline Louise, Erbgroßherzogin von Mecklenburg-Schwerin,
geb. Prinzessin von Sachsen-Weimar-Eisenach (1786–1816). Die
kränkliche Tochter Carl Augusts, kunstinteressiert und selbst zeichnend (→Kaaz), war ihrem »Meister« G. besonders nahe verbunden
und Teilnehmerin an der Mittwochsgesellschaft. Zu ihrer Aufheite-
rung schenkte ihr G. im Oktober 1807 ein Studenten-Stammbuch
mit 88 eigenen Handzeichnungen als →*Reise-, Zerstreuungs- und
Trost-Büchlein* und schrieb dazu am 17. 1. 1807 die *Zueignung an
Prinzessin Caroline von Weimar* (»Dieses Stammbuch ...«). Seit 1810
zweite Gattin des Erbgroßherzogs Friedrich Ludwig von Mecklenburg-Schwerin, setzte sie sich maßgeblich für das →Blücher-Denk-
mal mit G.s Inschrift ein. Auf die Nachricht von ihrem Tod, die ihn
am 17. 1. 1816 erreichte, schrieb G. das Gedicht *Trauerloge.*

H. Koch, Prinzeß C. v. W., G. und S. v. Ziegesar, Goethe 30, 1968.

Carracci, Annibale (1560–1609). Der Meister der Bologneser
Schule der italienischen Barockmalerei – neben Ludovico Carracci,
1555–1619, und Agostino Carracci, 1557–1602 – war eine der
wichtigsten künstlerischen Entdeckungen, die G. für sich in Italien
machte. Zwar kannte er einige Werke schon 1780 nach Kupferstichen (»Was sind die Carache schön! Ach lieber Gott, daß man so
lang leben muß, eh man so was sieht und sehen lernt!«, an Merck
11. 10. 1780), die Originale sah er jedoch erst sechs Jahre später, am
19. 10. 1786 in Bologna und am 17. 11. 1786 in der Galerie des
Palazzo Farnese in Rom (»eines der vorzüglichsten Werke neuerer
Kunst«, *Philipp Hackert*). Wie zahlreiche Erwähnungen belegen,

hielten die Eindrücke lange an. Vor allem Carraccis »Odysseus und Circe« gab 1789 Anlaß zu einem brieflichen Austausch mit H. Meyer, der für das Römische Haus in Weimar auch den »Genius« kopierte. G. bezieht seine eigene Stellung, die sich von der anfänglich betonten Antikenachahmung zur Anerkennung der italienischen Eigenständigkeit erweitert, im Anhang *Antik und Modern* zu *Philostrats Gemälde* (1818), im Versuch über *Landschaftliche Malerei* (1832) und im Gespräch mit Eckermann vom 13. 4. 1829. G.s Graphiksammlung enthält zahlreiche Handzeichnungen und Stiche nach Carracci.

Carstens, Asmus Jacob (1754–1798). Der seit 1792 in Rom schaffende Schleswiger Maler und Zeichner großflächiger klassizistischer Umrißzeichnungen nach antiken und allegorisch-abstrakten Themen fand mit seiner Ausstellung in Rom 1795 ein zwiespältiges Echo. G., anfangs befremdet, fand erst im September 1804 nach einer Ausstellung des Nachlasses, den C. L. Fernow nach Weimar gebracht hatte, besseren Zugang zum Werk des Künstlers, erwarb im Juni 1806 die Zeichnungen für das Weimarer Museum und die eigene Sammlung (*Tag- und Jahreshefte* 1806) und schrieb 1821 für die in der »Weimarischen Pinakothek« herausgegebene Lithographie von Carstens' »Der luftwandelnde Sokrates« (zu Aristophanes' *Wolken*) eine Einführung. Von Carstens stammt auch eine Zeichnung »Hexenküche« (1790) zu G.s *Faust.*

A. Kamphausen, A. J. C., 1941; A. J. C., Katalog Schleswig 1992; K. Manger, Fernows C., in: Italienbeziehungen des klassischen Weimar, hg. ders. 1997.

Carus, Carl Gustav (1789–1869). Mit dem Dresdner Arzt, Professor für Gynäkologie, Psychologen, Naturphilosophen und Maler stand G. seit 1818 in regem Briefwechsel über zoologische Fragen auf der gemeinsamen Basis genetischer Naturbetrachtung, zu der Carus durch G.s *Versuch, die Metamorphose der Pflanzen zu erklären* und seine morphologischen Schriften geführt worden war. G. wiederum nahm viele der zahlreichen naturwissenschaftlichen Schriften von Carus mit Interesse und Beifall wahr, vor allem sein *Lehrbuch für Zootomie* (1818), *Von den Naturreichen* (1818), *Grundzüge der vergleichenden Anatomie und Physiologie* (1828) u. a. m., nicht zuletzt die G.s Idealen sehr nahestehenden, seit 1822 im Manuskript übersandten *Neun Briefe über Landschaftsmalerei* (1831) des Freizeitmalers romantischer Stimmungslandschaften, von denen G. drei besaß. Zu einer persönlichen Begegnung kam es erst bei Carus' Besuch in Weimar am 21. 7. 1821. Nach G.s Tod versuchte Carus in drei G.-Monographien (*G. Zu dessen näherem Verständnis*, 1843; *G.-Gedenkschrift*, 1849 und *G., dessen Bedeutung für unsere und die kommende Zeit*, 1863) ein frühes, vielgelesenes Gesamtbild G.s zu entwerfen.

P. Stöcklein, C. G. C., 1943 u. ö.; P. Stöcklein, Wege zum späten G., 1949 u. ö.; B. Kirchner, C. G. C., 1962; P. Berglar, C. G. C., JbWGV 67, 1963; M. Prause, C. G. C., 1968; P. H. Bideau, C. G. C. lecteur et interprète de G., EG 27, 1972.

Caserta. In der Residenz der Könige von Neapel besuchte G. an 14.–16.3.1787 den Maler G.Ph.→Hackert im alten Schloß, wc auch der Restaurator →Andres Wohnung und Atelier hatte. In 1752–74 errichteten, überdimensionalen Palazzo Reale schiener ihm die 1200 »ungeheuren leeren Räume nicht behaglich«, seinc Lage dagegen »außerordentlich schön«, ebenso die langgestreckter Gartenanlagen mit ihren von einem Aquädukt gespeisten Wasser-künsten, Kaskaden und Fontänen. Zwei Abende verbrachte G. im Landhaus des englischen Gesandten und Kunstsammlers Sir William →Hamilton, wo dessen Geliebte Emma Hart (1791 Lady →Hamilton) ihre »Attitüden« aufführte.

Caspers, Fanny (1787–1835). Die jüngere Schwester von Manon →Caspers spielte Januar 1800 – Ostern 1802 in Weimar vorwiegend Kinderrollen und wurde dann Gesellschafterin. G. traf sie noch am 20.2.1809 und sandte ihr auf ihre Bitte um ein Autogramm am 21.11.1815 das Gedicht *An Fanny Caspers,* Schilderung eines wein-seligen Abends mit Schauspielern und Anspielungen auf ihre Rolle in Bretzners *Das Räuschchen.* (Vgl. zu F. von Müller 8.6.1821).

L. Göller, Die Schauspielerinnen Manon und F.C., Mannheimer Geschichtsblätter 33, 1932.

Caspers, Manon (1781–1814). Die von G.s Mutter nach Weimar empfohlene Schauspielerin spielte dort Januar 1800 – Ostern 1802 Liebhaberinnenrollen wie die Mariane in *Die Geschwister* und Pal-mire in *Mahomet,* scheiterte jedoch am 31.1.1801 an der Amenaide in *Tancred,* die G. mit ihr einstudiert hatte, und wurde durch C. Jagemann ersetzt (*Tag- und Jahreshefte* 1801).

Literatur →Caspers, Fanny

Cassas, Louis François (1756–1827). G. traf im September 1787 in Rom den französischen Architekten, der von einer Studienreise nach Ägypten und den Vorderen Orient beeindruckende Architek-turzeichnungen mitgebracht hatte, und beschreibt diese in der *Italienischen Reise* (6.9.1787 und Bericht September 1787).

Castel Gandolfo. Die päpstliche Sommerresidenz am Albaner See bei Rom, das antike Alba Longa, besuchte G. häufig auf Ausflügen von Rom aus, so am 1.10.1786, Juni 1787 und 15.12.1787, pas-sierte sie auch auf dem Weg nach und von Neapel (22.2. und 6.6. 1787). Die Zeit 7.–21.10.1787 verbrachte er dort als Gast des eng-lischen Malers und Kunsthändlers Th.Jenkins auf dessen Landsitz mit A. Kauffmann, J.F.Reiffenstein u.a. und lernte dabei die »schöne Mailänderin« Maddalena →Riggi kennen. Er vergleicht das Milieu mit dem eines Kur- und Badeortes, wo Fremde ungezwun-gen Bekanntschaften schließen, wo man Spaziergänge und Ausflüge macht und sich abends im Konzert oder im Theater an den Pantonimen Pulcinellas unterhält. Neben vielen Landschaftszeichnungen entstanden hier das Gedicht →*Amor als Landschaftsmaler* und Teile von *Erwin und Elmire* (*Italienische Reise*).

G. del Pinto, La casa abitata da V. G. in C. G., Rom 1902; C. Martini, G. a C. G., in ders., Panzini in via dei Serpenti, Rom 1955.

Castelli, Ignaz Friedrich Franz (1781–1862). Von dem Wiener Dialektlyriker, Übersetzer und Bearbeiter französischer Bühnenschwänke führte das Weimarer Theater unter G.s Leitung 1808 *Fünf sind zwei* und *Domestikenstreiche*, 1811 u. ö. *Die Schweizerfamilie*, 1815 *Das Lotterielos* und 1816 *Die Ehemänner als Junggesellen* auf. Die von C. Jagemann gegen G.s Willen durchgesetzte Aufführung des von Castelli übersetzten Schwanks *Der Hund des Aubri von Mont-Didier* am 12. 4. 1817 mit einem dressierten Pudel in der Hauptrolle gab den Anlaß zu G.s Entlassung von der Leitung des Hoftheaters. Castellis *Gedichte in niederösterreichischer Mundart* (1828) kündigte G. in der Sammelbesprechung *Nationale Dichtkunst* (*Über Kunst und Altertum* VI,2, 1828) an, und noch am 23./24. 9. 1831 gaben Vorlesungen von Castellis Werken zu Hause »heitere Unterhaltung« (Tagebuch).

K. Ruland, G. und C., ChWGV 14, 1900.

Castelvetrano. In dem Städchen im Südwesten Siziliens übernachtete G. auf dem Weg von Segesta nach Sciacca am 21. 4. 1787 in einem »nicht sehr zierlichen Lokal«, wo er nachts einen Stern über sich sah – wie sich später herausstellte, durch eine Dachlücke (*Italienische Reise*).

Casti, Giambattista, Abbate (1721–1803). Den Hofdichter Kaiser Josephs II., dessen Operntext *Il re Teodoro in Venezia* er schon kannte, lernte G. am 17. 7. 1787 in Rom beim Grafen Fries kennen, wo Casti seine galanten Versnovellen rezitierte. Eine illustrierte Ausgabe seiner Tierfabeln *Storia degli animali parlanti* (1802) besprach G. kritisch in *Über Kunst und Altertum* (I,3, 1817).

Castrogiovanni →Enna

Catalani, Angelica (um 1780–1849). Auf die berühmte italienische Sängerin, die zumal 1818–27 auf Gastspielreisen in Europa und Deutschland Triumphe feierte, wies Zelter G. zuerst im Juli 1816 hin und berichtete seither über ihre Erfolge. G. selbst traf und hörte sie im Juli–August 1818 häufig in Karlsbad, so am 31. 7. 1818 bei Fürst Metternich, der ihn ihr vorstellte, am 1. 8. beim Konzert im Posthof, am 6. und 14. 8. bei Fürst Schwarzenberg, doch bleibt seine Begeisterung bei der Stimme stehen, zu deren Beschreibung ihm die Worte fehlen. Der Vierzeiler *Auf die Sängerin Catalani* (»Im Zimmer ...«) vom 14. 8. 1818 bestätigt in seiner Dürftigkeit nur diese Defizienz, die auch in Bemerkungen über die Catalani in den Brie-

Catania

fen an Carl August vom 15. 8. 1818 und an Knebel vom 4. 9. 1818
deutlich wird. Ihr Auftreten am Weimarer Hof am 25. 9. 1818 wird
nur im Tagebuch notiert. Ein spätes, undatiertes Epigramm (»Catalani tat ...«) bezieht sich vielleicht auf die auch von Zelter am
15. 4. 1827 beklagte Geschäftstüchtigkeit der Sängerin.

Catania. Die alte Hafenstadt an der Ostküste Siziliens besuchte G.
am 1.–6. 5. 1787. Er stieg nach einer Nacht in einer schlechten
Herberge am 2. 5. trotz einer vorherigen mysteriösen Warnung im
»Goldenen Löwen« ab, besichtigte am 3. 5. die Antiken- und Münzsammlung des Prinzen →Biscari, das Benediktinerkloster und die
Kirche S. Nicolò mit ihrer Orgel und die geologische Sammlung
des Prof. G. Gioeni, bestieg am 5. 5. den Monte Rosso am →Ätna,
besuchte am 4. und 6. 5. die damals noch wenig freigelegten antiken Ruinen und reiste am 6. 5. nach Taormina weiter.

V. Casagrandi, V. G. a C., Archivio storico per la Sicilia orientale 2/8, 1932; Sui passi
di G., hg. G. Giarrizzo, Catania 1987.

Catel, Franz Ludwig (1778–1856). Der Landschaftsmaler und
Kupferstecher schuf 1799 Illustrationen zu G.s *Hermann und Doro-
thea* und stellte während seines Aufenthalts in Weimar im Septem-
ber 1802 (mit seinem Bruder L. F. →Catel) drei von G. gelobte
Landschaftsaquarelle aus. Zu Kupferstichen von ihm schrieb G.
→*Die guten Weiber.*

P.-K. Schuster, C. und G., in: Literaturwissenschaft und Geistesgeschichte, hg.
J. Brummack 1981.

Catel, Ludwig Friedrich (1776–1819). Der Berliner Architekt war
nach 1800 länger an der Innendekoration des Weimarer Schloß-
Neubaus beschäftigt. G. lobte 1801 die geschmackvolle Harmonie
seiner Entwürfe und Stuckarbeiten. Im September 1802 besuchte
er mit seinem Bruder F. L. →Catel Weimar. G. kannte auch seine
Schrift *Vorschläge zur Verbesserung der Schauspielhäuser* (1802).

Catullus, Gaius Valerius (um 84–54 v. Chr.). Den ersten der drei
römischen Elegiker und seine Liebesgedichte kannte G. nach Ausweis der *Ephemerides* bereits 1770. Auf das Triumvirat der drei Lie-
besdichter Catull, Tibull und Properz, das in der Erotik des 18. Jahrhunderts zusehends durch Ovid verdrängt wird, spielen die
»Triumvirn« der 5. *Römischen Elegie* an, die als Muster der Sammlung gelten können, auch wenn sich direkte Entlehnungen im einzelnen nicht ergeben.

Caylus, Anne Claude Philippe de Tubières, Comte de (1692–
1765). Mit dem Werk des bedeutendsten französischen Altertumsforschers, in der Kunstgeschichte Vorläufers und Rivalen Winckelmanns, wurde G. schon in Leipzig bekannt. Neben gelegentlichen
Erwähnungen studierte er sein Hauptwerk *Recueil d'antiquités égyp-*

iennes, étrusques, grecques et romaines (VII 1752–68) im September 1803 und am 1. 7. 1816.

Cellini, Benvenuto (1500–1571). Der Florentiner Künstler der Spätrenaissance und des Manierismus, Goldschmied (Salzfaß für Franz I. von Frankreich), Bildhauer (Perseus, Loggia dei Lanzi, Florenz), Medailleur, Zeichner, Musiker und Schriftsteller, der u. a. am Hof der Medici in Florenz, der Päpste in Rom, Franz' I. in Paris, in Neapel, Mantua und Venedig tätig war, mag charakterlich und temperamentsmäßig eine übersteigerte Form des Kraftgenies aus G.s Sturm und Drang-Zeit verkörpert haben: Genialisch, religiös mit Neigung zum Mystischen, gerechtigkeitliebend, aber auch ungebändigt, unstet, heftig, leidenschaftlich, stolz und ehrgeizig, wurde er G. zum Repräsentanten und zur Schlüsselfigur seiner Zeit auch durch seine abenteuerlichen Schicksale, die er in einer um 1556–66 verfaßten, erst 1728 in Neapel gedruckten Selbstbiographie schildert. G., der in Italien Cellinis Werke nicht beachtet hatte, stieß auf sie 1795 bei seinen Studien zur Vorbereitung der geplanten großen Italienreise (*Tag- und Jahreshefte* 1796) und entschloß sich zu einer Übersetzung. Er lieh sich die italienische Erstausgabe bei Ch. Gore und von Ch. Boie ein Exemplar der englischen Übersetzung von Th. Nugent (II 1771) und begann im Januar 1796 mit der Übertragung, die sich über das ganze Jahr erstreckte, in größeren Auszügen 1796–97 in Schillers *Horen* erschien und 1798 als Raubdruck (Braunschweig 1798) verbreitet wurde. Vollständig und in erneuter Überarbeitung mit Erläuterungen und Zusätzen (1802–03) erschien das Werk 1803 bei Cotta u.d.T. *Leben des Benvenuto Cellini.* Von vornherein nicht als kunsthistorische Quellenpublikation, sondern als Lebens- und Zeitbild gedacht, mag die Cellini-Übersetzung mit Anreiz und Vorspiel für die eigene Selbstbiographie *Dichtung und Wahrheit* geworden sein.

M. Bockelkamp, G.s C.-Übersetzung, Diss. Freiburg 1960; I. Nickel, G.s Übersetzung der Vita des B. C., Goethe 26, 1964; F. Hiebel, Autobiographie einer italienischen Faustnatur, in ders., Biographik und Essayistik, 1970; D. Richards, B. C. and G's autobiography, CGP 2, 1974; E. Koppen, G.s B. C., JbWGV 81/83, 1977 ff.

Cent nouvelles nouvelles. G. las die erotischen »Hundert neuen Novellen« eines anonymen Franzosen (um 1460, Erstdruck 1486) wohl im Oktober 1794 in einer Ausgabe von 1786 aus seinem Besitz und entnahm ihnen 1795 den Stoff zur Novelle vom →*Prokurator* in den *Unterhaltungen deutscher Ausgewanderten.* Eine erneute Lektüre am 3.–5. 5. 1807 stand im Zusammenhang mit Stoffen und Aufbau der Novellen in *Wilhelm Meisters Wanderjahren.*

Cento. Die Vaterstadt des Malers →Guercino besuchte G. am 17. 10. 1786 auf dem Weg von Ferrara und fuhr am 18. 10. nach Bologna weiter. Vom Turm aus überblickte er das »freundliche, wohlgebaute Städtchen« und sah erstmals die Apenninen. Der Auf-

enthalt galt vor allem den zahlreichen Gemälden Guercinos, die G
hier und im benachbarten Pieve di Cento besichtigte (*Italienische
Reise*).

Ceres. Die römische Göttin, entsprechend der griechischen Demeter, ist die Göttin der Fruchtbarkeit, des Wachstums und des Ge-
treides. Daher umschreibt G. Korn und Feldfrüchte häufig als die
»Gaben der Ceres«. Schon die Straßburger Studenten dichten bei
ihren Elsaßfahrten »possierliche Hymnen an Ceres« (*Dichtung und
Wahrheit* III,11). In Italien weiß G. von ihrem Kult in der Kornkammer Siziliens. Ihre dort lokalisierte verzweifelte Suche nach der
von Pluto geraubten Tochter reflektiert G.s Monodrama *Proserpina*.
Ihre Vereinigung mit dem Helden Iasion bewirkt die Fruchtbarkeit
Kretas (*Römische Elegien* XII).

Cervantes Saavedra, Miguel de (1547–1616). Im Vergleich mit
Calderon ist G.s Rezeption des großen spanischen Erzählers nur
spärlich und bleibt folgenlos. Den *Don Quijote* kannte er, aus Anspielungen zu schließen, schon vor 1772, las ihn im Mai 1800 wieder, brachte jedoch der Abwertung des Ideellen durch Satire und
Phantastik wenig Verständnis entgegen (*Spanische Romanzen*, 1823;
zu F. von Müller 27. 1. 1819); daran änderte auch eine spanische
Ausgabe als Geburtstagsgeschenk Carl Augusts 1783 nichts. Die
Tragödie *Numantia* las G. zwar auf Hinweis A. W. Schlegels am
30. 11. 1799 »mit vielem Vergnügen« (an W. von Humboldt 4. 1.
1800); nur die *Novelas ejemplares* jedoch werden als »wahrer Schatz
sowohl der Unterhaltung als der Belehrung« uneingeschränkt anerkannt (an Schiller 17. 12. 1795), auf den G. lesend am 1. 2. 1801 und
wieder 1805 zurückgreift. Über allgemeine Anregungen zur
Novellentechnik hinaus lassen sich vage Einflüsse allenfalls auf die
»moralische« Ferdinand-Novelle der *Unterhaltungen deutscher Ausgewanderten* vermuten.

T. Huebener, G. and C., Hispania 33, 1950.

Cestiuspyramide. Das Grabmal des römischen Volkstribunen
Gaius Cestius (1. Jahrhundert v. Chr.) an der Porta S. Paolo in Rom
sah G. zuerst am 10. 11. 1789 und dann wiederholt; sechs Handzeichnungen G.s halten sein Bild fest. Da sich in seiner Nähe seit
dem frühen 18. Jahrhundert auch der kleine protestantische Friedhof befand, stellten sich dabei leicht Todesgedanken ein; sie gipfel-
ten im Wunsch, bei der Cestiuspyramide begraben zu werden: Mitte
Februar 1788 zeichnete G. sein Grab bei der Cestiuspyramide (an
F. von Stein 16. 2. 1788); am 22. 2. 1788 schreibt er: »Wenn sie
mich … bei der Pyramide zur Ruhe bringen …« (*Italienische Reise*);
einem etwas obskuren Gespräch zufolge, das J. von Unger 1848 mit
einem schwedischen Konsistorialrat Baron Gyldenstubbe führte,
hätte G. am 21. 4. 1788 ein Grab an der Cestiuspyramide der Rückkehr nach Weimar vorgezogen und wünsche sich diesen Ort als
letzte Ruhestätte (Artemis-Ausgabe 22, 165 f.), und auch in der

7. *Römischen Elegie* führt der Weg zum Orkus an der Cestius-pyramide vorbei. Doch nicht G., sondern sein Sohn August, der am 27. 10. 1830 in Rom starb, fand dort seine letzte Ruhestätte.

Chamonix. Das Tal und den Ort im französischen Savoyen am Fuß des Montblanc durchwanderten G. und Carl August bei der gemeinsamen Schweizer Reise auf dem Weg von Genf ins Wallis und zum St. Gotthard am 4.–6. 11. 1779 mit einer Besteigung des mer de glace am 5. 11. und einem Fußmarsch über den Col de Balme nach Martigny im Wallis am 6. 11. G. schenkte neben den geologischen Formationen besonders der Wolkenbildung Beachtung (*Briefe aus der Schweiz 1779*).

Chaos. Das wirre Durcheinander der Beteiligten gab wohl auf eine ironische Anregung G.s hin den Namen für einen literarischen Zirkel im Salon von G.s Schwiegertochter Ottilie und für dessen unter Ausschluß der Öffentlichkeit in nur wenigen (bis 28?) Exemplaren für die Mitarbeiter gedruckte Zeitschrift, an der G. selbst ein auffallend aktives, in seinen Motiven – Beschäftigung für den unruhigen Geist Ottilies? – nicht ganz durchsichtiges Interesse nahm. Die zu G.s 80. Geburtstag am 28. 8. 1829 gegründete Zeitschrift erschien seit 13. 9. 1829 unter der Redaktion von Ottilie mit Unterstützung durch P. Parry, F. Soret und Eckermann mit wöchentlich vier Seiten Umfang, dann in unregelmäßigen Abständen in 52 Nummern. Nach August von G.s Tod im Oktober 1830 aussetzend, wurde sie wohl auf Wunsch G.s im August 1831 reaktiviert und bis Januar 1832 in 18 Nummern fortgesetzt, obwohl ihr im Herbst 1831 zwei kurzlebige Konkurrenten, Ch.Goffs *Creation* (6 Nummern, nur englisch) und F. Sorets *Création* (3 Nummern) – die Titel meinen die Stufe nach dem Chaos – erstanden waren. Die Statuten der Chaos-Gesellschaft verlangten von jedem Mitglied einen mindestens dreitägigen Aufenthalt in Weimar, mindestens einen ungedruckten Beitrag in Vers oder Prosa zum Journal (in allen Weltsprachen!) und Geheimhaltung gegenüber Außenstehenden. Verfasser der stets anonymen Beiträge waren u. a. August von G., J. von Pappenheim, A. von Chamisso, Fouqué, K. von Holtei, J. D. Gries, J. von Bechtoldsheim, A. von Egloffstein, Eckermann und nicht zuletzt G. selbst mit 27 Beiträgen, darunter Gedichte an Personen, *Zahme Xenien* und →*Der Bräutigam*. G.s tatkräftige Beteiligung an diesem esoterischen, aber toleranten und nicht unbedingt anspruchsvollen weltliterarischen Gesellschaftsspiel reicht von der Druckgestaltung über die Aufforderung zur Beteiligung an Freunde (Carlyle, Boisserée, Zelter, F. von Müller, F. Förster, F. Mendelssohn) bis zu redaktionellen Eingriffen in die Texte oder Ablehnungsvorschlägen. Seine gelegentlichen ironischen Bemerkungen und Wortspiele mit dem Titel verschleiern wohl nur eine starke innere Beteiligung an der erstrebten Wirkung des Unternehmens als Anreiz und Ventil literarischen Schaffens wie einer geselligen literarischen Unterhaltung (an Carlyle 14. 6. 1830; an S. Boisserée 3. 7. 1830 und 24. 11. 1831, an Zelter 5. 10. 1830, an F. Mendelssohn 9. 9. 1831).

Neudruck Bern 1968; R. Fink, Das C. und seine Mitarbeiter, in: Otto Glauning zum 60. Geburtstag, hg. H. Schreiber I, 1936; W. Däbritz, Die Weimarer Zeitschrift C., Scripta manent 2, 1957.

Charlotte. Die Figur in G.s →*Wahlverwandtschaften* hat nach einer von ihren Eltern bestimmten Konventionsehe mit einem wohlhabenden, geehrten, aber ungeliebten Mann dem Drängen ihres ebenfalls von einer Konventionsehe mit einer älteren, reichen Frau frei gewordenen Jugendgeliebten, des Barons Eduard, nachgegeben und ihn geheiratet. Ihre Hoffnung, nunmehr auf dem Landsitz »das früh so sehnlich gewünschte, endlich spät erlangte Glück ungestört genießen« zu können (I, 1), wird durch den Hinzutritt des Hauptmanns und Ottilies zunichte. Doch während sie als Vernunftmensch sich beherrscht und ihrer Neigung zum Hauptmann angesichts des für sie bindenden Treuegelöbnisses entsagt, fehlt Eduard dieselbe, auch bei ihm vorausgesetzte Charakterfestigkeit, und die sittliche Ordnung zerbricht unter der sich zu ihrer Rechtfertigung fälschlich auf Naturgesetze berufenden Leidenschaft.

Charade →*Scharade*

Chateaubriand, François-René, Vicomte de (1768–1848). Von dem französischen romantischer Schriftsteller und konservativen Politiker las G. nachweislich nur am 26. 3. 1812 *Le génie du christianisme* mit den beiden Novelleneinlagen *Atala* (7./8. 3. 1812) und *René* (»Halbbruder« des Werther), doch ist die Kenntnis weiterer Werke anzunehmen, da G. sich gesprächsweise auch für den Menschen und seine politisch-diplomatische Tätigkeit interessierte. In einem Schema zur Geschichte der französischen Literatur (1827) charakterisiert G. ihn als »ein rhetorisch-poetisch Talent, mit Leidenschaft Stoff in der äußern Welt suchend, sich zu religiösen Gefühlen steigernd, durchaus große physisch-moralische Kraft«.

C. Dédéyan, G. et Ch., RLC 23, 1949; B. Witte, G. und Ch., in: Médiations, Festschrift P. Bertaux, Paris 1977.

Chaucer, Geoffrey (1340–1400). Eine genauere Kenntnis des englischen Dichters ist für G. nicht nachweisbar, doch sprechen eine Tagebuchnotiz vom 24. 5. 1813 und ein Gespräch mit Ch. A. Murray im Juni 1830 für eine Beschäftigung mit dem Dichter der *Canterbury Tales*.

Chélard, Hippolyte André (1789–1861). Der französische Opernkomponist (*Macbeth*, 1827) und später 1840–51 Hofkapellmeister in Weimar besuchte G. am 25. 8. 1828 in Dornburg zu einem Gespräch über das Pariser Musikleben und wieder am 8. 9. 1831 in Weimar.

Chemie. Die Chemie ist vielleicht die einzige größere Disziplin der Naturwissenschaften seiner Zeit, an der sich G. nicht aktiv forschend beteiligte. Nach zeitweiser Neigung zur →Alchemie und Teilnahme an chemischen Vorlesungen in Straßburg erkannte er früh, daß diese rasch zu einer seriösen Disziplin aufsteigende und zugleich immens praktische Wissenschaft zu ihrer Beherrschung mehr Zeit und Studium erfordern würde, als er zu investieren gewillt war. Dennoch weisen seine Tagebücher reiche Lektüre chemischer Literatur auf, und durch seine Oberaufsicht über die Universität Jena förderte G. dort Einrichtung und Ausbau des chemischen Lehrstuhls und Laboratoriums unter J. F. A. Göttling und ab 1810 unter J. W. Döbereiner und nahm bei gelegentlichen chemischen Versuchen und Gesprächen mit ihnen wie mit J. J. →Berzelius regen Anteil an den Fortschritten, Entdeckungen und Problemen der Chemie, die ja auch seine Arbeiten zur Farbenlehre und Mineralogie berührte. Es ist bezeichnend, daß ein Begriff T. →Bergmans (→Wahlverwandtschaft) Titel und Thema für G.s Roman *Die Wahlverwandtschaften* abgab, indem G. eine chemische Konstellation auf das menschliche Leben überträgt.

P. Kapitza, Zeitgenosse im chemischen Zeitalter, GJb 14, 1972; D. Linke, G. und die Ch., in: G. und die Wissenschaften, hg. B. Wilhelmi 1984; D. Kuhn, G. und die Ch., in dies., Typus und Metamorphose, 1988; O. Krätz, G. und die Naturwissenschaften, 1992.

Chemnitz. In der durch Textilindustrie aufstrebenden sächsischen Stadt besichtigte G., von Freiberg kommend, am 28. 9. 1810 Spinnmaschinen und reiste am 29. 9. nach Altenburg weiter.

Cherubini, Luigi (1760–1842). Von dem italienischen Komponisten in Paris spielte das Weimarer Theater unter G.s Leitung am 17. 12. 1803 *Der Wasserträger* (*Les deux journées*), G.s Lieblingsoper, die er 1813–16 an zehnmal, auch am 9. 10. 1814 in Darmstadt, sah: »vielleicht das glücklichste Sujet, das wir je auf dem Theater gesehen haben« (*Dichtung und Wahrheit* II,7, ähnlich zu Eckermann 9. 10. 1828), ferner am 8. 1. 1806 *Lodoiska* und am 31. 1. 1807 *Faniska*.

China. G.s Beschäftigung mit der chinesischen Kultur und Literatur war mangels chinesischer Sprachkenntnisse auf die wenigen vorhandenen englischen und französischen Übersetzungen und auf gelegentlichen Rat des Sinologen H. J. von Klaproth angewiesen und folgt daher im wesentlichen den Phasen der europäischen China-Rezeption. Die rokokohafte Chinoiserie-Mode seiner Jugendzeit, die noch im Elternhaus ein Echo fand, wurde vom Sturm und Drang als naturfern-gekünstelte Spielerei abgelehnt und in *Der Triumph der Empfindsamkeit* (1777/86, 4. Akt) und im Epigramm →*Der Chinese in Rom* (1796) bespöttelt. Die stoffliche Abhängigkeit des *Elpenor* (1781/83) von dem in Übersetzung von P. du Halde vorliegenden, bereits von Voltaire adaptierten chinesi-

schen Drama *Die Waise aus dem Hause Chao* stritt G. ab. Einen Neueinsatz verdankt das schon 1798 in Briefen an Schiller bekundete
Interesse an China erst der Weltgeschichte: Gemäß seinem Bestreben, sich in politischen Krisen »aufs Entfernteste« zu flüchten, zog
sich G. vor der Völkerschlacht bei Leipzig am 2.–16. 10. 1813 in das
Studium von Reiseberichten (u. a. Marco Polos) aus China zurück.
1817 las G. das Drama *An heir in his old age*, die englische Übersetzung
zung von J. F. Davis des *Lao sheng-êrh*, an dem er im Aufsatz *Indische*
Dichtungen (1821) Eigenarten der chinesischen Dramatik erörterte.
Eine letzte und intensive Phase der Beschäftigung mit chinesischer
Literatur, nunmehr ganz im Zeichen der »Weltliteratur«, setzt 1827
ein (zu Eckermann 31. 1. 1827). Im Mittelpunkt stehen die *Ge-*
schichte vom Blumenpapier (*Hua-chien-chi*, als *Chinese courtship* englisch
von P. P. Thoms; 31. 1.–3. 2. 1827) mit dem Anhang *Gedichte hundert*
schöner Frauen (*Pai-mei hsin-Yung*), die G. im Februar 1827 in *Über*
Kunst und Altertum (VI,1: *Chinesisches*) mit vier Nachdichtungen
bespricht, ferner die französischen Übersetzungen von A. Rémusat:
Contes chinoises (22.–24. 8. 1827) und *Kao-Li oder die beiden Basen*
(*Yü-chiao-li*; 9.–14. 5. 1827). Im Mai 1827 entstehen aus Anempfin-
dung chinesischen Wesens G.s → *Chinesisch-deutsche Jahres- und Tages-*
zeiten.

W. v. Biedermann, G. und das Schrifttum Ch.s, in ders., G.-Forschungen, 1899;
E. Jenisch, G. und das ferne Asien, DVJ 1, 1923; R. Wilhelm, G. und die chinesische
Kultur, JFDH 1927; W. Vulpius, Ch. im Denken und Dichten G.s, Greifen-Almanach,
1957; E. A. Blackall, G. and the Chinese novel, in: The discontinuous tradition, hg.
P. F. Ganz, Oxford 1971; C. Wagner-Dittmar, G. und die chinesische Literatur, in: Stu-
dien zu G.s Alterswerken, hg. E. Trunz 1971; W. Bauer, G. und Ch., in: G. und die
Tradition, hg. H. Reiss 1972; E. Rose, Blick nach Osten, 1981; E. Yang, G. in seiner
Beziehung zur chinesischen Kunst, GJb 101, 1984; E. Yang, G. in seiner Beziehung zur
chinesischen Literatur, Kunst und Philosophie, Diss. Berlin 1987; G. und Ch. – Ch. und
G., hg. G. Debon 1985; W. R. Berger, Ch.bild und Ch.mode im Europa der Aufklärung, 1990; G. Debon, Ch. zu Gast in Weimar, 1994; Ji Hong Tang, G.s Lyrik und
klassisch-chinesische Gedichte, 1997.

Der Chinese in Rom. Das satirische Epigramm, Anfang August
1796 entstanden, am 10. 8. 1796 an Schiller gesandt und im *Musen-*
Almanach für das Jahr 1797 (Xenien-Almanach) veröffentlicht, bezieht sich ursprünglich auf Jean Paul, der in einem Brief vom 3. 8.
1796 an Knebel seine Verwunderung über die Kühle der Weimarer
Klassiker geäußert und bemerkt hatte, diese Zeit brauche eher
einen Tyrtäus (Schlachtensänger) als einen Properz (Anspielung auf
G.s *Römische Elegien*). Die Revanche für das von G. als arrogant
empfundene Vorurteil und die Voreingenommenheit weitet sich am
Beispiel der Architekturstile auf den Gegensatz von Klassisch und
Romantisch, Gesund und Krank.

E. Schwarz, Der Ch. als Vorwand, Frankfurter Anthologie 13, 1990; R. Nethersole,
D. Ch. i. R., in: Begegnung mit dem Fremden 2, 1991; P. H. Neumann, G.s Mittags-
schlaf, Aurora 52, 1992.

Chinesisch-deutsche Jahres- und Tageszeiten. Der Zyklus von
14 lyrischen Kurzgedichten entstand etwa Mai–August 1827 im

Anschluß an das intensive Studium chinesischer Literatur (→China) dieses Jahres und erschien durch Zelters Vermittlung im September 1829 im *Berliner Musenalmanach für das Jahr 1830*. Er übernimmt frei und zwanglos die chinesische Form des Kurzgedichts sowie Motive und Staffage aus der chinesischen Lyrik und Prosa und nähert das den Anstoß gebende Exotisch-Fremde ähnlich wie im *West-östlichen Divan* nunmehr G.s symbolischem Altersstil an. Anschauliche Gegenstände – Landschaften, Pflanzen, Vögel –, mit wenigen, erlesenen Worten auf das Wesentliche hin stilisiert, werden durchsichtig für Lebenseinsichten, Weisheit, praktische Sittlichkeit, Schönheit und Göttliches in der Natur im Wechsel der vergänglichen Erscheinungen. Während die »Jahres- und Tageszeiten« den Naturzyklus der Jahreszeiten als Rahmen kennzeichnen, mag das »Chinesisch-deutsch« nicht auf interkontinentale Kommunikation der Extreme zielen, sondern auf das Allgemeinmenschliche, Gemeingültige und Gemeinsame hier wie dort abheben, das gerade auch durch die Versatzstücke chinesischen Lokalkolorits betont wird. Kernstück des Zyklus ist das Gedicht →*Dämmrung senkte sich von oben* …

W. Preisendanz, G.s Ch. d. J. u. T., SchillerJb 8, 1964; H. Fukuda, Über G.s letzten Gedichtzyklus Ch. d. J. u. T., Goethe 30, 1968; F. Burkhardt, G.s Ch. d. J. u. T., SchillerJb 13, 1969; J. Müller, G.s Altersdichtung Ch. d. J. u. T., in: Marginalien zur poetischen Welt, hg. A. Eder 1971; H. Sachse, G.s Ch. d. J. u. T., 1971; E. Yang, G.s Ch. d. J. u. T., GJb 89, 1972; G. Debon, G.s Ch. d. J. u. T. in sinologischer Sicht, Euph 76, 1982; N. Kaneko, Geistige Hintergründe der Ch. d. J. u. T., G.-Jahrbuch Tokyo 25, 1983; M. Lee, G.s Ch. d. J. u. T., in: G. und China, hg. G. Debon 1985; J. Wohlleben, Über G.s Gedichtzyklus Ch. d. J. u. T., SchillerJb 29, 1985; K. Mommsen, West-östlicher Divan und Ch. d. J. u. T., GJb 108, 1991; M. Lemmel, Der Gedichtzyklus Ch. d. J. u. T., SchillerJb 36, 1992; G. Lübbe-Grothues, G.s letzter Lyrikzyklus, 1996.

Chiron, Cheiron. Der bekannteste Kentaur der griechischen Mythologie, Sohn des Kronos und der Philyra, ist im Gegensatz zur gewalttätig-wilden Kentaurenhorde ein weiser Arzt und Gelehrter, dem Achilleus, Theseus, Jason u. a. griechische Heroen zur Erziehung anvertraut wurden, Vereinigung von körperlicher mit geistiger Kraft. Bereits in den Versen und Prosaerklärungen zu *Wilhelm Tischbeins Idyllen* (VIII, 1822) leitet G. Chirons Kenntnisse aus seiner Naturverbundenheit und -erfahrung ab. In der Klassischen Walpurgisnacht von *Faust II* wird Faust mit seiner Frage nach Helena von den Sphinxen an den »hohen Chiron« (v. 7199, 7212) verwiesen. Bei seinem Erscheinen (v. 7319–7487) läßt Chiron ihn auf seinem Rücken einen Fluß überqueren, lehnt Fausts Lob seiner Weisheit und seiner Kenntnisse als Schmeichelei ab, gibt aber auf Fausts Wunsch eine Charakteristik der griechischen Heroen und abschließend Helenas, damit von deren indirekter zu ihrer direkten Erscheinung im Helena-Akt überleitend.

E. Volkmann, Gestalt und Wandel der Kentauren-Idee bei G., in: Lebendiges Erbe, Festschrift E. Reclam 1936.

Chladni, Ernst Florens Friedrich (1756–1827). Der Privatgelehrte, Akustiker, Erfinder der Glasstabharmonika und des Glasstabklaviers,

Chodowiecki 180

wurde berühmt als Entdecker der Chladnischen Klangfiguren (z. B. Sandfiguren auf einer mit dem Bogen gestrichenen Platte), mit denen auch G. experimentierte und die er in den Schriften zur Farbenlehre beschrieb. Aus G.s Interesse an den Parallelen von Schall- und Farbenlehre ergaben sich zahlreiche Besuche Chladnis in Weimar (26. 1. 1803, 9. 8. 1810, 19. 6. 1812, 20. 7. 1816 und 15. 12. 1825). G. schätzte in ihm besonders den praktischen Experimentator (an Schiller 26. 1. 1803).

G. Hoppe, G.s Ansichten über Meteorite, GJb 95, 1978.

Chodowiecki, Daniel Nikolaus (1726–1801). Der Berliner Radierer und Kupferstecher, 1797 Direktor der Berliner Kunstakademie und dank unermüdlichem Fleiß der führende Illustrator deutscher Literatur des 18. Jahrhunderts, stach 1776 G.s Porträt nach G. M. Kraus für Nicolais *Allgemeine Deutsche Bibliothek,* 1776 zwei Kupfer zu *Werther,* 1787 vier Kupfer zu G.s *Schriften* und 1798 zwölf Kupfer zu *Hermann und Dorothea.* Seine Stärke lag weniger in künstlerischer Vollendung als in der im Grunde unidealistischen Wiedergabe bürgerlich-sentimentaler Familienszenen, meist Interieurs, im betulichen Zeitgeschmack, die ebenso wie die Kleinformate seine Grenzen bezeichnen. G., der ihn durch seine Mitarbeit an Lavaters *Physiognomischen Fragmenten* kannte und schätzte und die mit Chodowiecki befreundete A. L. Karsch in Berlin am 11. 9. 1776 dringend um Stiche von ihm bat, besuchte den Künstler am 16. und 20. 5. 1778 in Berlin. Mit der Wendung zur Klassik wurde er sich jedoch zusehends der empfindsamen Beschränktheit und auch der nachlassenden Kraft des Illustrators bewußt und bevorzugte für den Stil der Weimarer Klassik A. Kauffmann und J. H. Lips (an Lips 23. 3. 1789; zu Eckermann 25. 10. 1823), würdigte Chodowiecki jedoch in *Maximen und Reflexionen* 1131 und im Aufsatz *Antik und Modern* (1818).

E. Volkmann, Ch. und G., 1930; D. Ch., hg. E. Hinrichs u. K. Zernack 1997.

Christel. Das in der ältesten Handschrift noch *Auf Christianen R.* benannte, wohl Anfang 1773 entstandene, 1774 an Boie gesandte und im April 1776 ohne Überschrift im *Teutschen Merkur* gedruckte Liebesgedicht trägt zuerst in einem Raubdruck von 1779 und dann in den *Werken* von 1815 diesen Titel. Da weder die angebliche Adressatin noch biographische Bezüge nachweisbar sind, handelt es sich wohl um ein – vielleicht aus einem Gesellschaftsspiel hervorgegangenes – leicht rokokohaftes Rollengedicht in der Nachfolge von F. von Hagedorns *Der verliebte Bauer* mit Motivanklängen an Werthers Brief vom 16. Juni. Seine trotz der traditionellen Topoi durchscheinende lebensfrohe Sinnlichkeit erreichen erst wieder die Gedichte um Christiane Vulpius.

Christentum. G.s Verhältnis zum Christentum welcher Definition uch immer ist starken Schwankungen unterworfen, die z. T. durchaus auf seine wechselnde Abgrenzung des Begriffs zurückzuführen sind. Die konventionelle Kirchenfrömmigkeit des Vaters, die von Abwegigem nicht ganz freie innerliche Religion der Mutter und der orthodoxe protestantische Relgionsunterricht der Aufklärungszeit waren als frühe Einflüsse nicht stark und nachhaltig genug, Zweifel an der Bibelwahrheit und an dem durch die Sekten und Konventikel verwischten Kirchenchristentum überhaupt zu beseitigen und das anerzogene Christentum vor der allgemeinen Skepsis zu bewahren, die G. in Leipzig ergreift. Die Frankfurter Rekonvaleszenzzeit macht den Geschwächten nur vorübergehend einem schlichten Gottvertrauen und einem mit Aberglauben und Mystizismus vermengten →Pietismus zugänglich, den er trotz der Einflüsse Klopstocks, Herders und Lavaters seit Straßburg zugunsten einer kirchenfernen natürlichen »Urreligion« ablegt. Diese und der Spinozismus stehen seither seinem Denken näher als die gleichgültig betrachtete und nie intensiver durchdachte christliche Glaubenslehre mit ihren Vorstellungen von Erbsünde und Erlösung und der unannehmbare Ausschließlichkeitsanspruch der Kirche. Lavaters mit Wundersucht und Jesuskult verbundenes, prononziertes Christentum veranlaßt G., sich als »dezidierten Nichtchristen« zu erklären (an Lavater 29. 7. 1782). Bei aller Anerkennung der sittlichen und sozialen Aufgaben der Kirche wendet sich G. zunächst einem zur allgemeinen Humanität verklärten unkirchlichen Christentum zu. In Italien steigert sich die Ablehnung von Außerweltlichkeit, Engherzigkeit und Sinnenfeindlichkeit des Christentums bis zum Vorwurf von Täuschung, Irrtum und lebensfeindlichem Aberglauben, und G. tendiert zu antikischem Heidentum, Naturreligion und Pantheismus, die durch die christliche Wendung der Romantik nur verstärkt werden und zu einigen recht drastischen Antipathieäußerungen führen. Im Alter ist G. durchaus bereit, das Christentum als kulturellen, ethischen und geistigen Faktor des Abendlandes anzuerkennen, als dessen Teil er sich weiß, ohne indessen zu theologisch-dogmatischen Fragen, Jenseitsglauben u. a. Stellung zu nehmen und seinen aus Natur, Vernunft und Schöpferdrang abgeleiteten Gottesbegriff religiös zu präzisieren. Der unerforschbare Gott, als höchste Wirklichkeit nur in seiner Schöpfung zu suchen und zu erahnen, steht G. über jeder Konfession.

B. Spieß, G. und das Ch., 1902; K. Aner, G.s Religiosität, 1910; K. J. Obenauer, G. in seinem Verhältnis zur Religion, 1921; G. Janzer, G. und die Bibel, 1929; W. Fliedner, G. und Ch., 1930; E. Franz, G. als religiöser Denker, 1932; W. Bienert, G.s pietistisch-humanistisches Privatchristentum, 1935; E. Köppe, Das Verhältnis des jungen G. zum Ch., 1939; G. Schaeder, Gott und Welt, 1947; W. Kahle, G. und das Ch., 1949; R. d'Harcourt, La religion de G., Paris 1949; P. Meinhold, G. zur Geschichte des Ch., 1958; G. Möbus, Die Christus-Frage in G.s Leben und Werk, 1964; A. B. Wachsmuth, Stationen der religiösen Entwicklung G.s, JFDH 1967; B. Horacek, G. und das Ch., JbWGV 77, 1973; H. Thielicke, G. und das Ch., 1982; D. Luke, Vor deinem Jammerkreuz, PEGS NS 59, 1988 f.; W. Keller, Altersmystik?, in: Wahrheit und Wort, hg. G. Scherer 1996.

Christiane →Goethe, Christiane von

Christlich Meynender. So nennt sich der anonyme Verfasser der vierten und letzten deutschen Bearbeitung des Faust-Stoffes als Volksbuch (nach Spieß' *Historia* 1587, G. R. Widmann 1599 und N. Pfitzer 1674), die 1725 in Frankfurt und Leipzig erschien. Sie schließt sich an Pfitzers Text an, kürzt jedoch stark, läßt die barocken Moralpredigten, die theologisch-philosophischen und naturwissenschaftlichen Exkurse ebenso weg wie den titanischen Forscherdrang des Gelehrten und strafft einzelne Abenteuer und die Disputationen bis zur summarischen Andeutung. Eine direkte Kenntnis des bis Ende des 18. Jahrhunderts immer wieder aufgelegten Buches ist für G. nicht nachweisbar, doch stark zu vermuten, da einzelne Züge hier vorgeprägt sind: die Namensform Mephistopheles, Fausts Verliebtheit »in eine schöne, doch arme Magd, welche bei einem Krämer in seiner Nachbarschaft diente,« und Fausts gescheiterte Selbstmordversuche.

Chronik. Trotz des umfangreichen Materials an primären Texten (*Dichtung und Wahrheit, Tag- und Jahreshefte*, Tagebücher, Briefe G.s) und sekundären Quellen (Briefe an G., Berichte, Erinnerungen und Gespräche der Zeitgenossen u. ä.) bieten sich einer exakten Chronologie von G.s Leben und Werk weiterhin Probleme besonders für die Frühzeit vor Einsetzen der Tagebücher und für Zeiträume, in denen diese nicht oder nicht regelmäßig und vollständig geführt wurden und die durch G.s →Autodafés betroffen sind. Chronologische Übersichten der wichtigeren Daten geben die *Chronik von Goethes Leben* (1931) von F. von Biedermann, erweitert und neu bearbeitet von F. Götting (1949 u. ö.) sowie H. Nicolai: *Zeittafel zu Goethes Leben und Werk* (zuerst in der Hamburger Ausgabe Bd. 14, 1960; separat 1964 u. ö.). Detailliertere Chroniken von Tag zu Tag bieten G. A. Zischka: *Goethe. Tageskonkordanz der Begebenheiten, Tagebücher, Briefe und Gespräche* (VIII 1980 ff.) und R. Steiger/A. Reimann: *Goethes Leben von Tag zu Tag* (VIII 1982–96).

Chur. In der Hauptstadt des Schweizer Kantons Graubünden übernachtete G. am 31. 5./1. 6. 1788 auf dem Heimweg von der Italienreise.

Cicero, Marcus Tullius (106–43 v. Chr.). Von dem in der Aufklärungszeit hochgeschätzten römischen Staatsmann, Redner und philosophischen Schriftsteller las der junge G. über die Lateinlektüre hinaus u. a. *De divinatione* und die *Epistulae* (*Ephemerides*, 1770), später, im September 1808 auch in Wielands Übersetzung, und empfahl sie am 7. 12. 1765 seiner Schwester. In Leipzig hörte er 1765 ein Kolleg J. A. Ernestis über Ciceros *De oratore* in der Hoffnung, kritische Wertmaßstäbe zu gewinnen (*Dichtung und Wahrheit* II,6). Später studierte er die kunsttheoretischen Schriften (ebd. III,12), am 1./2. 6. 1800 *De officiis*, am 21.–23. 8. 1822 *Pro S. Roscio*

Amerino (zu F. von Müller 18. 5. 1825) und 1825 *De senectute*, das er »allerliebst« fand (an Zelter 17. 9. 1831). G.s Gedächtnisrede *Zu brüderlichem Andenken Wielands* (1813) lobt den Verstorbenen als Wahlverwandten Ciceros. Trotz gelegentlicher negativer Urteile über die Phrasenhaftigkeit des Redners und die mangelnde Originalität des Philosophen bildete der oft zitierte Cicero einen Grundstein seiner humanistischen Bildung.

Cimarosa, Domenico (1749–1801). Der auch von G. besonders geschätzte italienische Komponist von Buffo-Opern wurde zuerst 1783 durch eine Aufführung Bellomos in Weimar bekannt. G. sah um 31. 7. 1787 in Rom u. a. *L'impresario in angustie*, der in Weimar in seiner Textfassung als *Die theatralischen Abenteuer* am 24. 10. 1791 gespielt wurde. Ferner spielte das Weimarer Theater *Le trame deluse* am 24. 10. 1794 als *Die vereitelten Ränke* in G.s Textfassung, *Il matrimonio segreto* am 3. 12. 1796 als *Die heimliche Heirat* und *Il marito disperato/Il marito geloso* am 30. 1. 1798 als *Die bestrafte Eifersucht* (vgl. an Schiller 31. 1. 1798).

G. Meregazzi, Un melodramma del C. tradotto in tedesco dal G., Rivista di letteratura tedesca 2, 1908.

Circe →Libretti

Civita Castellana (Città Castellana). Im früheren Hauptort der Falisker nördlich von Rom übernachtete G., von Terni kommend, am 28. 10. 1786 als letzte Station vor Rom. Er genoß die Aussicht vom Schloß und interessierte sich besonders für den vulkanischen Tuffstein als Baumaterial der Gegend (*Italienische Reise*).

Clairon, eigentlich Claire Josèphe Hippolyte Leris de la Tude (1723–1803). Die ambitionierte französische Schauspielerin, gefeierte Darstellerin tragischer Frauenrollen zumal Voltaires und als solche auch in Diderots *Rameaus Neffe* erwähnt, war in Deutschland besonders als Mätresse (1773–86) des Markgrafen Karl Alexander von Ansbach bekannt. Eine von ihr erzählte, zuerst in J.-H. Meisters *Correspondence littéraire* (2/1794) handschriftlich vervielfältigte und später in ihre *Memoiren* (1798) aufgenommene Gespenstergeschichte aus dem Jahr 1743 verfremdete G. mit zeitpolitischem Nebensinn zur Geschichte der Sängerin →Antonelli in den *Unterhaltungen deutscher Ausgewanderten* (1795).

S. Nassauer, Die Markgräfin von Ansbach, die Schauspielerin C. und G., GKal 26, 1933; V. Ziegler, G. and the French actress, MDU 76, 1984; E. F. Hoffmann, Die Geschichte von der Sängerin Antonelli, GJb 102, 1985; G. v. Wilpert, Die politische Sängerin, Seminar 27, 1991.

Claude (le) Lorrain, eigentlich Claude Gellée (1600–1682). Der seit 1613 in Rom tätige Lothringer Landschaftsmaler, -zeichner und Radierer mit seinen streng komponierten, mit Lichteffekten

arbeitenden, dem Atmosphärischen offenen, zarten und weiten Landschaften und ihrem »Feenhaft-Architektonischen« (*Landschaftliche Malerei*) war für Goethe der Inbegriff idealer Landschaftsmalerei: »Es findet sich hier die Natur und Kunst auf der höchsten Stufe und im schönsten Bunde« (zu Eckermann 13. 4. 1829). »Das ist eben die wahre Idealität, die sich realer Mittel so zu bedienen weiß, daß das erscheinende Wahre eine Täuschung hervorbringt, als sei es wirklich« (ebd. 10. 4. 1829). »In Claude Lorrain erklärt sich die Natur für ewig« (*Künstlerische Behandlung landschaftlicher Gegenstände*). Durch seine Vorkenntnis von Stichen nach Claude (*Englische Kupferstiche*, 1772) und evtl. Gemälden in Dresden und Kassel in seiner Vorstellung von der italienischen Landschaft bestimmt, fühlt sich G. in Italien überall an Claude erinnert (*Italienische Reise*, Rom 19. 2. 1787, Palermo 3. 4. 1787). Originale sah er in Rom zumindest in der Galerie Colonna am 27. 6. 1787, wohl auch in anderen Galerien. G.s Graphiksammlung umfaßte 40 Zeichnungen und Radierungen Claudes und nach Claude.

K. Koetschau, G. und C. L., Wallraf-Richartz-Jahrbuch NF 1, 1930; G. Varenne, G. et C. L., RLC 12, 1932.

Claudine von Villa Bella. Die erste Fassung von G.s Stück, »Schauspiel mit Gesang« in einem Akt, Prosadialoge mit Lied- und Balladeneinlagen, wurde im Januar 1774 begonnen, entstand im wesentlichen vom April bis 4. 6. 1775 und erschien 1776. Nachdem eine von G. für September 1779 geplante Aufführung des Weimarer Liebhabertheaters in Ettersburg mit Musik von K. S. von Seckendorf nicht zustandekam, wurde das Stück am 13. 6. 1780 mit Musik von I. von Beecke im Burgtheater Wien uraufgeführt. Diese Fassung steht in der Tradition des deutschen Singspiels von Chr. F. Weiße, ersetzt jedoch dessen ländlich-handwerkliche Tugendwelt durch konfliktreiches romantisches Räubermilieu und überträgt einige Grundkonflikte des Sturm und Drang, dem sie sich auch in der kraftvollen Sprache zuordnet, in die heitere Sphäre des Singspiels: feindliche, gegensätzliche Brüder, deren Liebe zum gleichen Mädchen, ein edler Räuber in jugendlicher Auflehnung gegen die gesellschaftlichen Zwänge mit Drang zum natürlichen Leben zeigen zeitbedingte motivische Parallelen zu Schillers *Räubern*, dazu ein Verkleidungs- und Verwechslungsspiel und eine reiche Skala an Empfindungen in Liedern und Gesängen bis zur Gespensterballade →*Der untreue Knabe* (»Es war ein Buhle frech genug …«). Unter dem Eindruck der italienischen opera buffa schuf G. in Italien vom November 1787 bis 9. 2. 1788 die zweite Fassung als »Singspiel« in drei Akten in Jamben mit Rezitativ-Dialogen. Sie erschien 1788 und wurde mit Musik von J. F. Reichardt am 29. 7. 1789 in Berlin im Schloßtheater Charlottenburg uraufgeführt. Die Aufführung im Weimarer Hoftheater am 30. 5. 1795 in einer Prosafassung von Ch. A. Vulpius wurde ein Mißerfolg. Diese zweite Fassung strafft, entschärft und vereinfacht die Handlung, führt gattungskonform ein zweites Liebespaar und ein volles Happy End beider Paare ein, verliert jedoch, indem sie die klassizistisch überhöhte Sprache der Musik unterordnet, durch Rücksicht auf die Komponierbarkeit an ursprünglicher Frische und Spontaneität. Vertonungen von Beethoven (Einzellieder), Schubert (Fragment, 1815) u. a. Vgl. *Italienische Reise*, November 1787, *Dichtung und Wahrheit* IV, 17.

K. Kippenberg, Über G.s C. v. V. B., 1891; E. Bötcher, G.s Singspiele Erwin und Elmire und C. v. V. B. und die opera buffa, 1912; M. Friedländer, Varianten zu C. v. V. B., JGG 8, 1921; W. Krogmann, Die persönlichen Beziehungen in G.s Schauspiel mit Gesang C. v. V. B., GRM 19, 1931; R. Gould, C. v. V. B. in Dichtung und Wahrheit, CGP 10, 1982.

Claudius, Matthias (1740–1815). Der Hamburger Schriftsteller und Journalist besprach in seinem Wochenblatt *Der Wandsbecker Bote* am 13. 3. 1773 anerkennend G.s anonyme Schriften *Zwo wichtige, bisher unerörterte biblische Fragen* und *Brief des Pastors zu *** an den neuen Pastor zu ****, rühmte am 4. 5. 1773 den ebenfalls anonymen Aufsatz *Von deutscher Baukunst* und begeisterte sich am 2. 6. 1773 für den *Götz von Berlichingen*, nach dessen Verfasser er sich erkundigte. Graf Schönborn stellte im Oktober 1773 die Verbindung beider Autoren her, und G. übersandte in der Folgezeit einige Gedichte für den *Wandsbecker Boten*. Dort erschienen anonym als Erstdrucke *Katechisation* 26. 10. 1773, *Dilettant und Kritiker* 29. 10. 1773, *Autoren* 5. 3. 1774 und *Rezensent* 9. 3. 1774. Ein Mißverständnis wegen der G. zugeschriebenen Farce H. L. Wagners *Prometheus, Deukalion und seine Rezensenten*, das Claudius rasch beilegte, unterbrach die Beziehungen. Zwar wurde Claudius bei seinem Besuch in Weimar mit F. H. Jacobi am 25.–29. 9. 1784 freundlich empfangen und am 27. 9. auch nach Jena zu Knebel gefahren, doch spätestens seit G.s Italienreise zeigte sich die Unvereinbarkeit seiner eng-frommen Christlichkeit mit G.s Weltfrömmigkeit, und Claudius brachte den späteren Werken kein Verständnis entgegen. Der Angriff in den *Xenien* (18) und Claudius' ungeschickte Verteidigung in Knittelversen *Urians Nachricht* setzten der Beziehung ein Ende.

H. Düntzer, G. und C., in ders., Neue G.studien, 1861; R. Siebke, C. und G., Jahresschriften der C.-Gesellschaft 4, 1995.

Clauer, Johann Balthasar David (1732–1796). Der willensschwache und kränkelnde Sohn eines 1735 verstorbenen Frankfurter Stadtarchivars kam nach dem Tod der Mutter 1750 auf deren Wunsch unter die Vormundschaft von G.s Vater, zog nach der Promotion zum Dr. jur. 1755 mit seinem Diener zunächst für zwei Monate zu Goethes und wohnte nach dem Hausumbau 1758–1783 ständig dort. Erst nach einem zweiten Schlaganfall von G.s Vater fand sich ein Verwandter als Vormund, und Clauer verließ das Haus, dem er, unfähig, sein beträchtliches Vermögen selbst zu verwalten und seit 1768/69 zusehends in Geisteszerrüttung und Umnachtung verfal-

lend, eine beträchtliche Last gewesen war, derer sich G.s Vater aus
Pflichtgefühl gleichwohl nicht entledigte und auch eine Entmün-
digung vermied. Dem Vater wie dem jungen G. diente Clauer bis
1767 gelegentlich als Kopist und Sekretär (*Dichtung und Wahrheit*
I,4).

E. Mentzel, G.s Vater als Vormund, JFDH 1914/15.

Clausthal-Zellerfeld. G. besuchte die damals noch nicht vereinigten Bergstädte Clausthal und Zellerfeld im Harz dreimal: 1. am
7.–9. und 11./12. 12. 1777 vor und nach der Brockenbesteigung,
mit einer Grubenbesichtigung am 8. 12. und einer Hüttenbesichti-
gung am 9. 12. – 2. am 18.–21. und 23.–26. 9. 1783 wiederum zu
einer Brockenbesteigung, wo er mit F. von Stein beim Berghauptmann F. W. H. von Trebra wohnte, und – 3. am 10.–15. 8. 1784 zu
Ausflügen, Bergwerks- und Hüttenbesichtigungen.

Clavigo. G.s bürgerliches Trauerspiel in fünf Akten (Prosa) entstand binnen einer Woche im Mai 1774 (6.–13. oder 13.–20. 5., erschien bereits im Juli 1774 als erstes Werk unter seinem Namen und
erlebte seine Uraufführung am 23. 8. 1774 in Hamburg durch die
Ackermannsche Gesellschaft. G. sah es wohl erstmals am 22. 12.
1779 mit Iffland als Carlos auf der Bühne des Mannheimer Nationaltheaters. Das Weimarer Hoftheater spielte es erst am 7. 1.
1792. Beaumarchais sah schon im Herbst 1774 eine Aufführung in
Augsburg und äußerte sich abfällig über die faktischen Entstellun-
gen. Kurioserweise spielte bei einer Aufführung der Stuttgarter
Karlsschule am 11. 2. 1780 Schiller die Titelrolle, und zwar unsäglich schlecht. Zur Entstehung berichtet G. in *Dichtung und Wahrheit*
(III,15), er habe im Mai 1774 in der Frankfurter Freitagsgesellschaft
beim Mariage-Spiel das soeben im Februar 1774 erschienene
4. *Mémoire* von →Beaumarchais *Fragment de mon voyage en Espagne*
vorgelesen und auf Wunsch seiner »Dame« (S. M. →Münch) versprochen, die Handlung binnen einer Woche zu dramatisieren. Da
er den Text vermutlich schon im Hinblick auf solche Möglichkeiten erwogen und ausgesucht hatte, auch Beaumarchais' eigene,
sehr freie Dramatisierung der Episode im bürgerlichen Rührstück
Eugénie (1767) schon kannte und überdies einige Kernszenen wie
die erzwungene Ehrenerklärung direkt übersetzte, fiel ihm dies
offensichtlich nicht schwer. Nur für den abweichenden tragischen
Schluß lehnte er sich an die englische Volksballade *Lucy and Collin*
der Sammlung Percys an, die Herder als *Röschen und Kolin* in den
Volksliedern übersetzt hatte.

G. entwickelt die Tragik nicht durch äußere Konflikte oder die
üblichen Bühnen-Bösewichte, sondern aus der Halbherzigkeit
eines außengelenkten, labilen Charakters im Widerstreit von Gefühl
und Karrieresucht: Der ehrgeizige Schriftsteller Clavigo will nach
seinem Aufstieg sein Heiratsversprechen der liebenden, aber mittel-

osen und sozial unbedeutenden Französin Marie von Beaumarchais gegenüber im vollen Bewußtsein seiner Unehrenhaftigkeit
nicht einlösen. Vom rächenden Bruder Maries vor die Wahl zwischen einem öffentlichen Schuldbekenntnis und einem Duell ge-
tellt, erwirkt der zur Tugend Bekehrte Maries Verzeihung und will
alles wieder gutmachen. Er erliegt jedoch den gutgemeinten Einflüsterungen seines vernünftelnden Freundes Carlos, der eine
Sondermoral für »außerordentliche Menschen« postuliert und ihn
warnt, sich seine große Zukunft nicht durch eine unbedeutende
Herzensregung, überdies zu einer Schwindsüchtigen, zu verderben.
Eine Klage gegen Beaumarchais wegen Nötigung, die seine Flucht
bewirken soll, gibt Marie den Todesstoß. An ihrem Sarge tötet der
Bruder den reumütigen Clavigo und empfängt im empfindsamen
Schlußtableau dessen Dank dafür, daß der Tod ihn mit Marie vereinen werde. (Zum historischen Clavijo →Clavijo y Fajardo). Im
Typus des schuldig-unschuldig Treulosen wider Willen, einem erweiterten Weislingen aus *Götz*, gestaltet G. weniger eigene Selbst-
vorwürfe als vielmehr das Dilemma des charakterschwachen bürgerlichen Aufsteigers, der zwischen bürgerlicher Gefühlswelt und
höfischer Berechnung gespalten bleibt. Im straff und zielstrebig zugespitzten Aufbau der drei Tage umfassenden Handlung belegt G.
betont seine Fähigkeit, ein bühnengemäßes, konventionelles Drama
zu schreiben. Das bestimmt die Mittelstellung des *Clavigo* zwischen
den dramatischen Neben- und Hauptwerken und sein Fortleben
im modernen Spielplan.

G. Schmidt, C., 1893; E. Schmidt, Clavijo, Beaumarchais, G., in ders., Charakteristiken 2, 1901; L. Morel, Clavijo en Allemagne et en France, Paris 1904; E. E. F. Kloß-
mann, C., GJb 25, 1905; G. Grempler, G.s C., 1911 u. ö.; E. Feise, Zum Problem von
G.s C., in: Studies in German literature in honor of A. R. Hohlfeldt, Madison 1925,
auch in ders., Xenion, Baltimore 1950; H. J. Meesen, C. and Stella in G's personal and
dramatic development, in: G. Bicentennial Studies, hg. ders., Bloomington 1950;
W. Witte, Enigma variations on the theme of C., OGS 6, 1972; R. Otto, C., GJb 90,
1973; I. Strohschneider-Kohrs, G.s C., GJb 90, 1973; O. Durrani, Die Diskussion über
G.s C., GJb 96, 1979; W. Leppmann, C., in: G.s Dramen, hg. W. Hinderer 1980; B. Fischer, G.s C., GYb 5, 1990; K.-D. Müller, G.s C., in: Aufklärung als Problem und Aufgabe, hg. K. Bohnen 1994; W. Martens, G.s C. und Hases ›Gustav Aldermann‹, in: Sturm
und Drang, hg. B. Plachta 1997.

Clavijo y Fajardo, José (1730–1806). Der Gegner in →Beaumar-
chais' *Mémoire* und damit das historische Vorbild zu G.s →*Clavijo*
folgt nicht ganz G.s Text. Aus Lanzarote 1750 mittellos nach Madrid gekommen, arbeitete er sich mit Hilfe von Gönnern empor, gab
seit 1762 nach Vorbild der englischen Moralischen Wochenschriften
erfolgreich die Zeitschrift *El Pensador* heraus und wurde königlicher Archivar. In seinen Aufstiegsjahren brach er zweimal ein der
34 Jahre reifen Marie-Louise Beaumarchais gegebenes Eheversprechen. Der aus Paris angereiste Bruder entlockte ihm 1764 zwar eine
dritte, ebenso illusorische Heiratszusage und wurde vor drohender
Verfolgung zum Verlassen Madrids genötigt, erwirkte aber bei Karl
V. in Aranjuez gegen Dreingabe seiner Mätresse die Amtsenthebung

Clavijos und damit die Wiederherstellung der Familienehre. Nachdem die Schwestern Beaumarchais 1772 nach Paris zurückkehrten, schaffte Clavijo einen neuen Aufstieg zum Direktor des Königlichen Theaters, angesehenen Redakteur und Vizedirektor des Naturhistorischen Museums. Er spottete gern, er sei schon »sehr oft auf deutschen Bühnen gestorben«.

Cleaveland, Parker (1780–1858). Die Schrift des amerikanischen Geologen, Professors in Brunswick, *An elementary treatise on mineralogy and geology* (1816) studierte G. am 16.–18. 6. 1818 und zog sie später auch in der 2. Auflage von 1822 wiederholt zu Rate. Vgl. *Maximen und Reflexionen* 1271.

T. Riley, G. and P. C., PMLA 67, 1952.

Clodius, Christian August (1738–1784). Der Leipziger Professor der Philosophie und der schönen Wissenschaften (seit 1760) galt G. als »junger, munterer, zutätiger Mann«, dessen Kritik an seinen Arbeiten im Stilpraktikum und am mythologischen Pomp einer Hochzeitsode auf seinen Onkel Textor G. akzeptierte. Clodius' eigene Dichtungen im Stil Ramlers, sein Lustspiel *Medon, oder die Rache des Weisen* (1762) sowie seine Festprologe und Gelegenheitsoden mit ihrem Schwelgen in mythologischen Anspielungen und klassischen Termini erregten den Spott des Kreises um E. W. Behrisch. G. parodierte sie 1767 in →*An den Kuchenbäcker Händel*, den J. A. Horn entstellt und wider seinen Willen verbreitete, einem (verlorenen) Prolog zum *Medon* u. a. Versen. Clodius, mit dem er später von Weimar aus korrespondierte, trug sie ihm offenbar nicht nach (*Dichtung und Wahrheit* II,7).

C. Alt, Prof. C. und die mythologischen Figuren in G.s Lyrik, GJb 21, 1900.

Cluses. In der kleinen Stadt in den Savoyer Alpen übernachteten G. und Carl August auf der Schweizer Reise am 3./4. 11. 1779 (*Briefe aus der Schweiz 1779*).

Coburg. In der oberfränkischen Residenzstadt der Herzöge von Sachsen-Coburg-Saalfeld, in der sein Vater das Gymnasium Casimiranum besucht hatte, weilte G. auf seiner diplomatischen Reise an Thüringer Fürstenhöfe am 13.–16. 5. 1782 und besichtigte am 15. 5. die »Veste Coburg«. Er durchquerte die Stadt wiederum Mitte Juni 1788 auf dem Heimweg von Italien und am 14. 3. 1790 auf der Reise nach Venedig.

Cogswell, Joseph Green (1786–1871). G.s amerikanischer Freund, der Jurist und Naturforscher, später Professor für Mineralogie und Geologie in Harvard, besuchte G. auf einer Europareise (1815–20) am 27. 3. 1817 in den Räumen der mineralogischen Gesellschaft in Jena, dann am 10. 5. 1819 in Weimar und nahm am 17. 8. 1819 in

Jena von ihm Abschied. G. schätzte seine freie Art, erstaunte ihn
durch seine Kenntnisse über Amerika und sandte durch seine Vermittlung am 11. 8. 1819 der Harvard University seine Werke.

K. Francke, G. and C., Harvard Monthly 10, 1890; H. Hager, J. G. C.s Beziehungen
zu G., Archiv 87, 1891.

Col de Balme →Chamonix

Collin, Heinrich Joseph von (1771–1811). Die klassizistisch-rheto-
rische Römertragödie *Regulus* (1802) des Wiener Hofbeamten und
Dramatikers, an der Carl August Interesse gezeigt hatte, wurde trotz
der negativen Beurteilung durch Schiller (an G. 17. 3. 1802) und G.
in seiner Rezension (*Jenaische Allgemeine Literaturzeitung* 14. 2. 1805)
am 23. 3. 1805 im Weimarer Hoftheater aufgeführt und zweimal
wiederholt. Ihr folgte am 31. 1. 1810 das Trauerspiel *Bianca della
Porta* mit nur zwei Aufführungen.

Colloredo, Hieronymus II., Reichsgraf (1775–1822). G. machte
sich bei dem ihm schon aus Karlsbad bekannten österreichischen
Feldzeugmeister, der sich nach der Schlacht bei Leipzig am
23.–26. 10. 1813 im Haus am Frauenplan bei ihm einquartierte,
nicht gerade beliebt, indem er ihn mit dem Orden der französischen Ehrenlegion begrüßte. Der Graf revanchierte sich durch tägliche Diners für 24 Personen auf G.s Kosten. (W. von Humboldt an
seine Frau, 27. 10. 1813).

Colmar. Die oberelsässische Stadt besuchte G. mit seinen Kommilitonen im Sommer 1771 von Straßburg aus.

Colosseum. Das römische Amphitheater, das G. schon von Stichen
im Elternhaus her kannte und das ihn immer wieder durch seine
Größe und von verschiedenen Aussichtspunkten zumal im Abend-
sonnenschein beeindruckte, besichtigte G. u. a. am 11. 11. 1786, am
2. 2. 1787 und zum Abschied von Rom im April 1788. (*Italienische
Reise*).

Comenius, Jan Amos, eigentlich Johan Komensky (1592–1670).
Der *Orbis sensualium pictus* (1658) des tschechischen Pädagogen, von
dem G.s Vater eine zwei- und eine dreisprachige Ausgabe besaß, war
eines der frühesten Bücher des Knaben G. Indem es die ganze
sichtbare Welt der Himmelskörper, Pflanzen, Tiere, Mineralien,
Menschen und ihrer Berufe in Holzschnitten mit Texten anschaulich darstellt, kam es besonders dem Augenmenschen G. entgegen
und mag seine anhaltende Vorliebe für das Anschaulich-Gegen-
ständliche auch im eigenen Werk beeinflußt haben.

Como. G. erreichte die Stadt am Comer See auf der Heimreise
von der 1. Italienreise von Mailand aus am 28. 5. 1788 und fuhr am

29. 5. weiter zum kleinen Ort Riva an der Nordspitze des Comer Sees, wobei mehrere Handzeichnungen der Landschaft entstanden.

Concerto dramatico *composto dal Sigr Dottore Flamminio detto Panurgo secondo. Aufzuführen in der Darmstädter Gemeinschaft der Heiligen.* Anfang des Jahres 1773 wandte sich der Kreis der Darmstädter Empfindsamen um J. C. Merck, Caroline Flachsland, H. H. von Roussillon und L. H. F. von Ziegler in einem Sammelbrief wohl mit kleinen Geschenken an G. Seine Antwort ist wohl noch im Februar 1773 diese heitere lyrisch-dramatische Komposition nach musikalischen Sätzen mit zahlreichen, heute kaum noch verständlichen Anspielungen auf Personen und Ereignisse des Kreises, Parodien, Zitaten und Selbstzitaten, ein sprachgewandtes Durchspielen aller lyrischen Tonarten. G. nahm den nur handschriftlich verbreiteten Text nicht in seine Werke auf; er wurde erst 1869 aus dem Nachlaß F. H. Jacobis herausgegeben.

W. Scherer, C. d., in ders., Aus G.s Frühzeit, 1879; E. Beutler, G.s C. d., EG 6, 1951; J. Müller-Blattau, G.s C. d., Goethe 16, 1954.

Constant de Rebecque, Benjamin (1767–1830). Der französische Schriftsteller, Religionsphilosoph und liberale Politiker hielt sich vom 13. 12. 1803 bis Februar 1804, dann wieder am 10.–20. 3. und 22.–30. 4. 1804 als Begleiter seiner ebenfalls von Napoleon verbannten Freundin Mme de →Stael in Weimar auf. Beide fanden bald Zugang zu G., besuchten ihn öfter einzeln oder gemeinsam, hatten G. zu Gast oder trafen sich an einem dritten Ort, bei Anna Amalia oder im Theater. G.s und Constants Tagebücher verzeichnen Besuche am 23. und 27. 1.; 15., 16., 27. und 28. 2.; 15. und 18. 3. und 29. 4. 1804. Trotz einiger weltanschaulicher und politischer Differenzen schätzte G. die intellektuelle Redlichkeit des Jüngeren und bemühte sich um Verständnis (*Tag- und Jahreshefte* 1804; *Biographische Einzelnheiten:* Zum Jahre 1804). Er las 1816 Constants *Adolphe*, 1827 *De la religion*, fand jedoch seine französische Adaption von Schillers *Wallenstein* 1809 unbefriedigend. Constants zwischen Bewunderung und Kritik merkwürdig schwankendes Urteil über G.s Persönlichkeit und Werk, auch über *Faust* und *Iphigenie* (*Journal intime*, hg. 1895) ist wohl durch G.s Abwehr der Romantik beeinflußt.

A. Haas, B. C.s Gespräche mit G., Euph 7, 1900.

Constantin (Friedrich Ferdinand Constantin), Prinz von Sachsen-Weimar-Eisenach (1758–1793). Der ein Jahr jüngere Bruder Carl Augusts, anfangs ein schwächliches, doch elegantes Sorgenkind, wurde erst mit dem Bruder zusammen, dann 1774–80 von Knebel erzogen, begleitete den Bruder 1774/75 auf der Bildungsreise nach Paris und traf am 11. 12. 1774 in Frankfurt auch G. Er beteiligte sich 1775 halb desinteressiert am Genietreiben der Älteren, wirkte am höfischen Liebhabertheater mit und lebte seit 1776 in Tiefurt.

Gegen sein vom Hof nicht gebilligtes Liebesverhältnis zu Caroline
von →Ilten mußte G. 1780 im Auftrag des Hofes einschreiten. Von
der zur Ablenkung verordneten Kavalierstour nach Zürich, Paris
und London 1781–83 kehrte er mit Vorhut und Nachhut von je
einer schwangeren Dame heim, deren rasche Expedierung (»garsti-
ger Handel«, an Ch. von Stein 3. 2. 1783) wieder G. zufiel – die
Sache wäre natürlich längst vergessen, hätte ein anderer den Auftrag
erhalten! Nach Eintritt in den Militärdienst ab 1784 als kursächsi-
scher Obristleutnant, zuletzt Generalmajor, in Carl Augusts nächster
Umgebung nahm er wie G. 1792 an der Campagne in Frankreich
und 1793 an der Belagerung von Mainz teil und erlag dabei der
Ruhr.

   H. Düntzer, Aus G.s Freundeskreise, 1868; V. L. Sigismund, Ein unbehauster Prinz,
GJb 106, 1989.

Conta, Carl Friedrich Anton von (1778–1850). Der seit 1805 im
Weimarer Staatsdienst tätige Jurist wurde wegen seines exzellenten
Französisch gern mit diplomatischen Missionen in Wien und Paris
betraut, machte dann in Weimar rasche Karriere und trat bei seinen
Bestrebungen um eine Verbesserung der Universität Jena 1819 in
ein näheres amtliches Verhältnis zu G., das sich nach gemeinsamen
Aufenthalten in Karlsbad 1820 und Marienbad 1821 und angesichts
von Contas literarischen, künstlerischen und mineralogischen Interessen bald zu einer Freundschaft und geselligem Verkehr entwickelte.

   M. Hecker, G. und C. A. v. C., GJb 22, 1901.

Cook, James (1728–1779). Der englische Weltumsegler und moderne Entdecker Australiens war G. schon durch die *Reise um die
Welt* (1778–80) seines Freundes Georg Forster, die G. im Dezember
1781 las, kein Unbekannter. Forster hatte mit seinem Vater die
zweite Erdumseglung Cooks 1772–75 mitgemacht. Die Umstände
von Cooks Tod auf Hawaii und die Zerstückelung der Leiche des
Gottgeglaubten beeindruckten G. tief; zweimal spricht er sich (an
Ch. von Stein 19. und 20. 12. 1781) darüber aus, daß er diesen Tod
für diesen Mann »schön« fände. Eine epische Behandlung des Welt-
umseglers, wie sie Schiller im Zusammenhang mit den gemeinsamen Überlegungen zur epischen und dramatischen Dichtung am
13. 2. 1798 G. vorschlug, lehnte G. am 14. 2. 1798 jedoch ab, da ihm
die »unmittelbare Anschauung« fehle und der Stoff mit der *Odyssee*
in Konkurrenz träte.

Cooper, James Fenimore (1789–1851). Die Seeromane und Leder-
strumpferzählungen des amerikanischen Erzählers wurden im
Hause G. auch von August und Ottilie fleißig gelesen. G. selbst las
1826 *The Spy, The Pilot, The Pioneers* und *The last of the Mohicans*,
1827 *The Prairie* und 1828 *The Red Rover*.

   K. J. R. Arndt, C. comments on G., GQ 10, 1937.

Cordemann, Friedrich (1769–?). Der Schauspieler spielte 1798–1805 am Weimarer Theater Liebhaber- und Charakterrollen, u. a. den Orest in der ersten Weimarer Aufführung der *Iphigenie* (1802), und war mehrfach G.s Tischgast.

Corneille, Pierre (1606–1684). G.s erste Berührung mit dem Begründer und neben Racine Hauptvertreter der klassischen französischen Tragödie erfolgte 1759–61 bei Vorstellungen des französischen Theaters in Frankfurt sowie durch Lektüre der Werke, u. a. des *Cid*, aus der Bibliothek des Vaters. Sie veranlassten ihn zu einem frustrierenden Studium von Corneilles *Discours sur le poème dramatique* (1660) und der Dramenvorreden Corneilles und Racines im Hinblick auf das Formprinzip der drei Einheiten von Raum, Zeit und Handlung, die G. in *Die Laune des Verliebten* und *Die Mitschuldigen* anzuwenden versuchte (*Dichtung und Wahrheit* I,3). Während der Leipziger Studienzeit 1767/68 begann er probeweise eine Übersetzung von Corneilles Lustspiel *Der Lügner*. In der Straßburger Zeit, wo er eine Aufführung des *Cinna* sah (ebd. III,11), erfolgt unter Einfluß Herders eine vorübergehende Abkehr von Corneille zugunsten Shakespeares. Doch schon die frühen Weimarer Jahre bringen die Umkehr. Im Dezember 1779 erwägt G. eine Bearbeitung des *Cid* für Iffland. *Wilhelm Meisters theatralische Sendung* (II,1–2;V,7) und die *Lehrjahre* (III,8) geben eine gerechtere Würdigung des Dramatikers, den G. trotz Schillers Abneigung (an G. 31. 5. 1799) als Gestalter »großer Menschen« auch in seinen Seelendramen schätzt. Am 30. 1. 1806 wird der *Cid* in Weimar aufgeführt, am 12. 1. 1807 folgt *Rodogune*, am 28. 10. 1808 *Der Lügner*. Am 27. 10. 1807 liest G. *Nicomède,* und am 3. 10. 1808 besucht er eine französische Aufführung des *Oedipe* durch Napoleons Schauspieltruppe in Erfurt. Die Summe zieht G. zu Eckermann (30. 3. 1824, 1. 4. 1827): »Von ihm ging eine Wirkung aus, die fähig war, Heldenseelen zu bilden.«

M. Friedwanger, G. als C.-Übersetzer, Programm Währing 1890; C. Hammer, Re-examining G's views of C., GR 29, 1954.

Cornelia →Goethe, Cornelia

Cornelius, Peter (1783–1867). Der romantische Historienmaler, 1811–18 im Umkreis der Nazarener in Rom, beschickte 1803–05 die Ausstellungen der Weimarer Kunstfreunde, ohne je mehr als lobende Erwähnung und Besprechung zu finden. 1811 machte S. Boisserée G. auf ihn aufmerksam, indem er sechs seiner Federzeichnungen im altdeutschen Stil zum *Faust* nach Weimar mitbrachte, in denen G. »sehr geistreiche, gut gedachte, ja oft unübertrefflich glückliche Einfälle« erkannte (an C. F. von Reinhard 8. 5. 1811). Im Brief vom 8. 5. 1811 weist G. Cornelius auf Dürer als Vorbild hin und warnt zugleich vor Beschränkung auf das altdeutsch-romantische Genre. Die Stiche der *Faust*-Zeichnungen erschienen 1816 mit einer Widmung an G. J. H. Meyers Verdikt der Nazarener in seinem Aufsatz über *Neudeutsche religios-patriotische Kunst* von 1817 brachte eine einstweilige Entfremdung in die Beziehungen, die erst 1827 in kühler gegenseitiger Hochachtung fortgesetzt wurden.

H. Düntzer, Aus G.s Freundeskreise, 1868; A. Kuhn, Die Faustillustrationen des P. C., 1916; F. Salomon, Die Faustillustrationen von C. und Delacroix, Diss. Würzburg 1930.

Correggio, eigentlich Antonio Allegri (um 1489–1534). G. hatte zeitlebens eine Vorliebe für den italienischen Maler auf dem Übergang von der Renaissance zum Barock, seine sinnenfrohe Farb- und Lichtgebung und seine sinnliche Schönheit, die überall das rein Menschliche durchscheinen lasse. Neben einer Reihe von Zuschreibungen und Kopien sah er in Italien in Capodimonte die »Vermählung der Hl. Katharina«, in Neapel eine Kopie der »Entwöhnung Christi« (Madonna del latte, vgl. *Italienische Reise* 22. 3. 1787, zu Eckermann 13. 12. 1826) und machte auf der Rückreise von Rom extra in Parma Station, um Correggios dortige Werke, u. a. die »Madonna mit dem Hl. Hieronymus«, genannt »Der Tag«, zu sehen. Ferner kannte er in Dresden die »Geburt Christi« (»Anbetung der Hirten«, vgl. zu Heß 11./16. 8. 1813), und seine Graphiksammlung enthielt Stiche nach Correggios Madonnen und mythologischen Liebesszenen (»Jupiter und Jo«, »Danae«, »Leda mit dem Schwan«). A. Oehlenschlägers Tragödie *Correggio* dagegen, die am 17. 1. 1820 in Weimar aufgeführt wurde, lehnte G. ab.

Cotta, Heinrich (1763–1844). Der Forstmann stand 1789–1810 in Weimarer Diensten und traf dort mit G. zusammen. 1810 wurde er Direktor der Forstakademie in Tharandt bei Dresden, wo G., durch seine morphologischen Publikationen auf ihn aufmerksam geworden, ihn am 23. 4. 1813 besuchte. Cotta besuchte G. in Weimar am 23. 5. 1819 und 3. 5. 1822.

A. Richter, H. C., 1950.

Cotta, Johann Friedrich, (1822) Freiherr von Cottendorf (1764–1832). Der »Verleger der Klassiker« übernahm nach dem Jurastudium 1787 aus Familienbesitz die Tübinger Buchhandlung und baute sie mit Einsatzfreude und Unternehmungsgeist zum führenden deutschen Verlag des 19. Jahrhunderts mit Hauptsitz in Stuttgart und Zweigstellen in Ulm, Augsburg und München aus, u. a. durch erfolgreiche Zeitungen (1798 *Allgemeine Zeitung*, 1807 *Morgenblatt für gebildete Stände*) und anspruchsvolle Periodika (1795 Schillers *Horen* unter Mitarbeit G.s, 1798 *Taschenbuch für Damen* mit Erstdruck von G.s *Die guten Weiber* 1801 u. a., 1798–1800 G.s *Propyläen*) sowie durch Gewinnung und Pflege der bedeutendsten Autoren seiner Zeit. Die Verbindung zu G. ergab sich über Schiller und die *Horen*. G. war auf seiner 3. Schweizer Reise am 7.–16. 9. 1797 auf Cottas Einladung sein Hausgast in Tübingen und fand Gefallen an ihm (an Schiller 12. 9. 1797). Weitere Begegnungen erfolgten am 2. 5. 1799 bei Schiller in Jena, am 5.–7. 5. 1800 auf der Leipziger Messe und am 25. 5. 1800 bei Cottas Besuch in Weimar; seither suchte Cotta G. fast alljährlich im April/Mai auf dem Wege zu oder von der Leipziger Messe in Weimar oder Jena auf, so 1801, 1802, 1806–12, 1814, 1823, 1828 und 1829. In die intensiven, nur selten gespannten, doch nüchternen geschäftlichen Beziehungen, bei denen Cotta stets G.s harte Honorarforderungen annahm, dringen später auch freundschaftliche Töne, und 1830 nahm G. die Patenschaft für Cottas ersten Enkel an. Als Entschädigung für den schlechten Absatz der *Propyläen* gab G. ab 1799 seine größeren Werke in Cottas Verlag, so 1802 *Was wir bringen* und die Voltaire-Übersetzungen *Mahomet* und *Tancred*, 1803 *Leben des Benvenuto Cellini*, 1804 *Die natürliche Tochter*, 1805 *Winckelmann und sein Jahrhundert*. 1806 wurde Cotta alleiniger Inhaber der Verlagsrechte von G. und veranstaltete die 3. und 4. rechtmäßige Gesamtausgabe der *Werke* (XII 1806–08 bzw. XX 1815–19) sowie nach langen Verhandlungen die Ausgabe letzter Hand und des Nachlasses (LX 1827–42), ferner neben zahlreichen Einzel- und →Werkausgaben schließlich die Jubiläumsausgabe (XL 1902–12).

G. und C., Katalog Marbach 1976; G. und C., Briefwechsel und Erläuterungen, hg. D. Kuhn IV 1979–83; D. Kuhn, Schiller und G. in ihrer Beziehung zu J. F. C., in: Unser Commercium, hg. W. Barner 1984; S. Unseld, G. und seine Verleger, 1991 u. ö.

Coudray, Clemens Wenzeslaus (1775–1845). Der Architekt, nach Ausbildung in Dresden, Berlin und Paris und einem mehrjährigen Italienaufenthalt 1805 Hofarchitekt in Fulda, wurde von G. auf der Suche nach einem Architekten für Weimar und besonders das Schloß im Dezember 1815 nach Weimar eingeladen, fand sofort sein ganzes Vertrauen und wurde am 20. 4. 1816 zum Großherzoglichen Oberbaudirektor von Sachsen-Weimar-Eisenach ernannt. Als solcher plante und betreute er zahlreiche öffentliche und private Gebäude, Kirchen und Plätze im ganzen Großherzogtum, in Weimar besonders den Westflügel des Schlosses, die Fürstengruft, Bürgerschule u. a. im schlicht-harmonischen Stil eines an Frankreich und Palladio geschulten Klassizismus. Nur die Ablehnung seines gemeinsam mit G. entworfenen Plans zum Neubau des 1825 abgebrannten Weimarer Theaters durch Carl August unter Einfluß der C. Jagemann war ihm eine schwere Enttäuschung. Die gemeinsame Liebe zur Architektur und gleichgesinnte Stilbestrebungen führten zu einer engen persönlichen Freundschaft mit G. und zahlreichen Besuchen in G.s Haus auch während G.s Krankheit 1823 und in seinen letzten Tagen, deren Erlebnis er in *Goethes drei letzte Lebenstage* aufzeichnete. G. nannte ihn einen »trefflichen Geist und Charakter. Coudray ist einer der geschicktesten Architekten unsrer

Zeit. Er hat zu mir gehalten und ich zu ihm, und es ist uns beiden
von Nutzen gewesen. Hätte ich den vor 50 Jahren gehabt!« (zu
Eckermann 12. 2. 1829).

F. Fink, C. W. C., 1934; W. Schneemann, C. W. C., G.s Baumeister, 1943; E. Beutler,
Der Baumeister C., in ders., Essays um G. 2, 1947 u. ö.; A. Bach u. a., C. W. C., 1983.

Cour d'amour →Mittwochskränzchen

Courier, Paul Louis (1772–1825). Den französischen Übersetzer
griechischer Autoren (Xenophon 1807, Longos 1813, Lukian 1818)
und Verfasser eleganter, scharfer Streitschriften las G. besonders seit
etwa 1828 gern und lobte die »bewundernswürdige Tagesklarheit«
(Tagebuch 19. und 21. 3. 1831) seiner Prosa (zu Eckermann 9. und
21. 3. 1831).

Cousin, Victor (1792–1867). Der Pariser Philosophieprofessor und
Politiker besuchte G. am 18. 10. 1817 und 28. 4. 1825. G. beschäftigte sich 1826 mit seinen *Fragments philosophiques* (1826) und seit
1828 öfter mit seinen Vorlesungen *Cours de l'histoire de la philosophie*
(1827), die seinen Aufsatz *Analyse und Synthese* und einige Aphorismen *Aus Makariens Archiv* (30–31) anregten. Der eklektische Philosoph galt ihm häufig als Vertreter der zeitgenössischen französischen
Philosophie und war ihm wichtig als Vermittler der deutschen romantischen Philosophie in Frankreich.

J. Lacoste, C., G. et l'analyse, Romantisme 25, 1995.

Cramer, Carl Friedrich (1752–1807). Der Sohn von Johann
Andreas Cramer, 1773 Mitglied des Göttinger Hainbunds, erregte
durch seine schwärmerischen Bücher *Klopstock* (1777) und *Klopstock. Er und über ihn* (V 1780–93) G.s Spott in *Das Neueste von Plundersweilern* (1781, v. 173–178). Cramers Parteinahme für die Französische Revolution, die 1794 den Verlust seines Kieler Lehrstuhls zur
Folge hatte, und seine Emigration nach Paris 1796 gaben Anlaß zu
den scharfen *Xenien* 230, 231, 235 und 236.

Cramer, Carl Gottlob (1758–1817). Den Produzenten goethezeit-
licher Trivialliteratur in Gestalt von Ritter-, Räuber- und Geister-
romanen und seinen Roman *Der deutsche Alcibiades* (1791) traf das
Xenion 363 – was G. nicht daran hinderte, als Urlaubslektüre in
Karlsbad am 29./30. 6. 1812 Cramers *Leben, Thaten und Sittensprüche
des lahmen Wachtel-Peters* (1794–96) zu lesen.

Cramer, Johann Andreas (1723–1788). Der Theologieprofessor in
Kopenhagen und Kiel beeinflußte mit seinen klopstockisierenden
geistlichen Oden und Liedern G.s Jugenddichtung *Poetische Gedanken über die Höllenfahrt Jesu Christi* (1765) – in *Dichtung und Wahrheit*
(I,4) verwechselt G. ihn allerdings mit Johann Elias Schlegel.

Cramer, Ludwig Wilhelm (1755–1832). Während seiner Kuraufenthalte in Wiesbaden im August/September 1814 und Juni/August 1815 besuchte G. fast täglich den »gefälligen, theoretisch und praktisch gebildeten« Wiesbadener Oberbergrat und seine »vorzügliche« Mineraliensammlung (vgl. *Kunst und Altertum an Rhein und Main:* Wiesbaden). Cramer begleitete G. auch häufig auf kleinere Ausflüge auf den Geisberg sowie am 15.–17. 8. 1814 zum St. Rochusfest in Bingen und am 21.–24. 7. 1815 nach Nassau. Die anschließende Korrespondenz betrifft vorwiegend mineralogisch-geologische Probleme.

Cranach, Lucas, der Ältere (1472–1553). Der deutsche Maler, Zeichner und Kupferstecher der Renaissance, 1505 Hofmaler des sächsischen Kurfürsten Friedrich des Weisen und seiner Nachfolger in Wittenberg und Freund Luthers, verbrachte sein letztes Lebensjahr im Haus seines Schwiegersohns Christian Brück, dem heutigen Cranach-Haus in Weimar. G., der die zu seiner Zeit dort etablierte einzige Weimarer Buchhandlung oft aufsuchte, ahnte freilich nicht, daß sowohl Cranach wie Brück zu seinen Vorfahren mütterlicherseits zählten. Somit nur aus kunsthistorischem wie lokalem Interesse sah G. auf Reisen, in Dresden, Leipzig und in Weimar eine Reihe echter (und unechter) Gemälde Cranachs, verwies oft auf ihn und besaß ein Porträt vielleicht der Katharina von Bora. Im *Morgenblatt für gebildete Stände* (Nr. 69 vom 22. 3. 1815: *Nachricht von altdeutschen, in Leipzig entdeckten Kunstschätzen*) berichtet G. über mehrere in Leipzig aufgefundene Bilder der Cranach-Schule. Die 1776 (an Herder 10. 6. 1776) auch von G. beachtete, in J. H. Meyers Schrift *Über die Altar-Gemälde des Lucas Cranach in der Stadtkirche zu Weimar* (1813) Cranach zugeschriebene »Kreuzigung« von 1555 stammt allerdings von Cranachs Sohn Lucas Cranach dem Jüngeren (1515–1586), der den Werkstattstil seines Vaters fortsetzte.

H. Henning, C. und G., Bildende Kunst 10, 1972.

Crespel, Franziska Jacobea (1752–1814). Die Schwester von J. B. →Crespel, G.s »Fränzgen«, gehörte wie ihr Bruder zum frühen Freundeskreis von G. und Cornelia und war gesanglich begabt. Bei der Abreise nach Straßburg widmete ihr G., der eine Neigung zu ihr gefaßt hatte, das Gedicht *Der Abschied.* Sie hielt auch nach ihrer Heirat mit einem Schweizer Uhrenfabrikanten 1774 den Kontakt zum Hause G. aufrecht.

Crespel, Johann Bernhard (1747–1813). G.s Freund aus Frankfurter Kinder- und Jugendjahren und Mitschüler Cornelias im Rolandschen Pensionat trat ihm besonders seit der Rückkehr aus Leipzig als beredter Wortführer im Freundeskreis Cornelias nahe und empfahl sich durch sein Violinspiel auch G.s Eltern. *Dichtung und Wahrheit* (II,6; III,15) berichtet, ohne den Namen zu nennen,

von seinen zahlreichen geselligen, musikalischen, künstlerischen
und philosophischen Anregungen und macht ihn zum Initiator des
Mariage-Spiels. Crespel hielt die Verbindung mit den Frankfurter
Goethes auch nach G.s Wegzug nach Weimar aufrecht, korrespondierte als Archivar der Thurn und Taxis in Regensburg mit G.s
Mutter, heiratete 1787 Henriette Schmiedel, G.s »Schmitelgen«,
und ging 1794 als philosophischer Berater des Grafen Christian von
Solms-Laubach nach Laubach. Er war wohl das Vorbild für die
Figur Bernardos in *Erwin und Elmire*. Erzählungen von G.s Mutter
über seine Wunderlichkeiten, die C. Brentano E. T. A. Hoffmann
berichtete, inspirierten dessen Novelle *Rat Krespel* und damit die
gleichnamige Figur in Offenbachs *Hoffmanns Erzählungen*.

W. Hertz, B. C., G.s Jugendfreund, 1914.

Creuzburg. In der zum Herzogtum Sachsen-Weimar-Eisenach
gehörenden Stadt an der Werra bei Eisenach trafen sich G. und Carl
August am 13. 9. 1779 zur gemeinsamen Reise in die Schweiz. Die
diplomatische Reise führte G. am 5. 4. 1782 wieder durch die
durch ein Feuer verwüstete Stadt, und am 21. 8. 1801 übernachtete
G. auf der Rückfahrt von Pyrmont und Kassel in Creuzburg und
besichtigte am 22. 8. die Saline Wilhelmsglücksbrunn.

Creuzer, Georg Friedrich (1771–1858). Der Professor für klassische Philologie in Marburg (1800–1804) und Heidelberg
(1804–45) erregte seinerzeit vor allem durch sein schwankendes
Liebesverhältnis zur romantischen Dichterin Caroline von →Gün-
derode, die seinetwegen 1806 bei Winkel im Rhein den Tod suchte,
die Gemüter. G., der den Ort am 6. 9. 1814 aufgesucht hatte, enthielt sich des Kommentars. Er lernte Creuzer erst ein Jahr darauf
und durch Vermittlung S. Boisserées am 21. 9. 1815 in Heidelberg
kennen und traf, teils zu längeren Gesprächen über Mythologie, am
25./26. 9. und 7. 10. 1815 wieder mit ihm zusammen. Bis dahin
hatte G. nur Creuzers *Die historische Kunst der Griechen* (1803) und
seine *Studien* (VI 1805–11) zur Kenntnis genommen. Sein Hauptwerk, *Die Symbolik und Mythologie der alten Völker, besonders der Griechen* (IV 1810–12), lernte G. erst in der 2. Auflage von 1819–21
kennen und entwickelte eine wachsende Aversion gegen Creuzers
romantisch-symbolische Mythendeutungen und Mythenvergleiche
als Teile eines feststehenden abstrakt-symbolischen Lehrgebäudes,
die G.s nicht allegorisches, sondern poetisch-persönliches Verhältnis
zum Mythos bedrohten, sein Bild einer hellen Antike verdüsterten
und seiner konkret-plastischen Einbildungskraft widersprachen:
»dunkel-poetisch-philosophisch-pfäffischer Irrgang« (an J. H. Meyer
25. 8. 1819). Seither verfolgte G. genau den Streit um Creuzers
Symbolik zwischen Klassizisten und Romantikern. Zugleich mehren sich G.s Unmutsäußerungen über Creuzers dunkel-nebulösen,
symbolischen Religionsmystizismus in Briefen und Gesprächen

Crusius

(z. B. an Meyer 25. 8. 1819, an Reinhard 12. 5. 1826, zu Boisserée 19. 5. 1826) sowie die Anspielungen und Invektiven in den Werken: *Zahme Xenien* v. 1644–51 (»Die geschichtlichen Symbole ...«), *Parabolisch* Nr. 16. Invektive »Müde bin ich des Widersprechens«, *Geistesepochen nach Hermanns neusten Mitteilungen* (1817), *Faust II*, v. 8174–8222: Klassische Walpurgisnacht (über die Kabiren), Paralipomenon 176 zu *Faust* II,3 (»Denn Liebespaaren ...«) u. a. m. Andererseits verdankt G. dem Gedankenaustausch mit Creuzer Anregungen für das *Divan*-Gedicht *Gingo biloba* (1815) und Creuzers Briefwechsel mit G. Hermann (*Über Homer und Hesiod*, 1817) den Anstoß zu *Urworte. Orphisch* (1817).

R. Herbig, Die Beziehungen zu F. C. in Heidelberg, in: G. und Heidelberg, hg. R. Benz 1949.

Crusius, Christian August (1712–1775). Der Leipziger Professor der Theologie war Gegner der Aufklärungsphilosophie und hielt am prophetischen Charakter der Bibel, besonders der Apokalypse, und einer realistischen Vorstellung der Bibelerzählungen fest. Sein Gegensatz zur frei philosophischen Bibelauslegung seines Leipziger Kollegen J. A. Ernesti, dem G. zuneigte, prägte G.s Leipziger Studienjahre.

Cumberland, Ernst August, Herzog von (1771–1851). Der Sohn Georgs III. von England, englischer Feldmarschall und 1837 König von Hannover, besuchte G. mit seiner diesem schon aus Karlsbad als Fürstin →Solms bekannten Gattin Friederike, geborenen Prinzessin von Mecklenburg-Strelitz, bei einem Aufenthalt am Rhein überraschend am Abend des 16. 8. 1815 in der Gerbermühle J. J. von Willemers bei Frankfurt (an Christiane 30. 8. 1815, an Carl August 3. 9. 1815). G. gedenkt des »unerwartet beglückenden Nachtbesuchs« 1825 in zwei Vierzeilern (»Wohlerleuchtet ...« und »Doch am Morgen ward es klar ...«, Inschriften Nr. 91). Er traf das Paar wiederum am 5. 10. 1818 in Weimar.

Cumberland, Richard (1732–1811). Das Lustspiel des englischen Dramatikers *Der West-Indier* (1769) über einen von der europäischen Zivilisation enttäuschten Amerikaner war ein Zugstück der Zeit: am 19. 2. 1776 wurde es in Weimar vom bürgerlichen Liebhabertheater aufgeführt, bei einer Aufführung des höfischen Liebhabertheaters im Juni 1776 spielte G. die Titelrolle, am 13. 1. 1778 gastierte Ekhof mit dem Stück in Weimar. Eine Aufführung von Cumberlands seit 1799, am 22. 12. 1812 auch mit Iffland in Weimar gespielten Dramas *Der Jude* (1794) war am 22. 3. 1825 die letzte Aufführung im nachts darauf abgebrannten Weimarer Hoftheater.

Cupido, loser, eigensinniger Knabe. Der von der unerbittlichen Lebensmacht eines griechischen Eros oder römischen Amor bis zum geflügelten, pausbäckigen Putto mit Pfeil und Bogen herun-

ergekommene Liebesgott des Rokoko ist der Angeredete in die-
em wohl im Januar 1788 in Rom entstandenen und mehrfach ver-
onten Lied des Rugantino in der (2.) Versfassung von *Claudine von
Villa Bella* (1788), der den Liebenden mutwillig verwirrt. In der
italienischen Reise (Bericht Januar 1788) gibt der späte G. zwar eine
ehr unerotische, abgeklärte Deutung der Figur; seine besondere
Vorliebe für dieses sein spielerisches »Leibliedchen« (ebd. 9. 2. 1788)
nit seinen ironischen erotischen Konnotationen spricht jedoch aus
einen Bemerkungen zu Eckermann am 5./6. und 8. 4. 1829.

H. Zeman, G.s anakreontische Lyrik der Weimarer Zeit, ZDP 94, 1975; H. J. Weigand, Ein Brief: G.s Cupido-Gedicht, in ders., Critical probings, 1982.

Custine, Adam Philippe, Comte de (1740–1793). Der französische
General führte die Revolutionsarmeen 1792 siegreich an den
Rhein, eroberte Speyer, Mainz und Frankfurt, wurde nach Rückschlägen jedoch von einem Revolutionsgericht zum Tode verurteilt. Er war einer der Gegner in der Campagne in Frankreich 1792,
zu deren Darstellung G. im Januar 1820 seine *Mémoires posthumes*
(1793) las. Übrigens traf G. am 22. (und 26. ?) 8. 1815 in Frankfurt
Custines Enkel, den Schriftsteller Astolphe Marquis de Custine
(1790–1857), der in Briefen an Rahel Varnhagen und seine Mutter
ausführliche Beschreibungen G.s gab.

Cuvier, Georges Léopold Christian, Baron de (1769–1832). Der
bedeutende Naturforscher, Karlsschüler, 1795 Professor der vergleichenden Anatomie in Paris, mit dessen Arbeit G. seit 1797 vertraut
war, vertrat in seiner Katastrophentheorie die Auffassung, große
Naturkatastrophen hätten periodisch alles Leben auf der Erde vernichtet und Anstoß zu einem völligen Neubeginn der Organis-
menwelt gegeben. In dem daraus entstandenen Pariser »Akademiestreit« vom   15. 2.–29. 3. 1830   mit   dem   Anhänger   eines
spekulativ-idealistischen Einheits- und Entwicklungsgedankens
É. Geoffroy de St. Hilaire (1772–1844) nahm G. auf der idealistischen Seite regen Anteil (zu Soret/Eckermann 2. 8. 1830) und erstrebte in den →*Principes de philosophie zoologique* (1830–32) eine
gegenseitige Annäherung oder friedliche Koexistenz der analysierenden »Singularisten« Cuviers und der synthetisierenden »Univer-
salisten« um Geoffroy (*Maximen und Reflexionen* 419; an Soret 11. 8.
1830, an Knebel 12. 9. 1830).

W. Lubosch, Der Akademiestreit zwischen Geoffroy St.-Hilaire und C., Biologisches
Zentralblatt 38, 1918; M. Loesche, Die Typenlehre bei C. und G., Diss. Frankfurt 1951;
H. Bräuning-Oktavio, C. und G., Goethe 21, 1959; G. Uschmann, G. und der Pariser
Akademiestreit, in: Festschrift G. Harig, 1964; D. Kuhn, Empirische und ideelle Wirk-
lichkeit, 1967.

Czenstochau. Durch den oberschlesischen Wallfahrts- und Industrieort kamen G. und Carl August auf ihrer schlesischen Reise von
Krakau am 8. 9. 1790 und übernachteten vielleicht dort.

Dacheröden, Caroline von →Humboldt, Caroline von

Dacier, Anne, geb. Lefèvre (1654–1720). Die Tochter eines Philologen und Gattin des Philologen André Dacier erwarb sich einer Ruf durch Editionen und französische Übersetzungen antiker Autoren wie Homer, Kallimachos, Plautus u. a. Ihre Übersetzung de; Terenz las der junge G. in Frankfurt und warnte seine Schweste; Cornelia am 27. 6. 1766 vor der Nachahmung von deren unnatürlich-pompösem Stil.

Da droben auf jenem Berge ... G. verwendet dieselbe volksliedhafte und wohl durch ein Volkslied angeregte Anfangszeile für zwei 1802 entstandene und an gleicher Stelle (*Taschenbuch auf das Jahr 1804*) gedruckte Gedichte: →*Bergschloß* und →*Schäfers Klagelied.*

Dämmerung. Das Schlüsselmotiv besonders des Sturm und Drang-G. bezeichnet zunächst rein optisch die Abend- bzw. Morgendämmerung, die nach Sonnenuntergang bzw. vor Sonnenaufgang die Welt in einem unscharfen, konturlosen Schein mit nur verschwommenen, undeutlichen Einzelheiten zeigt, die die krasse Tageswelt zurücknimmt bzw. das verhüllt Bevorstehende des neuen Tags nur ahnen läßt; dann übertragen auf den entsprechenden seelischen Zustand einer unscharfen äußeren, aber unreflektiertgefühlsstarken inneren Wahrnehmung, der Ruhe und Frieden erstrebt. Nach der Italienreise und dem Eindruck der Klarheit und Helle des Südens wird der Begriff teils kritisch-negativ besetzt als Ausdruck für einen unklaren, verworrenen, allzu gefühlsmäßig belasteten Zustand mit der Verheißung künftiger Klarheit. Schließlich meint Dämmerung im Umkreis der *Farbenlehre* ganz konkret die Beobachtungszeit ohne direktes oder indirektes, gefiltertes Sonnenlicht. →*Dämmrung senkte sich von oben*, →*Dumpfheit.*

Dämmrung senkte sich von oben ... Das im Sommer 1827 entstandene lyrische Kurzgedicht, oft (u. a. von J. Brahms) vertontes Kern- und Mittelstück des Zyklus →*Chinesisch-deutsche Jahres- und Tageszeiten* (1830), ist einer der Höhepunkte von G.s Alterslyrik. Es deutet das übernationale, jederzeitliche menschliche Erleben allenfalls durch eine vage Erinnerung an chinesische Tuschzeichnungen in Verbindung mit einer rokokohaften Frau Luna an, verwischt alle näheren Konturen und Distanzen und hebt durch Anthropomorphisierung (schleichen, scherzen, zittern) auch die Grenze von Unbelebtem und Belebtem auf. In zwei Ansätzen senkt sich der Blick vom Himmel zum nahen Wasser und nimmt die Natur fast nur noch in dessen Widerspiegelung wahr, bis das lyrische Ich sich selbst Teil dieser Natur fühlt.

H. Lehnert, Klang-Integration und semantische Beziehung, in ders., Struktur und Sprachmagie, 1966; H. Sachse, Zu G.s Gedicht D. s. s. v. o., GJb 92, 1975; W. Franz, Zur Problematik einer vorgeschlagenen Textkorrektur, GJb 96, 1979.

Dämon, Dämonisches. G.s Weltbild differenziert bei fließenden Übergängen zwischen einem persönlichen Dämon und dem unpersönlich Dämonischen. In →*Urworte. Orphisch* (1820) verdeutscht er griechisch »Daimon« nicht als unbekannte göttliche Macht, sondern als »Individualität, Charakter« und erläutert es als »die notwendige ... begrenzte Individualität der Person, das Charakteristische, wodurch sich der einzelne von jedem andern ... unterscheidet«, das das Individuum treibe und zusammenhalte. »Angeborne Kraft und Eigenheit« bestimmen für ihn »des Menschen Schicksal«; »sein erster und ursprünglicher Charakter« könne jedoch durch andere Einwirkungen »in seinen Wirkungen gehemmt, in seinen Neigungen gehindert« werden. Dämonische Persönlichkeiten sind daher solche, deren angeborene Kraft oder Tatkraft besonders mächtig und hinreißend sei und rational nicht erklärbare Wirkungen hervorrufe. »Eine ungeheure Kraft geht von ihnen aus, und sie üben eine unglaubliche Gewalt über alle Geschöpfe, ja sogar über die Elemente ... und die Masse wird von ihnen angezogen.« (*Dichtung und Wahrheit* IV,20) Als Beispiele nennt G. Napoleon, Carl August, Peter den Großen, Friedrich den Großen, Mozart, Byron und Paganini (zu Eckermann 2. 3. 1831 u. ö.).

Das überpersonal Dämonische dagegen wirke zwischen den Individuen und bestimme überindividuell als eine mit Verstand und Vernunft nicht erklärbare Schicksalsmacht das Natur- und Weltgeschehen, dessen Gesetze der Mensch nicht zu erfassen vermöge, da es sich »in Widersprüchen manifestiere« (*Dichtung und Wahrheit* V,20), das Unmögliche erreiche, teils der moralischen Weltordnung zuwiderlaufe, Gutes wie Böses bewirke, schaffe und zerstöre und das man anbetet, ohne sich anzumaßen, es weiter erklären zu wollen« (zu Eckermann 18. 2. 1831). Ausführlich behandeln das Dämonische das letzte Buch (IV,20) von *Dichtung und Wahrheit* und die daran anknüpfenden Gespräche mit Eckermann (18. 2.–18. 3. 1831).

W. Kaufmann, Über das D. bei G., Diss. Göttingen 1922; H. Loiseau, L'idée du démonique chez G., in: G., Paris 1932; H. Lichtenberger, Le démonique chez G., RA 9, 1932; W. Schultz, Die Bedeutung des D. für G.s Faust, Dichtung und Volkstum 41, 1941; A. Raabe, Das Erlebnis des D. in G.s Denken und Schaffen, 1942; B. v. Wiese, Das D. in G.s Weltbild und Dichtung, 1949, auch in ders., Der Mensch in der Dichtung, 1958; W. Muschg, G.s Glaube an das D., DVJ 32, 1958, erw. in ders., Studien zur tragischen Literaturgeschichte, 1965; W. Schlichting, G. und das D., Diss. Winnipeg 1967; G. A. Wells, Egmont und das D., GLL 24, 1970 f.; H. B. Nisbet, Das D., FMLS 7, 1971; H.-G. Pott, Das D. bei G. und Eichendorff, in: G. und die Romantik, hg. G. Kozielek, Breslau 1992.

Daimon →Dämon und →*Urworte. Orphisch*

Dalberg, Carl Theodor, Freiherr von (1744–1817). G.s Bekanntschaft mit dem zumal durch seine Parteinahme für Napoleon rasch aufsteigenden Welt- und Kirchenfürsten (1787 Coadjutor in Mainz, 1799 Bischof von Konstanz, 1802 Erzbischof und Kurfürst von

Mainz, 1806 Fürstprimas des Rheinbundes, 1807 Fürst und 1810–13 Großherzog von Frankfurt) datiert noch aus der Zeit, als Dalberg Statthalter des Fürstbischofs von Mainz in Erfurt war (1771–87). G. lernte ihn bei seinem ersten Besuch dort mit Carl August am 29. 12. 1775–2. 1. 1776 kennen und empfing ihn seinerseits am 7. 1. 1777 in Weimar. Seither benutzte G. beinahe jeden Aufenthalt in Erfurt zu einem Zusammensein mit dem vielseitig gebildeten, frisch-unkonventionellen Freund, der auch gemeinsamen Abenteuern nicht abgeneigt war (Tagebuch 4. 7. 1777) und Ehrgeiz, Eitelkeit und geistiges Mittelmaß durch Gutmütigkeit, Liebenswürdigkeit und Interesse ausglich (an Ch. von Stein 15. 9. und 7. 12. 1781, 12. 6. 1783 u. ö.). Selbst schriftstellerisch tätig, u. a. mit Beiträgen zu Schillers *Horen,* nahm Dalberg an G.s Arbeiten zur Farbenlehre und zur Metamorphose der Pflanzen lebhaften Anteil (vgl. deren Kapitel »Das Schicksal der Druckschrift«) und bemühte sich seit 1784 vergeblich, G. mit Schiller in Kontakt zu bringen (vgl. *Erste Bekanntschaft mit Schiller).* So wie Dalberg auch nach seinem Aufstieg und Wegzug den Kontakt mit G. aufrechterhielt, nahm G. nach Dalbergs Sturz 1814 lebhaften Anteil an dessen Schicksal.

W. Vulpius, G. und K. T. v. D., GJb 90, 1973.

Dalberg, Wolfgang Heribert, Freiherr von (1750–1806). Den Bruder von C. T. von Dalberg und als Protektor Schillers berühmten Intendanten des Mannheimer Hof- und Nationaltheaters lernte G. am 21.–23. 12. 1779 in Mannheim kennen, wo er am 22. 12. einer Aufführung des *Clavigo* beiwohnte. Einzelne Errungenschaften Dalbergs mag G. zum Vorbild für seine eigene Theaterleitung genommen haben. Von Dalbergs eigenen Bühnenwerken erschienen 1793 *Die eheliche Probe* und 1803 seine Bearbeitung von Shakespeares *Julius Caesar* auf der Weimarer Bühne.

Dalembert, D'Alembert →Alembert

Dallwitz. Das böhmische Dorf bei Karlsbad besuchte G. bei seinen Kuraufenthalten in Karlsbad 1806–20 fast regelmäßig aus geologischen Interessen und zur Besichtigung der dortigen Porzellanfabrik.

D'Alton →Alton

Damenkalender →*Taschenbuch für Damen*

Danaiden. Der griechische Mythos von den 50 Töchtern des Königs Danaos, die die 50 Söhne des Aigyptos heiraten mußten, sie in der Hochzeitsnacht erdolchten und zur Strafe in der Unterwelt Wasser in ein durchlöchertes Faß schöpfen mußten, war G. von Jugend auf bekannt. Er erwähnt sie in der Versfassung der *Proserpina*

1786, v. 67 ff.) bzw. deren Einschub in *Der Triumph der Empfindsamkeit* (4. Akt), in *Polygnots Gemälde* (1804) und später in *Philostrats Gemälde* (1818). Laut G.s Tagebuch veranlaßte ihn die Lektüre der *Schutzflehenden* des Aischylos am 20./21. 5. 1797 zur »Überlegung eines zweiten Stückes« als Fortsetzung dazu. Auf Zelters Anfrage vom 30. 1. 1800 wegen eines Textbuches zu einer »ernsthaften musikalischen Oper« erwähnt G. am 29. 5. 1801 seinen vor einigen Jahren entstandenen Entwurf *Die Danaiden*, in der der Chor die Hauptrolle erhalten sollte, den er aber wohl nie ausführen werde. Ein schriftlicher Entwurf ist nicht erhalten. Am 29. 8. 1809 berichtet Riemer nach einem Gespräch darüber, G. habe das Stück nur im Kopfe ausgeführt, aber nichts aufgeschrieben«.

Dank des Paria →Paria-Trilogie

Dannecker, Johann Heinrich von (1758–1841). G. lernte den idealistisch-klassizistischen Stuttgarter Hofbildhauer (Schiller-Büste 1793/94), Mitschüler und Freund Schillers an der Karlsschule, »eine herrliche Natur«, am 30. 8. 1797 in Stuttgart persönlich kennen, als er ihn mit seinem Schwiegervater G. H. von Rapp in seinem Atelier inmitten seiner Werke besuchte (an Schiller 30. 8. 1797). Während der Stuttgarter Tage sah G. Dannecker fast täglich: am 1. 9. zu einem Ausflug nach Hohenheim, am 3. 9. als sein Gast, am 4. 9. zu einem Spaziergang und am 6. 9. bei Rapp, wo G. beiden *Hermann und Dorothea* vollständig vorlas (an Schiller 12. 9. 1797). G.s Bemühungen, den durch Isolierung und die Enge der Stuttgarter Verhältnisse gehemmten Dannecker nach Weimar zu ziehen, blieben jedoch erfolglos. Auch Boisserées Auftrag von 1819 über eine Kolossalbüste G.s für das geplante Denkmal in Frankfurt scheiterte an G.s Reiseunlust und Danneckers Sorge um seine kranke Frau und wurde an C. D. Rauch weitergegeben. Der wohlwollende Kontakt in Briefen und Sendungen erhielt sich bis 1828. (Vgl. *Reise in die Schweiz 1797*).

K. Simon, G. und D., ZfD 35, 1921; C. v. Holst, J. H. D., 1987.

Dante Alighieri (1265–1321). Das Verhältnis G.s zum bedeutendsten Dichter der italienischen Renaissance wächst von anfänglicher Ablehnung und Desinteresse – »Ich habe nie begreifen können, wie man sich mit diesen Gedichten beschäftigen möge« (*Italienische Reise*, Bericht Juli 1787) – nach der Rückkehr aus Italien nur sehr allmählich und sehr spät zu einer eingeschränkten und fast widerwilligen Anerkennung von »Dantes widerwärtiger, oft abscheulicher Großheit« (*Tag- und Jahreshefte* 1821), die jedoch nur geringe Spuren in G.s Werk hinterläßt. Stärkeres Interesse bringt G. Dante erst nach 1806/07 entgegen, als er bei ihm Parallelen zu seinen Theorien zur Morphologie und Metamorphose sieht (*Maximen und Reflexionen* 96). Intensive Beschäftigung aber bringt erst die letzte Arbeitsphase am *Faust II* mit Dante-Lektüre im August/September 1826, eigenen Übersetzungsversuchen und dem nicht zu Veröffentlichung gedachten Aufsatz *Dante* (1826), der anhand von A. F. C. →Streckfuß' Übersetzung der *Göttlichen Komödie* (1824–26) Dantes gegenständlich-plastische Einbildungskraft betont. Im Bestreben, Bezüge und Parallelen zwischen dem italienischen und dem deutschen Klassiker und beider »Menschheitsgedichten« zu finden, bemüht sich Philologenscharfsinn seit langem um das Aufzeigen von Anregungen der *Göttlichen Komödie* im *Faust* und tut dies umso geistreicher, je schmaler die nachweisbare materielle Basis dafür ist, sobald es über das allgemeine Thema von Fall und Läuterung des Menschen hinausgeht.

A. Farinelli, D. e G., Florenz 1900; K. Voßler, G.s Faust und D. s Göttliche Komödie in ders., Die göttliche Komödie, 1907; E. Sulger-Gebing, G. und D., 1907 u. ö. A. Trendelenburg, G. und D., 1922; R. L. John, D. und G., ChWGV 52 f., 1949; R. Siegemund, G. und D., und A. Zastrau, D. und G., Mitteilungsblatt der Deutschen D. -Gesellschaft 1, 1972; A. Münster, Über G.s Verhältnis zu D., 1990; W. Hirdt, G. und D. Deutsches D. -Jahrbuch 68 f., 1993 f.

Danz, Johann Traugott Leberecht (1769–1851). G. traf den Jenaer Schulrektor und 1809–37 Theologieprofessor, Übersetzer von Aischylos und Plautus, am 9. 12. 1807 bei Knebel, sah ihn dann öfter amtlich und privat und las am 23./24. 10. 1821 und 5.–6. 6. 1826 sein *Lehrbuch der christlichen Kirchengeschichte* (II 1818–26). Er schrieb dazu eine (nicht veröffentlichte) Anzeige und hatte am 7. 7. 1826 bei Danz' Besuch in Weimar eine »weitläufige Unterhaltung« mit ihm.

Darbes (d'Arbes), Joseph Friedrich August (1747–1810). Der Porträtmaler und spätere Berliner Akademieprofessor traf G. im August 1785 in Karlsbad und malte in dieser Zeit zwei Porträts von ihm.

Darmstadt. Die damals noch kleinstädtische Residenzstadt der Landgrafen von Hessen-Darmstadt sah G. wohl zuerst auf seinen Reisen nach Mannheim im Oktober 1769, nach Worms im Dezember 1769 und von Straßburg Mitte August 1771; näher kennenlernte er sie jedoch erst am 29. 2. 1772, als er mit Schlosser den Besuch Mercks in Frankfurt erwiderte. Zahlreiche weitere, teils längere Besuche, meist Fußreisen, bei Merck und dem →Darmstädter Kreis folgten im April und Mai 1772, am 16. 11.–12. 12. 1772, 15. 4.–3. 5. 1773 zu Herders Hochzeit (2. 5.), Anfang Oktober 1774 als Begleiter Klopstocks, am 16. 10. 1774 mit H. Chr. Boie, am 14. 5. und 21. 7. 1775 auf der Hin- und Rückfahrt der 1. Schweizer Reise (Wiedersehen mit Herder) und am 30. 10. 1775 auf der Reise nach Heidelberg. In den Darmstädter Zusammenhang dieser Zeit gehören von G.s Dichtungen u. a. das →*Concerto dramatico,* die sog. Darmstädter Hymnen (*Wandrers Sturmlied, Der Wandrer, Pilgers Morgenlied, Felsweihegesang, Elysium, An Schwager Kronos*), ferner das

rmarktsfest zu Plundersweilern und *Ein Fastnachtsspiel vom Pater
ey. Nach G.s Umsiedlung nach Weimar ergaben sich weitere Be-
:he bei der 2. Schweizer Reise am 30. 12. 1779/1. 1. 1780, am
5. 1793 bei der Rückkehr von Mainz, am 25. 8. 1797 bei der
nfahrt zur 3. Schweizer Reise, schließlich am 9./10. 10. 1814 und
.–20. 9. 1815 im Zusammenhang mit den Wiesbadener Kuren, als
s Interesse besonders den Kunstsammlungen galt (*Kunst und
tertum am Rhein und Main*). Vgl. *Dichtung und Wahrheit* III, 12–14.
W. Gunzert, D. und G., 1949; G. in D., Katalog Darmstadt 1982.

armstädter Hymnen →Darmstadt

armstädter Kreis, Darmstädter Empfindsame, von G. »Gemein-
haft der Heiligen« genannt. Am Hof der stark geistig interessier-
n »großen Landgräfin« Henriette Christiane Caroline von
essen-Darmstadt (1721–1774) bildete sich um 1770 ein Freun-
skreis pietistisch-empfindsamer »schöner Seelen« mit Zentren in
n Häusern von Hesse und Merck: Geheimrat Andreas Peter von
esse, seine Frau Friederike von Hesse, geb. Flachsland, Kriegsrat
hann Heinrich Merck, Caroline Flachsland, die Braut Herders
Psyche«), die Hofdamen Henriette von Roussillon (»Urania«) und
uise von Ziegler (»Lila«), Hofarzt Johann Ludwig Leuchsenring
d Prinzenerzieher Franz Michael Leuchsenring. Gewissermaßen
swärtige Mitglieder waren bei seinen zwei Aufenthalten Herder
der Dechant«) und G. (»der Wanderer«), der besonders 1772/73
t und lange in dem Kreis weilte (→Darmstadt), hier seine Arbei-
n vorlas und Aufmunterung und Anregungen empfing. Literarisch
rgeprägt durch die Tugendromane von Richardsom, Rousseau
nd S. von La Roche und in tränenreicher Verehrung der Lyrik
lopstocks, Youngs und »Ossians«, praktizierte man eine empfind-
me Naturschwärmerei und einen schwärmerischen Gefühls- und
eundschaftskult mit Waldhütten, Lauben, Blumenaltären und
ondscheinspaziergängen. Vgl. *Dichtung und Wahrheit* III, 12–14.
V. Tornius, Die Empfindsamen in Darmstadt, 1910, erw. u.d.T. Schöne Seelen, 1920;
Rahn-Bechmann, Der Darmstädter Freundeskreis, Diss. Erlangen 1934.

aru, Pierre Antoine Bruno, (1809) Graf (1767–1829). Ausgerech-
t der Kriegsminister Napoleons, als Generalintendant der Großen
rmee für die Eintreibung der Kriegskontributionen zuständig,
lerdings auch Schriftsteller, Horaz-Übersetzer, Historiker und
itglied der Académie Française, war es, der bei der Erfurter Un-
rredung am 2. 10. 1808 G. und sein Werk bei Napoleon einführte
w. »präsentierte« (zu Boisserée 8. 8. 1815; *Unterredung mit Napo-
on*).

att, Johann Philipp (1654–1722). G. benutzte das Werk des Stutt-
rter Juristen *Volumen rerum Germanicarum novum sive de pace impe-*

rii publica (1698) als Hauptquelle für die Darstellung des mittelalte lichen Fehde- und Landfriedensrechts im *Götz von Berliching* (*Dichtung und Wahrheit* III,12).

Daub, Carl (1765–1836). G. begegnete dem Heidelberger Theol gieprofessor und Mitarbeiter G. F. Creuzers, dessen romantisch Protestantismus Gedanken Jakob Böhmes integrierte, am 21. ur 25. 9., 2. und 7. 10. 1815 in Heidelberg.

Dauer im Wechsel. In seinem Buch *Rhapsodien über die Anwe dung der psychischen Kurmethode auf Geisteszerrüttungen* (1803) füh der Hallenser Medizinprofessor Johann Christian Reil aus, daß a Organismen sich ständig erneuerten und auch der menschlicl Körper einem ihm unbewußten ständigen Wechsel unterworfen s und nur das Bewußtsein der Identität mit seinem früheren Körp eine Kontinuität der Person vorspiegele. Dieser ihm vertraute G danke einer fortschreitenden Metamorphose veranlaßte G., seine Dankbrief für das Buch am 15. 8. 1803 dieses wohl kurz zuvor en standene Gedicht als Versuch beizulegen, »wie ich das, was Sie … schön vortragen, poetisch auszusprechen gewagt habe«. In ein eindrucksvoll bunten Flut anschaulicher, doch flüchtiger Bilder d Vergänglichkeit beschreibt es den Wechsel der Jahreszeiten (I), d Natur (II) mit einem Heraklit-Zitat und des Menschen (III, IV zeigt den Wechsel als das Dauernde auf und hält dem Wandelba Vergänglichen im Anklang an Horaz' »Exegi monumentum« d vollendete Kunstwerk als unvergängliches Ergebnis von innere Gehalt und äußerer Form entgegen, das dem Augenblick Dau verleiht. Der Erstdruck erfolgte 1803 in G.s und Wielan *Taschenbuch auf das Jahr 1804.*

E. Staiger, Die Zeit als Einbildungskraft des Dichters, 1939 u. ö.; E. Grünthal, Üb den Anlaß zur Entstehung von G.s Gedicht D. i. W., in ders. und F. Strauß, Abhandlu gen zu G.s Naturwissenschaft, 1949; P. Schäublin, G.s Gedicht D. i. W., Sprachkunst 1977; W. S. Davis, Subjectivity and exteriority in G's D. i. W., GQ 66, 1993.

David, Jacques Louis (1748–1825). Von dem führenden Historier und Porträtmaler des französischen Klassizismus kannte G. nur de »Schwur der Horatier«, »Die Sabinerinnen«, den »Schwur im Bal haus« und die »Krönung des Kaisers« nach Reproduktionen un keines der Porträts. Sah er anfangs in Davids Werk eine »Hinwe sung auf die Natur« (*Über römisches Künstlerleben*), so erschienen ih schon die »Sabinerinnen«, über die er einen Aufsatz W. von Hun boldts in den *Propyläen* (III,1) veröffentlichte, »zu einer gewisse sonderbaren, gedachten Sentimentalität hinaufgeschraubt« (a W. von Humboldt 16. 9. 1799), und die Verherrlichung der Franzö sischen Revolution in Davids politischer Kunst drängte ihm d Frage nach der Dauerhaftigkeit von Davids Werk auf (*Benvenu Cellini*, Anhang). G. besaß eine evtl. durch W. von Humboldt ve mittelte Handzeichnung Davids zu dem Gemälde »Die Liktore bringen Brutus die Leichen seiner Söhne«.

David d'Angers, Pierre Jean (1788–1856). Der G. noch unbe-
annte französische Bildhauer des Klassizismus erschien am 23. 8.
829, mit Empfehlungen von Ampère und Cousin versehen, in
Weimar, um eine Kolossalbüste G.s zu modellieren. G. erklärte sich
azu bereit und saß am 26. 8.–2. 9. 1829 Modell. Vor seiner Abreise
m 9. 9. 1829 schuf David auch eine Porträtmedaille G.s im Profil.
Die fertige Marmorbüste traf am 13. 7. 1831 in Weimar ein und
urde zu G.s Geburtstag am 28. 8. 1831 in Abwesenheit G.s in der
Bibliothek feierlich enthüllt. Sie erregte wegen ihrer Größe in Wei-
nar anfangs Befremden. G. fand das Werk »trefflich gearbeitet,
außerordentlich natürlich, wahr und übereinstimmend in seinen
Teilen« (an Zelter 13. 8. 1831), und J. H. Meyer besprach es in *Über
Kunst und Altertum* (VI,3). Zuvor hatte G. am 7. 3. 1830 zu seiner
roßen Freude eine Sendung von David mit 57 Gipsabgüssen von
Medaillen meist zeitgenössischer französischer Schriftsteller und auf
eine Veranlassung als Autorengeschenke Ausgaben zeitgenössischer
ranzösischer Dichter (Sainte-Beuve, Hugo, Balzac, de Vigny,
Deschamps) erhalten. In den langen Gesprächen mit David über die
Eigenarten und Verschiedenheiten deutschen und französischen
Wesens erkannte G. in ihm einen »unmittelbaren Geistesverwand-
en« und die Büste als »Beweis der Auflösung strenger National-
grenzen« (an David 20. 8. 1831).

  P. v. Bojanowski, D. in Weimar, DR 170, 1917; M. Saché, D. et G., La Province d'An-
ou 8, 1933; G. Varenne, Les relations entre D. et G., EG 4, 1949.

Dawe, George (1781–1829). Der englische Porträtist und Hofma-
er des Zaren schuf am 4.–10. und 23.–25. 5. 1819 ein Porträt G.s
»als Kunstwerk nicht ohne Verdienst«; »in seiner Art als gelungen
nzusprechen« *Tag- und Jahreshefte* 1821). Den danach entstandenen
Kupferstich von Thomas Wright 1821 zeigte G. in *Über Kunst und
Altertum* (III,1, 1821) als ihm »am ähnlichsten« an. Die Sitzungen
nd Mahlzeiten mit Dawe als Tischgast gaben G. Gelegenheit, mit
lem Maler über seine Farbenlehre zu sprechen (an T. J. Seebeck
0. 12. 1819).

  H. G. Gräf, Das D.sche G.-Bildnis, JGG 1, 1914; J. Müller, G. und Puschkin vom glei-
hen Maler G. D. gemalt, GJb 101, 1984.

Defoe, Daniel (1660–1731). Defoes Roman *Robinson Crusoe*
1719) in deutscher Übersetzung gehörte neben Fénelons *Télémaque*
ue und Schnabels *Insel Felsenburg* zur Jugendlektüre G.s (*Dichtung
nd Wahrheit* I,1).

Deinet, Johann Conrad (1735–1797). Der frühere hessische Pa-
genmeister und Waldecker Hofrat erwarb 1770 durch Heirat die
Frankfurter Buchhandlung und Druckerei Johann Ludwig Eichenberg und brachte ihr neuen Aufschwung. 1771 erwarb er auch die
Frankfurtischen Gelehrten Zeitungen, die 1772 als →*Frankfurter Ge-
ehrte Anzeigen* unter Leitung Mercks zum führenden Rezensions-

organ des Sturm und Drang wurden und zu denen G. zahlreiche
anonyme Rezensionen beisteuerte. Bei Deinet bzw. Eichenbergi-
sche Erben erschienen anonym im November 1772 G.s Flugschrift
Von deutscher Baukunst, 1773 der *Brief des Pastors zu* ★★★ *an den neuen
Pastor zu* ★★★ und 1774 die 2. Auflage des *Götz von Berlichingen*.

Deinhardstein, Johann Ludwig Franz (1794–1859). Der Wiener
Bühnenschriftsteller, Spezialist für Künstlerdramen und 1832 Vizedirektor des Burgtheaters, hatte aus G.s Gedicht *Hans Sachsens poetische Sendung* (1776) die Anregung zu seinem Drama *Hans Sachs*
gewonnen. Für dessen Aufführung in Berlin am 13. 2. 1828 erbat
der Intendant Graf Brühl G. um die Erlaubnis, sein Gedicht als Prolog voranzustellen. G. stimmte zu und schrieb zusätzlich noch einen
einleitenden *Prolog zu dem dramatischen Gedicht Hans Sachs, von Deinhardstein.* Deinhardstein, der 1829 die Redaktion der Wiener →*Jahrbücher der Literatur* übernommen hatte, wurde nach seiner eigenen
Schilderung bei seinem Besuch in Weimar am 31. 8./1. 9. 1830 von
G. sehr zuvorkommend empfangen, und G. steuerte zum Jahrbuch
eine eigene Rezension von W. Zahns *Die schönsten Ornamente und
merkwürdigsten Gemälde aus Pompeji, Herculanum und Stabiä* (Nr. 51
1830) bei.

Delacroix, Eugène (1798–1863). Der französische Historienmaler
der Romantik mit Vorliebe für literarische Szenen wurde 1825
durch die Aufführung eines musikalischen *Faust* in London zu seinen ersten, dramatisch bewegten *Faust*-Zeichnungen angeregt, von
denen G. schon am 27. 11. 1826 durch Coudray die ersten Probedrucke »Faust am Hochgericht« und »Auerbachs
Keller« kennenlernte: »ein großes Talent« (zu Eckermann 29. 11.
1826). 1828 erschien in Paris F. A. A. Stapfers *Faust*-Übersetzung in
einer Prachtausgabe mit 17 Lithographien von Delacroix, die G. am
22. 3. 1828 erhielt und mit Eckermann, Meyer und Coudray diskutierte. Die in *Über Kunst und Altertum* (VI,1, 1827) schon angekündigte Ausgabe und die Illustrationen besprach er darauf (ebd. VI,2
1828) mit einem Anhang »Äußerungen eines Kunstfreundes«
(Meyer). Bei aller Anerkennung des Neuartigen, der Dynamik und
Originalität befremdete den klassizistische Statik Gewohnten doch
das Wilde, Ungestüme, Rohe und Gewaltsame der Szenen. 1836–43
schuf Delacroix ferner sieben Lithographien zum *Götz* und als
Gemälde 1848 »Valentins Tod« und 1850 »Weislingen, von den Anhängern Götzens fortgeschafft«.

P. Jamot, G. et D., Gazette des beaux-arts 74, 1932; A. Weixlgärtner, G. und E. D.
ChWGV 46, 1941; J. O. Kehrli, Die Lithographien zu G.s Faust von E. D., 1949;
A. Götze, G.s Begegnung mit den Faust-Illustrationen von D., Philobiblon 14, 1970;
H. Lüdecke, G., D. und die Weltliteratur, Goethe 33, 1971; G. Busch, E. D. Der Tod des
Valentin, 1973.

Delaval, Edward Hussey (1729–1814). G. beschäftigte sich im Zusammenhang der Farbenlehre vor allen 1798, 1806 und 1810 mit

er 1788 übersetzten Schrift *Versuch und Bemerkungen über die Ur-
che der dauerhaften Farben undurchsichtiger Körper* des englischen Pri-
atgelehrten und Naturforschers und widmet ihm in der *Geschichte*
r Farbenlehre ein kritisches Kapitel.

)elavigne, Jean François Casimir (1793–1843). G. kannte von
em seinerzeit berühmten französischer Lyriker und Dramatiker
zwischen Klassizismus und Romantik die philhellenisch-patrioti-
hen Gesänge *Les Messéniennes* (1816–22), die Dramen *Le paria*
821, »sehr schön gedacht, wohl durchgeführt«, *Die drei Paria*,
824; →*Paria*), *Marino Faliero* (1829), das er mit Byron verglich, und
as Lustspiel *L'école des vieillards* (1823, »Gelbschnabel von Verfasser«,
a Riemer 11. 7. 1824).

)elbrück, Johann Friedrich Ferdinand (1772–1848). G. schätzte
en Berliner Gymnasiallehrer und späteren Königsberger Professor,
en er am 25. 8. 1809 in Jena auch persönlich kennenlernte, vor
lem als feinfühligen Rezensenten der *Jenaischen Allgemeinen Litera-*
rzeitung, in der Delbrück 1804 *Die natürliche Tochter* und 1808 G.s
Gedichte besprach.

)elille, Jacques (1738–1813). Keine allzu hohe Meinung hatte G.
on dem vor der Revolution hochgeschätzten klassizistischen fran-
ösischen Lyriker und Übersetzer. Er kannte von ihm *L'homme des*
iamps (1800) und *L'imagination* (1806) sowie die Milton-Überset-
ung (1805), ließ jedoch nur seine gewandte Verstechnik gelten (zu
.ckermann 29. 1. 1827).

)ella Valle →Valle, Petro della

)elph, Helene Dorothea (1728–1808). Die energische, weltge-
vandte und vertrauenswürdige Heidelberger Geschäftsinhaberin
nüpfte auf den Frankfurter Messen vielfache geschäftliche und
rivate Verbindungen zu G.s Frankfurter Kreis und seiner Mutter.
Jausfreundin der Familie Schönemann in Frankfurt und Heirats-
tifterin aus Passion, arrangierte sie Ostern 1775 G.s Verlobung mit
.ili, indem sie in einem günstigen Augenblick die Zustimmung von
.eren Eltern erwirkte (*Dichtung und Wahrheit* IV,17). Als G. auf der
.eplanten Italienreise am 30. 10.–3. 11. bei ihr wohnte, hegte sie be-
eits neue Heiratspläne und Berufspläne in pfälzischen Diensten für
hn, als die Staffette ihn nach Weimar rief (ebd. IV,20). Anfang Au-
;ust 1793 führte G. bei ihr das ungute Gespräch über die Farben-
ehre mit seinem Schwager J. G. Schlosser (*Belagerung von Mainz*),
ind noch am 26. 8. 1797 besuchte er die »Freundin« zu einem lan-
;en Gespräch und Spaziergang.

B. Erdmannsdörffer, G. in Heidelberg und die Familie D., Neue Heidelberger Jahr-
ücher 6, 1896; M. Huffschmid, G.s Heidelberger Freundin H. D. D., Neues Archiv für
ie Geschichte der Stadt Heidelberg 11, 1924; H. C. Schöll, Die Politica Delphin, in:
;. und Heidelberg, hg. R. Benz 1949.

Dem aufgehenden Vollmonde. In der selbstgewählten Dorn
burger Einsamkeit nach dem Tode Carl Augusts nimmt G. ei
Naturerlebnis (»Schöner Aufgang und Fortschritt des Vollmondes«
Tagebuch 25. 8. 1828) zum Anlaß seines am gleichen Tag entstan
denen, letzten Mondgedichts (→Mond). Der Mond ist der Ange
sprochene, Mitfühlende, Gewährende, Wunscherfüllende. Di
Trauer um sein Verdunkeln verbindet sich mit der durch sei
Wiederaufleuchten bestätigten Gewißheit einer fernen Liebe. S
konnte G. das Gedicht am 23. 10. 1828 an Marianne von Willeme
senden im Gedenken an ihr gemeinsames Gelöbnis von 1815: ihr
Blicke im aufgehenden Vollmond sich spiegeln zu lassen und dam
einander nahe zu sein (vgl. *Vollmondnacht* im *West-östlichen Divan*).

R. Petsch, G.s Mondlyrik, ZDB 4, 1928; C. Viëtor, Geist und Form, 1952; M. Kom
merell, Dichterische Welterfahrung, 1952; J. Müller, Wirklichkeit und Klassik, 1955.

Demeter →Ceres

Demetrius. Den ursprünglichen Plan von 1805, Schillers unvoll
endet hinterlassenes *Demetrius*-Drama, mit dessen Plan er aus zahl
reichen Gesprächen völlig vertraut war, seinerseits als Zeugnis de
engen Zusammenarbeit fortzusetzen und dessen Aufführungen zu
Totenfeiern Schillers zu gestalten, gab G. nach ersten Hindernisser
zu seinem späteren Bedauern vorschnell auf (*Tag- und Jahresheft*
1805). Nur der *Maskenzug 1818* beschwört Schillers Demetrius-
Figur wieder herauf.

Denkmäler. G. war kein Freund von architektonischen Denk
mälern, die, »an den Grund und Boden gefesselt, vom Wetter, vom
Mutwillen, vom neuen Besitzer zerstört, und, solange sie stehen
durch das An- und Einkritzeln von Namen geschändet werden«
(*Denkmale*, 1804; vgl. auch die Gespräche über Denkmäler in *Di
Wahlverwandtschaften* II,1–2). Er bevorzugte stattdessen bewegliche
Marmorbüsten oder Medaillen. Das schloß indessen nicht aus, daß
er gelegentlich durch Entwürfe oder Inschriften (→Blücher
Ch.→Becker) zu Denkmälern beitrug. Boisserées Plan eines Frank-
furter G.-Denkmals von 1819, für das erst Dannecker, dann Rauch
die Statue schaffen sollten, zerschlug sich, und Bettina von →Ar-
nims süßlicher Denkmalsentwurf von 1823 war G. peinlich. Seine
Haltung verhinderte jedoch nicht, daß das denkmalwütige 19. Jahrhundert ihm an zahllosen, teils von ihm nie besuchten Orten wie
Wien oder Chicago Denkmäler errichtete, am bekanntesten da
Frankfurter G.-Denkmal von L. von Schwanthaler (1844) und da
→Goethe- und Schiller-Denkmal vor dem Weimarer Hoftheate
von E. Rietschel (1857).

O. Weddigen, Die Ruhestätten und D. unserer deutschen Dichter, 2. A. 1907
D. Sternberger, Der großherzoglich-weimarsche Jupiter, in: Versuche zu G., hg. V. Dür
1976; J. Schuchard, G. auf dem Postament, GJb 106, 1989.

enon, Dominique Vivant, Baron (1747–1825). Den französischen ̣eichner, Graphiker, Medailleur, Kunstsammler und Schriftsteller ʿrnte G. in Venedig kennen, wo er Radierungen venezianischer ̣emälde schuf. Als eleganter Lebemann und Kunstbegeisterter des ̣cien régime nach der Revolution bedroht, schloß er sich ̣798/99 Napoleons Ägypten-Feldzug an und publizierte ein Tafel- ̣erk *Voyage dans la Basse et la Haute Égypte* (II 1802), mit dem G. ̣ch im April 1818 und Juli 1820 beschäftigte. Als Generalinspektor ̣er französischen Museen hatte er in Napoleons Auftrag ausge- ̣ählte Kunstschätze aus den eroberten Ländern nach Paris zu brin- ̣en und im nunmehr Musée Napoléon genannten Louvre (»Pavil- ̣on Denon«) aufzustellen. In dieser Eigenschaft kam er am ̣8.–20. 10. 1806 inmitten der französischen Besetzung und Plün- ̣erung (und G.s Heirat) nach Weimar, wohnte auf eigenen Wunsch ̣ei G., der »viel Freude am Wiedersehen« hatte, ihn »äußerst mun- ̣er und artig« fand (an Knebel 21. und 23. 10. 1806) und von sei- ̣em »guten Betragen in seinem Hause« sprach (zu Riemer 16. 4. ̣814), ihn zum Hof begleitete und auf seinen Wunsch von B. Zix ̣ir eine (nicht geprägte) Medaille gezeichnet wurde. Denon lieferte ̣ls Leiter der französischen Münze die Entwürfe fast aller Münzen ̣nd Medaillen Napoleons. Spätere Korrespondenz betraf meist po- ̣tisch-diplomatische Fragen und Medaillen. Vgl. Tagebuch 13. 1. ̣831.

   J. Chatelain, D. V. D. et le Louvre, Paris 1973; P. Lelièvre, V. D., Paris 1993.

ʾentzel, Georg Eduard, Baron von (1755–1824). Der frühere ̣naer Theologiestudent, Pfarrer in Landau, dann Deputierter im ̣Nationalkonvent und Generaladjutant Napoleons, war nach der ̣chlacht von Jena und Auerstedt 16.–23. 10. 1806 der erste franzö- ̣ische Stadtkommandant von Weimar. G. speiste am 17. 10. 1806 ̣nit Wieland bei ihm, am 20. 10 mit ihm bei Hofe, war von seiner ̣Milde gegen Besiegte sehr angetan (an Carl August 19. 10. 1806, ̣*Tag- und Jahreshefte* 1807, Tagebuch 13. 1. 1831) und empfing ihn ̣m 4. und 7. 5. 1808 als Gast in seinem Haus.

ʾen Vereinigten Staaten (»Amerika, du hast es besser …«) ̣→Amerika

ʾeny, Johann Friedrich Wilhelm (1787–1822). Der vielseitige ̣chauspieler für Helden- und Liebhaber-, später Charakterrollen ̣nd Baß in der Oper war von 1805 bis 1822 am Weimarer Theater ̣ngagiert und wirkte auch bei G.s Hauskonzerten mit.

ʾer du von dem Himmel bist   →*Wandrers Nachtlied I*

ʾerones →De Rosne

ʾe Rosne (G. schreibt fälschlich Derones). Die während der fran- ̣ösischen Besetzung Frankfurts (1759–62) am dortigen französi-

schen Theater beschäftigte Schauspielerfamilie bestand aus de۱
Eltern, einer älteren Tochter, die von G. verehrt wurde, und zwe
Söhnen (vermutlich des Theaterdirektors Baptiste Renaud). Dere۱
älterer, ein schlauer, weltgewandter, »allerliebster kleiner Aufschnei
der«, war G.s Spielgefährte, literarischer Berater bei einem frühe۱
Drama, der ihn auf die drei Einheiten verwies, ihn auch hinter di
Kulissen und in die Schauspielergarderobe führte und bei dem G
sein Französisch verbesserte (*Dichtung und Wahrheit* I,3).

Der Zauberflöte zweiter Teil → *Zauberflöte*

Descartes, René (1596–1650). Mit dem rationalistisch-kritische۱
französischen Philosophen und Mathematiker befaßte G. sich ei
gentlich nur im Februar/März 1809 im Zusammenhang der Re
genbogenfarben in der *Farbenlehre,* deren historischer Teil ihm ei۱
eigenes Kapitel »Renatus Cartesius« widmet, jedoch G.s Abneigun۱
gegen seine Methode kaum verhehlt. Vgl. auch Xenion 374 un۰
Maximen und Reflexionen 1215.

J. Vandenrath, D. und G., 1981.

Deschamps, Émile (1791–1871). Der französische Schriftstelle
der Romantik veröffentlichte in seinen *Études françaises et étrangère*
(1828) eine Übersetzung von G.s *Braut von Korinth,* die G. »treu un۰
sehr gelungen« fand (zu Eckermann 14. 3. 1830). Auch der Einlei
tung über den Gegensatz Klassisch-Romantisch bescheinigte G. zu
stimmend »große Mäßigkeit und Umsicht« (an P. J. David 8. 3
1830). Die Sendung mit einem liebenswürdigen Huldigungsbrie
von Deschamps erreichte G. durch die Initiative von P. J. →Davi۰
d'Angers.

Des Epimenides Erwachen. Nach der griechischen Sage, die G
schon 1788 kannte (an Knebel 25. 10. 1788), war Epimenides ei۱
um die Verfassung Athens und anderer griechischer Gemeinwese۱
verdienter kretischer Priester in Knossos, der nach 50jährige۱
Schlaf in einer Felsenhöhle zum Seher seines Volkes erwachte. Di
Anregung Ifflands, des Direktors des Berliner Nationaltheaters, von
6. 5. 1814, zur Rückkehr Friedrich Wilhelms III. binnen vier Wo
chen ein Siegesfestspiel zu dichten, lehnte G. nach deren verspäte
tem Erhalt am 17. 5. zunächst ab, widerrief die Weigerung jedoc۱
am 20. 5., übersandte schon am 22. 5. den vollständigen Szenenent
wurf für die Bühnenbilder und schrieb am 19. 5.–21. 6. 1814 i۱
Bad Berka das Festspiel *Des Epimenides Erwachen,* das 1815 i۱
Druck erschien (vgl. G.s Selbstanzeige im *Morgenblatt für gebildet*
Stände 29./30. 3. 1815). Die Vertonung durch B. A. Weber und de
Tod Ifflands verzögerten zu G.s Unwillen die Berliner Urauf
führung, nunmehr unter Graf Brühl, bis zum 30. 3. 1815, dem Jah
restag der Einnahme von Paris. Eine den örtlichen Verhältnissen an۰

gepaßte Weimarer Erstaufführung folgte am 7. 2. 1816. Da G.s per-
sönlich-bekenntnishafter und allegorisch-ideeller Text kaum den
üblichen Erwartungen eines hurrapatriotischen Jubelspiels entsprach, war das Werk zwiespältigen Urteilen und Mißverständnissen
ausgesetzt. In Epimenides' Schlaf spiegeln sich zugleich G.s eigenes
Abseitsstehen und Leiden, die Konzentration auf zeitferne geistig-
künstlerische Themen und seine Bedenken gegenüber einer Volks-
erhebung gegen Napoleon bis zum vaterländischen Erwachen und
dem Glauben an die Zukunft Deutschlands, dessen Leid und
Freude er mitempfand. Dem Weisen geben die Götter durch den
Schlaf die Kraft der reinen Empfindung und den Sinn für die Deutung der Zeit. Im Mittelpunkt der allegorischen Handlung steht der
Kampf der Dämonen Krieg, Unterdrückung und List gegen die
Genien Liebe, Glaube und Hoffnung, und die Bühne überhöht
durch Musik, Gesang, Dekorationsprunk, Verwandlungen, Maschi-
nenzauber und revuehafte Aufzüge den antiken Stoff zum über-
zeitlichen Festspiel von Erniedrigung, Befreiung, sittlicher Erneuerung und Einigung des Volkes.

H. Morsch, G.s Festspiel D. E. E., GJb 14–15, 1893 f.; H. v. Wolzogen, D. E. E., Bayreuther Blätter 38, 1915; K. Burdach, D. E. E., 1932; H. H. Schaeder, D. E. E., GKal 34,
1941; J. Müller, Intention, Struktur und Stilhöhe von G.s Festspiel D. E. E., in: Studien
zur Goethezeit, hg. H. Holtzhauer 1968, auch in ders., Neue G.-Studien, 1969; G. Kaiser, Wandrer und Idylle, 1977; Ch. Siegrist, Dramatische Gelegenheitsdichtungen, in:
G.s Dramen, hg. W. Hinderer 1980; M. Pütz, G.s D. E. E., politisch betrachtet, GJb 113,
1996.

Des Künstlers Erdewallen. Das kurze Knittelvers-Dramolett von
70 Versen in zwei »Akten« (eigentlich Szenen) entstand wohl im
Sommer/Herbst 1773, wurde am 3. 11. 1773 an Betty Jacobi gesandt, auf der Rheinreise mit Lavater am 17. 7. 1774 wohl nach
dem Gedächtnis dessen Reisebegleiter, dem Maler G. F. Schmoll, ins
Stammbuch geschrieben und Herbst 1774 im *Neueröffneten moralisch-politischen Puppenspiel* veröffentlicht. Eine 1788 geplante Neubearbeitung (*Italienische Reise* 1. 3. 1788) unterblieb. Das Werk
schöpft aus G.s Einsicht in die Künstlerproblematik, die er in
Frankfurter Malerateliers und im Elternhaus mit den Malern des
Königsleutnants Thoranc erlebt hatte, wohl auch aus eigenen Zwei-
feln, Anregungen aus Lessings *Emilia Galotti* (I,4) und einer die Ironie gröblich mißverstehenden Deutung von Hogarths Stich »The
distressed poet«. Es gestaltet im Sinne des Sturm und Drang den
Gegensatz von idealem, nach Vollkommenheit strebendem Kunstschaffen nach der Natur und den inneren Bildern der Seele und
den realen, alltäglichen Geldnöten, die den Künstler zu handwerks-
mäßiger Lohnarbeit an Porträts häßlicher Menschen und zum Anhören des banausenhaften Kunstgewächs reicher Käufer zwingen
und ihn an seiner höheren Berufung verzagen lassen, bis die Muse
ihn mit dem Hinweis auf das Glück des Schaffens, wenn auch für
andere, tröstet. Die hier erstmals so deutlich ausgesprochene,
quälend erlebte Antithese Künstler-Bürger im Unterschied zur

Auffassung früherer Zeiten vom Maler als Handwerker sollte von der Romantik aufgegriffen und im Sinne eines autonomen Künstlertums vertieft werden.

H. G. Gräf, Die Zeit der Entstehung von K. E. und Künstlers Vergötterung, GJb 27, 1906.

Des Künstlers Vergötterung. Das kurze Knittelvers-Dramolett, wohl nur Teil eines Dialogs von Meister und Jünger, schrieb G. am 18. 7. 1774 auf dem Rheinschiff bei Neuwied dem Maler G. F. Schmoll ins Stammbuch, ohne eine Abschrift zu machen, so daß es erst 1879 veröffentlicht wurde. Es ist zugleich Fortsetzung und Gegenstück zu →*Des Künstlers Erdewallen*, indem es die postume Anerkennung und Verherrlichung des dort noch ringenden Künstlers bei der Nachwelt nachträgt. Den eigentlichen Abschluß der Thematik und einen Lösungsvorschlag bringt erst die 1788 entstandene Erweiterung zu →*Künstlers Apotheose.*

Literatur →Des Künstlers Erdewallen.

Des Paria Gebet →Paria-Trilogie

Dessau. Die Residenzstadt der Fürsten (ab 1807 Herzöge) von Anhalt-Dessau (1757–1817: →Leopold III. Friedrich Franz) war G. schon durch die Berufung Behrischs zum Erzieher des späteren Grafen Waldersee dorthin vertraut. Er besuchte die Stadt sechsmal, meist als Begleiter Carl Augusts, wobei die Besuche anfangs auch das Philanthropinum Basedows, immer aber den Dessauer Hof und meist dessen Sommerresidenz Schloß →Wörlitz einschlossen, dessen englischer Park zum Vorbild für den Weimarer Park an der →Ilm wurde: 1.) 3.–19. 12. 1776 mit Carl August und Kaufmann anläßlich einer Treibjagd und Schweinehetze; Treffen mit Behrisch und Basedow; 2.) 26. und 28. 5.–1. 6. 1778 auf der Rückreise von Berlin mit Carl August; Treffen mit Basedow, Theater und Konzert; 3.) 21. 9. 1781 auf einer Reise über Leipzig; 4.) 20.–24. 12. 1782 mit Carl August bei Hofe; 5.) 31. 7.–2. 8. 1794 mit Carl August; 6.) 2.–6. 1. 1797 mit Carl August; Treffen mit dem Sohn seines Großonkels Johann Jost von Loen, Behrisch und Graf Waldersee Theater, Gemäldegalerie.

R. Kießmann, G.s Beziehungen zum D. er Hof, Anhalter Staatsanzeiger 153/194–196, 1916.

Destouches, Franz Seraph von (1772–1844). Der Schüler Haydn war seit 1799 herzoglicher Konzertmeister und Musiklehrer, dann 1803–09 Kapellmeister in Weimar und öfter Gast bei G. Er schrieb die Bühnenmusik für Schillers *Turandot, Die Braut von Messina, Die Jungfrau von Orleans* und *Wilhelm Tell* sowie eine 1803 in Weimar uraufgeführte Oper *Das Mißverständnis,* wurde jedoch wegen mangelnder Leistungen entlassen.

Destouches, Philippe Néricault (1680–1754). G. sah die moralischen Charakterkomödien des beliebten französischen Dramatikers
bereits im französischen Theater in Frankfurt, sodann in Leipzig
und 1776 auf der Weimarer Liebhaberbühne. Die Geschichte der
Pächterin in G.s *Die guten Weiber* benutzte wohl dieselbe Quelle wie
Destouches' *Le dissipateur ou l'honnête friponne* (1736), den L. A.
Gottsched schon 1742 als *Der Verschwender* übersetzt hatte.

Des Voeux, Charles (?–1833). Der englische Diplomat und Gesandtschaftsattaché in Berlin übersetzte 1827 mit Ottilies Hilfe G.s
Torquato Tasso ins Englische und sandte G. am 3. 3. 1827 den nur in
einem Exemplar für ihn gedruckten Text zur Durchsicht (an Zelter
29. 3. 1827). Er besuchte G. am 26. 3. 1827, 7. 10. 1829 und 10. 5.
1830.

Der deutsche Gil Blas   →Sachse, Johann Christoph

Der Deutsche Merkur   →*Der Teutsche Merkur*

Deutscher Naturdichter   →Fürnstein, Anton

Deutscher Parnaß. Das am 15. 6. 1798 als *Der Hüter des Parnassus*
entstandene, auf Schillers Vorschlag vom 23. 6. 1798 als *Sängerwürde*
1798 in Schillers *Musen-Almanach für das Jahr 1799* zuerst gedruckte
Gedicht erschien auf Riemers Vorschlag in den *Werken* 1806 u.d.T.
Dithyrambe und 1815 u.d.T. *Deutscher Parnaß*. Es parodiert das gegen
die *Xenien* gerichtete schwächliche Büchlein des alten J. W. L.
Gleim *Kraft und Schnelle des alten Peleus*, das den Einbruch »hoch-
borstiger Faune« in das stille Tal der Musen beklagt hatte, und
nimmt ironisch die Sicht des Klagenden an, der den Einbruch des
wilden Volkes in die »milden Lustgefilde« der alten, heilen Dichter-
welt abweist und ihm nur nach »tief gefühlten Reueliedern« den
Zutritt gestatten will.

H. Henkel, Zu G.s D. P., Archiv für Litteraturgeschichte 9, 1880; D. Jacoby, Zu G.s
Gedicht D. P., GJb 6, 1885 und 14, 1893; R. M. Meyer, D. P., GJb 13, 1892; M. Morris,
Zu G.s Gedicht D. P., in ders., G.-Studien 1, 1897 u. ö.

Deutsches Haus, Wetzlar. Das Wohnhaus der Familie von Charlotte →Buff in Wetzlar, in dem G. 1772 fast täglich verkehrte, ehemals Rentamt zur Verwaltung der Stiftungen an den Deutschen
Orden, ist heute Museum.

Deutsches Museum   →Boie, Heinrich Christian

Deutsche Sprache. G.s Aufsatz in *Über Kunst und Altertum* (I,3,
1817) nimmt die Abhandlung *Von der Ausbildung der deutschen Sprache* von Karl Ruckstuhl (*Nemesis* VIII,3, 1817) zum Anlaß einer

Warnung vor dem Schaden, den die Romantik der deutschen Sprache zufüge, macht Vorschläge zur Erforschung der Zweisprachigkeit in neulateinischer Dichtung und Opernlibretti und tritt für eine Reinigung und Bereicherung der Muttersprache ein.

Deutschland. Der G. durch seine politisch-revolutionäre Gesinnung entfremdete Johann Friedrich →Reichardt griff in der von ihm herausgegebenen Zeitschrift *Deutschland* seit Januar 1796 Schillers Zeitschrift *Die Horen* scharf an und wurde dafür 1797 in den *Xenien* verspottet. Deren Nummern 50, 80, 145–147, 208–217, 219–229, 236, 251 und die Nachlaß-*Xenien* 6–23, 181, 208–211 und 224 beziehen sich auf die Zeitschrift und Reichardt.

Devrient, Ludwig (1784–1832). Den Aufstieg des berühmten Charakterdarstellers, ab 1815 am Berliner Hoftheater, hatte G. mit Interesse verfolgt, obwohl seine Kunst nicht dem Weimarer Stil entsprach. Im Dezember 1830/Anfang Januar 1831 spielte er Gastrollen am Weimarer Theater, als er gesundheitlich zerrüttet und nicht mehr auf der Höhe seiner Kunst war: »freilich jetzt in Trümmern, doch immer noch respektabel; und so läßt er die Ahnung, was er war, entstehen« (an Zelter 4. 1. 1831). Bei dieser Gelegenheit besuchte er am 20. 12. 1830 G. und trug am 23. 12. bei einer kleinen Abendgesellschaft bei G. Szenen aus *Der Kaufmann von Venedig* und *Heinrich IV.* vor.

Dialekt. G., der im täglichen Umgang seinen Frankfurter Akzent nicht verleugnete (*Dichtung und Wahrheit* II,6), ließ in seiner Dichtung, zumal in der Jugend und im Alter, nur ganz gelegentlich Dialektfärbung und Dialektreime (»Ach neige, / du Schmerzensreiche«) durchscheinen. Für Schauspieler forderte er dialektfreie, rein hochdeutsche Aussprache (*Regeln für Schauspieler;* zu Eckermann 5. 5. 1824). Der Dialektdichtung zollte G. in Besprechungen der Werke von G. D. Arnold, Grübel, Hebel, Voss u. a. Anerkennung als Ausdruck der Eigentümlichkeit einer einzelnen Landschaft innerhalb der Sprachgemeinschaft (*Tag- und Jahreshefte* 1817), die allerdings allgemeiner Verständlichkeit entbehrt.

Diastole →Systole und Diastole

Dichterberuf. Dem nach Vorgang von Zesen, Klopstock u. a. erst in der Goethezeit sich entwickelnden Beruf des freischaffenden Schriftstellers steht G. mit Argwohn gegenüber. Seine durchaus hohe Auffassung vom dichterischen wie künstlerischen Schaffen als Ergebnis einer Naturanlage führt zur wiederholten Warnung davor das Talent zu forcieren und die Naturgabe berufsmäßig als Erwerb in täglichem Schreibzwang auszubeuten: »Selbst der anerkannte Dichter ist nur in Momenten fähig, sein Talent im höchsten Grade

zu zeigen« (*Plato als Mitgenosse einer christlichen Offenbarung*). Entsprechend empfiehlt G. jedem jungen Dichter einen Brotberuf wenigstens bis zum Erweis seiner Begabung und dem kleinen Talent
die Beschränkung auf die Mußestunden und naheliegende, alltägliche Themen, um dem überhandnehmenden →Dilettantismus zu
steuern. Weitere Empfehlungen an junge Dichter sind ernste, gewissenhafte Arbeit statt genialer Willkür, anfangs Anlehnung an
anerkannte Muster ohne Übertreibung oder Manier, sorgfältiges
Feilen, Beobachtung von Natur, Leben und Wirklichkeit als Ausgangspunkt der Dichtung, Selbstbeobachtung und Entwicklung
einer individuellen Persönlichkeit (»Poetischer Gehalt ist Gehalt des
eigenen Lebens«) und eine positive Haltung zur Welt. »Lebendiges
Gefühl der Zustände und Fähigkeit es auszudrücken macht den
Poeten« (zu Eckermann 11. 6. 1825). Vgl. *Ein Wort für junge Dichter;
Wohlgemeinte Erwiderung.*

    M. Nußberger, G.s Auffassung vom D., Zeitschrift für deutsche Geisteswissenschaft
, 1938; G. Gerster, Die leidigen Dichter, 1954; P. Böckmann, G.s Bild des Dichters, in
ders., Formensprache, 1966; G. Sauder/K. Richter, Vom Genie zum Dichter-Wissen-
chaftler, in: Metamorphosen des Dichters, hg. G. E. Grimm 1992.

Dichtung und Wahrheit. Anstelle des von Riemer vorgeschlagenen Titels »Aus meinem Leben. Wahrheit und Dichtung«, dessen
Untertitel G. aus euphonischen Gründen umkehrte, hat sich für G.s
zusammenhängende Darstellung des eigenen Lebens der Jahre
1749–75, G.s eigenem Gebrauch folgend, der Untertitel *Dichtung
und Wahrheit* als Haupttitel durchgesetzt, zumal G. den Obertitel *Aus
meinem Leben* auch für die *Italienische Reise* und *Campagne in Frank-
reich/Belagerung von Mainz* verwendet. Dem Mißverständnis, »Dichtung« sei hier mit »Erdichtung« gleichzusetzen, während sie eigentlich die künstlerische Darstellung und Deutung der Tatsachen
meint, wie sie sich bei der Abfassung in der Erinnerung als subjektive »Wahrheit« spiegelten, mußte G. schon zu Lebzeiten entgegen-
treten (an Ludwig I. von Bayern 12. 1. 1830 bzw. Zelter 15. 2.
1830).

    G.s Entschluß, sein Leben im Rahmen seiner Zeit darzustellen,
nach Riemer am 27. 8. 1808 getroffen, fällt in die Zeit weltgeschichtlicher Krisen, persönlicher Gefährdungen und Krankheiten
und dichterischer Schaffenspausen und bezeichnet innerlich die seit
Schillers Tod sich anbahnende Wende, als G. beginnt, sich selbst angesichts der politischen, geistig-kulturellen, sozialen und technischen Umwälzungen historisch zu betrachten. Mit dem 76 Seiten
starken ersten »Schema einer Biographie« vom 11. 10. 1809 beginnen die Sammlung und chronologische Ordnung des Materials und
das Quellenstudium für die urprünglich bis zur Schreibgegenwart
1809 geplante Darstellung, die später in zunächst vier Teile zu je
fünf Büchern aufgeteilt wird. Ende Januar 1811 beginnt die Ausarbeitung: Der 1. Teil (I,1–5), die Frankfurter Jugendjahre umfassend, wird bis 7. 9. 1811 diktiert und liegt am 26. 10. 1811 gedruckt

vor. Der 2. Teil (II,6–10), die Leipziger, Frankfurter und frühe
Straßburger Zeit umfassend, wird ohne Unterbrechung begonnen,
bis 3. 10. 1812 abgeschlossen und erscheint Anfang November
1812. Der 3. Teil (III,11–15) über die spätere Zeit in Straßburg,
Wetzlar und Frankfurt und die ersten großen Dichtungen folgt
vom 5. 10. 1812 bis November 1813 mit Druckabschluß im Januar
1814 und Erscheinen im Mai 1814.

Die Niederschrift des 4. Teils (IV,16–20) von der Sturm und
Drang-Zeit in Frankfurt und der Verlobung mit Lili Schönemann
bis zur Übersiedlung nach Weimar, im August 1813 begonnen, verzögert sich durch den Vorrang neuer Dichtungen (*West-östlicher
Divan, Wanderjahre, Faust II*) und die Rücksicht auf noch lebende
Personen wie Lili, so daß andere biographische Schriften über
Perioden außerhalb Weimars (*Italienische Reise* 1816–17, *Campagne
in Frankreich, Belagerung von Mainz* 1822) vorgezogen werden. Die
Arbeit am 4. Teil erfolgt schubweise und teils forciert in den Jahren
1813, 1816, 1821, 1825/26 und 1830, kommt im Oktober 1831 zu
einem vorläufigen Abschluß, und er erscheint erst postum in Eckermanns und Riemers Redaktion 1833 in den *Nachgelassenen Werken.*
Ein noch 1826 vorgesehener 5. Teil, der die Weimarer Jahre bis 1786
behandeln und den Anschluß zur *Italienischen Reise* bilden sollte,
kam wohl aus Unlust an der Darstellung der Weimarer Verhältnisse
und noch Lebender und unter dem Vorwand, seine Entwicklung sei
abgeschlossen, nicht zur Ausführung. Notdürftigen Ersatz dafür bieten die annalistischen *Tag- und Jahreshefte.*

Als Quellenmaterial dienten G. neben eigenen Erinnerungen
und Aufzeichnungen die Erinnerungen, erbetenen Berichte und
Aufzeichnungen von Verwandten und Freunden (Cornelia, Schlosser, Bettina von Arnim, Klinger, Jacobi, Knebel u. a.) sowie für den
zeit- und kulturgeschichtlichen Hintergrund eine Vielzahl historischer und literarhistorischer Werke seiner Zeitgenossen, Chroniken,
Zeitschriften, Lexika und die literarischen Werke zeitgenössischer
Autoren, deren Benutzung sich im einzelnen verfolgen läßt. Die
biographische Methode war G. durch die eigenen Schriften zu
Cellini, Winckelmann, Hackert u. a. geläufig; die pietistischen oder
abenteuerlichen Selbstbiographien von Götz von Berlichingen,
Rousseau, Beaumarchais, Jung-Stilling, K. Ph. Moritz (*Anton Reiser*), Bräker u. a. waren ihm vertraut, jedoch für sein Darstellungsziel
als Modelle ungeeignet, so daß G. sich, wie es nach den Autobio-
graphien des 19. und 20. Jahrhunderts kaum vorstellbar ist, einen
seinen Zwecken dienlichen Formtypus erst schaffen mußte und
damit modellhaft für die ganze spätere Autobiographik wurde
nämlich »den Menschen in seinen Zeitverhältnissen darzustellen
und zu zeigen, inwiefern ihm das Ganze widerstrebt, inwiefern es
ihn begünstigt, wie er sich eine Welt- und Menschenansicht daraus
gebildet und wie er sie, wenn er Künstler, Dichter, Schriftsteller ist,
wieder nach außen abgespiegelt« (Vorwort).

G.s Ziele umschließen nicht nur das Vorhaben, die »Lücken eines
Autorlebens auszufüllen« (III,12), also die dichterischen »Bruchstücke einer großen Konfession« (II,7) in einen Sinnzusammenhang
zu stellen, die stufenweise Entwicklungsgeschichte seiner dichterischen Individualität mit den Wurzeln ihres Lebens und Schaffens in
Erlebnissen und Stimmungen aufzuzeigen und die Geschichtlichkeit des Selbst den Lesern vor Augen zu führen. *Dichtung und Wahrheit* will zwar wie jede Autobiographie die Stetigkeit und Folge-
richtigkeit der eigenen inneren Entwicklung aufzeigen und die
Entfaltung der eigenen Persönlichkeit aus den historischen Umständen und der Reaktion darauf ableiten. G. erstrebt jedoch darüber hinaus die Erhebung des Individuellen zum Typischen seiner
Zeit. Er unterlegt dem Geschehensbericht seine Vorstellung von der
ständigen Auseinandersetzung des »daimon« der Persönlichkeit
oder der inneren Natur mit den äußeren Umständen Schicksal und
Zufall (»tyche«), die Metamorphosen zur Folge hat. Er stellt das In-
dividualschicksal damit auch durch die Technik der Spiegelungen
sinndeutend in einen höheren, sinnvollen und zugleich symbolischen Zusammenhang typischer Lebenserfahrungen in einem
durch freundliche Mächte geordneten Dasein. Der Sinn eines Lebens erschließt sich nicht aus der Abfolge von Ereignissen, sondern
muß durch deren Reflexion erst gewonnen und durch die literarische Wiedergabe vermittelt werden. Nicht zuletzt deshalb spielen
Werkgenese und Werkdeutung (außer bei unvollendeten, den Lesern unbekannten Werken) nur selten eine Rolle; sie werden allenfalls distanziert, falls nicht ironisch, genannt, und der *Faust* bleibt
unerwähnt.

Die phrasenlose, sachliche, epische Sprache – im 4. Teil mehr Altersstil –, das aus der Sicht des Alters gemilderte Urteil über andere,
die Einlagen novellistischer Erzählungen, Anekdoten und Gespräche sowie eine Fülle reich ausgeführter Porträts der Verwandten, Lebensgefährten und Zeitgenossen, ein kunstvoller und thematischer Aufbau der einzelnen Teile sowie die Verschlingung der
Motive machen G.s Werk über das biographische Dokument hinaus zu einem lebendigen Zeitgemälde, dessen Wert auch einige
Übertreibungen im Sinne von Dramatisierungen, vereinzelte Ge-
dächtnisfehler und gelegentliche Irrtümer in Daten und Details
nicht beeinträchtigen.

C. Alt, Studien zur Entstehungsgeschichte von G.s D. u. W., 1898 u. ö.; K. Jahn, G.s
D. u. W., 1908; E. Stentzel, Der Entwicklungsgedanke in G.s D. u. W., 1936; C. Hammer,
G.s D. u. W., 7. Buch, Urbana 1945; J. Fierz, G.s Porträtierungskunst in D. u. W., 1945;
E. Beutler, D. u. W., in ders., Essays um G., 1948 u. ö.; S. Scheibe, Der 4. Teil von
D. u. W., Goethe 30, 1968; U. Wertheim, G.-Studien, 1968; D. Bowman, Life into auto-
biography, 1971; K.-R. Pohle, Aus meinem Leben, D. u. W., 1972; H. Schanze, G. :
D. u. W., 7. Buch, GRM NF 24, 1974; K.-D. Müller, Autobiographie und Roman, 1976;
I. Aichinger, Künstlerische Selbstdarstellung, 1977; B. Witte, Autobiographie als Poetik,
NR 89, 1978; P. Grappin, D. u. W., 10. und 11. Buch, GJb 97, 1980; G. Baumann,
D. u. W., in ders., Sprache und Selbstbegegnung, 1981; M. Stern, Wie kann man sich
selbst kennen lernen?, GJb 101, 1984; G. Brude-Firnau, Aus meinem Leben, D. u. W.,
in: G.s Erzählwerk, hg. P. M. Lützeler 1985; H.-D. Weber, Ästhetische Identität, DU 41,

Diderot

1989; H. Schnur, Identität und autobiographische Darstellung, JFDH 1990; S. Crae-
mer-Schroeder, Deklination des Autobiographischen, 1993; E. Seitz, Talent und Geschichte, 1996.

Diderot, Denis (1713–1784). Der französische Schriftsteller, Essayist, Ästhetiker und Philosoph war derjenige französische Autor des
18. Jahrhunderts, dem G. sich trotz gewisser Vorbehalte im einzelnen am stärksten verwandt fühlte und dessen Werk er fast ungeteilte
Begeisterung entgegenbrachte. Bereits auf dem französischen Theater in Frankfurt 1759–61 sah er Diderots Lustspiel *Le père de famille*
(1758), vielleicht auch dort oder in Straßburg, wo Herder G. auf
Diderot hinwies, *Le fils naturel* (1757; vgl. »Naturkinder«, *Dichtung
und Wahrheit* III,11), las die Erzählung *Les deux amis de Bourbonne*
(1773) und empfand Diderot als französischen Weggenossen des
Sturm und Drang (ebd.). Erst in Weimar befaßte sich G. auch mit
den ästhetischen und philosophischen Schriften und las im März
1780 bzw. 1781 die noch ungedruckten Romane *Jacques le fataliste*
(»ganz vortrefflich«, an Merck 3. 4. 1780) und *La religieuse* in F. M.
de Grimms handschriftlich verbreiteter *Correspondance littéraire*,
kannte auch die Erotika *Les bijoux indiscrets* (an Schiller 25. 7. 1794;
vgl. Xenion 113). 1796 und wieder im August 1798 las G. den *Essai
sur la peinture* (1795) und übersetzte und kommentierte bis Februar
1799 die beiden ersten Teile als *Diderots Versuch über die Malerei* (*Propyläen* I,2/II,1, 1799): »ein herrliches Buch« (an Schiller 17. 12.
1796; vgl. dagegen an Meyer 1. 8. 1796) sowie auf Schillers Anregung im Januar/Februar 1805 den noch ungedruckten satirischen
Dialog *Le neveu de Rameau* (→*Rameaus Neffe*), dessen Manuskript
Klinger in Petersburg entdeckt hatte: »ein wahrhaftes Meisterwerk«
(an Zelter 19. 6. 1805) mit einem (1823/24 in *Über Kunst und
Altertum* erweiterten) Kommentar, der G.s Diderot-Bild entfaltet.
Diderots naturwissenschaftliche Schriften sind ihm trotz starker Verwandtschaft mit eigenen Ideen wohl entgangen. Zugang zu der anfangs als verwirrend umgangenen *Encyclopédie* (1751–80) fand G.
erst 1826, als sie auf die *Wanderjahre* einwirkte. Nachrichten über
Diderots Persönlichkeit erhielt G. von Herder, Carl August, Knebel
und F. H. Jacobi und wohl auch F. M. de Grimm, die ihm begegnet
waren, und zuletzt aus der Biographie seiner Tochter Mme de
Vandeul, die er 1813 las und die seine Hochachtung vor dem
lebensvollen, unpedantischen Schriftsteller und funkelnden Dialek-
tiker noch um Persönlichkeitszüge steigerte.

C. A. Eggert, G. und D., Euph 4, 1897; H. Dieckmann, G. und D., DVJ 10, 1932, auch
in ders., D. und die Aufklärung, 1972; W. Mönch, D. und G., in ders., Das Gastmahl,
1947; J. Rouge, G. et L'Essai sur la peinture de D., EG 4, 1949; E. John, G.s Bemerkungen zu D.s Versuch über die Malerei, WB 6, 1960; H. Bräuning-Oktavio, G. und D.
im Jahre 1772, Goethe 24, 1962; R. Mortier, D. in Deutschland, 1966; G. M. Vasco, D.
and G., Genf 1978.

Dieburg. Den Silvesterabend 31. 12. 1779 nach der 2. Schweizer
Reise verbrachte G. mit Carl August, C. T. von Dalberg, Graf Nes-

selrode u. a. auf dem Gut des kurmainzischen Ministers von Groschlag in Dieburg.

K. Diel, Ein Parkvorbild der G.zeit, 1941.

Diede zum Fürstenstein, Wilhelm Christoph, Freiherr von (1732–1807). Dem weitgereisten Diplomaten in dänischen Diensten und Gesandten in Berlin, London und Regensburg begegnete G. 1776 in Weimar, 1779/80 in Dieburg, Januar 1780 auf seinem Schloß Ziegenberg bei Butzbach, 1781 in Weimar, 1782 in Gotha, 1788 in Rom (*Italienische Reise*, Bericht Februar 1788), 1795 in Karlsbad und 1800 in Weimar. Er fand jedoch nach Überwindung persönlicher Kontaktschwierigkeiten zu ihm und seiner Frau erst 1782 ein »rechtes Verhältnis« (an Ch. von Stein 31. 3. 1782) im gemeinsamen Interesse an Parkanlagen und erteilte ihm mehrfach Rat bei der künstlerischen Gestaltung von Grabmälern und deren Inschriften.

V. Valentin, G.s Beziehungen zu W. v. D., Festschrift zu G.s 150. Geburtstagsfeier, 1899.

Diener. Zu G.s zahlreichem Hauspersonal in Weimar gehörten meist 1–2 persönliche Diener, die häufig auch als Schreiber oder Sekretäre arbeiteten, eine besondere Vertrauensstellung genossen und teilweise auch an G.s naturwissenschaftlichen Forschungen teilhatten, ferner ein Bursche oder Kutscher, eine Köchin und eine Hausbesorgerin oder Hausmädchen. Die Diener, auf deren Fleiß, Disziplin, Pflichtbewußtsein und Diskretion G. großen Wert legte, erhielten neben freier Kost, Wohnung und Livrée ein jährliches Salär von etwa 50 Talern, durften sich im Dienst weiterbilden und wurden bei Bewährung später durch Posten im öffentlichen Dienst versorgt. Die wichtigsten Diener waren: 1775–88 Ph. F. →Seidel, der ihn von Frankfurt begleitete, 1776–95 C. E. →Sutor, 1777–94 J. G. P. →Götze, 1795–1804 J. J. L. →Geist, 1806–12 C. Eisfeld, 1814–15 und 1817–24 C. J. W. →Stadelmann und 1824–32 F. →Krause.

W. Schleif, G.s Diener, 1965; K.-A. Schierenberg, In G.s Haus, in G.s Hand, 1994.

Dienstjubiläum. Der 50. Jahrestag von G.s Ankunft in Weimar am 7. 11. 1825 wurde auf Vorschlag Kanzler von Müllers mit der Feier seines 50. Jahrestags im Weimarer Staatsdienst (eigentlich 11. 6. 1826) zusammengelegt, in einer Gedenkmünze von H. F. Brandt verewigt und unter Beteiligung der Fürsten, aller Ämter und ganz Weimars feierlich begangen: Morgenmusik, Glückwünsche, Festakt in der Bibliothek, Festmahl im Stadthaussaal, Festaufführung der *Iphigenie*, Illumination des Rückwegs und Nachtmusik der Hofkapelle.

Dies, Albert Christoph (1755–1822). G. traf den Landschaftsmaler und Kupferstecher in Rom und ließ am 22. 7. 1787 von ihm eine selbst gezeichnete Phantasielandschaft kolorieren.

Dietrich, Christian Wilhelm Ernst (1712–1774). Auf den jungen Leipziger Studenten machten die Gemälde im niederländischen Stil des Dresdner Hofmalers Augusts III. und Inspektors der Dresdner Galerie wenig Eindruck. Beim Besuch der Dresdner Galerie 1810 fiel G.s Urteil günstiger aus, und 1817 sah er auch die rokokohaften Dekorationsbilder Dietrichs auf Schloß Heidecksburg in Rudolstadt. G. besaß mehrere Handzeichnungen und Radierungen Dietrichs.

Dietrich, Friedrich Gottlieb (1765–1850). Den Sohn einer Bauernbotaniker-Familie aus Ziegenhausen bei Jena, die generationenlang Universität und Apotheken mit Kräutern versorgte, traf G. am 20. 6. 1785 in Jena und nahm ihn, angeregt durch seinen »offenen, freien Charakter« und seine stupenden Botanikkenntnisse, im Juni mit Knebel zu einer botanischen Reise nach Karlsbad mit, wo er die Kurgäste in Erstaunen versetzte. Nach einem durch G. und Carl August ermöglichten Studium in Jena war er 1794–1801 Hofgärtner in Weimar, half G. bei der Einrichtung des botanischen Gartens am Stern, dann 1801–45 Begründer und Direktor des herzoglichen botanischen Gartens in Wilhelmsthal bei Eisenach, Verfasser eines *Lexikons der Gärtnerei und Botanik* (XXX 1802–40) und 1823 Professor der Botanik. Beim letzten Wiedersehen mit G. in Weimar am 2. 5. 1825 erinnerten sich beide des Beginns dieser ehrenvollen Karriere. Vgl. G.s *Geschichte meiner botanischen Studien.*

G. Balzer, Gestalten aus G.s Gärtnerbekanntschaften II, Goethe 16, 1954.

Diez, Heinrich Friedrich von (1751–1817). Der Jurist und preußische Gesandte in Konstantinopel 1784–90 widmete sich anschließend als Privatgelehrter in Berlin orientalischen Studien und der Edition und Übersetzung türkischer und persischer Literatur und wurde trotz Anfeindungen der Fachorientalisten (J. von Hammer-Purgstall) zu einem der führenden Orientforscher und zum entscheidenden Anreger G.s während der Entstehung des *West-östlichen Divans,* der seinen Schriften solide Grundkenntnisse, seinen Übersetzungen und seiner plastischen Sprache zahlreiche Anregungen zu Gedichten auch außerhalb des *Divans* (*Sprichwörtlich; Zahme Xenien* u. a.) verdankt. Die freundschaftliche Korrespondenz erstreckt sich von Mai 1815 bis November 1816, die Lektüre der Schriften und Übersetzungen von Diez (*Denkwürdigkeiten von Asien,* II 1811–15; *Buch des Kabus,* 1811 u. a.) vom Januar 1815 bis Juli 1819. Seine Dankesschuld und Hochschätzung brachte G. in den *Noten und Abhandlungen* zum *West-östlichen Divan* u. a. wiederholt zum Ausdruck.

F. Babinger, Ein orientalistischer Berater G.s, GJb 34, 1913; F. Babinger, Der Einfluß von H. F. v. D. Buch des Kabus und Denkwürdigkeiten von Asien auf G.s West-östlichen Divan, GRM 5, 1913; K. Mommsen, G. und D., 1961, erw. 1995.

Diez, Johann Jacob Christian (1749–1805). Den Wetzlarer Kammergerichtsadvokaten und 1787 -Prokurator, Sohn einer Schwester

von G.s Großmutter Textor und nach dem Titel von Vater und
Stiefvater scherzhaft »Hofrat« genannt, lernte G. im Mai/Juni 1772
in Wetzlar kennen und verspottete ihn im Januar/Mai 1773 scherzhaft in Briefgedichten, u. a. an J. C. Kestner (»Wenn dem Papa ...«).
Diez heiratete 1777 Charlotte Buffs Schwester Caroline.

Diktieren. Der inspirationsfeindlichen, ablenkenden und verlang-
samenden Mechanik des Schreibprozesses als hemmender Zeitverschwendung abgeneigt, pflegte G. seine Prosa und besonders seine
Korrespondenz seinen Schreibern, Dienern oder auch anwesenden
Freunden im Umhergehen zu diktieren, um dann ggf. erst im
Manuskript zu verbessern und zu feilen. Die Disziplin und Konzentration bei der sprachlichen Fixierung des Gemeinten und die akustische Kontrolle des gesprochenen Worts förderten dabei die Inspiration und die Gemeinverständlichkeit seiner Texte, dämpften
zugleich das allzu Intime und verführten nur selten zur Vielschreiberei in Korrespondenzen, für die G. mitunter vorgefertigte Passagen übernahm.

Dilettantismus. Vom hohen Kunstanspruch der Klassik aus mußte
der weithin herrschende seichte Dilettantismus in allen Künsten,
die »Pfuscherei« (G.) der Nichtkünstler, als Unkunst gebrandmarkt
und in seiner Schädlichkeit für die Produzenten, die Rezipienten
und die echte Kunst enthüllt werden. Zu einer solchen für die Veröffentlichung in den *Propyläen* bestimmten Gemeinschaftsarbeit
vereinigten sich im Frühjahr 1799 G., Schiller und Meyer und entwarfen im März–Mai ein umfangreiches Schema *Über den Dilettantismus* allgemein in allen Künsten und separate Schemata für die
Einzelkünste sowie Ansätze und Stichwörter zu einer Darstellung,
die jedoch über diese Vorarbeiten hinaus nicht zu Ende geführt
wurde. Als Dilettant gilt danach der pfuschende Liebhaber, der
ohne Originalität und Beherrschung der Kunstmittel nach Natur-
wirklichkeit statt Kunstwahrheit strebt, den subjektiv empfundenen
Stoff bereits mit Kunst verwechselt, die Unvollkommenheiten mit
Unfertigkeit des Werkes oder gutem Willen entschuldigt, in der
Ausbildung der Kunstmittel mangels Einsicht in die Kunstwahrheit
und Überschätzung seiner ungeschulten Kräfte auf halbem Wege
im Mittelmäßigen, schlecht Nachgeahmten stecken bleibt und dennoch Anerkennung seiner Meisterschaft heischt oder seine künstlerische Schwäche und Unsicherheit durch andere zeitgemäße,
außerkünstlerische Tendenzen ausgleichen zu können meint. Dilettantismus mag daher in gewissen Fällen die Sensibilität für Kunst
und deren Ausdrucksmittel verfeinern; er dringt jedoch nicht über
eine flache Oberflächenkunst hinaus vor, weil er bloße Fähigkeit
zur Gestaltung und die direkte Gemütswirkung des rein Stofflichen
schon als Kunstwert ansieht und durch mechanische Produktion
die ästhetischen Werte profaniert. G. erkennt im Zuge der Ausein-

andersetzung mit dem Dilettantismus auch sein eigenes Streben in der bildenden Kunst als Dilettantismus (an Jacobi 2. 1. 1800), gibt Eduard in den *Wahlverwandtschaften* Züge des Dilettanten und nimmt den Dilettantismus in *Maximen und Reflexionen* Nr. 75, 194, 249, 326, 447, 1126 und 1127 aufs Korn. Weitere Äußerungen vgl. Einleitung zu den *Propyläen*, an Humboldt 26. 5. 1799, an Schiller 29. 6. und 20. 7. 1799, an Zelter 23. 2. 1814 und 28. 2. 1828.

G. Baumann, G.: Über den D., Euph 46, 1952; U. Wertheim, Das Schema über den D., WB 6, 1960; H. Holtzhauer, G.: Kunst und D., WB 9, 1963; U. Wertheim, Über den D., in dies., G.-studien, 1968; B. v. Wiese, G.s und Schillers Schema über den D., in ders., Von Lessing bis Grabbe, 1968; H. Koopmann, D., in: Studien zur G.zeit, hg. H. Holtzhauer 1968; H. Bitzer, G. über den D., 1969; H. R. Vaget, Das Bild vom Dilettanten bei Moritz, Schiller und G., JFDH 1970; H. R. Vaget, D. und Meisterschaft, 1971.

Diné zu Coblenz. Das Gedicht entstand auf der Lahn-Rhein-Reise G.s mit Lavater und Basedow wohl am 15. 7. 1774 in Bad Ems und vielleicht sogar spontan während der beschriebenen Mahlzeit. Die frühe Abschrift der L. von Göchhausen hat als Unterschrift »Bad Ems, halb Juli, 1774«; demnach wären, da ein gemeinsames Mittagessen in Koblenz erst am 26. 7. 1774 stattfand, die Überschrift im Erstdruck (*Werke*, 1815) und G.s spätere Lokalisierung in Koblenz in *Dichtung und Wahrheit* III,14 irrtümlich. Das Gedicht in Knittelversen mockiert sich leicht über die Bekehrungs- und Disputierwut seiner beiden Mitreisenden mit G. als »Weltkind in der Mitten«, der dieser Bezeichnung auch insofern Ehre macht, als er während der Debattiermahlzeit scheints als einziger kulinarisch voll auf seine Kosten kommt.

A. Bach, Zu G.s D. z. C., GRM 32, 1950 f.

Dingelstädt. Der unfreiwillige Aufenthalt in dem Dorf im Eichsfeld am 8. 8. 1794 infolge Achsenbruchs des Reisewagens (an Herder 8. 8. 1794), den G. für den Anfang seines Gedichts *Die Geheimnisse* nutzte, muß einen solchen Eindruck hinterlassen haben, daß G. bei seinem zweiten Aufenthalt am 6. 6. 1801 zum Mittagessen auf der Reise nach Bad Pyrmont dem Ort im Tagebuch eine unverhältnismäßig lange Beschreibung angedeihen läßt (»Das weibliche Geschlecht von häßlichem Gesicht …«).

Dinkelsbühl. G. besuchte die malerische mittelalterliche Stadt auf dem Rückweg von der 3. Schweizer Reise am 4. 11. 1797, war nach seinem Tagebucheintrag (»alt aber reinlich«) jedoch mehr an ihrer Lage und Befestigung als am Stadtbild interessiert.

Diogenes von Sinope (404–323 v. Chr.). Der wegen seiner Bedürfnislosigkeit bekannte griechische Philosoph und Kyniker soll bei der Bedrohung Athens durch Philipp von Mazedonien als Zeichen unermüdlichen, aber vergeblichen Aktionismus das Faß, das ihm als Behausung diente, bergauf und bergab gerollt haben. G. ver-

wendet das Bild zuerst in dem von Zelter vertonten Gedicht *Genialisch Treiben* (1775/76?) und im Anschluß daran seit den 90er Jahren häufig in Briefen ironisch für eine fragwürdige Geschäftigkeit
und möglicherweise sinnlose Arbeit am Werk.

F. Sintenis, Zur Verwertung von G.s Briefen, GJb 28, 1907.

Dionysios von Halikarnassos (1. Jahrhundert v. Chr.). G. studierte die *Römischen Altertümer* des griechischen Historikers im
Zuge seiner Rom-Studien im Dezember 1820/Januar 1821 in der
Übersetzung von J. L. Benzler, teils gemeinsam mit Freunden (*Tag-
und Jahreshefte* 1821).

Dionysos Farnese →Albacini, Carlo

Dioskuren. Kastor und Pollux, in der griechischen Mythologie
die Zwillingssöhne von Zeus und Leda, befreiten die von Theseus
geraubte Schwester Helena (vgl. *Faust* v. 7415–21, 8848–52). Da
von dem unzertrennlichen Zwillingspaar nur Pollux unsterblich
war (vgl. Xenion 357 und Xenion aus dem Nachlaß 63, beide auf
die Brüder Stolberg bezogen), erwirkte dieser von Zeus die Erlaubnis, mit Kastor jeweils einen Tag im Olymp und einen im
Hades zuzubringen, was *Wilhelm Meisters Wanderjahre* (III,18) irrtümlich so auslegt, als würden die Brüder nicht gemeinsam wechseln, sondern einander ablösen. In Rom beeindruckten G. am 3. 11.
1786 die beiden Kolossalstatuen der rossebändigenden Dioskuren
auf der Piazza del Quirinale (*Italienische Reise*), Kopien nach griechischen Originalen des 5. Jahrhunderts, die für G. als Werke des
Phidias galten. Wiederum Abgüsse davon sah G. am 7. 3. 1788 im
Atelier Cavaceppi und Abgüsse der Köpfe am 10. 10. 1817 in
Rudolstadt.

Disputation →Dissertation

Dissertation. G.s nicht gerade sehr planmäßiges und konventionelles Studium schloß nicht wie vorgesehen gleich dem seines
Vaters mit dem »Doctor utriusque iuris« ab. Seine seit September
1770 mehr dem Vater zuliebe geschriebene, verschollene Dissertation *De legislatoribus* behandelte im Sinne Rousseaus eine kirchen-
rechtliche Frage: Recht und Pflicht des Staats, bei aller Freiheit des
persönlichen Religionsbekenntnisses einen gewissen kirchlichen
Kultus für Geistliche und Laien festzusetzen. Sie wurde jedoch
wegen sehr freigeistiger Thesen – die christliche Lehre stamme
nicht von Christus her u. a. – im Sommer 1771 von der Fakultät
abgelehnt und ihr Druck nicht gestattet. Auf den Rat des Dekans
J. F. Ehrlen bewarb sich G. daher nicht um die Doktorwürde, sondern um das juristische Lizentiat auf dem Wege der mündlichen
Disputation und reichte dazu 56 lateinische Thesen →*Positiones iuris*

ein, die er am 6. 8. 1771 mit seinem Freund Franz Lersé u. a. als Opponenten »cum applausu« verteidigte und damit zum »licentiatus iuris« wurde. Nach der Rückkehr nach Frankfurt ließ er sich gern mit dem vorgeblich gleichwertigen →Doktortitel anreden. Einen echten Doktortitel erhielt er erst 1825 als Ehrendoktor der Philosophie und Medizin von der Universität Jena. Vgl. *Dichtung und Wahrheit* III, 11.

G. Radbruch, G.s Straßburger Promotions-Thesen, in ders., Gestalten und Gedanken, 1944 u. ö.; G. Schubart-Fikentscher, G.s 56 Straßburger Thesen, 1949; G.s Straßburger Promotion, hg. E. Genton 1971.

Distichon. Die antike Form des Zweizeilers aus einem Hexameter und einem Pentameter verwendet G. nach anfänglichen Versuchen vor allem in den Dichtungen der nachitalienischen Zeit: kontinuierlich als elegisches Versmaß in den *Römischen Elegien*, den *Venetianischen Epigrammen* und *Alexis und Dora*, als Kurzform in Epigrammen und als reinen Zweizeiler in den *Xenien* (vgl. ebd. 2).

Ditters von Dittersdorf, Karl (1739–1799). Der österreichische Kapellmeister und Komponist hatte mit seinen nach Mozart am häufigsten gespielten komischen Opern und Singspielen (*Doktor und Apotheker; Das rote Käppchen* mit Text von Vulpius) auch auf dem Weimarer Theater seit 1784 seinen festen Platz. G. schätzte sein »glückliches Naturell« und »eine gewisse leichte Behaglichkeit« seiner handlungsreichen Stücke aus dem bürgerlichen Leben (*Campagne in Frankreich*).

Divan →*West-östlicher Divan*

Djâmî →Dschami

Dobrovsky, Josef (1753–1829). Den bedeutendsten tschechischen Philologen der Aufklärungszeit und Begründer der Slawistik, der mit der ganzen gelehrten Welt seiner Zeit in Verbindung stand, lernte G. wohl 1818 in Karlsbad kennen und führte am 21.–22. 7. 1823 in Marienbad eingehende Gespräche mit ihm über slawistische Fragen. Er vermittelte ihm Kopien aus der Jenaer Bibliothek und widmete ihm im März 1830 in einer Besprechung in den *Jahrbüchern für wissenschaftliche Kritik* einen rühmenden Nachruf.

Dodd, William (1729–1777). Die Anthologie *The beauties of Shakespeare* (1752) des englischen Theologen und Wechselfälschers, die G. im März 1766 in Leipzig las (*Dichtung und Wahrheit* III, 11), vermittelte die erste nähere Bekanntschaft mit Shakespeares Originaltexten und steuerte lange vor Herder zu G.s Shakespeare-Begeisterung bei.

Döbbelin, Karl Theophil (1727–1793). Der Schauspieler bei verschiedenen Wandertruppen gründete 1756 in Erfurt eine eigene

»Döbbelinsche Truppe«, die im Juli in Weimar vorspielte und auf Drängen Anna Amalias als erste stehende Truppe für Weimar engagiert wurde. Streitereien führten 1757 zur Entlassung Döbbelins und 1758 der Truppe. Döbbelin gründete 1775 in Berlin ein stehendes Theater am Gendarmenmarkt, ab 1786 Königliches Nationaltheater, in dem G. auf seiner Berliner Reise am 16.7.1778 Sheridans *Die Nebenbuhler* sah.

Döbereiner, Johann Wolfgang (1780–1849). Der ursprüngliche Pharmazeut mit den auffallenden Vornamen wurde als Nachfolger J. F. A. Göttlings 1810 Dozent und 1816 Professor der Chemie und Pharmazie in Jena. G. empfing ihn erstmals am 8.11.1810 bei sich in Weimar, sah ihn dann häufig in Jena und Weimar und stand bis 1830 in regem mündlichem und brieflichem Verkehr mit ihm. Er förderte die Ausstattung des chemischen Instituts, schätzte Döbereiners praktische Initiative (an F. A. G. von Ende und T. J. Seebeck 29.4.1812), beteiligte sich besonders 1812 und 1817 gern an seinen chemischen Versuchen und nahm lebhaften Anteil an seinen Untersuchungen, Veröffentlichungen und Erfindungen (1812 Stärkezucker-, Essig-, 1816 Leuchtgas-Herstellung, 1823 Döbereinersches Platinfeuerzeug), die Döbereiner z. T. in Weimar bei Hofe vorführte. Döbereiner führte G. in die Stöchometrie ein, fertigte Gläser für die Untersuchungen zur Farbenlehre und untersuchte mit ihm im Oktober/November 1812 die Schwefelquellen in Bad Berka (*Tag- und Jahreshefte* 1812). Zum Geburtstag Döbereiners 1817 schrieb G. ein Gedicht im Namen seiner Kinder (»Wenn wir dich …«).

J. Schiff, Der Chemiker J. W. D. und seine Beziehungen zu G., in: Festschrift zur Jahrhundertfeier der Universität Breslau, 1911; H. Döbling, Die Chemie in Jena zur G.zeit, 1928; A. Dissinger, G. als Förderer von D., Geistige Welt 4, 1949 ff.; O. Zekert, J. W. D., in ders., Berühmte Apotheker, 1955; D. Kuhn, G. und der Chemiker D., in dies., Typus und Metamorphose, 1988.

Döbler, Ludwig (1801–1864). Der Wiener Zauberkünstler besuchte G. am 23.6.1831, um den Enkel »Walthern einige Kunststücke zu lehren«, und erhielt einen Vers ins Stammbuch (»Bedarf's noch ein Diplom …«).

Döll, Friedrich Wilhelm (1750–1816). Der Gothaer Hofbildhauer, den G. 1788 kennenlernte, schuf im Auftrag G.s nach Entwurf von J. H. Meyer 1800 das Denkmal mit Masken und Nymphen für die frühverstorbene Schauspielerin Ch. →Becker(-Neumann). Er war am 8.11.1799 zu Gast bei G.

Döring, Johann Michael Heinrich (1789–1862). Von dem Jenaer Schriftsteller, Übersetzer und Dichterbiographen las G. am 18./19.7.1821 die Übersetzung von Byrons *Marino Faliero*, am 6.10.1821 die von Byrons *Manfred*, am 1.1.1822 *Schillers Leben*

(1822), am 6./7. 6. 1825 *Klopstocks Leben* (1825), am 1./2. 4. 1829 *Herders Leben* und am 30. 8. 1828 natürlich auch *Goethes Leben* (1828), die erste G.-Biographie.

Dohm, Christian Wilhelm von (1751–1820). Den Historiker, preußischen Verwaltungsbeamten und Gesandten lernte G. im November 1792 in Düsseldorf kennen (*Campagne in Frankreich*). Dohm besuchte G. in Weimar am 7.–10. 6. 1799 und am 23./24. 2. 1807, der ihn einen »tüchtigen, standhaften und unter allem Wechsel seinem Geschäft treu bleibenden Mann« nannte (an Knebel 25. 2. 1807), ihn seinerseits am 23. 9. 1810 in Dresden aufsuchte und zuletzt am 3./4. 9. 1816 in Bad Tennstedt traf. Dohm sandte G. seine *Denkwürdigkeiten meiner Zeit* (V 1814–19).

Doktortitel. Obwohl G. 1771 in Straßburg nur den Grad eines »Licentiatus iuris« erworben hatte (→Dissertation), ließ er sich, da dieser Grad und sein Verhältnis zum Doktorat nicht überall bekannt waren, in Frankfurt wie in Weimar, auch in amtlichen Schriftstücken, gern »Doktor« nennen, führte den Titel aber nicht selbst. Das Ehrendoktorat der Universität Jena erhielt er zum 50. →Dienstjubiläum am 7. 11. 1825, und zwar, da die theologische Fakultät sich heraushielt, das der philosophischen und der medizinischen, nicht der juristischen Fakultät, die irrtümlich annahm, G. habe 1771 in Straßburg zum Dr. jur. promoviert, was nach damaligem Brauch ein Ehrendoktorat derselben Fakultät ausschloß.

H. Koch, War G. philosophischer Ehrendoktor?, Goethe 24, 1962; H. Bender, Doktor G., CG 11, 1978.

Domaritius, Friedrich (1766–?). Der Schauspieler spielte ab 1789 unter Bellomo, 1791–93 unter G. zärtliche Liebhaber und Charakterrollen (Don Carlos) mit warmem Ausdruck. Er sprach am 7. 5. 1791 G.s *Prolog* zur Eröffnung des neuen Hoftheaters. 1797–1813 war er Direktor des Nationaltheaters in Graz.

Domenichino, eigentlich Domenico Zampieri (1581–1641). Der italienische Barockmaler figurenreicher Historien- und Landschaftsbilder galt G. und dem Weimarer Kreis wegen der harmonischen Einheit von Form und Inhalt, Figur und Raum und dem die Deutung erleichternden Verhältnis der Bildelemente zueinander als Muster des eigentlichen Klassizismus und wurde oft studiert und nachgezeichnet. G. sah Bilder von Domenichino zuerst am 19. 10. 1786 in Bologna, dann in Rom die Chorfresken von S. Andrea della Valle (17. 11. 1786), die Fresken zur Nilus-Legende in der Badia von Grottaferrata, die Fresken zu Ovids *Metamorphosen* im Apollosaal der Villa Aldobrandini in Frascati u. a. m. (vgl. *Italienische Reise*; *Maximen und Reflexionen* 232). Andere Gemälde des Malers besaß G. in Reproduktionen. Eine 1797 von G. erworbene »Landschaft mit Cephalus und Prokris« dagegen stammt wohl nicht von Domenichino.

Domus aurea. Das »Goldene Haus«, einen Palast mit Park und Lustbauten, den Nero nach dem Brand Roms 64 n. Chr. zwischen Esquilin und Palatin anlegen ließ und der nach seinem Tod verfiel und teils überbaut wurde, durchstreifte G. am 18. 11. 1786.

Domszene. Die schon im *Urfaust* enthaltene Szene »Dom« im *Faust* (v. 3776–3834): Gretchen, durch den Tod der Mutter am vorgeblichen Schlafmittel, die Ermordung ihres Bruders und Beschützers Valentin und die Flucht Fausts als Mörder völlig vereinsamt, vor den Mitbürgern als Dirne sozial gebrandmarkt und überdies schwanger, sucht vergeblich Trost und Hilfe in der Kirche. Zwischen den unveränderlichen und unerbittlich sachlichen Versen der alten lateinischen Totenamts-Hymne *Dies irae*, von der sie bezeichnenderweise nur die sie anklagenden, nicht die tröstenden Strophen wahrnimmt, und deren auf sie bezogener Ausdeutung in den Einflüsterungen des →Bösen Geistes bzw. ihres Gewissens hin und her gerissen, findet sie keinen Halt. Ihre verzweifelte Seelennot und Angst nur in wenigen Ausrufen offenbarend, fällt sie angesichts ihrer Ausweglosigkeit in Ohnmacht.

Doppelpaare. Die beliebte Technik des Lustspiels und des heiteren Romans, Verwirrung und Happy End durch zwei gleiche oder kontrastierende Paare zu steigern, verwendet G. in *Die Laune des Verliebten, Erwin und Elmire* und *Claudine von Villa Bella*. Ihre tragische Umkehrung gestalten *Die Wahlverwandtschaften*.

Dora →*Alexis und Dora*

Dorat, Claude-Joseph (1734–1780). Von dem sentimental-preziösen französischen Rokokodichter zitiert G. die erotischen *Les baisers* schon in den *Ephemerides*. Am 21. 12. 1779 sah er in Mannheim Dorats *Le célibataire* in Gotters Bearbeitung als *Der Ehescheue*. Eine kurze Charakteristik Dorats bringen die Anmerkungen zur Übersetzung von Diderots *Rameaus Neffe*.

Dorigny, Nicolas (1658–1746). Der französische Kupferstecher ist vor allem für seine Reproduktionsstiche nach den Fresken Raffaels bekannt. Seine handkolorierten Stiche nach Raffaels Amor und Psyche-Fresken in der Villa Farnesina hingen in G.s Zimmer in Rom, und G. sammelte auch späterhin Zeichnungen und Kupferstiche von Dorigny.

Dornburg. In der kleinen Stadt an der Saale nördlich von Jena liegen auf steilen Felsen mit schönem Blick auf das Saaletal drei kleine Schlösser der Herzöge von Sachsen-Weimar: 1. Das Alte Schloß mit

romanischem Bergfried auf den Fundamenten einer Kaiserpfalz des
10./11. Jahrhunderts, 1522 nach Brand und Zerstörung (1451)
wieder aufgebaut, mit Anbauten des 17./18. Jahrhunderts, war im
16./17. Jahrhundert Wittumssitz und zu G.s Zeit seit 1717 Amts-
haus für Dornburg. 2. Das feingliedrige Rokokoschloß, unter Carl
Augusts Großvater Herzog Ernst August 1736–41 als Jagdschloß errichtet, durch Terrasse und Treppen mit der Landschaft verbunden,
war bis 1820 G.s Unterkunft und besonders seit 1816 ein Lieblingsaufenthalt Carl Augusts. 3. Das um 1539/1547 errichtete, nach
1600 umgebaute, bescheidenere Renaissance- oder Stohmannsche
Schlößchen, ursprünglich Herrenhaus eines Ritterguts mit Anbau
aus dem 18. Jahrhundert und 1824 von Carl August erworben, in
dessen Bergstube im Obergeschoß G. 1828, versorgt vom Hofgärtner, wohnte. Seine lateinische Inschrift von 1608 über dem Eingang
übersetzte er zur Einleitung des Kondolenzbriefs an F. A. von Beulwitz vom 18.7.1828: »Freudig trete herein und froh entferne dich
wieder! / Ziehst du als Wandrer vorbei, segne die Pfade dir Gott!«.
G. kannte die Schlösser seit 16.10.1776, liebte sie, die schöne Aussicht und die umliegenden Gärten und Weingärten, zeichnete sie
mehrfach und beschrieb sie in Briefen an Ch. von Stein (4.3.
1776), Zelter (10. und 26.7.1828) und von Beulwitz (18.7.1828).
Er weilte in den frühen Weimarer Jahren und ab 1817 etwa 20mal
dort, meist zu kurzen Besuchen mit Carl August oder zu Treffen
mit Freunden, so u.a. am 16.10.1776, im Sommer 1777, am
2.–5.3. und im April 1779 (Arbeit an der 1. Fassung der *Iphigenie*),
am 16.–20.3.1782 (Arbeit an *Auf Miedings Tod* und *Egmont*), am
12.9. und 20.12.1817, 29.4.1818, 23.7.1820, 7.7.–11.9.1828,
16.9.1829 mit Zelter und 5.10.1830. Nach Carl Augusts Tod zog
G. sich im Juli–September 1828 zwei Monate lang nach Dornburg
zurück, um seinen Lebensmut wiederzufinden, empfing nur wenige
Besucher und betrieb naturwissenschaftliche, botanische und Wein-
bau-Studien. Damals entstanden die späten sog. »Dornburger Gedichte«, besonders →*Dem aufgehenden Vollmonde* und →»Früh, wenn
Tal, Gebirg und Garten …«.

L. Geiger, G. in D., GJb 2, 1881; H. A. Krüger-Westend, G. in D., 1908; H. Wahl, Die
D.er Schlösser, 1923; H. Wahl, G.s D., GJb 16, 1930; E. Staiger, G. in D. 1828, 1944;
R. Bach, Spätes Idyll, in ders., Leben mit G., 1960; H. Holtzhauer, Die D.er Schlösser,
1963 u. ö.; G. und D., hg. L. Hartmann 1965 u. ö.; R. Gothe, Die D.er Schlösser, 1980
u. ö.; P. Meurer, Fülle des Augenblicks, 1985; R. Gothe/J. Pietsch, D., 1991; J. Beyer/
J. Seifert, Weimarer Klassikerstätten, 1995.

Dorothea. Die weibliche Hauptfigur in →*Hermann und Dorothea*
(1797) ist Flüchtling vor den Franzosen aus den linksrheinischen
Gebieten. Daß sie dort in Selbstverteidigung einen Räuber tötete
und vier verwundete, wurde von W. von Humboldt als eine durch
Not bewirkte Handlung und daher poetisch nicht brauchbar bezeichnet (*Ästhetische Versuche I*, 1799), von G. als außerordentlicher
Charakterzug verteidigt, der sie aus der »Reihe des Gewöhnlichen«

eraushebt (zu Eckermann 23. 3. 1829), und gibt ihrer Jugend
oenso einen frühreifen ethischen Ernst wie ihre praktische, selbst-
ose Hilfsbereitschaft gegenüber den anderen Flüchtlingen. Ihre ge-
inde Natürlichkeit, ethische Haltung und Gefühlssicherheit eher
s ihr individuelles Aussehen, das kaum beschrieben wird, geben
enn auch den Anstoß zu Hermanns Liebe, die sie nach anfäng-
chem Mißverständnis ihrer Stellung als Magd statt als Braut mit
elbstverständlichkeit erwidert. In der psychologischen Vertiefung
es Charakters geht G.s modernes, bürgerliches Epos über die kon-
entionelle Typenhaftigkeit des klassischen Vorbildes hinaus, um
em rauhen Bilde des Kriegselends ein idealistisches Gegenbild der
viederhergestellten humanen und harmonischen Ordnung der
ürgerlichen Welt und ihrer Werte entgegenzusetzen.

Dorothea (Anna Charlotte Dorothea), Herzogin von Kurland, geb.
Reichsgräfin von Medem (1761–1821). Die anmutige, gebildete
chwester der Elisa von der Recke, seit 1779 dritte Gattin des
Reichsgrafen Peter von Biron (1724–1800), 1769–95 letzten Her-
ogs von Kurland, der 1795 zugunsten Katharinas II. von Rußland
bdankte und sich auf das 1786 erworbene Herzogtum Sagan in
chlesien zurückzog, gehörte 1808, 1810, 1812 und 1820 zum
äheren Umgang G.s in Karlsbad. Am 29./30. 9. 1810 besuchte G.
e auch auf ihrem Schloß Löbichau bei Altenburg.

d'Orville →Orville

Dou (Douw), Gerard Gerrit (1613–1675). Der für das späte
7. Jahrhundert vorbildliche holländische Porträtist und Genrebild-
naler, Rembrandt-Schüler, wurde noch von den Frankfurter
Künstlern des 18. Jahrhunderts nachgeahmt und war G. von Jugend
uf vertraut, zumal jenes Bild einer »abgelebten Frau mit riefigem
Gesicht, mit halbzerbrochnem Zahne« (an F. Oeser 6. 11. 1768), das
uf Anweisung des Arztes in G.s Frankfurter Rekonvaleszenten-
tube ein wesentlich aufregenderes Mädchenbild Bouchers ersetzen
nußte. Noch 1810 fand G. die Gemälde Dous in der Dresdner
Galerie »sehr schön und sehr geistreich« und »fürtrefflich« (*Dresdner
Galerie*).

Drackendorf. Das Rittergut des Gothaischen Kanzlers Freiherr
A. F. C. von →Ziegesar in Drackendorf südlich Jena besuchte G. zuerst am 25. 9. 1776, dann am 16. 11. 1788 (»Die großgewachenen
Mädchen haben uns sehr in die Augen gestochen«, an Carl August
16. 11. 1788), und bald verband ihn eine enge Freundschaft mit
dem ganzen Familienkreis der von Ziegesars, bei denen G. und
eine Freunde gern gesehene Gäste waren. Die Besuche von Jena
us mehrten sich 1802 und besonders 1808–11, als G. eine Zunei-
zung zur jüngsten Tochter Silvie von →Ziegesar empfand. G.s

Tagebuch verzeichnet weitere Besuche am 14. 3., 11./12. 6. und
24. 8. 1802, 10. 8. 1803, 15. 9. 1808, 8. 6., 20. 1., 10. 7. und 17. 9.
1809, 29. 3. und 5. 4. 1810, 20. 1./10. 7. und 5. 11. 1811, 27. 5. 1816
3. 5., 22. 6. und 23. 7. 1817 und 5. 9. 1820.

Drama. G.s an 115 Dramen, -fragmente und -pläne verfügen, auch
historisch gestaffelt, über eine solche Vielfalt von jeweils dem Stof
abgewonnenen Stilen und Formen, daß ein gemeinsamer Nenner
ihnen nicht ohne Gewalt oder bloße vage Allgemeinheit abzugewinnen ist. Dabei behält er sich wie in allen Gattungen seine innere
Freiheit der Stile und Formen vor. Generelle Charakteristiken sind
allenfalls das Überwiegen des Dramatischen im Sinne von Konflik
und Spannung, und zwar auch einer inneren Gespaltenheit, über
das äußerlich Theatralische und die damit verbundene Neigung,
auch tragische Konflikte weniger aus äußeren Gegebenheiten
(Schicksal, Geschichte, Staat, Gesellschaft, Familie) abzuleiten als aus
inneren Konflikten der Wertordnung und der Leidenschaften, der
Forderungen des Ich und der Ansprüche des Du. Aus solcher Kon-
fliktgestaltung ergeben sich das Vorwiegen des Dialogischen, auch
des Konfliktmonologs, vor dem Mimisch-Handlungsmäßigen und
die Bevorzugung von in sich selbst polaren Charakteren oder von
Gegenüberstellung gegensätzlicher Charaktere, die die unüberwindliche Polarität der Natur und des Daseins im Dialog offenba-
ren und, da es sich nicht um Gegensätze von Gut und Böse, sondern um gleichberechtigte Werte handelt, leicht ins Tragische
münden. Im Verzicht auf absolute menschliche Bösewichte und Intriganten zugunsten allenfalls schwacher Menschen begründet sich
zugleich die Absage an das Gewaltsame, das Pathos selbst des Guten,
an eine vordergründige, aus Verwicklungen gespeiste Theatralik und
selbst die harten Konflikte des Ideendramas zugunsten einer psychologischen Vertiefung und einer mitunter das Lyrische streifen-
den individualistischen Motivierung. Die Tendenz geht von
theatralischen Spannungsbogen zum Charakter- und lyrischen Seelendrama unter dem Druck eines die errungene Humanität bedro-
henden, der Vernunft unzugänglichen, inneren Dämonischen.

Die dramatische Praxis wird begleitet von einer kontinuierlichen
Auseinandersetzung mit der Gattungsfrage und Gattungsproblemen
des Dramas, so besonders im Briefwechsel mit Schiller 1797, im
Aufsatz *Über epische und dramatische Dichtung*, in *Wilhelm Meisters
Lehrjahren* (V,7), in den *Noten und Abhandlungen* zum *Divan* (Kapitel
»Naturformen der Dichtung«) und der *Nachlese zu Aristoteles' Poetik.*

Die einzelnen Dramen und größeren Fragmente ließen sich
etwa wie folgt gruppieren: 1. Rokokodramen der Jugend: *Die Laune
des Verliebten; Die Mitschuldigen*, 2. Farcen: *Jahrmarktsfest zu Plundersweilern; Pater Brey; Satyros; Götter, Helden und Wieland; Hanswursts
Hochzeit; Der Triumph der Empfindsamkeit*, 3. Sturm und Drang-Dramen: *Götz; Clavigo; Stella; Urfaust*, 4. Singspiele: *Erwin und Elmire*

Claudine von Villa Bella; Lila; Jery und Bätely; Die Fischerin; Scherz, List und Rache, 5. Klassische Dramen: *Die Geschwister; Egmont; Elpenor; Iphigenie; Torquato Tasso*, 6. Dramen der Revolutionsthematik: *Der Groß-Cophta; Die Aufgeregten; Der Bürgergeneral; Die natürliche Tochter*, . Festspiele: *Paläophron und Neoterpe; Was wir bringen; Pandora; Des Epimenides Erwachen*, 8. Die Weltdichtung *Faust*, 9. Maskenspiele und dramatische Gelegenheitsdichtungen, 10. Dramatische Fragmente, Pläne und Entwürfe: *Prometheus, Mahomet, Nausikaa* u.a.

R. Petsch, G.s Verhältnis zum D., ZDB 1, 1925; R. Petsch, Die Grundlagen der dramatischen Dichtung G.s, DVJ 15, 1937; F. Sengle, G.s Verhältnis zum D., 1937; I.-U. Voser, Individualität und Tragik in G.s Dramen, 1949; R. Peacock, G's major plays, Manchester 1959; R. D. Miller, The drama of G., Harrogate 1966; J. Müller, G.s Dramentheorie, in ders., Epik, Dramatik, Lyrik, 1974; G.s Dramen. Neue Interpretationen, hg. W. Hinderer 1980; R. Brandmeyer, Heroik und Gegenwart, 1987; H. Schanze, G.s Dramatik, 1989; W. Fehr, Der junge G., D. und Dramaturgie, 1994.

Dramatische Preisaufgabe. In den *Propyläen* (III,2, 1800) setzten G. und Schiller einen Preis von 30 Dukaten für die beste Intrigenkomödie aus. Von den 13 eingesandten Stücken, darunter C. Brentanos *Ponce de Leon*, wurde jedoch keines für preiswürdig erachtet.

Dramatisierung. In *Dichtung und Wahrheit* (III,13) berichtet G. aus der Frankfurter Zeit von seiner Vorliebe für das Erfinden erdachter Gespräche mit abwesenden Personen und von der Freude seines Frankfurter Freundeskreises daran, Vorfälle des täglichen Lebens, Aussprüche, Mißverständnisse, Paradoxien, persönliche Eigenheiten und Angewohnheiten als Dialog und Handlung in Prosa oder Vers zu »dramatisieren«. Diese Vorübung zu dramatischem Schaffen führte u. a. zu Farcen wie *Jahrmarktsfest zu Plundersweilern*. Dramatisierung im heutigen Sinne als dramatisch-dialogische Behandlung erzählender oder berichtender Werke sind etwa die erste Fassung des *Götz* (*Geschichte Gottfriedens von Berlichingen*) und →*Clavigo*. Mit der künstlerischen Problematik solcher Dramatisierung etwa erfolgreicher Romane als Adaption in eine andere Kunstform, heute entsprechend einer Verfilmung, eine »kindische, barbarische, abgeschmackte Tendenz« und Bevormundung der Phantasie, befaßt sich G.s Brief an Schiller vom 23. 12. 1797.

Dransfeld. In der Stadt westlich von Göttingen besichtigte G. am 14. 8. 1801 die Basaltbrüche und genoß die Aussicht auf den Harz vom Hohen Hagen. Tags darauf fuhr er über Hannoversch-Münden nach Kassel weiter (*Tag- und Jahreshefte* 1801).

Drei Einheiten →Einheiten

Die drei Paria. G.s Besprechung in *Über Kunst und Altertum* (V,1, 1824) vergleicht Michael →Beers Tragödie *Der Paria* mit Casimir →Delavignes Tragödie *Le paria* und seiner eigenen, soeben abgeschlossenen →*Paria*-Trilogie.

Dresden. Das »Elbflorenz«, die sächsische Residenzstadt und Kulturmetropole, übte vor allem durch ihre zahlreichen Kunstschätze und -institute (Kunstakademie) eine starke Anziehungskraft auf G. aus, der siebenmal, oft über eine Woche lang, in Dresden weilte und durch viele dortige Freunde und Bekannte, besonders auch Künstler, in ständigem Kontakt mit Dresden blieb. Die Auf enthalte im einzelnen: Anfang März 1768: 12tägiger heimlicher Aufenthalt von Leipzig aus zur Besichtigung der Dresdner Galerie, besonders der Niederländer, in der durch die preußische Beschießung von 1760 noch stark zerstörten Stadt; Wohnung beim »philosophischen Schuster«; Bekanntschaft mit Museumsdirektor C. L. von Hagedorn (*Dichtung und Wahrheit* II,8). 28.–30. 7. 1790 auf der Reise nach Schlesien, Verkehr mit Ch.G. Körner und seinem Kreis, Freiherrn von Racknitz und dem Maler G. Casanova. 25. 9.–2. 10. 1790: auf dem Rückweg von Schlesien; Körner 2.–11. 8. 1794: mit Carl August und J. H. Meyer. 17.–26. 9. 1810 Galerie (Notizen *Dresdner Galerie*), Antikensammlung und Rüstkammer; Verkehr mit Körner, Bourgoing, von Rühle, C. D. Friedrich, Luise Seidler, G. von Kügelgen, Prinz Bernhard, Schleiermacher, J. Schopenhauer, Seebeck, von Dohm u. a. 20.–25. 4. 1813: Oper, Galerie, Kupferstichkabinett; Körner, von Kügelgen, Forstrat Cotta; Bekanntschaft mit E. M. Arndt und dem Maler G. F. Kersting; Einzug des russischen Kaisers und des Königs von Preußen. 10.–17. 8. 1813: Galerie, Antikensammlung, Botanischer Garten, Schloß; Freiherr von Racknitz, von Kügelgen, Talma; Napoleon gesehen.

W. v. Biedermann, G. und D., 1875; F. v. Lepel, Auf G.s Spuren in D., 1932.

Dritte Wallfahrt nach Erwins Grabe im Juli 1775. Auf dem Rückweg von der 1. Schweizer Reise sah G. am 13. 7. 1775 das Straßburger Münster (nach der Studienzeit und der Hinfahrt in die Schweiz am 24.–26. 5. 1775) zum drittenmal und schrieb beim Besteigen des Südturms auf der 1. und 2. Galerie und der Plattform in einem Prosahymnus im Stil eines Wallfahrtsbüchleins seine persönliche religiöse Stimmung angesichts dieses zu Stein gewordenen »Gedankens der Schöpfung« nieder. Der Text erschien 1775 in →*Aus Goethes Brieftasche.* Vgl. → *Von deutscher Baukunst.*

D. Lange, G.s D. W. n. E. G. als Prosagedicht, JFDH 1969.

Drollinger, Carl Friedrich (1688–1742). Die wenig originellen *Gedichte* (1745) des Schweizer Lyrikers der Frühaufklärung in der väterlichen Bibliothek hatte der junge G. »fleißig durchgelesen und teilweise memoriert« (*Dichtung und Wahrheit* I,2), um sie dann umso intensiver zu vergessen.

Drouais, Jean Germain (1763–1788). Der vielversprechende französische Historienmaler starb während G.s zweitem römischen

ufenthalt am 13. 2. 1788. In seinem Atelier sah G. das unvollendete
emälde »Philoktet auf Lemnos« (*Italienische Reise* 22. 2. 1788).

Drudenfuß oder Pentagramm. Der aus fünf durchgezogenen Win-
eln bestehende Stern, angeblich Abdruck der ineinander ver-
chränkten Füße einer Hexe (Drude), galt in der G. vertrauten
ämonologischen Literatur als Abwehrmittel gegen böse Geister
nd erscheint als solches im *Faust* (v. 1395–1408) und im *Masken-
ug von 1818* (v. 698: »Fünfwinkelzeichen«).

Drusenheim. Den elsässischen Ort kurz vor Sesenheim an der
traße von Straßburg passierte G. 1770/71 jeweils bei seinen Besu-
hen in Sesenheim und übernachtete im Oktober 1770 auch dort.
ie in *Dichtung und Wahrheit* (II,10) berichtete Geschichte von sei-
er Verkleidung als Wirtssohn von Drusenheim mit einem Tauf-
uchen muß aus verschiedenen Gründen wohl als erfunden gelten:
Das katholische Drusenheim gehörte nicht zur Pfarrei Sesenheim,
nd eine Taufe ist für diese Zeit in den Kirchenbüchern nicht nach-
eisbar. Ebenso mag das Zweite Gesicht G.s (ebd. III,11), der sich
ach dem Abschied von Friederike auf dem Rückweg bei Drusen-
eim selbst in einem seinem späteren Besuch vom 25. 9. 1779 ent-
prechenden Anzug zurückreiten sah, eine spätere Erfindung zur
oetischen Erhöhung des Abschieds sein, zumal G.s vertraulicher
rief vom 24.–28. 9. 1779 an Ch. von Stein es nicht erwähnt.

Dschajadewa →Jayadeva

Dschami (Djâmî, 1414–1492). G. preist den letzten großen Klassi-
er der persischen Lyrik in zwei (am 21.–22. 1. 1819 entstandenen)
Absätzen der *Noten und Abhandlungen* zum *Divan* als Vollender der
ersischen Lyrik. Seine tragische Liebesgeschichte →*Medschnun und
Leila* kannte er in Übersetzung seit 1808. Eine deutsche Über-
etzung seiner Romanze *Jussuf und Suleicha* erschien erst 1824.

Du Bartas, Guillaume de Salluste, Sieur (1544–1590). G. versucht
n den Anmerkungen zu seiner Übersetzung von Diderots *Rameaus
Neffe* (1805) eine Rettung des von der Zeitmode schon vergesse-
en hugenottischen Dichters und seines enzyklopädischen Schöp-
ngsberichts *La semaine* (1578).

Du Deffand, Marie, Marquise (1697–1780). Nachdem G. schon in
en Anmerkungen zu seiner Übersetzung von Diderots *Rameaus
Neffe* (1805) sein Interesse bekundet hatte, mehr über den literari-
chen Salon der geistreichen Marquise zu erfahren, zu dem u. a.
ontenelle, Montesquieu, Voltaire und d'Alembert gehört hatten, las
r am 15.–21. 2. 1812 kontinuierlich ihre Briefe (*Correspondance*, II
809).

Duderstadt. In der Stadt östlich von Göttingen übernachtete G auf dem Rückweg von der Harzreise am 13.12.1777 mit eine Augenverletzung.

Dudweiler. Bei Dudweiler nördlich von Saarbrücken lernte G. au der Lothringenreise mit Engelbach und Weyland im Juni/Juli 177(die Steinkohlengruben des Saarlands kennen und sah den »brennenden Berg«, ein vor 10 Jahren in Brand geratenes Kohlenflöz (*Dichtung und Wahrheit* II,10).

Dürckheim, Franz Christian Eckbrecht von. G. traf den Erziehe und Reisebegleiter des Prinzen Carl August von Sachsen-Meiningen am 25.5.1775 in Straßburg, als er auf dem Hinweg zu 1. Schweizer Reise dort den Prinzen besuchte. Als der Prinz auf de Rückreise in Frankfurt G. am 12.10.1775 zu Gast lud und diese sich infolge eines Mißverständnisses vom ebenfalls anwesender Prinzen Carl August von Sachsen-Weimar eingeladen glaubte, ha Dürckheim ihm durch scherzhafte Worte aus der Verlegenhei (*Dichtung und Wahrheit* IV,20).

Dürer, Albrecht (1471–1528). G.s Bild des altdeutschen Malers Zeichners und Graphikers wandelt sich bei kontinuierlichem Interesse und gleichbleibender Hochschätzung von anfänglicher Begeisterung nach der Italienreise zu einer bedauernden Anerkennung seiner Grenzen. Mit dem graphischen Werk war G. wohl scho durch die väterliche Sammlung und durch Oeser vertraut und prie die »Männlichkeit, innere Kraft und Ständigkeit« des Holzschnittkünstlers in *Von deutscher Baukunst* (1772) und *Hans Sachsens poeti scher Sendung* (1776). G. sammelte Dürers Graphik ziemlich vollständig, ordnete und vervollständigte im Januar–November 178(auch Lavaters Dürer-Sammlung, ergänzte mit Carl August desse eigene und Lavaters Bestände, las dazu am 18.2.1780 Auszüge au Dürers Tagebuch seiner niederländischen Reise und beschäftigt sich auch später mit Publikationen des graphischen Werks (Rezension mit J. H. Meyer in *Jenaische Allgemeine Literaturzeitung* 67, 1808) Über das malerische Werk verschaffte sich G. auf Reisen in Privat sammlungen und Museen einen guten Überblick: 1774 Köln Jabach-Altar; 1786 München: »Beweinung Christi«, Paumgartne Altar, »Lucretia«, »Vier Apostel«, »J. Fugger«, alles »Stücke von un glaublicher Großheit« (*Italienische Reise* 18.10.1786); 1788 Rom »Gemälde von A. Dürer gesehen« (ebd. 1.3.1788, wohl falsche Zu schreibungen); 1790 Nürnberg: »Beweinung Christi«, »Kaiser Kar der Große«, »Kaiser Sigismund«; 1805 Helmstedt, bei →Beireis Selbstbildnis, Kopie (*Tag- und Jahreshefte* 1805); 1810 Dresder »Bernhard van Resten«; 1814/15 Frankfurt: Heller-Altar, Kopie Diese Kenntnis wird vertieft durch die Lektüre von Dürers theore tischen Schriften, »wahrhaft goldne Sprüche« (an Meyer 13.3

791). In vergleichender Kunstbetrachtung jedoch bemängelt G.
>äter an Dürer trotz »unvergleichlichem Talent« den Vorrang des
>toffes vor der Form, eine Neigung zum Abenteuerlichen und zur
Manier, gewisse Härten und eine »trübe, form- und bodenlose
'hantasie«, die »sich nie zur Idee des Ebenmaßes der Schönheit«
>rheben konnte (*Künstlerische Behandlung landschaftlicher Gegen-
ände; Maximen und Reflexionen* 1088 f.).

E. Wolf, D. und G., DVJ 6, 1928; H. v. Einem, G. und D., 1947, auch in ders., G.-Stu-
ien, 1972; D. Seckel, G. und D., Die Pforte 2, 1949/50; H. Lüdecke, Die Begegnung
.s mit D., G.-Almanach 1971; J. Jahn, G. und D., Goethe 33, 1971.

Düsseldorf. Die aufstrebende Kunstmetropole mit Gemäldegale-
>e und Kunstakademie besuchte G. zweimal vor allem der →Jaco-
is wegen. Auf der Rheinreise traf er am Morgen des 21. 7. 1774 in
Düsseldorf ein, stieg im »Prinz von Oranien« ab, traf Jacobis, die er
berraschen wollte, nicht in ihrem Stadthaus und in ihrer Som-
nerwohnung vor der Stadt in Pempelfort nur die Frauen an, be-
uchte die Gemäldegalerie, bewunderte besonders die Niederländer
nd reiste noch am gleichen Abend zu Elberfeld zu Jung-Stilling,
vo er die Brüder Jacobi traf. Er kehrte am 22. 7. mit F. H. Jacobi
ach Düsseldorf und Pempelfort zurück, gefolgt am 23. 7. von
G. Jacobi, um am 24. 7. gemeinsam zum Jagdschloß →Bensberg
nd nach Köln zu fahren (*Dichtung und Wahrheit* III, 14 schildert
iese Ereignisse in falscher Reihenfolge). Nach der Campagne in
'rankreich traf G. am 6. 11. 1792 wiederum in Düsseldorf und
'empelfort ein, wohnte dort bis 4. 12. bei Jacobis, genoß deren ge-
ellige und literarische Kultur trotz gelegentlich aufkeimender Mei-
ungsverschiedenheiten, besuchte die Gemäldegalerie, besichtigte
unmehr neben den Niederländern auch die italienschen Meister-
verke, besonders Guido Renis »Himmelfahrt«, traf sich dort öfters
nit Freunden des Pempelforter Kreises und linksrheinischen Emigranten und reiste anschließend nach Duisburg und Münster wei-
er (*Campagne in Frankreich*).

W. Beils, G. in D., Rheinischer Beobachter 6, 1927; R. K. Bongs, G. in D., Jan Wel-
em 2, 1927.

Dughet, Gaspard (1613–1675). Der Schüler und Schwager von
Nicolas →Poussin und dessen Nachahmer in heroischen Ideal-
andschaftsbildern nannte sich selbst Poussin. G. braucht anfangs
>eide Namen und unterscheidet wie viele Zeitgenossen nicht
mmer ganz eindeutig zwischen Dughet und Poussin. Von Dughet
ah er am 27. 6. 1787 zwölf Temperalandschaften im Palazzo Co-
onna in Rom. Seine eigene Sammlung umfaßte vier Dughet zugeschriebene Zeichnungen und 38 Stiche nach ihm.

Duisburg. G. besuchte die (bis 1818) Universitätsstadt am 4.–6. 12.
792 auf dem Weg von Düsseldorf nach Münster, war von dem
Wiedersehen mit dem Philosophieprofessor F. V. L. →Plessing, den

er von Wernigerode 1777 her kannte, recht enttäuscht und lernt den Professor für Mathematik und Naturwissenschaften B. Merren kennen, der ihm sein Werk über Schlangen (*Beyträge zur Natur geschichte*, II 1790) schenkte (*Campagne in Frankreich*).

Dumas, Alexandre, d. Ä. (1802–1870).Von dem populären franzö sischen Dramatiker und Romancier der Romantik las G. am 9. 3 1830 die Tragödie *Henri III. et sa cour* (1829), die am 14. 2. 1831 in Weimar aufgeführt wurde (»ganz vortrefflich«, zu Eckermann 15. 2 1831), und am 21. 12. 1831 sein Drama eines Amoralisten *Anton* (1831).

Dumeiz, Friedrich Damian (1729–1802). G. lernte den gebildeten Dechanten des St. Leonhardsstifts in Frankfurt, den ersten ihm nahestehenden katholischen Geistlichen, 1774 im Hause von P. A und Maximiliane Brentano kennen, teilte mit ihm wohl chemisch alchemistische Interessen, rechnete ihn zu seinen Freunden (»de liebe Dumeiz«) und erfuhr von ihm manche Details des katholi schen Glaubens und Ritus, die sich im *Faust* niederschlugen (*Dich tung und Wahrheit* III,13). Dumeiz, der auch mit Merck und Wieland befreundet war, wurde 1782 Siftspropst in Erfurt, doch fehlen Hin weise auf eine Fortsetzung des Verkehrs von Weimar aus.

A. Bach, G.s Dechant D., 1964.

Dumouriez, Charles François (1739–1823). Der General der Französischen Revolutionsarmee war neben Kellermann der Geg ner in der Campagne in Frankreich 1792. Er veranlaßte durch die Kanonade von Valmy den preußischen Rückzug und besetzte die österreichischen Niederlande. Als Gegner der Terrorakte der Jako biner zum Vaterlandsverräter erklärt, ging er im April 1793 zu den Österreichern über, blieb seither Emigrant und veröffentlichte 1794 seine *Mémoires*. G. las sie zuerst 1795 aus persönlichem Inter esse (*Tag- und Jahreshefte* 1795), studierte sie dann am 9./10. 1. 1820 für die Abfassung der →*Campagne in Frankreich* und gewann darau ein günstigeres Bild des Mannes, dessen Schicksal er mit den Wallensteins vergleicht (an J. H. Meyer 6. 6. 1797).

Dumpfheit. »Dumpf« ist ein Lieblingswort des jungen G. der Jahre 1775–79 für als positiv betrachtete unklare, noch verworrene, halt unbewußt-ahnungsvolle, jedoch tief empfundene und keimhaf poetische Seelenstimmungen im Gegensatz zur Klarheit des Ge dankens und der Erkenntnis, z. B. im Gedicht *Dem Schicksal* (1776) Der innerseelischen Dumpfheit entspricht in der Außenwelt die gleichzeitige Vorliebe für den Zustand der →Dämmerung.

E. A. Boucke,Wort und Bedeutung in G.s Sprache, 1901.

Duncker, Karl Friedrich Wilhelm (1781–1869). Der Berliner Ver leger besuchte G. mit dem Berliner Kapellmeister B. A. Weber an

4.–30. 6. 1814 in Bad Berka zu Besprechungen über die musikali-
he Einrichtung von *Des Epimenides Erwachen*, das 1815 in seinem
erlag Duncker und Humblot erschien.

Durand, August (1787–1852). Der Schauspieler war von 1812 bis
u seinem Tod 1852 am Weimarer Theater engagiert und empfahl
ch durch gutes Aussehen, klangvolle Stimme und gewandtes Be-
ehmen für Liebhaberrollen in der Nachfolge von P. A. Wolff, spä-
r auch Heldenväter und Charakterrollen, u. a. Tasso, Pylades und
829 erstmals Faust. Durand führte seit 1823 auch Regie. G. ver-
ußte an ihm anfangs Feuer und Enthusiasmus, kam aber bald zu
nem günstigen Gesamturteil (*Tag- und Jahreshefte* 1812).

Duttenhofer, Christian Friedrich Traugott (1778–1846). Der
tuttgarter Kupferstecher vorwiegend nach italienischen Land-
chaften schuf 1811–20 zwei große Platten zu S. Boisserées *Ansich-
n, Risse und einzelne Teile des Doms zu Köln* (1821): äußere Seiten-
nsicht und Querschnitt mit Blick zum Chor. G. lobte in seiner
esprechung Fleiß und Sorgfalt des Künstlers (*Über Kunst und
ltertum* IV,1, 1823). Seine Frau, die bekannte Silhouettistin Luise
uttenhofer, von der auch ein Scherenschnitt G.s stammt, würdigte
. anonym im Aufsatz *Charon*.

Duval, Alexandre (1767–1842). Der französische Schauspieler,
heaterleiter und Dramatiker besuchte G. am 1. (?) 11. 1803 in Wei-
ar, als dieser im Begriff stand, abzureisen. Über Duvals Nach-
hmung seines *Torquato Tasso* im Drama *Le Tasse* (1826), die G. zu-
indest in Einzelheiten »platt und absurd« fand (zu J. J. A. Ampère
2. 4. 1827), und deren Rezeption in Paris berichtet G. in *Über
Kunst und Altertum* (VI,1, 1827).

Dux. Die nordböhmische Stadt besuchte G. am 2. und 4. 9. 1810
nd am 7. 5. 1813 als Gast des Grafen Waldstein und besichtigte
essen Schloß (in dem Casanova 1785–98 Bibliothekar gewesen
var) und die Kunstsammlungen. Am 5. 5. 1813 besuchte er auch
ie dortigen Braunkohlengruben und interessierte sich für die
Möglichkeiten der Selbstentzündung der schwefelhaltigen Braun-
ohle im Zusammenhang mit der Flözbrandtheorie als mögliche
rklärung des Vulkanismus.

Dyck, Anthonis van (1599–1641). Von den recht zahlreichen »van
Dycks«, die G. – besonders in der Dresdner Galerie 1810 und 1813
- sah, notierte oder als Kupferstich-Reproduktionen besaß, sind die
venigsten authentische Werke des flämischen Malers, die Mehrzahl
lagegen teils flache Kopien, Bilder aus der Werkstatt oder Schule
an Dycks oder bloße Zuschreibungen. Auch der »Belisar«, dessen
tich (wohl von L. G. Scotin, in G.s Besitz) in den *Wahlverwandt-*

schaften (II,5) als Vorlage für ein lebendes Bild dient, ist kein Origi‹ nal van Dycks, und das von G. begeistert als »eigener Hand« be‹ sprochene Bildnis des Malers Gaspar de Crayer, Neuerwerbung fü‹ die Weimarische Pinakothek, war eine Kopie des Wiener Original‹ Unter diesen Umständen ist es wenig verwunderlich, wenn G. kei‹ übermäßig hohes Urteil und keinen echten Gesamteindruck von‹ Schaffen des Malers gewinnen konnte.

Dyk, Johann Gottfried (1750–1813). Der Leipziger Schulmann‹ Schriftsteller, Übersetzer und Verleger wurde mit seiner Massenpro‹ duktion von Übersetzungen französischer Aufklärer und französi‹ scher Komödien (X 1777–86) sowie seiner *Neuen Bibliothek de* *schönen Wissenschaften* eine willkommene Zielscheibe für den Spot‹ der *Xenien* (45, 46, 69, 292; *Xenien aus dem Nachlaß* 74, 171, 227‹ und rächte sich, indem er J. K. F. Mansos Antixenien *Gegengeschenk* *an die Sudelköche von Jena und Weimar* (1796) verlegte. Seine Bear‹ beitung von J. Banks' Drama *Graf von Essex* (1777) fand G.s Tadel‹ doch dichtete er am 17.–20. 10. 1813 einen Epilog dazu für di‹ Weimarer Aufführung. Vgl. *Tag- und Jahreshefte* 1797, G.-Schille‹ Briefwechsel 6./7. 12. 1796.

Eben, Johann Michael (1716–1761). Der Augsburger, ab 174‹ Frankfurter Kupferstecher und Kunsthändler, Schöpfer von rech‹ trockenen, doch genauen Stadtansichten nach älteren Vorlagen un‹ von Kupferstichporträts, wurde durch Absatzrückgang im Kunst‹ handel und luxuriöse Lebensweise genötigt, Zeichenunterricht z‹ geben. Als Zeichenlehrer G.s und Cornelias vom September 175‹ bis Oktober 1761 lehrte der »Halbkünstler« sie »ohne Folge un‹ ohne Methode« (*Dichtung und Wahrheit* I,4) vor allem Kopfstudie‹ nach Vorlagen von Ch. Lebrun für Gemütsausdruck, Landschafte‹ und Stadtprospekte zeichnen und legte die erste Grundlage für G.‹ spätere künstlerische Entwicklung.

Eberhard, Johann Peter (1727–1779). Mit den ganz auf Newto‹ basierenden Ausführungen des Hallenser Professors für Medizin‹ Mathematik und Physik setzt sich G. in der *Geschichte der Farbenlehr‹* kritisch auseinander.

Eberhard, Konrad (1768–1829). Der Münchner Bildhauer, Male‹ und Akademieprofessor aus dem Umkreis der Nazarener schu‹ 1828 Zeichnungen zu G.s Gedicht *Der Sänger*, die Boisserée G. zu‹ sandte (an Boisserée 7. 4. 1828).

Eberl, Anton (1765–1807). Der Wiener Pianist, Komponist un‹ Freund Mozarts besuchte auf einer Konzertreise am 13. und 17. 4‹ 1806 G. in Weimar und gab am 1. 5. 1806 dort ein Gastkonzert mi‹ eigenen Kompositionen (»sein schönes Talent erheitert«, an A. vo‹ Retzer Oktober 1807).

berstadt. Das alte Dorf mit der Burgruine Frankenstein kurz
dlich von Darmstadt an der Bergstraße passierte G. jedesmal,
enn er in den 70er Jahren, 1793, 1797, 1814 und 1815 von Frank-
rt nach Süden oder zurück reiste. Am 30. 10. 1775 begann er hier
as (nur diesen Tag umfassende) halb nostalgische Reisetagebuch
er geplanten Italienreise, die er in Heidelberg zugunsten Weimars
brach.

R. Hess, Deutschlands größter Dichter in E., 1982.

bert, Carl Egon, (ab 1871) Ritter von. Der deutsch-böhmische
ichter, 1825–33 Fürstenbergischer Bibliothekar und Archivar in
onaueschingen, behandelte in düsteren Balladen, Epen und Dra-
en vorwiegend Stoffe aus böhmischer Sage und Geschichte. Er
ndte G. am 15. 4. 1828 seine *Dichtungen* und am 8. 3. 1829 nach
orangegangenen Teilen das ganze Epos *Wlasta*, das G. schon in der
nzeige *Böhmische Poesie* (*Über Kunst und Altertum* VI,1, 1827) er-
ähnt hatte und am 6. und 10. 4. 1829 mit Eckermann besprach
ein recht erfreuliches Talent«). Auch in dem 1828 entstandenen, in
arnhagens Bearbeitung März 1830 in den *Jahrbüchern für wissen-
haftliche Kritik* erschienenen Aufsatz über die *Monatsschrift der Ge-
llschaft des Vaterländischen Museums in Böhmen* lobt G. wohl aus sei-
er Vorliebe für Böhmen heraus Eberts »schönes Talent«, »Feuer und
eichtigkeit«.

berwein, Alexander Bartholomäus (um 1750–1811). Der Weima-
er Stadtmusikus seit 1773 spielte mit seinen sieben Gesellen zu
llen Festen, Feiern und Tanzveranstaltungen (außer Kirche und
heater) in Weimar und Umgebung auf. Er spielte öfter zur Un-
erhaltung in G.s Garten und mag am 14. und 22. 2. 1779 wohl
uch die Hintergrundsmusik geliefert haben, die G. zur Weiterarbeit
n *Iphigenie* inspirieren sollte (an Ch. von Stein 14. und 22. 2. 1779).

berwein, Carl, eigentlich Franz Carl Adalbert (1786–1868). Der
ohn von A. B. Eberwein, von gefälligem Äußerem und gewinnen-
em Wesen, war als Kind Spielgefährte von August von G., wurde
803 als Pianist und Geiger Mitglied der Weimarer Hofkapelle und
826 Herzoglicher Musikdirektor. Er wurde 1807 Mitglied von G.s
eugeschaffener →Hauskapelle und 1808 als Hauskapellmeister
eren Dirigent vom Klavier aus. Nach ersten eigenen Kompositio-
en für G.s Hauskapelle, die dieser von Zelter begutachten ließ,
ermittelte G. ihm zur Schulung im Dirigieren und Komponieren
808 und 1809 Studienaufenthalte bei Zelter in Berlin und hatte
och jahrzehntelang Freude an seiner Musik. Der gemischte Chor
raf sich zu zwanglos-geselligem Musizieren an Donnerstagabenden
n Christianes Zimmer zum Proben, ging von Kirchenmusik und
rnster weltlicher schließlich zu heiterer Musik über, wobei G. ge-
egentlich eingreifend hinzukam, schloß mit einem schlichten Mahl

und musizierte am Sonntagvormittag im Vorderhaus, gelegentlic
auch im Theater, vor geladenen Gästen. Eberwein schrieb, stilistisc
stark von Zelter abhängig, 1814 die Musik zu *Proserpina*, die G. i
Cottas *Morgenblatt* (8. 6. 1815) anzeigte, scheiterte jedoch 1816 z
G.s Verdruß an der Schauspielmusik für *Faust*, die seine composito
rischen Fähigkeiten überforderte (an Zelter 8. 6. 1816). Neben ei
genen Opern vertonte Eberwein etwa 25 Gedichte G.s, u. a. di
Ballade und *Divan*-Gedichte, deren Vortrag durch seine Frau Hen
riette →Eberwein G. besonders genoß (*Tag- und Jahreshefte* 182(
Östliche Rosen, 1823; zu Eckermann 12. 1. 1827). Eberweins Erin
nerungen an G. gab W. Bode 1912 heraus.

M. Ziegert, K. E. und G., Berichte des Freien Deutschen Hochstifts NF 3, 1886 f
G.s Schauspieler und Musiker, hg. W. Bode 1912.

Eberwein, Henriette (1790–1849). Die nicht gerade schöne Toch
ter des Komponisten J. W. Häßler war 1807–38 als Sängerin (So
pranistin, Koloratur) an der Weimarer Oper engagiert, wirkte a
verläßliche Stütze auch in G.s Hauskapelle mit und lebte seit 181
in schwieriger Ehe mit Carl →Eberwein. Mit C. Stromeyer
K. M. J. Moltke und C. Jagemann bildete sie das berühmte Quartet
der Weimarer Oper.

Eberwein, Max, eigentlich Traugott Maximilian (1775–1831). De
Sohn von A. B. Eberwein und Rudolstädter Hofkapellmeister ver
tonte 1815 G.s *Claudine von Villa Bella*, 1818 das *Jahrmarktsfest z*
Plundersweilern, 1826 *Die Fischerin*, ferner die Gedichte *Die Spröde*
Rastlose Liebe, *Ergo bibamus,* den *Erlkönig* und das *Tischlied.*

Echterdingen. Das Dorf südlich von Stuttgart passierte G. auf den
Hin- und Rückweg der 3. Schweizer Reise am 7. 9. und 1. 11. 179
(Mittag im »Hirsch«)(*Reise in die Schweiz 1797*).

Eckardt, Johann Ludwig (seit 1790) von (1732–1800). Der Wei
marer Geheimrat kam 1777–83 als Mitglied der Bergwerkskom
mission in Verbindung mit G., der ihn auch in privaten Rechts
fragen konsultierte und von ihm 1779 ein Promemoria in Sacher
des Peter im →Baumgarten erhielt. Er wurde 1783 Juraprofessor i
Jena.

Eckart →*Der getreue Eckart*

Eckartsberga. Auf der Fahrt von Weimar nach Naumburg an
17. 4. 1813 erzählte sein Sekretär K. John G. die Thüringer Sag
vom Getreuen Eckart, die G. beim Mittagsaufenthalt in Eckarts
berga am gleichen Tag in die Ballade →*Der getreue Eckart* umformte

Eckermann, Johann Peter (1792–1854). G.s Vertrauter, Gesell
schafter und Mitarbeiter (nicht Sekretär) stammte aus ärmlichster

Verhältnissen und verdankte seinen Aufstieg seiner Charakterstärke, Zielstrebigkeit und Bescheidenheit. Er war der jüngste Sohn eines Kätners und Hausierers und einer Spinnerin und Näherin in Winsen an der Luhe, mußte schon als Kind, u. a. als Hütejunge, arbeiten und zum Unterhalt der Familie beitragen, durfte bis 1808 am Privatunterricht der Honoratiorenkinder teilnehmen und bildete sich seit 1808 als Kanzleischreiber in Winsen, Lüneburg, Uelzen und Bevensen autodidaktisch weiter. Den Kriegsfreiwilligen gegen Napoleon 1813/14 veranlaßte das Erlebnis niederländischer Kunst in Flandern 1815 zum Kunststudium bei J. H. Ramberg in Hannover, das er jedoch wegen Krankheit und Aussichtslosigkeit rasch abbrach. 1815 Registrator in Hannover, nahm er Privatunterricht, besuchte nebenher das Gymnasium und wandte sich der Literatur, seit 1819 besonders G., zu, dessen Werk ihm zur Offenbarung wurde. 1821 gab er den Beruf auf, studierte 1821/22 in Göttingen drei Semester Jura und Philosophie und veröffentlichte 1821 einen Band *Gedichte*, den er im August 1821 G. übersandte. Auf einer Studienreise traf er am 14. 9. 1821 in Weimar nur Riemer und F. T. D. Kräuter an – G. war in Eger –, zog sich 1822 nach Empelde bei Hannover zurück, um seine *Beiträge zur Poesie, mit besonderer Hinweisung auf G.* zu schreiben und sandte diese am 24. 5. 1823 an G., der den Druck bei Cotta vermittelte und ihn am 10. 6. 1823 freundlich empfing: »ein gar guter, feiner, verständiger Mensch« (an C. L. F. Schultz 1. 6. 1823). Seinerseits auf der Suche nach einer geeigneten, stilistisch gewandten und einfühlsamen, mit seiner Universalität und Weltsicht harmonierenden Hilfskraft für die Redaktion seiner Papiere, beauftragt ihn G. sofort, seine anonymen Beiträge aus den *Frankfurter Gelehrten Anzeigen* 1772/73 herauszusuchen, und äußert den Wunsch, ihn als ständigen Mitarbeiter an sich zu ziehen. Eckermann bleibt und hat seine schlecht besoldete – er verdiente seinen Unterhalt durch Sprachunterricht – aber erstrebte Lebensstellung bei G. gefunden, die seinen Fähigkeiten und Wünschen entspricht. Er hilft G. bei der Ordnung und Durchsicht seiner Manuskripte, bei der Herausgabe der Ausgabe letzter Hand, bei der Redaktion von *Über Kunst und Altertum*, zu dem er Beiträge liefert, beginnt mit G.s Wissen und Billigung seine Aufzeichnungen der Gespräche und wird immer enger in den geistigen und geselligen Kreis G.s gezogen, dem er durch sein Einfühlungsvermögen als kritischer Gesprächspartner wie als Ansporn zum Abschluß unvollendeter Werke (*Wanderjahre, Faust II*) rasch unentbehrlich wird und dessen Wesen der »vorzüglich gute und brave Eckermann« (an Schlosser 29. 5. 1830), der »geprüfte Haus- und Seelenfreund« (an Willemer 26. 9. 1830) in vieler Hinsicht ergänzt. Er unterstützt G. bei der Abfassung des 4. Teils von *Dichtung und Wahrheit*, den er im Nachlaß redigiert, und ediert, von G. systematisch zum Nachlaßherausgeber herangebildet und testamentarisch berufen, gemeinsam mit Riemer die *Nachgelassenen Werke* (XX 1832–42) und die *Poetischen und prosaischen Werke* (Quartausgabe, II 1836/37). Er begleitet auch August von G. im April 1830 auf seiner Italienreise bis Genua und kehrt nach Anschlußreisen am 23. 11. 1830 nach Weimar zurück. Nach einer in Entsagung ausklingenden Liebe zur jungen Schauspielerin Auguste Kladzig 1828–31 geht Eckermann am 9. 11. 1831 eine zu späte und kümmerliche Ehe mit der ihm 12 Jahre lang verlobten Johanna Bertram aus Hannover ein, die über die minimale Besoldung ihres Mannes klagt, von G. nicht zur Kenntnis genommen wird und 1834 im Kindbett stirbt. Über G.s Lob und Dank für seine Leistung und ein Jenaer Ehrendoktorat von 1825 hinaus ermöglicht die äußere Anerkennung Eckermann kaum einen bürgerlichen Hausstand. G.s Tod verhindert eine von ihm angestrebte finanzielle Sicherung, und ein Weimarer Hofratstitel von 1842 mit kleiner Pension lindert kaum die materielle Not.

Eckermanns bedeutendste Leistung sind seine von G. autorisierten, zur Veröffentlichung nach seinem Tod bestimmten *Gespräche mit Goethe in den letzten Jahren seines Lebens* (I–II 1836, III 1848). Vielleicht von T. Medwins *Journal of the conversations of Lord Byron* (1824) angeregt und auf laufenden Notizen, Tagebüchern und Briefen sowie Eckermanns ausgezeichnetem Gedächtnis basierend, schaffen sie erst den neuen literarischen Formtyp der »Gespräche«, geben unter Weglassung alles Alltäglich-Banalen ein verklärtes, erhabenes Bild der Persönlichkeit G.s in seinen mündlichen Äußerungen und gewähren Einblick in die Gedankenwelt und Arbeitsweise G.s. Trotz teils nachträglicher Rekonstruktionen aus dem Gedächtnis, gelegentlicher Heranziehung von Quellen zweiter Hand (Aufzeichnungen F. Sorets im III. Band) und literarischer Durchgestaltung, die die Gespräche durch Beschreibung des Atmosphärischen in Szene setzt, sind sie zwar nicht wortwörtlich zu nehmen, doch meist sinngemäß verläßlich und wurden nach anfänglichem Desinteresse des Publikums bald zum meistgelesenen Buch über G., das dessen Bild um wesentliche Züge bereichert und als literarische Leistung die Hochschätzung Nietzsches u. a. gewann.

R. M. Meyer, J. P. E., GJb 17, 1896, auch in ders., Gestalten und Probleme, 1905; J. Petersen, Die Entstehung der E.schen Gespräche mit G. und ihre Glaubwürdigkeit, 1924 u. ö.; J. Petersen, E.s künstlerische Leistung, Insel-Almanach 1925; H. H. Houben, J. P. E., II 1925–28 u. ö.; A. R. Hohlfeld, E.s Gespräche mit G., MDU 1925, auch in ders., 50 years with G., Madison 1953; M. Nußberger, E.s Gespräche mit der dokumentarischer Wert, ZDP 52, 1927; E. Beutler, J. P. E., in ders., Essays um G. 2, 1947 u. ö.; D. van Abbé, On correcting E's perspectives, PEGS NS 23, 1954; K. R. Mandelkow, Das G.bild J. P. E.s, in: Gratulatio, hg. M. Honeit 1963, auch in ders., Orpheus und Maschine, 1976; E. Lüth, J. P. E., 1978; L. Kreutzer, Inszenierung einer Abhängigkeit, in ders., Mein Gott G., 1980; E. Nahler, J. P. E. und F. W. Riemer als Herausgeber von G.s literarischem Nachlaß, in: Im Vorfeld der Literatur, hg. K.-H. Hahn 1991; J. P. E., Katalog Weimar 1992 u. ö.

Edda. G. lernte die nordischen Mythen zuerst in französischer Übersetzung in P.-H. Mallets *Introduction à l'histoire du Danmark* (1755, deutsch 1765 f.) und dann auf Herders Hinweis in Straßburg der Ausgabe mit lateinischer Übersetzung von J. P. Resenius *Edda Islandorum*, 1665) kennen und schätzte besonders die Erzählungen vom Fenriswolf und von Udgardaloki und Thor. Das Werk Mallets las er wieder 1806, dessen französische Ausgabe der *Edda* 1802 (an Schiller 4. 5. 1802) und W. Grimms *Lieder der alten Edda* im Oktober/November 1816. Zum großen Bedauern einer germanophilen Germanistik konnten ihm die nur als Namen vertrauten, konturlos-nebelhaften und halbkomischen nordischen Götter, Riesen, Zauberer und Fabelwesen im Gegensatz zu den durch die bildende Kunst verlebendigten, plastischen und sinnenhaft anschaulichen Göttern und Helden der Griechen über die Erzählfabeln hinaus kaum ein Interesse abgewinnen und widersetzten sich dem sinnlich-konkreten Stil seiner Dichtung (*Dichtung und Wahrheit* II,12). Für die »Helden Walhallas, die sich des Morgens in Stücke hauen und mittags sich wieder mit heilen Gliedern zu Tische setzen«, hat G. nur leichten Spott (zu Eckermann 7. 2. 1827).

Der Edelknabe und die Müllerin. Durch eine Aufführung von G. Païsiellos Singspiel *Die Müllerin* (*La molinara*, 1788) in Frankfurt im August 1797 stößt G. auf die schon im Minnesang und Volkslied ausgeprägte Form des Wechsels oder lyrischen Wechselgesprächs in Liedform (→Gespräche in Liedern) und empfiehlt Schiller am 1. 8. 1797 für den *Musenalmanach* für 1799 dieses »poetische Genre, in welchem wir künftig mehr machen müssen«. Noch auf der Schweizer Reise entstehen am 26. 8. 1797 in Heidelberg *Der Edelknabe und die Müllerin*, am 4. 9. 1797 in Stuttgart *Der Junggesell und der Mühlbach*, im September 1797, vollendet am 12. 5. 1798, *Der Müllerin Verrat*, freie Übertragung einer Romanze aus der Novelle *La folle en pélerinage*, die G. 1807 als *Die pilgernde Törin* für die *Wanderjahre* I,5 ganz übersetzt, und am 7. 9. 1797 in Tübingen *Der Müllerin Reue*. Der locker motivisch zusammengehaltene, nicht ganz widerspruchsfreie Zyklus (vgl. zu Eckermann 1. 12. 1831), den G. auch als Grundlage einer Operette erwägt (*Reise in die Schweiz* 1797, 15. 9.), erscheint 1798 in Schillers *Musen-Almanach für das Jahr 1799*.

Edel sei der Mensch →*Das Göttliche*

Edelsheim, Wilhelm, Freiherr von (1737–1793). Der bedeutende Staatsmann hatte als enger Vertrauter und Minister des Markgrafen Carl Friedrich von Baden in Karlsruhe eine ähnliche Stellung wie G. in Weimar, der ihn vielleicht 1775 in Karlsruhe oder später durch J. G. Schlosser kennenlernte. Engere Beziehungen ergaben sich durch Edelsheims Besuche in Weimar am 16.–28. 5. 1776, 20.–26. 3. 1778, 7. 4. 1781 und 13.–17. 10. 1783, ein Zusammentreffen in Karlsbad am 13.–15. 8. 1785, das G. die Abreise schwer machte (»Mit ihm ist trefflich schwätzen und in politicis Erbauung zu holen«, an Knebel 1. 9. 1785, ähnlich an Ch. von Stein 18. 8.

1785) und einem anschließenden Besuch Edelsheims in Weimar an
17.–20.(?) 9. 1785, der G. Rang und Kenntnisse Edelsheims offen
barte (»Ich kenne keinen klügeren Menschen ... Könnt ich nur ein
Vierteljahr mit ihm sein«, an Ch. von Stein 20. 9. 1785). Meist stan
den Staatsgeschäfte wie Fürstenbund, Wirtschaft, Finanz- und Steu
erfragen, Landreform, Aufhebung der Leibeigenschaft u. ä. im Vor
dergrund der Gespräche, in denen G. als der Lernende sich da
Fachwissen und die Auffassung des bewunderten, erfahrenen Prak
tikers gern zu eigen machte und sie in größeren Zusammenhänger
sah. Edelsheim mag das Vorbild für die Stellung eines mehr allgemeinen politischen Beraters gewesen sein, die G. nach der Rück
kehr aus Italien anstrebte (an Carl August 11. 8. 1787).

Edelsteine. Mit Eigenart und Verwendung der Edelsteine wurde
der junge G. durch den Frankfurter Juwelier Lautensack bekannt
der 1763, von G. oft besucht, eine Dose für G.s Mutter und einer
Blumenstrauß für Kaiser Franz fertigte (*Dichtung und Wahrheit* I,4)
Auch in der Cellini-Übersetzung finden sich zwei Aufsätze übe
Geschichte und Sage der Edelsteine und deren Fassung. In geolo-
gisch-mineralogischer Sicht boten die Edelsteine G. keine Pro
bleme (*Über die Bildung von Edelsteinen*, 1816; an C. Leonhard 29. 4
1816); seine Neuordnung und Katalogisierung der Edelstein-
Sammlung Carl Augusts im Januar/Februar 1822 war für ihn »so
belehrend als ergötzlich« (an Carl August 21. 2. 1822). In der *Far
benlehre* erwähnt G. die angeblichen Heilkräfte der Edelsteine, die
auch in den *Wahlverwandtschaften* (I,6), in den Gedichten *Segenspfänder* und *Bedenklich* des *West-östlichen Divans* sowie im *Faust I.*
(v. 9306 ff.) angesprochen werden. G.s Faszination für Edelsteine
spiegelt sich besonders im *Märchen* der *Unterhaltungen deutsche
Ausgewanderten*.

Edinburgh Review. G. las die unabhängige englische politisch-
literarische Vierteljahrsschrift (1802–1847), an der Carlyle, Scott
Macaulay u. a. mitarbeiteten, seit 1818 regelmäßig, schätzte ihr
hohes kritisches Niveau und bezog sich öfters auf sie (Einleitung zu
Carlyle, *Leben Schillers*, 1830; *Über Kunst und Altertum* VI,2, 1828).

Editionen →Werkausgaben

Eduard. »Ein reicher Baron im besten Mannesalter« (I,1), »das einzige, verzogene Kind reicher Eltern« (I,2) und nunmehr als verwöhnter Müßiggänger ungewohnt, »sich etwas zu versagen« (I,2)
ist die männliche Hauptfigur in G.s →*Wahlverwandtschaften*. In har-
monisch-geruhsamer zweiter Ehe mit seiner Jugendgeliebter
Charlotte verbunden, zerstört er durch seine maßlose Leidenschaf
zu deren junger Nichte Ottilie, für die er sich auf Naturgesetze beruft, das Leben aller Beteiligten.

N. Oellers, Warum eigentlich E. ?, in: Genio huius loci, hg. D. Kuhn 1982.

Eger. In der nordböhmischen Stadt, deren Schloßruine an die Ermordung Wallensteins erinnert, pflegte G. auf seinen Reisen zu und
von den böhmischen Bädern zu übernachten, so 1785, 1786,
1795(?), 1806 (2 Tage), 1807, 1808 (2 Tage), 1810(?), 1811 und
1820, und damit Stadtbesichtigungen oder Spaziergänge in die
Landschaft zu verbinden. 1808, als der Aufsatz *Der Kammerberg bei
Eger* entstand, folgten mehrere Kurzaufenthalte vom benachbarten
Franzensbad aus. Mit wachsendem Interesse an den historischen,
lokalen und geologischen Gegebenheiten und zunehmendem
Bekanntenkreis in Eger (1806 Scharfrichter und Sammler K. Huss,
1820 Polizeirat J. S. Grüner, 1822 Kaspar Graf Sternberg u. a. m.)
dehnten sich die Aufenthalte in Eger und Ausflüge ins Egerland
später aus: 25. 8.–13. 9. 1821 (mit Preisverleihung im Gymnasium
am 5. 9.), 24. 7.–27. 8. 1822 (als W. J. Tomaschek am 6. 8. G. seine
Vertonungen seiner Gedichte vorspielt), schließlich 29. 6.–2. 7.,
20.–25. 8. und 7.–11. 9. 1823.

V. Prökl, G. und E., 1879; A. Dietrich, G. im E.lande, 1932; V. Karell, G. im E.lande, 1949.

Egloffstein, August Friedrich Carl, Freiherr (1771–1834). Der ursprünglich preußische, ab 1795 Weimarer Offizier kämpfte 1806 bei
Jena gegen Napoleon, ab 1807 als Oberst einer sächsischen Brigade
für Napoleon in Tirol, Spanien und Rußland und befehligte 1815
als Generalmajor das Weimarer Kontingent gegen Napoleon. Er
nahm 1801/02 mit Amalie von Imhoff als Partnerin an G.s Mittwochskränzchen teil und verkehrte besonders seit 1816 gesellschaftlich mit G., obwohl seine Gattin (seit 1808) Isabelle G.s
Soiréen steif und langweilig fand. G. bat ihn 1830, ihm für ein Porträt von Schmeller zu sitzen.

Egloffstein, Caroline, Freifrau (1767–1828) →Egloffstein, Wolfgang

Egloffstein, Caroline, Gräfin (1789–1868). Die älteste Tochter von
Henriette von →Egloffstein lebte mit ihr schon als Kind 1800–04,
dann 1809/10 als Besuch bei ihrer Tante Caroline, die sie in die
Weimarer Gesellschaft einführte, schließlich 1816–31 als Hofdame
der Erbgroßherzogin Maria Paulowna in Weimar. 1810 und 1818
Teilnehmerin an den Maskenzügen, begann sie mit ihrer Schwester
Julie 1815 einen freundschaftlichen Verkehr mit G., der ihren
liebenswürdigen, harmonischen Charakter und ihre musikalisch-
kompositorische Begabung schätzte, die »Gräfin Line« häufig als
Tischgast sah und ihr einige Gelegenheitsgedichte und Stamm-
buchverse widmete (»Die abgestutzten …«; »Lina, dir zum neuen
Jahr«; »Der Heiden-Kaiser«; »Ein Zauber wohl …«, »Keinen
Blumenflor …«).

Lebensläufe aus Franken, hg. A. Chroust 1927.

Egloffstein, Henriette, Freiin von (1773–1864). Die Schwester
von Wolfgang von →Egloffstein, eine gefeierte Schönheit, hoch
gebildet, literarisch interessiert, musikalisch, adelsstolz und konven
tionsbewußt, wurde 1789 aus Familienrücksichten mit einem Vet
ter in Ostpreußen verheiratet, dem sie fünf Kinder, u. a. Carolin
und Julie, gebar. 1800 verließ sie den Gatten, wurde 1803 geschie
den und heiratete in glücklicher Ehe den Freiherrn Beaulieu
Marconnay in Hannover. Seit ihrem ersten Aufenthalt in Weima
1787/88 während G.s Italienreise in der kultivierten Weimarer Ge
sellschaft heimisch, kehrte sie 1791, 1795–97, 1800–04 und zu kur
zen Besuchen 1821, 1824, 1830/31 u. ö. dorthin zurück. Ihr Ver
hältnis zu G., den sie 1797 kennenlernte und dessen Genie si
bewunderte, war gleichwohl ambivalent. Sie fand ihn laut ihre
Aufzeichnungen »schroff, wortkarg, spießbürgerlich steif und kalte
Gemüts«, tadelte wiederholt seine »ominöse Liaison mit dem Ber
tuchschen Blumenmädchen« (Christiane) als unsittlich und unent
schuldbar und trat 1802 als G.s Partnerin aus seiner Cour d'amou
aus. Gegen J. D. Falks Unterstellung (*Goethe aus näherm persönliche*
Umgang dargestellt, 1832), sie sei »eine zärtliche und begünstigte Ver
ehrerin des großen Meisters« gewesen, wehrte sie sich mit der Be
hauptung, sie habe keine »sympathischen Beziehungen« zu G. ge
habt und seine Nähe eher vermieden. Dennoch ermutigte sie ihr
Töchter zu persönlichem Umgang mit dem Dichter und schrie
Kanzler von Müller im Juli 1827 einen geistreichen Exkurs übe
das Helenaproblem im *Faust II*, den dieser am 16. 7. 1827 (wie spä
ter auch ihre autobiographischen Aufzeichnungen) G. mitteilte. G
dagegen schätzte sie, nannte sie in seinen Briefen 1801/02 seine
verehrte, geliebte und würdige Freundin und ließ sie 1831 vor
Schmeller für sich zeichnen.

Lebensläufe aus Franken, hg. A. Chroust 1927.

Egloffstein, Julie, Gräfin (1792–1869). Die dritte Tochter von
Henriette von →Egloffstein und Schwester von Caroline verlebte
ihre Kindheit 1800–04 in Weimar, das sie auch 1811 u. ö. besuchte
und 1816 zum Wohnsitz wählte. Schön, verwöhnt, selbstbewußt
und adelsstolz, pflegte sie ihre früh erkannte zeichnerische Bega
bung, die auch G. anerkannte, förderte und lobte (zu F. von Müller
18. 4. 1815 und 29. 4. 1818; *Tag- und Jahreshefte* 1821, 1822). Seit
1816 trat sie wie ihre Schwester Caroline in nahen freundschaft
lichen Umgang mit G., der bei ihren Besuchen ihre und fremde
Arbeiten und künstlerische Probleme besprach und ihr einige Ge
dichte (»An Julien«) widmete: *Entoptische Farben*; »Freundlich wer
den neue Stunden« (?, vgl. dazu G.s »Aufklärende Bemerkungen«,
dagegen M. Hecker, Goethe 8, 1943); »Sei die Zierde …«; »Ein
guter Geist«; »Von so zarten Miniaturen …«; »Abgeschlossen sei da
Buch …«. Nach Studien in Dresden 1820 bezog sie in Weimar ein
eigenes Atelier, schuf klassizistische Landschaften und Historienbil-

der und Porträts von G. (1826,1827), Knebel, Carl August und Herzogin Louise (von G. besprochen in *Über Kunst und Altertum* VI,2, 1828), kam jedoch trotz vielerlei Lobes mangels praktischer Schulung und kritischer Führung kaum über einen höheren Dilettantismus hinaus und wurde trotz ihrer Scheu vor dem Hofleben 1824 aus wirtschaftlichen und gesundheitlichen Gründen Hofdame der Großherzogin Louise.

Lebensläufe aus Franken, hg. A. Chroust 1927; G.s glückliche Zeichnerin, Katalog Hildesheim 1992.

Egloffstein, Wolfgang Gottlob Christoph, Freiherr von (1766–1815). Der Jurist hatte in seinen sukzessiven Positionen als Weimarer Regierungsrat, Kammerherr, Hofrat, Hofmarschall und Oberkammerherr häufig amtlich mit G. zu tun und pflegte nach 1800 mit seiner Gattin Caroline (1767–1828) auch geselligen Besuchsverkehr mit G. Beide nahmen 1801/02 an seinem Mittwochskränzchen teil, Caroline wirkte auch in den Maskenzügen mit und sandte dem kranken G. 1823 ihren Großvaterstuhl, den dieser am 10. 5. 1826 mit einem Vierzeiler (»Meisterstuhl …«) zurücksandte.

Egmont. G.s »Trauerspiel in fünf Aufzügen« aus der Zeit des niederländischen Freiheitskampfes entstand nach längerer innerer Beschäftigung mit dem Stoff auf Drängen des Vaters seit 1775 nicht in kontinuierlicher Niederschrift, sondern zunächst in vereinzelten Hauptszenen und deren stufenweiser Umgestaltung, so daß bei der Übersiedlung nach Weimar 1775 wohl nur einzelne Szenen und ein Gesamtkonzept vorlagen. Noch im Dezember 1778–Juni 1779 arbeitete G. am 2. Akt, im Dezember 1781–April 1782 am 4. Akt. Das Manuskript begleitete ihn auf die Italienreise. In Rom wurde am 1. 8. 1787 der 4. Akt, am 11. 8. 1787 der 5. Akt vollendet. Am 5. 9. 1787 meldete G. den völligen Abschluß, und Ostern 1788 erschien der Erstdruck in den *Schriften* Band 5. Die Uraufführung erfolgte am 9. 1. 1789 in Mainz durch die Kochsche Truppe, eine erfolglose Weimarer Erstaufführung folgte am 31. 3. 1791 durch die Bellomosche Truppe. Erst Schillers »grausame«, theatralisierende Bühnenbearbeitung, am 25. 4. 1796 in Weimar mit Iffland als Egmont aufgeführt, verhalf dem Stück zum Erfolg und hielt sich auf der Bühne, bis der Rückgriff auf Beethovens →Egmont-Musik die Originalfassung erforderte.

Als Hauptquellen dienten G. des Jesuiten Famianus Strada *De bello Belgico* (1640; G.s Exemplar 1651), dem G. stellenweise fast wörtlich folgt, und des Protestanten Emanuel van Meteren *Historia Belgica* (1597; deutsch 1627). Beiden entnimmt G. mehr den historischen Hintergrund als die Details der Hauptfigur (→Egmont, Graf Lamoral von), da er nicht ein Geschichts-, sondern ein Charakterdrama schreibt: sein Egmont ist jugendlich, schön und unverheiratet. Auch die Streichung der historischen Parallelfigur Graf Hoorn

und die zeitliche Raffung des in Wirklichkeit zwei Jahre umspan-
nenden Geschehens dienen der Konzentration auf eine Helden-
figur (vgl. zu Eckermann 31. 1. 1827).

Egmont steht im Mittelpunkt des Geschehens, alle Figuren sind
Kontrastfiguren (Oranien, Brackenburg) oder Spiegelungen seines
Wesens, alle Szenen beziehen sich auf ihn, der nicht durch seine
Taten, sondern durch seine sorglose, gewinnende Persönlichkeit,
seine ehrliche und tolerante Gesinnung, seine »ritterliche Größe«
und seine Selbstsicherheit im Einklang mit sich und der Umwelt in
Freiheit wirkt. Die Strahlkraft seiner Persönlichkeit spiegelt sich als
indirekte Charakteristik im 1. Akt dreimal: in der »Gunst des
Volkes«, der Brüsseler Handwerker und Soldaten, in der »stillen
Neigung einer Fürstin« (Margarete von Parma), die in Egmonts
Leichtsinn die Gefahr einer Mißdeutung erkennt, und in der »aus-
gesprochenen [Neigung] eines Naturmädchens« (Klärchen), die nur
den Menschen Egmont liebt. Der 2. Akt vertieft diese Eigenschaften in der Darstellung Egmonts als Volksführer unter den Bürgern,
als milder Statthalter im Gespräch mit seinem Sekretär und als spanischer Untertan, der in sorglosem Vertrauen auf die Redlichkeit
der Herrschenden und seine eigene Kraft und Lebensfülle die Warnungen Oraniens vor der in der Verstandeskälte des listigen Alba
drohenden Gefahr nicht ernst nimmt und taktische Vorsicht ablehnt. Der 3. Akt stellt die beiden konträren Mächte in Egmonts
Leben, Politik und Liebe, hart nebeneinander: während der Abdankung Margaretes von Parma verbringt Egmont die Stunde der
Gefahr sorglos im privaten Bereich bei seiner Geliebten: statt der
Peripetie die Idylle. Abweichend von der klassischen Dramenform
bringt erst der 4. Akt die Peripetie und führt die Gegensätze Vitalität und Repression zum Konflikt. Der seelenlose Alba, als Vertreter
der absoluten staatlich-politischen Macht zur Unterdrückung des
Freiheitswillens der Niederländer entschlossen, hat schon vor dem
Erscheinen des schicksalsblinden Egmont zur anberaumten Bera-
tung dessen Verhaftung und Untergang beschlossen. Der bedachte
Oranien entkommt nur durch kluges Fernbleiben demselben
Schicksal. In seinem freimütigen Eintreten für die Freiheit und die
alten Privilegien verkennt Egmont aus seiner idealistischen Sicht
heraus, daß gerade diese Haltung die harte Konsequenz einer
Staatsräson herausfordert, und erlebt ungläubig seine Verhaftung.
Ebenso scheitert im 5. Akt der mutig-verzweifelte Appell Klärchens
an das führerlos scheue Volk zum Aufstand und treibt sie in den
Freitod durch Gift. Egmont dagegen erkennt in der Auflehnung
von Albas Sohn →Ferdinand gegen seinen Vater ein Fortleben seines Strebens und eine Hoffnung für die Zukunft. In der strittigen
Schlußapotheose, die Schillers Bearbeitung als »Salto mortale in die
Opernwelt« strich, erscheint ihm vor der Hinrichtung in einer
Traumvision die Freiheit mit den Zügen Klärchens. Diese Szene
bestätigt, wieweit Egmonts Lebensweise einer nachtwandlerischen

elbstsicherheit und seine Ideale einer Traumwelt aus dem Unbe-
vußten entstammen, die sich nicht in der harten politischen Rea-
tät der Zeit, sondern erst in einer besseren Zukunft verwirklichen
ollten. Darin und in seiner Verwendung von Symbolen (Goldenes
'lies, Pferd) überwindet das trotz seiner langen Entstehungszeit
inheitliche Drama die realistische Konzeption vom Sturm und
)rang her zugunsten des klassischen Charakter- und Ideendramas.

G.s rückblickende Deutung von 1813 in *Dichtung und Wahrheit*
(V,20) erblickt in Egmonts anziehender Natur wie in Albas abso-
utistischem Fanatismus den tragischen Zusammenstoß zweier »dai-
nones« (→Dämon), in dem »das Liebenswürdige untergeht und das
Gehaßte triumphiert«. Spätere politische Deutungen sehen im *Egmont* eine Kritik an der Weimarer Regierungspraxis, am Versagen
es freiheitlich gesinnten Bürgertums oder Einflüsse der 1787 er-
eut ausbrechenden Unruhen im habsburgischen Brabant.

E. Zimmermann, G.s E., 1909 u. ö.; L. Kleiber, Studien zu G.s E., 1913; F. Brügge-
ann, G.s E., die Tragödie des versagenden Bürgertums, JGG 11, 1925; E. Kilian, G.s
. auf der Bühne, 1925; G. Keferstein, Die Tragödie des Unpolitischen, DVJ 15, 1937;
. Fuchs, Das Drama E. als Ausdruck der geistigen Welt G.s, Diss. Straßburg 1946;
. Busch, E., DU 1, 1949; E. M. Wilkinson, The relation of form and meaning in G's
., PEGS NS 18, 1949, auch in dies. und L. A. Willoughby, G., London 1962, deutsch
974; W. Hof, Über G.s E., WW 1, 1950/51; H. Naumann, G.s E.mythos, ZDP 71,
951 f.; P. Böckmann, G., E., in: Das deutsche Drama I, hg. B. v. Wiese 1958 u. ö.;
. Schaum, Dämonie und Schicksal in G.s E., GRM NF 10, 1960; E. Braemer, G.s E.
nd die Konzeption des Dämonischen, WB 6, 1960; J. L. Sammons, On the structure
f G's E., JEGP 62, 1963; H. Henel, G's E. original and revised, GR 38, 1963, deutsch
  ders., G.zeit, 1980; H. Hartmann, G.s E., WB 13, 1967; H. G. Haile, G's political
inking and E., GR 42, 1967; K. Ziegler, G.s E. als politisches Drama, in: Verstehen
nd Vertrauen, hg. J. Schwartländer 1968; A. Fuchs, E., in ders., G.–Studien, 1968;
1. v. Brück, G.: E., 1969; H.-D. Dahnke, Geschichtsprozeß und Individualitätsverwirk-
chung in G.s E., in: Studien zur Literaturgeschichte und Literaturtheorie, hg. H.-
. Thalheim 1970; G. A. Wells, E. and Das Dämonische, GLL 24, 1970 f.; P. Michelsen,
.s Freiheit, Euph 65, 1971; H. Hartmann, E., Geschichte und Dichtung, 1972 u. ö.;
.: E. Erläuterungen und Dokumente, hg. H. Wagener 1974 u. ö.; H. Reinhardt, E., in:
.s Dramen, hg. W. Hinderer 1980; J. Schröder, Poetische Erlösung der Geschichte, in:
eschichte als Schauspiel, hg. W. Hinck 1981; V. Braunbehrens, E., in: J. W. v. G., hg.
1. L. Arnold 1982; V. Braunbehrens, G.s E., 1982; L. Sharpe, Schiller and G's E., MLR
7, 1982; W. Schwan, E.s Glücksphantasien und Verblendung, JFDH 1986; R. Saviane,
., ein politischer Held, GJb 104, 1987; W. Große, Überwindung der Geschichte, 1987;
. T. Larkin, G.s E., MGS 17, 1991; H.-J. Schings, Freiheit in der Geschichte, GJb 110,
993.

gmont, Lamoral Graf von Egmont und Prinz von Gaure (1522–
568). Der historische Egmont war Page und Mitstreiter Karls V. in
lgerien, heiratete 1545 Sabine von Bayern, mit der er elf Kinder
atte, und wurde 1546 Ritter vom Orden zum Goldenen Vlies.
Jnter Karls Sohn Philipp II. Befehlshaber der spanischen Reiterei
1 den siegreichen Schlachten gegen Frankreich von St. Quentin
557 und Gravelingen 1558, wurde er 1559 Statthalter von Flan-
ern und Artois unter Margarete von Parma als Generalstatthalte-
in. Neben Wilhelm von Oranien und Philipp Graf von Hoorn
ammelpunkt des gegen die spanische Zentralisierungs- und Ka-
nolisierungspolitik aufsässigen Adels, versuchte er 1565 in Madrid
ergeblich eine Milderung der Inquisitions- und Steuergesetze zu

erreichen. Gegen Unruhen und Bilderstürme entsandte Philipp II
1566 ein spanisches Heer unter dem Herzog von Alba, vor dem
Oranien u. a. ins Ausland flohen. Wie Graf Hoorn blieb Egmont mit
Rücksicht auf seine große Familie und die zerrütteten Vermögens
verhältnisse auf seinen Gütern im Lande und bekundete durch
seine Anwesenheit beim Einzug Albas in Brüssel seine Loyalität. E
mißachtete die Warnungen von Oranien und Albas Sohn Ferdinand
und erschien mit Hoorn zu einer von Alba angesetzten Be
sprechung. Beide wurden dabei verhaftet, zum Tode verurteilt und
neun Monate nach der Verhaftung am 5. 6. 68 auf dem Marktplatz
in Brüssel öffentlich enthauptet. Margarete von Parma dankt
während Egmonts Haft wegen Albas Härte ab, und Alba selbs
wurde bald nach Spanien zurückbeordert. G.s Drama →*Egmon*
schaltet frei mit den persönlichen Verhältnissen Egmonts und zog
sich dafür Schillers Tadel in seiner Rezension (*Jenaische Allgemein
Literaturzeitung* 20. 9. 1788) zu. In *Dichtung und Wahrheit* (IV,20) und
zu Eckermann (31. 1. 1827) rechtfertigt G. seine Eingriffe.

H. van Nuffel, Lamoraal von E., Leuwen 1968; M. von Brück, G.: E., 1969; H. Hart
mann, E., 1972; →Egmont.

Egmont-Musik. G., der der Musik im *Egmont* eine bedeutend
Funktion zuerkannte, wandte sich deswegen am 14. 8. 1787 an Phil
ipp Christoph Kayser in Rom und schlug ihm zur Vertonung ein
Symphonie, d. h. Ouvertüre, die Zwischenaktsmusik, die Liedein
lagen und die Traumvision im 5. Akt vor. Kaysers Musik, von de
Teile wohl im Hauskonzert bei A. Kauffmann aufgeführt wurden
ist jedoch verschollen, und es bleibt unklar, inwiefern die frühe
Aufführungen von Musik Gebrauch machten. 1791 komponiert
Johann Friedrich Reichardt eine Bühnenmusik, die zuerst bei eine
Berliner Aufführung 1801 benutzt wurde. 1809/10 schrieb sodann
Beethoven seine *Egmont*-Bühnenmusik Op. 84, die er G. am 12. 4
1811 ankündigte und die mit der Originalfassung des Dramas am
29. 1. 1814 aufgeführt wurde, ohne daß G. sich ihres Ranges vol
bewußt wurde, und verhalf damit G.s Originalfassung gegenübe
Schillers Bearbeitung zum endgültigen Durchbruch.

Der Egoist. G.s am 10. 3. 1811 Riemer gegenüber geäußerter Ge
danke, einen Roman dieses Titels zu schreiben, der zeigen sollte
»daß die Meisterschaft für Egoismus gelte«, blieb unausgeführt.

Ehe. Nach 18jähriger Lebensgemeinschaft mit Christiane Vulpiu
(→Goethe, Ch. von) seit Juli 1788, die G. als Ehe (»nur nicht durch
Zeremonie«) betrachtete, schloß G. am 19. 10. 1806 inmitten de
Wirren nach der Niederlage bei Jena und Auerstedt und der fran
zösischen Plünderung Weimars die Ehe mit Christiane in kirchli
cher Trauung durch den Hofprediger W. C. Günther in der Sakriste
der als Hofkirche dienenden Jakobskirche. G.s hohe Auffassung vo

der Ehe (vgl. zu F. von Müller 7. 4. 1830), wohl am gültigsten formuliert in den *Wahlverwandtschaften* (I,9), wird kaum dadurch relativiert, daß diese Worte dem sonst mit Ironie gezeichneten Mittler
in den Mund gelegt sind.

Ch. Lorey, Die E. im klassischen Werk G.s, Amsterdam 1995.

Ehlers, Wilhelm (1774–1845). Der Schauspieler und Opernsänger
in Weimar 1801–05, später Regisseur in Berlin, Frankfurt und 1837
Theaterdirektor in Mainz, wurde von G. als Liederkomponist und
nuancenreicher Sänger zur Gitarre geschätzt (*Tag- und Jahreshefte*
1801) und war öfters bei G. zu Gast, im Oktober 1817 bei einem
Gastspiel auch mit seiner Frau. Seine Gesänge zur Gitarre (1803)
enthalten Kompositionen von G.s *Der Rattenfänger, Jägers Abendlied*
und *Schäfers Klagelied*; er vertonte ferner *Die Trommel gerühret, Frühlingsorakel, Generalbeichte, Tischlied, Trost in Tränen, Hochzeitslied* u. a.

Ehrenbreitstein. G.s erster Besuch in dem Rheinstädtchen Thal-
Ehrenbreitstein erfolgte nach der plötzlichen Abreise aus Wetzlar
etwa am 14.–18. 9. 1772, als er mit einem Kahn von Bad Ems lahn-
und rheinabwärts Ehrenbreitstein erreichte. Der Besuch galt
G. M. T. von La Roche und seiner Frau, der Schriftstellerin Sophie
von →La Roche, bei denen sich zu einer Art empfindsamen Kongresses auch J. H. Merck und F. M. Leuchsenring einfanden und G.
eine »neue Leidenschaft« für die Tochter Maximiliane von →La
Roche, später verheiratete Brentano, empfand (*Dichtung und Wahrheit* III,13). Die Geniereise mit Lavater und Basedow streifte am
18. 7. 1774 Ehrenbreitstein, wo G. auf der Rückfahrt Anfang August
von Ems aus einige Tage bei den La Roche verbrachte. Am 25. 7.
1815 schließlich frühstückten G. und der Freiherr vom Stein auf
der Reise von Nassau nach Köln in Ehrenbreitstein.

Ehrendoktorat →Doktortitel

Ehrenlegion (Légion d'honneur). G. erhielt nach seinen zwei Un-
terredungen mit Napoleon am 14. 10. 1808 das 1802 von Napoleon als höchster französischer Orden gestiftete Kreuz der Ehrenlegion, das er als seinen liebsten Orden und als Zeichen
übernationaler Anerkennung und Wertschätzung bei entsprechenden Gelegenheiten gern zu tragen pflegte, und zwar zur allgemeinen Verwunderung auch nach Napoleons Niederlage in der Völkerschlacht bei Leipzig, als er dem österreichischen Grafen
→Colloredo zu dessen Unwillen am 23. 10. 1813 mit dieser Dekoration entgegentrat, und ferner im Herbst 1814 in Wiesbaden. 1818
ernannte Ludwig XVIII. von Frankreich G. zum Offizier der Ehrenlegion.

F. Baldensperger, G. et la légion d'honneur, Revue de Paris 39, 1932.

Ehrfurcht. Der Begriff einer auch säkularisierten Pietät im Sinne einer demütigen Anerkennung und Hochschätzung des Bestehenden ist, wenngleich nicht von G. geprägt, ein Grundbegriff seiner Lebensauffassung und praktischen Weltfrömmigkeit, die Grundlage einer konfliktlosen menschlichen Partnerschaft und damit der menschlichen Gesittung und Gesellschaft. Ehrfurcht greift damit über das aufklärerische Postulat der nur passiv duldenden Toleranz zu einer aktiven und positiven Bewertung auch des Nichtgleichen hinaus. Sie ist »das, worauf alles ankommt, damit der Mensch nach allen Seiten zu ein Mensch sei« (*Wanderjahre* II,1). Ihre Herrschaft würde »die Erde von allen den Übeln heilen, an denen sie gegenwärtig und vielleicht unheilbar krank liegt« (Rezension von N. A. de Salvandy, *Don Alonzo*, 1824). Diese zentrale Rolle der Ehrfurcht für ein gedeihliches und würdiges menschliches Zusammenleben durchzieht G.s Werk und findet ihre deutlichste Formulierung in der »Pädagogischen Provinz« von *Wilhelm Meisters Wanderjahren* (II,1) mit der Lehre von der drei- bzw. vierfachen Ehrfurcht vor dem, was »über uns«, »unter uns« und »neben uns, uns gleich« ist, deren Erlernen letztendlich zur »Ehrfurcht vor sich selbst« ohne Dünkel und Selbstsucht führt und damit die Erfahrung des Unendlichen im Endlichen gewährt.

K. Thieme, G.s E.en, Theologische Studien und Kritiken 90, 1917; J. Krause, G.s Lehre von den drei E.en, 1928; F. W. Wentzlaff-Eggebert, Über die E. bei G., in: Gedenkreden im G.jahr, 1949; E. Beutler, Die vierfache E., MLQ 10, 1949; H. Jantz, Die E.en in G.s Wilhelm Meister, Euph 48, 1954; F. Ohly, G.s E.en, Euph 55, 1961; R. Ch. Zimmermann, F. v. Baader und G.s vier E.en, GRM 45, 1964; Ch. J. Wagenknecht, G.s E.en und die Symbolik der Loge, ZDP 84, 1965; W. Schultz, Die Bedeutung der E. in der Religion G.s und Schleiermachers, in ders., Theologie und Wirklichkeit, 1969; A. Schütze, Von der dreifachen E., 1973; J. Barkhoff, G.s E.gebärden in den Wanderjahren, in: Anthropologie und Literatur um 1800, hg. ders. 1992.

Ehrmann, Johann Christian d. Ä. (1710–1797). Bei dem Straßburger Stadtphysikus besuchte G. 1770 die »Lectionen der Entbindungskunst«.

Ehrmann, Johann Christian d. J. (1749–1827). Der Sohn von J. Ch. Ehrmann d. Ä. studierte zu G.s Straßburger Zeit 1770/71 dort Medizin, hielt sich 1775 in Frankfurt auf und gründete dort 1779 eine trotz seiner skurrilen Einfälle erfolgreiche Arztpraxis. Zu dem um 1809 von ihm gegründeten »Orden der verrückten Hofräte« gehörten neben Boisserée, Jung-Stilling und Willemer seit 1815 auch G., der den Studienfreund 1815 in Frankfurt bei Willemers wiedersah und die grotesken Späße, Schnurren und literarischen Scherze des Sonderlings auch später erheiternd fand. Auf ihn bezieht sich G.s Gedicht »Pfeifen hör ich …«, und seinen antiquarischen Interesse verdankt G. Aufschlüsse über die Bauhütten mittelalterlicher Steinmetze (*Heidelberg*, 1816).

S. M. Prem, G.s Jugendfreund E., ZfdU 23, 1909.

Ehrmann, Johann Friedrich (1739–1794). Bei dem Sohn von

, Ch. Ehrmann d. Ä. und ao. Professor der Medizin in Straßburg wohnte G. 1770 »dem Clinicum bei«. In *Dichtung und Wahrheit* (II,9 und III,11) verwechselt er ihn mit seinem Vater.

Eichenberg, Johann Ludwig →Deinet, Johann Conrad

Eichendorff, Joseph, Freiherr von (1788–1857). Der Dichter der Romantik sah als Student in Halle »den unsterblichen Goethe« am 5.7.1805 und den folgenden Tagen im Kolleg des Phrenologen Gall in Halle (Eichendorff, Tagebuch) und am 3.8.1805 bei einer Aufführung des *Götz von Berlichingen* in Lauchstädt (ebd.). Für G. fiel Eichendorff unter das Verdikt der Romantik; für eine Kenntnisnahme seiner Werke fehlen außer einem Zitat aus *Ahnung und Gegenwart* in den *Noten und Abhandlungen* die Anhaltspunkte. Auf die Übersendung seines Trauerspiels *Der letzte Held von Marienburg* mit einem Begleitschreiben am 25.5.1830 erhielt Eichendorff keine Antwort. Sein Gedicht *Der alte Held. Tafellied zu G.s Geburtstag 1831* erschien erst im *Deutschen Musenalmanach für 1833*.

Eichhorn, Johann Gottfried (1752–1827). Der vielseitige und produktive Theologe, Orientalist, Kultur- und Literarhistoriker, 1775–88 Professor in Jena, dann Göttingen (wo ihn G. am 8./9.6. 1801 besuchte) erschloß durch seine Gespräche und seine zahlreichen quellenkritischen Schriften zum Alten Testament, zu den Büchern Mose und den Propheten G. das Verständnis für das Alte Testament als Dichtung – G. las seine *Einleitung ins Alte Testament* (III 1780–83) im April 1797 – so daß G. es im *West-östlichen Divan* in Bezug zur jüngeren orientalischen Dichtung setzen konnte (*Israel in der Wüste; Bemerkungen über das 1. Buch Mose*, beide in *Noten und Abhandlungen*). G. bekannte seine Dankesschuld mehrfach in den *Noten und Abhandlungen* und sandte ihm am 16.11.1819 ein Exemplar des *West-östlichen Divan* mit den Versen »Vor den Wissenden sich stellen …«, die 1827 in das *Buch der Betrachtungen* aufgenommen wurden. Möglicherweise zog G. auch Eichhorns *Geschichte der Literatur* (1808) für das 7. Buch von *Dichtung und Wahrheit* zu Rate.

H. Hüffer, G. und J. G. E., GJb 3, 1882.

Eichstädt, Heinrich Carl Abraham (1772–1848). Der Professor der alten Sprachen in Jena seit 1796 und Mitredakteur von Chr. G. Schütz bei der *Allgemeinen Literaturzeitung* wurde 1804 Professor der Beredsamkeit und Dichtkunst, zugleich Oberbibliothekar in Jena und auf G.s Vorschlag Redakteur der von G. nach der Abwanderung der →*Allgemeinen Literaturzeitung* nach Halle als Ersatz gegründeten *Jenaischen Allgemeinen Literaturzeitung*. Er kam damit besonders in den ersten Jahren der neuen Zeitschrift, als G. aktiven Anteil an der Herausgabe nahm, in engen mündlichen und brief-

lichen Kontakt mit ihm, der seine Kenntnisse, sein Verhandlungs-
geschick und seine Energie rühmte.

Eigentum. G.s Sechszeiler, am 28. 12. 1813 Henriette Löhr ins
Stammbuch geschrieben, paraphrasiert vermutlich einen Satz aus
den *Mémoires* von Beaumarchais. Dort ist allerdings der »Augenblick« des Gedankens gemeint, etwa des Sinnes: ...und jener günstige Augenblick, in dem mich ein liebendes Geschick ihn (den Gedanken) von Grund auf läßt genießen.

Eilfer →Wein, →Johannisberg

Einbeck. In der mittelalterlichen niedersächsischen Stadt (»sehr alt
und rauchig«, Tagebuch) übernachtete G. auf dem Hin- und wohl
auch dem Rückweg von Göttingen nach Pyrmont am 12. 6. und
17. 7. 1801. Vom »wundersamen Eindruck« melden die *Tag- und
Jahreshefte* 1801.

Einer, Andreas Dietrich, eigentlich A. D. Krako (?–1812). Der ausgebildete Jurist spielte 1786–89 jugendliche Liebhaber- und Heldenrollen in der Bellomoschen Truppe in Weimar und schied im
Streit, wurde jedoch, da von Hof und Publikum geschätzt, von G.
1791 wieder engagiert, kehrte im September 1792 aus Gesundheitsgründen zur Beamtenlaufbahn in Weimar zurück und starb
durch Selbstmord.

Einfache Nachahmung der Natur, Manier, Stil. G.s Aufsatz
von 1788, der im Februar 1789 in Wielands *Teutschem Merkur* erschien, faßt die italienischen Erfahrungen und die Kunstgespräche
mit Tischbein, Meyer und besonders Moritz zu einer Begriffsbe-
stimmung und Differenzierung der drei Kunsttypen zusammen.
»Nachahmung« ist im Sinne der antiken und der Renaissance-
Ästhetik die exakte Kopie der gegenwärtigen, leicht faßlichen
Naturgegenstände »nach der Natur«, die »in unglaublichem Grade
wahr« sei, etwa in Stilleben von Blumen und Früchten. »Manier«
bezeichnet in der italienischen Kunstterminologie wie bei G. ohne
negativen Beiklang ein persönliches Verfahren künstlerischer Darstellung: Der Künstler kopiert nicht bloß, sondern er »macht sich
selbst eine Sprache, um das, was er mit der Seele ergriffen, wieder
nach seiner Art auszudrücken«, er erfindet ohne präsente Vorlage
nach der Erinnerung, schafft sich im Geist sein eigenes, persönliches
Idiom und sucht nicht jedes Detail, sondern das Charakteristische
auszudrücken, etwa in Landschaften. »Stil«, weniger präzis definiert,
ist für G. der höchste erreichbare Grad der Kunst als Ergebnis einer
Erkenntnis vom Wesen der Dinge und dessen sichtbarer Ausdruck
in der Wendung zum Objektiven. Damit werden G.s drei kunst-
psychologische Begabungsstufen zugleich miteinander verbundene,
aber sich steigernde Wertstufen.

G. Rosenthal, Eine literarische Quelle zu G.s Aufsatz E. N. d. N., M., S., Sokrates NF 1915; C. Kestenholz, Emphase des Stils, Comparatio 2/3, 1991; H. Niewöhner, N. d. N., 1991.

Einhard (Eginhard, um 770–840). Im Zusammenhang mit seinen Studien zu Leben und Zeit Karls des Großen las G. am 14.–16. 4. 1810 die *Vita Caroli Magni* von Karls Sekretär und Baumeister Einhard und anschließend am 16.–20. 4. 1810 die *Historia Caroli Magni* des Pseudo-Turpin. Von einem nach diesen Quellen geplanten christlichen Märtyrerdrama im Stil Calderons haben sich nur die Bruchstücke einer →*Tragödie aus der Zeit Karls des Großen*, ein Schema der fünf Akte und Fragmente des 1. Akts, erhalten, dessen Hauptfigur Eginhard heißt.

Einheiten, drei. Die auf Aristoteles (*Poetik* Kap. 7) sich berufende Forderung der französischen klassizistischen Poetiker des 17. Jahrhunderts, besonders Chapelains und Boileaus, nach Einheit der Handlung, des Ortes und der Zeit (24 Stunden) im Drama wurde G. zuerst um 1760 von dem jungen →De Rosne nahegebracht. Zur eigenen Orientierung studierte er Corneilles *Discours sur le poème dramatique* (1660) und die Dramenvorreden Corneilles und Racines und hielt sich in *Die Laune des Verliebten* und *Die Mitschuldigen* an die Einheiten, folgte jedoch im Sturm und Drang in eigenen Dramen mehr dem Vorbild Shakespeares und setzte sich im *Götz von Berlichingen* bewußt über die Regeln hinweg (*Dichtung und Wahrheit* II,13). Wie die Übersetzungen französischer Tragödien hielt sich besonders *Iphigenie* schon der Struktur als Seelendrama nach streng an die Regeln, die auch Wilhelm in *Wilhelm Meisters theatralische Sendung* (II,2) im Grunde anerkennt. G.s spätere eigene Haltung zu den Einheiten ist durchaus wechselhaft und widersprüchlich, weil sie nicht das abstrakte mechanische Prinzip anerkennt, sondern die künstlerische Freiheit und Notwendigkeit gegen alle Einseitigkeit verteidigt. So erkennt er die Vorteile der Einheiten unter gewissen Umständen als künstlerisches Mittel zur Verwandlung des Lebens in Kunstform durchaus an (*Maximen und Reflexionen* 355; an W. von Humboldt 22. 10. 1826), lehnt aber ihre Verabsolutierung deutlich ab (an G. Cattaneo 28. 3. 1820; zu Eckermann 24. 2. 1825).

Einkommen. G.s reguläre Einkünfte bestanden aus seinem jährlichen Gehalt für die →amtliche Tätigkeit und seinem schriftstellerischen →Honorar. Als Sondereinkünfte kamen 22 000 Gulden Erbschaft nach dem Tod der Mutter sowie die Schenkungen Carl Augusts (Gartenhaus, Haus am Frauenplan) hinzu.

Einleitung in die Propyläen →*Propyläen*

Einsamkeit. Nachdem G. schon in der Jugend gelegentlich einen Hang zur Einsamkeit gezeigt hatte (*Dichtung und Wahrheit* I,1), wurde Einsamkeit später zusehends zur Voraussetzung dichterischen Schaffens (an Ch. von Stein 4. 3. 1779) zumal in der einsamen Lyrik der Abend- und Wanderergedichte. Zahlreiche Gedichte und besonders der Briefwechsel mit Schiller (9. 12. 1797, 21. 7. 1798 u. ö. geben diesem Bedürfnis häufig Ausdruck. Als Gegengewicht zu schöpferischen inneren Sammlung stellt sich jedoch oft ein lebhaftes Verlangen nach Gespräch, Geselligkeit und Zerstreuung ein, den G.s amtliche Tätigkeit, häusliche Gesellschaften und Kuraufenthalte entgegenkommen, und G. anerkennt durchaus den Wert de »lebendigen Ideenaustauschs« »mit klugen Leuten« als Ansporn zum Schaffen (zu F. von Müller 6. 3. 1818). Die ideale Verbindung beider Extreme sieht G. in einer geselligen Einsamkeit gleichgesinnter Künstler (an W. von Humboldt 28. 10. 1799).

Einsiedel, August von (1754–1837). Der Bruder von F. H. von Einsiedel und enge Freund Herders, der manche seiner Gedanken übernahm, war eine der ungewöhnlichsten und exotischsten Persönlichkeiten des klassischen Weimar, ein genialischer, aber unsteter und leichtlebiger Projektemacher. Von dem ihm wesensfremden Militärdienst als holländischer Offizier nahm er Abschied, studierte Bergwesen, erwarb weite Kenntnisse in Chemie, Naturwissenschaften, Geographie, Ethnologie und Philosophie und war 1777–83 häufig Gast seines Bruders in Weimar. Wegen seiner demokratischen, materialistischen, antichristlichen und anarchistischen Tendenzen zum Staatsdienst ungeeignet, richtete er sich 1784 in Oberweimar ein chemisches Labor ein, das 1785 auf G.s Rat vom 18. 10. 1784 für die Universität Jena erworben wurde. Im November 1784 wollte er in Weimar vergeblich Truppen für die Niederlande anwerben und verhandelte darüber mit G. (an Carl August 26. 11. 1784). Im Mai 1785 brach er mit zwei Brüdern zu einer längstgeplanten Forschungsreise nach einem Utopia in Afrika auf. Auf dieser folgte ihm, in Weimar großes Aufsehen erregend, heimlich seine Geliebte Emilie von →Werthern-Beichlingen, die Gattin eines Weimarer Kammerherrn, die ihren Tod und ihr Begräbnis hatte vortäuschen lassen. Die Reise mußte frühzeitig 1786 in Tunis wegen der Pest abgebrochen werden, doch blieb das Paar nach der Rückkehr, der Scheidung der Baronin von Werthern und ihrer Ehe mit Einsiedel (1788) bis 1795 von der Weimarer Gesellschaft ausgeschlossen (an Ch. von Stein 11. 6. 1785 und 9. 7. 1786) und lebte später in Ilmenau, Jena und auf Schloß Scharfenstein im Erzgebirge. G., der nur lockere Verbindungen zu Einsiedel hatte, doch an der seltsamen Liebesgeschichte lächelnd Anteil nahm, unterhielt sich mit Einsiedel am 4. 7. 1777 in Dornburg, am 2. 4. 1780 in Weimar und am 5. 9. 1820 in Drackendorf.

W. Dobbeck, G. und A. v. E., Goethe 19, 1957.

Einsiedel, August Hildebrand von (1721–1793). Der sachsen-

gotha-altenburgische Geheimrat und Kammerpräsident kam Ende
Oktober 1781 in geistiger Verwirrung wegen zerrütteter Familien-
verhältnisse zum Besuch seines Sohnes F. H. von Einsiedel nach
Weimar. G. nahm ihn am 28. 10.–3. 11. 1781 mit sich nach Jena und
verwandte eine Woche als »moralischer Leibarzt« darauf, ihn in Behandlung zu geben und mithilfe seiner Söhne die Sache ins Reine
zu bringen (an Carl August 4. 11. 1781).

Einsiedel, Emilie von →Werthern-Beichlingen, Emilie von und
→Einsiedel, August von

Einsiedel, Friedrich Hildebrand von (1750–1828). Der Page Anna
Amalias (seit 1761) wirkte nach dem Jurastudium in Jena (1766–70)
in der Weimarer Landesregierung als Assessor, Regierungsrat und
Hofrat, schied jedoch 1776 aus dem nüchternen Verwaltungsdienst
aus und trat als Kammerherr, ab 1802 Oberhofmeister, in die Dienste Anna Amalias, an deren Musenhof der liebenswürdige, humorvolle, musikalisch und schauspielerisch begabte Edelmann eine bedeutende Rolle spielte. Mit Carl August und G., mit dem er sich
duzte, seit den übermütigen Weimarer Jugendjahren eng verbunden, beteiligte sich der zerstreute, verspielte und exzentrische Träu-
mer häufig am höfischen Liebhabertheater, schrieb auch kleine
Theaterstücke und Singspiele, Lieder und Erzählungen, redigierte
das *Tiefurter Journal*, übersetzte nach einer Italienreise mit Anna
Amalia (1788–90) italienische Operntexte (Cimarosa) sowie
Komödien (Plautus, Terenz, Calderon, Molière, Goldoni) für das
Weimarer Theater und veröffentlichte 1797 anonym *Grundlinien zu
einer Theorie der Schauspielkunst*. Nach Anna Amalias Tod 1807 Oberhofmeister der Herzogin Louise und 1817 Präsident des neugegründeten Oberappellationsgerichts in Jena, blieb er bis Lebensende ein enger Freund und häufiger Gast G.s, der sich auch in
Zeiten einer durch Mißachtung des Geldes und Spielleidenschaft
entstandenen finanziellen Not (1790) für ihn einsetzte. Einsiedels
undisziplinierte Lebensweise und Vermögensverwaltung standen
einer Ehe mit Louise Adelaide Waldner von Freundstein wie seiner
Neigung zu Corona Schröter im Wege.

H. Knoll, F. H. v. E., Zeitschrift für thüringische Geschichte NF 22, 1915.

Einsiedeln (Maria Einsiedeln). Den Wallfahrtsort mit Benediktinerkloster im Kanton Schwyz besuchte G. am 15. 6. 1775
(*Dichtung und Wahrheit* IV,18) und am 28./29. 9. 1797 (*Reise in die
Schweiz 1797*). Bei beiden Gelegenheiten galt sein Interesse weniger dem eindrucksvollen barocken Gebäudekomplex als seiner
Bibliothek, der Schatzkammer und dem Kunst- und Naturalienkabinett sowie den Kupferstichen von M. Schongauer.

Eins und Alles. G.s Altersgedicht mit der an das antike »Hen kai
pan« gemahnenden Überschrift entstand am 6. 10. 1821 in Jena,

wurde am 28. 10. 1821 an Riemer gesandt und am 24. 9. 1823 im *Morgenblatt* sowie bald darauf als Abschluß des Heftes *Zur Naturwissenschaft überhaupt* (II,1, 1823) gedruckt. Es enthält nach G.s Brief an Riemer vom 28. 10. 1821 »vielleicht das Abstruseste der modernen Philosophie«; nur der Lyrik könne es gelingen, »solche Geheimnisse gewissermaßen auszudrücken, die in Prosa gewöhnlich absurd erscheinen, weil sie sich nur in Widersprüchen ausdrücken lassen, welche dem Menschenverstand nicht einwollen«. Der paradoxe Grundgedanke der Selbsterhaltung durch Selbstaufgabe, Entselbstung durch Hingabe an und Auflösung in der Sphäre des Göttlichen (I/II), wird in III/IV mit dem Lebensgesetz der unaufhörlichen Umgestaltung und restlosen Veränderung als Voraussetzung der Selbstbewahrung begründet, der gegenüber Stillstand im Erreichten Erstarrung und den Zerfall ins Nichts bedeute. Wie sich die Geheimnisse des Lebens nur poetisch in Widersprüchen fassen lassen und der dialektische Lebensprozeß zwischen polaren Extremen die Einheit des Lebens verkörpert, so bietet G.s Gedicht *Vermächtnis* das gedankliche Gegenstück und Ergänzung des vorliegenden.

L. Hänsel, Die offene Philosophie G.s, Wissenschaft und Weltbild 2, 1949; H. Glockner, E. u. a., Die Sammlung 15, 1960; D. Hölscher-Lohmeyer, Die Entwicklung des G.schen Naturdenkens, GJb 99, 1982; E. Trunz, Drei weltanschauliche Gedichte G.s, JFDH 1992.

Ein zärtlich-jugendlicher Kummer ... Das nur in einer (verschollenen) Handschrift aus dem Nachlaß Ch. von Steins überlieferte, 1846 zuerst gedruckte freirhythmische Gedicht entstand wohl im Frühjahr 1772 und mag identisch sein mit einem Gedicht G.s, das Caroline Flachsland am 13. 4. 1772 Herder sandte. Aus den Bildern des Frühlings in der Natur und Menschenwelt zieht das von einem jugendlichen Kummer betroffene Ich Hoffnung für ein neues Leben.

D. W. Schumann, Bemerkungen zu zwei G.schen Gedichten, Goethe 25, 1963; H. Geulen, Marginalien zu G.s Gedicht E. z.j. K., in: Die in dem alten Haus der Sprache wohnen, hg. E. Czucka 1991.

Eisenach. Die thüringische Stadt am Fuße der →Wartburg war bis 1741 Residenz (Stadtschloß; Lustschloß Wilhelmsthal) eines selbständigen Fürstentums, das 1741 an Sachsen-Weimar fiel, aber noch länger selbständige Landstände und eine eigene Verwaltung behielt und nur dem Herzog und seinem Geheimen Consilium unterstand. Zu ihrer allmählichen Integration und Verhandlungen mit den Landständen, aber auch zu Jagden und Ausflügen in den Thüringer Wald weilte G. in früheren Jahren teils länger in Eisenach (6. 9.–9. 10. 1777; 10.–18. 9. 1778; Dezember 1781; 7. 6.–10. 7. 1784). Er wohnte teils auf der →Wartburg, deren Ansicht und Aussicht Briefe an Ch. von Stein (13./14. 9. 1777 u. ö.) und Zeichnungen festhalten. Später traten mineralogische und bergbauliche In-

teressen in den Vordergrund. Schließlich bildete Eisenach oft die
erste bzw. letzte Station auf G.s Reisen nach und aus dem Westen,
so u. a. am 15. 12. 1777, 12. 9. 1779, Dezember 1792, 31. 7. 1797,
22.–24. 8. 1801, 25. 7. und 26. 10. 1814 und 24. 5. 1815. →Wart-
burgfest.

W. Büchner, G.s Beziehungen zu E., Beiträge zur Geschichte E.s 2, 1895; W. Greiner, G. auf der Wartburg und in E., 1923.

Eisenberg. G. war auf Empfehlung Carl Augusts am 8.–12. 9. 1810
von Teplitz aus Gast des Fürsten Lobkowitz auf seinem Schloß
oberhalb von Eisenberg bei Brüx im Erzgebirge, vor allem, um den
Tenor A. →Brizzi für ein Gastspiel in Weimar zu gewinnen. Er
genoß den »höchst freundlichen Empfang« bei der adligen Gesellschaft, verbrachte die Zeit »auf eine sehr angenehme Weise« (an
Carl August 14. 9. 1810) mit Ausflügen in die Umgegend und am
9. 9. einem Besuch bei dem Grafen Firmian in Brunnersdorf.

Eislauf. G. hatte eine Vorliebe für das Schlittschuhlaufen (*Dichtung
und Wahrheit* III, 12 und 15; IV, 16) und trug zur Verbreitung des Eis-
laufs als Volkssport bei. Er praktizierte ihn u. a. im November 1774
auf den Rödelheimer Wiesen und dem zugefrorenen Main im Pelz
seiner Mutter (ebd. IV, 16) und im Winter 1775 zur Empörung der
Weimarer auf dem Schwanseeteich in Bertuchs Garten und fand
bei der herzoglichen Familie, dem Hof und den Bürgern bald begeisterte Nachahmer. Wie Klopstock, mit dem er sich im Herbst
1774 darüber unterhielt und auf dessen Rat er sich andere Schlitt-
schuhe (Klopstock sagte: Schrittschuhe) anschaffte (ebd. III, 15), benutzte er das Motiv in seinen Dichtungen als Bild für jugendliche
Kraft, Gesundheit und Mut wie im Gedicht →*Eis-Lebens-Lied* und
der Novelle *Der Mann von fünfzig Jahren* (*Wanderjahre* II, 5).

A. Beck/R. Zilchert, G. und der olympische Gedanke, 1936; C. Diem, G. und der E.,
Olympische Rundschau 20, 1943; C. Diem, Körpererziehung bei G., 1948; A. Gassner,
G. als Eisläufer, 1990.

Eis-Lebens-Lied. G.s lebenslange Vorliebe für den Schlittschuh-
lauf schlägt sich in diesem Gedicht nieder, das wohl im Winter
1775/76 entstand, im Februar 1776 im *Teutschen Merkur* zuerst
gedruckt und mit der Überschrift *Mut* 1789 in die *Schriften* aufgenommen wurde. Der in allen Bildern konkret beschriebene
→*Eislauf* wird zugleich zum Symbol eines wagemutigen, auf Selbstvertrauen, Zuversicht und Kraft basierenden Lebenslaufs.

M. Lee, The poet as ice scater, in: Horizonte, hg. H. Mundt 1990.

Eißl, Therese, geb. von Oberndorfer (1792?–1842?). Die österreichische Malerin korrespondierte seit 6. 4. 1828 mit G. über Probleme der Maltechnik, ließ sich am 16. 5. 1828 von ihm ein
Bildthema (Matth. 14,24) stellen, das jedoch nicht zum Abschluß
kam, und sandte ihm auf seinen Wunsch vom 4. 6. 1828 am 15. 8.
1829 ihr Porträt mit einem Lebenslauf.

Ekhof, Conrad (1720–1778). Der Schauspieler, der durch seine Kunst und deren Verbindung des französischen klassizistischen Stils mit einer ernsten, realistischen Darstellungsweise zum vielbewunderten »Vater der deutschen Schauspielkunst« wurde und sich große Verdienste um die künstlerische und soziale Hebung des Schauspielerstandes (Schauspielerakademie; Pensionsinstitut) erwarb, war bereits 1771–74 mit der Seylerschen Truppe in Weimar engagiert, zog jedoch mit der Truppe nach der Zerstörung des Theatersaales beim Schloßbrand von 1774 nach Gotha. Er kam am 7.–14. 1. 1778 von dort nach Weimar herüber, war mehrfach mit G. zusammen, erzählte ihm am 11. 1. 1778 »die Geschichte seines Lebens« (Tagebuch) und spielte am 13. 1. 1778 im Weimarer Liebhabertheater den Stockwell in R. Cumberlands *Der Westindier;* neben ihm spielte G. dessen Sohn Belkour. G. nennt ihn eine »edle Persönlichkeit, die dem Schauspielerstand eine gewisse Würde mitteilte, deren er bisher entbehrte« (*Dichtung und Wahrheit* III,13).

Elberfeld. Die Stadt an der Wupper, heute Stadtteil von Wuppertal, besuchte G. am 21./22. 7. 1774, als er auf der Rheinreise mit Lavater und Basedow die Jacobis in →Düsseldorf/Pempelfort nicht angetroffen hatte, zu einem herzlichen Wiedersehen mit dem seit 1772 dort als Arzt ansässigen J. H. Jung-Stilling, den er als vermeintlich kranker Fremder an sein Hotelbett rufen ließ. Beim Kaufmann A. P. Caspari traf G. am 22. 7. nachmittags auch F. H. Jacobi, W. Heinse, Lavater u. a. Pietisten (S. Collenbusch, J. G. Hasenkamp, J. G. Schmoll, Teschemacher) und kehrte abends mit F. H. Jacobi und Heinse nach Düsseldorf/Pempelfort zurück. *Dichtung und Wahrheit* (III,14) beschreibt den Eindruck der frühindustriellen »betriebsamen Gegend« und die »Rührigkeit so mancher wohlbestellten Fabriken« in Elberfeld.

H. M. Flasdieck, G. in E. Juli 1774, 1929 u. ö.

Elbingerode. Die Bergstadt im Mittelharz besuchte G. am 1.–3. 12. 1777 auf seiner Harzreise auf dem Weg von Ilfeld nach Wernigerode und besichtigte von dort aus die →Baumannshöhle. In Elbingerode notierte er die unterwegs konzipierten ersten Strophen der Hymne *Harzreise im Winter.* Bei einem zweiten Besuch in Elbingerode auf der mehr geologisch orientierten 3. Harzreise mit G. M. Kraus am 5.–7. 9. 1784 wurden Büchenberg, Hartenberg, Gräfenhagensberg und Bergwerksanlagen besucht.

Elbogen. Das böhmische Städtchen mit Schloß auf einem romantischen, von der Eger umflossenen Granitfelsen, »das über alle Beschreibung schön liegt und sich als ein landschaftliches Kunstwerk von allen Seiten betrachten läßt« (an Knebel 1. 7. 1807), besuchte G. auf Tagesausflügen von seinen Kuraufenthalten in Karlsbad aus in den Jahren 1785–1823 fast regelmäßig, mindestens neunmal. Er

ammelte dort Mineralien, zeichnete (1807) Landschaften, besuchte
die Porzellanfabrik und besichtigte den Meteorstein im Rathaus,
so zuletzt an seinem Geburtstag am 28. 8. 1823 mit Ulrike von
Levetzow, deren Mutter und Schwestern.

R. Richter, G.s Beziehungen zu E., 1906; E. Frank, G. im E.er Ländchen, 1932 u. ö.

Elegie. G. verwendet die Gattungsbezeichnung in dreierlei sich
überschneidenden Bedeutungen: 1. besonders 1782–85 in metri-
schem Sinne für Dichtungen im elegischen Maß (Distichon aus
Hexameter und Pentameter), – 2. im Sinne der lateinischen Liebeselegie (Catull, Tibull, Properz) für erotische Dichtungen im elegischen Maß: →*Römische Elegien*, – 3. im modernen Sinne wehmüti-
ger Stimmung angesichts der Erinnerung an eine verlorene Einheit
besonders 1796–98 für die meist in Schillers *Musenalmanach* erschienenen Gedichte *Das Wiedersehn, Hermann und Dorothea, Der
neue Pausias, Amyntas, Euphrosyne* und *Die Metamorphose der Pflanzen.*
Von ihnen ist nur *Alexis und Dora* als Idylle abgehoben. Vgl. →*Ma-
ienbader Elegie.*

E. Maaß, G. E.n, NJbb 23, 1920; F. Beißner, Geschichte der deutschen E., 1941 u. ö.;
H. Zeman, G.s E.ndichtung in der Tradition der Liebeslyrik des 18. Jahrhunderts, GJb
95, 1978; Th. Ziolkowski, The classical elegy 1795–1950, Princeton 1980.

Elend. Das Dorf am Südfuß des →Brocken, das G. am 22. 9. 1783
und am 4. 9. 1784 durchquerte, bezeichnet neben dem Dorf
Schierke die Gegend, in der die Walpurgisnacht des *Faust* spielte
(vgl. die Ortsangabe vor v. 3835). Die »Klassische Walpurgisnacht«
spielt (v. 7682) darauf an.

Elephant (»Zum Elephanten«). Das nach einem alten Hauszeichen
benannte, am 17. 2. 1696 als Gasthof eröffnete älteste Hotel Weimars, Am Markt 19, bot zur Goethezeit vielen bedeutenden Besuchern G.s Unterkunft, so F. Grillparzer (»das Vorzimmer zu Weimars
lebender Walhalla«), F. Mendelssohn u. a. m. In die Literatur ging es
ein als Schauplatz von Th. Manns Roman *Lotte in Weimar*. Der
jetzige Neubau von 1937 zum Nobelhotel im NS-Stil der Zeit hat
mit dem früheren Bau nur den Standort gemein.

Elfeld →Eltville

Elgersburg. Das Dorf nordwestlich von Ilmenau und die ehemals
Hennebergische Burg des 11. Jahrhunderts, die bis 1802 dem Weimarer Oberhofmarschall F. H. von Witzleben, dann den Herzögen
von Sachsen-Gotha gehörte, berührte G. zu Beginn der Weimarer
Zeit öfter mit der herzoglichen Jagdgesellschaft, oder er besuchte es
seiner schönen Lage wegen von Aufenthalten in Ilmenau aus, so am
4. 5. 1776, am 7. 8. 1776 mit froher Tafel auf der Burg, als das Gedicht an Charlotte von Stein »Ach, wie bist du mir …« entstand, am

29.8.1777 als Mittagsgast von Witzlebens, am 7.6.1785, am 27.8.
1813 mit Besuch in der Massemühle und zuletzt mit den Enkeln an
seinem letzten Geburtstag, 28.8.1831.

Elgin, Thomas Bruce, Earl of (1766–1841). G. nahm lebhaftesten
und enthusiastischen Anteil an des englischen Diplomaten Aus-
grabung und Erwerbung der Marmorskulpturen des Phidias (»Elgin
Marbles«) vom Parthenon in Athen 1801–03 und ihrer Überführung nach London (*Tag- und Jahreshefte* 1816, 1817, 1820). Er
empfahl Bildhauern das sorgfältige Studium dieser Meisterwerke
(*Verein deutscher Bildhauer*, 1817) und besaß selbst die *Denkschrift über
Lord Elgins Erwerbung in Griechenland* (1817).Vgl. das Gedicht *Antike*
und die Schriften aus dem Nachlaß *Elgin Marbles*, 1817, und *Elginische Marmore*, 1817.

Elisabeth. Die Gattin des Titelhelden in *Götz von Berlichingen*
(1774), die nach bestem Vermögen für sein leibliches Wohl sorgt,
unverdrossen auch in der Not ihm zur Seite steht, klarer als er die
Gefahren seines impulsiven Handelns und die Bosheit seiner Feinde
erkennt, mahnt ihn zur Mäßigung und tröstet ihn mit Hoffnungen,
ohne jedoch seinen Untergang aufhalten zu können.

Elkan, Jakob (um 1742–1805). Der Weimarer jüdische Kaufmann,
1770 Hofjude, 1790 Hoffaktor, wird im Gedicht *Auf Miedings Tod*
(1782, v. 13) als tätig erwähnt (Ausgabe letzter Hand: »der tät'ge
Jude«). Auch der Brief an Christiane vom 1./3.1.1797 nennt ihn
»sehr geschäftig«.

Elkan, Julius (1779–1839). Der Sohn Jakob →Elkans, Weimarer
Kaufmann und angesehener, vermögender Bankier, 1833 Hof-
bankier, besorgte in G.s letztem Jahrzehnt zunehmend G.s Geld-
geschäfte. G. korrespondierte seit 1827 mit ihm und erwähnt ihn
wiederholt in Briefen und Tagebüchern.

Ellwangen. In der württembergischen Stadt an der Jagst übernachtete G. auf dem Rückweg aus der Schweiz am 3./4.11.1797;
er erwähnt das Spätrenaissance-Schloß und die barocke Wallfahrtskirche auf dem Schönenberg (*Reise in die Schweiz 1797*).

Elmire, 1. Hauptfigur in →*Erwin und Elmire,* – 2. Nebenfigur in
Wilhelm Meisters Lehrjahre: die junge Schauspielerin, Geliebte und
spätere Frau Serlos.

Elpenor. Das Fragment gebliebene Schauspiel in rhythmischer
Prosa wurde am 11. und 19.8.1781 begonnen, im Februar/März
1783 wieder aufgenommen und neu bearbeitet, jedoch nach den
ersten beiden Akten unvollendet liegengelassen und im Herbst

784 endgültig aufgegeben (»ein Ding, das uns widerstrebt und das
wir nicht Herr werden können«, an Zelter 7. 5. 1807). Für den Erstdruck in den *Werken* (Bd. 4, 1806) erstellten zuerst Herder und
dann Riemer eine sprachlich-rhythmisch überarbeitete Version in
Jambenversen verschiedener Länge, die G. am 25./26. 10. 1806
revidierte und billigte. Schiller, dem G. das Fragment als »Beispiel
eines unglaublichen Vergreifens im Stoffe« am 24. 6. 1798 versehentlich ohne Nennung seiner Verfasserschaft zur Beurteilung
übersandte, nannte es trotz manchem Lobenswerten ein »dilettanti-
sches Produkt«, das kein Kunsturteil zulasse (25. 6. 1798).

Stofflichen Anregungen boten nicht die antike Mythologie, sondern die Antiope-Erzählung des Hygin (*Fabeln* 7–8) nach einem
verlorenen Drama des Euripides, das chinesische Drama *Die Waise
aus dem Hause Chao* von Chi Chün-hsiang und die Novelle *Hsi-Er*
der Sammlung *Chin-ku ch'i-kuan*. König Lykus hat seinen Sohn
Elpenor auf ihre Bitte seiner Schwägerin Königin Antiope zur Erziehung überlassen, die nach der Ermordung ihres Gatten und dem
Raub ihres einzigen Sohnes Elpenor zum Erben ihres Reiches
machen will und ihm vor seiner Rückkehr zum Vater den Schwur
abnimmt, den Tod ihres Sohnes zu rächen. Das Fragment endet mit
dem Monolog des Abgesandten, der Elpenor abholt und unschlüs-
sig ist, ob er ihm und Antiope die Wahrheit enthüllen solle. Mangels eines Schemas bleibt der Fortgang auf bloße Vermutungen angewiesen: Lykus könnte selbst in die Untaten verwickelt sein, oder
Elpenor ist in Wirklichkeit Antiopes geraubter Sohn. Da das Stück
jedoch zur Feier der Geburt eines lang erhofften Weimarer Erbprinzen vorgesehen war, ist ein glücklicher Ausgang des Konflikts
zwischen Verpflichtung zur Rache und evtl. Vatermord oder zwischen idealer Forderung und realer, humaner Bedingtheit durch
Anagnorisis oder Entsühnung anzunehmen. Zeitlich in der Nähe
der frühen Fassungen von *Iphigenie* und *Tasso*, bezeichnet das Fragment mit G.s Übergang vom realistischen zum antikisierenden
Drama.

G. Ellinger, Über G.s E., GJb 6, 1885; W. v. Biedermann, Die chinesische Quelle von
G.s E., ZvL NF 1, 1887 f.; G. Kettner, G.s E., PrJbb 67, 1891; R. Schlösser, Studien zu
G.s E., Euph 2, 1895; F. Zarncke, Über G.s E., in ders., G.-Schriften, 1897; A. Köster,
Jber G.s E., Archiv 101, 1898; M. Peters, G.s E., 1914; E., hg. I. Hakemeyer 1949;
H. Emmel, G.s E., Goethe 14/15, 1952 f.; T. Zimmermann, G.s E., Diss. Tübingen
1955; E. Yang, G.s E. in seiner Beziehung zur chinesischen Literatur, GJb 92, 1975;
K. Mommsen, Der politische Kern von G.s E., JFDH 1991.

Elsaß. Zur Zeit von G.s Studium in →Straßburg (April 1770–August 1771) gehörte das damals kulturell und sprachlich vorwiegend
deutsch geprägte Land zwischen Rhein und Vogesen (seit 1648) politisch zu Frankreich, das nach einigen erfolglosen Versuchen deutsche Sprache, Gebräuche und Einrichtungen unangetastet ließ und
damit das zwanglose politische Wohlverhalten der Bevölkerung zu
Frankreich als einer Geborgenheit versprechenden Großmacht bewirkte. Für G. stellte sich daher das deutsch-französische Problem

eines Nationalitätenstreits gar nicht erst, zumal in Straßburg als den
einzigen Ort der Begegnung beider Nationen eine friedliche ge
sellschaftliche Symbiose herrschte und die Dörfer und Landstädte
die er auf seinen Reisen und Ausflügen ins Elsaß besuchte, ihn ehe
folkloristisch interessierten und das Erlebnis der Schönheit un
Weite der Landschaft (Bergbesteigungen zur Aussicht) im Vorder
grund stand. Landschaftserlebnis und Liebeserlebnis (F. →Brion) ge
währten dem bisherigen Stadtmenschen G. die Erfahrung seiner ei
genen Persönlichkeit und Gefühlswelt in unverbildeter, natürliche
Tiefe, befreiten ihn im Verein mit dem Kunsterlebnis (Shakespeare
Straßburger Münster) zum Schöpferischen und zeitigten seine erst
große Lyrik – Entwicklungsstadien, die in anderem Milieu mög
licherweise von anderer Intensität und anderer Richtung gewesen
wären, hier aber Ideale setzten, auf die G. sich immer wieder be
ziehen konnte, auch im literarischen Schaffen (*Das Mädchen vor
Oberkirch, Unterhaltungen deutscher Ausgewanderten, Dichtung un
Wahrheit* II,9–III,11, Rezension von Arnolds *Pfingstmontag*). Di
seelischen Bindungen zu dem im impressionablen Jugendalter er
lebten Elsaß blieben lebendig, auch wenn spätere Besuche vorwie
gend →Straßburg betrafen.

F. Lienhard, G.s E., JGG 7, 1920; P. Paulin, G. und die elsässische Landschaft, Elsaß
land 12, 1932; H. Haug, Th. Lang, G. und das E., Katalog Straßburg 1932; H. Kaiser, G.
Aufenthalt im E., Zeitschrift für die Geschichte des Oberrheins NF 51, 1938; J. Peter
sen, G.s E., Goethe 5, 1940; J. de Pange, G. im E., 1950; P. Grappin, G. en Alsace, RA 3
1971; A. Fuchs, G. und das E., 1973; J.-P. Sorg, G. et l'Alsace, Saisons d'Alsace 48, 1995

Elsermann, Beate, eigentlich Elstermann (1787–1831). Die
Schauspielerin, Schülerin G.s und Freundin Christianes, spielte am
Weimarer Hoftheater 1805–25 Liebhaberinnen, später Anstands-
damen. Sie war besonders 1807/08 häufig Mittagsgast bei G. und
heiratete später den Schauspieler J. F. Lortzing.

Elsheimer, Adam (1578–1610). G. schätzte den deutschen Histo-
rien- und Landschaftsmaler in Rom, der mit seinen Campagna-
Landschaften zum Vorläufer der idealen Landschaftsmalerei de
Carracci, Poussin und Claude Lorrain wurde, nach seinem an der
Niederländern orientierten Kunstgeschmack schon früh (Fußnote
zum Aufsatz *Nach Falconet*, 1776). Er sammelte Kupferstiche nach
seinen Gemälden (an Merck 11.1.1778, J. Fahlmer 10.1.1781
J. H. Meyer 19.9.1820) und schenkte einen Stich nach Elsheimer
»Aurora« mit einem beschreibenden Gedicht (»Alle Pappeln …«
am 20.9.1820 der Prinzessin Auguste von Sachsen-Weimar-
Eisenach. Umso auffallender ist es, daß er ihn in seinen Entwürfen
zur Landschaftsmalerei von 1818, 1830 und 1831 übergeht.

Elsholtz, Franz von (1791–1872). Der preußische Offizier, Beamte
und Schriftsteller, der im Sommer 1823 in Marienbad im gleichen
Haus wie G. lebte, sandte diesem im November 1825 sein Lustspie
Die Hofdame zur Beurteilung, und G. gab ihm in zwei Briefen von

6. 11. und 11. 12. 1825 detaillierte Ratschläge zur Verbesserung, die Elsholtz teils übernahm. Er besuchte G. am 20. und 27. 10. 1826, 30. 9. und 24. 12. 1827, zuletzt als Leiter des Hoftheaters in Gotha (1828/29).

Eltern →Familie, Johann Caspar →Goethe, Catharina Elisabeth →Goethe

Elternhaus →Goethehaus Frankfurt

Eltville, früher, wie G. schreibt, Elfeld. Die türmereiche Stadt am Rhein bei Wiesbaden mit ihrer Burg sah G. zuerst auf der Rhein-fahrt mit Merck im September 1772, dann auf dem Hinweg zur Campagne in Frankreich am 21. 8. 1792 und am 9. 6. 1793 bei einem Schiffsausflug während der Belagerung von Mainz. Nähere Bekanntschaft machte er erst bei der Übernachtung im Gasthaus zur Rose am 16./17. 8. 1814, und eine recht allgemeine Beschrei-bung gibt das *Sankt-Rochus-Fest zu Bingen*.

Elysium. Die Darmstädter Ode in freien Rhythmen, Klopstocks Odenstil nachempfunden, entstand im Mai 1772 und ist »Uranien«, der Darmstädter Hofdame Henriette von →Roussillon, gewidmet. Sie ist realistisch insofern, als sie die überschwengliche Gefühls-schwärmerei und, wie der Schlußvers andeutet, ein wenig blutleere Empfindsamkeit des →Darmstädter Kreises widerspiegelt. Der Wert, den G. ihr zumaß, geht wohl auch daraus hervor, daß das Original verschollen und das Gedicht weder in die Werke aufgenom-men noch im Nachlaß erhalten ist. Der Erstdruck erfolgte nach einer Abschrift Mercks in *Briefe an J. H. Merck*, hg. K. Wagner 1835.

Emigration →Auswanderung

Emmendingen. Die Stadt am Schwarzwald nahe Freiburg war von 1774 bis zu ihrem Tode 1777 der Wohnort von G.s Schwester Cornelia →Goethe und ihres Gatten J. G. →Schlosser, Oberamt-mann der Markgrafschaft Hochberg. G. besuchte das Paar auf dem Hinweg zu seiner 1. Schweizer Reise mit J. M. R. Lenz am 27. 5.–5. 6. 1775 und ermunterte die Schwester aus der Lethargie ihrer schwierigen Ehe (*Dichtung und Wahrheit* IV,18). Bei einem zweiten Besuch in Emmendingen auf dem Hinweg zur 2. Schwei-zer Reise mit Carl August am 27./28. 9. 1779 standen beide am Grabe Cornelias, und das Verhältnis zu Schlosser, der in zweiter Ehe J. Fahlmer geheiratet hatte, kühlte sich ab (an Ch. von Stein 28. 9. 1779).

G. A. Müller, G.-Erinnerungen in E., 1909 u. ö.

Empedokles (um 494–434 v. Chr.). Der griechische Naturphilo-soph aus Agrigent erklärte die Naturvorgänge von Entstehen und

Vergehen als Resultate der Mischung oder Entmischung der vier Elemente Feuer, Wasser, Luft und Erde mithilfe der Grundkräfte Liebe und Haß, die ihrerseits damit periodisch Entstehung und Zerstörung hervorbringen. Anklänge an diese Lehre finden sich im *Satyros* (v. 290–313) und im *Divan*-Gedicht *Wiederfinden*. In der *Geschichte der Farbenlehre* bezieht sich G. mehrfach auf Empedokles und referiert seine Theorie des Sehvorgangs nach Theophrast, Stobaios und Plutarch.

Empfindsamkeit. Die geistesgeschichtlich durch den Pietismus, literarisch durch Rousseau, Richardson, Sterne u. a. vorbereitete und im Klopstockkult gipfelnde Modeströmung der 1770er Jahre war der Gegenschlag des Herzens gegen die klare Verstandeskälte der Aufklärung. Ihrer Gefühlsschwärmerei, ihrem Überfluß an Empfindung, Reizbarkeit des Gemüts bis zur krankhaften Übertreibung, ihrem Auskosten aller Gefühlsnuancen in verzückter Naturanbetung und zärtlich-unerotischem Liebes- und Freundschaftskult und ihrer Weltabkehr zugunsten bloßgelegter Innerlichkeit begegnete G. nach der Rückkehr aus Straßburg in Reinkultur besonders 1772–74 im →Darmstädter Kreis und zollte ihr in den Darmstädter Hymnen wie z. T. in den *Leiden des jungen Werthers* literarischen Tribut. Den verabsolutierten Selbstgenuß der Gefühlsfähigkeit, die haltlose verbale Ergußfähigkeit tränenreich verzückter Seelen und das rokokohaft-ländlich aufgeputzte Natur-Ambiente bezeichnete er 1820 als »damals herrschende Empfindsamkeitskrankheit« (*Über Goethes Harzreise im Winter*), die er persönlich mit dem *Werther* überwand. Nach der raschen und endgültigen Distanzierung von diesem Durchgangsstadium der Entwicklung konnte er dessen Exzesse bereits im *Fastnachtsspiel vom Pater Brey* (1774) und im *Triumph der Empfindsamkeit* (1777) verspotten. Vgl. auch Xenion 19.

Empuse. Die Empusen waren im altgriechischen Volksglauben, wie er u. a. bei Aristophanes (*Ekklesiazusen, Frösche*) durchscheint, sehr wandlungsfähige weibliche Dämonen mit dem Hinterteil oder Huf eines Esels als Zeichen ihrer Geilheit, die auch als Tiere, schöne Mädchen, Gespenster oder Succubi erscheinen. G. führt die Gestalt, mit individueller Phantasie frei ausgestaltet, neben den verwandten Lamien in die Klassische Walpurgisnacht (*Faust* v. 7732–55) ein und gibt ihr zum Eselsfuß, der sich auf Mephistos Pferdefuß reimt, auch einen Eselskopf, dessen Verwandtschaft mit sich Mephisto ableugnet.

Ems. Das Weltbad an der Lahn besuchte G. zuerst um den 13. 9. 1772, als er auf der Fußreise von Wetzlar nach Ehrenbreitstein dort einige Tage »des sanften Bades genoß« (*Dichtung und Wahrheit* III,13). Vor der »Geniereise« begleitete G. zunächst am 29. 6. 1774

Lavater nach Ems und kehrte am 30. 6. nach Frankfurt zu seiner
Anwaltspraxis zurück. Am 15. 7. reiste er dann mit Basedow wieder
nach Ems und blieb dort mit ihm und Lavater bis zum Beginn der
Rheinreise am 18. 7. In Ems fand vermutlich am 15. 7. das fälsch-
lich sogenannte →*Diné zu Koblenz* statt. Auf dem Rückweg von der
Rheinreise blieben G. und Basedow vom 25. 7. bis 12. 8. 1774 in
Ems, während Lavater am 27. 7. abreiste. Auch auf der Rheinreise
mit dem Freiherrn vom Stein kam G. am 25. und 29. 7. 1815 durch
Ems. 1818 machte Carl August, 1824 Ottilie von G. eine Badekur
in Ems.

Encheiresis naturae (»Hand- bzw. Kunstgriff der Natur«). Der
Straßburger Chemieprofessor J. R. Spielmann (*Institutiones Chemiae*,
1763), bei dem G. 1770/71 Vorlesungen hörte, bezeichnete damit
die damals noch unerforschte Methode der Natur, die bei der
Analyse zwar in ihre Elemente zerlegbaren, aber nicht wieder her-
stellbaren Substanzen zusammenzufügen. G.s Mephisto (*Faust* v.
1936–1941) überträgt den Begriff auf die Verfahrensweise der
Logik, die zwar einen geistigen Vorgang in seine Einzelteile zer-
legen, aber daraus nicht wieder ein lebendiges Ganzes, einen individuellen Gedanken, erstellen kann. (Vgl. an H. W. F Wackenroder
21. 1. 1832).

Ende, Friedrich Albrecht Gotthelf, Freiherr von (1755–1829). Der
musikalisch interessierte preußische Offizier und Waffenkamerad
Carl Augusts war 1807–13 Hofmarschall der Großfürstin Maria
Paulowna in Weimar und öfter Gast G.s, der ihn wohl im Juli 1806
in Karlsbad kennengelernt hatte und seine mineralogisch-geologischen und astronomischen Interessen teilte. G. besuchte ihn am
21. 4. 1813 in Dresden und am 27. 7. 1815 in Köln als General und
Festungskommandanten.

Engel, Johann Jakob (1741–1802). Der spätere aufklärerische Popularphilosoph und Schriftsteller, 1778 Prinzenerzieher Friedrich
Wilhelms III. von Preußen, 1786 Lehrer von A. und W. von Humboldt, 1787–94 Leiter des Hoftheaters Berlin, studierte seit 1765
gleichzeitig mit G. in Leipzig und hatte, ohne mit ihm selbst befreundet zu sein, zahlreiche Bekannte mit ihm gemein. Will man
der Erinnerung seines Leipziger Verlegers J. G. Dyk Glauben schenken, war Engel auch neben G. und Corona Schröter Mitglied einer
Liebhaber-Schauspielgesellschaft im Hause Schönkopf. 1795/96
lieferte er Beiträge zu Schillers *Horen*, u. a. den Familienroman *Herr
Lorenz Stark*, von dem G. »nicht sehr auferbaut« war (an Schiller
17. 12. 1795), den aber einige Leser für ein Werk G.s hielten und
beim Wetten viel Geld verloren (an Schiller 7. 12. 1796). Eine Dramatisierung des Romans von F. L. Schmidt erlebte auf dem Weimarer Theater vom 13. 2. 1805 bis 1815 dreizehn Aufführungen. Dem

Horen-Mitarbeiter zuliebe wurde das Xenion *Im Überfahren* (*Xenien aus dem Nachlaß* 113) unterdrückt, das Engels Lobrede auf Friedrich den Großen (1781) verspottete.

Engelbach, Johann Conrad (1744–um 1802). Der bereits als Rat im Dienst des Fürsten von Nassau-Saarbrücken stehende Elsässer hielt sich als Jurastudent am 2. 5.–19. 6. 1770 in Straßburg auf, um die juristische Lizentiatenprüfung abzulegen. Anschließend unternahm er zur Feier des Bestehens mit G. und F. L. Weyland eine Reise zu Pferd nach Unterelsaß und Lothringen, die er selbst wegen Amtspflichten nur bis Saarbrücken mitmachen konnte (*Dichtung und Wahrheit* II,10). G. entlieh seine Kolleghefte und sandte sie nach seiner Zulassung zur Lizentiatenprüfung im September 1770 dankend zurück.

Engelhardt, Christian Moritz (1775–1858). Der Straßburger Schriftsteller und Altertumsforscher aus dem Freundeskreis J. D. Salzmanns plante 1825 unter dem Titel »Goethes Jugenddenkmale in Straßburg« die Herausgabe ungedruckter Briefe, Texte und Dokumente aus G.s Straßburger Zeit, doch G. lehnte die am 26. 12. 1825 erbetene Genehmigung am 3. 2. 1826 verbindlich ab, erhielt auf seine Bitte am 15. 3. 1826 die Texte in Abschriften zurück und bedankte sich am 22. 4. 1826 durch zwei Exemplare der *Iphigenie*-Festausgabe. (Im ursprünglichen Briefkonzept hatte G. für die Originale auch seinen silbernen Trinkbecher versprochen).

Engelhard(t), Daniel (1788–1856). Der Kasseler Architekt, Freund Bettina Brentanos und der Grimms, hielt sich vom Spätherbst 1808 bis 26. 1. 1809 (Abschiedsbesuch bei G.) in Weimar auf, wo er G. bei J. Schopenhauer auffiel, und reiste im Januar 1811 über Weimar (Gast G.s am 3. und 4. 1. 1811) nach Italien. Weimarer Bekannten, Bertuch u. a., galt er als Urbild des Architekten in den *Wahlverwandtschaften* (*Tag- und Jahreshefte* 1811).

Engelhaus. Das Dorf südöstlich von Karlsbad mit der Ruine Engelsburg auf dem geologisch interessanten Felsen Engelsberg besuchte G. mehrfach von Karlsbad aus, u. a. 1785, am 22. 7. 1806, am 28. und 29. 6. 1808 mit Silvie von Ziegesar, am 14. 9. 1819 und zuletzt am 30. 8. 1823 mit U. von Levetzow. Zur Abreise Carl Augusts aus Karlsbad Ende August 1786 schrieb er auf Bitten der dortigen Kurgesellschaft ein den Mädchen von Engelhaus in den Mund gelegten *Abschied an den Herzog Carl August im Namen der Engelhäuser Bäuerinnen* (*Italienische Reise* 27. 5. 1787).

Engelsburg (Castel S. Angelo). Die päpstliche Festung in Rom, ihm von Stichen im Vaterhaus her vertraut, besichtigte G. wohl am 9. 1. 1787 zum erstenmal von innen. Am 29. und 30. 6. 1787 sah er

das große Feuerwerk vom Castell, und Ostern 1788 notiert er: »So
eben steht der Herr Christus mit entsetzlichem Lärm auf. Das
Castell feuert ab …« (*Italienische Reise* 22. 3. 1788).

Engen. In der kleinen Stadt im Hegau bei Tuttlingen machte G.
am 17. 9. und 27. 10. 1797 Mittagsrast auf der Hin- und Rückfahrt
der Schweizer Reise; er beschreibt den Ort und seine jüngsten
Schicksale in *Reise in die Schweiz 1797.*

Englische Literatur. G.s Englischkenntnisse seit der Leipziger
Studentenzeit ermöglichten ihm bald die fließende englische Lektüre und eine anfangs noch ein wenig unbeholfene englische Korrespondenz (mit Cornelia). Die Unterhaltung mit englischen Besu-
chern verlief später meist auf deutsch. G.s Studien der englischen
Literatur begannen in Leipzig und Straßburg mit →Dodd,
→Shakespeare, dem sog. →Ossian, →Percys *Reliques*, Young, Gray u. a.
und führten einstweilen zu einem Überwiegen der englischen vor
den französischen Mustern. Es folgen noch vor Weimar die englischen
Erzähler L. Sterne, H. Fielding, T. G. Smollet, O. Goldsmith (*Vicar of
Wakefield* als Modell des Sesenheimer Idylls) und S. Richardson
(Briefroman als Vorbild des *Werther*). In Weimar las G. u. a. Ben
Jonson und wiederholt Milton. Im hohen Alter weitet sich G.s
Interesse im Sinne einer Weltliteratur auf die Zeitgenossen aus, be-
sonders Lord →Byron, W. →Scott und Th. →Carlyle, der ihn auf
R. →Burns hinweist. Für *Faust II* studiert G. Marlowes Faust-
Drama. Neben die schöne Literatur treten englische Fachschriften
zur Farbenlehre (Newton u. a.) und Wolkenlehre (L. Howard)
u. a. m.

F. B. Sanborn, G's relation to English literature, in: Poetry and philosophy of G.,
hg. M. V. Dudley, Chicago 1887; H. Brown, G. on English literature, Transactions of the
Royal Society of literature, 2. series 30, 1910; J. G. Robertson, G. und England, GRM
20, 1932; J. Boyd, G's knowledge of English literature, Oxford 1932; F. Strich, G. und
die Weltliteratur, 1946 u. ö.; A. Federmann, Der junge G. und England, 1949; J. P.
Hodin, G. and English literature, in: 1749–1949. Das G.-Jahr, hg. W. Unger, London
1949; M. L. Price, English literature in Germany, Berkeley 1953; L. A. Willoughby, G.
looks at the English, MLR 50, 1955; L. A. Willoughby, G. and the English language,
GLL NS 10, 1956 f.; J. Hennig, Zu G.s englischer Belesenheit, DVJ 48–53, 1974–79,
auch in ders., G.s Europakunde, 1987; J. Foltinek, G. und der englische Roman,
JbWGV 79, 1975; J. Schütze, G. und die e. L., Jahrbuch der Wittheit zu Bremen 27,
1983; J. Hennig, G. and the English-speaking world, 1988; E. Zauner, G. und die e. L.,
Moderne Sprache 33, 1989.

Enkel Goethes   →Familie und Walther, Wolfgang und Alma von
→Goethe

Enna. »Das wunderliche Städtchen« auf einem Bergkegel in
Mittelsizilien, zur Goethezeit Castrogiovanni, heute wieder mit
seinem antiken Namen genannt, nach dem Mythos der Ort des
Raubes der Persephone/Proserpina durch Hades, daher Zentrum
des Demeterkults, besuchte G. am 29./30. 4. 1787 und verbrachte

»die Nacht kläglich« in einem unwirtlichen Zimmer ohne Fenster-
glas – um nie wieder mythologische Orte als Reiseziele zu wählen.

Ensisheim (Oberelsaß). In der dortigen Kirche sah G. 1770/71 den
über zwei Zentner schweren, 1492 gefallenen Meteor, den G. mit
vielen Zeitgenossen nicht für einen extraterrestrischen Körper,
sondern für eine Verdichtung von Dünsten und Gasen bei Gewit-
tern hielt (daher Aerolith, »luftgeborene Wesen«, *Dichtung und Wahrheit* III,11). Seither datiert G.s Interesse an Meteoren, deren seine
Mineraliensammlung mehrere enthielt. Vgl. die vier Sprüche
»Durchsichtig erscheint …« und folgende in der Sammlung »Gott,
Gemüt und Welt« und an C. F. A. von Schreibers 7. 1. 1821.

G. Schmid, Irrlicht und Sternschnuppe, Goethe 13, 1951.

Entelechie. G. verwendet den Begriff des Aristoteles für das Voll-
endungsstreben unter Einfluß von Leibniz' Monadenlehre für die
auf ein Ziel zustrebende lebendige Einheit, die auf einen Richttrieb
hin organisierte →Monade, praktisch das Unsterbliche am geistigen
Menschen: die Seele (zu Eckermann 11. 3. 1828, 1. 9. 1829, 3. 3.
1830). An der 2. der zwei Stellen in *Faust II* (nach v. 11824 und
11933), wo laut Regieanweisung die Engel »Fausts Unsterbliches«
tragen, hatte G. ursprünglich »Fausts Entelechie«.

W. Kohlschmidt, Faustens E., OL 29, 1974; L. Seppänen, G. und seine E., Neuphilologische Mitteilungen 84, 1983.

Entoptische Farben. Kurz vor Abschluß von G.s Farbenlehre
(Mai 1810) entdeckte der französische Physiker E.-L. Malus 1808
die Polarisation des Lichts. Der Jenaer Professor T. J. Seebeck erweiterte diese Versuche zu den von ihm sog. entoptischen, d. h. innerhalb der Materie des Glases entstehenden Phänomenen. Er führte
diese und seine Apparate 1812 G. vor, der die Erscheinung sogleich
als Gipfel seiner Farbenlehre erkannte und 1813–24 mit eigenen
Apparaten eigene Versuche anstellte, die er 1813, 1817 und besonders 1820 u. d. T. *Entoptische Farben* in den Heften *Zur Naturwissenschaft überhaupt* veröffentlichte. Die Anwendung der Erkenntnisse
auf das Leben zieht G.s Bericht *Wiederholte Spiegelungen*, zur poetischen Lebenslehre gestaltet sie das Gedicht *Entoptische Farben*
(1817).

R. Matthaei, Neues von G.s entoptischen Studien, Goethe 5, 1940; D. Hölscher-
Lohmeyer, Zur Adressatin und zum Gedicht E. F., in: Genio huius loci, hg. D. Kuhn
1982; dies., E. F., EG 38, 1983; F. Burwick, G's E. F. and the problem of polarity, in: G.
and the sciences, hg. F. Amrine, Dordrecht 1987.

Entsagung. Der Verzicht auf etwas Erreichbares als Selbstüberwindung im Interesse eines Höheren, des »Ewigen, Notwendigen, Ge-
setzlichen« (*Dichtung und Wahrheit* IV,16) als einer der Grundbegriffe von G.s ethischem Denken prägt nicht nur sein persönliches
Verhalten beim oft schmerzlichen Verzicht auf Erfüllung eines

73   **Epigramm**

Wunsches, eines Glücks, einer Liebesleidenschaft oder auf momentane Erregungen und Gemütsbewegungen, die von der zielbewußten Verfolgung einer harmonischen Lebensbahn ablenken oder eine Zersplitterung des Geistes hervorrufen könnten. Sie wird zumal später als Wunschverzicht vielfach zum Grundthema seiner Werke: lyrisch besonders in den *Sonetten* von 1807/08 (besonders V und VI *Reisezehrung*, ursprünglich *Entsagen*), dramatisch besonders in *Torquato Tasso* und *Die natürliche Tochter* (v. 893, 2506, 2888, 2937) und im erzählenden Werk: *Unterhaltungen deutscher Ausgewanderten* (Prokurator- und Ferdinand-Erzählung), *Die Wahlverwandtschaften* (Ottilie), *Wilhelm Meisters Wanderjahre oder Die Entsagenden.* Hauptstelle ist *Dichtung und Wahrheit* IV,16.

A. Henkel, E., 1954 u. ö.; H. Schmitz, G.s Altersdenken, 1959; B. Peschken, E. in Wilhelm Meisters Wanderjahren, 1968; M. Gerhard, Ursache und Bedeutung von G.s E., FDH 1981; T. Degering, Das Elend der E., 1982; M. Ponzi, Zur Entstehung des ;.schen Motivs der E., ZfG 7, 1986; R. Görner, E. der Entsagenden in G.s Trauerspiel Die natürliche Tochter, GJb 111, 1994.

Enweri (Anwari, ?–1189). Im Zuge seiner Studien orientalischer Lyrik beschäftigte G. sich am 12. 8. 1818 und 16. 1. 1819 mit dem persischen Hofdichter und Gelehrten; er nahm einen Spruch von ihm (»Enweri sagt's ...«) in den *West-östlichen Divan* und als Vorspruch zu den *Wanderjahren* auf und widmete ihm in den *Noten und Abhandlungen* einen biographischen Abriß.

Ephemerides. G.s früheste tagebuchartige, doch undatierte Aufzeichnungen auf 34 Seiten eines Quart-Notizbuchs umfassen die Zeit von Januar 1770 bis Dezember 1771, d. h. sie beginnen in Frankfurt, schließen die Straßburger Zeit (2. 4. 1770–14. 8. 1771) ein und enden in Frankfurt. Planlos und in verwirrendem Durcheinander enthalten sie rasch hingeworfene Einträge verschiedenster Art: Lesefrüchte, Exzerpte, Zitate und Aphorismen verschiedener Herkunft, auch auf lateinisch, französisch und italienisch; kritische Bemerkungen über Gelesenes, besonders lateinische und französische Literatur sowie nordische Mythologie und Dichtung; Buchtitel aus verschiedenen Wissensgebieten: Recht, Geschichte, Philosophie, Theologie, Medizin, Naturwissenschaft, Ästhetik, Poetik, Magie und Alchemie; lexikalische Notizen zu mundartlichen Sprachformen und merkwürdigen Wörtern; Anekdotisches, kurze Gedankensplitter und Notizen zu eigenen dichterischen Plänen: Vorstudien zu *Götz* und *Faust,* Fragmente des geplanten Caesar-Dramas, jedoch keine persönlichen Erfahrungen und Erlebnisse. Als Ganzes geben sie ein Bild der Weite von G.s geistiger Welt zu dieser Zeit.

H. Fischer-Lamberg, Zur Entstehungsgeschichte der E., in: Beiträge zur G.forschung, hg. E. Grumach 1959.

Epigramm. Das scharfzüngig-satirische Epigramm der Aufklärungszeit, wie es Lessing verstand, das knapp und rational auf eine witzige Pointe zusteuert, war G.s Sache nicht. Seine Epigramme, o‖ nun in Distichen nach antikem Vorbild, wie es Herder seit 1780 i‖ seinen Übersetzungen aus der *Anthologia Graeca* vorlegte, oder i‖ gereimten Vierzeilern, setzen an die Stelle des scharf berechnete‖ Witzes Stimmungshaftes oder Nachdenkliches. Dem antiken Sinr der »Inschrift« huldigen am ehesten die Epigramme für die Stein‖ im Park von Weimar, die, seit 1781 entstanden, zuerst in den *Schrif ten* von 1789 erschienen und mehrfach metrisch überarbeite wurden. Neben verstreuten einzelnen Epigrammen stehen di‖ beiden großen Sammlungen der →*Venetianischen Epigramme* un‖ der →*Xenien*.

E. Beutler, Vom griechischen E. im 18. Jahrhundert, 1909.

Epigrammatisch. Obwohl G. seit 1781 →Epigramme in Disti- chen im Sinne von Inschriften, z. B. auf die Steine des Weimarer Parks, auf *Anakreons Grab* u. a. schrieb, enthalten die Abteilungen »Epigrammatisch« der Gedichtsammlungen von 1815 und 1827 am wenigsten das, was der Titel verspricht. Sie sind vielmehr Verlegen- heitslösungen als Sammelbecken verschiedener gnomischer Stro- phen, Sprüche, Vierzeiler und Lebensregeln, auch Sonette und Wechselreden, deren Gemeinsamkeit lediglich in ihrer Kürze und einer geistreichen Pointe besteht.

Epigramme. Venedig 1790 →*Venetianische Epigramme*

Epik →Epos, →Roman, →*Über epische und dramatische Dichtung*

Epiktet (um 50–um 135). Der junge G. studierte das *Handbüchlein* (*Encheiridion*) des griechischen stoischen Philosophen noch in Frankfurt wohl in der lateinischen Übersetzung aus der Bibliothek seines Vaters (*Manuale et sententiae*, 1711) »mit vieler Teilnahme« (*Dichtung und Wahrheit* II,6).

Epikur (341–270 v. Chr.). Die Lehre des griechischen Philosophen von Gemütsruhe und Seelenfrieden als Stufen zur Glückseligkeit mag G., der sie früh kennenlernte und sich in Briefen mehrfach mit den leidenschaftslos desinteressierten Göttern Epikurs vergleicht, zugesagt haben. Noch 1808, 1822 und wieder anläßlich von Kne- bels Aufsatz *Über das Leben des Epikur* im Februar 1830 beschäftigt er sich mit Epikur, und die *Geschichte der Farbenlehre* referiert mehr- fach Epikurs Lehren zur Optik.

Epilog. Der *Epilog, gesprochen von Demoiselle Neumann, in der Mitte von vielen Kindern, den letzten Dezember 1791*, schließt das erste Jahr von G.s Leitung des Weimarer Hoftheaters im Namen der Schau- spieler mit Komplimenten und Wünschen für das Publikum. Ein anderer *Epilog*, ebenfalls von Christiane Neumann am 11. 6. 1792 gesprochen, schließt die erste Spielzeit 1792 zur Sommerpause.

Epilog zu Schillers Glocke. G.s Epilog in feierlichen, achtzeiligen Stanzen zu einer chorisch-szenischen Aufführung von Schillers
Lied von der Glocke durch die Weimarer Schauspieler in Bad Lauchstädt am 10. 8. 1805 erweitert die Aufführung zu einer Gedenkfeier
für Schiller, nachdem der allegorisch-dramatische Entwurf *Schillers
Totenfeier* steckengeblieben war. Er knüpft an die Schlußzeile von
Schillers *Glocke* an, bezieht sich zunächst auf Schillers letztes Werk,
Die Huldigung der Künste zur Heirat des Erbprinzen Carl Friedrich
mit Maria Paulowna, zeichnet ein menschliches Bild des toten
Freundes mit Einzelheiten seines Lebens und seiner Entwicklung,
seiner Krankheit und Willenskraft, würdigt den Philosophen, Hi-
storiker und Dichter und gipfelt inhaltlich in der Totenklage um
den erhabenen Denker der Idee, den Dichter des Wahren, Guten,
Schönen. Die 1. Fassung erschien im *Taschenbuch für Damen auf das
Jahr 1806* und verändert in *Werke* (8, 1808). Die 2. Fassung, wiederholt zum 5. Todestag am 9.5.1810 in Weimar mit veränderten
Versen 85–88 und einer 12. Strophe, erschien im *Morgenblatt*
Nr. 125 vom 25.5.1810 und in *Werke* (9, 1817). Die 3. Fassung,
wiederholt am 10.5.1815 in Weimar, fügt v. 39–46 praktisch als
9. Strophe und eine 13. Strophe hinzu; sie erschien im *Morgenblatt*
Nr. 63 vom 13.3.1816 und in der Ausgabe letzter Hand (13, 1828).
Vgl. *Zu Schillers und Ifflands Andenken* (*Morgenblatt* 26.6.1815).

  H. Düntzer, G.s E. z. Sch. G., ZDP 26, 1894; W. Kayser, G.s Dichtungen in Stanzen,
in ders., Kunst und Spiel, 1961.

Epilog zum Trauerspiele Essex →Banks, John

Epimeleia. Die Tochter des Epimetheus und der Pandora in G.s
Festspiel-Fragment *Pandora* (1810) schafft durch ihre Liebe zu Phileros, dem Sohn des Prometheus, die Voraussetzungen für eine Versöhnung der gegensätzlichen Titanen-Brüder.

Epimenides →*Des Epimenides Erwachen*

Epimetheus. Der Titan Epimetheus steht seit der Antike als »der
nachträglich Erkennende«, Kontemplative im Gegensatz zu seinem
Bruder →Prometheus (»der Vorausdenkende«). Bei G. erscheint er,
einem verlorenen Glück in der Liebe zur schönen →Pandora
nachträumend, als Seitenfigur im *Prometheus*-Fragment (1773) und
im Festspiel-Fragment →*Pandora* (1810).

Epiphanias(fest). Das wohl am Vortage entstandene volkstümliche
Lied wurde am 6.1.1781 am Hofe Anna Amalias szenisch aufgeführt, und zwar mit Corona Schröter als erstem König, wodurch das
»mir erfrein« (v. 12) eine zusätzliche Pointe erhielt. Es schließt sich
an ein gleichlautend beginnendes Volkslied gabenheischender Kinder beim Dreikönigssingen an, dessen G. sich in einem Entwurf

Über Volks- und Kinderlieder vom 20.1.1826 erinnert (Weimare Ausgabe I/42,2 S. 458 ff.). Der Erstdruck erfolgte 1811 in Zelter *Gesängen der Liedertafel.*

Epirrhema. Das um 1819 entstandene naturwissenschaftlich-welt anschauliche Gedicht faßt in scheinbaren Paradoxen einen Aspek von G.s Naturschau zusammen und sieht das Leben in seiner Viel heit in Einem, das auch sein Gegenteil umfaßt. Zuerst ohne Über schrift in den Heften *Zur Naturwissenschaft* (I,2, 1820) gedruckt, er hielt es seine Überschrift, die im griechischen Drama persönliche Worte des Chorführers an das Publikum meint, erst 1827 in de Ausgabe letzter Hand, als die drei Naturanschauungsgedichte *Para base, Epirrhema* und →*Antepirrhema* mit den beiden Metamorpho sengedichten (*Die Metamorphose der Pflanzen; Metamorphose der Tiere* verschränkt wurden, so daß *Epirrhema* als Zwischenrede zwischer beiden zu verstehen ist und von daher seinen Sinn bekommt.

Epische und dramatische Dichtung →*Über epische und drama tische Dichtung*

Episteln. G.s zwei Hexameter-Episteln nach dem antiken Vorbil des Horaz geben ein ironisch-satirisches Bild der Literaturgesell schaft und des literarischen Lebens seiner Zeit, ihrer Art der Litera turrezeption und Rezepte zu deren Verhinderung. Im Oktober Dezember 1794 entstanden, am 28.10. (I) bzw. 23.12.1794 (II) a Schiller gesandt, sind sie bewußt als leichte Einleitung zu Schiller *Horen* geschrieben, quasi als Leserbriefe an den Herausgeber, un erschienen dort in Heft I,1 und I,2 (1795). Danach scheint G. di Lust am Spaß vergangen zu sein; Entwürfe und Bruchstücke zu Fortsetzung der 2. und vermutlich zur 3. Epistel fanden sich in Nachlaß.

A. Leitzmann, Die Entstehungszeit von G.s E., Sitzungsberichte der Preuß. Akad. (Wiss. 1918; W. Jokisch, G.s 3. E., Euph 26, 1923; J. Bab, G.s Briefgedichte, GKal 2: 1930; A. Hellriegel, G.s E., Die Pforte 8, 1957 f.

Epoche der forcierten Talente. G.s am 17.12.1812 entstande ner, erst 1837 gedruckter kurzer Aufsatz zieht eine pessimistisch Summe der Literaturentwicklung seiner Zeit von Schiller bis zu Spätromantik und hebt zwei Züge als charakteristisch hervor: 1. di durch kritische Theorie und Philosophie erhobene Forderung eine entschiedenen geistigen Gehalts der Dichtung und damit ein Über handnehmen der Reflexion, die auch einem verstandesmäßig kon zipierten Werk den Anschein von Dichtung geben kann, − 2. di Verfeinerung der metrischen Technik und Formkunst durc J. H. Voß und die Nachahmung italienischer und spanischer Vers und Gedichtformen (Ottaverime, Terzine, Sonett). Die teils gewalt

me Anpassung an diese Forderungen ermögliche vielen »forcier-
n Talenten«, sich für Dichter zu halten.

   H. Meyer, The epoch of forced talents, GR 24, 1949; A. T. Fineron, E. d. f.T., Diss.
ambridge 1993.

pochen geselliger Bildung. Der am 25. 4. 1831 entstandene,
ostum in *Über Kunst und Altertum* (VI,3, 1832) erschienene kurze
ufsatz unterscheidet vier Stufen der Entwicklung von Kultur, Bil-
ung und Literatur: 1. die idyllische enger, familiärer, nach außen
bgeschlossener Zirkel, – 2. die soziale einer Erweiterung, Annähe-
ung und gegenseitigen Toleranz dieser Kreise, – 3. die allgemeine
veiterer Ausdehnung, Berührung und angestrebten Verschmelzung
er Kreise in Erkenntnis gemeinsamer Absichten und Ziele, und –
. die universelle als Vereinigung aller gebildeten Kreise und die
Rezeption fremder Literatur als gleichwertig, von der G. andernorts
ls Epoche der →Weltliteratur spricht.

pos. Neben zahlreichen Entwürfen und Fragmenten aus der
rühzeit (*Joseph*, 1760er Jahre; *Der Ewige Jude*, 1774; *Die Geheimnisse*,
784–86) sowie späteren Epenplänen (*Die Jagd, Tell, Margites*) stam-
nen die einzigen vollendeten Versepen G.s aus der »klassischen«
Zeit der 1790er Jahre: →*Reineke Fuchs* 1793, →*Hermann und Doro-
hea* 1797 sowie der Anfang der →*Achilleis* 1797–99. Ihre Anzahl
nd ihr Volumen gegenüber dem prosaepischen Werk lassen erken-
en, daß der Versuch einer Renaissance des klassischen Hexameter-
pos gegenüber Roman und Novelle als den Darstellungen einer
roblematischeren, diffizileren Welt aufgegeben wird. Den Gedan-
enaustausch mit Schiller über gattungstheoretische Fragen faßt G.s
Aufsatz →*Über epische und dramatische Dichtung* (1797) zusammen.

   Ch. H. Herford, G's epic poetry, PEGS 6, 1890; M. Koch, G. als religiöser Epiker, Beichte des Freien Deutschen Hochstifts NF 13, 1897; E. Busch, Das Verhältnis der deut-
chen Klassik zum Epos, GRM 29, 1941.

Erasmus von Rotterdam, Desiderius (1469?–1536). Von dem
erühmten Humanisten kannte G. zumindest die Sprichwörter-
ammlung *Adagia*, die er in einer Ausgabe von 1520 besaß, 1797
nd 31. 8.–4. 9. 1809 las und am 16. 12. 1797 Schiller empfahl. Auf
las *Lob der Torheit* (*Enkomion Morias*) spielen das Gedicht *Der Kölner
Mummenschanz* (1825) und eine Bemerkung zu Riemer (11. 5.
807) an.

Erbprinz. Im Weimarer Hotel »Zum Erbprinzen«, Markt 16, traf
ich G. öfter mit Carl August, Schiller und Wieland; hier wohnten
uch Besucher G.s wie J. M. R. Lenz, F. M. Klinger, Schiller (1797),
. G. Seume, W. von Humboldt, C. M. von Weber u. a.

Erdbeben. Zwar erlebte G. selbst kein Erdbeben, doch zwei Kata-
trophen seiner Zeit erschütterten die Gemüter der Zeitgenossen

wie auch G.s: 1. das große Erdbeben von Lissabon am 1. 11. 1755
das ein Drittel der Stadt zerstörte und an 30 000 Menschenleben
forderte, wurde in Frankfurt vielfach abgebildet, in allen Einzelhei
ten berichtet und besprochen. Wie es Voltaire, Pope, Rousseau u. a.
zu Stellungnahmen herausforderte, war es auch einer der frühesten
bleibenden Eindrücke auf den jungen G. und führte zum ersten
Einbruch seiner Vorstellung von einem weisen, gütigen, väterlich
schützenden Gott (*Dichtung und Wahrheit* I, 1). – 2. das Erdbeben von
Messina bzw. Südkalabrien am 5.–7. 2. 1783, das die Stadt fast völ
lig zerstörte und Hunderte von Opfern forderte. G. besuchte
→Messina am 8.–11. 5. 1787 und schildert in der *Italienischen Reise*
die Zerstörungen und den behelfsmäßigen Aufbau. Die Legende
G. habe das Erdbeben von Messina selbst nachts in Weimar gespürt
(Eckermann 13. 11. 1823), beruht auf einer Datenverwechslung von
G.s Kammerdiener Sutor (vgl. an Ch. von Stein 6. 4. [!] 1783). In
Ansätzen zur geologischen Erklärung von Erdbeben blieb G. seiner
Zeit verhaftet.

H. Weinrich, Literaturgeschichte eines Weltereignisses. Das E. von Lissabon, in ders. Literatur für Leser, 1971; R. H. Brown, The demonic earthquake, German Studies Review 15, 1992; Die Erschütterung der vollkommenen Welt, hg. W. Breidert 1994; H. Günther, Das E. von Lissabon, 1994.

Erdgeist. Der Erdgeist, den Faust (v. 460–517) beschwört, ist in
leichter Anlehnung an mystisch-pansophische Begriffe wie »archeus
terrae« (Paracelsus) oder »anima terrae« (G. Bruno), die nicht viel
mehr als Namen hergaben, eine durchaus eigenschöpferische My
thengestalt G.s. Nachdem Fausts erste Begeisterung angesichts des
Makrokosmos-Zeichens durch die Erkenntnis desillusioniert wird,
daß er nur ein bildliches Zeichen für etwas Unfaßbares anschaut,
beschwört er den Stufen tiefer und dem Menschengeist zugäng
licher gedachten Erdgeist, der sich ihm im Drama als Erscheinung
zeigt und sich als Geist des organisch-irdischen Lebens, also der
irdischen Natur- und Menschenwelt vorstellt (v. 501–509). Die
Einsicht, daß Fausts Geist auch diesem nicht gewachsen ist
(v. 612–613) und in seine Grenzen verwiesen wird, verstärkt Fausts
Verzweiflung angesichts seines frustrierten Erkenntniswillens (v.
1746 f.). Ein nachträgliches Schema zum *Faust* (um 1797/1800) de
finiert zwar den Erdgeist als »Welt- und Taten-Genius«, doch ent
spricht es in sinnvoller Weise der Unfaßbarkeit auch dieses Geistes,
daß er in der Dichtung nicht »erklärt« und damit menschlichem
Verstehen zugänglich gemacht wird. Andeutungen im *Urfaust* (nach
v. 1435), in v. 3241 und in der Szene »Trüber Tag. Feld« lassen dar
auf schließen, daß ursprünglich der Erdgeist und nicht, wie im
»Prolog im Himmel«, Gott Faust den Mephisto als Begleiter beige
ben sollte und G. nach der Umdisponierung auf eine genauere Ab
stimmung der Teile verzichtet hat.

P. Graffunder, Der E. und Mephistopheles in G.s Faust, PrJbb 68, 1891; J. Goebel, G. Quelle für die E.szene, JEGP 8, 1909; J. Richter, Zur Frage nach der Herkunft des E

rdU 31, 1918; R. Petsch, Die Geisterwelt in G.s Faust, JFDH 1926; B. Heimann, Die
szene im Urfaust, GRM 14, 1926; H. Rickert, Der E. in G.s Faust, JFDH 1930;
C. Roos, Zur Quellen-Frage der E.szene, JGG 16, 1930; E. Grumach, Zur E.szene,
Goethe 14/15, 1952 f.; E. C. Mason, Some conjectures regarding G's E., in: The era of
i., Oxford 1959; ders., The E. controversy reconsidered, MLR 55, 1960; ders., G.s E.
nd das Pathos des Irdischen, in ders.: Exzentrische Bahnen, 1963; ders., G's Faust,
erkeley 1967; S. Steffensen, Makrokosmoszeichen und E. in G.s Faust, Kopenhagener
ermanistische Studien 1, 1969; P. Pütz, Faust und der E., in: Untersuchungen zur
iteratur als Geschichte, hg. V. J. Günther 1973; H. Patsch, Metamorphosen des E.s, in:
ädagogik, Kunst, Wissenschaft, hg. W. Lang 1987.

Erfahrung. Im Unterschied zum bloß empirisch Wahrgenomme-
nen, passiv Beobachteten in Leben, Kunst oder Wissenschaft ist
Erfahrung für G. nicht die Summe der theoretisch unendlichen
Einzelfälle, sondern deren schöpferische Anverwandlung in ein
Weltbild, das bereits die Theorie als ein zugleich geistig Geschautes
in sich enthält (»rationale Empirie«) und damit in einem weiteren
schöpferischen Akt zur Idee führen kann. G.s anschauliches Denken in Bildern nahm die Erfahrung zur Basis seiner Naturforschung, bis die denkwürdige Begegnung mit Schiller 1794 (»Das ist
keine Erfahrung, das ist eine Idee«) zur Klärung der Begriffe führte
(*Erste Bekanntschaft mit Schiller*), die besonders im Januar 1798 im
Briefwechsel erörtert wurden. Für den Künstler ist bereits die Erfassung und sog. Nachahmung der Natur eine produktive Erfahrung; für die Literatur ist bezeichnend, daß G.s Figuren wie Eduard,
Wilhelm Meister und Faust nicht durch theoretisches Wissen, passive Erfahrung oder sekundäre Fremderfahrungen, sondern erst im
eigenen schöpferischen Handeln zu vollem Menschentum reifen.
Vgl. auch den Aufsatz *Erfahrung und Wissenschaft* (1798) und *Maximen und Reflexionen* 308, 528, 615, 1072, 1226, 1231 u. a.

Erfurt. Die Stadt westlich von Weimar mit ihrem Territorium
gehörte vom Mittelalter bis 1802 zum Erzbistum Mainz und wurde
durch einen Statthalter (Koadjutor) verwaltet, zu G.s Zeit Carl
Theodor Freiherrn von →Dalberg, der mit dem Weimarer Hof und
G. lebhafte Kontakte hatte und dessen Gesellschaft G. seit 1775 oft
suchte. Zu geselligen wie amtlichen Besuchen, vor der Italienreise
fast alljährlich, benutzte G. Carl Augusts Quartier im Geleitshaus. E.
war seit 1791 auch Abstecherbühne des Weimarer Hoftheaters. Seit
1803 (und wieder 1814) an Preußen angegliedert, war Erfurt
1806–13 Besitz Napoleons, der dort am 27. 9.–14. 10. 1808 den Erfurter Fürstentag abhielt, während dessen eine französische Truppe
mit Talma französisches Theater spielte und am 2. 10. 1808 im
Regierungsgebäude die erste denkwürdige Unterredung G.s mit
→Napoleon stattfand. An Erfurter Erlebnisse erinnert das am 25. 7.
1814 auf der Durchreise an den Rhein entstandene *Divan*-Gedicht
aus dem Nachlaß »Sollt' einmal durch Erfurt fahren«.

R. Boxberger, G.s Beziehungen zu E., Jahrbücher der Kgl. Akademie gemeinnützi-
er Wissenschaften zu E., NF 6, 1870; A. Overmann, Aus E.s alter Zeit, 1948.

Ergo bibamus

Ergo bibamus. Das am 3.–10. 3. 1810 entstandene studentische Trinklied wurde schon Anfang April von Zelter vertont und erschien 1811 in dessen *Gesängen der Liedertafel*. Den Anlaß gab eine im »Polemischen Teil« (Paragr. 391) der *Farbenlehre* enthaltene Reminiszenz G.s an den starken Trinker Basedow und dessen Bemerkung, die Konklusion »Ergo bibamus« (Also, trinken wir) passe zu allen Prämissen. Riemer, dem G. dies diktierte, erkannte die poetischen Möglichkeiten und verfaßte mit G.s Ermunterung selbst ein Trinklied mit dem lateinischen Kehrreim, das wiederum G. anregte, Riemers Strophenform einem eigenen Trinklied zugrundezulegen.

Erhabner Groß–Papa. Das früheste erhaltene Gedicht G.s, ein pompöser Neujahrsglückwunsch 1757 in Alexandrinern an die Großeltern Textor, läßt in seiner selbst für ein siebenjähriges Genie ungewöhnlichen Rhetorik und Satzkonstruktion wohl nicht zu Unrecht eine starke Nachhilfe vonseiten Erwachsener annehmen, zumal das nächste, fünf Jahre spätere Gedicht diesen Standard nicht einzuhalten vermag.

Erinnerung. Der um 1777/78 entstandene, in den *Schriften* 1789 zuerst gedruckte spruchhafte Vierzeiler meint die Überschrift im Sinne von »Ermahnung«: »Sieh, das Gute liegt so nah!«. Ein kurzes Wechselgespräch (»Gedenkst du noch der Stunden …«), zuerst in Ottiliens *Chaos* (I,37, 1830), verwendet dieselbe Überschrift im Sinne von »Gedenken«.

Erklärung eines alten Holzschnittes →*Hans Sachsens poetische Sendung*

Erlangen. G. passierte die fränkische Universitätsstadt Mitte Juni 1788 auf dem Rückweg von Italien, am 15. 3. und um den 11. 6. 1790 auf dem Hin- und Rückweg der Venedigreise und am 15./16. 9. 1797 auf dem Heimweg von der 3. Schweizer Reise, als er in Erlangen übernachtete und seine Eindrücke von der großzügigen Anlage im Tagebuch kurz festhielt.

Erlkönig. G.s bekannteste naturmagische Ballade entstand vermutlich 1781/82 und eröffnete, von Corona Schröter als Dortchen nach eigener Komposition als Volkslied gesungen, die Aufführung von G.s Singspiel *Die Fischerin* am 22. 7. 1782 im Tiefurter Park. Sie erschien erstmals im Druck der *Fischerin* (1782) und wurde unverändert in die *Schriften* (Bd. 8, 1789) übernommen. Konzeption und Idee der lockenden, bezaubernden und tötenden Elementargeister Erlkönig beruhen auf einem produktiven Mißverständnis: Herder übersetzte die dänische Volksballade *Erlkönigs Tochter* (*Volkslieder* II. 1779), in der Erlkönigs Tochter den ihr den Tanz verweigernden

Ritter Oluf tötet, und verstand dänisch »ellerkonge«, d. h. »elver-
konge« (= Elfenkönig) als Baumgeist Erlkönig, zumal früher und
norddeutsch Eller auch Erle bedeuten kann. G. läßt bis auf das metrisch bedingte »Erlenkönig« den Bezug auf die Erlen fallen (»alte
Weiden«) und steigert durch die Unsichtbarkeit des gestaltlosen
elbischen Wesens das Unheimlich-Numinose. Den »Gesang der
Elfen« um Mitternacht »an den Erlen« beschwört mit ähnlichen
Wendungen auch das Briefgedicht an Ch. von Stein vom 15. 10.
1780 (»Um Mitternacht …«), dessen Stimmung die Ballade aufgreift. Der Dialog zwischen dem den magisch-dämonischen Na-
turkräften offenen Sohn und dem das Irrationale leugnenden,
aufklärerisch-verstandesklaren Vater wird in allen Drucken dem
Zeitgebrauch gemäß durch Gedankenstriche abgesetzt; erst die
Schriften (1789) markieren die imaginären/imaginierten, daktylisch
lockend-aufgelockerten Reden des Erlkönigs, die der Vater nicht
hört, durch Anführungszeichen. Sie sind zwar in ihrer Steigerung
von Verlockung, Versprechung, als homoerotisch dämonisierter Verführung und brutaler Gewalt gemäß der Deutung des Vaters durchaus als sich steigernde Fieberphantasien des Sohnes interpretierbar,
stellen jedoch vom Ausgang her auch die Einwirkung magischer
Elementarmächte im Sinne des Volksglaubens anheim: auch »dem
Vater grauset's«. Von den an 50 Vertonungen, u. a. von M. Eberwein,
C. Loewe 1817, J. F. Reichardt 1793, K. von Schlözer, C. Schröter
1782, L. Spohr, C. F. Zelter 1797–1807 ist die düster-dramatische
F. Schuberts (1815, Druck 1821, Op. 1) am bekanntesten; G. schätzte
sie jedoch erst, nachdem Wilhelmine Schröder-Devrient sie ihm
am 24. 4. 1830 vorgesungen hatte. Eine Oper *Le roi des aulnes* (1861)
schrieb der flämische Komponist Peter Benoit. Das Motiv der Kin-
derverführung macht Michel Tourniers Roman *Le roi des aulnes*
(1970; *Der Erlkönig*) zum Zeichen des Naziregimes.

F. Sintenis, Zum E., GJb 22, 1901; A. Müller, Zum E., ZfD 39, 1925; H. Kohmann, G.s Weltanschauung und romantische Naturauffassung als Schaffensgrundlagen zu sei-ner Ballade E., ZfD 41, 1927; E. Hock, Der künstlerische Aufbau von G.s E., ZfD 51, 1937; H. G. Heun, G.s E. und Scotts Erl-King, Goethe 11, 1949; J. Hennig, Perception and deception in G's E. and its sources, MLQ 17, 1956; R. Hirschenauer, G.: E., in ders., Wege zum Gedicht 2, 1963; W. J. Düring, E.-Vertonungen, 1972; H. Kuhn, G.s E. und seine skandinavischen Vorläufer, AUMLA 58, 1982; G. Müller-Waldeck, D. E. – Der Fischer, WB 30, 1984; V. Merkelbach, G.s E., DD 16, 1985; R. Bertelsmann, G.s E. - psychoanalytisch, AG 18, 1985; E. Czucka, Tatsachen und Ereignisse in G.s E., in: Germanistik, Forschungsstand und Perspektiven 2, hg. G. Stötzel 1985; J. Belgrad/ K. Fingerhut, Willst feiner Knabe …, DD 18, 1987; J. Stückrath, Wider den Relativis-mus im Umgang mit Literatur, DD 18, 1987; G. Ueding, Vermählung mit der Natur, in: Gedichte und Interpretationen: Deutsche Balladen, hg. G. E. Grimm 1988; W. Kühl-mann, Die Nachtseite der Aufklärung, in: Gesellige Vernunft, hg. O. Gutjahr 1993.

Ernesti, Johann August (1707–1781). Der frühere Rektor der
Thomasschule, Herausgeber antiker Autoren, u. a. Homers
1756–64, vgl. *Werther* 28. 8. 1771), 1742 ao. Professor der Philologie, 1756 o. Professor der Rhetorik und 1759 der Theologie
in Leipzig, gelangte durch Anwendung philologisch-kritischer
Methoden zu einer rationalistischen Bibelexegese. Er enttäuschte

die Hoffnungen G.s (»ein helles Licht«), der 1765/66 in seiner
lateinischen Vorlesung über Ciceros *De oratore* den »Maßstab des
Urteils« vermißte (*Dichtung und Wahrheit* II,6–7).

Ernst II. Ludwig, 1772 Herzog von Sachsen-Gotha und Altenburg (1745–1804). Mit dem kunstsinnigen Gothaer Herzog, dem
»Kenner und Liebhaber alles Schönen und Merkwürdigen«, verband G. über seine amtliche Tätigkeit (Bergbau, Fürstenbund) hinaus ein fast freundschaftliches Vertrauensverhältnis, seit er ihm und
Carl August am 16.7.1780 den *Faust* vorgelesen hatte. Am
2.–11.10.1781 weilte G. auf seine Einladung in Gotha und besuchte ihn und seine reichen Kunstsammlungen vor der Italienreise
alljährlich auf einige Tage, u. a. im April und Mai 1782, Juni 1783,
Juni 1784, März und November 1785 und August 1801. G. half ihm
bei der Erweiterung der Kunstsammlungen, erwirkte eine Pension
für Tischbein, der allerdings die Erwartungen nicht erfüllte, und
erhielt 1782 einen Abguß des Apoll von Belvedere als Geschenk.
Auch an G.s literarischen und naturwissenschaftlichen Arbeiten
nahm der Herzog regen Anteil und unterstützte ihn bei der *Farbenlehre* durch Versuche in seinem physikalischen Kabinett.

Eröffnung des weimarischen Theaters. G.s bereits antizipie-
rend als »Vorrezension« (an Schiller 6.10.1798) konzipierter, auf
den 15.10. datierter, am 19.10. nach Absprache mit Schiller abgesandter und am 7.11.1798 in der Beilage zu Cottas *Allgemeiner Zeitung* erschienener Aufsatz berichtet in Briefform von der Eröffnung
des antikisierend umgebauten Weimarer Theaters am 12.10.1798
mit Schillers Prolog und *Wallensteins Lager*. Neben umfangreichen
Textauszügen gibt er ein Plädoyer für den Vers auf der Bühne.

Eros. Im Unterschied zu den rokokohaften, spielerisch verwendeten, allegorischen Bildungsrequisiten →Amor und →Cupido bezeichnet Eros bei G. unter dem Namen des griechischen Liebes-
gottes, Sohns der Aphrodite, »der alles begonnen« (*Faust* v. 8479),
die echte, naturhafte Herzensliebe als Weltmacht und Urgewalt, das
Mittel- und Herzstück der →*Urworte. Orphisch* (vgl. G.s Erläuterungen dazu in *Über Kunst und Altertum* II,3, 1820).

H. Kern, Wandlungen des E.-Gedankens, GKal 26, 1933; G. Mayer, E. und Agape in
Spätwerk G.s, Goethe 28, 1966.

Erotica. Im Verhältnis zu dem Rang, den die Liebe generell in G.s
Werk einnimmt, sind Schilderungen sinnlichen Liebesgenusses bei
ihm höchst selten. In der Tradition französischer Anakreontik steht
der *Triumph der Tugend* (II, 1765/68) im Buch *Annette*, und sturm-
und-dranghafter Verbalobszönität frönt mitunter →*Hanswurst*
Hochzeit (1775). In nachitalienischer Zeit und aus dem Erlebnis
eigener entbundener Erotik entstanden die →*Römischen Elegien*

1788/90) und die → *Venetianischen Epigramme* (1790), gleichzeitig
zwei mehr philologische Abhandlungen, *Bemerkungen zur Sammlung
Priapeia«* (1790) und *Bemerkungen zu Augustinus »De civitate dei«*
(1790), die den freizügigen Umgang mit erotischem Material bekunden, und gelockerte Altersdichtung ist das → *Tagebuch* (1810).
Die Prüderie des 19. Jahrhunderts indessen konnte schon an dem
Vers IV,199 von *Hermann und Dorothea* Anstoß nehmen. → Priapea.

W. Hinck, Durchs Augenglas der Liebe, MDU 76, 1984; H. R. Vaget, G. als erotischer
Dichter, in: Verlorene Klassik?, hg. W. Wittkowski 1986; H. Müller-Sievers, Writing off:
. and the meantime of erotic poetry, MLN 108, 1993.

Erschaffen und Beleben. Das früheste Gedicht des *West-östlichen
Divans* entstand am 21. 6. 1814. Es greift im Stil des heiter-burschi-
kosen Gesellschaftsliedes ein bei Hafis mehrfach erscheinendes,
scherzhaftes Motiv auf: Gott erschuf zwar Adam, aber erst der Wein
belebte ihn.

Erste Bekanntschaft mit Schiller. G.s biographische Einzelschrift über eines der folgenreichsten Ereignisse seines Lebens, sein
Gespräch mit Schiller nach der Sitzung der Naturforschenden Gesellschaft in Jena am 20. 7. 1794, erschien zuerst u. d. T. *Glückliches
Ereignis* in den Heften *Zur Naturwissenschaft überhaupt* (I, 1817) und
gleichzeitig im *Morgenblatt für gebildete Stände* vom 9. und 10. 9.
1817. Eine am Anfang und Schluß veränderte Fassung mit dem
obigen neuen Titel war zum Druck in den *Tag- und Jahresheften* vorgesehen, erschien dort jedoch erst postum in der Quartausgabe der
Poetischen und prosaischen Werke (II, 1837).

**Erster Entwurf einer allgemeinen Einleitung in die verglei-
chende Anatomie, ausgehend von der Osteologie.** G.s Abhandlung entstand auf Anregung der Brüder Humboldt, die seine
anatomischen Interessen teilten (*Tag- und Jahreshefte* 1795), wurde
im Januar 1795 Max Jacobi in Jena diktiert, am 2.–16. 9. 1816 für
den Druck revidiert und erschien in den Heften *Zur Morphologie*
(I,2, 1820). Auf der Basis der zeitgenössischen anatomischen Literatur versucht sie, einen osteologischen Typ des Säugetiers mit Metamorphosen der Wirbelsäule zu Schädel und Schwanz und einen
Gesamttypus des Tiers als Urtier ähnlich der Urpflanze aufzustellen.
Die Kapitel I–II wurden 1796 zu Vorträgen erweitert.

Die erste Walpurgisnacht. Die von G. als »dramatische Ballade«
(an Zelter 26. 8. 1799) bezeichnete und in den *Neuen Schriften*
(1800) unter die Balladen eingeordnete Dichtung ist im Grunde, da
nicht episch erzählt, eine Kantate für Einzelsprecher und Chöre
und wurde als solche von F. Mendelssohn (1831, Op. 80), C. Loewe
u. a. vertont. Sie entstand am 30. 7. 1799 aus dem Zusammenhang
der *Faust*-Arbeit, als G. wohl in J. P. C. Deckers Artikel in den

Hannöverschen gelehrten Anzeigen von 1752 eine »fabelhafte« Er klärung für die Walpurgisnächte auf dem Brocken fand: Die durc das aufgenötigte Christentum verdrängten heidnischen Priester (d keltische Wort »Druiden« wurde von Klopstock fälschlich germani siert) und Altväter mit ihren Anhängern hätten sich für eine altger manische Frühlingsfeier in den unzugänglichen Harz zusammenge zogen und ihre christlichen, doch abergläubischen Verfolger durcl Teufelsfratzen verscheucht (an Zelter 3. 12. 1812). G. erkennt dariı Symptome einer weltgeschichtlichen Übergangsphase (an F. Men delssohn 9. 9. 1831).

C. Dahlhaus, Hoch symbolisch intentioniert, Österreichische Musik-Zeitschrift 36 1981.

Erwache Friederike. Ein stimmungsvolles Bild der bürgerlicheı Sesenheimer Idylle etwa Mai/Juni 1771: G. hat sich mit Friederikı Brion zu einem Morgenspaziergang vor dem allgemeinen Früh stück verabredet, jedoch sie schläft noch und muß zur Strafe diese inzwischen von dem Ruhelosen verfertigte Morgenständchen an hören. Sein großer Nachteil: das Gedicht ist nur in einer Abschrif von H. Kruse überliefert, es wurde nicht in die Werkausgaben auf genommen und erst aus dem Nachlaß Friederikes von A. Stöber in *Deutschen Musenalmanach* 1838 veröffentlicht. Einige Philologeı lehnen die Zuschreibung ganz ab, andere sehen G. als Verfasser de Strophen 1, 3 und 6, die J. M. R. Lenz um drei eigene Strophen ver mehrt und Friederike übersandt habe. Das Gedicht zeigt Motiv anklänge an Ronsard und folgt der Melodie J. V. Görners zu Hage dorns *Der Morgen*.

M. Friedländer, Das deutsche Lied im 18. Jahrhundert II, 1902; T. Maurer, Di Sesenheimer Lieder, 1907; O. Schaafs, Zwei Friederikenlieder, MLR 7, 1912; E. Schrö der, Sesenheimer Studien, JGG 6, 1919; H. Spiess, E. F., ZDP 56, 1931; W. A. Nitze G. and Ronsard, PMLA 59, 1944; B. Plachta, E. F., in: Sturm und Drang, hg. ders. 1997

Erwin und Elmire. Das Singspiel verarbeitet eine konventionelle Romanze aus Goldsmiths *The vicar of Wakefield* (1766, Kap. 8) voı der Entzweiung und Wiedervereinigung eines Liebespaares als Ver such in der damals auf der Bühne beliebten Gattung »ohne großer Aufwand von Geist und Gefühl, auf den Horizont unserer Akteurs und unserer Bühne gearbeitet« (an Kestner 25. 12. 1773): Die viel umworbene Elmire hat durch gespielte Gleichgültigkeit den sie lie benden Dichter Erwin in Verzweiflung und Flucht getrieben unc sucht auf den Rat ihres Vertrauten Bernardo Heilung für ihreı Kummer bei einem weisen Einsiedler, dem sie ihr Liebesleid ge steht und der sich als Erwin entpuppt und nunmehr ihre Liebı glaubt.

Die 1. Fassung, »Ein Schauspiel mit Gesang« in Prosa mit Ge sangseinlagen in Versen nach Vorbild des französischen Singspiels wurde Mitte November 1773 begonnen, im Februar/März 177 soweit fortgesetzt, daß G. es am 20. 7. 1774 auf der Rheinreis avater vortragen konnte, und, nunmehr unter dem Einfluß der Liebe zu Lili Schönemann, im Januar–6. 2. 1775 beendet. Der Text rschien im März 1775 mit einer Widmung für Lili in J. G. Jacobis Zeitschrift *Iris* (II,3), wurde 1775 von G.s Freund J. André vertont und während G.s Schweizer Reise Ende Mai 1775 von einem Liebhabertheater in Frankfurt aufgeführt; die erste öffentliche Aufführung erfolgte am 13. 9. 1775 in Frankfurt durch die Marchandche Truppe als Nachspiel zu Lessings *Die Juden*. Weitere Aufführungen folgten in Wien am 13. 7. 1776 und in Berlin am 17. 7. 776. In einer zweiten Vertonung der Gesangseinlagen durch Anna Amalia wurde das Stück am 24. 5. 1776 unter G.s Regie vom Weimarer höfischen Liebhabertheater aufgeführt und bis 1788 siebennal wiederholt. Weitere Vertonungen der Gesänge schufen P. C. Kayser 1777 und C. D. Stegmann 1777; Mozarts Vertonung des Liedes →*Das Veilchen* ist bis heute lebendig. – Die 2. Fassung, »Ein Singspiel«, eine rigorose Umarbeitung in Blankversen, entstand im September–November 1787 in Rom als glättende Angleichung an las Muster der italienischen Opera buffa und mit z. T. veränderten Liedeinlagen und Einführung eines zweiten Liebespaares, jedoch unter Verlust der ursprünglichen lebendigen Frische (*Italienische Reise* 12. 9. 1787, Bericht November 1787 und 10. 1. 1788). Sie rschien 1788, wurde 1791 von J. F. Reichardt als eine der frühen, durchkomponierten deutschen Vollopern vertont und am 10. 6. 796 unter Leitung von L. von Göchhausen im Weimarer Liebhabertheater aufgeführt, war jedoch nicht so erfolgreich wie die . Fassung.

W. Wilmanns, Über G.s E. u. E., GJb 2, 1881; H. H. Borcherdt, Die Entstehungsgeschichte von E. u. E., GJb 32, 1911; E. Bötcher, G.s Singspiele E. u. E. und Claudine on Villa Bella und die opera buffa, 1912; A. v. Weilen, E. u. E., ChWGV 28, 1915; →Singspiele.

Erwin von Steinbach (um 1240–1318). Der 1284 und 1293 als Werkmeister am →Straßburger Münster urkundliche, in drei teils späteren Inschriften als Erbauer des Münsters genannte Baumeister var vermutlich nur Hauptmeister der unteren Westfassade, galt jedoch lange als Schöpfer des gesamten Münsters. Als solchen verherrlichen ihn G.s von leidenschaftlicher Bewunderung geprägte Aufsätze →*Von deutscher Baukunst* (1772) und →*Dritte Wallfahrt nach Erwins Grabe* (1775), an deren dithyrambischem Stil er in *Dichtung und Wahrheit* (II,9; III,12) Kritik übt.

O. Kletzl, Meister E. v. S., 1935.

Erxleben, Johann Christian Polycarp (1744–1777). G. benutzt und zitiert in der *Farbenlehre* häufig des Göttinger Physikprofessors weiterbreitete *Anfangsgründe der Naturlehre* (1772 u. ö.), vermerkte jedoch übel, daß Lichtenberg in der von ihm betreuten 6. Auflage 1794) mit keinem Wort auf seine *Farbenlehre* einging (an Schiller 1. 11. 1795).

Erzählungen. Neben den großen Romanen (*Werther, Wilhelm Meister, Die Wahlverwandtschaften*) und den zahlreichen Erzähleinlagen in *Wilhelm Meisters Wanderjahre* umfassen G.s kürzere prosaepische Arbeiten nur die Erzählungen der →*Unterhaltungen deutscher Ausgewanderten* (1795) und die →*Novelle* (1828). Hinzuzurechnen wären allenfalls als Gelegenheitsarbeit →*Die guten Weiber* (1800) und die Fragmente *Der Hausball* (1783) und →*Reise der Söhne Megaprazons* (1792). →Novellen.

Erziehung →Pädagogik

Erziehungsroman. Der Typ des Erziehungsromans im engeren Sinne, den die pädagogisch interessierte Aufklärung entfaltete, führt die praktische Erziehung der Jugend, ihre Methoden und Folgen am konkreten Einzelbeispiel in biographischer Abfolge vor. Obwohl Erziehungsfragen und pädagogische Probleme (→Pädagogische Provinz) auch im *Wilhelm Meister* mitunter breiten Raum einnehmen, überschreitet er dessen didaktische Enge und wird daher besser im übergreifenden Sinne als →Bildungsroman verstanden.

Eschenburg, Johann Joachim (1743–1820). G.s Mitstudent in Leipzig 1768 (*Dichtung und Wahrheit* II,8), dann Hofmeister des Sohnes der →Branconi und ab 1777 Gymnasialprofessor in Braunschweig, hatte später offenbar nur indirekten Kontakt mit G. Seine Prosaübersetzung sämtlicher Werke Shakespeares, teils Bearbeitung der Übersetzungen Wielands (XIII 1775–82, Neubearbeitung XII 1798–1806) las G. öfter, u. a. 1813 und 1824, und bemerkte ihre »schöne Wirkung« (Tagebuch 12. 7. 1824; vgl. *Dichtung und Wahrheit* III,11), blieb aber nicht unkritisch (Xenion 390). Den ästhetischen Schriften und der *Beispielsammlung zur Theorie und Literatur der schönen Wissenschaften* (VIII 1788–94) stand er ablehnend gegenüber (*Xenien* 85 und 139).

Escher, Johann (1754–1819). Den Zürcher Offizier und Handelsherrn besuchte G. im Juni 1775 und mit Carl August im November 1779 in seinem Zürcher Stadthaus zur Besichtigung seiner reichen Kunst- und Münzsammlung. Auf seiner 3. Schweizer Reise besuchte G. ihn am 21. 9., 16., 21. und 22. 10. 1797 auf seinem Landsitz Schipf bei Herrliberg am Zürichsee und war von der Großzügigkeit des barocken Baus beeindruckt. Dort lernte er auch seinen Sohn, den Architekten Johann Caspar Escher (1775–1859) kennen.

Eschwege, Wilhelm Ludwig von (1777–1855). Der Mineraloge Bergwerksingenieur und Leiter des portugiesischen und brasilianischen Bergwesens war während seines Aufenthalts in Weimar 1822/23, als er Sophie von Baumbach, früher Hoffräulein der Herogin Louise, heiratete, häufiger Gast bei G., dem er brasilianische Diamanten und Mineralien zeigte.

Esenbeck →Nees von Esenbeck

Es leben die Soldaten ... (*Soldatenlied zu* »*Wallensteins Lager*«). Zur Eröffnung des umgebauten Weimarer Theaters am 12. 10. 1798 mit Schillers Prolog und der Uraufführung von Schillers *Wallensteins Lager* unter G.s Leitung erbat sich Schiller von G. ein Soldatenlied, mit dem das Stück einsetzen sollte. Er erhielt es am 6. 10. und fügte am 9. 10. noch »ein paar Verse« (Strophen?) hinzu, deren Bestimmung innerhalb dieses Teamworks, das G. nicht in seine Werke aufnahm, nicht mehr möglich ist. Vgl. Briefwechsel mit Schiller 29. 9.–8. 10. 1798.

Essay. Obwohl G. den im Deutschen erst später eingeführten Gattungsbegriff Essay nicht und dessen Verdeutschung »Versuch« nur in den naturwissenschaftlichen Schriften verwendet, stehen einige einer ausgefeilteren Aufsätze in den Schriften zur Kunst und zur Literatur u. ä. durch das Versuchhafte und die bewußte Unverbindlichkeit seiner Argumentation dieser Gattung nahe.

J. Wohlleben, G. als Journalist und Essayist, JIG 7–10, 1975–78, als Buch 1981; P. J. Burgard, Idioms of uncertainty. G. and the e., University Park 1992.

Es schlug mein Herz geschwind zu Pferde ... Die frühen Fassungen des Gedichts tragen noch nicht die spätere Überschrift →*Willkomm(en) und Abschied*.

Essex, Robert Devereux, Earl of (1566–1601). Der Günstling der Königin Elisabeth I. von England ist Hauptfigur der Tragödie von J. →Banks, zu deren Aufführung in Weimar am 13. 11. 1813 G. den *Epilog zu dem Trauerspiele Essex* schrieb. G. erwähnt die Rolle auch in *Wilhelm Meisters theatralische Sendung* III,10.

Este, d'. Das alte norditalienische Fürstenhaus der Este, seit 1471 Herzöge von Ferrara, war G. schon in der Jugend durch die Lektüre von Tassos *Befreitem Jerusalem* und historische Werke vertraut (vgl. *Wilhelm Meisters Lehrjahre* I,7). Durch frühe Verdienste um Künste, Wissenschaften und eleganten Geschmack wie durch die politische Neutralität in den Wirren des 15. Jahrhunderts fand der Hof von Ferrara Gelegenheit zur Förderung von Handel, Gewerbe, Künsten und Luxus und wurde durch sein großzügiges Mäzenatentum zum Sammelpunkt von Gelehrten und Dichtern. Dichterische Verklärung, teils mit poetischer Freiheit gegenüber ihren historischen Charakterzügen, gewinnt eine Reihe von Mitgliedern des Hauses als Figuren oder Hintergrund des →*Torquato Tasso* (v. = Versnummern):

1. Generation: Ercole I. (1431–1505), ab 1471 erster Herzog vor Ferrara, Förderer Bojardos (v. 68). Seine Söhne: − 2. Generation: Alfonso I. (1476–1534), ab 1505 Herzog, in 2. Ehe mit Lucrezia Borgia verheiratet, mit seinem Bruder Kardinal Ippolito I. (1479–1520) Förderer Ariosts (v. 69,74). Alfonsos I. Söhne: − 3. Generation: Ercole II. (1508–1558), ab 1534 Herzog (v. 68?), seit 1528 verheiratet mit Renata (1510–1575), Tochter Ludwigs XII. von Frankreich, die als heimliche Calvinistin von der Inquisition verfolgt, von ihrem Sohn Alfonso II. auf Wunsch des Papstes nach Frankreich verbannt wurde (v. 108,1792–97), sowie sein Bruder Kardinal Ippolito II. (1509–1572), Erbauer der Villa d'Este (v. 69?). Ercoles II. Kinder: − 4. Generation: Alfonso II. (1533–1597), ab 1559 Herzog, Förderer Tassos; dessen Bruder Kardinal Luigi (1538–1586), in dessen Dienst Tasso zuerst seit 1565 in Ferrara lebte und den er 1570/71 nach Frankreich begleitete (v. 1963), um anschließend in den Dienst Alfonsos II. zu treten; dessen Schwester Eleonore (1537–1581), unverheiratet und kränkelnd, Tassos »Prinzessin« Leonore; deren schöne und geistreiche Schwester Lucrezia (1535–1598), 1570–74 mit Tassos Studienfreund Francesco Maria della Rovere, Erbprinz von Urbino, verheiratet (v. 1787), den sie, was G. verschweigt, 1574 kinderlos und ungeliebt verließ und nach Ferrara zurückkehrte.

Eine nachträgliche Beziehung zum Hause d'Este ergab sich für G., da die von ihm verehrte österreichische Kaiserin →Maria Ludovica (1787–1816), die er 1810–13 in Karlsbad und Teplitz kennenlernte, eine Tochter des Erzherzogs Ferdinand von Österreich-Este und Enkelin des letzten Herzogs d'Este war.

H. Grimm, Leonore von E., in ders., Aufsätze zur Literatur, 1915.

Esterhazy, Nicolaus Joseph, Fürst (1714–1790). An den kurböhmischen Gesandten zur Kaiserwahl in Frankfurt 1764 (und Gönner Haydns) erinnert sich G. in *Dichtung und Wahrheit* (I,5).

Esterhazy, Paul Anton, Fürst (1786–1866). Den österreichischen Minister und Gesandten in Dresden traf G. dort am 18. 9. 1810 und in Teplitz am 14. und 23. 7. 1812.

Esther-Spiel →*Das Jahrmarktsfest zu Plundersweilern*

Es war ein Knabe frech genung … →*Der untreue Knabe*

Étain. In der Stadt bei Verdun, wo man ihn guten Quartiers halber als Schwager des Königs von Preußen ausgegeben hatte, erlebte G. am 11. 10. 1792 das Chaos des Rückzugs aus Frankreich (*Campagne in Frankreich*).

Ethik. G.s Begriff der Sittlichkeit, wie er sich in seinem literarischen Werk niederschlägt, vermeidet den dualistischen Rigorismus

ler Moralphilosophie Kants (Pflicht und Neigung) und neigt zur
Lehre →Spinozas, indem sie aus dem positiven Glauben an die
Natur Sittlichkeit als Erfordernis der Selbsterhaltung und der Ehrfurcht vor sich selbst versteht. Sie richtet sich nach sozialen und
praktischen Erwägungen, zielt nicht auf absolute Triebunter-
drückung, sondern auf eine humanisierend geistige Veredelung der
natürlichen Anlagen und Kräfte in der Einheit von sinnlicher und
geistig-sittlicher Natur des Menschen. Sie sieht über die individuelle Wunscherfüllung hinaus auf die gesellschaftlichen Aspekte und
Folgen und gipfelt daher in Forderungen wie Bildung, Tätigkeit,
Ordnung, Humanität, Selbstbeschränkung und →Entsagung.

F. Paulsen, G.s ethische Anschauungen, GJb 23, 1902; C. Diesch, G.s E., 1932;
H. Schülke, G.s Ethos, 1939; J. D. Prandie, Dare to be happy. A study of G's ethics, Lang-
am 1993.

Ettersberg. Der 8 km lange, bis 478 m hohe, bewaldete Höhen-
zug nordwestlich von Weimar war gewissermaßen der »Hausberg«
der Stadt. Von dem 1777 von Anna Amalia durch einen Pavillon bezeichneten Aussichtspunkt Hottelstedter Ecke im Westen sah G.
»die Reiche der Welt und ihre Herrlichkeiten« (zu Eckermann
26. 9. 1827), und am »Hang des Ettersbergs« entstand am 12. 2. 1776
Wandrers Nachtlied I. Die Muschelkalkschichten des Berges mit reichen Fossilien erregten zuerst 1780 G.s geologisches Interesse, und
eine 1816 von Carl August errichtete meteorologische Station gab
G. Anlaß zu Studien der Wolkenbildung. Vor allem aber war der
Ettersberg traditionell bevorzugtes Jagdrevier der Weimarer Herzöge. Herzog Ernst August errichtete um 1735 auf seinem Kamm
den Rundbau des (1748 abgerissenen) Brunfthof-Schlößchens zu
Jagdzwecken mit zehn radial ausgehenden Waldschneisen. Der
junge Carl August durchstreifte mit G. zur Jagd den Wald. Gegen
die ohne Gatter zur Jagd ausgesetzten Wildschweine jedoch protestierte G. im Namen der Untertanen in taktvoller, doch unerbitt-
licher Form (an Carl August 26. 12. 1784). →Ettersburg.

Ettersburg. Am Nordhang des →Ettersbergs in landschaftlich
schöner Lage am Rand ausgedehnter Waldungen standen einst eine
mittelalterliche Burganlage und ein 1089 gegründetes Augustiner-
Chorherrenstift, das 1525 im Zuge der Reformation aufgehoben
und seit 1546 abgetragen wurde. An seiner Stelle ließ Herzog Wilhelm Ernst 1706–12 ein dreiflügeliges barockes Jagdschloß mit
Eingliederung der ehemaligen Stifts-, dann Dorfkirche errichten,
dessen nach Süden offener Ehrenhof 1723–40 durch einen vorge-
bauten, doch freistehenden Südflügel mit den herzoglichen Wohnräumen (Corps de logis, Neues Schloß) abgeschlossen wurde und
Herzog Ernst August I. als Sommer- und Jagdsitz diente, während
der alte Bau Gäste und Bediente aufnahm. Seine Blütezeit erlebte
Schloß Ettersburg 1776–80, als Anna Amalia es zu ihrer Sommer-

residenz wählte und ihren Musenhof unter Mitwirkung von Wieland und G. mit Kultur, Musik, Malerei, Spielen, Rokokofesten und Geselligkeit füllte. Im neuausgestatteten kleinen Komödiensaal des alten Baus wie im Naturtheater des Parks spielte das höfische Liebhabertheater. Hier fanden u. a. die Uraufführungen von G.s *Jahrmarktsfest zu Plundersweilern* (20. 10. 1778), *Die Laune des Verliebten* (20. 5. 1779) und der Aristophanes-Bearbeitung *Die Vögel* (18. 8. 1780) sowie eine frühe Aufführung der Prosa-*Iphigenie* (12. 7. 1779) statt. In die Stille von Schloß und Park zog sich Schiller am 15. 5.–2. 6. 1800 zum Abschluß der *Maria Stuart* zurück. Bei einem späten Besuch im Schloß erinnert sich G.: »Wir haben überhaupt in frühester Zeit hier manchen guten Tag gehabt und manchen guten Tag vertan. Wir waren alle jung und voll Übermut, und es fehlte uns im Sommer nicht an allerlei improvisiertem Komödienspiel und im Winter nicht an allerlei Tanz und Schlittenfahrten mit Fackeln« (zu Eckermann 26. 9. 1827).

W. Deetjen, Auf Höhen E.s, 1924 u. ö.; J. Beyer/J. Seifert, Weimarer Klassikerstätten, 1995; A. Pöthe, Schloß E., 1995.

Ettinger, Carl Wilhelm (?–1804). Bei dem Gothaer Buchhändler und Verleger erschien nach einer Absage von Göschen 1790 die Erstausgabe von G.s *Versuch die Metamorphose der Pflanzen zu erklären*.

Euadne →Evadne

Eugenie. »Die Wohlgeborene«, Hauptfigur in →*Die natürliche Tochter* (1803), ist entsprechend ihrem historischen Vorbild Stéphanie Louise de →Bourbon Conti die uneheliche Tochter eines französischen Herzogs und einer Dame des Hochadels; in Wesen und Handeln verkörpert sie selbstlose aristokratische Humanität.

K. Keller-Loibl, E., eine Alternativgestalt?, Euph 88, 1994.

Euler, Leonhard (1707–1783). Der berühmte Schweizer Mathematiker und Physiker, Professor in Petersburg und Berlin, vertrat in *Nova theoria lucis et colorum* (1746) eine Wellentheorie des Lichts. G. studierte seine Schriften u. a. 1806 und zitiert ihn in der *Farbenlehre* befand jedoch: »Die Farbenlehre wird dadurch nicht gefördert.«

Euphorion. Der Sohn von Faust und →Helena (*Faust* v. 9574 ff.) erliegt seinem maßlosen Streben und himmelstürmenden faustischen Drang, stürzt Ikarus gleich bei einem Flugversuch ab und bringt, Helena nach sich ziehend, die Helena-Episode zum Abschluß. Das schon in den Volksbüchern vorgeprägte Motiv, daß Helena Faust einen Sohn (Iustus Faustus) gebiert, war schon in vorweimarischen Plan zu *Faust II* vorgesehen, den G. am 16. 12 1816 rückblickend für das 18. Buch von *Dichtung und Wahrheit* diktierte, aber dann zurückhielt. Dort findet der noch Namenlose ein Ende, als er entgegen einem Verbot einen Bach überschreitet. Im Hinblick auf die spätantike Sage, Achill und Helena hätten beide aus dem Schattenreich zurückkehren, in Pherä heiraten dürfen und einen geflügelten Sohn Euphorion gehabt, den der als Liebhaber abgewiesene Zeus tötete (v. 7435 f., 8876–81), nennt G. ihn später Euphorion. Wie Helena sowohl Person als auch künstlicher »Schatten« und allgemeines Symbol für zeitlose Schönheit, ist Euphorion sowohl individuelle Gestalt mit Lebenslauf und Schicksal als auch ein sogleich voll entwickeltes Geistwesen – als solches mit dem Knaben Lenker identisch (zu Eckermann 20. 12. 1829) – und Verkörperung der nicht an Ort, Zeit und Person gebundenen Poesie bis in die lyrisch-melodische Sprache hin: Ergebnis der Verbindung antiker und moderner, klassischer und mittelalterlich-romantischer Welt, von Schönheit, Empfindung, Subjektivismus und Leidenschaft, die, ohne Selbstkontrolle am eigenen jugendlichen Überschwang zugrundegeht – Eigenschaften, die G. in Lord →Byron typisch verkörpert sah, dem er Euphorion bis in die heroische Kampfmotivik hin annäherte (zu Eckermann 5. 6. 1827).

A. Frederking, G.s E., Euph 15, 1908; H. Herrmann, Faust, 2. Teil, ZfÄ 12, 1916 f.; R. Petsch, Helena und E., GJb 28, 1907, auch in ders., Gehalt und Form, 1925; R. Bilici, G.s E., Diss. Prag 1931; F. Baldensperger, Pour une interprétation correcte de l'épisode d'E., RLC 12, 1932; E. Skwara, Homunculus und E., LK 14, 1979; H. Schwerte, Faustus Ikarus, GJb 103, 1986; K. Schön, E., Horizonte 10, 1986; K. Mommsen, Etymologisches zu G.s E., Euph 88, 1994.

Euphrosyne. G.s Elegie auf den Tod der ihm sehr nahestehenden jungen Schauspielerin Christiane →Becker (-Neumann), beim Empfang der Todesnachricht im Oktober 1797 in der Schweiz begonnen, am 12. 6. 1798 vollendet, bezeichnet in der Überschrift mit dem Namen der Grazie (»Die Frohsinnige«) zugleich die letzte Rolle, in der G. sie im Mai 1797 gesehen hatte: Euphrosyne in Weigls Oper *Das Petermännchen*. In der abendlichen Alpenlandschaft erscheint ihm, quasi auf dem Weg ins Schattenreich, die Verstorbene, beschwört in der Erinnerung an gemeinsame Theaterproben als Arthur in Shakespeares *König Johann* die gefühlsstarke Vergangenheit zurück, als sie in G.s Armen nur einen Bühnentod starb, und bittet, nicht ganz vergessen zu werden. Die Einbettung der Vision in die Hochgebirgswelt kontrastiert die ewigen Naturgesetze mit dem willkürlichen Menschenschicksal. Die Elegie erschien zuerst 1798 in Schillers *Musen-Almanach für das Jahr 1799.*

B. Litzmann, G.s E., DR 166, 1916; R. Bach, Begegnung im Zwischenreich, Goethe 11, 1949, auch in ders., Leben mit G., 1960; K. Weißenberger, E., in ders., Formen der Elegie von G. bis Celan, 1969; R. Haas, G.s Elegie E., JFDH 1994; G. Peters, Das Schauspiel der Natur, Poetica 22, 1990; M. Mayer, Liebende haben Thränen und Dichter Rhythmen, GYb 5, 1990.

Euripides (um 480–406 v. Chr.). Mit dem dritten großen Vertreter der griechischen Tragödie beschäftigte sich G. wiederholt von der Jugend bis ins hohe Alter, mit intensiven Lesephasen im September

1780, März 1798, April 1799, Juli 1821, 1823 und November 1831. Er verteidigte ihn öfter gegen die These vom Verfall des griechischen Dramas bei ihm und seine Herabsetzung gegenüber Aischylos und Sophokles durch zeitgenössische Philologen und die Romantiker (zu Eckermann 1. 5. 1825, 28. 3. 1827, zu Göttling 3. 3. 1832) sowie gegen Wielands Anspruch der Superiorität seiner *Alceste* gegenüber Euripides' *Alkestis* (*Götter, Helden und Wieland*, 1774). Zeugnisse weiterer Beschäftigung sind der Vergleich des *Ion* mit A. W. Schlegels Tragödie (*Weimarisches Hoftheater*, 1802), der Versuch einer Wiederherstellung des *Phaeton* nach der Edition der Fragmente von J. G. Hermann (1821) in der Übersetzung von K. W. Göttling (*Über Kunst und Altertum* IV,2, 1823) sowie die Aufsätze *Zum Kyklops des Euripides* (1823–26) und *Die Bacchantinnen des Euripides* (*Über Kunst und Altertum* VI,1, 1827 mit Übersetzungen); Letztere nennt G. »mein liebstes Stück« (zu F. von Müller 19. 10. 1823, ähnlich zu K. F. Göttling 3. 3. 1832). Euripides' *Helena*, 1805 von Wieland übersetzt, beeinflußte den Helena-Akt des *Faust II*; zumal aber Euripides' *Iphigenie in Tauris* bildete in Motivik und Aufbau das Vorbild für G.s →*Iphigenie*, die, von ganz anderem Geist getragen, das Original weder ersetzen noch übertreffen will.

K. Fries, G. und E., Archiv 99, 1897; H. Apelt, Zwischen E. und G., Goethe 22, 1960; U. Petersen, G. und E., 1974; K. D. Weisinger, G.s Phaeton, DVJ 48, 1974.

Evadne (eigentlich Euadne, »die Wohlgefällige«). Nach der griechischen Sage (z. B. Euripides, *Die Schutzflehenden* v. 984–1071) stürzte sich die Tochter der Iphis nach dem Tode ihres Gatten Kapaneus in die Flammen seines Scheiterhaufens. G. erwähnt sie in *Euphrosyne* (v. 132) und in *Philostrats Gemälde*; er verwendet den Namen frei für eine Figur in *Elpenor*.

Everdingen, Allaert van (1621–1675). Bilder des holländischen Landschaftsmalers und Radierers, der nach einer Schwedenreise dynamische nordische Gebirgsmotive in die holländische Landschaftsmalerei einführte, sah G. wohl zuerst 1768 in der Dresdner Galerie. Zwei andere zeichnete er 1781 in der Sammlung des Grafen Werthern in Neunheiligen nach (an Ch. von Stein 8. /10. und 12. 3. 1781). Everdingens Landschaftsauffassung, die G. selbst bei der Italienreise am Brenner wiederfand (*Italienische Reise* 11. 9. 1786), wurde in ihrer Vorbildlichkeit erst später durch Claude Lorrain abgelöst. Von besonderem Interesse wurden für G. seit 1782 die Illustrationen Everdingens zu Hinreks van Alkmar *Reineke Fuchs* mit ihren anthropomorphen Tierdarstellungen, die G. 1783 erwarb, oft betrachtete und 1812 im Anhang zu seinem Aufsatz *Skizzen zu Casti's Fabelgedicht: Die redenden Tiere* (*Über Kunst und Altertum* I,3) ausführlich als »musterhaft« besprach. G.s Graphiksammlung enthält fast alle Radierungen sowie zwei Zeichnungen von Everdingen.

J. Hofmann, A. v. E. und G.s Reineke Fuchs, ZfB NF 12, 1920.

Everett, Edward (1794–1865). Der amerikanische Gräzist in Harvard und Politiker besuchte G. von Göttingen aus am 25. 10. 1816 in Weimar. Er veröffentlichte 1817 den ersten amerikanischen Artikel über G. (*North American Foreign Review*, Januar 1817).

Ewald, Johann Ludwig (1747–1822). Der »geistreich heitere«, anfangs rationalistische, reformierte Pfarrer in Offenbach gehörte mit André u. a. seit Frühjahr 1775 zu G.s Offenbacher Freundeskreis. Auf seine Hochzeit mit R. G. Dufay (nicht Geburtstag, wie *Dichtung und Wahrheit* IV,17) am 10. 9. 1775, bei der G. und Lili Schönemann Gäste waren, schrieb G. das →*Bundeslied.* Dem späteren Superintendenten in Detmold, 1807 Kirchenrat in Karlsruhe, pietistischen Erbauungsschriftsteller und Herausgeber der Zeitschrift *Urania für Kopf und Herz,* der darin 1793 G.s nur dort überliefertes Gedicht *Sehnsucht* abdruckte, stand G. weniger nahe – vgl. das Xenion 258 *Urania.*

Der Ewige Jude. Die christliche eschatologische Legende vom Juden Ahasver, der Christus bei der Kreuztragung beschimpft und dafür bis zum Jüngsten Gericht durch die Jahrhunderte wandern muß, war im 16. Jahrhundert zum Volksbuch geworden, das der junge G. in Frankfurt las (*Dichtung und Wahrheit* I,1). Im Frühjahr 1774 begann G. danach ein halb schwankhaftes Epos in parodistischen Knittelversen und volkstümlich-umgangssprachlichem Stil, das er Lavater am 28. 6. 1774 im Wagen von Frankfurt nach Wiesbaden rezitierte, das jedoch über Bruchstücke von Anfang und Ende nicht hinausgelangte und Ahasvers Wanderung ganz aussparte. Der Plan war anscheinend, daß Ahasver auf seinen Wanderungen durch Völker und Zeiten den allmählichen Verfall der christlichen Lehre erleben sollte – auch eine Begegnung mit Spinoza war vorgesehen – und daß der wiederkehrende Christus durch eine christusferne Christenheit enttäuscht wird, deren lieblosem, weltlichem Treiben der Sinn seiner Botschaft verloren ging: Kritik am kirchlichen Christentum. Zwölf Jahre später, auf der Italienreise, beschäftigt G. die Fortsetzung des Epos am 22. 10. 1786 (Tagebuch); am 27. 10. 1786 lenken ein Priester in seinem Reisewagen und die Pracht der Kirchen am Tag vor seiner Ankunft in Rom seine Gedanken wieder auf das Fragment, und er plant eine Fortsetzung, in der der wiederkehrende Christus sogar »in Gefahr gerät, zum zweitenmal gekreuzigt zu werden« (*Italienische Reise*). Weitere 27 Jahre später gibt *Dichtung und Wahrheit* (III,15) in einer aus der Erinnerung von 1813 geschriebenen ausführlichen Inhaltsangabe des zuerst geplanten Werkes nur die im Fragment gar nicht ausgeführte Vorgeschichte Ahasvers, so daß die erhaltenen Fragmente und die Selbstäußerungen G.s nicht gerade nahtlos zusammenpassen. Die Bruchstücke erschienen erst postum in der Quartausgabe (I, 1836).

J. Minor, G.s Fragmente vom e. J. und vom wiederkehrenden Heiland, 1904; G. Witkowski, G.s E. J., in ders., Miniaturen, 1922; J. J. Gielen, De wandelende jood in volkskunde en letterkunde, Amsterdam 1931; M. Lee, Eingeleiert in Klopstocks Rhythmik
in: Klopstock an der Grenze der Epochen, hg. K. Hilliard 1995.

Ewig-Weibliches. G. hat es glücklicherweise vermieden, Macht
und Kraft des Ewig-Weiblichen im *Faust* (v. 12110) näher zu erläutern und zu beschreiben, und hat es unglücklicherweise seinen
Interpreten überlassen, den Begriff je nach G.s oder eigenem Er-
messen zu definieren, was denn mitunter sehr viel weniger Hinan-
ziehendes aufweist.

M. Kerbaker, L'eterno femminino, Neapel 1903; H. Jantz, The place of the Eternal-
Womanly in G's Faust-drama, PMLA 68, 1953; H. A. Korff, Der faustische Sinn des E.-
W., in: Fragen und Forschungen, Festgabe T. Frings, 1956; H. Eichner, The Eternal
Feminine, in: Faust, hg. C. Hamlin, New York 1976; M. Neumann, Das E.-W. in G.s
Faust, 1985; S. Lange, Die Utopie des Weiblichen im Drama G.s, 1993; C. Hamlin,
Tracking the eternal-feminine in G's Faust II, in: Interpreting G's Faust today, hg.
J. K. Brown, Columbia 1994.

Externsteine. Die Gruppe zerklüfteter Sandsteinfelsen bei Holz-
hausen im Teutoburger Wald, vielleicht einst heidnische Kultstätte,
um 1115 mit zwei Kapellen zu einer Nachbildung der Grabheilig-
tümer von Jerusalem umgestaltet und 1130 mit einem großen, wohl
von byzantinischen Elfenbeinreliefs inspirierten Relief der Kreuzabnahme Christi in der Felswand versehen, erregte als west-
östliches Kunstwerk am 6. 1. 1824 das Interesse G.s, der sie nur aus
F. W. G. L. von Donops *Historisch-geographischer Beschreibung der Fürstlich Lippeschen Lande* (2. A. 1790) kannte. Am 9. 1. 1824 bat er Chr.
L. F. Schultz um nähere Auskünfte, der ihm eine Zeichnung Chr.
Rauchs vom 23. 7. 1823 vermittelte. Sie bildet die Grundlage für
G.s Aufsatz *Die Externsteine*, der im Januar–18. 3. 1824 entstand und
im Juli in *Über Kunst und Altertum* (V, 1, 1824) erschien. Im langan-
haltenden Meinungsstreit um Deutung und Bedeutung des Reliefs
hat sich G.s behutsame Analyse im Gegensatz zu den patriotischen
Spekulationen romantischer Altertumsforschung im allgemeinen
bewährt.

F. Focke, G. und die E., in: Beiträge zur Geschichte der E., 1943.

Eybenberg, Marianne von (?–1812). Die hübsche Tochter aus
reichem, jüdischem Berliner Kaufmannshaus Marianne Meyer und
ihre Schwester Sara, später verheiratete von Grotthus, lernte G. im
Juli 1795 in Karlsbad kennen und empfing ihren Besuch in Weimar
im Juli 1797. Sie lebte später in morganatischer Ehe mit Fürst
Heinrich XIV. von Reuß und nach dessen Tod 1799 unter dem
Namen von Eybenberg in Wien. G. sah sie in Karlsbad im Mai/Juni
1808 und Juli/August 1810 wieder, als er ihr sein Quartier abtrat
(an Christiane 22. 7. 1810). Die schöne, vielumworbene, geistreiche,
heitere und unterhaltende Frau – G. nennt sie »angenehm und lieb-
reich«, »artig und gescheit« und eine »interessante Gesellschafterin«
– war jahrelang ein Badekur-Flirt G.s, mit der er »gleich einen

leinen Roman aus dem Stegreif« anknüpfte (an Schiller 8.7. 1795), denn »die holde Seele geht ihm ans Herz« (F. Brun 12.7. 1795). Dieser Bewunderin schreibt G. Verse ins Stammbuch und auf den Fächer, erzählt ihr seine römischen Liebesabenteuer (W. von Humboldt an Schiller 12.10.1795) und schreibt ihr charmante, leichtbeschwingte Briefe. »Mariannchen« revanchiert sich mit Schokolade, Kaviar, antiken Münzen und Theaterberichten aus Wien, wo sie in den Salons die G.-Verehrung fördert, mahnt aber auch zur Weiterarbeit am *Faust*. Erst in der politisierten Atmosphäre von 1810 gibt es Verdruß, und beide gehen getrennte Wege, wie G. an Christiane (22.7. und 1.8.1810) zu melden nicht versäumt.

Eyck, Jan van (um 1390–1441). Von dem altniederländischen Maler kannte G., ohne es zu wissen, aus eigener Anschauung nur die damals Dürer zugeschriebene Hauskapelle (kleiner Flügelaltar) in der Dresdner Galerie. Andere auch von G. Eyck zugeschriebene Werke wie die Dresdner Maria mit dem Kinde Jesu (unbekannter Niederländer um 1500), der Dreikönigsaltar aus St. Columba in Köln mit den Flügelbildern Verkündigung und Präsentation (Darbringung im Tempel) (»Dombild zu Köln«, von Rogier van der Weyden), 1814 in der Sammlung Boisserée, und der Kardinal von Bourbon in derselben Sammlung (Meister von Moulins) stammen nicht von Eyck. Die Heilige Barbara (nicht Ursula!) und den Genter Altar kannte G. nur nach Kopien bzw. Abbildungen. Seine Ausführungen über Eyck in *Kunst und Altertum am Rhein und Main* (Kap. Heidelberg), in dem G. Eyck die Überwindung der Flächigkeit zugunsten der Natur- und Raumperspektive zuschreibt, lassen sich daher nur generell auf die altniederländische Malerei, nicht unbedingt auf Eyck beziehen und haben wie F. Schlegels Beurteilung des Malers als Begründer einer »ganz national deutschen« Malerei mehr historische Bedeutung. Vgl. den Spruch *Modernes*.

L. Scheewe, Hubert und J. v. E. Ihre literarische Würdigung bis ins 18. Jahrhundert, Den Haag 1933.

Fabel. Die Tierfabel in Vers oder Prosa, wie sie als lehrhafte Gattung mit leichtfaßlicher, teils deutlich ausgesprochener Moral von Aesop bis Lafontaine entwickelt, im deutschen Spätmittelalter von H. Sachs, Luther u. a. gepflegt wurde und in der Aufklärungsliteratur z. B. bei Gellert, Lichtwer und Lessing besonders beliebt war (vgl. *Dichtung und Wahrheit* II,7), lag G. im Unterschied zum Tierepos (*Reineke Fuchs*) als allzu allegorisch im Grunde fern. Seine Jugenddramen spielen gelegentlich auf bekannte Fabeln an; seine wenigen eigenen Fabeln, unter den Gedichten in der Gruppe »Parabolisches« enthalten, zeigen schon in den Überschriften ihre satirische Tendenz, ebenso in den *Xenien* vom Fuchs und Kranich und →*Adler und Taube*. Zur Theorie der Fabel äußert sich G. in der Rezension von H. Brauns Fabeln (1772). Meistens jedoch gebraucht G. das Wort Fabel im Sinne von Stoff, Handlung, Plot.

Fabrice. Der Hausfreund in *Die Geschwister* (1776) bringt durch
seine Werbung um Marianne die vermeintlichen Geschwister zum
Geständnis ihrer gegenseitigen Liebe.

Fabricius, Anna Catharina. G. lernte die entfernte Verwandte oder
Freundin seiner Schwester Cornelia aus Worms wohl 1768 in
Frankfurt kennen und korrespondierte bis 1770 mit ihr, wollte dies
scheints auch unter Cornelias Namen tun. Sein vermutlich an sie
gerichteter Brief vom 27. 6. 1770 aus Saarbrücken spricht ganz allgemein von der Liebe und bekundet den Durchbruch eines neuen
Naturgefühls auf der Elsaßreise.

Fabriken. Aus Interesse an technischen Fortschritten und Erfindungen wie auch in seiner amtlichen Tätigkeit zur Förderung ein-
heimischer Gewerbe nahm G. lebhaftes Interesse an Herstellungs-
betrieben verschiedenster Art und benutzte gern Gelegenheiten,
solche in Sachsen-Weimar wie auch auf seinen Reisen zu besichtigen. Entsprechend den derzeit vorherrschenden Industriezweigen
handelte es sich vorwiegend um Porzellanfabriken, Glashütten, chemische Industrien, Papiermühlen, Spinnereien, Tuch- und Teppich-
fabriken, Strumpfwirkereien, Gewehr-, Messer- und Schmuckfabri-
ken, Zucker-, Stärke- und Spirituosenfabriken und Brauereien.
Über die →Industrie in Sachsen-Weimar unterrichtete der fragmentarisch ausgearbeitete Vortrag *Über die verschiedenen Zweige der
hiesigen Tätigkeit* (1791).

Facius, Angelica Bellonata (1806–1887). Die Tochter von F. W.
→Facius wurde als Künstlerin früh von G., J. H. Meyer, L. Seidler
und Carl August gefördert, u. a. 1817–34 durch ein von G. erwirktes Stipendium des Herzogs zu ihrer Ausbildung bei Ch. Rauch in
Berlin, wo Zelter sie auf G.s Bitte 1831 in sein Haus aufnahm. Im
Briefwechsel mit ihm nahm G. reges Interesse an ihrer Entwicklung
als Bildhauerin, Steinschneiderin und Medailleurin. Seine letzte
Unterschrift steht unter einer Zahlungsanweisung für ihren Unterhalt vom 20. 3. 1832. Neben Büsten, Gemmen und Kameen schuf
»das geschickte, wundersame Mädchen« (an Rauch 20. 2. 1832), das
seit 1835 in Weimar arbeitete, u. a. eine Medaille (1825) und ein
Relief von G. (um 1835).

L. Frede, A. F., G.s letzter Schützling, Thüringer Fähnlein 6, 1937; ders., A. F. als Medailleurin, 1938.

Facius, Friedrich Wilhelm (1764–1843). Der Greizer Medailleur,
Steinschneider und Graveur zog 1788 nach Weimar und erregte
schon 1789 G.s Aufmerksamkeit (an Carl August 10. 7. 1789, 15. 5.
1791, an Anna Amalia 18. 10. 1789). G. finanzierte ihm 1790 eine
Steinschneidemaschine (an Knebel 9. 7. 1790), erwirkte ihm 1792
ein neunmonatiges Stipendium des Herzogs zur Fortbildung als

einschneider in Dresden (an C. G. Körner 12. 9. 1791) und
hätzte seine Arbeit zeitlebens hoch ein. Seit 1829 Hofmedailleur,
schuf Facius u. a. eine G.-Gemme (um 1827), eine G.-Kamee und
edaillen von G. (1809, 1830), Schiller, Wieland u. a.

Färber, Johann Michael Christoph (1778–1844). Der Diener erst
Wolzogens, dann C. Jagemanns wurde 1814 auf G.s Empfehlung
Bibliothekskustos und Museumsschreiber in Jena und stand als G.s
Vertrauter ihm auch zu persönlichen Diensten und als Schreiber
zur Verfügung.

Fahlmer, Johanna Catharina Sibylle (1744–1821). Die Stieftante
der Brüder J. G. und F. H. Jacobi zog im Juni 1772 mit der Mutter
von Düsseldorf nach Frankfurt, verkehrte dort mit G.s Eltern und
im Freundeskreis Cornelias und wurde nach der Rückkehr G.s von
Wetzlar im September 1772 auch dessen Vertraute. Die zarte, gebildete, leicht zu Schwermut neigende Frau übte auf den Sturm und
Drang-Dichter einen veredelnden Einfluß aus (*Dichtung und Wahrheit* III,14), vertrat geschickt seine Interessen und vermittelte in
Düsseldorf zwischen ihm und ihren Stiefneffen Jacobi. In den 50
stimmungsvoll-zwanglosen, aufrichtigen und vertraulichen Briefen
G.s an die »liebe Tante« vom März 1773 bis 1778 spiegeln sich G.s
tägliche Sorgen, Wünsche und Probleme. Auch nach der Übersiedlung nach Weimar (»Ich bleibe hier«, 19. 2. 1776), als G. sie um
Fürsprache beim Vater bittet, bleibt das freundschaftlich-verständ-
nisvolle Verhältnis erhalten. Erst nach ihrer Verlobung (Herbst 1777)
und Heirat (29. 9. 1778) mit dem durch den Tod Cornelias verwitweten, G. entfremdeten J. G. Schlosser wird es kühler und bleibt
auch nach dem Besuch G.s und Carl Augusts bei Schlossers in Emmendingen am 27./28. 9. 1779 formell. Zwar versucht Johanna
1779 erneut zwischen G. und den Jacobis zu vermitteln, aber unter
Schlossers Einfluß einseitig religiös geworden, bringt sie später
nicht mehr soviel Toleranz für G.s Wesen auf und fällt scharfe kritische Urteile. Beim Aufenthalt in Köln 1814 besucht G. sie in
Düsseldorf nicht mehr. Erst ihr Tod ruft die Erinnerung an die
»treffliche Freundin« und ihre »treue Anhänglichkeit« wach (an
H. Hasenclever 5. 12. 1821). J. Fahlmer, deren Wesen schon J. G.
Jacobis *Sommerreise* als Adelaide, F. H. Jacobis *Eduard Allwills Brief-
sammlung* als Sylli und sein *Woldemar* als Henriette gestalteten, gab,
ohne daß sie darüber erfreut war, G. Anregungen zur Figur der
Cäcilie in *Stella* (1775).

W. Scherer, G. und Adelaide, in ders., Aufsätze über G., 1886 u. ö.

Falconet, Etienne Maurice (1716–1791). Der französische Bild-
hauer und Kunstschriftsteller (*Réflexions sur la sculpture*, 1761),
Freund und Mitarbeiter Diderots an der Enzyklopädie, erklärte in
Observations sur la statue de Marc Aurèle (1771) über das Reiterstand-

bild Marc Aurels in Rom, dessen Original er nicht gesehen hatt
für das Studium stünden Gipsabgüsse von Skulpturen den Origin
len nicht nach. G.s Aufsatz *Nach Falconet und über Falconet* (in *A
Goethes Brieftasche*, 1775) beginnt mit einer Übersetzung dies
nicht als solches gekennzeichneten Zitats und knüpft daran eiger
Ausführungen gegen die Forderung nach historischer Richtigke
in der Kunst und für die Beschränkung in Motiven, deren Gedar
ken sich mit dem Gedicht *Sendschreiben* (1774) berühren.

G. Witkowski, G. und F., in: Studien zur Litteraturgeschichte, 1893; K. Borinski,
nach F. und über F., GJb 19, 1898.

Falk, Johannes Daniel (1768–1826). G.s Verhältnis zu dem für d.
klassische Weimar wichtige Schriftsteller und Journalisten, vo
dessen Dichtungen – u. a. ein *Prometheus*-Drama (1803) und ei
Lustspiel *Amphitruon* (1804), das seinen Freund Kleist beeinflußte
nur das Weihnachtslied »O du fröhliche« lebendig blieb, war starke
Wandlungen unterworfen. Der Danziger Perückenmacherssoh
hatte sich nach dem Studium in Halle als Schriftsteller durc
Redegewandtheit und bissige Satiren und Polemiken zwar eine
Namen, aber keine Freunde gemacht. Nach drei längeren Besuche
in Weimar, 1792 mit Besuch bei G. am 17. 7. 1792, Septembe
1795–Februar 1796 und Sommer 1796, zog er daher auf Rat seine
Freundes Wieland im November 1797 ganz nach Weimar un
schloß sich dem G. fernstehenden Kreis um Wieland, Herder un
Böttiger an. Der durch G.s Ablehnung seines Lustspiels *Othas* fü
Weimar (16. 3. 1798) geförderten Distanz folgte seit 1801 ein
Annäherung. Besonders im März 1801 ist Falk wiederholt zu Ga<
bei G., der gemeinsam mit ihm literarisch Front gegen Kotzebu
macht. Gleichzeitig wird Falk Rezensent der *Jenaischen Allgemeine
Literaturzeitung* mit der Auflage, dort keine persönlichen Angriffe z
führen. G.s Ablehnung einiger unsachlicher Kritiken, Falks weiter
Satiren, seine für Weimar gefährliche Parodie des Schauspielweser
in *Die Prinzessin mit dem Schweinerüssel* (1804) und die durch C
nach der Schlacht bei Jena am 17. 10. 1806 veranlaßte Unter
drückung von Falks franzosenfeindlicher Zeitschrift *Elysium un
Tartarus* trüben wieder das Verhältnis. Falks verdienstvoller, uner
schrockener Einsatz für Weimarer Interessen bei diplomatische
Verhandlungen als Dolmetscher und Sekretär der französischen Be
satzungsmacht, der ihm 1806 den Titel eines Weimarer Legations
rats einbrachte, erneuert den näheren Umgang mit G., als desse
häufiger Gast Falk auch französische Diplomaten bei ihm einführt
Am 8. 11. 1807 steht G. Pate bei Falks Tochter Eugenie, am 9. 5
1808 führt er ein sehr offenherziges Gespräch mit ihm über di«
französischen Verdächtigungen Carl Augusts, und bei den Masken
zügen von 1809 und 1810 bewundert er das frische, gesellige Talen
Falks. Der Verlust von vier Kindern durch eine Kriegsseuche 181<
und die soziale Not in Weimar bewirkten eine Wendung in Falk

..eben und veranlaßten ihn im Mai 1813 zur Gründung eines großen Fürsorgewerks, der »Gesellschaft der Freunde in der Not«. ..r widmete sein Vermögen und seine Honorare dem für lange Zeit vorbildlichen »Falkschen Institut« zur Erziehung verwaister und verwahrloster Kinder und errang damit die besondere Hochachtung G.s, der dem Falk-Biographen H. Döring am 7. 4. 1826 (Briefkonzept) seine Unterstützung zusagt, »einem so vorzüglichen Manne ein würdiges Denkmal« zu setzen. Falks 1824 verfaßte, zur Veröffentlichung für 1827 vorgesehene, aber von Brockhaus erst nach G.s Tod veröffentliche Schrift *Goethe aus näherm persönlichen Umgange dargestellt*, Zeugnis seiner G.-Verehrung, ist als dokumentarisches Quellenwerk im ganzen zwar in seiner Glaubwürdigkeit umstritten, hat sich im einzelnen jedoch öfter als zutreffend erwiesen.

S. v. Schultze, F. und G., 1900; E. Witte, F. und G., Diss. Rostock 1912; A. Leitzmann, G.s Gespräche mit F., ZDP 57, 1932; F. Fink, J. D. F., 1934; P. Saupe, J. D. F., 1979.

Der Falke. Die berühmte Falkennovelle Boccaccios (*Dekameron* V,9) inspirierte G. im August 1776 zum Plan eines Dramas, dessen Heldin vielleicht Züge Lili Schönemanns und Charlotte von Steins verbinden und wohl das Entsagungsmotiv behandeln sollte. Nur zwei Briefe an Ch. von Stein vom 8. und 12. 8. 1776 aus Ilmenau und drei Tagebucheintragungen vom 10.–12. 8. 1776 erwähnen die bald aufgegebene Arbeit. Die Zuordnung eines kurzen Fragments mit einem Dialog Federigo/Horatio ist unsicher.

K. Bartsch, G.s Drama D. F., Gegenwart 9, 1876.

Falkenau. G. besuchte die Stadt an der Eger, Zentrum des böhmischen Braunkohlenbergbaus, mit Polizeirat J. S. Grüner am 3. und 4. 8. 1822 von Eger aus, besichtigte die Mineraliensammlung des Bergmeisters I. Lößl, die er um einige Doubletten vermindern konnte, und lernte dort am 4. 8. den »Naturdichter« Anton →Fürnstein kennen.

V. Nemec/Z. Agler, G. a Sokolovsko, Karlsbad 1959.

Falkenorden. Der Hausorden der Herzöge von Sachsen-Weimar für jeweils nur 24 Mitglieder der fürstlichen Familie und deren bevorzugte Diener, 1732 gestiftet, wurde ab 1816 in drei Klassen verliehen. Die 1. Klasse, das Großkreuz für hohe Staatsbeamte, erhielt G. als einer der ersten Träger am 30. 1. 1816.

Familie. Großeltern väterlicherseits: Friedrich Georg →Goethe (1657–1730), Schneidermeister und Gastwirt, verheiratet seit 1730 mit Cornelia →Goethe, geb. Walther, verwitwete Schellhorn (1668–1754).

Großeltern mütterlicherseits: Johann Wolfgang →Textor (1693–1771), Dr. jur., Stadtschultheiß in Frankfurt, verheiratet seit 1726 mit Anna Margarethe →Textor, geb. Lindheimer (1711–1783).

Eltern: Johann Caspar →Goethe (1710–1782), Dr.jur., Kaiserlicher Rat ohne Amt, verheiratet seit 1748 mit Catharina Elisabeth →Goethe, geb. Textor (1731–1808).

Geschwister: Cornelia →Goethe (1750–1777), verheiratet sei 1773 mit Johann Georg →Schlosser (1739–1799). Vier weitere Geschwister frühzeitig verstorben.

Johann Wolfgang von G. (1749–1832), verheiratet de facto sei 1788, amtlich seit 1806 mit Christiane von →Goethe, geb. Vulpius (1765–1816).

Kinder: August von →Goethe (1789–1830), Geheimer Kammerrat, verheiratet seit 1817 mit Ottilie von →Goethe, geb. von Pogwisch (1796–1872). Vier weitere Kinder frühzeitig verstorben.

Enkel: Walther von →Goethe (1818–1885), Kammerherr und Musiker; Wolfgang von →Goethe (1820–1883), Dr.jur., Legationsrat und Kammerherr; Alma von →Goethe (1827–1844). Mit dem Tod Walther von G.s Familie aus.

H. Düntzer, G.s Stammbäume, 1894; H. Krüger-Westend, G. und seine Eltern, 1904; C. Knetsch, G.s Ahnen, 1908 u. ö.; L. Geiger, G. und die Seinen, 1908; O. Jellinek, Die Geistes- und Lebenstragödie der Enkel G.s, 1938 u. ö.; S. Rösch, G.s Verwandtschaft, 1956.

Famulus →Wagner (*Faust* v. 518)

Farben. Die Naturbeobachtung führte schon in der Sturm und Drang-Zeit zu einer intensiven Farbigkeit in G.s Lyrik, die nach der Italienreise und während der Beschäftigung mit der →*Farbenlehre* verstärkt erscheint und im letzten Jahrzehnt eine neue Steigerung erfährt. Die anfangs wohl konventionelle Farbigkeit gewinnt dabei nach der *Farbenlehre* symbolische Bedeutsamkeit. G.s Hauptfarben sind Weiß, Schwarz, Gold, Blau, Grün und Rot.

P. Schmidt, G.s Farbensymbolik, 1965; J. Müller, Farblichkeit in G.s Lyrik, JFDH 1981; →Farbenlehre.

Farbenlehre. G.s umfangreichstes, aber am wenigsten gelesenes Werk, das er als seine größte Leistung betrachtete und seinem literarischen Werk gleichstellte, an dem er etwa 43 Jahre, selbst vor Verdun und vor Mainz und mit großem finanziellen Aufwand arbeitete, ist heute großenteils nur noch historisch zu verstehen. Es war aufgrund seiner Farbentheorie, die Farben nicht wie Newton (*Opticks*, 1704) aus dem Spektrum des weiß erscheinenden Lichts, sondern aus Hell-Dunkel-Stufen durch Trübung des angeblich unzerlegbaren weißen Sonnenlichts (als »Urphänomen«) mittels Medien wie Luft ableitet, bereits bei Erscheinen wissenschaftlich überholt und wurde sehr zu seinem Leidwesen von der Fachwissenschaft seiner Zeit meist ablehnend aufgenommen. Neben aufschlußreichen Kapiteln zur Farbphysiologie, zur Farbgebung und deren Wirkung in der Malerei ist es daher weniger wegweisender Forschungsbeitrag als ein interessantes Dokument von G.s wissenhaftlichem Denken, seiner Beobachtungs- und Forschungsweise und deren systematischer Aufbereitung. Der weltoffene Augenmensch G. zieht im Glauben an die unmittelbare sinnliche Erfahrbarkeit der Natur subjektive Eindrücke und Beobachtungen den mithilfe verabscheuter, umständlicher Apparate erbrachten Ergebnissen vor. Er achtet nach Ausweis seiner Aufzeichnungen schon früh auf Farberscheinungen wie Regenbogen und Sonnenuntergänge (*Ephemerides*, Januar 1770), Abstufungen des Lichts (an : Oeser 13. 2. 1769) und farbige Schatten (am Brocken, 10. 12. 777) und verwendet Farbmotive durchgehend auch im literarischen Werk. Die Eindrücke der italienischen Landschaft und ihrer Farbabstufungen und die Gesetze der Farbgebung in der italienischen Malerei legen ihm die Frage nach Wesen und Entstehung der Farben nahe. Sie führen nach der Venedigreise zu ersten optischen Experimenten, und nach einer ersten Idee vom Januar 1790 beginnen seit Anfang 1791 die optischen Studien (an Carl August 18. 5. 1791) mit dem ersten erhaltenen Entwurf zur Farbenlehre *Über das Blau* (Mai 1791). Die *Beiträge zur Optik* (I–II 1791 f.; III–IV zugunsten des Hauptwerks aufgegeben) schildern Versuche über die prismatischen Farben, ohne das Grundsystem vorerst deutlicher zu formulieren. Nach verschiedenen Vorträgen zur Farbenlehre (1791–1806) entsteht aufgrund eines Göttinger Schemas vom 2. 8. 1801, von Schiller und Meyer gefördert, besonders in den Jahren 1798/99, 1801, 1803 und 1806–09, das Hauptwerk *Zur Farbenlehre* (II 1810). Es gliedert sich in drei Hauptteile: I: Didaktischer Teil, »Entwurf zur Farbenlehre«: Physiologische, Physische, Chemische Farben; Sinnlich-sittliche Wirkung der Farbe, II: Polemischer Teil, »Enthüllung der Theorie Newtons« mit teils sehr ausfallender Polemik gegen die von G. mißverstandene, physikalisch begründete Farbenlehre Newtons, deren Unsachlichkeit der Diskussion wenig hilfreich ist, und III: Historischer Teil, »Materialien zur Geschichte der Farbenlehre«, Versuch einer geschichtlichen Entwicklung von den Anfängen bis zur Gegenwart unter Einbeziehung von Philosophie, Alchemie u. a., mit einer »Geschichte des Kolorits« in der europäischen Kunst von J. H. Meyer. Spätere Schriften und Nachträge, besonders über →*Entoptische Farben*, aus den Jahren 1817–23 zeugen von G.s anhaltender Beschäftigung mit dem Thema, ohne den Grundirrtum zu revidieren. Die Aufnahme der *Farbenlehre* und besonders der Polemik gegen Newton in der Wissenschaft war weitgehend negativ. Nur T. J. Seebeck in Jena und L. D. von Henning in Berlin nahmen zumindest anfangs G.s Seite ein; Schelling, Schopenhauer, Hegel, J. E. Purkinje, J. Müller u. a. schätzten zumindest den physiologischen Teil. Für Ergänzungen und Abwandlungen jedoch war G., durch Zweifel oder Widerspruch reizbar, nicht zugänglich, setzte seinen Kampf gegen die technisierte, vom Menschen abstrahierende moderne Naturwissenschaft fort und glaubte unvermindert an die wenigstens postume Anerkennung seiner Er-

gebnisse. Anklang dagegen fand der ästhetisch-praktische Aspekt de
Werkes vor allem bei Malern, die vom naturwissenschaftlichen Te
absehen konnten. In ähnlichem Sinn läßt sich G.s *Farbenlehre*, von
physikalischen Irrtum abgesehen, als ein fortwirkender Beitrag zu
Farbphysiologie, -psychologie und -ästhetik, d. h. zu den Erschei
nungen und Sinneseindrücken der Farben und ihrer ästhetische
Verwendung, einschätzen und damit als Anleitung zum rechte
Sehen verstehen.

E. Raehlmann, G.s F., JGG 3, 1916; H. Glockner, Das philosophische Problem in G.
F., 1924; W. Linden, G.s F. im Zusammenhange seiner Weltanschauung, ZfD 43, 1929
V. Meyer-Eckhardt, G.s F., PrJbb 227, 1932; R. Matthaei, G.s biologische F., Goethe 1
1936; M. Richter, Das Schrifttum über G.s F., 1938; H. Lipps, G.s F., 1939; W. Bader, G.
F. als Ausdruck seiner Metaphysik, 1939; R. Matthaei, Die F. im G.-Nationalmuseum
1939 u. ö.; ders., Versuche zu G.s F., 1939; ders., Die F. im Faust, Goethe 10, 1947; ders.
Über die Anfänge von G.s F., Goethe 11, 1949; A. Speiser, G.s F., in: G. und die Wissenschaft, 1951; E. Buchwald, Fünf Kapitel F., 1955 u. ö.; A. B. Wachsmuth, G.s F. un
ihre Bedeutung für seine Dichtung und Weltanschauung, Goethe 21, 1959; D. Kuhn
G.s Geschichte der F. als Werk und Form, DVJ 34, 1960, auch in dies., Typus und Metamorphose, 1988; A. Bjerke, Neue Beiträge zu G.s F., 1963; H. H. Reuter, »Roman de
europäischen Gedankens«. G.s Materialien zur Geschichte der F., Goethe 28, 1966
H. Ulbricht, G.s Forschungen zur F., in: G.s Universalität, 1982; B. Hamprecht, G.s F.
Die Drei 52, 1982; W. Abraham, Bemerkungen zu G.s F., Euph 77, 1983; A. Schöne, G.
Farbentheologie, 1987; F. Höpfner, Wissenschaft wider die Zeit, 1990; F. Höpfner, Wirkungen werden wir gewahr, GJb 111, 1994; F. Burwick, G.s F. und ihre Wirkung auf di
deutsche und englische Romantik, GJb 111, 1994; T. Rehbock, G. und die Rettung de
Phänomene, 1995.

Farcen. Die derbkomischen, parodistisch-satirischen dramatische
Schwänke, Farcen, Fastnachtsspiele und szenischen Scherze aus de
Sturm und Drang-Zeit in sog. Knittelversen oder urwüchsige
Prosa stehen in der Entwicklung von G.s dramatischem Schaffe
zwischen den Alexandrinerdramen der Frühzeit und den Versdramen der Klassik und üben vielfach Zeitkritik an den Auswüchse
schwärmerischer Empfindsamkeit des Darmstädter Kreises und a
scheinheiliger Bürgerlichkeit. Sie greifen teils auf Stoffe und Motive der niederen volkstümlichen Literatur (H. Sachs) zurück und
scheuen im materialistischen Milieu und aus dem Gefühl der Einheit des Lebensvollzugs auch nicht die Einbeziehung primärer Kör-
perfunktionen wie Fressen, Saufen, Sex u. ä. Im einzelnen: →*Jahrmarktsfest zu Plundersweilern, Ein* →*Fastnachtspiel vom Pater Brey,*
→*Satyros,* →*Götter, Helden und Wieland* (alle 1773) und →*Hanswursts*
Hochzeit (1775).

H. Henkel, G.s satirisch-humoristische Dichtungen dramatischer Form, Archiv
92–93, 1894; M. Stern, Die Schwänke der Sturm-und-Drang-Periode, in: G.s Dramen,
hg. W. Hinderer 1980; R. P. T. Aylett, G. and the Fastnachtspiel, PEGS 61, 1990 f.

Farnese. Die alte römische Adelsfamilie war 1731 im Mannes-
stamme erloschen, und ihr reicher Besitz an Bauten und Kunst-
denkmälern ging an die Bourbonen in Neapel über (vgl. *Philipp*
Hackert, Kap. »Farnesische Verlassenschaft«). Davon sah G. in Rom:
1. den Palazzo Farnese, 1514–89 zuerst unter Kardinal Alessandro
Farnese (1468–1549), ab 1534 Papst Paul III., erbaut, mit den Fres-

en von Annibale und Agostino →Carracci von 1596–1604 in der
Galleria Farnese (*Italienische Reise* 17. 11. 1786, 20. 6. 1787), 2. den
arnesischen Garten auf dem Palatin mit seinen Statuen (ebd., Be-
icht September 1787; zu Eckermann 10. 4. 1829), und 3. die Villa
'arnesina in Trastevere (1508–11 erbaut, ab 1580 im Besitz der Far-
ese) mit den Fresken von Raffael und seinen Schülern »Triumph
er Galatea« (vgl. *Faust,* nach v. 8423) und »Amor und Psyche«
Italienische Reise 18. 11. 1786, 15. 7. 1787, Bericht Dezember 1787).
'on letzterem Zyklus besaß G. die kolorierten Stiche von N. Do-
igny von 1693.Von den 1545 in den Caracalla-Thermen gefunde-
en Statuen der ab 1787 nach Neapel überführten Farnesischen
Antikensammlung sah G. noch in Rom den »Farnesischen Stier«
ebd. 20. 7. 1787), die römische Kopie einer griechischen Skulptur
im 150 v. Chr. (Dirke vom Stier zu Tode geschleift), über die G.
inen Aufsatz für die *Propyläen* schreiben wollte, ferner den »Farne-
ischen Herkules« (ebd. 16. 1. 1787, 20. 6. 1787) und einen »Apollo«
genannten Dionysos beim Restaurator →Albacini (ebd. 17. 7.
787). Der natürliche Sohn Papst Pauls III., Pier Luigi Farnese,
Herzog von Parma (1503–1547) und dessen Sohn Ottavio
1520–1586) waren G. als Gönner Cellinis vertraut.

Fasanentraum. In der *Italienischen Reise* erzählt G. unter dem
18. 10. 1786 einen Traum, den er etwa ein Jahr zuvor wohl in An-
zipation der Italienreise gehabt habe und auch Ch. von Stein und
Herder mitteilte: Er landet mit einem Kahn an einer Insel mit den
schönsten Fasanen mit langen Federschweifen wie Pfauen oder
Paradiesvögel, handelt davon eine volle Bootsladung ein und denkt
bei der Rückfahrt an die Freunde, »denen ich von diesen bunten
Schätzen mitteilen wollte«. Der Traum geht ihm mit der Italienreise
in Erfüllung und wird ihm zum Gleichnis für die reiche Ausbeute
an Schätzen (Ergebnissen, Erlebnissen, Erfahrungen, Erwerbungen),
die er heimbringen und mit den Freunden genießen will. In diesem Sinne kann er in der *Italienischen Reise* (28. 10. 1786, 22. 3.
1787, 22. 9. 1787), im *Tagebuch der Italienischen Reise für Frau von
Stein* (19. 10. 1786) und in Briefen aus Italien (an Ch. von Stein
29. 12. 1786, an Herder 13. 12. 1786 und 17. 2. 1787) immer wieder darauf anspielen. Es blieb der Psychoanalyse überlassen, dem
augenfälligen künstlerischen Bild auch ohne Beachtung der Ambivalenz von Vögeln eine Deutung als phallische Potenzphantasie zu
unterlegen.

H. Buder, G.s Traum vom Fasanenkahn, Psyche 3, 1949/50; K. R. Eissler, G. II, 1985.

Fastnacht. G.s Freude an Verkleidungen, Maskentreiben, Fastnacht
oder Karneval spiegelt sich vielfach in seinen Dichtungen von den
frühen →Farcen über den →*Römischen Carneval* bis zum →*Mummenschanz* am Kaiserhof in *Faust II.* und in seiner Vorliebe für die
Weimarer →*Maskenzüge.* Auguste Gräfin zu Stolberg (13. 2. 1775)

und S. von La Roche (17. 2. 1775) gegenüber stellt er diese Seite
seines Wesens als den oberflächlich tändelnden »Fastnachts-Goethe«
vor, ohne die andere, ernstere Seite darüber zu vergessen.

Fastnachtsspiele →Farcen

Fastnachtsspiel vom Pater Brey. *Ein Fastnachtsspiel auch wohl zu
tragieren nach Ostern vom Pater Brey dem falschen Propheten.* Die kurze,
humorvoll-satirische Posse von 334 Knittelversen im Stil der Fastnachtsspiele von Hans Sachs entstand wohl im Frühjahr 1773, vermutlich zwischen Fastnacht (21. 2.), Ostern (11. 4.) und der Hochzeit Herders mit Caroline Flachsland am 2. 5. 1773, zu der sie quasi
als Polterabendscherz gedacht sein könnte, und erschien mit anderen Schwänken zuerst im *Neueröffneten moralisch-politischen Puppenspiel* (1774). Sie wendet sich moralisch belehrend und komisch
demaskierend gegen die heuchlerische Vermengung von bigotter
religiöser Schwärmerei mit weltlicher Empfindsamkeit, die erotisches Verlangen sublimieren, aber bei naiver Vertrauensseligkeit auch
leicht in verschleierte sexuelle Begierde abgleiten könnte. Der sal-
bungsvolle, falsche Erweckungsprediger und scheinheilige Weltver-
besserer Pater Brey, der schon den Laden des Würzkrämers durch
alphabetische Anordnung der Waren durcheinandergebracht hat,
sucht mit heuchlerisch frommen Worten zunächst noch das Herz
von dessen junger Nachbarin Leonora zu gewinnen. Ihr Bräutigam,
Hauptmann Balandrino, kehrt noch rechtzeitig aus dem Krieg
heim und wird vom Würzkrämer in die Vorgänge eingeweiht. Als
Edelmann verkleidet, ersucht er Pater Brey, Ordnung unter seinem
vertierten Gesinde zu schaffen, und läßt ihn zu diesem Behuf in den
Schweinekoben expedieren. Den biographischen Hintergrund
(*Dichtung und Wahrheit* III,13) bildet das Treiben des Hofmeisters
F. M. →Leuchsenring unter den Darmstädter Empfindsamen. Als
schwärmerischer Seelentröster gewann er das Vertrauen empfindsam exaltierter Mädchen, nützte es klatschsüchtig aus, sie gegen-
einander auszuspielen, drängte sich als Tartüffe auch zwischen den
abwesenden Herder und seine Verlobte und mischte sich in Mercks
Eheprobleme (Brey = Leuchsenring, Würzkrämer = Merck, Leonora = Caroline Flachsland, Balandrino = Herder). Obwohl G. nur
leichte Anleihen seiner Figuren bei Lebenden zugestand (zu
C. Flachsland 9. 2. 1789), führte Herders Verstimmung über die
Parallelen zur Entfremdung, zumal als G. das Werk 1789 in die
Schriften aufnahm.

W. Scherer, Satyros und Brey, GJb 1, 1880; E. Castle, Pater Brey und Satyros, JGG 5,
1918; →Farcen.

Fatima (606–632). Die jüngste Tochter Mohammeds und Gattin
des 4. Kalifen Ali erscheint als Figur im Dramenfragment *Mahomet*
(1773) und wird im *Divan*-Gedicht *Auserwählte Frauen* sowie in der
Übersetzung von Voltaires *Mahomet* (I.) erwähnt.

Fauriel, Claude Charles (1772–1844). Mit der Sammlung *Chants populaires de la Grèce moderne* (II 1824 f.) des Pariser Philologen und Literarhistorikers beschäftigte sich G. am 6.–9. 7. 1824. Am 3.–16. 6. 1825 übersetzte G. daraus zwei neugriechische Volkslieder u. d. T. *Neugriechische Liebe-Skolien*. G. kannte auch die französischen Übersetzungen Fauriels von A. Manzonis *Adelchi* und *Il Conte di Carmagnola* (1823).

Faust. ENTSTEHUNG: G.s Arbeit an seinem Hauptwerk erstreckt sich mit langen Unterbrechungen über sechs Jahrzehnte und spiegelt seine Gedankenwelt in verschiedenen Lebensepochen, ist aber nicht immer eindeutig rekonstruierbar. Er lernte den →Fauststoff schon in seiner Frankfurter Kindheit zuerst in Gestalt des Puppenspiels und dann als Jahrmarktsdruck wohl nach dem Faustbuch des →Christlich Meynenden kennen. Mit angeregt durch den Frankfurter Prozeß um die Kindsmörderin S. M. →Brandt, entstand zwischen Sommer 1773 und 1775 in noch unzusammenhängenden Szenen der sog. →*Urfaust* mit der Gelehrtentragödie, der Schülerszene und der erstmals im Fauststoff voll ausgebauten Gretchentragödie. Aus diesem Text las G. wiederholt in Weimar vor, und eine Abschrift dieser ersten, vernichteten Fassung durch Louise von Göchhausen um 1776/1786 wurde 1887 entdeckt und herausgegeben. Seit G.s Übersiedlung nach Weimar stockte die Arbeit jahrelang. Erst auf der Italienreise entstanden 1788 die Szenen »Hexenküche« und »Wald und Heide«. Um das Werk nicht länger zurückzuhalten, veröffentlichte G. 1790 eine glättende und ergänzende Bearbeitung (1789) bis zur Domszene u. d. T. *Faust. Ein Fragment.* Durch die Freundschaft mit Schiller und dessen Drängen wurde G. zur Weiterarbeit und gedanklichen Konsolidierung angeregt: Vom Juni 1797 bis 1806 entstanden nacheinander u. a. die »Zueignung« (24. 6. 1797), als übergeordneter Rahmen der »Prolog im Himmel« (1797?) und die Paktszene (1797) mit dem neuen, von der Tradition abweichenden Leitmotiv der Wette sowie die »Walpurgisnacht« (1798–1801). Am 22. 4. 1806 abgeschlossen, erschienen sie im Frühjahr 1808 als *Faust. Der Tragödie erster Teil.* Am 16.–20. 12. 1816 entwarf G. eine ausführliche Inhaltsangabe des ursprünglichen Plans zu *Faust II* zum Einschluß in *Dichtung und Wahrheit*, ließ sie jedoch 1824 auf Rat Eckermanns, der G. zur Vollendung der Dichtung drängte, dort weg, um sich die Möglichkeit eines Abschlusses offenzuhalten. Erst vom 25. 2. 1825 bis 22. 7. 1831 nahm G., nunmehr aus nachklassischer Sicht und systematisch die um 1800 entstandenen Bruchstücke des 2. Teils wieder auf und publizierte 1827 in Band 4 der Ausgabe letzter Hand den im Juni 1826 vollendeten Helena-Akt *Helena. Klassisch-romantische Phantasmagorie* und 1828 ebd. Band 12 mit *Faust I* die 1827 vollendeten Szenen am Kaiserhof aus *Faust II*. Die Vollendung des *Faust II* mit der »Klassischen Walpurgisnacht« (1829–30) und dem 4. und 5. Akt, dieses »Hauptgeschäft« (so zuerst Tagebuch 11. 2. 1826) seiner letzten Jahre, wurde am 22. 7. 1831 abgeschlossen und Mitte August zur Veröffentlichung nach seinem Tode versiegelt. *Faust II* erschien 1832 geschlossen in Band I der *Nachgelassenen Werke* (Band 41 der Ausgabe letzter Hand).

AUFFÜHRUNG: Eine Bühnenaufführung seiner Dichtung, wie er sie seit 1810 mit Riemer und seit 1812 mit P. A. Wolff plante, hat G. nie erlebt. Am 18. 2. 1816, 24. 5. 1819 und 7. 6. 1820 spielten Mitglieder des Berliner Theaters und der Hofgesellschaft jeweils einige Szenen aus *Faust I* unter der Leitung und mit der Musik des Fürsten Radziwill im Berliner Schloß Monbijou, ähnlich 1820 das Breslauer Theater. Am 19. 1. 1829 inszenierte E. A. F. Klingemann im Braunschweiger Hoftheater einen fast nur auf die Gretchen-tragödie zusammengestrichenen *Faust I*; es folgten, meist in der Bearbeitung L. Tiecks, am 8. 6. 1829 Hannover, 27. 8. 1829 Dresden und Frankfurt, 28. 8. 1829 Leipzig und am 29. 8. 1829 Weimar (ohne G.s Anwesenheit). 1849 spielte Dresden Teile von *Faust II*, Akt 1–3 in der Bearbeitung K. Gutzkows als *Der Raub der Helena.* Einen auf ein Fünftel zusammengestrichenen *Faust II* gab das Hamburger Schauspielhaus am 4. 4. 1854. Das Weimarer Hoftheater spielte erstmals 1849 Eckermanns Bearbeitung des 1. Akts von *Faust II* als *Faust am Hof des Kaisers,* und erst am 6./7. 5. 1876 wagte Otto Devrient dort eine zweitägige Gesamtaufführung von *Faust I/II.* Zu den Opernbearbeitungen und Vertonungen →Faust-Vertonungen.

HANDLUNG: (Aus einsichtigen Gründen können hier nur die Hauptzüge der vordergründigen Handlung zusammengefaßt werden). *Faust I:* Dem Stück voraus gehen die lyrische →»Zueignung« des Dichters und ein durch Kalidasas indisches Drama *Sakuntala* angeregtes, dialogisches →»Vorspiel auf dem Theater« zum Thema Kunst und Geschäft. Der vom Buch Hiob angeregte →»Prolog im Himmel« ist als Exposition des Rahmenthemas bereits unabdingbarer Bestandteil des Dramas, indem er durch die Wette zwischen Gott und Mephisto das irdische Geschehen um Faust zum Prüfstein für die Qualität der Schöpfung macht. Im Anfangsmonolog (»Nacht«) offenbart Faust das Ungenügen seiner Fähigkeiten und der traditionellen Wissenschaften für seinen unbedingten Erkenntnisdrang und daher seine Hinwendung zur Magie. Doch schon die Beschwörung des →Erdgeists weist ihn in seine Schranken. Diese Erfahrung und der pedantische Rationalismus des beschränkten Famulus →Wagner treiben den Verzweifelnden an den Rand des Freitods, von dem ihn nur der Klang der Osterglocken abhält. Der →Osterspaziergang (»Vor dem Tor«) verstärkt trotz der Hochachtung der Bürger Fausts Einsamkeit und sein Mißbehagen an der menschlichen Existenz und der eigenen Widersprüchlichkeit (»zwei Seelen …«). Im »Studierzimmer« entpuppt sich der mitgenommene, Faust schon bei der Bibelübersetzung auf Abwege führende Pudel als Mephistopheles. Das Angebot eines Paktes münzt Faust in

gnifikanter Abweichung von der Tradition in eine →Wette um,
aß alle Vergnügungsangebote und Ablenkungsversuche des Teufels
in nicht von seinem rastlosen, hohen Streben und seiner meta-
hysischen Unruhe zugunsten eines Augenblicksgenusses würden
blenken können. Die anschließende →Schülerszene, witzige Uni-
ersitätssatire, leitet bereits ins Erotische über. Die Luftreise in
»Auerbachs Keller« verfehlt ihre geplante Wirkung als Initiation
i das leichte Leben angesichts des lauten studentischen Stumpf-
inns. Fausts Verjüngungskur in der absurd-obszönen →»Hexen-
üche« jedoch entflammt seine sinnliche Begierde nach einem
rauenbild im Spiegel. Die erste Begegnung mit der natürlichen,
inschuldig-frommen →Gretchen auf der »Straße« veranlaßt Fausts
ücksichts- los-unbedingte Forderung an Mephisto, sie ihm zu ver-
chaffen. Der erste Versuch vermittels eines in Gretchens Zimmer
interlegten Schmuckkästchens (»Abend«) scheitert an der from-
nen Mutter, die es der Kirche übergibt (»Spaziergang«). Ein zwei-
es trägt Gretchen zur Nachbarin Marthe (»Der Nachbarin Haus«),
ei der sich Mephisto mit der Meldung vom Tod ihres Mannes ein-
chmeichelt, um Faust, wenn auch wider Willen (»Straße«), als Zeu-
ten für dessen Tod einzuführen. Die Szenen von »Garten« bis »Mar-
hens Garten« führen Faust und Gretchen zusammen, lassen in
aust jedoch statt der von Mephisto beabsichtigten Sexuallust eine
chte Liebe erwachen. Gleichzeitig aber bahnt sich durch die Inan-
pruchnahme Mephistos, zumal seines zur Verheimlichung der Zu-
ammenkünfte beigesteuerten, tödlich wirkenden Schlafmittels für
Gretchens Mutter, die Tragödie an, und Gretchen wird sich ihrer
Schuld und Not bewußt (»Am Brunnen«, »Zwinger«). Ihr Bruder
→Valentin, zu Schutz und Rache Gretchens herbeigeeilt, fällt durch
Mephistos Eingreifen im Duell mit Faust und verleumdet sterbend
die Schwester als Hure (»Nacht«). Schwanger und völlig vereinsamt,
ällt Gretchen in der →Domszene vor Verwirrung und Selbstvor-
vürfen in Ohnmacht (»Dom«). Faust, der als Mörder fliehen muß,
rlebt in der →»Walpurgisnacht« den Gegensatz von reiner Liebe
ind bloßer Geschlechtslust, erfährt erst nachträglich, daß Gretchen
ils Kindsmörderin eingekerkert ist (»Trüber Tag. Feld«), und eilt, sie
u retten. Doch hellsichtig und sinnverwirrt zugleich, lebt sie be-
eits in anderen Bereichen, entzieht sich der Macht des Bösen und
ibergibt sich dem Gericht Gottes (»Kerker«). Durch ihre Liebe, die
Fausts sinnliche Begierde zur Liebe läuterte und sein besseres Selbst
rweckte, wurde sie zur Gegenspielerin Mephistos, der die Gewalt
iber Faust zu verlieren drohte. Ihre selbstlose Liebe trägt am Schluß
on *Faust II* zu Fausts Rettung bei. – *Faust II*: I. Faust erwacht aus
einem Heilschlaf des Vergessens, tritt nunmehr in die politisch-
oziale Welt des Kaiserhofs, rettet mit Mephistos Hilfe durch Ein-
ührung des wahren Wert vortäuschenden Papiergeldes dessen
inanzen und veranstaltet als Bild der illusionären Scheinwelt ein
llegorisches Maskenspiel (→Mummenschanz, »Weitläufiger Saal«).

Nach einem Gang ins »Reich der →Mütter« als Hüterinnen de
Urbilder des Lebens beschwört er vor dem Kaiser und der Hofgesellschaft die Phantome von Paris und →Helena als Urbilder
menschlicher Schönheit. – II. Der zu Ehren gelangte Famulus Wagner erzeugt im Laboratorium in einer Phiole den künstlichen Menschen →Homunculus, Bild der Entelechie des Menschen, reine
Geistigkeit mit dem Verlangen, Körper und Dasein zu werden. Dieser geleitet die Figuren zur tiefgründig-gespenstischen →»Klassischen Walpurgisnacht« mit antiken Gestalten, Göttern, Fabelwesen
und Zwittergestalten, die in ein Fest des Eros und der Schönhei
mündet. In ihrem Verlauf macht sich Faust mit Hilfe des Kentaurs
→Chiron auf, Helena im Hades freizubitten. – III. Der Helena-Akt
macht aus der Sage, Mephisto habe Faust einen Teufel in Gestalt
Helenas als Beischläferin beigegeben, um ihn von Eheplänen abzulenken, etwas völlig Neues: Er gestaltet im symbolischen Bild die
Verbindung und wechselseitige Durchdringung von klassischer
Antike (Helena) und (romantischem) germanischem Mittelalter
(Faust). Ihrer beider Sohn →Euphorion, Verkörperung der Poesie
mit Zügen Lord →Byrons, stürzt beim genialischen Höhenflug zu
Tode, und mit ihm verschwinden Helena und das arkadische Gol-
dene Zeitalter eines fast zeitlosen, idealen Glücks. – IV. Nach einem
Neueinsatz in der sozialen Welt besiegt Faust mithilfe von Mephisto
bestellter Dämonen das Heer eines Gegenkaisers und erhält zum
Dank vom Kaiser einen Küstenstreifen Landes zu Lehen. –
V. Der Faust der Tat will aus dem Meeresboden durch Deichbau
und Entwässerung fruchtbares Land gewinnen und durch das
Kolonisationswerk tüchtigen Menschen zu einem sinnvollen Leben
verhelfen. Die friedlich-idyllische Hütte des alten Paars →Philemon
und Baucis, die seinen Plänen im Wege ist, wird von Mephistos
Helfern niedergebrannt. Fausts Mitschuld am Untergang der Alten
zeigt unverändert den moralisch skrupellosen Charakter des Han-
delnden; seine Absage an die Magie bleibt bloßer Wunsch. Auch der
etwa 100jährige Faust, von der →Sorge, die er zurückweist, mit
Blindheit geschlagen, treibt sein Werk voran und vermeint, noch im
Geräusch der Spaten, die unter Mephistos Anleitung sein Grab
schaufeln, die Arbeit seiner Fronknechte zu hören. Im Vorgefühl
künftigen Glücks einer freien und tätigen Gemeinschaft auf freiem
Grund malt er sich aus, wie er dann zum Augenblick sagen dürfte
»Verweile doch, du bist so schön!« Mephisto, in Grammatik, Antizi-
pationen und Konjunktivgebrauch erstaunlich unbewandert, glaubt
seine Wette dem Vertragswortlaut gemäß gewonnen und reklamier
Fausts Seele. Doch die Schlußszene in mittelalterlicher Bildersprache läßt dem, »der immer strebend sich bemüht«, die »Liebe
von oben« entgegenkommen, und die Engel entführen Fausts
Unsterbliches.

GEHALT UND FORM: Für die Wertung des *Faust* sind weniger die
verschiedenen weltanschaulichen Deutungsangebote als der litera-

sche Kunstwert entscheidend. Indem G. den im Streben und Wollen, in Scheitern und Schuld überdurchschnittlichen, titanischen Ausnahmemenschen der unermüdlichen Tätigkeit und der Sehnsucht ins Grenzenlose zum Mittelpunkt seines Dramas nimmt und ihm als Widerpart und Ansporn den naturgemäß zum Bösen neigenden, alles Höhere negierenden Mephisto zur Seite stellt, der alle Initiativen in sinnenhaften Lebensgenuß und Machtrausch umzubiegen versucht, entfesselt er ein Spiel von Kraft und Gegenkraft, das keine Entwicklung, keinen Fortschritt, sondern nur stets erneues Scheitern und erneute Enttäuschungen beider Seiten zuläßt. Auf einem Weg durch die Welt, vom Gelehrten über den Liebhaber Gretchens und Helenas, vom Kaiserhof zum Beherrscher neuen Landes, überschätzt Faust in seinem maßlosen Streben nach dem Unbedingten stets seine Kraft und muß schmerzlich die Grenzen seines Strebens anerkennen, ohne sie akzeptieren zu können. Doch am Ende zählt weder das Wollen noch das Gelingen, sondern nur das Nichtaufgeben auf der Suche nach dem Höheren. Entsprechend sind die einzelnen Handlungen und Szenen nicht Stufen einer kontinuierlichen Entwicklung, sondern nur symptomatische Beispiele. Sie können als Spiegel zur Abrundung des Weltganzen durchaus auch selbstwertig werden und kurz den Zusammenhang mit Fausts Weg außer Acht lassen. Die lockere Folge der Szenen und Akte mit wechselnden Figuren und abgeschlossenen Themenkreisen ergibt bei aller Zielstrebigkeit des Hauptthemas keinen herkömmlichen, unbedingt konsequenten dramatischen Aufbau, sondern ein Umkreisen des Themas in Fazettentechnik. Für die Zeitlosigkeit der Welt dieser Dichtung bezeichnend ist die Kombination von Themen, allegorisch verstandenen Figuren und Bildern aus christlicher Heilslehre, mittelalterlicher Dämonologie und klassischer Antike mit eigenen Mythenschöpfungen (Erdgeist), die symbolisch für abstrakte Kräfte eintreten. Über die symbolischen Szenen und die symbolische Bedeutung der realistischen Szenen hinaus bildet sich ein Zusammenhang der Leitsymbole selbst (wie Nacht, Licht, Fliegen, Wolke, Erde) über die ganze Dichtung hin. Der Vielschichtigkeit von Handlung und Symbolen entsprechen eine reiche Skala der Sprach- und Stilebenen (Altdeutsch, Magie, Liebe, Sex, Politik, Volkslied, Religion, christlicher Hymnik, Ironie und Sarkasmus) und eine Fülle der je nach Situation wechselnden Versformen (Prosa, Knittelvers, Vierheber, Blankvers, Madrigalvers, Trimeter, Alexandriner, lyrischer Kurzvers u. a.), die die Weltfülle des Werks und seine Perspektiven auch sprachlich nachgestalten.

    REZEPTION: Diese für eine Weltdichtung kongeniale, mosaikartige Kompositionstechnik besonders des *Faust II* wirkte nach der balladesken Gedrängtheit von *Faust I* auf die meisten Zeitgenossen zunächst befremdlich und brachte dem Werk nach anfänglichem Beifall der Großen den Ruf des Unverständlichen oder gar Abwegigen ein. Noch gravierender als die Ablehnung wurde die vor allem seit den Gründerjahren nach 1870 popularisierte patriotisch Mißdeutung Fausts als Idealbild des deutschen Wesens in seine Zielstrebigkeit und seinem von Fehlschlägen und Schuld unbeirr baren deutschen Sendungsbewußtsein. Chauvinistischer Miß brauch der Dichtung proklamierte das »Faustische« zum nationale Kennzeichen, als wären alle Deutschen Genies, und übersah gefliss sentlich Fausts unlautere Mittel, sein Scheitern und seine Ver strickung in Schuld. Erst der Zusammenbruch des deutsche Chauvinismus und Th. Manns Roman *Doktor Faustus* (1947) berei teten der Legende von der Entschuldbarkeit schuldhaften Streben ein Ende. Philologische Deutung und neue Besinnung auf di innerliterarischen Werte der Dichtung als Kunstwerk dauern a und führen in minuziösen Untersuchungen zu einem tieferen, un pathetischen Verständnis der Dichtung und ihres weltliterarische Ranges. Zur literarischen Nachwirkung →Fauststoff, zur künstleri schen →Faust-Illustration, zur musikalischen →Faust-Vertonunge

Kommentare von H. Düntzer, II 1850 u. ö.; J. Minor, II 1901; K. Fischer, IV 1902 f u. ö.; E. Traumann, II 1913 f.; A. Trendelenburg, II 1921 f.; T. Friedrich, 1932 u. ö R. Buchwald, 1942 u. ö.; E. Trunz, 1949 u. ö.; V. Errante, Florenz III 1951 f.; H. Aren II 1982–89; U. Gaier, 1989 ff.; A. Schöne, 1994.

O. Pniower, G.s F., 1899; E. Lichtenberger, Le F. de G., Paris 1911; J. Petersen, G.s F auf der deutschen Bühne, 1929; H. Hefele, G.s F., 1931; H. Rickert, G.s F., 1932 W. Krogmann, G.s Urfaust, 1933; K. May, F., II. Teil. In der Sprachform gedeutet, 193 u. ö.; D. Lohmeyer, F. und die Welt, 1940, erw. 1975; W. Emrich, Die Symbolik von F. II 1943 u. ö.; J. Pfeiffer, G.s F., 1946; B. v. Wiese, F. als Tragödie, 1946; W. Böhm, G.s F. i neuer Deutung, 1949; H. Schneider, Urfaust?, 1949; A. Gramsch, G.s F., 1949; A. Daur F. und der Teufel, 1950; H. Jantz, G's F. as a Renaissance man, Princeton 1951 B. Fairley, G's F., Oxf. 1953 u. ö.; A. Gillies, G's F., Oxford 1957; S. Atkins, G's F Cambridge/Mass. 1958; G. Diener, F.s Weg zu Helena, 1961; H. Schwerte, F. und da Faustische, 1962; F. Strich, G.s F., 1964; R. Petsch, Esage und F.dichtung, 1966; W. Strei cher, Die dramatische Einheit von G.s F., 1966; H. Henning, F.-Bibliographie, V 1966–76; E. C. Mason, G's F., Berkeley 1967; K. Mommsen, Natur- und Fabelreich i F. II, 1968; H. Meyer, Diese sehr ernsten Scherze, 1970; H. Reske, F., 1971; P. Salm, Th poem as plant, Cleveland 1971; P. Requadt, G.s F. I, 1972; J. Müller, Zur Motivstruktu von G.s F., 1972; L. Dieckmann, G's F., Englewood Cliffs 1972; A. Fuchs, Le F. de G. Paris 1973; Aufsätze zu G.s F I, hg. W. Keller 1974 u. ö.; A. P. Cottrell, G's F., Chapel Hil 1976; H. Jantz, The form of F., Baltimore 1978; H. Hamm, G.s F., 1978 u. ö.; W. Kelle und V. Lange, F., in: G.s Dramen, hg. W. Hinderer 1980; J. Gearey, G's F. The making o part 1, New Haven 1981; H. Schlaffer, F. 2. Teil, 1981; R. Eppelsheimer, G.s F., 1982 F. Oberkogler, G.s F., II 1982; R. Scholz, Die beschädigte Seele des großen Manne 1982 u. ö.; R. Scholz, G.s F. in der wissenschaftlichen Interpretation, 1983 u. ö. J. Kruse, Der Tanz der Zeichen, 1985; E. v. Zezschwitz, Komödienperspektive in G. F. I, 1985; J. K. Brown, G's F., Ithaca 1986; N. Boyle, G. Faust Part I, Cambridge 1987 J. R. Williams, G's F., London 1987; Approaches to teaching G's F., hg. D. J. McMillan New York 1987; J. K. Brown, F.: theater of the world, New York 1992; J. Gearey, G' other F.: the drama, part II, Toronto 1992; R. Sudau, J. W. G.: F. I/II, 1993; T. Zabka F. II, das Klassische und das Romantische, 1993; M. Ciupke, Des Geklimpers vielver worrner Töne Rausch. Die metrische Gestaltung in G.s F., 1994; Interpreting G's F today, hg. J. K. Brown, Columbia 1994; J. Pelikan, F. the theologian, New Haven 1995 F., hg. F. Möbus 1995; →Urfaust.

Faust, Georg (in der Sage: Johann, erst bei G., *Faust* v. 4610: Hein-rich; um 1480–um 1540). Der 1506–um 1539 urkundlich nach-gewiesene historische Faust war ein unehelicher Bauernsohn au Knittlingen bei Maulbronn (nicht Roda bei Weimar, wie im *Faust buch*), der Halbgelehrter in den Modewissenschaften der Zei wurde und seit 1506 an verschiedenen Orten als Magier, Astrologe, Alchemist, Nekromant, Chiromant, Quacksalber und Gauner auftrat. 1506 ist er in Gelnhausen und Würzburg bezeugt, 1507 wurde er auf Empfehlung Franz von Sickingens Schulmeister in Kreuznach, wo er wegen Päderastie verurteilt wurde und floh, 1513 erschien er in Erfurt, 1520 in Bamberg, wo Bischof Georg III. ihm für ein Horoskop 10 Gulden zahlte. 1528 wurde er als Wahrsager aus Ingolstadt, 1532 wegen Sodomie aus Nürnberg ausgewiesen. Melanchthon erwähnt seinen Aufenthalt in Wittenberg, mit dem ihn die Überlieferung eng verbindet, Luther nennt ihn in den Tischreden, doch wird seine Figur durch Sagenbildung schon zu Lebzeiten unscharf. Da er nach 1540 nicht mehr als lebend erwähnt wird, starb er wohl um 1540 in Staufen i. Br. Zwielichtiger, dämonisch wirkender Außenseiter und Scharlatan, wird er zum Kristallisationspunkt zahlreicher Magier- und Teufelsbündlersagen, und ihm werden bald das Studium der Magie in Krakau, Weinzauber und Faßreiten, Geisterbeschwörung homerischer Gestalten, Prophezeiungen, Flugversuche u. ä. nachgesagt. →Faustbuch, →Fauststoff.

C. Kiesewetter, F. in der Geschichte und Tradition, 1893, II 1921 u. ö.; R. Petsch, Der historische Doctor F., GRM 2, 1910; H. G. Meek, Johann F., London 1930; P. M. Palmer, R. P. Morse, The sources of the F.tradition, New York 1936; H. Henning, F. als historische Gestalt, Goethe 21, 1959; H. Birven, Der historische Doktor F., 1963; H. W. Holesovsky, Heinrich F., JFDH 1978; G. Mahal, F., 1980; F. Baron, Faustus, 1982; Der historische F., hg. G. Mahal 1982; G. Mahal, F. Und F., 1997.

Faustbuch. *Historia von D. Johann Fausten.* Das anonyme Volksbuch, das der Frankfurter Drucker Johann Spies (oder Spieß) 1587 und erweitert 1589 herausbrachte, bekundete seinen Erfolg, indem noch im gleichen Jahr fünf weitere und bis zum Jahrhundertende 22 Drucke erschienen. Es verdankt seine Berühmtheit jedoch nicht seinem fraglichen literarischen Kunstwert, sondern dem für Spies' verlegerisches Spürsinn sprechenden Umstand, daß es die erste gedruckte Fassung des →Fauststoffes ist. Formal ungeschickt, versucht es eine weder stilistisch noch inhaltlich integrierte Kompilation aller erreichbaren, mündlich und schriftlich umlaufenden Nachrichten und Überlieferungen über Georg (bzw. Johann) →Faust aus verschiedenen Quellen, die teils auch nur leicht variiert mehrfach wiederholt werden. Sein unbekannter Verfasser schreibt aus der Sicht orthodoxer protestantischer Geistlichkeit, die vor einem schrankenlosen, teuflischen Wissensdrang warnt und die Folgen unnützen Forschens, maßlosen Spekulierens und vermessener Hybris vor Augen führt: Der Mensch solle die von Gott seiner Erkenntnis gesetzten Grenzen nicht überschreiten, da Wissen und Vernunft den Glauben zerstören und von Gott ablenken. Dem moralisierenden Predigtstil der Ermahnungen stehen allerdings die kommentarlos und mit offenkundiger Erzählfreude berichteten volkstümlichen Magier-Anekdoten gegenüber, die ein rein addierendes biographisches Schema ohne Entwicklung der Figur erfüllen: Auf Nachrichten über Herkunft, Studien, Teufelspakt, Liebesverbot und zahlreiche Dispute folgen Fausts Abenteuer als Astrologe u. a., seine kosmischen und Weltreisen, dann banale Schwänke und Anekdoten über den Zauberer und Schwarzkünstler und schließlich seine Reue, Wehklage und sein böses Ende. Das Faustbuch enthält zwar alle wichtigen Handlungselemente bis hin zu den Verbindungen mit Helena, dem Sohn, dem Famulus Wagner und dem Kaiserhof, befriedigt aber nur rein stoffliches Interesse und umgeht die eigentliche, interne Problematik »faustischen« Strebens. G. kannte den Text nicht im Original, sondern nur aus späteren Bearbeitungen in weiteren Faustbüchern. Dazu und zur Nachwirkung vgl. →Fauststoff.

R. Petsch, Die Entstehung des Volksbuches vom Doktor Faust, GRM 3, 1911; G. Milchsack, F. und Faustsage, in ders., Ges. Aufsätze, 1922; H. Henning, Das F. von 1587, WB 6, 1960; H. Häuser, Zur Verfasserfrage des F., Euph 66, 1972; U. Herzog, Faustus, WW 27, 1977; M. de Huszar Allen, The reception of the »Historie von D. Johann Fausten«, GQ 59, 1986; Die »Historia von D. Johann Fausten«. Symposium, hg. G. Mahal 1989; Das F. von 1587, hg. R. Auernheimer 1991; F. Baron, Faustus on trial, 1992.

Faust-Illustration. G.s Faustdichtung und seine eigenen sieben Zeichnungen dazu boten vor allem deutschen Künstlern (und französischen Romantikern) Anreiz zur künstlerischen Auseinandersetzung mit der Dichtung entweder als Illustration in Textausgaben oder als separat veröffentlichte Illustrationsfolge in verschiedenen graphischen Techniken; seltener sind Gemälde oder Gemäldezyklen (G. H. Naeke, »Faust und Gretchen« 1815; F. L. Schnorr von Carolsfeld 1816–18; C. G. Carus 1821; F. G. Kersting 1829; T. M. von Holst um 1830; A. Scheffer 1830 ff.; J. Tissot 1860; E. Munch um 1932). Die bekanntesten Illustrationen sind in chronologischer Folge:

C. F. Osiander 1808 (Cotta); V. R. Grüner 1810 (Umrißstich zum Wiener Nachdruck von G.s Werken Bd. I); P. →Cornelius, *Bilder zu G.s Faust* 1816 (rd. 50 Federzeichnungen und Stiche); M. →Retzsch, *Umrisse zu G.s Faust* 1816 (12 Blatt, 1834: 29 Blatt); J. H. →Ramberg 1820 ff.; L. G. C. →Nauwerck 1826; E. →Delacroix 1828 (12 Lithographien zur französischen Prachtausgabe; T. Johannot 1847; L. Richter, *G.-Album* 1856; W. von Kaulbach, *G.-Gallerie* 1857–64; G. →Nehrlich 1864; G. Max 1879; H. Wildermann, *Faust-Wirklichkeiten* 1920; E. Barlach 1923 (20 Holzschnitte zur Walpurgisnacht; M. Slevogt 1925–27 (510 Kreidelithographien zu *Faust II*); W. Klemm 1930 (12 Linolschnitte zu *Faust II*) und 1949 (12 Lithographien zu *Faust I*); C. Felixmüller 1932; M. Beckmann 1944 (143 Federzeichnungen zu *Faust II*, Druck 1970); F. Cremer, *Walpurgisnacht* 1948; W. Neufeld um 1950; J. Hegenbarth 1961.

A. Tille, The artistic treatment of the Faust legend, PEGS 7, 1893; W. F. Storck, G.s Faust und die bildende Kunst, 1911; R. Payer von Thurn, Faust im Bilde, ChWGV 30/32, 1919; M. v. Boehn, Faust und die Kunst, in G.: Faust, 1924 u. ö.; F. Neubert, Vom Doctor Faust zu G.s Faust, 1932; W. Wegner, Die Faust-Darstellung vom 16. Jahrhundert bis zur Gegenwart, Amsterdam 1962; A. Märkisch, Deutsche Illustrationen zu G.s Faust, in: Bildende Kunst, 1965; K. Theens, Faust in der bildenden Kunst, 1966; Faust in der Malerei, hg. H. Henning 1969; G. in der Kunst des 20. Jahrhunderts, hg. D. Lüders 1982; U. Zeuner, Illustrierte Faust-Ausgaben in der DDR, Marginalien 95, 1984;

R. Salter, Illustrative approaches to G's Faust, GYb 4, 1988; Faustbilder, Katalog Düsseldorf 1990; P. W. Guenther, Concerning illustrations to G's Faust, in: The age of G. oday, hg. G. B. Pickar 1990; F. Forster-Hahn, A hero for all seasons?, Zeitschrift für Kunstgeschichte 53, 1990.

Faustina (Faustine). Die große Crux der erotisch interessierten G.-Biographen: G. nennt den (angeblichen) Namen seiner römischen Geliebten von 1788 im 4. *Venetianischen Epigramm* (1790, Druck 1795) und, vielleicht von dorther übernommen, in der Druckfassung (1795) der 18. *Römischen Elegie*, wo im Manuskript von 1788/90 nur »mein Mädchen« stand. Er schilderte die Zusammenkünfte mit ihr in der Osteria alla Campagna ohne Namensangabe im Gespräch mit W. Zahn vom 8.–10. 9. 1827. Der Biographenfleiß des römischen Journalisten A. Valeri entdeckte in römischen Akten in G.s Nachbarschaft eine 1764 geborene Faustina di Giovanni, Tochter des Wirts Agostino di Giovanni, 1784 Ehefrau des Domenico Antonini, der angeblich schon 1784 starb. Neue Nachforschungen F. Sattas in den Archiven ergaben jedoch, daß nicht ihr Mann, sondern sie selbst 1784 starb, was das vermutete Verhältnis mit G. doch sehr in Frage stellt. Unter diesen Umständen bleibt F. weiterhin, wie schon bei den römischen Elegikern der Brauch, Deckname für eine andere, zur Verzweiflung der Biographen nicht identifizierbare Geliebte oder für Christiane Vulpius, auf die sich die *Römischen Elegien* z. T. beziehen.

Carletta (d. i. A. Valeri), G. a Roma, Rom 1899; Th. Siebs, F., GJb 12, 1926; W. Ross, Liebeserfüllung, Arcadia 24, 1989; F. Satta/R. Zapperi, G.s F., GJb 113, 1996.

Fauststoff. Ein Überblick über die wichtigsten (epischen und dramatischen) literarischen Behandlungen des Fauststoffs vor wie nach G.s *Faust* weist einerseits G.s mögliche Quellen und andererseits die Rezeption und Nachwirkung seiner Dichtung bei späteren Schriftstellern auf. Die historische Figur des Georg →Faust wäre an sich von geringem Interesse, wäre sie nicht schon zu Lebzeiten Sammelpunkt umlaufender Magiersagen geworden. Erst durch die Verbindung dieser Figur mit dem schon im Mittelalter (Simon Magus, Robert Diabolus, Cyprian, Theophilus, Cenodoxus) verbreiteteten Motiv des Teufelspaktes entsteht der eigentümliche Fauststoff, der seinerseits wieder durch zahlreiche Episoden, Anekdoten, Schwänke und Einzelzüge angereichert wird. Aus dem Zeitgeist von Renaissance und Humanismus gewinnt der Stoffkomplex dann seine historische und eigenartige Bedeutung durch die Verbindung mit einer zunächst zeittypischen, dann aber auch vorausweisenden Motivation: nicht bloße Abenteuerlust, sondern Erkenntnisdrang, Wissensdurst auch über die Grenzen menschlicher Erkenntnisfähigkeit hinaus, aber auch Ehrgeiz, wissenschaftlicher Hochmut und Machtgier des Intellektuellen geben dem Stoffkomplex erst seine überzeitliche Bedeutung. Allein G. macht den Stoff durch die Frage nach der Qualität der Schöpfung zur Weltdichtung.

Die frühesten Behandlungen des Fauststoffs sind eine vermutete lateinische Biographie (um 1575), deren erweiterte deutsche Bearbeitung (um 1580) wohl in der Wolfenbüttler Handschrift (1582/86) vorliegt und gleichzeitig direkt zum teils mit ihr identischen →Faustbuch von 1587 führt. Diesem schloß sich als Fortsetzung rasch ein *Leben Christoph Wagners* (1593) mit dessen Zaubereien in Amerika an. Dem Faustbuch folgen drei unterschiedliche Bearbeitungen. Die aufgeschwemmte, philiströse Fassung von Georg Rudolf Widmann (1599) zieht weitere Quellen heran, drängt das Erotische zugunsten von Daten und breiten moralischen Betrachtungen und Gesprächen über den Gelehrtenhochmut zurück und bringt erstmals das Motiv vom Teufel als Hund. 1674 folgt die weiter vermehrte, stoffreiche, aber engstirnige Fassung des Nürnberger Arztes Johann Nicolaus Pfitzer, die mit dem Motiv von Fausts Liebe zu »einer schönen, doch armen Magd« aus der Nachbarschaft die Keimzelle der Gretchen-Tragödie liefert. Dem Geschmack des 18. Jahrhunderts kam die stark kürzende Bearbeitung des →Christlich Meynenden (1725) entgegen, die den Gang der Handlung durch Weglassung der breiten Moralpredigten strafft, aber vom stürmischen Forscherdrang wenig übrig läßt. Seine Version bildete die Grundlage für zahlreiche billige Jahrmarktsdrucke, durch die G. den Stoff kennenlernte.

Ein anderer Überlieferungsweg geht über England, wo Spies' Faustbuch vielleicht schon 1589, spätestens 1592 englisch erschien. Christopher Marlowe ordnet in seiner vor 1593 geschriebenen Tragödie *The Tragicall History of D. Faustus* (1604) die Motive des Faustbuchs einem dialektischen Wechsel von Gut und Böse, Tragik und Komik zu. Mit dem sicheren Griff des Dramatikers beginnt er, nach Andeutungen im Faustbuch wegweisend, mit einem Eingangsmonolog Fausts im Studierzimmer als Musterung der unbefriedigenden Fakultäten und verheimlicht kaum seine Sympathie mit Fausts unerschrockenem, titanischem Wissensdrang. Diese Bühnenversion, die G. erst am 11. 6. 1818 in der Übersetzung W. Müllers las, gelangt mit den Englischen Komödianten nach Deutschland (1. bezeugte Aufführung in Graz 1608), wird für das Repertoire der Wanderbühnen beliebig zum Spektakel- und Zauberstück entstellt, auch als Volksschauspiel u. a. noch 1768 in Leipzig und 1770 in Straßburg gespielt, doch ist G.s Besuch der Vorstellungen nicht belegbar. Zuerst in England findet der Fauststoff den Weg zur Bühnenfarce (William Mountfort, *The Life and Death of Doctor Faustus*, 1684; J. Thurmond, *Harlequin Doctor Faustus*, 1724) oder zur Satire (A. Hamilton, *L'enchanteur Faustus*, entstanden um 1700), und in Wien stellt J. Stranitzky (*Leben und Tod Fausts*, 1715) dem Helden als parodistisches Gegenbild den Hanswurst gegenüber. Mit der Verdrängung des volkstümlichen Dramas durch Gottsched sinkt der Stoff zum Puppenspiel (seit 1746 bezeugt) ab. Von ihm sah der junge G. in Frankfurt eine nicht identifizierbare Fassung, die der

1844 von K. Simrock rekonstruierten synthetischen Fassung nahegestanden haben mag.

Erst der Aufklärung kann Fausts Erkenntnisdrang und Wahrheitsstreben wieder als wertvoll und Faust daher als rettenswert erscheinen. Lessing rechtfertigt sein *Faust*-Fragment im 17. Literaturbrief (1759): »Die Gottheit hat dem Menschen nicht den edelsten Trieb gegeben, um ihn ewig unglücklich zu machen«, und Paul Weidmanns *Johann Faust* (1775) mündet ins Besserungsstück. Der Sturm und Drang dagegen betont eher den unbändigen Titanentrotz des dämonisch sich auslebenden Genies in einer restriktiven Umwelt (Maler Müller, *Situation aus Fausts Leben*, 1776, und *Fausts Leben dramatisiert*, Fragment 1778; J. M. R. Lenz, *Die Höllenrichter*, Fragment 1777; F. M. Klinger, *Fausts Leben, Taten und Höllenfahrt*, Roman, 1791). In den Jahren von G.s Veröffentlichung des Fragments (1790) bis zum *Faust. Erster Teil* (1808) greifen nur Dramatiker geringeren Rangs nach dem Stoff, so J. F. Schink mit sechs Stücken (1778–1804) und Graf J. H. von Soden (1797). Andere versuchen meist zeitkritische Fortsetzungen: C. C. L. Schöne 1823, G. Pfizer 1831, K. Rosenkranz 1831, später F. Reinhard 1848. L. Tiecks Lustspiel *Anti-Faust* (1801) warnt bereits vor einer Faust-Inflation. Eine Gruppe handfester Gebrauchsstücke distanziert sich von den hohen weltanschaulichen Implikationen des Stoffes (E. A. Klingemann, 1815; J. von Voss, 1823; K. von Holtei, 1829). Romantik und Biedermeier sehen in Faust die Verkörperung von Nihilismus, Ennui, Lebens- und Erkenntnisekel (A. von Chamisso, 1804; F. Grillparzer, Fragment 1811; A. Puschkin, 1826; Ch. D. Grabbe, *Don Juan und Faust*, 1829; L. Bechstein 1833; N. Lenau, Epos 1836).

Selbst die Vollendung von G.s *Faust* (1832), der den Stoff zur Weltdichtung von Schuld, Verstrickung und Erlösung vor einem höheren Tribunal erhebt, entmutigt anscheinend nicht das Heer der kleinen Stoffschreiber, die in schöner Regelmäßigkeit alljährlich 1–2 neue und ebenso rasch vergessene Bearbeitungen oder Fortsetzungen publizieren (J. D. Hoffmann, 1833; K. J. Braun von Braunthal, 1835; L. H. Wolfram, 1839; M. Solitaire, 1842; F. Reinhard, 1848; D. Kalisch, 1853; A. Müller, 1869; F. L. Stolte, 1870; W. S. Gilbert, *Gretchen*, 1879; K. A. Linde, 1887; H. Schilf, 1891; F. Fellner, 1902; G. Heym, 1911; F. Avenarius, 1919 u. a. m.). Unter ihnen ragen nur Heines Tanzpoem (1851), Turgenevs Briefnovelle (1856) und F. T. Vischers Parodie *Faust. Der Tragödie dritter Teil* (1862) heraus. Im 20. Jahrhundert bildet Th. Manns *Doktor Faustus* (1947) den Gipfel der Faust-Rezeption, wenn er alle Themen und Motive der Tradition bündelt und in kunstvoller Stufung mit deutschem Wesen und deutschem Schicksal ineins sieht. Die Verbindung der Faustthematik mit Problemen des Sozialismus wie in H. Eislers Opernlibretto (1952) oder V. Brauns *Hinze und Kunze* (1975) dagegen bleibt zeitbedingt, W. Schwabs *Faust* (1994) eine Karikatur. G. Ernsts *Faust* (1995) gleitet in das Theater der Grausamkeit über.

Als charakteristisch für die Faustdichtungen des 20. Jahrhunderts dagegen mag die Internationalisierung des Stoffes gelten, indem Probleme, Konflikte, Themen oder Einzelzüge des Stoffkomplexes unter namentlicher Berufung auf Faust in ausländischem Milieu Widerspiegelung finden. Beispiele zugleich für die weltweite Adaption sind etwa A. L. Lunacarskij, *Faust und die Stadt*, 1908; A. D. Ficke, *Mr. Faust*, 1913; M. de Ghelderode, *La mort du docteur Faust*, 1926; F. Pessoa, *Primeiro Faust*, 1934; D. Sayers, *The devil to pay*, 1939; P. Valéry, *Mon Faust*, 1941–45; D. Thomas, *The doctor and the devils*, 1955; A. Borrow, *John Faust*, 1958; J. Kerouac, *Doctor Sax*, 1959; J. Evelyn, *The Tragedy of Faust*, 1959; J. Tardieu, *Faust et Yorick*, 1959; I. A. Richards, *Tomorrow morning, Faustus*, 1962; L. Durrell, *An Irish Faust*, 1963; K. Becsi, *Faust in Moskau*, 1963; M. Bulgakov, *Der Meister und Margarita*, 1966; T. Landolfi, *Faust 67*, 1969; V. Havel, *Versuchung (Pokouseni)*, 1986 und R. Ciullis *Pinocchio/Faust*, 1997. →Faust-Vertonungen, →Faust-Illustrationen.

V. Errante, Il mito di Faust, Bologna 1924; R. Petsch, Faustsage und Faustdichtung, in ders., Gehalt und Form, 1925, separat 1966; P. Saintyves, La légende du docteur Faust, Paris 1926; A. Kippenberg, Die Faustsage und ihr Übergang in die Dichtung, JbSKipp 6, 1926; G. Bianquis, Faust à travers quatre siècles, Paris 1935 u. ö.; P. M. Palmer/R. P. More, Sources of the Faust tradition, New York 1936; J. Petersen, Faustdichtungen nach G., DVJ 14, 1936; K. Theens, Doktor Johann Faust, 1948; E. M. Butler, The fortunes of Faust, Cambridge 1952 u. ö.; Ch. Dédéyan, Le thème de Faust dans la littérature européenne, Paris VI 1954–67; H. Schwerte, Faust und das Faustische, 1962; H. Henning, Faust in 5 Jahrhunderten, 1963; Faust im 20. Jahrhundert, hg. H. Birven 1964; H. Henning, Faustbibliographie, V 1966–76; G. Hendel, Von der deutschen Volkssage zu G.s Faust, 1967 u. ö.; A. Dabezies, Visages de Faust au XXe siècle, Paris 1967; ders., Le mythe de Faust, Paris 1972; K. Adel, Die Faustdichtung in Österreich, 1971; Ansichten zu Faust, hg. G. Mahal 1973; J. W. Smeed, Faust in literature, Oxford 1975; H. Hartmann, Faustgestalt, Faustsage, Faustdichtung, 1979; F. Baron, Faustus, 1982; M. de Huszar Allen, The Faust legend, 1986; D. Vietor-Engländer, Faust in der DDR, 1987; Our Faust?, hg. R. Grimm, Madison 1987; G. Eversberg, Doctor Johann Faust, Diss. Köln 1988; A. Hoelzel, The paradoxical quest, 1988; W. E. Grim, The Faust legend in music and literature, Lewiston II 1988–92; G. Thinès, Le mythe de Faust, Paris 1989; 400 Jahre Faust, hg. P. Boerner 1989; K.-H. Hucke, Figuren der Unruhe, 1992; M. v. Engelhardt, Der plutonische Faust, 1992; H. G. Haile, Faust als nationales Symbol, ZDP 111, 1992; H. Henning, Faust-Variationen, 1993; N. Brough, New perspectives on Faust, 1994; F. Mies, Faust ou l'autre en question, Namur 1994; G. Kluge, Von Faust und vom Faustischen, in: 1945–1995. 50 Jahre deutschsprachiger Literatur in Aspekten, hg. G. P. Knapp, Amsterdam 1995.

Faust-Vertonungen. G.s Faustdichtung, selbst von Musik in Liedern und Chören durchsetzt, verlangt auch vom Atmosphärischen her nach Musik. G. selbst hätte sich Mozart gewünscht, dachte auch an Meyerbeer (zu Eckermann 12. 2. 1829), wandte sich aber zuerst an Zelter (18. 11. 1810), dann an Eberwein (1816), die sich überfordert fühlten. Die Dichtung hat dennoch von jeher starke Anziehungskraft auf Komponisten ausgeübt und hat in 200 Jahren eine fast unübersehbare Fülle von Vertonungen erfahren. Während die Opern mit den Textvorlagen der Libretti oft frei verfahren und teils auch das *Faustbuch*, das Puppenspiel, Ch. Marlowes Tragödie oder den *Urfaust* mit zugrundelegen, sind die Schauspielmusiken enger an den Text gebunden und umfassen meist Ouvertüren, Zwischenaktsmusiken sowie Vertonungen der Lieder und Chöre. Von den freien Tonwerken, die durch den *Faust* inspiriert wurden, schließen sich wiederum die Chorwerke, Oratorien, Kantaten und Szenenvertonungen meist enger an G.s Text an. Die bekanntesten sind in chronologischer Folge (Textdichter in Klammern):

OPERN: I. Walter (H. G. Schmieder) 1797; L. →Spohr (J. C. Bernard) 1813; P. A. Béancourt (M. E. G. Théaulon) 1827; A. Piccini (A. Béraud) 1828; L. A. Bertin 1831; M. de Pellaert 1834; P.-D. Hennebert 1835; L. Gordigiani (J. Poniatowski) 1836; W. M. Lutz 1855; A. d'Ennery 1858; Ch. Gounod (J. Barbier, M. Carré) 1859; A. Boito, *Mefistofele* 1868; F. Hervé, *Le petit Faust*, Parodie 1869; H. Zöllner 1887; A. Clément (E. Martin/H. Guibot) 1898; C. Kistler 1905; A. Brüggemann 1909; C. Terasse, *Faust en ménage,* Operette 1923; F. Busoni 1925; H. Reutter (L. Andersen) 1936, Neufassung 1955; H. Eisler 1955; N. V. Bentzon 1964; H. Pousseur, *Votre Faust,* Variable Phantasie (M. Butor) 1966; G. Manzoni 1989; Y. Höller 1989; L. Lombardi, *Faust, un travestimento* (E. Sanguineti) 1991; A. Schnittke, *Historia von D. Johann Faust* 1994 (J. Morgener, nach dem Faustbuch); R. Newman, Musical 1995.

BALLETTE: A. Adam (A. J.-J. Deshayes) 1833; G. Panizza (D. Ronzani) 1848; F. Hervé (F. Rongé) 1901; M. Béjart 1975 und 1993.

SCHAUSPIELMUSIKEN: J. F. Reichardt 1790; A. Fürst Radziwill 1816–35; I. von Seyfried um 1820; C. Kreutzer, *Lieder und Gesänge* 1820 und 1834; K. Eberwein 1829; P. J. von Lindpaintner 1832; J. Rietz 1835; L. Schloesser 1838; K. G. Reissiger 1849; J. Herbeck 1852; J. Hatton, *Faust and Marguerite* 1854; H. H. Pierson 1854; E. Lassen 1875; C. Hofmann um 1880; M. Zenger 1880–84; A. Bungert 1903; F. Weingartner 1908; M. von Schillings 1908; A. Diepenbrock 1918; B. Bardi um 1925; S. Lazzari 1925; F. Salmhofer um 1930; H. Simon 1932; M. Seiber 1949; B. Paumgartner 1933; H. F. Alnar 1944.

OUVERTÜREN: I. von Seyfried 1815; R. Wagner 1840; H. Hiller um 1850; Ö. von Mihalovich 1864; E. Mayer 1881.

CHÖRE, ORATORIEN, KANTATEN, SZENEN, SINFONIEN UND SINFONISCHE DICHTUNGEN: J. C. Kienlen, *Sieben Lieder* 1817; H. →Berlioz, *Huit scènes de Faust* 1829; R. Wagner, Op. 5, 1837; R. Schumann, *Szenen aus G.s Faust* 1844–53; H. →Berlioz, *La damnation de Faust* 1846; H. Cohen, *Marguérite et Faust* 1847; J. Grégoir, Kantate 1848; F. Liszt, *Eine Faustsymphonie* 1857; A. Rubinstein, *Faust, musikalisches Charakterbild* 1864; H. Litolff, Szenen 1864; J. van den Eeden, *Faust's laatste nacht* 1869; F. von Roda, Szenen 1872; Ö. von Mihalovich 1880; H. Schulz-Beuthen 1884; M. Puchat, *Euphorion* 1888; W. Berger, *Euphorion* 1899; C. Kistler, *Die Hexenküche* 1906; F. Dräseke, *Osterszene* 1906; K. von Wolfurt 1909; G. Mahler, *8. Symphonie* 1910; M. Dupré, *Faust et Hélène*, Kantate 1913; T. Streicher, *Szenen und Bilder* 1913; L. Boulanger, *Faust et Hélène* 1913; H. Ambrosius 1923; H. Schroeder, Kantate 1949; H. Stieber, *Faustkantate,* 1955; R. Stevenson, *A Faust Triptych,* 1960.

J. Simon, Faust in der Musik, 1906; E. Newman, Faust in music, in: Musical studies, London 1914; C. R. Hoechst, The Faust theme in dramatic music, Diss. Gettysburg 1916; R. Baetz, Schauspielmusiken zu G.s Faust, Diss. Leipzig 1924; H. J. Moser, G.s Dichtungen in der neueren Musik, JGG 17, 1931; G. Ferchault, Faust, une légende et ses musiciens, Paris 1948; H. J. Moser, G. und die Musik, 1949; R. Pascal, Four Fausts, GLL NS 10, 1956 f.; J. Cotti, Die Musik in G.s Faust, 1957; J. W. Kelly, The Faust legend in music, Diss. Evanston 1961; K. Theens, Faust in der Musik, Faust-Blätter, 1968; W. Aign/H. Fähnrich, Faust in der Musik, II 1975–78; K. Theens, Das Musikdrama Faust, 1982; S. R. Cerf, The Faust theme in 20th century opera, LiLi 66, 1987; A. Meier, Faustlibretti, 1990.

Feiern →Geburtstage, →Dienstjubiläum

Feiger Gedanken / bängliches Schwanken ... Die im Dezember 1776/Januar 1777 entstandene Arie ohne Titel aus dem Singspiel →*Lila* (1777), dort in der 1. und 2. Fassung im 3. Akt, in der 3. Fassung im 2. Akt, erschien zuerst ohne G.s Genehmigung im *Theater-Kalender auf das Jahr 1778*. Sie wurde über 35mal vertont, u. a. von J. Brahms für gemischten Chor.

Feinde →Gegner

Feldberg. Die höchste Erhebung im Taunus bestieg G. erstmals 1764 im Zuge seiner Wanderungen in der Umgebung Frankfurts zum Zeichnen nach der Natur (*Dichtung und Wahrheit* II,6).

Feldkirch. Die Stadt in Vorarlberg passierte G. am 2. 6. 1788 auf der Rückreise von Italien auf dem Weg von Vaduz bis Busach am Bodensee.

Felix. Als Figur in →*Wilhelm Meisters Lehrjahre* (1796) wird der junge, lebhafte Felix zunächst als vermeintlicher Sohn Lotharios und Aurelies eingeführt (IV,14). Erst sehr viel später enthüllt die alte Barbara Wilhelm (VII,8), Felix sei in Wirklichkeit sein leiblicher Sohn von der Schauspielerin Mariane, den sie zu Aurelie gebracht habe, was der Abbé bestätigt (VII,9). In →*Wilhelm Meisters Wanderjahren* (1821) wird Felix zu einer der Hauptfiguren als Begleiter auf der Wanderschaft Wilhelms, der damit in seine Vaterrolle hineinwächst, dem Lernwilligen in der Pädagogischen Provinz eine planmäßige Erziehung zukommen und ihn zum praktischen Beruf eines Pferdezüchters ausbilden läßt. Felix' Liebe zu Hersilie, seine Flucht aus dem Hause, sein Sturz ins Wasser und seine Rettung durch den zufällig vorbeikommenden Vater (III,18) sind Kernpunkte der Romanhandlung.

M. Jabs-Kriegsmann, F. und Hersilie, in: Studien zu G.s Alterswerken, hg. E. Trunz 1971; F. Derré, Die Beziehungen zwischen F., Hersilie und Wilhelm, GJb 94, 1977.

Fellenberg, Philipp Emanuel von (1771–1844). Der Schweizer Landwirt und Sozialpädagoge errichtete 1799 auf dem Gut Hofwyl bei Bern eine berühmte Erziehungsanstalt für alle Altersstufen nach den Grundsätzen Pestalozzis. Bevor und nachdem im März 1817 Carl Augusts natürlicher Sohn Carl Wolfgang von Heygendorff (und 1818 ein zweiter Sohn) dort aufgenommen wurde, unterrichtete sich G. genau über die Einrichtungen und Erziehungsgrundsätze: durch Erkundigungen H. Meyers, die er am 13. 9. 1816 erbat, durch den Besuch des dortigen Lehrers Christian Lippe am 14. 2. 1817 (*Tag- und Jahreshefte* 1817), durch Korrespondenz mit Fellenberg seit 28. 3. 1817 und dessen Broschüre, durch den Bericht des den Sohn begleitenden Arztes Rehbein am 15. 4. 1817, durch Carl Augusts mehrtägigen Besuch in der Anstalt im Sommer 1817, durch Gespräche mit dem Grafen Capo d'Istria in Karlsbad am 17. 8.–18. 9. 1818 und dessen Schrift darüber (1815) und durch den Besuch von Fellenbergs Sohn Wilhelm (1800–1880) am 9. und 19. 9. 1820 (*Tag- und Jahreshefte* 1820). G.s Interesse ist verständlich: Die Anstalt gab ihm Anregung und ein frei abgewandeltes Vorbild für seine Schilderung der →Pädagogischen Provinz in *Wilhelm Meisters Wanderjahre* (II, 1–2 und 8), die im November/Dezember 1820 entstand.

K. Guggisberg, P. E. v. F. und sein Erziehungsstaat, II 1953.

Fels-Weihegesang. Die im Mai 1772 entstandene Darmstädter Ode in Freien Rhythmen und dem Klopstock-Stil der Darmstädter Empfindsamen wurde zu G.s Lebzeiten nicht in die Werkausgaben aufgenommen und ist nur in K. Wagners Ausgabe der *Briefe an J. H. Merck* (1835) überliefert. Sie ist »Psyche«, d. h. Herders Braut Caroline Flachsland, gewidmet, die sich in Darmstadt nach ihrem Bräutigam in Bückeburg sehnte und einen Hügel zu seinem Gedenken wählte. Nach ihrem Brief an Herder von Ende April 1772 hatte auch G. sich einen Felsen zugeeignet und ihm seinen Namen eingehauen. Herder reagierte am 6. 6. 1772 mit einem Briefgedicht sauer auf den »irren Götzenpriester«, der mit »frecher Hand« dem Felsen seinen Namen aufzwang, und G. konterte am 10. 7. 1772 »aufgebracht« mit einem »intoleranten Pfaffen«, ohne daß dieser Meinungsaustausch das Verhältnis weiter belastet hätte.

Fénelon, François de Salignac de la Mothe (1651–1715). Den klassischen Erziehungs- und Bildungsroman des 18. Jahrhunderts, *Les aventures de Télémaque* (1699) des französischen Erzbischofs, las der junge G. um 1765 in Frankfurt zuerst in B. Neukirchs Versübersetzung (1727–39) und berichtet von dessen »frommem sittlichem Effekt« und der »gar süßen und wohltätigen Wirkung« (*Dichtung und Wahrheit* I, 1–2). Selbst *Hanswursts Hochzeit* (v. 18) erkennt die erzieherische Bedeutung des Werkes an, und im Brief an Cornelia vom 27. 9. 1766 wendet sich G. gegen den Mißbrauch des Werkes für den Französischunterricht.

Feradeddin und Kolaila. G.s Plan einer orientalischen Oper nach einer orientalischen Erzählung (Tagebuch 18. 1. und 12. 4.

1815, 8. 2. 1816), in der ein Maler die geliebte Sängerin durch List aus dem Harem befreien kann, gedieh über einige Bruchstücke nicht hinaus (*Tag- und Jahreshefte* 1816).

M. Morris, G.s Opernentwurf F. u. K., Euph 14, 1907.

Ferdinand. Don Fernando de Toledo, der illegitime Sohn Herzog →Albas, war in Wirklichkeit dem Wesen seines Vaters näher als die Figur in →*Egmont*, doch sind seine Freundschaft mit Egmont und seine vergebliche Warnung Egmonts vor dem Vater historisch. Durch die Härte Albas muß er hilflos dem Untergang seines Idols zusehen, doch bereitet es Egmont Genugtuung, im neugefundenen Freund einen Teil seines Wesens im innersten Lager des Feindes weiterleben zu sehen. So kann er ihm Klärchen, von deren Tod er nichts weiß, anvertrauen.

Ferdinand. Die Hauptfigur der titellosen sog. Ferdinand-Novelle in den →*Unterhaltungen deutscher Ausgewanderten* findet in dieser moralischen Erzählung, allerdings auffallenderweise mehr durch Umstände und Umwelt als durch eigenes Zutun, den Weg zur sittlichen Wendung und zum Glück.

H. Brandt, Entsagung und Französische Revolution, in: Deutsche Klassik und Revolution, hg. P. Chiarini, Rom 1981, auch in Impulse 6, 1983.

Ferdausi →Firdusi

Fernando. Der Offizier in →*Stella* (1776) setzt die Reihe der wankelmütig-treulosen Liebhaber in G.s Dramen (Weislingen, Clavigo) fort und verkörpert mit autobiographischen Zügen in seinem Hin und Her zwischen zwei geliebten Frauen die Unbeständigkeit des empfindungsvollen, doch nur für den Augenblick lebenden und seiner selbst nicht gewissen Herzens. Fernando, der aus dunklem Freiheitsdrang erst seine Frau Cäcilie, dann seine Geliebte Stella verlassen hat, trifft bei seiner halbherzigen Rückkehr zu Stella dort Cäcilie und seine Tochter Lucie an und will spontan zu ihnen heimkehren. Der Kompromiß einer Ehe zu dritt in der 1. Fassung bleibt ebenso dramatische Verlegenheitslösung wie der doppelte Freitod Stellas und Fernandos in der 2. Fassung von 1805.

Fernow, Carl Ludwig (1763–1808). Der Kunstschriftsteller hatte 1791–93 in Jena bei Schiller und Reinhold studiert, war 1794 zur Malerausbildung zu seinem Freund A. J. Carstens nach Rom gegangen, hatte dort dem Künstlertum zugunsten der Kunstwissenschaft entsagt und 1795/96 Vorlesungen über Ästhetik gehalten. 1802 trotz anfänglichen Zögerns G.s zum ao. Professor der Ästhetik nach Jena berufen, traf er im Sommer 1803 dort ein und besuchte am 3. 9. 1803 G., mit dem sich sofort ein enger und häufiger Verkehr in Weimar und Jena ergab, zumal nachdem Fernow

1804 als Bibliothekar Anna Amalias nach Weimar zog und seinen literarischen Arbeiten lebte. G. schätzte ihn als Kenner Roms und der italienischen Literatur, als Theoretiker des Klassizismus und wegen seiner »angenehmen geselligen Eigenschaften« (*Tag- und Jahreshefte* 1803, 1806, 1808; an Schiller 27. 11. 1803). Er beteiligte ihn am Sammelband *Winckelmann und sein Jahrhundert* (1805), an der Winckelmann-Gesamtausgabe und den Weimarischen Kunstfreunden und erwarb 1806 seine A. J. Carstens-Zeichnungen für das Weimarer Museum.

F. Fink, C. L. F., 1934; H. v. Einem, C. L. F., 1935.

Ferrara. Von der Sehnsucht nach Rom getrieben, hatte G. anscheinend wenig Interesse und Zeit für den Schauplatz seines *Torquato Tasso*, von dem er die Prosafassung der ersten beiden Akte mit sich führte. Die »große und schöne, flachgelegene, entvölkerte Stadt« (*Italienische Reise*), damals nicht mehr die glänzende Residenz der →Este, sondern seit 1597 Teil des Kirchenstaats, mit ihren breiten und daher menschenleer wirkenden Straßen (wie Chirico sie malte) erfüllte ihn mit »Unmut«. Nach Fahrt durch zwei Nächte mit dem Kurierschiff von Venedig kam er am 16. 10. 1786 früh in Ferrara an, besichtigte in der Kirche S. Benedetto das Grabmal Ariosts und C. Bononis Gemälde Johannes des Täufers, im Hospital S. Anna das Gefängnis Tassos und im Innenhof des Palazzo dell'Università einige Sarkophage und reiste am 17. 10. nach Cento weiter. Die Parallele des einstigen Musenhofs Ferrara zu Weimar zieht er im Gespräch mit Eckermann am 6. 5. 1827.

H. R. Vaget, Um einen Tasso von außen bittend, DVJ 54, 1980.

Festspiele. G.s Festspiele →*Pandora* (1806) und →*Des Epimenides Erwachen* (1814) nehmen jeweils anhand frei behandelter antiker Mythen indirekt zur politisch-historischen Situation Deutschlands Stellung und zielen auf eine Heilung und Lösung nach überstandenen Krisen.

U. Dustmann, Wesen und Form des G.schen Fs, Diss. Köln 1963; K. Seiffert, Die Entwicklung von G.s Kunstauffassung an Hand der F. und Maskenzüge, Diss. Berlin 1973; G. Kaiser, Exkurs zu G.s Fn, in ders., Wandrer und Idylle, 1977.

Feti (Fetti), Domenico (1589–1624). In der Dresdner Galerie beeindruckten G. die genrehaften »Parabelbilder« nach Gleichnissen des Neuen Testaments von dem italienischen Hofmaler in Mantua – »ein trefflicher Künstler, wiewohl Humorist und also nicht vom ersten Range«. Sein jugendlicher Kunstenthusiasmus brachte ihm ein Spottgedicht Herders ein (*Dichtung und Wahrheit* II,10).

Fetter grüne, du Laub   →*Herbstgefühl*

Fettmilch, Vincenz (?–1616). Der redegewandte Frankfurter Schreiber, dann Kuchenbäcker, war 1612 Anführer eines berechtigten Aufstandes der Frankfurter Zünfte gegen die finanzielle Mißwirtschaft des Patriziats. Er verlangte und erwirkte die Beteiligung der Bürger im Stadtrat, ließ 1614 die Judengasse plündern, vertrieb die Juden aus Frankfurt und führte zeitweise eine Schreckensherrschaft, bis er nach Ächtung durch den Kaiser 1616 auf dem Roßmarkt hingerichtet wurde. Der zu G.s Jugendzeit noch am Brückenturm aufgesteckt vorhandene Schädel eines der vier Hauptführer erregte das Interesse des jungen G., und er erfragte und erforschte die Geschichte der Empörer (*Dichtung und Wahrheit* I,4). Noch am 31. 7. 1775 sandte er Lavater eine Umrißzeichnung Fettmilchs nach einem Kupferstich.

Feuerwehr. G.s Organisationstalent bei der Brandbekämpfung bewährte sich schon beim Brand in der Frankfurter Judengasse (*Dichtung und Wahrheit* IV,16). Weimar wurde häufig durch große Feuersbrünste betroffen (Schloß 5./6. 5. 1774, Komödienhaus 22. 3. 1825 u. a.), und G., der ebenso wie Carl August mehrfach bei Löscharbeiten mit zugriff, war in seiner amtlichen Tätigkeit mit am Aufbau eines gezielten Feuerschutzes, der Feuerwachen bei Veranstaltungen, Theater u. ä. und zweckgemäßer Verordnungen beteiligt, die neben technischen und organisatorischen Verbesserungen 1825 in Weimar zur ersten Berufsfeuerwehr in Deutschland führten.

Fichte, Johann Gottlieb (1762–1814). Der Philosoph trat am 18. 5. 1794 als Nachfolger Reinholds eine Professur für Philosophie in Jena an. G.s erster und einzig erhaltener Brief an Fichte vom 24. 6. 1794 bringt die Hoffnung zum Ausdruck, durch ihn mit den Philosophen versöhnt zu werden, und G. benutzte seine Aufenthalte in Jena zu persönlichen Beziehungen. Er konnte jedoch über die *Wissenschaftslehre* hinaus kein Verhältnis zur spekulativen Philosophie Fichtes finden, den er einmal einen »wunderlichen Kauz« (an Jacobi 2. 2. 1795), ein andermal »gewiß einen der vorzüglichsten Köpfe« nennt (an Schlosser 30. 8. 1799). Im Jenaer Atheismusstreit von 1798/99, als Fichte wegen seines Aufsatzes *Über den Grund unseres Glaubens an eine göttliche Weltregierung* (1798) auf Schwierigkeiten stieß, versuchte G. zu seinen Gunsten zu vermitteln. Doch nachdem Fichte in einem die Situation verkennenden, voreiligen und anmaßend scharfen Schreiben an das Ministerium vom 22. 3. 1799 sich jede Einmischung verbeten und mit seinem Rücktritt gedroht hatte, sah G. sich gezwungen, Fichtes Entlassung im April 1799 zu befürworten (*Tag- und Jahreshefte* 1794 und 1803). Die gegenseitige Wertschätzung litt nicht darunter, und ein letztes Zusammentreffen mit dem nach Berlin übergesiedelten Fichte in Teplitz im Sommer 1810 stand im Zeichen der Versöhnung. Vgl. *Xenien* 198, 380, *Xenien aus dem Nachlaß* 96 und 153.

R. Neumann, G. und F., Diss. Jena 1904; E. Bergmann, F. und G., Kantstudien 20, 1915; R. O. Röseler, G. und der Jenaer Atheismusstreit, MDU 41, 1949; H. Tümmler,

G.s Anteil an der Entlassung F.s, in ders., G. in Staat und Politik, 1964; W. Beyer, F. in
ena, Impulse 7, 1984; K.-H. Fallbacher, F.s Entlassung, AfK 67, 1985; W. Beyer, Der
Atheismusstreit um F., in: Debatten und Kontroversen 2, hg. H.-D. Dahnke 1989.

Fichtelgebirge. G. hatte schon im November 1783 eine geologisch-mineralogische Studienreise ins Fichtelgebirge geplant; er unternahm sie dann am 23. 6.–5. 7. 1785 mit Knebel auf dem Hinweg
seiner ersten Reise nach Karlsbad.

Ch. Schaller, G. im F., Archiv für Geschichte von Oberfranken 53, 1973; H. Braun,
G. im F., 1982; H. Vollrath, G.s Reisen in das F., 1982.

Fielding, Henry (1707–1754). Werke des englischen Erzählers, vermutlich vor allem den auch in *Wilhelm Meisters Lehrjahren* (V,7)
erwähnten *Tom Jones,* las G. im Winter 1770/71 in Straßburg und
empfahl die Lektüre auch Jung-Stilling.

Fierabras. Das deutsche Volksbuch (1533) vom heidnischen
Riesen Fierabras aus dem karolingischen Sagenkreis, mit dem
sich G. schon am 21.–24. 10. 1807 beschäftigt hatte, wurde im Zuge
der Beschäftigung mit mittelalterlich-romantischen Stoffen am
11. 1.–22. 2. 1809 in G.s Mittwochsgesellschaft den Damen vorgelesen.

Fieschi Ravaschieri, Teresa →Satriano, Teresa di

Fikentscher, Wolfgang Caspar (1770–1837). G. besichtigte durch
Vermittlung von Polizeirat Grüner von Eger aus am 13.–18. 8. 1822
die chemischen und Glasfabriken des Apothekers, Chemikers und
Fabrikanten Fikentscher in Redwitz/Oberfranken, war dessen
Hausgast und erhielt und bestellte einige Glaskörper für Farbver-
suche (an Knebel 23. 8. 1822).

W. v. Biedermann, G. und die F., 1878, auch in ders., G.-Forschungen, 1879.

Filangieri, Gaetano (1752–1788). Den bedeutenden aufklärerischen italienischen Staatsrechtler (*La scienza della legislazione,* VIII
1781–88), Freund des Königs Ferdinand IV. von Neapel und Mitglied von dessen oberstem Finanzrat, sowie seine Gattin Carolina,
eine geborene Gräfin Fremel aus Preßburg, die Maria Theresia als
Erzieherin an der Hof von Neapel gesandt hatte, lernte G. Anfang
März 1787 in Neapel kennen. Er verkehrte auch in seinem Palazzo,
traf dort die geistige Elite Neapels und am 9. 3. 1787 Filangieris
Schwester, die Prinzessin →Satriano, und führte mit ihm politische
Gespräche über soziale Reformen des Feudalsystems, Montesquieu,
Beccaria und G. Vico, auf den Filangieri ihn hinwies (*Italienische
Reise* 5.–12. 3. 1787). G. erwähnt ihn auch in *Wilhelm Meisters Wan-
derjahre* (I,6).

Firdusi (Ferdausi, um 941–1021). Mit dem *Königsbuch* (*Schah-
nameh*) des persischen Epikers und Nationaldichters beschäftigte

sich G. im Zusammenhang seiner orientalischen Studien zum *West-östlichen Divan* vom 15. 12. 1814 bis 21. 2. 1815 und wiederholt im Oktober und Dezember 1819 anhand von J. von Hammer-Purgstalls Übersetzung (*Fundgruben des Orients*, VI 1810–18). An ein Zitat daraus knüpft das *Divan*-Gedicht *Ferdusi spricht* (1815) an, an ein anderes Zitat in Hammer-Purgstalls *Geschichte der schönen Redekünste Persiens* (1818) das *Divan*-Gedicht »Was machst du an der Welt …« (1818). In den *Noten und Abhandlungen* erwähnt G. Firdusi mehrfach, widmet ihm ein kurzes Kapitel und rät im Kapitel »Warnung« von einem Vergleich mit Homer als unfair ab.

Fischart, Johann (1546–1590). Es hat nicht den Anschein, als habe G. sich vor dem 26.–28. 11. 1807, als das Tagebuch die Lektüre bezeugt, mit dem Straßburger Satiriker und Sprachakrobaten befaßt, auch in Straßburg nicht und 1807 nicht sehr intensiv, so daß ihm im Brief an J. H. von Willemer vom 15. 11. 1815 der Fauxpas gelingt, Fischarts berühmtes Trinklied (»Den liebsten Buhlen, den ich hab, der liegt beim Wirt im Keller …«) ausgerechnet »dem frommen Paul Gerhardt« zuzuschreiben.

Fischer, Franz Joseph (um 1740–?). Der Prager Schauspieler und Regisseur, später Theaterleiter in Innsbruck, spielte Februar 1791–Ostern 1793 am Weimarer Hoftheater »zärtliche und humoristische Alte«, war leitender Regisseur und verantwortlicher Leiter der Sommergastspiele. G. gedenkt des von ihm vielleicht überschätzten, konventionellen Schauspielers als eines Mannes, »der sein Handwerk verstand« (*Campagne in Frankreich*).

Der Fischer. Ob der Freitod der Christiane von →Laßberg in der Ilm am 17. 1. 1778 nun den äußeren biographischen Anlaß zu G.s (nächst dem *Erlkönig*) populärster naturmagischer Ballade gab oder nicht – motivische Anklänge an den Brief an Ch. von Stein vom 19. 1. 1778, in dem er ihrer gedenkt, und mit dem etwa gleichzeitigen Gedicht *An den Mond* (II) legen eine Entstehung um Mitte Januar 1778 nahe. Doch wird das Geschehen durch den Erzähler und den Dialog objektiviert und in typenhaften, überindividuellen Figuren distanziert. Die gefährliche Faszinationskraft des Wassers, dessen Verlockung als Attraktion des Rätselhaft-Elementarischen im Wassergeist der Nixe, Sirene oder Undine erlebt wird, verbunden mit narzisstischer Selbstbespiegelung, verleitet den nüchternen Fischer durch bloße Vorspiegelung einer vermeintlich besseren Existenz zur Vereinigung mit dem Element. Doch der Erzähler läßt keinen Zweifel daran, daß die (vermeintlichen?) Worte des Elementarischen nur eine trügerische List darstellen und sein Verschwinden nicht der Beginn einer neuen, schöneren Existenz, sondern Untergang und Tod ist. Die Ballade erschien zuerst in S. von Seckendorffs Vertonungen *Volks- und andere Lieder* (I, 1799) und

eröffnete im gleichen Jahr den 2. Band von Herders *Volksliedern*. Sie
erlebte über 50 Vertonungen, u. a. von H. Berlioz, C. Loewe,
J. F. Reichardt, S. von Seckendorff, F. Schubert und C. F. Zelter.

R. Küster, G.s F., 1918; F. Neumann, G.s Ballade D. F., ZDB 15, 1939; F. Mende, G.s
Ballade D. F., DU (Berlin) 10, 1957; W. Zimmermann, G.: D. F., in: Wege zum Gedicht
2, hg. R. Hirschenauer 1963; W. Heiske, G.: D. F., in: Die deutsche Ballade, hg. K. Bräutigam 1963; U. Baur, G.s F., JbWGV 78, 1974; E. Zeile, G.s Ballade D. F., LWU 7, 1974;
E. Stoye-Balk, Weltanschauliche Aspekte der G.-Balladen D. F. und Erlkönig, ZfG 3,
1982; G. Müller-Waldeck, Der Erlkönig – D. F., WB 30, 1984; N. Metwally, Von der
Ballade zur Travestie der Ballade, DU 37, 1985; R. E. Dye, G's D. F., GR 64, 1989;
R. Wild, Der Narziß und die Natur, Lenz-Jahrbuch 1, 1991; H. Bock, D. F., Zeitschrift
für Kultur- und Geisteswissenschaften 9, 1995 f.

Die Fischerin. Eine harmlose, kleine Geschichte von Zank und
Versöhnung Liebender: Dortchen, des ewigen Wartens auf den zu
spät vom Fischfang heimkehrenden Vater und Verlobten müde, versteckt sich vor den wieder arg Verspäteten, die sie nach strategisch
plazierten Requisiten ertrunken glauben und angsterfüllt mit Hilfe
der Nachbarn am Fluß nach ihr suchen, bis sie hervortritt und der
Hochzeit am nächsten Tag zustimmt. G.s am stärksten auf Volkstümlichkeit abhebendes Bühnenwerk, ein Singspiel in Prosadia-
logen mit Gesangseinlagen, beginnt mit dem *Erlkönig* und verwendet mehrere Lieder und Balladen aus Herders *Volksliedern*. Dennoch
bezieht es seine Stimmung weniger aus dem Text als aus der
Naturszenerie der nächtlichen, durch Fackeln erhellten Flußland-
schaft: es wurde im Sommer 1781 direkt für eine Freilichtauf-
führung am 22. 7. 1782 im Park von Tiefurt an der Ilm geschrieben. Corona Schröter, die auch die Lieder vertonte, spielte die
Titelrolle, und Anna Amalia ließ gleichzeitig einen Privatdruck von
150 Exemplaren herstellen. Eine Aufführung durch seine Enkel und
deren Freunde unter der Leitung und in der Vertonung von
M. Eberwein am 6. 11. 1831 sollte die letzte Theateraufführung
sein, die G. erlebte.

A. v. Weilen, D. F., ChWGV 6, 1892; W. Pfeiffer, G.s F., in ders., Dramaturgische Aufsätze, 1912.

Flachsland, Caroline →Herder, Caroline

Flaxman, John (1755–1826). Obwohl der englische Bildhauer und
Zeichner klassizistischer Umrißfiguren im Stil antiker Vasenbilder
sich 1787–94 in Rom aufhielt, lernte G. seine durch zahlreiche
Kupferstiche seit 1793 rasch verbreiteten und auf Wedgwood-
Porzellan kommerzialisierten Zeichnungen, besonders die Serien
zu Homers *Ilias* und *Odyssee*, zu Aischylos und Dante, erst 1799
kennen und beschäftigte sich am 29. 3.–1. 4. 1799 eingehend mit
ihnen. In einem Aufsatz aus dem Nachlaß *Über die Flaxmanischen
Werke* und in den Besprechungen der Weimarischen Kunstausstellungen von 1801 und 1803 setzt er sich lobend wie kritisch mit
dem »Abgott aller Dilettanten« auseinander und bemerkt neben

vielem Positivem, das dem eigenen klassizistischen Geschmack entgegenkam, Flaxmans Neigung zum Statischen in der Komposition
und seine Schwäche in der Darstellung des Heroischen. Am 3.–5. 8.
1829 las G. auch Flaxmans *Lectures on sculpture* (1829).

Fleischbein, Johann Friedrich von, Graf zu Hayn (1700–1774).
Der entfernte Verwandte G.s – eine Fleischbein wurde 1693 die
zweite Gattin seines Urgroßvaters – stand in Beziehungen zu den
waadtländischen Pietisten, besonders Jean Philipp Dutoit, der sei-
nerseits ein Anhänger der französischen mystischen Schwärmerin
Jeanne-Marie de Guyon war, die auch den jungen G. beeinflußte.
Ein formelhaft devoter Brief G.s vom 3. 1. 1774 läßt vermuten, daß
Fleischbein G. diesen Kreisen nahebrachte und ihn zur Lektüre der
Autobiographie der Guyon (*La vie de Mme Jeanne-Marie Bouvières*,
1720) veranlaßte.

Fleischer, Friedrich Georg (1794–1863). Der Enkel von J. G.
→Fleischer, seit 1819 Inhaber der 1788 von seinem Vater gegründeten Leipziger Buchhandlung, bewarb sich 1825, allerdings
vergeblich, um die Verlagsrechte für die Gesamtausgabe von G.s
Werken.

Fleischer, Johann Georg (?–1796). Der Frankfurter Buchhändler
vertrieb dort einige im Selbstverlag erschienene Jugendschriften
G.s. Mit ihm, der zur Leipziger Messe wollte, und seiner Frau Char-
lottine Wilhelmine, die ihren Vater, den Schriftsteller D. W. Triller, in
Wittenberg besuchen wollte, reiste G. am 30. 9. 1765 von Frankfurt
zum Studium nach Leipzig (*Dichtung und Wahrheit* II,6). Während
der Leipziger Messen überließ G. ihm seine Leipziger Wohnung
und zog nach Reudnitz.

R. A. Fleischer, Die Buchhändlerfamilie F. in der Zeit G.s, 1937.

Florenz. G. und Florenz – das ist die Geschichte einer verpaßten
Chance. Ganze »drei Stunden« verbrachte G., von der Sehnsucht
nach Rom getrieben, auf der Hinreise am 23. 10. 1786 am Geburtsort der europäischen Renaissance, die er »eilig durchlaufen«
und »kaum gesehen« hat (*Italienische Reise* 25. 10. und 1. 11. 1786).
Dom mit Baptisterium und Boboli-Gärten, das war's. Zwar holte
G. auf der Rückreise bei einem mehrtägigen Aufenthalt in Florenz
vom 1.–9. (?) 5. 1788 einen Teil des Versäumten nach, besichtigte die
Antiken, die Gemälde und Skulpturen der älteren Meister, war von
der Venus von Medici stark beeindruckt und schrieb einige Szenen
des *Torquato Tasso*, in dem er (v. 54 f.) die Bürgerstadt Florenz gegen
die Fürstenstadt Ferrara absetzt, doch fehlen dafür genauere Daten
und Angaben, da die Aufzeichnungen zur *Italienischen Reise* mit dem
Abschied von Rom abbrechen. Nur ein Brief an Carl August vom
6. 5. 1788 faßt das Erlebte kurz zusammen. Das Bedauern des Ver-

umten ließ nicht lange auf sich warten (*Tag- und Jahreshefte* 1803).
eit August 1795 begannen die Planungen und Vorstudien zu einer
weiten großen Italienreise mit Florenz und Rom als Mittelpunk-
n, die dann J. H. Meyer allein antrat. Das aus dem Studium der
unstliteratur erwachende Interesse an Cellini, dessen Werke, u. a.
ie Bronzestatue des Perseus in der Loggia dei Lanzi, G. in Florenz
icht bewußt sah, machte die Lücke besonders schmerzlich, und
ich die Cellini-Übersetzung erforderte im März 1798 ein inten-
ves Studium der florentinischen Geschichte.

lorian, Jean Pierre Claris de (1755–1794). Eine einigermaßen
ntfernte literarische Verwandtschaft: Das Lustspiel *Les deux billets*
779) des französischen Erzählers und Dramatikers wurde in Wei-
aar am 9. 7. 1791 in einer deutschen Bearbeitung von Anton Wall
l. i. Ch. L. Heyne) zusammen mit dessen eigener Fortsetzung *Der*
ammbaum gespielt. G. reizte die Figur des lächerlichen Scheinhel-
en und intriganten Barbiers Schnaps zu seinem Lustspiel → *Der*
ürgergeneral (1793), das er daher im Untertitel als »zweite Fort-
etzung der *Beiden Billets*« bezeichnet.

R. v. Schöppl, Von Fs Les deux billets zu G.s Bürgergeneral, Progr. Laibach 1909.

Die Flucht nach Ägypten. Das so überschriebene, am 17. 5.
807 begonnene Eingangskapitel von *Wilhelm Meisters Wanderjahre*
,1) setzt mit einem erzählten Tableau ein, das, ohne direkte reli-
iöse Bezüge in die reale Welt versetzt, auf das bekannte Motiv der
ildenden Kunst von der biblischen Flucht nach Ägypten verweist
nd damit urbildhaft das Leitmotiv des Romans vom Wandern bis
ur Auswanderung anschlägt. Die Erklärung der merkwürdigen
rscheinung folgt im 2. Kapitel → *Sankt Joseph der Zweite.*

lüelen. Das Schweizer Dorf und die Bootsanlegestelle am Süd-
nde des Vierwaldstätter Sees berührte G. auf seinen Schweizer
keisen zum und vom St. Gotthard am 19. 6. 1775, 30. 9. und 6. 10.
797.

örster, Friedrich Christoph (1791–1868). Der Schriftsteller und
listoriker war als Jenaer Student mit August von G. befreundet,
ann mit seinem Freund Th. Körner 1813 Schwarzer Jäger im
ützowschen Freikorps, verlor 1817 durch die Reaktion seine Stel-
ing als Lehrer an der Ingenieurschule in Berlin, wurde Heraus-
eber mehrerer Berliner Zeitungen und Zeitschriften und 1829
Hofrat und Kustos der Königlichen Kunstkammer in Berlin.

G. begegnete ihm wieder am 19. 4. 1813 in Meißen, soll mit der
Hand auf Försters Gewehr die Waffen der Kompanie gesegnet
aben, und am 6. 10. 1815 in Heidelberg, als er das Eiserne Kreuz
rug. Seit 1818 mit Zelters Gesangsschülerin Laura Gedike (»das
chöne Frauchen«, an Zelter 4. 9. 1831) verheiratet, besuchte er G.

mit dieser am 26./27. 9. 1820 in Jena, als G. ihm das Gedicht »Al
an der Elbe ...« widmete, dann wiederholt und zuletzt am 4. un
25. 8. 1831 in Weimar. Die Aufzeichnungen seiner Unterhaltunge
mit G. gelten als nicht immer unbedingt verläßlich.

Foligno. In der italienischen Stadt in Umbrien übernachtete G. ar
26. 10. 1786 nach vierstündigem abendlichem Fußmarsch vo
Assisi her in einer primitiven Herberge mit offenem Feuer in de
Wohnhalle, in der er, mit dem *Nausikaa*-Plan befaßt, eine »völli
homerische Haushaltung« erkennt (*Italienische Reise*).

Fondi. Die Stadt in Latium war am 23. 2. 1787 G.s zweite Über
nachtungsstation auf dem Weg von Rom nach Neapel. G. geno
den Anblick der außerordentlich fruchtbaren, orangenreiche
Landschaft: »Mignon hatte wohl Recht, sich danach zu sehnen.
(*Italienische Reise*).

Fontenelle, Bernard le Bovier de (1657–1757). Daß der berühmt
französische Jurist, Aufklärer und Schriftsteller, 1699–1741 Sekretä
der Académie des Sciences und erfolgreicher Popularisator natur
wissenschaftlicher Ergebnisse, ausgerechnet auch eine lobend
Totenrede auf Newton halten mußte, dessen Farbentheorie G. ver
geblich zu widerlegen versuchte, trug nicht gerade zu G.s Hoch
achtung vor ihm bei und veranlaßte ihn, der sich am 24./25. 7
1801 und am 6. 1. 1810 mit Fontenelles Schriften befaßt hatte, ii
der *Geschichte der Farbenlehre* Auszüge daraus polemisch-sarkastisc
zu kommentieren.

J. Hennig, G's translation from F., MLQ 16, 1955.

Forcierte Talente →Epoche der forcierten Talente

Form. Unter den drei Kategorien von G.s Ästhetik (Stoff, Gehalt
Form) ist Form der schwierigste, weil besonnene und vom Kunst
verstand wohlbedachte Beitrag des Dichters zum Werk, der die an
deren Bestandteile zur Einheit verbindet: »Den Stoff gibt ihm di
Welt nur allzu freigebig, der Gehalt entspringt freiwillig aus de
Fülle seines Inneren.« (*Noten und Abhandlungen,* »Eingeschaltetes«
Da »sie schon vorzüglich im Genie liegt« (ebd.), ist sie nichts künst
lich Aufgesetztes, sondern als »innere Form« »nie ohne Gehalt
(Faust-Paralipomena 1), den sie veredelt (*Pandora* v. 676), und »ge
prägte Form, die lebend sich entwickelt« (*Urworte. Orphisch*
»Dämon«).

K. Holl, G.: Stoff, Gehalt, F., 1917; H. A. Korff, Das Wesen der klassischen F., ZfD 4(
1926; M. Jolles, Die F. im künstlerischen Schaffen des jungen G., DVJ 28, 195∠
E. M. Wilkinson, F. and content in the aesthetics of German classicism, in: Stil- un
Formprobleme der Literatur, hg. P. Böckmann 1959; H. Nicolai, Der F.begriff des jun
gen G., in: Hommage à M. Marache, Paris 1972; E. M. Wilkinson/L. A. Willoughby
Der Blinde und der Dichter, GJb 91, 1974; dies., G.s Begriff der F., in dieselben, G
1974.

orster, Johann Georg Adam (1754–1794). Der durch seine Welt-
·ise mit seinem Vater unter James Cook 1772–75 bekannte Natur-
·rscher und Schriftsteller wurde 1778 Professor der Naturge-
·hichte am Carolinum in Kassel. Dort lernte er am 14. 9. 1779 Carl
·ugust und G. kennen, dem F. Jacobi ihn schon 1778 empfohlen
·atte. Bei einem zweiten Besuch G.s in Kassel am 2.–5. 10. 1783 sah
·an sich nur kurz. 1784–87 Professor in Wilna, heiratete Forster
·785 die Göttinger Professorentochter Therese Heyne (später Gat-
·n L. F. Hubers) und besuchte mit ihr am 12./13. 9. 1785 auf der
·urchreise G. in Weimar. Eine geplante zweite Weltreise, zu der G.
·m auf Herders Anregung einen Fragenkatalog mitgeben wollte
·*talienische Reise* 8.–12. 10. 1787), kam nicht zustande. Forster
·urde 1788 Bibliothekar in Mainz. Eine Reise mit A. von Hum-
·oldt durch Westeuropa machte ihn 1790 zum Anhänger und Für-
·recher der Französischen Revolution. Trotz solch extremer poli-
·scher Differenzen will G. auf dem Weg zur Campagne in
·rankreich am 20./21. 8. 1792 mit Forster und seinen Freunden in
·lainz »zwei muntere Abende« ohne politische Gespräche ver-
·racht haben (*Campagne in Frankreich*, 23. 8. 1792). Nach der Beset-
·ung von Mainz durch die Franzosen schloß sich Forster dem
·lainzer Jakobinerklub an und plädierte im März 1793 als Abge-
·rdneter des rheinisch-deutschen Nationalkonvents in Paris für den
·nschluß an Frankreich, erlebte also die Belagerung von Mainz
·icht mit. G. wandte sich in einigen *Xenien* allgemein gegen ideali-
·ische Revolutionsschwärmerei, schätzte aber Forsters Über-
·tzung von Kalidasas *Sakuntala* (1791), für die er sich mit dem Epi-
·ramm *Sakontala* (»Will ich die Blumen ...«) bedankte, und seine
·nsichten vom Niederrhein (III 1791–94) sehr hoch ein.

A. Leitzmann, G. F.s Beziehungen zu G. und Schiller, Archiv 88, 1892; G. und F., hg.
. Rasmussen 1985.

ortunatus. Das deutsche Volksbuch um 1480, 1509 zuerst ge-
·ruckt, mit Märchenmotiven wie Glückssäckel und Wunschhütlein,
·ehörte zu den billigen Jahrmarktsdrucken, die G. in seiner Frank-
·urter Jugend las. 1811, als G. dies in *Dichtung und Wahrheit* (I,1) nie-
·erschrieb, hatten die Romantiker A. W. Schlegel und J. J. von Gör-
·es die deutschen Volksbücher wiederentdeckt, A. von Chamisso
·atte den Fortunatus-Stoff 1806 behandelt, Uhland (1814) und
·ieck (1816) folgten.

ossiler Stier. Im Frühjahr 1821 wurde in einem Torfmoor bei
·laßleben in Thüringen ein fast vollständiges urzeitliches Tierskelett
·usgegraben, an dessen Bergung und Rekonstruktion in Weimar
·nd Jena G. sich lebhaft beteiligte. Der daraufhin am 6. 4.–11. 5.
·822 entstandene Aufsatz (*Zur Morphologie* I,4, 1822) zieht mor-
·hologische Vergleiche mit ähnlichen, früheren Funden; er wurde
·päter ergänzt um den Bericht eines zweiten Fundes im gleichen
·loor im Sommer 1823 *Zweiter Urstier* (ebd. II,2, 1824).

Fouqué, Friedrich Heinrich Carl, Baron de la Motte-Fouqué (1777–1843). Der romantische Dichter und Erzähler rittertümeln der und nordisch-phantastischer Heldenromane blieb G., der sein thematische Enge erkannte und seine Erfolge als modische Zeiter scheinung einstufte, wesensgemäß fremd, und von seinem genere zurückhaltenden Urteil bleibt nur die Erzählung *Undine* (»wirklic allerliebst«, zu Eckermann 3. 10. 1828) ausgenommen. Das persön liche Verhältnis gestaltete sich jedoch zumindest aus der Sicht de G.-Verehrers Fouqué durchaus warmherzig. Der frühere Leutnar im Regiment Carl Augusts begegnete G. zuerst Ende Januar 180 auf einem Maskenfest, etwa zwei Tage darauf an der herzogliche Mittagstafel und machte am 28. 1. 1802 seinen ersten Besuch in G. Haus. Nach der Schlacht bei Leipzig wiederholte er Ende Oktobe 1813 den Besuch im durch Einquartierung übervölkerten Hausε Auf der Heimreise am 1. 12. 1813 war er wiederum G.s Gast, an 3. 12. 1813 las er in G.s Anwesenheit bei J. Schopenhauer seine Ge dichte vor, und am 25. 12. 1813 machte er seinen Abschiedsbesuc bei G. Der Briefwechsel hielt bis 1828 an, obwohl G. die ihm über sandten Werke selten zur Kenntnis nahm. Ein Versuch, seine Büh nenwerke für das Weimarer Theater zu adaptieren, wurde in Februar 1814 aufgegeben (*Tag- und Jahreshefte* 1814). Von Fouqué ebenfalls schriftstellernder Gattin Caroline, geb. von Brie (1773–1831), las G. am 28./29. 6. 1812 in Karlsbad *Magie der Natu eine Revolutionsgeschichte.* Fouqué schildert sein Verhältnis zu G. i *Goethe und einer seiner Bewunderer* (1840).

Francisci, Erasmus, eigentlich Erasmus von Finx (1627–1694). Di Werke des barocken Polyhistors und popularisierenden Kompila tors aus Nürnberg dienten G. als Stoffquelle für die Dämonologi im *Faust* und insbesondere der »Walpurgisnacht«. Im Dezembe 1797 las er Franciscis *Neupolierten Geschicht-, Kunst- und Sittenspiege ausländischer Völker* (1670), »ein abgeschmacktes Buch, das abe manchen für uns brauchbaren Stoff enthält«, kopierte daraus fü Schiller *Die ungeschickten Schaukünstler,* ein »Gespräch zwische einem chinesischen Gelehrten und einem Jesuiten« (Briefwechse mit Schiller 3.–13. 1. 1798), und las am 16. 12. 1800 und 15. 2. 180 die Sammlung von Gespenster- und Geistergeschichten *Der Hölli sche Proteus* (1690).

Francke, August Hermann (1663–1727). Nach der Autobiogra phie des Pietisten und Stifters des Hallischen Waisenhauses ent wickelten seine Schüler das dreistufige sog. Hallische Bekehrungs system mit Weltleben / Aufschrecken und Zerknirschung / innere Erleuchtung und Beglückung als Stufen auf dem Weg zu Gott. G. der in Straßburg mit Hallenser Pietisten zusammengetroffen wa (an S. von Klettenberg 26. 8. 1770), läßt in *Wilhelm Meisters Lehr jahre* (VI) die »schöne Seele« vergeblich denselben Weg versuchen

ranckenberg, Sylvius Friedrich Ludwig, Freiherr von (1729–
815). Mit dem Staatsminister von Sachsen-Gotha und Altenburg
nd seiner Gattin Friederike, geb. von Rüxleben (1746–1832),
ner Freundin Herders, verband G. eine über die Amtsgeschäfte
i. a. bei der Berufung Schillers nach Jena 1788) hinausgehende
reundschaft, die zu gegenseitigen Besuchen in Weimar (1781, 1785
, ö.) bzw. Gotha und Siedleben (1801, 1814 u. ö.) führte. Zum
0jährigen Dienstjubiläum Franckenbergs gratulierte G. am 2. 1.
815 mit dem Gedicht »Hat der Tag …«.

rankfurt am Main. Die Stadt, in der G. am 28. 8. 1749 mittags
n Elternhaus am Großen Hirschgraben 23 (→Goethehaus Frank-
urt) geboren wurde, in der er seine Kindheit und Jugend verlebte
nd der er in *Dichtung und Wahrheit* ein Denkmal setzte, hatte in sei-
er Jugend etwa 36 000 Einwohner und bewahrte mit Stadt-
lauern, Türmen und Toren noch ein recht mittelalterliches Aus-
ehen. Die Handels- und Bürgerstadt war seit 1240 Messeplatz, seit
375 Freie Reichsstadt und 1562–1792 Krönungsstadt des Heiligen
Römischen Reiches deutscher Nation. Von Napoleon 1806 unter
ufhebung der Verfassung zum Sitz des Fürstprimas des Rheinbun-
es C. Th. von Dalberg und 1810 zur Hauptstadt eines Großher-
ogtums Frankfurt unter dem Fürstprimas gemacht, wurde sie 1815
rieder Freie Stadt und Sitz der Deutschen Bundesversammlung.
n Mittelpunkt von G.s Erinnerungen an die Frankfurter Jugend
ehen die französische Besetzung der Stadt 1759–63 im Zuge des
iebenjährigen Kriegs mit der Einquartierung des Königsleutnants
→Thoranc im Elternhaus, wo die Frankfurter und Darmstädter
Maler Ch. G. Schütz, J. Juncker, J. G. Trautmann, J. A. B. Nothnagel,
. W. Hirt und J. K. Seekatz für Thoranc und den Vater malen, ferner
ie Niederlage Preußens in der Schlacht bei Bergen 1759, Bil-
ungserlebnisse durch das französische Theater im Junghof, die
Krönung Josephs II. zum Römischen König am 3. 4. 1764, Ausflüge
1 die Umgebung der Stadt sowie G.s Liebe zu einem →»Gret-
hen«. Nach der Studienzeit in Leipzig ab Oktober 1765 kehrte G.
m 1. 9. 1768 krank ins Elternhaus zurück; in die Rekonvaleszen-
enzeit fällt die durch S. von →Klettenberg vermittelte Berührung
nit dem Pietismus. Nach der Straßburger Studienzeit (April 1770
 August 1771) begründet G., unterbrochen nur durch die Assesso-
enzeit in Wetzlar (Mai – September 1772), eine →Rechtsanwalts-
raxis in Frankfurt, für deren 28 Prozesse ihm sein Vater beisteht.
n diese Zeit fallen der Verkehr mit dem →Darmstädter Kreis, die
Verlobung mit Lili →Schönemann, die Mitarbeit an den →*Frank-*
urter Gelehrten Anzeigen und die ersten größeren Dichtungen
Götz, Werther, Teile des *Faust*). Nach der Übersiedlung nach →Wei-
nar im November 1775 besucht G. Frankfurt nur noch ge-
egentlich seiner Reisen, so am 18.–22. 9., 25.–30. 12. 1779 und
.–10. 1. 1780 auf der 2. Schweizer Reise, am 12.–20. 8. 1792 vor

der Campagne in Frankreich, am 17.–26. 5. und 9.–19. 8. 1793 vo
und nach der Belagerung von Mainz, am 3.–25. 8. 1797 vor de
3. Schweizer Reise (letztes Wiedersehen mit der Mutter), schließ
lich anläßlich der Rheinreisen am 13.–23. 9., 11.–20. 10. 1814 un
12. 8.–18. 9. 1815 (bei Willemers auf der →Gerbermühle).

L. Geiger, G. in F. 1797, 1899; E. Mentzel, Der F.er G., 1899; Die Stadt G.s, h
H. Voelcker 1932 u. ö.; F. Bothe, G. und seine Vaterstadt F., 1948; F. mit den Augen G.
hg. H. Heckmann 1982.

Frankfurter Gelehrte Anzeigen. Das 1736 gegründete allge
mein wissenschaftlich-literarische Rezensionsblatt *Frankfurtisch*
Gelehrte Zeitungen wurde 1771 von J. C. →Deinet für den Verla
→Eichenbergsche Erben erworben und 1772 unter Leitung vo
J. H. →Merck in Verbindung mit J. G. Schlosser, L. J. F. Hoepfne
G. W. Petersen und H. B. Wenck unter dem neuen Titel herausge
geben. Durch prominente Mitarbeiter wie Herder und G. wurde e
in diesem Jahr zum durchaus subjektiven, streitbaren, den Frankfur
ter Theologen höchst suspekten Rezensionsorgan des Sturm un
Drang. Mit dem Übergang der Leitung an C. F. Bahrdt im Janua
1773 erlosch G.s Mitarbeit. G.s genauer Anteil an den anonymen
teils als Gemeinschaftsarbeit und aus Diskussionen entstandene
Rezensionen war schon ihm selber nicht mehr feststellbar. Im Mär
1813 zog er sie nach bester Erinnerung heraus, im Juni–Septembe
1823 ließ er Eckermann nach philologischen Kriterien 35 Rezen
sionen des Jahres 1772 und sogar 1773 als eigene Beiträge für di
Ausgabe letzter Hand (Band 33) auswählen, doch ist das Ergebni
teils irrig, teils umstritten. Mit einiger Sicherheit G. zuzuschreibe
sind nur zehn Texte: *Hausen: Leben und Charakter Herrn C. A. Klo*
zens, Epistel an Herrn Oeser, Moralische Erzählungen und Idyllen vo
(Diderot und) Geßner, Gedichte von einem polnischen Juden, Seybol
Schreiben über den Homer, Englische Kupferstiche: Zwei Landschafte
nach Claude Lorrain, Lavater: Aussichten in die Ewigkeit, Sulzer: D
schönen Künste, Jacobi: Über das von Herrn Prof. Hausen entworfne Lebe
des H. G. R. Klotz sowie die *Nachrede statt der versprochenen Vorrede.*

H. Dechent, Die Streitigkeiten der Frankfurter Geistlichkeit mit den F. G. A., GJ
10, 1889; O. P. Trieloff, Die Entstehung der Rezensionen in den F. G. A., 1908
M. Morris, G.s und Herders Anteil am Jahrgang 1772 der F. G. A., 1909 u. ö.; H. Bräu
ning-Oktavio, Beiträge zur Geschichte und Frage nach dem Mitarbeitern der F. G. A
1912; O. Modick, G.s Beiträge zu den F. G. A., 1913; W. F. Roertgen, The F. G. A
1772–1790, Berkeley 1964; H. Bräuning-Oktavio, Herausgeber und Mitarbeiter de
F. G. A., 1966; H.-D. Dahnke, Intentionen und Resultate des Jahrgangs 1772 de
F. G. A., in: Sturm und Drang, hg. B. Plachta 1997.

Franklin, Benjamin (1706–1790). G. schätzte den amerikanische
Politiker, der gleich ihm Staatsmann, Schriftsteller und Naturwis
senschaftler (Erfinder des Blitzableiters) in einer Person war, durch
aus. Am 5. 5. 1810 las er seine Autobiographie und erwähnt ihn i
Dichtung und Wahrheit (III,13; IV,17) wie in der *Geschichte d*
Farbenlehre.

rankreich. Trotz seines fließenden Französisch, trotz früher Begnung mit französischem Wesen und französischem Theater ährend der französischen Besetzung Frankfurts 1759–63, trotz ner Vorliebe für französischen Geist, Kultur und Literatur, der Beunderung Napoleons und des Stolzes auf das Kreuz der Ehrengion war G.s einziger Aufenthalt in Frankreich, sieht man vom udium im zweisprachigen Straßburg und den anknüpfenden Ausigen ins Elsaß ab, nur die unfreiwillige Beteiligung an der →Campagne in Frankreich 1792. Eine Frankreichreise war nicht geplant, nd der Einladung Napoleons nach Paris leistete G. nicht Folge. ie Verbindung zu Frankreich wurde durch Lektüre französischer eitschriften (Grimms *Correspondance littéraire*, später *Le temps*, *Le obe*) ebenso aufrechterhalten wie durch zahlreiche Begegnungen it französischen Schriftstellern, Künstlern, Wissenschaftlern und iplomaten (z. B. David d'Angers, Denon, Reinhard, Mme de ael, B. Constant u. a.). →Französische Literatur, →Französische evolution.

H. Loiseau, G. et la France, Paris 1930; ders., G. en France, GRM 20, 1932; K. Wais, und F., DVJ 23, 1949, erw. in ders., An den Grenzen der Nationalliteraturen, 1958; Neubert, G. und F., in ders., Studien zur vergleichenden Literaturgeschichte, 1952; Martini, G. und F., Goethe 31, 1969; G. und F., Katalog Düsseldorf 1984; A. Ruiz, G. nd F. bis zur Revolution von 1789, in: G. in Trier und Luxemburg, Katalog Trier 1992.

ranz. So heißen nach dem Gebrauch im Drama des 18. Jahrhunerts vielfach die Untergebenen und Bediensteten, etwa Weislinens Bursche im *Götz* und der Verwalter in *Stella*.

ranz I., Kaiser von Österreich (1768–1835). Der Kaiser, der 792–1806 als Franz II. römisch-deutscher Kaiser gewesen war, per seit 1804 und nach der Auflösung des Heiligen Römischen eiches Deutscher Nation 1806 nur noch diesen Titel führte, traf ährend G.s Anwesenheit am 3. 7. 1812 in Karlsbad ein. Zu diesem nlaß verfaßte G. auf Bitten des Kreishauptmanns am 6. 6. 1812 ein rmelles Begrüßungsgedicht im Namen der Bürgerschaft *Ihro des aisers von Österreich Majestät* (»Er kommt! ...«), ferner ähnliche elegenheitsgedichte für seine mit ihm reisende Tochter Marie ouise, Gattin Napoleons und Kaiserin von Frankreich, sowie für ie von ihm verehrte österreichische Kaiserin →Maria Ludovica, er das Gedicht, da sie nicht Karlsbad, sondern Teplitz besuchte, orthin gesandt wurde. Zu einer persönlichen Begegnung mit ranz I. kam es nicht.

ranzensbad. Das 1793 gegründete Bad bei Eger lag auf der Route von Weimar in die böhmischen Bäder. G. besuchte es 806–23 häufig, teils auf der Hin- und Rückreise, teils zu Überachtungen oder Tagesbesuchen von Eger aus, wohnte meist im Hotel »Drei Lilien« und überzeugte sich gern vom Ausbau und Aufstieg des intimeren, weniger mondänen und turbulenten Bade-

orts, der engere gesellschaftliche Verbindungen ermöglichte, so kur
am 1. 7. und 6. 8. 1806, am 27. 5. und 8. 9. 1807 und 14. 5. 1808. Ar
9.–21. 7. 1808 war er richtiger Kurgast in Gesellschaft der Famil
Ziegesar und machte die Trink- und Badekuren mit, ebenso ar
30. 8.–12. 9. 1808, als der Aufsatz über den häufig aufgesuchte
→Kammerberg bei Eger entstand. Weitere Aufenthalte am 18. !
1810, 15.–17. 5. und 29. 6. 1811, 2. 5. 1812, 25. 7. (Gräfin O'Donel
und 13. 9. 1818, 28. 8. und 26. 9. 1819. Im August und Septembe
1821 machte G., teils mit Grüner, von Eger aus häufige Exkursio
nen nach Franzensbad, wo Fritz von Stein weilte. Letzter Besuc
am 1. 8. 1822; am 18. 6. 1822, 5. 8. 1822 und 29. 6. 1823 wurd
durchgefahren. Seit 1806 ließ G. sich auch »Egerwasser« aus Fran
zensbad für Heimkuren nach Weimar senden und führte über de
Konsum genau Buch.

A. Kohut, G.s Beziehungen zu F., GJb 34, 1913; A. Sauer, G. und F., in ders., Pro
bleme und Gestalten, 1933.

Französische Literatur. Von allen ausländischen Literaturen übt
die französische, die er fließend las, den stärksten Einfluß auf G. au
den dieser bei allen Schwankungen seiner Wertschätzung gern un
offen als maßgebliches Bildungselement bekannte. Frühe Eindrück
gehen auf die französisch orientierte Bildung der Frankfurter Ge
sellschaft, die väterliche Bibliothek und das französische Theater de
Besetzungszeit 1759–63 zurück. Sie betreffen vor allem die ältere
und klassischen Autoren wie Racine, Corneille, Molière, Destou
ches, P. Bayle und Buffon. Auch das frankophile Leipziger Milie
bestimmte G.s Hinwendung zur Rokokolyrik. In der Straßburge
Zeit tritt die französische Literatur etwas zurück; neben dem fort
dauernden Einfluß von Rousseau (bis zum *Werther*) und Voltair
wirken Rabelais, Marot, Montaigne, Du Bartas und D'Holbach. Di
Lektüre von Beaumarchais führt 1774 zum *Clavigo*. In Weimar tritt
durch M. Grimms *Correspondance littéraire* vermittelt, Diderot in de
Vordergrund, dessen *Essai sur la peinture* G. 1798 zum Teil un
dessen *Le neveu de Rameau* er 1804/05 ganz übersetzt. Die *Cer
nouvelles nouvelles* und die Memoiren der Mlle Clairon un
Bassompierres regen zu Nachbildungen in den *Unterhaltungen deut
scher Ausgewanderten* (1795) an. Auf Wunsch Carl Augusts erschließ
G. in deutschen Bearbeitungen Voltaires *Mahomet* und *Tancrède* den
Weimarer Theater, auf dem nach dem Erlebnis des französischen
Theaters bei Napoleons Aufenthalt in Erfurt 1808 das klassisch
französische Drama größeren Raum gewinnt. *Wilhelm Meisters thea
tralische Sendung* setzt sich mit Corneille (II,2) und Racine (V,7
ebenso *Lehrjahre* III,8) auseinander, und von den Novellen der *Wan
derjahre* ist *Die pilgernde Törin* eine Übersetzung aus dem Französi
schen. Das Interesse G.s an der zeitgenössischen französischen Lite
ratur wird durch Beziehungen zu französischen Autoren (Mme de
Staël, B. Constant u. a.) und durch die Zeitschriften *Le temps* und *L*

obe so verstärkt, daß G.s Kenntnis der französischen Romantik die er abgelehnten deutschen fast übertrifft; in den späteren Jahren est er besonders V. Hugo (*Notre-Dame de Paris*), Chateaubriand, éranger, Mérimée, Stendhal, Dumas und Balzac (*La peau de* *iagrin*). Dazu tritt neben wissenschaftlicher Literatur auch eine orliebe für die französische Memoirenliteratur der Vergangenheit nd der Zeitgenossen.

C. Sachs, G.s Beschäftigung mit französischer Sprache und Literatur, Zeitschrift für anzösische Sprache und Literatur 23, 1901; F. Baldensperger, G. en France, Paris 1904; Morel, Influence de la littérature française chez G., GJb 31–32, 1910–11; B. Barnes, 's knowledge of French literature, Oxford 1937; F. Neubert, Die französische Klassik nd Europa, 1941; G. et l'esprit français, hg. A. Fuchs, Paris 1958; A. Fuchs, G. und der anzösische Geist, 1964; A. Fuchs, G. und die f. L., in ders., G.-Studien, 1968; J. Hen- ıg, Zu G.s Kenntnis des französischen Schrifttums, LJb 19, 1978, auch in ders., G.s Eu- ›pakunde, 1987; →Frankreich.

ranzösische Revolution (1789). G.s Stellung zu dem weltpoli- ısch bedeutendsten Ereignis seiner Zeit differiert mit dem Ablauf er Zeit und je nach dem Kontext, in Dichtungen z. T. der Figu- enperspektive, in Gesprächen je nach dem jeweiligen Gesprächs- ›artner, letztlich aber auch nach dem Standpunkt des Betrachters. m Prinzip der naturwissenschaftlichen Idee einer bruchlosen Evo- ıtion zuneigend und als konstitutioneller Monarchist, Befürworter ler Ständegesellschaft und politischer Anhänger eines Reformkon- ervatismus grundsätzlich antirevolutionär eingestellt, glaubte er ehr frühzeitig den Zusammenbruch der bestehenden Gesell- chaftsstruktur und den Achtungsverlust der Monarchie bereits in ler →Halsbandaffäre von 1785 zu erkennen. Er steht daher dem ingerechten Ancien Régime als der Ursache der Revolution kaum veniger kritisch und distanziert gegenüber als dem gewaltsamen Jmsturz, der ihm gegen die Natur erscheint, und seinen Partei- ;ängern, differenziert aber zugleich zwischen der Unvermeidbar- ;eit der Revolution angesichts der gesellschaftlichen Zustände in `rankreich und der Frage nach der Notwendigkeit von deren Jbertragung auf deutsche Verhältnisse, die er verneint und deren ³ropagandisten sein Spott trifft. Nach anfänglich rigoroser, erbitter- er Ablehnung der Französischen Revolution mit ihren Greueln ınd ihrer Verwilderung des Volkes gelangt er im Laufe der Jahr- ·ehnte, zumal als die Gefahr einer Ausweitung auf Deutschland ·orübergegangen war, zu einer differenzierteren Einschätzung der Opfer im Verhältnis zum Gewinn und zur Anerkennung ihrer ·wohltätigen Folgen« (zu Eckermann 4. 1. 1824). Entsprechend sei- ıer »grenzenlosen Bemühung, dieses schrecklichste aller Ereignisse ın seinen Ursachen und Folgen dichterisch zu gewältigen« (*Bedeu-* *:nde Fördernis*, 1823), verarbeiten viele seiner Werke aus der Zeit ıach 1789 indirekt das Revolutionserlebnis oder nehmen deutlich ³ezug darauf, ohne daß indessen G.s Denken in Bildern, Figuren ınd Parallelen das Ereignis als Ganzes und abstrakt zu erfassen und :u bewältigen vermöchte. Hierher gehören: einzelne *Venetianische*

Epigramme (1790) und *Xenien* (1797), die Dramen *Der Groß-Copht* (1792), *Der Bürgergeneral* (1793), *Die Aufgeregten* (1793), *Die natürlich Tochter* (1803) und das Fragment *Das Mädchen von Oberkirc* (1795/96). Vor dem Hintergrund der Revolution spielen die *Unter haltungen deutscher Ausgewanderten* (1795) mit direkter Stellung nahme im Rahmen, verkappter in den Binnenerzählungen und *Hermann und Dorothea* (1797). Von G.s eigenen Begegnungen mi der Revolution berichten die *Campagne in Frankreich* (1822) und *Belagerung von Mainz* (1822). Den eigenen Standort bezeichnen am deutlichsten die Schlußteile der *Campagne in Frankreich* und das Ge spräch mit Eckermann vom 4. 1. 1824.

H. Loiseau, G. et la Révolution française, RLC 12, 1932; J. Hoffmeister, G. und di F. R., Goethe 6, 1941; L. Goldmann, G. et la Révolution française, EG 4, 1949; B. Ge richten, Die Deutung der F.R. in G.s Werken 1790–1800, Diss. Tübingen 1963 G. Baioni, Il problema della rivoluzione e della restaurazione nell'opera di G., Venedig 1963; T. Stammen, G. und die F. R., 1966; G. Baioni, Classicismo e rivoluzione, Neape 1969 u. ö.; C. David, G. und die F. R., in: Deutsche Literatur und F. R., 1974; F. Wag ner, G. und die F. R., Scheidewege 4, 1974; W. Krauss, G. und die F. R., GJb 94, 1977 D. Borchmeyer, Höfische Gesellschaft und F. R. bei G., 1977; L. Kreutzer, Die klein ren Dramen zum Thema F. R., in: G.s Dramen, hg. W. Hinderer 1980; P. Wesollek, G als politischer Agitator, in: Werte in emanzipativen Prozessen, hg. G. Großklaus 1980 I. F. Roe, Asthetik und Politik, GJb 104, 1987; J. Kruse, Flamme im Wasser, GYb 4 1988; G. und die F. R., hg. K. O. Conrady 1988; R. Wild, Krieg und Frieden, Gewa und Recht, JbWGV 92 f., 1988 f.; The French revolution and the age of G., hg G. Hoffmeister 1989; G.-L. Fink, G. et la révolution française, RG 20, 1990; K. Rich ter, Das Regellose und das Gesetz, GJb 107, 1990; L. Ehrlich, G.s Revolutionskomö dien, GJb 107, 1990; R. I. Cape, Das französische Ungewitter, 1991; M. Windfuhr, Evo lution oder Revolution, in: Literatur, hg. J. A. Kruse 1991; H. Reiss, G. und die F. R., i ders., Formgestaltung und Politik, 1993; T. P. Saine, Revolution und Reform in G.s po litisch-geschichtlichem Denken, GJb 110, 1993; H.-G. Werner, Literarische Strategien 1993.

Frascati. Den Weinort nahe dem antiken Tusculum, am Nord westhang der Albaner Berge, mit den Sommervillen der reiche Römer beschreibt G. in der *Italienischen Reise* (15. 11. 1786; vgl 12. 9. 1787: »Es ist ein Paradies«). Er verbrachte dort häufig vor Rom aus einige Tage mit den deutsch-römischen Künstlern be Landschaftzeichnen und Kunstgesprächen als Gast des Hofrat Reiffenstein in dessen Sommerwohnung, so u. a. am 13.–16. 11 1786 (mit Besichtigung der Villa Mondragone mit dem antiken Kolossalkopf des Antinous am 14. 11.), 7.–9. 9. 1787, 25.–28. 9 1787 (mit Besichtigung der Villa →Aldobrandini und den Fresken Domenichinos zu Ovids *Metamorphosen*), 1.–4. 10. 1787 und 11.–13. 12. 1787 (Villa Mondragone).

Frauen. Zu dem unerschöpflichen Thema läßt sich in der hier ge botenen Kürze pauschal nur dreierlei festhalten: 1. Das ungeistig flache Frauenbild, wie es sich in den z. T. zynischen und provo zierend abfälligen Bemerkungen in G.s Gesprächen darstellt entspricht mehr den sozialen Vorurteilen der Männergesellschaft al der gesellschaftlichen Wirklichkeit seiner Zeit. – 2. Das dort proji zierte Bild stimmt keineswegs mit dem Frauentyp überein, zu den

·. persönlich in nähere Beziehungen trat (Gretchen, K. Schönkopf,
Brion, L. Schönemann, Ch. Buff, Ch. von Stein, Christiane Vul-
ıus/von Goethe, M. Herzlieb, M. von Willemer, S. von Ziegesar,
ſ. von Levetzow u. a.). – 3. Die anmutigen, seelenvollen, gütig-
ausfraulichen oder ethisch erhebenden Frauengestalten in G.s
ᵖichtungen (z. B. Lotte, Klärchen, Gretchen, Iphigenie, Prinzessin
ᵉonore, Dorothea, Helena, Eugenie, Charlotte, Ottilie, Aurelie,
Jatalie), selbst wo sie unleugbar an lebenden Vorbildern orientiert
ınd, gestalten diese durchweg idealisiert, veredelt und überhöht
ım, so daß sich zwischen den literarischen Idealfiguren und G.s
ᵉportierten mündlichen Äußerungen die denkbar größte Diskre-
ınz ergibt. →Ewig Weibliches.

P. Kühn, Frauen um G., II 1910 f. u. ö.; M. C. Crawford, G. and his women friends,
ᵒston 1911; F. Corßen, Die Frauen in G.s Leben und Dichtung, 1932; H. Fuhrmann,
ᵉr androgyne Mensch, 1955; A. Fuchs, La femme dans la vie de G., RG 9, 1979;
Steiner, Die F. in G.s Leben und Werk, Zeitwende 53, 1982; H. Fuhrmann, Der
hwankende Paris, JFDH 1989; I. Wagner, Vom Mythos zum Fetisch, GYb 5, 1990;
Lange, The other subject of history, in: Impure reason, hg. W. D. Wilson, Detroit 1993.

ᶠrauenplan. Der unregelmäßig viereckige, nach Süden leicht an-
ᵉigende (1961 im Norden erweiterte) Platz, 1837–1916 Goethe-
ᵖlatz genannt, im Zentrum der Weimarer Frauenvorstadt, zur
ᵍoethezeit Ort des allherbstlichen Zwiebelmarkts, war ursprüng-
ᶜh von dem mit Mauern und Graben befestigten Stadtzentrum
ᵘrch das viertürmige Frauentor zu erreichen, dessen Name auf
ᵉine im 14.–16. Jahrhundert davor gelegene Frauenkapelle
ᴹarienkapelle) zurückgeht und dessen letzte 1824 beseitigt
ᵛurden. Auf ihm steht der 1821 von C. W. Coudray errichtete,
ᵘßeiserne sog. Goethebrunnen (vgl. an Ch. L. F. Schultz 18. 9.
831). Die Südseite des Frauenplans beherrscht das →Goethehaus,
ᵉchts/westlich anschließend die Vulpius-Häuser, wo seit 1832 die
Witwe und Kinder von G.s Schwager Vulpius wohnten, links an der
Ostseite der Gasthof zum →Weißen Schwan, wo G. gern auswärtige
ᵣeunde und Gäste unterbrachte. Nördlich davon, im Haus Frauen-
ᵖlanstraße 21, wohnte 28. 7. 1787–11. 5. 1789 mit Unterbrechungen
ᵉ Schiller, ohne mit dem 1788 aus Italien heimkehrenden G. Kon-
ᵃkt anzuknüpfen.

**ᶠrauenrollen auf dem römischen Theater von Männern ge-
ᵖielt.** Am 3. 1. 1787 sah G. in Rom eine Aufführung von Goldo-
ᵢs *La locandiera* (an F. von Stein 4. 1. 1787), in der nach der ihn
ᵒnst nur aus der Kastratenoper vertrauten, doch seit dem seriösen
ᵀheater der Antike üblichen Praxis Männer auch die Frauenrollen
ᵈarstellten. Sein erster Aufsatz zur Schauspielkunst (*Teutscher Merkur*,
ᴺovember 1788) geht nicht von der z. T. bis ins 18. Jahrhundert
ᵛorherrschenden Vorstellung aus, Frauen auf der Bühne seien un-
ᵢttlich, sondern erkennt in der Praxis den doppelten Reiz der
Kunst als ästhetische Illusion und »das Vergnügen, nicht die Sache
ᵉlbst, sondern ihre Nachahmung zu sehen«.

Frech und froh. Das kurze Gedicht, das offen der unverblümten
Sinnlichkeit vor sentimentalem Liebesschmachten den Vorzug gibt,
wird meist auf die Bevorzugung Christianes vor Charlotte von
Stein gedeutet und ohne andere Anhaltspunkte auf 1788 datiert;
dann hätte G. es absichtlich bis zum Erstdruck in den *Werken* von
1815 zurückgehalten.

Fredro, Alexander, Graf (1793–1876). Den polnischen Lustspieldichter lernte G. am 26. 8. 1823 in Karlsbad kennen. Am 22. 9. 1824
besuchte dieser ihn in Weimar.

Freiberg in Sachsen. Die Bergwerkstadt im Erzgebirge mit ihrer
berühmten, 1765 gegründeten, von G. gelobten Bergakademie, an
der A. G. →Werner lehrte und über die G. durch viele Besuche
orientiert war, besuchte G. am 26.–28. 9. 1810 und besichtigt
unter der Führung seines Freundes von Trebra am 26. 9. die Bergakademie und am 27. 9. eine Erzgrube.

S. Peine, G. in F., Mitteilungen des F.er Altertumsvereins 35, 1898; W. Herrmann, G.
Verhältnis zur F.er Montanwissenschaft, GJb 90, 1973.

Freiburg im Breisgau. Die badische Stadt mit ihrem gotischen
Münster besuchte G., jeweils von Schlossers in Emmendingen
kommend, auf der 1. Schweizer Reise am 6. 6. 1775 auf dem Weg
nach Schaffhausen und auf der 2. Schweizer Reise am 29. 9. 1779
auf dem Weg nach Basel.

Freie Rhythmen. Reimlose, metrisch ungebundene, stark rhythmisch bewegte Verse von beliebiger Länge und Hebungszahl verwendet G. im Gefolge Klopstocks zuerst in den *Oden an meinen
Freund* (1767), dann vor allem in den großen Sturm und Drang-
Hymnen von 1772–74 (*Wandrers Sturmlied, Mahomets Gesang, Prometheus, Ganymed, An Schwager Kronos*) bis hin zu *Pilgers Morgenlied*
(1772), *Der Adler und die Taube* (1774), *Harzreise im Winter* (1777)
und *Gesang der Geister über den Wassern* (1779), später nur aus-
nahmsweise (*An Fanny Caspers*, 1815) und im Drama im *Prometheus*-Fragment, in *Proserpina* und einzelnen Szenen des *Faust* (Erdgeist; Marthens Garten).

A. Closs, Die f. R. in der deutschen Lyrik, 1947; H. Enders, Stil und Rhythmus,
1962.

Freies Deutsches Hochstift →Goethehaus Frankfurt

Freie Zeichenschule. Auf Betreiben F. J. Bertuchs gründete Carl
August 1776 in Weimar die »Fürstliche freye Zeichenschule« unter
Leitung von G. M. Kraus und reger Beteiligung G.s, die zuerst im
Fürstenhaus, 1781–1807 im Roten Schloß, dann wieder 1808–10
im Fürstenhaus mehrere kostenlose Kurse zur Förderung des

nstlerischen Begabungen in Zeichnen, Kupferstich, Malen und gemein des guten Geschmacks anbot, an denen neben Handwerrn und Bürgern zeitweise u. a. auch Ch. von Stein, C. Schröter ıd C. Jagemann teilnahmen. G. hielt dort im Winter 1781/82 Vorıge über Anatomie für Künstler. 1779 fand die erste Ausstellung tt. 1789 wurde J. H. Lips (bis 1794), 1795 J. H. Meyer (1806 Diktor) als Lehrer berufen.

G. T. Stichling, G. und die f. Z., in: Weimarische Beiträge zur Literatur und Kunst, 65.

eiheit und Gleichheit. Die Schlagworte der Französischen Reʋlution ironisiert G. aus elitärem Geist in *Hermann und Dorothea* I, 10), im *Bürgergeneral* (VI ff.), im *Römischen Carneval* (Ascherittwoch) und in *Maximen und Reflexionen* 951–954.

E. Staiger, G. und die F. des Menschen, in: Erziehung zur F., 1959; L. Dieckmann, The nception of freedom in G's works, PEGS NS 32, 1962.

reiheitskriege. Den deutschen Befreiungskriegen gegen Napoɔn 1813–1815 stand G., Kriegswirren an sich als Störung des harɔnisch geordneten Lebens abgeneigt und als Bewunderer Napoɔns und der französischen Kultur eher Kosmopolit als Patriot, eptisch bis ablehnend gegenüber und vermochte die vaterländihe Begeisterung nicht zu teilen. Er zog sich vor den unruhigen eiten im April–August 1813 nach Teplitz zurück, vergrub sich ıschließend in »Entferntestes« wie chinesische Geschichtsstudien, lebte jedoch die schlimmen Tage 21./22. 10. 1813 der Verwüstung ıch der Völkerschlacht bei Leipzig (18. 10. 1813) in Weimar mit n Gräfin O'Donell 30. 10. 1813), ließ seinen Sohn August nicht ı Weimarer Freiwilligenkorps teilnehmen und stand mit seiner ɔgativen Beurteilung der Chancen einer deutschen Einigung ımitten der Begeisterung in Weimar einigermaßen isoliert (zu . Luden 13. 12. 1813). Die Tagebücher und *Tag- und Jahreshefte* ɔtieren nur kurz und sachlich die Ereignisse. Den Jahrestag der ːhlacht von Leipzig erlebte G. in Frankfurt, den Jubel über den ıeg von Waterloo in Wiesbaden mit. Erst im Rückblick bedauert ː sein Abseitsstehen im Festspiel *Des Epimenides Erwachen* (1814) ıd erkennt die Bedeutung der Freiheitskriege für die nationale ınigung Deutschlands (zu Eckermann 14. 3. 1830).

E. Weniger, G. und die Generale der F., 1942 u. ö.; H. Knebel, Weimar in der Zeit ːr Befreiungskriege, 1955; H. Tümmler, Die Befreiungskriege in der Sicht G.s, Blätr für deutsche Landesgeschichte 119, 1983.

reimaurer. Die Gesellschaft diente im 18. Jahrhundert vornehmːh der Verbreitung aufklärerischer Gedanken, der Veredelung des ᴧenschen im Geist der Humanität und der geselligen Verbindung ;leichgesinnter ohne Standesunterschiede. G. war durch seinen ᴇipziger Tischgenossen und ab 1772 Leiter der Züricher Loge ᴅiethelm Lavater, den Bruder von J. C. Lavater, bereits mit dem

Freimaurertum vertraut, hatte aber in Frankfurt 1775 eine Annähe rung abgelehnt (*Dichtung und Wahrheit* IV,17), als er sich am 13. 1780 aus »geselligem Gefühl« bei dem damaligen Meister vo Stuhl, J. F. Freiherrn von Fritsch, um Aufnahme in die 1764 g gründete Weimarer Loge »Anna Amalia« bewarb. Er wurde a 23. 6. 1780 als »Lehrling« aufgenommen, am 23. 6. 1781 zum »G sellen« befördert, am 1. 3. 1782 zusammen mit Carl August zu »Meister« erhoben und am 12. 12. 1782 Mitglied des »Inneren O dens«, zeigte jedoch kein allzu großes Engagement. Während ein Zeit der Inaktivität der Weimarer Loge konnte J. C. Bode G. u Carl August im Februar 1783 für den aufklärerischen →Illumin tenorden werben, jedoch stellten beide 1785 ihre Aktivität ein u nahmen nach der »Verschwörungstheorie«, die den Illuminate die Französische Revolution anlastete, eine feindliche Haltu gegenüber Geheimbünden ein. G. lehnte in einem amtlichen Gu achten vom 31. 12. 1807 eine Freimaurerloge für Jena als gefährlic ab; Carl August betrieb stattdessen 1808 die Wiederbelebung d orthodox-freimaurerischen Loge »Anna Amalia« unter F. J. J. Be tuch als Meister vom Stuhl. G. blieb den im Wittumspalais gehalt nen regelmäßigen Zusammenkünften meist fern und bat am 5. 1 1812 den Meister vom Stuhl J. C. R. Ridel, ihn von seinen Ve pflichtungen zu suspendieren. Er hielt jedoch bei der Gedächtni feier für Wieland am 18. 2. 1813 seine Logenrede *Zu brüderliche Andenken Wielands*, führte im Dezember 1815 seinen Sohn Augu der Loge zu (Gedicht →*Symbolum*), verfaßte eine Betrachtung z Totenfeier J. C. R. Ridels 1821, schrieb zum 50jährigen Regic rungsjubiläum Carl Augusts am 3. 9. 1825 ein Logengedicht (»Ei mal nur in unserm Leben«) und dankte mit einem Gedic (»Fünfzig Jahre sind vorüber«) für die Feier seines 50jährigen Mai rerjubiläums, der er krankheitshalber fernbleiben mußte. Dichter sche Verklärung fand die Freimaurerei in der »Gesellschaft vo Turm« (→Turmgesellschaft) in *Wilhelm Meisters Lehrjahre*. →Loger gedichte.

J. Pietsch, G. als F., 1880; V. Valentin, G.s Freimaurerei in seinen nichtfreimaurerische Schriften, GJb 22, 1901; H. Wernekke, G. und die Königliche Kunst, 1905 u. ö G. Deile, G. als F., 1908; J. Norden, G. als F., PEGS 14, 1912; H. Wahl, G. und d Logenwesen, Goethe 1, 1936; H. C. Freiesleben, G. als F., 1949; A. Horneffer, G., d Meister, 1949; F. C. Endres, G. und die Freimaurerei, 1949; R. Guy, G., franc-maçoi Paris 1975; S. Abbott, Des Maurers Wandeln ..., DVJ 58, 1984; W. D. Wilson, Geheim räte gegen Geheimbünde, 1991.

Der Freimütige →Kotzebue, August von

Freitagsgesellschaft. Der zwanglose literarisch-gesellige Kre von Gelehrten aus Weimar und Jena, der sich jeden ersten Freita im Monat, später in größeren Abständen, im Wittumspalais in Wei mar oder in G.s Haus traf, verdankt seine Entstehung einer An regung G.s an Carl August vom 1. 7. 1791, eine unprätentiöse »ge lehrte Gesellschaft« zu errichten, um die Isolation der Forscher un

ünstler zu überwinden. G. entwarf eigenhändig die Statuten, die
reits am 5. 7. 1791 von Bertuch, Bode, Buchholz, Herder, Knebel,
Wieland und C. G. von Voigt unterzeichnet wurden: Jedes Mitglied
lle Vorträge oder Demonstrationen aus seinem Fachgebiet, seiner
iebhaberei, Kunst oder Dichtung beisteuern und zum Meinungs-
ıstausch beitragen. G. eröffnete die erste Sitzung am 9. 9. 1791 mit
ıner Eröffnungsrede und führte anfangs selbst Protokoll. Am 4. 11.
791 fanden sich als weitere Mitglieder C. A. Böttiger, J. F. Kästner
ıd Ch. W. Hufeland, später F. H. von Einsiedel, C. W. von Fritsch,
H. Meyer und G. M. Kraus. Dazu kamen Carl August und seine
attin, Anna Amalia und die Jenaer Professoren Batsch, Lenz und
riesbach, dazu auswärtige Gäste wie Prinz August von Gotha und
V. von Humboldt. G.s Vorträge befaßten sich mit Betrachtungen
ber das Farbenprisma (4. 11. 1791), K. Ph. Moritz' *Grundlinien zu
einen Vorlesungen über den Stil* (17. 2. 1792), dem *Lehrgedicht über die
flanzen* eines Schweden (2. 3. 1792), Cagliostros Stammbaum
23. 3. 1792), Vorlesung und Erklärung von Voß' *Ilias*-Übersetzung
November 1794) und *Über die verschiedenen Zweige der hiesigen
ätigkeit* (? 1795). Die Freitagsgesellschaft bestand bis 1797 und
urde dann durch andere Gesellschaften weniger wissenschaft-
chen Zuschnitts abgelöst. Vgl. G.s Bericht in *Tag- und Jahreshefte*
796.

C. A. Böttiger, Literarische Zustände und Zeitgenossen, II 1838; C. Schüddekopf,
ıe F., GJb 19, 1898; E. H. Dummer, G's literary clubs, GQ 22, 1949.

remdsprachen. G.s Fremdsprachenkenntnisse, durchweg in der
ıgend in Frankfurt durch den Vater oder Sprachlehrer angeeignet,
ınfaßten ausreichendes Latein, Französisch und Italienisch, Grund-
ınntnisse in Englisch und Griechisch sowie ein wenig Hebräisch
→Lehrer G.s). Für slawische und orientalische Sprachen war er auf
Ibersetzungen angewiesen. – »Wer fremde Sprachen nicht kennt,
eiß nichts von seiner eigenen« (*Maximen und Reflexionen* 91).

resenius, Johann Philipp (1705–1761). Der angesehene Haupt-
ıstor an der Katharinenkirche in Frankfurt (seit 1743), 1749
enior des evangelisch-lutherischen Predigerkollegs ebd., Verfasser
ielgelesener pietistischer Erbauungsschriften und Predigten, war
er Beichtvater und geistliche Berater der Familie Textor. Er traute
.s Eltern und taufte ihn selbst am 29. 8. 1749. Aufsehen erregte er
759 durch seine Bekehrung des freigeistigen sächsischen General-
utnants G. C. Baron von Dyhern, der in der Schlacht bei Bergen
ıdlich verwundet worden war (*Dichtung und Wahrheit* I,4). In sei-
er Ablehnung der Herrnhuter mag er ein Vorbild für die Figur des
Iberhofpredigers in den »Bekenntnissen einer schönen Seele« in
Vilhelm Meisters Lehrjahren abgegeben haben.

H. Dechent, Die Seelsorger der G.schen Familie, GJb 11, 1890; G. v. Mecsenséffy,
₂. F., ChWGV 55, 1951.

Freud, Sigmund (1856–1939). Dazu vgl. Faust (*Faust* v. 1765): »D
hörest ja, von Freud ist nicht die Rede.«

Freuden des jungen Werthers. Das drastische Gedicht, das der
Ärger über F. →Nicolais *Werther*-Parodie Luft macht, sandte G. 177
an Boie zur Veröffentlichung im *Musen-Almanach.* Als dieser es nich
druckte, veröffentlichte G. es nicht, trug es aber gelegentlich münd
lich vor. Auf den im 19. Jahrhundert kursierenden Abschriften be
ruht ein Einblattdruck von 1837. Vgl. →*Anekdote zu den Freuden d
jungen Werthers.*

Freudvoll und leidvoll. Klärchens Lied aus *Egmont* (III,2), diese
volksliedhaft schlichte, von Beethoven, Schubert u. a. vertonte Ge
dicht vom Schwanken der liebenden Seele zwischen extreme
Gemütszuständen, hat G. nicht wie andere Lieder aus seinen Dra
men unter die Gedichte aufgenommen, obwohl es eines seine
schönsten Liebeslieder ist.

T. G. Georgiades, G.s F. u. l. in den Vertonungen von Beethoven und Schubert, i
Literatur und Musik, hg. S. P. Scher 1984.

Freunde. Männer, die G. in einer bestimmten Periode seine
Lebens oder längere Zeit und über gemeinsame literarische, künst
lerische oder wissenschaftliche Interessen hinaus auch persönlic
nahestanden – wobei die Bandbreite von emphatischem jugenc
lichem Freundschaftskult bis zur achtungsvollen Sympathie reich
und durchaus auch von Zeiten des Mißverstehens unterbroche
sein kann – waren u. a. (s. einzeln): in Frankfurt: André, Crespe
Horn, Jacobi, Kayser, Klinger, Lavater, Merck, Moors, Riese, Graf z
Stolberg – in Leipzig: Behrisch – in Straßburg: Herder, Jung
Stilling, J. M. R. Lenz, Salzmann, H. L. Wagner – in Weimar: Ca
August, Bertuch, Eckermann, Herder, Knebel, G. M. Kraus, Meye
F. von Müller, Riemer, Schiller, Soret, von Voigt, Wieland – i
Italien: Meyer, K. Ph. Moritz, Tischbein – anderswo: Boisserée
Carlyle, W. von Humboldt, Zelter.

G. Quabbe, G.s Freunde, 1949.

Friedberg in der Wetterau. In der alten Reichsstadt bei Ba
Nauheim lebte ein Vetter von G.s Vater, der Schreinermeister un
Gastwirt (»Zum Ritter«) Johann Christian G., der 1770 Konku
gemacht hatte und von G.s Vater unterstützt wurde. Ab 10. 11. 177
verbrachte G. im Anschluß an eine Reise mit Schlosser nach Wetz
lar wegen einer Lokal-Kommission zu Reparaturen am Gasth
einige Tage in Friedberg (an Kestner 10. 11. 1772); Anfang Oktobe
1774 fuhr er Klopstock auf dessen Wunsch bis Friedberg entgege
und wartete dort einige Tage vergebens auf den Verspäteten, den e
erst in Frankfurt traf (*Dichtung und Wahrheit* III,15).

Friederike →Brion, Friederike

Friederike (Caroline Sophie Alexandrine), Königin von Hannover, geb. Prinzessin von Mecklenburg-Strelitz →Solms, F. C. S. A.

Friederike Christiane Auguste, Erbprinzessin, dann Kurfürstin von Hessen-Kassel (1780–1841). G. lernte die Tochter Friedrich Wilhelms II. von Preußen und Gattin des Kurfürsten Wilhelm II. von Hessen-Kassel am 8. 10. 1801 am Weimarer Hof kennen. In Karlsbad bat 1808 der Maler F. Bury, der im Gefolge der Prinzessin Dresden besucht hatte, G. um ein Gedicht zu ihren Ehren, das er mit den ihr besonders lieben Gegenden und Gegenständen illustrierte. Das am 26./27. 7. 1808 in Karlsbad entstandene Gedicht *einer hohen Reisenden* spielt entsprechend in der 2. Strophe auf Raffaels Sixtinische Madonna und in der 3. Strophe auf das Reiseziel Italien an (*Tag- und Jahreshefte* 1808). G. sah die ihm stets gewogene Prinzessin bei ihren Besuchen in Weimar am 18. 11. 1813, 1. 8. und 15. 9. 1817, 19. 4. 1823 und 21. 4. 1830 wieder (ebd. 1813, 1817).

Friedrich II., der Große, König von Preußen (1712–1786). G. war zeitlebens ein Bewunderer des Königs und seiner politischen Leistung zum Aufstieg Preußens. Im Siebenjährigen Krieg, als G.s Großvater Textor zur Partei Österreichs hielt, war G. mit seinem Vater »Fritzisch gesinnt«: »Es war die Persönlichkeit des großen Königs, die auf alle Gemüter wirkte« (*Dichtung und Wahrheit* I,2). In der Leipziger (ebd. II,7) und Straßburger Studienzeit (ebd. III,11) wie der Frankfurter Anwaltszeit war ihm Friedrich II. Leitbild und schicksalsbestimmende Persönlichkeit Europas. Bei seinem Aufenthalt in Berlin im Mai 1778 war Friedrich zur Vorbereitung des Bayrischen Erbfolgekriegs in Schlesien, aber G. sah in allem den begRegenden Einfluß des Königs (an Ch. von Stein 17. 5. 1778) und ärte mit Mißfallen, wie über den König »seine Lumpenhunde räsonnieren« (an Merck 5. 8. 1778). In seinem Überblick über die deutsche Literatur des 18. Jahrhunderts (ebd. II,7) zeichnet G. den König als Idol und Inspirationsquelle der neuen deutschen Literatur, die der Köng gleichwohl mißachtete. Friedrichs verständnislos negatives Urteil über die zeitgenössische deutsche Literatur in *De la littérature allemande* (1780) und insbesondere seine enttäuschende Ablehnung des *Götz von Berlichingen*, den er nur in der Bearbeitung des Berliner Theaterdirektors Koch kannte, als »imitation détestable de ces mauvaises pièces anglaises« traf G. schmerzlich. Neben den Repliken von J. F. W. Jerusalem (1781) und J. Möser (1781), die die deutsche Literatur, Möser insbesondere auch G., vor dem königlichen Verdikt in Schutz nahmen, verfaßte G. im Frühjahr 1781 eine (verlorene) Erwiderung in Gestalt eines Dialogs zwischen einem Franzosen und einem Deutschen, ließ sie in Weimar zirkulieren, nahm jedoch von einer Veröffentlichung Abstand und fand später für das intolerante Vorurteil die Entschuldigung, man könne vom

König nicht verlangen, das weiter zu verfolgen, »was er für barbarisch hält« (ebd. II,7; ähnlich an J. W. J. Voigts 21. 6. 1781 und *Ma ximen und Reflexionen* 766). Im übrigen tat Friedrichs Ablehnung G.s Verehrung keinen Abbruch. Das Gerücht von seinem Tod tra ihn noch in Karlsbad (an Ch. von Stein 23. 8. 1786), die Bestätigung bewegte ihn in Rom (*Italienische Reise* 19. 1. 1787). Als die siziliani schen Bauern in Caltanisetta ihn nach Friedrich II. fragten, erzählt er ihnen vom Preußenkönig, wagte aber nicht, sie mit de Todesnachricht zu beunruhigen, und es kam ihm nicht einmal i den Sinn, daß sie möglicherweise den in Palermo aufgewachsene König von Sizilien und späteren Kaiser Friedrich II. (1212–1250 gemeint haben könnten. Die *Römischen Elegien* (X.) und die *Note und Abhandlungen* zum *West-östlichen Divan* (Kap. Pietro della Valle zählen Friedrich zu den Großen der Weltgeschichte; in *Die Aufge regten* (I,6) erzählt Breme eine Anekdote von der Leutseligkeit de Königs; die Gedenkrede auf Anna Amalia (1807), die Nicht Friedrichs, nennt ihn den »größten Mann seiner Zeit«, und 180 bespricht G. J. von Müllers Rede *La gloire de Frédéric* (*Jenaische Al gemeine Literatur-Zeitung* Nr. 51, 28. 2. 1807) und übersetzt sie mi Riemer für das *Morgenblatt für gebildete Stände* (Nr. 53–54, 3.–4. 3 1807; vgl. *Tag- und Jahreshefte* 1807). Ein für F. L. von Brösigke den Großvater Ulrike von Levetzows, restauriertes Autograp Friedrichs schließlich begleiten bei der Rücksendung die Vers »Das Blatt, wo Seine Hand geruht …«. Nur aus der zeitlichen Dis krepanz erklärt sich die ironische Tatsache, daß von den von G bewunderten mächtigsten Männern seiner Zeit der deutsch Friedrich II. ihn ablehnte, während der Franzose Napoleon ihn z würdigen wußte.

H. Schöne, Antike Vorteile und barbarische Avantagen, Antike 10, 1934; P. Herre, G und F. d. Gr., JGG 21, 1935.

Friedrich August, Herzog von Nassau-Usingen (1738–1816). Be dem Herzog und seiner Gattin Louise, geb. Prinzessin von Waldec (1751–1816) auf Schloß →Biebrich bei Wiesbaden war G. bei sei nen Aufenthalten in Wiesbaden 1814 und 1815 sonntags ein ger gesehener Tischgast. Des Herzogs Kunst- und Mineraliensammlun und Bibliothek beschreibt G. in *Kunst und Altertum am Rhein un Main* (Kap. »Biebrich« und »Wiesbaden«).

Friedrich Carl Alexander, Prinz von Preußen →Carl, Prinz vo Preußen

Friedrich Ferdinand Constantin, Prinz von Sachsen-Weimar Eisenach →Constantin

Friedrich Ludwig Christian, Prinz von Preußen →Louis Ferdi nand

riedrich Wilhelm II., (ab 1786) König von Preußen (1744–
797). Dem Neffen und Nachfolger Friedrichs des Großen und
chwager Carl Augusts begegnete G. zuerst bei der »großen Cour«
n Breslauer Schloß am 11.8.1790, dann in dessen wenig glück-
cher Rolle als oberster Kriegsherr in den Koalitionskriegen (*Cam-
agne in Frankreich; Belagerung von Mainz*).

riedrich Wilhelm III., (ab 1797) König von Preußen (1770–
840). Dem Preußenkönig der Napoleonzeit begegnete G. wohl
uerst noch als Kronprinzen 1792 bei der Campagne in Frankreich,
ann bei seinen Besuchen in Weimar Anfang Juli 1799 und am
1.–13.10.1806 vor der Schlacht bei Jena und Auerstedt. Am 24.4.
813 erlebte er den Einzug des Königs und des russischen Kaisers
1 Dresden, und zur Feier der Rückkehr aus dem Feldzug gegen
Napoleon schrieb G. 1814 auf Bitten Ifflands das Festspiel *Des
Epimenides Erwachen*.

riedrich Wilhelm IV., (ab 1840) König von Preußen (1795–
861). Der Sohn Friedrich Wilhelms III., damals noch Kronprinz,
uf den G. »große Hoffnung« setzte (zu Eckermann 11.3.1828),
esuchte G. am 1. und 4.2.1827 in Weimar (zu Eckermann 1.2.
827, zu Boisserée 17.2.1827: »seine Gegenwart höchst erwünscht
efunden«). Am 14.8.1827 dankte G. ihm für das Geschenk eines
Bronzeabgusses einer im Oderbruch gefundenen kleinen Jupiter-
tatue.

riedrich. Den Vornamen tragen bei G. meist junge Adlige: der
unge Graf Altenstein in *Lila*, der Sohn der Baronesse von C. in den
Unterhaltungen deutscher Ausgewanderten, der leichtsinnige Bruder
Natalies im *Wilhelm Meister* und der Onkel des Fürsten in der
Novelle.

riedrich, Caspar David (1774–1840). Der romantische Land-
chaftsmaler übersandte am 25.8.1805 für die Weimarer Kunstaus-
ellung 1805 zwei Sepia-Landschaften (»Wallfahrt bei Sonnen-
ntergang«, »Herbstabend am See«), die mit dem halben Preis
usgezeichnet, von J.H. Meyer anerkennend besprochen (*Jenaische
Allgemeine Literaturzeitung* 1.1.1806) und für Weimar angekauft
vurden. Mit mehreren weiteren Zeichnungen, u.a. »Hünengrab«,
eschäftigte sich G. am 2.–13.11.1808 (»schönes Talent …, aber in
inem strengern Kunstsinne nicht durchgängig zu billigen«, *Tag-
nd Jahreshefte* 1808). Anläßlich seines Aufenthalts in Dresden be-
uchte G. den Maler am 18.9.1810 in seinem Atelier: »wunderbare
andschaften« (Tagebuch). Am 9. und 10.7.1811 besuchte
riedrich G. in Jena, am 4.12.1811 sandte er mehrere Landschaf-
en, und im April 1812 erwarb G. weitere Zeichnungen für Weimar
n Meyer 25.4.1812). Erst mit G.s zunehmender Abwehr gegen

die Romantik wird sein Urteil kritischer, und in dem mit G.s Bil
ligung geschriebenen Aufsatz über *Neudeutsche religios-patriotisch
Kunst* (*Über Kunst und Altertum* I,2, 1817) bemängelt J. H. Meyer au
klassizistischer Enge neben vielem Lob auch F.s Insistieren auf »my-
stisch-religöser Bedeutung« seiner »mystisch-allegorischen Landschaften«, die Darstellung auch des Unschönen und die »Vernachlässigung der Kunstregeln«. G. selbst besaß keine Werke Friedrichs

R. Benz, G. und die romantische Kunst, 1940; C. Lichtenstern, Beobachtungen zum
Dialog G. – C. D. F., Baltische Studien NF 60, 1974;T. Ziolkowski, Bild als Entgegnung
in: Kontroversen, alte und neue 2, 1986.

Friedrichroda. Die Stadt im Thüringer Wald besuchte G. u. a. an
4. 9. 1777 mit einer Jagdgesellschaft, am 6. 7. 1781 mit Knebel un
am 10. 5. 1782 (Grubenbesichtigung mit Bergrat Baum).

Fries, Jacob Friedrich (1773–1843). Der Philosoph lehrte 180!
kurz in Jena (Besuche bei G. am 6. und 10. 1. 1805), war seit 180!
Professor für Philosophie und Elementarmathematik in Heidel
berg, kehrte 1816 als Professor der Philosophie nach Jena zurück
wurde wegen seiner Beteiligung am Wartburgfest (1817) 181!
unter Beibehaltung der Bezüge suspendiert und erhielt 1824 di
Professur für Mathematik und Physik. Sein Verhältnis zu G., de
seine politische Aktivität verspottete und seine Philosophie igno
rierte, blieb formell und kühl (Besuche am 10. 4. 1817, 20. 9. 182
und 9. 5. 1829). G. ärgerte sich besonders über die Vorlesung zu
Licht- und Farbenlehre (an Zelter 29. 3. 1827) von Fries, der G.
Farbenlehre anonym in den *Heidelberger Jahrbüchern* (Nr. 27, 1814
kritisch besprochen hatte.

Frithiofssaga →Tegnér, Esaias

Fritsch, Carl Wilhelm, Freiherr von (1769–1851). Der zweit
Sohn des Freiherrn J. F. von →Fritsch trat 1789 in den Weimare
Staatsdienst, stieg 1805 zum Polizeipräsidenten auf und wurde nac
dem Tod des Vaters 1815 Staatsminister und Wirklicher Geheime
Rat. G. nennt ihn »gebildet, bildungslustig, aufmerksam, durchau
teilnehmend« und sah ihn als seinen Gast und Mitglied der Frei
tagsgesellschaft.

W. v. Biedermann, G. und die von F., in ders., G.-Forschungen, 1879.

Fritsch, Jacob Friedrich, Freiherr von (1731–1814). Der in Kur
sachsen begüterte Sohn eines sächsischen Ministers stand seit 175
im Weimarer Staatsdienst, war seit 1762 Mitglied und 1772–180(
Präsident des Geheimen Consilium, Staatsminister und Wirkliche
Geheimer Rat unter Anna Amalia wie Carl August, zugleich Mei
ster vom Stuhl der →Freimaurerloge »Anna Amalia«. Das als sei
Stadthaus 1767 erbaute spätere Wittumspalais in Weimar überließ e

nach dem Schloßbrand von 1774 Anna Amalia als Wohnsitz. Fritsch war kein bequemer, vielmehr ein starrer, aber absolut ergebener, verläßlicher, intelligenter und energischer Minister. Dem Weimarer geistig-literarischen Leben stand der Gellert-Verehrer fern. Den Plan Carl Augusts vom April 1776, den 26jährigen »Dr.G.« ins Geheime Consilium, das den Herzog beratende Gremium, zu berufen, empfand er als Affront, erhob schwere Bedenken, bat den unnachgiebigen Herzog am 24. 4. 1776 um seine Entlassung und ließ sich nur durch dringende Vorstellungen Carl Augusts vom 10. 5. und die Vermittlung Anna Amalias vom 13. 5. und ihren Appell an sein Pflichtgefühl zum Bleiben bewegen. Die seitherige, fruchtbare, wenn auch nicht ganz konfliktlose Zusammenarbeit der beiden so unterschiedlichen Temperamente ist ein Zeugnis für die politische und Lebensklugheit beider. G. rühmte, daß er »stets redlich gegen ihn gewesen, obgleich sein, Goethes, Treiben und Wesen ihm nicht habe zusagen können« (zu F. von Müller 31. 3. 1824). Einzelne Züge seines Charakters mögen auf die Figur des Antonio in *Torquato Tasso* eingewirkt haben.

W. v. Biedermann, G. und die von F., in ders., G.-Forschungen, 1879; K.-H. Hahn, I. F. v. F., 1953.

Fritsch, Ludwig Heinrich Gottlieb, Freiherr von (1772–1808). Den jüngsten Sohn des Freiherrn J. F. von Fritsch und preußischen Offizier, 1792 Leutnant im Regiment Carl Augusts, nennt G. in seinem Bericht der *Campagne in Frankreich* einen Freund.

Fromm, Frömmigkeit. Der Begriff wird bei G. neben dem frühen traditionellen Gebrauch im Sinne von »pius« nach seiner Abkehr vom Pietismus negativ aufgeladen, indem er hinter den sich selbst so bezeichnenden »Frommen« (Pietisten) und ihrer zur Schau getragenen Frömmelei bald Egozentrik, Selbstsucht, Eitelkeit, Intoleranz, Herrschsucht, Schwärmerei und Heuchelei erkennt (*Venetianische Epigramme, Xenien, Zahme Xenien* IV: »Wirst du die wahren …«, *Maximen und Reflexionen* 519 f.). Fast zum Schimpfwort wird er in Bezug auf die G. suspekte katholisierende Religiosität der romantischen Künstler und Dichter. Positiv steht das Wort etwa für die liebevolle, selbstlose Hingabe an die Naturbeobachtung oder ein Höheres (*Marienbader Elegie*) und im Sinne einer sozial verantwortlichen →»Weltfrömmigkeit« (*Wilhelm Meisters Wanderjahre* II,7).

G. Niggl, Fromm bei G., 1967.

Frommann, Carl Friedrich Ernst (1765–1837). Im geselligen Hause des seit 1798 in Jena etablierten, gebildeten Buchhändlers, Druckers und Verlegers, der auch einige Schriften G.s für Cotta druckte, verkehrte G. häufig und freundschaftlich bei allen seinen Aufenthalten in Jena seit 1798, zumal im Frühjahr und November/Dezember 1803, August 1806, Mai und November/Dezember

1807 und Mai/Juni 1809 wie auch später. Eine verborgene, leidenschaftliche Neigung zu Frommanns damals 18jähriger Pflegetochter Wilhelmina (Minchen) →Herzlieb gab im Dezember 1807 mit den Anstoß zu G.s →Sonetten. Für Frommanns Manzoni-Ausgabe vereinigte G. 1827 seine früheren Manzoni-Aufsätze zu einer Vorrede.

F. J. Frommann, Das Esche Haus und seine Freunde 1792–1837, 1870 u. ö.; Freundliches Begegnen, hg. G. H. Wahnes 1927; H. Vogel von Frommannshausen, G.s Beziehungen zum Eschen Hause in Jena, ChWGV 39, 1934.

Froriep, Ludwig Friedrich von (1779–1847). Der Professor der Chirurgie und Geburtshilfe in Jena, Halle und Tübingen, 1815 Leibarzt des Königs von Württemberg, wurde 1816 durch Vermittlung seines Schwiegervaters F. J. Bertuch als Obermedizinalrat nach Weimar berufen, leitete dort 1818–46 Bertuchs Landesindustriecomptoir sowie dessen Verlag und Geographisches Institut und initiierte zahlreiche naturwissenschaftliche und medizinische Reihenwerke. Froriep beteiligte sich rege am geselligen Leben Weimars besonders im Kreis um Maria Paulowna. Sein Verhältnis zu G. erscheint trotz gemeinsamer naturwissenschaftlicher Interessen und häufiger Besuche einigermaßen konventionell und oberflächlich; G. erwähnt ihn außer in den Tagebüchern kaum. Immerhin ließ G. ihn 1825 durch Schmeller für seine Porträtsammlung zeichnen.

Frühlingsorakel. Der Rundgesang, dessen Entstehung nicht datierbar ist (1794?, 1802?) erschien zuerst als letztes der *Der Geselligkeit gewidmeten Lieder* 1803 im *Taschenbuch auf das Jahr 1804* von Wieland und G. und wurde u. a. von W. Kienzl, J. F. Reichardt und L. Spohr vertont. Er spielt mit der volkstümlichen Vorstellung vom Kuckuck als Orakelvogel, der durch die Zahl seiner Rufe Fragen beantwortet.

Frühling übers Jahr. Das rokokohaft spielerische, von K. Eberwein, C. Loewe, H. Wolf u. a. vertonte Natur- und Liebesgedicht entstand am 15. 3. 1816 und erschien in *Über Kunst und Altertum* (II,3, 1820). Der Evokation der Frühlingszeichen im Garten mit Summationsschema (v. 19/16) stellt der 2. Teil das Lob des »Liebchens« gegenüber, das durch seine Dauer jenseits der Jahreszeiten alle Reize der Natur übertrifft. Der biographisch mögliche, optimistische Bezug auf eine erhoffte Genesung Christianes allerdings erwies sich als trügerisch, da sie im gleichen Frühjahr 1816 verstarb.

Früh, wenn Tal, Gebirg und Garten ... Das »Dornburg, September 1828« datierte, mehrfach vertonte Gedicht entstand während G.s einsamem Aufenthalt in →Dornburg nach dem Tod Carl Augusts und erschien erst postum in A. von Chamissos und G. Schwabs *Deutschem Musenalmanach für das Jahr 1833*. Eine einzige Satzperiode mit drei Konditionalsätzen faßt das beseelt gesehene

Naturgeschehen eines Tages vom Morgen bis Sonnenuntergang zusammen. Aus der realen Beobachtung sich auflösender Morgennebel im Saaletal bei Dornburg entsteht das – unausgesprochene – Gleichnis, das einen Tag im Leben des naturoffenen Menschen dem Lebensgang parallel setzt.

J. Müller, Zum letzten Dornburger Gedicht, WB 1, 1955, auch in ders., Der Augenblick ist Ewigkeit, 1960; W. Killy, Wandlungen des lyrischen Bildes, 1956 u. ö.; J. Anderegg, Das Abgesonderte und das Übergängliche, DVJ 56, 1982.

Frühzeitiger Frühling (»Tage der Wonne …«). Das spielerisch leichte Naturgedicht in bilderreichen Kurzversen entstand im Frühjahr 1801, wurde bereits im Frühjahr 1802 von Zelter vertont (weitere 30 Vertonungen u. a. von C. Loewe, F. Mendelssohn, J. F. Reichardt, W. Tomaschek) und erschien 1803 unter den geselligen Liedern im *Taschenbuch auf das Jahr 1804* von Wieland und G.

Füllest wieder Busch und Tal →*An den Mond II*

Fuentes, Giorgio bzw. Georg (1756–1821). Der Schüler des Bühnenbildners der Mailänder Scala P. G. Gonzaga wirkte 1796–1805 als Bühnenbildner in Frankfurt, später in Paris und Mailand. G. sah am 13. 8. 1797 in Frankfurt A. Salieris Oper *Palmira, Prinzessin von Persien* mit Fuentes' klassizistischen Bühnenbildern nach antiken Architekturmodellen und war stark beeindruckt von der »theatralischen Baukunst«, die ihm »ganz vollkommen« und als Vorbild und Lehrbeispiel der Theatermalerei erschien. Er besuchte den »wohlgebildeten, stillen, verständigen, bescheidenen Mann«, der alles Verdienst seinem Lehrer zuschrieb, am 17. und 22. 8. 1797 in seinem Atelier und suchte ihn – allerdings vergeblich – für Weimar zu gewinnen. Die Gespräche regten G. zu Überlegungen über Bühnendekoration und zum Gespräch *Über Wahrheit und Wahrscheinlichkeit der Kunstwerke* (1798) an. Fuentes' Schüler F. Ch. →Beuther wurde 1815 für das Weimarer Theater engagiert. Vgl. die fast gleichlautenden Berichte an Schiller 14. 8. 1797, an Carl August 15. 8. 1797 und erweitert *Reise in die Schweiz* (14. und 18. 8. 1797).

Für junge Dichter →*Wohlgemeinte Erwiderung*

Fürnstein (Firnstein)**,** Anton (1783–1841). Den Krüppel und Autodidakten in Falkenau an der Eger und seine Gedichte lernte G. am 3./4. 8. 1822 auf Veranlassung J. S. Grüners kennen und war von Mitleid und Ergriffenheit angesichts seiner reingeistigen Existenz bewegt. Er regte ihn zu einem Gedicht über den Hopfenbau an und wollte durch einen Aufsatz *Deutscher Naturdichter* (*Über Kunst und Altertum* IV,2, 1823) auf ihn aufmerksam machen. Vgl. zu Eckermann 18. 9. 1823.

E. Krumbholz, Genuß und Hoffnung, WB 12, 1966.

Fürstenberg, Franz Friedrich Wilhelm, Freiherr von (1729–1810). Den Münsteraner Domherrn und Staatsmann, 1762–80 als kur-

kölnischer Minister weltlicher und 1770–1807 als Generalvikar
auch geistlicher Verwalter des Hochstifts Münster im Sinne eines
aufgeklärten Absolutismus, lernte G. am 20.–25. 9. 1785 in Weimar
kennen, als er mit F. Hemsterhuis die Fürstin von Gallitzin auf ihrer
Reise begleitete, und verstand sich sofort mit dem »verständigen,
edlen, ruhigen Mann« (*Campagne in Frankreich*). Bei seinem Aufenthalt als Gast bei der Fürstin Gallitzin in Münster nach der Campagne in Frankreich am 6.–10. 12. 1792 sah er den Vertreter der
katholischen Aufklärung und Mitbegründer der Universität Münster in ihrer Gesellschaft wieder und beschreibt ihn als »einfach,
mäßig, genügsam, auf innerer Würde beruhend, alles Äußere ver-
schmähend« (ebd.).

E. Trunz, F. Freiherr v. F., Westfalen 39, 1961; G. und der Kreis von Münster, hg.
E. Trunz 1971 u. ö.

Fürstenbund. Die Expansionspläne Kaiser Josephs II. durch einen
Austausch der habsburgischen Niederlande gegen Bayern bewegten
die deutschen Mittel- und Kleinstaaten zu dem Plan eines geheimen Bündnisses zur Erhaltung des status quo im Reich. Carl
August engagierte sich dabei stark und weihte G. quasi als Geheimsekretär in die Pläne ein, bewog ihn auch, ihn im August 1784,
wenn auch unwillig, zu diplomatischen Verhandlungen nach
Braunschweig zu begleiten. Die Teilnahme an einer zweiten diplomatischen Reise nach Frankfurt im Dezember 1784 lehnte G. wohl
in der Erkenntnis, Diplomatie sei nicht sein Metier, ab. Die von G.
anfangs mit Skepsis betrachtete Bündnisidee wurde schließlich von
Friedrich II. dem Großen aufgegriffen und im Deutschen Fürstenbund vom 23. 7. 1785 zwischen Preußen, Hannover und Kur-
sachsen verwirklicht, dem auch Sachsen-Weimar-Eisenach beitrat.
Die Annäherung zwischen Preußen und Habsburg 1790 machte
den Fürstenbund gegenstandslos. Das politische und 1787 auch
militärische Engagement Carl Augusts im Norden war für G. mit
ein Anlaß, die geplante Italienreise nicht weiter hinauszuschieben.

U. Crämer, Carl August von Weimar und der Deutsche F. 1783–90, 1961.

Fürstendiener, Fürstenknecht. Gegen ähnliche Vorwürfe vonseiten E. M. Arndts und der Jungdeutschen, wie sie Metzler gegen
Götz erhebt (*Götz von Berlichingen* V,5), setzt sich G. ironisch in der
Grabschrift der *Zahmen Xenien IX* und ausführlich zu Eckermann am
27. 4. 1825 zur Wehr im gleichen Sinne, wie dies bereits Tasso (*Torquato Tasso* v. 931 f.) getan hatte.

W. Martens, Der patriotische Minister, 1996.

Fürstengruft. Das klassizistische Mausoleum auf dem 1818 eröffneten Neuen Friedhof in Weimar, ein quadratischer Bau im dorischen Stil mit Säulenportikus und Zeltdachkuppel, wurde 1823–28
auf Anordnung Carl Augusts von C. W. Coudray errichtet, um die

Särge seiner fürstlichen Vorfahren aus der (1774 zugemauerten) Gruft der 1774 niedergebrannten Schloßkapelle und der zwischenzeitlich als Grabstätte genutzten Stadtkirche aufzunehmen. Von der schmucklosen Bestattungshalle führt eine Treppe in die von Säulen gestützte Gruft. Hier wurden auf Anordnung Carl Augusts am 16. 12. 1827 die 1826 aus dem Kassengewölbe auf dem Jakobsfriedhof geborgenen Gebeine Schillers beigesetzt. Am 9. 7. 1828 folgte die Beisetzung Carl Augusts selbst, am 18. 2. 1830 die der Großherzogin Louise. Seit 26. 3. 1832 ruhen G.s sterbliche Überreste entsprechend seinem Wunsch neben denen des Freundes, beide in schlichten, von Coudray entworfenen Eichensarkophagen, seit 1994 wieder nach Carl Augusts Plan neben denen der fürstlichen Familie. Umgestaltungen der Fürstengruft hatten 1865 zu einer dekorativeren Ausgestaltung der Gedenkstätte, 1955 zur atheistischen Verkleidung als sog. »Goethe- und Schiller-Gruft« (mit Aufstellung der Dichterbüsten vor die zugemauerte Altarnische und unhistorischer Zentralstellung der Dichtersärge) geführt. Die letzte Restaurierung von 1994 stellte den ursprünglichen Zustand nach Möglichkeit wieder her.

F. Voigt, Die Entstehung der F. in Weimar, JbSKipp 1935; A. Jericke, Die G.- und Schiller-Gruft in erneuerter Gestalt, Goethe 17, 1955; J. Beyer/J. Seifert, Weimarer Klassikerstätten, 1995.

Fürstenhaus. Das dem herzoglichen Schloß in Weimar südlich am Fürstenplatz (jetzt Platz der Demokratie) gegenüberliegende langgestreckte, spätbarocke Gebäude mit Mansardendach und (erst 1889 zusammen mit reicheren Fensterrahmungen errichteter) Säulenfront verdankt seinen Namen nur einer Brandkatastrophe und einem fast 30jährigen Provisorium. Es wurde ursprünglich 1770–74 nach Plänen des Landesbaumeisters J. G. Schlegel durch den Bauunternehmer A. G. Hauptmann als Landschaftsgebäude, d. h. Amtsgebäude der weimarischen Landstände, errichtet, aber noch vor Fertigstellung der Einrichtung zur einstweiligen Residenz der durch den Schloßbrand vom 6. 5. 1774 in der Stadt obdachlos gewordenen herzoglichen Familie erklärt, während Anna Amalia im Wittumspalais Unterkunft fand. Das damalige Fürstenhaus entsprach mit seinen schmucklosen Treppen, Fluren und Zimmern eines Bürohauses, das überdies billig und unsolide gebaut war und rasch reparaturbedürftig wurde, sehr wenig den Vorstellungen fürstlich-repräsentativer Wohnkultur. Dennoch lebten bei G.s Einzug in Weimar Carl August im 2., Herzogin Louise im 1. Stock, wurde hier Geselligkeit entfaltet, Tafel und Redouten gehalten und auf kleiner Bühne Komödie gespielt. Hier lag der Sitzungssaal des Geheimen Consilium, und hier ging G. als Freund, Vertrauter und Minister täglich »bei Hofe« ein und aus und hatte seit Ostern 1777 zeitweise auch ein kleines Quartier. Nach dem Bezug des Schloßneubaus am 1. 8. 1803 diente das Fürstenhaus Kassen und Beamtenwohnungen, 1808–16 als Sitz der →Freien Zeichenschule und Wohnung von deren Direktor J.H. Meyer und Professor F. Jagemann sowie als Witwensitz der Großherzogin Louise, dann den großherzoglichen Kunstsammlungen und Weimarer Kunstausstellungen, einem Lesemuseum, nach 1830 als Sitz der Landstände, des Landtags, des Thüringischen Innenministeriums und ab 1951 der Musikhochschule »Franz Liszt«.

Füßli, Johann Heinrich (1741–1825). Die phantastischen Zeichnungen des Schweizer Malers und Dichters, der seit 1765 in London lebte und seinerseits ein Bewunderer G.s war, lernte G. 1775 durch dessen Freund Lavater kennen, der ihm einige davon schenkte. 1779 sah G. weitere Zeichnungen bei Lavater und hatte »einige Fueslische Gemälde und Skizzen erwischt« (an Knebel 30. 11. 1779), am 24. 10. 1797 sah er Füßlis Rütlischwur-Gemälde im Züricher Rathaus. G.s Interesse an Füßli war anfangs so groß, daß er unbedingt durch Lavaters Vermittlung und auch persönlich – allerdings vergeblich – Füßli um Zeichnungen zum Entwurf eines Denksteins für seine Schweizerreise mit Carl August anging (an Lavater 3./5. 12. 1779). Vom 9. 8. 1797 sind Notizen eines mit J. H. Meyer geplanten Aufsatzes über Füßli für die *Propyläen* erhalten. In *Der Sammler und die Seinigen* (II, 1799) erinnern »diese elfenhaften Luftbilder, diese seltsamen Feen und Geistergestalten« an Werke Füßlis, die vielleicht auch die Hexenküchen-Szene im *Faust* anregten, doch im Aufsatz *Über Gegenstände der bildenden Kunst* (1797) bereits rügt G. die Manier und Poetisierung in Füßlis Arbeiten als Fehler, da die Kunst nicht wie die Poesie auf die Einbildungskraft wirken solle. In der *Jenaischen Allgemeinen Literaturzeitung* (9. 2. 1804) schließlich besprach G. mit J. H. Meyer, der übrigens 1778–81 ein Kunstschüler von Füßlis Vater in Zürich gewesen war, des Künstlers *Vorlesungen über die Malerei.*

E. Beutler, J. H. F., Goethe 4, 1939; G. Schiff, J. H. F., II 1973; P. Tomory, H. F., 1974.

Fulda. Für G. war die alte Bischofsstadt, ohne daß er sich scheints viel um ihre Baudenkmäler gekümmert hätte, der gegebene Ort für Übernachtungen auf seinen Reisen nach West- und Südwestdeutschland auf der Postroute von Eisenach nach Frankfurt, so am 1./2. 8. 1797, am 26./27. 7. und (Rückreise) 25./26. 10. 1814 und am 25./26. 5. 1815.

W. Beils, G.s Beziehungen zum F.er Lande, Fuldaer Geschichtsblätter 24–25, 1931 f.

Fundgruben des Orients →Hammer, J. von

Furkapaß. Am 12. 11. 1779 überquerten G., Carl August und der Jäger Hermann mit zwei Bergführern zu Fuß den weglosen, winterlich verschneiten Furkapaß in einem Tagesmarsch von Münster im Wallis nach Realp. Die entgegen dem Rat einiger Bergerfahre-

ner unternommene, doch gefahrlos verlaufene Tour war durchaus
eine Frage des Muts und des Zutrauens zu sich selbst und bildet
auch in G.s Darstellung (*Briefe aus der Schweiz 1779*) zu Recht den
Höhepunkt der mit Carl Agust unternommenen 2. Schweizer
Reise und von G.s Erlebnis der →Alpen überhaupt.

Gaeta →Molo di Gaeta

Gagern, Hans Christoph Ernst, Freiherr von (1766–1852). Der
Historiker, Staatsmann und damalige Minister in Nassau-Weilburg
(1788–1811), später 1813 im Dienst des Hauses Oranien und dessen Gesandter beim Wiener Kongreß und 1818 beim Deutschen
Bundestag, sandte G. im August 1794 seine Flugschrift *Ein deutscher
Edelmann an seine Landsleute*, die einen Bund großer Deutscher zur
Erweckung des Patriotismus und Schaffung eines Volksheeres gegen
die Revolutionäre vorschlägt. G.s Antwort vom August/September
1794 stimmt dem Plan zu, bezweifelt aber die politische Wirksamkeit des Schriftstellers. Gagern besuchte G. in Weimar am 19. 2. und
27. 3. 1820 (*Tag- und Jahreshefte* 1820), 13./14. 4. 1829 und 22. und
25. 9. 1831. G. verfolgte Gagerns politische Tätigkeit, über die
Kanzler von Müller anhand seiner Korrespondenz mit ihm berichtete, seither mit regem Interesse (an F. von Müller 9. 1. 1826) und
besaß ein Porträt des Freiherrn.

B. Erdmannsdörffer, G. und G., Neue Heidelberger Jahrbücher 6, 1896; R. Buchwald, G. in einem Bunde zur Rettung Deutschlands 1794, JbSKipp 10,1935.

Galatea. Im Schlußbild der »Klassischen Walpurgisnacht« im *Faust*
(v. 8424 ff.) fährt Galatea, in der griechischen Mythologie »die
Schönste« (v. 8145) der 50 Töchter des Nereus, auf einem Muschelwagen thronend und umgeben von Sirenen, Nereiden und
Tritonen einher. G. greift damit auf ein Lieblingsmotiv der Renaissancemalerei zurück, das auf Ovids *Metamorphosen* (XIII,738 ff.)
und die (von G. 1818 bearbeitete) Beschreibung in den *Gemälden*
→Philostrats zurückgeht und ihm auch durch die Gemälde Raffaels in der Villa Farnesina (um 1511) und A. Carraccis in der Galleria Farnese (um 1597) bekannt war. Es ist zugleich das Schlußbild
von Calderons *Über allem Zauber Liebe* (1635), das G. aus A. W.
Schlegels Übersetzung vertraut war und dessen Aufführung er für
Weimar erwogen hatte. Die »Klassische Walpurgisnacht« schließt
damit mit einem barocken Tableau und leitet zugleich mit dem
Thema der Schönheit und Liebe zum folgenden Helena-Akt über.

H. Dörrie, Die schöne G., 1968.

Galenus (129–199). Auf den berühmten hellenistisch-römischen
Mediziner, Leibarzt Marc Aurels, der der mittelalterlichen Medizin
als Autorität galt, beruft sich G. mehrfach in seiner Abhandlung
über den →Zwischenkieferknochen (1786), den auch Galenus gekannt habe.

Galilei, Galileo (1564–1642). G., der sich 1809 und wieder 1831 mit den Schriften des italienischen Naturwissenschaftlers befaßte, widmet ihm zugegebenermaßen nur um des Namens willen ein kurzes Kapitel in der *Geschichte der Farbenlehre,* da sich Galilei nicht um die Farben gekümmert habe.

Gall, Franz Joseph (1758–1828). Den Arzt, Anatom und Begründer der Phrenologie, der aus der äußeren Schädelform auf geistig-seelische Anlagen schließen zu können glaubte und seine umstrittene Lehre auf Vortragsreisen verbreitete, lernte G. Anfang Juli 1805 bei einem Aufenthalt in Halle im Hause F. A. Wolfs kennen und hörte dort Galls Vorträge. Durch seine Beiträge zu Lavaters *Physiognomischen Fragmenten* (1775) vorbelastet und durch Sömmerings Gehirnanatomie (*Über das Organ der Seele,* 1796) mit der Materie vertraut, interessierte G. sich schon aufgrund seiner morphologischen Anschauungen für Galls Studien, bewunderte sein gehirnanatomisches Wissen als »Gipfel vergleichender Anatomie«, beurteilte seine Schädellehre jedoch zurückhaltend (*Tag- und Jahreshefte* 1805, zu Riemer 6. 11. 1806). J. J. von Willemers Lustspiel *Der Schädelkenner,* das Galls Lehre verspottete, hatte G. am 24. 1. 1803 für Weimar abgelehnt. Bei einem Besuch Galls bei G. in Weimar am 16. 10. 1807 nahm K. G. Weißer auf dessen Veranlassung G. eine Gesichtsmaske ab, die er später zu einer Büste gestaltete.

P. J. Möbius, G. und G., in ders., G. 2, 1903 u. ö.; S. Oehler-Klein, Die Schädellehre G.s, 1990; M. Fauser, Das beschriftete Gehirn, Euph 87, 1993.

Gallitzin, Adelheid Amalia, Fürstin von, geb. Gräfin von Schmettau (1748–1806). Die Tochter eines preußischen Feldmarschalls und seit 1768 Gattin des russischen Gesandten in Den Haag Fürst D. A. Gallitzin zog sich 1774, vom höfischen Weltleben unbefriedigt, ganz auf ihre Studien und die Erziehung ihrer Kinder zurück, geriet unter den Einfluß von F. Hemsterhuis und 1779 F. von →Fürstenbergs, versammelte, seit 1779 in Münster, den sog. Kreis von Münster (u. a. F. H. Jacobi, Hamann) um sich und wandte sich 1786 verstärkt der katholischen Lehre und Kirche zu. G. wurde 1782 durch Jacobi auf sie hingewiesen und bat ihn am 17. 11. 1782 um ihren Schattenriß. Bei der ersten persönlichen Bekanntschaft anläßlich einer Reise mit Hemsterhuis und Fürstenberg in Weimar am 20.–25. 9. 1785 stellte sich ein rechtes Verhältnis wegen ihrer Erkrankung erst spät ein (an Ch. von Stein 21. 9. und 1. 10. 1785, an Jacobi 26. 9. und 1. 12. 1785); auf der Rückreise besuchte sie Weimar am 21.–25. 10. 1785. Im Anschluß an die Campagne in Frankreich war G. am 6.–10. 12. 1792 ihr Gast in Münster, paßte sich so proteushaft an, daß Außenstehende ihn für katholisch hielten, fühlte sich aber im religös-katholischen Kreis trotz aller Toleranz nicht recht heimisch (*Campagne in Frankreich*). Er studierte ihre von Hemsterhuis geerbte Gemmensammlung, nahm diese auf ihr Drän-

gen (bis 1797) zu Studienzwecken nach Weimar, korrespondierte
bis 1801 gelegentlich mit ihr, sandte ihr seine Schriften und äußerte
noch 1829 seine Hochachtung vor ihr und ihren Freunden, »die
auch den alten Heiden immer recht wohl in ihrer Mitte geduldet
hätten« (zu Freiherr von Löw und zu Steinfurt 3. 10. 1829).

W. Wiegmann, G. und die Fürstin G., Westfalen 22, 1937; P. Brachin, Le cercle de
Münster, Paris 1951; Fürstenberg, Fürstin G. und ihr Kreis, hg. E. Trunz 1955;
W. H. Bruford, Fürstin G. und G., 1957; Der Kreis von Münster, hg. S. Sudhoff II
1962–64; G. und der Kreis von Münster, hg. E. Trunz 1971 u. ö.; M. Köhler, A. v. G.,
1993.

Gans, Eduard (1798–1839). Der Berliner Professor der Rechtswis-
senschaft, Philosoph und Schüler Hegels, mit diesem und Varnhagen Herausgeber der *Jahrbücher für wissenschaftliche Kritik*, besuchte
G. in Weimar am 1. 1. 1826, 28., 29. und 31. 8. 1827.

Ganymed. Die Hymne in Freien Rhythmen entstand wohl im
Frühjahr 1774, wurde 1789 in den *Schriften* zuerst gedruckt und
mehrfach, u. a. von C. Loewe, J. F. Reichardt, F. Schubert und
H. Wolf vertont. Die Überschrift läßt offen, ob das Gedicht als
Rollenlied Ganymeds gedacht sei, jenes außergewöhnlich schönen
Jünglings der griechischen Mythologie, den der in ihn verliebte
Zeus durch seinen Adler zum Olymp entführen läßt und zum
Mundschenk der Götter macht, oder ob sie nur Assoziation eines
ähnlichen Geschehens ist, wie es das lyrische Ich erlebt. In jedem
Fall gibt die mythische Fiktion ohne Handlungselemente das in-
nere Erleben eines Ich wieder, das im Frühling den Anruf der Liebe
Gottes erfährt, sich von ihr umgeben fühlt und in ihrer Erwiderung
»umfangen(d)« (aktivisch-passivisch) im Aufschwung ins Überirdische bis zur Hingabe an das Göttliche sich entselbstigt. Das ek-
statisch stammelnde Liebesgedicht einer All-Liebe ohne personalen
Partner wird damit zum Komplementärgedicht des Göttertrotzes
im →*Prometheus*.

A. Biese, G.s G., 1925; E. Vincent, G., in: Festschrift A. Leitzmann, 1937; C. Lugow-
ski, G.: G., in: Gedicht und Gedanke, hg. H. O. Burger 1942; W. Rasch, G., WW 4,
2. Sonderheft 1954; K. O. Conrady, G.: G., in: Die deutsche Lyrik I, hg. B. v. Wiese
1956; J. Müller, G.s Hymnen Prometheus und G., SuF 11, 1959; R. Ch. Zimmermann,
Das Weltbild des jungen G. II, 1979; W. Keller, G.s G., in: Sinn und Symbol, Festschrift
J. Strelka 1987; H.-J. Kemper, Herders Konzeption einer Mythopoesie und G.s G., in:
Von der Natur zur Kunst zurück, hg. M. Bassler 1996.

Garbenheim. Das Dorf im Lahntal östlich von Wetzlar, ein beliebtes Ausflugsziel der Mitglieder des Reichskammergerichts –
Kestner lernte G. dort »im Grase unter einem Baume auf dem
Rücken liegen(d)« kennen – gab das Vorbild für den Ort »Wahlheim« in *Die Leiden des jungen Werthers* (26. Mai u. ö.).

Gardasee. G. lernte den oberitalienischen See (»ein köstliches
Schauspiel«, 12. 9. 1786) durch einen lohnenswerten Umweg auf
der Hinreise nach Italien kennen. Er verließ bei Rovereto am 12. 9.

1786 das Etschtal, überquerte den Gebirgszug bis →Torbole (Übernachtung), sah dort die ersten Feigen- und Olivenbäume, zeichnete
und arbeitete an der *Iphigenie*, fuhr am 13. 9. früh mit dem Segel-
boot bis →Malcesine (Übernachtung), zeichnete das dortige Castell, wurde daher als österreichischer Spion auf venezianischem
Gebiet verdächtigt, konnte sich aber als Frankfurter ausweisen und
segelte nachts bis →Bardolino, von wo er am 14. 9. mit Maultieren
nach Verona weiterzog (*Italienische Reise*).

Gartenhaus. Um G. fester an Weimar zu binden, schenkte Carl
August ihm am 21. 4. 1776 das für 600 Taler erworbene, leicht ver-
fallene Gartenhaus im Weimarer Ilmpark am Stern (Wegekreuz),
ursprünglich wohl ein Weinberghaus des 16./17. Jahrhunderts, in
dem vormals Handwerker und Hofangestellte gewohnt hatten, mit
einem verwahrlosten Garten. Dieser ließ, ebenfalls zu Lasten der
herzoglichen Schatulle, 1776/77 für 300 Taler das Gelände nach eigenem Plan terrassieren, Treppen und Wege anlegen, Erde auffüllen
und Rasen säen, unter eigener Mithilfe Bäume, Sträucher, Spalier-
rosen, Blumen und Gemüse pflanzen und das Haus (Dach, Fuß-
böden, neue Fenster und Türen) instandsetzen und anstreichen, für
354 Taler →Mieding bescheidenes Mobiliar schreinern und bezog
am 17. 5. 1776 das schlichte, zweigeschossige Haus im Grünen, das
neben verschiedenen →Wohnungen in der Stadt bis zur Übersiedlung, zunächst als Mieter, in das für Sammlungen, Amt und Reprä-
sentationspflichten geeignetere spätere →Goethehaus am Frauenplan am 2. 6. 1782 sein Hauptwohnsitz war und später temporäre
Wohnung (z. B. August/September 1799, Mai 1827), Lieblingsaufenthalt, Zufluchtstätte vor Hofgetriebe und Amtspflichten und
friedlicher Ort der Besinnung wurde. Das Haus entsprach dem einfachen, naturverbundenen Leben G.s in der frühen Weimarer Zeit:
im Erdgeschoß Eßzimmer (»Erdsälgen«), Küche und Dienerzimmer
mit Brunnen unter der Treppe, im Obergeschoß vier kleine, niedrige Räume: Wohn-, Schlaf- und Arbeitszimmer (mit Stehpult und
Reitsitzhocker) und ein Kabinettchen. Einen Altan aus Holz zur
Südseite ließ G. im März 1777 errichten und, da während der Italienreise verfallen, 1797 wieder abreißen; die Kieselpflasterung vor
der Eingangstür und das neue Gartentor nach Entwurf von Coudray stammen vom Mai 1830. Die Gartenskulptur einer Kugel auf
einem Würfel symbolisiert Bewegung und Ruhe. Im Gartenhaus
traf sich G. mit den Freunden der frühen und späten Weimarer Zeit
(Carl August, Herzogin Louise, den Prinzen, Wieland, Herder,
Knebel, Schiller, C. Schröter, Zelter und Ch. von Stein); hier lebte
er nach der Rückkehr aus Italien die erste Zeit mit Christiane
Vulpius. Hier beobachtete er die Natur, Wolkenbildung und Mond-
wechsel, hier entstanden die frühen Weimarer Gedichte wie *An
den Mond*, *Wandrers Nachtlied*, *Grenzen der Menschheit*, *Rastlose
Liebe*, *Jägers Abendlied* u. a., die Dramen *Die Geschwister*, *Triumph der*

Empfindsamkeit u. a. sowie Frühfassungen und Teile von *Wilhelm Meisters theatralische Sendung, Iphigenie, Torquato Tasso* und *Faust.* Unter eine Ansicht des Gartenhauses schrieb G. am 1. 5. 1827 Ulrike von Pogwisch ins Stammbuch: »Übermütig sieht's nicht aus, / Hohes Dach und niedres Haus; / Allen die daselbst verkehrt / Ward ein guter Mut beschert.« Am 20. 2. 1832 besuchte G. das Gartenhaus zum letztenmal. Während der Schließung des Goethehauses am Frauenplan (1841–85) war das Gartenhaus, allerdings wenig authentisch möbliert, das einzig zugängliche Wohnhaus der G.-Pilger. Nach mehreren notdürftigen Reparaturen mußten selbst die Außenmauern 1963/64 erneuert werden; die jetzige Möblierung greift auf zeitgenössische Stücke zurück.

W. Bode, G.s Leben im Garten am Stern, 1909 u. ö.; H. Wahl, G.s G., 1927; W. Rödel, Das G.-G. zu Weimar, 1954 u. ö.; M. Kahler, G.s G. in Weimar, 1962 u. ö.; A. Jericke, Verfahren und Ergebnisse der Wiederherstellung von G.s G., G.-Almanach 1968; J. Beyer/J. Seifert, Weimarer Klassikerstätten, 1995.

Gartenkunst. G.s seit der Frankfurter Jugend bestehendes Interesse für Gärten und Gärtnereien fand erste praktische Anwendung bei der Gestaltung des eigenen Gartens beim →Gartenhaus am Stern 1776 (und später des Hausgartens im →Goethehaus am Frauenplan). Obwohl in der Gartengestaltung Dilettant, wenn auch von natürlichem Geschmack und Maß, und angeregt durch Besichtigungen von Parks und Gärten (Wörlitz, Hohenheim, Boboli-Gärten, Florenz), wurde G. mit Plänen und Ratschlägen maßgeblich für die Gestaltung, Umgestaltung und Erweiterung der Weimarer Garten- und Parkanlagen im Stil des englischen Landschaftsgartens. Sein Einfluß zeigt sich besonders in der 1778 begonnenen Neuanlage des Parks an der →Ilm, die mit schmalen Mitteln, geschickter Anpassung an die Landschaftsverhältnisse des Ilmtals und einigen zusätzlichen Bauten (Felsentreppe, Borkenhäuschen, Burgruine, Römisches Haus, Grotten, Denksteinen und Inschriften) beachtliche Verbesserungen brachte. Auch in Belvedere, Tiefurt, Ettersburg, Dornburg und Jena sowie bei den botanischen Gärten in Jena und Belvedere wirkte G. beratend mit. Literarischen Niederschlag fanden seine Prinzipien der Gartenkunst vor allem in den *Wahlverwandtschaften.*

E. Höllinger, Das Motiv des Gartenraumes in G.s Dichtung, DVJ 35, 1961; G. Balzer, G. als Gartenfreund, 1966 u. ö.; D. Hennebo, G.s Beziehungen zur G. seiner Zeit, JFDH 1979; M. Mehra, The art of landscape gardening in G's novel Die Wahlverwandtschaften, in: Studies in 18th century culture 10, 1981; S. Geißler-Latussek, Der Landschaftsgarten in G.s Roman Die Wahlverwandtschaften, GJb 109, 1992; D. Ahrendt, G.s Gärten in Weimar, 1994.

Garve, Christian (1742–1798). Der Übersetzer und Popularphilosoph, 1768 Professor der Philosophie in Leipzig, ab 1772 in Breslau, besuchte Ende Mai 1780 Weimar und sah G. am 30. und 31. 5.; G. traf ihn auf der Schlesienreise im August/September 1790 in Breslau wieder. Er schätzte ihn als leichtfaßlich schreibenden Philosophen (*Dichtung und Wahrheit* II,7; *Italienische Reise* 2.6.1787) und »guten und wackern Mann« (an Schiller 24.11.1797), wenn auch ohne ästhetisches Gefühl (ebd.), und bewunderte die stoische Abgeklärtheit, mit der Garve sein Leiden (Gesichtskrebs) ertrug (Xenion 156: *Garve*).

Gatto, Franz Anton (1754–?). Der Schauspieler und Sänger spielte 1791–97 in Weimar komische Rollen im Schauspiel und Bufforollen in der Oper, ein »trefflicher Bassist und lebhafter Akteur« (an J. F. Reichardt 30.5.1791).

Gattungen. G.s poetologische Reflexionen über Gattungen und Gattungsgesetze wurden vor allem in der klassischen Zeit im Dialog und Briefwechsel mit Schiller angeregt. Sie gehen von der Frage der adäquaten Gattung für bestimmte Stoffe und Inhalte aus und gipfeln in der Abhandlung →*Über epische und dramatische Dichtung* (1797), die in *Wilhelm Meisters Lehrjahre* V,7 resümiert wird. In den *Noten und Abhandlungen* zum *Divan* (Kap. »Dichtarten« und »Naturformen der Dichtung«) unterscheidet G. genauer »drei echte Naturformen der Poesie: die klar erzählende, die enthusiastisch aufgeregte und die persönlich handelnde: Epos, Lyrik und Drama« als Gattungen im Unterschied zu den Untergattungen oder »Dichtarten« wie Ballade, Elegie, Idylle usw., zählt aber auch unter diesen das Drama auf und anerkennt die Mischung der Gattungen z. B. in der Ballade und der griechischen Tragödie.

E.-R. Schwinge, Anmerkungen zu G.s Gattungstheorie, DVJ 56, 1982.

Gauthier d'Agoty, Jacques Fabien (1717–1786). Der französische Kupferstecher, Farbdrucker und Physiker in Dijon versuchte durch seine Erfahrungen im Farbdruck Newtons Farbenlehre zu widerlegen (*Chroagénésie*, II 1751 f.). Schon deswegen war er G. sympathisch, der ihm in der *Geschichte der Farbenlehre* ein längeres Kapitel widmet.

Geburt. G.s Geburt am 28.8.1749 zwischen 12 und 1 Uhr mittags (»mit dem Glockenschlage zwölf«, *Dichtung und Wahrheit* I,1) im Elternhaus am Großen Hirschgraben in Frankfurt mit Hilfe der Hebamme Mutter Müller wäre beinahe unglücklich abgelaufen. Nach den Erinnerungen der Mutter, die Bettina Brentano später G. mitteilte, kam er »durch Ungeschicklichkeit der Amme für tot auf die Welt« und wurde erst durch verschiedene Belebungsversuche zum Leben erweckt (ebd.).

Geburtshaus →Goethehaus Frankfurt

Geburtstage. G. machte aus seinen Geburtstagen wenig Aufhebens und suchte bis 1820 »durch eine wunderliche Grille eigensinniger

Verlegenheit der Feier meines Geburtstags jederzeit auszuweichen« (*Tag- und Jahreshefte* 1819). Er zog sich gern in die Stille zurück und verbrachte die späteren Geburtstage nach Empfang der offiziellen Gratulanten im Kreis von Freunden. Bemerkenswerte Ausnahmen waren 1820 in Jena eine Feier der Jenaer Universitätsfreunde mit Ständchen und Fackeln, 1821 eine Feier mit Feuerwerk beim Grafen Auersperg auf Schloß Hartenfels, 1823 eine unausgesprochene Feier mit Levetzows in Elbogen als »Tag des öffentlichen Geheimnisses« und 1827 der Besuch des König Ludwigs I. von Bayern. Den letzten Geburtstag 1831 verbrachte G., »freundlich veranstalteten Festlichkeiten ausweichend« (an A. von Levetzow 28. 8. 31), mit den Enkeln in Ilmenau. Für öffentliche Feiern, Ehrungen oder Festvorstellungen in anderen Städten bedankte sich G. gern.

M. Hecker, Wie G.s G.e gefeiert wurden, Inselschiff 1, 1920; E. Redslob, G.s G.e, 1955; ders., »Mein Fest«, 1956; W. Brednow, G.s G.e, Die Sammlung 11, 1956.

Gedichte →Lyrik

Gedichte sind gemalte Fensterscheiben. Das undatierte Altersgedicht, erstmals in der Ausgabe letzter Hand 1827 gedruckt, erfaßt im Gleichnisbild das Wesen des Gedichts, das der Alltagsperspektive des Philisters von außen her dunkel bleibt und sich nur dem tiefer Eindringenden von innen her in seiner Schönheit erschließt.

W. Schneider, Liebe zum deutschen Gedicht, 1952 u. ö.

Die gefährliche Wette. Die Erzählung innerhalb von *Wilhelm Meisters Wanderjahren* wurde in der 1. Fassung am 1. 6. 1807 diktiert, Ende September 1812 und nochmals im Juni 1825 umgearbeitet und erschien erst in der 2. Fassung der *Wanderjahre* (III,8, 1829). Der leichthin erzählte »Schwank« einer Wette unter Studenten, der Erzähler St. Christoph werde einen eben eingetroffenen vornehmen Fremden an seiner Nase fassen – was er als vorgeblicher Barbier auch tut – endet durch Verrat der Wette, Humorlosigkeit des Betroffenen und übertriebene Ehrbegriffe tragisch. Als negatives Beispiel früheren Fehlverhaltens und mangelnder Solidarität bietet die moralische Erzählung ein Gegenbild des im Roman zu gründenden Handwerkerbundes.

Gefunden. Ein schlicht-volkstümliches, durch die Diminutive besonders herzliches Gedicht um einen leicht nachvollziehbaren Vorgang aus dem Motivbereich Mensch und Natur; es erinnert an das Motiv des *Heideröslein*, ist jedoch eher seine Umkehrung, und aus dem dortigen »wilden Knaben« scheint ein Naturschützer geworden zu sein. Man kann es dabei bewenden lassen, und diese Eingängigkeit mag die meisten der über 70 Vertonungen angeregt haben. Es gibt der Bildlichkeit jedoch wohl eine zusätzliche Dimension, wenn man in Betracht zieht, daß das Gedicht am 26. 8.

1813 auf dem Weg nach Ilmenau geschrieben und an die gern gärtnernde »Frau von Goethe« übersandt wurde: nachträglich zum 25. Jahrestag ihrer ersten Begegnung im Park an der Ilm (12. 7. 1788). Das Gedicht wurde 1815 in die *Werke* aufgenommen, 1827 auch seine undatierte Vorstufe *Im Vorübergehen*.

G. Ellinger, Zu G.s Gedicht G., GJb 6, 1885; L. Geiger, Ich ging im Walde, Archiv 135, 1916; E. Jungwirth, Zu G.s Lied G., Das deutsche Volkslied 18, 1916; A. Christiansen, G., in dies., Zwölf Gedichte G.s, 1973; W. Leppmann, In zwei Welten zu Hause 1989.

Gegenstände der bildenden Kunst →*Über die Gegenstände der bildenden Kunst*

Gegenständlichkeit →*Bedeutende Fördernis durch ein einziges geistreiches Wort*

Gegenwart. Zu einer »Familientafel« bei G. am 8. 12. 1812 sang die Schauspielerin Ernestine Engels zur Gitarre das Lied *Ihr* (»Namen nennen dich nicht ...«) von Hermann Wilhelm Franz Ueltzen aus dem *Göttinger Musenalmanach 1786* in der Vertonung von Ludwig Berger. G., dem die Melodie gefiel, nicht aber der unlyrische Text (wie er glaubte, von Matthisson, vgl. F. von Müller Tagebuch 6. 6. 1824) mit seinen Negationen, entwarf bei Tisch spontan als Kontrafaktur dazu sein vom *Hohenlied* inspiriertes, reimlos-alliterierendes Liebeslied *Gegenwart*, das er 1815 in die *Werke* aufnahm (Aufzeichnung von Caroline Ulrich; F. von Müller, Tagebuch 16. 12. 1812). Später kontrafakturierte er sich selbst: Als er das bereits im Druck erschienene Lied am 13. 3. 1816 an Marianne von Willemer sandte, ersetzte er den »Tanz« in Strophe 3 durch Gesang, um jede unliebsame Erinnerung an die Vergangenheit der Adressatin als Tänzerin auszuschließen.

E. Ribbat, Poetik im Liebesgedicht, in: Poetik und Geschichte, hg. D. Borchmeyer 1989.

Gegner. Obwohl nach eigener Auffassung im Grunde unpolemisch veranlagt (zu Eckermann 15. 5. 1831) und im Alter auch dem Mittelmäßigen gegenüber zu nachsichtiger Anerkennung neigend schuf sich G. in der Jugend durch temperamentvolle Angriffe und eher gutmütige Satiren gegen alles ihm unwahr, unehrlich oder heuchlerisch Erscheinende wenigstens zeitweise literarische Gegner, unter denen die souveränen Geister es ihm am wenigsten nachtrugen (→Wieland, →Herder, →Bahrdt, J. G. →Jacobi, →Nicolai, →Klopstock u. a.). In nachitalienischer Zeit erwächst aus dem Bewußtsein des Klassikers zunehmender Groll gegen literarische Pfuscherei, Frömmelei, Bigotterie, Gefühlsschwärmerei und nörgelnde Kritik (*Venetianische Epigramme, Literarischer Sansculottismus*, F. zu →Stolberg). Bei der Entladung im Strafgericht der →*Xenien* (1796) muß Schiller wiederholt vor bloßem Haß und Grobheit

hne »frohen Humor« warnen (an G. 11. 6. 1796); hier sind die Re-
olutionssympathisanten (F. J. →Reichardt), Spätaufklärer (→Nico-
i) und G.s naturwissenschaftliche Opponenten die Hauptbetroffe-
en seines Zorns. Nur wenige reagieren mit Anti-Xenien (Nicolai,
Kotzebue, Gleim, Manso, Dyk). Spätere Invektiven, u. a. typenhaft
n »Walpurgisnachtstraum«, wenden sich gegen →Kotzebue und
→Menzel und im polemischen Teil der *Farbenlehre* gegen die New-
on-Anhänger, wie überhaupt G.s Intoleranz gegenüber wissen-
chaftlichen Gegnern die gegen literarische übertrifft. Angesichts
es Bewußtseins von G.s wachsender Bedeutung treten die Gegner
5.s aus Beschränktheit, literarischer Eifersucht oder weltanschauli-
hen Differenzen selten mit öffentlicher Polemik hervor; ihr Tadel,
Jnwillen, ihre Ablehnung und Kritik bleiben meist auf private
\ußerungen und Briefe beschränkt (Lessing, M. Mendelssohn,
Klopstock, Gleim, J. G. Jacobi, J. H. Voss). Nur religiöse und poli-
sche Auseinandersetzungen finden literarischen Niederschlag
Pustkuchen, Köchy; Menzel, Börne). Am schmerzhaftesten für G.
vurden die durch gegensätzliche Entwicklung in Gegnerschaft en-
enden Jugendfreundschaften (F. zu →Stolberg, →Lavater, →Her-
er).

G. im Urtheile seiner Zeitgenossen, hg. J. W. Braun III 1883–85; Der talentlose G.,
g. W. M. Treichlinger 1949; G. im Urteil seiner Kritiker, hg. K. R. Mandelkow IV
975–84; R. Preisner, G. und die G., in: Literary theory and criticism 2, hg. J. P. Strelka
984; E. Bahr, Die Widersacher des späten G., GJb 112, 1995.

Gehalt, das →Amtliche Tätigkeit

Geheimgesellschaften. Von den im 18. Jahrhundert blühenden
litären Geheimbünden und Geheimgesellschaften zur Pflege der
Künste, Wissenschaften und geselligen Kultur, deren Einfluß, Wir-
ung und politische Macht meist übertrieben wird, gehörte G. den
venigsten an. Sein Aufnahmegesuch für die kindische →Arkadische
Gesellschaft zu Phylandria wurde abgelehnt. In Wetzlar gehörte er
eit Mai 1772 zur 1771 von A. S. von Goué gegründeten →Ritter-
afel, einer Tischgesellschaft mit romantisch-mittelalterlichen
Fiktionen, und vorübergehend dem vom gleichen Stifter 1768 gegründeten »Orden des Übergangs« mit freimaurerischen Zügen an,
lie er beide mehr als Freizeitunterhaltung betrachtete (*Dichtung und
Wahrheit* III,12). In Weimar schloß sich G. 1780 den →Freimaurern
und 1783–85 kurzfristig den →Illuminaten an, ohne größere Akti-
ität zu entfalten. Literarische Gestaltung fanden die Geheimgesell-
chaften seiner Zeit in dem an die Rosenkreuzer gemahnenden
eligiösen Bund im Fragment *Die Geheimnisse*, ironisiert im *Groß-
Cophta* und idealisiert in der →Turmgesellschaft des *Wilhelm
Meister*.

B. Störck, Das Geheimbundmotiv im deutschen Roman der G.zeit, Diss. Wien 1975;
W. D. Wilson, Geheimräte gegen Geheimbünde, 1991.

Geheimes Consilium, Geheimes Conseil. Die seit 1756 einge-
setzte oberste Landesbehörde für Sachsen-Weimar-Eisenach war al
höchstes beratendes Gremium für den Herzog quasi dessen Kabi
nett. Es bestand bei G.s Eintreffen in Weimar aus drei Geheimen
Räten (J. F. Freiherr von Fritsch als Präsident, A. L. K. Schmid
C. F. Schnauß), traf sich mindestens einmal wöchentlich, verhan
delte über alle Fragen und Fälle, die der Entscheidung des Herzog
bedurften, referierte und diskutierte den Vorgang und bereitete die
Entscheidungen des Herzogs vor. G. wurde nach Beilegung de
Protests von von →Fritsch am 11. 6. 1776 von Carl August zum
Geheimen Legationsrat mit Sitz und Stimme im Geheimen Consi
lium ernannt und am 25. 6. 1776 in sein Amt eingeführt und ver
eidigt. Er nahm, wenn er in Weimar war, bis Februar 1785 regel
mäßig und durch Aktenstudium wohlvorbereitet an rd. 500
Sitzungen teil, danach nur noch bei besonderen Anlässen. Nach de
Rückkehr aus Italien gehörte er nur noch nominell zum Geheimen
Consilium, das schließlich am 1. 12. 1815 in ein Staatsministerium
umgewandelt wurde.

Literatur →Amtliche Tätigkeit

Die Geheimnisse. Das Fragment eines religiösen Epos in Ottaverime (nach Muster von Wielands *Oberon*), angeregt durch Herders *Ideen zur Philosophie der Geschichte der Menschheit* und mit ihm
1784 erörtert, entstand 1784/85. Auf der Reise nach Braunschweig
im August/September 1784 schrieb G. zunächst den Prolog in 1
Stanzen, den er später unter dem Titel →*Zueignung* absonderte und
den *Schriften* (Band I, 1789) voranstellte. Im März 1785 griff G. da
Werk wieder auf mit dem Vorsatz, täglich zwei Stanzen zu schrei
ben; am 28. 3. 1785 liegen 40 Stanzen vor, am 2. 4. 48, doch »da
Unternehmen ist zu ungeheuer für meine Lage« (an Knebel 28. 3
1785); die auf viele Gesänge geplante Fortsetzung wurde daher An
fang April 1785 aufgegeben, und die Italienreise stellte andere The
men in den Vordergrund. Das Fragment von 44 zusammengehöri
gen Stanzen erschien zuerst in den *Schriften* (Band 8, 1789), wurde
1806 mit der *Zueignung* vereint, ab 1815 wieder getrennt. Drei wei
tere, unzusammenhängende Stanzen erschienen einzeln unter den
Gedichten. Auf Anfrage einer Königsberger Studentengruppe
schrieb G. am 9. 4. 1816 nach der Erinnerung eine Erläuterung de
damals 30 Jahre zurückliegenden Fragments (*Morgenblatt für gebildet
Stände* 102, 27. 4. 1816). Die von Herder entlehnte, Lessings *Nathan*
verwandte Grundidee ist, daß alle Religionen zu ihrer Zeit, in
ihrem Volk und an ihrem Ort nach gleichen hohen sittlichen Zie
len und gemeinsamen Wahrheiten streben und daß das Göttliche
sich in den großen Geistern aller Religionen offenbare. Der jung
Bruder Markus trifft in einer esoterisch abgeschlossenen, den Ro
senkreuzern ähnlichen Gemeinschaft unter dem weisen Humanu
auf einem »ideellen Montserrat« ihre besten Vertreter in den zwöl

eisen Rittermönchen, die nacheinander die Geschichte ihrer Ent-
icklung und Annäherung an Humanus bis zum Eintritt in die
berkonfessionelle Bruderschaft berichten sollten. Doch G. hatte
is Werk »zu groß angefangen« (zu Boisserée 3. 8. 1815); er bewegte
ch in einer ihm fernerstehenden religionshistorischen Gedanken-
elt, ihm fehlte die genauere Kenntnis der einzelnen Religionen,
nd die Reihung von zwölf novellistischen Lebensläufen ohne an-
hauliche, fortschreitende Rahmenhandlung hätte wohl zuviele
Viederholungen des Grundgedankens erfordert. Der *West-östliche
Divan, Wilhelm Meisters Wanderjahre* und *Faust* führen die Grund-
berzeugung einer alle Religionen umfassenden, unorthodoxen
Ir- und Humanitätsreligion weiter aus.

H. Baumgart, G.s G. und seine Indischen Legenden, 1895; H. Düntzer, G.s Bruch-
ück D. G., ZDP 28, 1896; M. Morris, G.s Fragment D. G., GJb 27, 1906; E. Maaß, G.s
und Wahlverwandtschaften, NJbb 35, 1915; J. Goebel, G.s G., JEGP 15, 1916;
. Eibl, D. G. von G., ChWGV 52 f., 1949; G. Bianquis, Études sur G., Paris 1951;
. Ritchie, Zur Entstehung von G.s Gedicht D. G., Goethe 31, 1969; M. Donougho,
emarks on »Humanus heißt der Heilige«, Hegel-Studien 17, 1982; W. Dietrich, D. G.,
: G.s Erzählwerk, hg. P. M. Lützeler 1985.

Geheimwissenschaften   →Alchemie, →Astrologie, →Magie,
→Okkultismus

Geiler von Kaisersberg, Johannes (1445–1510). G. las schon in
er Frankfurter Jugendzeit Schriften des volkstümlichen Predigers
n Straßburger Münster und bewahrte sich eine Vorliebe für des-
en lebendige, anschauliche, mitunter derb-drastische Sprache, die
r in G. D. Arnolds *Der Pfingstmontag* unverändert wiederfand.

Geisenheim. Die Stadt im Rheingau berührte G. am 16. 8. 1814
if dem Weg zum St. Rochusfest in Bingen sowie am 3. 9. 1814 auf
inem Ausflug von Winkel a. Rh. zum Niederwald (*Im Rheingau
Ierbsttage*).

Geist, Johann Jacob Ludwig (1776–1854). G.s Kammerdiener der
ahre 1795–1804 (»Spiritus«, Schiller) besaß Kenntnisse in Latein,
otanik und Orgelspiel, die er in seiner Freizeit erweiterte, beglei-
te G. auf seinen Reisen (u. a. 1797 in die Schweiz), schrieb ein ei-
enes Tagebuch, sorgte für Transport und Unterkunft und erwies
ch vor allem als »geschickter Schreiber«, der Post erledigte, G.s
eobachtungen, Gedanken und Einfälle aufzeichnete und dem G.
796 die Reinschrift der *Xenien* anvertrauen konnte. G. verschaffte
im 1804 eine Stellung im Hofmarschallamt, wo er bis zum Hof-
evisor aufstieg.

W. Schleif, G.s Diener, 1965; B. Schnyder-Seidel, G.s Geist, Allmende 2, 1982.

Der Geist der Jugend   →*Pantomimisches Ballett*

Geistesepochen. Der kurze, fortschrittspessimistische geschichts-
hilosphische Aufsatz (*Über Kunst und Altertum* I,3, 1817) versucht

im Anschluß an J. G. J. →Hermann (*De mythologia Graecorum an
tiquissima*, 1817; *Briefe über Homer und Hesiodus*, 1818) eine Epo
chengliederung der Geistesgeschichte in Epochen der Urzeit, de
Poesie, der Theologie, der Philosophie, der Prosa und der Auf
lösung.

A. Bergstraesser, Die Epochen der Geistesgeschichte in G.s Denken, MDU 4
1948.

Geistes-Gruß. G. improvisierte das balladeske Lied unter der
Eindruck alter Volkslieder auf der Rheinreise mit Lavater un
Basedow: bei der Vorbeifahrt an der Burgruine Lahneck am 18.
1774 diktierte er es in Lavaters Tagebuch (nicht, wie fälschlich i
Dichtung und Wahrheit III,14, »in Lipsens Stammbuch«). Seit de
Erstdruck in den *Schriften* (1789) wurde es häufig vertont, u. a. vo
F. Marschner, J. F. Reichardt, F. Schubert, W. Tomaschek un
C. F. Zelter.

Gelegenheitsdichtung. Die Sache erscheint suspekt und kling
nach Verlegenheitsdichtung, als müsse die Poesie sich schäme
nicht aus der Überfülle des Herzens, sondern »gelegentlich« ein
äußeren Ereignisses entstanden zu sein. Was der kirchlichen Kan
tate, dem höfischen Konzert, der Oper, dem Architekten, Gold
schmied, Porträtisten oder Illustrator recht ist, sei in der Literatu
gleichbedeutend mit Prostitution. Antike, Humanismus und Baroc
dachten anders darüber, und G. genierte es nicht, mit leicht hinge
worfenen Versen eine Begegnung, ein Ereignis poetisch-festlich z
erhöhen und mit seinem Talent anderen eine nach der Zeitsitt
erwartete Höflichkeit oder eine unerwartete Freude zu erweisen. E
brauchte nicht der Poesie zu kommandieren, ihm war der rea
Anlaß, die Situation, eine Herausforderung: »So mache ihm di
Poesie erst wieder Vergnügen, wenn er Nötigung zu einem Gele
genheitsgedicht erhalte« (zu F. von Müller 27. 9. 1823). So erklä
sich die Vielzahl meist übersehener oder als Tagesliteratur übergan
gener »Gedichte an Personen«, besonders Fürstlichkeiten, Staats
männer, namhafte Zeitgenossen oder Freunde, der Gedichte z
besonderen Gelegenheiten: Jubiläen, Geburtstage, Hochzeiter
Todesfälle, Begrüßung und Abschied, der Huldigungs- und Wid
mungsgedichte und Stammbuchverse in der Gruppe »Inschrifter
Denk- und Sendeblätter«, der Maskenzüge, Theaterprologe un
selbst Festspiele (*Des Epimenides Erwachen*). Ihr vergleichendes Stu
dium mag erhellen, daß auch bei Gelegenheitsdichtungen nicht de
Anlaß, sondern der Autor den Wert bestimmt. In einem anderen a
dem heutigen Wortsinn versteht G., einen schon damals negative
Begriff aufnehmend, alle seine Gedichte als Gelegenheitsgedichte
»Alle meine Gedichte sind Gelegenheitsgedichte, sie sind durch di
Wirklichkeit angeregt und haben darin Grund und Boden« (z
Eckermann 17. 9. 1823). In diesem Sinne kann G. das Gelegen

eitsgedicht »die erste und echteste aller Dichtarten« nennen (*Dich-
ng und Wahrheit* II,10).

J. Petersen, Erlebnis und Gelegenheit in G.s Dichtung, Goethe 1, 1936; E. M. Op-
nheimer, G's poetry for occasions, Toronto 1974; W. Segebrecht, Das Gelegenheits-
dicht, 1977; Ch. Siegrist, Dramatische G.en, in: G.s Dramen, hg. W. Hinderer 1980;
. Tümmler, Und der Gelegenheit schaff' ein Gedicht, 1984; W. Segebrecht, G.s Er-
uerung des Gelegenheitsgedichts, GJb 108, 1991.

ellert, Christian Fürchtegott (1715–1769). Werke des Leipziger
rofessors, Lyrikers, Erzählers, Fabel- und Lustspieldichters waren
. schon aus der väterlichen Bibliothek bekannt, als er 1765 den
opulären Berater in allen Lebensfragen in Leipzig besuchte, entge-
en dem Rat des Prof. Böhme bei ihm Morallehre, Literatur-
eschichte und Poetik hörte und ein Stilpraktikum im natürlichen
riefstil bei ihm machte, das er sogleich auf die Briefe der Schwe-
er Cornelia anwandte – »meine Prosa fand wenig Gnade vor sei-
en Augen« (*Dichtung und Wahrheit* II,6). G. rühmt ihn später als
grundguten, sittlichen und verständigen Mann« (an Carlyle 14. 3.
828), den »herzlich lieb zu haben« er nicht umhin konnte (*Dich-
ung und Wahrheit* II,7), wurde jedoch von seiner Pedanterie, Weh-
eidigkeit und Katechisierung abgestoßen. Eine Nachbildung des
eipziger Gellert-Monuments von F. A. Oeser (1774) schenkte G.
m 24. 10. 1777 Anna Amalia mit den Versen *Gellerts Monument von
Oeser.*

L. Spriegel, Der Leipziger G. und Gellert, Diss. Tübingen 1931; A. Leitzmann, G. und
ellert, Goethe 8, 1943.

elnhausen. Die alte Stadt in der Wetterau hatte G. auf der Strecke
rankfurt–Weimar(–Leipzig) mehrfach durchquert, als er sich auf
er Reise nach Wiesbaden am 27. 7. 1814 erstmals Zeit zur Be-
ichtigung der um 1180 gegründeten romanischen Kaiserpfalz
riedrich Barbarossas nahm, die er im Brief an Christiane vom
8. 7. als »eine höchste Merkwürdigkeit« genauer beschreibt.

emmen. G. war ein eifriger Sammler und Liebhaber antiker ge-
chnittener Steine, vertieft geschnittener Gemmen und erhabener
Kameen, antiker Kleinkunst, die im Norden oft die Beschäftigung
nit der schwer zugänglichen antiken Plastik ersetzte, teils auch ver-
orene Kunstwerke reproduzierte. Er hinterließ eine Sammlung von
9 Gemmen und über 3000 Abdrücken, die nach dem schwefel-
auren Kalk der Abgüsse damals schlicht »Schwefel« genannt
vurden. Während der Leipziger Studienzeit durch Oeser auf die
Gemme als Kunstwerk hingewiesen, studierte er dort die über 3000
Abdrücke in P. D. Lipperts *Dactyliotheca* (1755) und ordnete die
Gemmensammlung Breitkopfs (*Dichtung und Wahrheit* II,8).
Während und nach der Italienreise wuchs G.s Faszination für Gem-
nen. Am 25. 7. 1787 besichtigte er in Rom die Gemmensammlung
es Prinzen von Piombino, am 22. 9. 1787 erwarb er eine Samm-

lung von 200 Abdrücken antiker Gemmen (»Es ist das Schönste, wa•
man von alter Arbeit hat … Man kann von Rom nichts Kostbare•
res mitnehmen«), und im gleichen September weitere Abdrücke au•
der Dehnischen Sammlung in Rom (»Solche Abdrücke sind de•
größte Schatz und ein Fundament, das der in seinen Mitteln be•
schränkte Liebhaber zu künftigem großen mannigfaltigen Vortei•
bei sich niederlegen kann.« *Italienische Reise*). Bei seinem Besuch be•
der Fürstin →Gallitzin in Münster im November 1792 gab diese G•
die ihr von F. Hemsterhuis hinterlassene Sammlung von rd. 70 an•
tiken Gemmen als Leihgabe zu Studienzwecken mit nach Weimar•
Mit ihr beschäftigten sich G. und die Weimarischen Kunstfreund•
besonders im Winter 1792/93; G. ließ Abdrücke machen und gab•
sie 1797 zurück. Eine Beschreibung der Sammlung veröffentlicht•
J. H. Meyer im Programm zur *Jenaischen Allgemeinen Literaturzeitun•*
(IV, Januar 1807), und G. beschrieb die wichtigsten Stücke in de•
Campagne in Frankreich (1822). Damals war ihm der Verbleib de•
Sammlung, deren Verkauf G. 1806/07 für die Fürstin zu vermitteln•
suchte, unbekannt; die Nachricht von ihrer Einverleibung in da•
Medaillenkabinett des Königs der Niederlande nahm G. zum Anlaß•
letzter Würdigungen im Aufsatz *Hemsterhuis-Gallitzinische Gemmen•*
sammlung (*Über Kunst und Altertum* IV,1, 1823) und der Besprechun•
von J. C. de Jonges Übersicht der Sammlung (ebd. IV,3, 1824). 1828•
bespricht G. schließlich das *Verzeichnis der geschnittenen Steine in dem•*
Königlichen Museum der Altertümer zu Berlin (ebd. VI,2, 1828). Wei•
tere Erwerbungen von Gemmen verzeichnen die *Tag- und Jahres•*
hefte 1808 und 1815. Das Motiv der Gemme verwendet auch di•
Lyrik: *Segenspfänder* im *Divan* und *Erklärung einer antiken Gemme.*

Die G. aus G.s Sammlung, hg. F. Femmel 1977.

Gemmingen-Hornberg, Otto Heinrich, Freiherr von (1755-
1836). Das bürgerliche Drama des Mannheimer Hofkammerrat•
Der deutsche Hausvater (1780), eine freie Adaption von Diderots *L•*
père de famille, war ein Zugstück des deutschen Theaters und stan•
auch in Weimar alljährlich 1796–99 und 1802 im Programm.

Genast, Anton (1765–1831). Ursprünglich zum Geistlichen be•
stimmt, kam Genast über die Wanderbühnen und Prag 1791 al•
Schauspieler komischer Charakterrollen und Tenorbuffo an da•
neugegründete Weimarer Hoftheater unter G.s Leitung. Mit G.•
Stilabsichten aus enger Zusammenarbeit genaustens vertraut, wa•
der verläßliche und verständnisvolle Mitarbeiter G.s rechte Han•
bei der Theaterarbeit, führte seit 1797 als einer der drei Wochen•
regisseure (»Wöchner«) häufig und ab 1809 allein die Schauspiel•
regie und übernahm in G.s Abwesenheit oder auf Gastspielreise•
auch die künstlerische Leitung des Theaters. Bei der durch C. Jage•
mann veranlaßten »Zwangspensionierung« dieser wichtigste•
Stütze G.s im Ensemble 1816, ein Jahr vor G.s Entlassung als Thea•

rleiter, schenkte ihm G. zwei eigene Handzeichnungen mit den ersen »Zur Erinnerung trüber Tage ...«. Genasts anekdotenreiche rinnerungen an G. und die Glanzzeit des Weimarer Theaters veröffentlichte sein Sohn Eduard Franz →Genast zusammen mit den genen.

Genast, Eduard Franz (1797–1866). Der Sohn von Anton →Genast wirkte neben Konditor- und Gesangslehre seit 1810 gelegentlich in der Kinderstatisterie, dann 1814–16 offiziell in Chargenrollen und als 2. Bassist am Weimarer Theater, das er 1816 bei der Pensionierung seines Vaters aus Solidarität verließ. Nach Jahren in Dresden, Hannover, Prag, Leipzig und Magdeburg war er 1829–60 Sänger, Schauspieler und 1833–51 auch Opernregisseur in Weimar und führte nach dem Tod G.s, dem er seine Ausbildung verdankte, die klassische Tradition des Weimarer Theaters fort. Seine Erinnerungen *Aus dem Tagebuche eines alten Schauspielers* (IV 1862–66) verarbeiten auch die seines Vaters und geben ein Bild seiner vielen Freundschaften mit Dichtern, Schauspielern, Sängern und Komponisten. Seiner Frau, der Schauspielerin und Opernsängerin Caroline Christine Genast, geb. Böhler (1800–1860) schrieb G. zum Geburtstag am 31. 1. 1822(?) die Verse »Treu wünsch ich dir ...«.

F. Kühnlenz, Der Schauspieler E. G., in ders., Weimarer Porträts, 1970.

Generalbeichte. Das mehrfach vertonte heiter-ironische Geselligkeitslied entstand wohl am 17./19. 2. 1802 speziell für das Mittwochskränzchen und erschien unter den *Der Geselligkeit gewidmeten Liedern* im *Taschenbuch auf das Jahr 1804* von G. und Wieland. Die Überschrift, vielleicht ein Vorschlag Schillers (vgl. an Schiller 15. 6. 1803), mag an die *Vagantenbeichte* des Archipoeta erinnern. Dem selbstironischen Bekenntnis lässiger Unterlassungssünden folgt der gute Vorsatz, in Zukunft aus dem Ganzen zu leben.

K. Voßler, Zu G.s G., Studien zur vergleichenden Literaturgeschichte 1, 1901.

Genf. In der Stadt der französischen Schweiz weilte G. mit Carl August auf der 2. Schweizer Reise am 27. 10.–2. 11. 1779. Er besuchte Mme van der Borch aus Lavaters Freundeskreis, den Maler und Ratsmitglied J. Huber und den Naturforscher Prof. H. B. de Saussure und ließ sich am 1./2. 11. von Jens Juel porträtieren, berichtet aber sonst nur, daß ihm die Stadt »einen fatalen Eindruck« machte (an Ch. von Stein 2. 11. 1779).

M. Schenker, G. in Genf, 1932.

Genie. G.s Begriff vom Genie erfuhr im Laufe der Zeit mancherlei Wandlungen. Für den Sturm und Drang-Dichter der »Geniezeit« mit ihrer Verherrlichung der »Originalgenies« manifestiert sich das Genie, indem es die bestehenden sozialen und ästhetischen Gesetze und Regeln umwirft, neben der Originalität aber Produktivität be-

weist, d. h. die »Fähigkeit, neue große Ideen aus der Tiefe zu heben
(Klotz-Rezension, *Frankfurter Gelehrte Anzeigen* 1772). Beispiel
keineswegs nur auf ästhetischem Gebiet, bieten ihm die Helden ge
planter Dichtungen: Caesar, Mahomet, Prometheus, Faust. Aspekt
wie Moral, Ästhetik und Bildung treten erst später hinzu. Unte
Einfluß Herders und Shaftesburys vergleicht G. das Genie de
Natur: das Genie schafft und organisiert wie die Natur nach eine
naturgegebenen inneren Form, die ihm seine eigenen Kunstregel
und Gesetze bietet. Auf dem Übergang zur Klassik gewinnen übe
Natur und Instinkt hinaus auch Bildung, d. h. Geschmacksbildun
an der Tradition, Ausbildung von Talent und Charakter sowie di
Moral eines tätigen Lebens an Bedeutung, und das Genie wird zu
sehends in bedingendem Zusammenhang von Zeit, Nation un
Gesellschaft gesehen. In Abwehr des neuen romantischen Irrationa
lismus erfolgt dann eine rationalisierende Abkehr vom Begriff de
gesetzlos-willkürlichen Genies, das zwar »Geschenk von oben« (z
Eckermann 21. 12. 1831), aber zugleich auch »dem Dämonische
verwandt« sei (ebd. 11. 3. 1828). Als Genies bezeichnet G. zu ver
schiedenen Zeiten u. a. Phidias, Dürer, Raffael, Holbein, Home
Luther, Shakespeare, Lessing, A. von Humboldt, Peter den Große
Friedrich den Großen und Napoleon.

K. Bauerhorst, Der G.begriff, Diss. Breslau 1929; H. Sudheimer, Der G.begriff d
jungen G., 1935 u. ö.; H.-W. Kelling, The idolatry of poetic genius in German G. cr
ticism, 1970; J. Schmidt, Die Geschichte des G.-Gedankens in der deutschen Literatu
II 1985.

Gentz, Friedrich (1764–1832). Der Politiker und Publizist, ers
Befürworter der Französischen Revolution, 1793 preußische
Kriegsrat und 1795 Herausgeber der *Neuen deutschen Monatsschrif*
auf die die *Xenien* 81 *Ophiuchus* und 256 *Deutsche Monatsschri*
gemünzt sind, wurde seit 1802 im österreichischen Staatsdien
konservativer Verfechter von Metternichs Restauration. G. lernt
ihn am 18. 11.–1. 12. 1801 und 16.–20. 1. 1803 in Weimar kenner
forderte ihn im Herbst 1803 zur Mitarbeit an der *Jenaischen Allge*
meinen Literaturzeitung auf, lehnte jedoch 1804 einen politische
Artikel ab und las am 2./3. 5. 1806 seine *Fragmente aus der neueste*
Geschichte des Politischen Gleichgewichts in Europa. Weitere Begegnun
gen fanden am 15. 7.–7. 8. 1807 in Karlsbad, 11. 7.–11. 8. 1810 i
Karlsbad und Teplitz und am 27. 6.–30. 8. 1818 in Karlsbad stat
Obwohl Bewunderer von G.s Werken, äußerte Gentz sich in Brie
fen mitunter kritisch, bewahrte jedoch ein ungetrübtes Verhältnis z
G. und wirkte 1825 für ein Druckprivilegium der Werke.

E. Guglia, G. und Gentz, ChWGV 13, 1899; G. Mann, F. v. G., 1947 u. ö.

Gentz, Heinrich (1766–1811). Der Bruder von Friedrich Gent
wurde nach einer Studienreise in Italien (1790–94), wo er mit de
Freunden G.s in Rom und Neapel verkehrte, Oberhofbauinspekto
und Professor in Berlin und einer der führenden Architekten de

:eußischen Klassizismus. Nach dem Ausfall Thourets als dessen
achfolger von Berlin empfohlen, machte er sich am 28.11.–
'.12.1800 in Weimar mit dem Vorhaben vertraut und erhielt auf
s Empfehlung sogleich den Auftrag zum Innenausbau des Wei-
arer Schlosses (Treppen, Festsaal, Galerie u.a.), wobei Carl August
·rsönlich seine befristete Freistellung vom preußischen König er-
irkte. Für die Bauzeit (10.5.1801–8.8.1803) kam er nach einem
1geren Aufenthalt in Weimar (10.5.–29.11.1801) immer wieder
ir Leitung der Ausbauarbeiten von Berlin herüber, u.a. im
nuar–April und Oktober 1802, Juli/August 1803 und September
803, und hatte dabei fast täglich mit G. zu tun, der den liebens-
ürdigen, gebildeten Mann auch zu Gesellschaften in sein Haus
·g und ihn auch für den Neubau des Theaters in Lauchstädt 1802,
:n Anbau der →Weimarer Bibliothek 1803/04 und für Entwürfe
ir den Umbau des Reithauses 1803/04, das Schießhaus 1803 und
:n Festsaal im Stadthaus gewann (*Tag- und Jahreshefte* 1801, 1802,
803).

A. Doebber, H.G., 1916.

¦entzsch, Carl Heinrich (1735–1805). Dem Weimarer Hofgärtner
·blag neben den Tiefurter Anlagen vor allem 1778–86 die Umge-
altung des Parks an der →Ilm in einen englischen Landschafts-
irten nach den Plänen Carl Augusts und G.s.

¦enzano. Die Stadt in den Albaner Bergen durchquerte G. am
2.2.1787 auf dem Weg nach Neapel und später öfter, u.a. am
1.12.1787, bei seinen Ausflügen von Rom aus. Der in der *Italie-
·schen Reise* beschriebene verwilderte Park des Prinzen Chigi
:hört jedoch zum Palazzo Chigi (von G. Bernini) bei Ariccia.

¦eoffroy de St. Hilaire, Etienne →Cuvier

¦eognosie. G. verwendet gelegentlich die heute veraltete Be-
:ichnung für →Geologie.

¦eologie. G.s geologische Interessen gehen meist von Naturbe-
·bachtungen, z.B. auf Reisen (Thüringen, Harz, Alpen, Böhmen)
1s, zu denen er öfter nach eigener Vorstellung als in der Wissen-
·haft Erklärungen – und mitunter dieselben – findet. Diese wie-
:rum sind daher eher für sein naturwissenschaftliches Weltbild und
.s Themen seiner Dichtung (*Wilhelm Meisters Wanderjahre*:
·rno/Montan; *Faust II*) interessant als weiterführend für die Wis-
·nschaft, in die er durch die praktische Arbeit in der Bergwerks-
·ommission (→Bergbau) und Geologen wie Leonhard, Lenz, Tre-
·a und Voigt eingeführt wird. Hauptthemen seiner geologischen
·ufsätze sind neben →Mineralogie und Petrographie Vulkanismus,

Gebirgsbildung, Verwitterung und die Findlinge. Die bedeutendste
Einzeluntersuchungen gelten dem oft besuchten →Kammerber
bei Eger und dem →Granit.

M. Semper, Die geologischen Studien G.s, 1914; R. v. Srbik, G. und die G., Geole
gische Rundschau 23, 1932; W. v. Engelhardt, G.s G., Die Naturwissenschaften 3
1950; H. Seifert, Mineralogie und G. in G.s Lebenswerk, Philosophia naturalis
1952/54; G. A. Wells, G's geological studies, PEGS 35, 1964 f.; W. v. Engelhardt, G.s B
schäftigung mit Gesteinen und Erdgeschichte im ersten Weimarer Jahrzehnt, in: Gen
huius foci, hg. D. Kuhn 1982; O. Wagenbreth, G.s Stellung in der Geschichte der G., i
G. und die Wissenschaften, hg. B. Wilhelmi 1984; D. Schumann, Gedanken zur G. b
G., in J. W. G., hg. H. Böhme 1984; H. Hölder, G. als Geologe, GJb 111, 1994.

Georg. Der treue Knappe, Kundschafter und Botschafter des Göt
im →*Götz von Berlichingen*, Spiegel von dessen eigenem Wesen, ret
tet seinem Herrn das Leben. Sein ganzes Streben, selbst ein Ritt
zu werden, findet tragische Erfüllung, als er in Miltenberg de
»Reuterstodt« stirbt.

Georg Friedrich Carl Joseph, (seit 1816) Großherzog vo
Mecklenburg-Strelitz (1779–1860). Der Fürst, den G. im Septem
ber 1815 in Frankfurt, am 27. 11. 1815 und 6. 7. 1825 in Weima
getroffen hatte, erwarb 1828 die große alte Standuhr aus G.s Vater
haus, die beim Verkauf dort verblieben war, und schenkte sie G. zur
Geburtstag am 28. 8. 1828.

H. Kindt, G. und der Großherzog G. v. M., Gegenwart 15, 1879.

Gera. In der Thüringer Stadt machte G. zweimal auf der Rückreis
von Dresden nach Weimar Station: am 1. 10. 1810 zu Mittag, a
18./19. 8. 1813 zur Übernachtung.

Gérard, François Pascal, Baron de (1770–1837). Gemälde des Pa
riser Porträt- und Historienmalers, Hofmalers Louis' XVIII., un
seiner Schule sah G. zuerst am 16. 10. 1814 auf einer Auktionsaus
stellung in Frankfurt (an Christiane 20. 10. 1814). Am 11. 5.–3. (
1826 verfaßte er eine ausführliche Besprechung einer Sammlun
von 80 Kupferstichen nach Gemälden dieses »anerkannt tüchtigste
Schülers Davids, gefälliger als sein Meister«, und legte den Schwe
punkt auf die Porträts ihm bekannter Personen (*Collection des po
traits historiques de M. le Baron Gérard*, in *Über Kunst und Altertum* V,
1826). Gérard sandte ihm darauf am 28. 12. 1826 über Boisseré
einen Stich von P. Toschi nach seinem »kunstreich-tumultuari
schen« (an Boisserée 19. 1. 1827) Gemälde »L'entrée de Henri IV
Paris«. Vgl. Eckermann 17. 1. 1827.

Gerbermühle. In ihrem ländlichen Sommerhaus, einer von Bäu
men und Büschen umgebenen ehemaligen Mühle vor den Tore
Frankfurts am linken Mainufer bei Oberrad, wohnten J. J. und Ma
rianne von →Willemer im Sommer und empfingen dort Besuche
und Gäste. G., dem das Gelände von jugendlichen Ausflügen nac

Offenbach vertraut war (zu Boisserée 3. 10. 1815), besuchte sie dort
zuerst am 15. und 18. 9. 1814 und war im folgenden Jahr wochenlang ihr Gast (12. 8.–8. 9., dann mit Boisserée 15.–18. 9. 1815) und
empfing seinerseits Besuche wie Herzog Ernst August und Herzogin Friederike von Cumberland (16. 8. 1815). Hier entstanden im
Zwiegesang mit Marianne von Willemer viele der Suleika-Ge-
dichte des *West-östlichen Divan.* In Briefen und vielen Gelegenheitsversen gedenkt er oft und gern des idyllischen Orts als »Terrasse«,
»Hain« und »Schattenort«, so in Versen der Gruppe »Rhein und
Main« (1815/16, u. a. »An die Stelle des Genusses ...«, »Also lustig
sah es aus ...«), *An Geheimrat von Willemer* (»Reicher Blumen ...«,
1815), »Gar manches artig ...« (1821) und dem vielleicht Marianne
von Willemer zuzuschreibenden »Von der Isar bis zum Rhein ...«
1825).

   H. Voelcker, G. auf der G., Alt-Frankfurt NF 2, 1929.

Gerhard, Wilhelm (1780–1858). Der aus Weimar gebürtige Leipziger Kaufmann, volkstümliche Dichter und Dramaturg stand seit
1814 in Verbindung mit G., der im Dezember 1820 Taufpate seines
Sohnes war. Er besuchte ihn in Weimar am 7. 7. 1818, 12. 6. 1821,
25. 6. 1823, 5. 8. 1824, 3. 7. 1826 und 14. 5. 1828. Aus seinem Interesse an serbischer Dichtung erwuchs die G. gewidmete Sammlung
Vila. Serbische Volkslieder und Heldenmärchen (II 1826–28), die G. im
Sinne einer sich entfaltenden Weltliteratur anerkennend und ermutigend besprach (*Serbische Gedichte; Das Neueste serbischer Literatur;
Nationelle Dichtkunst* in *Über Kunst und Altertum* VI,1–2, 1827–28;
ausführlich zu Eckermann 29. 1. 1827).

   R. Jahovic, W. G. aus Weimar, 1972.

Gerning, Johann Isaak, (seit 1818) Freiherr von (1767–1837). Der
Sohn einer Schwester von G.s Frankfurter Jugendfreunden Moors,
Kunstsammler in Frankfurt und Diplomat im Dienst von Neapel,
Hessen-Homburg und Hessen-Darmstadt, traf G. am 12.–20. 8.
1793 mehrfach in Frankfurt, hielt sich 1794–1802 und 1805
winters öfter in Weimar auf und verkehrte bei G., Schiller und
Herder. G. sah ihn im August–Oktober 1814 in Wiesbaden und
Frankfurt und pries seine Kunstschätze (*Kunst und Altertum am
Rhein und Main*: Frankfurt). Er schätzte den zwar eitlen, aber
»treuen, guten und stets hilfsbereiten Menschen« mehr als den poetischen Dilettanten, der »immerfort bei jedem Anlaß Verse macht«
(an J. H. Meyer 14. 7. 1797).

Gern verlaß ich diese Hütte →*Die Nacht*

Gerock, Johann Georg (?–1796). Der Frankfurter Kaufmann und
vor allem seine Frau Sophie Christine (1727–1772) waren mit G.s
Mutter befreundet. Ihre Töchter Antoinette Louise, Charlotte,

Katharina und Nanne waren Freundinnen von G.s Schwester Cornelia; auch G. nennt sie seine Freundinnen. Antoinette und Nanne besuchten Cornelia nach ihrer Heirat häufig in Emmendingen und führten nach ihrem Tod Schlossers Haushalt. G. traf sie dort im September 1779.

Gersdorff, Ernst Christian August, Freiherr von (1781–1852). Der gebildete und intelligente frühere Offizier wurde 1807 Regierungsrat in Eisenach, 1811 als Geheimer Assistenzrat und Kammerpräsident Mitglied des Geheimen Consiliums in Weimar, 181? Staatsminister und Bevollmächtigter Weimars auf dem Wiener Kongreß. G.s Beziehungen zu ihm, der immerhin 1822 eine Übersetzung von Sophokles' *Philoktet* veröffentlichte, verliefen mehr in formellen Bahnen. Gersdorffs Stieftochter aus seiner 1817 geschlossenen 2. Ehe mit der verwitweten Diane Freifrau von Pappenheim (1788–1844), Jenny von →Pappenheim (1837 Baronin von Gustedt), verkehrte als Freundin von Ottilie von G. häufig im Weimarer Goethehaus; sie erfuhr erst 1844, daß sie eine natürliche Tochter Jérôme Bonapartes aus einer Liaison mit ihrer Mutter in Kassel war.

E. v. Wedel, G. und E. A. v. G., Berliner Monatshefte 20, 1942; H. Tümmler, E. A. v. G., 1980.

Gerstenberg, Heinrich Wilhelm von (1737–1823). Der Vorläufer des Sturm und Drang, den G. nie persönlich kennenlernte, mag mit seinen anakreontischen *Tändeleien* (1759) G.s Leipziger Rokokolyrik, mit seiner Shakespearebegeisterung in den *Briefen über Merkwürdigkeiten der Literatur* (1766/67) G.s und Herders Shakespearebild beeinflußt haben. Zu der Wiederbelebung nordischer Motive in den *Gedichten eines Skalden* (1766) fand G. keinen Zugang. Seine Schauertragödie *Ugolino* (1768) las G. im gleichen Jahr und beurteilte sie zwiespältig (an F. Oeser 13. 2. 1769). Gerstenbergs Freund G. E. F. Schönborn gegenüber, der G. am 10. 10. 1773 in Frankfurt traf und den einzigen Briefwechsel mit Gerstenberg (18. 10. 1773/5. 1. 1774) veranlaßte, hielt er sie für »mit Götterkraft gemacht« (zu Schönborn 10. 10. 1773); später vergleicht er sie positiv mit C. U. Boehlendorffs *Ugolino Gherardesca* (*Jenaische Allgemeine Literaturzeitung* 14. 2. 1805). Daß G. den vermeintlich Verstorbenen in *Dichtung und Wahrheit* (II,7) »ein schönes, aber bizarres Talent« nannte, kränkte den Dichter tief.

Gerstungen. In dem thüringischen Ort an der Werra nahe Eisenach übernachtete G. auf einer diplomatischen Reise an thüringische Höfe am 5. 4. 1782.

Die Gesänge von Selma. Im Zuge der Straßburger Ossian-Begeisterung übersetzte G. im Herbst 1771 die *Songs of Selma* der

Ossian-Fälschung Macphersons und schenkte eine Reinschrift
davon F. Brion. Die Übersetzung wurde 1774 sprachlich überarbeitet, außerordentlich verfeinert und an passender Stelle zu Ende des
Buches in *Die Leiden des jungen Werthers* eingefügt, wo die kunstvoll geschachtelten Gesänge von Trennung, Trauer und Tod, die
einst auf Selma, der Burg von Ossians Vater, vorgetragen wurden,
auf das tragische Ende des Romans einstimmen.

J. Hennig, G's translations of Ossian's Songs of Selma, JEGP 45, 1946.

Gesamtausgaben →Werkausgaben

Gesang der Geister über den Wassern. Der einzige lyrische Ertrag der 2. Schweizer Reise mit Carl August entstand am 9./10. 10.
1779 unter dem Eindruck des 300 m hohen Staubbach-Falls bei
Lauterbrunnen, den schon der Brief an Ch. von Stein vom
9. 10. beschreibt, und wurde am 14. 10. an sie gesandt. Diese in
mehreren Abschriften erhaltene Fassung verteilt die Verse auf zwei
Geister, wobei der erste v. 1–4, 8–17, 23/24, 28/29 und 32/33, der
zweite die übrigen erhält. Der Erstdruck in *Schriften* (Bd. 8, 1789)
löst den ohnehin nicht dialogischen Zwiegesang zugunsten des
Eindrucks einer Art Geisterchor auf, dem auch die meisten der
zahlreichen Vertonungen (F. Hiller, C. Loewe, H. Reutter, F. Schubert, viermal) folgen. Innerhalb der gleichnissetzenden Rahmung
von der Seele des Menschen als Bürgerin zweier Welten und vom
Eingriff des Schicksals gleich dem Wind bleibt das Naturbild von
Ruhe und Bewegung das beherrschende tertium comparationis.

K. Burdach, G.s G. d. G., in ders., Vorspiel 2, 1926; B. Tecchi, Sulle immagini del
G. d. G. ü. d. W., Trivium 7, 1949; B. Tecchi, Sette liriche di G., Bari 1949; R. Flatter,
Textliche Bemerkungen zum G. d. G. ü. d. W., ChWGV 59, 1955.

Geschichte. Im Unterschied zu Schiller versagt sich G.s vom Kon-
kret-Anschaulichen in Natur und Kunst bestimmtes, gegenständliches Denken abstrakten historischen Konzeptionen und Synthesen.
Sein skeptisches Geschichtsdenken widerspricht dem Fortschrittsoptimismus der Aufklärung, spürt aus konservativer Haltung Nie-
dergangstendenzen auf, sieht in der Geschichte (ungeachtet seines
naturwissenschaftlichen Evolutionsbegriffs) die »Spiraltendenz« der
»ewigen Wiederkehr des Gleichen, verneint die Fähigkeit, aus der
Geschichte zu lernen, und hält die Idee einer objektiven, überpar-
teilichen Geschichtsschreibung trotz der Bekanntschaft mit bedeutenden Historikern wie Luden, Niebuhr, Raumer und Savigny für
illusorisch. Durch die negativen Erfahrungen in den Wirren seiner
Zeit wird ihm im Alter die Geschichte selbst suspekt und zum ver-
ächtlichen Dokument menschlichen Elends, menschlicher Bosheit
und Torheit. Entsprechend enthält sich G. geschichtlicher Darstellungen. Wo sein Werk in Bereiche der Geschichte vorstößt, konzentriert es sich in personalisierender Betrachtung auf →Genies

oder exemplarische und exzeptionelle Individuen, die zwar in di
Geschichte eingebettet sind, aber sie aufzuhalten versuchen, ihr zu
wider handeln und dabei untergehen (Götz, Egmont), auf biogra
phische Studien (Winckelmann, Hackert), zumal die eigene Bio
graphie (→*Dichtung und Wahrheit*), autobiographisch-historisch
Augenzeugenberichte (*Campagne in Frankreich, Belagerung vo*
Mainz) und Einzelaspekte seiner naturwissenschaftlichen Studien.

E. Menge-Glückert, G. als G.sphilosoph, 1907; W. Lehmann, G.s G.sauffassung, 193
F. Meinecke, G.s Mißvergnügen an der G., 1933; ders., G. und die G., 1949; G. Teller
bach, G.s geschichtlicher Sinn, 1949; K. Ziegler, Zu G.s Deutung der G., DVJ 30, 195
R. Mühlher, Poesie und G., JbWGV 65, 1961; W. Bietak, G. und die G., JbWGV 6
1964; V. Lange, G.s G.sauffassung, EG 38, 1983; H. B. Nisbet, G.s und Herders G.sder
ken, GJb 110, 1993.

Geschichte der Farbenlehre. Kurztitel für: *Materialien zur Ge*
schichte der Farbenlehre, →Farbenlehre (III.)

Geschichte des weimarischen Theaters. Im Brief an L. Tiec
vom 23. 1. 1820 und im Gespräch mit Conta vom 20. 5. 1820 er
wähnt G. seinen Plan, eine Geschichte des Weimarer Theaters z
schreiben, zu der das Tagebuch vom 23.–27. 2. 1819 Vorarbeiten no
tiert. Der Plan, zu dem nur einzelne Gliederungsentwürfe erhalte
sind, wurde nicht ausgeführt. Vgl. die früheren Aufsätze *Weimarisch*
Hoftheater (1802) und *Über das deutsche Theater* (1815).

Geschichte Gottfriedens von Berlichingen mit der eiserner
Hand dramatisiert. Die unter diesem Titel laufende 1. Fassung
des →*Götz von Berlichingen* entstand auf Drängen der Schweste
Cornelia binnen sechs Wochen im November/Dezember 1771 i
Frankfurt und wurde Anfang 1772 bewußt als Skizze an Herder zu
Beurteilung übersandt, der u. a. – seine Antwort ist nicht erhalten -
beanstandet, »daß Euch Shakespeare ganz verdorben« habe. Ei
Erstdruck dieser Fassung erschien erst in Band 42 der Ausgabe letz
ter Hand (1833). Die im Ganzen geringfügigen Änderungen de
2. und Druckfassung von 1773 kürzen besonders im 5. Akt die z
eigenwertigen Zigeuner-, Bauern- und Adelheidszenen.

Literatur →Götz von Berlichingen.

Geschichte meines botanischen Studiums →*Der Verfasser tei*
die Geschichte seiner botanischen Studien mit

Die Geschwister. Der Vierpersonen-Einakter in Prosa, das erst
von G.s Weimarer Dramen, wurde vielleicht, G. unbewußt, durc
die auch von der Neuberin gespielte französische Komödie *L*
pupille (1734) von B. Ch. Fagan mit angeregt, am 26. 10. 1776 au
der Rückkehr von einer Jagd nach Weimar konzipiert, am
28./29. 10. 1776 im Weimarer Gartenhaus niedergeschrieben un
am 21. 11. 1776 im Anschluß an *Erwin und Elmire* vom höfischer

iebhabertheater in Weimar (mit G. als Wilhelm, Kotzebue als
Brieftäger) uraufgeführt. Der Erstdruck erschien in Band 3 der
chriften (1787). Die einfache Handlung gestaltet psychologisch das
erzeit beliebte Motiv der Geschwisterliebe in einem durchaus rea-
stisch geschilderten kleinbürgerlichen Milieu idyllischer Ordnung
nd Harmonie: Der Kaufmann Wilhelm hat die Tochter Marianne
einer verwitweten und frühverstorbenen Geliebten Charlotte, die
an vom Leichtfuß zum verantwortungsbewußten Menschen
nachte, als seine angebliche Schwester in sein Haus genommen
und ihre schwesterliche Zuneigung erworben. Erst der Heirats-
antrag seines Freundes Fabrice bringt Marianne zum Bewußtsein
hrer Liebe zu Wilhelm, veranlaßt ihn zur Enthüllung ihrer wahren
Herkunft und führt zum gegenseitigen Bekenntnis der Liebe, der
auch Fabrice nicht im Wege stehen will. Der Name Charlotte für
lie frühere Geliebte, ein Brief dieser, der angeblich – aber nicht be-
weisbar – ein Originalbrief von Ch. von Stein an G. sei, und das
platonisch-geschwisterliche Verhältnis G.s zu Ch. von Stein (vgl.
»Warum gabst du uns die tiefen Blicke«, 1776), das G. mit dem zu
einer Schwester Cornelia vergleicht (an Ch. von Stein 24. 5. 1776),
egen eine einseitig biographische Deutung des Dramas als
Wunschbild G.s für das Umschlagen der (vermeintlich) geschwisterlichen Liebe in eine vom Inzesttabu befreite erotische Beziehung nahe. Eine solche vordergründige Interpretation, die einzelne
rlebte Züge zur vermeintlichen Entschlüsselung überbewertet, er-
lärt jedoch weder das eigenwertige Kunstwerk, noch wird sie der
Problematik des Inzestverbots gerecht, das man derzeit auch auf
inen Stiefvater ausdehnte und das hier durch eine natürlich ge-
wachsene, herzlich wahre, weil an einer Alternative geprüfte Liebe
überwunden wird. G.s Stück hielt sich länger auf der Bühne als die
ranzösische Bearbeitung von E. Scribe (*Rodolphe ou Frère et soeur*,
825) und die Opern von E. L. Meyer-Olbersleben und L. Rotten-
erg (1915).

G. Kettner, G.s Drama D. G., NJbb 25, 1910; A. v. Weilen, D. G., ChWGV 27, 1913;
.. Hering, G.s G., JFDH 1926; H. H. Marks, D. G., in: G.s Dramen, hg. W. Hinderer
980; E. Meyer-Krentler, Erdichtete Verwandtschaft, LfL 4, 1982; I. Salisbury. G.s poe-
sche G.paare, 1993.

Geschwister Goethes   →Goethe, Cornelia, Hermann Jakob,
Catharina Elisabetha, Johanna Maria und Georg Adolph

Gesellige Lieder. Seit den *Werken* von 1815 sammelt G. in dieser
Abteilung seine meist leichtere Lyrik für mehr freundschaftlich-
informelle Zusammenkünfte und regelmäßige private Gesellschaf-
en wie das →Mittwochskränzchen, die dem Zerfall kultivierter
Geselligkeit entgegenwirken sollen und bei denen auch Lieder vorgetragen oder gemeinsam gesungen wurden. Kernstück der Abteilung sind die *Der Geselligkeit gewidmeten Lieder* aus dem von G. und
Wieland herausgegebenen *Taschenbuch auf das Jahr 1804*; sie wurden

vermehrt durch ältere Lieder aus anderen Abteilungen und neue
Schöpfungen, die zumeist von Zelter für seine »Liedertafel« vertont
wurden. Die Übergänge zu der von G. nicht als Abteilung benutzten Gattung der Gesellschaftslieder, z. B. für den Darmstädter Kreis,
die Loge (→Freimaurer), oder Lieder zu Gesellschaftsspielen sind
fließend.

M. Mick, G.s Lieder der Geselligkeit gewidmet, Diss. Graz 1917; L. L. Albertsen,
G. L., gesellige Klassik, GJb 96, 1979; W. S. Davis, G.s Der Geselligkeit gewidmete
Lieder, Diss. Stanford 1989.

Geselligkeit. Neben der offiziellen, durch die traditionelle Etikette
auf den Adel begrenzten Hofgesellschaft sowie Theater und Oper
entstand im kleinstädtischen Weimar aus dem Bedürfnis nach Geselligkeit in nicht ständisch gebundenen Zusammenkünften aus
privater Initiative eine Reihe von Gesellschaften, Zirkeln und Klubs
mit teils festen Treffpunkten und -daten, teils jeweils neu anberaumten Zusammenkünften, bei denen die Teilnehmer selbst zur
mehr oder weniger dilettantischen Unterhaltung beitrugen. Die
wichtigsten, an denen G. mitunter teilnahm, waren: die Leseabende
bei →Anna Amalia im Wittumspalais (1775–1807), die Freundschaftstage der Louise von →Göchhausen winters samstagsvormit-
tags in ihren Mansardenstuben im Wittumspalais (1790–1800), G.s
→Freitagsgesellschaft (1791–1797), die →Weimarischen Kunstfreunde (1799–1805), die Ressource (1799 ff., ab 1816 »Erholung«)
ein Klub höherer Beamter, Akademiker und Kaufherren zu Unterhaltung, Spiel, Konzerten, Bällen, Dinners, ab 1816 im eigenen
Klubhaus, der Club zu Weimar (1800–1808) im Stadthaus für Hof-
und Staatsbeamte, G.s →Mittwochskränzchen (1801/02) mit Konkurrenz durch Kotzebues Donnerstagskränzchen, G.s →Mittwochs-
gesellschaft (1805 – um 1820) und Freitagskonzert, Johanna →Scho-
penhauers Teeabende (1806–13), ferner Redouten, winters
vierzehntägig im Komödienhaus mit Pantomimen und →Masken-
zügen bei höfischen Anlässen, schließlich Gartenkonzerte (Vaux-
halls), Hausmusiken, Lesezirkel, Laienspiel u. a. m.

J. Göres, G.s Ideal und die Realität einer geselligen Kultur während des ersten Weimarer Jahrzehnts, GJb 93, 1976; U. Müller-Harang, Geselligkeit, in: G. in Weimar, hg.
K.-H. Hahn 1986; J. Klauss, Alltag im klassischen Weimar, 1990.

Gesellschaft des vaterländischen Museums in Böhmen. In
die 1822 in Prag gegründete Gesellschaft zur Erforschung und
Pflege der böhmischen Naturgeschichte, Geschichte und Literatur
mit Graf C. Sternberg als Präsident und Fürst Lobkowitz als Geschäftsführer des Museums wurde G. wegen seines Interesses an
böhmischer Geologie 1823 als Ehrenmitglied aufgenommen. Er
berichtet über die Gesellschaft in *Zur Naturwissenschaft überhaupt*
(II, 1, 1825).

Gesellschaft für ältere deutsche Geschichtskunde. In die 1819
durch Freiherr vom Stein in Frankfurt gegründete Gesellschaft

vurde G. am 28. 8. 1819 als Ehrenmitglied aufgenommen. Er unterstützte die Arbeit der Gesellschaft zur Sammlung, Sichtung und Herausgabe älterer deutscher Geschichtsurkunden (*Monumenta Germaniae Historica*) durch Beiträge zu deren Zeitschrift *Archiv* II,1820;V,1825).

Gesellschaftslieder →Gesellige Lieder

Gespenster. Zur modischen Gespensterliteratur seiner Zeit trägt G. mehrfach bei: mit den Gespensterballaden →*Der untreue Knabe* aus *Claudine von Villa Bella* (1776), →*Die Braut von Korinth* (1797) und →*Der Totentanz* (1813), mit den drei Gespenstergeschichten der →*Unterhaltungen deutscher Ausgewanderten* (1795), besonders von der Sängerin →Antonelli, und den zahlreichen Gespenstern und Geistern in *Faust II* in der »Klassischen Walpurgisnacht« (»Ein echt Gespenst, auch klassisch hat's zu sein«, v. 6947) und im Helena-Akt. Im *Urgötz* erscheint der Geist des toten Weislingen in Adelheids Schlafzimmer. Der trotz der Aufklärung weitverbreitete Gespensterglauben dient G. oft als Nebenmotiv: in *Lila* (I) glaubt die verwirrte Titelheldin an Geister und Gespenster; die *Italienische Reise* erwähnt den Volksglauben (27. 2. 1787); in *Scherz, List und Rache* (IV, v. 1065) hält der Doktor die vermeintlich tote Scapine für deren Gespenst; Wilhelm Meister hält seinen Rivalen Norberg kurz für ein Gespenst (*Lehrjahre* I,17) und den Grafen für dessen Gespenst (ebd. II,10), dieser wiederum Wilhelm in seinem Schlafrock für sein eigenes Gespenst (ebd. III,12). Die Paralipomena zur Rezension von Mérimées *La Guzla* (1828) betonen das Gespensterhafte. Von den zahlreichen Weimarer Gespenstern erwähnt G. »das wegen Gespenster berüchtigte Gräflich Wertherische Haus« (an Schiller 10. 8. 1799) und das »gespensterhafte Mädchen« in seinem Garten (*Tag- und Jahreshefte* 1809). Noch in hohem Alter verbreitete G. Spukgeschichten über seinen Garten (zu F. von Müller 18. 5. 1831).

J. Hennig, Zu G.s Gebrauch des Wortes G., DVJ 28, 1954; L. L. Albertsen, Spiel und L., GJb 91, 1974; G. v. Wilpert, Die politische Sängerin, Seminar 27, 1991; ders., Die deutsche Gespenstergeschichte, 1994.

Gespräche. G.s Einschätzung des Gesprächs reicht von der negativen Meinung, es sei »überall nichts als ein Austausch von Irrtümern und ein Kreislauf von beschränkten Eigenheiten« (an H. Meyer 30. 12. 1795), bis zu seinem hohen Lob als Hilfe zur Bildung eigener Meinungen und Vorstellungen (Einleitung zu *Diderots Versuch über die Malerei*, 1799). Seine eigenen Gespräche, oft wandlungsfähig auf den Interessen- und Bildungsstand des Partners und den Grad seiner Sympathie zugeschnitten, erscheinen daher auch je nach der Art ihrer Aufzeichnung teils als steife und kühle Feststellungen, liebenswürdig-distanziertes Ausfragen, oder leidenschaftlich erregte Meinungsäußerungen, teils als vertrauliche Erzäh-

lungen oder fast monologische Kundgaben, fast immer aber als
sachbezogener Informations- und Meinungsaustausch, selten als
oberflächlich-höflicher small-talk. Von einzelnen, oft verspätet auf-
gezeichneten Gesprächsnotizen der Jugendfreunde (Horn, Jung-
Stilling, Kestner, Lavater, Caroline Herder) abgesehen, beginnen ers
in den mittleren Weimarer Jahren nach der Italienreise genauere
und meist recht verläßliche Nachschriften seiner Gesprächspartner
(Böttiger, Falk, Luden, Riemer, Knebel) und schließlich im Alter
z. T. mit G.s Mitwirkung, systematische Gesprächsnachschriften wie
die von →Eckermann, →Soret und F. von →Müller. Die möglichst
vollständige Sammlung nicht nur aller überlieferten mündlichen
Äußerungen G.s im Wortlaut, sondern auch der teils summarischer
Lebenszeugnisse, Berichte aus seinem Umgang u. a. Begegnungen
aus mündlicher Überlieferung, brieflichen und autobiographischen
Quellen u. a. begann W. von Biedermann (X 1889–96), erweiter
durch seinen Sohn F. M. von Biedermann (V 1909–11) und W. Herwig (VI 1965–87). Noch größere Vollständigkeit erstrebte die unvollendete Sammlung der *Begegnungen und Gespräche* von E. und
R. Grumach (V 1965–85, umfassend 1749–1805). Im Hinblick au
Glaubwürdigkeit der Zeugen, Zuverlässigkeit und Zeitabstand der
Aufzeichnung, Verständnis und Stilechtheit kritisch zu betrachten
bieten G.s Gespräche nicht nur eine wertvolle Quelle für zusätzliche Äußerungen und Gedanken G.s, sie ergänzen zugleich seine
eigenen biographischen Aufzeichnungen (*Dichtung und Wahrheit
Tag- und Jahreshefte*, Tagebücher) und Briefe und geben mitunter ein
lebendiges Bild des Dichters im täglichen Umgang aus der Sich
seiner Zeitgenossen.

P. de Weldige, Problem und Sinn des G.-Gesprächs, JFDH 1929.

Gespräche in Liedern. Im Brief an Schiller vom 31. 8. 1797
schlägt G. ihm dieses »poetische Genre« einer Art lyrischen Zwie-
gesprächs vor, wie er es auf der 3. Schweizer Reise im »Müllerin-
Zyklus« (→*Der Edelknabe und die Müllerin; Der Junggesell und de
Mühlbach; Der Müllerin Verrat, Der Müllerin Reue*) schuf, aber selbs
nicht fortsetzte.

Gespräch über die deutsche Literatur →Friedrich II. de
Große

Geßler, Karl Friedrich, Graf (1752–1829). Der mit Ch. G. Körner
und Schiller befreundete preußische Gesandte in Dresden besuchte
G. bei seinem Aufenthalt dort am 30. 7. 1790 und führte ihn bei
Körners ein. Am 29. 4.–16. 5. 1796 traf er ihn erneut bei Schiller
in Jena. Über die Haltbarkeit seiner 1797 geschlossenen Ehe mi
einem schönen römischen Malermodell, das er in der Schweiz ausbilden ließ, machen sich G. und Schiller am 8./9. 12. 1797 Gedanken (»Hoffentlich geht sie ihm unterdessen mit einem anderen

Gewohnt, getan

durch«, Schiller). Jedenfalls tritt sie auch später nicht in Erscheinung, weder beim Wiedersehen in Jena am 30. 7.–8. 8. 1804 und in Karlsbad im Juli 1806 noch beim Besuch des amüsanten Diplomaten in Weimar am 17. 8. 1811 oder beim gemeinsamen Aufenthalt und häufigen Verkehr in Karlsbad am 10. 6.–8. 7. 1812.

A. Dühr, K. F. Graf v. G., Jahrbuch der Schlesischen Friedrich-Wilhelm Univ. zu Breslau 15, 1970.

Geßner, Salomon (1730–1788). Die »höchst lieblichen« Idyllen des Schweizer Dichters (und Radierers) mit ihrer idealen schäferlichen Unschuldswelt las G. wohl schon in der Bibliothek des Vaters und schätzte ihn vor allem in der Leipziger Zeit so hoch, daß er nicht nur in seiner eigenen Rokokodichtung Einflüsse Geßners verarbeitete, sondern dessen rhythmische Prosa auch der Schwester (neben Klopstock) als Stilvorbild empfahl (an Cornelia 18. 10. 1766). Im Frankfurter Sturm und Drang stand er der erträumten Idealwelt der Schäferdichtung distanzierter gegenüber, anerkannte jedoch Geßners Talent in seiner Besprechung der *Idyllen* in den *Frankfurter Gelehrten Anzeigen* (25. 8. 1772). In Wetzlar kommen ihm durch die Schwärmerei K. W. Jerusalems auch Geßners Radierungen nahe (*Dichtung und Wahrheit* III,12; vgl. auch II,7; IV,18–19). Die persönliche Bekanntschaft Geßners machte G. im Juni 1775 auf seiner 1. Schweizer Reise mit den Stolbergs; auf der 2. Schweizer Reise besuchte er ihn im November 1779 mit Carl August.

W. E. Delp, G. und Geßner, MLR 20, 1925.

Der getreue Eckart. Auf der Reise nach Teplitz erzählte sein Sekretär John am 17. 4. 1813 G. in Eckartsberga die lokale »alte Geisterlegende« vom getreuen Eckart, der dem von Frau Holle geführten Jagdzug der »Hulden« (Luftgeister) als Warner vorausschreitet. Er rät den Kindern, die den Eltern Bier holen, die Hulden stillschweigend das Bier austrinken zu lassen und den Eltern nichts von der Begegnung zu verraten. Die Bierkrüge erweisen sich daraufhin als unerschöpflich, bis die Kinder entgegen der Weisung Eckarts das Geschehene ausplaudern. G. gestaltete daraus am gleichen Tage in Eckartsberga seine Geisterballade *Der getreue Eckart*, die sich eng an die auch andernorts, z. B. in J. Praetorius' *Saturnalia* (1663), überlieferte Sage anschließt (an Christiane 17. 4. 1813). G. sandte die Ballade am 15. 3. 1814 an Zelter, der sie, wie später auch C. Loewe, vertonte. Der Erstdruck erfolgte in den *Werken* (1815).

Gewohnt, getan. Das »gesellige Lied« als Aufruf zu freudigem Lebensgenuß ist die Kontrafaktur auf das »elendste aller jammervollen deutschen Lieder« (an Christiane 21. 4. 1813). G. hatte es am 18. 4. 1813 bei einer Deklamation des Rezitators Chr. G. Solbrig in Leipzig gehört und gestaltete es am folgenden Tag (19. 4.) aus der deprimierend negativen, anonymen Vorlage in seine positive Fas-

sung um, so daß z. B. aus »Ich hab geliebt, nun lieb ich nicht mehr«
nunmehr »…nun lieb ich erst recht« wird. G. sandte das Gedicht am
3. 5. 1813 an Zelter zur Vertonung; es wurde 1815 gedruckt.

Geyser, Christian Gottlieb (1742–1803). Der seinerzeit sehr bekannte und gesuchte Kupferstecher wurde 1761 Schüler (und 1789
Schwiegersohn) Oesers in Leipzig und 1764 Lehrer an der Leipziger Kunstakademie. Sein umfangreiches Werk von an 3000 Stichen,
Radierungen und Schabkunstblättern, vorwiegend Buchillustrationen, umfaßt u. a. Illustrationsstiche und Vignetten zu Werken von
Gellert, Wieland und G., vom dem er 1775 auch einen Porträtstich
schuf.

Giannini, Wilhelmine Elisabeth Eleonore, Gräfin von (1719–
1784). Die Tochter eines Braunschweiger Oberhofmeisters, 1755
Hofdame ebd. und Kanonissin des Frauenstifts Herford, wurde im
Herbst 1775 Oberhofmeisterin der jungen Herzogin Louise in
Weimar. Konservativ bis reaktionär eingestellt, nur an Etiketten-
fragen, nicht an schöngeistigen Dingen interessiert und von wenig
vorteilhaftem Äußeren, abhorreszierte sie intensiv das allen ihren
Grundsätzen zuwiderlaufende Genietreiben Carl Augusts und G.s
im »Tollhaus« (maison des fous) Weimar und dessen Teilnehmer. Sie
brachte diesen Abscheu in ihren Briefen an Graf und Gräfin Goertz
deutlich zum Ausdruck. »Sonst eine heitere humoristische Dame«
(*Das Luisenfest*, 1778), hatte sie das volle Vertrauen der Herzogin.

W. v. Biedermann, Gräfin G., in: G.-Festschrift, hg. A. Ströbel 1899; W. Andreas,
Sturm und Drang im Spiegel der Weimarer Hofkreise, Goethe 8, 1943.

Gickelhahn →Kickelhahn

Giebichenstein. In dem damals noch nicht eingemeindeten Dorf
bei Halle mit seiner doppelten Burgruine, einem Lieblingsaufenthalt der Romantiker, hatte der Komponist J. F. →Reichardt ein
schön gelegenes, gastfreies Haus. Nach ihrer Aussöhnung wegen der
Xenien (vgl. ebd. 80 und *Xenien aus dem Nachlaß* 207 und 224 über
Giebichenstein = Reichardt) weilte G. dort als sein Gast am
22.–24. 5. und 17.–20. 7. 1802 und 5.–9. 5. 1803 in lebhaftem,
geselligem Verkehr mit den Hallenser Professoren F. A. Wolf,
A. H. Niemeyer u. a. (*Tag- und Jahreshefte* 1802, 1803). »Ich habe in
Giebichenstein … sehr glückliche Tage verbracht« (zu W. Dorow,
Mai 1825).

Gießen. In der damals wegen des rüden Umgangstons der Studenten bekannten Stadt, in der übrigens G.s Vater 1738 promoviert
hatte, traf sich G. am 18./19. 8. 1772 mit Merck und dem Professor
der Rechte L. J. F. Höpfner zu einer Besprechung wegen der *Frankfurter Gelehrten Anzeigen*. Er wanderte zu Fuß von Wetzlar herüber,

ührte sich bei Höpfner als angeblich armer Student ein und ver-
ilkte bei der Abendtafel den anwesenden Professor der Eloquenz
Chr. H. →Schmid mit grotesken Thesen zur Literatur. Anschließend
begleitete Merck G. nach Wetzlar und bemühte sich, G. von der
hoffnungslosen Bindung an Charlotte Buff zu lösen (*Dichtung und
Wahrheit* III,12).

Gilbert, Ludwig Wilhelm (1769–1824). Den Professor der Physik
und Chemie in Halle lernte G. dort am 10./11. 7. 1802 kennen und
beteiligte sich an seinen galvanischen Versuchen. 1815 verwies Carl
August G. auf einen Aufsatz Gilberts in seinen *Annalen der Physik*
über L. →Howards Wolkenlehre und regte G. damit zu eigenen
Aufsätzen zur Wolkenlehre und zur Gründung von Wetterstationen
n.

Gil Blas →Sachse, Johann Christoph

Gingo biloba. Der exotische Baum aus Ostasien Ginkgo biloba
(G. schreibt »Gingo«) wurde 1712 durch E. Kaempfer in Europa
bekannt, um 1735 über Holland eingeführt und auch in Weimar
seit etwa 1800 in der Hofgärtnerei gezüchtet. Ein Exemplar aus der
Goethezeit, um 1813, steht im Garten des Fürstenhauses in Weimar.
G. nahm die Form des tief zweigeteilten, fächerförmigen Blattes
zum Symbol seines Gedichts *Gingo biloba* (*West-östlicher Divan*, Buch
Suleika) und sandte dieses mit einem Ginkgo-Blatt am 12.(?) 9.
1815 an Marianne von Willemer (Boisserées Tagebuch 15. 9. 1815),
das Gedicht auch am 27. 9. 1815 von Heidelberg an ihre Stieftoch-
er Rosine Städel. In der Ambivalenz des Bildes – Spaltung eines
Wesens oder Vereinigung zweier, »eins und doppelt« – entspricht
das Gedicht der Vieldeutigkeit der *Divan*-Gedichte.

F. Schnack, Ginkgo biloba, GKal 33, 1940; E. Beutler, Essays um G. I, 1941 u. ö.;
H. Albrecht, Über den Fächerblattbaum, JbSKipp 3, 1974; G. Debon, Das Blatt von
Osten, Euph 73, 1979; H.-W. Bindrim, G.s G. B.-Gedicht, 1983; Ginkgo, hg.
M. Schmid 1994.

Giordano, Luca (1634–1705). Von dem Hauptvertreter der neapo-
itanischen Barockmalerei um 1700, berühmt als Schnellmaler von
Fresken (Beiname »Fà presto«), sah G. in Neapel am 5. 3. 1787 das
Fresko »Vertreibung der Wechsler aus dem Tempel« (1684) an der
nneren Eingangswand der Kirche S. Filippo Neri (*Italienische
Reise*). Das Fresko »Vertreibung des Heliodor« (1725) an der In-
nenseite der Eingangswand der Kirche Gesù Nuovo dagegen, das
G. anschließend besichtigte und Giordano zuschreibt, stammt in
Wirklichkeit von dessen Schüler Francesco Solimena (1657–1743).
G.s Graphiksammlung enthält zwei Kupferstiche nach Giordano.

Giotto di Bondone (1266–1337). Der frühitalienische Maler war
G. nicht gemäß und interessierte ihn daher nicht; an seinen Fresken

in Assisi und Padua ging er achtlos vorüber. Wenn er aber (*La Cena* in *Über Kunst und Altertum* V, 1, 1824) eine Stichfolge (von F. Ru- scheweyh nach J. A. Ramboux) nach dem Abendmahlsfresko (um 1340) im Refektorium von S. Croce in Florenz bespricht, sie mit dem Kunstfortschritt in Leonardo da Vincis »Abendmahl« ver- gleicht und sich dabei gegen den Mittelalterkult der Romantiker wendet, trifft sein Verdikt nicht Giotto, sondern dessen Schüler Taddeo Gaddi, dem das Werk heute zugeschrieben wird.

Giovane di Girasole, Giuliana, Herzogin von, geb. Freiin von Mudersbach (1766–1805). G. besuchte die Hofdame der Königin Maria Carolina von Neapel (seit 1785; ab 1791 am Wiener Hof) am letzten Tag seines Aufenthalts in Neapel, 2. 6. 1787, im königlichen Stadtschloß Palazzo Reale (nicht Capodimonte!) am Hafen. Die Unterhaltung mit der mit deutscher Literatur vertrauten »wohlge- stalteten jungen Dame« aus Würzburg sowie der unerwartete Aus- blick auf den nächtlichen Vesuvausbruch, der ihm seinen Seelen- zustand widerzuspiegeln schien, bildeten einen der Höhepunkte seiner Reise.

B. Croce, V. G. a Napoli, Neapel 1903; L. Pollak, Zum 100. Todestage G.s, Spoleto 1932; H. Hinterberger, Herzogin Juliane von Giovane, 1946.

Giovinazzi, Domenico Antonio (um 1680–um 1763). Der ehe- malige Dominikanermönch aus Neapel war seit 1726 angesehener Italienischlehrer in Frankfurt. Er unterrichtete schon G.s Vater vor seiner Italienreise im Italienischen, half ihm 1753–55 bei seinen italienischen Aufzeichnungen darüber (*Viaggio in Italia*), musizierte mit G.s Mutter und erteilte 1760 – Mitte 1762 auch G. und seiner Schwester Cornelia Italienischunterricht.

E. Mentzel, Wolfgang und Cornelia G.s Lehrer, 1909; K. Voßler, G.s italienischer Lehrer, in ders., Aus der romanischen Welt 4, 1942.

Girgenti →Agrigent

Gitagovinda →Jayadeva

Giulio Romano, eig. Giulio Pippi (1499–1546). Werken des be- deutenden italienischen Malers und Architekten der Spätrenais- sance und Schülers von Raffael, den er »Julius Roman« nennt, be- gegnete G. wohl zuerst auf der Venedigreise am 27./28. 5. 1790 in →Mantua (Palazzo del Tè), wo ihm das 1544 nach eigenen Plänen erbaute Wohnhaus Giulios besonders gefallen haben soll. Durch die Cellini-Übersetzung und J. H. Meyers Studien wurde ihm der Künstler näher vertraut. Zeichnungen und Stiche von ihm sah er später in graphischen Sammlungen, u. a. 1814 in Frankfurt bei Stä- del. G. selbst besaß neben mehreren Kupferstichen nach Giulio die Handzeichnungen »Christus und die Ehebrecherin« (an Reinhard 26. 12. 1825, an Zelter 21. 1. 1826) und »Der Genius der Poesie« (an

Zelter 29. 10. 1830). Eine Studie von Giulios »Verleugnung Petri«
nach dem Stich von G. Ghisi enthält der Aufsatz *Kunstgegenstände*
1820), und eine ausführliche Deutung von »Cephalus und Procris«
nach dem Kupferstich von G. Ghisi gibt G. in der Beilage zum
Brief an Zelter vom 9. 11. 1830.

Glasmalerei. Mit der Technik der Glasmalerei im Zusammenhang
der Farbenlehre befaßt sich G. in einem kürzeren Aufsatz *Einiges
über Glasmalerei* (*Reise in die Schweiz 1797*, 2. 9. 1797) und in einer
Beilage zum Brief an Großherzogin Louise vom 28. 12. 1818.

Glatz. Ort und Grafschaft Glatz im Sudetengebirge besuchte G.
teils zu Pferde auf seiner Reise durch Schlesien am 26. 8.–1. 9.
1790.

A. Otto, G. in der Grafschaft G., Zeitschrift für Geschichte Schlesiens 54, 1920.

Glaube →Christentum

Gleichen, Graf von. Die (unhistorische) Sage vom thüringischen
Grafen von Gleichen, der auf einem Kreuzzug im Morgenland mithilfe einer Orientalin aus Gefangenschaft entkommt, der er auf die
falsche Nachricht vom Tod seiner Frau die Ehe versprach, und dann
mit päpstlichem Dispens mit seiner Retterin und seiner Frau eine
Ehe zu dritt führt, verwendet G. im 5. Akt seines Dramas *Stella*
(1776). Dort soll ihre Erzählung durch Cäcilie, Fernandos erste
Frau, in der 1. Fassung zu einer einverständlichen Doppelehe
führen. In der 2. Fassung versagt dieselbe Erzählung diese Wirkung;
sie endet mit dem Tod von Stella und Fernando.

Ein Gleiches. Wo G. in seinen Gedichtsammlungen zwei thematisch zusammengehörige Gedichte oder solche mit derselben
Überschrift aufeinander folgen ließ, ersetzte er die zweite, gleich-
lautende Überschrift durch Wendungen wie *Ein Gleiches* (*Wandrers
Nachtlied*), *Ein anderes (Kophtisches Lied)* oder *Desgleichen* (*Rätsel*). Sobald das jeweils zweite Gedicht jedoch einzeln gedruckt wird, muß
es als Überschrift entsprechend diejenige des ersten tragen. Die
richtige Überschrift von »Über allen Gipfeln …« lautet also
→*Wandrers Nachtlied* (II), selbst wenn hier *Ein Gleiches* auch sinnvoll
erschiene.

Gleichheit →Freiheit und Gleichheit

Gleichnis. Für G.s anschauliches Denken sind Bilder und Gleichnisse, wie er sie etwa bei Homer, der Bibel oder Shakespeare vorgebildet fand, das adäquate Stilmittel zur Veranschaulichung des
Geistigen im Sichtbaren, ohne in den belehrenden Ton der Fabel zu
verfallen. Ihr Wert steigt, »je mehr sie sich dem Gegenstande

nähern, zu dessen Erleuchtung sie herbeigerufen worden. Die vortrefflichsten aber sind: welche den Gegenstand völlig decken und identisch mit ihm zu werden scheinen« (an Knebel 21. 2. 1821). E. warnt daher vor detaillierter Ausarbeitung des Vergleichs (an Schubarth 21. 4. 1819; vgl. an Zauper 10. 9. 1823). Im höheren Sinn is die reine Wahrheit nur dem höchsten Verstand, d. h. Gott, zugänglich; der Mensch kann sie nur gleichnishaft fassen: »Alles Vergängliche ist nur ein Gleichnis« (*Faust* v. 12104 f.). Zur Poetologie de. Gleichnisses vgl. *Noten und Abhandlungen* und *Wanderjahre* II,2); G.s eigene Gleichnisse, knapp in der Prosa, sparsam im Drama, entfalten sich vor allem in der Lyrik, z. B. Abteilung »Parabolisches« und im *West-östlichen Divan,* »Buch der Parabeln«. Drei Gedichte trugen zu verschiedenen Zeiten die Überschrift *Ein Gleichnis*: »Über die Wiese, den Bach herab …« (1773/74), »Es hatt' ein Knab' eine Taube zart …« (1773) und »Jüngst pflückt ich einen Wiesenstrauß …« (1828).

H. Henkel, *Das G.sche G.,* 1886.

Gleim, Johann Wilhelm Ludwig (1719–1803). Von dem Lyriker und Förderer junger Talente, dem »Vater Gleim« des Halberstädter Freundschaftskreises, lernte G. früh die *Preußischen Kriegslieder* (1758) kennen und schätzen; seine anakreontischen Lieder (*Versuch in scherzhaften Liedern,* 1744) beeinflußten G.s Leipziger Rokokolyrik. Die von ihm als geschmacklos empfindsam abgelehnten *Briefe von den Herren Gleim und Jacobi* (1768) dagegen verspottete G.s nicht erhaltene Satire *Das Unglück der Jacobis* (1772; vgl. *Dichtung und Wahrheit* III,14). Den Dichtungen G.s seit dem Sturm und Drang, besonders dem *Götz, Werther, Reineke Fuchs, Wilhelm Meisters Lehrjahren* und zumal der »gottlosen Satire« (an Voß 4. 12. 1797) *Hermann und Dorothea* versagte Gleim bei allem Interesse das Verständnis. Sein Besuch bei Wieland in Weimar am 25. 6. 1777 brachte zwar die persönliche Bekanntschaft, aber, da G. laut Falk auf einem Leseabend bei Anna Amalia als improvisierte angebliche Rezitationen Gleims Dichterfreunde verulkte, ebensowenig eine Annäherung wie G.s Besuch in Halberstadt am 14. 9. 1783 (*Tag- und Jahreshefte* 1805). Gegen die »Tyrannei« der *Xenien,* die Gleim als alten Peleus verspotteten (343 f.), setzte sich Gleim mit seinem Büchlein *Kraft und Schnelle des alten Peleus* (1797) kraftlos zur Wehr und evozierte damit G.s Invektiven *Alexis und Dora* (1797) und *Der Hüter des Parnassus* (1798, ab 1815 u.d.T. →*Deutscher Parnaß*). Bei seinem Besuch im Gleimhaus in Halberstadt im August 1805 lernte G. eine Nichte Gleims und seinen Biographen →Körte kennen und gedachte des toten Kollegen (*Tag- und Jahreshefte* 1805). Im Oktober 1806 befaßte sich G. mit dem von Körte herausgegebenen Briefwechsel Gleims – er selbst besaß zahlreiche Autographen Gleims –, am 3./4. 12. 1810 mit Körtes Gleim-Biographie (1811) und im August 1812 erneut mit Gleims Gedichten. Bei aller Anerkennung von Gleims edlem Charakter und seiner Dichtergabe sah G. im späten Gleim einen Dichter, der sich überlebt hatte, und in seinen »unbedeutendsten Reimlein« für Almanache Relikte einer überholten Zeit (an Gubitz 10. 12. 1816, an Zelter 1. 9. 1827, 19. 7. 1829). Eine ausführliche Würdigung geben *Dichtung und Wahrheit* (II,7 und 10) und die *Tag- und Jahreshefte* für 1805.

H. Düntzer, Aus G.s Freundeskreise, 1868; F. v. Kozlowski, G. und Gleim, GJb 28, 1907.

Le Globe, *journal philosophique et littéraire.* G. las die von P. Dubois herausgegebene Zeitschrift der französischen Romantiker von September 1824 bis 1830, als sie politische Tageszeitung wurde, regelmäßig und mit viel Interesse und Zustimmung. Er verfolgte darin nicht nur die Rezeption seiner Werke in Frankreich (und übersetzte deren Besprechungen für *Über Kunst und Altertum* V,3, 1826; VI,1, 1827, VI,2, 1828), sondern das gesamte französische Geistesleben, lobte sie wiederholt Freunden gegenüber (u. a. an Reinhard 12. 5. 1826, 20. 9. 1826, zu Eckermann 17. 10. 1828) und bedauerte nur das Fehlen eines entsprechenden deutschen Blattes, das in gleicher Weise seine Idee der Weltliteratur förderte.

F. Baldensperger, G.s Lieblingslektüre 1826–1830. Die Zeitschrift L. G., GRM 20, 1932; A. Beck, De quelques apports du Globe à la pensée et à l'oeuvre de G., Bulletin de la faculté des lettres de Strasbourg 32, 1953; K. Kloocke, Dokumente von und über G. aus dem G., JFDH 1974; H. Hamm, L. G. und G., WB 23, 1977; H. Hamm, G. und die französische Zeitschrift L. G., 1997.

Glover, Friedrich →Köchy, Christian Heinrich Gottlieb

Gluck, Christoph Willibald, Ritter von (1714–1787). Die Opern des berühmten Komponisten, deren Musik der Dichtung dienen und den Gefühlsausdruck verstärken sollte, galten G. als Vorbild bei seinen eigenen Bemühungen um das Singspiel (an Ph. Ch. Kayser 23. 1. 1786). Als sich Gluck im April 1776 mit der Bitte um ein Trauergedicht für den Tod seiner Nichte Nanette (am 21. 4. 1776), das er vertonen wollte, zunächst an Klopstock und dann an Wieland wandte, gab dieser, dazu unfähig, die Bitte an G. weiter, der schon einen herrlichen Entwurf gemacht habe, aber noch nicht zur Ausführung gekommen sei (Wieland an Gluck 18. 7. 1776). Vermutlich wuchs die geplante Kantate zu G.s *Iphigenie* oder *Proserpina* aus. Glucks Oper *Iphigenie auf Tauris* (1779) wurde am 27. 12. 1800 in Weimar aufgeführt.

E. Jäger, Gluck und G., Musik 52, 1914.

Glückliche Fahrt. Das wohl im Sommer 1795 oder früher entstandene Gedicht erschien zuerst 1795 in Schillers *Musen-Almanach für das Jahr 1796* und wurde seither immer auf derselben Seite im Anschluß an das Gedicht →*Meeresstille* gedruckt, zu dem es inhaltlich und klanglich-rhythmisch (Dreivierteltakt) das Gegenstück bildet. Die fast volksliedhaft schlichten, parallel–parataktischen Verse spiegeln nach der lastenden Meeresstille den plötzlichen, befreienden Aufbruch aus einer bedrängend-lähmenden Situation zu neuen Ufern. Sie schildern keine bestimmte biographische Situation wie etwa die Seefahrt der Sizilienreise (*Italienische Reise* 14. 5. 1787), sondern eine allgemeine Erfahrung, die Erlösung von der Stagnation zu neuer Bewegung und Dynamik, möglicherweise durch die Begegnung mit Schiller. Zahlreiche Vertonungen, u. a. von Beethoven (1815/16, Op. 112), Mendelssohn (1833/34, Op. 27), Reichardt und Tomaschek.

F. Mende, Meeresstille und G. E., DU (Berlin) 9, 1956; H. J. Geerdts, Zu G.s Gedichten Meeresstille und G. E., in: Natur und Idee, hg. H. Holtzhauer 1966; H. Blumenberg, Schiffbruch mit Zuschauer, 1979.

Die glücklichen Gatten. Die bürgerlich-ländliche Idylle als Rede des Gatten an seine Frau mit einer gar nicht so unerwarteten erotischen Pointe entstand um 1802 und erschien 1803 im *Taschenbuch auf das Jahr 1804* von G. und Wieland unter den geselligen Liedern, 1827 daneben auch u.d.T. *Für's Leben*. Das Lied, von dem G. bekannte »Ich habe das Gedicht immer lieb gehabt« (zu Eckermann 16. 12. 1828), wurde u. a. von C. Eberwein und J. F. Reichardt vertont.

Glückliches Ereignis →*Erste Bekanntschaft mit Schiller*

Gmünd (Schwäbisch-Gmünd). In der Freien Reichsstadt (»in der Vorstadt Mist«, Tagebuch) übernachtete G. auf dem Rückweg von der 3. Schweizer Reise am 2./3. 11. 1797 im Gasthof zur Post.

Gneisenau, August Wilhelm Anton, Graf Neithart von (1760–1831). Der preußische General der Freiheitskriege, von Jugend auf Verehrer G.s, muß G. wohl 1790 als junger Offizier im preußischen Feldlager in Schlesien begegnet sein. Beim Besuch von August und Ottilie von G. in Berlin im Mai 1819 war er öfters in ihrer Gesellschaft und schrieb am 1. 6. 1819 auf Ottilies Wunsch einen Brief für G.s Autographensammlung, in dem er an diese erste Begegnung erinnerte. G. dankte am 11. 7. 1819 mit dem Gedicht »Den Gruß des Unbekannten …« nach einem orientalischen Begegnungsmotiv, das 1827 im *West-östlichen Divan* Aufnahme fand.

E. Weniger, G. und die Generale, 1959.

Göchhausen, Louise Ernestine Christiane Juliane von (1752–1807). Die verwachsene, literarisch interessierte, kultivierte und geistreiche Tochter eines Eisenacher Schloßhauptmanns, die wegen ihrer komischen Heldenpose von den Stolbergs den Beinamen Thusnelda erhielt, wurde 1775 Gesellschafterin, 1783 erste Hofdame Anna Amalias in Weimar, die sie auch auf Reisen (1788–90

alien) begleitete, und war eines der regsten und anregendsten Mit-
lieder des Musenhofes, der Tafelrunde, des Tiefurter Kreises mit
Beiträgen zum *Tiefurter Journal*, des höfischen Liebhabertheaters
und 1801/02 von G.s Mittwochskränzchen. In ihrer Mansardenwohnung im Wittumspalais hielt sie 1790–1800 samstagvormittags
in Winter ihre heiteren »Freundschaftstage« für die Hofgesellschaft
und die Literaten, zu denen sich auch Wieland und gelegentlich G.
einstellten, dessen neckische Scherze sie schlagfertig parierte. G.
diktierte ihr im Juni 1780 *Die Vögel*, im Oktober 1800 *Paläophron
und Neoterpe* u. a. Mitunter maliziös, spöttisch und starrköpfig, trug
sie dennoch durch ihre gute Laune und Fröhlichkeit viel zur Weimarer Geselligkeit bei, die sie in ihren Briefen witzig darzustellen
weiß. In ihrem Nachlaß fand Erich Schmidt 1887 von ihrer Feder
die einzige Abschrift von G.s *Urfaust*, den dieser am 16. 7. 1780 in
Weimar vorgelesen hatte, und Behrischs originale Schönschrift des
Buches *Annette*, die G. ihr geschenkt haben mag.

Die G., hg. W. Deetjen 1923; T. Deneke, Das Fräulein G., 1955.

Görres, Johann Joseph von (1776–1848). Kritische, reservierte
Anerkennung bezeichnet das gegenseitige Verhältnis von G. und
Görres, der sich vom jugendlichen Anhänger der Französischen
Revolution zum Heidelberger Romantiker, Begeisterten der Freiheitskriege, Gegner der Reaktion und schließlich zum Sprecher des
ultramontanen Katholizismus wandelte. Ersten Kontakt zu G.
brachte 1804 Görres' Rezensententätigkeit für die *Jenaische Allgemeine Literaturzeitung*, der G. mit einigen Skrupeln gegenüberstand.
Doch schien ihm Görres »ein sehr guter Kopf … eine Natur, die
man nicht aus dem Gesicht lassen muß« (an Eichstädt 21. 4. 1804).
Der Wendung Görres' zur Romantik und seiner folglichen Abwertung G.s begegnet dieser mit gleicher Skepsis wie seiner nebulös-
unkritischen Hochschätzung der Volksbücher und des *Nibelungenliedes* (an Knebel 25. 11. 1808) und seiner Neigung zur
symbolischen Mythendeutung. Görres' spätere Werke nahm G. nur
indirekt zur Kenntnis. Görres seinerseits hält mit seiner Kritik an
G.s Prosawerk nicht zurück (an A. von Arnim 1. 2. 1809, 1. 1. 1810,
25. 4. 1811, 3. 2. 1813). Die einzige persönliche Begegnung ergab
sich am 29. 7. 1815 auf G.s Rheinreise, als Görres ihm ein Frühstück auf der Karthause gab und abends beim Freiherrn vom Stein
in Nassau erschien (an August von G. 8. 8. 1815).

J. Oswald, G., Stein und Görres, Hochland 26, 1928 f.

Görtz, Johann Eustachius, Graf von Schlitz, gen. von Görtz (1737–
1821). Der Jurist im Gothaischen Staatsdienst und Regierungsassessor in Weimar wurde 1762 wegen seiner Weltgewandtheit und
seiner vorzüglichen Hofsitten von Anna Amalia zum Prinzenerzieher für Carl August und Constantin berufen und erfüllte die ver-
antwortungsvolle Aufgabe, »den vollkommenen Fürsten heranzu-

bilden«, mit Umsicht und Hingabe, bis etwa 1773 sein wachsende
Einfluß der Herzogin den Sohn zu entfremden schien. 1774 be-
gleitete er mit Knebel die Prinzen nach Paris und war Zeuge de
ersten Zusammentreffens von G. und Carl August in Frankfurt an
11. 12. 1774 (*Dichtung und Wahrheit* III,15). Nach der Rückkehr in
Juni 1775 entlassen, führte er die Verhandlungen zur Heirat Car
Augusts mit der Herzogin Louise und wurde anschließend derer
Oberhofmeister, trat aber 1778 in preußischen diplomatischer
Dienst. Durch G. seit 1775 in den Hintergrund gedrängt und in der
Hoffnung auf ein höheres Regierungsamt unter seinem Zögling
enttäuscht, verbreitete er, von der Gräfin Giannini auf dem laufen-
den gehalten, aufgebauschte Gerüchte über das Genietreiben in
Weimar, erhielt jedoch Carl August sein Wohlwollen. Nur den
Namen seines Feindes G. erwähnen seine *Denkwürdigkeiten*
(1827 ff.) nicht.

E. Hallbauer, Graf Görtz und G., in: Stunden mit G. 8, hg. W. Bode 1912.

Göschen, Georg Joachim (1752–1828). Der unternehmungsfreu-
dige Leipziger Verleger erhielt im Juni 1786 durch Vermittlung von
Bertuch das Verlagsrecht für die erste rechtmäßige Gesamtausgabe
von G.s *Schriften* in acht schön in Antiqua gedruckten Bänden
(1787–1790) gegen ein Voraushonorar von 2000 Talern und verlegte auch die Einzeldrucke seiner Dramen. Infolge unrechtmäßiger Nachdrucke machte er dabei einen Verlust von 1500 Talern und
war trotz einer Option auf weitere Schriften zum Risiko weiterer
Werke G.s, der ihm 1791 die *Morphologie der Pflanzen* anbot, nicht
bereit. 1805 verlegte er noch G.s Übersetzung von Diderots
Rameaus Neffe. Göschens Großunternehmen und seine Erzählung
Reise von Johann (1793) verspotten das Xenion 284 und das Xenion
aus dem Nachlaß 159.

S. Unseld, G. und seine Verleger, 1991; E. Zänker, G. J. G., 1996.

Göschenen. Den Schweizer Ort im Kanton Uri durchquerte G.
auf der 1. Schweizer Reise beim Aufstieg zum St. Gotthard am
21. 6. 1775 und zurück, auf der 2. Schweizer Reise beim Abstieg
vom St. Gotthard am 15. 11. 1779 und auf der 3. Schweizer Reise
wiederum zum und vom St. Gotthard am 2. bzw. 4. 10. 1797 (*Reise
in die Schweiz 1797*).

Goethe, Alma Sedina Henriette Cornelia von (29. 10. 1827–29. 9.
1844). Das dritte Kind Augusts und Ottilies von G., die einzige,
»allerliebste« Enkelin G.s, der ihr den Rufnamen Alma gab und an
ihrer Entwicklung regen Anteil nahm (an Ulrike von Pogwisch
18. 6. 1831), wurde anfangs im Haus am Frauenplan meist von
Jenny von Pappenheim unterrichtet und nach G.s Tod bei der
Großmutter Henriette von Pogwisch in Weimar erzogen. 1839 siedelte sie nur ungern zur Mutter nach Wien über. 1842 wurde sie in

Hof und Gesellschaft von Weimar eingeführt und kehrte im Juni 1844 ebenso ungern zur Mutter nach Wien zurück, wo sie kurz darauf an Typhus starb. Henriette von Pogwisch und Grillparzer beschreiben sie als naiv, einfach, unproblematisch und nicht intellektuell. Vgl. Grillparzers Gedicht *Alma von Goethe* (1845).

T. Böhlau, A. v. G., in: Stunden mit G. 6, hg. W. Bode 1910; O. Klein, A. v. G., 1910; C. Kahn-Wallerstein, A. v. G., in dies., Der alte Mann am Frauenplän, 1979.

Goethe, August (Julius August Walther) von (25. 12. 1789–27. 10. 1830). Ein Musterfall für die Tragödie der »Söhne«. G.s erstgeborener Sohn und einzig überlebendes von fünf Kindern aus der Verbindung mit Christiane Vulpius wurde am 15. 3. 1800 legitimiert und am 13. 6. 1802 durch Herder konfirmiert. Er erhielt seit 1797 bei dem jungen Hauslehrer Eisert Privatunterricht, der durch viele Reisen mit Vater oder Mutter (1795 Ilmenau, 1797 und 1805 Frankfurt, 1800 Leipzig, 1801 Pyrmont, Göttingen u. a.) unterbrochen wurde, da G. diesen einen höheren Bildungswert zusprach. Ein systematischer Unterricht begann erst mit dem Einzug Riemers als Hauslehrer und Sekretär in G.s Haus im September 1803 und drei Jahren Gymnasium. April 1808 – September 1809 studierte er, vom Vater ferngelenkt, Jura in Heidelberg, Oktober 1809–1810 in Jena. Bei aller väterlichen Liebe und Nachsicht nötigte die geistige Größe G.s den als Erben betrachteten Sohn in ein Abhängigkeitsverhältnis zum dominierenden Vater, dessen Forderungen zu erfüllen ihm bei aller Bemühung die Energie fehlte. Des Vaters Protektion ebnete ihm jedoch die Beamtenkarriere: 1810 Kammerassessor, 1811 Wirklicher Kammerassessor im Weimarer Dienst, 1813 Hofjunker – auf G.s Wunsch durfte er 1813 nicht als Kriegsfreiwilliger ausziehen – 1815 Kammeradjunkt, 1816 Kammerrat und 1823 Geheimer Kammerrat als Gehilfe G.s bei der Oberaufsicht über die Anstalten für Wissenschaft und Kunst in Weimar und Jena, wobei er G. öfter bei offiziellen Funktionen vertrat (z. B. der Niederlegung von Schillers Schädel in der Bibliothek 1826) und sich als praktischer, gewissenhafter Kanzleibeamter von peinlichem Ordnungssinn erwies, daneben vorwiegend mit der Ordnung und Registrierung von G.s Akten und Sammlungen befaßt. Seine Aufnahme in die Freimaurerloge »Anna Amalia« 1815 feiert G.s Gedicht *Symbolum*. Beim Tod der Mutter 1816 ist er G. »Helfer, Ratgeber, ja einzig haltbarer Punkt in dieser Verwirrung«. Seine Verlobung (31. 12. 1816) und Heirat (17. 6. 1817) mit der lebensfrohen, doch exaltierten Ottilie von Pogwisch (→Goethe, O. von) brachte eine junge und intelligente Frau in die Mansardenwohnung des Hauses am Frauenplan, die ein herzliches Verhältnis zu G. gewann. Im Mai 1819 besuchte das junge Paar Berlin. Die Ehe allerdings scheiterte an Entfremdung und Unvereinbarkeit der Charaktere, an Ottilies flatterhafter Liebesschwärmerei, ihrer Enttäuschung über das prosaisch-pedantische Wesen Augusts und an

Augusts Unausgeglichenheit und Neigung zum Alkohol. Eine am 22. 4. 1830, anfangs mit Eckermann, begonnene Italienreise (Frankfurt, Basel, Lausanne, Mailand, Venedig, Genua, La Spezia, Livorno, Neapel, Rom) sollte dem Sohn zur Selbständigkeit verhelfen, führte aber zum Tod des seelisch und körperlich Erkrankten durch Schlaganfall (oder Meningitis) in Rom, wo er bei der →Cestiuspyramide beigesetzt wurde. Er hinterließ drei Kinder: Walther Wolfgang, Wolfgang Maximilian und Alma von →Goethe. August ist Hauptfigur in Thomas Thiemes Vaudeville *August* (1997).

L. Geiger, G. und die Seinen, 1908; W. Bode, G.s Sohn, 1918; E. Castle, A. v. G., ChWGV 45, 1940; K. Pfister, Söhne großer Männer, 1941; W. Völker, Der Sohn A. v. G., 1992.

Goethe, Carl von (30. 10.–18. 11. 1795). G.s viertes Kind aus der Verbindung mit Christiane Vulpius.

Goethe, Carolina von (21. 11.–4. 12. 1793). G.s drittes Kind aus der Verbindung mit Christiane Vulpius.

Goethe, Catharina Elisabeth, geb. Textor (19. 2. 1731–13. 9. 1808). G.s Mutter, die »Frau Rat«, »Frau →Aja«, ältestes Kind des Stadtschultheißen Dr. jur. Johann Wolfgang →Textor und seiner Frau Anna Margaretha, wuchs in Frankfurt auf und erhielt die damals übliche einfache, bürgerliche Mädchenerziehung mit Schwerpunkten in Religion, Handarbeiten und Klavier, so daß sie zeitlebens mit der Orthographie auf Kriegsfuß stand (»pradiodißmuß«). 17jährig heiratete sie am 20. 8. 1748 nach Wahl der Eltern den 39jährigen Johann Caspar G. und gebar ihm sechs Kinder, von denen nur Wolfgang und Cornelia länger am Leben blieben. Eine lebhafte, heitere Natur vom optimistischem Gottvertrauen und spontaner Gefühlssicherheit, beschränkte sie sich mehr auf den häuslichen Kreis und befreundete Familien als auf die Frankfurter Gesellschaft. Der formal-rationalen Erziehung G.s durch den Vater stellte sie ihre pietistisch gefärbte Glaubenswelt an die Seite. Ihre Vorliebe für Theatralik und Märchenerzählen beeinflußte G.s dichterische Phantasie; ihr verdankt er die »Frohnatur und Lust zu fabulieren« (*Zahme Xenien* VI), und ihr Einfluß auf ihn kulminierte während der Frankfurter Rekonvaleszentenzeit 1768–70. In den 1770er Jahren genoß sie als Gastgeberin den von G.s Dichterruhm angezogenen Freundes- und Besucherkreis (Stolbergs, Lavater, Herder, Klopstock, Carl August); später besuchten die berühmte Dichtermutter u. a. Anna Amalia, Bettina von Arnim, Mme de Stael und Königin Luise von Preußen. Am Leben und Weimarer Aufstieg des Sohnes nahm sie aus der Ferne lebhaften Anteil, versorgte ihn mit Frankfurter Spezialitäten und freute sich über seine Besuche 1779, 1792, 1793 und 1797 ebenso wie über die von Christiane und August 1797, 1805 und 1807. Den halbherzigen Einladungen nach Weimar leistete die reiseunlustige nicht Folge. Nach dem Tode des Gatten (1782) wohnte sie bis 1795 weiter im Haus am Großen Hirschgraben in regem geselligem Verkehr und frönte ihrer Leidenschaft für das Theater und die Schauspieler (1784–88 zum Schauspieler C. W. F. Unzelmann). Nach Verkauf des Hauses 1795 bezog sie eine Wohnung im Haus »Zum Goldnen Brunnen« am Roßmarkt. Ihr Briefwechsel in ungezwungen-natürlichem, bildhaft-umgangssprachlichem und launigem Plauderton vermittelt das Bild einer praktischen, teilnahmsvoll sorgenden, lebensnahen und liebevollen Frau und Mutter. G.s Verhältnis zu ihr scheint infolge der Vernichtung fast aller Briefe vor 1792 einigermaßen unklar. Daß sie sich in vielen Hausfrauen- und Müttergestalten des Werkes, besonders in *Hermann und Dorothea*, spiegele, bleibt bloße Vermutung; nur ein Gedicht (im Brief an Cornelia, 15. 5. 1767) ist ihr gewidmet; in *Dichtung und Wahrheit* fehlt ihre Charakteristik, die auch durch die →*Aristeia der Mutter* nicht ersetzt wurde. So mag das Urbild der entsagungsvollen Dichtermutter idealistisch überzeichnet sein.

K. Heinemann, G.s Mutter, 1891 u. ö.; E. Schmidt, Frau Rath G., in ders., Charakteristiken I, 1902; P. Bastier, La mère de G., Paris 1902; J. Höffner, Frau Rath, 1908 u. ö.; L. Mentzel, Frau Rat G., 1908; A. Biese, G. und seine Mutter, JFDH 1908; K. Muthesius, G. und seine Mutter, 1923; G. Bäumer, Frau Rath G., 1949; H. Prang, G.s Mutter, 1949; A. Goes, G.s Mutter, 1958 u. ö.; A. Engels, Aja Rätin G., 1988.

Goethe, Catharina Elisabetha (1754–1756). G.s frühverstorbene Schwester.

Goethe, Christiane (Johanna Christiane Sophie) von, geb. Vulpius (1. 6. 1765–6. 6. 1816). G.s Geliebte und spätere Ehefrau war das 3. Kind des Amtsarchivars Johann Friedrich Vulpius aus einer angesehenen Pastoren- und Juristenfamilie, der 1786 angeblich im Säuferwahn starb und seine Kinder in Armut zurückließ – der Fall war G. bekannt. Christiane lebte seither bei ihrer Tante Juliane Auguste Vulpius in ärmlichen Verhältnissen und arbeitete seit 1782 in Beruchs Werkstatt für künstliche Stoffblumen. Unverbildet und weidlich ungebildet, beherrschte sie eine halsbrecherische Orthographie (»Biebeldäk«, »Grüdick«, »Ecks Sembelar«). Am 12. 7. 1788 stellte sie sich auf Anweisung ihres Bruders Christian August →Vulpius im Park an der Ilm als Bittstellerin mit einem Gesuch zur Unterstützung ihrer Familie dem gerade aus Italien heimgekehrten G. in den Weg. Dieser nahm das naiv-kindliche, sinnlich reizende und südländisch anmutende 23jährige Mädchen mit den schwarzen Kulleraugen und dunklen Locken in sein Gartenhaus auf, machte sie zu seiner Geliebten und betrachtete dieses Verhältnis bald als eine Gewissensehe (»Ich bin verheiratet, nur nicht durch Zeremonie«). Die Affäre erregte Klatsch und Entrüstung in Weimar und führte zum langfristigen Bruch mit Charlotte von Stein. Als Christiane mit August schwanger ging, bezog G. im November 1789 das ihm von Carl August zur Verfügung gestellte Jägerhaus in der Marienstraße,

bewohnte selbst die Beletage und nahm im Obergeschoß Chri
stiane mit ihrer Tante und ihrer Halbschwester Ernestine au
Christiane erwies sich bald als unentbehrliche, umsichtige Haus
hälterin, die G. die Alltagssorgen des Haushalts abnahm, und al
treue Liebende, die durch ihre heitere Natürlichkeit (»dein glein ne
nadur wessen«, an G. 21. 2. 1797) Spott, Verachtung und Anfein
dungen der Weimarer ertrug, aber durch ihre Vitalität, Lebensfreud
und Tanzlust weiter Anstoß erregte. Der Geburt von August an
25. 12. 1789 folgten vier weitere Kinder, die jedoch nicht lange an
Leben blieben (1791 eine Totgeburt, 1793 Carolina, 1795 Carl
1802 Kathinka). Im Juni 1792 wechselte man in das inzwischen vo
Carl August für G. erworbene Haus am Frauenplan zurück. In de
Wirren nach der Schlacht bei Jena, als Christiane bei der Plünde
rung Weimars durch französische Truppen mit Mut und Umsich
G.s Person und Besitz verteidigte, erfüllte G. plötzlich und unauf
fällig seinen »alten Vorsatz« (an W. C. Günther 17. 10. 1806) und lie
sich am 19. 10. 1806 in der Sakristei der Jakobskirche in aller Stille
nur in Anwesenheit Augusts und Riemers als Trauzeugen, von
Oberkonsistorialrat W. C. Günther mit Christiane trauen, auch un
ihre Rechte in unvorhersehbaren Fällen zu sichern. Nachdem ei
Besuch bei G.s Mutter in Frankfurt schon 1797 ein herzliches Ver
hältnis zu ihr hergestellt hatte, brachte die Heirat ihr allmählich di
– wenn auch teils widerwillige – Anerkennung in Weimar des Gat
ten wegen, doch bevorzugte sie die Theaterwelt vor den höfischen
und wissenschaftlichen Zirkeln und lebte als »Frau Geheimderätin
mit ihrer Gesellschafterin Caroline Ulrich, der späteren Frau Rie
mers, im häuslichen Bereich ein mitunter kostspieliges, teils turbu
lentes Leben, vor dem sich G. zu intensiven Arbeitsphasen nach Jen
zurückzog. Die gesellschaftliche Ablehnung im Alter durch Vergnü
gungssucht, laute Vitalität und Trinkfreude kompensierend, starb si
nach schmerzvollem Todeskampf und wurde an der Weimare
Jakobskirche begraben (»Du versuchst, o Sonne, vergebens …«, 6. 6
1816). Christianes gewiß nicht unproblematische Rolle in G.
Leben fand je nach Standpunkt des Betrachters unterschiedlich
Beurteilung. Verständnisvollen erschien die schlichte, sinnen- un
lebensfrohe, warmherzige Frau als einzig mögliche Partnerin de
von ihr verehrten Dichters; Außenstehende betrachteten sie als ein
unbedeutendes, nach Herkunft, Stand, Vermögen und Bildung sei
ner unwürdiges Wesen (fälschlich auch noch »proletarischer« Her
kunft), eine Mesalliance, die für G. eine Ehe mit einer ihm geistig
und gesellschaftlich ebenbürtigen Frau, falls er sie erstrebt hätte
ausschloß. Es ist rührend zu sehen, wieviele Besserwisser G. gern
vorschreiben, was ihm zu behagen hatte. Der zärtliche Briefwech
sel als Dokument gegenseitiger Fürsorge (»Lieber Geheimrath«
und zahlreiche Gedichte an Christiane mit ihrer anfangs unver
blümten Erotik und Intimität dagegen sprechen von seiner unge
trübten Liebe: *Römische Elegien* (1788–90, Verschmelzung römische

nd Weimarer Erlebnisse), *Der Besuch* (1788), *Morgenklagen* (1788), *Venetianische Epigramme* (1790), *Der neue Pausias und sein Blumenmädchen* (1796), *Sommer* (1797), *Amyntas* (1797), *Die Metamorphose der Pflanzen* (1798, an Christiane gerichtet), *Gefunden* (1813), *Frühling übers Jahr* (1817) u. a.

G.s Briefwechsel mit seiner Frau, hg. H. G. Gräf, II 1916 u. ö.; M. Morris, Ch. Vulpius in G.s Dichtung, in ders., G.-Studien 2, 1902; L. Geiger, G. und die Seinen, 1908; C. Federn, Ch. v. G., 1916 u. ö.; K. Hofer, G.s Ehe, 1920; E. Beutler, Christiane, in ders., Essays um G. I, 1941; B. Martin, G. und Christiane, 1949; W. Vulpius, Christiane, 1949 u. ö.; W. W. Parth, G.s Christiane, 1980; D. Vietor-Engländer, Der Wandel des Christiane-Bildes 1916–1982, GJb 102, 1985; E. Kleßmann, Christiane, 1992.

Goethe, Cornelia Friederike Christiane, verh. Schlosser (7. 12. 1750–8. 6. 1777). Nichts Ungewöhnliches kennzeichnet dieses durchschnittliche bürgerliche Frauenleben im 18. Jahrhundert, außer daß die einzige Schwester G.s es führte. Intellektuell begabt, von edlem Gemüt, aber unsinnlich, von scheuer Verschlossenheit, Neigung zu Schwermut, Grübelei und Selbstzweifeln belastet, war die 15 Monate jüngere Schwester seine kindliche Gespielin und schwesterliche Vertraute, erhielt dieselbe sorgfältige Ausbildung wie der Bruder, teils mit ihm gemeinsam und bei denselben Lehrern, mit Schwerpunkten in den Fremdsprachen, besonders Französisch, und Musik. Ihr Ernst, Mangel an Verbindlichkeit, eine gewisse steife Würde und ein durch die Zeitmode nicht verstärktes, unvorteilhaft strenges Aussehen setzten sie von den lebensfroh-koketten Gleichaltrigen ab, eröffneten ihr nur einen kleinen Kreis von Freundinnen in Frankfurt und verwiesen sie umso mehr auf den Bruder, der sich ihrer als Vertrauter, Beschützer und Erzieher im literarischen Bereich annahm, sie an seinen Plänen und Werken Anteil nehmen ließ, sie aber auch in der Liebe der Eltern in den Schatten stellte und zum Idol und Fixpunkt ihres kurzen Lebens wurde. Während der Leipziger Studienzeit 1765–67 gab er in viersprachiger erzieherischer Korrespondenz das frisch Gelernte sogleich an die Schwester weiter, die durch Lektüre englischer Romane, Theater- und Konzertbesuche ihre schöngeistigen Interessen förderte. Ihre am 1. 11. 1773 geschlossene Ehe mit G.s Frankfurter und Leipziger Freund Johann Georg →Schlosser führte sie nach Karlsruhe und Emmendingen und schien anfangs glücklich, litt aber bald an der Entfremdung der ungleichen Partner sowie ihrer zunehmenden Kränklichkeit. G.s Besuch in Emmendingen (28. 5.–6. 6. 1775) ließ sie kurzfristig wieder aufleben. Bei ihrem Tod im Kindbett hinterließ sie zwei Töchter, Maria Anna Louise und Elisabeth Catharina Julie, denen Johanna →Fahlmer Stiefmutter wurde. G.s *Dichtung und Wahrheit* setzt der Schwester ein Denkmal; ihr Vorbild für literarische Figuren ist nicht nachweisbar. Aus dem innigen geschwisterlichen Verhältnis durch Deduktionen aus G.s Werk ein Bild fast inzestuöser Geschwisterliebe zu konstruieren, blieb moderner Psychoanalyse vorbehalten.

G. Witkowski, Cornelia, 1903 u. ö.; B. E. Huemer, Die Gestalt der Schwester in G. Leben und Dichtung, Diss. Wien 1962; Ch. Michel, Cornelia in Dichtung und Wahrheit, JFDH 1979; U. Prokop, C. G., in: Schwestern berühmter Männer, hg. L. F. Pusch 1985 u. ö.; S. Damm, C. G., 1987.

Goethe (Göthé), Cornelia, geb. Walther (1668–1754). G.s Großmutter väterlicherseits, Tochter eines Schneidermeisters und Witwe des Gastwirts Schellhorn vom Gasthof »Zum Weidenhof« in Frankfurt, wurde 1705 die zweite Gattin von G.s Großvater Friedrich Georg →Goethe und gebar ihm 1710 G.s Vater Johann Caspar →Goethe. Nach dem Tod des Gatten 1730 verkaufte sie den Gasthof »Zum Weidenhof«, erwarb 1733 zwei benachbarte Häuser am Großen Hirschgraben, G.s Elternhaus, und lebte dort z. Z. von G.s Kindheit vor dem Umbau in einem geräumigen Wohnzimmer, wo die Kinder häufig bei ihr spielten. Ihr verdankten sie Weihnachten 1753 das berühmte Puppentheater, das als Motiv in *Wilhelm Meisters Lehrjahre* (I,2–6) wiederkehrt. G. erinnert sich ihrer als »sanft, freundlich, wohlwollend« (*Dichtung und Wahrheit* I,1).

Goethe (Göthé), Friedrich Georg (1657–1730). G.s Großvater, Sohn eines Hufschmieds in Artern/Thüringen, lernte das Schneiderhandwerk u. a. in Lyon und Paris, kam 1686 als Schneidermeister nach Frankfurt, erwarb 1687 das Bürgerrecht, heiratete die Tochter eines Schneidermeisters und brachte es zu ansehnlichem Vermögen. Nach dem Tode seiner ersten Frau 1700 wurde er 1705 durch seine zweite Ehe mit Cornelia Schellhorn, geb. Walther (→Goethe, Cornelia) Besitzer des vornehmen Gasthofs »Zum Weidenhof«, des vierten Hauses am Platz. Er war auch als Hotelier erfolgreich und ließ seinem 1710 geborenen einzigen Sohn aus dieser Ehe, Johann Caspar →Goethe, eine vorzügliche Bildung angedeihen, die ihm sozialen Aufstieg ermöglichte und als Erben finanzielle Unabhängigkeit sicherte.

R. Jung, F. G. G., in: Festschrift zu G.s 150. Geburtstagsfeier, 1899.

Goethe, Georg Adolph (1760–1761). G.s frühverstorbener Bruder.

Goethe, Hermann Jakob (1752–1759). G.s jüngerer Bruder starb an den Pocken (*Dichtung und Wahrheit* I,1).

Goethe, Johann Caspar (29. 7. 1710–25. 5. 1782). G.s Vater war der Sohn aus der zweiten Ehe von Friedrich Georg →Goethe und Cornelia →Goethe, geb. Walther. Er verlebte seine Kindheit in deren Gasthof »Zum Weidenhof« in Frankfurt und erhielt im Interesse gesellschaftlichen Aufstiegs eine sorgfältige Erziehung und Ausbildung, besuchte ab 1725 das lutherische Akademische Gymnasium Casimirianum in Coburg, studierte 1730 in Gießen und 1731–35 in Leipzig Jura, erweiterte seine Ausbildung 1735 am

eichskammergericht in Wetzlar und promovierte am 30. 12. 1738
Gießen mit einer lateinischen Dissertation *Electa de aditione reditatis* zum Dr.jur. 1739 ging er ohne Auftrag an den Reichstag
ch Regensburg und an den Reichshofrat in Wien und unter-
hm von dort aus 1740 eine wohlvorbereitete Italienreise (Vene-
g, Ferrara, Bologna, Rimini, Loreto, Rom, Neapel, Rom, Florenz,
enedig, Mailand, Genua), die er um 1765–70 in einem italienisch
schriebenen Reisebericht *Viaggio in Italia* (Druck Rom 1932)
sthielt. Über Marseille, Paris und Straßburg, wo er sich noch als
udent eintrug, kehrte er im Herbst 1741 nach Frankfurt zur Mut-
r in ihr 1733 erworbenes Haus am Großen Hirschgraben zurück
nd bemühte sich anscheinend vergeblich um einen ehrenamt-
chen Posten in seiner Vaterstadt. 1742 bewarb er sich bei dem in
ankfurt gekrönten Kaiser Karl VII. erfolgreich um den Titel eines
aiserlichen Rats (ohne Amt), der ihn den höchsten städtischen
eamten ranggleich machte, aber eine Anwaltspraxis ausschloß. Er
bte seither als gelehrter Privatmann, verwaltete sein beträchtliches
ermögen und pflegte seine Liebhabereien, sammelte Dokumente
r Rechtsgeschichte Frankfurts, Kunst (rd. 120 Gemälde, ferner
iche und Skulpturen) sowie eine umfangreiche Bibliothek von
ber 2000 Bänden. Am 20. 8. 1748 heiratete er, wohl mit als Zei-
nen sozialen Aufstiegs, Catharina Elisabeth →Goethe, geb. Textor,
ie Tochter des Frankfurter Schultheißen. Aus der Ehe gingen sechs
inder hervor (Johann Wolfgang, Cornelia, Hermann Jakob, Catha-
na Elisabetha, Johanna Maria, Georg Adolph), von denen nur die
eiden ersten länger am Leben blieben. Caspar widmete sich mit
orgfalt und unter Heranziehung bester Lehrkräfte deren vielseiti-
er Erziehung im Sinne der Aufklärung und führte überdies 32
hre lang die Vormundschaft für sein später geisteskrankes Mündel
D. B. Clauer. Nach dem Tod der Mutter 1754 deren Alleinerbe,
ereinigte er die beiden Hirschgrabenhäuser durch Umbau zu
nem geräumigen Wohnhaus, hatte daher im Siebenjährigen
rieg, preußisch gesinnt, unter Einquartierungen zu leiden (1759
usammenstoß mit →Thoranc). Nach 1771 half und beriet er G.
ei seiner Anwaltspraxis, war stolz auf dessen Werke, riet jedoch
om Fürstendienst in Weimar ab. Nach zwei Schlaganfällen war er
den letzten beiden Jahren teils geistesabwesend. Im ganzen ein
hrenfester, aber nicht ehrgeiziger Bürger, der, nicht übermäßig ge-
llig, seinen Verkehr auf Gleichgesinnte seines Standes beschränkte,
eder Aufsteigerallüren noch Devotion gegenüber Höheren oder
eistigen Hochmut zeigte. G.s Verhältnis zum Vater war anfangs von
indlicher Liebe und Respekt geprägt, aber nicht frei von Mei-
ungsverschiedenheiten (z. B. über Studienort und -fach); die durch
ätere Erfahrungen getrübte Darstellung in *Dichtung und Wahrheit*
ebt Alterseigenheiten wie Reizbarkeit, Pedanterie, Starrsinn und
berholte Anschauungen wohl über Gebühr hervor. Dennoch ver-
ankt ihm G. »des Lebens ernstes Führen« (*Zahme Xenien* IV).

H. Krüger-Westend, G. und seine Eltern, 1904; R. Glaser, G.s Vater, 1929; W. v. Schulenburg, J. C. G., 1937; F. Götting, Die Bibliothek von G.s Vater, Nassauische An nalen 64, 1953; E. Beutler, Der Kaiserliche Rat, in: G., Briefe aus dem Elternhaus, h W. Pfeiffer-Belli 1960.

Goethe (Johann Wolfgang) in der Dichtung. Seltener a Schiller, dessen Leben mehr äußere dramatische Konflikte bo wurde G. selbst angesichts der Komplexität seines Wesens zu literarischen Figur von Dichtungen, freilich meist weniger bedeu tender Autoren. Schon bei den Zeitgenossen (J. M. R. Len F. M. Klinger, H. L. Wagner, F. H. Jacobi u. a.) erscheint er meh oder weniger verhüllt als jugendliches Kraftgenie. Spätere Werk greifen meist einzelne Episoden aus seinem Leben und Liebesleb in Anekdoten- oder Novellenform heraus oder behandeln ihn a Nebenfigur neben Personen aus seinem Umgang. Den unzweifel haften Höhepunkt dieser G.-Literatur bildet die meist indirekt Darstellung des alten G. in Th. Manns Roman *Lotte in Weime* (1939). Erwähnenswert sind (in chronologischer Folge):

J. P. Lyser, *Margarete*, Drama 1845; K. Gutzkow, *Der Königsleutnan* Lustspiel 1849; J. L. Deinhardstein, *Fürst und Dichter*, Drama 1851 L. Schücking, *Der gefangene Dichter*, Erzählung 1858; W. von Bieder mann, *Doctor Goethe in Weimar*, Drama 1864; O. F. Gensichen, *De Heideröslein von Sesenheim*, Erzählung 1896; A. Zweig, *Der Gehilf* Novelle, 1911 (Eckermann); P. Burg, *Alles um Liebe*, Roman 1922 f St. Zweig, *Elegie*, Novelle 1927 (Marienbad); F. Léhar, *Friederik* Operette 1928; E. G. Kolbenheyer, *Karlsbader Novelle*, Erzählun 1929; Th. Mann, *Lotte in Weimar*, Roman 1939; W. Goetz, *Der He. Geheime Rat*, Erzählungen 1941; G. Bäumer, *Eine Woche im May*, Er zählung 1944; R. Hohlbaum, *Sonnenspektrum*, Novellenzyklus 1951 H. Franck, *Marianne*, Roman 1953 (Willemer); H. Franck, *Letz. Liebe*, Roman 1958 (Ulrike); M. Lavater-Sloman, *Wer sich der Lieb vertraut*, Erzählungen 1960; P. Hacks, *Ein Gespräch im Hause Stein* Drama 1976; M. Schulte, *Goethes Reise nach Australien*, Erzählun 1976; M. Walser, *In Goethes Hand*, Drama 1982 (Eckermann) H. M. Enzensberger, *Nieder mit Goethe*, Drama 1996.

J. Kühn, Der junge G. im Spiegel der Dichtung seiner Zeit, 1912; P. Merbach, G. Dramen, ZfB NF 13, 1921; H. Arnold, Die Gestalt G.s in Werken der ehemalige DDR-Literatur, Studia i materialy. Germanistyka 8, 1991; H. Deck, Dichterfürst, De pot, Dilettant, in: Und immer ist es die Sprache, hg. N. Hofen 1993.

Goethe, Johanna Maria (1757–1759). G.s frühverstorbene Schwe ster.

Goethe, Kathinka von (16.–19. 12. 1802). G.s fünftes Kind aus de Verbindung mit Christiane Vulpius.

Goethe, Ottilie Wilhelmine Ernestine Henriette von, geb. vo Pogwisch (31. 10. 1796–26. 10. 1872). G.s exzentrische Schwieger tochter war die älteste Tochter des preußischen Majors Wilhel

on Pogwisch und seiner Gattin Henriette Ottilie Ulrike, geb. Grä-
n Henckel von Donnersmarck. In Danzig geboren, verbrachte sie
re Kindheit nach der durch den finanziellen Ruin des Vaters 1802
eranlaßten Trennung der Eltern meist bei Verwandten in Berlin,
nsbach und Dessau und siedelte 1809 mit der Mutter, die 1811
lofdame der Herzogin Louise wurde, zur Großmutter nach
Weimar über. Dort wuchs sie mit ihrer jüngeren Schwester Ulrike
a einer Mansarde des Fürstenhauses und im G.s Gartenhaus be-
achbarten Pogwischhaus recht sorglos und undiszipliniert erzogen
uf, fand jedoch durch ihren Charme viele Freunde und entfaltete
813 eine romantische Schwärmerei für den verwundeten Lützo-
er Jäger und »Helden« Ferdinand Heinke, der nach seiner Gene-
ung zu seiner Braut nach Schlesien heimkehrte. Nach Ver-
chwinden anderer Chancen und angesichts einer sonst ihr
evorstehenden Hofdamenexistenz entschloß sie sich trotz Wider-
ands der adelsstolzen Großmutter zur Heirat mit G.s einzigem
ohn August von →Goethe am 17. 6. 1817 und bezog mit ihm die
Mansardenwohnung des Hauses am Frauenplan, 1818–28 gefolgt
on ihrer Schwester Ulrike. Die anfangs glückliche Ehe, aus der drei
.inder (1818 Walther, 1820 Wolfgang, 1827 Alma von →Goethe)
ervorgingen, wurde bald durch die Unvereinbarkeit der Partner,
re hochgespannten Erwartungen vom Charakter des Dichter-
ohns und ihre emotionale Instabilität getrübt und führte spätestens
827 zur Entfremdung und 1830 zur Fluchtreise Augusts nach Ita-
en. Seinen Tod in Rom empfand sie als Befreiung. Ihr herzliches
erhältnis zum verehrten G., der ihre literarischen Ambitionen in
ie Zeitschrift →*Chaos* lenkte und dem ihr Geist, ihr Gespräch, ihre
Anmut, Heiterkeit und Phantasie, ihre innige Fürsorge für ihn, für
einen Haushalt und die lebhafte Gesellichkeit bald unentbehrlich
vurden, blieb auch nach Augusts Tod ungetrübt (»Nun wollen wir
echt zusammenhalten«, G.). G.s Testament sicherte ihr freie Woh-
ung und jährlichen Unterhalt zu. Doch kokett, überschwenglich,
prunghaft und von Unruhe des Herzens und Abenteuerlust ge-
rieben, knüpfte sie nach G.s Tod frühere leidenschaftliche Bezie-
ungen auch aus den Ehejahren wieder an und erlebte bittere
Enttäuschungen, wenn die Liebhaber vor ihrer schrankenlosen Lei-
lenschaft zurückwichen, so 1832 in Mainz der Engländer Charles
terling, 1833/34 ein Captain Story, von dem sie eine frühverstor-
ene uneheliche Tochter Anna Sibylle (1835–36) hatte, 1836 der
chriftsteller Gustav Kühne in Leipzig, 1837 der Engländer Ed-
nund Phipps. 1842–66 siedelte sie zu dem Arzt Dr. Romeo Selig-
nann nach Wien über, wo sie als reizvolle Schwiegertochter G.s
eicht Gesellschaft fand, führte aber weiter ein unstetes Leben und
erstreute sich auf zahlreichen Badekuren und Reisen (Italien
846/47, 1852–54, 1855, 1858/59), ohne Glück und rechten
Lebensinhalt umhergetrieben. Nach sorgloser Verschwendung ihres
Vermögens, des Erbes ihrer Tochter und teils ihrer Söhne kehrte sie

1870 zu beschränkten Verhältnissen in die Mansardenwohnung a
Frauenplan von Weimar zurück.

Aus O. v. G.s Nachlaß, hg. W. v. Oettingen II 1912 f.; O. v. G., hg. H. H. Hoube
1923; I. Linden, O. v. G., 1924; E. Castle, O. v. G. in Wien, ChWGV 40, 1935; C. Kah
Wallerstein, Die Frau vom andern Stern, 1948; O. v. G., Tagebücher und Briefe, h
H. Bluhm, V 1962–79; E. Mangold, O. v. G., 1965; I. Stolzenberg, O. v. G.s Lebensve
hältnisse in den ersten Jahren nach G.s Tod, JbSKipp 2, 1970; O. v. G., hg. U. Janetz
1982; R. Rahmeyer, O. v. G., 1988.

Goethe, Walther Wolfgang von (9. 4. 1818–15. 4. 1885). G.s älteste
Enkel, Augusts und Ottilies erster Sohn, klein, schwächlich, depres
siv, von Jugend an kränklich, doch kultiviert und von vornehme
Gesinnung, verbrachte seine Kindheit unter den Augen G.s, de
ihm das Gedicht *Wiegenlied* (1818) und Stammbuchverse (»Ihre
sechzig hat die Stunde …«, 1825; »Eile, Freunden …«, 1826) wid
mete (vgl. *Chronica*, 1818), und des Erziehers Rothe. Von der Mut
ter trotz wohlgemeinter Warnungen zu Leistungen angetrieben
studierte er 1838 Musik in Leipzig, u. a. bei F. Mendelssohn un
nach dessen vernichtend kritischem Urteil 1838 bei C. Loewe i
Stettin und 1839 bei I. Seyfried in Wien. Er komponierte an 40 Lie
der, die auch im Druck erschienen, sowie drei Opern, von dene
nur *Anselmo Lancia* 1839 in Weimar zweimal aufgeführt und höflic
kühl beurteilt wurde, veröffentlichte anonym drei matt konventio
nelle Novellen *Fährmann, hol' über!* (1847) und gab nach diese
Mißerfolgen die künstlerische Laufbahn entmutigt auf. Von seinen
Jugendfreund Großherzog Carl Alexander zum Kammerherrn er
nannt und gelegentlich in Kulturfragen konsultiert, doch durch di
Extravaganzen der Mutter des finanziellen Rückhalts beraubt, zo
er sich in die Mansarde des Goethehauses in Weimar zurück, da
mitsamt dem Nachlaß vor der Öffentlichkeit gesperrt, aber dadurc
zusammengehalten wurde, hütete und pflegte verantwortungs
bewußt das Erbe und vermied 1842 die Zerstückelung des Nach
lasses und der Sammlungen, indem er den Verkauf an den Deut
schen Bund ablehnte. In seinem Testament setzte er als letzte
lebender Nachkomme G.s 1885 großzügig die Großherzogi
Sophie von Sachsen-Weimar zur Erbin des literarischen Nachlasse
und den Staat Sachsen-Weimar zum Erben von Haus und Samm
lungen ein und ermöglichte damit die Öffnung der Denkstätte
und die Erforschung und textkritische Publikation des Werkes.

W. Vulpius, W. W. v. G. und der Nachlaß seines Großvaters, 1962 u. ö.

Goethe, Wolfgang Maximilian von (18. 9. 1820–20. 1. 1883). De
zweite Sohn Augusts und Ottilies von G. und Lieblingsenkel G.s
den dieser häufig zu Spiel und Gespräch um sich duldete und lie
bevoll in Tagebüchern, Briefen und Gesprächen erwähnt, wurde in
Hause vom Privatlehrer Rothe und G. selbst, oft kindliches Fas
sungsvermögen überschreitend, erzogen und früh in Gesellschaf
und Theater eingeführt. Nach G.s Tod mehr gefordert, besucht

1835 kurz das Gymnasium Schulpforta, dann 1836–39 das
Weimarer Gymnasium und zeigte angesichts der mit seinem
Namen verknüpften Erwartungen früh Züge eines Nervenleidens.
1839–45 studierte er Jura und Philologie in Bonn, Jena, Heidelberg
und Berlin (Dr.jur. Heidelberg 1845). Er veröffentlichte enttäu-
schend kraftlose, epigonal-triviale literarische Versuche: *Studenten-
briefe* (1842), *Der Mensch und die elementarische Natur* (anonym 1843,
mit einem lyrischen Melusine-Drama *Erlinde*) und *Gedichte* (1852).
Nach mehreren Bade- und Italienreisen wurde er 1851 zum
Weimarischen Kammerherrn ernannt, 1852 preußischer Legationsrat in Rom, 1856–60 in Dresden. 1859 in den erblichen Frei-
herrnstand erhoben, nahm er 1860 seinen Abschied vom Staatsdienst, widmete sich archivalisch-historischen Studien u. a. über
den byzantinischen Kardinal Bessarion (1863), kehrte 1870 menschenscheu mit der Mutter zum Bruder Walther in die Mansardenwohnung des Goethehauses zurück und ging 1879 schwer
asthmaleidend nach Leipzig, wo er starb.

O. Mejer, Wolf G., 1889.

Goethea →Martius, C. F. Ph. von

Goethe-Gesellschaft. Die nach der Öffnung von G.s Nachlaß
(→Goethe, Walther von) am 20. 6. 1885 unter dem Protektorat des
Großherzogs von Sachsen-Weimar gegründete literarische Gesell-
schaft mit Sitz in Weimar dient nach ihrem Statut der Pflege und
Förderung der G.-Forschung, der G.-Literatur und der Weimarer
G.-Stätten. Sie unterstützte Aufbau, Arbeit und Erhaltung der
Weimarer G.-Institute (→Goethe- und Schiller-Archiv, →Goethe-
Nationalmuseum), förderte wissenschaftliche G.-Ausgaben, beson-
ders die Weimarer Ausgabe, und andere Editionen zu G.s Zeit und
Werk und veröffentlicht das 1880 gegründete →*Goethe-Jahrbuch*
(1880–1913; 1914–35 als *Jahrbuch der Goethe-Gesellschaft*, ab 1936 als
Goethe. Vierteljahrsschrift, ab 1938 Viermonatsschrift, ab 1944
Jahresband) sowie die unregelmäßig erscheinenden *Schriften der
Goethe-Gesellschaft* (1885 ff.). Mit ihren bis 1939 alljährlich, ab 1954
zweijährlich gehaltenen Mitgliedertagungen (General-, später
Hauptversammlungen) in Weimar überdauerte sie als eine der wenigen wissenschaftlichen Gesellschaften von internationalem Rang
geschlossen die Teilung Deutschlands und umfaßt rd. 5000 Einzel-
mitglieder in aller Welt sowie zahlreiche regionale und lokale Orts-
vereinigungen. Ähnliche G.-Gesellschaften bildeten sich in Wien
(1878 Wiener G.-Verein), London (1886 English G. Society), Japan,
Australien, Kanada, Buenos Aires, New York u. a. m.

W. Goetz, 50 Jahre G.-G., 1936.

Goethehaus (1) Frankfurt. G.s Geburts- und Elternhaus in
Frankfurt am Großen Hirschgraben 23 bestand ursprünglich aus

zwei gotischen Fachwerkhäusern der Zeit um 1600, die G.s Groß
mutter Cornelia →Goethe nach dem Tode ihres Mannes am 1. 4
1733 erwarb und seither bis zu ihrem Tod 1754, nach der Heira
ihres Sohnes Johann Caspar →Goethe in einem Seitentrakt, be
wohnte. Erst danach, 1755, vereinigte G.s Vater die beiden Häuse
mit ursprünglich unterschiedlichen Geschoßebenen durch groß
zügigen Umbau, während dessen das Haus bewohnt blieb, unte
Beibehaltung der vorspringenden Obergeschosse zu einem lichter
dreigeschossigen Patrizierhaus mit sieben Fenster breiter Fassad
und Mansardengiebel, mit Gitterkörben vor den Fenstern des Erd
geschosses, elegantem, schmiedeeisernem Treppengeländer, große
Vorsälen und dem Wappen mit den drei Leiern, die dem »Haus z
den drey Leyern« den Namen gaben. Hier, besonders im Arbeits
zimmer hinter dem dreifenstrigen Mansardengiebel, lebte G. bi
zum 30. 10. 1775 mit Ausnahme seiner Reisen und Studienaufent
halte in Leipzig, Straßburg und Wetzlar, auch bei seinen spätere
Besuchen in →Frankfurt, hier empfing er seine Jugendfreunde
hatte er seine Anwaltspraxis, und hier entstanden seine Jugend
dichtungen, besonders *Götz von Berlichingen*, *Die Leiden des junge*
Werthers, Teile des *Egmont* und des *Urfaust*. Auf G.s Rat verkaufte di
Mutter das Haus am 17. 2. 1795. O. Volger bewahrte es vor neuen
Umbau, indem er es 1863 für das Freie Deutsche Hochstift erwarb
mit authentischem Inventar in seinen alten Zustand zurückversetzt
und als »Geburtshaus« G.s öffentlich zugänglich machte. Am 22. 3
1944 durch Brandbomben völlig zerstört, wurde es 1946–51 unte
Verwendung alten Materials (Schmucksteine, Gitterwerk) nach
Maßzeichnungen originalgetreu wieder aufgebaut und mit den
geretteten, ausgelagerten Mobiliar und Inventar am 10. 5. 195
eröffnet. Die ebenfalls zerstörten und neu errichteten Anschluß
bauten, 1994–97 neuverunstaltet, beherbergen das 1932 eröffnete
Frankfurter G.-Museum des Freien Deutschen Hochstifts und ein
Spezialbibliothek zur deutschen Klassik und Romantik. Vgl. *Dich*
tung und Wahrheit I.

O. Volger, G.s Vaterhaus, 1863; H. Pallmann, Das G. in Frankfurt, 1889; O. Heuer, G.
Geburtshaus und sein Umbau, JFDH 1910; R. Hering, Das Elternhaus G.s, in: Di
Stadt G.s, hg. H. Voelcker 1932 u. ö.; E. Beutler, Das Haus, in ders., Essays um G. I, 194
u. ö.; E. Beutler, Führer durch das Frankfurter Goethemuseum, 1954 u. ö.; Das G. i
Frankfurt, hg. D. Lüders 1968 u. ö.; Freies Deutsches Hochstift, Frankfurter G.-Mu
seum, 1981.

Goethehaus (2) Weimar. Das 1709 vielleicht vom Baumeister Jo
hann Mützel erbaute, spätbarocke Haus der Familie Helmershause
am Weimarer →Frauenplan ist ein langgestrecktes, zweistöckige
Bürgerhaus mit Mansardendach, leicht eingezogenen Seitenflügeln
mit Toreinfahrten rechts und links und einem über Pferdeställe
und Holzschuppen einstöckigen, durch einen schmalen Hof ge
trennten, winkligen Hinterhaus und anschließendem Garten. G
mietete darin zunächst, um der Stadt näher zu sein als in seinen

Gartenhaus, ab 2. 6. 1782 die westliche Hälfte als Stadtwohnung,
die er nach der Italienreise zurückkehrte, mußte aber nach der
Verbindung mit Christiane Vulpius im November 1789 einstweilen
das Jägerhaus umziehen. Im Mai 1792 erwarb Carl August das
Haus und schenkte es (offiziell am 17. 6. 1794) mit 1500 Talern zur
Einrichtung G. als angemessene Wirkungsstätte, in der G. seither 40
Jahre seines Lebens mit seiner Familie wohnte, arbeitete, zahllose
Besucher und Gäste empfing, Freunde und Helfer (Meyer, Riemer,
Kräuter) beherbergte, in dem seine Frau, teils Kinder und Enkel
und auch er starben und in dem seine großen Werke vom *Wilhelm
Meister* bis zum *Faust II* entstanden. Bis 1816 führte Christiane, ab
1817 Ottilie mit Gesellschafterin und Dienstpersonal den weit-
läufigen Hausstand. 1792–95 wurde das Haus unter Leitung von
H. Meyer zum heutigen Zustand umgebaut und teils neu deko-
riert, Vorder- und Hinterhaus durch einen Übergang (Büstenzimmer) verbunden, die breite Treppe zur Beletage eingezogen und die
Mansardentreppe zur 1817 voll ausgebauten Mansardenwohnung
angelegt. Erst nach und nach fanden G.s Sammlungen an Bildern,
Zeichen, Majolika, Statuen, Büsten, Gemmen, Münzen, Medaillen,
Mineralien und Knochen, Büchern und Archivalien, von denen
heute nur ein Bruchteil ausgestellt ist, in den Räumen ihren festen
Platz.
    Durch das Hauptportal und die Vorhalle – rechts und links davon
im Erdgeschoß Wirtschafts- und Dienstbotenräume, Küche und
Vorratskammer – gelangte man über die von G. entworfene, un-
proportioniert breite Treppe mit Gipsabgüssen antiker Statuen und
der Ildefonso-Gruppe und über die Schwelle mit den SALVE-
Intarsien in den zentralen Gelben Saal mit Gipsabgüssen nach An-
ken, einst das Große Eßzimmer für viele Gäste. Von dort aus geht
es links in die Repräsentations- und Gesellschaftsräume: das Junozimmer, Empfangs- und Musikzimmer mit dem Gipsabguß der
Juno Ludovisi und Meyers Kopie der →Aldobrandinischen Hochzeit, weiter in das Urbinozimmer oder Blaue Zimmer, das bei
großen Gesellschaften die jüngeren Leute aufnahm, oder rechts zur
Hofseite in das Kleine Eßzimmer für die Familie. Zur Straßenfront
schließt an den Gelben Saal rechts eine Zimmerflucht von drei
Räumen, die, ursprünglich Familienräume, nach 1816 in Räume
für G.s Sammlungen umgewandelt wurden: das Deckenzimmer mit
barocker Stuckdecke, einst G.s kleines Kunstkabinett, das Majolika-
zimmer mit G.s Sammlung italienischer Majolika, ursprünglich
Cheschlafzimmer, und das Große Sammlungszimmer mit Porträts
und Kleinplastik, ursprünglich Große Wohnstube. Vom Gelben Saal
rückwärts führt das mit einem Tonnengewölbe nach römischem
Vorbild versehene Brückenzimmer oder Büstenzimmer mit den
Büsten von Schiller und Herder über den Hof hin zum Gartenzimmer und in das Hinterhaus oder hinab in den von G. selbst
angelegten Hausgarten mit dem Gartenpavillon für die rd. 18 000

Stücke umfassende Mineraliensammlung an der Ackerwand. Vor
Urbinozimmer oder vom Gartenzimmer führen schmale Zugäng
in das rechte Hinterhaus mit dem G.s Vorliebe entsprechend aske
tisch ausgestatteten, früher nur wenigen zugänglichen Arbeitstrak
mit Mineralienschränken im Vorzimmer, der einfachen →Biblio
thek von rd. 6500 Bänden, dem karg eingerichteten Arbeitszimme
(überm Pferdestall), wo G. an seinem Stehpult schrieb oder umher
gehend diktierte, dem spartanischen Schlafzimmer G.s mit seiner
Sterbesessel und dem anstoßenden schmucklosen Diener- ode
Schreiberzimmer. Im östlichen Flügel des Hinterhauses liegen, 195
rekonstruiert, Christianes Vor-, Wohn- und Nähzimmer. In de
Mansardenräumen des Vorderhauses wohnten August und Ottili
mit den Enkeln, später Walther und ab 1870 auch wieder Ottile un
Wolfgang. 1842–85 erhielten nur wenige Prominente Zutritt, un
nur in die zeitweise auch vermieteten Räume des Vorderhauses; de
Arbeitstrakt blieb verschlossen und unverändert erhalten. Nac
dem Tod von G.s letztem Enkel Walther fiel das Haus mit Inventa
und Sammlungen testamentarisch an das Großherzogtum Sachsen
Weimar. Es wurde in den historischen Zustand zurückversetzt un
ab 3. 7. 1886 als G.-Nationalmuseum der Öffentlichkeit zugänglich
gemacht. Am 9. 2. 1945 durch Bombenschaden besonders im West
flügel stark beschädigt, wurde das Haus originalgetreu wiederher
gestellt, mit dem ausgelagerten Inventar eingerichtet, 1949 wiede
eröffnet und befindet sich heute fast im Originalzustand wie zu G.
Zeiten.

Das 1913 zur Seifengasse hin angebaute, 1935, 1960 und 198:
umgestaltete und 1997–99 erweiterte G.-Museum ermöglicht mi
Ausstellungs- und Vortragsräumen die Präsentation der Sammlun
gen G.s und des 1885 gegründeten G.-Nationalmuseums zu Lite
ratur und Kunst der Goethezeit, zu G. als Staatsmann, Naturfor
scher, Theaterleiter u. a. m. Vgl. →Gartenhaus.

Das G.-Nationalmuseum zu Weimar, hg. M. Schütte 1910; W. v. Oettingen, Da
Weimarische G. und seine Einrichtung, JGG 2, 1915; A. Weichberger, Das G. an
Frauenplan, 1932; Das Haus am Frauenplan seit G.s Tod, hg. W. Deetjen 1935; W. Dexel
Das G. in Weimar, 1956; A. Jericke, Das G. am Frauenplan, 1958; A. Jericke, G. und sein
Haus am Frauenplan, 1959 u. ö.; F. Menzel, G.s Haus zu G.s Zeit, G.-Almanach 1967
W. Ehrlich, G.s Wohnhaus am Frauenplan, 1978 u. ö.; E. Trunz, Das Haus am Frauen
plan in G.s Alter, in ders., Weimarer G.-Studien, 1980; J. Klauß, G.s Wohnhaus i
Weimar, 1991; J. Beyer/J. Seifert, Weimarer Klassikerstätten, 1995; G. Maul/M. Oppe
G.s Wohnhaus, 1996.

Goethe-Jahrbuch →Goethe-Gesellschaft

Goethe-Museen. Im Sinn einer Denkstättengestaltung, die ein
möglichst originalgetreue Konservierung oder Nachgestaltung de
authentischen Ambiente zu Lebzeiten des Autors anstrebt, habe
das →Goethehaus Frankfurt, das →Goethehaus Weimar und G.
→Gartenhaus am Stern die historischen Wohnhäuser G.s als Erin
nerungsstätten für Person, Leben und Werk weitgehend konser

ert. Bei beiden Goethehäusern wurden in angrenzenden Gebäu-
en als Goethe-Museum bzw. Goethe-Nationalmuseum Austel-
ıngsräume für weitere, nicht zum historischen Wohnbereich
:hörige Exponate und Dokumentationen zu Leben, Umwelt,
Verk und Wirkung G.s geschaffen. Dagegen ist das 1956 gegrün-
ete G.-Museum der Stadt Düsseldorf im Hofgärtnerhaus/Schloß
gerhof nicht mit einem mit dem Dichter verbundenen Gebäude
ssoziiert, sondern schöpft aus den reichen Beständen der Samm-
ıng Anton Kippenbergs, des ehemaligen Inhabers des Insel-
erlags. Weitere Gedenkstätten in Sesenheim und seit 1997 in Rom
Casa di G., Via del Corso 18).

G.-Museum in Weimar, 1960 u. ö.; H. Holtzhauer, G.-M., 1969; D. Lüders, Das G.-
. in Rom, 1973; D. Eckardt/W. Handrick, G.-Nationalmuseum Weimar, 1988; G.-M.
Deutschland, in: Casa di G., Katalog Bonn 1993; →Goethehaus I und II.

ioethe-Nationalmuseum   →Goethehaus Weimar, →Goethe-
Iuseen

ioethe- und Schiller-Archiv. Durch das Testament Walther von
→Goethes vom 24. 9. 1883 fiel bei seinem Tod am 15. 4. 1885 G.s
orgsam gehüteter handschriftlicher Nachlaß an die Großherzogin
ophie von Sachsen-Weimar und wurde von dieser sogleich der
orschung und Herausgabe zugänglich gemacht. Zunächst als G.-
archiv zur Sammlung, Bewahrung und Erschließung im Weimarer
chloß aufbewahrt, am 5. 5. 1889 durch den handschriftlichen
Nachlaß Schillers (Schenkung von L. und A. von Gleichen-
Rußwurm) zum Goethe- und Schiller-Archiv erweitert, wurde es
ınschließend in den am 28. 6. 1896 eingeweihten, vom Kleinen
rianon in Versailles angeregten gründerzeitlichen Prachtbau auf
em östlichen Ilmufer in Weimar untergebracht. Durch Ankäufe
ınd Schenkungen zahlreicher weiterer Nachlässe und Teilnachlässe
eutscher Autoren des 18./19. Jahrhunderts (Büchner, Freiligrath,
reytag, Grabbe, Hebbel, Herder, Immermann, Ludwig, Mörike,
Reuter, Wieland u. a.) wuchs es bald zum bedeutendsten deutschen
iteraturarchiv mit fast 2 Millionen Handschriften an, erfüllte
887–1919 seine Hauptaufgabe in der Erstellung der →Weimarer
ausgabe G.s und ist seither Zentrum der G.-Forschung und all-
;emein literaturwissenschaftlicher Forschung und Edition (Schiller,
Ieine, Herder, Regesten der Briefe an G., G.s Tagebücher). Nach
lem Tod der Großherzogin Sophie ging es in den Besitz ihres
ınkels Großherzog Wilhelm Ernst, nach dessen Tod 1923 in den
eines Sohnes Erbgroßherzog Carl August über und wurde von den
Besitzern, dem Land Thüringen und der G.-Gesellschaft gemein-
am verwaltet. Am 15. 6. 1947 in eine Stiftung des deutschen Volkes
ımgewandelt, bildete es seit 1953 neben dem G.-Nationalmuseum
ınd anderen Institutionen und Denkstätten einen Teil der »Natio-
ıalen Forschungs- und Gedenkstätten der klassischen deutschen

Goethe- und Schiller-Denkmal

Literatur« in Weimar und nach der Wiedervereinigung Deutschlands ab 15. 10. 1991 der »Stiftung Weimarer Klassik«.

K.-H. Hahn, Zur Geschichte des G.- u. Sch.-A.s, in: Festschrift für W. Vulpius, 195? K.-H. Hahn, G.- u. Sch.-A. Bestandsverzeichnis, 1957; Das G.- u. Sch.-A. 1896–199? hg. J. Golz 1996.

Goethe- und Schiller-Denkmal. Für das berühmte Doppel standbild vor dem Weimarer Theater, das an die Freundschaft vor G. und Schiller erinnert, erging der erste Auftrag an den Berliner Bildhauer Christian Daniel Rauch. Als die Stifter, besonders Ludwig I. von Bayern, für die Dichter statt Rauchs klassizistisch-antikisierendem Gewand zeitgenössische bürgerliche Kleidung forderten gab dieser den Auftrag zurück und empfahl dafür seinen Meisterschüler Ernst →Rietschel (1804–1861) in Dresden, der G. noch 1828 und 1829 in Weimar gesehen hatte und in seinem Entwurf ir der Verbindung realistischer und idealistischer Weltschau das Symbolische des Schaffensbündnisses betont. Aus dem von Ludwig I von Bayern gespendeten Erz 1827 erbeuteter türkischer Kanonen von Ferdinand von Miller in München gegossen, wurde das Denkmal zum 100. Geburtstag Carl Augusts am 4. 9. 1857 enthüllt und ist seither ein Wahrzeichen Weimars und der deutschen Klassik.

Das Denkmal. G. und Schiller als Doppelstandbild in Weimar, 1993.

Goethe- und Schiller-Gruft →Fürstengruft

Goethevereine →Goethe-Gesellschaft

Goethe-Wörterbuch. Das auf Anregung von W. Schadewaldt vom Dezember 1946 als Gemeinschaftsprojekt der Akademien der Wissenschaften in Berlin, Göttingen und Heidelberg (mit weiterer Arbeitsstellen in Hamburg, Leipzig und Tübingen) seit 1947 begonnene und seit 1966 in fünf Bänden erscheinende G.-Wörterbuch erschließt als Thesaurus und Konkordanz der Werke, Briefe, Gespräche usw. den gesamten Wortschatz und Sprachgebrauch G.s in seinen teils vom heutigen Usus abweichenden Nuancen und Bedeutungen (z. B. »nachts« = abends) und seiner Begrifflichkeit mit ausgewählten, repräsentativen Belegen zum Gebrauch. Es dient damit als Hilfsmittel jeder genauen philologischen G.-Forschung und dokumentiert für die Sprach- und Stilgeschichte zugleich synchron einen individuellen Sprachschatz der für die Ausbildung des modernen Deutsch entscheidenden Zeit rd. 1760–1832.

W. Schadewaldt, Das G.-W., Goethe 11, 1949.

Goethit. In Anerkennung von G.s Forschungen zur →Mineralogie prägte man 1806 diesen Namen für das Nadeleisenerz.

H. Franke/V. Wahl, Zur Entstehung des Mineralnamens G., GJb. 95, 1978.

Götter, Helden und Wieland. Die Farce, die G. Anfang Oktober 1773 »bei einer Flasche guten Burgunders … in Einer Sitzung« nieerschrieb (*Dichtung und Wahrheit* III, 15) und vorgeblich auf Drängen von J. M. R. Lenz (ebd.), vielleicht aber auch nach einer ambivalenten *Götz*-Rezension von C. H. Schmid im *Teutschen Merkur* vom September 1773, zu seinem späteren Bedauern im März 1774 und dann erst wieder in der Ausgabe letzter Hand, 1830) drucken ließ, ist ein satirisches Totengespräch im Stil Lukians und im derben Umgangsdeutsch des Sturm und Drang. Den Anstoß gaben C. M. Wielands rokokohaft glattes, empfindsames Singspiel *Alceste* (1773) und besonders dessen selbstgefälliges, überhebliches Lob der Vorzüge seines Stücks gegenüber den »Fehlern« des Euripides, ferner auch Wielands gelegentliche kritische Anmerkungen zu Homer und Shakespeare. G. trifft in anderen Anspielungen und Zitaten nicht nur die *Alceste*, sondern den sonst geschätzten Wieland selbst, dessen *Agathon* und *Musarion* ihm in Leipzig den Zugang zur Antike eröffnet hatten. Dem ihm anstößigen, zeitbedingt tugendmoralischen und blutarm verweichlichten Griechenbild Wielands stellt er die deftige und robuste Naturhaftigkeit der Antike gegenüber: Mercurius, wegen seiner angeblichen Verbindung mit Wieland (im Zeitschriftentitel *Teutscher Merkur*) im Schattenreich von Euripides, Admet und Alceste zur Rede gestellt und völlig ahnungslos, zitiert Wieland als »Schatten in der Nachtmütze« herbei, der »keine Ader griechisch Blut im Leibe« hat, seine literarischen Vorbilder nicht einmal wiedererkennt und sich mit dem Hinweis auf den Zeitgeschmack seines Publikums vergeblich vor den Originalfiguren zu rechtfertigen sucht. Er muß seine Unkenntnis der vitalen Gefühlswelt und Größe der Griechen eingestehen. Gemäß dem Gattungsstil der Satire überzeichnet G. wiederum einseitig das neue, kraftgenialische Antikebild des Sturm und Drang, so daß Lessing sagen konnte, G. habe den Euripides auch nicht verstanden (F. H. Jacobi an W. Heinse 24. 10. 1780). Wielands souverän entwaffnende Reaktion auf die bissige Satire, die er selbst als »ein Meisterstück von Persiflage und sophistischem Witze« lobte (*Teutscher Merkur* 4, Juni 1774) und G.s Versöhnungsbrief vom Dezember 1774 ebneten den Weg zur langjährigen Freundschaft beider Dichter.

E. Schmidt, Zu G., H. u. W., GJb 1, 1880; B. Seuffert, Der junge G. und Wieland, JDA 26, 1882; L. E. Gemeinhardt, The dramatic structure of G's G., H. u. W., JEGP 41, 1942; H. Fischer-Lamberg, Eine Quellenstudie zu G., H. u. W., in: Beiträge zur G.-Forschung, hg. E. Grumach 1959; R. Ayrault, Une farce de G., EG 20, 1965; M. Stern, Die Schwänke der Sturm- und Drangperiode, in: G.s Dramen, hg. W. Hinderer 1980; A. Erxleben, G.s Farce G., H. u. W., in: Ch. M. Wieland und die Antike, 1986; R. Petoldt, Literaturkritik im Totenreich, WW 45, 1995.

Göttingen. G.s sehnlicher Wunsch, an der berühmten niedersächsischen Universität bei Heyne, Michaelis u. a. »schöne Wissenschaften« und klassische Philologie zu studieren, wurde 1765 vom Vater zugunsten des Jurastudiums in Leipzig abgelehnt (*Dichtung und Wahrheit* II,6). So lernte G. Göttingen erst auf der 2. Harzreise mit Fritz von Stein am 27. 9.–1. 10. 1783 kennen, besuchte dort zahlreiche Professoren, u. a. Böhmer, Michaelis und Schlözer, und hörte

am 27. 9. eine physikalische Privatvorlesung G. Ch. Lichtenbergs
Wiederum führte ihn und August die Reise nach und von Bad
Pyrmont am 6.–12. 6. und 18. 7.–14. 8. 1801 nach Göttingen. Vor
den Studenten, u. a. A. von Arnim, C. Brentano und Charlotte Kestners Sohn Theodor, mit einer Ovation begrüßt, besichtigte er Stadt,
Umgebung, Reitbahn, Bibliothek, den botanischen Garten sowie
die naturwissenschaftlichen und ethnologischen Sammlungen,
arbeitete auf der Bibliothek an der Theorie und Geschichte der
Farbenlehre und stellte am 28. 7. das Göttinger Schema zur Farbenlehre auf. Im geselligen Verkehr und Meinungsaustausch lernte
er viele Gelehrte kennen, u. a. die Professoren Blumenbach, Bouterwek, Eichhorn, Grellmann, Hermann, Heyne, Hoffmann, Hop-
penstedt, Hugo, Osiander, Pütter, Sartorius, Schlözer und Stäudlin.
Lediglich der nächtliche Gesang seiner Wirtstochter, blasende
Nachtwächter und Hundegebell beeinträchtigten sein Wohlbefin-
den (*Tag- und Jahreshefte* 1801). Bei späteren Besuchen aus G. erkundigte sich G. gern nach dem Ergehen seiner Bekannten, und
noch 1827 träumte ihm von einem neuen Aufenthalt in Göttingen
(zu Eckermann 8. 10. 1827). →Göttinger Hain.

H. Schröder, G. in Göttingen, WMh 39, 1895; O. Deneke, G. und Göttingen, 1906;
G. und Niedersachsen, hg. G. Altman 1932; R. Vierhaus, G. und Göttingen, Göttinger
Jahrbuch 31, 1983.

Göttinger Hain. Dem im September 1772 von J. H. Voß, L. H. C.
Hölty, J. M. Miller u. a. gegründeten, kurzlebigen Dichterbund
meist junger, für Klopstock und Ossian schwärmender Göttinger
Studenten, dem sich die Brüder Stolberg anschlossen und den
G. A. Bürger und H. C. →Boie und damit der →Göttinger *Musen-
almanach* nahestanden, gehörte G. nicht an. Seine Beziehungen zu
dem Kreis beschränkten sich auf F. W. Gotter in Wetzlar, der als Mitherausgeber des *Musenalmanachs* den Kontakt G.s mit Boie vermittelte. G. verspottete die »Knaben« des Göttinger Hains 1781 in der
Satire *Das Neueste von Plundersweilern*. Vgl. *Dichtung und Wahrheit*
(III, 12).

Göttinger Musenalmanach. Der nach französischem Vorbild
1769 von H. C. →Boie und F. W. →Gotter gegründete, zuerst als
Musenalmanach für das Jahr 1770 erschienene Almanach meist noch
ungedruckter zeitgenössischer deutscher Lyrik wurde seit Gründung des →Göttinger Hains bald zum Organ für dessen junge
Lyrikergeneration. Auf Anregung Gotters übersandte G. an Boie am
10. 7. 1773 die vier Gedichte *Der Wandrer, Mahomets Gesang, Der
Adler und die Taube* und *Sprache*, die neben Gedichten von Klopstock, Bürger, Hölty, Miller, Voß, Stolberg u. a. Ende 1773 im
5. Jahrgang, *Musenalmanach für das Jahr 1774*, erschienen. Herausgeber späterer Jahrgänge (ohne Beiträge G.s) waren Voß, Göckingk,
Bürger, K. Reinhard und zuletzt 1803 S. Mereau.

Göttingische Gelehrte Anzeigen. Das 1739 als *Göttingensche Zeitungen von gelehrten Sachen* gegründete, später von A. von Haller u. a. herausgegebene wissenschaftliche Rezensionsorgan, seit 1802 unter diesem Titel, konsultierte G. häufig, besonders intensiv am 5.–25. 6. 1815 in Wiesbaden. Ihm verdankt er manche Hinweise und Anregungen. Die fachwissenschaftlichen Besprechungen seiner eigenen naturwissenschaftlichen Arbeiten (*Metamorphose der Pflanzen, Beiträge zur Optik*) dagegen konnten G. nur wenig befriedigen.

Das Göttliche (»Edel sei der Mensch …«; Überschrift erst 1788). G.s bedeutendes weltanschaulich-ethisches Lehrgedicht entstand vor November 1783 und wurde im *Tiefurter Journal* (40, November 1783) handschriftlich verbreitet. F. H. Jacobi druckte es ohne Wissen G.s, doch mit seinem Namen, neben dem anonymen *Prometheus* in seiner Schrift *Über die Lehre des Spinoza* (1785). G.s Erstdruck in den *Schriften* 1789; mehrere Vertonungen von Beethoven.

Hilfsbereites, gütiges und gemeinnütziges Wirken erscheint in diesen schlichten, kurzen Strophen als Teilhabe des Menschen am unbekannten Göttlichen, sittliche Selbstbestimmung des Menschen als Vorgabe einer anthropomorph gedachten, doch überlegenen göttlichen Welt, die nur als Wunschprojektion und Fiktion der Sehnsucht nach einem Jenseits erfaßt und erahnt werden kann. Die ungewöhnlich scharfe Opposition von Mensch und »unfühlender Natur« wird in späteren Werken abgeschwächt.

L. Mader, Zu G.s Ode D. G., NJbb 47, 1921; F. Meinecke, Lebenströster, Goethe 16, 1954; W. Grenzmann, G.: D. G., in: Wege zum Gedicht 1, hg. R. Hirschenauer 1956; K. O. Conrady, Zwei Gedichte G.s kritisch gelesen, in ders., Literatur und Germanistik als Herausforderung, 1974; H. G. Haile, Christianity and Goetheanity, in: Vistas and vectors, hg. J. B. Jennings, Austin 1979; K. Christ, Der Kopf von G. …, GJb 109, 1992.

Göttling, Carl Wilhelm (1793–1869). Der Sohn von J. F. A. Göttling, klassischer Philologe und Archäologe, zuerst Gymnasialprofessor in Rudolstadt und Neuwied, war seit 1821 Professor der Altertumswissenschaften und seit 1826 Universitätsbibliothekar in Jena. Er half G. durch seine Übersetzung bei der Rekonstruktion von Euripides' *Phaeton* (1821) und auf dessen Bitte vom 10. 1. 1825 als gewissenhafter Redakteur und Korrektor bei der textkritischen, orthographischen und grammatischen Revision der Ausgabe letzter Hand seiner Werke (1827–30). Der Briefwechsel mit ihm 1824–31 gibt Einblick in die Geschichte und die philologischen Probleme und Prinzipien dieser Editionsarbeit.

G. Wendt, K. W. G. und sein Verhältnis zu G., PrJbb 47, 1881; W. v. Biedermann, G. und Göttling, in ders., G.-Forschungen, NF 1886.

Göttling, Johann Friedrich August (1755–1809). Der »treffliche« Chemiker (*Der Verfasser teilt die Geschichte seiner botanischen Studien mit*), zuerst Provisor der Hofapotheke in Weimar, dann nach einem Chemiestudium in Göttingen auf Kosten Carl Augusts 1789 erster Professor für Chemie in Jena, wurde von G. häufig zu chemischen

und optischen Versuchen und Analysen herangezogen (*Tag- und Jah*
reshefte 1794, 1806). Göttlings Wirkung reichte bis in die Dichtung
ein von ihm beschriebenes chemisches »Probircabinet« erscheint i
den *Wahlverwandtschaften* (I,4), auch der chemische Begriff einfacher und doppelter →»Wahlverwandtschaft« taucht bei Göttling
auf, und G.s Beispiele dafür (ebd. I,4) gehen auf solche Göttling
zurück.

R. Möller, Chemiker und Pharmazeut der Goethezeit, Pharmazie 17, 1962.

Götze (Goetze), Johann Georg Paul (1759–1835). Der urwüchsige
redliche, verständige und bauernschlaue »kleine Diener« G.s sei
1777 war der Sohn eines Weimarer Militärmusikers, der seine Frau
mit vier Kindern in ärmlichen Verhältnissen verlassen hatte. G. lief
ihn durch seinen Diener Seidel in seinen Dienst einweisen und ausbilden und machte ihn 1788 zu dessen Nachfolger als persönlichen
Diener, Diktatschreiber, Reisebegleiter und Rechnungsführer au
seinen Reisen 1789 nach Aschersleben, 1790 nach Venedig und
Schlesien, 1792 nach Frankreich, wo er sich als umsichtiger Kutscher, Quartiermacher und teils Tagebuchschreiber glänzend bewährte (*Campagne in Frankreich*), dessen Aufzeichnungen für die G.s
benutzt wurden oder diese ergänzen. Trotz der treuen Ergebenheit
und praktischen Geschicklichkeit Götzes verschaffte G. ihm 1795
um sein Fortkommen in einer Dauerstellung besorgt, beim Herzog
einen Posten als Conducteur, später Inspektor, bei der ihm unterstellten Wasser- und Wegebaukommission in Jena, unterstützte ihn
bis 1803 durch Aufbesserung seines schmalen Lohns aus eigener
Tasche und betraute ihn mit zusätzlichen Aufgaben wie den Bauvorhaben zum Botanischen Garten und zum Umbau der Universitätsbibliothek in Jena sowie 1802 der Errichtung des Lauchstädter
Theaters (nach Entwurf von J. H. Gentz), die Götze mit Umsicht
und Energie binnen vier Monaten von der Baumaterialbeschaffung
bis zur Eröffnung bewerkstelligte. Das Treueverhältnis bewährte
sich auch in den Napoleonischen Kriegen und setzte sich bei G.s
Aufenthalten in Jena fort, wenn Götze dort für G.s Wohnung, Holz-
und Weinvorrat (so auch 1828 in Dornburg) und allgemein sein
Wohlergehen sorgte oder ihm in Weimar eigene Gartenfrüchte
oder 1830 schwarze und weiße Kiesel für das Mosaik am Vorplatz
des Gartenhauses lieferte. 1826 ließ G. den »werten Alten« von
J. Schmeller für seine Porträtsammlung zeichnen.

W. Schleif, G.s Diener, 1965.

Götz von Berlichingen mit der eisernen Hand. Die Idee zu
G.s einzigem großen Sturm und Drang-Drama entstand im Som-
mer 1770 in Straßburg nach der Lektüre der von G. P. Pistorius
1731 herausgegebenen Autobiographie *Lebens-Beschreibung Herrn*
Goezens von Berlichingen (→Berlichingen). Sie wurde verstärkt durch
G.s Beobachtung vom Mangel an nationalen Dramen (*Leipziger*

Theater 1768), die Begeisterung für Shakespeares große Charaktere, das von Herder angeregte Interesse für ältere deutsche Geschichte und G.s juristische Studien zum mittelalterlichen Rechtswesen (J. S. Pütter, *Grundriß der Staatsveränderungen des teutschen Reichs*, 1764; J. P. Datt, *De pace imperii publica*, 1698; J. Möser, *Von dem Faustrechte*, 1770). In Frankfurt entstand auf Drängen der Schwester Cornelia im November/Dezember 1771 binnen sechs Wochen der erst postum gedruckte »Urgötz«: →*Geschichte Gottfriedens von Berlichingen, dramatisirt*, ein breit episches, in Episoden ausuferndes Zeitgemälde von 59 wechselnden Szenen. Herders Kritik an der ihm Anfang 1772 übersandten »Skizze« (»Shakespeare hat Euch ganz verdorben«) und G.s eigene Unzufriedenheit führten im Januar–März 1773 zu einer strafferen, mehr auf die Hauptfigur konzentrierten zweiten Fassung, die das Stück in fünf Akte gliedert, den 5. Akt völlig umgestaltet, die Weislingen-Adelheid-Handlung und Phantastisch-Folkloristisches kürzt und einige sprachliche Derbheiten beseitigt, ohne den shakespearisierenden Bilderbogencharakter mit häufigem Szenenwechsel aufzugeben – auch das berühmte Götz-Zitat (das G. unhistorisch von Krautheim 1516 nach Jagsthausen verlegt) blieb erhalten und wurde erst in den *Schriften* (1787) durch Gedankenstriche entschärft. In dieser dramatisch geglätteten Form erschien das Schauspiel im Juni 1773 anonym im Selbstverlag von G. und Merck und fand noch im gleichen Jahr zwei Nachdrucke. Obwohl weitgehend als Lesedrama verstanden, wurde es in verstümmelter Fassung am 14. 4. 1774 im Berliner Komödienhaus durch die Kochsche Truppe uraufgeführt; am 24. 10. 1774 folgte F. L. Schröder in Hamburg. Im Interesse stärkerer Bühnenwirksamkeit schuf G. später für Weimar mehrere Bühnenbearbeitungen. Die erste, im Juli/August 1803 und Februar–Juli 1804 entstanden, erlebte am 22. 9. 1804 am Weimarer Hoftheater eine sechsstündige Aufführung, wurde am 29. 9. und 13. 10. 1804 auf zwei Abende verteilt, dann am 2. 12. 1804 nochmals gekürzt und am 8. 12. 1804 aufgeführt. Sie galt als maßgebliche Bühnenbearbeitung, da eine spätere Aufteilung von 1809 in zwei Stücke, am 23. und 26. 12. 1809 aufgeführt, wieder fallengelassen wurde. G. mußte sich eingestehen, daß das Stück in seiner »Grundrichtung antitheatralisch« sei (an W. von Humboldt 20. 7. 1804) und »als Theaterstück nicht recht gehen« wolle (zu Eckermann 26. 7. 1826). Bühnenmusiken schrieben u. a. 1784 J. Haydn, 1791 J. F. Reichardt und C. W. Henning, Ouvertüren 1824 C. J. Wagner und 1885 P. Dukas; Opern komponierten J. A. P. Schulz 1787 und K. Goldmark 1902.

Das Drama des sterbenden Rittertums, Charakterdrama vor dem sozialhistorischen Hintergrund des 16. Jahrhunderts, schaltet relativ frei mit den Fakten und Daten der Zeitgeschichte und der Biographie des historischen Götz von →Berlichingen. Im Sinne der Kraftgenies wird der freie Reichsritter von zeitweisen Strauchritter zum naturhaften großen Kerl, Selbsthelfer und Schützer der Bedrängten idealisiert. In seinem Streben nach Freiheit, Unabhängigkeit und alterworbenem Naturrecht und in seinen Idealen von Treue und Rechtschaffenheit Vertreter einer überlebten Gesellschaft, geht er im tragischen Zusammenstoß mit der historischen Situation und mit der sich formierenden anonymen Organisation einer neuen, ihm unverständlich abstrakten und zentralisierten höfischen Gesellschaftsordnung mit ihren rationalen Institutionen nach römischem Recht hoffnungslos unter, weil »die prätendierte Freiheit unsres Wollens mit dem notwendigen Gang des Ganzen zusammenstößt« (*Zum Shakespeares-Tag*, 1771). Die Sympathie für den Titelhelden bestimmt Wertakzente: Der Naturhaftigkeit, Familienliebe, Verläßlichkeit, Frömmigkeit und mutigen Kraft Götzens und seiner kleinen, scheinbar heilen Welt werden Dekadenz, Egoismus, Kalkül, Heuchelei, Intrige, Ehrgeiz, Machtstreben, Korruption und Unmoral der entwurzelten höfischen Welt kontrastiert, die als Ganzes die Rolle des Gegenspielers übernimmt. Ihre Hauptvertreter, Weislingen und Adelheid, sind als fiktive Figuren von einseitig negativem Charakter. Gegenüber dem Generalthema bleiben die einzelnen Stufen der Dramenhandlung eher illustrative, episch gereihte und mitunter selbstwertige Episoden: Götz' Fehde mit dem Bischof von Bamberg, Gefangennahme und Befreiung mit Waffengewalt seines Knappen Georg, Verhängung der Reichsacht und Belagerung Jaxthausens durch ein Exekutionsheer, Götz' Gefangennahme durch Verrat und Befreiung durch Sickingen, der Urfehdeschwur, die halb erzwungene Führerschaft der aufständischen Bauern, deren Wortbruch durch Ausschreitungen Götz der ethischen Begründung beraubt, ihr Abfall von Götz, dessen Gefangennahme durch ein gegen die Bauern entsandtes Reichsheer, Prozeß und (unhistorischer) Tod im Gefängnis. Diese Haupthandlung gewinnt zusätzliche, persönlich-dramatische Konflikte durch das Motiv getäuschten Vertrauens in der Nebenhandlung um den doppelten Verrat durch Götz' Jugendfreund Adelbert von →Weislingen: Als Gefangener auf Jaxthausen tritt er auf Götz' Seite und verlobt sich mit dessen Schwester Maria, verrät beide aber, als er am Bamberger Hof in die Netze der dämonisch schönen Intrigantin →Adelheid von Walldorf gerät. Der bewußten Nichtbeachtung des traditionellen Dramenaufbaus zugunsten eines farbigen und figurenreichen Bilderbogens aus unterschiedlichen Milieus aller Stände und Schichten vom Kaiserhof bis zum Zigeunerlager entspricht eine individuell abgetönte, lebendige und leicht altertümelnde Sprachgestaltung von der ehrlichen, kernigen und volkstümlichen Sprache des Götz-Kreises (nach Muster Luthers) bis zum heuchlerisch-ironischen, geschliffenen und affektierten Hochdeutsch der Hofkreise.

Die ungeheure Wirkung des Dramas machte den Verfasser sogleich berühmt. Kritik der älteren Generation (→Friedrich II. von Preußen, Lessing, Nicolai) an der Formlosigkeit stand das begei-

terte Lob der Jüngeren (Bürger, Claudius, Gerstenberg, Herder,
Klinger, Klopstock, Lenz, Möser, Maler Müller, Schubart, Wieland)
für die revolutionäre Konventionsfreiheit und Lebensechtheit gegenüber. Dieses erste große deutsche Geschichtsdrama wurde formal zum Vorbild des unaristotelischen Sturm und Drang-Dramas,
löste inhaltlich eine Flut modischer Ritterdramen aus (vgl. *Wilhelm
Meisters Lehrjahre* II,10) und hatte nach der englische Übersetzung
von W. Scott (1779) auch Einfluß auf den Ritterroman. Vgl. *Dichtung und Wahrheit* III,12–13.

R. M. Werner, Die erste Aufführung des G. v. B., GJb 2, 1881; O. Brahm, Die Bühnenbearbeitung des G. v. B., GJb 2, 1881; F. Winter/E. Kilian, Zur Bühnengeschichte
des G. v. B., 1891 u. ö.; P. Hagenbring, G.s G. v. B. I, 1911 u. ö.; H. Schregle, G.s G. v. B.,
1923; H. Meyer-Benfey, G.s G. v. B., 1929; E. Gerstenberg, Recht und Unrecht in G.s
G. v. B., Goethe 16, 1954; I. A. Graham, G. v. B's right hand, GLL 16, 1962/63;
≈ G. Graham, Toward a revaluation of G's G., PMLA 77, 1962 u. 79, 1964; I. A. Graham,
Vom Urgötz zum G., SchillerJb 9, 1965; F. Martini, G.s G. v. B., in: Dichter und Leser,
hg. F. van Ingen, Groningen 1972, auch in ders., Geschichte im Drama, 1979; G.:
G. v. B., Erläuterungen und Dokumente, hg. V. Neuhaus 1973 u. ö.; R. Nägele, G. v. B.,
in: G.s Dramen, hg. W. Hinderer 1980; V. Neuhaus, J. W. G.: G. v. B., in: Geschichte als
Schauspiel, hg. W. Hinck 1981; T. Buck, G.s Erneuerung des Dramas, in: J. W. v. G., TuK
1982; E. McInnes, Moral, Politik und Geschichte in G.s G. v. B., ZDP 103, 1984, Sonderheft; A. A. Teraoka, Submerged symmetry and surface chaos, GYb 2, 1984; B. Ben-
nett, Prometheus and Saturn, GQ 58, 1985; F. van Ingen, Aporien der Freiheit, in:
Verlorene Klassik?, hg. W. Wittkowski 1986; K. D. Weisinger, G. v. B., German Studies
Review 9, 1986; G. A. Wells, G. v. B., PEGS 56, 1987; F. M. Fowler, Regularity without
rules, GLL 41, 1987 f.; W. Wittkowski, Homo homini lupus, CG 20, 1987; P. Müller,
Aber die Geschichte schweigt nicht, ZfG 8, 1987; G. Frühsorge, Vergangenheit und
Gegenwart in Eins, in: Das 18. Jahrhundert, hg. W. Adams 1988; F. van Ingen, J. W. G.:
G. v. B., 1988; E. Frenzel, Von der Motivkombination zum neuen Genre, in: Gattungs-
innovation und Motivstruktur, hg. T. Wolpers 1989; W. Hinderer, G. v. B., in: G.s Dramen, hg. ders. 1992; W. Große, J. W. G., G. v. B., 1993; P. Michelsen, G.s Götz, GJb 110,
1993; V. Neuhaus, G. v. B. als konstituierendes Drama des Sturm und Drang, in: Révo-
utions culturelles, hg. J. Benay, Nancy 1996; W. Woesler, Rechts- und Staatsauffassun-
gen in G.s G. v. B., in: Sturm und Drang, hg. B. Plachta 1997.

Goldoni, Carlo (1707–1793). Der Erneuerer der bürgerlichen
Komödie in Italien war G. spätestens seit 1777 bekannt: am 8. 1.
und 15. 2. 1777 spielte das Weimarer Liebhabertheater seine Komödie *La locandiera*, die G. am 3. 1. 1787 auch in Rom sehen sollte (an
F. von Stein 4. 1. 1787; vgl. *Frauenrollen auf dem römischen Theater
durch Männer gespielt*, 1788), und am 6. 1. 1778 folgte eine Goldoni-
Bearbeitung von J. C. Bock *Geschwind, eh jemand es erfährt oder der
besondere Zufall*. Die Aufführung von *Le baruffe Chiozzotte* im Teatro
S. Luca in Venedig am 10. 10. 1786 war G.s erste Begegnung mit
einer original-italienischen Komödie; die *Italienische Reise* berichtet
begeistert darüber. Seither fand Goldoni seinen festen Platz auf dem
Spielplan des Weimarer Theaters: *Der Krieg* (15. 10. 1793, mit Prolog G.s, gesprochen von Christiane Becker), *Der Diener zweier Herrn*
(16. 10. 1794), *Die verstellte Kranke* (3. 5. 1798; G. : »Der taube Apotheker«), *Der Lügner* (4. 6. 1808) und *Der gutherzige Polterer* (30. 12.
1812). Ob G. auch Goldonis Verwechslungslustspiel *Torquato Tasso*
(1753) bekannt war, ist umstritten; Einflüsse auf G.s Tragödie sind
nicht nachweisbar.

K. Schulz, G.s und Goldonis Tasso, 1986.

Der Goldschmiedsgesell. G.s am 12. 9. 1808 entstandenes Rollenlied des in die Nachbarin verliebten Gesellen ist eine freie Umdichtung von Henry Careys Ballade *Sally in our alley* (1715).

Goldsmith, Oliver (1728–1774). In der 1811 entstandenen Schilderung seines ersten Besuchs bei der Familie Brion in Sesenheim im Oktober 1770 (*Dichtung und Wahrheit* II,10) vergleicht G. deren Milieu und Personen mit dem Milieu und den Figuren des beliebten empfindsamen Romans *The vicar of Wakefield* (1766) des englischen Dichters O. Goldsmith und gibt ihr durch diese Widerspiegelung der Literatur in der Wirklichkeit eine erhöhte, idealtypische Bedeutung – ungeachtet der Tatsache, daß ihm der Roman bei der ersten Begegnung in Sesenheim noch gar nicht bekannt war. Herder wies ihn erst im November auf den Roman hin und las im Winter 1770/71 die deutsche Übersetzung (1767) vor. In *Dichtung und Wahrheit* (II,10) gibt G. eine ausführliche Besprechung des Romans, der auch ohne die Parallele zum eigenen Erlebnis durch seine schlichte Naturnähe und Seelengröße zu den wesentlichen Leseerlebnissen und Einflüssen auf G.s Werk gehört, den er zeitlebens hochschätzte und im April/Mai 1811 und 20./21. 12. 1829 wiederholt las (zu Eckermann 16. 12. 1828; an Zelter 25. 12. 1829; Tagebuch 20. 12. 1829). Auch *Die Leiden des jungen Werthers*, wo Lotte für diese ländlich-sittliche Idylle schwärmt (16. 6., und *Wilhelm Meisters Lehrjahre* (V,7) bezeugen diese Wirkung. Ferner bot die Romanze von Edwin und Angelina aus dem *Vicar of Wakefield* (Kap. 8) Stoff und Handlung für G.s Singspiel *Erwin und Elmire* (*Dichtung und Wahrheit* IV,19). Die Begeisterung für Goldsmith dehnte sich auch auf dessen Elegie *The deserted village* (1770) aus, die G. und Gotter 1772 im Wettstreit übersetzten (nicht erhalten); einen eigenen Nachdruck des Gedichts dedizierte Merck G. 1772. Goldsmiths Lehrgedicht *The traveller* (1764) schließlich inspirierte 1772 G.s Hymne → *Der Wandrer*.

S. Levy, G. und O. Goldsmith, GJb 6, 1885; A. Brandeis, G. und Goldsmith, ChrWGV 12, 1898; K. Viëtor, G., Goldsmith und Merck, JFDH 1921; L. M. Price, Goldsmith, Sesenheim und G., GR 4, 1928; J. Boyd, G's knowledge of English literature, Oxford 1932; C. Hammer, G's estimate of Goldsmith, JEGP 44, 1945; F. Strich, G. und die Weltliteratur, 1946; E. Bracht, Wakefield in Sesenheim, Euph 83, 1989; H. Meller, Literatur im Leben, DVJ 68, 1994 Sonderheft.

Gore, Charles (1729–1807). Der gebildete englische Kaufmann ging nach einer reichen Heirat seinen Neigungen nach, wurde 1760 Amateur-Schiffsbauer in Southampton, seit 1773 auf Reisen in Südeuropa Kunstliebhaber, 1776–78 Freund Philipp Hackerts in Rom, bei dem er, auch auf Reisen 1777 nach Sizilien, 1778 nach Oberitalien, sein Talent für Landschafts- und Marinemalerei entwickelte. 1785 verwitwet, besuchte er im Oktober 1787 erstmals Weimar mit seinen Töchtern, der zeichnerisch begabten Eliza (1754–1802) und der schönen Emily (1760–1826), deren Reize Carl August zum Kummer G.s nicht unbeeindruckt ließen. 1791 ließ er sich auf Einladung Carl Augusts, der ihm 1792 G.s frühere Wohnung im »Jägerhaus« zur Verfügung stellte, dauernd in Weimar nieder und gehörte mit zur Tafelrunde Anna Amalias und zum Gesellschafts- und Freundeskreis G.s. 1793 begleitete er Carl August und G. zur Belagerung von Mainz und schuf dort malerische Brandstudien und Skizzen mittels der Camera obscura (*Belagerung von Mainz*). Seine Bibliothek, seine Kunstsammlung und das Inventar hinterließ er Carl August und wurde durch eine Büste von C. G. Weißer in der Weimarer Bibliothek geehrt. G. rechnete »die Gegenwart dieses vortrefflichen Mannes unter die bedeutenden Vorteile, welche diese Stadt in den letzten Jahren genossen« habe (*Philipp Hackert*), schätzte ihn als feinsinnigen Kunstkenner und liebenswürdigen Unterhalter und fügte eine aus dem Englischen übersetzte Vita Gores als Nachtrag seiner Biographie *Philipp Hackert* (1811) an.

O. Warner, Ch. G., Apollo 50, 1949; J. Hennig, A note on G. and Ch. Gore, MDU 43, 1951; W. Ehrlich, Wegen Kunstverwandtschaft und freundlicher Lebensteilnahme, GJb 91, 1974; I. Hilton, Ch. G. in G's Weimar, Trivium 16, 1981.

Goslar. In der alten Kaiserstadt im Harz weilte G. auf der 1. Harzreise vor der Brockenbesteigung am 4.–7. 12. 1777 und fühlte sich in »der Reichsstadt, die in und mit ihren Privilegien vermodert«, in dem »sehr kleinen aber sehr merkwürdigen Fleckchen Welt« »in Mauern und Dächern des Altertums versenkt« (an Ch. von Stein 4.–7. 12. 1777), kümmerte sich jedoch mehr um Berg- und Hüttenwerke und die Tugenden einfacher Menschen als um die Geschichte. Auf der 3. Harzreise besuchte er Goslar am 15. 8. und Anfang September 1784.

Gotha. Als G. im August 1768 bei der Rückkehr von Leipzig nach Frankfurt die Residenz der Herzöge von Sachsen-Gotha und Altenburg in Gotha besichtigte, konnte er freilich nicht ahnen, daß er dort ein Jahrzehnt später seit seinem ersten Besuch bei Hofe Ende Dezember 1775 ein häufiger, freundlich aufgenommener und gern gesehener Gast des Fürstenhauses, des Herzogs →Ernst II. Ludwig, seiner Gattin Marie Charlotte und seines Bruders Prinz →August, sein sollte. In ihrem künstlerisch und literarisch interessierten Kreis und bei ihren Kunstsammlungen erholte er sich zumal in der 1780er Jahren gern, obwohl er im zugigen alten Schloß winters erbärmlich fror (an Carl August 18. 1. 1781), und hatte neben diplomatischen Missionen später auch mit dem Herzog als Miterhalter der Universität Jena zu verhandeln. Die wichtigsten Aufenthalte, von Durchreisen mit kurzen Stationen abgesehen: Ende August 1768; Ende Dezember 1775; 13.–15. 2. und 5. 6. 1780; 2.–11. 10. und 7./8. 12. 1781; 31. 3.–2. 4. und 9./10. 5. 1782; 14. 6. 1783; 3.–5. 6. 1784; 12./13. 11. 1785; 24.–29. 1. 1786; 17. 8. 1789; Januar 1790; 9. 8. 1792; 24.–30. 8. 1801 und 10./11. 10. 1815.

K. Obser, G. und Gotha, GJb 24, 1903; E. Zeyß, G.s Besuche am herzoglichen Hofe
zu G., in: G. und sein Gymnasium, hg. H. Anz 1924; E. Zeyß, G.s Freundes- und Bekanntenkreis in G., Thüringer Jahrbuch 1928; W. Vulpius, G. in Thüringen, 1955.

Gotik. G.s Verhältnis zur Architektur der Gotik war durchaus
schwankend. Vom Vater nach dem Umbau des mittelalterlich-goti-
schen Elternhauses und durch die Stiche Piranesis u. a. früh auf die
antike römische Baukunst gelenkt, ging er am gotischen Dom
Frankfurts achtlos vorüber und wurde in Leipzig durch Winckelmanns Freund Oeser weiter der Gotik entfremdet. Erst am →Straß-
burger Münster entdeckte er 1770 unter Einfluß Herders enthusiastisch die Schönheit und Gesetzmäßigkeit der Gotik, die ihm
fälschlich als »deutscher« Stil gilt (→ *Von deutscher Baukunst*, 1772;
Dichtung und Wahrheit II,9 und III,12). In Weimar unter neuem Einfluß Oesers wieder zur Antike umschwenkend, überging er bewußt
die gotischen Bauwerke Italiens und verachtete den Mailänder
Dom. Erst →Boisserées Bemühungen um Vollendung des →Kölner
Doms erneuerten G.s Interesse an der lange verkannten Gotik, vertieft durch die Ausstellung von Zeichnungen der Dome von Köln,
Straßburg, Amiens, Reims, Wien und Mailand in Weimar 1811 und
die Rheinreisen von 1814 und 1815 (*Von deutscher Baukunst* [II],
1823). Die Neubesinnung mündet schließlich in die Anerkennung
der Berechtigung beider Stilarten als Kunstausdruck verschiedener
Zeiten, Gesellschaften und Religionen, ohne G.s persönliche Vorliebe für die Antike abzuschwächen. →Erwin von Steinbach.

K. Koetschau, G. und die G., Festschrift P. Clemen 1926; W. D. Robson-Scott, G. and
the Gothic revival, PEGS NS 25, 1956; →Architektur.

Gotter, Friedrich Wilhelm (1746–1797). Den Gothaer Legationsrat und Schriftsteller, der 1769 mit Boie den ersten →Göttinger
Musenalmanach herausgegeben hatte, lernte G. 1772 als Tischgenossen an der »Rittertafel« in Wetzlar kennen, verkehrte häufig mit ihm
und übersetzte im Wettstreit mit ihm O. Goldsmiths Elegie *The
deserted village* (nicht erhalten). Er vermittelte G.s Kontakt mit Boie
und forderte G. zu Beiträgen zum *Musenalmanach* auf (*Dichtung und
Wahrheit* III,12). Nach Gotters Rückkehr nach Gotha als Geheimsekretär und Leiter eines Liebhabertheaters sandte G. ihm im Juni
1773 den *Götz von Berlichingen* mit der Aufforderung zur Aufführung und Expurgation des Textes in einem burschikosen Briefgedicht (»Schicke dir der hier den alten Götzen«), das Gotter im gleichen Stil beantwortete. Gotters Besuch in Frankfurt am 25. 8. 1774
frischte alte Erinnerungen auf (an Ch. Kestner 27. 8. 1774). G. sah
ihn ferner kurz Ende Dezember 1775 mit der Weimarer Hofgesellschaft und am 12. 9. 1779 in Gotha und empfing ihn im August
1780 und am 5. 2. 1796 in Weimar. Von Gotters über 40 eleganten
und effektbewußten Lustspielen, Singspielen und Alexandriner-
tragödien nach französischen Mustern wirkte seine Gozzi-Bearbeitung *Das offenbare Geheimnis* (1781), die G. im September 1781

n Leipzig sah, auf G.s Fragment *Die ungleichen Hausgenossen* 1785/86). Gotters durch das *Jahrmarktsfest zu Plundersweilern* angeregtes Lustspiel *Die stolze Vasthi* führte das Weimarer Liebhabertheater – erstmals mit Schauspielermasken – mit einem Epilog G.s »Die du der Musen ...«) zum Geburtstag Anna Amalias am 28. 10. 1800 im Wittumspalais auf. Auf dem Weimarer Liebhabertheater wie auf dem Hoftheater vor wie unter G.s Leitung war Gotter mit über 15 Stücken ein vielgespielter Dramatiker; seine von Shakespeares *Sturm* inspirierte Zauberoper *Die Geisterinsel* erschien n Schillers *Horen* (8/9, 1797) und wurde am 19. 5. 1798 in Weimar aufgeführt.

B. Suphan, Nachspiel zu Gotters Vasthi, GJb 11, 1890.

Gotter, Pauline, verh. Schelling (1786–1854). Die muntere und scheints hübsche Tochter F. W. →Gotters lernte G. im Juni/Juli 1808 in Karlsbad kennen; sie gehörte dort mit S. von Ziegesar, L. Seidler u. a. zum Jungdamenflor um G., der bei Spaziergängen und Ausflügen ihre verjüngende Gegenwart suchte und ihr auch bei ihren Besuchen in Weimar im Oktober/November 1808, März/April 1810 oder im Juli 1811 in Jena den Hof machte. Die »teure und geliebte Freundin« (an Schelling 28. 4. 1814) wurde 1812 die zweite Gattin F. W. J. von Schellings.

E. Waitz, G. und P. G., 1919; J. Wahle, Gäste im G.haus, JGG 12, 1926.

Gottes ist der Orient →*Talismane*

Gottfried, Johann Ludwig (um 1581–1633). Die oft gedruckte Weltgeschichte des barocken Kompilators *Historische Chronica oder Beschreibung der Geschichte vom Anfang der Welt bis auf das Jahr 1619* (1633) in sechs Teilen (mit einem 7. Teil von J. Ph. Abele) mit Kupferstichen von Merian gehörte zu G.s Jugendlektüre in Frankfurt (*Dichtung und Wahrheit* I,1 und 4; IV,18). Vor allem die Greuelszenen und deren Illustrationen machten starken Eindruck auf den Knaben und regten vielleicht einige Szenen des *Götz* und des *Faust* an. In *Wilhelm Meisters Lehrjahre* (VIII,6) lesen Friedrich und Philine das Buch, und G. selbst zeigte es am 31. 5. 1824 seinem sechsjährigen Enkel Walther.

A. Strack, G. und Gottfrieds Chronik, GJb 6, 1885; E. Beutler, L. Gottfrieds Historische Chronik, GKal 34, 1941.

Gott, Gemüt und Welt. Unter dieser Überschrift, die Metaphysisches, Psychisches und Physisches vereint, sammelt eine Abteilung der Gedichte in den *Werken* von 1815 die kürzeren, lehrhaften Sprüche meist aus der Zeit 1800–1814. In der Ausgabe letzter Hand (1827) trat auf Riemers Anregung vom 29. 10. 1821 daneben die Abteilung mit der verwandten Überschrift »Gott und Welt«, die ohne wesentliche inhaltliche Unterschiede die längeren weltanschaulichen und naturwissenschaftlich-kosmologischen Lehrgedichte meist der Jahre seit 1815 vereint, dazu auch *Die Metamorphose der Pflanzen* und *Metamorphose der Tiere*.

L. L. Albertsen, Gott und Welt, TeKo 15, 1987; G. Willems, Mit »Phisick geseegnet«, GJb 108, 1991.

Gotthard →Sankt Gotthard

Gottsched, Johann Christoph (1700–1766). Der berühmte Leipziger Professor der Poesie, Logik und Metaphysik, Dramatiker, Poetiker, Literatur- und Theaterreformator hatte seine Glanzzeit bereits lange hinter sich und an Ansehen eingebüßt, als G. 1765–68 in Leipzig studierte, ihm vielleicht als dem Mieter im Haus des Verlegers →Breitkopf begegnete oder gelegentlich eine seiner Vorlesungen hörte (Briefgedicht an J. J. Riese 30. 1.–6. 11. 1765) und ihm um Ostern 1766 mit J. G. Schlosser seine Aufwartung machte, die er später groteskkomisch zur Anekdote vom perückenlosen Gottsched ausschmückte (*Dichtung und Wahrheit* II,7). G. mag auch schon wie Wilhelm Meister (*Lehrjahre* I,6) für das Puppentheater das Repertoire von Gottscheds *Deutscher Schaubühne* (VI 1741–45, darin Gottscheds *Sterbender Cato*) benutzt haben und fand in Leipzig seine Poetik *Versuch einer critischen Dichtkunst* (1730) »brauchbar und belehrend genug« (ebd. II,7), teilte jedoch generell die seit Bodmer, Breitinger, Lessing und Klopstock verbreitete, ironische Geringschätzung des einstigen Literaturpapstes und stand damit lange einer gerechteren Auffassung von Gottscheds historischer Leistung im Wege. Am 19. 2. 1782 las G. bei Anna Amalia Gottscheds Prosaübersetzung (1752) des niederdeutschen *Reineke Fuchs* von 1482 vor und benutzte diese Ausgabe im Frühjahr 1793 für seine eigene Bearbeitung. Noch im Aufsatz *Julius Caesars Triumphzug, gemalt von Mantegna* (1823) gemahnt ihn eine »alte, kolossale, behaglich-dicke, kräftige« Figur an das Aussehen Gottscheds.

Der Gott und die Bajadere. Die Ballade, am 6.–9. 6. 1797 im Anschluß an *Die Braut von Korinth* entstanden und 1797 in Schillers *Musen-Almanach für das Jahr 1798* zuerst gedruckt, geht auf eine verbreitete indische Legende zurück, die G. wohl schon 1785 in Pierre Sonnerats *Voyage aux Indes* (1782, deutsch *Reise nach Ostindien und China*, 1783) fand und lange mit sich herumtrug (*Bedeutende Fördernis durch ein einziges geistreiches Wort*): Der indische Halbgott Dewendren stellt sich nach einer Liebesnacht mit einem Freudenmädchen tot; als das Mädchen, obwohl nicht seine Witwe, sich darauf mit ihm verbrennen lassen will, nimmt er sie zur Belohnung ihrer Treue zur Frau und führt sie ins Paradies. G.s Version gibt dem durch das Ritual der Witwenverbrennung befremdenden Stoff eine durchaus abendländisch-humanitäre und christliche Note (mit Anklängen an das Maria Magdalena-Thema) in der Erlösbarkeit auch der Niedrigsten durch die ihr eingeborene, natürliche

Menschlichkeit und die verborgene Sehnsucht nach dem Wahren
und Echten: Die Vereinigung mit dem Gott erweckt auch in der
Geschändeten die Fähigkeit zu wahrer Liebe, die sich im freiwilligen Opfertod der Gattentreue läutert und damit auch ohne Reue
und Buße erlösungsfähig wird. G.s auch metrisch durch den Wechsel trochäischer und daktylischer Zeilen erregend-irritierende Fassung fand mehrere Vertonungen, auch als Melodram, u. a. von C. F.
Zelter, C. Loewe, F. Schubert und O. Schoeck und als Oper von
D. F. E. Auber (1830). – Herder machte ein Vortrag der Ballade im
März 1803 krank (C. Herder an Knebel 18. 3. 1803). Nur böse
Zungen fühlten sich dabei an Christiane erinnert.

H. Baumgart, G.s Geheimnisse und seine Indischen Legenden, 1895; K. Reuschel,
G.s Gedicht D. G. u. d. B., NJbb 33, 1914; E. Richter, Eine neue Quelle zu G.s D. G. u.
d. B., Archiv 161, 1932; M. Kommerell, G.s indische Balladen, GKal 30, 1937; T. C. van
Stockum, G.s Indische Legenden, Neophil 28, 1943; E. M. Butler, Pandits and pariahs,
in: German Studies, Festschrift L. A. Willoughby, Oxford 1952; E. Feise, G.s Ballade D.
G. u. d. B., MDU 53, 1961; E. Wright, Ambiguity and ambivalence, PEGS 51, 1981;
H. Laufhütte, Formulierungshilfe für Haustyrannen?, in: Gedichte und Interpretationen 3, hg. W. Segebrecht 1984; U. L. Schaub, Gehorsam und Sklavendienste, MDU 76,
1984; I. Graham, Die Theologie tanzt, in dies., G., 1988; R. Hillenbrand, Die Reue der
Bajadere, MGS 18, 1992.

Gott und Welt →Gott, Gemüt und Welt

Goué, August Siegfried von (1742–1789). Den reichlich exzentrischen, 1771 wegen Pflichtvergessenheit entlassenen Braunschweiger Legationssekretär in Wetzlar lernte G. im Mai 1772 als den
Gründer (1771) der →»Rittertafel« kennen, einer »romantischen
Fiktion« von ritterlicher Gesellschaft mit Heermeister, Kanzler u. a.
Chargen und rittertümlichem Code und Jargon, in die G. als »Götz
von Berlichingen, der Redliche« Aufnahme fand. Der »schwer zu
entziffernde«, phantasievolle Mann von »geheimnisvollem Wesen«
gefiel sich in der Pose des Genies und Philosophen und lenkte
durch indirekten Einfluß mit großem Ernst dieses »fabelhafte Frat-
zenspiel« zur Überbrückung der Langeweile (*Dichtung und Wahrheit*
III,12). Er gründete überdies 1768 den ebenso zweckfreien pseudo-
freimaurerischen und mystisch-spinnigen »Orden des Übergangs«
mit einem Ritualbuch *Der hoeere Ruf* (1768; »voll enigmatischer
Weisheit und Narrheit«, Lavater) und versuchte sich als Dramatiker.
Nach unglücklicher Ehe und verschwenderischem Leben mittellos
herumschweifend, veröffentlichte er 1775 ein Trauerspiel *Masuren
oder der junge Werther,* das den Fall Jerusalem psychologisch und
soziologisch mit der Kränkung durch den Gesandten begründet,
übrigens auch die »Rittertafel« beschreibt und G. als »Götz« auftreten läßt. In G.s *Leiden des jungen Werthers* mag er als eins der »ver-
zerrten Originale« gemeint sein, deren Freundschaftsbezeugungen
Werther unerträglich sind (17. Mai); auch als eines der möglichen
Vorbilder für G.s *Satyros* wurde er vermutet.

H. Gloel, G.s Rittertafel, 1910; A. Blenkert, A. S. v. G., 1913; A. S. v. G., hg. K. Schüddekopf 1917; F. J. Schneider, G.s Satyros und der Urfaust, 1949.

Gower, Lord Francis Leveson, Viscount Brackley, Earl of Ellesmere (1800–1857). Der englische Kunstfreund und Schriftsteller übersandte G. am 11.5.1825 seine *Faust I*-Übersetzung und besuchte ihn am 21.7.1826 in Weimar. G. war mit der recht freien und lückenhaften Wiedergabe im Stil einer freien Nachdichtung nicht einverstanden (zu A. B. Granville 2.1.1828).

Gozzi, Carlo, Graf (1720–1806). Der venezianische Komödiendichter erneuerte als Gegner von Goldonis literarischen bürgerlichen Komödien in seinen Märchenspielen die italienische Stegreifkomödie (Commedia dell'arte) mit feststehenden Typen und Schauspielermasken. Mit Werken von ihm wurde G. wohl direkt erst durch das Weimarer Liebhabertheater bekannt, das in deutschen Bearbeitungen von F. H. von Einsiedel am 27.3.1778 *Die glücklichen Bettler* (mit G. als Truffaldino) und am 21.3.1783 *Zobeis* aufführte. In Leipzig sah G. im September 1781 →Gotters Gozzi-Bearbeitung *Das offenbare Geheimnis*, die sein Fragment *Die ungleichen Hausgenossen* anregte. Aber erst in Venedig erlebte er am 5.10.1786 eine originale Gozzi-Aufführung wohl der Tragodie *La punizione del prezipizio* und reflektierte über die Publikumswirkung der Masken (*Italienische Reise* 5.–6.10.1786; vgl. zu Eckermann/Soret 14.2.1830). Auf dem Weimarer Hoftheater hielt sich länger nur Schillers Bearbeitung von Gozzis *Turandot* (30.1.1802), zu deren Wiederholung am 3.2.1802 G. das Rätsel »Ein Bruder ists von vielen Brüdern …« beisteuerte und die er in *Weimarisches Hoftheater* (1802) besprach.

A. P. Chiarloni, G., Gozzi e Goldoni, Belfagor 28, 1973.

Graff, Anton (1736–1813). Von dem klassischen deutschen Porträtmaler des 18. Jahrhunderts gibt es kein Porträt des Klassikers G., obwohl dieser den Dresdner Hofmaler kannte, ihn am 16.5.1778 bei einem Aufenthalt in Berlin besuchte und sich für seine Werke interessierte – er sah 1775 in Zürich das Porträt Bodmers als Stich von Bause, 1797 in Stuttgart Graffs Selbstporträt. Unter den rd. 1250 Porträts Graffs figurieren Lessing, Gellert, Wieland, Herder, Schiller u. a. m. – nur nach Weimar kam nicht der Porträtist Graff, sondern im Juni 1809 nur sein Schwiegersohn, der Landschaftsmaler C. L. →Kaaz.

E. Berckenhagen, A. G., 1967.

Graff, Johann Jakob (1768–1848). Der Pfarrerssohn wechselte 1789 vom Theologiestudium zum Theater über und gehörte 1793–1841 als vielseitiger, wandlungsfähiger Charakterdarsteller zum Ensemble des Weimarer Hoftheaters. Nach Überwindung anfänglicher Artikulationsschwierigkeiten und einer übersteigerten Gestik mithilfe G.s spielte er Heldenrollen wie Götz, Alba (*Egmont*), König Philipp (*Don Carlos*), Attinghausen (*Wilhelm Tell*) und erzielte

einen größten Erfolg als erster Wallenstein bei der Uraufführung
am 30. 1. 1799, als er »die dunkle, tiefe, mystische Natur des Helden
vorzüglich glücklich« traf (G.s Rezension *Die Piccolomini*, 1799).
Später bevorzugte der von G. und Carl August geschätzte Darsteller Heldenväterrollen.

W. C. R. Hicks, A Weimar actor under G. and Schiller, PEGS NS 11, 1935.

Granit. Der Granit galt G. wie der Geologie seiner Zeit als das
älteste Gestein der Erde, das Urgestein im Erdinneren, das nach
Meinung der Neptunisten durch Kristallisation bei der Abkühlung
des flüssigen Urbreis als Sediment eines Urmeers entstand. Mit seinem Vorkommen und seinen Arten beschäftigt sich G. wiederholt
und eingehend in mehreren mineralogischen Veröffentlichungen
Joseph Müllerische Sammlung, 1807; *An Herrn von Leonhard*, 1807
u. a.). Über Mineralogie und Petrographie hinaus greifen G.s zwei
wohl als Teil eines geplanten Romans über das Weltall konzipierte
naturphilosophisch-rhapsodische Fragmente aus dem Nachlaß *Über
den Granit (Der Granit; Der Granit als Unterlage aller geologischen Bildung*, Januar 1784). Sie sehen im Granit den Wesensgrund, das Urgestein, »die Grundfeste unserer Erde«, aus der und nach der sich
alles andere bilde. Damit wird Granit für G. zum Symbol des Wahren, Dauernden, Ewigen und Festen hinter der vergänglichen, sich
wandelnden Oberflächenwelt und den Wechselfällen menschlichen
Lebens.

R. Görner, Granit, Aurora 53, 1993, erw. in ders., Goethe, 1995.

Graphik →Kupferstiche

Graupen. Die nordböhmische Bergstadt mit ihren Zinnbergwerken besuchte G. jeweils von Teplitz aus am 17. 8. 1810 mit Riemer
und Zelter, als seine zwei Zeichnungen der Schloßruine entstanden, am 29. 4. 1813 zur Besichtigung der Grube Regina und am
14. 5. und 15. 7. 1813 (*Aus Teplitz*, 1813).

Greif. Für die grotesk verwirrende, phantastische Zoologie der
»Klassischen Walpurgisnacht« am oberen Peneios (*Faust* v. 7083,
7093–7142) bedient sich G. dämonischer Fabelwesen, neben Sphinxen und Sirenen auch der Greife, uralter Mischwesen von Löwen
mit Adlerköpfen, Flügeln und Vogelkrallen, die nach Herodot
(III,116; IV,13 und 27) Goldgruben im Norden der Welt geizig vor
den Arimaspen und riesigen →Ameisen zu schützen suchen. G.
kannte sie natürlich vom kaiserlichen Wappen, pompejanischen
Wandbildern und Gemmen; J. H. Voß' Aufsatz *Über den Ursprung der
Greife (Jenaische Allgemeine Literaturzeitung*, Oktober 1804) brachte
sie in Zusammenhang mit den Sphinxen. Mephistopheles übernimmt mit ihrem legendären Geiz die passende Volksetymologie zu
»greifen« statt des griechischen »gryph«.

K. Reinhardt, Die klassische Walpurgisnacht, in ders., Tradition und Geist, 1960.

Grenzen der Menschheit. Die undatierte Hymne entstand vor
September 1781, wurde vielleicht am 1. 5. 1780 an Ch. von Stein
gesandt und in den *Schriften* von 1789 zuerst gedruckt. Sie steckt in
selbstbewußter Demut die Schranken des Menschseins im irdischen
Bereich ab und mißt sie in den vier Hauptstrophen an den vier
Elementen Feuer (Blitz), Luft (Winde), Erde und Wasser (Welle) als
dem Koordinatensystem des Göttlichen. Sie ist weder Widerruf der
subjektiven Verselbstigung im *Prometheus* oder der Entselbstigung
im *Ganymed* noch devote Unterwerfung, sondern kennzeichnet
nunmehr aus menschlicher Sicht eine dritte mögliche, realistischere
Verhaltensweise aus Einsicht in die Naturgesetze, weltfrommer Ver-
messung des eigenen, natürlich bedingten Lebensraums und Wir-
kungskreises durch Erfahrung und Selbstverständnis, das in der
Geschlechterkette auch die ihm gemäße Art von Dauer erkennt.
Zahlreiche Vertonungen, u. a. von W. Fortner, F. Hiller, F. Schubert
und H. Wolf, gestalten die Hymne zumeist als Chorwerk.

F. Bruns, G.s G. d. M., JEGP 18, 1919; O. R. Meyer, G.s Ode G. d. M., Euph 26,
1925; B. Tecchi, Sette liriche di G., Bari 1949; A. Weber, G.: G. d. M., in: Wege zum Gedicht 1, hg. R. Hirschenauer 1956; K. O. Conrady, Zwei Gedichte G.s kritisch gelesen,
in ders., Literatur und Germanistik als Herausforderung, 1974; U. Segebrecht, Besonnene Bestandsaufnahme, in: Gedichte und Interpretationen 3, hg. W. Segebrecht 1984;
H. Hommel, G. d. M., in ders., G.studien, 1989; A.-T. Bühler, Prometheus und G. d. M.,
1995.

Gretchen (I). Die erste Jugendliebe des 14jährigen G. in Frankfurt
Ende 1763/Anfang 1764 ist nur aus *Dichtung und Wahrheit* bekannt,
in deren Schema jedoch noch nicht vorgesehen und mangels anderer Belege über sie und ihren immerhin gerichtsnotorischen Kreis
in ihrem Charakter als authentische historische Gestalt umstritten,
möglicherweise nur eine fiktive Figur oder eine Kombination verschiedener Erlebnisse. Nach G.s Bericht bringt ihn seine erste leidenschaftliche Liebeserfahrung in Kontakt mit einem zweifelhaften
Milieu von Jugendlichen der Unterschicht, die seine dichterische
Begabung für Gelegenheitscarmina aller Art finanziell ausnutzen;
die unschuldige Affäre, weitgehend Selbsttäuschung, wird aufge-
deckt, als eine Untersuchung über andere Rechtswidrigkeiten des
Kreises G.s Verwicklung darin zutage fördert, und endet während
der Festlichkeiten zur Kaiserkrönung (3. 4. 1764) mit der Ausweisung Gretchens aus Frankfurt. Da *Dichtung und Wahrheit* (I,5, entstanden erst 1811) das persönliche Gretchenerlebnis mit der handlungsarmen Beschreibung der Kaiserkrönungszeremonien verwebt
und verschränkt, wird die Gretchenhandlung heute vielfach als
weitgehend fiktive Novelle von Leidenschaft und Enttäuschung zur
Auflockerung des beschreibenden Kapitels verstanden. Eine als Abschluß der Episode geplante Parallelisierung zu →Prévost d'Exiles'
Manon Lescaut wurde weggelassen.

H. H. Remak, G.s G.abenteuer und Manon Lescaut, in: Formen der Selbstdarstellung, Festschrift F. Neubert 1956; ders., Manon Lescaut und die G.episode in Dichtung
und Wahrheit, Goethe 10, 1957; ders., Die novellistische Struktur des G.abenteuers, in:

til- und Formprobleme der Literatur, 1959, auch in ders., Structural elements of the German novella, 1996; ders., Autobiography or fiction?, in: G. in Italy, hg. G. Hoffmeier, Amsterdam 1988, auch in ders., Structural elements of the German novella, 1996.

Gretchen (II), Margarete. Die Hauptfigur der »Gretchentragödie« innerhalb des *Faust* (v. 2605 ff.) ist in allen Zügen G.s Erfindung, bestenfalls angeregt durch knappste Hinweise auf Fausts Liebe zu einer Magd in frühen Bearbeitungen des →Fauststoffs seit J. N. Pfitzer und bereits im *Urfaust* folgerichtig ausgebildet. Nach dem Scheitern seines Forschertitanismus in der sog. »Gelehrtentragödie« führt Fausts zweiter Versuch zur Entgrenzung des Ich unter Anporn Mephistos in die Liebe und in Schuld. Das »Traumbild« im Zauberspiegel der Hexenküche (v. 2429 ff., 2599 ff.) verweist noch nicht individuell auf Gretchen, sondern nur auf die Frau als Objekt des Begehrens allgemein und signalisiert Mephistos Bemühen, Faust auf den Weg reinen Geschlechtsgenusses zu führen. Doch die Gestalt von Fausts Wahl, Gretchen, rein, unschuldig, natürlich, volksliedhaft einfach, gemütvoll-innerlich und in ihr betont kirchliches Kleinbürgertum gebunden, erweckt durch ihre beseligende Unverdorbenheit in ihm die Liebe, die sich deutlich von der genüßlichen Sinnlichkeit des Gegenpaares Mephisto/Marthe abhebt. Doch durch Fausts Bindung an Mephisto, seine Mittel (Lüge, Verführung) und sein Eingreifen (Mord der Mutter, später Valentins) wird diese Liebe mit Schuld belastet. Schon wegen ihrer natürlichen Hingabe an Faust von Sündenbewußtsein geplagt, am Tod der Mutter unwissentlich beteiligt, vom Geliebten als Mörder Valentins verlassen und völlig vereinsamt, wird Gretchen aus Angst vor der Schmach sozialer Ächtung als uneheliche Mutter zur Kindestötung und in eine gleichwohl hellsichtige Geistesverwirrung getrieben. Sie lehnt instinktiv-ahnungsvoll die Rettungsversuche mithilfe Mephistos ab, findet zu sich selbst und übergibt sich der irdischen und himmlischen Gerechtigkeit: einer solchen Gegenspielerin kann Mephisto nichts mehr anhaben. Unerschüttert in ihrer Liebe, kann sie in *Faust II* (v. 12069 ff.) in Umkehrung der früheren Konstellation zur Retterin Fausts werden. Angesichts der strengen Kontextualisierung der Figur im Drama sollte sich die herkömmliche Suche nach biographischen Vorbildern (wie etwa Gretchen I, F. Brion, S. M. Brandt, Ch. Buff), die höchstens vage Anregungen und Einzelzüge liefern könnten, von selbst verbieten: Gretchen ist nicht Abklatsch fragwürdiger Modelle, sondern die wohl rührendste und ergreifendste Frauengestalt der deutschen Dichtung schlechthin.

O. v. Boenigk, Das Urbild von G.s Gretchen, 1914; W. Krogmann, Untersuchungen zum Ursprung der G.tragödie, Diss. Rostock 1928; ders., Der Name Margarethe in G.s Faust, ZDP 55, 1930; H. A. Maier, G.s G.-Mythos, MDU 45, 1953; H. Petriconi, Die verführte Unschuld, 1953; B. Fairley, The G. tragedy, in ders., G's Faust, Oxford 1953; S. Atkins, A reconsideration of some misunderstood passages in the G. tragedy, MLR 48, 1953, deutsch in: Aufsätze zu G.s Faust I, hg. W. Keller 1974; H. Geyer, Dichter des Wahnsinns, 1955; H. Politzer, Gretchen im Urfaust, MDU 49, 1957, auch in ders., Das Schweigen der Sirenen, 1968; V. Nollendorfs, Die Lücken in der G.tragödie, MDU 55,

1963; B. Weber, Die Kindsmörderin im deutschen Schrifttum von 1770–1795, 1974
B. Stolt, Gretchen und die Todsünden, Uppsala 1974; C. Z. Romero, Die G.tragödie
CGP 4, 1976; P. Heller, Gretchen, in: Die Frau als Heldin und Autorin, hg. W. Paulser
1979; H. Brandt, Der widersprüchliche Held, in: Ansichten zur deutschen Klassik, hg.
ders. 1981; G. Pilz, Deutsche Kindesmord-Tragödien, 1982; M. Neumann, Das Ewig-
Weibliche in G.s Faust, 1985; M. Schmidt, Genossin der Hexe, 1985; G. Vitz, G.
G.tragödie, DD 22, 1991; R. D. Miller, The misinterpreting of G's Gretchen tragedy
Harrogate 1992; Ch. Müller, G. als Hexe?, Euph 87, 1993; M. Beller, Gretchens Name
und die Legenden von der heiligen Sünderin, WW 43, 1993; C. E. Schweitzer, Gretchen and the feminine in G's Faust, in: Interpreting G's Faust today, hg. J. K. Brown
Columbia 1994; →Faust.

Gretchentragödie →Gretchen (II)

Grétry, André Ernest Modeste (1741–1813). Von dem französischen Komponisten komischer Opern, deren »ansprechende
Musik« er lobte (*Deutsche Sprache,* 1817), sah G. in Frankfurt 1775
die »wohlgelungene Oper« *Die Schöne bei dem Ungeheuer* (*Zémire e
Azor*) und in Weimar die Aufführungen von *Richard Löwenherz*
(30. 1. 1793; in den *Tag- und Jahresheften* 1794 falsch datiert) und
Blaubart (25. 2. 1809).

Greußen. In dem Ort in der Goldenen Aue übernachtete G. auf
der 1. Harzreise am 29. 11. 1777. →Sondershausen.

Greuze, Jean Baptiste (1725–1805). Der französische Porträt- und
Genremaler sentimental-pathetischer häuslicher Szenen und eroti-
sierter Mädchenbilder, den J. H. Meyer verabscheute, war G. durch
Diderot und durch G. M. Kraus vertraut, der ihn von Paris her
kannte. G. gibt in *Dichtung und Wahrheit* (IV,20) eine etwas schiefe
Charakteristik von Greuze; in seiner Sammlung finden sich eine
1830 erworbene Kreidezeichnung fragwürdiger Zuschreibung und
vier Stiche nach Zeichnungen verschiedener Köpfe.

Grevenmacher. In der luxemburgischen Stadt an der Mosel begegnete G. zu Beginn der Campagne in Frankreich am 23. 8. 1792
einer Gruppe adliger französischer Emigranten, die ihm zu aufschlußreichen Beobachtungen Anlaß gaben. Vgl. auch ebd. 11. 10.
und 22. 10. 1792.

G. in Trier und Luxemburg, Katalog Trier 1992; E. Krier, G. und Grevenmacher, Nos
cahiers 14, Luxemburg 1993.

Griechenland, Griechentum. »Das Land der Griechen mit der
Seele suchend« wie seine Iphigenie (v. 12), hat G. es dennoch nie
betreten. Wie Winckelmann, Lessing u. a. war ihm Griechenland ein
Bildungserlebnis, keine Realerfahrung. Reisen in das bis 1830 unter
türkischer Herrschaft stehende, kriegerisch unruhige und teils an-
archische moderne Hellas waren weder opportun noch vorstellbar.
Auch der Fürst Christian August von Waldeck, der G. am 28. 3.
1787 in Neapel mit dem Plan einer gemeinsamen Griechenland-

eise »beunruhigte«, nahm rasch von diesem Vorhaben Abstand. Umso mehr konnten in dieser Zeit Griechentum und Griechenland in idealistischer Abstraktion zum Grunderlebnis und Leitbild für Denken und Schaffen, Kunstanschauung und Daseinsverständnis werden. G.s humanistische Erziehung in Frankfurt vermittelte ihm eine weitgehende Vertrautheit mit den Grundzügen griechischer Geschichte, Geographie, Mythologie, Kunst und Literatur, meist allerdings in lateinischen Übersetzungen, denn mit der am Neuen Testament gelehrten Sprache hatte er Schwierigkeiten, so daß mit dem von Herder angeregten intensiven Homer-Studium in Straßburg 1771 zwar ein Griechischstudium einherging, er jedoch nie ganz von (meist lateinischen) Übertragungen unabhängig wurde. Schwerpunkte der Literaturaneignung wurden neben Homer zunächst Pindar (1772), dann die griechischen Tragiker, besonders Euripides, und Aristophanes (*Die Vögel*). Für die außerordentlich breite Anverwandlung griechischer Mythen und Stoffe seien nur als Beispiele genannt: *Prometheus, Ganymed, Pandora, Nausikaa, Achilleis, Iphigenie, Alexis und Dora, Des Epimenides Erwachen,* schließlich die »Klassische Walpurgisnacht« und der Helena-Akt des *Faust*. Für G.s Verständnis der griechischen Kunst als permanentes, unerreichbares Vorbild und Orientierungspunkt seiner Kunstanschauung wurden der Einfluß des Winckelmann-Schülers Oeser während der Leipziger Studienzeit, später der J. H. Meyers maßgeblich. Frühes Anschauungsmaterial boten die Abgüsse griechischer Skulpturen im Mannheimer Antikensaal, dann die meist späten Kopien griechischer Originalwerke in Rom, schließlich die Architektur und Kunst Großgriechenlands in Neapel und Sizilien. Seit der Italienreise sammelte G. in Weimar Gipsabgüsse griechischer Skulpturen (Juno Ludovisi u. a.). Mit der Überführung griechischer Originale wie der Elgin Marbles vom Parthenon, der Ägineten, der Reliefs von Phigalia u. a. in erreichbare Orte verlor das Italienerlebnis für das Griechenlandbild an Bedeutung. An der Rekonstruktion verlorener Kunstdenkmäler beteiligte sich G. mit den Werkkatalogen *Polygnots Gemälde* (1803) und *Philostrats Gemälde* (1818). Im Alter nahm er warmen Anteil am griechischen Befreiungskampf von der türkischen Herrschaft, insbesondere am Schicksal und tragischen Tod Lord Byrons (1824), der auf die Euphorion-Figur des *Faust* einwirkte. Zeitlebens aber galt ihm das Griechentum in seiner Klarheit, Freiheit, Heiterkeit, Anschaulichkeit und seiner Harmonie von Natur und Kunst als höchste Stufe und Vorbild reifen, würdigen Menschentums: »Unter allen Völkerschaften haben die Griechen den Traum des Lebens am schönsten geträumt« (*Maximen und Reflexionen* 298).

K. Bapp, Aus G.s griechischer Gedankenwelt, 1921; R. Petsch, G. und die Griechen, GRM 20, 1932; H. Trevelyan, The popular background of G's hellenism, London 1934; R. Pfeiffer, G. und der griechische Geist, DVJ 12, 1934, auch in ders., Ausgewählte Schriften, 1960; W. Rehm, Griechentum und G.zeit, 1936 u. ö.; O. Regenbogen, Griechische Gegenwart, 1942; A. Beck, Griechisch-deutsche Begegnung, 1947; H. Treve-

lyan, G. und die Griechen, 1949; A. Lesky, G. der Hellene, JbWGV 67, 1962; W. Scha
dewaldt, G.-Studien, 1963; A. Lesky, G. und die Tragödie der Griechen, JbWGV 74
1970; E. M. Manasse, G. und die griechische Philosophie, in: G. und die Tradition, hg
H. Reiss 1972; E.-R. Schwinge, G. und die Poesie der Griechen, 1986; D. Lohmeier
Griechische Muster in G.s Lyrik, GJb 108, 1991; →Antike.

Gries, Johann Diederich (1775–1842). Der sprachkundige Dr. jur
und Hofrat in Jena beteiligte sich mit Gedichten an Schillers *Horer*
und *Musenalmanach* und übersetzte Tassos *Befreites Jerusalem* (IV
1800–03; G.s Dank am 23.6.1819) und Ariosts *Rasenden Roland*
(IV 1804–08). G.s starkes Interesse erregte seine Übersetzung vor
13 Dramen Calderons (VIII 1815–42), deren einzelne Bände G
gern las und mit Dank, höchstem Lob und Ermutigung zu
Weiterarbeit quittierte, auch anderen gegenüber (an Knebel 24.11
1813; 13.6.1821: »Ich werde nicht ermangeln, es bei Calderon zu
rühmen, wenn ich ihm drüben begegne«). Davon wurde *Die große*
Zenobia am 30.1.1815 in Weimar aufgeführt, *Die Töchter der Luf*
von G. sehr positiv besprochen (*Über Kunst und Altertum* III,3
1822). Die anfangs häufigen Begegnungen mit Gries bei Schiller
oder Frommanns in Jena wurden später durch Gries' starke Schwer-
hörigkeit erschwert, doch noch am 2. und 28.8.1828 besuchte er
G. in Weimar.

M. Hecker, G. und Gries, GJb 25, 1904.

Griesbach, Johann Jacob (1745–1812). Der Sohn eines Frankfurter Pfarrers und einer pietistischen Freundin von G.s Mutter
Johanna Dorothea Griesbach (*Dichtung und Wahrheit* II,8), war als
Theologiestudent in Leipzig 1766/67 mit seinen Leistungen und
seiner zielstrebigen Studienplanung in Richtung auf ein akademi-
sches Lehramt ein Vorbild für G. (ebd. I,4 und II,6). 1773 wurde er
Theologieprofessor in Halle, 1775 in Jena, wo G. mit ihm und seiner Gattin Friederike Juliane – »sehr wackre, verständige Leute« (an
Carl August 16.11.1788) – oft in amtlicher, aber häufiger noch ir
persönlich-freundschaftlicher Verbindung stand. In ihrem stattlichen
Haus in Jena wohnte 1795–99 auch Schiller. Im Juni/Juli 1801
hatte G. das Ehepaar als Wohnungsnachbarn bei der Kur in Pyrmont.

Grillparzer, Franz (1791–1872). Der 35jährige Wiener Dramatiker, »ein sehr angenehmer, wohlgefälliger Mann; ein angeborenes
poetisches Talent« (an Zelter 11.10.1826), weilte auf seiner
Deutschlandreise am 29.9.–30.10.1826 in Weimar. Er stieg im
»Elephanten« ab, besuchte den seit langem verehrten G. am
29.9. abends zum »großen Tee« und wurde von dem »steifen Minister« liebenswürdig empfangen. Am 1.10. war er zu Mittag ir
»großer Gesellschaft« bei G., der ihn »liebenswürdig und warm« begrüßte; daß er ihn an der Hand ins Speisezimmer leitete, rührte
Grillparzer zu Tränen. Am 2.10. vormittags im Garten sprach G.

ber Grillparzers (am 5. 9. 1818 in Weimar aufgeführte) *Sappho*
nicht aber über die am 31. 1. 1819 in Weimar gespielte *Ahnfrau*),
ließ den Gast durch J. Schmeller zeichnen und zeigte ihm Schau-
stücke seiner Sammlung. Eine Einladung, den Abend allein mit G.
zu verbringen, lehnte Grillparzer aus dem Gefühl seiner Inferiorität
ab. Am 3. 10. folgte dem Abschiedsbesuch bei G. ein Festessen zu
seinen Ehren im Schießhaus mit August von G., Hummel,
H. Meyer u. a. m. Die Gipfelkonferenz deutsch/österreichischer
Autoren blieb allerdings folgenlos: trotz G.s Aufforderung kam es zu
keinem Briefwechsel. Grillparzer, der seit seinen frühesten Gedichten (*An den Mond*, 1804) unter G.s Einfluß gestanden und 1811
eine Fortsetzung des *Faust* geplant hatte, verkehrte später im Salon
Ottilie von G.s in Wien und lernte dort auch G.s Enkelin Alma
kennen (Gedicht *Alma von Goethe*, 1844). Vgl. Grillparzers *Selbstbiographie* und Brief an K. Fröhlich vom 5. 10. 1826.

F. E. Sandbach, G's interest in Grillparzer, PEGS 3, 1926; J. Nadler, G. und Grillparzer, Corona 3, 1932 f.; F. D. Horvay, G. und Grillparzer, GR 25, 1950; E. Buxbaum,
Grillparzer besucht G. in Weimar, Literatur in Bayern 27, 1992.

Grimaldi, Francesco Maria (1618–1663). Der Mathematiker und
Professor am Jesuitenkolleg in Bologna entdeckte die Beugung des
Lichts, beschrieb dabei auftretende Farberscheinungen und kam der
Wellentheorie des Lichts sehr nahe. G. studierte seine Abhandlung
Physico-mathesis de lumine, coloribus et iride (postum 1665) 1791 und
im September 1808 und März 1809 für die *Farbenlehre* und wid-
mete ihm ein lobendes Kapitel im historischen Teil.

Grimbart. Der Name des Dachses in G.s *Reineke Fuchs* entspricht
der Tradition der Tierfabel.

Grimm, Friedrich Melchior, (ab 1771) Baron von (1723–1807).
Der Pfarrerssohn und Gottsched-Schüler ging 1748 als Sekretär,
Journalist und Schriftsteller nach Paris, verkehrte dort als Freund
Rousseaus und Diderots im Kreis der Enzyklopädisten und verfaßte
seit 1753 (1773–1813 von H. Meister fortgeführt) seine bis 1773
vierzehntägliche, dann monatliche *Correspondance littéraire, philosophique et critique*, für europäische Fürstenhöfe und reiche Abonnen-
ten handschriftlich vervielfältigte Berichte über kulturelle und
literarische Ereignisse, Zustände u. a. interessierende Neuigkeiten
und Klatschgeschichten aus der französischen Hauptstadt (*Urteils-
worte französischer Kritiker* II, 1820). Sie umfaßten neben Beiträgen
der Enzyklopädisten auch unpublizierte Romane und Erzählungen
Diderots. G. las sie regelmäßig, übersetzte daraus Diderots *Rameaus
Neffe*, entnahm ihr die Anekdote der Mlle →Clairon als Vorlage zur
Geschichte der Sängerin →Antonelli in den *Unterhaltungen deutscher
Ausgewanderten* und exzerpierte daraus im Oktober 1812 die *Ur-
teilsworte französischer Kritiker* (*Über Kunst und Altertum* I,3, 1817 und
II,2, 1820). 1777 zum gothaischen Minister ernannt, siedelte Grimm

nach Ausbruch der Französischen Revolution 1793 nach Gotha
über. G. mag wie Wilhelm Meister (*Lehrjahre* I,6) schon früh
Grimms Dramatisierung von A. von Ziegler und Kliphausens
Roman *Die asiatische Banise* (1689) mit dem Tyrannen Chaumigrem
in Gottscheds *Deutscher Schaubühne* (1742) gelesen haben. Persönlich traf er ihn zuerst am 8. 10. 1777 auf der Wartburg bei Eisenach
später am 7. 10. 1781 und 29. 8. 1801 in Gotha (*Tag- und Jahreshefte*
1801), zuvor schon nach der Campagne in Frankreich im November 1792 unter den französischen Emigranten in Düsseldorf. G. erzählte gern die Anekdote, wie Grimm bei der Flucht in Sachwerte
seine Assignaten kurz vor deren Entwertung in Spitzenmanschetten
angelegt habe (zu Eckermann/Soret 14. 2. 1830 u. ö.).

M. Moog-Grünewald, J. H. Meister und die Correspondance littéraire, 1989.

Grimm, Jacob Ludwig Karl (1785–1863). Der Begründer der
deutschen Philologie, mit seinem Bruder Wilhelm Sammler der
Kinder- und Hausmärchen und der *Deutschen Sagen* (die G. im Okto-
ber 1816 las), sah G. wohl nur kurz Mitte September 1815 in
Frankfurt. G. übersandte ihm auf seine Bitte am 19. 1. 1810 zwei
Minnesängerhandschriften der Weimarer Bibliothek. Im Oktober
1823 lenkte er G.s Interesse auf die serbische Literatur und Vuk
Karadžić; G. veröffentliche Grimms Übersetzungen des Dichters in
Über Kunst und Altertum (IV,3 und V,2) und rühmte Grimms
Verdienste um die Erschließung dieser Literatur in den Aufsätzen
Serbische Lieder und *Serbische Gedichte* (ebd. V,2 und VI,1, 1825 bzw
1827).

R. Steig, G. und die Brüder Grimm, 1892 u. ö.; W. Schoof, G. und die Brüder
Grimm, Goethe 16, 1954; R. Paulin, G., the brothers Grimm and academic freedom,
Cambridge 1991.

Grimm, Ludwig Emil (1790–1863). Der jüngere Bruder der Brüder J. und W. Grimm, Maler, Radierer und Illustrator in Kassel, begegnete G. mit seinem Bruder Wilhelm am 5. 9. 1815 in Frankfurt
wo dieser sich sein Skizzenbuch zeigen ließ und es lobend kommentierte, und im September/Oktober 1815 in Heidelberg. Wilhelm Grimm sandte G. 1811, 1823 und 1824 Radierungen seines
Bruders.

W. Schoof, G. und der Maler L. E. Grimm, Goethe 19, 1957.

Grimm, Wilhelm Karl (1786–1859). Der Germanist, Märchen-
und Sagensammler, Herausgeber altdeutscher und altnordischer
Texte, »ein ganz hübscher, in diesem Fache ganz fleißiger Mann«
(an C. G. Voigt 18. 1. 1810), weilte im Dezember 1809 in Weimar
G. nahm ihn auf Empfehlung von A. von Arnim bei wiederholten
Besuchen (12./13./23. und 25. 12. 1809) freundlich auf und unterhielt sich mit ihm über altdeutsche und altnordische Literatur. Er
und sein Bruder Ludwig trafen G. ferner zufällig im Frankfurter
Hause Guaita am 5. 9. 1815 und wieder im September/Oktober

315 in Heidelberg. Am 19.6.1816 besuchte er G. in Weimar.
uchsendungen, Dankbriefe, 1816 auch Steins Plan zur späteren
esellschaft für ältere deutsche Geschichtskunde, hielten die Kor-
spondenz in Gang, bis G.s Interesse am Altdeutschen nach 1816
rsiegte.

Literatur →Grimm, J. L. K.

rimmelshausen, Hans Jakob Christoffel von (um 1622–1676).
en satirischen Schelmenroman *Der abenteuerliche Simplicissimus* des
rocken Erzählers las G. am 10.–15.12.1809.

rindelwald. Im Ort im Berner Oberland übernachtete G. auf
er 2. Schweizer Reise mit Carl August am 11./12.10.1779 auf
em Weg von Lauterbrunnen zur Großen Scheidegg und genoß
en Blick auf den Grindelwaldgletscher.

röning, Georg (ab 1795) von (1745–1825). Der Bremer Bürger-
eisterssohn studierte 1767–69 in Leipzig. Er lernte G. wohl im
eichenunterricht bei Oeser und in gemeinsamen Vorlesungen
ennen und gehörte besonders seit G.s Krankheit 1768 zum enge-
n Freundeskreis G.s, der ihm am 27.8.1768 einen Dreizeiler ins
tammbuch schrieb. G. korrespondierte 1768 noch von Frankfurt
it ihm und verfolgte dann aus der Ferne, ohne Briefwechsel und
Viedersehen, die Karriere des »vorzüglichen Mannes«, der 1781
remer Senator des Äußeren, Diplomat und 1814–21 regierender
ürgermeister von Bremen wurde (*Dichtung und Wahrheit* II,8).

H. Tardel, G.s Beziehungen zu bremischen Zeitgenossen, 1935.

roß-Brembach. G.s erste Branderfahrung in Thüringen: Beim
öschen eines Hausbrandes in dem Dorf bei Apolda am 25.6.1780
riff G. energisch zu und erlitt leichte Verletzungen (»Augenbrauen
nd angesengt«, »Zehen gebrüht«, an Ch. von Stein 26.6.1780).

Der Groß-Cophta. G.s erstes Drama zum Thema der Französi-
chen Revolution ist ein Lustspiel in fünf Akten in Prosa um die
→Halsbandaffäre, in der G. 1785 ein zutiefst beunruhigendes
ymptom für die Korruption der Oberschicht als Anlaß für den
Jmsturz erkannte (*Tag- und Jahreshefte* 1789). Von dem ursprüng-
chen Entwurf vom Oktober 1787 in Form einer komischen Oper
 drei Akten *Die Mystifizierten* oder *Il Conte*, die P. C. Kayser ver-
onen sollte, haben sich nur Fragmente und die →Kophtischen Lie-
er erhalten, die J. F. Reichardt vertonte. Die zweite Fassung als
rosalustspiel entstand binnen weniger Wochen im Sommer 1791
 Weimar, wurde mit Musik von J. F. Kranz am 17.12.1791 im
Joftheater Weimar uraufgeführt, erlebte aber nur drei Wieder-
olungen und erschien 1792 als Buch, dessen Honorar zur Unter-
tützung von Cagliostros Familie Balsamo nach Palermo ging. Das

Sittenbild des ancien régime arbeitet mit nach Rang und Titel be
zeichneten, typisierten Figuren: Eine skrupellose Marquise benutz
ihre Nähe zum Königshaus dazu, einen in Ungnade gefallenei
vom Hof verbannten Domherrn zum Kauf eines endlos kostbare
Halsbandes zu überreden, das die von ihm angebetete Prinzessi
mit ihm versöhnen würde, will jedoch selbst mit dem Halsban
außer Landes fliehen. Für das Komplott bedient sie sich zusätzlic
der Schwindeleien eines pseudogräflichen Betrügers (→Cagliostro
der als angeblicher Wundertäter und Abgesandter des Groß
Cophta, Begründers der ägyptischen Geheimwissenschaften, m
scheinmagischen Fähigkeiten den Adel und den Domherrn i
einem Geheimbund in seine Abhängigkeit gebracht hat. Die Intrig
scheitert kurz vor dem Ziel an ihrer fast unschuldigen Nichte, di
beim Täuschungsmanöver mitmachen soll: sie vertraut es einer
jungen Ritter an, der dem gräflichen Schwindler selbst in die Fall
ging und nun durch Anzeige den Betrug aufdeckt. G.s Absich
»dem Ungeheuern eine heitere Seite abzugewinnen« (*Campagne i
Frankreich*) und vor Phantasten, Glücksrittern, Korruption un
Eigensucht zu warnen, fand trotz der traditonellen Formtechni
des Intrigenlustspiels keine Zustimmung beim zeitgenössische
Publikum, das sich an der Unmoral und Entartung des Inhalts stief
Das von G. zeitlebens verteidigte, theatralisch effektvolle Stück ga
als mißlungenes Nebenwerk und fiel bald dem Vergessen anheim
erst moderne Inszenierungen dieser Gaunerkomödie der Leicht
gläubigkeit versuchten es für das Repertoire zu retten.

L. Blumenthal, G.s G.-C., WB 7, 1961; C. P. Magill, Der G.–C., in: German Studie
Festschrift W. H. Bruford, London 1962; F. Martini, G.s verfehlte Lustspiele, in: Natu
und Idee, hg. H. Holtzhauer 1966, auch in ders., Lustspiele und das Lustspiel, 197-
W. Martens, Geheimnis und Logenwesen, in: Geheime Gesellschaften 1, hg. P. C. Lud
1979; L. Kreutzer, Die kleineren Dramen zum Thema Französische Revolution, in: G
Dramen, hg. W. Hinderer 1980; M. Mehra, G.s G.–C. und das zeitgenössische Lustspi
um 1790, GYb 1, 1982; H. Kraft, Alle Jahre einmal als ein Wahrzeichen, in: Unser Com
mercium, hg. W. Barner 1984; W. Schröder, G.s G.-C., GJb 105, 1988; K. Rahe, Caglic
stro und Christus, 1994; M. Vogel, Cagliostro, G.s G.-C., 1995.

Großeltern Goethes →Familie

Großer Hirschgraben. Die Straße, an der G.s Elternhau
(→Goethehaus I) liegt, hat ihren Namen nach dem Hirschpark, de
früher dort an der 1552 abgebrochenen staufischen Stadtmauer lag
Zur Goethezeit war sie das Quartier reicher, angesehener Familiei
wie auch von Geschäftsleuten.

Große Scheidegg →Grindelwald

Groß ist die Diana der Epheser. Das wohl am 23. 8. 1812 ent
standene, 1815 in den *Werken* gedruckte Gedicht, mehr Parabel al
eigentliche Ballade, faßt im Anschluß an die Erzählung in der *Apo
stelgeschichte* Kap. 19 G.s Stellung zum Streit zwischen F. H. Jacob

und F. W. Schelling zusammen. Jacobi hatte in seiner Schrift *Von den göttlichen Dingen und ihrer Offenbarung* (1811), die G. im November 1811 las, zu dessen Unwillen Schelling des Pantheismus und damit Atheismus bezichtigt; Schelling hatte im *Denkmal der Schrift Jacobis von den göttlichen Dingen* (1812) heftig erwidert und den Beifall G.s gefunden, der sich hier in der Rolle des in der Werkstatt still und unverdrossen zum Ruhme des Höheren schaffenden Künstlers sieht (an Jacobi 10. 5. 1812, 6. 1. 1813).

Groß-Kochberg. Das Renaissance-Wasserschloß mit Park und Rittergut bei Rudolstadt, 35 km von Weimar, gehörte seit 1733 den Herren von Stein. Das bei kargem Boden wenig ertragreiche Gut wurde von G. E. J. F. von Stein wegen seiner Hofamtspflichten in Weimar verpachtet, das Schloß selbst von Charlotte von Stein und ihren Freunden gern und oft als Zweitwohnsitz benutzt. Auch G. ritt 1775–84 häufig zu Besuchen in das »Zauberschloß« (*An den Herzog Carl August*, Februar 1776), teils auch in Abwesenheit Charlottes und den Söhnen, und zeichnete dort viel. Auf der Innenseite von Charlottes Schreibtischplatte vermerkte er nur einige Daten seiner Besuche; bezeugte Aufenthalte fanden statt am 6. 12. 1775, 14.–16. 6., 5.–7. 7., 11.–14. 7. und 27./28. 8. 1777, 11./12. 10. 1778, 22.–25. 8. 1779, 4.–10. 10. und 4.–6. 11. 1780, 12.–15. 10. 1781, 18. 5. und 16. 9. 1782 und Mitte Juli 1784. Sein letzter Besuch in Gesellschaft von C. Herder, S. von Schardt und Ch. von Lengefeld am 5. /6. 9. 1788 nach der Rückkehr von Italien stand schon im Zeichen wachsender Entfremdung und Verstimmung, derzufolge Charlotte sich längere Zeit ganz an diesen ihren Lieblingsaufenthalt zurückzog. Nach dem Tod des Vaters 1794 übernahmen Friedrich und Carl von Stein, später letzterer allein, die Bewirtschaftung des Gutes und entschädigten die Mutter durch eine Rente.

In Kochberg, hg. F. v. Stein-Kochberg 1936; H. Neumann, Die G.stätte G., 1949; W. Ehrlich, Schloß Kochberg, 1976 u. ö.; J. Beyer/J. Seifert, Schloß Kochberg, Impulse , 1978; J. Beyer/J. Seifert, Weimarer Klassikerstätten, 1995.

Großmann, Gustav Friedrich Wilhelm (1746–1796). Der Schauspieler, Dramatiker und Theaterdirektor verteidigte das Drama des Sturm und Drang, besonders G.s *Götz*, spielte seit 1783 mit seiner Truppe auch in Frankfurt und fand das Wohlwollen von G.s Mutter. G. sah in Leipzig am 12. 5. 1778 sein Lustspiel *Henriette oder Sie ist schon verheiratet*. Sein Haupterfolg *Nicht mehr als sechs Schüsseln* 1780), von der Bellomoschen Truppe in Weimar gespielt, empfand G. später, nachdem Großmann sich als Revolutionsfreund erklärt hatte, als odiose Verspottung adliger Hoffart und höfischen Unwesens (*Dichtung und Wahrheit* III,13).

Grothaus, Nikolaus Anton Heinrich Julius von (1747–1801). Der begabte Jurist, dann preußischer Offizier, suchte durch ein roman-

tisch unstetes Abenteuer-, Wander- und Söldnerleben, u. a. in Korsika, der in seiner Familie erblichen Geisteskrankheit zu entgehen
starb jedoch geistesverwirrt in Schutzhaft auf der Feste Plassenburg
G. lernte ihn am 25./26. 8. 1779 in Weimar kennen und beschrieb
ihn als einen »schönen braven edlen Menschen ... sein landstrei-
cherisch Wesen hat einen guten Schnitt ...« (Tagebuch). Er traf
ihn 1785 in Karlsbad und am 31. 8. 1792 vor Verdun wieder, al
Grothaus als Parlamentär Verdun zur Übergabe aufforderte, aber nu
Spott erntete (*Campagne in Frankreich*, 31. 8.).

Grotthuß (Grotthus), Sara von, geb. Meyer (?–1828). Die Schwester der M. von →Eybenberg aus den gebildeten jüdischen Kreiser
der Berliner Aufklärung und spätere Gattin des livländischen Barons von Grotthuß lernte G. Anfang Juli 1795 in Karlsbad kennen
sah die enthusiastische G.-Leserin vom 8. 8. bis 24. 9. 1810 beinah
täglich in Teplitz und wieder am 20.–24. 9. 1810 und 23./24. 4
1813 in Dresden wieder und korrespondierte bis 1824 mit ihr, die
seinen Küchenzettel im Februar 1814 um einen Fasanen und »fün
köstliche Gänsebrüste« erweiterte.

Grübel, Johann Konrad (1736–1809). G. hatte seine Freude an der
leichten *Gedichten in Nürnberger Mundart* (II 1798–1800) des Nürnberger Flaschnermeisters und Dialektdichters, den er als »Mann vor
fröhlichem Gemüt und heiterer Laune« erkannte. Er besprach seine
naiven, bieder-humorigen Dichtungen sehr ausführlich in zwe
Rezensionen (*Allgemeine Zeitung*, 23. 12. 1798 und *Jenaische Allgemeine Literaturzeitung*, 13. 2. 1805; vgl. an Schiller 31. 1. 1798), die
wie die Besprechung J. P. Hebels G.s Wertschätzung der Mundart-
dichtung bekunden.

Grüner, Carl Franz d'Akáts, gen. Grüner (1780–1845). Der junge
Schauspieler kam am 22. 7. 1803 zusammen mit P. A. Wolff zu G
nach Weimar. Von ihrem Talent überzeugt, begann G. auf ihren
Wunsch sogleich mit ihrer persönlichen Schauspielerausbildung in
Sinne des klassischen Weimarer Hoftheaterstils, erweiterte die
Gruppe schauspielerischen Nachwuchses bis Oktober auf zwöl
Schüler und ging mit ihnen in Vorträgen und praktischen Übunger
alle Aspekte und Probleme der Schauspielkunst vom Elementaren
zu den Feinheiten durch, sich dabei selbst einen Überblick ver-
schaffend (*Tag- und Jahreshefte* 1803; an Zelter 3. 5. 1816). Aus einen
Konvolut von Aufzeichnungen G.s und Nachschriften der Schüle
stellte Eckermann 1824 mit G.s Einverständnis (zu Eckermann
2. und 5. 5. 1824) die →*Regeln für Schauspieler* zusammen. Grüne
blieb nur bis 1804 in Weimar; er wurde 1831 Theaterdirektor in
Frankfurt. (Grüner ist nicht zu verwechseln mit dem Revaler
Königsberger und Frankfurter Schauspieler Siegmund Grüner, der
G. 1797 in Frankfurt sah; vgl. *Reise in die Schweiz* 14. 8. 1797).

rüner, Joseph Sebastian (1780–1864). Den gebildeten Juristen
1d Verwaltungsbeamten, Magistrats-, Kriminal- und Polizeirat in
ger lernte G. am 26. 4. 1820 anläßlich einer Paßrevision kennen
1d fand sogleich Kontakt zu dem heiter-gefälligen, dienstbereiten
1d vielseitig interessierten G.-Verehrer, der G.s mineralogisch-
*ologische Interessen teilte, sich unter seinem Einfluß zu einem
enner des Egerlandes ausbildete (*Über die ältesten Sitten und Ge-
äuche der Egerländer*) und in regem geselligem Verkehr mit G. bald
essen naher Vertrauter wurde. Während seiner Aufenthalte in Eger
1 26. 4. und 28.–31. 5. 1820 (*Kammerberg bei Eger*, 1820),
3./29. 7. und 25. 8.–13. 9. 1821, 18. 6. und 24. 7.–26. 8. 1822 sowie
9. 6.–1. 7., 20.–25. 8. und 8.–11. 9. 1823 suchte G. ihn regelmäßig
1f und machte besonders 1822 von Eger aus mit ihm Ausflüge in
e Umgebung, empfing ihn auch mehrfach in Marienbad und be-
*nders herzlich beim Besuch in Weimar am 1.–11. 9. 1825. Er er-
vähnt ihn oft lobend in seinen Briefen und stand 1820–32 im
riefwechsel mit Grüner, der seinerseits Tagebuch über die Begeg-
ungen mit G. führte.

H. Braun, J. S. G., 1976.

rünes Schloß. Das wegen seines früheren Anstrichs so genannte,
562–65 als Wohnsitz für Prinz Johann Wilhelm erbaute Renais-
*nceschlößchen zwischen Schloßplatz und Ilmpark in Weimar war
1 Laufe der Zeit zum Archiv, Zeughaus und Abstellplatz herun-
*rgekommen, als Anna Amalia es 1761–66 zur Aufnahme der bis-
er im Schloß gelagerten herzoglichen →Weimarer Bibliothek in
*ätbarockem Stil umbauen, den ovalen, dreigeschossigen, weiß-
oldenen Rokoko-Bibliothekssaal einrichten ließ und damit un-
issentlich die Bibliotheksbestände vor dem Untergang im
chloßbrand von 1774 rettete. In den Jahren von G.s Oberaufsicht
ir die wissenschaftlichen Anstalten und Bibliotheken des Landes
(1797–1832) wurde 1803/04 von H. Gentz ein klassizistischer süd-
cher Anbau errichtet und 1821–25 der alte Stadtturm mit einbe-
ogen. Erst 1844–49 wurde die Erweiterung des Hauptgebäudes
m zwei Fensterachsen nach Norden hin durch C. W. Coudray
ötig, und damit gewann der Bau, eine der bedeutendsten Wir-
ungsstätten G.s, seine heutige Gestalt.

Literatur →Weimarer Bibliothek.

Guaita, Georg Friedrich von (1772–1851). Der Frankfurter Kauf-
nann und Senator hatte Maria Magdalena (Meline) Brentano
(1788–1861), die Tochter von Peter Anton Brentano und Maximi-
iane, geb. von La Roche, und Schwester von Bettina Brentano ge-
eiratet. Das Paar besuchte G. am 7. 8. 1814 in Wiesbaden, und bei
einen Aufenthalten in Frankfurt im September/Oktober 1814 und
ugust/September 1815 war G. häufig bei ihnen zu Gast.

Guarini, Giovanni Battista (1538–1612). G. wird das Schäferspie Il pastor fido (1590) des italienischen Dichters schon in der Biblio thek des Vaters in einer Ausgabe gelesen haben, die er später aus des sen Nachlaß übernahm. Am 7. 12. 1765 empfiehlt er der Schweste Cornelia die Lektüre, allerdings sei sie »manchmal schwer«. Auc Wilhelm Meister tröstet sich mit Zitaten daraus (Lehrjahre II,3). Fü die Beschreibung des Goldenen Zeitalters im Torquato Tass (v. 978 ff.) griff G. auf den Chor in Tassos Aminta (I,2) und desse Parodie im Pastor fido (IV, Schluß) zurück.

Gubitz, Friedrich Wilhelm (1786–1870). G. fand an den Arbeite des Berliner Holzschneiders und Schriftstellers, der ihn Ende Fe bruar 1804 als Jenaer Student besucht hatte, Gefallen (an Gubit 10. 12. 1816, dagegen an Knebel 30. 5. 1817) und erwog zeitweili, eine Illustration des West-östlichen Divans mit Vignetten von ihm (a Gubitz 10. 12. 1816, an Cotta 16. 12. 1816). Auf Gubitz' Bitte von November 1816 steuerte G. am 10. 12. 1816 über Zelter fü Gubitz' zugunsten der Kriegsverwundeten publizierter Antholog Gaben der Milde (II, 1817) zwei Gedichte aus dem noch unpubli zierten Divan (»Lieblich ist …«, »Und was im …«) bei, die dor u. d. T. Wonne des Gebens erschienen. Gubitz besuchte G. wieder an 6. 6. 1821.

Güldenes Schatzkästlein →Bogatzky, Carl Heinrich von

Günderode, Caroline von (1780–1806). Der Freitod, den di Frankfurter Stiftsdame, romantische Dichterin (Pseudonym: Tian und Jugendfreundin von Bettina Brentano infolge ihrer unglück lichen Liebe zu G. F. →Creuzer am 26. 7. 1806 am Rheinufer be Winkel suchte, erregte noch lange die literarische Welt. Nach einen Brief von Ch. von Stein (an F. von Stein 10. 8. 1806) waren sie und G. »erstaunt über die tiefen Gefühle und den Reichtum der Ge danken bei den schönen Versen«. G. selbst erwähnt von ihr »ein paa merkwürdige kleine Gedichte in dramatischer Form« (an W. vo Humboldt 22. 8. 1806). Am 11. 8. 1810 läßt er sich in Teplitz vo Bettina von Arnim Näheres über Charakter und Schicksal ihre Freundin erzählen (Tagebuch), und am 6. 9. 1814, zu Besuch be Franz Brentano in Winkel, zeigt man ihm den Ort ihres Selbst mords (Im Rheingau Herbsttage).

Günther, Johann Christian (1695–1723). Mit dem Werk des spät barocken schlesischen Lyrikers befaßte G. sich 1811 im Hinblick auf den literaturgeschichtlichen Hintergrund von Dichtung un Wahrheit und erkannte ihn in seiner erlebnishaften Gelegenheits dichtung als Vorläufer des Sturm und Drang und seiner selbst: »ei Poet im vollen Sinne des Worts … ein entschiedenes Talent, begab mit Sinnlichkeit, Einbildungskraft, Gedächtnis, Gabe des Fassen

nd Vergegenwärtigens … er besaß alles, was dazu gehört, im Leben
in zweites Leben durch Poesie hervorzubringen … alle Zustände
urchs Gefühl zu erhöhen … Er wußte sich nicht zu zähmen, und
o zerrann ihm sein Leben wie sein Dichten.« (*Dichtung und Wahr-
eit* II,7). Mit dieser oft zitierten und bewunderten Charakteristik
ahnte G. einer neuen, gerechteren, nunmehr literarischen, nicht
ur moralischen Beurteilung des Dichters in dem von ihm aufge-
eigten Sinne den Weg.

B. Seuffert, G. über J. Chr. G., GJb 6, 1885.

Günther, Wilhelm Christoph (1755–1826). Der von Herder ge-
örderte Oberkonsistorialrat und Hof- und Garnisonsprediger an
er Jakobskirche in Weimar, die nach dem Brand des Schlosses mit
er Schloßkapelle von 1774 als Hof- und Garnisonskirche galt,
raute auf G.s schriftliche Bitte vom 17. 10. 1806 am 19. 10. 1806
G. und Christiane in der Sakristei der Jakobskirche, da deren Kir-
henschiff nach der Schlacht bei Jena und Auerstedt als Lazarett
iente. Vgl. →Ehe, →Goethe, Christiane von.

Guercino, Giovanni Francesco Barbieri, gen. Il Guercino (1591–
666). Von dem Schüler L. Carraccis und Meister der Bologneser
Malerschule sah G. am 17. 10. 1786 in dessen Heimatstadt Cento
. a. die Gemälde »Noli me tangere« (1629), »Madonna mit Kind«
nd »Segnendes Christuskind«, am 19. 10. 1786 in Bologna die
Beschneidung Christi« (1646), am 3. 11. 1786 in Rom (Quirinal)
as »Begräbnis der Hl. Petronilla« (1621), schließlich 1814 in Frank-
urt bei J. F. Städel über ein Dutzend Zeichnungen. G.s anhaltende
Iochschätzung des Künstlers (*Italienische Reise* 17. 10. 1786 u. ö.)
ntspricht durchaus der Tradition der klassischen Kunstlehre; nur
ie realistische Darstellung von Wunden und Beschneidungen
mpfindet er stets als »unleidlich«. G.s Sammlung enthielt mehrere
kizzen und Handzeichnungen von Guercino sowie Stiche nach
einen Gemälden; für eine Ölskizze »Christi Leichnam mit vier an-
etenden Engeln« dankt er am 1. 6. 1817 J. F. Rochlitz. Vgl. →Arka-
lien.

Guido →Reni, Guido

Gujer, Jacob, gen. Kleinjogg, Klijogg (1710–1785). Der Schweizer
philosophische Bauer«, der auf seinem Mustergut Katzenrütihof
ei Zürich durch intensive Bewirtschaftung die Bodenerträge ver-
ielfacht hatte, war durch H. C. Hirzels Schrift *Die Wirtschaft eines
hilosophischen Bauers* (1761) als Idealfigur der Rousseauschwärme-
ei berühmt geworden. G. war er durch Lavaters *Physiognomische
Fragmente* und einen gedruckten Brief über Herders *Älteste Urkunde
es Menschengeschlechts* vertraut, den ihm F. von Hesse vermittelt
atte. Auf der 1. Schweizer Reise besuchte er ihn mit Lavater und

den Stolbergs am 12. 6. 1775, fand ihn »eins der herrlichsten Ge
schöpfe, wie sie diese Erde hervorbringt« (an S. von La Roche 12. 6.
1775) und wiederholte den Besuch auf der 2. Schweizer Reise
1779 mit Carl August. G. mag hier wohl erstmals mit Problemen
der Landwirtschaft, ihrer Verbesserung und Ertragssteigerung in
Berührung gekommen sein.

Gustedt, Jenny von →Pappenheim, Jenny von

Die guten Weiber. Der kleine Prosadialog entstand am 22.–27. 6.
1800 auf die Bitte Cottas um erklärende Texte zu einer Serie von
zwölf recht mäßigen, karikierenden Kupferstichen L. F. Catels von
»bösen Weibern« als Verkörperungen der Frauenlaster, die im
Taschenbuch für Damen auf das Jahr 1801 erschienen. Eine echte Ge
legenheits- und Auftragsarbeit also, derer sich G. mit Charme, Witz
und Eleganz entledigt: Statt Erklärungen zu liefern wie die Lich
tenbergs zu Hogarth, läßt er eine fiktive Gesellschaft über die Stiche
debattieren, bringt seine eigenen Vorbehalte gegen zu erklärende
Stiche in die Konversation ein, greift nur vorübergehend den Vor
schlag der Gesellschaft auf, als Gegenbilder zu den »bösen Weibern
ebensoviele gute Frauen zu schildern, verbindet Themen wie seine
Aversion gegen Hunde und Probleme der Frauenemanzipation mit
Anekdoten und Kurzgeschichten und läßt schließlich, da keine Ei
nigung über das rechte Vorgehen zustandekommt, anstelle der ver
langten Erklärungen ein Protokoll der Gespräche selbst drucken.
Der charmante Konversationston der Erzählung verdiente mehr
Aufmerksamkeit, als eine auf Bedeutsamkeit abhebende Literatur
wissenschaft ihr gewährt.

B. Seuffert, G.s Erzählung D. g. W., GJb 15, 1894; E. Castle, G.: Die guten Frauen,
ChWGV 57, 1953; H. Praschek, F. L. Catel, nicht J. H. Ramberg, Goethe 30, 1968;
K.-P. Hinze, G.s Dialogerzählung D. g. W., Neophil 56, 1972.

Hackert, Jakob Philipp (1737–1807). Der bedeutende deutsche
Landschaftsmaler lebte und wirkte 1768–86 meist in Rom, 1770
und 1786–99 als Hofmaler des Königs Ferdinand IV. in Neapel und
ab 1799 in Florenz. G. lernte ihn am 28. 2. 1787 kennen, als er ihn
mit Tischbein in seiner Stadtwohnung in einem Flügel des Palazzo
Francavilla (heute Palazzo Cellamare) in Neapel besuchte. Am
14.–16. 3. 1787 besuchte G. ihn in seiner anderen Wohnung im
alten Schloß von Caserta, bewunderte seinen Kunsteifer, seine Ge
selligkeit und persönliche Anziehungskraft (»Auch mich hat er ganz
gewonnen«, *Italienische Reise* 15. 3. 1787) und wurde durch ihn bei
Sir W. →Hamilton eingeführt. Hackert lenkte G.s Zeichenstudien
im Hinblick auf Bestimmtheit, Sicherheit und Klarheit des Kunst
werks und erklärte ihm »Sie haben Anlage, aber sie können nicht
machen«; nach 18monatigem Unterricht bei ihm könne er sich we
sentliche Fortschritte versprechen (ebd. 15. 3. und 16. 6. 1787; zu

ckermann 10. 4. 1829). Nach der Sizilienreise sah G. ihn im Mai 787 in Neapel und im Juni 1787 bei einem Aufenthalt in Rom vieder; zwei Wochen gemeinsamen Landschaftszeichnens in Tivoli inter Hackerts Anleitung bildeten den Höhepunkt von G.s künstlerischen Bemühungen. G. erwog noch im August 1787, wieder ach Neapel zu gehen und »Hackerts Unterricht zu genießen« *Italienische Reise* 11. 8. 1787), doch der Kontakt blieb nur brieflich nd durch den Besuch Anna Amalias bei Hackert 1789 erhalten. G.s ammlung enthält mehrere Handzeichnungen seines bedeutend- ten Künstlerfreundes in Italien. Hackerts naturgetreue Veduten, opographische Ansichten und effektvoll inszenierte, harmonische andschaften, die an den Fürstenhöfen Europas gefragt waren, be- influßten zwar G.s klassizistische Kunstauffassung in Italien, ver- ninderten jedoch nicht seine Vorliebe für idealisierend-poetische andschaften wie die von Claude Lorrain oder Gaspard Dughet. In iesem Sinn besprach G. 1804 lobend zwei italienische, »treu nach er Natur gemalte Ansichten« Hackerts, die für das Weimarer chloß bestimmt waren (*Zwei Landschaften von Philipp Hackert*, in *naische Allgemeine Literaturzeitung* Nr. 19 und 20, 1804). Im Brief om 4. 4. 1806 regte G. Hackert zur Abfassung einer Autobiogra- hie und deren Übersendung an ihn an. Nach Hackerts Tod am 8. 4. 1807 erhielt er laut dessen letztwilliger Verfügung am 5. 6. 807 seinen literarischen Nachlaß mit biographischen Aufzeich- ungen, um seine Biographie zu schreiben. Diese, mehr Heraus- eberarbeit und Redaktion als selbständige Biographie, bereichert m eine Abhandlung J. H. Meyers über Hackerts Kunstcharakter, ntstand 1807 und besonders 1810 (*Tag- und Jahreshefte* 1807, 1810) nd erschien 1811 u. d. T. *Philipp Hackert. Biographische Skizze, meist ach dessen eigenen Aufsätzen entworfen von G.* Sie ist zugleich anti- omantisches Bekenntnis zur klassischen Landschaftsmalerei. Die rbeit daran regte G. zur Niederschrift seiner eigenen Biographie 1 *Dichtung und Wahrheit* an (ebd. 1811). Vgl. auch *Dichtung und Vahrheit* IV,20 und *Landschaftliche Malerei.*

B. Lohse, J. P. H., 1936; R. Gould, »P. H. « as Goethean biography, CGP 6, 1978; I. Miller, G.s Begegnung mit J. P. H., in: Die vier Jahreszeiten im 18. Jahrhundert, 986; R. H. Seiler, J. W. G. über J. P. H., GJb 104, 1987; W. Krönig/R. Wegner, J. P. H., 94; C. Nordhoff/H. Reimer, J. P. H., Werkverzeichnis II 1994; Lehrreiche Nähe: G. nd H., hg. N. Miller 1997.

Jacquet, Belsazer (1739–1815). Auf das Reisewerk des Lember- er Professors für Naturgeschichte *Physikalisch-politische Reise auf die Dinarischen, Julischen, Kärntner, Rätischen und Norischen Alpen, gemacht* **i** *den Jahren 1781 und 1783* (1785) beziehen sich G.s geologische emerkungen in der *Italienischen Reise* vom 7. und 14. 9. 1786.

Händel, Georg Friedrich (1685–1759). Unspezifizierte Werke des eutsch-englischen Komponisten gehörten seit 1815 zum Stan- ard-Repertoire, das sich G. immer wieder von J. H. F. Schütz und

F. Mendelssohn vorspielen ließ. Am 20. 1. 1780 hatte er bereits *Alex anders Fest*, am 7. 1. 1781 den *Messias* in Weimar gehört. Im Brief wechsel mit Zelter, dessen traditionelle Musikvorliebe in Bach un(Händel gipfelt, erfährt G. von Händels Oper *Samson* (31. 12 1829–Januar 1830), dem Oratorium *Judas Makkabäus* (24. 1. 1828 und dem *Tedeum* (29. 1. 1831). Mit angeregt durch Rochlitz' Er örterung (in *Für Freunde der Tonkunst* I, 1824; vgl. G.s Rezension) konzentriert sich G.s Interesse im März 1824 auf den *Messias*, de(ihm Weimarer Musikfreunde unter Leitung Eberweins am 16. 3 1824 und auszugsweise am 14. 4. 1824 vortragen, was zu einer aus führlichen Korrespondenz mit Zelter (8.–28. 3. 1824) führt.

S. Goodman, G. and H., PEGS 23, 1954.

Händel (Hendel), Samuel →*An den Kuchenbäcker Händel*

Häring, Georg Wilhelm Heinrich →Alexis, Willibald

Hafis, »der den Koran auswendig weiß«, eig. Shamsò d'-Di(Mohammad (1326–1390). G. lernte, abgesehen von einzelnen Ge dichten, das Gesamtwerk (*Divan*) des bedeutendsten persische(Lyrikers seit dem 7. 6. 1814 in der Übersetzung von J. von Hamme (II 1812–13) in Berka kennen, die er im Juli/Oktober 1814 auc(auf die Rheinreise mitnahm, und gewann aus ihm starke Anregun gen zu eigenem Schaffen (*Tag- und Jahreshefte* 1815). Gleichzeiti(entstanden die ersten Gedichte des späteren *West-östlichen Divan*. Nach erneuter Beschäftigung mit Hafis auch anhand des rationa listischen Kommentars von W. Jones (1787) in Weimar im Novem ber/Dezember 1814 erkannte G. in dem »persischen Horaz«, seine(Formkunst, seiner Verbindung von Trink- und Liebesdichtung mi(mystisch-geheimnisvollem Tiefsinn zu symbolischer Dichtung, sei ner »skeptischen Beweglichkeit« und in seinen Attacken auf de(Klerus einen Geistesverwandten, den er im *Divan* als Vorbild un(angesprochenen Vertrauten verehrt (»Unbegrenzt«) und den er a(den ihm am nächsten stehenden östlichen Dichter zum Spreche(seiner eigenen Anverwandlung östlicher Weisheit und Weltfreud(macht, ohne mit der Verskunst seiner Ghaselen wetteifern zu wol len. Das »Buch Hafis«, »der Charakterisierung, Schätzung, Ver ehrung dieses außerordentlichen Mannes gewidmet«, setzt di(west-östliche Begegnung in ein Zwiegespräch beider Dichter un(und zielt damit zugleich auf eine allgemeine Deutung des Dichter tums. In G.s Nachlaß fand sich ferner das Gedicht »Hafis, dir sic(gleich zu stellen«. G.s eigenes Porträt des Dichters in den *Noten un(Abhandlungen* zeigt gegenüber der Dichtung schon das Ergebn(detaillierterer Forschung.

E. H. Zeydel, G. and H., MDU 49, 1957; U. Wertheim, Von Tasso zu Hafis, 196(u. ö.; J. C. Bürgel, G. und H., in ders., Drei H.-Studien, 1975.

Hagedorn, Christian Ludwig (1712–1780). Den Bruder des
Dichters F. von →Hagedorn, Diplomaten, Ästhetiker (*Betrachtungen
über die Malerei*, II 1762), Radierer und seit 1763 Generaldirektor
der sächsischen Kunstanstalten, der Gemäldegalerie in Dresden und
der Kunstakademien in Dresden und Leipzig, lernte G. im März
1768 kennen, als er ihm bei seinem zweiwöchigen Ausflug von
Leipzig zu den Kunstschätzen Dresdens in der Dresdner Gemäldegalerie vorgestellt wurde. Hagedorn zeigte ihm auch seine private
Kunstsammlung und weidete sich »an dem Enthusiasmus des jungen Kunstfreundes«, besonders für eine niederländische Landschaft
von H. van Swanevelt (*Dichtung und Wahrheit* II,8). G. besaß später
neun Landschaftsradierungen von Hagedorn.

Hagedorn, Friedrich von (1708–1754). Das Werk des bedeutendsten deutschen Anakreontikers war G. schon in der Jugend aus der
Bibliothek des Vaters vertraut (*Dichtung und Wahrheit* I,2) und beeinflußte als Muster G.s Rokokolyrik der Leipziger Lieder. Noch
von Frankfurt aus kündigt er am 12. 12. 1769 K. Schönkopf einen
Hagedorn-Band an in der Hoffnung, sie würde »Gefallen an diesem liebenswürdigen Dichter finden«. In seiner Jugend war es G.s
Wunsch, einmal neben Hagedorn und Gellert genannt zu werden
(ebd. II,6). Dieser Wunsch hat sich nicht erfüllt. Beim Durchblättern
eines Gymnasiallesebuchs stellte G. unbefangen fest: »Als Muster für
die Jugend bin ich weniger als Gellert, Lichtwer, Hagedorn zu gebrauchen« (zu J. S. Grüner 5. 9. 1821).

W. v. Biedermann, H., ein Vorbild G.s, in ders., G.-Forschungen 3, 1899.

Hagen, Carl Ernst von (1750–1810). Der Landrat und Rittterguts-
besitzer auf Nienburg bei Halberstadt war ein als »der tolle Hagen«
bekannter barocker Sonderling. Über seinen Besuch bei ihm am
9. 8. 1805 mit F. A. Wolf, Probst H. P. K. Henke und August von G.
berichtet G. amüsant in den *Tag- und Jahresheften* von 1805. Allerdings weicht diese am 9./10. 6. 1825 aus 20jähriger Distanz geschriebene, schwankhafte Erzählung nicht unwesentlich von der
noch späteren Darstellung ab, die Friedrich Weitze, damals Hauslehrer bei von Hagen, in seinem *Rückblick eines evangelischen Pfarrers*
(1841) gibt.

L. Volkmann, Der tolle Hagen, 1936.

Hagen, (Ernst) August (1797–1880). Das Stanzenepos *Olfried und
Lisena* (1820) des Königsberger Schriftstellers und späteren (1825)
Professors für Literatur- und (1830) Kunstgeschichte las G. am
14–15. 8. 1820, fand daran Gefallen (*Tag- und Jahresheft* 1820), besprach es anerkennend am 12. 9. 1820 (*Über Kunst und Altertum* III,1
und 3) mit Abdruck einer Würdigung von K. E. Schubarth und
empfahl die Lektüre seinen Freunden (Boisserée, Zelter, M. von

Willemer u. a.; vgl. auch Vorwort zu J. Ch. Sachse, *Der deutsche G*
Blas, 1822, und zu Eckermann 18. 9. 1823). Der Autor besuchte G
in Weimar am 20./21. 11. 1821.

Hagen, Friedrich Heinrich von der (1780–1856). Der Altgerma
nist, 1810 Professor in Breslau, seit 1824 in Berlin, wußte durcl
eine methodisch zwar unhaltbare Herausgebertätigkeit altdeutsche
Dichtungen in Einzelwerken (*Nibelungenlied*, 1807) oder Sammel
bänden (*Deutsche Gedichte des Mittelalters*, 1808; *Buch der Liebe*, 1809
Heldenbuch, 1811 u. a.) das Interesse breiterer Kreise an seinem Fad
zu gewinnen. Er sandte g. viele seiner Ausgaben, die dieser wie
derum besonders im November 1808/Februar 1809 in der Mitt
wochsgesellschaft vorlas. G.s Briefe spiegeln seine wachsend«
Anteilnahme an der deutschen Dichtung des Mittelalters. G. lobt
auch die von ihm mitherausgegebene Übersetzung von *1001 Nach*
(XV, 1824 f.) und besprach diejenige von *1001 Tag* (XI, 1826 f.) ii
Über Kunst und Altertum (VI,2, 1828). Am 22. 5. 1823 besuchte vo1
der Hagen G. in Weimar.

E. Jenny, G.s altdeutsche Lektüre, 1900.

Haide, Friedrich Johann (eig. Halt von der Heide, 1771–1832)
Der Ex-Medizinstudent und Schauspieler spielte seit 1793 ii
Weimar erst Liebhaber-, dann Helden-, schließlich Väterrollen
Gebildet, von imposanter Figur und Stimme, doch von erregbaren
Temperament gelegentlich zu Übertreibungen hingerissen, wurd«
er durch G.s strenge Schule so sehr im Weimarer Stil geprägt, dal
ein einjähriges Engagement am Wiener Burgtheater 1807 fehl
schlug und er nach Weimar zurückkehrte. Der Freund Schiller
errang als Tell bei der Weimarer Uraufführung am 17. 3. 1804 sei
nen größten Erfolg. G., der ihn mehrfach lobte, ihn gelegentlich z
Mittag in sein Haus zog und für ihn eintrat, ließ ihn von Schmel
ler für seine Sammlung zeichnen.

Haimonskinder. Das Volksbuch französischen Ursprungs *Die vic*
Haimonskinder (deutsch 1531) gehörte zur frühen Jugendlektüre G.
(*Dichtung und Wahrheit* I,1). Bei der Wetzlarer →Rittertafel wurde e
zum »kanonischen Buch« erhoben, dessen Abschnitte bei Zeremo
nien feierlich verlesen und von G. als Perikopen festgelegt wurde
(ebd. III,12). Die beiden Grafen Stolberg, Graf Haugwitz und C
nannten sich auf ihrer Schweizer Reise 1775 in Parallele zu de
vier in die Welt hinausreisenden Haimonskindern ebenfalls »di
vier Haimonskinder«, und nach deren Mutter im Volksbuch hie
G.s Mutter bei ihnen (mit dem schon 1774 belegten Scherznamer
Frau →Aja (ebd. IV,18 mit anderer Begründung).

Hain, Hainbund →Göttinger Hain

Halberstadt. Die durch den Halberstädter Freundeskreis J. W. L.
›Gleims literarisch bedeutende Stadt besuchte G. auf der 2. Harz-
eise am 14. 9. 1783 mit Fritz von Stein und stattete Gleim, zu dem
r ein recht distanziertes Verhältnis hatte, einen Höflichkeitsbesuch
b. Bei einem zweiten, längeren Aufenthalt in Halberstadt mit
A. Wolf und August von G. in der 2. Augusthälfte 1805, nach
Gleims Tod, besichtigte er den Dom, das Gleimhaus mit Gleims
Freundschaftstempel« und seinem Grab und machte die Bekannt-
chaft von dessen Biographen W. Körte und von Gleims Nichte
ophie Dorothea Gleim (*Tag- und Jahreshefte* 1805).

Halle. Trotz anfänglicher Abneigung gegen das von Spener und
rancke her noch teilweise pietistische Milieu der alten Salz- und
Universitätsstadt besuchte G. sie 1802–05, nachdem sich das
reundschaftliche Verhältnis zu Reichardt in →Giebichenstein bei
Halle ergab, mehrfach, teils von Giebichenstein oder von Bad
Lauchstädt aus, und verkehrte gern gesellig und wissenschaftlich
mit den dortigen Professoren, besonders F. A. Wolf (Klassische Phi-
ologie), A. H. Niemeyer (Theologie), J. C. von Loder (Anatomie),
. W. Gilbert (Physik/Chemie), J. C. Reil (Medizin), K. P. J. Sprengel (Botanik) u. a., machte dort die Bekanntschaft von Oehlen-
chläger und Schleiermacher, besuchte den Botanischen Garten, die
anatomischen Sammlungen, die Franckeschen Stiftungen und die
Bergwerke der Umgebung. Die einzelnen Aufenthalte: 22.–24. 5.
802 in Giebichenstein, 9.–20. 7. 1802 Halle und Giebichenstein,
.–9. 5. 1803, 17. 8.–3. 9. 1804 Lauchstädt und Halle, 12.–14. 8.
805 (bei F. A. Wolf; Vorträge von Wolf, Steffens und F. J. Gall zur
chädellehre; vgl. *Tag- und Jahreshefte* 1805). Seit Halle auf Betreiben
. C. Reils auch Badeort geworden war, gastierte das Weimarer
Hoftheaterensemble 1811–14 von Bad Lauchstädt aus auch in
Halle, und G. schrieb am 17.–26. 7. 1811 einen *Prolog* zur Eröffnung
les neuerbauten Theaters in Halle am 6. 8. 1811 und entwarf auf
Bitten der Kurdirektion am 5.–24. 5. 1814 für die Eröffnung der
neuen Spielzeit des Weimarer Theaters in Halle eine Fortsetzung
les Vorspiels *Was wir bringen* von 1802, das zugleich eine Totenfeier
ür J. C. Reil war; die Ausführung des am 7. 6. 1814 gespielten Vor-
piels überließ er Riemer.

  H. Schulz, G. und H., 1918; E. Groß, G. und das Hallische Theater, 1929; H. Schulz,
G. und sein hallischer Freundeskreis, in: G. als Seher und Erforscher der Natur, hg.
  Walther 1930; H. Freydank, G. und H., 1932.

Haller, Albrecht von (1708–1777). Der Einfluß des berühmten
und vielgeehrten Schweizer Dichters und universalen Gelehrten
der Aufklärung scheint immer wieder in G.s Werk durch. Die
ugendlektüre des *Versuchs Schweizerischer Gedichte* (1732) aus des
Vaters Bibliothek ergab ein Stilvorbild des Leipziger Studenten
Dichtung und Wahrheit I,2 und II,7); der Naturwissenschaftler er-

regte in G.s Leipziger Zeit sein Interesse (ebd. II,6). Hallers Staatsroman *Usong* (1771) lieferte das Motto für den *Urgötz*, und da
Lehrgedicht *Die Alpen* (1729) gilt noch in *Wilhelm Meisters Wander*
jahre (III,13) neben Geßners *Idyllen* und Kleists *Frühling* als An
regung zur Betrachtung erhabener Natur. »Dem Physiker« Halle
schließlich und einem Zitat aus seinem Lehrgedicht *Die Falschhei*
menschlicher Tugenden (1730, v. 289 f.) widerspricht G.s Gedich
Allerdings (1820) mit dem Hinweis auf die Zusammengehörigkei
von Innen und Außen.

Halsbandaffäre. Die Skandalgeschichte ist im Grunde eine banal
und fast unglaubhafte, jedoch wahre Betrüger- und Hochstapler
geschichte aus der französischen Hofgesellschaft von 1785/86. De
sittenlose, verschwenderische Kardinal Louis de Rohan ist vo
einer unseligen Leidenschaft zur Königin Marie Antoinette erfaßt
die ihn verachtet. Die geschickte Betrügerin, angeblich Gräfin unc
Vertraute der Königin, Jeanne de la Motte-Valois überzeugt ihn, e
könne mit ihrer Hilfe die Gunst der Königin erlangen, indem e
insgeheim in ihrem Namen ein sehr kostbares Diamantenhalsban
für 1,6 Millionen Livres für sie erwerbe und ihr durch sie zukom
men lasse. Rohan unterzeichnet einen Kaufvertrag auf Raten
nachdem er eine (gefälschte) Bürgschaft der Königin erhalten hat
empfängt das Halsband und übergibt es der Pseudo-Gräfin, die e
angeblich der Königin weiterreicht, in Wirklichkeit jedoch di
Steine einzeln erst in Paris, dann in London verkaufen läßt. Als di
Juweliere die erste fällige Rate bei der nichtsahnenden Königi
einklagen, wird Rohan gefangengesetzt, aber im Prozeß freigespro
chen. Die Affäre schädigt außerordentlich den Ruf der ebenso unschuldigen wie ahnungslosen Königin und untergräbt das Vertraue
auf sie, indem das Volk ihrer erwiesenen Unschuld keinen Glaube
schenkt. Sie erscheint weiten Kreisen als symptomatisch für Korruption, Leichtfertigkeit und sittlichen Verfall der Aristokratie un
beschleunigt den Sturz des Ancien Régime. G. nahm sie nich
als amüsant-frivole Hofgeschichte, sondern erkannte sie früh al
Symptom der innerlich morschen Adelsgesellschaft und der verfallenden Monarchie; er war erschüttert und außer sich über den »unsittlichen Stadt-, Hof- und Staatsabgrund« als Vorzeichen für de
Sturz des Königtums und die Revolution (*Tag- und Jahreshefte* 1789
Campagne in Frankreich). Er plante zunächst 1787 eine Opera buff
→*Die Mystifizierten* nach dem Stoff, gestaltete ihn jedoch dann -
unter Einbeziehung des zwar unbeteiligten, aber anfangs verdäch-
tigten →Cagliostro – zur Komödie →*Der Groß-Cophta* (1791)
Schiller verwandte Motive der Affäre im *Geisterseher*. Weitere Bearbeitungen des Stoffes gaben u. a. die Romane von A. Dumas d. Ä
Le collier de la reine (IX 1849/50) und L. Dill *Kardinal und Königi*
(1947), die Erzählungen von W. Schäfer *Die Halsbandgeschicht*
(1910) und A. Lernet-Holenia *Das Halsband der Königin* (1962

owie die Dramen von K. Bleibtreu *Das Halsband der Königin* (1890)
nd J. Mary/P. Decourcelle *Le collier de la reine* (1894).

L. Hastier, La vérité sur l'affaire du collier, Paris 1955.

Hamann, Johann Georg (1730–1788). Ohne persönliche Begeg-
ung oder brieflichen Kontakt mit G. wirkte der »Magus im Nor-
len«, vielseitige Gelehrte und philosophische Schriftsteller in Kö-
igsberg, theoretische Wegbereiter des Sturm und Drang und des
rationalismus stark besonders auf den jungen G. Obwohl seine an-
pielungsreichen »sibyllinischen Blätter« (*Dichtung und Wahrheit* II,8
nd 10) in ihrer »sonderbaren Sprachhülle« (*Tag- und Jahreshefte*
806) G. z. T. dunkel blieben, beeinflußte er wesentlich seine Hin-
vendung zu Homer und Shakespeare, seinen Geniebegriff, seine
Abneigung gegen die Regeln und insbesondere G.s Sprache, Stil,
Rhythmus, Bildwelt und Wortschatz (*Dichtung und Wahrheit* III,12),
o etwa den dithyrambischen Stil in *Von deutscher Baukunst* (1772).
Hamanns Schüler Herder wies G. in Straßburg 1770/71 auf sein
Werk hin (ebd. II,10), und G. las dort und 1772–75 in Frankfurt,
vieder angeregt durch S. von Klettenberg und F. K. L. von Moser,
lle ihm erreichbaren Schriften Hamanns, bestellte sich im Oktober
775 seine Schriften aus Leipzig und besaß später eine »meist voll-
tändige Sammlung seiner Schriften« (ebd. III,12) sowie einige
Briefe und Autographen. In Neapel verglich G. am 5. 3. 1787 die
Bedeutung Hamanns mit der G. Vicos (*Italienische Reise*). Beim
Besuch in Münster Anfang Dezember 1792 stand er vor Hamanns
Grab im Garten der Fürstin Gallitzin (*Campagne in Frankreich*). G.
eschäftigte sich auch späterhin häufig mit seinem Werk, so 1794,
m März 1806, am 24.–26. 2. 1810, 1812, am 23.–26. 11. 1818 und
820. Um 1812 plante G. eine Ausgabe der Schriften Hamanns
(*Dichtung und Wahrheit* III,12), unterstützte dann aber 1819 die Ausgabe von F. Roth (IX 1821–43), indem er sich ausführlich zu den
Problemen der Ausgabe äußerte (an Nicolovius 7. 1. 1815, 11. 7.
819; an W. Dorow 30. 11. 1818) und seine Sammlung seltener
Drucke mit handschriftlichen Korrekturen Hamanns zur Verfügung
tellte. Das Vorbild Hamanns für G.s *Satyros* ist umstritten. Vgl. *Dich-
ung und Wahrheit* III,12; zu F. von Müller 18. 12. 1823.

J. Nadler, H., Kant, G., 1931; M. Jakot, G. und H., Diss. Wien 1936; T. C. van
tockum, G. und H., Neophil 42, 1958; A. Henkel, G. und H., Euph 77, 1983.

Hamburg. Die Hansestadt, die G. nie sah und die auch in seinem
Werk keine Rolle spielt, war ihm, von einzelnen Besuchern aus
Hamburg und Hamburgern in seinem Bekanntenkreis abgesehen,
ur als Theaterstadt durch das Hamburger Nationaltheater von
nteresse, über das er aus Lessings *Hamburgischer Dramaturgie* und
päter mündlich durch F. L. Schröder unterrichtet war.

J. Kießner, Beziehungen G.s zu H., 1912; G. Wahl, G. und H., ZfB 3, 1934.

Hameln   →Rattenfänger von Hameln

Hamilton, Lady Emma (1765–1815). Die schöne, leichtlebige Emma Lyons alias Hart aus niederen Verhältnissen, Malermodell für G. Romney, war 1786 von ihrem Londoner Geliebten an seinen Onkel in Neapel, Sir William →Hamilton, abgetreten worden, der sich daran ergötzte, seine Mätresse in ihren »Attitüden« verschiedene Posen und Gesten mit zwei Schleiern einnehmen zu lassen oder Vasenbilder, Skulpturen oder Gemälde zu verlebendigen, sie in solchen meist antikisierenden Schaustellungen auch seinen Gästen vorführte und sie von zahlreichen Malern der Zeit malen ließ, so von A. Kauffmann, T. Lawrence, Mme Le Brun, F. Rehberg, J. Reynolds und W. Tischbein (mehrfach, u. a. in »Iphigenie und Orest«) Nachdem Sir Hamilton sie 1791 in 2. Ehe geheiratet hatte, wurde sie 1798 die Geliebte Lord Nelsons, gab Anlaß zur vielbesprochenen »ménage à trois« und starb in Armut. G. wurde Mitte März 1787 durch Hackert bei Hamilton in Caserta eingeführt, verkehrte dort vor und nach seiner Sizilienreise und durfte ihre »Attitüden« und ihren Gesang mehrfach bewundern. Er beschreibt sie bei aller Anerkennung ihrer Schönheit (»Sie ist sehr schön und wohl gebaut«) als »ein geistloses Wesen« und schildert das merkwürdige Verhältnis und die Schaustellungen eher amüsiert und ironisch (*Italienische Reise* 16. und 22. 3., kritisch 27. 5. 1787 und Bericht Juli 1787 »Störende Naturbetrachtungen«). Im September 1816 las G. bewegt Lord Nelsons Briefe an sie.

W. Sichel, Emma Lady H., London 1905; B. Field, Bride of glory, New York 1942 O. Warner, Emma H. and Sir William, London 1960; N. Lofts, Emma H., London 1978 C. Simpson, Emma, London 1983.

Hamilton, Sir William (1730–1803). Der aus schottischem Hochadel stammende englische Gesandte (seit 1764) am Hof von Neapel, eine wichtige Stütze des Königshauses und seit 1791 Gatte der Emma →Hamilton, besaß neben seinem Stadthaus, Palazzo Sessa die Villa Emma am Posilipp und andere Landhäuser und war zugleich ein international berühmter Kunst- und Antikensammler und -kenner, der seine erste Vasensammmlung, teils aus (Raub-Ausgrabungen in Pompeji und Herculaneum, 1772 an das Britische Museum verkauft hatte und seine zweite Sammlung von W. Tischbein (IV 1791–95) aufnehmen ließ. G. wurde im März 1787 durch Hackert bei ihm eingeführt, verkehrte auch nach der Rückkehr von Sizilien gesellig in seinem Haus und besichtigte am 27. 5. 1787 seine Kunstsammlungen. Die *Italienische Reise* (16. und 22. 3., 27. 5 1787) berichtet etwas ironisch über seine Wandlung vom Kunstliebhaber zum Mädchenfreund und Schausteller seiner Geliebten der »pantomimischen Mätresse« (H. Walpole).

B. Fothergill, Sir W. H., 1971; C. Knight, H. a Napoli, Neapel 1990.

Hamlet. Der Held von Shakespeares gleichnamigem Drama und das Stück selbst als Bildungsmacht sind anläßlich der Proben und einer Aufführung wiederkehrender Gegenstand von Gesprächen zwischen Wilhelm, Aurelie und Serlo innerhalb der Schauspieler-gesellschaft in *Wilhelm Meisters Lehrjahre* (4.–5. Buch, auch schon *Wilhelm Meisters theatralische Sendung* 6,7–10). Auf dem Weimarer Theater wurde G.s Inszenierung des *Hamlet* am 28. 1. 1792 erstauf-geführt. Eine Übersetzung der Hamlet-Geschichte nach Saxo Grammaticus, *Amlets Geschichte*, begann G. am 14./15. 6. 1797 (an Schiller 14. 6. 1797).

Ch. Tomlinson, On G's proposed alterations in Shakespeare's H., PEGS 5, 1890; W. Diamond, Wilhelm Meister's interpretation of H., Modern Philology 23, 1925 f.; H. Friese, Zu G.s H.erklärung, Zeitschrift für neusprachlichen Unterricht 37, 1938; H. J. Lüthi, Das deutsche H.bild seit G., 1951; D. Roberts, Wilhelm Meister and H., PEGS 45, 1974 f.; M. E. Bonds, Die Funktion des H.-Motivs in Wilhelm Meisters Lehrjahre, GJb 96, 1979; D. Roberts, The indirections of desire. H. in G's Wilhelm Meister, 1980; J. W. Marchand, A milestone in H. criticism, in: G. as a critic of literature, hg. K. J. Fink, Lanham 1984; B. Greiner, Puppenspiel und H.-Nachfolge, Euph 83, 1989; P. Cersowsky, Von der Anthropologie zur Kunst, Archiv 229, 1992; R. E. Dye, Wilhelm Meister and H., GYb 6, 1992.

Hammer, Joseph von, ab 1835 Freiherr von Hammer-Purgstall (1774–1856). Der österreichische Diplomat im Orient, 1811 mit zehn Fremdsprachen Hofdolmetscher in Wien, machte sich als Orientalist, obzwar von H. J. von Diez heftig kritisiert, verdient um die Kenntnis der arabischen, persischen und türkischen Kultur und Geschichte. Seine Übersetzung des *Divan* von Hafis (II 1812 f.), die G. seit 7. 6. 1814 tief berührt las, gab den Anstoß zum *West-östlichen Divan*. G. kannte ferner u. a. seine *Staatsverfassung und Staatsverwal-tung des osmanischen Reichs* (II 1814), die *Geschichte der schönen Redekünste Persiens* (1818) und *Die Geschichte der Assassinen* (1818). Hammers Zeitschrift *Fundgruben des Orients* (VI 1810–18) mit zahlreichen eigenen Abhandlungen und Übersetzungen wurde 1814/15 G.s ergiebigste Quelle zu Vorstudien für den *West-östlichen Divan*. Vgl. *Noten und Abhandlungen:* »Von Hammer«, *Tag- und Jahreshefte* 1815, 1816, 1818.

W. Bietak, Gottes ist der Orient, 1948; K. Mommsen, G. und Diez, 1961; I. H. Sol-brig, H.-P. und G., 1973; B. M. Elgohary, J. Freiherr v. H.-P., 1979.

Hanau. Die Stadt östlich von Frankfurt war G. seit seiner Jugend durch die Beziehungen seines Vaters zu den dortigen Goldschmie-den und Seidenraupenzüchtern vertraut; auf seinen Reisen nach und von Leipzig und Weimar berührte er sie. Am 27./28. 7. 1814 übernachtete er dort im »Fränkischen Hof«; den Mineralogen K. C. von Leonhard, in dessen *Mineralogischem Taschenbuch* G. publi-zierte, traf er jedoch erst auf der Rückreise bei seinem Aufenthalt in Hanau am 20.–24. 10. 1814 an, besichtigte dessen Mineralien-sammlung, besuchte am 21. 10. den Minister Albini, besichtigte am 22. 10. das Schlachtfeld vom 30./31. 10. 1813 und besuchte abends eine auf seinen Wunsch gegebene Aufführung der Hanauer Lieb-haberbühne. Über die rege Naturforschung in Hanau, die dortigen

Museen und Sammlungen berichtet G. ausführlich in *Kunst und Altertum am Rhein und Main* und deren Anzeige im *Morgenblatt* vom 9.–12. 3. 1816.

G. Bott, G. und H., 1949.

Handschrift. G.s Interesse an Handschriften war nur selten, z. B. zur Zeit des *West-östlichen Divan* unter Einfluß arabischer Beispiele, kalligraphisch orientiert. Gegenüber der Möglichkeit einer wissenschaftlichen Graphologie hegte er große Zweifel (*Tag- und Jahreshefte* 1809; an Preusker 3. 4. 1820; zu Eckermann 27. 1. 1830). Wenn er sich im häuslichen Kreis gelegentlich an Handschriften-deutung versuchte, so geschah dies mehr intuitiv als kritisch-methodisch und oft unter einer Vorgabe von Sympathie (an Cotta 11. 6. 1823; zu Eckermann 2. 4. 1829). Dem Sohn August empfahl er eine lesbare Handschrift (17. 8. 1808). G.s reiche Autographen-sammlung war über eine Art humanistischen Reliquienkults hinaus auch geleitet vom Versuch einer Annäherung und Einstimmung gegenüber den Schreibern.

H.-J. Schreckenbach, G.s Autographensammlung, Katalog 1961; F. Michael, G. als Autographensammler, in ders., Der Leser als Entdecker, 1983.

Handwerk. Durch Aufträge seines Vaters geriet G. in Frankfurt in Berührung mit verschiedenen Handwerken und Werkstätten und lernte sie früh schätzen und ihre Vor- und Nachteile kennen (*Dichtung und Wahrheit* I,4). Seither datiert seine Hochschätzung soliden Handwerks als Basis menschlicher Kreativität, das durch Gewerbe-schulen gefördert werden sollte. Später unterscheidet G. als Stufen das traditionell mechanische Handwerk und das von Kunst und Kunsttalent beeinflußte Kunsthandwerk, das ihm als Hervorbringer des Nützlich-Schicklichen der Kunst nähersteht – wie auch die Kunst selbst die Beherrschung gewisser handwerklicher Praktiken voraussetzt – als Gleichnisse rechten Tuns innerhalb gegebener Fähigkeiten. Entsprechend stellen *Wilhelm Meisters Wanderjahre* (I,4 und 12; II,6; III,3–4 und 12) wiederholt die Forderung nach gründ-lichem Erlernen eines Handwerks als Basis für eventuelle höhere Entfaltung. Vgl. *Kunst und Handwerk* (1797). →Arbeit.

K. Muthesius, G. und das H., 1927; A. Hoffmann, G. und der werktätige Mensch, Goethe 11, 1949; ders., Werktätiges Leben im Geiste G.s, 1950; →Arbeit.

Handzeichnungen. Gemäß dem Grundsatz seines Vaters, »zeich-nen müsse jedermann lernen« (*Dichtung und Wahrheit* I,4), übte G. sich seit seiner Jugend, aber ohne konsequente Anleitung und Schulung, im Zeichnen und hinterließ ein Corpus von an 1800 Handzeichnungen: Juvenilia aus Frankfurt, Zeichnungen aus Leip-zig unter Anleitung Oesers, zahlreiche Skizzen der voritalienischen Weimarer Zeit, Hunderte von Zeichnungen aus Italien und spätere, besonders vom Jahr 1810: vorwiegend Landschaftsskizzen und ana-

:omisch-naturwissenschaftliche Studien, seltener Figuren. In Rom
erst gelangte G. zu der Einsicht, sein zeichnerisches Talent reiche
nicht aus (zu Eckermann 10. 4. 1829), um über einen anerkennens-
werten, ehrlichen Dilettantismus hinauszugelangen. Neben einer
Zahl eigenständiger Blätter steht die Mehrzahl seiner Zeichnungen
unter dem Stileinfluß der jeweiligen Anreger (Oeser, G. M. Kraus,
Tischbein, Hackert, Kniep). Über die eigenen Zeichnungen hinaus
enthält G.s →Kunstsammlung an 2000 Handzeichnungen von
Künstlern aller Zeiten und Schulen. →*Zu meinen Handzeichnungen*.

W. Drost, G. als Zeichner, 1932 u. ö.; A. Federmann, G. als bildender Künstler, 1932;
P. Stöcklein, Sinn und Tragik der zeichnerischen Bemühung G.s, GRM 31, 1943, auch
in ders., Wege zum späten G., 1949; L. Münz, G.s Zeichnungen und Radierungen,
1949; H. Wahl, G. als Zeichner der deutschen Landschaft 1776–1786, 1949 u. ö.; Cor-
pus der G.-Zeichnungen, X 1958–73 u. ö.; H. v. Maltzahn, G. als Zeichner, in: G.,
Hochschulwoche Düsseldorf, 1963; W. Hecht, G. als Zeichner, 1982; J. Klauss, G. als
Zeichner in Italien, 1988; J. Klauss, Der Zeichner G., 1990; G. und die Kunst, hg.
S. Schulze 1994; G.: Zeichnungen, hg. P. Maisak 1996.

Hans Sachsens poetische Sendung.

Hans Sachsens poetische Sendung. Das Knittelversgedicht mit
dem vollständigen Titel *Erklärung eines alten Holzschnittes, vorstellend
Hans Sachsens poetische Sendung* entstand Anfang 1776 und wurde
im April 1776 zusammen mit einem Aufsatz Wielands über Hans
Sachs und zwei Gedichten von Sachs im *Teutschen Merkur* veröffentlicht, dann geglättet in die *Schriften* (1789) übernommen. Es ist
Zeugnis für die Aufwertung und produktive, idealisierende Weiter-
bildng des deutschen Mittelalters in G.s Sturm und Drang-Zeit, die
in Hans Sachs einen Vorläufer des eigenen Strebens nach frischer
Unmittelbarkeit und volkstümlicher Urwüchsigkeit sah. Der fiktive, vorgegebene Holzschnitt gibt den Anlaß, den Meistersinger in
der Welt seiner Themen, Gestalten und Ideale – Ehrbarkeit, Historie, Narrentum und Muse – zu zeigen. 1828 benutzte der Berliner
Intendant Graf Brühl eine von G. erweiterte Form des Gedichts als
Prolog zur Aufführung von →Deinhardsteins Drama *Hans Sachs*.

B. Suphan, Hans Sachs in Weimar, 1894; J. Haustein, Über G.s Erklärung eines alten
Holzschnittes …, Archiv 231, 1994.

Hanswurst →Lustige Person

Hanswurst →Lustige Person

Hanswursts Hochzeit oder der Lauf der Welt.

Hanswursts Hochzeit oder der Lauf der Welt. *Ein mikro-
kosmisches Drama.* Die Fragmente der satirischen Knittelvers-Farce
aus der Sturm und Drang-Zeit entstanden wohl Januar-Ostern
1775 und erschienen erst 1836 in den *Nachgelassenen Werken*, da
eine Veröffentlichung zu G.s Lebzeiten nicht in Frage kam. Angeregt durch Satiren der Spätrenaissance (Rabelais, Fischart u. a.), insbesondere durch ein 1695 von Chr. Reuter bearbeitetes Singspiel
des 17. Jahrhunderts *Harlekins Hochzeitsschmaus* und ein anonymes
Singspiel *Pickelhärings Hochzeit* (1752), demaskieren sie die bürgerliche Doppelmoral und die Erziehung zur Wohlanständigkeit als
Deckmantel der Unmoral: Hanswurst will mit Einverständnis seines

Vormunds Kilian Brustfleck Ursel Blandine heiraten, aber das
Verlangen der jungen Leute nach gegenseitiger Inbesitznahme
kollidiert mit den umständlichen Hochzeitsvorbereitungen. Autobiographische Deutungen sehen das Fragment als Ventil für den
Umgang in der wohlanständig-konventionellen Frankfurter Gesellschaft um Lili Schönemann während der Verlobungszeit und als
ironisch-parodistische Selbstidentifikation mit dem Titelhelden.
Neben dem Einleitungsmonolog und einem Dialog erhielten sich
vor allem endlose Listen von Schimpf- und Ekelnamen als sexual-
und fäkalsprachliche Eruptionen und Provokationen gegen gesellschaftliche Heuchelei. Interessant sind sprachliche und motivische
Parallelen zum etwa gleichzeitig entstandenen *Urfaust*. Vgl. *Dichtung*
und Wahrheit IV,18 und zu Eckermann 6. 3. 1831.

R. Köhler, Harlekins Hochzeit und G.s H. H., ZDA 20, 1876; M. Morris, Prometheus und Hanswurst, in ders., G.-Studien I, 1902; M. Stern, Die Schwänke der Sturm
und Drang-Periode, in: G.s Dramen, hg. W. Hinderer 1980.

Harbke →Veltheim, Röttger, Graf von

Hardenberg, Carl August, Freiherr von, ab 1814 Fürst von (1750–
1822). Der spätere (1791) preußische Minister, (1810) preußische
Staatskanzler und Fortsetzer der liberalisierenden Stein-Harden-
bergschen Reformen studierte gleichzeitig mit G. in Leipzig und
war 1766 sein Mitschüler in den Zeichenstunden bei Oeser. G. traf
ihn im Sommer 1772 in Wetzlar wieder. Als Hardenberg nach der
Völkerschlacht bei Leipzig durch Weimar kam, speiste G. am 29. 10.
1813 bei ihm und sah ihn am 30. 10. bei Hofe. Weitere Begegnungen bleiben unklar; G. spricht von einem »freundlichen Verhältnis«
(an Schubarth 9. 7. 1820) und schrieb ihm zum 70. Geburtstag
(31. 5. 1820) am 26. 3. 1820 zu einem Porträtstich das Gedicht *Dem*
Fürsten Hardenberg (»Wer die Körner …«).

Hardenberg, Friedrich von →Novalis

Harfner, Harfenspieler, auch der Sänger, der Bänkelsänger, der
Alte und Bruder Augustin genannt. Die rätselhafte romantische
Figur des alten, düsteren, ehrwürdigen und einsamen, von einem
gnadenlosen Schicksal geschlagenen, von quälenden Erinnerungen
an vergangene Schuld gepeinigten, verstört auf dem Weg zum
Wahnsinn den Tod als Erlösung herbeisehnenden Harfners in
Wilhelm Meisters Lehrjahre (1795/96, II,11 ff.) ist ein urtümliches
Symbol des sich in Leben und Kunst verzehrenden romantischen
Dichtertums und fand entsprechend starken Anklang und Nachahmung im romantischen Künstlerroman. Mit →Mignon, die sich
später (VIII,9) als seine Tochter aus einer inzestuösen Verbindung
mit seiner Schwester Sperata erweist, begleitet er Wilhelm Meister
durch die Theaterwelt, bis dieser sich dem bürgerlichen Pflichten-

kreis zuwendet. Die Figur war – allerdings ohne die Vorgeschichte
– schon in *Wilhelm Meisters theatralische Sendung* (entstanden 1783)
angelegt, als G. am 7. 9. 1786 auf der Reise nach Italien am Walchensee einer realen Verkörperung des Harfenspielers begegnete
und auf dessen Bitte seine 11jährige Tochter ein Stück Weges im
Wagen mitnahm; die Redaktion der *Italienischen Reise* bereichert
diese Episode gegenüber dem Reisetagebuch um einzelne Züge
zur Verdeutlichung der Parallele. Des Harfners vielfach (u. a. von
Schubert, Schumann und H. Wolf) vertonte monologische Rollen-
lieder »Wer sich der Einsamkeit ergibt« (*Sendung* IV,13, *Lehrjahre*
II,13), »An die Türen will ich schleichen« (nur *Lehrjahre* V,15) und
»Wer nie sein Brot mit Tränen aß« (*Sendung* IV,13; *Lehrjahre* II,13)
fanden als Gedichtgruppe *Harfenspieler* ebenso wie seine Ballade
→*Der Sänger* (*Sendung* IV,12; *Lehrjahre* II,11) auch Eingang in G.s
Gedichtsammlungen.

   Literatur →Mignon.

Harpyien →Stymphaliden

Harrach, Carl Borromäus, Graf von (1761–1829). Der Prager
Regierungsrat, dann Wiener Arzt und Naturforscher gehörte seit
August 1786 zu G.s engeren Karlsbader Bekanntschaften (»ein sehr
braves Wesen«, an Ch. von Stein 22. 8. 1786). Er besuchte G. in
Weimar am 23. 9. 1802 und 24. 9.–1. 10. 1803, man traf sich wieder
in Karlsbad im Mai/Juni 1812 und 16.–25. 9. 1819, als G. dem vertrauten Freund, mit dem er »glückliche Tage verlebte«, das Stammbuchblatt »Die sich herzlich …« schrieb. Vgl. *Tag- und Jahreshefte*
1819.

Hart, Emma →Hamilton, Lady Emma

Hartenberg. Auf Schloß Hartenberg bei Falkenau besuchte G.
von Eger aus 1821–23 dreimal den Grafen →Auersperg.

Hartmann von Aue (um 1165 – um 1215). Als G. am 9. 2. 1811
des mittelhochdeutschen Dichters *Armen Heinrich* in der Ausgabe
von J. G. G. Büsching (1810) las, erregte ihm die Beschreibung des
Aussatzes solchen »physisch-ästhetischen Schmerz«, daß er sich
»vom bloßen Berühren eines solchen Buches schon angesteckt«
glaubte (*Tag- und Jahreshefte* 1811). Als Riemer am 3. 3. 1811 dasselbe Werk bei Johanna Schopenhauer den Damen vorlesen wollte,
gab es daher eine »unangenehme Interpellation von G. « (Riemer).

Hartmann, Ferdinand (1774–1842). Der klassizistische Stuttgarter
Porträt- und Historienmaler erhielt 1799 den Preis der Weimarer
Kunstfreunde für sein Gemälde »Venus führt Paris Helena zu«. Am
7.–15. 3. 1801 kam er mit einigen Gemälden nach Weimar und war

ständig G.s Tischgast. Künstlerische Meinungsverschiedenheiten mit G., dem Hartmann zu natürlich und nicht symbolisch genug malte, führten jedoch zu einer Verfremdung (an Schiller 7.–21. 3. 1801). G. sah den Professor (1810) und späteren (1825) Direktor der Dresdner Kunstakademie im September 1810 in Dresden und befaßte sich 1816 in einem Gutachten mit Hartmanns Aufsatz über das *Reinigen und Restaurieren schadhafter Gemälde.*

Harz. G.s drei Reisen in den Harz dienten neben geologisch-mineralogischen und Bergbau-Studien (im Hinblick auf die Wiedereröffnung des Ilmenauer Bergbaus) vor allem auch dem Natur- und Landschaftserlebnis, das er z. T. zeichnerisch festhielt, der Selbstfindung und Selbstbestätigung zumal in der winterlichen Brockenbesteigung. Literarischen Niederschlag fand das Harzerlebnis in der →*Harzreise im Winter* (1777), in der auf dem →Blocksberg (→Brocken) angesiedelten »Walpurgisnacht« des *Faust I* und Anspielungen darauf in der »Klassischen Walpurgisnacht« (z. B. v. 5865, 7678, 7953). – 1. Harzreise 29. 11.–19. 12. 1777 allein, meist zu Pferd: 30. 11. Sondershausen, Sundhausen, Nordhausen, Ilfeld, 1.–2. 12. Elbingerode (→Baumannshöhle), 3. 12. Wernigerode (Besuch bei F. V. L. →Plessing, vgl. *Campagne in Frankreich*), 4. 12. Ilsenburg, Goslar, 5. 12. Rammelsberg (Berg und Hütten), 6. 12. Goslar, 7. 12. Clausthal (Hütten und Gruben), 9. 12. Altenau, 10. 12. Torfhaus und →Brocken (Beobachtung farbiger Schatten, vgl. *Farbenlehre*, Physiologische Farben, Abs. 75), 11. 12. Altenau, Clausthal, 12. 12. Dammhaus, St.Andreasberg, 13. 12. Bad Lauterberg, Duderstadt. – 2. Harzreise 6. 9.–6. 10. 1783 mit Fritz von Stein: 9. 9. Gut Langenstein (→Branconi), Thale, 11. 9. Blankenburg, Roßtrappe, 12. 9. Baumannshöhle, 13. 9. Langenstein, 14. 9. →Halberstadt (→Gleim), 18.–20. 9. Clausthal, Altenau, 21. 9. Brocken (mit W. H. von Trebra), 24. 9. Zellerfeld. – 3. Harzreise 1.–16. 9. 1784 von Braunschweig aus, mit G. M. Kraus: Goslar, 4. 9. Brocken, Schierke, 6. 9. Elbingerode, 7. 9. Bodetal, Roßtrappe, Thale, Blankenburg, Langenstein; Geologie und Zeichnen. – Kurze Aufenthalte im Harz gab es ferner Anfang Oktober 1789 bei der Rückkehr von Aschersleben und Ende August 1805 mit August von G. bei der Rückkehr von Helmstedt und Halberstadt (*Tag- und Jahreshefte* 1805).

G. im H., hg. F. Dietert 1920 u. ö.; F. Dennert, G. und der H., 1920 u. ö.; G.s Harzerlebnis, hg. H. Kindt 1949; W. Denecke, G.s Harzreisen, 1980; G. Meyer, In der Freiheit der Berge, 1987; Ch. und M. Meissner, In der Freiheit der Berge, 1989 u. ö.; E. Vollers-Sauer, G.s H., Welfengarten 4, 1994.

Harzreise im Winter. Der dichterische Ertrag von G.s erster Reise in den →Harz 1777 sammelt sich in dieser letzten großen Sturm und Drang-Hymne, die am 1.–10. 12. 1777 im Harz selbst entstand, am 5. 8. 1778 an Merck gesandt wurde und in den *Schriften* (Bd. 8, 1789) zuerst gedruckt erschien. Sie reiht unter der

Perspektive des Wanderers und seiner Gipfelschau, selbst aus der
Überschau einsamen Schwebens, schwer deutbare, subjektive Stimmungen, Bilder, Beobachtungen, Erlebnisse und Gedanken um das
fast religiöse Grunderlebnis der beseligenden Liebe, Schönheit und
Fülle des Daseins, kontrastiert durch das Mitgefühl mit einem einsamen, unglücklichen und liebelosen Selbstquäler (→Plessing), dem
ihre Fürbitte gilt. G. selbst gab zwei (chronologisch nicht ganz verläßliche) ausführliche Erklärungen des Gedichts: eine literarische
aus Anlaß von K. L. Kannegießers Schrift *Über Goethes Harzreise im
Winter* (1820) in *Über Kunst und Altertum* (1821) und eine biographische in *Campagne in Frankreich* (1822, »Duisburg, November«).
Vertonung durch J. Brahms 1869 als Rhapsodie für Chor und
Orchester Op. 53.

A. Pfennings, G.s H. i. W., 1904; F. Warnecke, G.s H. i. W., GJb 33, 1912; E. Vincent,
Zwei G.-Studien, 1929; P. Alverdes, Gespräch über G.s H. i. W., 1938 u. ö.; H. Mielert,
Das innere Gesetz der H. i. W., Goethe 6, 1941; S. Flygt, H. i. W., GR 16, 1941;
B. Tecchi, Sette liriche di G., Bari 1949; R. D. Gray, G's H. i. W., GLL 18, 1965;
H. W. Belmore, Aber abseits wer ists?, PEGS 39, 1969; H. Henel, Der Wanderer in der
Not, DVJ 47, 1973; H. J. Weigand, G's H. i. W., Lessing Yearbook 6, 1974, auch in ders.,
Critical probings, 1982; A. Schöne, Auguralsymbolik, GJb 96, 1979, auch in ders., Götterzeichen, Liebeszauber, Satanskult, 1982 u. ö.; B. Leistner, G.s Gedicht H. i. W., Impulse 4, 1982, auch in ders., Spielraum des Poetischen, 1985; J. Schmidt, G.s Bestimmung der dichterischen Existenz im Übergang zur Klassik: H. i. W., DVJ 57, 1983;
D. Wellbery/K. Weimar, G.: H. i. W., 1984; W. v. Engelhardt, G.s H. i. W., GJb 104, 1987;
H.-E. Friedrich, Der Enthusiast und die Materie, 1991.

Hasenkamp, Johann Gerhard (1736–1777). Den streng pietistischen Theologen und Duisburger Schulrektor, Freund Lavaters und
Jung-Stillings, lernte G. am 21. 7. 1774 in Gesellschaft in Elberfeld
kennen, wurde von ihm wegen seines »ruchlosen« *Werther* angegriffen und mußte auch Klopstocks *Messias* gegen ihn verteidigen.

Hatem. Zwei Namen arabischer Dichter, der auch bei Hafis erwähnte Hatem Thai (Hatim at-Tâʼî) und Hatem Zograi (richtig:
Hassan Thograi), inspirierten G. zu dem orientalischen Decknamen
für den älteren Geliebten, der im »Buch Suleika« und z. T. im
»Schenkenbuch« des *West-östlichen Divan* den mit Motiven nach
Hafis in orientalisches Kostüm verkleideten Liebesdialog mit der
jungen →Suleika (Marianne von →Willemer) führt.

H.-J. Weitz, G.-Studien, ZDP 71, 1951.

Haucke, Johann Friedrich (1705–1777). Der humorig-philosophische Schuster in Dresden-Friedrichstadt, ein Verwandter von G.s
Leipziger Stubennachbarn J. C. Limprecht, gewährte G. Unterkunft
bei seinem 12tägigen Ausflug zu den Kunstschätzen Dresdens im
Februar/März 1768, war ein geistreicher Gesprächspartner (*Dichtung und Wahrheit* II,8) und gab 1774 ein Vorbild für den Schuster
Ahasver in G.s Epenfragment vom *Ewigen Juden* (ebd. III,15).

M. Stübel, Schuster H. und der ewige Jude, 1920; G. Sommerfeldt, G.s Studienausflug nach Dresden 1768, Euph 23, 1921.

Haude- und Spenersche Zeitung → *Berlinische Nachrichten von Staats- und gelehrten Sachen*

Haugwitz, Christian August Heinrich Kurt, Graf von (1752–1832). Der schlesische Adlige kam Anfang Mai 1775 zu der geplanten Schweizer Reise mit den Grafen Stolberg nach Frankfurt, besuchte G. und vermittelte dessen Bekanntschaft mit den Stolbergs, auf deren Einladung G. sich ihnen am 14.5.1775 anschloß. Haugwitz, der jüngste der vier, sorgte notfalls, so in Darmstadt, für deren gesellschaftlichen Anstand. Er wurde 1792 preußischer Kabinettsminister und 1802–06 Außenminister, fiel aber durch seine Schaukelpolitik in Ungnade (*Tag- und Jahreshefte* 1806). G. sah ihn am 10.10.1792 in Etain (*Campagne in Frankreich*) und am 12.10.1806 kurz vor der Schlacht bei Jena und Auerstedt in Weimar wieder.

Hauptgeschäft. G.s Ausdruck in den Tagebüchern bezieht sich keineswegs, wie früher angenommen, durchwegs auf die Arbeit am *Faust* (Tagebuch 18.5.1827 u.ö., dann wieder 2.12.1830–22.7.1831), sondern auf die jeweils im Vordergrund stehende größere Arbeit, z.B. auf die Neufassung der *Wanderjahre* für die Ausgabe letzter Hand (ebd. 18.9.1828–7.2.1829).

C. Schmieden und W. Hagen, Goethe 21 und 22, 1959 und 1960; E. Trunz, Die Wanderjahre als Hauptgeschäft, in: Studien zu G.s Alterswerken, hg. ders. 1971.

Hauptmann, Anton Georg (1735–1803). Der unternehmerische Weimarer Hofjäger, dann Postmeister, Fuhrunternehmer und Gastwirt erwirtschaftete als Bauunternehmer und Häuserspekulant durch den Verkauf teils mit fremdem Kapital errichteter Gebäude gute Gewinne und prägte damit nicht unwesentlich das frühklassizistische Stadtbild Weimars zur Goethezeit. Er baute u.a. 1771–74 das Fürstenhaus, 1773 das Haus der Frau von Stein, 1775 das für das höfische Liebhabertheater benutzte Redoutenhaus, 1779/80 das Komödienhaus, später Hoftheater und 1800–05 das Hotel Russischer Hof.

Hauptmann/Major. Die Figur in den → *Wahlverwandtschaften* (1809), der Freund des Barons Eduard, mit Vornamen Otto (I,3), ist zugleich Kontrast- und Komplementärfigur innerhalb des »chemischen Gleichnisses«. Als bedächtiger, vernünftiger Praktiker ist er das Gegenbild des träumerisch-emotionalen Eduard und in seiner Beherrschtheit eher dessen Gattin Charlotte wesensverwandt. Daher vermag dieses reifere Paar der Viererkonstellation im Gegensatz zu dem nur aus dem Gefühl lebenden Paar Eduard/Ottilie seine Liebe zu beherrschen und zu unterdrücken.

W. Weber, Zum H. in G.s Wahlverwandtschaften, Goethe 21, 1959.

Haus am Frauenplan →Goethehaus (2) Weimar

Der Hausball. Das Fragment einer Erzählung über die ständig vom Pech verfolgten Vorbereitungen zu einem Hausball in Wien ist die Bearbeitung einer 1781 in Wien erschienenen anonymen Erzählung. G. versuchte sie vielleicht mithilfe seines Dieners Ph. Seidel, in dessen Handschrift ein Manuskript mit Korrekturen G.s vorliegt, gab jedoch nach wenigen Seiten auf. Das Bruchstück, G.s erster Versuch einer volkstümlichen Novelle, wurde 1783 anonym im *Tiefurter Journal* verbreitet.

L. Gorm, G.s Anteil am H., Euph 14, 1907; G. Gugitz, D. H. und sein Verfasser, ChWGV 56, 1952.

Hauskapelle. G.s mißverständliche Bezeichnung (*Tag- und Jahreshefte* 1810, 1811) meint einen kleinen, gemischten Kammerchor aus Berufs- und Laiensängern und -sängerinnen teils vom Theater, den G. unter Leitung von C. →Eberwein im Herbst 1807 auf Anregung Zelters ins Leben rief, um einen Ersatz für die Konzerte im Kreis um Anna Amalia zu schaffen. Man probte am Donnerstagabend in Christianes Räumen mit anschließender Mahlzeit und sang am Sonntagvormittag »vor großer Gesellschaft« im Junozimmer mit anschließendem Frühstück. Die häufig, aber nicht regelmäßig gehaltenen Treffen wurden besonders 1809–13 intensiviert und in anderen Weimarer Häusern, meist mit Instrumentalmusik, nachgeahmt. Die Hauskapelle trat mitunter auch im Hoftheater auf, so 1807 mit Zelters Vertonung von *Johanna Sebus*, und wurde später durch G.s →Hausmusik abgelöst.

Hausmusik. Obwohl eher Augenmensch und selbst musikalisch nur dilettierend, brachte G. der →Musik großes Interesse entgegen und schätzte besonders ihre wohltätige Wirkung bei gedrückter Stimmung. So ließ er sich mitunter »die Klarinettisten kommen«, die »Musik kommen« oder ließ ein Quartett im Nebenzimmer spielen (an Ch. von Stein 8. 9. 1776, 14. und 22. 2. 1779), um sich aufzuheitern. In Rom veranstaltete er mithilfe des zur Ausbildung in Rom weilenden Weimarer Konzertmeisters J. F. Kranz für seine Freunde in seinem Haus im Januar 1787 zuerst ein kleines Konzert (an Ch. von Stein 25. 1. 1787, Ph. Seidel 3. 2. 1787) und im Juli 1787 ein »glänzendes Konzert« (*Italienische Reise*, Bericht Juli). In Weimar sang 1807–13 sonntags seine →Hauskapelle, und zu Gesellschaften improvisierte oft J. N. Hummel am Flügel. Diese Veranstaltungen wurden später ergänzt und abgelöst durch Konzerte durchreisender oder G. besuchender Musiker, Virtuosen und Sänger wie C. M. von Weber, C. Loewe, F. Hiller, G. Spontini, N. Paganini, F. Mendelssohn, M. Szymanowska, H. Sontag, W. Schröder-Devrient oder im Oktober 1831 Clara Wieck(-→Schumann).

E. H. Dummer, G's musicales, GQ 10, 1937; →Musik.

Haxthausen–Abbenburg, Werner Moritz Maria, Freiherr, 1839 Graf von (1780–1842). Der vielseitige Jurist, Mediziner, Naturphilosoph, Sprachforscher, ehemalige Major und spätere Regierungsrat in Köln legte G. am 3.7.1815 in Wiesbaden eine Sammlung neugriechischer Volkslieder im Original und in seiner Übersetzung als Manuskript vor. G. beschäftigte sich am 3.–7.7.1815 damit und setzte sich wiederholt, zuletzt noch in *Volksgesänge abermals empfohlen* (*Über Kunst und Altertum* 4,1, 1823) für deren Druck ein, der jedoch unterblieb (*Tag- und Jahreshefte* 1815).

Haydn, Joseph (1732–1809). Ohne ihn Mozart gleichzustellen, zählte G. Haydn doch zu den »ausgezeichneten Meistern unsterblicher Schöpfungen« (zu J. Ch. Lobe 8.11.1821). Neben einigen Symphonien und Sonaten, die ihm J. H. F. Schütz (1818) und F. Mendelssohn (24.–25.5.1830) am Klavier vorspielten, hörte G. besonders die Oratorien Haydns: am 14.4.1797 *Die sieben Worte des Erlösers am Kreuz*, am 1.1.1801 *Die Schöpfung* und am 16. und 23.2.1811 *Die Jahreszeiten*. Einen Aufsatz Zelters über *Joseph Haydns Schöpfung* überarbeitete G. am 12.7.1826 für die Veröffentlichung in *Über Kunst und Altertum* (V,3, 1826).

W. Virneisel, H. und G., Musikforschung 9, 1956.

Hebel, Johann Peter (1760–1826). Für die alemannischen Mundartgedichte und die Kalendergeschichten des Karlsruher Dichters zeigte G. schon in Erinnerung an sein frühes Interesse an Volksdichtung oder volkstümlich-mundartlicher »Naturdichtung« (Hiller, Fürnstein, Grübel u. a.) lebhafte Anteilnahme; auch das oberrheinische Milieu gemahnte ihn an Straßburg und Sesenheim: in *Dichtung und Wahrheit* (III,11) spielt er auf Hebels Gedicht *Sonntagsfrühe* an, »das zu den besten gehört, die jemals in dieser Art gemacht wurden« (Rezension, 1805). Anläßlich eines ungenügenden Rezensionsentwurfs von Falk (an Eichstädt 16.1.1805) befaßte sich G. im Januar 1805 mit Hebels *Alemannischen Gedichten* (1803, 2. A. 1804) und schrieb am 26./27.1.1805 selbst eine äußerst positive Besprechung (*Jenaische Allgemeine Literaturzeitung* 37, 13.2.1805): Hebel »verbauert auf die naivste, anmutigste Weise durchaus das Universum«. G. wies auch anderenorts lobend auf Hebel hin (*Tag- und Jahreshefte* 1813; *Kunst und Altertum an Rhein und Main*: Heidelberg, 1816; Rezension von G. Arnolds *Der Pfingstmontag*, 1820) und liebte es, die Gedichte, 1810/11 auch die Erzählungen aus dem *Schatzkästlein des Rheinischen Hausfreunds* in Gesellschaft vorzulesen. Ein Besuch in Karlsruhe führte am 4.10.1815 zur Bekanntschaft mit Hebel (»Hebel ist ein ganz trefflicher Mann«, an Knebel 21.10.1815).

W. Rehm, G. und J. P. H., 1949, auch in ders., Begegnungen und Probleme, 1957.

Hebräische Literatur →Bibel

Hechingen. Durch die schwäbische Stadt reiste G. am 16. 9. 1797
auf dem Weg von Tübingen in die Schweiz und notierte das
Schloß, das Franziskanerkloster, die Stiftskirche St.Jakob und die
Burg Hohenzollern (*Reise in die Schweiz 1797*).

Hederich, Benjamin (1675–1748). Das *Gründliche Lexicon mytholo-*
gicum (1724, Neuauflage 1770) des sächsischen Altertumsforschers
und Rektors in Großenhain war G.s Standard-Nachschlagewerk
und viel benutzte Hauptquelle für die klassische Mythologie.

Heemskerk, Marten van (1498–1574). Für G.s Verhältnis zu dem
niederländischen Porträt- und Historienmaler, den er besonders
wegen seines italienischen Studienaufenthalts schätzte, ist zu
berücksichtigen, daß die G. im September 1814 in der Sammlung
Boisserée in Heidelberg besonders beeindruckenden Gemälde
Heemskerks heute meist dem Kölner Maler Bartholomäus Bruyn
d. Ä. (1493–1555) zugeschrieben werden. Echt dagegen ist die G.
1817 von Prinzessin Friederike Christiane Auguste von Hessen-
Kassel geschenkte Federzeichnung Heemskerks von Daniel in der
Löwengrube (an Boisserée 17. 10. 1817).

Hefte zur Morphologie, Hefte zur Naturwissenschaft: Kurztitel für G.s Schriftenreihe →*Zur Naturwissenschaft überhaupt, beson-*
ders zur Morphologie (1817–24).

Hegel, Georg Wilhelm Friedrich (1770–1831). Der Philosoph ha-
bilitierte sich 1801 als Privatdozent für Philosophie in Jena und war
dort 1805–07 unbesoldeter a. o. Professor. G. lernte ihn am 21. 10.
1801 in Jena kennen, als Hegel ihm einen Antrittsbesuch machte,
und stand während Hegels Jenaer Jahren dort (besonders Novem-
ber/Dezember 1803, August 1806: *Tag- und Jahreshefte* 1806) und
bei Hegels Besuchen in Weimar (30. 5. 1802, 26. 11. 1803, 31. 1.
1807) oder Bad Lauchstädt (Juni 1802) in lockerem gesellschaftlichem Verkehr mit ihm. Nach Hegels Fortgang wurde der Kontakt
durch Briefwechsel (bis 1827) und Hegels Besuche in Weimar
(23. 9. 1818: auf dem Weg von Heidelberg zur Berliner Professur;
Gespräch über Dialektik; 16.–18. 10. 1827; 11. 9. 1829) fortgesetzt.
Obwohl das abstrakte Gedankengebäude Hegels zumal in der ihn
abstoßenden esoterischen Sprache G. schwer zugänglich blieb,
stellten sich im Gespräch mit Hegel leicht gedankliche Übereinstimmungen ein (zu F. von Müller 16. 7. 1827; an Knebel 14. 11.
1827), zumal sich G.s und Hegels Begriffe, etwa Totalität/Ganzheit,
Polarität/Dialektik und Urphänomen, nahe berührten und G.s
Werk neben den theoretischen Schriften Herders Hegel die meisten Beispiele für seine Poetik (*Vorlesungen über Ästhetik*) bot. In den
1820er Jahren erkannte G. die Autorität des Berliner Philosophie-
professors durchaus an, zumal sich besonders in den Naturwissen-

Hegire

schaften Übereinstimmungen ergaben: Hegel beschrieb anerkennend G.s naturwissenschaftliche Methode (*Tag- und Jahreshefte* 1817; an Hegel 7. 10. 1820), akzeptierte G.s *Farbenlehre* in seiner *Enzyklopädie der philosophischen Wissenschaften* (1817), stimmte G.s Polemik gegen Newton zu und regte seinen Schüler L. von Henning an, ab 1822 in Berlin Vorlesungen über G.s *Farbenlehre* zu halten. G. lieferte auch drei Beiträge zu den von Hegel u. a. gegründeten *Jahrbüchern für wissenschaftliche Kritik*.

R. Honegger, G. und H., JGG 11, 1925; J. Schubert, G. und H., 1933; H. Falkenheim, G. und H., 1934; H. Mayer, G. und H., in ders., Unendliche Kette, 1949; Th. Litt, G. und H., Studium generale 2, 1949; R. Bubner, H. und G., 1978.

Hegire. Für das am 24. 12. 1814 entstandene, im *Taschenbuch für Damen auf das Jahr 1817* erstmals gedruckte, erste, aber nicht früheste Gedicht des *West-östlichen Divan* wählt G. die französische Schreibweise »Hegire« statt »Hedschra« (vgl. *Noten und Abhandlungen*: Revision) für die Flucht Mohammeds von Mekka nach Medina im Jahr 622, mit der zugleich für den Islam eine neue Zeitrechnung beginnt. Ihr vergleicht der Dichter seine eigene Flucht aus dem von den Napoleonischen Kriegen bewegten Abendland in ein dem Paradies näheres Morgenland und in frühere Jahrhunderte. Die Reise ins Exotische, Unzeitgemäße wird zum geistigen Aufbruch in ein urtümlich-orientalisches Arkadien, der dennoch nie die Wechselbeziehung von West und Ost, die Spiegelung der eigenen in der östlichen Welt vergessen läßt. In diesem Einleitungsgedicht des *Divan* klingen bereits viele Hauptmotive des Werkes nach dem Vorbild von Hafis an: Reise, Verjüngung, Liebe, Wein, Gesang und Religion. Vgl. an C. G. von Voigt Mitte Januar 1815, an Knebel 8. 2. 1815.

Heidentum →Christentum

Heidelberg. Die alte Universitätsstadt am Neckar zog G. wiederholt an und spielte in seinem Leben keine unwesentliche Rolle. Nachdem er sie auf dem Hin- und Rückweg der 1. Schweizer Reise (17. 5. und 20. 7. 1775) nur gestreift hatte, hielt er sich bei der geplanten Italienreise nach dem scheinbaren Scheitern der Weimarer Pläne am 30. 10.–4. 11. 1775 dort bei H. D. →Delph auf, die neue Lebenspläne für ihn schmiedete. Dort erreichte ihn am 3. 11. die Nachricht des verspäteten Kalb, derzufolge er am 4. 11. doch nach Weimar ging. Auf der 2. Schweizer Reise mit Carl August wurde Heidelberg am 23. 9. 1779 nur kurz berührt. Nach der Belagerung von Mainz besuchte G. am 4.–7. 8. 1793 wiederum die Neckarstadt und H. D. Delph und begegnete dort seinem Schwager Schlosser, mit dem er sich über die *Farbenlehre* stritt (*Belagerung von Mainz*; *Tag- und Jahreshefte* 1793). Auf der 3. Schweizer Reise war G. auf dem Weg von Frankfurt nach Heilbronn-Stuttgart

m 25.–27. 8. 1797 in Heidelberg und gab eine ausführliche Be-
chreibung der Stadt im Tagebuch bzw. der *Reise in die Schweiz*
787. Längere Aufenthalte ergab erst der Umzug der Freunde
→Boisserée und ihrer Kunstsammlung von Köln nach Heidelberg.
Sei ihnen wohnte G. im Anschluß an seine Rheinreisen am
4. 9.–9. 10. 1814 und am 20. 9.–7. 10. 1815, besichtigte genau ihre
ammlung mittelalterlicher Kunst, über die er in *Kunst und Altertum
m Rhein und Main* (Kap. Heidelberg, 1816) berichtet, und verehrte mit Voß, Reizenstein, Thibaut, Paulus, Creuzer, Daub u. a.
Der letztere Aufenthalt, durch kurze Abstecher mit Carl August
ach Mannheim und Karlsruhe unterbrochen, brachte zugleich das
etzte Zusammensein mit Marianne von Willemer, während dessen
nehrere Gedichte des »Buches Suleika« des *West-östlichen Divan* in
Heidelberg entstanden (*Tag- und Jahreshefte* 1815). G.s Sohn August
tudierte 1808/09 in Heidelberg.

K. Fischer, G. und H., 1900 u. ö.; E. Ackerknecht, H. im Leben G.s und G. Kellers,
949; G. und H., hg. R. Benz 1949; K. Keppler, Auf der Terrasse hoch gewölbtem
Bogen, MDU 41, 1949; G. Debon, G.s Begegnung mit H., 1992.

Heideloff, Johann Friedrich Carl (1773–1816). Der Bruder von
chillers Jugendfreund an der Karlsschule Victor Wilhelm Peter
Heideloff (1757–1817; G. traf ihn am 5./6. 9. 1797 in Stuttgart)
am 1798 zur Unterstützung Thourets beim Schloßbau nach
Weimar, malte mit ihm den Vorhang für das umgebaute Hoftheater
nd blieb als Dekorationsmaler für das Schloß und als Theatermaler
n Weimar; G. besprach mit ihm oft die Theaterdekorationen.

Heidenröslein. G.s wohl bekanntestes Gedicht im Volksliedton
at eine undurchsichtige Vorgeschichte. Es mag im Frühjahr/Som-
ner 1771 in Straßburg entstanden sein, als G. auf Anregung Her-
lers Volkslieder sammelte. Den Anstoß mag ein langatmiges Gedicht mit ähnlichem Refrain und verwandten Wendungen in
Liederbuch des Paul von der Aelst (*Bluomm und Ausbund*, 1602)
gegeben haben, das Herder besaß. Auch das Verhältnis zu Herders
etwa gleichzeitigem und ähnlichem, doch moralischen Gedicht
ach derselben Vorlage *Die Blüte* (Juni 1771, »Sah ein Knab ein
Knöspgen stehn …«) bleibt unsicher: G.s Anregung oder Herders
Nachahmung? Das Gedicht erschien zuerst, anonym und als »kin-
disches Fabelliedchen« bezeichnet, in Herders *Von deutscher Art und
Kunst* (1773, *Briefwechsel über Ossian*) mit abweichender Schluß-
trophe (»Aber er vergaß darnach / Beim Genuß das Leiden«), wohl
aus dem Gedächtnis« nach einem mündlichen Vortrag zitiert. Ein
zweiter Druck unter der Überschrift *Röschen auf der Heide*, ebenfalls
nonym und jetzt »aus der mündlichen Sage«, erfolgte in Herders
Volksliedern (Bd. 2, 1779) gemäß Herders weitherzigem Volkslied-
egriff, der auch volkstümliche Lieder, Kunstlieder und Balladen im
Volksliedton (z. B. G.s *Der Fischer*) mit einschloß. G., der sich seines

Eigentums erinnert haben mag, nahm es ohne nähere Erläuterun
und mit veränderter 3. Strophe unter seine Gedichte in den *Schrif
ten* (Bd. 8, 1789) auf. Seither ist das *Heidenröslein* in über 200 Ver
tonungen (am bekanntesten von Schubert 1815, ferner Brahms
Marschner, Reichardt 1794, Schumann, H. Werner 1827 u. a.) zun
festen Bestandteil des deutschen Liederschatzes geworden und er
freut sich uneingeschränkter Beliebtheit – obwohl das durch di
netten Diminutive des Refrains und seine Naturbilder naiv-volks
liedhaft verschleierte Kunstlied in knapper, dramatischer Zuspit
zung und ohne die im Volkslied üblichen Vergleiche im Grund
»unverblümt« nichts weniger erzählt als die lyrisch eingekleidete
zynische Geschichte einer schuldhaften, brutalen Vergewaltigung
bei der von Liebe mit keinem Wort die Rede ist, dafür aber vor
»Weh und Ach«.

B. Suphan, Röslein auf der Heiden, Archiv für Literaturgeschichte 5, 1876; H. Dun
ger, Das H., ebd. 10, 1881; W. v. Biedermann, H., ZfdU 5, 1891; E. Joseph, Das H., 1897
E. F. Koßmann, Zum H., GJb 29, 1908; F. S. Cawley, Zur Entstehungsgeschichte des H
GJb 34, 1913; J. E. Gillet, H., MLN 33, 1918; P. v. Matt, Diese unheimlichen Diminu
tive, in: G.: Verweile doch, hg. M. Reich-Ranicki 1992; E. Schade, G.s H. und seine Ver
tonungen, 1993.

Heidler, Carl Joseph, Edler von Heilborn (1792–1866). De
Marienbader Bade- und Brunnenarzt (seit 1818), »ein gar verständiger, lieber junger Mann« (Tagebuch 27. 4. 1820), beriet G. ärztlich
während seiner Kuraufenthalte 1820–23 und teilte seine mineralogisch-geologischen Interessen. G. hinterlegte 1822 bei ihm zun
Gebrauch anderer Forscher eine Mineraliensammlung und eine
gedruckte geologische Bestandsaufnahme der Marienbader Gegenc
(*Tag- und Jahreshefte* 1822).

Heilbronn. Die »wohlhabende« schwäbische Bürgerstadt, in de
wesentliche Szenen seines *Götz von Berlichingen* spielen, sah G. erstmals am 27.–29. 8. 1797, als er auf der 3. Schweizer Reise auf den
Weg von Heidelberg nach Stuttgart dort im Gasthof zur Sonne
übernachtete. G.s ausführliche Beschreibung von Stadt, Bewohnern
und Umgebung im Tagebuch bzw. der *Reise in die Schweiz 1797* is
durch ihr Eingehen auf Wirtschafts- und Gewerbefragen bemerkenswert.

Die heiligen drei Könige. G.s Aufsatz vom 28. 10.–12. 11. 1819
erschienen in *Über Kunst und Altertum* (II,2, 1820, ergänzt III,1
1821), gibt eine straffende Nacherzählung der lateinischen Legende
Historia trium regum (um 1370) von, wie sich nach der Publikation
herausstellte, Johannes von Hildesheim. Auf G.s Anregung entdeckte Boisserée 1819 in der Heidelberger Bibliothek eine alte
deutsche Übersetzung. Diese und das lateinische Originalmanuskript gelangten über Boisserée an Gustav Schwab, der, G.s Wunsch
aufgreifend, eine neuhochdeutsche Fassung in altertümlichem Sti
erstellte (*Die Legende von den heiligen drei Königen von Johann von*

Hildesheim, 1822); diese zeigte G. in *Über Kunst und Altertum* (III,3, 822) an. Zum Stoff vgl. das Gedicht →*Epiphanias(fest)*.

Heine, Heinrich (1797–1856). Der junge Dichter hatte G. zwar 821 seine *Gedichte* und 1823 seine *Tragödien, nebst einem lyrischen Intermezzo* übersandt, doch G. hatte nicht reagiert, und es ist anzunehmen, daß er den Göttinger Studenten, der ihm am 2. 10. 1824 einen Besuch machte, als jungen Romantiker einstufte und ihm daher kühl, doch nicht ohne menschliche Anteilnahme begegnete (Heine an R. Christiani 26. 5. 1825). Heine unterschied seither den praktischen »Lebensmenschen« G., dem Ideen nur für die Poesie taugten, von seinem eigenen idealistischen Schwärmertum (Heine an M. Moser 1. 7. 1825). Nicht von Heine selbst, sondern erst aus den *Erinnerungen* (1868) seines Bruders Maximilian stammt die Anekdote, Heine habe auf die Frage G.s, womit er sich jetzt beschäftige, geantwortet, er arbeite an einem *Faust*, und damit sei das Gespräch zu einem abrupten Ende gelangt. Heine trug sich zwar um 1824–26 mit dem Plan eines zeitsatirischen Gegen-*Faust*, sein Tanzpoem *Doktor Faust* jedoch entstand erst 1846. Während Heines Werk bei G. kein Echo fand – nur anläßlich des von ihm bedauerten Streits Heine/Platen bezeichnet er ihn als »einen Begabten und ein Talent« (zu Eckermann 14. 3. 1830) – weicht Heines uneingeschränkte Hochachtung vor G. nach dem Besuch einer differenzierten Haltung: Er bewundert die ästhetische Vollkommenheit des auch für ihn musterhaften Werkes und verteidigt es gegen die Kritiker auch aus den eigenen Reihen, bedauert jedoch die quietistische politische Haltung G.s und der »Kunstperiode« und attackiert den G.-Kult der Epigonen (*Die romantische Schule*, 1836).

F. Friedländer, H. und G., 1932; F. Strich, G. und H., in ders., Der Dichter und die Zeit, 1947; W. Wadepuhl, H.s Verhältnis zu G., Goethe 18, 1956; U. Maché, Der junge H. und G., Heine-Jahrbuch 4, 1965.

Heinrich, Prinz von Preußen (1726–1802). Bei dem jüngeren Bruder Friedrich des Großen, dem Heerführer im Siebenjährigen Krieg, Generalleutnant und Diplomaten, speiste G. bei seinem Berliner Aufenthalt am 17. 5. 1778 zu Mittag. Er sah ihn am 5. 7. 1784 bei der Tafel in Eisenach wieder (»war sehr gnädig«, zu Ch. von Stein 9. 7. 1784) und ließ sich später von Zelter über des Prinzen Hausorchester berichten.

Heinroth, Johann Christian Friedrich August (1773–1843). Der Leipziger Professor der Psychiatrie und Anthropologie prägte in seinem *Lehrbuch der Anthropologie* (1822) für G.s Methode der Naturbetrachtung den Begriff »gegenständliches Denken«. G., dem Heinroth sein Buch am 29. 10. 1822 übersandte, las es im Dezember 1822, erkannte die Charakteristik seiner Natur- und Welterfahrung als zutreffend an, griff sie im März 1823 in seinem Aufsatz

→*Bedeutende Fördernis durch ein einziges geistreiches Wort* (1823) auf und ergänzte sie aus eigenen Erfahrungen seines Schaffensprozesses. Er zeigte *Heinroths Anthropologie* kurz und kritisch in *Über Kunst und Altertum* (IV,2, 1825) an. Heinroth besuchte G. am 15. 9. 1827 in Weimar. Vgl. *Tag- und Jahreshefte* 1822; an Boisserée 22. 12. 1822.

Heinse, Johann Jacob Wilhelm, Pseudonym: Rost (1746–1803). Den Dichter südlicher Sinnlichkeit und eines ästhetischen Immoralismus, Freund der Jacobis, lernte G. in Gesellschaft am 21. 7. 1774 in Elberfeld kennen; er begleitete ihn am 22.–25. 7. mit Jacobis nach Pempelfort, Schloß Bensberg und Köln. G. sah ihn nach der Campagne in Frankreich im November 1792 wieder bei Jacobis in Pempelfort; weitere Beziehungen ergaben sich nicht. Heinses Roman *Laidion* (1774) nannte G. »mit der blühendsten Schwärmerei der geilen Grazien geschrieben« und begeisterte sich besonders für die Verskunst von Heinses Stanzen (an G. F. E. Schönborn 4. 7. 1774), an die G.s eigene Stanzen in *Die Geheimnisse* (1784) anknüpfen. Heinses Roman *Ardinghello* (1784) jedoch war G. nach der Italienreise »verhaßt, weil er Sinnlichkeit und abstruse Denkweisen durch bildende Kunst zu veredeln und aufzustutzen unternahm« (*Glückliches Ereignis*, 1817). Auf Heinses Roman *Hildegard von Hohenthal* (1795 f.) bezieht sich das Xenion aus dem Nachlaß 89, auf seine Prosaübersetzung von Ariosts *Orlando furioso* (IV 1782 f.) das Nachlaß-Xenion 177.

D. Breuer, Sinnenlust und Entsagung, in: Italienische Reise, Reisen nach Italien, hg. I. M. Battafarano, Gardolo 1988; R. Elliott, G. and the image of W. H., in: Weltbürger Textwelten, hg. L. Bodi 1995; R. Elliott, W. H. in relation to Wieland, Winckelmann and G., 1996.

Heirat →Ehe

Heiß mich nicht reden … Die Verse stehen zuerst in *Wilhelm Meisters theatralischer Sendung* (III,12, entstanden 1782) als Rolle aus Wilhelms Jugenddrama *Die königliche Einsiedlerin*, die Mignon nach seiner Abschrift »sehr pathetisch« vorträgt. In *Wilhelm Meisters Lehrjahre* (V,16) spricht sie die Verse ohne Hinweis auf ihre Herkunft; ob als Teil der auswendig gelernten Oden und Lieder, die sie »wie aus dem Stegreif deklamierte« (V,1), oder als verschlüsselte Mitteilung ihrer eigenen Verschlossenheit und ihres nie enthüllten letzten Geheimnisses, bleibt offen. Die tragischen Hintergründe der Verschlossenheit werden erst später (VIII,3) knapp angedeutet. Das Gedicht wurde vielfach, u. a. von Reichardt, Schubert, Schumann, H. Wolf und C. F. Zelter, vertont.

Helena. Die Beschwörung des Phantoms Helena (*Faust II*, v. 6377–6565) und die Verbindung Fausts mit ihr (*Faust II*, 3. Akt), aus der ein Sohn hervorgeht, sind bereits im →Faustbuch vorgegeben. Beide Motive gehörten von Anbeginn mit zur Konzeption

n G.s Drama; ebenso waren die Szenen der »klassisch-romanti-
hen Phantasmagorie« gemäß der Stofftradition ursprünglich auf
utschem Boden vorgesehen. In geographischer Annäherung an
e Antike verlegt G. um 1800 die Begegnung auf eine mittelalter-
he Kreuzfahrerburg bei Sparta (→Mistra). Während die Tradition
doch den sexuellen Besitz der schönsten Frau schlechthin als
usts übermütiges Ziel setzt, so daß Helena dort nur ein buhleri-
hes Teufelsgespenst ist, veredelt G. Fausts Verlangen zur Sehnsucht
es Schaffenden nach dem Inbegriff höchster Schönheit, deren Ur-
ld er aus dem Reich der Mütter heraufholt und von Persephone
eibittet. Vordergründig veranlaßt Phorkyas(-Mephisto) mit der
Varnung, Menelaos wolle die zurückgekehrte Helena zur Strafe für
re Untreue opfern, ihre Flucht als Schutzflehende auf Fausts Rit-
rburg und damit in eine sie verwirrende zeitlos-magische Zeit
nd eine nur innerlich erlebte arkadische Seelenlandschaft. Den
ücklichen, idealen Augenblick der zeit- und ortlosen Verbindung
it Faust erhöht G. symbolisch zur Vereinigung nordisch-mittel-
terlichen, männlichen Strebens mit dem Inbegriff antik-griechi-
her, naturhafter menschlicher Vollendung in edler Schönheit oder
lassischen Griechentums mit dem deutschen Mittelalter, das G. seit
er Hochklassik wiederentdeckt hatte. Diese Symbiose findet auch
etrisch Ausdruck im Übergang vom klassischen Dramenvers
ambische Trimeter, trochäische Tetrameter) zum modernen, fünf-
ebigen deutsche Reimvers. Mit dem Tod →Euphorions, der
rucht dieser Verbindung, erlischt die irdische Gemeinschaft.
Ielena folgt dem Sohn in das Schattenreich und läßt beim Ab-
hied nur ihr Gewand, d. h. die äußere Form des Geistigen, zurück:
lück und Schönheit sind nicht von Dauer. Im 1800 und 1825–27
ntstandenen, 1827 (*Werke*, Bd. 4) zuerst veröffentlichten Helenaakt
ird Faust durch die Begegnung mit dem Schönen, Edlen und
rhabenen der niedrig-gemeinen, satanischen Welt Mephistos ent-
remdet, der durch sein Unverständnis für die idealische Antike an
influß auf Faust verliert. →Paris.

F. Bobertag, Faust und H., GJb 1, 1880; J. Niejahr, G.s H., Euph 1, 1894; R. S. Nagel,
. in der Faustsage, Euph 9, 1902; R. Petsch, H. und Euphorion, GJb 28, 1907, auch in
rs., Faustsage, 1966; H. Rickert, H. in G.s Faust, 1931; J. Petersen, H. und der Teufels-
akt, JFDH 1936/40; K. Weidel, Faust und H., Antike 15, 1939; E. Hungerford, G's H.,
ders., Shores of darkness, New York 1941; O. Seidlin, H.: vom Mythos zur Person,
MLA 62, 1947, auch in ders., Von G. zu Th. Mann, 1963 u. ö.; B. v. Wiese, Die
ragödie in G.s Faust, 1947; W. Weiß, Der H.-Akt des 2. Teils von G.s Faust und
1ephisto, Innsbrucker Beiträge zur Kulturwissenschaft 4, 1956; W. Schadewaldt, Faust
nd H., DVJ 30, 1956, auch in ders., G.-Studien, 1963; R. Mühlher, G.s H. und die
lassisch-romantische Synthese, ChWGV 61, 1957; K. Reinhardt, Tradition und Geist,
960; G. Diener, Fausts Weg zu H., 1961; H. Rüdiger, Weltliteratur in G.s H., SchillerJb
, 1964; H. Ost, G.s H. als plastische Gestalt, Arcadia 4, 1969; K.-H. Hahn, Faust und
1., Goethe 32, 1970; A. Fuchs, H., RG 1, 1971; J. Strelka, G.s H., LJb 14, 1973;
. Nagel, Der Minnekult in G.s H., in ders., Kleine Schriften, 1981; H. Hamm, Die
ufnahme von G.s H., WB 27, 1981; W. Baumgart, H., Antike und Abendland 28, 1982;
Müller, Faust und H., JbWGG 86/88, 1982 ff.; H. Dunkle, The H. episode in Faust
nd Greek art, GR 58, 1983; T. Gelzer, H. im Faust, in: Mythographie der Neuzeit, hg.
V. Killy 1984; J.-L. Backès, Le mythe de H., Clermont-Ferrand 1984; D. Barry, Turning
ne screw in G's H., GLL 39, 1985 f.

Hellas →Griechenland

Helldorf, Carl Heinrich Anton von (?–1834). Der Weimarer Kar
merherr und Rittergutsbesitzer auf Schwerstedt bei Weimar, Freur
Augusts von G., gehörte zum weiteren Bekanntenkreis G.s, der il
auch 1810 in Karlsbad, 1822 und 1823 in Marienbad traf. Für eir
Aufführung von Tableaux vivants nach Poussin und Raffael bei ih
am 15. 3. 1816 schrieb G. am 13. 3. 1816 den Vorspruch *Bildε
Szenen.*

Helmershausen, Paul Johann Friedrich. Der Weimarer Garnison
arzt war der Enkel des Erbauers und Besitzer des Hauses aι
Frauenplan (→Goethehaus (2) Weimar), in dem G. zunächst Juι
1782–November 1789 eine Stadtwohnung hatte.

Helmont d. Ä., Johan Baptista van (1579–1644). Der Brüsselε
Arzt und Chemiker neigte in seinen naturphilosophischen un
religiös-spekulativen Schriften zu einer von Neuplatonismu
Alchemie, Mystik und Paracelsus beeinflußten Pansophie (*Ortε
medicinae*, 1648). G. wurde durch G. Arnolds *Kirchen- und Kestzε
historie* auf ihn hingewiesen und studierte ihn während seinε
Frankfurter Rekonvaleszenz 1769. Helmonts Sohn Franciscι
Mercurius van Helmont (1614–1699) setzte die Naturspekulatio
des Vaters fort und mag mit seiner Schrift *Paradoxal-Discourse od
Ungemeine Meinungen von einem Macrocosmo und Microcosmo* (deutsc
1691) G.s Makrokosmos-Begriff mit angeregt haben.

Helmstedt. G.s Besuch in der alten Universitätsstadt am 16.–19. ε
1805 mit August von G. und F. A. Wolf galt in erster Linie dε
Kuriositätensammlung des Prof. G. Ch. →Beireis. Daneben fand ε
Zeit zu einem Besuch beim Grafen →Veltheim in Harbke und zuι
geselligen Verkehr mit dem Lehrkörper der Universität (»Juleum«
1576–1810), die er einmal eine »wohldotierte und wohleingerich
tete Anstalt« (an Carl August 28. 8. 1805), ein andermal eine »älteι
beschränkte Studienanstalt« nennt, so in den *Tag- und Jahreshefte*
1805, die eine ausführliche, amüsante Beschreibung seines Aufent
halts geben.

B. Becker, G.s Reise nach Harbke und H., 1925; D. Matthes, G.s Reise nach H
Braunschweigisches Jahrbuch 49, 1968.

Helvig, Anna Amalie von, geb. von Imhoff (1776–1831). Sie hatt
G. »früher als ein höchst schönes Kind, später als ein vorzüglichstε
Talent angezogen« (*Tag- und Jahreshefte* 1799), sie »entwickelte eι
recht schönes poetisches Talent, sie hat einige allerliebste Sacheι
zum Almanach gegeben« (an J. H. Meyer 14. und 21. 7. 1797): G
war mit Superlativen nicht sparsam, wenn es um die Nichte voι
Charlotte von Stein ging. Zumindest über das Talent hat die Zeι
anders geurteilt. 1791 kam sie zur Mutter nach Weimar, wurd

ofdame der Herzogin Louise und überall gern gesehenes Mitglied des Weimarer Musenhofes, da sie Bildung und Geschmack hatte, sang, musizierte, unter Anleitung Meyers zeichnete und auch dichtete: Schiller förderte sie auf G.s Bitte vom 12.8.1797 und nahm Gedichte von ihr in den *Musen-Almanach für das Jahr 1798* auf; G. lehrte sie den Hexameter und redigierte 1799 unter Seufzen und Klagen das Epos »unserer lieben kleinen Freundin« mit dem unverdächtigen Titel *Die Schwestern von Lesbos* für Schillers *Musenalmanach für das Jahr 1800* (vgl. an Schiller 29.5.1799 u.ö., an W. von Humboldt 16.9.1799). Das Lob einiger Zeitgenossen und zahlreiche Verehrer steigerten ihr Selbstbewußtsein. Sie war oft im Hause G.s und Schillers zu Gast und wurde 1801–03 Mitglied von G.s Mittwochskränzchen. 1803 heiratete sie den schwedischen Oberstleutnant, später preußischen Generalmajor Carl Gottfried von Helvig und lebte in Stockholm, 1810 zeitweise im Heidelberger Romantikerkreis um Boisserée und nach einem Besuch in Weimar 1820, bei dem G. ihre Zeichnungen lobte (*Tag- und Jahreshefte* 1820) in Berlin im Kreis um Bettina von Arnim, schrieb Romane und Erzählungen und übersetzte E. Tegnérs *Frithiofsaga* (1825), auf die G. nach Proben von 1824 in *Über Kunst und Altertum* (V,1, 1824 und V,3, 1826) lobend hinwies. Für G.s Betrachtungen zum Dilettantismus war sie ein ergiebiges Studienobjekt.

M. Hecker, A. v. H., PrJbb 107, 1902.

Hemsterhuis, Franz (1721–1790). Der niederländische Philosoph und Ästhetiker eines pantheistischen Neuplatonismus war seit 1775 der Fürstin →Gallitzin und dem »Kreis von Münster« freundschaftlich verbunden und lernte durch sie 1781 F. H. Jacobi kennen. Dieser sandte G. im November 1784 Hemsterhuis' Werke, die G. »eine gar angenehme Erscheinung« waren (an F. H. Jacobi 12.11.1784). Eine persönliche Bekanntschaft ergab sich beim Besuch der Fürstin Gallitzin und Hemsterhuis' in Weimar am 20.–25.9.1785. G. gedenkt sodann des Verstorbenen bei der Darstellung seines Besuchs in Münster im November 1792 in der *Campagne in Frankreich*. Bei dieser Gelegenheit sah G. die der Fürstin hinterlassene Gemmensammlung Hemsterhuis', die die Fürstin ihm zu Studienzwecken nach Weimar mitgab und die er in *Über Kunst und Altertum* (IV,1, 1823) würdigte.

E. Trunz, H.s Reise nach Weimar, Duitse Kroniek 22, 1970, auch in ders., Weimarer G.-Studien, 1980; I. und H. Linskens, G. und H., in: Grenzgänge, hg. G. van Gemert, Amsterdam 1990.

Henckel von Donnersmarck, Eleonore Maximiliane Ottilie von, geb. Gräfin Lepel (1750–1843). Die adelsstolze, aber verarmte Witwe eines 1793 gestorbenen preußischen Generalleutnants kam 1804 mit der Zarentochter und Erbprinzessin Maria Paulowna als deren Oberhofmeisterin nach Weimar und bewohnte seit 1806 das Nachbargrundstück von G.s Gartenhaus, in dem auch ihre

Enkelin Ottilie von Pogwisch, G.s spätere Schwiegertochter O. vo
→Goethe, zeitweise wohnte.

Hendel (Händel), Samuel →*An den Kuchenbäcker Händel*

Hendel-Schütz, Henriette →Schütz, Henriette

Hendrich, Franz Ludwig Albrecht von (1754–1828). De
Weimarische Geheime Kammerrat, 1802 Major, 1810 Obers
1802–13 Kommandant von Jena, bewohnte bis 1782 G.s erste Woh
nung im →Goethehaus am Frauenplan. Der »tätige und behend
Freund« (*Tag- und Jahreshefte* 1806) begleitete im Juni 1806 G. un
Riemer nach Karlsbad und führte G. am 23.5.1807 auf da
Schlachtfeld von Jena.

Henning, Leopold Dorotheus von, gen. von Schönhoff (1791
1866). Der frühere Weimarer Offizier und Jurist studierte Natur
wissenschaft und Philosophie als Schüler Hegels, wurde Privat
dozent und 1825 Professor der Philosophie an der Universitä
Berlin. Auf Anregung Hegels hielt er dort 1822–35 alljährlich in
Sommersemester Vorlesungen »Über die Farbenlehre nach Goeth
vom Standpunkte der Naturphilosophie aus« vor rd. je 40 Hörer
und erläuterte diese durch Experimente in einem von der Univer
sität mit den nötigen Apparaten ausgestatteten Raum. Der »chro
matische Freund« (Tagebuch 21.8.1828) besuchte G. in Weima
zuerst am 18.10.1821, »die Farbenlehre besprechend« (*Tag- un
Jahreshefte* 1821), sodann am 16.–18.9.1822, Auszüge seiner Kolleg
vorlesend (ebd. 1822), ferner am 7.–8.10.1822, 3.10.1823, 29.9
1825, 4. und 14.9.1827, 23.4. und 27.8.1830 und 25.10.183
und berichtete 1825–31 auch brieflich von seinen Lehrerfolge
und den Bekehrungen von Newtonianern. Hennings *Einleitung z
öffentlichen Vorlesungen über Goethes Farbenlehre* (1822, Neudruc
1996) zeigte G. in den Heften *Zur Naturwissenschaft* (II,1, 1822) an
Die so lange vermißte Resonanz der Wissenschaft auf sein
Farbenlehre erfreute G. außerordentlich und regte ihn zu weitere
Versuchen und dem Plan einer gekürzten Fassung der *Farbenlehre* a
(an K. F. von Reinhard 10.6.1822, an Boisserée 6.9.1822, Tage
buch 2.8.1822).

Hennings, August Adolph Friedrich von (1746–1826). Der Göt
tinger Studienfreund J. Ch. Kestners, dem dieser in Briefen au
Wetzlar ausführlich über G. berichtete, dann ab 1772 dänischer Di
plomat in Berlin, später Verwaltungsbeamter, versuchte sich auch al
aufklärerischer Schriftsteller und konservativer Publizist. In den vo
ihm herausgegebenen Zeitschriften *Genius der Zeit* (1794–1800)
deren literarischer Beilage *Der Musaget* (1798–99) und Fortsetzun
Der Genius des 19. Jahrhunderts (1801–03) sowie den *Annalen de*

idenden Menschheit (1795–1801) warf er G. und Schiller u. a. nmmoralität vor, was ihm den Spott G.s im Xenion 257 (»Dich, Dämon«) und im »Walpurgisnachtstraum« des *Faust I* (v. 4307–18) inbrachte, und wandte sich dann gegen die *Xenien*.

H. Moenkemeyer, A. H. als Kritiker G.s, Goethe 23, 1961.

Hennings, Justus Christian (1731–1815). Mit dem Professor der Moralphilosophie, Politik, Logik und Metaphysik der Universität Jena und zeitweilig deren (Pro-)Rektor hatte G. amtlich u. a. bei Maßnahmen gegen die landsmannschaftlichen Studentenverbindungen zu tun. Da Hennings auch über parapsychologische Themen wie Ahnungen, Visionen, Gespenster u. ä. publizierte, gab G. vor, mit den Gespenstergeschichten der *Unterhaltungen deutscher Ausgewanderten* mit ihm wetteifern zu wollen, und hoffte, seines großen Vorfahren … nicht ganz unwürdig« zu sein (an Schiller . und 10. 1. 1795).

Hensel, Fanny →Hensel, Wilhelm

Hensel, Wilhelm (1794–1861). Der romantische Historienmaler und Illustrator, 1828 königlicher Hofmaler und 1831 Professor der Kunstakademie Berlin, schuf am 30./31. 7. 1823 in Marienbad eine Porträtzeichnung G.s. G.s Urteil über sein Werk allgemein und über ein Gemälde »Christus und die Samariterin« lautete sehr kritisch (an Zelter 24. 8. 1823, 9. 11. 1830). Hensel heiratete 1829 Felix Mendelssohns Schwester Fanny (1805–1847), Musikerin und Schülerin Zelters, die G. am 7./8. 10. 1822 in Weimar eigene Kompositionen seiner Lieder vorspielte.

Herausgebertätigkeit. Neben den Sammelbänden →*Winckelmann und sein Jahrhundert* (1805) und der Biographie *Philipp Hackert* (1811) gab G. folgende Zeitschriften heraus: →*Propyläen* (II 1798–1800), →*Über Kunst und Altertum* (VI 1816–32) und →*Zur Naturwissenschaft überhaupt* (II 1817–24).

I. C. Loram, G. as editor of his journals, MLQ 12, 1951.

Herbstgefühl (»Fetter grüne, du Laub«). Das mehrfach vertonte Gedicht entstand wohl im August 1775 und erschien zuerst mit der Überschrift *Im Herbst 1775* in der Zeitschrift *Iris* (IV,3, September 775), sodann in den *Schriften* (1789) als *Herbstgefühl*. Das Naturbild üppiger Fülle in der reifen Natur des Herbstes schlägt, plötzlich vom Gefühl (»Ach«) überwältigt, in eine verinnerlichte Seelenstimmung der Wehmut angesichts der Vergänglichkeit dieser Pracht um: Einsgefühl mit dem Naturganzen oder, wie frühere biographische Deutung wollte, Tränen um den schmerzlichen Verlust von Lili Schönemann.

A. Biese, H., GKal 22, 1929; K. Weimar, G.s Gedichte 1769–75, 1982; K. Henseke, .s gegenständliches Denken, in: G. und die Wissenschaften, hg. B. Wilhelmi 1984.

Herbsttage →*Im Rheingau Herbsttage*

Herculaneum. Die durch den Vesuvausbruch von 79 n. Chr. ver-
schüttete, erst 1709 durch eine Schachtgrabung entdeckte antike
Stadt am Golf von Neapel war noch nicht freigelegt, sondern nur
durch unterirdische Gänge in Teilen zugänglich, als G. sie am 18. 3.
1787 mit Tischbein von Neapel aus besuchte und anschließend die
Ausgrabungsfunde im Museum des Palazzo Reale in Portici besichtigte (*Italienische Reise*). Im Februar–April 1797 zeigte G. große
Interesse an den Kopien antiker Wandgemälde aus Pompeji und
Herculaneum von F. W. Ternite, die J. H. Meyer in *Über Kunst und
Altertum* (VI,1, 1827) besprach. Am 7.–15. 9. 1827 legte der Maler
und Archäologe W. J. C. →Zahn G. in Weimar Durchzeichnungen
antiker Wandgemälde vor; sein Werk *Die schönsten Ornamente und
merkwürdigsten Gemälde aus Pompeji, Herculanum und Stabiä* (1828 ff.)
zeigte G. ebd. (VI,2, 1828) an und besprach es ausführlich in den
Wiener *Jahrbüchern der Literatur* (51, 1830).

Herd, Philipp Jacob (1735–1809). Der kurpfälzische Legationssekretär am Reichkammergericht in Wetzlar 1767–73 ist nur insofern von Interesse, als die unerwiderte Liebe des jungen →Jerusa-
lem zu dessen Gattin Elisabeth letzteren in den Selbstmord trieb
und Motive für die *Leiden des jungen Werthers* abgab.

Herder, Caroline, geb. Flachsland (1750–1809). J. G. →Herders
Frau, eine gebürtige Elsässerin, verbrachte ihre Jugend ab 1768 bei
ihrer Schwester Friederike, Gattin des Geheimrats A. P. von Hesse
in Darmstadt und war die »Psyche« im →Darmstädter Kreis der
Empfindsamen, in dem G. 1772/73 verkehrte. Dort lernte sie bei
seinem Aufenthalt im August 1770 Herder kennen, der sie nach
langer Verlobungszeit am 2. 5. 1773 dort in Anwesenheit G.s heiratete. Ihr Brautbriefwechsel mit Herder gibt ein subjektiv-schwär-
merisches Bild des Darmstädter Kreises mit Leuchsenring, Merck
und G., der dort seine Dichtungen vorlas, ihr seine Darmstädter
Hymnen schickte und ihr als »Psyche« den →*Fels-Weihegesang*
(1772) widmete. Züge von ihr gingen auch in die Figur der Psyche
im *Satyros* und der Leonora im *Pater Brey* sowie in das →*Concerto
dramatico* ein. Nach Jahren verstimmten Schweigens, verursacht
wohl durch Zwischenträgereien Leuchsenrings, stellte sich nach
Herders Übersiedlung nach Weimar (1776) zeitweise ein besseres
Verhältnis zu G. ein, überschattet allerdings von Herders Unbefrie-
digtsein und dem Neid Carolines, die ihren vergötterten Gatten
durch G. in den Schatten gestellt glaubte. Aus dieser Zeit stammen
G.s Gedichte *An Herder und seine Gattin. Weimar 17. 7. 1782* und
Die Wahrheit (1784). Während Herders Italienreise 1788/89 sorgte
G. hilfsbereit für die Familie; 1795, als Caroline eine unangemessen
hohe Geldforderung für die Ausbildung ihrer Söhne an den Herr-

g stellte, erntete G. jedoch beim Vermittlungsversuch nur Un-
nk, Groll und Vorwürfe. Ihre ursprüngliche Begeisterung für G.s
ichtung machte Neid, Haß, Bitterkeit und Verunglimpfungen
atz und führte zur völligen Entfremdung. Nach Herders Tod ver-
ß Caroline 1804 Weimar, kehrte jedoch 1807 zurück und wid-
ete sich der Herausgabe seiner Werke.

W. Dobbek, K. H., 1963 u. ö.; N. Kohlhagen/S. Sunnus, Eine Liebe in Weimar, 1993.

erder, Johann Gottfried (ab 1801) von (1744–1803). Am 4. 9.
770 kam der Hamann-Schüler, Philosoph und Theologe, in
armstadt frisch verlobt, als Reisebegleiter Holsteiner Prinzen
ach Straßburg und blieb bis April 1771 dort, um sich einer Augen-
peration zu unterziehen. G., der schon in Frankfurt Herders *Kriti-
he Wälder* (1769) gelesen hatte, lernte ihn Ende September 1770
fällig im Gasthof »Zum Geist« kennen, besuchte ihn zeitweise fast
glich und geriet rasch unter den geistigen und menschlichen
nfluß des fünf Jahre älteren, welterfahrenen und kenntnisreichen
annes, der ihn trotz übler Laune, Spottsucht und Reizbarkeit
folge der schmerzhaften Kur durch seinen Reichtum an ge-
hichtsphilosophischen Gedanken, Erfahrungen und ästhetischen
insichten in das Wesen von Sprache und Dichtung anzog. Herder
erwies G. auf die Fülle der Weltliteratur und die Vielfalt geschicht-
cher Werdeprozesse, ließ ihn 1771 seine *Abhandlung über den Ur-
rung der Sprache* im Manuskript lesen und erschloß ihm in neuer
icht die Dichtungen Homers, Pindars, der Bibel, Ossians, altnordi-
he/altkeltische Dichtungen und das →Volkslied – G. sammelte
f seine Anregung Volkslieder im Elsaß –, vor allem aber →Shake-
eare, regte ihn zur Lektüre von Hamann, Goldsmith, Swift und
ösers *Patriotischen Phantasien* an und wurde als sein geistiger Men-
r maßgeblich für G.s Suche nach einer eigenen Form und seine
endung zum Sturm und Drang. Nach Herders Abreise Anfang
pril 1771 zur Hofpredigerstelle in Bückeburg, bei der er G.s El-
rn in Frankfurt besuchte, wurde der Austausch durch Briefwech-
l aufrechterhalten. Ende 1771 sandte G. ihm das Manuskript der
rfassung des *Götz von Berlichingen* und berücksichtigte bei der
marbeitung Herders Urteil, Shakespeare habe ihn ganz verdorben
n Herder 10. 7. 1772). Anfang 1772 lernte G. im →Darmstädter
reis Herders Braut Caroline Flachsland (→Herder, C.) kennen
nd war bei beider Hochzeit am 2. 5. 1773 anwesend, doch gaben
ißverständnisse und Zwischenträgereien Leuchsenrings, vertieft
urch G.s *Pater Brey* und *Satyros*, Anlaß zur Entfremdung und zum
bbruch des Briefwechsels bis 1775, ohne das Interesse am gegen-
itigen Werk zu vermindern. Bei der Rückkehr von der 1. Schwei-
er Reise traf G. Herder und seine Familie in Darmstadt, und man
iste am 22. 7. 1775 gemeinsam nach Frankfurt weiter. G.s unver-
inderter Freundschaft verdankte Herder am 1. 2. 1776 seine –
egen erheblichen Widerstand durchgesetzte – Berufung als Gene-

ralsuperintendent des Herzogtums Sachsen-Weimar (Amtsantri
1. 10. 1776), der neben der Zuständigkeit für das gesamte Schu
und Kirchenwesen des Landes weitere hohe Kirchenämter (Obe
hofprediger, Oberkonsistorialrat u. a.) folgten. Nach anfängliche
Unzufriedenheit Herders mit seinen Verhältnissen, mit dem Genie
treiben am Hofe und Carolines Neid auf den bevorzugten Dichte
folgten 1783–95 Jahre enger Freundschaft, Zusammenarbeit un
regen geistigen Austauschs, auch bei den gemeinsamen Aufentha
ten in Karlsbad 1785 und 1786. Herder nahm regen Anteil an de
Ausgabe von G.s Schriften, betreute während G.s Italienreise –
ist der engste Briefpartner der *Italienischen Reise* – die Werkausgab
und unternahm die letzte Durchsicht der *Iphigenie* (wie 1793 auc
die Verbesserung der Hexameter im *Reineke Fuchs*). Während He
ders Italienreise 1788/89 sorgte G. hilfsbereit für Herders Famili
und erwirkte 1789 angesichts der Berufung Herders nach Götti
gen finanzielle Vorteile für sein Verbleiben in Weimar. Gerade dies
jedoch führten 1795 zum Zerwürfnis, als Caroline maßlose Geld
forderungen für die Ausbildung ihrer Söhne an die herzoglich
Kasse stellte und G., der zu vermitteln versuchte (an Carolin
20. 10. 1795), mit ungerechten Vorwürfen bedachte. Herders Pole
mik gegen Kant, seine Sympathien für Ideen der Französische
Revolution, die beneidete Freundschaft G.s mit Schiller, Caroline
Gegnerschaft und Herders durch Krankheit geförderte Reizbarke
führten schließlich zum völligen Bruch der einstigen Freunde. Di
Konfirmation von G.s Sohn August durch Herder am 13. 6. 180
und ein zufälliges Treffen am 16. 5. 1803, als G. und Herder i
Jenaer Schloß wohnten, waren die letzten Begegnungen. Herde
gelten G.s Gedichte *An Herder* (1776) und *An Herder und seine Ga
tin* (1782). Sein *Maskenzug. Den 18. Dezember 1818* (Herders 15. To
destag) verherrlicht nochmals Herders Verdienste. Herders Vorbil
für Züge von Wagner und Mephisto im *Faust* ist umstritten. G
1811/12 geschriebene Darstellung in *Dichtung und Wahrheit* (II,1(
ist bemüht, der Bedeutung Herders für seinen Werdegang gerech
zu werden, die neben zahlreichen Einzelanregungen vor allem i
der Anwendung historisch-genetischer Betrachtungsweise für Ent
wicklungen in Kunst, Natur und Gesellschaft liegt.

B. Suphan, G. und H. 1789–1795, PrJbb 43, 1879; J. Minor/A. Sauer, H. und d
junge G., in dies., Studien zur G.-Philologie, 1880; J. Goebel, H. und G., GJb 25, 190
G. Jacoby, H. als Faust, 1911; O. Walzel, G.s und H.s Weimarer Anfänge, GRM 1.
1927; B. v. Wiese, H. in Straßburg, ZDB 5, 1929; A. Leitzmann, Der junge G. und H
Schriften, Goethe 7, 1942; A. Gillies, H. and Faust, PEGS NS 16, 1947; A. Gillies, F
and G., in: German Studies, Festschrift L. A. Willoughby, Oxford 1952; W. Koh
schmidt, Die Begegnung G.s mit H. in Straßburg, RA 3, 1971; J. Müller, G. und H.,
ders., G.-Wirkung und Humanitätstradition, 1980; J. M. van der Laan, G's portrait
H. in Dichtung und Wahrheit, Neophil 70, 1986; H. D. Irmscher, G. und H. im Wech
selspiel von Attraktion und Repulsion, GJb 106, 1989.

Herder, Siegmund August Wolfgang, (1813) Freiherr von (1776
1838). Der zweite Sohn J. G. Herders stand G. besonders nahe, be
gleitete ihn gelegentlich auf Reisen, teilte seine mineralogische

nteressen, studierte seit 1797 an der Bergbauakademie Freiberg und verkehrte 1806, 1808 und 1819 in Karlsbad mit ihm (*Tag- und Jahreshefte* 1806, 1808). 1826 Oberberghauptmann in Freiberg, sandte er G. gelegentlich Mineralien für seine Sammlung.

Hermann. Die männliche Hauptfigur in →*Hermann und Dorothea*, der tüchtige, aber schüchterne, doch seines Gefühls sichere Sohn des Löwenwirts in einem kleinen rechtsrheinischen Landstädtchen, reift in seiner Liebe zu dem armen, hilfreichen und tatkräftigen Flüchtlingsmädchen →*Dorothea* und, indem er die Heirat bei den Eltern durchsetzt, zum Manne.

Hermann, Christian Gottfried (1743–1813). Der Sohn des Dresdner Oberhofpredigers, Jurist und 1794 Bürgermeister von Leipzig, war G.s Studienfreund und 1766/67 mit ihm Mitglied der Schönkopfschen Tischgesellschaft. Vorbildlich durch Fleiß und Zielstrebigkeit, betreute er G. liebevoll während seiner Erkrankung. *Dichtung und Wahrheit* (II,8) gibt sein Charakterbild. Bei seiner Promotion am 7. 5. 1767 trat G. als Opponent auf; 1768 widmete er ihm eine seiner Radierungen nach Landschaften von J. A. Thiele. G. blieb mit ihm in Verbindung und besuchte ihn am 9. 5. 1800 in Leipzig.

W. Kilian, G.s werter Freund Bürgermeister H., Goethe 27, 1965.

Hermann, Johann Gottfried Jacob (1772–1848). Der klassische Philologe, 1798 Professor der Poesie und Beredsamkeit in Leipzig und richtungweisend durch seine textkritischen Ausgaben der griechischen Tragiker (seine Ausgabe von Euripides' *Iphigenie in Tauris*, 1831, ist G. gewidmet), wirkte in vieler Hinsicht anregend auf G., der ihn am 7. 5. 1800 in Leipzig kennenlernte und ihn am 21.–27. 5. 1820 in Karlsbad wiedersah. G. nahm 1817–20 regen Anteil an seiner Auseinandersetzung mit F. Creuzer über dessen romantische Mythendeutung in *Briefe über Homer und Hesiodus* (1817; vgl. an Boisserée 16. 1. 1818; *Tag- und Jahreshefte* 1817, 1820; →*Geistesepochen*, 1817), beschäftigte sich für *Urworte. Orphisch* 1817 mit Hermanns *Orphica* (1805), ließ sich durch Hermanns Ausgabe der Fragmente von Euripides' *Phaeton* (1821) zu einer Rekonstruktion dieses Werkes (an F. L. Schultz 28. 11. 1821) und im November 1821 zu Übersetzungen aus Euripides' *Bacchantinnen* anregen und folgte im Aufsatz *Die tragischen Tetralogien der Griechen* (1823) einer Studie von Hermann (1819).

P. Primer, G.s Beziehungen zu G. H., 1913.

Hermann und Dorothea. Das Hexameterepos in neun (nach den antiken Musen benannten) Gesängen entstand vom 11. 9. 1796 bis 8. 6. 1797 und erschien im Oktober 1797 als Viewegs *Taschenbuch für 1798*. Es verlegt eine erbauliche Anekdote vom Jahr 1731 aus

G. Göckings *Vollkommener Emigrationsgeschichte von denen aus dem Erzbistum Salzburg vertriebenen ... Lutheranern* (1734) in ein rechtsrheinisches Landstädtchen und in die zeitgenössische Gegenwart von 1796 mit der Flucht linksrheinischer Deutscher vor den französischen Revolutionstruppen, ein Milieu also, das G. aus der Campagne in Frankreich von 1792 vertraut war. Aus der Verbindung der antik-klassischen Gattungsform des Hexameterepos nach Vorbild Homers mit episch breitem Stil, stehenden Beiwörtern und Anrufung der Musen (IX, 1 ff.), angeregt besonders durch J. H. Voß' Pfarrhausidylle *Luise* (1795) mit einem aktuellen deutsch-bürgerlichen Stoff und modernem Milieu entstand das klassische deutsche Epos wahrer und echter Humanität mit Erhöhung des gemüthaften Bürgerlebens ins Normative, Idealtypische, jedoch nicht ohne leicht ironische Distanz von den assoziierten mythologischen, heroischen oder biblischen Vorbildern der bürgerlich-beschränkten Figuren.

Die Handlung, vielfach in direkter Rede oder Bericht gestaltet, bildet eine Reihe symbolischer Szenen. Der tüchtige, aber schüchterne Hermann, Sohn des wohlhabenden Löwenwirts, lernt bei seiner Hilfe für die Flüchtlinge die tatkräftig helfende junge Dorothea kennen, verliebt sich in sie und gesteht dies der Mutter. Obwohl der Vater eine reiche Schwiegertochter wünscht, wirbt Hermann um sie, nachdem Erkundigungen des Pfarrers und des Apothekers nur Vorteilhaftes über sie ergeben haben. Er wählt seine Worte jedoch so ungeschickt, daß sie vermeint, als Magd eingestellt zu werden. Nach Aufklärung kränkender Mißverständnisse durch den Pfarrer gibt sie Hermanns Werbung nach und willigt in die Ehe, die in der unsicheren Zeiten den einzigen festen Bund, die Ordnung gegenüber dem Chaos von Krieg und Revolution, darstellt.

Das optimistisch-lebensbejahende Werk fand sogleich begeisterten Beifall bei den Zeitgenossen wie Schiller, der an der Entstehung und Gattungsfrage regen Anteil nahm, Herder, Schelling, A. W. Schlegel (*Jenaische Allgemeine Literatur-Zeitung* 11.–13. 12. 1797), W. von Humboldt (*Ästhetische Versuche I: Über G.s H. u. D.,* 1799), Hegel (*Vorlesungen über Ästhetik*) u. a. Es wirkte als Vorbild für eine Vielzahl späterer bürgerlicher Epen und Idyllen und galt, rasch von Schulmeistern, Moralpädagogen, Besitzbürgern und Patrioten als Hohelied der schlichten deutschen Bürgertugenden einseitig für außerliterarische Zwecke auch als Schultext vereinnahmt, bis in 20. Jahrhundert neben dem *Faust* als zweites Hauptwerk G.s. Neuere Forschung bemüht sich, solche Mißverständnisse, Vorurteile und Vereinfachungen auszuräumen und einen neuen Zugang zu dem Werk zu eröffnen, in dem auch der oft übersehenen Ironie auf das beschränkte und betuliche Spießbürgertum ihr Recht wird, in dem sich hier eine antikisierend formulierte Weltgeschichte spiegelt.

Als Ankündigung und Einleitung des Epos sandte G. Schiller für die *Horen* Anfang Dezember 1796 die polemisch rechtfertigende

legie *Hermann und Dorothea*, die jedoch erst in den *Neuen Schriften*
Bd. 7, 1800) erschien. Die breite Rezeption zeigen zahlreiche Illu-
rationen (D. Chodowiecki, J. Führich, J. H. Ramberg, B. Vautier,
. Richter), Opern (C. Schönfeld, F. Le Rey 1894, J. Urich 1899,
..Schumann, Ouvertüre Op. 136, 1851), Dramatisierungen
⊂. →Töpfer 1820, die G. am 2. 10. 1824 in Weimar sah; L. Berger
961), Neudichtungen (F. von Saar 1902) und Übersetzungen, von
enen G. noch die lateinische *Arminius et Theodora* von M. B. G.
ischer (1822) sah.

V. Hehn, Über G.s H. u. D., 1893 u. ö.; H. Steckner, Der epische Stil von H. u. D.,
927; R. Petsch, H. u. D., Deutsche Grenzlande 14, 1935; M. Gerhard, Chaos und Kos-
os in G.s H. u. D., MDU 34, 1942, auch in dies., Leben im Gesetz, 1966; H. Hel-
erking, H. u. D., 1948; R. Leroux, La révolution française dans H. u. D., EG 4, 1949;
Scheibe, Zu H. u. D., in: Beiträge zur G.forschung, hg. E. Grumach 1959; R. Samuel,
's H. u. D., PEGS 31, 1961, auch in ders., Selected writings, Melbourne 1965;
. Lypp, Ästhetische Reflexion und ihre Gestaltung, 1967; M. Lypp, Bürger und Welt-
ürger in G.s H. u. D., Goethe 31, 1969; G., H. u. D., Erläuterungen und Dokumente,
g. J. Schmidt 1970 u. ö.; O. Seidlin, Über H. u. D., in: Lebendige Form, hg. J. L. Sam-
ons 1970, auch in ders., Klassische und moderne Klassiker, 1972; F. G. Ryder u.
. Bennett, The irony of G's H. u. D., PMLA 90, 1975; I. Graham, A delicate balance, in
es., G., 1977; H. Geulen, G.s H. u. D., JFDH 1983; Ch. Bürger, H. u. D., in: Unser
ommercium, hg. W. Barner 1984; K. Eibl, Anamnesis des Augenblicks, DVJ 58, 1984;
M. Lützeler, H. u. D., in: G.s Erzählwerk, hg. ders. 1985; E. Redslob, H. u. D., in ders.,
chicksal und Dichtung, 1985; W. Martens, Halten und Dauern, in: Verlorene Klassik?,
g. W. Wittkowski 1986; T. M. Holmes, G's H. u. D., MLR 82, 1987; P. Morgan, The
itical idyll, Columbia 1990; Y. A. Elsaghe, Untersuchungen zu H. u. D., 1990; Y. A.
lsaghe, Der Schluß von G.s H. u. D., SchillerJb 35, 1991; G. Kluge, H. u. D., GJb 109,
992; W. Wittkowski, Homo homini lupus, GJb 110, 1993.

Hermes, Johann Timotheus (1738–1821). Den Breslauer Theolo-
en und Erzähler traf G. Mitte August 1790 in Breslau. Seine tradi-
ionellen empfindsam-moralischen Romane nehmen die *Xenien* 13
von Schiller), 24 und 25 aufs Korn.

Herodot. Mit dem Werk des griechischen Historikers befaßte sich
G. wiederholt, u. a. Mitte Dezember 1797 und am 15.–24. 4. 1826.
Der Einteilung seiner *Historien* (durch alexandrinische Philologen)
n neun nach den Musen benannte Bücher folgt G. in →*Hermann
nd Dorothea*.

Hero und Leander. Das tragische Liebespaar der antiken Sage bei
Ovid und Musaios – Hero tötet sich an der Leiche ihres beim
Durchschwimmen des Hellespont ertrunkenen Geliebten, vgl. *Rö-
nische Elegien* III – plante G. Ende Mai 1796 dichterisch zu behan-
eln (Schiller an Körner 23. 5. 1796). Der Plan wurde nicht ausge-
ührt; Schiller griff den Stoff 1801 in seiner Ballade auf.

G. Schaaffs, G.s H. u. L. und Schillers romantisches Gedicht, 1912.

Herrliberg →Escher, Johann

Herrnhuter. Die Herrnhuter Brüdergemeine, eine Gruppe der
Böhmischen Brüder«, die das durch die Gegenreformation katho-

lisch gewordene Böhmen verließ, wurde 1722 unter dem Schutz
des Grafen Nikolaus Ludwig von Zinzendorf (1700–1760) auf sei
nen Gütern in der Oberlausitz in der neugegründeten Siedlung
Herrnhut neu beheimatet und als pietistische Gemeinde organi
siert. Wegen ihrer religiösen Innerlichkeit, Gefühlsfrömmigkeit und
Sittenstrenge fand sie viel Beachtung und gründete bald weitere
Gemeinden in Deutschland. G. begegnete in seiner Jugend Mit
gliedern der Herrnhuter (*Dichtung und Wahrheit* I,1; II,8; III,15) und
nahm teils an ihren Sing- und Liederstunden teil, die er in *Wilhelm
Meisters Lehrjahre* (II,13 a. E.) beschreibt. Er stand ihnen in der Zeit
der Frankfurter Rekonvaleszenz unter Einfluß von S. C. von Klet
tenberg nahe, besuchte im September 1769 auch einen Kongreß
der Brüdergemeine in Marienborn/Wetterau (*Dichtung und Wahr
heit* III,15) und las Schriften Zinzendorfs, gab jedoch den Kontakt
nach einer Begegnung mit der selbstgerechten, unduldsamen Straß
burger Gemeinde der Herrnhuter auf und empfand beim Besuch
in →Barby 1776 seine Entfremdung. In *Wilhelm Meisters Lehrjahre*
besonders im religiösen 6. Buch (»Bekenntnisse einer schönen
Seele«), findet ihr Einfluß wiederholt Erwähnung, ebenso ebd. VII,
und VIII,3.

J. Becker, G. und die Brüdergemeine, 1922; J. Richter, G. und die H., in: Begegnung
mit G., hg. R. Daur 1939.

Herrn Staatsminister von Voigt →Voigt, Christian Gottlob von

Hersilie. Die Liebesgeschichte der jungen Nichte des Schloßherrn
in *Wilhelm Meisters Lehrjahre* (I,4 u. ö.), in die sich →Felix verliebt
und die mit Wilhelm korrespondiert, hat ebenso einen offenen
Schluß wie die Geschichte des vieldeutig symbolischen →Käst
chens, das sich samt dem Schlüssel dazu bei ihr einfindet (III,2 + 7)
an dem Felix wie in seiner stürmischen Liebe scheitert und das sie
dennoch nicht öffnet: verlegenes Versagen vor dem Leben?

M. Jabs-Kriegsmann, Felix und H., in: Studien zu G.s Alterswerken, hg. E. Trunz
1971; F. Derré, Die Beziehungen zwischen Felix, H. und Wilhelm in Wilhelm Meisters
Wanderjahren, GJb 94, 1977; →Felix.

Herter, Johann Heinrich. Er gehört nicht der Literaturgeschichte
an, sondern hat vielmehr Literatur eher verhindert: G.s Nachbar im
Haus am Frauenplan Nr. 3 seit 1793, ein Leinenweber, dessen er
sich, durch den Lärm der Webstühle gestört, vergeblich zu entledi
gen versuchte. Erst 1834 konnten G.s Erben das Haus erwerben, in
dem dann die Familie Vulpius wohnte.

Herz, Henriette, geb. de Lemos (1764–1847). Die Frau des Ber
liner Arztes und Kantianers Markus Herz, Mittelpunkt eines der be
deutendsten Berliner literarischen Salons der Romantik (Hum
boldts, Schleiermacher, Dorothea Veit, F. Schlegel), traf G. am 17. 9
1810 in der Dresdner Galerie, am gleichen Abend bei Körners und
an den folgenden Abenden bei seinen Dresdner Freunden.

Ierzlieb, Christiane Friederike Wilhelmine, gen. Minna, Minchen 1789–1865). Die verwaiste Tochter eines Theologen kam 1798 als 'flegetochter in das Haus des mit G. befreundeten Jenaer Buchändlers und Buchdruckers →Frommann, wo G. sie schon als Kind ern sah, und erregte dort im November 1807 als 18jährige die .erzliche Zuneigung des fast 60jährigen Dichters (an Christiane . 11. 1812; an Zelter 15. 1. 1813). Diese verborgene und verhaltene .iebe, ihr selbst wohl gar nicht voll bewußt, zeitigte im Wettstreit nit Z. Werner und Riemer einige von G.s →*Sonetten* (*Tag- und ahreshefte* 1807) und zu ihrem Geburtstag 1817 G.s Vierzeiler Wenn Kranz auf Kranz ...«. Einige äußere und Wesenszüge Minas mögen in die Figur der Ottilie in den *Wahlverwandtschaften* eingegangen sein. G.s Schweigen über die Beziehung und unstatthafte Rückschlüsse aus den (auch aus anderen Quellen gespeisten) *Sonet-en* auf die Wirklichkeit führten frühere Goetheforscher fälschlich ur Konstruktion einer leidenschaftlichen Liebestragödie. Minna chloß nach einer gescheiterten Verlobung 1821 eine Vernunftehe nit dem Jenaer Professor K. W. Walch; sie starb geistig umnachtet in iner Heilanstalt.

K. T. Gaedertz, G.s Minchen, 1888; ders., Bei G. zu Gaste, 1900; Freundliches Be-egnen, hg. G. H. Wahn 1927; P. Hankamer, Spiel der Mächte, 1947 u. ö.; I.-M. Barton, V. H. Walch, Palmbaum 3, 1995; I. M. Barton, Auf den Spuren von G.s Minchen, 1995; ►Sonette.

Ierzogin Anna Amalia Bibliothek   →Weimarer Bibliothek

Iesiod (um 700 v. Chr.). Den frühgriechischen Dichter kannte nd schätzte G. schon in der Frankfurter Jugend wegen seiner Ver-indung von »Poesie, Religion und Philosophie« (*Dichtung und Vahrheit* II,6). Er beschäftigte sich wieder mit ihm bei der Arbeit an ler *Achilleis* am 10.–25. 3. 1799, sodann 1807 als Hauptquelle für lie *Pandora*, die allerdings Hesiods geschichtspessimistische Deu-ung (*Theogonie, Werke und Tage*) ins Gegenteil wendet, und schließ-ch angesichts der romantischen Mythologie →Creuzers (*Über Iomer und Hesiodus*, 1817).

Ieß, Heinrich Hermann Joseph, Freiherr von (1788–1870). Der pätere österreichische Feldmarschall, damals noch Hauptmann, be-uchte G. am 27. 5. 1813 auf der Durchreise in Teplitz, besichtigte m 11.–16. 8. 1813 mit ihm die Dresdner Kunstsammlungen und ►esuchte ihn nach der Völkerschlacht von Leipzig inmitten der Ein-uartierungen am 23. 10. 1813 in Weimar.

Iesse, Friederike von, geb. Flachsland (um 1745–1801). Die chwester von Caroline →Herder, Gattin des Geheimrats und spä-eren Ministers A. P. von Hesse in Darmstadt, gehörte zum →Darm-rädter Kreis der Empfindsamen, in dem G. 1772/73 verkehrte *Dichtung und Wahrheit* III,12).

Hexameter. Den epischen Vers der Antike aus sechs Daktylen verwendet G. nach Vorgang von Klopstock (*Messias*) und mehr an H. J. Voß als an der Antike geschult vor allem in seinen Epen *Reineke Fuchs*, *Achilleis* und *Hermann und Dorothea* (dazu vgl. *Campagne in Frankreich*; *Tag- und Jahreshefte* 1793, 1804), ferner in den Distichen der *Römischen Elegien*, *Venetianischen Epigramme*, der Elegien, Lehrgedichte und Epigramme wie den *Xenien*. Selbst mehr den Gehör nach arbeitend, ließ er sich seine Hexameter gern von anderen (Herder, W. von Humboldt, H. Voß) auf metrische Richtigkeit hin durchsehen, ohne indessen alle Verbesserungsvorschläge aufzugreifen.

E. Feise, Der H. in G.s Reineke Fuchs und Hermann und Dorothea, MLN 50, 1935; E. Staiger, G.s antike Versmaße, in ders., Die Kunst der Interpretation, 1955 u. ö.; U. Hötzer, Grata negligentia, DU 16, 1964; F. Neumann, Grundsätzliches zum epischen H. G.s, DVJ 40, 1966.

Hexen. Die Figuren aus dem Volksaberglauben, die bis in die Goethezeit hinein in den Hexenprozessen noch eine fatale Aktualität hatten, verwendet G. fast ausschließlich im *Faust* (→Hexenküche, →Walpurgisnacht, Klassische Walpurgisnacht; vgl. →Blocksberg). Wie er im Sinne einer Gleichheit der Geschlechter nicht der von Männern begründeten Tradition folgt, die fast nur weibliche Hexen kennt, sondern ihnen auch männliche »Hexenmeister« zur Seite stellt (v. 3978, vgl. auch das Gedicht *Der Zauberlehrling*, 1797), so läßt er andererseits bei Mephisto einen Rassismus zum Vorschein kommen, da dieser die als besonders lasterhaft berüchtigten »thessalischen Hexen« (v. 6979) den »nordischen Hexen« (v. 7676) vorzieht. Anläßlich einer Übersetzung aus dem *Globe* (*Über Kunst und Altertum* VI,6, 1827) betont G. das Recht des Dichters zur Verwendung des »häßlichen Teufels- und Hexenwesens, das nur in düstern ängstlichen Zeitläufen aus verworrener Einbildungskraft sich entwickeln und in der Hefe menschlicher Natur seine Nahrung finden konnte«.

W. Resenhöfft, Existenzerhellung des Hexentums in G.s Faust, 1970; B. Becker-Cantarino, Witch and infanticide, GYb 7, 1994.

Hexeneinmaleins. Die berühmte widersinnige Zauberformel der Hexe bei der Bereitung des Verjüngungstranks im *Faust* (v. 2540–52) ist bewußt als kauderwelsche Unsinnsdichtung angelegt und bloß Satire auf absurde Zahlenmystik, in der man fälschlich Anspielungen auf die Trinität oder die zehn Gebote finden wollte. G. weigerte sich wiederholt im Gespräch mit Falk und im Brief an Zelter (4. 12. 1827), dem beabsichtigten Hokuspokus einen erklärbaren Sinn zu unterlegen, und amüsierte sich wie Mephisto (v. 2565 f.) über die Sucht der Deutschen, auch im offensichtlichen Unsinn Menschen verstand zu suchen.

G. M. Wahl, Eine Erklärung des H., Euph 23, 1921; O. Potier des Echelles, Das H. in G.s Faust, ChWGV 47, 1942; F. G. Elston, Das H. in G.s Faust, GQ 22, 1949; H. Petzsch, Das H., WZ Greifswald, Mathemat. Reihe 12, 1963; K. S. Levedahl, Th itch's one-time-one, MLN 85, 1970; W. Resenhöfft, G.s Rätseldichtungen im Faust, 972; W. Neubauer, Das tragische Prisma des Irrtums, 1986; R. Bülow, Aus 1 mach X, Muttersprache 97, 1987.

Hexenküche. Die Hexenküchen-Szene im *Faust* (v. 2337–2604) entstand im wesentlichen im Frühjahr 1788 in Rom und wurde später um zeitsatirische Züge angereichert. Sie bildet nach dem bilgen Klamauk in Auerbachs Keller den zweiten Versuch Mephistos, Faust zur Weltlust zu verlocken, nunmehr auf dem Weg über die Sinnlichkeit vermittels des Zauberspiegels und eines Verjüngungstranks, der als Aphrodisiakum zugleich seine Sexualität erweckt. Trotz des Unsinn-Brimboriums mit dem →Hexeneinmaleins, den Tieren und anderen den Vorgang selbst satirisierenden Zügen (z. B. v. 2567–72) stellt sich die Wirkung sogleich ein – allerdings dank der Innerlichkeit Fausts nicht in dem von Mephisto gewünschten Sinne niederer Sexualität (v. 2626). In dieser Phase meinen das »schönste Bild von einem Weibe« (v. 2434) im Zauberspiegel und der direkte Verweis auf Helena (v. 2604) nur das begehrenswerte Weib schlechthin, noch nicht die klassische Helena des *Faust II*.

J. Trumpp, Die H. des Faust, Diss. München 1949; F. Bruns, Die H., MDU 46, 1954; D. F. Bub, The H. and the Mothers in G's Faust, MLN 83, 1968; W. Resenhöfft, G.s Rätseldichtungen im Faust, 1972; A. Fuchs, H., RG 7, 1977; A. Binder, Hexenpoesie, GJb 97, 1980; J. Peyraube, Naissance de la passion et cuisine de la sorcière, EG 36, 1981.

Heygendorf, Caroline von →Jagemann, Caroline

Heyne, Christian Gottlob (1729–1812). Der bedeutendste deutsche Altphilologe seiner Zeit, seit 1763 Professor und Bibliothekar in Göttingen, um dessen willen G. gern in Göttingen studieren wollte (*Dichtung und Wahrheit* II,6), hatte nur lockere Beziehungen zu G. Dieser sah ihn wohl zuerst am 22. 12. 1779 auf der Rückreise von der Schweiz bei einem Essen beim Buchhändler Schwan in Mannheim, korrespondierte seit 13. 1. 1787 gelegentlich mit ihm und besuchte und traf ihn, der seine *Römischen Elegien* bewunderte (Schiller an G. 4. 11. 1795) bei seinem Aufenthalt in Göttingen am 1.–9. 6., 19. und 29. 7., 7. und 11. 8. 1801 (*Tag- und Jahreshefte* 1801). Später vermittelte der »edle Heyne« (ebd. 1804) ihm wiederholt Bücher aus Göttingen. G. erwähnt ihn im *Werther*, beginnt *Dichtung und Wahrheit* II,9 mit einem Heyne-Zitat, paraphrasiert ebd. III,12 einen Passus Heynes über Homer und benutzte am 4.–6. 12. 1813 Heynes Arbeiten für seine Studie *Philostrats Gemälde*. Die *Xenien* 366–368 beziehen sich auf Heynes Auseinandersetzung mit F. A. Wolf um die Autorschaft Homers. Heynes Tochter war Marie Therese →Huber.

H. Ruppert, G. und die Altertumswissenschaft seiner Zeit, FuF 33, 1959.

Heyne, Christian Leberecht →Wall, Anton

Hilarie. Die junge Nichte des Majors in →*Der Mann von fünfzig Jahren* (*Wilhelm Meisters Wanderjahre* II,3–5 und 7) verliebt sich statt, wie opportun, in dessen Sohn Flavio, in den Major selbst, dann in Flavio und wird in ihrem sittlichen Feingefühl durch die Unbeständigkeit ihres Herzens verwirrt, bis sie durch Entsagung zu dem ihr gemäßen Flavio zurückfindet, als dessen Gattin sie schließlich erscheint (III,14).

Hildburghausen. Auf seiner diplomatischen Reise (zu Pferd) zu den Thüringer Residenzen in Universitätsangelegenheiten besuchte G. am 13. 5. 1782 den Prinzregenten Joseph von Sachsen-Hildburghausen.

Hildebrandslied. Nachdem ihm eine jüngere Fassung bereits 1806 in *Des Knaben Wunderhorn* begegnet war, beschäftigte sich G. am 28.–30. 8. 1816 in Bad Tennstedt mit der Ausgabe des althochdeutschen Heldenlieds durch J. und W. Grimm (1812).

Hiller, Ferdinand (1811–1885). Der junge Pianist, Komponist und Musikschriftsteller, 1825–27 Schüler J. N. Hummels in Weimar, besuchte u. a. am 30. 3. 1826 und 26. 5. 1827 G., der ihm am 10. 2. 1827 die Verse »Ein Talent …« ins Stammbuch schrieb. Hiller vertonte später mehrere Lieder G.s und hinterließ eine *Faust*-Ouvertüre.

Hiller, Gottlieb (1778–1826). Die *Gedichte und Selbstbiographie* (I, 1805) des Lohnfuhrunternehmers und Ziegelstreichers in Landsberg bei Halle las G. am 2. 1. 1806 (*Tag- und Jahreshefte* 1806) und begann am 17./18. 1. 1806 eine fragmentarische, erst 1833 gedruckte, sehr kritische Besprechung des »Naturdichters«, die allein diesen vor dem völligen Vergessenwerden bewahrt.

Hiller, Johann Adam (1728–1804). Der Leipziger Komponist, 1763–71 Leiter des »Großen Konzerts«, 1781 Gewandhauskapellmeister, 1789–1800 Thomaskantor, war G. durch seine »Handwerkeropern« und Singspiele zu Texten von Ch. F. Weiße und D. Schiebeler vertraut, die G. in Leipzig sah (*Dichtung und Wahrheit* II,8). Persönlich lernte er ihn wohl im Hause Breitkopf kennen und wurde auch von ihm freundlich empfangen (Rezension von F. Rochlitz' *Für Freunde der Tonkunst*, 1824). In Hillers Musikzeitschrift *Wöchentliche Nachrichten und Anmerkungen die Musik betreffend* erschien am 28. 12. 1767 ein anonymes Gedicht auf Corona →Schröter (»Unwiderstehlich muß die Schöne …«), das G. zugeschrieben wird und dann seine ersten gedruckten Verszeilen darstellte, ferner eine Rezension von G.s anonymen *Neuen Liedern* (1770).

Himburg, Christian Friedrich (1733–1801). Der Berliner Buchhändler und Verleger machte sich durch eine unrechtmäßige Ausgabe von *Goethes Schriften* unrühmlich bekannt, die mit Kupfern nach Chodowiecki u. a. in drei Auflagen (III 1775/76, III 1777, IV 1779) erschien. Er besaß überdies die Unverfrorenheit, bei Übersendung einiger Exemplare der 3. Auflage 1779 an G. sich diesen Raubdruck als Verdienst anzurechnen, ihm, falls erwünscht, »etwas Berliner Porzellan« als Honorar anzubieten und auf die Rechte für eine rechtmäßige Ausgabe zu spekulieren. G. antwortete nicht, sondern reagierte nur mit dem Gedicht *Der vierte Teil meiner Schriften. Berlin, 1779 bei Himburg*, das er am 4. 7. 1779 an Ch. von Stein sandte und bei seiner Darstellung des Falls in *Dichtung und Wahrheit* (IV,16) entschärft in Druck gab. Für die Textgeschichte von G.s Werken wurde im Unterschied zu anderen Nachdrucken gerade Himburgs Ausgabe insofern verhängnisvoll, als G. den fehlerhaften, süddeutsche Sprachformen ausmerzenden Nachdruck für Teile (*Clavigo, Götz, Werther, Stella*) der ersten rechtmäßigen Ausgabe seiner *Schriften* bei Göschen (1787–90) als Druckmanuskript zugrundelegte. →Nachdrucke.

W. Schleif, C. F. H., Goethe 27, 1965.

Himly, Karl Gustav (1772–1837). Der berühmte Augenarzt, ein Bekannter Jacobis, war 1801–03 Professor der Medizin in Jena, später in Göttingen. G. traf ihn seit Oktober 1801 öfter in Jena (»Er gefällt mir im ganzen recht wohl«, an Jacobi 23. 11. 1801) und unterhielt sich im August 1802 mit ihm viel »über das subjektive Sehen und die Farbenerscheinung« (*Tag- und Jahreshefte* 1802). Himly besuchte ihn am 17. und 21. 4. 1827.

Himmel, Friedrich Heinrich (1765–1814). Der lebenslustige Berliner königliche Kapellmeister, Klaviervirtuose, Operettenkomponist (*Fanchon oder Das Leyermädchen* nach Kotzebue war 1805 ein Erfolgsstück in Weimar) und Liedkomponist, der u. a. zehn Lieder G.s vertonte, begegnete G. mehrfach auf seinen Konzertreisen: am 3. 5. 1800 in Leipzig, am 21.–25. 9. 1806 in Weimar und Tiefurt bei Anna Amalia (*Tag- und Jahreshefte* 1806). Vor allem in den böhmischen Bädern genoß G. die Gesellschaft des guten Unterhalters: im Juli–September 1807 in Karlsbad, im Juli 1808 in Franzensbad, im Juni/Juli 1810 und Juni 1811 in Karlsbad (an Zelter 26. 6. 1811). Auf seinen Namen und seine Vertonung von Gesängen aus Tiedges *Urania* spielt das ihm gewidmete Scherzgedicht *An Uranius* (1807) an.

Hinrichs, Hermann Friedrich Wilhelm (1794–1861). Der Professor der Philosophie in Breslau und Halle widmete G. sein Buch *Ästhetische Vorlesungen über Goethes Faust* (1825), das dieser am 24. 2. 1825 erhielt, sogleich las und am folgenden Tag die letzte große Schaffensperiode am *Faust II* begann. Am 15./16. 3. 1827 las G. Hinrichs' Werk *Das Wesen der griechischen Tragödie* (1827), dessen abstrakt-philosophische Methode und dunklen Stil er ablehnte (ausführliche Diskussion mit Eckermann 21. und 28. 3. 1827; Fragment einer erst 1907 gedruckten Rezension).

Hiob. Das biblische Buch *Hiob*, von G. seit seiner Jugend als Verbindung von »Poesie, Religion und Philosophie« geschätzt (*Dichtung und Wahrheit* II,6) und öfter zitiert (z. B. ins Stammbuch Eckermanns 24. 4. 1830), diente G. mit I,6–12 als Vorlage für die Exposition des Faust-Themas und dessen Einordnung in einen höheren Zusammenhang durch die Wette Gott/Mephisto im »Prolog im Himmel« des *Faust* (zu Eckermann 18. 1. 1825). Vgl auch den Dialog in *Zahme Xenien* (»O! laß die Jammer-Klagen …«).

R. Petsch, Faust und H., ChWGV 20, 1907.

Hirschfeld, Christian Cay Laurenz (1742–1792). Der Kieler Professor der Philosophie und der schönen Wissenschaften trat in seiner weitverbreiteten *Theorie der Gartenkunst* (I 1775, V 1779–85) für den englischen Landschaftsgarten statt des abgezirkelten französischen Parks ein. Von G. mehrfach erwähnt, wurde er indirekt wegweisend für die durch G. initiierte Umgestaltung des Weimarer Parks an der →Ilm.

Hirschgraben →Großer Hirschgraben

Hirt, Aloys Ludwig (1759–1837). G. lernte den Archäologen, der 1782–96 als Privatgelehrter und Fremdenführer in Rom lebte, bald nach seiner Ankunft dort 1786 kennen und bediente sich seiner als Cicerone (*Italienische Reise*, Bericht November 1787). Er setzte sich für ihn ein, empfahl ihn Herder als Fremdenführer (»Er ist ein Pedante, weiß aber viel«, an Herder 5. 6. 1788), Schiller als Mitarbeiter für die *Horen* und Wieland für den *Teutschen Merkur*. 1796 Mitglied der Berliner Akademie der Wissenschaften und Professor der Kunstakademie, 1810 Professor für Archäologie an der Universität Berlin, blieb Hirt G. bis ins Alter in freundschaftlichem Briefwechsel verbunden, besuchte ihn am 28. 6.–12. 7. 1797 in Weimar (an Schiller 1.–5. 7. 1797, an J. H. Meyer 14. 7. 1797) und wieder am 21.–24. 9. 1817 (*Tag- und Jahreshefte* 1817), sandte ihm seine Publikationen, u. a. *Die Baukunst nach den Grundsätzen der Alten* (1809; vgl. *Tag- und Jahreshefte* 1809) und *Geschichte der Baukunst bei den Alten* (III 1822–27) und riet zur Berufung von Gentz für den Weimarer Schloßbau. Dabei gab es durchaus Meinungsverschiedenheiten über künstlerische Wertmaßstäbe, da Hirt dogmatisch nicht Schönheit, sondern das individuell Charakteristische als höchsten Kunstwert setzte. Sein Aufsatz über Laokoon (*Horen* 1797) regte G. zu einer Gegendarstellung in der Abhandlung *Über Laokoon* (1798) an, G.s *Der Sammler und die Seinigen* (1799) satirisiert Hirt als den »Charakteristiker«, und G.s Aufsätze über *Baukunst* (1788 und

795) revidieren Hirts These vom Einfluß der Holzarchitektur auf
die griechische Steinbaukunst.

F. Denk, A. H., NJbb 4, 1928; ders., Ein Streit um Gehalt und Gestalt des Kunstwerks
1 der deutschen Klassik, GRM 18, 1930.

Hirt, Friedrich Wilhelm (1721–1772). Der Frankfurter Land-
chaftsmaler besonders von Waldstücken mit Viehherden gehörte zu
den Malern, die erst G.s Vater und dann 1759 der Königsleutnant
Thoranc in G.s Mansardenzimmer für sich arbeiten ließen (*Dich-
ung und Wahrheit* I,1 und 3).

Historia von D. Johann Fausten   →Faustbuch

Hoch auf dem alten Turme   →*Geistes-Gruß*

Hochstift, Freies Deutsches   →Goethehaus (1) Frankfurt

Hochzeitlied. Die für einen geselligen Kreis bestimmte Ballade,
1802 entstanden, am 6. 12. 1802 an Zelter gesandt und im *Taschenbuch auf das Jahr 1804* von G. und Wieland zuerst gedruckt, wurde
mehrfach, u. a. von C. Loewe, J. F. Reichardt und Zelter (1803), ver-
ont. Sie greift wohl auf eine mündlich überlieferte Volkssage
zurück, die ähnlich auch in J. und W. Grimms *Deutsche Sagen* (1816,
»Des kleinen Volkes Hochzeitsfest«) Eingang fand, und reifte lange
bis zur endgültigen Gestalt (vgl. *Bedeutende Fördernis*, dort »Der Graf
und die Zwerge« genannt). In der geschachtelten Anordnung blickt
der Sänger vom aktuellen Hochzeitsfest auf eine Zwergenhochzeit
und die des Ahnherrn zurück, um das Zeitlos-Typische des adligen
Festes in der Tradition zu verankern. Die rhythmisch kunstvolle
Strophe mit Dreireim in der Mitte und Klangmalerei (v. 55) entspricht der festlichen Hochstimmung. Ein rokokohaftes Gedicht
gleichen Titels vom Herbst 1767 in den *Neuen Liedern* wurde 1815
in *Brautnacht* umbenannt.

W. Martens, Zu G.s H., in: Gedichte und Interpretationen. Deutsche Balladen, hg.
G. E. Grimm 1988.

Höchst. Mit dem nahegelegenen, aufsteigenden Industrieort am
Main, den er von seinem Giebelfenster aus sah, war G. seit seiner
Kindheit vertraut. Mehrfach unternahm er in Gesellschaft die übli-
che »Lustpartie« mit dem Höchster Marktschiff zum Mittagessen in
Höchst, so 1763 mit den Vettern seines Gretchen (*Dichtung und
Wahrheit* I,5), und berührte die Stadt auch sonst bei seinen Rhein-
reisen 1774, 1793, 1814 und 1815.

Hölderlin, Johann Christian Friedrich (1770–1843). Zu dem
jungen, von Schiller protegierten Dichter gewann G. bei mehreren
flüchtigen Begegnungen kein näheres Verhältnis. Als der damalige
Hofmeister der Charlotte von Kalb auf Gut Waltershausen in Jena

eintraf und am 3. 11. 1794 Schiller besuchte, traf er dort einen rech[
wortkargen Unbekannten, der im *Hyperion* blätterte, und erfuhr ers[
abends, daß es G. gewesen war (H. an Neuffer, November 1794). Im
Dezember 1794/Januar 1795 wollte er G. in Weimar besuchen, tra[
ihn jedoch nicht zu Hause, sondern bei Ch. von Kalb (H. ar[
Neuffer 19. 1. 1795) und fand bei ihm »viel Menschlichkeit be[
soviel Größe« (H. an Hegel 26. 1. 1795). Weitere Begegnungen be[
Schiller in Jena oder im Klub in Jena folgten. Als Schiller G. an[
27. 6. 1797 Hölderlins Gedichte *Der Wanderer* und *An den Äther* zur
Beurteilung übersandte, empfahl G. dem Dichter kurze, einfache
Idyllen mit menschlich interessanten Themen (an Schiller 28. 6
und 1. 7. 1797); er wiederholte diesen Rat bei der letzten Begegnung, als Hölderlin auf Schillers Anregung G. am 22. 8. 1797 zu
einem längeren Gespräch in Frankfurt besuchte (an Schiller 23. 8
1797), und trug damit wohl unbewußt zur Frustration des Dichters
bei. Hölderlins spätere Lyrik blieb G. unbekannt.

R. Fahrner, H.s Begegnung mit G. und Schiller, 1925; E. Muthesius, G. und H., ZfD
54, 1940; M. O. Mauderli, G's evaluation of H., GR 25, 1950; H. Gumtau, G. und H.
1953; E. C. Mason, H. and G., PEGS NS 22, 1953; E. C. Mason, H. and G., 1975
U. Gaier u. a., Hölderlin Texturen 2, 1995.

Höllenfahrt Jesu Christi →*Poetische Gedanken über die Höllenfahrt
Jesu Christi*

Hölty, Ludwig Heinrich Christoph (1748–1776). Den Lieder- und
Romanzendichter des →Göttinger Hain erwähnt G. fast nur im
Zusammenhang mit diesem Dichterkreis.

Höpfner, Ludwig Julius Friedrich (1743–1797). Der Freund
Mercks und Schlossers, seit 1771 Professor der Rechte in Gießen,
war 1772/73 Mitarbeiter der *Frankfurter Gelehrten Anzeigen*. Bei
einem Besuch mit Merck in →Gießen am 18./19. 8. 1772 führte
sich G. bei Höpfner zuerst privat als armer Student der Rechte ein,
um diese Fiktion erst beim Abendessen im Gasthof zu enthüllen
(*Dichtung und Wahrheit* III,12) und fand in dem vielseitig interessierten und belesenen Juristen einen Freund, der G. auch im Oktober 1773 und Anfang 1774 in Frankfurt besuchte und ihn 1774
silhouettierte. Mit zunehmender Entfremdung vom Genietreiben
der Stürmer und Dränger glitt Höpfner später in das Lager der G.-
Gegner um F. Nicolai hinüber, ohne seinerseits G.s Freundschaft zu
verlieren, der ihn, seit 1781 Geheimer Tribunalrat in Darmstadt,
1782 vergeblich für die Universität Jena zu gewinnen suchte.

A. Bock, Aus einer kleinen Universitätsstadt, 1896 u. ö.; W. Beils, G.s Beziehungen zu
L. J. F. H., Volk und Scholle 7, 1929.

Hof. Die Stadt in Oberfranken, in der Jean Paul das Gymnasium
besuchte (vgl. Xenion 87 *Richter*), war eine wichtige Poststation auf
dem Weg von Jena/Weimar nach Karlsbad. Auf seinen Reisen nach

und von den böhmischen Bädern übernachtete G. fast immer dort, meist im Gasthof Hirsch, besuchte Bekannte (Kreishauptmann von Schütz, Spediteur J. H. Büttner, Kreisdirektor von Rüdiger), unternahm Spaziergänge in die Umgebung und besichtigte die Marmorbrüche (Handzeichnung 26. 5. 1807). Aufenthalte Ende Juni 1785, 30. 6. und 6./7. 8. 1806, 26./27. 5. und 8./9. 9. 1807, 13./14. 5. und 12./13. 9. 1808, 17./18. 5. 1810, 14. 5. und 29./30. 6. 1811, 1./2. 5. und 13./14. 9. 1812, 24./25. 7. und 14./15. 9. 1818, 27. 8. und 27. 9. 1819, 24./25. 4. und 29./30. 5. 1820, 27./28. 7. und 13./14. 9. 1821, 17./18. 6. 1822, 28./29. 6. und 11./12. 9. 1823.

Hof, Hofwelt, Hofleben. Die Eingliederung des ehemaligen Stürmers und Drängers G., dessen Vater eine großbürgerliche Abneigung gegen das Hofleben zeigte (*Dichtung und Wahrheit* III,15), in die Weimarer und weiter Thüringer Hofwelt gelang nicht durch Unterwürfigkeit, sondern auf dem Weg über ein bei allem äußeren höfischen Zeremoniell dennoch echtes persönliches, teils freundschaftliches Verhältnis zu den von ihm auch menschlich geachteten Mitgliedern des Hofes, das G. vom Vorwurf eines bloßen →Fürstendieners entlastet. Immer seines Selbstwerts, seiner Würde und seines Dichterrangs bewußt, buhlte er nie um Hofgunst, sondern vertrat in Prinzipienfragen seinen eigenen Standpunkt. Seine Gelegenheitsdichtungen für Huldigungen, Jubiläen, Hoffeste, Maskenzüge u. ä. waren ihm nie mehr als solche, Tribute poetischer Nebenstunden für die »Aufzüge der Torheit« (an Lavater 19. 2. 1781), und das Hofzeremoniell mit seiner steifen Förmlichkeit diente ihm später selbst als Schutzwall gegen zudringliche Besucher. Über die Thematik des *Torquato Tasso* hinaus sprach sich G. im Alter besonders gegenüber Eckermann (27. 4. 1825, 26. 9. 1827, 23. 10. 1828 u. ö.) über sein Verhältnis zur Hofwelt aus.

Hoff, Maria Magdalena, geb. Beynon (1710–1758). Die gebildete, reformierte Witwe eines Privatlehrers gründete und leitete in der Frankfurter Weißadlergasse nahe G.s Vaterhaus eine »Kleinkinderschule« (Kindergarten) für Kinder besserer Stände, die G. vom Herbst 1752 bis Sommer 1755, später auch seine Geschwister, besuchten und wo sie auch etwas lesen, schreiben, rechnen und biblische Geschichte lernten.

E. Mentzel, Wolfgang und Cornelia G.s Lehrer, 1909.

Hoffmann, Ernst Theodor Amadeus (1776–1822). »Hoffmanns Leben. Den goldnen Becher [recte: Topf] gelesen. Bekam mir schlecht« (Tagebuch 21. 5. 1827): Zu dem Werk des romantisch-phantastischen Erzählers fand G. keinen Zugang. Schon anläßlich einer vorgesehenen Rezension der *Fantasiestücke in Callots Manier* für die *Jenaische Allgemeine Literaturzeitung* spricht G., ohne die Texte selbst gelesen zu haben, von »Übel«, »Krankheit« und »hohlem

Tageswahn«, dem nicht zu steuern sei (an Eichstädt 10. 3. 1815). Als ihm Carl August am 10. 4. 1822 Hoffmanns *Meister Floh* zur Lektüre sendet, schreibt er zwar, diese seine erste Hoffmann-Lektüre habe ihm »sehr viel Vergnügen verschafft« und das Werk habe »einen gewissen Reiz, dem man sich nicht entziehen kann« (an Carl August 12. 4. 1822). Doch sein ablehnendes Urteil bricht wieder durch, als er 1827 in der *Foreign Quarterly Review* (I, Juli 1827) Walter Scotts Hoffmann-Aufsatz *On the supernatural in fictitious compositions* liest. In einer am 25. 12. 1827 geschriebenen, 1833 im Nachlaß gedruckten Rezension des Blattes übersetzt G. Scotts niederschmetternde Kritik (»fieberhafte Träume eines leichtbeweglichen kranken Gehirns«) und stimmt ihr nicht nur zu (»die krankhaften Werke des leidenden Mannes«), sondern fügt auch noch sein Bedauern über das Überhandnehmen solcher Tendenzen an. – Daß andererseits Hoffmann der anonyme Komponist von G.s Singspiel *Scherz, List und Rache* war, das J. F. Reichardt begutachtete, dessen (heute verlorene) Partitur Jean Paul G. 1801 in Weimar vorlegte und das 1801 mit Erfolg in Posen aufgeführt wurde, scheint G. entgangen zu sein.

Hoffmann, Heinrich Siegmund. Zunächst 1725 Pächter der Weimarer Filiale der Jenaer Buchhandlung Bielke, kaufte Hoffman diese und gründete 1732 die erste selbständige und lange einzige Buchhandlung Weimars, ab 1742 im Cranach-Haus, die G. besuchte. Die Firma, ab 1802 unter Leitung seines Sohnes Johann Wilhelm, verlegte auch Bücher von Herder und Wieland, u. a. dessen *Teutschen Merkur,* sowie seit 1734 unter wechselndem Titel die von G. gelesenen *Weimarischen Nachrichten und Anzeigen.*

F. Fink, Johann Wilhelm H., 1934.

Hoffnung. Das Ende 1776 entstandene, in den *Schriften* (1789) zuerst gedruckte Gedicht nimmt – in der handschriftlichen Urfassung mit noch deutlicherem Bezug auf den eigenen Garten – die Arbeit im Garten am Weimarer →Gartenhaus (»Linden gepflanzt«, Tagebuch 1. 11. 1776) zum Anlaß der Hoffnung auf ein künftiges Lebensglück aus schaffender Arbeit – damit erste innerliche Abkehr vom zwecklosen Genietreiben und Selbstüberredung zu nützlicher und zielvoller Tätigkeit, die ihren Lohn noch unsichtbar in sich trägt. – Das Motiv der Hoffnung (Elpis), teils personifiziert, erscheint bei G. u. a. auch im Gedicht *Dem Ackermann,* in der *Achilleis* (v. 236 ff.), *Pandora* (Elpore, nach v. 320), in *Des Epimenides Erwachen* (v. 593 ff.) und *Urworte. Orphisch.*

J. Müller, Bild und Sinnbild der H. in G.s Werk, in ders., Wirklichkeit und Klassik, 1955; B. Hillebrand, Die H. des alten G., NDH 18, 1971, separat 1983; K. A. Wipf, Elpis, 1974.

Hoftheater →Theater

Hoftheaterkommission. Die Oberleitung des 1791 gegründeten
Weimarer Hoftheaters (→Theater) wurde seit 17. 1. 1791 als
»Ober-Direktion« von G. als künstlerischem und F. Kirms als admi-
nistrativem Leiter wahrgenommen. Vor G.s Reise in die Schweiz
wurde sie auf seinen Antrag in eine »Hoftheater-Commission« erweitert und an seine Stelle einstweilig Hofmarschall von Luck berufen, der 1802 durch den Hofmarschallamtssekretär Burckhardt,
1808 durch Rat Kruse abgelöst wurde. 1814 trat Graf Edling dazu.
Der am 26. 3. 1816 in »Hoftheater-Intendanz« umbenannten Kommission gehörten G., Kirms und Graf Edling, ab Januar 1817 auch
August von G. an. Am 13. 4. 1817 schieden G. und sein Sohn
infolge der Intrigen der C. →Jagemann endgültig aus.

Hogarth, William (1697–1764). Obwohl an sich kein Freund der
Karikatur (vgl. dagegen an Schiller 24. 8. 1797), war G. mit dem
Werk des bedeutenden englischen Malers, Kupferstechers und Satirikers, wie aus wiederholten Hinweisen hervorgeht, gut vertraut.
In den *Frankfurter Gelehrten Anzeigen* (80, 6. 10. 1772) besprach er
zwei *Englische Kupferstiche* nach Hogarth mit biblischen Themen,
und im Absatz »Lavater« der *Biographischen Einzelnheiten* vergleicht
er dessen Physiognomik mit Hogarth. Nachdem ihm Lichtenberg
seine *Ausführliche Erklärung der Hogarthischen Kupferstiche* (1794–96)
zusandte, erwägt G. die Gründe der Rezeption dieser »exzentrischen Fratzen« in Deutschland (*Tag- und Jahreshefte* 1795). Vor allem
jedoch Hogarths Theorie der Schönheitslinie, einer Wellenlinie als
Ausdruck der Schönheit, in seiner *Analysis of beauty* (1753, deutsch
1754) gehörte zu G.s ästhetischem Begriffsschatz (an Lavater
31. 7. und 8. 8. 1775; *Der Sammler und die Seinigen*, 1799, Kap. IV:
Undulisten; *Fossiler Stier*, 1822).

Hohe Karlsschule. Die von Herzog Carl Eugen von Württemberg 1770 auf der Solitude gegründete militärische Pflanzschule
wurde 1773 in Herzogliche Militärakademie umbenannt, 1775
nach Stuttgart verlegt und 1781 als »Hohe Karlsschule« zu Univer-
sitätsrang erhoben. G. und Carl August besichtigten sie am 12. 12.
1779 und nahmen am 14. 12. 1779 an der Stiftungsfeier mit Preisverleihung teil, bei der der Zögling F. Schiller, G. unbekannt, drei
Preise erhielt.

Hohelied. G. übersetzte das biblische *Hohelied Salomons* Anfang
Oktober 1775 als »die herrlichste Sammlung Liebeslieder« (an
Merck 7. 10. 1775) in kraftvoller Prosa unter Benutzung von Luthers Übersetzung, der Vulgata, einer lateinischen Version S. Schmids
und des Bibelkommentars von I. A. Dietelmair (1749–70). Nach
Vorgang Herders, dessen früher entstandene Übersetzung erst 1778
in den *Liedern der Liebe* erschien, erkannte und betonte G. den dichterischen Wert der profanen Liedersammlung gegenüber ihrer allegorischen Auslegung. In den *Noten und Abhandlungen* zum *Divan*

(Kap. »Hebräer«) nennt G. es das »Zarteste und Unnachahmlichste, was uns von Ausdruck leidenschaftlicher, anmutiger Liebe zugekommen«, Ausdruck der »glühenden Neigung jugendlicher Herzen«, bedauert aber den fragmentarisch-verwirrten Textbestand und bezweifelt die Möglichkeit, »irgendeinen verständigen Zusammenhang zu finden oder hineinzulegen«. In einer 1820 entstandenen, 1833 aus dem Nachlaß gedruckten Rezension dagegen neigt er der abwegigen Auffassung F. W. K. Umbreits (*Lied der Liebe*, 1820) zu, im Hohelied ein Drama von einem Hirtenmädchen zu sehen, das, von der Seite des Geliebten in den Harem Salomos entführt, sich diesem widersetzt und zum Hirten zurückkehrt. Noch im Januar 1830 befaßte sich G. mit dem Text und schrieb »einige Seiten« (verloren) darüber (an Zelter 29. 1. 1830).

Hohenheim. Schloß und Park Hohenheim bei Stuttgart besuchte G. auf der 3. Schweizer Reise von Stuttgart aus mit Dannecker am 1. 9. 1797, fand jedoch »wenig Befriedigendes«, kritisierte den »unsicheren Geschmack« und »das völlig Charakterlose« des Baus und das Kleinliche der Gartenanlage (*Reise in die Schweiz 1797*). Glasmalereien im Schloß regten G. am folgenden Tag zu seinem Aufsatz *Über Glasmalerei* an.

Hohenlohe-Bartenstein, Joseph Christian Franz Carl Ignaz, Fürst von (1740–1819). Den Coadjutor (1787) und 1795 Fürstbischof von Breslau lernte G. im August 1790 in Breslau kennen; am 29. und 31. 5. 1808 sah er ihn in Karlsbad wieder.

Hohenlohe-Ingelfingen, Friedrich Ludwig, Fürst von (1746–1818). Wenige Tage vor der Niederlage bei Jena und Auerstedt (14. 10.), am 2. und 3. 10. 1806, war G. in Jena Tischgast im Hauptquartier des Fürsten und preußischen Generals, dem er sein Zimmer im Jenaer Schloß eingeräumt hatte (*Tag- und Jahreshefte* 1806).

E. Weniger, G. und die Generale, 1959.

Hohenzollern, Burg →Hechingen

Holbach, Paul Heinrich Dietrich, Baron von (1723–1789). Das radikal materialistisch-atheistische *Système de la nature* (1770) des französischen Aufklärungsphilosophen deutscher Herkunft las G. 1771 in Straßburg wenig beeindruckt nicht zu Ende; die Enttäuschung hielt auch bei erneuter Lektüre im Oktober 1812 an und bestimmte die Darstellung in *Dichtung und Wahrheit* (III,11).

Holbein d. J., Hans (1497–1543). Von dem deutschen Maler sah G. einige Gemälde in Dresden, Stuttgart und Bern und besaß einige Kupferstiche nach Holbein; er hat jedoch keine Adjektive für ihn und erwähnt ihn selten und kurz meist im Zusammenhang mit Dürer als die altdeutschen Maler.

Holberg, Ludwig (1684–1754). Werke des »dänischen Molière«, den Gottsched in Deutschland einführte und dessen Lustspiele in der Bibliothek seines Vaters standen, kannte G. spätestens seit den Leipziger Studienjahren. Die Briefe an Cornelia vom 12. 10. 1765 und 12. 10. 1766 verwenden ein Zitat aus Holbergs *Bramarbas,* und das Gedicht *Kinderverstand* wurde wohl durch eine Szene daraus angeregt. Bereits in *Wilhelm Meisters theatralische Sendung* (III,5, 1782) bemängelt Mme Melina das »Platte und Geschmacklose des Stückes«. Den Helden Breme seines politischen Lustspiels *Die Aufgeregten* (1793) macht G. zum Enkel und teilweisen Ebenbild des Hermann Breme in Holbergs am 17. 3. 1792 in Weimar aufgeführter Komödie *Der politische Kannegießer.* Holbergs Posse *Don Ranudo de Colibrados* wurde in Kotzebues Bearbeitung 1803, 1804 und 1812 in Weimar gespielt.

M. Morris, G. und H., ChWGV 17, 1903.

Holde Lili ... Der Vierzeiler, Nachklang der Liebe zu Lili Schönemann, entstand am 23. 12. 1775 auf einem nächtlichen Ritt nach Waldeck bei Bürgel. G. teilt ihn am gleichen Abend in einem Brief Carl August mit, behielt jedoch keine Abschrift und vergaß ihn, so daß er erst 1846 im *Morgenblatt für gebildete Leser* (Nr. 123) gedruckt wurde.

Holland. Beziehungen G.s zu Holland oder im weiteren Sinne zu den Niederlanden, die er nie betrat, ergaben sich zunächst durch die Begegnung mit der in Frankfurt hochgeschätzten und nachgeahmten →niederländischen Malerei, die später durch die Sammlung Boisserées, die eigene Graphiksammlung sowie die Kunstreisen an den Rhein 1814 und 1815 vertieft wurde. Literarischer Höhepunkt der Beziehungen war die Beschäftigung mit den Quellen zum *Egmont,* später die Thematik von Fausts Landgewinnung aus dem Meer (*Faust II,* IV). Den Einmarsch Preußens in Holland 1787 zum Schutz Wilhelms V. von Oranien und seiner Gemahlin Wilhelmine, der Schwester Friedrich Wilhelms I. von Preußen, an dem auch Carl August teilnahm, verfolgte G. von Rom aus (*Italienische Reise* 12. 10. 1787). Niederländer aus G. näherem Bekanntenkreis waren u. a. F. H. Jacobis Gattin Betty und F. Hemsterhuis.

J. H. Scholte, G. und H., 1932 und JGG 18, 1932; J. Hennig, G.s Kenntnis des niederländischen Schrifttums, Duitse Kroniek 31, 1980 f.; G. und die Niederlande, Duitse Kroniek 33, 1983.

Holtei, Carl von (1798–1880). Der Dramatiker, Theaterleiter, Schauspieler und Rezitator hatte G. schon sein frühes Lustspiel *Die Farben* übersandt, das dieser am 27./28. 9. 1824 las und über P. A. Wolff beantwortete. Mit August von G. befreundet, kam er auf der Rückreise von Paris im Mai 1827 über Weimar und besuchte G. am 5. und 15. 5. 1827. Als Holtei im Januar–März 1828 Rezitationsabende in Weimar gab, besuchte der alte G. sie zwar nicht, ließ sich

jedoch darüber berichten und sah Holtei, der ihm »als angenehme:
Gesellschafter erschien« (an Zelter 28. 2. 1828) am 26. 2. und 8. 3.
1828. Der Erfolg einer *Faust*-Vorlesung Holteis regte diesen zu
einer Bühnenbearbeitung des *Faust* an, deren Szenarium G. in
Mai/Juni 1828 guthieß, deren fertigen Text er am 28. 6. 1828 über
August jedoch ablehnte. Als Holtei daraufhin am 10. 1. 1829 in
Berliner Königstädtischen Theater ein eigenes Melodram *Dr. Johan
nes Faust* aufführte, bat G. am 18. 1. 1829 Zelter um seine Meinung
und war erleichtert, als dieser das Stück am 24. 1. 1829 ablehnte
Holteis 1829 in Weimar aufgeführtes Drama *Leonore* nannte G. ein
»Quälodram« (an Zelter 28. 3. 1829). Holtei bewahrte seine Verehrung für G., besuchte ihn noch am 30. 8. 1829, 24. 6. 1830
und 10. 5. 1831 und berichtet in seinen Memoiren *Vierzig Jahre*
(1843–50) anekdotenreich über G.

O. Simon, H. und G., Schlesische Monatshefte 6, 1929.

Homburg von der Höhe, Bad. Die kleine Residenzstadt der
Landgrafen von Hessen-Homburg war G. seit seiner Jugend durch
Wanderungen in die Umgebung Frankfurts bekannt (*Dichtung und
Wahrheit* II,6). Im April 1772 machte G. mit Merck eine »voyage de
fou« nach Homburg. In der Folgezeit während seiner Verbindung
zum →Darmstädter Kreis der Empfindsamen erwarb er sich seiner
Beinamen »der Wanderer« durch häufiges Pendeln zwischen Darmstadt und Homburg, wo Louise von →Ziegler (»Lila«) als Hofdame
der Landgräfin lebte (*Dichtung und Wahrheit* III,12). An sie ist das
Gedicht *Pilgers Morgenlied. An Lila* (1772) gerichtet, das den Weißen
Turm des Homburger Schlosses erwähnt. Nach der Rückkehr von
der 2. Schweizer Reise verbrachten G. und Carl August den 2.–4. 1.
1780 frierend in Homburg.

H. Jacobi, G. und H., Mitteilungen des Geschichts- und Altertumsvereins zu Bad H.
17, 1932; ders., G.s Lila … und der Homburger Landgrafenhof, ebd. 25, 1957.

Homer (8. Jahrhundert v. Chr.). Tiefe Bewunderung und Verehrung des griechischen Dichters und Lektüre und Studium seiner
Epen *Ilias* und *Odyssee* als unübertrefflicher Meisterwerke, mitunter
wie ein tägliches Brevier, begleiten G. durchs ganze Leben und lassen ihn in Homer das Urbild und Sinnbild dichterischen Schaffens
überhaupt und den Gipfelpunkt abendländischer Dichtung sehen,
in dem sich alle Kräfte griechischen Geistes sammeln und dem gegenüber Shakespeare und die griechischen Tragiker nachgeordnet
erscheinen. Den geistesgeschichtlichen Hintergrund dafür bildet
die Wiederentdeckung des originalen Homer im 18. Jahrhundert
nach jahrhundertelanger Bevorzugung Vergils und lateinischer
Homer-Paraphrasen sowie, damit einhergehend, eine (in Deutschland verspätet einsetzende) kritische Auseinandersetzung mit dem
Originalwerk und seinem Schöpfer, die das Werk nicht nur neu und
frisch erschließt, sondern auch neue Aspekte zu seiner Betrachtung
und neue Einsichten eröffnet.

Die Schwierigkeiten eines Studiums des originalen Homer-Texts zeigt G. für Ch. W. von Hohenfeld in seinem Brief an S. von Laroche vom 20. 11. 1774 auf. Seine eigene Bekanntschaft mit Homers Werk begann 1765 unter noch ungünstigeren Umständen, nämlich über die Prosanacherzählung der Epen nach der französischen Übersetzung von Anne Dacier, die G.s Großonkel J. M. von Loen u. d. T. *Beschreibung der Eroberung des Trojanischen Reiches* in der *Neuen Sammlung der merkwürdigsten Reisegeschichten* (1754) veröffentlichte und deren Kupferstichillustrationen im theatralischen Kostüm des französischen Spätbarock seine Einbildungskraft lange auf Abwege führten (*Dichtung und Wahrheit* I,1). Erst 1770/71 in Straßburg begann G. unter Einfluß und Anleitung Herders sein Studium des Originaltextes »fast ohne Übersetzung« (an Salzmann Juni 1771); als Ergänzung benutzte er Th. Blackwells *Inquiry into the life and writings of Homer* (1735), R. Woods *Essay on the original genius of Homer* (1769) und Herders *Kritische Wälder* (*Dichtung und Wahrheit* III, 12). G. setzte dieses Studium nach Herders Abreise 1772–73 in Frankfurt und Wetzlar fort, machte auch Cornelia und Lavater mit Homer bekannt und schrieb 1774 für Lavaters *Physiognomische Fragmente* einen Beitrag über Homer. Auch in den frühen Weimarer Jahren war Homer sein ständiger Begleiter und mitunter schmerzlich entbehrte Lieblingslektüre. Bei der Italienreise und zumal auf dem klassischen Boden Siziliens gewann Homer die Anschaulichkeit und authentische Lebendigkeit der Natur, so daß G. sich am 15. 4. 1787 in Palermo eine Homer-Ausgabe kaufte und für Kniep den 7. Gesang der *Odyssee* aus dem Stegreif übersetzte (*Italienische Reise* 7. 4. und 17. 5. 1787; an Schiller 14. 2. 1798). In Briefen und Gesprächen mit Schiller wird Homer im Frühjahr 1797 zum Kronzeugen für die Reflexionen über epische Dichtung (*Über epische und dramatische Dichtung*, 1797). Im März 1798 beginnt ein intensives Studium der *Ilias* mit Handlungsschema und Auszügen, die G. 1820 für *Über Kunst und Altertum* überarbeitete. In eine Krise geriet G.s Homer-Verständnis durch das Aufrollen der »Homerischen Frage« in seines Freundes F. A. Wolf *Prolegomena ad Homerum* (1795), die *Ilias* und *Odyssee* nicht einem einzelnen Dichter, sondern einer Mehrzahl von Homeriden zuschreibt (Elegie *Hermann und Dorothea*, 1796; Xenion 85; an Schiller 16. 5. 1798). Zunächst unentschieden, schloß G. sich erleichtert der Gegenargumentation K. E. Schubarths (*Ideen über Homer und sein Zeitalter*, 1821) für einen einzigen Verfasser an (*Homer noch einmal*, 1827; Gedicht *Homer wieder Homer*, 1827).

Im Interesse breiterer Homerkenntnis galt G.s besonderes Augenmerk auch der Homer-Übersetzung. Zuerst benutzte er die lateinische Übersetzung von S. Clarke in J. A. Ernestis Edition, setzte sich 1777 stark, aber vergeblich für G. A. Bürgers Plan einer *Ilias*-Übersetzung in deutschen Jamben ein und verfolgte die Hexameter-Übersetzungen der *Ilias* (1778) durch F. L. zu Stolberg und beider Epen durch J.J. Bodmer (1778) und bewunderte nach anfänglicher Zurückhaltung die Verskunst von J. H. Voß' Übersetzung (1793). Auch die Prosaübersetzung von J. S. Zauper (1823) und die in Reimstrophen von H. Hülle (1825) nahm G. zur Kenntnis.

In G.s Dichtung dringt eine ungeheure Fülle von Stoffen, Motiven, Wendungen, Parallelen und Anspielungen aus Homer zumal in die Elegien und Epigramme ein, deren erstes größeres Zeugnis *Künstlers Morgenlied* (1773/74) bildet. In *Die Leiden des jungen Werthers* (13. 5., 28. 8. u. ö.) preist Werther, anfangs oft Homer lesend, das Patriarchalisch-Einfache und Volkstümlich-Schlichte der unreflektierten Zustände in der homerischen Welt und vergleicht es mit Szenen aus seinem Leben, bis er im Gegensatz zu G. von Homer zu Ossian übergeht (ebd. 12. 10.). Von Homer inspiriert sind G.s Tragödienplan *Ulysses auf Phäa* (1786/87), das *Nausikaa*-Fragment (1787), die *Achilleis*, der Helena-Akt des *Faust II* und im Formalen das Hexameterepos *Hermann und Dorothea*. Wieweit schließlich Homer auch als Motivquelle für die zeitgenössische bildende Kunst gefördert werden sollte, zeigen die Weimarer →Preisaufgaben für bildende Künstler von 1799 und 1801.

O. Lücke, G. und H., Programm Ilfeld 1884; H. Schreyer, Das Fortleben homerischer Gestalten in G.s Dichtung, 1893; A. Kappelmacher, G. als H.übersetzer und H.interpret, Zeitschrift für österreichische Gymnasien 52, 1901; G. Finsler, H. in der Neuzeit, 1912; W. Schadewaldt, G. und H., Trivium 7, 1949, auch in ders., G.studien, 1963; E. Grumach, G. und die Antike I, 1949; J. Wohlleben, G. and the Homeric question, GR 42, 1967; F. Wagner, Herders Einfluß auf G.s H.bild, GRM 23, 1973; J. Wohlleben, Die Sonne H.s, 1990.

Homunculus (»Menschlein«). Die phantastische Idee der künstlichen Erzeugung von Homunculi, »chymischen Menschlein«, in der chemischen Retorte entstammt dem Aberglauben des Mittelalters und wurde in der alchemistischen Literatur des 16./17. Jahrhunderts mehrfach, auch mit Anweisungen, erörtert, so in den G. bekannten Werken von Paracelsus (*De generatione rerum naturalium*, um 1530) und J. Praetorius (*Anthropodemus Plutonicus*, 1666; *Blockes-Berges Verrichtung*, 1668). G. greift erst um 1826 im 2. Akt des *Faust II* diese Vorstellung als Symbol absoluter, allwissender, uneingeschränkter Geistigkeit ohne eigentliches Dasein und ohne materielle Gestalt auf: Der gelehrte, aber lebensfremde Wagner erzeugt mit Mephistos Hilfe (v. 7004) im Laboratorium ein Retortenmenschlein (v. 6819 ff.), das sogleich den Drang nach Tätigkeit und der ihm versagten vollen Menschwerdung entfaltet, im Unterschied zu Mephisto Fausts Traum von der Erzeugung Helenas durch Leda mit dem Schwan erkennt (v. 6903 ff.), den träumenden Faust zur Klassischen Walpurgisnacht an den Peneios bringen läßt, von der Mephisto nichts weiß, und somit Vermittler zwischen dem nordischen Teufel und der griechischen Götter- und Heroenwelt wird. In der Klassischen Walpurgisnacht schließt sich Homunculus im Wunsch, zu »entstehen«, den über das Werden nachdenkenden Naturphilo-

ophen Thales und Anaxagoras an (v. 7830 ff.). Proteus, Symbol des
Gestaltenwandels in der Natur, trägt ihn in das lebenspendende Ur-
lement des Wassers, wo er, schönheitssüchtig, am Muschelwagen
Galateas als der Verkörperung der Schönheit zerschellt und sein
Geist als Feuer im flüssigen Element leuchtend in die Natur ein-
geht (v. 8473). Vgl. zu Eckermann 16. 12. 1829.

J. Goebel, H., GJb 21, 1900; G. Rosenthal, H., Monatshefte der Comenius-Ges. 26,
917; P. Alsberg, H. in G.s Faust, JGG 5, 1918; C. Enders, Die Deutung des H. in G.s
aust, ZfA 14, 1920; L. Polak, Die H.-Figur in G.s Faust, Neophil 13, 1928; W. Schnei-
ler, H., JGG 16, 1930; G. C. L. Schuchard, H., ZDP 59, 1935; A. Scholz, G's H., GQ
7, 1944; R. Hoenigswald, H., in: Natur und Geist, hg. H. Barth 1946; C. Enders, Faust-
tudien, 1948; F. Strich, H., PEGS 18, 1949, auch in ders., Kunst und Leben, 1960;
Müller, Die Figur des H. in G.s Faust, 1963; O. Höfler, G.s H., 1964; O. Höfler, H.,
ine Satire auf A. W. Schlegel, 1972; W. Bietak, H. und die Entelechie, JbWGV 76, 1972;
 . D. Weisinger, A note on H., Thales and Anaxagoras, MDU 64, 1972; D. Latimer, H.
s symbol, MLN 89, 1974; E. W. Skwara, H. und Euphorion, LK 1979; K. R. Snow, H.
 Paracelsus, Tristram Shandy and Faust, JEGP 79, 1980; F. B. Parkes-Perret, H., GJb
01, 1984; G. Kluge, Der künstliche Mensch in G.s Faust, Zeit-Schrift 3, 1989.

Honorare. Der Gedanke des schriftstellerischen Werks als Erwerbs-
quelle und bezahlbare Leistung nimmt erst im Laufe des 18. Jahr-
underts mit dem Begriff des geistigen Eigentums und dem Aufkommen des Standes des freien Schriftstellers festere Formen an.
Nach anfänglicher Unbekümmertheit hinsichtlich des Autoren-
honorars, das ihm »die Suppe noch nicht fett gemacht« habe (an
 . von Laroche 23. 12. 1774) und Abscheu davor, seine Gedichte
gegen Geld umzutauschen« (*Dichtung und Wahrheit* IV,16), ändert
G. vor allem im Hinblick auf die rentablen Nachdrucke seiner
Werke seine Haltung gegenüber der des *Sängers* (»Das Lied, das aus
ler Kehle dringt, ist Lohn, der reichlich lohnet«), rechtfertigt auch
n seinem Werk Einnahmen aus literarischem Schaffen und besteht
auf angemessenen Honoraren (»Liberalität gegen seine Verleger ist
eine Sache nicht«, Schiller an Cotta 18. 5. 1802). Für die *Schriften*
VIII 1787–90) erhält G. 2000 Taler, für *Hermann und Dorothea* 1797
 000 Taler, für jeden Band von *Dichtung und Wahrheit* 2000 Taler.
Die *Werke* (XIII 1806 ff.) bringen 10 000 Taler, die *Werke* (XX
 815 ff.) 16 000 Taler, der Briefwechsel mit Schiller 1828 8000 Taler
und die Ausgabe letzter Hand (LX 1827–42) 72 500 Taler. Dennoch
hätte G. trotz des Welterfolgs des *Werther* in den ersten 20 Jahren
einer Schriftstellerlaufbahn von seinem Honorar nicht leben und
päter davon seinen Lebensstandard nicht bestreiten können; sein
ährliches Durchschnittshonorar um 1815 machte mit rd. 1500 Ta-
ern nur die Hälfte seines →Gehalts als Minister aus. Unter dem
Aspekt des Honorars sind auch G.s Bemühungen um das Privileg
gegen Nachdrucke beim Deutschen Bund erklärlich.

Honorio. Der Junker in G.s →*Novelle* (1828) überwindet durch
das Beispiel des Kindes, das gewaltlos den Löwen bändigt, die verborgene Leidenschaft zu seiner Fürstin und findet durch diese Ent-
agung zu sittlicher Reife.

Horaz (Quintus Horatius Flaccus, 65–8 v. Chr.). Die Verehrung de klassischen römischen Lyrikers in Aufklärung und Anakreontik hatt den Höhepunkt bereits überschritten, als G. wohl zunächst in de Schulzeit und dann 1765 in Leipzig auf ihn hingewiesen wurde, un zwar unglücklicherweise zuerst auf Horaz' ihm damals noch rech unnütz vorkommende *Ars poetica* (*Epistula ad Pisones*) (*Dichtung un Wahrheit* II,7). Zu ihr kehrte er erst im August 1806 (*Tag- und Jah reshefte* 1806) und im Juni 1812 in Karlsbad zurück. Dennoch muf G. sich, nach häufigen Briefzitaten von 1765 zu urteilen, zugleich gute Kenntnisse des Horaz im Original angeeignet haben; späte wirkte Wielands klassische Übersetzung (1782 ff.) stark auf ihr (*Italienische Reise* 12. 10. 1786). Die *Römischen Elegien* spielen mehr-fach auf Horaz an; für die Episteln, Elegien und Epigramme wirkt er als wichtiges Vorbild, vor allem in Verstechnik und poetischer Sprache (zu Riemer, November 1806), und bei der Beschäftigung mit Hafis stellt sich der Vergleich mit Horaz und ihrer ähnlicher historischen Situation ein (*Noten und Abhandlungen*, Kap. »Warnung«)

E. Maaß, G. und H., NJbb 39, 1917; E. Grumach, G. und die Antike, 1949; H. Hommel, G. und H., in ders., G.studien, 1989.

Die Horen. Die von Schiller bei Cotta herausgegebene bedeu-tendste Zeitschrift der deutschen Klassik schloß bewußt politische und religiöse Themen aus und widmete sich dem reinen, harmoni-schen Menschentum und der ästhetischen Erziehung. Sie erschien in drei Jahrgängen zu je 12 Heften 1795–1797, das letzte Hef (12/1797) im Juni 1798, und wurde 1798–1800 gewissermaßen durch G.s Kunstzeitschrift *Die Propyläen* abgelöst. Schiller, der ur-sprünglich an ein Herausgebergremium mit Fichte, W. und A. vor Humboldt und K. L. Woltmann dachte, wandte sich im Brief vom 13. 6. 1794 mit der Einladung zur Mitarbeit an G., der am 24. 6 1794 »mit Freuden und von ganzem Herzen« zusagte. *Die Horer* stehen damit am Beginn des Briefwechsels mit Schiller und der näheren Verbindung mit ihm. G. nahm lebhaftes Interesse und akti-ven Anteil am Gedeihen der Zeitschrift, vermittelte Autoren und Manuskripte, begutachtete Einsendungen, beriet Schiller quasi al ungenannter Mitherausgeber (*Tag- und Jahreshefte* 1795, 1796) und steuerte wichtige eigene Beiträge bei: *Episteln* (1–2/1795), *Unter-haltungen deutscher Ausgewanderten* (1,2,4,7,9–10/1795), *Literarische Sansculottismus* (5/1795), *Römische Elegien* (6/1795), Übersetzung von Mme de Staëls *Versuch über die Dichtungen* (2/1796), *Briefe au einer Reise nach dem Gotthard* (8/1796) und Auszüge aus der Über-setzung des *Benvenuto Cellini* (4/1796–6/1797). Die hohen An-sprüche der besten Beiträge, die Langsamkeit der besseren Mit-arbeiter, daher nötige Kompromisse im Niveau und ein woh überschätztes Publikumsinteresse führten zur Einstellung der *Horen* Vgl. Xenion 260.

J. Lorenz, Geschichte von Schillers H., Diss. Breslau 1922; F. Meyer, Schillers Horer als Verlagswerk, 1941; P. Raabe, Die H., 1959; G. Schulz, Schillers H., 1960.

Horn, Johann Adam (1749–1806). Der stets heitere Frankfurter
Gymnasiast war 1764/65 einer der engsten Jugendfreunde G.s, mit
denen er kleine Lustpartien unternahm oder sich sonntags im Hör-
saal des Gymnasiums traf, wo ihm Horn, der auch komische Verserzählungen dichtete, am 8.9.1765 eine gereimte Abschiedsrede
hielt. Auch während seines Leipziger Jurastudiums ab Ostern 1766
gehörte Horn, Erfinder und Zielscheibe mancher Scherze und
Freund von Constanze Breitkopf, zu G.s Vertrauten, steuerte einige
Verse zu G.s Spottgedicht *An den Kuchenbäcker Händel* bei und be-
ichtete den Jugendfreunden von G.s Leipziger Liebesleben (*Dich-
ung und Wahrheit* II,6 u. ö.). Seit 1770 Anwalt (1778 Gerichts-
schreiber) in Frankfurt, war er vor wie nach G.s Straßburger
Studienzeit ein »unveränderlich treuer Freund« (ebd. III,12), und
die Verbindung riß wohl nie ganz ab, da August von G. 1805 auf des
Vaters Wunsch Horn in Frankfurt besuchte. Als jedoch G. 1827 von
Marianne von Willemer seine Jugendbriefe an Horn aus J.J. Rieses
Nachlaß erhielt, verbrannte er sie, da ihre »sittlich kümmerlichen
Beschränktheiten« sein etabliertes Bild der Jugendjahre störten (an
M. von Willemer 3. 1. 1828; zu Eckermann 11. 4. 1829).

  H. Pallmann, J. A. H., 1908.

Horny, Conrad (1764–1807). Der Mainzer Kupferstecher, Porzel-
anmaler und Zeichner ließ sich 1785 in Weimar nieder, wurde
1795 Lehrer an der Freien Zeichenschule und daneben 1801
Kunsthändler. Er begleitete G. im August 1792 zur Armee bis
Mainz und malte 1794–96 einige Wohnräume des Hauses am
Frauenplan aus, nicht ganz zu G.s Zufriedenheit. Zu seinen Kup-
erstichen im *Naturhistorischen Bilder- und Lesebuch* (1803) schrieb G.
1800 eine poetische Erklärung der 14. Tafel (Mineralien).

Horoskop. Obwohl kein Anhänger der →Astrologie, beginnt G.
Dichtung und Wahrheit (I,1) mit der Planetenkonstellation seiner Geburtsstunde, wohl nach einem der üblichen Nativitätsalmanache im
allgemeinen richtig beschrieben und als Topos der von ihm studierten Autobiographie des Hieronymus Cardanus (*De propria vita*,
1643, Kap. 2) entlehnt. Das ist nicht ernstgenommener Aberglaube,
allenfalls subjektiv-gefühlsmäßig interessant, sondern als symbolisches Bild der Beziehungen stiftenden Zeitgenossenschaft zu verstehen. Vgl. an Schiller 8. 12. 1798; *Geschichte der Farbenlehre* V:
»17. Jahrhundert: Allgemeine Betrachtungen«; *Urworte Orphisch*:
Daimon und G.s Erläuterungen dazu.

  C. H. Müller, G.s H., JFDH 1905.

Hospental (»Hospital«). Das Schweizer Dorf bei Andermatt
berührte G. jeweils bei seinen Besteigungen des →Sankt Gotthard:
am 21. und 22.6.1775, am 13.11.1779 (*Briefe aus der Schweiz
1779*); bei der dritten Besteigung übernachtete er dort am 2./3.
und 3./4. 10. 1797 (*Reise in die Schweiz 1797*).

Hottinger, Johann Jacob (1750–1819). Der aufgeklärte Züricher Theologe, Kanonikus und 1774 Professor der Eloquenz und der alten Sprachen, Freund Bodmers und Breitingers und Gegner Lavaters, hatte G. und die lobenden Rezensenten des *Werther* in seiner anonymen Satire *Menschen, Thiere und Goethe* (1775), einer Nachbildung von G.s *Götter, Helden und Wieland*, verspottet und in seinem Roman *Briefe von Selkof an Welmar* (1777) ein satirisches Gegenstück zum *Werther* gegeben. G. mag ihn schon 1779 in Zürich kennen und schätzen gelernt haben, da er bei der Revision des *Triumph der Empfindsamkeit* 1787 eine abschätzige Anspielung auf Hottingers Roman im 5. Akt strich. Am 23. 10. 1797 besuchte er ihn in Zürich, und auf seine Bitte vom 9. 2. 1799 setzte er sich in einem offiziellen Brief an ihn vom 15. 3. 1799 erfolgreich für Hottingers durch die Revolutionsereignisse bedrohte Stellung als Lehrer ein.

S. Abt, Eine Erinnerung an G., 1880, auch in: Neue Schweizer Bibliothek 10, 1935.

Houwald, Ernst Christoph, Freiherr von (1778–1845). Der Verfasser modischer Schicksalstragödien für den breiten Publikumsgeschmack lag G. nicht; seine Tragödie *Das Bild* (1821) las G. am 17. 4. 1820, fand sie »unerfreulich« (*Tag- und Jahreshefte* 1820), ironisierte sie im Freundeskreis und überließ die kritische Beurteilung anderen.

Howard, Luke (1772–1864). Der englische Naturwissenschaftler und Meteorologe unternahm im *Essay on the modification of clouds* (1803), den G. am 8./9. 12. 1815 las, eine Klassifizierung der Wolkenformen, die G. zur Beschäftigung mit der Wolkenlehre anregte (*Tag- und Jahreshefte* 1815–18, 1821–22), ihm bei seinen meteorologischen Beobachtungen zur Wolkenbildung, besonders 1818 und 1820, gute Dienste leistete und die er 1818 mit Erläuterungen im Aufsatz *Wolkengestalt nach Howard* (*Zur Naturwissenschaft überhaupt* I,3, 1820) wiedergab. Im März 1822 sandte Howard ihm einen autobiographischen Abriß, den G. am 10.–12. 4. 1822 übersetzte und nach einer Voranzeige (*Luke Howard to Goethe*, ebd. I,4, 1822) drucken ließ (ebd. II,1, 1823). Aus Dankbarkeit widmete G. Howard einen Gedichtzyklus, zunächst 1820 vier Strophen über die Wolkenformen u.d.T. *Howards Ehrengedächtnis* (ebd. I,3, 1820), dann am 31. 3.–24. 10. 1821 erweitert um drei einleitende Strophen und die rahmenden Gedichte *Atmosphäre* und *Wohl zu merken* (Gesamtdruck mit Erläuterung ebd. I,4, 1822). Der Zyklus geht über die Phänomene hinaus und macht sie schon durch die Wortwahl zum symbolischen Prozeß der Formung des Formlosen und der Steigerung (→Wolkengedichte). Zur Rezension von Howards *The climate of London* (1818) durch J. F. Posselt schrieb G. einen Nachtrag mit eigenen Beobachtungen (ebd. II,1, 1823).

E. F. Howard, G. und L. H., Quäker 9, 1932; J. Hennig, A note on G's relations with L. H., MLQ 12, 1951; H. T. Betteridge, H.s Ehrengedächtnis, MLR 47, 1952; D. F. S.

cott, L. H. and G., Durham University Journal 45, 1953; G. Liepe, L. H., JFDH 1972;
H., hg. D. F. S. Scott, York 1976.

Howards Ehrengedächtnis →Howard, Luke

Huber, Ludwig Ferdinand (1764–1804). G.s Beziehungen zu dem
Leipziger Schriftsteller, Freund Schillers und Körners, gelegentlichem Rezensenten seiner Werke (*Xenien, Lehrjahre, Tancred* und
Mahomet) und ab 1798 Redakteur von Cottas *Allgemeiner Zeitung* in
Stuttgart, beschränken sich auf zwei Abende, die er am 20./21. 8.
1792 mit ihm, 1788–92 kursächsischem Legationssekretär, Forster
u. a. in Mainz verbrachte. Als G. am 15.–20. 12. 1806 Hubers Biographie (*Sämtliche Werke* I, 1806) las, verstimmte ihn Hubers abfäl-
lige Schilderung seiner Erscheinung und seines Wesens (»Sinnliches
und Erschlafftes«) in einem Brief an Körner vom 24. 8. 1792 (an
Knebel 3. 1. 1807; *Tag- und Jahreshefte* 1792). →Huber, Marie
Therese.

S. D. Jordan, L. F. H., 1978.

Huber, Marie Therese (1764–1829). Die Tochter des Göttinger
Professors Ch. G. →Heyne, die 1785 J. G. A. →Forster, nach dessen
Tod ihren Liebhaber F. L. →Huber heiratete und ihre ersten Erzählungen unter dessen Namen veröffentlichte, war seit 1817 Redak-
teurin von Cottas *Morgenblatt* in Ulm und Augsburg. G., der die
verständnisvolle Kennerin seiner Werke als Herausgeberin und Bio-
graphin Hubers und dessen »in vieler Hinsicht höchst schätzens-
werte Gattin« würdigte (*Tag- und Jahreshefte* 1806), begegnete ihr
am 1. 5. 1783 und am 12./13. 9. 1785 in Weimar und am 20./21. 8.
1792 in Mainz und korrespondierte noch 1826 mit ihr.

Hudhud. Der persische Wiedehopf, der nach der Überlieferung
der Träger der Liebesbotschaften zwischen Salomon und der Königin von Saba war, erscheint als häufiges Motiv bei Hafis. G. verwendet es im *Divan*-Gedicht *Gruß*, das am 27. 5. 1815, dem Tag
nach seiner Ankunft in Frankfurt, entstand. Ein Spazierstock mit
geschnitztem Wiedehopf als Griff, Geburtstagsgeschenk von Marianne von Willemer 1819, regte G. im Dezember 1819, März und
Dezember 1820 zu sechs weiteren Hudhud-Gedichten an, die er
Marianne von Willemer sandte. Auch in der Korrespondenz mit ihr
figuriert der Hudhud als Liebesbote.

Hügel, Johann Aloys Joseph, Freiherr von (1753–1826). Der österreichische Diplomat und kaiserliche Gesandte am Nassauer Hof,
bei dem G. im September/Oktober 1814 und Juli 1815 in Wiesbaden häufig verkehrte, überreichte G. am 1. 8. 1815 im Wiesbadener
Kursaal feierlich das Kommandeur-Kreuz des Kaiserlichen Leo-
polds-Ordens, um dessen Verleihung an G. Carl August sich seit
1813 bemüht hatte.

Hüsgen, Heinrich Sebastian (1745–1807). G.s Frankfurter Jugend
freund (*Dichtung und Wahrheit* I,4), mit dem er gemeinsam Schreib
unterricht nahm, lehnte den ihm vom Vater, W. F. →Hüsgen, vor
bestimmten Kaufmannsberuf ab und wurde Kunstforscher und
bedeutender Kunstsammler. Er publizierte u. a. einen Katalog der
Kupferstiche Dürers (1778), den G. benutzte, und ein Verzeichni
der Kunstwerke in Frankfurter Privatbesitz *Nachrichten von Frank*
furter Künstlern und Kunstsachen (1780), dessen G. gewidmete 2. Auf
lage u.d.T. *Artistisches Magazin* (1790) G. für *Dichtung und Wahrhei*
mehrfach heranzog. G. besuchte ihn am 11. 8. 1797 in Frankfur
und empfing tags darauf seinen Gegenbesuch.

O. Heuer, H. S. H., JFDH 1902.

Hüsgen, Wilhelm Friedrich (1692–1766). Der Jurist, brandenbur
gisch-ansbachische und anhaltische Hofrat und Geschäftsträger i
Frankfurt, mit dem G. über seinen Sohn H. S. →Hüsgen bekann
wurde, war eine Art väterlicher Freund G.s, brachte ihm Elemen
tarkenntnisse in Mathematik bei und versuchte als »timonische
Mentor« vergeblich, G. zu seiner Menschenverachtung und seinen
Pessimismus zu bekehren (*Dichtung und Wahrheit* I,4 und Paralipo
mena). Eine nach seinem Entwurf 1746 gebaute astronomische Uh
steht heute im Goethehaus in Frankfurt.

Hufeland, Christoph Wilhelm (1762–1836). Der später durc
seine *Makrobiotik* (zuerst u.d.T. *Die Kunst, das menschliche Leben z*
verlängern, 1796) berühmte Mediziner, Sohn und 1785 Amtsnach
folger eines Weimarer Hofmedicus, war 1783–93 der Hausarzt G.s
einer seiner engeren Bekannten und Mitglied der Freitagsgesell
schaft. Ein Vortrag in diesem Kreis am 2. 3. 1792 beeindruckte Ca
August so, daß er ihm 1793 eine Professur in Jena übertrug (*Tag*
und Jahreshefte 1796). 1801 ging er als Direktor der Charité, könig
licher Leibarzt und 1810 Professor nach Berlin (ebd. 1803), blie
jedoch G. verbunden, korrespondierte mit ihm und besuchte ih
1812 und 1817 in Weimar, 1806, 1816 und 1820 in Jena. Hufelan
rechnete »es zu den größten Vorzügen meines Lebens …, daß es mi
vergönnt war, diesem großen Geiste … persönlich nahe zu stehen.

K. Pfeifer, C. W. H., 1968; H. Busse, C. W. H., 1982; H. Ewers, C. W. H., GJb 10
1987; S. Goldmann, C. W. H. im G.kreis, 1993.

Hufeland, Gottlieb (1760–1817). Der Jurist, Justizrat, 1788–180
Professor in Jena und Mitherausgeber der *Allgemeinen Literatur-Ze*
tung war ein Freund Schillers, mit dem G. in Jena häufig verkehrt

Hugo, Victor (1802–1885). Mit dem extremen Vertreter der fran
zösischen Romantik beschäftigte sich G. in seinen letzten Lebens
jahren äußerst kritisch. Er anerkannte im Grunde nur seine Lyri
lehnte die Dramen und den Roman ab und tadelte Hugos Viel
schreiberei als seinem Talent nachteilig (zu Eckermann/Sore

bzw. 7. 12. 1831). Im einzelnen las er am 3.–9. 1. 1827 die *Odes et
llades: ein »entschiedenes poetisches Talent« (an Reinhard 18. 6.
329; zu Eckermann 4. 1. 1827) und von den Dramen am 5./6. 5.
nd 23. 10. 1828 *Cromwell*: »unaufführbar«, aber »sehr schätzens-
ert« (*Französisches Haupttheater*, 1828), am 17. 5. 1830 *Hernani*:
ine absurde Komposition« (zu F. von Müller 28. 3. 1830) und am
). 11. 1831 *Marion Delorme*: »übermäßig ausgedehnt« (zu Ecker-
ann/Soret 1. bzw. 7. 12. 1831). Den Roman *Notre Dame de Paris*,
en G. am 14.–20. 6. 1831 las, nannte er »das abscheulichste Buch,
as je geschrieben worden« (zu Soret 27. 6. 1831) und empörte sich
ber das Widerwärtige, Puppen- und Fratzenhafte der Figuren (an
elter 18. und 28. 6. 1831; Tagebuch 12. 10. 1831).

F. Baldensperger, G. et H., Mercure de France 69, 1907; Ch. E. Vaughan, G. and H.,
ulletin of the John Rylands library, Manchester, 10, 1926; P. Dresse, G. et H., Brüssel
)42.

Humanität. Das Humanitätsideal der Goethezeit (Lessing, Herder,
;., Schiller, W. von Humboldt u. a.) sah nach dem Vorbild des
lassischen Griechentums eine vollendete, edle und aufrichtige
Menschlichkeit, in der Beherrschung der Triebe durch den Geist,
'erständnis, Teilnahme und Duldung Haupttugenden sind, als er-
eichbares Ziel, auf das Staat, Familie, Erziehung, Rechtsprechung
Strafvollzug), Künste und Wissenschaften sich ausrichten sollten,
m das Bewußtsein vom Wert des Individuums zu stärken und in
Zukunft ein würdigeres, lebenswerteres, menschlicheres Leben zu
ewährleisten. Klassischer Ausdruck dieser Humanität ist bei G.
eben einzelnen Gedichten (z. B. *Das Göttliche*, Xenion aus dem
Nachlaß 67 *Humanität*) die *Iphigenie*, in deren Exemplar für G. W.
Krüger G. am 31. 3. 1827 eine Widmung schrieb, die endet: »Alle
nenschlichen Gebrechen / Sühnet reine Menschlichkeit«. Als
nögliche Folgen übersteigerter Nachsicht fürchtete G. im Gefolge
Herders, daß »die Welt ein großes Hospital und einer des anderen
umaner Krankenwärter sein werde« (*Italienische Reise* 27. 5. 1787).

H. A. Korff, Das klassische H.sideal, in ders., Die Lebensidee G.s, 1925; B. v. Wiese,
las H.sideal in der deutschen Klassik, GRM 20, 1932; G. Fricke, Das H.sideal der
lassischen deutschen Dichtung, ZfD 48–49, 1934 f., auch in ders., Vollendung und
ufbruch, 1943; ders., G.s Ideal der H., Studium generale 2, 1949; E. Ruprecht, Die
dee der H. in der G.zeit, Studium generale 15, 1962.

Humboldt, Alexander, Freiherr von (1769–1859). G. lernte den
roßen, universalen Naturforscher bei dessen Besuch bei seinem
Bruder Wilhelm in Jena im April 1795 kennen (*Tag- und Jahreshefte*
795) und stand, nachdem Humboldt ihm im Mai 1795 seine
isherigen Schriften gesandt hatte, seit 18. 6. 1795 mit ihm im
Briefwechsel. Die Beziehungen vertieften sich, als Humboldt
anuar–Mai 1797 in Jena und (19.–25. 4. 1797) Weimar in engem,
ertraulichem Verkehr mit G. und Schiller verbrachte und an G.s
aturwissenschaftlichen Studien, besonders zu Anatomie und Gal-
anismus, in Gesprächen und gemeinsamen Experimenten regen

Anteil nahm (an Unger 28. 3. 1797; *Tag- und Jahreshefte* 1797). Nac
seiner großen Südamerika-Expedition (1799–1804) bis 1827 mei
in Paris, nach seiner Sibirienexpedition seit 1830 in Berlin ansässi
hielt Humboldt den Kontakt mit G., dessen Naturanschauung ih
tief beeindruckt hatte, im Bewußtsein übereinstimmender Auf
fassungen brieflich, durch Übersendung seiner Publikationen un
durch zwei Besuche in Weimar (11.–13. 12. 1826; 26.–27. 1. 183
aufrecht. Humboldts Vorlesung *Ideen zu einer Physiognomik der G*
wächse (1806) besprach G. 1806 in der *Jenaischen Allgemeinen Literа*
turzeitung. Seine in Südamerika entstandenen *Ideen zu einer Geogrа*
phie der Pflanzen (1807) widmete Humboldt G. als dem Autor de
Metamorphose der Pflanzen, und dieser entwarf dazu im März 180
eine (1813 gedruckte) Profilkarte *Höhen der alten und neuen We*
bildlich verglichen (*Tag- und Jahreshefte* 1807, 1813). Für Humbold
Schrift *Sur les lois que l'on observe …* (1816) dankte G. am 12. 6. 181
mit dem Gedicht »An Trauertagen …«. G.s unbegrenzte Bewunde
rung des vielseitigen und kenntnisreichen Forschers (zu Eckerman
11. 12. 1826, an Zelter 5. 10. 1831) litt auch durch gelegentlich
Meinungsverschiedenheiten in naturwissenschaftlichen Fragen kei
nen Abbruch, obwohl Humboldts Umschwenken vom Neptunis
mus zum Vulkanismus in der Schrift *Über den Bau und die Wirkungs*
art der Vulkane (1823; vgl. G.s Anzeige in *Zur Naturwissenschaft* II,
1823) G. enttäuschte (zu F. von Müller 18. 9. 1823). G. erwei
Humboldt die Reverenz, ihn in den *Wahlverwandtschaften* (II,8
Ottilies Tagebuch) namentlich zu erwähnen.

M. Möbius, G. und A. v. H., Euph 22, 1915; E. v. Hippel, Künder der Humanitä
1949; R. Pissin, A. v. H. und G., Berliner Hefte 4, 1949; K. Schneider-Carius, G. un
A. v. H., Goethe 21, 1959; W. Leppmann, A. v. H. und G., in ders., In zwei Welten z
Hause, 1989.

Humboldt, Caroline von, geb. von Dacheröden (1766–1829). G
lernte die geistreiche Tochter des Erfurter Kammerpräsidente
noch vor ihrer Heirat (1791) mit Wilhelm von →Humboldt an
24. 11. 1790 bei Dalberg in Erfurt kennen und traf sie wiederhol
meist mit ihrem Gatten, u. a. im Mai 1795 und am 29. 11. 1796 i
Weimar, Januar-Mai 1797 in Jena, 19.–21. 9. 1802, 29. 4. und 15. 5
1804 in Weimar, 26.–29. 9. 1814 in Heidelberg und 19. 8. 1823 i
Marienbad. Sie korrespondierte mit G. und lieferte als Beitrag fü
die *Propyläen* (III, 1800) die Beschreibung von J. L. Davids Gemäld
»Die Sabinerinnen«.

G. Sichelschmidt, C. v. H., 1989.

Humboldt, Wilhelm, Freiherr von (1767–1835). Die enge, lebens
lange und fast krisenlose Freundschaft mit dem preußischen Ge
lehrten, Sprachforscher, Staatsmann und Bildungsreformer (181(
Mitbegründer der Berliner Universität) gehört neben denen mi
Carl August und Schiller zu den bedeutendsten und fruchtbarste
Lebensbeziehungen G.s. Sie beruht neben der persönlich-vertrau
lichen Bindung und vielseitigen gleichen Interessen auf der Basi

ines gemeinsamen Humanitäts- und Bildungsideals, der gegen-
eitigen Zuerkennung gleichberechtigten geistigen Rangs trotz des
Altersunterschieds und der Hochschätzung der Leistung des ande-
en. Eine erste Begegnung des jungen Humboldt mit dem von ihm
ewunderten G. in größerer Gesellschaft vermittelte Charlotte von
Lengefeld am 28. 12. 1789 in Weimar, doch ergab sich ein näherer
Verkehr erst seit Sommer 1794 durch Humboldts Aufenthalt in
ena (mit Unterbrechungen bis Herbst 1797) und durch die gemeinsame Mitarbeit an Schillers *Horen*. Am 22. 7. 1794 trafen sich
G. und Schiller bei Humboldt zu einem langen Gedankenaustausch, der prinzipiell übereinstimmende ästhetische Ansichten auf-
deckte. Am 21. 9. 1794 besuchte Humboldt G. in Weimar, im
Dezember 1794 hörten beide die Vorlesungen Loders in Jena; am
22.–28. 5. 1795 war Humboldt in Weimar; am 2./3. 6. 1795 sah er
G. in Jena, am 13. 1. 1797 besuchte G. Humboldt in Jena, und
während G.s Jenaer Aufenthalt am 20. 2.–31. 3. 1797 sahen sie sich
fast täglich. Dort und bei seinem Besuch in Weimar am 2.–9. 4.
797 beriet er G. zur Metrik von *Hermann und Dorothea*. Humboldts lange Reisen seit 1797 erschlossen in seinen Reisebriefen G.
eine fremde Welt. Auf seinem Weg als preußischer Gesandter nach
Rom besuchte Humboldt G. am 19.–21. 9. 1802; nach der Rückkehr war er am 17./18. 11., 3.–5. und 25.–30. 12. 1808 und 1.–7. 1.
809 G.s Gast in Weimar, ebenso am 2.–6. und 18.–20. 1. 1810 auf
dem Weg als Gesandter nach Wien. Am 13.–15. 6. 1812 traf man
sich in Karlsbad; dortige Gespräche über Sprachgeographie regten
G. Anfang 1813 zum Entwurf von Sprachenkarten der Erde an
(*Tag- und Jahreshefte* 1813). Weitere Besuche Humboldts bei G.
in Weimar am 26./27. 10. 1813, 15.–18. 1. 1817 (politische Gespräche), 26. 7. 1819 (Durchreise), 12.–23. 11. 1823 (über Schillers
Briefe, *Paria*, *Marienbader Elegie*) und zuletzt am 23. 12. 1826–4. 1.
827 eröffneten Humboldt zu seinem Bedauern G.s Alterseinsam-
keit und seine pessimistische Zukunftssicht.

G. verfolgte seit 1797 interessiert das Werk des Freundes, las 1797
seine Übersetzung von Aischylos' *Agamemnon* (im Manuskript) und
der Oden Pindars, 1798 seine Abhandlung über Homers *Ilias* u. a.
m. und veröffentlichte zwei Beiträge Humboldts (*Über die gegenwärtige französische tragische Bühne* und über ein Gemälde Gérards) 1800
in den *Propyläen*. Humboldt nahm seinerseits lebhaften Anteil am
dichterischen Schaffen G.s, der ihn als idealen Leser wiederholt um
ein Urteil bat, und beriet G. hinsichtlich der Metrik von *Hermann
und Dorothea*. Seine Abhandlung *Über Goethes Hermann und Dorothea*
(1799), die mit ihrer Wesensdeutung G.s seinen Rang als Klassiker
von allseitig harmonischer Bildung festigte, ist die erste wissenschaftliche Monographie über ein Werk G.s; seine Rezension von
G.s *Zweitem römischen Aufenthalt* (1830) betont die innere Einheit
und Totalität von G.s Dichtung, Kunstforschung und Naturwissenschaft. Beider Briefwechsel 1794–1832 bekundet die Kongenialität

beider Partner und Humboldts intensive Analyse der Werke, die of
in generelle ästhetische Einsichten mündet. Nirgends sprach G. sich
so offen über den *Faust* aus wie in den späten Briefen an Humboldt; sein letzter Brief überhaupt (17. 3. 1832) galt Humboldt und
Faust. Als scherzhafte Referenz am Rande erwähnt G. (*Faus*
v. 4161) ein Gerücht vom Jahr 1797 über Spuk in Humboldts
Schloß Tegel. Humboldts Briefe an seine Frau (Caroline vor
→Humboldt) gehören ebenfalls zu den aufschlußreichsten und ver-
ständnisvollsten Dokumenten über G.

O. Harnack, G. und W. v. H., in ders., Essais und Studien, 1899 u. ö.; W. Schultz
W. v. H. und der faustische Mensch, JGG 16, 1930; H. Eberl, W. v. H. und die deutsche
Klassik, 1932; F. Kraus, W. v. H. in seinem Verhältnis zu G., GKal 30, 1937; W. v. H. übe
Schiller und G., hg. E. Haufe 1963; A. B. Wachsmuth, G. und die Brüder v. H., in: Stu
dien zur G.zeit, hg. H. Holtzhauer 1968; W. Secker, Wiederholte Spiegelungen, 1985.

Hummel, Johann Nepomuk (1778–1837). Der berühmte Komponist, Klaviervirtuose und Dirigent, Schüler Mozarts, Salieris und
Haydns und Freund Beethovens, kam 1819 auf Wunsch Maria
Paulownas, die mit ihm musizieren wollte, als Hofkapellmeister
nach Weimar. Er bereicherte das Weimarer Musikleben wesentlich
durch zeitgenössische Opern und öffentliche Konzerte mit Sinfonien Beethovens und eigenen Werken, die zumeist in Weimar
entstanden. G. pflegte mit dem behaglich-rundlichen Musiker und
»nicht genug zu preisenden Kapellmeister« (*Tag- und Jahreshefte*
1821) freundliche Nachbarschaft, lud ihn mitunter zu Gast und ließ
ihn bei Gesellschaften im Hause gern »nach Tisch« am Flügel im-
provisieren. Er gedenkt besonders eines Hauskonzerts mit F. Mendelssohn 1821 (ebd.) und ließ Hummel von Schmeller für seine
Porträtsammlung zeichnen. Hummel vertonte einige Gedichte G.
(*Meeresstille* u. a.) und komponierte zum 50jährigen Dienstjubiläum
G.s am 7. 11. 1825 eine Abendmusik. Trotz konventioneller Lob-
sprüche erfaßte G. jedoch kaum den musikalischen Rang Hummels
und fragte Zelter (20. 5. 1826) um seine Meinung.

K. Benyovsky, H., Preßburg 1934; F. Kühnlenz, Weimarer Porträts, 1970; K. Thomas
J. N. H. und Weimar, 1987.

Humor. Humor wird von einem Klassiker weder vorausgesetzt
noch erwartet, am wenigsten von einem deutschen, scheint er doch
der »Tiefe« abträglich. Die Literatur über G.s Humor ist entsprechend mager, und in G.s eigenem Wortgebrauch steht »Humor«
gemäß der Säftetheorie überdies teils für »Laune jedweder Art«
Viele Zeugnisse und →Anekdoten sprechen dafür, daß G. al
Mensch und besonders in seiner Jugend durchaus Humor besesser
habe, daß er zu Spaß, Scherz und Schabernack neigte (*Dichtung und
Wahrheit* II,7) und auch später eine Gesellschaft zum Lachen bringen konnte. In seiner Dichtung erscheinen Komik, Satire, Spott
Parodie, Ironie und Witz in den frühen Satiren und Komödien und
selbst in der Figur Mephistos im *Faust*; reiner Humor jedoch al
harmloses, gutwilliges, verständnisvolles Lächeln über menschlich

chwächen und Befindlichkeiten ohne aggressive oder belehrende
Absicht, aus einer Haltung erhabenen Darüberstehens und heiterer
Gelassenheit (vgl. an Schiller 31. 1. 1798), findet sich, vorsichtig aus-
gedrückt, höchst selten, und nicht nur, weil »der Deutsche so selten
Sinn« dafür habe (ebd.). Im Alter gar und wohl unter dem Eindruck
der vielfach gequält wirkenden sogenannten humoristischen
Literatur seiner Zeit, verurteilt G. das Humoristische, das »keinen
Halt und kein Gesetz in sich selbst« habe (an Zelter 30. 10. 1808),
als Kennzeichen der Philister, der Pseudo-Genies und der niederen
Literatur, das die Kunst zerstöre und vernichte (*Maximen und Reflexionen* 65), und spricht ihm Vernunft (ebd. 15), Gewissen und Ver-
antwortungsgefühl ab: »Nur, wer kein Gewissen oder keine Verantwortung hat, kann humoristisch sein … Freilich, humoristische
Augenblicke hat wohl jeder; aber es kommt darauf an, ob der
Humor eine beharrliche Stimmung ist, die durchs ganze Leben
geht … Wem es aber bitterer Ernst ist mit dem Leben, der kann
kein Humorist sein. Wer untersteht sich denn, Humor zu haben,
wenn er die Unzahl von Verantwortlichkeiten gegen sich selbst und
andere erwägt, die auf ihm lasten? … Doch damit will ich den Humoristen keine Vorwürfe machen. Muß man denn gerade ein Gewissen haben? Wer fordert es denn?« (zu F. von Müller 6. 6. 1824).
Gewiß ein höchst ehrenwerter Standpunkt für einen Klassiker.
Leider.

H. Henkel, G.s satirisch-humoristische Dichtungen, Archiv 95, 1895; G. Küffer, G.
und der H., Diss. Bern 1933; W. Brednow, Vom guten H. zum reinen H. bei G., JFDH
1977.

Hunde. G.s bekannte Aversion gegen Hunde (Falk) und besonders
gegen nächtliches Hundegebell (*Tag- und Jahreshefte* 1801) fand u. a.
literarischen Niederschlag im *Faust* (v. 1238) und in *Die guten Weiber* (1800), wo Hunde als verdummende »Zerrbilder des Menschen«
verstanden werden. Auch Faust findet im Pudel »nicht die Spur von
einem Geist« (v. 1172) und muß sich vom Gegenteil belehren lassen
(v. 1338). Das Gedicht *Kläffer* (1808) bezieht das Hundemotiv auf
literarische Gegner. Doch Wagners Diktum »Dem Hunde, wenn
er gut erzogen, / wird selbst ein weiser Mann gewogen« (*Faust*
1124 f.) gilt nur beschränkt für G. Die Antipathie ließ übrigens
durchaus Ausnahmen zu: ein Windspiel beim Kupferstecher Stock
in Leipzig und eine englische Dogge, die August von G. von der
Universität mitbrachte (Riemer). Weniger sympathisch mögen G.
die Hunde gewesen sein, mit denen sich der Hundeliebhaber Carl
August fast ständig umgab, und erst recht der bellende Hund, mit
dem Peter im →Baumgarten in Weimar erschien. Schließlich veranlaßte ein dressierter Hund in →Castellis Drama *Der Hund des
Aubri*, der entgegen G.s Theaterregeln in seiner Abwesenheit auf
Veranlassung der C. Jagemann am 12. 4. 1817 auf der Weimarer
Bühne debütierte, G. dazu, die Theaterleitung niederzulegen.

H. Heinze, Das also war des Pudels Kern, GJb 109, 1992.

Hundeshagen, Helfrich Bernhard (1784–1849). Der Architekt, Zeichner und Verfasser mehrerer Schriften über antike und mittelalterliche Bauten in Deutschland (u. a. über die Kaiserpfalz Gelnhausen) war 1813–17 Bibliothekar in Wiesbaden, wo G. ihn an 1. 8. 1814 kennenlernte und im August–Oktober 1814 und Mai–August 1815 häufig mit ihm verkehrte. G. lobte ihn in *Kunst und Altertum am Rhein und Main* (Kap. »Wiesbaden«). Hundeshagen korrespondierte bis 1825 mit G., u. a. über die von ihm entdeckte illustrierte sog. Hundeshagener *Nibelungen*-Handschrift, verlor jedoch durch sein »wunderliches« Verhalten (an J. H. Meyer 3. 1. 1823) G.s Vertrauen.

L. Geiger, G. und H., GJb 6, 1885.

Huschke, Wilhelm Ernst Christian (1760–1828). Der Leibarzt Anna Amalias seit 1788 und herzogliche Hofmedikus seit 1792 war Hausarzt Wielands, Herders, Schillers und zeitweise auch G.s, zumal bei seiner schweren Erkrankung im Frühjahr 1823.

Huß, Carl (1761–?). G.s Verkehr mit dem Scharfrichter in Eger hatte keine beruflichen Gründe, sondern galt dem »derben unermüdeten Sammler« (an Zelter 24. 8. 1823) alter Waffen, Münzen, Kuriosa und Mineralien, die G. seit seinem ersten Besuch am 5. 8. 1806 bei seinen Aufenthalten in Eger 1807, 1808, 1820, 1821, 1822 und 1823 regelmäßig, 1821 und 1822 sogar mehrfach, besichtigte.

Hutten, Ulrich von (1488–1523). Auf den deutschen Humanisten und Politiker stieß G. wohl schon bei den Vorstudien zum *Götz von Berlichingen* um 1772 (*Dichtung und Wahrheit* IV,17); seine Briefe, besonders an W. Pirckheimer, las er am 10.–11. 8. 1824, 25.–26. 2. und 3. 3. 1825 sowie 22.–24. 12. 1830; den Brief vom 25. 10. 1518 über setzt er ausführlich in *Dichtung und Wahrheit* (IV,17) im Bestreben nach sozialer Harmonie mit dem Adel. Im *West-östlichen Divan* (»Buch des Unmuts«) wie in Gesprächen galt ihm Hutten als Mitstreiter gegen einen orthodox verhärteten Klerus.

Hyde, Thomas (1636–1703). Mit der *Historia religionis veterum Persarum* (1700) des Oxforder Orientalisten beschäftigte sich G. im Dezember 1814 und Mai 1816 für den kulturgeschichtlichen Hintergrund des *West-östlichen Divan*. Der dadurch angeregte Entwurf einer »orientalischen Oper« (→*Feradeddin und Kolaila*) wurde nicht weitergeführt (*Tag- und Jahreshefte* 1816).

Hyginus (2. Jahrhundert n. Chr.). Die *Fabulae* des römischen Mythographen, ein konfuses mythologisches Handbuch als Stoffsammlung für Dichter, bildete eine der Quellen für G.s →*Elpenor*-Fragment. Auf Schillers Bitte sandte G. ihm am 16. 12. 1797 eine Ausgabe, und er entnahm daraus den Stoff für *Die Bürgschaft* (1798).

ז. las das Werk im August 1798: »für den tragischen Dichter stecken
noch die herrlichsten Stoffe darin« (an Schiller 28. 8. 1798) und
chlug ein modernes Gegenstück vor.

H. Schmidt, G. und die Fabelsammlung des H., Diss. Wien 1911; J. Brock, G. und H.,
in ders., H.s Fabeln in der deutschen Literatur, 1913.

Hymnen, Darmstädter →Darmstadt

Ideal. Das konkret vorgestellte oder gedachte Ur- und Vorbild
eines Menschen, Werkes, Verhaltens oder Zustands, vollkommenes
Muster und Leitbild in ästhetischem wie moralischem Sinne steht
im Gegensatz zur vorgefundenen Wirklichkeit. Es ist zwar wesensgemäß nie völlig erreichbar, kann aber als Leitschnur und Ziel des
Handelns dienen, da man sich ihm durch selbstloses Nachstreben
annähern kann. Der Ausdruck des Idealen mit den der Wirklichkeit
entlehnten Mitteln einer konkreten Kunst ist das Problem des Idealismus in der deutschen Klassik. »Das ist eben die wahre Idealität,
die sich realer Mittel so zu bedienen weiß, daß das erscheinende
Wahre eine Täuschung hervorbringt, als sei es wirklich« (G. über
Claude Lorrain, zu Eckermann 10. 4. 1829). In diesem Sinn kann
G. seine Figuren Iphigenie und Tasso als mit seiner Sinnlichkeit
durchdrungene und belebte Ideelle bezeichnen (ebd. 4. 2. 1829).

Idealismus. Zum Idealismus der zeitgenössischen Philosophie
(Kant, Fichte, Schelling) suchte G. besonders auf Anregung Schillers
Zugang, bog jedoch die abstrakte Spekulation ab durch die für ihn
typische Suche nach Anschauung, die ihre sinnbildliche Konkreti-
sation im Symbol fand. In der Kunst und Dichtung des Idealismus,
die bei ihrer Ausrichtung auf →Ideen und →Ideale die Diskrepanz
zwischen Ideal und Wirklichkeit einzuengen sucht und bloße natu-
ralistische Abschilderung vorgefundener Wirklichkeit ablehnt, steht
G. im Vergleich zu Schiller dem Realen als einer erfahrbaren, wenngleich idealistisch überhöhten, vergeistigten Wirklichkeit näher, die
das Sinnliche durch Verbindung mit der Idee veredelt (vgl. zu F. von
Müller 29. 4. 1818).

Idee. Im weitesten Sinn ist Idee ein nicht sinnlich erfahrbares,
sondern über die Erfahrung hinausweisendes, nur theoretisch er-
schließbares, abstrakt-gedankliches Urbild nach Wesen und Sinn,
aus dem sich viele (im einzelnen ihm gegenüber mangelhafte) Erscheinungen der Erfahrungswelt ableiten lassen. So kann Schiller
auf G.s Urpflanze reagieren: »Das ist keine Erfahrung, das ist eine
Idee« (*Glückliches Ereignis*). Mit dem Begriff der Idee setzen sich vor
allem die *Maximen und Reflexionen* auseinander (262–64, 375, 541,
799, 800, 803, 1113, 1135–1138), ferner der Aufsatz *Bedenken und
Ergebung* (1820). G. verwendet das Wort jedoch zumeist für die
Idee« eines künstlerischen oder literarischen Werkes im Sinne von

Grundgedanke, Thema (vgl. zu Eckermann 6. 5. 1827 und *Spanische Romanzen*, 1823).

G. Rheker, Wort und Begriff der I. bei G., Diss. Bonn 1948; P. Eichhorn, I. und Erfahrung im Spätwerk G.s, 1971.

Idstein. In der Taunusstadt besichtigte G. auf der Reise von Wiesbaden nach Nassau mit L. W. Cramer am 21. 7. 1815 die Kirche und das Schloß.

Idylle. Diesen nicht ganz zutreffenden Titel trägt seit den *Werke*[r] (1815) die am 18./19. 1. 1813 entstandene und im Einzeldruck erschienene *Idyllische Kantate zum 30. Januar 1813*, die zum Geburtstag der Herzogin Louise (30. 1.) am 31. 1. 1813 in der Vertonung von A. E. Müller aufgeführt wurde.

Idyllen. Idyllen im Schäferkostüm und im Stil von Theokrit oder Geßner, wie sie in seiner Jugend Mode waren, aber nach Schiller dem sentimentalischen Dichter anstehen, hat G. seit einer verlorenen Leipziger Idylle *Mykon* (an Cornelia 11. 5. 1767) nicht geschrieben. Das schließt nicht aus, daß einzelne der frühen Hymnen, der Elegien, Epen (*Hermann und Dorothea*) oder Gedichte (*Die glücklichen Gatten*) idyllische Elemente enthalten. Die →*Idylle* von 1813 ist eine Kantate, und die Gedichtfolge →*Wilhelm Tischbeins Idyllen* (1821) beschreibt parallel zum gleichnamigen Prosatext eine Bilderfolge Tischbeins.

D. E. Wellbery, Die Grenzen des Idyllischen bei G., in: Unser Commercium, hg. W. Barner 1984.

Iffland, August Wilhelm (1759–1814). Der berühmte Schauspieler, Regisseur und mit bürgerlichen Familiengemälden und moralisierenden Rührstücken neben Kotzebue erfolgreichste Dramatiker seiner Zeit auch auf dem Weimarer Theater lieferte mit seinen 6[5] Zug- und Erfolgsstücken das tägliche Brot und stellte mit 354 Aufführungen von über 30 seiner Stücke unter G.s Direktion die Aufführungen von Dramen G.s und Schillers weit in den Schatten. Da[s] Weimarer Hoftheater eröffnete unter G.s Direktion am 7. 5. 179[1] mit einem *Prolog* G.s und Ifflands *Die Jäger*, und auch zur Aufführung von Ifflands Lustspiel *Alte und neue Zeit* am 6. 10. 179[4] schrieb G. einen *Prolog*. Iffland, der Schüler Ekhofs und später Lehrer der C. Jagemann, war 1779–96 Schauspieler und Oberregisseu[r] in Mannheim, wo G. ihn u. a. am 22. 12. 1779 als Carlos im *Clavigo* sah und Schiller ihn am 13. 1. 1782 als ersten Franz Moor in der *Räubern* erlebte, und ab 1796 Direktor des Königlichen Nationaltheaters Berlin. Auf vier Gastspielreisen trat er auch in Weima[r] auf: am 25. 3.–28. 4. 1796 (14 Vorstellungen, u. a. als Egmont i[n] Schillers Bearbeitung des *Egmont* am 25. 4.; vgl. *Tag- und Jahreshefte* 1796 und G.s Stammbuchvers vom 24. 4. 1796), am 24. 4.–4. 5. 1798 (8 Vorstellungen, vgl. *Tag- und Jahreshefte* 1798), 1810 und an[m]

0.–30. 12. 1812 (7 Vorstellungen). G.s Versuch, ihn 1796 fest für das
Weimarer Theater zu gewinnen und durch sein Vorbild das Niveau
es Ensembles zu heben, scheiterte, da Iffland sich für Berlin ent-
:hieden hatte. Er beeindruckte G. außerordentlich als Charakter-
arsteller durch die Vielseitigkeit, Wandlungsfähigkeit und Indivi-
ualität seiner Darstellungskunst (an J. H. Meyer 18. 4. 1796, an
chiller 2. 5. 1798, an Zelter 12. 12. 1812), förderte die von G. an-
estrebte Theaterkultur, trat jedoch später im Unterschied zum
Weimarer Deklamationsstil mehr für eine lebensnahe Darstellung
in. Das Weimarer Theater hielt am 10. 5. 1815 eine Gedächtnisfeier
ir Iffland und Schiller (*Zu Schillers und Ifflands Angedenken*), bei der
. a. Friedrich →Peucers von G. bearbeitetes *Nachspiel zu Ifflands
Hagestolzen* aufgeführt wurde. Auf Ifflands Anregung nahm G. im
Mai 1798 die Arbeit am Operntext *Der Zauberflöte zweiter Teil* wie-
er auf, führte im November/Dezember 1800 seine Übersetzung
on Voltaires *Tancred* zuende und schrieb auf seine Bitte vom 6. 5.
814 zur Rückkehr Friedrich Wilhelms III. aus den Napoleoni-
chen Kriegen nach Berlin 1814 das Friedensfestspiel →*Des Epi-
1enides Erwachen*, das jedoch erst unter Ifflands Nachfolger Graf
3rühl 1815 aufgeführt wurde.

   A. Kohut, G. und I., Monatshefte der Comenius-Gesellschaft 24, 1915; W. Deetjen,
   und Weimar, Hannoversche Geschichtsblätter 21, 1918; F. Sengle, G.s Nachspiel zu
   fflands Hagestolzen, in ders., Neues zu G., 1989.

geler Monument/Säule. Das 23 m hohe römische Sandstein-
Pfeilergrabmal der Brüder Secundinius (um 250 n. Chr.) in Igel bei
Trier mit Szenen aus dem täglichen Leben und dem Fortleben nach
em Tode lernte G. auf dem Frankreichzug am 23. 8. und
2. 10. 1792 kennen und beschäftigte sich im Tagebuch der *Campa-
1e in Frankreich* (23. 8., 22.–24. 10.) mehrfach mit diesem einzigen
Kunstwerk, das ihm während der Campagne begegnete und das
hm die zeitlose Anwesenheit der Antike in den Wirren der Ge-
·enwart verkörperte. Das Geschenk einer bronzenen Miniatur-
Nachbildung regte ihn am 10.–31. 5. 1829 zum Aufsatz *Das Igeler
Monument* an, der neben den eigenen Aufzeichnungen Anregungen
. H. Meyers und der Publikationen von C. F. Quednow (1820) und
. M. Neurohr (1826) verwertet und zuerst als Vorwort zu K. Oster-
valds *Das römische Denkmal in Igel* (1829) erschien.

   F. Knickenberg, Zu G.s Aufsatz Das altrömische Denkmal bei Igel, GJb 26, 1905;
   . Schwinden, G. und die Igeler Säule, Kurtrierisches Jahrbuch 22, 1982; G. in Trier und
   uxemburg, Katalog Trier 1992; L. Pikulik, Begegnung mit dem Leben im Kunst-
   ebilde, Aurora 52, 1992.

hr verblühet, süße Rosen ... Das am 28. 1. 1775 an J. G. Jacobi
;esandte, vielfach vertonte Lied vom Trennungsschmerz Erwins in
:rwin und Elmire (1775) zitiert G. 1830 in *Dichtung und Wahrheit*
(V, 19) als Dokument für seine Stimmung der Schwermut und
Hoffnungslosigkeit angesichts der nahen Trennung von Lili Schö-

nemann: es drücke »die Anmut jenes Unglücks aus«. Im Schema zu
Dichtung und Wahrheit (IV,17) bemerkt er ferner, dieses Lied
»entlockte Lili manche Träne«. Da das Lied allenfalls kurz nach der
Bekanntschaft mit Lili und Monate vor der Verlobung entstand,
wird man gut daran tun, einen direkten biographischen Bezug zugunsten des Ausdrucks einer allgemeinen und als solcher wieder-
holbaren Seelenstimmung abzuweisen.

Ikarus. Die griechische Sage vom Flug des Ikarus, Sohn des
Dädalus, mit selbstgefertigten Flügeln, seinem Streben zur Sonne
und seinem Absturz bildet die Vorlage für das Ende →Euphorions
im *Faust* (v. 9901).

Iken, Carl Jacob Ludwig (1789–1841). Der Bremer Gelehrte und
Schriftsteller veröffentlichte 1817 eine Übersetzung von G. Castis
Epos *Die redenden Tiere* (an Knebel 13. 10. 1817), 1822 eine Übersetzung des persischen *Papageienbuchs* (→*Tûtî-nâmê*), die G. 1820 im
Manuskript freudig begrüßte (*Tag- und Jahreshefte* 1820) und in seiner Anzeige (*Über Kunst und Altertum* IV,1, 1823) lobte, sowie zwei
vom Philhellenismus geprägte neugriechische Anthologien (*Leuko-
thea*, II 1825 und *Eunomia*, III 1827), die G. kritisch-wohlwollend
besprach (ebd. VI,2, 1828). G.s Antwort vom 27. 9. 1827 auf Ikens
einsichtsvollen Brief vom 25. 8. 1827 über die *Helena* enthält höchst
aufschlußreiche Äußerungen zum Thema des *Faust* (Versöhnung
des Klassischen und Romantischen) und seine dichterische Kom-
positionsweise der wechselseitigen Spiegelungen. Iken besuchte G.
in Weimar am 27. und 28. 4. 1828.

G. Schulz, C. J. L. I., in: Studien zur G.zeit, hg. H. Holtzhauer 1968.

Ildefonso-Gruppe. Die spätantike Marmorskulptur (1. Jahrhundert n. Chr.) von zwei nackten Jünglingen, deren einer eine Fackel
zum Erlöschen senkt, und einer kleineren Frauenfigur (Persephone?) wurde im 17. Jahrhundert in der Kirche San Ildefonso
(daher Name) bei Madrid entdeckt und steht heute im Prado. G.
bewunderte einen Abguß zuerst 1771 im Antikensaal in Mannheim
(*Dichtung und Wahrheit* III,11) und identifizierte die Figuren damals
als Kastor und Pollux, schloß sich jedoch später Lessings Deutung
als Schlaf und Tod an: Der Tod als jugendlicher Genius geleitet den
schlafenden Jüngling ins Jenseits. Ein getönter Gipsabguß der
Gruppe von Klauer steht im Aufgang des Goethehauses in Weimar.
Einen zweiten, Eisenguß aus Lauchhammer, der seit 1796 am Stadt-
ausgang des Parks stand, stellte C. W. Coudray 1824 hinter ein
Steinbecken in Form eines antiken Sarkophags an der Hofverblen-
dung des Roten Schlosses in Weimar auf (Ildefonso-Brunnen).

Ilfeld. In dem Dorf im Harz übernachtete G. auf seiner 1. Harzreise am 30. 11./1. 12. 1777 in einem Kämmerchen neben der

Wirtsstube und beobachtete durch ein Astloch in der Trennwand eine fröhliche Tischgesellschaft (*Campagne in Frankreich*).

Ilgen, Karl David (1763–1834). Der Philologe und Theologe, 1794–1802 Professor der orientalischen Sprachen in Jena, besuchte G. u. a. am 6. 10. 1799, 29. 7. 1800 und zuletzt 6. 4. 1831 und verehrte ihm seine Schriften, darunter die *Geschichte Tobis, nach drei verschiedenen Originalen übersetzt* (1800). Seine Ausgabe der sog. Homerischen Hymnen regte G. im August 1795 zur Übersetzung des Hymnus *Auf die Geburt des Apollo* an.

Illuminaten. In den 1776 von A. Weishaupt gegründeten aufklärerischen Illuminatenorden, der in Weimar von J. C. Bode geleitet wurde und dem u. a. Carl August, Knigge, J. von Fritsch, Herder, Voder und Musäus angehörten, trat G. am 11. 2. 1783 mit dem Ordensnamen Abaris ein, ohne besondere Aktivität zu entfalten, und ließ die Mitgliedschaft seit 1785 ruhen. Die Motive des Beitritts sind nicht ganz durchsichtig: Unterwanderung des ideell und langfristig gegen die Fürstenherrschaft gerichteten Ordens oder dessen pragmatische Nutzung als Kommunikationsforum für Fürsten und hohe Staatsbeamte. →Freimaurer, →Geheimgesellschaften.

R. van Dülmen, Der Geheimbund der I., 1975; W. D. Wilson, Weimar politics in the ge of the French Revolution, GYb 5, 1990; W. D. Wilson, Geheimräte gegen Geheimbünde, 1991; D. Kemper, Die Vorteile meiner Aufnahme, GJb 111, 1995; D. Kemper, Ideologie und Ideologiekritik, GJb 112, 1996.

Illustrationen. Obwohl G. die Berechtigung künstlerischer Illustration dichterischer Werke durchaus anerkannte, von ihr jedoch einen künstlerischen Eigenwert als gutes Bild verlangte, sind seine Werke (außer den naturwissenschaftlichen) in den rechtmäßigen Ausgaben zu seinen Lebzeiten selten illustriert erschienen, und das künstlerische Niveau der deutschen Illustrationsstecher der Zeit lag unter dem der französischen und englischen Kupferstecher. Außer den →Faust-Illustrationen und denen zu *Hermann und Dorothea* (Chodowiecki 1799, Catel 1799, C. W. Kolbe 1822) wären hier nur die Illustrationen von Chodowiecki zu *Werther* und *Clavigo* sowie die von G. M. Kraus zum *Römischen Carneval* (1789) zu nennen. Von den Werkausgaben enthalten die *Schriften* (VIII 1787–90) zwölf, die *Neuen Schriften* (VII 1792–1800) zwei und die *Werke*, Ausgabe letzter Hand (LX 1827–42) 60 Kupferstiche.

Befriedigendere Ergebnisse brachten die nicht ad hoc, sondern als Einzelgemälde, -zeichnungen und -stiche entstandenen, oft in Taschenbüchern und Almanachen, Zeitschriften (J. H. Ramberg in *Minerva* 1821 ff.) oder Sammlungen (*Kupfersammlung zu G.s Werken*, 1827–35) erschienenen Illustrationen einzelner Szenen aus G.s Werken u. a. von J. D. Donat, A. Kauffmann, Tischbein und G. M. Kraus. Die Zahl späterer Illustrationen ist Legion.

A. Rümann, Ein Jahrhundert G.-I., Philobiblon 5, 1932; E. Clösges, Die I. von G.s Dichtung in seiner Zeit, Diss. Bonn 1943; H. Haberland, I. zu G.s Werken, Katalog Frankfurt 1962; I. v. Unruh, Von Barlach bis Warhol, Aus dem Antiquariat 7, 1982; A. Rehrl, Illustrierte Ausgaben von G.s Lyrik, 1995.

Ilm. Der Nebenfluß der Saale bildet bei Weimar (»Ilm-Athen«, C. von Holtei ?) ein etwa 500 m breites, liebliches Tal, das G., selbst im →Gartenhaus nahe der Ilm zu Hause und in »seinem Fluß« badend, 1778–86 im Verein mit Carl August von einer nur dem Hof reservierten Barockanlage am Stern und den »Welschen Garten« am Beethovenplatz nach Vorbild des Wörlitzer Parks in einen öffentlich zugänglichen »Park an der Ilm« (Goethe-Park) im Stil englischer Landschaftsgärten umgestaltete und durch Kunstbauten Blickpunkte und Akzente setzte: Sphinxgrotte (1786), Reithaus (1803/04), Naturbrücke, Borkenhäuschen (1778, vgl. *Das Louisenfest*), Felsentor (1778), künstliche Ruine (1784), Tempelherrenhaus (1786/87), Dessauer Stein (1782), Schlangenstein (1787) und Carl Augusts Römisches Haus (1792/97). Personifiziert erscheint die Ilm im Xenion 103 und in G.s *Maskenzug vom 18. 12. 1818.* Am Ufer der Ilm im Park von Tiefurt fand am 22. 7. 1782 die Uraufführung von G.s *Die Fischerin* statt.

C. A. H. Burkhardt, Die Entstehung des Parks in Weimar, 1907; P. O. Rave, G.s Park DR 260, 1939; W. Huschke, Die Geschichte des Parkes von Weimar, 1951; W. Vulpius, Der Goethepark in Weimar, 1957 u. ö.; W. Vulpius/W. Huschke, Park um Weimar, 1958 u. ö.; J. Jäger, Der Park an der Ilm in Weimar, Impulse 1, 1978.

Ilmenau. Die Bergstadt an der oberen Ilm, am Fuß des →Kickelhahns im Thüringer Wald, gehörte als Enklave zum Herzogtum Sachsen-Weimar und fand vor allem 1776–96 G.s Interesse durch ihre Landschaft wie ihre wirtschaftlichen Probleme. Anfangs war sie wie die benachbarten Wälder und Dörfer, besonders Stützerbach, Schauplatz jugendlicher Ausgelassenheiten und wilden Jagdtreibens mit Carl August ebenso wie besinnlich-sehnsuchtsvoller Waldeinsamkeit, in der im Häuschen auf dem Schwalbenstein am 19. 3. 1779 der 4. Akt der *Iphigenie*, am 6. 9. 1780 in der Jagdhütte auf dem Kickelhahn →*Wandrers Nachtlied* (II) und 1783 das große Geburtstagsgedicht für Carl August →*Ilmenau am 3. September 1783* entstanden. Im Vordergrund von G.s amtlicher Tätigkeit in Ilmenau standen jedoch die Bergbau-Probleme. Der seit dem 15. Jahrhundert betriebene Bergbau nach silberhaltigem Kupferschiefer war am 9. 5. 1739 durch Wassereinbruch zerstört worden und hatte im Verein mit Steuermißwirtschaft zur Verarmung des Ortes geführt. Im Rahmen der Bergwerkskommission widmete G. sich mit Eifer dem Wunsch Carl Augusts, den Bergbau wieder aufzunehmen, nahm 1776–96 20 meist einwöchige Aufenthalte in Ilmenau und nahm den Auftrag zum Anstoß seiner geologisch-mineralogischen Studien. Auf der Grundlage von Expertengutachten, u. a. von Trebras erstellte G. am 1. 6. 1781 einen umfangreichen Bericht *Nachricht von dem Ilmenauischen Bergwesen*, eröffnete am 24. 2. 1784 mit einer

Rede im Posthause den neuen Bergbau und nahm auch an den Gewerkentagen mit Ansprachen am 7. und 11. 6. 1791 und 9. 12. 1793 teil. Doch stellten sich neue Schwierigkeiten ein: Wassereinbrüche überstiegen das Pumpvolumen, der Mineralgehalt war gering, das Unternehmen warf keinen Gewinn ab, ein großer Stolleneinbruch am 22./23. 10. 1796 veranlaßte die partielle und 1812 vollständige Stillegung mit einem Verlust von 76000 Talern u. a. für Verhütungsanlagen. G. zog sich seit 1800 allmählich aus dem Amtsbereich zurück, meinte jedoch, das Lehrgeld wäre nicht umsonst gewesen, da er vieles über die Geologie Thüringens und die Bergwerkstechnik gelernt habe und die intensive gemeinschaftliche Arbeit mit Carl August erzieherisch veredelt und zum Pflichtbewußtsein erzogen habe (zu F. von Müller 16. 3. 1824; *Tag- und Jahreshefte* 1794). Noch am 26.–31. 8. 1831 reiste G. mit seinen Enkeln nach Ilmenau, besuchte die Stätten früher Freuden und Sorgen und fand am 27. 8. die Inschrift am Kickelhahn wieder.

J. Voigt, G. und I., 1912 u. ö.; A. Heym, I. und Umgebung, 1915; Festschrift zur G.-Hundertjahrfeier in I., 1931; F. Götting, Die Tragödie des I.er Bergbaus, GKal 28, 1935; W. Vulpius, G. in Thüringen, 1955; H. Wahl, G. und I., in ders., Alles um G., 1956 u. ö.; W. Ehrlich, I., Gabelbach, Stützerbach, 1979 u. ö.; O. Wagenbreth, G. und der I.er Bergbau, 1983; I. Linnemann, Der I.er Bergbau in seiner Bedeutung für G.s geistiges Selbstverständnis, in: G. und die Wissenschaften, hg. B. Wilhelmi 1984; M. Wenzel, Der I.er Bergbau und sein Einfluß auf G., Medizinhistorisches Journal 22, 1987; K. Steenbuck, Silber und Kupfer aus I., 1995.

Ilmenau am 3. September 1783. Das umfangreiche Gedicht zum 26. Geburtstag Carl Augusts am 3. 9. 1783, wohl kurz zuvor in Ilmenau entstanden, aber erst 1815 in den *Werken* gedruckt, zieht eine persönliche Bilanz der ersten Weimarer Jahre und bezeichnet das Ende der Weimarer Sturm und Drang-Zeit. Gerahmt in eine Beschreibung des geliebten Ortes →Ilmenau mit dem Kickelhahn, Schauplatz einst kraftgenialischer Jugendstreiche und wilder Jagden wie jetzt ernster Sorgen um die Wirtschaft und Wohlfahrt des Landes, begegnet der G. von 1783 in einer Traumvision dem G. von 1776 beim Nachtlager am Lagerfeuer nach einer Hofjagd. Er beschreibt die Teilnehmer von Knebel (v. 59–68), von Seckendorff (v. 69–76), sieht sich selbst (v. 77 ff.) vor der Hütte des Herzogs wachen, verwickelt sich in Selbstgespräche mit dem früheren Ich über die Berechtigung und Richtigkeit seines Tuns, seines Dichtens und seiner erzieherischen Bemühung um den Freund und gibt eine erstaunlich offenherzige Charakteristik des jungen Herzogs (v. 120–151), wie sie nur liebevolles Verständnis und wahre Freundschaft erlauben. Mit dem Abbruch des Traumbildes von einst (v. 156) ergeben sich günstige, Hoffnung verheißende Vergleiche von Ilmenau, Carl August und G. einst und jetzt, die in eine besonnenere Zukunft der Verantwortung, Pflicht, Selbstbeherrschung und segensreichen Wirkens beider münden: das Ende der fröhlichen Spielzeit ist erreicht, die Reife gewonnen. Vgl. G.s Selbstinterpretation zu Eckermann (23. 10. 1828).

Ilten

B. Suphan, I., DR 77, 1893; R. Hildebrand, Zu dem Gedichte I., GJb 15, 1894; H. Düntzer, G.s Gedichte Auf Miedings Tod und I., ZDP 27, 1895; R. Immig, G.: I., Pädagogische Provinz 9, 1955; J. Müller, G.s I.-Gedicht, JbWGV 68, 1964, auch in ders., Neue G.-Studien, 1969; M. Lauffs, Er war mir August und Mäzen, TuK Sonderheft G., 1982; A. Bohm, Wer kennt sich selbst?, GLL 46, 1993.

Ilten, Caroline von (um 1757–?). Das junge, frühverwaiste Mädchen aus mittellosem, niederem Adel lebte mit seiner Schwester Sophie von →Ilten bei Verwandten in Weimar und gehörte zur weiteren Hofgesellschaft. G. begegnete den Schwestern im November 1775 bei seinem ersten Besuch bei ihrer mütterlichen Freundin Ch. von Stein, die sie zeitweilig ganz in ihr Haus nehmen wollte, und rechnete »Lingen« (d. i. Linchen) zu den »Misels« seines Jungdamenflors. 1779–81 hatte sie eine Liebesbeziehung mit dem (damals noch eventuellen Thronfolger) Prinz →Constantin, deren Legitimierung der Hof sich widersetzte. G. fiel die undankbare Aufgabe zu, die Liebenden zu trennen und zu trösten. Möglicherweise entsprang aus Mitleid und Sympathie ein sanfter Flirt, den Ch. von Stein zu unterbinden wußte; jedenfalls sandte er ihr Briefe, Grüße und einmal auch Verse. Prinz Constantin mußte eine Auslandreise antreten, von der er eine französische Mätresse mitbrachte, die wiederum G. zu expedieren hatte. Caroline von Ilten reiste 1785 nach Franken und heiratete 1788 den Oberforstmeister Carl Ludwig von Moser in Durlach.

H. Düntzer, Aus G.s Freundeskreise, 1868; H. Wahl, Tiefurt, 1929.

Ilten, Sophie von (1755–1794). Die ältere Schwester von Caroline von →Ilten blieb in Weimar, heiratete 1778 den Rittmeister F. von Lichtenberg und nach dessen Tod (1790) den Major J. G. L. von Luck.

Im Baumgarten, Peter →Baumgarten, Peter im

Im ernsten Beinhaus war's →*Bei Betrachtung von Schillers Schädel*

Im Gegenwärtigen Vergangenes. Das Gedicht des *West-östlichen Divan*, in den die Schlußstrophe es eingliedert, entstand als eines der frühesten des Zyklus am 26. 7. 1814 auf der Reise von Eisenach (Wartburgmotiv v. 6) nach Fulda. Es umspannt nicht nur einen Tageslauf von Morgen bis Abend, sondern zugleich einen Lebenslauf von der Jugend bis zum Alter, das im sichtbar Gegenwärtigen auch das erlebte, nunmehr erinnerte Vergangene wie die Liebe zu Ch. von Stein und die jugendlichen Jagden mit Carl August mit vergegenwärtigt, beide ineins erfährt. Daher können sich mit lyrischer Zartheit des Stimmungsbildes lehrhafte Betrachtungen und ein scherzender Aufruf zum weisen Lebensgenuß in jedem Alter verbinden.

H.-E. Hass, I. G. V., in: Die deutsche Lyrik I, hg. B. v. Wiese 1956.

m Herbst 1775 →*Herbstgefühl*

mhoff, Anna Amalie von →Helvig, Anna Amalie von

mhoff, Christoph Adam Carl von (1734–1788). Das gab es durch-
us: Der fränkische Offizier hatte spontan die junge, bildhübsche
ochter eines französischen Feldwebels geheiratet, war als Minia-
urportätist nach England und 1769 als Spekulant nach Indien ge-
angen, wo ihm der Gouverneur Warren Hastings gegen eine ihrer
chönheit angemessene Abfindung die Frau abkaufte und sie nach
hrer Scheidung 1772 heiratete. Als Mann von Vermögen kehrte
mhoff zurück, heiratete 1775 die schöne Louise von Schardt
→Imhoff, Louise von), die Schwester Charlotte von Steins, und
ebte in legendärem Luxus auf dem Familiengut Mörlach bei
Nürnberg, bis der Kaufpreis verjubelt war, Bittgänge zu Lady Ha-
tings nach London wenig Erfolg hatten und das Gut 1785 verkauft
verden mußte. Auf Empfehlung Knebels bewog G. 1785 Carl
August, ihn durch eine geheimzuhaltende Jahresrente von 300
alern nach Weimar zu ziehen (an Knebel 1. und 11. 9. 1785), wo
mhoff als Maler lebte und mit G. verkehrte, sich jedoch wenig
eliebt machte. Nach eingereichter Scheidung starb er plötzlich in
München.

mhoff, Louise von, geb. von Schardt (1750–1803). G. lernte die
chöne Tochter des Hofmarschalls, jüngere Schwester Ch. von
teins und zweite Gattin C. A. C. von →Imhoffs, 1776 kennen und
annte sie »ein liebes Geschöpf, wie ich eins für mich haben mögte,
nd dann nichts weiter geliebt« (an Ch. von Stein 16. 7. 1776). Er
erfolgte ihre Schicksale, ließ sie häufig grüßen, sah sie bei ihren
elegentlichen Besuchen bei den Eltern in Weimar und verkehrte
ach ihrer Rückkehr nach Weimar am 8. 10. 1785 in ihrem Hause.
Nach dem Tod ihres Mannes (»Sie wird auch einsehen lernen, daß
r zu ihrem Glück gestorben sei«, an dies. 31. 8. 1788) führte sie mit
hren vier Kindern, darunter der späteren Anna Amalie von →Hel-
ig, ein stilles, bescheidenes Witwenleben im Rahmen der Hof-
esellschaft und verkehrte mitunter bei G.

mmermann, Karl Leberecht (1796–1840). Der Dramatiker und
rzähler des Biedermeier sandte G. am 18. 5. 1821 im Manuskript
ein G. gewidmetes Trauerspiel *Edwin* (das G. am 23. 7. 1821
ankend, aber wohl ungelesen zurücksandte), am 14. 5. 1822 seine
Trauerspiele und am 29. 6. 1822 *Die Papierfenster eines Eremiten*, auf
ie G. nicht antwortete. Gegen J. F. W. Pustkuchens anonyme
alsche *Wilhelm Meisters Wanderjahre* (1821) schrieb Immermann die
atire *Ein ganz frisch schön Trauerspiel von Pater Brey* (1822) und den
Brief an einen Freund über die falschen Wanderjahre Wilhelm Meisters
1823). G. betrachtete Immermann als ein »reifendes Talent« (an

C. L. F. Schultz 18. 5. 1823), als »eigenes Naturell« (an dens. 8. 3█
1824); er anerkannte sein »originelles Streben« (zu Eckerman█
1. 12. 1823) und »daß der Name ihm alles Gute verspreche« (z█
A. von Maltitz 1828), fand jedoch bis auf die Lektüre des Drama█
Die Brüder (an Schultz 8. 3. 1824) und des *Trauerspiels in Tirol* (1. 2█
1828) kaum Zugang zu dem Werk des »erst Werdenden« (zu F. vo█
Müller 6. 6. 1824), das stark unter seinem Einfluß stand, und be█
gegnete ihm nie. Erst 1839 besuchte Immermann als Gast de█
Kanzlers von Müller die G.-Stätten in Weimar.

Improvisation. Das unvorbereitete künstlerische Schaffen aus de█
Stegreif, etwa nach einer gestellten Aufgabe, in Rede, Dichtung█
schauspielerischer Darstellung, aber auch in bildender Kunst un█
Musik, war zur Goethezeit ein beliebter Talenterweis. G. prakti█
zierte die Improvisation in Frankfurt, Leipzig und Straßburg (z. B█
Dichtung und Wahrheit I,5; III,11) sowie später in den ad hoc-→Ge█
legenheitsdichtungen für den Weimarer Hof. Obwohl er die italie█
nische Stegreifkomödie in Venedig bewunderte, unterdrückte e█
gemäß dem mehr literarischen Spielplan auf dem Weimarer Thea█
ter das Extemporieren. In *Wilhelm Meisters theatralischer Sendun█*
(III,8) dagegen wie in *Wilhelm Meisters Lehrjahren* (II,9) hält G. Im█
provisationsübungen für Schauspieler für sehr nützlich und schläg█
vor, sie sollten allmonatlich ein Extempore-Stück aufführen; auch█
in den *Wanderjahren* (II,8) schildert er die Improvisation als kunst█
erzieherisches Mittel. Über die Kunst des Improvisators O. L. B█
→Wolff berichtet G. an Carl August (31. 1. 1826).

Im Rheingau Herbsttage. Der autobiographische Reiseberich█
entstand 1814 im Anschluß an den beschriebenen Aufenthalt G..█
auf dem Landgut F. →Brentanos in Winkel am Rhein am 1.–8. 9█
1814 und erschien 1817 in *Über Kunst und Altertum* (I,3) als »Sup█
plement des Rochus-Festes 1814«, da er zeitlich an das *Sank█
Rochus-Fest zu Bingen* anschließt.

Incubus. Bei der ersten Beschwörung des Pudels (*Faus█*
v. 1273–76) ruft Faust zunächst die vier Elementargeister (Salaman█
der = Feuer, Undine = Wasser, Sylphe = Luft, Kobold = Erde) an█
In der zweiten, ausführlicheren Beschwörung (v. 1283–91) ersetz█
er den Kobold durch Incubus (v. 1290), meint jedoch damit auch█
den zwerghaften Erdkobold, der auf vergrabenen Schätzen und█
Bodenschätzen liegt, nicht den römischen Alb oder Nachtmahr, de█
in der spätmittelalterlichen Hexenliteratur als »der Aufliegende█
zum imaginierten erotischen Buhlteufel der Hexen avancierte.

Inden. Das Dorf im Schweizer Wallis durchquerte G. auf de█
2. Schweizer Reise mit Carl August am 9. 11. 1779 beim Aufstie█
von Siders/Sierre nach Leukerbad und am 10. 11. beim Abstie█
nach Leuk (*Briefe aus der Schweiz 1779*).

ndien. G.s frühe Begegnungen mit indischer Literatur und Kultur ermittelten des Holländers O. Dapper *Asia, oder ausführliche Beschreibung des Reichs des Groß-Mogols* (deutsch 1681), aus der ihn die Taten des Affen Hanuman im *Ramayana* belustigten (*Dichtung und Wahrheit* III,12), P. Sonnerats *Reise nach Ostindien und China* (deutsch 1783), die den Anlaß für die Ballade *Der Gott und die Bajadere* und die *Paria*-Trilogie gab, Herders Auszüge in *Gedanken einiger Bramanen* (1792) und die Werke von W. →Jones. G. Forsters Übersetzung (1791, nach W. Jones' englischer Version von 1789) von →Kalidasas *Sakuntala* forderte G.s höchstes Lob heraus und virkte auf das »Vorspiel auf dem Theater« im *Faust*. Orientalische studien im Sinne einer Weltliteratur in späteren Jahren, besonders 802 und 1815–21, führten zur Beschäftigung mit dem *Ramayana* 1815 im Manuskript von F. Bopp), mit Kalidasas *Meghaduta* bzw. *Der Wolkenbote* (1821), Jayadevas *Gitagovinda* (deutsch von J. F. H. von Dalberg 1802), *Nala und Damayanti* (aus dem *Mahabharata*, deutsch von Kosegarten; 1821) und dem *Pancatantra* oder *Fabeln des Bidpai*, die G. als zu lehrhaft unpoetisch erschienen, schließlich, über W. von Humboldts Aufsatz von 1826, mit der *Bhagavadgita* im *Mahabharata*, die A. W. Schlegel 1823 übersetzt hatte. Die Indienfaszination der Romantiker und besonders F. Schlegels, dessen *Über lie Sprache und Weisheit der Indier* (1808) G. im Mai 1808 las, schien hm im Alter als ein Irrweg (an Zelter 20. 10. 1831), obwohl G. elbst 1787 in Rom mit dem Gedanken einer Indienreise gespielt natte (an Knebel 18. 8. 1787). Die indischen Dichtungen erschienen G. als »deshalb bewundernswürdig, weil sie sich aus dem Konflikt mit der abstrusesten Philosophie auf der einen und mit der nonstrosesten Religion auf der anderen Seite im glücklichsten Naturell durchhelfen« (*Indische und chinesische Dichtung*, 1821; ähnlich n A. W. Schlegel 15. 12. 1824, an S. von Uvarov 27. 2. 1811). Die Abscheu gegenüber indischer Philosophie und Religion als Kuriositäten – »zu sittlicher und ästhetischer Bildung aber werden sie uns wenig fruchten« (*Maximen und Reflexionen* 763) – trifft aus der Sicht eines an antikem Ebenmaß geschulten Schönheitssinnes ganz besonders auch die »formlose«, phantastisch-monströse indische Kunst mit ihren vielköpfigen und vielarmigen Götterbildern und maßlos verschnörkelten Tempeln. Auf sie ergießt sich G.s Zorn wortgewaltig in den *Zahmen Xenien II* (»Und so will ich …«, »Der Ost hat ie …«, »Nicht jeder kann alles …«, »Dummes Zeug …«, »Auch liese will ich …«, »Auf ewig …«; ähnlich an A. W. Schlegel 15. 12. 824, an W. von Humboldt 22. 10. 1826).

H. H. Schaeder, G.s Erlebnis des Ostens, 1938; F. Strich, G. und die Weltliteratur, 946 u. ö.; W. Däbritz, Anregungen aus indischer Mythologie in G.s Dichtung, Goethe 0, 1958.

ndustrie. Von der industriellen Revolution, dem Übergang von leinen Handwerksbetrieben über Heimindustrie zur Fabrikindu-

strie mittels technischer Neuerungen und Erfindungen, die sich in
seiner Lebenszeit anbahnte, blieb G. im ländlich-handwerklichen
Weimar relativ unberührt. →Bertuchs Industrie-Comptoir, die
Strumpfwirkereien in Apolda und die Bergwerks- und Hüttenindustrie in Ilmenau waren die einzigen größeren Industrien im
Herzogtum. Dennoch zeigte G. schon seit seiner Lothringenreise
als Straßburger Student Interesse an der Besichtigung von Indu-
striebetrieben, führte solche später auch im Rahmen seiner amtlichen Tätigkeit mit Schwerpunkten auf neuen Porzellan-, Textil-
Waffenfabriken und Hüttenwerken durch, berichtete darüber und
förderte z. B. mit Unterstützung des Chemikers J. W. Döbereiner
Getränke- und chemische Industrieprojekte.

W. Röpke, G. und die I.gesellschaft, in: Kultur und Wirtschaft, Festschrift E. Böhle
1963; F. Hennicke, G.s Verbundenheit mit dem Volk, GJb 101, 1984.

Ingelheim. Von Winkel a. Rh. aus besuchte G. die damals noch getrennten rheinhessischen Gemeinden Niederingelheim (4. 9. 1814
mit den Ruinen der Kaiserpfalz Karls des Großen und Oberingelheim (5. 9. 1814) mit seinem verfallenen Schloß und der Pfarr-
kirche (*Im Rheingau Herbsttage*).

Inkle und Yariko. Im Brief an Cornelia vom 18. 10. 1766 berichtet G. aus Leipzig, er habe eine Dramatisierung des Inkle und
Yariko-Stoffes begonnen, sei jedoch auf unerwartete und vielleicht
unüberwindliche Schwierigkeiten gestoßen. Von einer evtl. Ausführung des Plans hat sich nichts erhalten. Der seit 1617 nach-
gewiesene Stoff war durch Addisons und Steeles *The Spectator* (März
1711) bekannt geworden, in Deutschland von Gellert 1746, Bodmer 1756, Gessner 1756 und G. K. Pfeffel 1766 behandelt worden
und entsprach mit seiner Gegenüberstellung der edlen Wilden mit
einem verdorbenen Zivlisationsmenschen dem rousseauistischen
Zeitgefühl: Der junge Engländer Inkle wird durch die Indianerin
Yariko vor dem Tode gerettet, erliegt in einer schäferlichen Idylle
ihren natürlichen Reizen und will sie mit nach London nehmen
Beim Wiedereintritt in die Zivilisation besinnt er sich jedoch, verkauft sie an einen Sklavenhändler und erhöht auf das Bekenntnis
ihrer Schwangerschaft noch den Verkaufspreis. Ein Drama gleichen
Titels von F. L. Schröder (1788, nach dem Englischen von G. Col-
man, 1787) ließ G. am 21. 4. 1795 in Weimar aufführen.

E. Beutler, I. u. Y., in ders., Essays um G. 1, 1941 u. ö.

Inkognito. Das Rollenspiel des jungen G., dem es »von jeher Spaß
gemacht hat, Versteckens zu spielen« (an Reinhard 22. 6. 1808) und
der das Inkognito als »verzeihliche Grille bedeutender Menschen
ausführlich rechtfertigte (*Dichtung und Wahrheit* II,10), führte dazu
daß er »auf kleinen und größeren Reisen, in so fern es nur möglich
war, meinen Namen verbarg« (an J. H. Meyer 30. 12. 1795). So führ

r sich 1770 bei Brions in Sesenheim als Theologiestudent, 1772
ei L. J. F. →Hoepfner als Jurastudent ein und nennt sich bei der
Harzreise 1777 bei F. V. L. →Plessing in Wernigerode und in Clausthal Johann Wilhelm Weber, Maler aus Darmstadt. Bei wachsender
Berühmtheit wurde das Inkognito Mittel zur ungestörten Verfolgung seiner Studien und zum Selbstschutz vor zudringlichen Fremden. Die Italienreise trat G. 1786 als Johann Philipp →Möller, Maler
aus Leipzig (Filippo Miller, Tedesco, Pittore), an und wahrte es
Fremden gegenüber auch, als dieses »Halbincognito« bei den Freunden in Rom durchlässig wurde.

   H. Pyritz, G.s Verwandlungen, Euph 45, 1950 und ders., G.-Studien, 1962.

Innsbruck. Auf der Hinfahrt nach Italien hatte G. am 8. 9. 1786
auf der Strecke Mittenwald–Brenner drei Stunden Aufenthalt in
Innsbruck, pries die »herrliche« Lage und hätte sich gern mehr Zeit
genommen. Auf der Venedigreise weilte er am 21./22. 3. 1790 in
Innsbruck und sah auf Schloß Ambras die Prunkhandschrift des
Willehalm von Wolfram von Eschenbach; bei der Rückreise mit
Anna Amalia Anfang Juni 1790 scheint ein Besuch bei der Erzherzogin Christine von Österreich in der Innsbrucker Hofburg erfolgt
zu sein (2. Schema zu *Dichtung und Wahrheit*, 1810).

Inschriften. Mit dem Oheim Hersilies (*Wilhelm Meisters Wanderjahre* I,6) teilte G., »nun auch in den Geschmack der Inschriften –
Epigramme – gekommen« (an Knebel 17. 4. 1782), die dem Zeitgeschmack des englischen Parks entsprechende Vorliebe, durch
besinnliche Inschriften, Epigramme und Sinnsprüche an geeigneten
oder denkwürdigen Stätten in den Parks von Weimar, Tiefurt,
Gotha u. a. den Beschauer zu Nachdenklichkeit anzuregen – am
bekanntesten die Ch. von Stein gewidmete Inschrift *Erwählter Fels*
(1782) der Steinbank an seinem Gartenhaus und *Einsamkeit* (1782)
an einem Felsen unterhalb des Römischen Hauses in Weimar. Die
Abteilung »Inschriften, Denk- und Sendeblätter« der Ausgabe letzter Hand (1827) dagegen besteht zumeist aus Stammbuchversen,
Widmungsgedichten, Huldigungen, Grabschriften und Versgrüßen
an Freunde. Zum Thema vgl. das Gedicht *Segenspfänder* (1815).

Inselsberg. Der Große Inselsberg, die höchste Erhebung des
Thüringer Waldes, wurde von G. besonders in den 1780er Jahren
auf seinen Streifritten und mineralogischen Expeditionen wiederholt aufgesucht.

Interlaken. Den Schweizer Ort durchquerte G. auf der 2. Schweizer Reise am 14. 10. 1779 auf dem Fußmarsch vom Brienner zum
Thuner See.

Invektiven. Aus der streitbaren Auseinandersetzung mit literarischen Gegnern, bestimmten Personen, Werken, Zeitschriften und

Vorfällen, aber auch allgemein den Plattheiten und Unwerten zeitgenössischer Literatur und Wissenschaft entstand neben den *Xenien* und *Zahmen Xenien* schon von früh an eine Reihe zumeist mildpolemischer Gedichte, in denen G. seinem Ärger mehr spaßhaft als verletzend Luft machte und die er zunächst ohne Absicht der Veröffentlichung zur geistreichen Belustigung verständnisvoller Freunde handschriftlich zirkulieren ließ und nur gelegentlich diskret redigierte. Für die Ausgabe letzter Hand war seit 1822 eine Abteilung »Invektiven« vorgesehen; G. überließ die Auswahl aus den bisher zurückgehaltenen Gedichten den Herausgebern. So erschien in der Quartausgabe (1836) und der Ausgabe letzter Hand (Bd. 56, 1842) die Abteilung »Invektiven«: Gedichte gegen Newton und seine Anhänger, Nicolai, Lavater, Ch. Kaufmann, Kotzebue, Böttiger, Pustkuchen, Menzel, Merkel, Müllner, Campe, Z. Werner u. a. Die meisten von ihnen besitzen heute weniger poetischen als dokumentarischen Wert, und ihre ephemeren Anlässe bedürfen zum Verständnis vielfach des Kommentars. Vgl. zu Soret/Eckermann 16. 5. 1828.

Inwiefern die Idee: Schönheit sei Vollkommenheit mit Freiheit, auf organische Naturen angewendet werden könne. G. sandte diesen Aufsatzentwurf am 30. 8. 1794 gewissermaßen als Diskussionsgrundlage für das sich anbahnende Gespräch an Schiller, hat ihn jedoch weder weiter ausgearbeitet noch veröffentlicht. Er wurde 1953 in Schillers Nachlaß gefunden und veröffentlicht (JGG 14/15, 1952/53). Indem er die Harmonie der Glieder ohne Übergewicht ihrer Zweckentsprechung und einen Überschuß nicht zweckgebundener Kraft aller Glieder für zweckfreie Handlungen zur Voraussetzung organischer Schönheit macht, kommt er Schillers Denken sehr nahe.

G. Schulz, I. w. d. I. …, Goethe 14 f., 1952 f.

Iphigenie. Iphigenie, in der griechischen Sage die Tochter Agamemnons, Königs von Mykene, und der Klytämnestra, Schwester von Orest, Elektra und Chrysothemis, soll, als eine Windstille die Ausfahrt der griechischen Flotte gegen Troja in Aulis aufhält, nach einem Spruch des Sehers Kalchas der zürnenden Artemis für günstigen Fahrtwind geopfert werden. Auf dem Opferaltar jedoch ersetzt Artemis sie durch eine Hirschkuh und entrückt Iphigenie als Priesterin in ihren Tempel in Tauris (Krim), wo sie auf Befehl des Königs Thoas die dort üblichen Menschenopfer an allen Fremden vollziehen muß. Dem wegen Muttermordes von den Erinnyen verfolgten Orest erlegt das Delphische Orakel zu seiner Entsühnung auf, das Kultbild der Artemis von Tauris nach Attika zu bringen. Bei der Landung in Tauris sollen Orest und sein Freund Pylades als Fremde von der Artemispriesterin geopfert werden, doch die Geschwister erkennen einander, überlisten Thoas und fliehen mit dem

Götterbild nach Attika. In einer späteren Sproßfabel wird Iphigenie
nach einem Gerücht von der Opferung Orests in Delphi von Elektra als angebliche Mörderin von deren Bruder lebensgefährlich angegriffen, bis Orest dazwischentritt und die Geschwister einander
erkennen. – Der Stoff gab nach den drei Schauplätzen drei verschiedene Dramen- und Opernsujets: Iphigenie in Aulis mit dem
Opferungsmotiv (Euripides 406 v. Chr., Rotrou 1640, Gottsched
1734, Gluck 1774 u. a.), Iphigenie auf Tauris mit dem Heim-
holungsmotiv (Euripides um 412 v. Chr., Racine 1674, La Grange
Chancel 1697, D. Scarlatti 1713, J. E. Schlegel 1737, Derschau 1747,
La Touche 1757, Gluck 1779, G.s →Iphigenie auf Tauris 1779–87
u. a.) und Iphigenie in Delphi mit dem Erkennungsmotiv (G.s Plan
→Iphigenie in Delphi 1786 u. a.). Innerhalb der stoffgeschichtlichen
Entfaltung findet die schon bei Euripides angelegte Humanisierung
des Götterglaubens in G.s Gestaltung des Humanitätsideals ihren
Höhepunkt.

S. Fazio, Ifigenia nella poesia e nell'arte figurata, Palermo 1832; E. Philipp, Die I.sage
von Euripides bis Hauptmann, Diss. Wien 1948; K. Hamburger, Von Sophokles zu
Sartre, 1962 u. ö.; R. R. Heitner, The I. in Tauris theme in drama of the 18th century,
CL 16, 1964; L. Blumenthal, I. von der Antike bis zur Moderne, in: Natur und Idee, hg.
H. Holtzhauer 1966; O. J. Brendel, I. auf Tauris, AuA 27, 1981; J.-M. Gliksohn, Iphigé-
nie, Paris 1985.

phigenie auf Tauris. G.s handlungsarmes »Seelendrama« in fünf
Akten, Höhepunkt des Dramas der deutschen Klassik und ihres
Humanitätsideals, entstand nach dreijähriger geistiger Vorarbeit in
einer 1. Fassung in Prosa am 14. 2.–28. 3. 1779, vielfach während
Dienstreisen, wurde bereits am 6. 4. 1779 vom höfischen Liebhabertheater in Weimar mit Corona Schröter als Iphigenie und G.
als Orest uraufgeführt und noch am 30. 1. 1781 zum Geburtstag der
Herzogin Louise wiederholt. Eine 2. Fassung in freien Jamben entstand im Frühjahr 1780, eine 3. Fassung in Prosa im April–November 1781. Diese arbeitete G. seit August 1786 in Karlsbad und
Italien in die 4. und endgültige Blankversfassung um, die er am
29. 12. 1786 in Rom abschloß und am 13. 1. 1787 mit Redaktions-
vollmacht für den Erstdruck in den *Schriften* (Band 3, 1787) an Herder sandte. Der Uraufführung im Wiener Burgtheater am 7. 1. 1800
folgte am 15. 5. 1802 die Weimarer Erstaufführung in einer (nicht
erhaltenen) Bearbeitung Schillers (vgl. an G. 22. 1. 1802). Trotz gelegentlicher Motivanreicherung aus französischen Dramen (→Iphi-
genie) weicht die äußere Handlung nur an wenigen, aber entscheidenden Punkten von der Hauptvorlage, Euripides' *Iphigenie bei den
Taurern*, ab: Durch Wegfall des Chors und damit der Öffentlichkeit
entsteht eine intimere Atmosphäre, und die schon bei Euripides an-
gebahnte Humanisierung des Götterbildes wird bis zur Emanzipation des Menschen aus der religiösen Unterwerfung und Unmün-
digkeit und seiner moralischen Autonomie und verantwortlichen
Entscheidungsfähigkeit auf der Basis des Humanitätsideals fortgeführt.

Abweichend von der antiken Tradition (→Iphigenie) zeigt schon der »Barbar« Thoas durch seine Liebe zu Iphigenie menschlich sympathische Züge, die allerdings durch seine Abweisung ein Regression erleiden, indem er die traditionellen Menschenopfer wieder einführt. Ferner erweist sich der Spruch des Delphischen Orakels bei G. als doppelsinnig, indem sich die »Schwester«, die Orest heimbringen soll, sowohl auf Apolls Schwester Artemis/Diana bzw. ihr Kultbild als auch, ihm unbewußt, auf Orests Schwester Iphigenie beziehen läßt. Vornehmlich aber die nur nach schwerem innerem Ringen getroffene und riskante Entscheidung Iphigenies, nicht heimlich mit Bruder und Götterbild zu entfliehen und damit die verhängnisvolle Kette von Täuschung und Betrug fortzusetzen, sondern auch dem Barbaren Thoas die Wahrheit zu enthüllen und ihm in »reiner Menschlichkeit« gegenüberzutreten, an das Gute und Edle auch in ihm zu appellieren, ihn als Menschen anzuerkennen und mit Vertrauen zu ehren, offenbart einen Humanitätsglauben, der in gegenseitiger Achtung und Aufrichtigkeit eine ideale Welt voraussetzt und verwirklicht: Thoas schenkt ihnen die Freiheit und gestattet ihre Rückkehr nach Griechenland. Diese reine Atmosphäre bedeutet zugleich das Ende des circulus vitiosus von Untat, Schuld, Lüge und Leid im Geschlechterfluch. In ihr kann der von Gewissensqualen verstörte und dem Wahnsinn nahe Orest, der seinen Tod durch die Schwester schon als Ende des Fluchs akzeptierte, durch einen Heilschlaf und die Vision entsühnter Ahnen von seiner fanatischen Schicksalsbesessenheit und seiner Vergangenheitsgewandtheit erlöst werden. Die blinde Unterwerfung der Menschen unter die Willkür der teilnahmslosen Götter (»Lied der Parzen«) wird abgelöst durch die Verpflichtung zu verantwortlichem zwischenmenschlichem Handeln unter dem Aspekt von Wahrheit und Humanität. Die streng symmetrische Figurenkonstellation mit Iphigenie als Mittelpunkt und Achse der Konflikte bei gewahrter Einheit von Ort und Zeit verlagert die Spannungen von Schicksalsbestimmtheit, Handlungsfreiheit und Verschuldung in das Innere der Figuren: Nicht der blinde Aktionismus und die Verstellung der Männer, sondern die reine Menschlichkeit der Frau und ihre Umsetzung in die Tat der Wahrheit vermag sie zu lösen. Die Zeitgenossen sahen in G.s »griechischem Stück« trotz des Vorwaltens der Empfindungen Winckelmanns Ideale der edlen Einfalt und stillen Größe verwirklicht. G.s Selbstkritik des Dramas als »ganz verteufelt human« (an Schiller 19. 1. 1802) betont die Idealität des Geschehens, die auch das Widmungsgedicht an den Orest-Darsteller G. W. Krüger vom 31. 3. 1827 zusammenfaßt: »Alle menschlichen Gebrechen / sühnet reine Menschlichkeit.«

J. G. Robertson, G's I. a. T., PEGS NS 1, 1924; R. Petsch, I. a. T., Goethe 2, 1937; H. Eidam, G.s I. im deutschen Urteil, Diss. Frankfurt 1940; J. Müller, G.s I., ZfD 54 1940, u. d. T. Das Wagnis der Humanität auch in ders., Neue G.-Studien, 1969; J. Boyd G's I. a. T., Oxford 1942 u. ö.; F. Ernst, Der Weg I.s in ders., Essays 2, 1946; W. Rehm, Götterstille und Göttertrauer, 1951; G. Storz, G.-Vigilien, 1953; O. Seidlin, G.s I. – vereufelt human?, WW 5, 1954 f., auch in ders., Von G. zu Th. Mann, 1963 u. ö.; S. Burckhardt, Die Stimme der Wahrheit und der Menschlichkeit: G.s I., MDU 48, 1956; H. Lindenau, Die geistesgeschichtlichen Voraussetzungen von G.s I., ZDP 75, 1956; R. M. Browning, The humanity of G's I., GQ 30, 1957; K. May, G.s I., in ders., Form und Bedeutung, 1957; A. Henkel, G.s I. a.T., in: Das deutsche Drama I, hg. B. v. Wiese 1958 u. ö.; H. O. Burger, Zur Interpretation von G.s I., GRM 40, 1959; E. L. Stahl, G., I. a.T., London 1962; H. Politzer, No man is an island, GR 37, 1962, dt. in ders., Das Schweigen der Sirenen, 1968; A. Henkel, Die »verteufelt humane« I., Euph 59, 1965; K. P. Dencker, Zur Entstehungsgeschichte von G.s I. a.T., JbWGV 71, 1967; F. Koch, Die religiöse Grundstruktur von G.s I. a.T., in: Literatur und Geistesgeschichte, hg. R. Grimm 1968; H.-G. Werner, Antinomien der Humanitätskonzeption in G.s I., WB 14, 1968, auch in ders., Text und Dichtung, 1984; G.: I. a.T., Erläuterungen und Dokumente, hg. J. Angst, F. Hackert 1969; H. F. Weiss, Image structures in G's I. a.T., MLN 87, 1972; D. J. Farrelly, I. as Schöne Seele, NGS 4, 1976; G. Holst, J. W. G.: I. a.T., 1976 u. ö.; K. Schaum, Der historische Aspekt in G.s I., in: Versuche zu G., hg. V. Dürr 1976; E. Fischer-Lichte, Probleme der Rezeption klassischer Werke, in: Deutsche Literatur zur Zeit der Klassik, hg. K. O. Conrady 1977; P. Pfaff, Die Stimme des Gewissens, Euph 72, 1978; W. Rasch, G.s I. a.T. als Drama der Autonomie, 1979; F. Hackert, I. a.T., in: G.s Dramen, hg. W. Hinderer 1980; A. P. Cottrell, On speaking the good, MLQ 41, 1980; D. Dyer, I., the role of the curse, PEGS 50, 1980; D. Borchmeyer, G.: I. a.T., in: Deutsche Dramen I, hg. H. Müller-Michaels 1981; O. J. Brendel, I. a.T. – Euripides und G., AuA 27, 1981; H. Kraft, Das magre Licht von der Humanität, AUMLA 58, 1982; K. Weimar, Ihr Götter!, in: Unser Commercium, hg. W. Barner 1984; W. Wittkowski, Bei Ehren bleiben die Orakel, GJb 101, 1984; S. H. Reynolds, Erstaunlich modern und ungriechisch?, PEGS 57, 1986 f.; U. Müller, G.: I. a.T., 1988; K. Brown/A. Stephens, … hinübergehn und unser Haus entsühnen, SchillerJb 32, 1988; D. Borchmeyer, I. a.T., in: G.s Dramen, hg. W. Hinderer 1992; U. Klingmann, Arbeit am Mythos, GQ 68, 1995.

Iphigenie in Delphi. Noch während der Arbeit an der endgültigen Verfassung der *Iphigenie auf Tauris* konzipiert G. am 18. 10. 1786 auf dem Weg von Cento nach Bologna den Dramenplan einer *Iphigenie in Delphi* (G. schreibt irrtümlich auch »auf Delphos«, »auf Delphi«) mit großer Wiedererkennungsszene Iphigenies und Elektras im 5. Akt nach dem aus dem Hygin (*Fabulae* 122) u. a. bekannten Stoff (→Iphigenie). Zur Ausführung kam der Plan nicht; erhalten haben sich nur die Notiz im Reisetagebuch für Ch. von Stein (18. 10. 1786) und der später entstandene ausführliche Abriß der äußeren Handlung in der *Italienischen Reise* (19. 10. 1786; vgl. auch 6. 1. und 16. 2. 1787).

W. Scherer, G.s I. i. D., in ders., Aufsätze über G., 1886 u. ö.

Iris. In der von seinem Freund J. G. Jacobi herausgegebenen »Vierteljahresschrift für Frauenzimmer«, die in monatlichen »Stücken« erschien, veröffentlichte G. 1775 eine Anzahl seiner Gedichte und *Erwin und Elmire* (II,3, März 1775).

O. Manthey-Zorn, J. G. Jacobis I., Diss. Leipzig 1905; L. Strauß, Zur Geschichte des jungen G. und des I.-Kreises, ZDP 57, 1932.

Ironie. G.s Verhältnis zur Ironie ist starken Schwankungen unterworfen; er lobt sie bei Sterne und Goldsmith und tadelt bei Rabener die allzu häufige »direkte Ironie …, welches rednerische Mittel nur höchst selten angewendet werden sollte« (*Dichtung und Wahrheit* II,7). Obwohl aus G.s Sprachgebrauch nicht immer klar hervorgeht, was er zu verschiedenen Zeiten als Ironie angesehen hat, »welche von ihrem zartesten Gipfel bis zu ihrer plattesten Base hundert

Formen darbietet« (an Carl August 5. 10. 1816), ist seine Ironie im
Erzählwerk, besonders im *Wilhelm Meister* (z. B. *Der Mann von fünfzig Jahren*) und den *Wahlverwandtschaften* ein höchst dezentes Mittel,
der Vieldeutigkeit des Lebens durch Gestaltung verschiedener Positionen und Aspekte gerecht zu werden. Sie wird deutlicher besonders in den Mephisto-Szenen des *Faust* und nähert sich im *West-
östlichen Divan* leicht der romantischen Ironie an.

G. Regler, Die I. im Werk G.s, 1923; E. Bahr, Diese sehr ernsten Scherze, Goethe 31,
1969; H.-E. Hass, Über die I. bei G., in: Ironie und Dichtung, hg. A. Schaefer 1970;
F.-M. Stierschneider, Das Strukturproblem der I. bei G., Diss. Wien 1972; E. Bahr, Die
I. im Spätwerk G.s, 1972; A. Warde, G., Schiller, Faust and the ideal, GQ 48, 1975;
E. Bahr, G. and romantic irony, in: Deutsche Romantik and English romanticism, hg.
T. G. Gish 1984; I. Honnef-Becker, Ist G. eigentlich ironisch?, ZfDP 115, 1996.

Irrtum. Die Neigung des Menschen zu irren und das Verhältnis
von Irrtum und Wahrheit bilden ein durchgängiges, unterschwelli-
ges Thema in G.s literarischem Werk. Seine Auseinandersetzung
damit, die den Irrtum als mitunter notwendige Durchgangsphase
auf dem schwierigen Weg zur Erkenntnis der Wahrheit sieht und
lediglich das bewußte Beharren im Irrtum als Unvernunft brand-
markt, gipfelt häufig in prägnanten Epigrammen und Aphorismen,
z. B. *Vier Jahreszeiten* 52, *Maximen und Reflexionen* 92, 117, 149, 166,
282, 292, 323, 331, 440, *Faust* v. 171, 317, 1065, 1747 u. ö.

Irving, Washington (1783–1859). Das *Sketch book of Geoffrey Crayon*
(1819 f.) des amerikanischen Schriftstellers las G. am 29.–31. 8.
1823 in Karlsbad »mit Vergnügen« (an August von G. 30. 8. 1823),
seine *History of the life and voyages of Christopher Columbus* (1828) im
Juni/Juli 1828.

Ischia. Die Insel vor dem Golf von Neapel, deren malerischer
Umriß schon auf der Reise nach Neapel, dann häufig von Neapel
aus und wieder auf der Seereise nach und von Sizilien seinen Blick
anzog (*Italienische Reise* 24. 2., 30. 3., 14. 5. 1787), hat G. nicht betreten. Die Biographie Hackerts und Anna Amalias Aufenthalt auf
Ischia 1789 brachten ihm die Insel wieder in Erinnerung. Vgl.
→Capri.

Isegrim. G.s *Reineke Fuchs* (1794) benutzt den traditionellen
Namen der Tierfabel für den Wolf, der zwar an Stärke, nicht aber an
List dem Fuchs überlegen ist.

Iselin, Isaak (1728–1782). Den aufklärerischen Schweizer Ge-
schichtsphilosophen, der sein Genie früh erkannte, lernte G. auf seiner 1. Schweizer Reise am 8. und 9. 7. 1775 in Basel kennen.

Isis. Die von dem Jenaer Professor für Naturphilosophie Lorenz
→Oken seit August 1816 herausgegebene liberale naturwissen-
schaftlich-philosophisch-politische Zeitschrift *Isis* konnte dank der

n Sachsen-Weimar-Eisenach gesetzlich garantierten Pressefreiheit staats- und gesellschaftskritische Artikel veröffentlichen, die in anderen Ländern der Zensur verfallen wären, und kritisierte scharf die landständische Verfassung des Großherzogtums. In einem von Carl August erbetenen ausführlichen Gutachten vom 5. 10. 1816 empfahl G. daraufhin dringend das sofortige Verbot, während Minister C. G. von Voigt am 12. 10. 1816 vorschlug, nur den Druck im Lande zu verbieten. Carl August ließ die *Isis* zunächst unbehelligt, mußte jedoch im Mai 1819 unter dem Druck der Großmächte einschreiten und stellte Oken vor die Wahl, die Zeitschrift oder seine Professur aufzugeben. Oken tat letzteres, und die *Isis* wurde bis 1848 außerhalb Sachsen-Weimars gedruckt. Der Konflikt ist aufschlußreich für G.s Haltung zur politischen Pressefreiheit. Vgl. die Invektive *Isis*.

C. Vogel, Der Großherzog Carl August, G. und Okens Isis, ChWGV 9, 1895; H. Ehrentreich, Die freie Presse in Sachsen-Weimar, 1907; K. Rek, L. Okens I., GW 67, 1988.

Islam. Wenn G. sich im *West-östlichen Divan* (besonders »Buch der Sprüche«) und den *Noten und Abhandlungen* dazu (besonders Kap. »Mahomet«) mit dem Islam befaßt, geht es ihm weniger um die Glaubenslehre als um deren Einfluß auf die orientalische Literatur. Mit dem islamischen Gottesdienst kam er erst in Berührung, als er Anfang Januar 1814 einer Andacht der Baschkiren unter den russischen Truppen im Weimarer protestantischen Gymnasium beiwohnte (an Trebra 5. 1. 1814).

K. Mommsen, G. und der I., 1964 u. ö.; S. H. Abdel-Rahim, G. und der I., Diss. Berlin 1969; →Arabien.

Israel in der Wüste. Nach erneuter Beschäftigung mit dem Alten Testament am 10.–13. 4. 1797 (an Schiller 12. und 15. 4. 1797) diktierte G. am 1. 5. 1797 den Beginn einer längeren Abhandlung dieses Titels über Moses und den Zug Israels durch die Wüste, die jedoch nicht sogleich veröffentlicht, sondern erst 1819 in den *Noten und Abhandlungen* zum *West-östlichen Divan* gedruckt wurde.

Italien. Die politisch zersplitterte Apenninenhalbinsel war seit dem 17. Jahrhundert das traditionelle Ziel der Kavalierstour des Adels wie der Bildungsreise der Bürgerlichen, bot sie doch über die Gelehrsamkeit ihrer Universitäten, Museen und Institute hinaus die Gelegenheit zur Begegnung mit der Antike, der Kunst und Architektur seit der Renaissance und einer üppigen, vom Klima begünstigten Schönheit der mediterranen Natur und eines musischen Volkes. Die Italienreise seines Vaters (1740), dessen Erzählungen, seine Italienverehrung und Vorliebe für die italienische Sprache, die auch der junge G. beim Sprachmeister Giovinazzi lernte, dazu die italienischen Landschaften von Seekatz und die römischen Veduten im Vorsaal des Elternhauses erregten früh die Phantasie, die Sehnsucht und die Liebe G.s zum – zumindest vermeintlichen – Ur-

sprungsland abendländischer Kultur und Gesellschaft. Nach einem
zweimaligen »Scheideblick nach Italien« vom St. Gotthard auf den
ersten beiden Schweizer Reisen und der zugunsten Weimars im
November 1775 abgebrochenen Italienreise bedeutete ihm die
→Italienische Reise (3. 9. 1786–18. 6. 1788) die Erfüllung eines
lebenslangen Wunsches und bot ihm ebenso wie die Venedigreise
(13. 3.–20. 6. 1790) reiches Anschauungsmaterial zu Kunst und Architektur, Volksleben, Theater und Oper, religiösen Bräuchen, aber
auch Geologie, Wetterkunde, Botanik, Zoologie, Anatomie, Morphologie und Landwirtschaft. Eine dritte, im Sommer 1795 geplante, im Oktober 1796 vorerst aufgegebene, im Mai 1797 als Plan
erneut aufgegriffene Italienreise wurde nicht ausgeführt; 1830 reiste
auch August von G. nach Italien. Der literarische Ertrag der Italien-
Begegnung spiegelt sich über die direkt inspirierten Werke (*Italienische Reise*, *Römische Elegien*, *Venetianische Epigramme*, *Wilhelm Meister*)
hinaus vor allem indirekt in der klassizistischen Form der dort und
seither entstandenen Werke. Der Einfluß der italienischen Literatur
(Dante, Boccaccio, Gozzi, Goldoni, Alfieri, Manzoni u. a.) dagegen
bleibt gering.

Literatur →Italienische Reise.

Italienische Reise. 1. ITALIENISCHE REISE. Als G. am 3. 9. 1786
eigenmächtig, ohne Urlaub und heimlich unter dem →Inkognito
Philipp Möller von der Gesellschaft in Karlsbad aufbrach, um seine
langgehegte Sehnsucht nach →Italien, nunmehr als gereifter
37jähriger Mann, zu erfüllen, war diese Flucht zweierlei: Ausbruch
aus einer Krise seines Dichtertums, den beengenden, festgefahrenen
Weimarer Verhältnissen und amtlichen Obliegenheiten wie dem
aussichtslosen Verhältnis zu Ch. von Stein und zugleich Schritt zur
geistig-schöpferischen »wahren Wiedergeburt« (3. 12. 1786) und
neuer Schaffenskraft durch Selbstbildung, Selbstfindung, Vertiefung
und Steigerung des Lebensgefühls durch Eintauchen in eine ihm
bisher nur indirekt bekannte, lebensvolle mediterrane Welt der Antike, der Renaissance, der Kunst und Architektur, der Musik und des
Theaters, aber auch der wechselnden Eindrücke von Landschaften,
Städten, Naturwundern, heiter-unbeschwertem Volksleben, Klima
und Pflanzenwelt. Als Reisehandbuch dienten G. vorwiegend J. J.
Volkmanns *Historisch-kritische Nachrichten von Italien* (III 1770–71).
Auf dem Hinweg vom Drang nach Rom beherrscht, gönnte G. sich
nur kurze Aufenthalte. Das Erlebnis Italiens, in erster Linie ein Seh-
Erlebnis des Augenmenschen G., überwältigte ihn jedoch der-
maßen, daß sich an die ursprünglich geplanten Aufenthalte in
Venedig, Rom und Neapel noch eine Sizilienreise und ein zweiter
Aufenthalt in Rom anschlossen. Dabei beschränkte sich die Selbst-
erfahrung angesichts der Kunstwelt fast ausschließlich auf Antike
und Renaissance – Gotik und Barock bleiben weitgehend unbeachtet – und leidet mitunter kunsthistorisch an derzeitigen falschen

Zuschreibungen von Kunstwerken; ihr Gewinn ist die Erfahrung der Kunst als zweiter Natur, die nach denselben Gesetzen und Mustern verfährt wie diese. Das schöpferische Ergebnis der Reise dokumentieren künstlerisch die zahlreichen unter Anleitung von Tischbein, Hackert und Meyer entstandenen Zeichnungen und Aquarelle G.s (zugleich mit der Einsicht seines künstlerischen Ungenügens), literarisch die Versfassungen von *Erwin und Elmire, Claudine von Villa Bella* und *Iphigenie*, der Abschluß des *Egmont*, Arbeiten an *Tasso* und *Faust* sowie neue literarische Pläne (*Iphigenie in Delphi, Ulysses auf Phäa, Nausikaa*) und spätere Aufarbeitungen des Italien-Erlebnisses (→Italien). In der von Amtspflichten und Rücksichten befreiten Atmosphäre, die ganz der Persönlichkeitsentfaltung zugute kam, schloß G. neue, teils lebenslange Freundschaften mit Künstlern (A. Kauffmann, K. Ph. Moritz, W. Tischbein, J. H. Meyer, F. Bury, J. G. Schütz, Ch. H. Kniep, Ph. Hackert, Ph. Ch. Kayser u. a. m.). Im ganzen bedeutet die Italienische Reise den wichtigsten Wendepunkt in G.s Leben und Schaffen und den eigentlichen Beginn der klassischen deutschen Literatur.

REISEVERLAUF (Daten teils unsicher; zu Details vgl. die einzelnen Orte): 3. 9. 1786 Karlsbad, Eger, Weiden, 4. Regensburg, 6. München, 7. Mittenwald, 8. Innsbruck, Brenner, 9. Sterzing, 10. Bozen, Trient, 11. Rovereto, 12. Torbole, 13. Malcesine, 14.–19. Verona, 19.–26. Vicenza, 26./27. Padua, 28. 9.–14. 10. Venedig, 14.–15. 10 zu Schiff nach Ferrara, 16. Ferrara, 17. Cento, 18.–20. Bologna, 23. Florenz, 25. Perugia, Foligno, 26. Assisi, 27. Spoleto, Terni, 28. Civita Castellana, 29. 10. 1786–22. 2. 1787 Rom und Umgebung (Albano, Castel Gandolfo, Frascati), 22. 2. Velletri, 23. Fondi, 24. Gaeta, Capua, 25. 2.–29. 3. Neapel (1. 3. Pozzuoli, 2., 6. und 19. Vesuv, 11. Pompeji, 18. Herculanum, Portici, 23. Paestum), 29. 3.–2. 4. Überfahrt nach Sizilien, 2.–18. 4. Palermo, 18./19. Alcamo, 20. Segesta, 21. Castelvetrano, 22. Sciacca, 23.–27. Agrigent (Girgenti), 28. Caltanisetta, 1.–6. 5. Catania, 7.–8. Taormina, 9.–13. Messina, 13.–14. Rückfahrt nach Neapel, 14. 5.–3. 7. Neapel und Umgebung, 3.–6. 7. Rückreise nach Rom, 7. 6. 1787–23. 4. 1788 Rom und Umgebung: Tivoli, Frascati, Albano, Castel Gandolfo, 1.–9.(?) 5. 1788 Florenz, weiter Modena, Parma, 22.–28. Mailand, 28. Como, 30. Splügen, 31. Chur, 1. 6. Vaduz, 2. Feldkirch, 3.–10. 6. (?) Konstanz, 18. 6. 1788 Weimar.

2. ITALIENISCHE REISE (Venedigreise). Die 2. Italienreise G.s ist nicht Flucht oder Drang nach Süden, sondern G. verließ schweren Herzens Christiane, um dem Ruf Anna Amalias zu folgen, sie bei der Rückkehr von ihrer im August 1788 angetretenen Italienreise zu begleiten. Von Heimsehnsucht erfüllt, wartete G. bei ungünstig kaltem Wetter in →Venedig auf die verspätet mit Einsiedel, Göchhausen, Meyer und Bury eintreffende Herzogin, besichtigte nochmals intensiver die Kunstschätze Venedigs und zeigt wachsende Kritik an Italien.

REISEVERLAUF DER 2. ITALIENSCHEN REISE (13. 3.–20. 6. 1790):
13. 3. ab Jena, 14. Coburg, Bamberg, 15. 3. Nürnberg, 16.–19. Augsburg, 20. Füssen, Reutte, Fernpaß, 21./22. Innsbruck, 22. Brenner, 23. Bozen, Trient, 24. Trient, Rovereto, 25.–28. Verona, 29. Vicenza, 31. 3.–22. 5. Venedig, 22. Padua, weiter Vicenza, 27./28. Mantua, 31. Verona, 1. 6. Trient, 9. Augsburg, 13. Nürnberg, 20. Weimar.

DIE »ITALIENISCHE REISE«. G.s Aufzeichnungen der 1. Italienischen Reise sind kein Reisehandbuch, sondern als Chronik und Rechenschaftsbericht des persönlich Erlebten und empfangener Eindrücke in erster Linie Selbstdarstellung unter Verwendung von leicht redigierten Originalaufzeichnungen (»Tagebuch der Italienischen Reise für Frau von Stein« bis zur Ankunft in Rom), Briefen aus Italien an Ch. von Stein, Herder, Carl August u. a., eigenen Tagebüchern und Notizen, die 1818/19 z. T. vernichtet wurden. Sie wurden nach dem frühen Plan einer Ausarbeitung und Veröffentlichung (1796) erst über ein Vierteljahrhundert nach der Reise und bereits als historische Quelle der Selbstbiographie von dem inzwischen gewandelten Autor zusammengestellt. Teil I (Karlsbad – Rom) entstand im Dezember 1813 – Juli 1816, Teil II (Neapel – Sizilien) im Juni 1815 – August 1817; beide erschienen im Oktober 1816 bzw. Oktober 1817 u. d. T. *Aus meinem Leben, Zweite Abteilung, Erster* (bzw. *Zweiter*) *Teil*, bekunden damit ihre Zugehörigkeit zur Autobiographie und lassen in der Reihung der Einzelberichte noch den Atem der ursprünglichen Begeisterung spüren. Der Teil III (»Zweiter Römischer Aufenthalt«) dagegen entstand nach ganz vereinzelten Ansätzen (August 1819, Februar 1820, März 1821, Oktober 1824, April/Mai 1828) erst im Februar – September 1829 und erschien Ende 1829 zusammen mit Teil I/II in der Ausgabe letzter Hand nunmehr unter dem Titel *Italienische Reise*. Er weicht als typisches Alterswerk in der Collage-Komposition und im objektivierenden Stil von den Teilen I und II insofern ab, als die hier sehr viel stärker redigierte Korrespondenz unterbrochen wird durch monatlich resümierende »Berichte«, Aufsätze G.s (u. a. *Das Römische Carnival*, 1789, und *Philipp Neri*, 1810) und seiner Freunde (Meyer, Moritz) und Briefe Tischbeins an G.; hinzu tritt eine unterschwellige Kritik der romantischen, deutschrömischen Malerei. Nur als autobiographisches Bekenntnis eines persönlichen Bildungserlebnisses darf G.s *Italienische Reise* verstanden werden, nicht als Kunstführer, da seine Kunsturteile teils bewußt mit konventionellen, klischeehaften Wendungen eine Beschreibung umgehen, deren Grenzen zum Unsagbaren G. erkannte und die ihm nie Ersatz für die Anschauung sein konnte. Nur das subjektive Erlebnis des betrachtenden Ich wird historisch festgeschrieben. In diesem Sinne ist die *Italienische Reise* kein Italien-, sondern ein G.-Werk, das sich mit seinen novellistischen Einsprengseln, Genrebildern und Gesprächen gelegentlich dem halbfiktiven Reise- und Bildungsroman in Tagebuchform nähert. Daß das Werk zum Mythos Italiens

a Deutschland und zum Italien-Tourismus der Folgezeit beitrug
nd von Italien-Enthusiasten als Cicerone mißverstanden wurde, ist
icht intendiert, sondern Ergebnis der Rezeption im deutschen
ildungsbürgertum.

J. R. Haarhaus, Auf G.s Spuren in Italien, III 1896 f.; G. v. Graevenitz, G. unser Reibegleiter in Italien, 1904; C. v. Klenze, The interpretation of Italy during the last two enturies, Chicago 1907, auch in ders., From G. to Hauptmann, New York 1926 u. ö.; Vogel, Mit G. in Italien, 1908; K. Gerstenberg, G. und die italienische Landschaft, DVJ 1923, separat 1956; H. Wölfflin, G.s I. R., JGG 12, 1926; M. Gerhard, Die Redaktion er I. R., JFDH 1930, auch in dies., Leben im Gesetz, 1966; L. Curtius, G. und Italien, ie Antike 8, 1932, auch in ders., Torso, 1957; K. Viëtor, G. in Italien, GR 7, 1932; Boyle, The I. R. of G., in ders., Biographical essays, Oxford 1936; H. Prang, G. und e Kunst der italienischen Renaissance, 1938 u. ö.; R. Buchwald, G.s italienische Wenung, in ders., Das Vermächtnis der deutschen Klassiker, 1944 u. ö.; R. Michéa, Le yage en Italie de G., Paris 1945; F. Blättner, G.s I. R. als Dokument seiner Bildung, VJ 23, 1949; E. Beutler, Die I. R., in ders., Wiederholte Spiegelungen, 1957; . Necco, G. e la letteratura italiana, Letterature moderne 9, 1959; H. Mayer, G.s I. R., JF 12, 1960, auch in ders., Zur deutschen Klassik und Romantik, 1963; W. Andreas, .s Flucht nach Italien, DVJ 35, 1961; P. Requadt, Die Bildersprache der deutschen aliendichtung, 1962; H. v. Einem, Die I. R., in ders., G.-Studien, 1972; H. G. Haile, rtist in Chrysalis, Urbana 1973; S. Atkins, I. R. and G. an classicism, in: Aspekte der .zeit, hg. S. A. Corngold 1977; K. H. Kiefer, Wiedergeburt und Neues Leben, 1978; Müller, G.s Italienerlebnis, in: Philosophie und Humanismus, hg. B. Schweinitz 1978; I. Niederer, G.s unzeitgemäße Reise nach Italien, JFDH 1980; J. Hennig, G.s Kenntis der schönen Literatur Italiens, LJb 21, 1980, auch in ders., G.s Europakunde, 1987; J. Donat, G.s I. R. als Kunstwerk, Diss. Freiburg 1981; M. Fancelli, G.s I. R., Impulse 1982; M. Marianelli, Die Idee der Entwicklung im Spiegel von G.s I. R., GJb 99, 982; J. Golz, G. und Italien, Impulse 5, 1982; G. und Italien, Symposium 1983; P. oerner, I. R., in: G.s Erzählwerk, hg. P. M. Lützeler 1985; S. Oswald, Italienbilder, 985; G. in Italien, hg. J. Göres 1986; V. Lange, G's journey in Italy, in: Antipodische Aufärungen, hg. W. Veit 1987; Un paese indicibilmente bello/Ein unsäglich schönes and, hg. A. Meier, Palermo 1987; E. Thurnher, Wiederholte Spiegelungen, in: Textritik und Interpretation, hg. H. Reinitzer 1987; G. Schulz, Wann und wo entsteht ein lassischer Nationalautor, in: Geschichtlichkeit und Aktualität, hg. K.-D. Müller 1988; V. Barner, Altertum, Überlieferung, Natur, GJb 105, 1988; G. in Italy, hg. G. Hoffeister, Amsterdam 1988; I. M. Battafarano, I. R. /Reisen nach Italien, Gardolo 1988; Göres, Wie wahr! Wie seiend!, GJb 105, 1988; I. Graham, Der Bildner als Vollstrecker er Natur, GJb 105, 1988; H.-G. Grüning, G. critico della letteratura italiana, Palermo 988; A. Brilli, Reisen in Italien, 1989; H. Rüdiger, G. und Europa, 1990; K. H. Kiefer, .uch ich in Arkadien, in: Ich fahr, weiß nit wohin, hg. S. Krimm 1993; Italien in eignung und Widerspruch, hg. G. Oesterle 1996; A. Behrmann, Das Transmontane, 996; I. M. Battafarano, G.s I. R., in: Wahrheit und Wort, hg. G. Scherer 1996; Italieneziehungen des klassischen Weimar, hg. K. Manger 1997.

abach, Everard (?–1695). Der Kölner Bankier und spätere Direkor der Ostindischen Kompanie in Paris hatte sein Familienhaus in ler Kölner Sternengasse mit wertvollen Kunstsammlungen, teils m 1650 aus dem Nachlaß Karls I. von England, und einem großen amilienporträt von Charles Lebrun ausgestattet. G. besichtigte die ammlung im altertümlichen Gartensaal am 24. 7. 1774 mit J. G. nd F. H. Jacobi; ihr tiefer Eindruck schlägt sich in *Dichtung und Vahrheit* (III,14) und *Kunst und Altertum am Rhein und Main* (Kap. Köln«) nieder.

acobi, Auguste (1803–1856). Die wohl etwas eigenwillige Tochter Jeorg Arnold Jacobis und Enkelin F. H. Jacobis hielt sich auf Einadung Kanzler von Müllers, der sie 1824 in Frankfurt kennenelernt hatte, vom April 1829 bis März 1830 in Weimar auf und esuchte G. in dieser Zeit fast wöchentlich.

Jacobi, Charlotte (Anna Catharina Charlotte, gen. Lotte, Lol‹
1752–1832). Die Stiefschwester von J. G. und F. H. Jacobi lernte (
im April 1773 bei ihrem Besuch in Frankfurt kennen, bei dem si
sich mit Cornelia anfreundete. Er sah sie im Juli 1774 in Pempel
fort wieder, und am 18.–29. 9. 1784 waren sie und F. H. Jacobi G
Gäste in Weimar.

Jacobi, Friedrich Heinrich, gen. Fritz (1743–1819). Eine eng
Jugendfreundschaft G.s, die sich in der Entfernung und mit zuneh
mender Reife schmerzlich auseinanderlebte. Das Wissen voneinan
der hatten die Frauen vermittelt: S. von La Roche, J. Fahlmer, ein‹
Verwandte der Jacobis, Charlotte und Helene Elisabeth →Jacobi. G
lernte den jüngeren Bruder von J. G. →Jacobi, den Kaufmann, 177:
Hofkammerrat, Schriftsteller, Philosophen und 1807 Präsidente›
der Akademie der Wissenschaften in München, auf seiner Rhein
reise kennen, als er ihn in Pempelfort aufsuchen wollte und an
22. 7. 1774 bei Jung-Stilling in Elberfeld antraf. Anschließend wa
er am 22.–24. 7. 1774 sein Gast in Pempelfort und reiste an
24./25. 7. mit ihm über Bensberg nach Köln (*Dichtung und Wahrhei*
III,14 ist in der zeitlichen Reihenfolge unrichtig). Der spontaner
Freundschaft und dem innigen Gedankenaustausch, u. a. übe
Spinoza in Bensberg, folgte 1774/75 ein häufiger Briefwechsel und
Werkaustausch. Das Verhältnis spiegelt sich in Jacobis Roman *A‹
Eduard Allwills Papieren* (1775/76). Am 8. 1.–5. 2. und 24. 2.–2. 3
1775 weilte Jacobi auf einer Reise in Frankfurt. Nach 1775 er
loschen die Beziehungen, da Jacobis religiös-metaphysische An
schauungen und sein empfindsamer Roman *Woldemar* (1777) G
mißfielen. Insbesondere ein spöttisches Standgericht gegen der
Woldemar, bei dem G. Anfang August 1779 in einer lustigen Hof
gesellschaft in Ettersburg das Buch an eine Eiche nagelte und par
odierte (»Kreuzerhöhungsgeschichte«) veranlaßte einen erregter
Brief Jacobis an G. vom 15. 9. 1779 und führte zum Bruch de
Freundschaft. Trotz Vermittlungsversuchen von J. Fahlmer, Knebe
u. a. ließ Jacobi sich erst durch einen um Verzeihung bittenden Brie
G.s vom 2. 10. 1782 zur Wiederaufnahme des Briefwechsels und
Werkaustauschs bewegen, in dem sich die gegensätzlichen Positio
nen bald wieder verschärften. Jacobis Besuch als Gast bei G. ir
Weimar am 18.–29. 9. 1784 regte G. zu erneutem Spinoza-Studiun
an. In seiner Schrift *Über die Lehre des Spinoza* (1785), die Spinoz‹
als Atheisten darstellt, veröffentlichte Jacobi ohne G.s Vorwissen und
Billigung anonym die bisher unveröffentlichte *Prometheus*-Hymne
die er schon 1780 Lessing gezeigt hatte, und das Gedicht *Das Gött*
liche (an Jacobi 11. und 26. 9. 1785). Im Brief vom 5. 5. 1786 diffe
renziert G. seine anschauend-betrachtende, naturreligiöse und
Jacobis philosophisch-spekulative Haltung, die seither trotz wohl
wollender Koexistenz zu wachsender Entfremdung führten. Ir
Anschluß an die Campagne in Frankreich verlebte G. dennoch an

. 11.–4. 12. 1792 frohe Tage im Freundeskreis und Haus Jacobis in ¹empelfort, obwohl seine neusten Werke wie die dort vorgelesene *Reise der Söhne Megaprazons* befremdeten (*Campagne in Frankreich*; *Tag- und Jahreshefte* 1794, 1795). 1794 veröffentliche Jacobi die Neufassung seines *Woldemar* mit einer langen Widmung an G. Auf einer Reise nach München wurde Jacobi am 23. 6.–1. 7. 1805 in Weimar von G. in alter Freundschaft empfangen (»Wir liebten uns, ohne uns zu verstehen«, Kap. »Jacobi« der *Biographischen Einzeln-heiten*). Aber schon Jacobis Schrift *Von den göttlichen Dingen und ihrer Offenbarung* (1811) fand in ihrer Ablehnung der Natur als Offenbarung Gottes G.s heftigen Unwillen und Widerspruch in vielen Briefen und Gesprächen (*Tag- und Jahreshefte* 1811; an Jacobi 10. 5. 1812, 6. 1. 1813), der sich auch im Gedicht *Groß ist die Diana der Epheser* und der Abteilung »Gott, Gemüt und Welt« spiegelt. Ver-sagen des Verstehens auf beiden Seiten, dazu Jacobis moralisierende Urteile über G.s Romane und die Unzugänglichkeit von Jacobis Philosophie für G. zementierten die Entfremdung. G.s erst im Nachlaß 1833 veröffentlichte Besprechung von Jacobis *Auserlesenem Briefwechsel* (II 1827) vom 9. 4. 1827 geht solchem egotistischen An-einandervorbeireden nach. Sein eigener Briefwechsel mit Jacobi gehört zu den wertvollsten Korrespondenzen G.s. Im »Walpurgis-nachtstraum« des *Faust* mag der »Supernaturalist« (v. 4355 ff.) sich auf Jacobi beziehen.

F. Warnecke, G., Spinoza und J., 1908; R. Linder, G. und F. J., NJbb 22, 1919; H. Reh-der, F. H. J. und G., MDU 30, 1938; M. Hecker, G. und F. J., Goethe 6–8, 1941–43; Th. C. van Stockum, G., J. und die Ettersburger Woldemar-Kreuzigung, Neophil 41, 1957; H. v. Maltzahn, Woldemars Kreuzerhöhungsgeschichte, Insel-Almanach 1961; H. Nicolai, G. und J., 1965; F. H. J., hg. K. Hammacher 1971; Veränderungen 1774: 1794, hg. J. Göres 1974; F. H. J., hg. D. Henrich 1993; K. Christ, Antinomien der Über-zeugung, Euph 88, 1994.

Jacobi, Helene Elisabeth, gen. Betty, geb. von Clermont (1743–1784). G. lernte die Gattin von F. H. →Jacobi bereits im September 1773 bei ihrem Besuch in Frankfurt kennen und korrespondierte 1773/74 bis zum Besuch in Pempelfort am 22.–24. 7. 1774 mit ihr. Die Heiterkeit und Tüchtigkeit der »herrlichen Niederländerin, ... ohne eine Spur von Sentimentalität richtig fühlend,« erinnerte ihn an Rubens' Frauengestalten (*Dichtung und Wahrheit* III,14).

Jacobi, Johann Georg (1740–1814). Der ältere Bruder von F. H. →Jacobi, 1766–68 Professor der Philosophie in Halle, 1784 Profes-sor der schönen Wissenschaften in Freiburg, gehörte zu den führen-den anakreontischen Lyrikern. Der junge G. nahm in seiner Sturm und Drang-Periode Anstoß an seinem anakreontischen Getändel und übertrieben empfindsamen Freundschaftskult und verspottete »Herrn Jacobi und sein gutes Herz« in einer Rezension der *Frank-furter Gelehrten Anzeigen* (18. 12. 1772), die *Briefe von den Herren Gleim und Jacobi* (1768; vgl. *Dichtung und Wahrheit* II,10, III,14), den Mitarbeiter von Wielands *Teutschem Merkur* in *Götter, Helden und*

Wieland (1773) und schrieb eine böse Farce *Das Unglück der Jacob* (1772, nicht erhalten), die er Freunden vorlas. Die weiblichen Ver wandten Jacobis, J. Fahlmer, Betty und Lotte Jacobi, bemühten sic jedoch um ein Einvernehmen, das bei der persönlichen Bekannt schaft mit G. in Pempelfort und auf der gemeinsamen Reise nac. Köln am 23.–25. 7. 1774 in ein Lob G.s umschlug. G. steuerte an 1. 12. 1774 acht Lieder und 1775 *Erwin und Elmire* zu der vo. Jacobi mit W. Heinse herausgegebenen Frauenzeitschrift →*Iris* bei Zu einer näheren freundschaftlichen Verbindung kam es jedoch nicht; bei Jacobis Besuch in Weimar sah G. ihn nur am 13. 3. 177 bei Wieland. Das Xenion 247 *Taschenbuch* bezieht sich auf da. *Taschenbuch von J. G. Jacobi und seinen Freunden für 1795.*

Jacobi, Max (Carl Wigand Maximilian, 1775–1858). Der 3. Sohn von F. H. Jacobi traf am 16. 4. 1793 bei G. in Weimar ein, der ihn be. seinem Medizinstudium in Jena 1793–95 betreute, mitunter al Hausgast hatte und dem Vater über ihn berichtete. Im Januar 179? diktierte G. ihm in Jena den *Ersten Entwurf einer allgemeinen Ein leitung in die vergleichende Anatomie* (*Tag- und Jahreshefte* 1795). Er be suchte G. im Dezember 1796/Januar 1797, 1816 und Februar 1821 und korrespondierte mit ihm, der auch Anteil an seinen literari schen Werken nahm.

J. Herting, C. W. M. J., 1930.

Jägerhaus. In dem 1717–20 ursprünglich für die Forstverwaltung und Wohnungen der Jäger und Förster erbauten, langgestreckter »Großen Jägerhaus« in der Weimarer Marienstraße 3 bewohnte G vom November 1789 bis Spätsommer 1792 dank der Hilfe Car. Augusts die Beletage des Nordflügels und Christiane Vulpius zur Wahrung des Dekorums das Obergeschoß. Hier erlebte G. die er sten glücklichen Jahre mit Christiane und die Geburt seines Sohnes August, und hier entstanden die meisten der *Römischen Elegien* Nach G.s Einzug in das →Goethehaus am Frauenplan stellte der Herzog die Wohnung Ch. Gore zur Verfügung. 1816 bezog die Freie Zeichenschule das Haus.

Jägers Abendlied. Das im Winter 1775/76 entstandene, in Ein zelmotiven vielleicht durch M. von Thümmels *Des Jägers Abendlied* angeregte Gedicht erschien zuerst im Januar 1776 im *Teutschen Mer kur* unter der Überschrift *Jägers Nachtlied*, wurde unter dem neuen Titel für die *Schriften* 1789 besonders in der 3. Strophe stark umge arbeitet und fand an 40 Vertonungen (u. a. von Ph. Chr. Kayser, J. F. Reichardt, F. Schubert und C. F. Zelter). Sein Bezug auf Lili Schönemann oder Charlotte von Stein ist umstritten und im Grunde für das Verständnis unerheblich, doch sprechen die Land schafts- und Naturbilder für seine Zugehörigkeit zu den Mond und Nachtgedichten der frühen Weimarer Jahre, die zarte Seelen-

reundschaft, die Du-Ansprache aus gegenseitigem Verstehen und
die heilende Wirkung von Reinheit und Ruhe der Geliebten, symbolisiert im Bild des Mondes, auf den rastlos umgetriebenen Liebenden für Frau von Stein.

W. Stammler, Des J. A., GRM 5, 1913.

ägers Nachtlied → *Jägers Abendlied*

agd. Obwohl G. schon in den letzten Frankfurter Jahren gejagt
haben mag – sein Diener Seidel vermerkt am 5. 9. 1775 Ausgaben
für Pulver und Schrot –, nahm er in größerem Maße erst in
Weimar, besonders 1776/77 und 1781, am Waidwerk und höfischen
Jagdgesellschaften teil und jagte mit Carl August Hasen und Wildschweine bei Eisenach, Wilhelmsthal, Ilmenau u. a., zog sich jedoch
vor den Exzessen der Jagd gern zurück. Am 26. 12. 1784 prote-
tierte er beim Herzog energisch gegen die zur Jagd uneingezäunt
am Ettersberg ausgesetzten Wildschweine. Jagdmotive begegnen im
Werk u. a. in *Jägers Abendlied, Harzreise im Winter, Ilmenau, Elpenor*
(1,2), *Die Aufgeregten* (II,5), *Die natürliche Tochter* (I,1), *Wilhelm Mei-*
ster (Der Mann von fünfzig Jahren) und der *Novelle* (vgl. →*Die Jagd*).

H.-H. Möller, J. um Weimar, JbSKipp NF 1, 1963.

Die Jagd. Während der Abschlußarbeiten zu *Hermann und Dorothea*
plante G. seit 23. 3. 1797 ein Epos in Reimstrophen *Die Jagd* und
beschäftigte sich mehrere Monate mit diesem Plan (*Tag- und Jahres-*
hefte 1797; Briefwechsel mit Schiller 19. 4.–22. 6. 1797). Im Zusammenhang der Diskussion über epische und dramatische Dichtung
mit Schiller und Humboldt fand er jedoch, daß der vorgesehenen
linearen Handlung für ein Epos die retardierenden Momente fehl-
ten (an Schiller 22. 4. 1797) und ließ sich von der Ausführung abraten. Auch der Plan einer balladischen Behandlung wurde fallen
gelassen (an Schiller 27. 6. 1797). Erst im Oktober 1826 griff G. den
ursprünglichen Stoff in der →*Novelle* wieder auf (an W. von Humboldt 22. 10. 1826).

Jagemann, Caroline Henriette Friederike (1777–1848). G.s größtes Problem am Weimarer Theater: Die Tochter von Anna Amalias
Bibliothekar Ch. J. Jagemann wurde mit deren Unterstützung
wegen ihrer schönen Stimme 1791–96 unter Iffland und Josepha
Beck am Mannheimer Nationaltheater zur Opernsängerin und
Schauspielerin ausgebildet, kehrte 1797 als schauspielerisches All-
round-Naturtalent nach Weimar zurück, wurde von G. am 28. 1.
1797 engagiert, sang am 5. 2. 1797 bei Hofe und debütierte, damals
noch ein zierliches Persönchen, am 18. 2. 1797 als Oberon in
Wranitzkys Oper. Ihre Schönheit, Stimme und Darstellungskunst
begeisterten das Publikum und machten sie fast über Nacht zur
gefeierten Primadonna Weimars. »Ehemänner gedachten ihrer Vor-

züge mit mehr Enthusiasmus, als den Frauen lieb war« (*Tag- und Jahreshefte* 1801). Durch ihre individuell nuancierende Charakterisierungskunst in den unterschiedlichsten Rollen (Thekla in *Die Piccolomini*, Elisabeth in *Maria Stuart*, Konstanze in *Entführung aus dem Serail*, Johanna in *Die Jungfrau von Orleans*, Eleonore im *Tasso*, Iphigenie, Eugenie in *Die natürliche Tochter* u. a. m.) steigerte sie weiter ihre Bühnenerfolge in Oper wie Tragödie und Komödie, widersetzte sich jedoch G.s Bemühungen um Einordnung ins Ensemble. Weder an Selbstunterschätzung leidend noch mit Bescheidenheit gestraft, neigte sie aus Ehrgeiz und Machtstreben zu versteckten Sticheleien wie offenen Intrigen bei der Durchsetzung ihrer Ziele und spottete gern über die dürftige finanzielle Ausstattung des Weimarer Theaters, die Mittelmäßigkeit ihrer Kollegen und Kolleginnen und G.s ihr unverständliches, teils pedantisches Streben nach einem stilvollen literarischen Theater und Ensemblespiel mit beschränkten Mitteln. G. erkannte die künstlerische Leistung seiner »schönen und talentvollen Freundin« (!) stolz an (*Tag- und Jahreshefte* 1787, 1801; zu Eckermann 2. 5. 1824), nahm jedoch an ihrer Selbstherrlichkeit und Herrschsucht Anstoß.

Die Situation komplizierte sich zum unmöglichen Dreiecksverhältnis, als die mittlerweile üppige Blondine 1802 dem jahrelangen Werben Carl Augusts nachgab und mit schweigender Zustimmung der Herzogin Louise dessen Mätresse wurde (und ihm drei Kinder gebar). Daß die dem Theaterleiter G. unterstellte Primadonna zugleich mehr als nur das Ohr seines Freundes, Herzogs und obersten Dienstherrn hatte, setzte die Freundschaft schweren Belastungsproben aus. Um seine Verbindung aufzuwerten, ließ Carl August die Jagemann 1809 als Frau von Heygendorf nobilitieren und schenkte ihr 1809 das gleichnamige Rittergut bei Allstedt wie 1808 das Deutschritterhaus am Weimarer Töpfenmarkt (Herderplatz). Dort entfaltete sie trotz ihrer Weimar brüskierenden Liaison abends zur Erheiterung des Herzogs eine lebendige Geselligkeit mit erlauchten Gästen, zu denen nach den Geboten der Höflichkeit oft auch G. zählte. Ihren kräftigen Theaterintrigen fiel 1801 zunächst der Hofkapellmeister J. F. Kranz zum Opfer. 1808 bewirkte sie die Loslösung der Oper von G.s Oberleitung und beherrschte seither mit dem Sänger Carl Stromeyer diesen Bereich (im Volksmund »Kompagnie Jagemeier/Strohmann« genannt). Als sie am 12. 4. 1817 gegen G.s Willen in seiner Abwesenheit das Auftreten eines dressierten Hundes in *Der Hund des Herrn Aubry* durchsetzte, erbat und erhielt G. tags darauf seine endgültige Entpflichtung von der Theaterleitung. Noch nach dem Theaterbrand von 1825 wußte sie den bereits begonnenen Neubau nach den von G. geförderten Plänen Coudrays zugunsten des mittelmäßigen Plans von Steiner zu ersetzen. Ungeachtet solcher Animositäten wahrte sie die Dehors, traf mit G. 1815 in Mannheim und 1821 in Marienbad zusammen, krönte als Eleonore im *Tasso* zur Feier von G.s Genesung am 22. 3.

823 erst G.s Büste und nach der Vorstellung ihn selbst mit einem orbeerkranz und spielte in der Festvorstellung zu seinem 50jähri-en Dienstjubiläum am 7. 11. 1825 die Iphigenie. Auf die Nach-cht von Carl Augusts Tod 1828 verließ sie die Bühne und das ihr ils feindselige Weimar und lebte meist in Berlin, München und Dresden. Ihre *Erinnerungen* (1926), als Rechtfertigung für ihre öhne geschrieben, bieten verständlicherweise kein ganz objektives Bild von G.

R. Schwarz, C. J., Diss. Wien 1919.

agemann, Christian Joseph (1735–1804). Nach einem wechsel-ollen Leben als entflohener Augustinernovize, Hauslehrer, Welt-eistlicher in Italien und Schulrektor in Erfurt fand der gelehrte iterat und Übersetzer aus dem Italienischen 1775 eine Stellung als Bibliothekar Anna Amalias und Hofrat, die es ihm erlaubte, seinen Kindern Caroline und Ferdinand →Jagemann mit Hilfe von Gön-ern eine gute künstlerische Ausbildung zu geben. G. hatte in Bibliotheksangelegenheiten mit ihm zu tun und sah den Italien-enner gelegentlich als Gast.

M. T. Dal Monte, Ch. J. J., Imola 1970; K. Gerhardt, Ch. J. J., in: Italienbeziehungen es klassischen Weimar, hg. K. Manger 1997.

agemann, Ferdinand Carl Christian (1780–1820). Der Sohn des Bibliothekars Ch. J. Jagemann und Bruder Carolines zeigte schon n der Weimarer Freien Zeichenschule künstlerische Begabung, wurde von Carl August 1797–1801 zur Ausbildung bei dem Klas-izisten F. H. Füger nach Wien gesandt, deren Erfolg G.s Gutachten von 1798 bestätigte, und schloß sein Studium mit einem von G. befürworteten Stipendium des Herzogs in Paris (1802–04) und Rom (1806–10) ab. 1810 wurde er als Nachfolger seines Lehrers G. M. Kraus Professor an der Freien Zeichenschule in Weimar und nalte im Auftrag des Herzogs sachlich-realistische Porträts der her-zoglichen Familie, u. a. das große Ölgemälde Carl Augusts in der Weimarer Bibliothek, sowie Wielands, Schillers und Goethes (1806, Kreidezeichnung 1817, Kniestück 1818). Für den »vorzüglichen, eider allzufrüh von uns geschiedenen Künstler« (*Entoptische Farben*) entwarf G. am 9.–13. 7. 1821 einen Lebensabriß für eine Totenfeier der Weimarer Freimaurerloge am 15. 7. 1821 (*Kleine Biographien zur Trauerloge am 15. Juni* [recte: Juli] *1821*, 1821).

Jagsthausen (G.: Jaxthausen). Die »Götzeburg« in Jagsthausen an der Jagst bei Neckarsulm, in der Götz von →Berlichingen 1480 ge-boren wurde, war als Hauptschauplatz von G.s *Götz von Berlichingen* schon zu seiner Zeit eine Sehenswürdigkeit, allerdings nicht für G., der sie nie sah und auch 1797 vom nahegelegenen Heilbronn aus nicht besuchte. Abweichend von G.s Darstellung (IV,5) verfaßte Götz seine Lebensgeschichte jedoch nicht hier, sondern auf der Burg Hornberg am Neckar. Jährliche Festspiele im Schloßhof.

Jahrbücher der Literatur. Für die sog. »Wiener Jahrbücher«, ein 1818 von Metternich und Gentz begründete, von M. von Collin, J. G. Hülsemann und B. Kopitar herausgegebene, konservative wissenschaftlich-kritische Vierteljahrsschrift, versuchte Metternich im August 1818 in Karlsbad G.s Interesse und Mitarbeit zu gewinnen (an Metternich 12. 9. 1818). G. las die Zeitschrift, verfolgte besonders die Besprechungen seiner Werke, trat jedoch in nähere Verbindung erst mit dem Herausgeber (1829–49) J. L. F. →Deinhardstein, dem er im Mai 1830 eine ausführliche Besprechung von W. Zahns *Die schönsten Ornamente und merkwürdigsten Gemälde aus Pompeji, Herculanum und Stabiä* (Nr. 51, 1830) lieferte.

Jahrbücher für wissenschaftliche Kritik. Die von einer »Societät für wissenschaftliche Kritik« herausgegebenen, vorwiegend von Varnhagen und Hegel geleiteten sog. »Berliner Jahrbücher« (1827–46) las G. »mit großem Anteil« und gelegentlichem Kopfschütteln (an Hegel 17. 8. 1827). Seine am 6. 3. 1827 von Varnhagen und Hegel erbetene Beteiligung sagte er am 15. 3. 1827 zu und veröffentlichte in den *Jahrbüchern* Rezensionen der *Monatsschrift des Gesellschaft des vaterländischen Museums in Böhmen* (März 1830) und von Fürst Pückler-Muskaus *Briefen eines Verstorbenen* (September 1830) sowie die *Principes de philosophie zoologique* (September 1830/März 1832).

(Das) Jahrmarktsfest zu Plundersweilern. »Ein Schönbartspiel« (zu Schembart = Maske). G.s erster Knittelversschwank entstand wohl aus einer spontanen Augenblickslaune Anfang 1773 und wurde im Herbst 1774 in dem zugunsten F. M. Klingers publizierten *Neueröffneten moralisch-politischen Puppenspiel* zusammen mit anderen Farcen veröffentlicht. Eine zweite, völlig umgearbeitete und im Umfang fast verdoppelte Fassung, die ursprüngliche Derbheiten und nicht mehr verständliche Anspielungen auf den Frankfurt-Darmstädter Kreis tilgt, entstand 1778 und wurde mit Liedvertonungen von Anna Amalia am 20. 10. 1778 vom höfischen Liebhabertheater auf Schloß Ettersburg aufgeführt. G. spielte die Rollen des Marktschreiers, Hamans und Mordechais. Diese Fassung erscheint seit 1789 *(Schriften* 8) in den Werkausgaben. Die in lockerer Szenenfolge nach Vorbild von H. Sachs gebaute Farce mit zeitsatirischem Einschlag und schon damals, so erst recht heute nicht mehr voll verständlichen Anspielungen auf Freunde und Zeitgenossen (Wieland, Schlosser, Leuchsenring u. a.) verwendet das seit dem Barock beliebte Bild vom Jahrmarkt als Jahrmarkt des Lebens, der Eitelkeiten und der Literatur mit seinen Händlern und Typen. Ein Marktschreier hat als Kaufanreiz für seine Salben den Hanswurst und Komödianten mit sich, die Fragmente eines biblischen Esther-Spiels aufführen: die 1. Fassung parodiert in Knittelversen die Esther-Tragödie von H. Sachs, die 2. Fassung in Alexandrinern die

anzösische tragédie classique. Eine Vorführung der Laterna magica
mit Bildern von Paradies und Sündflut beendet das Spiel, das auch
die Zuschauer und deren Reaktion umfaßt. Der historische Wert
des derb-volkstümlichen Stückes im Stil eines Raritäten-Guck-
kastens als launige Reaktion auf Gottscheds literarischen Regelkanon und als ironisch gebrochenes »Spiel im Spiel« wurde von den
Romantikern und G. Büchner aufgegriffen; G.s Satire →*Das Neue-*
ste von Plundersweilern (1781) greift darauf zurück. Eine Vertonung
als »dramatisches Genrebild« gab W. Freudenberg 1908, eine Neubearbeitung schrieb P. Hacks 1973.

R. M. Werner, J. z. P., GJb 1, 1880; M. Herrmann, D. J. z. P., 1900; J. Minor, Zu G.s
z. P., Studien zur vergleichenden Literaturgeschichte 3, 1903; R. E. Boetcher-Joeres,
Hereinspaziert!, GR 51, 1976; M. Stern, Die Schwänke der Sturm und Drang-Periode,
in: G.s Dramen, hg. W. Hinderer 1980; D. Hensing, D. J. z. P., DU 36, 1984; K.-D. Müller, H. Sachs und die Poesie des Tages, in: Festschrift W. Haug, hg. J. Janota 1992.

Jakob, Therese Albertine Louise von, 1828 verh. Robinson, Pseud-
onym/Akronym Talvj (1797–1870). Die Tochter des in den *Xenien*
als unselbständiger Kantianer angegriffenen Hallenser Professors
der Philosophie lebte 1806–16 mit dem Vater in Rußland. Als
Schriftstellerin begann sie, von J. Grimm angeregt, mit den G. gewidmeten Übersetzungen *Volkslieder der Serben* (II 1825 f.), deren
Manuskript sie am 12. 4. 1824 G. übersandte. Dieser besprach den
I. Band in der vom Druck abweichenden Anordnung des Manuskripts unter *Serbische Lieder* (*Über Kunst und Altertum* V,2, 1825), den
2. Band unter *Serbische Gedichte* (ebd. VI,1, 1827) und lobte ihre
Arbeit auch im Aufsatz *Nationale Dichtkunst* (ebd. VI,2, 1828), zu
Eckermann 18. 1. 1825 und an Zelter 6. 6. 1825. Die Dichterin
besuchte G. in Weimar am 18. 6. und 9. 10. 1824, 29. 9. 1826 und
12. 8. 1828.

J. M. Milovic, G., seine Zeitgenossen und die serbo-kroatische Volkspoesie, 1941;
ders., Talvjs erste Übertragungen für G., 1941; N. Pribic, G., Talvj und das südslavische
Volkslied, in: Vergleichen und verändern, hg. A. Goetze 1970; M. Mojasevic, Eine Leitung G. zuliebe, GJb 93, 1976.

Jakobskirche. In der Sakristei der seit dem Schloßbrand von 1774
auch als Hofkirche dienenden Jakobskirche in Weimar, deren Kir-
chenschiff zu der Zeit als Lazarett für die Verwundeten von Jena
und Auerstedt diente, wurden G. und Christiane Vulpius am 19. 10.
1806 vom Hofprediger W. Ch. →Günther getraut. Auf dem sie um-
gebenden Jakobskirchhof, 1530–1818 einzigem Begräbnisplatz
Weimars, liegt Christianes Grab, ebenda und im (1913 wiederer-
richteten) →Kassengewölbe die Gräber vieler Zeitgenossen und
Freunde G.s.

Janin, Jules Gabriel (1804–1874). Der französische Kritiker und
Schriftsteller sandte G. in der durch →David d'Angers im März
1830 initiierten Büchersendung seinen die Schauerromantik par-
odierenden Roman *L'âne mort et la femme guillotinée* (1829), den G.

am 24. 3. 1830 las, im Tagebuch und mit Freunden günstig besprach
und am 27. 3. 1830 auch Zelter zur Lektüre empfahl. Seinen Bei
trag *Asmodée* zum *Livre des cent-et-un* (1831) besprach G. in *Übe
Kunst und Altertum* (VI,3, 1832).

Jariges, Carl Friedrich von, Pseudonym Beauregard Pandin (1773-
1826). Der Schriftsteller, der zeitweilig in Weimar in G.s Nachbar
schaft gelebt und ihn am 8. 2. 1807 besucht hatte, gab 1822 ein
Übersetzung von *Spanischen Romanzen* heraus. G. besprach sie in
Über Kunst und Altertum (IV,2, 1823).

Jarno. Die anfangs undurchsichtige Figur des gebildeten Aristokra
ten und Majors erscheint schon in *Wilhelm Meisters theatralische
Sendung* (V,4 und 10) als »gefühlloser Weltmann« (V,11) von unkla
ren Absichten und Verbindungen, der Wilhelm in die Welt Shake
speares einführt und ihm eine vage beschriebene Stellung anbietet
Kalter, ironischer Skeptiker von scharfem, kritischem Urteil über
die Schwächen anderer, erscheint er in *Wilhelm Meisters Lehrjahre*
zunächst in ähnlichen Szenen (III,4 und 11; V,1) und Gespräche
(VII,2–3,7) und entpuppt sich dann (VII,9) als Mitglied der Wil
helms Lebensweg überwachenden Turmgesellschaft. In *Wilhelm
Meisters Wanderjahren* hat er sich gemäß seiner These, ein gemein
nützig-praktischer Beruf sei universaler Bildung vorzuziehen, zum
Mineralogen und Bergbauingenieur spezialisiert und nennt sich
entsprechend Montan (II,9).

A. R. Krehbiel, Herder as J., Modern Philology 17, 1919 f.

Jaxthausen →Jagsthausen

Jayadeva (12. Jahrhundert). Das erotisch-allegorische Epos *Gitago
vinda* (um 1170/80) des indischen Dichters von der Liebe Kri
schnas zur schönen Hirtin Radha, ihrer Trennung, Eifersucht und
Versöhnung, las G. im Januar 1802 in der deutschen Übersetzung
von J. F. H. von Dalberg (1. Teil, 1802) nach W. Jones und am 17. 2.
1802 in der englischen Übersetzung von W. Jones (1799). Er be
dauerte, daß beide Fassungen erotische Passagen bereinigten und
erwog eine eigene Übersetzung des 2. Teils (an Schiller 22. 1. und
19. 2. 1802; Aufsatz über *Indische Dichtungen* von ca. 1821 im Nach
laß).

Jean Paul, eig. Johann Paul Friedrich Richter (1763–1825). Der
autodidaktisch gebildete, eigenständige humoristische Erzähler, Be
wunderer des *Wilhelm Meister*, sandte G. am 27. 3. 1794 *Die unsicht
bare Loge* (1793) und am 4. 6. 1795 den *Hesperus* (1795), ohne eine
Antwort zu erhalten. Über den Publikumserfolg *Hesperus* tauschen
sich G. und Schiller am 10.–18. 6. 1795 kritisch aus und einigen
sich auf den Begriff »Tragelaph« für das uneinheitliche »wunder-

he Werk«, an dem G. Klarheit, Ordnung und guten Geschmack
rmißt. Am 10. 6.–Anfang Juli 1796 weilt Jean Paul auf Einladung
n Charlotte von Kalb in Weimar und besucht G. am 17. 6.
96. Im Brief an Ch. Otto (18. 6. 1796) beschreibt er seine durch
e Weimarer Umwelt, besonders Herder, gebildeten Vorurteile und
wartungen, G.s Kunstpalast, seine formelle Kälte und Wortkarg-
it und sein Auftauen bei Literaturgesprächen (»Er hält seine dich-
rische Laufbahn für beschlossen … Auch frisset er entsetzlich.«).
, der ihn auf seine und Schillers Seite ziehen wollte, nennt ihn
inen sehr guten und vorzüglichen Menchen« (an J. H. Meyer
). 6. 1796). Eine von G. als arrogant verstandene Äußerung Jean
uls über Knebels Properz-Übersetzung (Jean Paul an Knebel 3. 8.
796) jedoch zeitigt Anfang August 1796 das satirische Gedicht auf
ssen Kunstgeschmack *Der Chinese in Rom,* und die *Xenien* (41,
enien aus dem Nachlaß 84, 87 und 157) ironisieren Jean Pauls Kon-
tionierung durch kleinstädtische Enge. Umgekehrt betrachtet
an Paul den ästhetischen Formkult der Klassiker als wirklichkeits-
rn und menschenfeindlich. Bei einem längeren Aufenthalt
6. 10. 1798–Mai 1800) in Weimar, das Jean Paul in seinem vom
ilhelm Meister beeinflußten Erziehungsroman *Titan* beschreibt,
soziiert er sich noch stärker mit den goethefernen Kreisen um
ieland, Herder und Anna Amalia. Demgemäß weicht die anfangs
eundliche Haltung G.s bei späteren Besuchen Jean Pauls Ende
ugust 1798, am 16. 1. 1799, 6. 9. 1801 und bei Begegnungen in
/eimar und Jena bald kühler Zurückhaltung. Ein Stammbuchvers
r Walther von G. (»Ihrer sechzig …«) vom April 1825 stellt sich
ewußt gegen den vorangegangenen larmoyanten Eintrag Jean
auls. Bei aller Kritik an Jean Pauls romantischer Sentimentalität,
ormlosigkeit und sprachlicher Eigenwilligkeit zollt G. seiner Er-
ehungslehre *Levana* (1814) uneingeschränktes Lob (»eine un-
aubliche Reife«, an Knebel 16. 3. 1814) und rechtfertigt die Ei-
enart seiner Erzählweise später ausführlich aus den chaotischen
eitverhältnissen (*Noten und Abhandlungen,* Kap. »Vergleichung«).

J. Petersen, J. P. und die Klassiker, JFDH 1929, auch in ders., Aus der Goethezeit,
*32; K.-W. Maurer, J. P. und G., PEGS NS 10, 1934; M. Kommerell, J. P. in Weimar,
as innere Reich 3, 1936 f., auch in ders., Dichterische Welterfahrung, 1952;
O'Shea, J. P. und G., Diss. Wien 1954; R. Henz, J. P. und G., JbWGV 75, 1971;
/. Köpke, J. P.s Auseinandersetzung mit Werther und Wilhelm Meister im Titan, in: G.
1 Kontext, hg. W. Wittkowski 1984; H. Birus, Vergleichung. G.s Einführung in die
chreibweise J. P.s, 1986.

na. G.s »liebes närrisches Nest« (an Zelter 16. 2. 1818), das nur
0 km von Weimar entfernte Jena mit 1775 rd. 4000 Einwohnern,
ar mit der 1548 als Ersatz für Wittenberg gegründeten, von den
mliegenden Fürsten erhaltenen Universität im Unterschied zur
ulturellen, höfischen Residenz Weimar der geistige Mittelpunkt
es Herzogtums Sachsen-Weimar-Eisenach. G. sah beide als eine
inheit »Weimar-Jena« (Zahmes Xenion »Wohin willst du …«).
rotz der Konkurrenz von Halle und Göttingen wurde die Uni-

versität im Jahrzehnt um 1790–1800 zum berühmten Zentrum de
deutschen idealistischen Philosophie und der freien Forschung
Trotz niedriger Gehälter konnte sie wenigstens vorübergehen
Professoren wie die Philosophen C. L. Reinhard 1787, Schille
1788, Fichte 1794, Schelling 1798 und Hegel 1801 und Gelehrt
wie Batsch, Hufeland, Loder, Luden, Paulus, Seebeck u. a. sowi
Schriftsteller wie 1794 W. von Humboldt, 1801 J. H. Voß anzieher
vervierfachte die Studentenzahl von 1775: 500 auf 1792: 1916 Stu
denten und bildete um den Kern von A. W. und F. Schlegel, Nova
lis, Tieck und Brentano zeitweilig das Zentrum der sog. Jenae
Frühromantik. Die *Allgemeine Literaturzeitung* (1804 ff.), Schille
Musenalmanache und *Horen* und Schlegels *Athenäum* bezeugen di
weite Ausstrahlung der kleinen Stadt auf dem Höhepunkt ihre
kurzen Blütezeit. G. war seit seinem ersten Besuch am 23. 12. 177
eng mit Jena verbunden. Hierher flüchtete er vor den Pflichten un
Zerstreuungen Weimars und des eigenen Hauses immer wieder, fa
alljährlich und besonders 1782, 1794, 1795, 1799, 1803, 1806, 180
und 1817 wochen- und monatelang zu konzentrierter literarische
Arbeit und naturwissenschaftlicher Forschung (Anatomie mi
Loder, Chemie mit Döbereiner u. a.) und zu zwanglos anregende
Geselligkeit mit Akademikern, bewohnte Zimmer im Alten Schloß
im Botanischen Garten oder 1818 das Erkerzimmer (»Zinne«) im
Gasthof zur Tanne und verkehrte im Hause Schillers, Frommanns
Knebels u. a. In seiner amtlichen Tätigkeit, besonders seit 1809 i
der »Oberaufsicht über die unmittelbaren Anstalten für Wissen
schaft und Kunst«, kümmerte er sich um die Berufung von Profes
soren, um die Burschenschaften (1817), um die Bibliothek (Umbau
1817) und um Begründung und Erweiterung zahlreicher Institut
wie Botanischer Garten, Sternwarte, Veterinärschule, Chemische
Institut, Naturkundliche Sammlungen und Museen (*Museen zu
Jena*, 1817). Er war seit 1825 Dr. h.c. der Universität und Mitglie
mehrerer wissenschaftlicher Gesellschaften, von denen die Tagung
der Jenaischen Naturforschenden Gesellschaft 1794 zur Freund
schaft mit Schiller führte.

E. Borkowsky, Das alte J. und seine Universität, 1908; V. Michels, G. und J., 1916
P. Weber, Das J. der Schillerzeit und der Gegenwart, 1921; K. Bulling, G. als Erneuere
und Benutzer der jenaischen Bibliothek, 1932; E. Vincent, G. in J., 1932; K. A. Wolte
rek, G. in J., 1932; H. Koch, Geschichte der Stadt J., 1966; H. Koch, G.s J.-Aufenthalte
Goethe 28, 1966; L. Hartmann, G. in J., 1971 u. ö.; H. Tümmler, Reformbemühunge
G.s um die Universität J., GJb 89, 1972; G. Steiger, G., die Universität J. und di
Naturwissenschaften, 1986; Evolution des Geistes: J. um 1800, hg. F. Strack 1994.

Jenaische Allgemeine Literaturzeitung →*Allgemeine Literatur
Zeitung*

Jenaische Naturforschende Gesellschaft →Naturforschende
Gesellschaft in Jena

Jenisch, Daniel (1762–1804). Der Berliner Schriftsteller, Verfasse
eines Epos *Borussias* (1794) und Prediger an der Nicolaikirche, ver

ffentliche im *Berlinischen Archiv der Zeit und ihres Geschmacks* (März/April 1795) einen Aufsatz *Über Prose und Beredsamkeit der Deutschen*, in dem er überheblich »die Armseligkeit der Deutschen n vortrefflich klassischen prosaischen Werken« (G.) beklagte. G. erviderte auf den »übelgeschriebenen Text«, ein »unreifes Produkt« nd eine »ungebildete Anmaßung«, mit dem Aufsatz →*Literarischer 'ansculottismus* (*Horen* I,5, Mai 1795). Jenisch gab eine Replik im *Berlinischen Archiv* (September 1795), wurde mit einigen *Xenien* 268, 269, 295) bedacht, griff selbst in den Xenienkampf ein (*Litrarische Spiessruthen*, 1797) und publizierte 1797 eine Schrift über i.s *Wilhelm Meister*.

enkins, Thomas (1722–1798). Der englische Maler, Kunsthändler nd wohlhabende Bankier führte in Rom in der Casa Celli, Corso 04, G.s Wohnung schräg gegenüber, und sommers in der Villa orlonia in Castel Gandolfo ein großes Haus. G. verkehrte mit ihm n Rom und war am 8.–21. 10. 1787 sein Hausgast in →Castel Gandolfo, wo er viel zeichnete und u. a. Maddalena Riggi kennenrnte (*Italienische Reise*, Bericht Oktober 1787).

F. Noack, Aus G.s römischem Kreise. T. J., GJb 24, 1903.

erusalem, Carl Wilhelm (1747–1772). Der einzige Sohn des beannten protestantischen Theologen, theologischen Schriftstellers nd Braunschweiger Hofpredigers Johann Friedrich Wilhelm Jerualem (1709–1789) studierte 1765/66 gleichzeitig mit G. Jura in eipzig. G. traf ihn als Nachfolger von Goués und Legationssekretär es braunschweigischen Gesandten am Reichskammergericht in Wetzlar wieder, auch als Mitglied der Rittertafel und Teilnehmer eim Ball in Volpertshausen, auf dem G. Charlotte Buff kennenrnte, trat ihm jedoch nicht näher. Gut aussehend, gebildet, auch chriftstellernd, von scharfem Urteil, aber verschlossen und empndsam, zu Melancholie und Pessimismus neigend, fühlte er sich ei der geistlosen Arbeit in Wetzlar wenig behaglich. Durch die Verveigerung des Zutritts zu einer adelsstolzen Gesellschaft beim Graen Bassenheim in seinem Ehrgefühl verletzt, vom braunschweigichen Gesandten von Höfler ungerecht behandelt und in seiner nerwiderten Liebe zu Elisabeth Herd, Gattin des Geheimsekretärs 'hilipp Jacob Herd, durch Hausverbot des eifersüchtigen Gatten rustriert, erschoß er sich am 30. 10. 1772 früh mit einer von Kester geliehenen Pistole. Züge seines Wesens, seine Kleidung und sein chicksal, über das Kestner ihm im November genau berichtete »Kein Geistlicher hat ihn begleitet«) regten G. 1774 zur Figur Verthers in *Die Leiden des jungen Werthers* an. Vgl. *Dichtung und Vahrheit* III,12–13.

R. Kaulitz-Niedeck, G. und J., 1908; H. Schneider, Werther-J. als Freund Lessings, in ers., Lessing, 1950.

erusalem, Johann Friedrich Wilhelm →Jerusalem, Carl Wilhelm

Jery und Bätely. *Ein Singspiel.* G.s anspruchsloses, heiter-unbefan genes Spiel aus dem Milieu der Schweizer Bergbauern, in dem »di Akteurs Schweizerkleider anhaben und von Käs und Milch spre chen« (an Dalberg 2. 3. 1780), verdankt seine Enstehung den Ein drücken des Almlebens auf der 2. Schweizer Reise und wurde ir November/Dezember 1779 noch in der Schweiz geschrieben (*Tag und Jahreshefte*, Bis 1780): Der tumbe Bauer Jery gewinnt die Lieb der störrischen Bauerntochter Bätely erst auf dem Umweg übe Mitleid und Dankbarkeit, nachdem er sich mit einem tatkräftigere Brautwerber geprügelt hat, um ihren Besitz zu retten. Nachdem C sich 1779 vergeblich um eine Vertonung der Gesangspartien durcl Ph. Chr. Kayser bemüht hatte, übernahm K. F. S. von Seckendorf die Komposition für die Uraufführung am 12. 7. 1780 durch da höfische Liebhabertheater im Komödienhaus Weimar. Von diese 1. Fassung erschien 1780 nur ein Textbuch der Gesangspartien. Di 2. Fassung von 1788/89 für die *Schriften* (Band 7, 1790) löst di Versdialoge in Prosa auf, und für die Ausgabe letzter Hand (Ban 11, 1828) schrieb G. 1825 (für Lecerf, s. u.) einen neuen Schluß. A 20 Vertonungen, u. a. von J. F. Reichardt 1790/91 (Uraufführun 30. 3. 1801 Berlin, Hoftheater), P. von Winter (Oper, Uraufführun 1810 Wien), C. Kreutzer 1810, K. Kocher 1819, A. B. Marx (Ope Berlin, Königliches Schauspielhaus 1825), J. A. Lecerf (Urauf führung 16. 1. 1846 Dresden), E. Dressel (Oper, Uraufführung 193. Berlin).

H. Düntzer, J. u. B., in ders., Neue G.-Studien, 1861; G. Ellinger, Zu J. u. B., GJb 1(1889; B. Mautner, G.s J. u. B., Programm Znaim 1907; K. Pendle, The transformation c a libretto: G.s J. u. B., Music and Letters 55, 1974; H.-A. Koch, Die Singspiele, in: G Dramen, hg. W. Hinderer 1980; P. Faessler, J. W. v. G.s J. u. B. in der Verwendung durc E. Scribe, A. Adam und G. Donizetti, Appenzellische Jahrbücher 108, 1980; F. P Kempf, Utopia and reality, GRM 73, 1992.

Jesuiten. Den Augenmenschen G. interessierte an dem (1764 i Frankreich verbotenen, 1773–1814 vom Papst aufgehobenen Jesuitenorden weniger seine gegenreformatorischen Aktivitäten a vielmehr die zielbewußte Wirkung seiner Prunkarchitektur, der e außer in Rom vor allem in Straßburg (*Dichtung und Wahrheit* II,9) Regensburg (*Italienische Reise* 3. 9. 1786), Trient (ebd. 11. 9. 1786 und Messina (ebd. 13. 5. 1787) begegnete. Die pädagogisch Methode des Jesuiten-Schultheaters, dessen Aufführung er am 4. 9 1786 in Regensburg beiwohnte, fand ebenso seinen Beifall wie Na poleons Gegnerschaft zu den Jesuiten (zu Eckermann 14. 3. 1830)

J. Hennig, G. and the Jesuits, Thought 24, 1949.

Jesus Christus →Christentum

Johanna Sebus. Die 17jährige Bauerntochter J. Sebus (1792 1809) aus Brienen hatte am 13. 1. 1809 durch einen Deichbruc bei Cleve den Tod gefunden, als sie versuchte, eine im Hause ihre

Mutter wohnende Familie vor Eisgang und Hochwasser des Rheins
zu retten. Das tragische Ereignis erregte stark die Zeitgenossen. Der
Unterpräfekt des Departements Cleve, Baron von Keverberg, ver-
eilte einen Bericht darüber; Christiane von Vernijoul leitete diesen
an G. weiter und bat ihn, die »rührende Tat« durch eine Ballade zu
erewigen und dem »edlen Mädchen« damit ein Denkmal zu set-
en. G.s zwischen Erzählung und Dialog wechselnde Ballade vom
1.–12. 5. 1809, im Mai 1809 als Einzeldruck publiziert und an
Baron Keverberg gesandt, übernimmt die Einzelheiten der »naiv-
großen Handlung eines Bauernmädchens« (an Ch. von Stein 30. 5.
809) recht genau aus dem Bericht. Bei einer Gedächtnisfeier zum
. Jahrestag in Cleve feierlich vorgetragen, errang sie durch ihre
schlichte, kraftvolle Volksnähe rasch große Popularität. In seine
Werkausgaben nahm G. diese Gelegenheitsdichtung 1815 nicht
unter die Balladen, sondern im Hinblick auf Zelters Vertonung
unter die Kantaten auf. Vertonungen von Zelter 1809 als Kantate
für Soli, gemischten Chor und Orchester, von J. F. Reichardt,
F. Schubert u. a. (Vgl. an Zelter 1. 6. 1809, 6. 3. 1810; an Reinhard
9. 6. 1809, an Keverberg 28. 2. 1810).

H. Vogeley, Balladen von der guten Tat, DU 8, 1956; H. Hartmann, G.s Der Schatzgräber und J. S., WB 28, 1982.

Johannes Secundus, eig. Johannes Nicolai Everaerts (1511–
1536). Die leidenschaftlichen, schönheitstrunkenen, eleganten Liebesgedichte des niederländischen neulateinischen Lyrikers, die G.
wohl Anfang der 70er Jahre kennenlernte, hinterließen bei ihm
bleibende Eindrücke (*Maximen und Reflexionen* 362). Sein Zyklus
Basia (Küsse, 1539), den G. am 1. 11. 1776 las, inspirierte G.s Gedicht *An den Geist des Johannes Secundus,* das G. am 2. 11. 1776 an
Ch. von Stein sandte. Eine vereinfachte, gedämpfte und metrisch
regelmäßige Fassung ohne Bezug auf Johannes Secundus erschien
u. d. T. *Liebebedürfnis* in den *Schriften* (1789). Im Hinblick auf
Anklänge an Johannes Secundus in den *Römischen Elegien* nennt ein
Distichon Herders G. scherzhaft Johannes Tertius.

G. Ellinger, G. und J. S., GJb 13, 1892.

Johannes von Hildesheim   →*Die heiligen drei Könige*

Johannisberg. Das wegen seiner Lage und Aussicht gerühmte
Schloß bei Geisenheim im Rheingau besichtigte G. am 2. 9. 1814
von Winkel a. Rh. aus (*Sankt Rochus-Fest zu Bingen; Im Rheingau
Herbsttage).* 1718–25 für die Fürstbischöfe von Fulda in barockem
Stil errichtet, 1807 von Napoleon dem Marschall Kellermann ge-
schenkt, stand es damals leer. Am 19. 7. 1815 wurde das Schloß in
G.s Anwesenheit dem österreichischen Kaiserhaus übergeben (an
Carl August 20. 7. 1815), das es 1816 dem Fürsten Metternich
schenkte. G. zeigte eine Vorliebe für den Jahrgang 1811 (»Eilfer«)
des »Schloß Johannisberger« Weins.

Johannisfeuer. Für den in Jena bestehenden Brauch der Jugend, i der Johannisnacht Freudenfeuer anzuzünden und abgenutzte Rei sigbesen als Fackeln zu verwenden, den G. in Gesellschaft vo Freunden bewunderte, den die Polizei aber verbieten wollte, tri G.s Trinkspruch »Johannis-Feuer sei unverwehrt« vom Juni 180 ein (*Tag- und Jahreshefte* 1804).

John, Ernst Carl Christian (1788–1856). Der gebildete Jenaer Stu dent aus gutem Hause, Freund Augusts von G., war 1812–14 a Nachfolger Riemers G.s Sekretär in Weimar wie auf Reisen. G. lob seine »saubere Hand«, beschwert sich jedoch über seine Neigung z Trunk und Spiel und seine Arbeitsscheu (an Christiane 23. 7. 1813 1814 wechselte John in den preußischen Staatsdienst über, wurd 1823 Redakteur der Staatszeitung und arbeitete 1831–48 bei de Zensurbehörde.

W. Grupe, G.s Sekretär E. C. J., Goethe 24, 1962.

John, Johann August Friedrich (1794–1854). G.s Schreiber un Sekretär von November 1814 bis zu seinem Tod im März 1832, wi ihn J. J. Schmellers Gemälde »G., seinem Schreiber John diktierend von 1831 im Arbeitszimmer darstellt, war der Sohn eines Maler meisters, war brustkrank als Freiwilliger aus den Befreiungskriege heimgekehrt und wurde auf G.s Vorschlag (an Voigt 19. 12. 1815 von der »Oberaufsicht über die unmittelbaren Anstalten für Wis senschaft und Kunst« als Kopist angestellt und besoldet, arbeitet aber als Schreiber G.s, dem er treu, diskret und gewissenhaft diente ihn auf Reisen begleitete und alle ihm gestellten Aufgabe (Manuskriptkopien, Korrespondenz, Tage- und Haushaltungsbuch Wetterbeobachtung, Pflege von G.s Kunstsammlung) zu seiner Zu friedenheit erfüllte. Von seiner »sauberen Hand« stammen die mei sten späteren Manuskripte G.s. Nach G.s Tod mit einem Legat vo 200 Talern bedacht, arbeitete er ab 1832 als Kopist an der Landes regierung.

W. Schleif, G.s Diener, 1965.

Jones, Sir William (1746–1794). Der hochgebildete englische Juris (1784 Richter am Obertribunal in Kalkutta) und Orientalist wurd mit seinen *Poeseos Asiaticae Commentarii* (1774) zum Begründer de Sanskritforschung in Europa. Von seinen zahlreichen englische Übersetzungen orientalischer, besonders indischer Dichtunge benutzte G. für seine orientalischen Studien 1802 und 1814/15 di *Muallaqat* (1782), Kalidasas *Sakuntala* (1789) und Jayadevas *Gitago vinda* (1799). G. würdigt die von ihm bewunderte Leistung in de *Noten und Abhandlungen* (Kap. »Lehrer« u. ö.).

Jonson, Ben (1573–1637). Von dem englischen elisabethanische Dramatiker las G. auf Anregung Tiecks am 5.–6. 12. 1799 die Tragö

ie *Sejanus* (1603) und die Komödie *Volpone* (1605): »Das ist ja ein
anz verfluchter Kerl!« (zu Tieck 7. 12. 1799).

oseph. G. zeigte früh Interesse an der alttestamentlichen Ge-
chichte von Joseph, dem Sohn Jakobs (1. Mose). Um 1760 be-
chrieb er in einem Aufsatz zwölf Bilder, die die Geschichte Josephs
arstellen sollten (*Dichtung und Wahrheit* I,3). Sieben Joseph-
emälde des Frankfurter Malers J. G. Trautmann für den Königs-
eutnant Thoranc befinden sich heute im Goethehaus Frankfurt.
Im 1763 schrieb G. nach Vorbild von C. F. von Mosers *Daniel in der
öwengrube* (1763) ein langes »biblisches prosaisch-episches Ge-
icht« mit vielen eingeschalteten Episoden und Gebeten (ebd. I,4),
as er jedoch beim Autodafé seiner Frankfurter Jugenddichtungen
767 in Leipzig verbrannte (an Cornelia 12. 10. 1767). Eine 1920 in
Altona gefundene Josephsdichtung wurde kurze Zeit irrigerweise
. zugeschrieben.
  F. Tschirch, Der Altonaer Joseph, 1929.

oseph II., römisch-deutscher Kaiser (1741–1790). Der Sohn Kai-
er Franz I. und Maria Theresias wurde in Frankfurt am 27. 3. 1764
um römisch-deutschen König gewählt und am 3. 4. 1764 gekrönt
Kaiser wurde er erst 1765 als Nachfolger seines Vaters). G. erlebte
ie Feierlichkeiten selbst teils aus der Nähe mit und beschreibt sie
nter Benutzung zahlreicher zeitgenössischer Quellen in *Dichtung
nd Wahrheit* (I,5). An der späteren Herrschaft des unruhigen,
eformfreudigen Kaisers, der G. am 10. 4. 1782 in den Adelsstand
rhob, hatte G. weniger Freude. Er bemängelte seine Geringschät-
ung des Geistes, Vernachlässigung Voltaires (ebd. III,11) und Be-
ünstigung des Nachdruck-Unwesens (ebd. IV,16). Auf ihn bezie-
en sich die *Xenien* 286 und 351.
  S. Sieber, G.s Quellen und seine Darstellung der Krönung J.s II., ChWGV 28, 1914.

**oseph Bossi über Leonard da Vincis Abendmahl zu Mai-
and** →Bossi, Giuseppe

oseph der Zweite →*Sankt Joseph der Zweite*

osephus, Flavius (37 – um 100). Mit der *Jüdischen Geschichte* und
em *Jüdischen Krieg* des jüdischen Historikers befaßte sich G. am
3.–16. 2. 1808 und 2.–6. 10. 1825.

ournal des Luxus und der Moden. Die 1786 von F. J. Bertuch
nd G. M. Kraus (Illustrationen) in Weimar begründete, später unter
vechselnden Titeln und Herausgebern bis 1827 erscheinende Mo-
atsschrift war die erste und lange führende deutsche Mode- und
Damenzeitschrift um Themen wie Mode, Toilette, Haus, Garten,
Gesundheit, Erziehung, teils auch Theater, Kunst und Literatur. In

ihr veröffentlichte G. im März 1802 – im Gegenzug gegen einen
unterdrückten Verriß von A. W. Schlegels *Ion* durch →Böttiger -
seinen Aufsatz *Weimarisches Hoftheater* und im April 1815 eine ausführliche Besprechung seiner *Proserpina*. Sie war Zielscheibe de
Xenions 262 und der Invektive *Journal der Moden*.

R. Wies, Das J. d. L. u. d. M., Diss. München 1953; Heimliche Verführung, Katalog
Düsseldorf, hg. J. Göres 1978; G. Wagner, Von der galanten zur eleganten Welt, WB 35
1989.

Journal von Tiefurt →*Tiefurter Journal*

Journalismus. Neben seinen dichterischen und naturwissenschaftlichen Schriften beteiligte G. sich von 1772 bis Lebensende
mit Rezensionen, Literatur- und Theaterberichten u. ä. an Tageszeitungen, Wochen- und Monatsschriften wie *(Jenaische) Allgemeine
Literaturzeitung, Allgemeine Zeitung, Deutsches Museum, Frankfurter Gelehrte Anzeigen, Iris, Journal des Luxus und der Moden, Morgenblatt fü
gebildete Stände, Teutscher Merkur, Zeitung für die elegante Welt* und den
von ihm selbst herausgegebenen →Zeitschriften (→Herausgeber-
tätigkeit).

W. Scherer, Der junge G. als Journalist, in ders., Aufsätze über G., 1900; J. Wohlleben
G. als Journalist und Essayist, 1981.

Jubiläumsausgabe →Werkausgaben

Jude, Ewiger →*Ewiger Jude*

Judentum. Bei der Betrachtung von G.s differenziertem und
wechselndem Verhältnis zum Judentum sind zu unterscheiden
1. die Israeliten des Alten Testaments, deren geistig-künstlerische
Leistungen und biblisch-literarische Tradition G., der selbst Hebräisch lernte, von den frühen Dramenplänen biblischer Stoffe, dem
Joseph-Epos und der Sage vom *Ewigen Juden* bis zu den *Noten und
Abhandlungen* zum *West-östlichen Divan* zu allen Zeiten hochschätzte, – 2. einzelne Juden aus G.s persönlichem Bekanntenkreis
und der jüngeren und zeitgenössischen Kultur- und Geisteswelt, die
G. ohne Rücksicht auf Rasse und Religion voll akzeptierte und
teils bewunderte (Spinoza, F. Mendelssohn u. a.), – 3. das zeitgenössische Judentum allgemein, bei dem G. als Kind seiner Zeit, kondi-
tioniert durch die Umwelt, erst allmählich und mühsam von früherer Antipathie (Judengasse Frankfurt, *Dichtung und Wahrheit* I,4) in
Gefolge der Emanzipation und immer im Hinblick auf vergangene
und gegenwärtige Kulturleistungen und die hartnäckige, tapfere
Selbstbehauptung des Volkes zu einem liberalen, humanitär-toleran-
ten Standpunkt durchdringt, begünstigt sicher auch durch die Verehrung seines Werkes in den Berliner jüdischen Salons. Noch im
August 1807 notiert er im Tagebuch F. H. Himmels Judenwitze
noch 1808 spricht er sich gegen die Bürgerrechte für Frankfurter
Juden (an B. von Arnim 20. 4. 1808), noch 1823 gegen die durch

das Emanzipationsgesetz legalisierten jüdisch-christlichen Misch-ehen aus (zu F. von Müller 23. 9. 1823). Zeugnisse dieser positiven Wandlung sind das von L. A. Frankl (*Wahrheit aus G.s Leben*, 1882) überlieferte Gespräch G.s mit dem Prager jüdischen Bankier S. von Laemel in Karlsbad im Juni 1811 und *Wilhelm Meisters Wanderjahre* (II,2).

L. Geiger, G. und die Juden, in ders., Vorträge und Versuche, 1890; H. Teweles, G. und die Juden, 1925; J. Bab, G. und die Juden, 1926; W. Rose, G. and the Jews, in ders., Men, myths and movements in German literature, London 1931; M. Waldman, G. and the Jews, New York 1934; N. Oellers, G. und Schiller in ihrem Verhältnis zum J., in: Conditio Judaica 1, hg. H. O. Horch 1988; F. Krobb, »Überdies waren die Mädchen hübsch«: G.s Jüdinnen, OGS 20 f., 1991 f.; G. Hartung, G. und die Juden, WB 40, 1994.

Juel, Jens (1745–1802). Der dänische Porträtist schuf Ende Oktober/Anfang November 1779 in Genf ein Brustbild Carl Augusts und eine Bleistiftzeichnung G.s im Profil.

E. Poulsen, J. J., Kopenhagen 1991.

Julirevolution. Die Nachricht von der Pariser Julirevolution (27.–29. 7. 1830) und dem Sturz des Bourbonenkönigs Karl X. erreichte den Weimarer Hof am 2. 8. 1830 und G. am 3. 8. 1830 und bewirkte große Aufregung und Bestürzung (»Unheil«, »Tragödie«, »Erdbeben«) sowie die berechtigte Furcht vor einem möglichen Übergreifen auf Deutschland und Weimar. G. optierte aus konservativem Denken für eine rasche Unterdrückung solcher Tendenzen und ließ sich regelmäßig vom Minister von Gersdorff die Geheimberichte vorlegen. Die Anekdote, G. habe das Bedrohliche der Situation jedoch durch ein überwertiges Interesse am Pariser Akademiestreit →Cuvier/Saint Hilaire verdrängt (zu Soret 2. [?] 8. 1830), beruht auf einer Fehldatierung oder einem Mißverständnis Sorets, da G. für den 2. 8. keinen Besuch Sorets notiert und erst am 3. 8. von der Julirevolution erfuhr (Tagebuch). Sie kann daher nicht für die Politikferne G.s in Anspruch genommen werden.

W. Mommsen, Die politischen Anschauungen G.s, 1948.

Julius Caesars Triumphzug, gemalt von Mantegna. Ende Juni 1820 erwarb G. aus Frankfurt eine Folge von neun 1599 entstandenen Holzschnitten von Andrea Andreani nach →Mantegnas »Triumphzug des Julius Caesar« (1484–92) für die Gonzaga in Mantua (*Tag- und Jahreshefte* 1820; an J. H. Meyer 30. 6. 1820). Dadurch wurde er zu neuer Beschäftigung mit dem Zyklus angeregt, den er in Mantua nicht gesehen hatte, da er 1627 nach England gegangen war, und trieb Quellenstudien zu römischen Triumphzügen und dem Bildmotiv der Trionfi. Als Ergebnis entstand in mehreren Phasen vom 31. 10. 1820 bis 21. 5. 1822 diese einfühlende und vergleichende Beschreibung (*Über Kunst und Altertum* IV,1–2, 1823), die eine Neubewertung Mantegnas einleitete.

G. Mattenklott, Mantegnas Doppelleben als Muster für G.s späte Ästhetik, in: Bausteine zu einem neuen G., hg. P. Chiarini 1987.

Juncker, Justus (1703–1767). Der an den Niederländern geschulte, eigenwillige und selbstkritische Maler von Interieurs und Stilleben, gehörte 1759 zu den Frankfurter Künstlern, die in G.s Elternhaus für den Königsleutnant Thoranc arbeiteten, und malte 1764/65 zwei Stilleben (Frankfurt, Goethemuseum) für G.s Vater, die z. T. unter G.s Augen entstanden und zu denen er teils die Naturvorlagen (Blumen, Insekten) herbeischaffte (*Dichtung und Wahrheit* I,3–4).

Jung, Marianne →Willemer, Marianne von

Der Junggesell und der Mühlbach →*Der Edelknabe und die Müllerin*

Junghof. Der 1756 als Konzertsaal errichtete Saal mit Galerie nahe dem Roßmarkt in Frankfurt diente 1759–62 während der französischen Besetzung Frankfurts, das erst 1782 ein Komödienhaus erhielt, als Spielstätte des französischen Theaters. Hier gewann der junge G. bei häufigen Besuchen mit dem Freibillett des Großvaters seine ersten Theatereindrücke vor und hinter den Kulissen (*Dichtung und Wahrheit* I,3), die bis in die Theaterschilderungen im *Wilhelm Meister* fortwirkten.

Jungius, Joachim (1587–1657). Mit den Schriften des berühmten Arztes, Naturforschers, Mathematikers und Logikers, Professors in Gießen, Rostock, Helmstedt und ab 1629 des Johanneums in Hamburg, beschäftigte sich G. im Sommer 1828 in Dornburg in der (falschen) Vermutung, in ihm einen Vorläufer seiner Lehre von der Metamorphose der Pflanzen zu finden. Der schon damals entworfene Aufsatz (an J. M. Lappenberg 14. 1. 1829) über ihn entstand 1831: *Leben und Verdienste des Doctor Joachim Jungius, Rectors zu Hamburg.*

R. Matthaei, J. J. und G.s Farbenlehre, Neue Hefte zur Morphologie 1, 1954.

Jung-Stilling, eig. Johann Heinrich Jung, gen. Stilling (1740–1817). Den späteren pietistischen Schriftsteller, der als Schneider und Hauslehrer begonnen hatte, lernte G. im September 1770 als Straßburger Medizinstudenten und Tischgenossen kennen und gewann ihn zum Freund (*Dichtung und Wahrheit* II,9–10). Er schätzte damals seine ernste Frömmigkeit, sein unerschütterliches Gottvertrauen und seine allem Guten offene, reine Natur und ermutigte ihn 1772 zur Niederschrift seiner Lebensgeschichte, deren ersten, nicht zur Veröffentlichung gedachten Band *Henrich Stillings Jugend* er 1774 erhielt und unter Kürzung der religiös-erbaulichen Passagen 1777 zum Druck gab. Der Erfolg ermutigte Jung-Stilling zu stärker pietistisch getönten Fortsetzungen, von denen *Henrich Stillings Wanderschaft* (1778) die Straßburger Zeit mit G., *Henrich Stillings häusliches Leben* (1789) u. a. die Begegnung mit G. in

→Elberfeld darstellt, als G. den dort 1772–78 als Augenarzt tätigen Freund am 21./22. 7. 1774 im Pietistenkreis mit Jacobi antraf. Am 11. 2.–11. 3. 1775 war Jung-Stilling während der Ausführung einer (mißlungenen) Staroperation und wieder im Juli–Anfang August 1775 Haus- und Tischgast in G.s Elternhaus in Frankfurt (*Dichtung und Wahrheit* IV,16), befremdete jedoch zusehends durch seinen rührseligen Pietismus und seinen Glauben an die Vorsehung und ein unmittelbares Eingreifen Gottes in sein Leben (Xenion 19, *H. S.*). Den späteren Professor in Kaiserslautern, Marburg und Heidelberg traf G. zuletzt am 3. 10. 1815 bei einer fremd-kühlen Begegnung in Karlsruhe. Im Rückblick findet der einstige Freund, der vielleicht auch Züge zur Figur Mittlers in den *Wahlverwandtschaften* abgab, eine mildere Beurteilung in *Dichtung und Wahrheit*. Ein Paralipomenon (43) zur Walpurgisnacht im *Faust I* verspottet den sonst von G. nicht erwähnten Geisterglauben des »lieben Jung«.

C. F. Schreiber, Mittler – J.-St., Archiv 147, 1924; F. Götting, G.s Straßburger Freund J.-St., GKal 30, 1937; R. Paoli, G. e St., Rom 1949.

Junker Voland. Die Selbstbezeichnung Mephistos im *Faust I* (v. 4023) entstellt das mittelhochdeutsche »vâlant« = Teufel, böser Geist.

Juno Ludovisi. Von dem Kopf einer römischen weiblichen Kolossalbüste der Zeit 39/45 n. Chr., nach ihrem Standort am Eingang der Villa des Kardinals Ludovisi in Rom (heute Palazzo Altemps) »Juno Ludovisi« genannt, die schon J. H. Füßli, Winckelmann und Volkmann gepriesen hatten, erwarb G. am 5. 1. 1787 einen Gipsabguß des Gesichts (»meine erste Liebschaft in Rom«), den er neben anderen Abgüssen in seiner römischen Wohnung aufstellte und bei der Abreise A. Kauffmann schenkte (*Italienische Reise* 6. 1., 21. 2. 1787, Bericht April 1788). Am 7. 10. 1823 erhielt er als Geschenk von C. L. F. Schultz einen neuen Abguß (nach dem Berliner Abguß), der seither, überdimensioniert, dem großen Empfangssalon im Goethehaus am Frauenplan das Gepräge und den Namen (→Junozimmer) gibt. G.s besondere Vorliebe und ästhetisches Gefallen an der Skulptur belegen zahlreiche Erwähnungen und Vergleiche. Auch Herder, W. von Humboldt und Schiller (*Über die ästhetische Erziehung des Menschen*, 15. Brief) priesen sie. Neuere Forschung (A. Rumpf) allerdings widerspricht der Deutung des Kopfes, dessen Fundort und Fundzeit unbekannt sind, als Juno und sieht darin eine von Kaiser Claudius in Auftrag gegebene Kolossalstatue von dessen Mutter Antonia Augusta.

A. Rumpf, Antonia Augusta, 1941; H. v. Heintze, J. L., 1957.

Junozimmer. Das größte der repräsentativen Gesellschaftszimmer im 1. Geschoß des →Goethehauses (2) am Weimarer Frauenplan, so genannt nach dem 1823 dort aufgestellten Abguß der sog. →Juno Ludovisi, war das Empfangs- und Musikzimmer des Hauses, in dem

G. vor allem höfische, offizielle und bedeutende auswärtige Besucher empfing und auf dessen Konzertflügel (von Schillers Fluchtfreund Andreas Streicher in Wien) Hummel, Mendelssohn, Clara Wieck(-Schumann) u. a. musizierten. Den drei Fenstern zum Frauenplan gegenüber hängt J. H. Meyers Kopie der →Aldobrandinischen Hochzeit.

Jurastudium →Studium

Juristenberuf →Rechtsanwaltspraxis

Jussieu, Antoine Laurent de (1748–1836). Der Professor der Botanik und Direktor des Botanischen Gartens in Paris legte 1789 einen Versuch zur Klassifikation der Pflanzen *Genera plantarum* vor, den P. Usteri 1791 mit Anmerkungen herausgab. G. benutzte und zitierte das Werk mehrfach für seine botanischen Studien und versuchte in einem undatierten Fragment eine Versifizierung der Pflanzengattungen als Gedächtnisstütze (»Zum bequemen Gedächtnis …«).

Juvenal, Decimus Junius (um 60–um 130). Der römische Satiriker, G. vielleicht schon in der Jugend bekannt, da die *Ephemerides* (1770) ihn zitieren, bildete gewissermaßen G.s Urlaubslektüre: am 12. 4. 1790 kaufte er sich in Venedig eine Ausgabe, mit der er sich im Sommer 1808 in Karlsbad und Franzensbad beschäftigte.

K siehe auch unter C

Kaaz, Carl Ludwig (1773–1810). Den »vorzüglichen Dresdner Landschaftsmaler« (*Tag- und Jahreshefte* 1808) und Schwiegersohn A. →Graffs muß G. noch vor dessen Italienreise (1801–04) vielleicht im Mai 1800 in Leipzig kennengelernt haben, wo er auch Landschaften von ihm sah; im ersten Brief an ihn vom 30. 5. 1800 stellt er ihm als versprochenes Bildthema die Pansstunde. Am 24. und 25. 10. 1807 war Kaaz sein Gast in Weimar. Am 4.–29. 8. 1808 ließ sich G. in Karlsbad in täglichen Sitzungen mit ihm bei gemeinsamem Zeichnen in die Techniken der Farbgebung, des Aquarells und der Gouache einführen (ebd. 1808; an J. H. Meyer 17. 8. 1808). Im Juni und Juli 1809 war Kaaz, »eine mir sehr angenehme, ja liebliche Erscheinung« (zu Falk 14. 6. 1809), auf G.s Veranlassung Zeichenlehrer der Prinzessin Caroline in Weimar und zeitweise Hausund ständiger Tischgast G.s, dessen römische Erinnerungen er auffrischte. Gleichzeitig stellte er seine idealen, romantischen Landschaften in Weimar und Jena aus (*Tag- und Jahreshefte* 1809) und schuf drei G.-Porträts: eine Bleistiftskizze, ein Miniaturbildnis und ein kleines Ölbild. Eine von Kaaz geplante Sammlung von Radierungen nach Handzeichnungen G.s wurde durch seinen frühen Tod vereitelt.

H. Geller, C. L. K., 1961.

Kabiren. Die männlichen und weiblichen griechischen Seegott-
heiten der Kabiren, ursprünglich wohl orientalische Fruchtbarkeits-
dämonen, später Beschützer der Seefahrt im Gegensatz zu den
Sirenen, wurden in hellenistischen Mysterienkulten besonders auf
Samothrake u. a. als Heilsgottheiten verehrt und mit Unsterblichkeit und Metamorphosen verbunden. Ihre Zahl (3–8) und Größe
waren umstritten; sie wurden meist als zwergenhaft und als trans-
portable Kruggötter gedacht. In der »Klassischen Walpurgisnacht«
des *Faust* (v. 8067–77, 8168–8226) holen die Tritonen und Nereiden drei von ihnen auf einer Riesenschildkröte von Samothrake
zum ägäischen Meerfest. G. benutzt die Szene, um mit feiner Ironie
den Streit der romantischen Mythologen (G. F. Creuzer, *Symbolik
und Mythologie der alten Völker* II, 1811; F. W. J. von Schelling, *Über
die Gottheiten von Samothrace*, 1815) über ihre Gestalt, Zahl und
Funktion zu verspotten, indem er sie stumm sein läßt – ihr Den-
kergeist ist nicht mitgekommen – und nur andere über sie reden
läßt. Zugleich nähern ihre Kleinheit, Unvollkommenheit, Unfertigkeit und ihr Streben nach Höherem durch Metamorphose sie dem
Homunculus, dessen Mängel in ihnen kultisch verklärt als positiv
erscheinen.

K. Kerényi, Das ägäische Fest, 1941 u. ö.; B. Hemberg, Die K., Uppsala 1950; S. Atkins, The mothers, the Phorcides and the Cabiri in G's Faust, MDU 45, 1953.

Kabus. Das *Buch des Kabus oder Lehren des persischen Königs Kjekja-
vus für seinen Sohn Ghilan Schach*, d. h. den persischen Fürstenspiegel *Qâbûs-nâme* (1082/83) des Kaikâ'us (1021/22–1098/99), las G.
1815 mit großer Begeisterung in der Übersetzung von H. F. von
Diez (1811) als Hintergrundinformation, Sitten- und Kulturspiegel
für den *West-östlichen Divan* (*Noten und Abhandlungen*, Kap. »von
Diez«; *Tag- und Jahreshefte* 1815). Exemplare des im Selbstverlag von
Diez unverkäuflichen Werkes verschenkte er gern an Freunde.

F. Babinger, Der Einfluß von H. F. v. Diezens Buch des K., GRM 5, 1913; K. Mommsen, G. und Diez, 1961.

Kästchen. Das bei G. nicht seltene Kästchenmotiv (z. B. *Faust
v.* 2731, 2783, 2875, 2893; *Die neue Melusine, Die natürliche Tochter,
Die Wahlverwandtschaften, Pandora*) wird in *Wilhelm Meisters Wanderjahre* zum tiefgründigen Ding- und Leitsymbol des Lebensgeheim-
nisses. Vordergründig handelt es sich um ein verschlossenes goldenes Kästchen, das Felix in einer versteckten Eisentruhe in einer
Höhle aus Urgestein findet (I,4), an sich nimmt und seither, schuld-
bewußt, zum Jüngling auf der Suche nach Erkenntnis reift, es beim
Pfandleiher in Verwahrung gibt (I,12) und dessen Schlüssel, ebenfalls gefunden (III,2 und 7), beim unbeherrschten Versuch, das
Kästchen zu öffnen, zerbricht (III,17), aber magnetisch wieder zu-
sammenbleibt (ebd.). Über das Symbol des verschlossenen Lebens-
geheimnisses hinaus gewinnt das Kästchen erotische Konnotatio-

nen durch die Verbindung mit Felix' Leidenschaft für Hersilie, die
er mit dem Leben noch nicht harmonisch zu verbinden vermag
und dabei durch gewaltsamen Eifer beinahe zerstört. Weit über den
realen Bereich hinaus symbolisiert das Kästchen damit Lebenserfahrungen von Schuld, Liebe, Leidenschaft, Reife und Entsagung,
ohne sich auf einen einzigen Sinnbezug eingrenzen zu lassen: Das
unerschlossene Kästchen ist erschließendes Symbol des Lebens-
ganzen.

W. Emrich, Das Problem der Symbolinterpretation im Hinblick auf G.s Wanderjahre, DVJ 26, 1952, auch in ders., Protest und Verheißung, 1960; F. Ohly, Zum K. in
G.s Wanderjahren, ZDA 91, 1962; V. Dürr, Geheimnis und Aufklärung, MDU 74, 1982.

Käthchen   →Schönkopf, Käthchen

Kaiser. Die Szenen des *Faust II* (I und IV) am Kaiserhof des anonymen, nur typenhaften Kaisers sind nur prinzipiell durch die
Stofftradition angeregt; sie zeigen Faust innerhalb der auch sprachlich artikulierten Hofwelt auf dem Höhepunkt der derzeitigen Gesellschaft, die im Genuß von Macht, Reichtum, Kunst und ihrer
selbst ohne eigentliche Leistung sich selbst im Maskenspiel (»Mummenschanz«) spielt und zelebriert. Die Geldnot des Kaisers bietet
Mephisto die Gelegenheit zur Einführung des trügerischen Papiergeldes, seine Bedrängnis durch den Gegenkaiser zum Eingriff und
Sieg; im Zentrum jedoch steht die Beschwörung →Helenas:
Grundlagen und Voraussetzungen für den Helena-Akt (III) und
Fausts Landgewinnung (V).

A. R. Hohlfeld, Faust am K.hof, Euph 50, 1956; P. Requadt, Die Figur des K. im
Faust II, SchillerJb 8, 1964, auch in ders., Bildlichkeit der Dichtung, 1974; W. Wittkowski, Faust und der K., DVJ 43, 1969; P. Grappin, Zur Gestalt des K. in Faust II, GJb
91, 1974; H. Wiesflecker, Der K. in G.s Faust, in: Tradition und Entwicklung, hg.
W. M. Bauer 1982.

Kaiserwahl, Kaiserkrönung   →Joseph II.

Kalb, Carl Alexander von (1712–1792). Der verdiente Beamte
Anna Amalias aus alter, mit dem Rittergut →Kalbsrieth verbunde-
ner thüringischer Adelsfamilie, aufgeklärter Freund der Künste und
Wissenschaften und sparsamer Rechner, aber auch schlau auf den
eigenen Vorteil bedacht, war 1761–76 Präsident der Kammer
(Finanzbehörde) in Weimar. In seinem Stadthaus, dem früher dem
Deutschritterorden gehörenden damaligen Schwarzburger Hof
(→Sächsischer Hof) am Töpfenmarkt (Herderplatz), war G. als
Freund seines Sohnes J. A. A. von →Kalb in den ersten vier Mona-
ten seines Weimarer Aufenthalts (7. 11. 1775–18. 3. 1776) Hausgast,
bis er sich eine Wohnung gegenüber dem Gelben Schloß mietete.
Nach seinem Abschied 1776 zog sich von Kalb einsam nach Kalbs-
rieth zurück, wo G. ihn mehrfach besuchte. Von seinen neun Kin-
dern lebten bei G.s Ankunft in Weimar noch die Töchter Sophia
Friederike, 1779 verh. von →Seckendorff, Augusta Eleonora, 1796

verh. von Luck, und die Söhne Johann August Alexander (→Kalb, J. A. A.) und Heinrich Julius Alexander, Gatte der Charlotte von →Kalb.

J. L. Klarmann, Geschichte der Familie von K. auf Kalbsrieth, 1902

Kalb, Charlotte Sophie Juliane von, geb. Freiin Marschalk von Ostheim (1761–1843). Die Tochter einer wohlhabenden fränkischen Adelsfamilie auf Schloß Waltershausen im Grabfeld mit ausgedehntem Landbesitz, früh verträumt und kurzsichtig, wurde mit acht Jahren Vollwaise und von Verwandten erzogen. 1783 nach dem Tod des einzigen Bruders bei geringem Widerstand durch ihren Schwager J. A. A. von →Kalb, den Gatten ihrer Schwester Eleonore, zur unglücklichen Ehe mit dessen Bruder, dem Offizier Heinrich Julius Alexander von Kalb (1752–1806) gedrängt, folgte sie diesem 1784 in die Garnison Landau und lebte im nahen Mannheim, wo sie 1785 dem jungen Schiller nahestand, dann wechselnd in Kalbsrieth, Waltershausen, Gotha und seit Oktober 1786 öfter und Dezember 1794–Sommer 1799 mit Unterbrechungen in Weimar, 1788 vorläufig und 1799 endgültig von ihrem Gatten getrennt lebend, der ohne Stellung in einem de-facto-Verhältnis mit einer Lehrerstochter auf seinem Gut lebte und sich 1806 hoffnungslos und verarmt erschoß. Ihr schwärmerisches Gemüt trieb sie wiederholt in eine überspannte Leidenschaft für Literatur und Literaten, denen sie Muse und Prophetin sein wollte. 1787 erstrebte sie die Scheidung und erhoffte eine Ehe mit Schiller, der jedoch ihrem exaltiert-skurrilen Wesen auswich und sich ohne ihr Vorwissen verlobte, ohne damit die Freundschaft zu zerstören. Im Sommer 1788 lernte sie G. persönlich kennen, doch bleibt es bei einem höflichen Briefwechsel (besonders 1794–96) und, zumal 1799, bei gesellschaftlichem Verkehr. Ende 1793–Januar 1795 war durch Vermittlung Schillers Hölderlin Hofmeister ihrer Söhne und ihr Hausgenosse und Freund; 1796 und wieder 1798 zog sie Jean Paul nach Weimar, der der Leidenschaft und den Eheplänen der »Titanide« ebenfalls auswich und doch ihr Freund blieb. Mit Herder und seiner Familie war sie herzlich verbunden, mit Wieland distanziert befreundet. Nachdem ihr Schwager auch ihr ererbtes Vermögen rettungslos ruiniert hatte, versuchte sie einen kleinen Handel mit Handarbeiten u. ä. und zog 1804 nach Berlin, wo ihre Tochter Rezia, gen. Edda, 1809 Hofdame wurde und die fast Erblindete 1820 mit ins Schloß aufnehmen durfte. Bewundert, belesen und voller Ideen, aber unausgeglichen, inkonsequent und überschwenglich, glich sie ihr unerfülltes Leben durch Gefühl und reiche Phantasie aus.

J. L. Klarmann, Geschichte der Familie von K. auf Kalbsrieth, 1902; I. Boy-Ed, Ch. v. K., 1912; U. Naumann, Ch. v. K., 1985.

Kalb, Johann August Alexander (1747–1814). Der Mann, der Sachsen-Weimars Finanzen an den Rand des Bankrotts und zwei reich-

begüterte Adelsfamilien in den Ruin brachte, war der älteste Sohn
des Weimarer Kammerpräsidenten C. A. von →Kalb. Seit 1768
Kammerjunker, begleitete er im Oktober 1775 Carl August zur
Hochzeit nach Karlsruhe und nahm bei der Rückreise mit einem
verspätet aus Straßburg gelieferten Landauer G. nach Weimar mit,
der für die Zeit vom 7. 11. 1775–18. 3. 1776 Hausgast in seines Vaters Haus war, sich mit dem charmanten, lebhaften, ideenreichen,
aber windigen und oberflächlichen Kavalier und Freund Carl
Augusts auch seinerseits rasch anfreundete und mit ihm auf Jagden
ging. Von seinem Vater in viele Ämter gefördert, wurde Kalb u. a.
1770 Kammerrat und 1776 als dessen Nachfolger und gegen den
Widerstand der älteren Beamten von Carl August zum Präsidenten
der Kammer (Finanzbehörde) ernannt. Aber schon im Juni 1782
hatte der Herzog allen Grund, von ihm ein Demissionsgesuch zu
fordern, das Kalb erlaubte, angesichts der von ihm durch mangelnde
Erfahrung, Leichtfertigkeit, Unkorrektheiten, wilde Spekulationen
und Eigendarlehen verursachten Finanzkrise wenigstens äußerlich
das Gesicht zu wahren. In seinem Vertrauen enttäuscht, schloß der
Herzog ihn von allen Ämtern aus. »Als Geschäftsmann hat er sich
mittelmäßig, als politischer Mensch schlecht, und als Mensch abscheulich aufgeführt« (an Knebel 27. 7. 1782), urteilt G., der seit
1777 mit ihm die Bergwerkskommission geleitet hatte und am
11. 6. 1782 als sein Amtsnachfolger, doch ohne den Titel Kammerpräsident, mit der interimistischen Leitung der Kammer betraut
wurde. In weiteren Spekulationen mit Salinen und Bergwerken
sowie zahlreichen ebenso kostspieligen wie aussichtslosen Prozessen, u. a. gegen Carl August (*Tag- und Jahreshefte* 1795), ruinierte
Kalb nicht nur das Vermögen der Kalbs, sondern auch das beträchtliche Erbe seiner zweiten Frau Eleonore und seiner Schwägerin
Charlotte von →Kalb, beide Schwestern aus dem Hause Marschalk
von Ostheim, das er durch lieblose Geldheiraten unter seine Kontrolle brachte. Auch die Versteigerung der Ländereien und Besitztümer konnte nach seinem Tod den Konkurs nicht vermeiden.

J. L. Klarmann, Geschichte der Familie von K. auf Kalbsrieth, 1902.

Kalbsrieth. Das Rittergut bei Allstedt in Sachsen, 40 km nördlich
von Weimar, seit 1452 Stammsitz der Familie von Kalb, 1764 in ein
freies Erblehen umgewandelt und durch Schenkung von Carl
August 1776 erweitert, das C. A. von →Kalb als seinen Alterssitz
vergeblich zu sanieren versuchte, besuchte G. am 28./29. 5. 1776,
11. 3. 1779 und 21. 3. 1782. 1821 wurde es in der Konkursmasse
J. A. A. von →Kalbs versteigert.

Kalckreuth, Friedrich Adolf, Graf von (1737–1818). Den preußischen General und (1786) Feldmarschall lernte G. bei der Campagne in Frankreich 1792 kennen. Dem preußischen Oberbefehlshaber bei der Belagerung von Mainz machte G. am 27. 5. 1793 bei

einem Eintreffen in Marienborn seine Aufwartung und war in der
Folgezeit häufig Gast in seinem Hauptquartier (*Belagerung von
Mainz*).

E. Weniger, G. und die Generale, 1959.

Kalidasa (5. Jahrhundert). Unter den nicht zu zahlreichen indischen Dichtungen, die G. kennenlernte, machte ihm das Drama
Sakuntala von Kalidasa, ein anmutig-zartes Liebesdrama um Leidenschaft, Trennung und Wiedervereinigung Liebender, den stärkten und tiefsten Eindruck. G. erhielt im Mai 1791 von G. Forster
eine deutsche Übersetzung (1791) nach dem Englischen von
W. Jones (1789), las sie sogleich, bedankte sich im August und gab
einer Begeisterung in mehreren Werken, Briefen und Gesprächen
Ausdruck, z. B. im Epigramm *Sakontala* (Mai 1791) und in *Maximen
und Reflexionen* 1036. Schiller (an G. 20. 2. 1802) und 1818 G. trugen sich mit Plänen einer Bühnenbearbeitung (zu W. Gerhard 7. 7.
1818, an A. L. de Chézy 9. 10. 1830), und das Vorspiel des Dramas
regte G. zum »Vorspiel auf dem Theater« des *Faust* an. Um 1817
und anläßlich von Kosegartens Übersetzung wieder am 4. 4. 1821
las G. Kalidasas Gedicht *Meghaduta* (*Der Wolkenbote*) in der englischen Übersetzung von H. Wilson (1815), in dem ein verbannter
Höfling den Wolken Grüße an seine ferne Gattin aufträgt und das
ihn im Zusammenhang seiner meteorologischen Studien interessierte (*Tag- und Jahreshefte* 1817 und 1821); das Gedicht *Howards
Ehrengedächtnis* spielt darauf an. Beide Dichtungen lobt G. auch in
den *Noten und Abhandlungen* (Kap. »Übersetzungen«) und im Aufsatz *Indische und chinesische Dichtung* (1821, Nachlaß).

R. Beer, Faust und Shakuntala, WZ Halle 22, 1973; E. Faas, Faust and Sacontala, CL
31, 1979; →Indien.

Kaltennordheim. In dem Ort an der Rhön weilte G. auf seinen
Reisen durch Thüringen am 13.–17.(?) 9. 1780 und 9. 4. 1782. Hier
entstand am 15. 9. 1780 die Hymne auf die Phantasie *Meine Göttin*.

Kammerberg (Kammerbühl). Den »problematischen« Kammerberg zwischen Eger und Franzensbad in Böhmen, dessen geologische Struktur ihn interessierte, bestieg und besuchte G. von Franzensbad oder meist von Eger aus am 14., 15., 17. und 24. 7. und 1.,
5., 7., 9. und 10. 9. 1808, später am 16. 5. 1811, 28. 5. 1820 und
28. und 30. 7. 1822, zeichnete und beschrieb ihn und sammelte
Gesteinsproben (*Tag- und Jahreshefte* 1808 und 1820). 1820 regte er
zum Bau eines Stollens zur Erkundung des Inneren an. Die Ergebnisse seiner Untersuchungen legte G. in drei Abhandlungen nieder,
in denen er seine ursprüngliche Auffassung vom vulkanischen Ursprung des Berges (1808) 1820 im Gefolge des Bergrats F. A. Reuß
und des Neptunismus zugunsten eines pseudovulkanischen Ursprungs widerrief, in dieser Meinung jedoch 1822 wieder unsicher

wurde: *Der Kammerberg bei Eger* (entstanden 3.–5. 9. 1808; Erstdruck *Leonhards Taschenbuch für die gesamte Mineralogie* 1809, dann Hefte *Zur Naturwissenschaft* I,2, 1820); *Kammerberg bei Eger* (entstanden 1820; Erstdruck *Zur Naturwissenschaft* I,3, 1820) und *Kammerbühl* (entstanden 1822; Erstdruck ebd. II,1, 1823).

A. John, G. und der K., in: G.-Festschrift, hg. ders., Franzensbad 1906 u. ö.

Kampagne in Frankreich →Campagne in Frankreich

Kannegießer, Carl Friedrich Ludwig (1781–1861). Der Schriftsteller und Prenzlauer Gymnasialrektor veröffentlichte 1820 seine Schrift *Über Goethes Harzreise im Winter,* für deren Zusendung G. am 28. 11. 1820 dankte und die ihn zu einem eigenen Kommentar seines Werkes (*Über Kunst und Altertum* III,2, 1821) anregte.

Kanonade von Valmy →Valmy

Kant, Immanuel (1724–1804). G.s Verhältnis zum großen Königsberger Philosophen des deutschen Idealismus blieb zeitlebens eines der distanzierten, kühlen Anerkennung ohne persönlichen oder brieflichen Kontakt. Der Kant-Schüler Herder hatte G. in Straßburg nicht auf den Philosophen hingewiesen und stand später im Gegensatz zu ihm. Erst nach G.s Rückkehr aus Italien 1788 war die Ausbreitung von Kants Lehre nicht mehr zu übersehen. Der 1787 nach Jena berufene Professor C. L. Reinhold popularisierte Gedanken Kants in seinen *Briefen über die Kantische Philosophie* (*Teutscher Merkur* 1786/87, erweitert als Buch 1790–92). Erst Gespräche über Kant mit Ch. G. Körner in Dresden im September/Oktober 1790 und mit Schiller in Weimar am 31. 10. 1790 gaben im Oktober 1790 den Anstoß zu G.s erster Beschäftigung mit Kants *Kritik der Urteilskraft* (1790) und weiters vor allem den kleineren Schriften Kants. Obwohl G. sich Kants Philosophie immer nur eingeschränkt und sporadisch aneignete, bedeutet diese Beschäftigung für ihn den Ausbruch aus dem bloßen Empirismus und den Anschluß an die geistigen Strömungen der Zeit. Während sich G. den kategorischen Imperativ Kants aus der *Kritik der praktischen Vernunft* (1788) als Ersatz der schwachen religiösen Gebote zu eigen machte und Kants Parallele von Kunst und Natur voll anerkannte, lehnte er dessen Prinzip des »radikalen Bösen« (*Die Religion innerhalb der Grenzen der bloßen Vernunft,* 1793) ab (an Herder 7. 6. 1793). Einen kritischen Rückblick auf den Einfluß von Kants Philosophie auf das eigene Denken, das den »philosophischen Naturzustand« konkreter Anschauung dem abstrakten Gedankengebäude vorzog, geben die nach erneutem Kantstudium 1817/18 entstandenen Aufsätze *Einwirkung der neueren Philosophie, Anschauende Urteilskraft* und *Bedenken und Ergebung* (alle in *Zur Morphologie* I,2, 1820). Weitere wichtige Selbstzeugnisse: *Maximen und Reflexionen; Zu brüderlichem Andenken Wielands;* an C. G. von Voigt 19. 12. 1798; an Maria Paulowna 3. 1.

1817; zu F. von Müller 29. 4. 1818; zu Eckermann 18. 1. und 11. 4.
1827, 17. 2. 1829; an Zelter 29. 1. 1830.

K. Vorländer, G.s Verhältnis zu K., Kant-Studien 1–3, 1897–99 und GJb 19, 1898; G. Simmel, K. und G., 1906 u. ö.; K. Vorländer, K., Schiller, G., 1907; ders., G. und K., Kant-Studien 23, 1919; G. Rabel, G. und K., II 1927; M. Weitemeyer, G. und K., Jahrbuch der Akademie gemeinnütziger Wissenschaften zu Erfurt NF 47, 1928; E. Cassirer, G. and the Kantian philosophy, in ders., Rousseau, K., G., Princeton 1945; P. Westra, G. und K., EG 6, 1951; A. Keyserling, K. und G., JbWGV 68, 1964; H. Baum, K.s System und G.s Faust, 1992; G. v. Molnár, G.s K.studien, 1994.

Kantaten. Die Abteilung »Kantaten« in G.s Gedichtsammlungen
seit 1815 ist eine Verlegenheitslösung. Sie umfaßte zunächst 1815
vier größere Gedichte, die für Einzelsänger und Chor mit In-
strumentalbegleitung gedacht waren: →*Deutscher Parnaß*, →*Idylle*,
→*Johanna Sebus* und →*Rinaldo* (am 22.–24. 3. 1811 nach Tassos
Gerusalemme liberata für die schöne Tenorstimme Prinz Friedrichs
von Gotha und Chor geschrieben). Seit 1836 trat →*Die erste Walpurgisnacht* hinzu. Unvollendete Kantaten blieben das Requiem für den
Fürsten von Ligne (1815), eine Kantate zu Schillers Totenfeier und
eine großangelegte Kantate, eher Oratorium im Sinne von Händels
Messias, zum Reformationsjubiläum 1817, für die G. auf Zelters
Anregung vom 3. 11. 1816 am 7.–11. 11. 1816 einen Plan entwarf,
den er am 14. 11. und erweitert am 10. 12. 1816 an Zelter sandte,
selbst aber aufgab.

R. Hermann, G.s und Zelters Plan einer Reformations-K., Zeitschrift für systematische Theologie 18, 1941; J. Müller-Blattau, G. und die K., Schola 4, 1949.

Kapodistrias →Capo d'Istrias, Johannes Anton, Graf

Kapp, Christian Erhard (1739–1824). Dem philosophischen
Schriftsteller und Arzt in Leipzig, ab 1808 in Dresden, begegnete G.
1807 in Karlsbad und 1813 in Teplitz und zog ihn für seine Kuren
zu Rate; er pries seine lustige, lehrreiche Unterhaltung und seine
gewissenhafte ärztliche Sorgfalt (*Tag- und Jahreshefte* 1807; *Aus
Teplitz*, 1813).

Karadžić, Vuk Stepanović (1787–1864). Der serbische Philologe,
Schöpfer der serbischen Schriftsprache und Volksliedersammler, be-
suchte auf Veranlassung J. Grimms G. am 13. 10. 1823, sandte ihm
am 10. 11. 1823 wie schon 1814 Teile seiner Liedersammlung und
brachte ihm beim zweiten Besuch am 15. 2. 1824 zwei weitere
Bände, die G. im Zusammenhang mit der Übersetzung von Th. von
→Jakob in den Aufsätzen *Serbische Literatur* (1824) und *Serbische
Lieder* (1825) würdigt.

H. Wendel, V. K. und G., in ders., Südslawische Silhouetten, 1924; M. Jähnichen, V. K. und der serbisch-deutschen Kulturbeziehungen seiner Zeit, Zeitschrift für Slawistik 33, 1988.

Karikaturen. Von seinem Standpunkt der klassischen Ästhetik
waren G. Karikaturen mit ihrer Überbetonung des Häßlichen und

Karl

Widerwärtigen und der Verzerrung ins Fratzenhafte als »die kunst-, geschmack- und sittenverderblichste Verirrung« verhaßt (*Der Sammler und die Seinigen*, 4 und 8). Entsprechend notiert Ottilie (*Wahlverwandtschaften* II,7): »Es gehört durchaus eine gewisse Verschrobenheit dazu, um sich gern mit Karikaturen und Zerrbildern abzugeben.« →Hogarth.

Karl usw. vgl. →Carl usw.

Karl der Große (742–814). Die Gestalt des Frankenkönigs und römischen Kaisers war G. durch die Krönung Josephs II. und zahlreiche Spuren und Baudenkmäler (Kaiserpfalzen) gegenwärtig. Am 14.–20. 4. 1810 las er die Biographien Karls von Einhard und Turpin und entwarf aufgrund älterer Pläne vom 20. 8. und 8. 9. 1807 das Schema zu einer fünfaktigen →*Tragödie aus der Zeit Karls des Großen* im Stil Calderons und des romantischen christlichen Märtyrerdramas.

Karlsbad. Dreizehnmal weilte G. im Sommer oft monatelang aus gesundheitlichen wie gesellschaftlichen Gründen an dem international führenden böhmischen Badeort seiner Zeit, der gleichsam seine Sommerresidenz war, an der er Trinkkuren machte, Spaziergänge und Ausflüge unternahm, arbeitete, zeichnete, geologisch-mineralogische und meteorologische Studien trieb, vor allem aber auch die Geselligkeit einer kosmopolitischen Gesellschaft genoß, die sich im Kurort ein Stelldichein gab. Die Liste der Badegäste und neuen Bekanntschaften G.s bot ein halbes *Who is who* der Zeit: österreichischer, böhmischer, sächsischer, polnischer und russischer Adel und Hochadel, Fürsten, Diplomaten, Militärs, Literaten, Künstler, Musiker, Ärzte und Gelehrte, aber auch Weimarer Freunde und Bekannte waren in der Freizeitatmosphäre des Bades und quasi unter sich gelockerter und zugänglicher, und G., der viele von ihnen mit Widmungs- und Stammbuchversen beglückte und mit manchen Verbindungen auch über den Kuraufenthalt hinaus knüpfte, hatte über Langeweile nicht zu klagen. Über die Aufenthalte im einzelnen und z. T. Anschlußaufenthalte in anderen Bädern berichten die Tagebücher ausführlich. Die Zeiten in Karlsbad: 5. 7.–18. 8. 1785; 24. 7.–2. 9. 1786 (*Schriften, Iphigenie,* anschließend Flucht nach Italien); 5. 7.–11. 8. 1795 (*Lehrjahre, Märchen*); 2. 7.–4. 8. 1806 (*Pandora,* Geologie); 28. 5.–7. 9. 1807 (*Pandora,* Novellen der *Wanderjahre*); 15. 5.–9. 7. und 22. 7.–30. 8. 1808 (*Wahlverwandtschaften,* Zeichnen, Geologie); 19. 5.–4. 8. 1810 (*Dichtung und Wahrheit, Wanderjahre,* Zeichnen); 17. 5.–28. 6. 1811 (*Dichtung und Wahrheit*); 3. 5.–14. 7. und 11. 8.–12. 9. 1812 (*Dichtung und Wahrheit*); 26. 7.–13. 9. 1818 (Mineralogie); 28. 8.–26. 9. 1819 (Karlsbader Beschlüsse); 29. 4.–28. 5. 1820 (Geologie und Meteorologie); 25. 8.–5. 9. 1823 (Ulrike von Levetzow).

E. Hlawacek, G. in K., 1877, erw. 1883; B. Suphan, K. 1785, GJb 11, 1890; F. Puch-inger, G. in K., 1922; K. Ludwig, G. als Kurgast in K., Hochschulwissen 6, 1929; G. und K., 1932; V. Karell, G. als K.er Kurgast, 1939 u. ö.; J. Urzidil, G. in Böhmen, 1962.

Karlsbader Beschlüsse. Die bei G.s Eintreffen in Karlsbad am 28. 8. 1819 noch versammelten Minister der deutschen Bundes-staaten faßten auf der Karlsbader Konferenz (6.–31. 8. 1819) unter Metternichs Vorsitz Beschlüsse zur Einschränkung der universitären Lehrfreiheit, der Pressefreiheit, der Burschenschaften und Turn-vereine mit dem Zweck der Unterdrückung »demagogischer Um-triebe«. Im Unterschied zu liberalen Weimarer Regierungskreisen stand G. dabei auf Seiten Metternichs (an Carl August 3. 9. 1819).

Karlsruhe. In der Residenzstadt der Markgrafen von Baden machte G. zuerst am 17.–23. 5. 1775 auf der 1. Schweizer Reise mit den Brüdern Stolberg Station, verkehrte am Hof, machte die Be-kanntschaft des Markgrafen Carl Friedrich von Baden und C. von Mosers und traf Carl August und dessen Braut, Prinzessin Louise von Hessen-Darmstadt, die ihn nach Weimar einluden (*Dichtung und Wahrheit* IV,18, wo irrtümlich auch ein Besuch bei Klopstock erwähnt wird, der zu der Zeit nicht in Karlsruhe war). Auf dem Rückweg von der 2. Schweizer Reise mit Carl August besuchte man am 19.–21. 12. 1779 wiederum den badischen Hof. Der dritte und letzte Besuch in Karlsruhe mit Boisserée von Heidelberg aus am 3.–5. 10. 1815 brachte die Bekanntschaft mit J. P. Hebel und F. Weinbrenner, einen enttäuschenden Besuch bei Jung-Stilling und die Besichtigung von K. Ch. Gmelins Naturalienkabinett (*Tag- und Jahreshefte* 1815; *Kunst und Altertum am Rhein, Main und Neckar*).

Karlsschule →Hohe Karlsschule

Karneval →Das Römische Karneval

Karsch, Anna Louise, geb. Dürbach (1722–1791). Die autodidakti-sche Gelegenheitsdichterin, von ihren Förderern über Gebühr mit Vorschußlorbeeren als »deutsche Sappho« bedacht, begann im Au-gust 1775 eine Korrespondenz mit G., der am 17./28. 8. 1775 und 1. 9. 1776 nicht allzu ernst antwortete. Bei seinem Aufenthalt in Berlin besuchte G. sie auf ihre Aufforderung in einem Reimbillett am 18. 5. 1778, worauf sie ihm bescheinigte, er habe das Zeug, »sicherlich noch ein recht gutter Mensch« zu werden und das Anstößige seiner Werke zu bereuen (K. an Gleim 27. 5. 1778).

P. Pniower, G. in Berlin und Potsdam, 1925.

Kartenspiel. G.s Vater, ein intoleranter Gegner des Kartenspiels, hatte dem Sohn wiederholt und dringend vom Kartenspiel abgera-ten (*Dichtung und Wahrheit* II,8), das in der Freizeitgesellschaft des 18. Jahrhunderts zum beliebtesten Zeitvertreib zählte. Schon in den

Leipziger Studienjahren mußte G. jedoch erkennen, daß seine »Kenntnis und Ausübung in der Gesellschaft für unerläßlich gehalten wird« (ebd. II,6) und manche gesellschaftlichen Vorteile und Einladungen brachte. Daher lernte er bei Madame Böhme in Leipzig Piquet und L'Hombre und bei Salzmann in Straßburg Whist und spielte bei Schönemanns in Frankfurt und gelegentlich in Weimar und an anderen Fürstenhöfen auch Pharao oder Whist, fand, daß es »jungen Leuten … sehr zu empfehlen« sei (ebd. II,8), brachte aber selbst nicht genügend Konzentration dafür auf. Späterhin verglich er es mit dem Gewinn und Verlust bei einer Reise (an Schiller 14. 10. 1797) oder gar mit Zufall und Schicksal in der Tragödie (*Shakespeare und kein Ende*, 1815).

Kassel. G. besuchte die Residenzstadt der Landgrafen von Hessen-Kassel viermal: am 14.–16. 9. 1779 zu Beginn der 2. Schweizer Reise mit Carl August (bei Hof; Besichtigung der Galerie, der Antiken, Wilhelmshöhe; Bekanntschaft mit G. Forster), am 2.–5. 10. 1783 auf der 2. Harzreise (Besuch bei dem »gelehrten Hof«; Bekanntschaft mit S. T. Sömmering), Ende Dezember 1792 auf der Rückreise von Münster, als ihn der Gasthof als vermeintlichen französischen Emigranten zuerst abwies (*Campagne in Frankreich*), und am 15.–21. 8. 1801 auf der Rückreise von Pyrmont (von Christiane und J. H. Meyer erwartet; Theater, Gemäldegalerie, Parks von Wilhelmshöhe, *Tag- und Jahreshefte* 1801). Darüber hinaus unterhielt er Beziehungen zu mehreren Kasseler Künstlern, Architekten (D. →Engelhardt) und den Brüdern J. und W. Grimm, die 1814–30 Bibliothekare in Kassel waren.

E. Schröder, G.s Beziehungen zu K., Zeitschrift des Vereins für hessische Geschichte 52, 1919; K. Bretthauer, G. in K., Hessenland 40, 1928.

Kassengewölbe. Der der Landschaftskasse (Finanzbehörde) gehörende barocke Pavillon von 1713 mit unterirdischem Gruftgewölbe an der Ostmauer des Friedhofs um die Weimarer Jakobskirche diente als Bestattungsort für vornehme Bürger, die kein eigenes Familiengrab besaßen. Hier wurde, wie bei Vornehmen üblich, in der Nacht zum 12. 5. 1805 Schiller beigesetzt. Bei Ausräumung und Schließung des Gewölbes 1826 wurden Schillers Gebeine ausgesondert, in einem neuen Sarg vorübergehend auf der Bibliothek, der Schädel am 17. 9. 1826 feierlich im Sockel von Danneckers Schillerbüste ebd. deponiert und am 16. 12. 1827 in der neuerbauten →Fürstengruft feierlich beigesetzt. G. nahm krankheitshalber an Schillers Begräbnis und Totenfeier nicht teil und ließ sich in der Bibliothek durch August von G. vertreten. Vgl. →*Bei Betrachtung von Schillers Schädel*. Der Jakobsfriedhof wurde 1818 aufgegeben und später z. T. eingeebnet, das Kassengewölbe 1854 abgerissen, aber 1913 nach den alten Plänen neu errichtet und 1954 restauriert.

M. Hecker, Schillers Tod und Bestattung, 1935.

Katharsis (Reinigung). G.s Auslegung der berühmten, vielumstrittenen Tragödiendefinition in →Aristoteles' *Poetik*, die Tragödie führe durch Erregung von Mitleid und Furcht/Schrecken die Reinigung/Entladung dieser Leidenschaften/Affekte herbei, im Aufsatz →*Nachlese zu Aristoteles' Poetik* (1827) und im anschließenden Briefwechsel mit Zelter (17. 3. 1827, 31. 1. 1829, 29. 1. 1830, 8. 7. 1831) weicht von der traditionellen Deutung der Stelle ab. Statt Reinigung der Zuschauer von solchen Leidenschaften versteht G. unter Katharsis die »Ausgleichung«, »aussöhnende Abrundung« und »Versöhnung solcher Leidenschaften … auf dem Theater« (*Nachlese*) bzw. die »Vollkommenheit« oder »Vollendung des Kunstwerks in sich selbst« (an Zelter 29. 3. 1827). G. lehnt damit zugunsten einer verkimmanent ausgleichenden Harmonie die wirkungsästhetische Betrachtungsweise des Kunstwerks und seine intendierte, zweckbezogene Wirkung auf das Publikum ebenso ab wie eine mögliche moralische Wirkung der Kunst, die er auch seinen *Wahlverwandtschaften* abspricht (an Zelter 29. 1. 1830).

G. Rosenthal, G. und das K.problem, Monatshefte der Comenius-Gesellschaft NF 5–9, 1916 f.; F. Boll, G. und die tragische K., Berliner philologische Wochenschrift 36, 1916; A. Thomasberger, G.s Übersetzung des aristotelischen K.-Begriffs, in: G. et les arts du spectacle, 1982; W. Wittkowski, K., GJb 104, 1987; →Aristoteles.

Katholizismus. Trotz protestantischer Erziehung und weitgehend protestantischer Umwelt blieb G. gegenüber dem Unterschied von Protestanten und Katholiken im Grunde gleichgültig und kümmerte sich selten um die Konfessionszugehörigkeit seiner Freunde und Bekannten, von denen z. B. die Brentanos, die Fürstin Gallitzin, Boisserée und viele österreichische, französische und italienische Bekannte katholisch waren. Lediglich gegen die ihm unehrlich erscheinenden romantischen Konvertiten zum Katholizismus (Stolberg, F. Schlegel, A. Müller, Z. Werner, F. Schlosser) verhehlte er kaum seine Aversion. Durch Dechant Dumeiz (*Dichtung und Wahrheit* III,13), auf seiner 1. Schweizer Reise (Einsiedeln, ebd. IV,18) und besonders der Italienreise, wo G. katholischen Kirchenfesten beiwohnte, sowie im Kreis von Münster 1792 (*Campagne in Frankreich*) mit der katholischen Glaubenswelt, ihren Bräuchen und Zeremonien vertraut, berührte er mitunter in Gesprächen vergleichend die katholische Kirche und ihren Kultus. Trotz gelegentlicher Ausfälle gegen sie und einzelne Glaubenssätze, z. B. in den *Venetianischen Epigrammen*, favorisierte G. im allgemeinen eine allmähliche Annäherung und Verschmelzung beider Bekenntnisse (zu Eckermann 11. 3. 1832).

P. Lorentz, G. und der K., Wartburg 31, 1932; L. Curtius, G. und der K., Schweizer Rundschau 47, 1947 f., auch in ders., Torso, 1957; J. Bernhart, G. und die katholische Welt, Frankfurter Hefte 4, 1949, auch in ders., Gestalten und Gewalten, 1962; P. Meinhold, G.s Begegnung mit dem K. in Italien, Saeculum 2, 1951; →Christentum.

Kauffmann, Angelica (1741–1807). Die zu ihrer Zeit außerordentlich geschätzte Malerin gefällig-anmutiger mythologischer,

historischer, literarischer, allegorischer und religiöser Themen und
gesuchte Porträtistin im Stil des empfindsamen Klassizismus war
durch Stiche nach ihren Gemälden und Zeichnungen in ganz
Europa und auch in Weimar bekannt. Sie hatte nach 15jährigem
erfolgreichem Schaffen in London (1766–81) und einer gescheiter
ten Ehe mit einem Hochstapler 1781 den älteren Maler Antonio
→Zucchi (1726–1785) geheiratet und führte seit 1782 trotz unge
heuren Fleißes und vieler Aufträge ein geselliges Haus für Künstler
und Gelehrte in Rom, als G. sie dort Anfang November 1786 ken
nenlernte. Er schätzte sie als Menschen, als »schöne Seele« wie als
Künstlerin außerordentlich: »Es ist das beste Wesen von der Welt.
Man hat keinen Begriff von einem solchen Talent, mit solcher Ein
falt, Herzensgüte und echter Bescheidenheit« (an Knebel 21. 12.
1787), und »Sie hat ein unglaubliches und als Weib wirklich unge
heures Talent« (*Italienische Reise* 18. 8. 1787). Er fand bei der gebil
deten, literarisch interessierten Künstlerin aufrichtiges Verständnis
für seine Werke, besonders *Iphigenie* und *Egmont*, die er ihr vorlas
und deren Probleme er mit ihr erörterte, und Ermunterung zu
eigenem Zeichnen. Zumal beim zweiten römischen Aufenthalt
schloß er sich freundschaftlich an sie an, besuchte sie einmal die
Woche abends und war sonntags regelmäßig ihr Tischgast, besuchte
mit ihr und ihrem Gatten die Galerien und Malerateliers Roms, die
Campagna und die Albaner Berge, gab im Juli 1787 ihr zu Ehren
ein Konzert, schenkte ihr die Luxusausgabe seiner Werke und hin
terließ ihr seinen Abguß der Juno Ludovisi. Angelica schuf Zeich
nungen zu *Iphigenie* und *Egmont*, die in Stichen von Lips als Titel
kupfer der *Schriften* (Bd. 5, 6 und 8, 1788–90) erschienen, und ein
Gemälde »G. im Kreise seiner Freunde«. Nur in seinem Porträt,
einem Brustbild in Öl vom Juni 1787, fand G. wenig Ähnlichkeit:
»Es ist immer ein hübscher Bursche, aber keine Spur von mir.«
(*Italienische Reise* 27. 6. 1787; dazu Herder an seine Frau, 27. 2. 1789:
»Die zarte Seele hat ihn sich so gedacht, wie sie ihn gemalt.«). Auch
Anna Amalia und Herder, von G. an sie empfohlen, waren auf ihrer
Italienreise von der »vielleicht … kultiviertesten Frau in Europa«
begeistert (Herder an seine Frau 28. 3. 1789). Vgl. *Italienische Reise*,
passim.

V. Manners/G. C. Williamson, A. K., London 1924 u. ö.; A. Hartcup, Angelica, Lon
don 1954; W. Hugelsdorfer, A. K. und G. in Rom, Pantheon 20, 1962; J. Smidt-Dör
renberg, A. K., G.s Freundin in Rom, JbWGV 67, 1963; A. K. und die deutsche Dich
tung, hg. E. Thurnher 1966; A. K. und ihre Zeitgenossen, Katalog Bregenz 1968;
C. Helbok, Miss Angel, 1968; D. M. Mayer, A. K., Gerrards Cross 1972; S. Obermeier,
Die Muse von Rom, 1987; B. Baumgärtel, A. K., 1990; A. K., hg. W. W. Roworth, Lon
don 1992; A. Rosenthal, A. K., 1997; W. Maierhofer, A. K., 1997.

Kaufmann, Christoph (1753–1795). Der Winterthurer »Genie
apostel«, vegetarisch-abstinenter Lebensreformer aus einer Mischung
von Rousseauismus und Urchristentum, düpierte als Verkörperung
des bisher nur literarisch im Sturm und Drang vorgeprägten Kraft
genies, Wunderarzt, Wohltäter der Menschheit, »Gottes Spürhund

ach reinen Menschen« und religiöser Schwärmer, also Phantast,
Hochstapler und Schwindler ohne jede Originalität, auf seinen teils
gendären Reisen die höfische und literarische Welt (Carl August,
Hamann, Herder, Lavater, Claudius, Voß, G., Lenz, Klinger,
H. L. Wagner, Maler Müller u. a.). Einer Einladung Basedows an das
Philanthropinum in Dessau folgend, die nur ein kurzes Gastspiel
wurde, weilte er am 21. 9.–9. 10. und 24.–26. 12. 1776 sowie in der
2. Februarhälfte 1777 in Weimar und fand das Vertrauen G.s und
Carl Augusts, die im Dezember 1776 mit ihm auf Jagden in Dessau
und Wörlitz waren. Als seinen prahlerischen Worten und großen
Versprechungen keine Leistungen folgten, durchschaute man bald
den durch schnellen Ruhm geblendeten, haltlosen Wirrkopf und
verfolgte den »Lügenpropheten« (an Lavater 6. 3. 1780) umso heftiger mit Satiren. G., der ihn auf seiner 2. Schweizer Reise nicht
aufsuchte, beteiligte sich 1779 mit dem weitbekannten Vierzeiler
Christoph Kaufmann (»Als Gottesspürhund hat er frei / Manch
Schelmenstück getrieben, / Die Gottesspur ist nun vorbei, / Der
Hund ist ihm geblieben«).

H. Düntzer, Ch. K., 1882; W. Milch, Ch. K., 1932; ders., Ch. K., ChWGV 39, 1934.

Kaufmann, Johann Peter (1764–1829). Der Vetter von Angelica
Kauffmann, 1786 in Paris und ab 1797 in Rom zum Bildhauer ausgebildet, war seit 1817 als Nachfolger von C. G. Weißer Hofbildhauer in Weimar (*Tag- und Jahreshefte* 1816) und verkehrte dort mit
G. Er schuf u. a. Büsten von Carl August, Maria Paulowna und G.
(ebd. 1821) sowie das Giebelrelief des Römischen Hauses.

Kaunitz-Rietberg-Questenberg, Aloysius Wenzel, Fürst von
(1774–1848). Den österreichischen Gesandten am päpstlichen
Stuhl besuchte G. im Anschluß an die Karlsbader Konferenz
(→Karlsbader Beschlüsse) am 2. 9. 1819 in Karlsbad.

Kayser, Philipp Christoph (1755–1823). Der Sohn des Organisten
der Katharinenkirche in Frankfurt, Pianist und Komponist, galt, obwohl scheu und introvertiert, unter G.s Jugendfreunden als Genie,
und G., von seiner Begabung überzeugt, versuchte später vergeblich, ihn dazu zu machen. Im Frühjahr 1775 ging er, wohl auf Rat
Lavaters, als Musiklehrer nach Zürich, wo G. ihn auf seiner
1. Schweizer Reise im Juni 1775 zweimal besuchte. In Weimar der
kühlen Kompositionen seiner Lieder durch C. S. Freiherrn von
Seckendorff leid, ermunterte G. ihn 1776 zur Komposition seiner
Gedichte, von denen in Kaysers *Gesängen* (1777) fünf, meist aus
Erwin und Elmire, vorlagen und weitere acht folgten. Beim Wiedersehen in Zürich 1779 beauftragte G. Kayser mit der Komposition
eines Singspiels *Jery und Bätely*, das er ihm am 29. 12. 1779 sandte,
doch der skrupelhafte Komponist hatte keine Zeit dafür, und die
Uraufführung fand mit der Vertonung Seckendorffs statt. Im

Januar–Mai 1781 war Kayser G.s Gast in Weimar zur Planung wei
terer Singspiele, widersetzte sich aber in seinem weltfremden Wese
dem Hofleben. Im April 1785 sandte G. ihm das 1784 für ihn ge
schriebene Singspiel *Scherz, List und Rache* zur Komposition, di
Kayser, trotz G.s Ermunterung ängstlich, Akt für Akt bis Mai 178
übersandte, aber 1787 wieder umarbeitete und schließlich in
Herbst 1789 mit G.s resignierender Zustimmung (18.10.1789) a
»in ihrem bisherigen Zustand unbrauchbar« aufgab. Die Korre
spondenz dieser Jahre gab G. Anlaß zur Erörterung grundsätzliche
Probleme der Oper, des Werkes und einzelner Szenen daraus. An
14.8.1787 erbat G. von Kayser eine Bühnenmusik zum *Egmor*
(1787/88, nicht erhalten) und plante für ihn eine Cagliostro-Ope
→*Die Mystifizierten*. Von Ende Oktober 1787 bis April 1788 wa
Kayser G.s Gast in Rom, interessierte ihn für alte Kirchenmusik
beriet ihn bei den Neufassungen von *Erwin und Elmire* und *Clau*
dine von Villa Bella und reiste im April 1788 mit G. nach Weima
zurück, wo G. ihn als kenntnisreichen Reisebegleiter für Ann
Amalia in Italien empfahl. Doch der schwierige Charakter des Son
derlings führte schon im September 1788 in Bozen zur Trennung
und Kayser zog sich in seine Züricher Einsamkeit zurück. Da
Scheitern der künstlerischen Zusammenarbeit mit dem unproduk
tiven Freund trotz aller Mühen führte 1790 zur Lockerung de
ursprünglich herzlichen Freundschaft ohne Zorn, als der begabter
J. F. Reichardt als Komponist G.s erschien. (*Italienische Reise*
3.–14.11.1787, Bericht November 1787 und passim).

C. A. H. Burkhardt, G. und der Komponist P. Ch. K., 1879; E. Refardt, Der G.-K
1950.

Keferstein, Christian (1784–1866). Der Hallenser Privatgelehrt
und Geologe, den G. am 15.4.1807 in Halle, am 23.11.1817 i
Jena und am 1.8.1822 in Eger traf, veröffentlichte einen geo
logischen Atlas *Teutschland, geognostisch-geologisch dargestellt* (VII
1821–31), dessen erste Bände G. u. d. T. *Bildung des Erdkörpers* (4.9
1821) lobend und mit Vorschlägen zur Farbgebung besprach (*Zu*
Naturwissenschaft I,4, 1822; *Tag- und Jahreshefte* 1821, 1822).

Kehr, Isaak (1743–nach 1815). Der Frankfurter Bürgersohn, Stu
dent in Marburg mit Riese, Hauslehrer und 1785 Forstschreiber i
Frankfurt, gehörte zum Frankfurter Freundeskreis G.s, der ihn au
Leipzig mehrmals grüßen ließ. Der »alte Schulkamerad« besucht
G. am 6.8.1815 in Wiesbaden (Boisserées Tagebuch 7.8.1815).

E. Mentzel, I. K., Persönlichkeit I,1, 1914.

Kein Wesen kann zu nichts zerfallen →*Vermächtnis*

Kellermann, François Christophe (1735–1820). Der französisch
General und Marschall elsässischer Herkunft, schon am Sieben

hrigen Krieg beteiligt, schloß sich als überzeugter Republikaner
er Revolution an, befehligte 1792 bei der Campagne in Frank-
eich die Moselarmee und zwang nach der Kanonade von Valmy
ie Preußen zum Rückzug (*Campagne in Frankreich*). Napoleon
chenkte ihm 1807 das Schloß Johannisberg und machte ihn 1808
um Herzog von Valmy.

Der Kenner, Kenner und Enthusiast →*Anekdote unsrer Tage*

Kenner und Künstler. Das dialogische Künstlergedicht, wie die
→*Anekdote unsrer Tage (Kenner und Enthusiast)* aus dem Gedankenaustausch mit F. H. Jacobi wohl 1774 hervorgegangen und zusammen mit diesem 1775 in J. H. Voß' *Musenalmanach für das Jahr 1776*,
dann in den *Schriften* (1789) veröffentlicht, kontrastiert die Kritik
des Kenners an Einzelheiten mit dem intuitiven Schöpferdrang des
Künstlers und parallelisiert den künstlerischen mit dem kreatür-
lichen Schöpfungsakt.

Kennst du das Land? →*Mignon*

Kentaur →*Chiron*

Kepler, Johannes (1571–1630). Mit den Schriften und Briefen des
großen Mathematikers und Astronomen in Graz, Prag und Linz beschäftigte G. sich im Zusammenhang der Optik und Farbenlehre
besonders 1791 und März–Juli 1809 und entlieh sie aus Weimar,
Jena und Halle: *Ad Vitellionem paralipomena* (1604), *Tertius interveniens*
(1610), *Dioptrice* (1611), *Harmonices mundi* (1619; darin die Sphären-
harmonie) u. a. In der *Geschichte der Farbenlehre* (Kap. »Johannes
Kepler«) spendet er auch dem menschlichen Verhalten Keplers
hohes Lob. Vgl. *Maximen und Reflexionen* 812.

Kerkerszene. Die wohl ergreifendste Szene des *Faust* (v. 4405–
4612), Faust in Gretchens Kerker, ist schon im *Urfaust* – in Prosa –
enthalten, nicht dagegen in *Faust, ein Fragment* (*Schriften* 7, 1790),
der mit der Domszene abbricht. Erst im Frühjahr 1798 entstand die
Fassung in Reimversen, die den fast naturalistisch krassen Lakonismus der Prosafassung mildert (an Schiller 5. 5. 1798) und in dieser
Form seit 1808 gedruckt erscheint. Die Szene spielt auch sprachlich auf zwei verschiedenen Ebenen, der religiösen Symbolsprache
Gretchens, die hellsichtig und geistesverwirrt zugleich die Todesfurcht überwindet, sich von den irdischen Bindungen löst und der
Sühne und dem Jenseits zuwendet, und der realistisch-weltklugen
Haltung Fausts, der sie befreien will und nun spüren muß, wie die
von ihm ins Unglück Gestürzte ihm entgleitet.

J. T. Hatfield, A note on the prison-scene, PMLA 9, 1901; H. Meyer-Benfey, Die K.
in G.s Faust, ZfdA 38, 1924; B. v. Heiseler, Über die Möglichkeiten des Verses, Muttersprache 59, 1949; H. Geyer, Dichter des Wahnsinns, 1955.

Kersting, Georg Friedrich (1785–1847). Der »kunstfertige Maler« (*Dichtung und Wahrheit* III,15) heller, schlichter, biedermeierliche Innenräume mit Figuren in friedlicher Beschäftigung sandte auf Empfehlung von Louise Seidler aus Dresden 1812 zwei seiner Bilder nach Weimar, von denen G. die »Stickerin am Fenster« (1812 Bildnis Louise Seidler) für die Gemäldesammlung des Herzogs erwarb, den »Eleganten Leser« (1812) im März 1813 zugunsten des Künstlers verlosen ließ und ihn vom Gewinner, Louise Seidlers Vater, für die Weimarer Galerie zurückerwarb. G. lernte den von ihm hochgeschätzten Maler kurz darauf durch Vermittlung Körners im April 1813 in Dresden kennen; Kersting seinerseits, seit 181? Malervorsteher der Meißener Porzellanmanufaktur, besuchte den »herrlichen Greis« am 18.8.1824 in Weimar.

J. Gensel, K. und G., in: Stunden mit G. 4, hg. W. Bode 1908; K. Leonhard, G. F. K. 1939; W. Schnell, G. F. K., 1994.

Kestner, Charlotte →Buff, Charlotte

Kestner, Christian August (1794–1821). Der Jenaer Theologieprofessor, der G. 1819 und 1820 mehrfach besuchte, stellte in seiner offenbarungskritischen Schrift *Die Agape oder der geheime Weltbund der Christen* (1819) die These auf, das Christentum sei von einer Geheimgesellschaft mit dem Ziel der Weltrevolution planmäßig propagiert worden. G. las die Schrift Ende Juli 1819, empfahl sie am 24.12.1819 Reinhard und widmete ihr das Zahme Xenion »Vor deinem Liebesmahle …«.

H. Ullrich, Ch. A. K., JGG 14, 1928.

Kestner, Georg August Christian (1777–1853). Der 4. Sohn Charlotte und J. Ch. Kestners, Jurist, Diplomat und Kunsthistoriker, besuchte G. am 31.8.1815 auf der Gerbermühle bei Frankfurt, wurde später Hannoverscher Ministerresident und Archäologe in Rom, dort Mittelpunkt der deutschen Gesellschaft und 1828 Mitbegründer des Deutschen Archäologischen Instituts. In seinem Haus und in seinen Armen starb am 27.10.1830 August von G. Er berichtete darüber am 28.10.1830 an F. von Müller, der G. die Nachricht am 10.11.1830 schonend beibrachte. G. dankte ihm am 27.12.1830 für seine Fürsorge.

M. Mutterer, Esquisses goethéennes, Paris 1948; M. Jorns, A. K. und seine Zeit, 1964.

Kestner, Georg Wolfgang (1774–1867). Der 1. Sohn Charlotte und J. Ch. Kestners und G.s »Pate« wurde später Archivrat in Hannover und besuchte G. am 4.9.1819 und 2.9.1823 in Karlsbad.

Kestner, Johann Christian (1741–1800). Der gebürtige Hannoveraner wurde nach dem Jurastudium in Göttingen Hannoverscher Legationssekretär am Reichskammergericht in Wetzlar. Dort lern-

en er und die seit 1768 mit ihm verlobte Charlotte →Buff Anfang
Juni 1772 G. kennen und wurden rasch seine nächsten Freunde.
Nach seiner Heirat mit Charlotte (4. 4. 1773), zu der G. aus Frankfurt die Eheringe besorgte, wurde er Archivsekretär, später Hofrat
in Hannover. Aus der Ehe gingen zwölf Kinder hervor, die G. später teils besuchten. Nach G.s Weggang von Wetzlar (mit schriftlichem Abschied von beiden) am 11. 9. 1772 besuchte Kestner G.
am 22. 9. 1772 in Frankfurt, und G. war am 6.–10. 11. 1772 mit
J. G. Schlosser in Wetzlar. Kestners Bericht vom November 1772
über die Todesumstände →Jerusalems übernahm G. teils wörtlich in
den *Werther*. Der 1772–74 lebhafte Briefwechsel lockerte sich später, zumal nach Erscheinen der *Leiden des jungen Werthers* (1774), in
dem Kestner und Charlotte sich allzu deutlich widergespiegelt
sahen und zumal der fleißige, gewissenhafte, nüchtern-besonnene,
ruhige und verläßliche Kestner das Vorbild für den aus der Perspektive Werthers als kalt und steif überzeichneten →Albert abgab.
In *Dichtung und Wahrheit* (III,12) bleibt Kestner absichtlich unge-
nannt.

H. Gloël, G.s Wetzlarer Zeit, 1911; G., K. und Lotte, hg. E. Berend 1911.

Kestner, Theodor Friedrich Arnold (1779–1847). Der 5. Sohn von
Charlotte und J. Ch. Kestner besuchte am 8. 6. 1801 als Student der
Medizin und Chemie mit A. von Arnim G. in Göttingen und begleitete ihn zur Reitbahn. Sein Wunsch, sich in Frankfurt als Arzt
niederzulassen, gab Anlaß zu erneutem Briefkontakt Charlotte
Kestners mit G., die am 15. 10. 1803 G. um Empfehlungsbriefe für
ihn bat. G. folgte der Bitte am 23. 11. 1803 mit einem Brief an den
Frankfurter Stadtschultheiß Moors, und Kestner wurde 1804 Arzt,
1812 Professor und Stadtphysikus in Frankfurt, wo er mit seinem
Bruder Georg August Christian am 31. 8. 1815 G. auf der Gerbermühle besuchte.

Kickelhahn (Gickelhahn). Auf dem Aussichtsberg (861 m) des
Thüringer Waldes bei Ilmenau übernachtete G. am 6./7. 9. 1780 im
dortigen Jagdhäuschen, dichtete in der Nacht *Wandrers Nachtlied* (II:
Über allen Gipfeln …«) und schrieb die Verse mit Bleistift an die
Bretterwand im Obergeschoß des Häuschens. Am Vortag seines
letzten Geburtstags, 27. 8. 1831, besuchte er mit J. Ch. Mahr die
Stätte und fand die Inschrift wieder (an Zelter 4. 9. 1831). Die
Replik des 1870 abgebrannten »Goethe-Häuschens« trägt ein Fak-
simile.

Kielmannsegg, Christian Albrecht, Freiherr von (1748–1811).
Der Mecklenburger war nach dem Jurastudium in Göttingen
1771–73 Rechtspraktikant am Reichskammergericht in Wetzlar,
Mitglied der »Rittertafel« und Freund G.s, Kestners und Jerusalems.

G. beschreibt ihn als »den Ernstesten von allen, tüchtig und zuverlässig« (*Dichtung und Wahrheit* III,12). Ab 1774 am Landgericht Güstrow, wurde er 1795 dessen Präsident.

H. Gloël, G.s Rittertafel zu Wetzlar, 1910 und GJb 32, 1911.

Kieser, Dietrich Georg (1779–1862). Mit dem Arzt, seit 1812 Professor der Medizin in Jena, und Döbereiner untersuchte G. 1812/1? die Schwefelquellen in Berka im Hinblick auf die Gründung eine Heilbads. 1813–18 verkehrte er regelmäßig mit ihm in Jena und Weimar.

Kinder, Kindheit. Abweichend von der vorherrschenden Haltung seiner Zeit entwickelte G. früh einen tiefen Sinn für die Eigenheiten des Kindes als einer eigenwertigen, vorausdeutenden Entwicklungsphase des Menschen, die in nuce alles Menschliche umfaßt Wie sein Werther war er schon in Wetzlar und bis ins hohe Alter ei Kinderfreund, der sich liebevoll mit Kindern beschäftigen konnte ihnen zuhören, sich mit ihnen als väterlicher Freund in ihrer Sprache unterhalten und sie bei Spiel und Scherz verständnisvoll beobachten konnte, auch zu seiner eigenen Freude regelmäßig in seinen Haus und Garten Kinderfeste veranstaltete. Beispiele seiner herzlichen Anteilnahme sind die Kinder um Charlotte Buff, die seine Freunde Wieland, Herder, Jacobi und Knebel, Fritz von Stein die Weimarer Prinzen und Prinzessinnen, Künstlerkinder wie Ch. Neumann, F. Mendelssohn, C. Wieck und natürlich die eigenen Kinder und Enkel sowie deren Spielkameraden. Auch die Kinderfiguren in seinen Werken wie Götz' Sohn Karl, die Kinder im *Werther*, Felix, Hersilie und die geheimnisvolle Mignon im *Wilhelm Meister*, der geniale Euphorion im *Faust II*, das Kind in der *Novelle* oder die Kinder in den Maskenzügen usw. sind Niederschlag solchen Verständnisses für die kindliche Welt und deren Erlebnisweise in der sich Phantasie und Wirklichkeitssinn, Spiel und Scherz verbinden und sich am noch unverdorbenen Naturwesen die Keime künftiger Anlagen, Kräfte und Tugenden bekunden können (*Werther* 29.6.; *Lehrjahre* VIII,1; *Wanderjahre* I,4; *Hermann und Dorothea* III,47; *Dichtung und Wahrheit* I,2 und 4; *Maximen und Reflexionen* 274–276). – Von G.s eigenen Kindern wuchs nur August von →Goethe heran; die späteren, Carolina (1793), Carl (1795) und Kathinka (1802) von →Goethe, verstarben jung.

K. Muthesius, G., ein K.freund, 1903 u. ö.; A. Hackemann, G.s K.gestalten, Deutschland 8, 1906; K. Muthesius, G. und die Jugend, in: Jugendführer und Jugendprobleme hg. A. Fischer 1924; M. v. Herzfeld, G's images of children, GLL 25, 1971 f.; A. Pöthe G.s Bilder von Kindheit, Diss. Jena 1990 und ZfG 1, 1992.

Kiprenskij, Orest Adamovic (1773–1836). Der bekannte russische Maler und Porträtist schuf am 13.–18.7.1823 auf der Rückreise von Italien nach Petersburg in Karlsbad zwei Porträtzeichnungen G.s, deren eine 1826 von H. Grevedon in Paris als Lithographie verbreitet wurde (an C. L. F. Schultz 30.7./9.8.1823).

Kirche →Christentum, →Katholizismus, →Protestantismus, →Region

Kirchenmusik. Ein tieferes Verhältnis zur Kirchenmusik entwickelte G., dem das Heilige der Würde der Musik durchaus angemessen erschien, vor allem beim zweiten römischen Aufenthalt 787/88 durch das Interesse seines Freundes Ph.Ch. Kayser für alte Musik (*Italienische Reise*, Bericht November 1787) und ihr Erlebnis in St. Peter und der Sixtinischen Kapelle (ebd. 1. und 7. 3. 1788), zumal in der Karwoche 1788 (ebd. 22. 2., 14. und 22. 3. 1788). Seit 807 sang G.s →Hauskapelle sonntags geistliche Lieder, später auch Teile von Oratorien und Messen, für die er Noten von Zelter erbat an Zelter 27. 7. 1807). G.s Vorliebe für die Hymne *Veni, creator spiritus* veranlaßte ihn zu der Bitte an Zelter um eine Komposition, die »jeden Sonntag vor meinem Hause chormäßig möge gesungen werden« (ebd. 12. 4. 1820). Anklänge an die Kirchenmusik zeigen die Osternachts- und die Domszenen im *Faust* (v. 737–807, 776–3834). Vgl. →Musik.

P. Winter, G. erlebt K. in Italien, 1951; →Musik.

Kircher, Athanasius (1602–1680). Mit Schriften des Jesuiten und Polyhistors muß G. schon früh vertraut gewesen sein, da seine unkritischen Kompilationen ihm ein abschreckendes Beispiel waren an Langer 30. 11. 1769). Mit der *Ars magna lucis et umbrae* (1646) befaßte sich G. im Februar – Mai 1809 im Zusammenhang der Farbenlehre. Im ihm gewidmeten Kapitel der *Geschichte der Farbenlehre* nennt er ihn wenig originell, aber unterhaltend. Am 9./10. 2. 1825 beschäftigte er sich mit dem *Mundus subterraneus* (1678) und Kirchers herkömmlicher vulkanistischer Lehre, vielleicht für *Faust II* v. 10067–10121); sie verspottet er in dem Zahmen Xenion (VI) »Je mehr man kennt …«.

Kirms, Carl (1741–1821). Der ältere Bruder von Franz Kirms, Jurist und Kanzleibeamter, zuletzt Sekretär der Geheimen Kanzlei, feierte am 30. 5. 1815 zusammen mit E. C. von Schardt sein 50jähriges Dienstjubiläum. Dazu dichtete G. nachträglich am 10. 6. 815 in Wiesbaden das Festgedicht »Frage nicht, durch welche Pforte …« und sandte es am 11. 6. an August von G. mit der Bitte um Übergabe an die Jubilare. Die Strophen 1–4 gingen später in das Buch der Betrachtungen« des *West-östlichen Divan* ein.

Kirms, Franz (1750–1826). Der Weimarer Hofbeamte, 1789 Hofkammerrat und 1814 Geheimer Hofrat, verwaltete die Ressorts Theater und Hofkapelle, wickelte bei der Gründung des Weimarer Hoftheaters die Geschäfte mit J. Bellomo ab und wurde, selbst passionierter Theaterfreund, 1791 als zweites Mitglied der Hoftheaterintendanz und 1797 Mitglied der Hoftheaterkommission zuständig

für Verwaltung und Finanzen des Theaters in Weimar und auf Gastspielreisen, z. B. in Lauchstädt. Neben dem für das »Kunstfach« zu-
ständigen G. war er dessen rechte, ausführende Hand bei der Theaterleitung. Nüchtern, geschickt und notgedrungen sparsam, löste e
oft schwierige Finanzfragen, operierte mitunter verschmitzt mit G.
Namen und engagierte und hielt trotz niedriger Gagen Schauspieler und Sänger in Weimar. Ungeachtet gelegentlicher, unvermeid-
licher Meinungsverschiedenheiten und Vertrauenskrisen erkannte
G., der in der Korrespondenz offizielle Zurückhaltung übte, seine
Verdienste voll an (zu F. von Müller 16. 3. 1824) und ließ ihn 1824
von J. Schmeller für seine Porträtsammlung zeichnen. Über seine
Amtstätigkeit hinaus machte Kirms sein malerisches Vaterhaus mi
Garten und Teepavillon in der Jakobsgasse als wohlwollender, ge-
diegener Gastgeber zu einem geselligen Mittelpunkt für Literaten
und Theaterleute wie Iffland, Kotzebue, Schiller, Falk, Z. Werner
Hummel u. a. Nach seiner späten Heirat 1823 mit der Kammerfrau
Maria Paulownas, Caroline Krackow (1779–1866), und beider Toc
ging das sog. Kirms-Krackow-Haus an deren Nichten über, die
es quasi als Museum biedermeierlicher, gehobener bürgerliche
Wohnkultur unverändert ins 20. Jahrhundert retteten und es 1915
als Museum der Stadt Weimar übertrugen.

G. Ranft, Das K.-Krackow-Haus in Weimar, 1953 u. ö.;C. Sedlacek,Das K.-Krackow-
Haus in Weimar, 1989 u. ö.

Klärchen. Die (unhistorische) schlicht-bürgerliche Geliebte Egmonts im *Egmont* ist gleich Fausts Gretchen eine bedingungslos
Liebende, die sich in der Unbedingtheit ihrer Liebe über moralische und soziale Vorurteile hinwegsetzt, die Liebe voll Stolz auf der
Geliebten als schicksalhaft hinnimmt und nach seiner Verhaftung
den Freitod einem bürgerlich kompromißhaften Leben vorzieht. Sc
kann sie in der Traumvision der Schlußszene dem Geliebten als
Inbegriff innerer Freiheit erscheinen. Ihre dramaturgische Funktion, den Helden auch von seiner sympathischen privaten Seite ir
seiner warmherzigen Menschlichkeit zu zeigen und seine Volksnähe
und Volkstümlichkeit zu bekunden, wird verstärkt durch ihren
Triumph über die rivalisierende Regentin. Schiller kritisierte ir
seiner Rezension von 1788 bei allem Lob für die Figur die Ver-
quickung der politischen Staatsaktion mit der privaten »Liebes-
angelegenheit«, die den Helden zu einem »Liebhaber von ganz
gewöhnlichem Schlag« herabziehe; Weimarer Freunde nahmen Anstoß an der nüchtern-lakonischen Art, wie Egmont Klärchen a
Ferdinand empfiehlt (V,4).Vgl. *Italienische Reise* 3. 11. 1787 und Bericht Dezember 1787; zu Eckermann 19. 2. 1829.

M.-L. Kaschnitz, K., in: Gegenwart im Geiste, hg. W. Bulst 1954; R. T. Ittner, K. i
G's Egmont, JEGP 62, 1963; M.-L. Waldeck, K., PEGS 35, 1965.

Klaggesang von der edlen Frauen des Asan Aga. G. lernte di
serbokroatische Volksballade aus Clemens August Werthes' Über-

etzung *Die Sitten der Morlacken* (1775) aus Alberto Fortis' *Viaggio in Dalmazia* (1774) oder schon bei Werthes' Besuch in Frankfurt im Oktober 1774 kennen; seine Nachdichtung entstand 1775 vor der Abreise nach Weimar und erschien zuerst anonym in Herders *Volksliedern* (I,1778). Sie bestätigt G.s durch Herder geschulte intuitive Erfassung des Volksballadentons, die dem Original z. T. näher steht als der Vorlage und sie kongenial als eine verdeckte seelische Handlung aus tragischem Mißverständnis fortbildet: Die wegen vermeintlicher Herzlosigkeit nach islamischer Sitte schuldlos vertoßene Gattin verwindet nicht die Trennung von ihren Kindern und stirbt auf ihrem erzwungenen neuen Brautzug beim Wiedersehen mit ihnen an gebrochenem Herzen. G.s Bearbeitung steht am Anfang seiner Beschäftigung mit serbischer Volksdichtung und lenkte das Interesse auf diese.

F. Miklosich, Über G.s K., 1883; C. Lucerna, Die südslavische Ballade von Asan Agas Gattin und ihre Fortbildung durch G., 1905; G. Gesemann, Der K., Slavische Rundschau 4, 1932; M. Murko, Das Original von G.s K., Germanoslavica 3–4, 1935 f.; A. Curcin, Die Hintergründe von G.s morlackischem Lied, Südost-Forschungen 15, 1956.

Klaproth, Heinrich Julius (1783–1835). Der Forschungsreisende und Orientalist in Petersburg, Berlin und Paris hielt sich zuerst 1802 zu Studienzwecken in Weimar auf (*Tag- und Jahreshefte* 1802). Spätere Besuche bei G. am 16. 8., 10. 11. (?) und 1. 12. 1813 waren umso willkommener, als sie in die Zeit von G.s Zuflucht aus den turbulenten Zeitereignissen zu chinesischen Studien fielen, zu denen Klaproth aus eigener Anschauung beitrug (an Knebel 10. 11. 1813).

Klassik, Klassizismus. Beide Epochenbegriffe finden unter verschiedenem Aspekt Anwendung auf die Blütezeit der deutschen Literatur um 1800, besonders auf die Zeit von G.s Italienreise 1786 bis zu Schillers Tod 1805 und das gemeinsame Schaffen Schillers und G.s (»Weimarer Klassik«). – »Klassik« bezeichnet als Wertungsbegriff lediglich den künstlerischen Höhepunkt einer Nationalliteratur unabhängig von deren Zeit und geistig-stilistischer Eigenart. Dazu vgl. G.s Wesensbestimmung in *Literarischer Sansculottismus* (1795) und *Klassiker und Romantiker in Italien* (1820). Die Welt- und Kunstauffassung der deutschen Klassik um 1800 mit ihrer humanistisch-humanitären Ausrichtung, ihrem Ideal einer zeitlosen Autonomie der Kunst in harmonisch gebändigter, auf Vollendung gerichteter, mustergültiger Form, ihrer ästhetischen Erziehung zu einem humanen Lebensstil u. a. m. sind dann akzidentielle, spezifische Eigenarten dieser deutschen Klassik aus ihrer speziellen geistesgeschichtlichen Situation und nicht prinzipielle Kennzeichen einer Klassik schlechthin. – »Klassizismus« bezeichnet zunächst in der Geschichte der Künste, besonders Bildkunst und Architektur, dann auf Literatur und Theater übertragen, eine Ausrichtung der

Formensprache und Gestaltung an den vom klassischen Altertum (→Antike) entwickelten und für verbindlich erachteten Mustern und deren Anverwandlung und Nachahmung, z. T. durchaus mit modernem Gehalt. Nach ihrer Orientierung an der antiken Tradition trifft dies in der deutschen Literatur auf dieselbe Epoche zu. Die fast zufällige Koinzidenz von Klassik und Klassizismus in der deutschen Literatur ist im Prinzip jedoch geschichtlich nicht notwendig, weshalb in anderen Literaturen (z. B. England, Italien) beide Epochenbegriffe verschiedene Zeiten bezeichnen können und andererseits »classicism, classicisme, classicismo« auch für die deutsche bzw. Weimarer Klassik stehen.

Klassische Walpurgisnacht. Als Gegenstück zur nordischen →Walpurgisnacht, der düsteren Hexennacht auf dem Blocksberg mit ihrem Triumph des Sexus, schuf G. für *Faust II* (2. Akt, v. 7005–8487) eine glanzvoll-heitere südliche Zaubernacht zur Feier von Schönheit und Eros. Sie konnte erst erwogen werden, als der Schauplatz des Helena-Aktes von deutschem Boden nach Süden verlegt wurde, erscheint zuerst, noch abweichend, im Schema vom Dezember 1826 und entstand, mit rd. 1500 Versen fast ein eigenes Spiel, im Januar–Juni 1830. Für sie erfand G., wiederum als Gegenstück zum nordischen Hexensabbat, eine alljährlich am Jahrestag der Schlacht von Pharsalus (9. August) am Fuße des Olymp in Thessalien und an den Ufern des Peneios und der Ägäis stattfindende Versammlung der unteren (nicht-olympischen) antikheidnischen Geister, Fabelwesen, Naturgottheiten und -dämonen, angereichert durch mythologische Kenntnisse und Reminiszenzen aus der bildenden Kunst sowie gemäß seinem Altersstil durch zahlreiche ironische Anspielungen auf psychologische, soziologische und naturwissenschaftliche (geologische, biologische) Fragen. Diese magisch-symbolische Märchenwelt mit ihrer überbordenden Fülle von Figuren, Begegnungen, Kontrasten und Ereignissen steigert sich zu einer weihevollen Feier der ehrfürchtig verehrten Natur, die im Verein mit Eros und Geist höchste Schönheit hervorzubringen vermag und auch die Wiederverlebendigung des Ur-Schönen ermöglicht: Von Homunculus, der allein von der Klassischen Walpurgisnacht weiß, auf deren Schauplatz geführt, wird Faust auf der Suche nach Helena an das Tor der Unterwelt gewiesen (v. 7494), wo er in einer nicht ausgeführten Szene Helena von Persephone freibittet, so daß das ägäische Fest quasi eine Ouverture zum Helena-Akt bildet.

V. Valentin, Die K. W., 1901; W. Hertz, Entstehungsgeschichte und Gehalt von Faust II,2, Euph 25, 1924; K. Kerényi, Das ägäische Fest, Amsterdam 1941 u. ö.; E. Busch, Die K. W., GRM 31, 1943; K. Reinhardt, Die K. W., AuA 1, 1945, auch in ders., Tradition und Geist, 1960; W. Kohlschmidt, K. W. und Erlösungsmysterium, in ders., Form und Innerlichkeit, 1955; H. Rehder, The Classical W., JEGP 54, 1955; H. Seidler, Die K. W. JbWGV 73, 1969; D. Hölscher-Lohmeyer, Natur und Gedächtnis, JFDH 1987; L. Zagari, Natur und Geschichte, in: Bausteine zu einem neuen G., hg. P. Chiarini 1987; T. Gelzer, Das Fest der K. W., in: Aufsätze zu G.s Faust II, hg. W. Keller 1991; →Faust.

Klassisches Altertum →Antike

Klassizismus →Klassik

Klauer, (Gottlieb) Martin (1742–1801). Anna Amalia berief den
Rudolstädter Bildhauer 1774 als Hofbildhauer nach Weimar, Carl
August ermöglichte ihm 1779 einen Studienaufenthalt im Mannheimer Antikensaal und ernannte ihn 1781 zum Lehrer an der
freien Zeichenschule. G. nennt ihn vorsichtig »zwischen Künstler
und Handwerker viele Jahre rüstig und tätig« (an Carl August 26. 5.
1816) und »einen Mann von leichtem Begriff und schneller Hand,
der sich täglich durch das Studium der Natur und der Antike bes-
sert, dem es aber an Imagination fehlt« (an Lavater 3./5. 12. 1779)
und schlägt 1795 eine Sammlung und Ausstellug seiner Werke vor
(*Über die verschiedenen Zweige der hiesigen Tätigkeit*). In der Tat war der
klassizistische Künstler höchst vielseitig und wuchs an G.s hohen
Ansprüchen in seinen getreuen Porträtbüsten und -reliefs zum
Bildhauer des klassischen Weimar heran, dessen Fürsten, Hofleute,
Schriftsteller und Gäste er in Stein, Gips oder Ton verewigte: Anna
Amalia, Carl August, Herzogin Louise, G. (sechs Büsten: September
1778, 1779, zwei 1780, 1782 und 1790), Wieland, Herder, Knebel,
F. H. Jacobi, Iffland, W. von Humboldt u. a. m., dazu ein ganzfiguri-
ger Knabenakt des jungen Fritz von Stein (1778), Statuen wie der
Weimarer Neptunbrunnen, Spinx und Schlangenstein im Ilmpark
und G.s →Ildefonso-Gruppe. Darüber hinaus versorgte Klauer aus
einer gutgehenden Werkstatt per Katalog ganz Deutschland und
z. T. das Ausland mit Garten-, Friedhofs- und Architekturskulptu-
ren aller Art sowie Abgüssen von Büsten der Dichter und Denker
von der Antike bis zu den Zeitgenossen: ein Angebot von zuletzt
1800) 133 Nummern.

<small>W. Bode, M. K., in ders., Stunden mit G. 5, 1909; W. Geese, G. M. K., 1936; E. Beut-
ler, Taten und Ruhm von G. M. K., in ders., Essays um G., 1941 u. ö.</small>

Klein, Anton, Edler von (1748–1810). Das Epos *Athenor* (1802,
2. Auflage 1804) des Mannheimer Professors der schönen Künste
nennt G. in einer negativen Rezension (*Jenaische Allgemeine Literaturzeitung* 38, 14. 2. 1805) einen »ästhetischen Tragelaph«. Schiller
gegenüber, der Klein von Mannheim her kannte, wurde er noch
deutlicher und nannte es eine »gereimte Tollhausproduktion« (an
Schiller 9. 5. 1802).

Klein, Elisabeth →Parthey, Elisabeth

Kleine Blumen, kleine Blätter →*Mit einem gemalten Band*

Kleinjogg →Gujer, Jacob

Klein-Paris. Die schmeichelhafte Bezeichnung für Leipzig ist seit
1768 in Reiseführern u. ä. belegt. G. spielt schon im Brief an Cor-

nelia vom 30. 3. 1766 darauf an und verweist auf die Bezeichnung im Brief an Fritsch vom 12. 3. 1790. Die aus dem Munde Froschs ironische Stelle in »Auerbachs Keller« (*Faust* v. 2172) steht erstmals in *Faust. Ein Fragment* (1790; v. 648).

Kleist, Ewald Christian von (1715–1759). Der Dichter des empfindsamen Poems *Der Frühling* (1749) und patriotischer Oden gehörte nicht zuletzt wegen seines Soldatentods nach der Schlacht bei Kunersdorf in G.s Jugendzeit zu den bekanntesten deutschen Dichtern. Für G., der ihn selten erwähnt (*Dichtung und Wahrheit* II,7; *Wanderjahre* III,13), gehörte er einer vergangenen Epoche an.

Kleist, Heinrich von (1777–1811). Das Verhältnis zwischen G. und Kleist, zunächst von Wohlwollen und hohen Erwartungen genährt, endete in Enttäuschung und Bitterkeit, da die Unausgeglichenheit und Zerrissenheit des Jüngeren und sein Bild einer unverständlichen Welt dem Harmoniestreben G.s zuwiderlief und G. die spezifische Eigenart seines Werkes verkannte und ungerecht bewertete: »Mir erregte dieser Dichter, bei dem reinsten Vorsatz einer aufrichtigen Teilnahme, immer Schauder und Abscheu« (*Ludwig Tiecks Dramaturgische Blätter*, 1826). Als der noch unbekannte Kleist im Oktober–Dezember 1802 in Weimar und im Januar/Februar 1803 in Oßmannstedt bei Wieland wohnte, dessen Sohn er in der Schweiz kennengelernt hatte, mag eine gelegentliche Begegnung erfolgt sein; belegt ist eine persönliche Bekanntschaft nicht. Adam Müller sandte G. am 31. 7. 1807 Kleists *Amphitryon* und *Der zerbrochene Krug*. Den *Amphitryon* las G. schon vorher am 13. 7. 1807 in Karlsbad, setzte sich im Tagebuch ausführlich damit auseinander (»Verwirrung der Gefühle«, 13. 7. 1807), zog die Parallele zur unbefleckten Empfängnis (Tagebuch 15. 7. 1807; zu Riemer 14. 7. 1807) und nannte ihn »ein bedeutendes, aber unerfreuliches Meteor eines neuen Literatur-Himmels« (Papiere zu den *Tag- und Jahresheften* 1807). Den *Zerbrochenen Krug* las G. am 8./9. 8. 1807 und wieder am 26. 8. 1807, lobte die »außerordentlichen Verdienste« und das »Talent des Verfassers«, bedauerte aber, »daß das Stück auch wieder dem unsichtbaren Theater angehört« (an A. Müller 28. 8. 1807), und entschloß sich dennoch zu einer Aufführung unter seiner Regie in Weimar am 2. 3. 1808. Diese führte jedoch infolge unglücklicher Besetzung, des pathetisch-klassizistischen Deklamationsstils und einer die Spannungsstruktur zerstörenden, unkongenialen Zerlegung in drei Akte zu einem verhängnisvollen Mißerfolg (*Tag- und Jahreshefte* 1807). In merkwürdiger Verkennung des Dramas führte G. ihn darauf zurück, »daß es dem übrigens geistreichen und humoristischen Stoffe an einer rasch durchgeführten Handlung fehlt« (zu Falk 1809). Schon zuvor, am 24. 1. 1808 sandte Kleist G. »auf den Knien seines Herzens« das 1. Heft des *Phöbus* mit acht Szenen der *Penthesilea* und bat G. (wie schon A. Müller am 17. 12. 1807) un

Beiträge zum *Phöbus*. G.s befremdlich kühle Antwort in seinem einzigen Brief an Kleist vom 1. 2. 1808 und die Ablehnung des Stückes als nicht bühnengerecht (»Mit der *Penthesilea* kann ich mich noch nicht befreunden«), die er später auch mit der Anatomie der Amazonen begründete (»Die Tragödie grenzt in einigen Stellen völlig an das Hochkomische«, zu Falk 1809) führte zum völligen, von G. wohl intendierten Bruch mit Kleist (an Knebel 3./4. 5. 1808). Dieser reagierte mit Verachtung und Spott in den Epigrammen *Herr von Goethe* und *Das frühgereifte Genie* (auf G.s Ehe). Kleists *Käthchen von Heilbronn* las G. am 15. 2. 1817; nach einem fragwürdigen Zeugnis von E. W. Weber von 1865 soll er es mit den Worten »Ein wunderbares Gemisch von Sinn und Unsinn! Die verfluchte Unnatur!« sogar ins Feuer geworfen haben. Den *Michael Kohlhaas* soll G. »artig erzählt und geistreich zusammengestellt, … doch alles gar zu ungelig« genannt haben (zu Falk 1810). Die weiteren Werke Kleists nahm G. anscheinend nicht zur Kenntnis.

H. Friese, G. und K., NJbb 2, 1926; H. Loiseau, G. et K., Revue de l'enseignement es langues vivantes 52, 1935; J. Nadler, K. und G., ChWGV 47, 1942; B. Blume, K. und G., MDU 38, 1946; A. Schlagdenhauffen, K. et G., EG 16, 1961; E. Krispyn, K. und G., Jb 6, 1966; J. Müller, G. und K., in: G. und seine großen Zeitgenossen, hg. A. Schaefer 1968; H. Sembdner, In Sachen K., 1974, erw. 1984; K. Mommsen, K.s Kampf mit G., 1974; P. Goldammer, K. und G., WB 23, 1977; J. Price, Prescription und proscription, GLL 34, 1980 f.; D. Grathoff, G. und K., in: Ethik und Ästhetik, hg. R. Fisher 1995; J. Schmidt, G. und K., GJb 112, 1995; A. Stephens, K.s erzählerische Repliken auf G.s Wilhelm Meister, in: Romantisches Erzählen, hg. G. Neumann 1995.

Klenze, Leo von (1784–1864). Der klassizistische Münchner Hofarchitekt Ludwigs I. sandte G. 1821 seine Schrift *Der Tempel des olympischen Jupiter zu Agrigent* (1821), die G. am 21. 11. 1821 las. Sein Gemälde desselben Tempels besprach G. sehr lobend (*Über Kunst und Altertum* VI,2, 1828). Klenze besuchte G. am 8. 5. 1831 in Weimar.

Klettenberg, Susanna Catharina (1723–1774). Die kränkliche Verwandte und Freundin von G.s Mutter aus angesehener Frankfurter Familie war zugleich eine Vertraute und mütterliche Freundin des jungen G. zumal während seiner dem Religiösen offenen Frankfurter Rekonvaleszentenzeit 1768–70 und wieder 1774. Wegen ihrer tiefen, aber toleranten, heiter-natürlichen und ruhigen Frömmigkeit und ihres harmonischen, Bildung, Weisheit, Güte und Glauben verbindenden, vergeistigten Wesens genoß sie bei G. und einem Kreis tiefe Verehrung, erschloß ihm die religiöse Vorstellungswelt des Pietismus und förderte und teilte sein Interesse für hermetische Schriften und alchemistische Experimente (*Dichtung und Wahrheit* II,8). Anfangs einem gemäßigt pietistischen Lutheranertum nahestehend, neigte sie später zur Entrüstung des Pastors Fresenius zeitweilig zum Herrnhutertum, verfaßte religiöse Aufsätze und geistliche Lieder und beredete wohl auch G. zur Teilnahme an der Synode der Herrnhuter in Marienborn 1769. G.

sandte 1774 eine (verschollene) eigenhändige Zeichnung der Frau in ihrem Zimmer an eine »auswärtige Freundin« mit den ihr Wesen einfangenden Versen »Sieh in diesem Zauberspiegel ...« (ebd III,15) und am 20. 5. 1774 seinen Schattenriß der Klettenberg an Lavater. Im Juni 1774 vermittelte er Lavaters Bekanntschaft mit ihr, die zu einem langen Religionsgespräch führte (ebd. III,14). Der Frau, die den stärksten religiösen Einfluß auf ihn ausübte, und ihrem Entwicklungsgang setzte er später ein verklärendes Denkmal in den an ihre Briefe und Unterhaltungen angelehnten → »Bekenntnissen einer schönen Seele« (*Wilhelm Meisters Lehrjahre* VI) und z. T. in der Figur der Makarie in den *Wanderjahren* (III,15).

H. Dechent, G.s Schöne Seele, 1896; Die schöne Seele, hg. H. Funck 1911 u. ö.

Klingemann, Ernst August Friedrich (1777–1831). Der spätromantische Dramatiker, von dem das Weimarer Theater 1797 *Die Maske* (in Rudolstadt) und 1813 *Oedipus und Jokaste* spielte, schrieb 1811 (Druck 1815) auch ein eigenes *Faust*-Drama. Seit 1813 Leiter des späteren Braunschweiger Hoftheaters, pflegte Klingemann einen an Weimar orientierten Deklamationsstil; Theatergeschichte machte er am 19. 1. 1829 mit der ersten öffentlichen Aufführung von G.s *Faust I* in seiner Bearbeitung und Regie.

W. Wagner, K. und G., Braunschweigisches Magazin 35, 1929; R. Daunicht, A. K.s Inszenierung von G.s Faust I, Braunschweigisches Jahrbuch 61, 1980.

Klinger, Friedrich Maximilian (seit 1780) von (1752–1831). »Das war ein treuer, fester, derber Kerl wie keiner«, äußerte G. (zu F. von Müller 31. 3. 1831) auf die Nachricht vom Tod seines Jugendfreundes, des Sturm und Drang-Dramatikers, dem er auch in *Dichtung und Wahrheit* (III,14) ein würdiges Denkmal setzt und dessen Porträt eine Kreidezeichnung G.s von 1775 festhält. G. lernte den gutaussehenden, begabten Frankfurter, der mit seiner verwitweten Mutter und zwei Schwestern in dürftigen Verhältnissen in seiner Nähe wohnte, wohl erst im Frühjahr 1774 näher kennen und wurde sein Freund, als gemeinsame literarische Interessen die jungen Sturm und Drang-Dichter (G., Klinger, Lenz, Wagner) in der bescheidenen Wohnung Klingers zusammenführten. Zur finanziellen Unterstützung seines Jurastudiums in Gießen schenkte G. ihm 1774 einige Manuskripte seiner Fastnachtsspiele, die Klinger u.d.T. →*Neueröffnetes moralisch-politisches Puppenspiel* (1774) veröffentlichte. Vom 24. Juni bis Ende September 1776 hielt sich Klinger in Weimar auf und schrieb dort sein Drama *Wirrwarr*, das mit dem von Ch. Kaufmann vorgeschlagenen Titel *Sturm und Drang* (1776) der Epoche den Namen gab. Er hoffte auf eine Anstellung durch G.s Vermittlung, konnte sich in Weimar jedoch nicht einleben und verließ es erfolglos, enttäuscht und durch eine Intrige Ch. Kaufmanns verstimmt, versuchte sich als Theaterdichter und machte schließlich 1780 Karriere als russischer Offizier, Hofmeister des Großfürsten

aul, 1801 Generalmajor und 1803–16 Kurator der Universität
)orpat. Der Briefwechsel mit G. wurde ab 1801 locker und ab
811 intensiver aufrechterhalten, als Klinger G. seine Werke (XII
809–16) und G. ihm ab 8.12.1811 *Dichtung und Wahrheit* (I ff.)
übersandte. 1824 verteidigte Klinger G. in mehreren Zeitschriften
öffentlich gegenüber der (ihm gewidmeten) Schmähschrift von
C. H. G. →Köchy *G. als Mensch und Schriftsteller.* Am 7.11.1825
schickte G. ihm sein Porträt von Vogel von Vogelstein, am 30.1.
826 einen Abdruck von Bild seines Elternhauses (von S. Rösel)
mit dem Widmungsgedicht »An diesem Brunnen …«. Die späteren
sozialkritischen Dramen und philosophischen Romane Klingers,
u. a. *Fausts Leben, Taten und Höllenfahrt* (1791), nahm G. 1812/13 bei
der Arbeit an *Dichtung und Wahrheit* bestenfalls flüchtig zur Kenntnis.

E. Mentzel, G. und K. in ihrer Frankfurter Zeit, in: Stunden mit G. I, hg. W. Bode
905; H. Hellmann, G. in K.s Werken, GRM 11, 1923; A. Leitzmann, G. und K.,
Goethe 9, 1944; H. M. Waidson, G. and K., PEGS NS 23, 1954; D. Hill, »An diesem
Brunnen …«, GYb 4, 1988.

Klopstock, Friedrich Gottlieb (1724–1803). Mit den Zeitgenossen, besonders im Göttinger Hain und im Darmstädter Kreis, teilte
G. die lebenslange Verehrung für Klopstock, der als der führende
Dichter seiner Jugendjahre in seiner religiös-sittlichen Erlebnislyrik
die Dichtung zu neuer Würde erhob und starken Einfluß auf G.s
Lyrik der Sturm und Drang-Zeit ausübte. Schon als Knabe las G.
1762 den in des Vaters Bibliothek nicht vorhandenen *Messias*
(1748 ff.), lernte und deklamierte Passagen daraus auswendig (*Dichtung und Wahrheit* I,2; II,10) und schöpfte daraus Anregungen zu seiner verlorenen Josephsdichtung (ebd. I,4). Auf Anregung Schön-
borns eröffnete G. am 28.5.1774 die Korrespondenz mit dem
Dichter, der an seinen Werken Interesse zeigte. Anfang Oktober
1774 besuchte Klopstock auf der Durchreise nach Karlsruhe in
Frankfurt G., der ihm vergeblich zu früh entgegengeritten war
(ebd. III,15); man sprach über Eislauf und Pferdedressur, und G. begleitete Klopstock auf der Weiterreise eine Strecke (bis Darmstadt?).
Auf der Rückreise nach Hamburg kam Klopstock am 30.3.1775
wieder durch Frankfurt, wo G. ihm einige *Faust*-Szenen vorlas. G.s
Darstellung einer Begegnung in Karlsruhe im Herbst 1774 (ebd.
IV,18) ist irrtümlich. Auf Gerüchte vom ausschweifenden Genietreiben in Weimar warnte Klopstock G. in einem pathetisch tadeln-
den Mahnbrief vom 8.5.1776, dessen Unterstellungen G. am 21.5.
1776 schroff zurückwies. Klopstocks kränkende Antwort vom 29.5.
1776 besiegelte das Zerwürfnis und den Abbruch der persönlichen
Beziehungen. Seine seitherige Ablehnung der Werke G.s gipfelte in
einem Epigramm, das G.s Urteil über die deutsche Sprache in den
Venetianischen Epigrammen angriff (*Der zweite Wettstreit,* im *Archiv der
Zeit und ihres Geschmacks,* 1796). G.s Verehrung für Klopstocks Werk
dagegen blieb unverändert. Schon im *Werther* (1774) werden der

Name »Klopstock« (16. 6.) und die Assoziation seiner *Frühlingsfeie* zum Ausdruck gemeinsamer empfindsamer Seelenlage für Lotte und Werther. Gegen Klopstocks Ansichten vom Wesen der Sprache wendet sich das Gedicht *Sprache* (1773), gegen seine deutsch-tümelnde Mythologie das Gedicht *Die Kränze* (um 1780/90) gegen seine Vorschläge zur Normierung der Sprache und Ortho-graphie das Gedicht *Er und sein Name* (1781). In der Literatursatire *Das Neueste von Plundersweilern* (1782) und den *Xenien* (11, 22, 131 und Nachlaß-Xenion 86) bleibt Klopstock nicht ungeschoren, und das ursprünglich begeisterte Urteil G.s über *Die deutsche Gelehrten-republik* (an Schönborn 10. 6. 1774) wird später gedämpft (*Dichtung und Wahrheit* III,12). Doch noch 1803 trägt G. sich mit dem Gedanken einer Aufführung der *Hermannsschlacht* in Schillers Bear-beitung, wovon dieser abrät (an G. 20. 5. 1803; *Über das deutsche Theater*, 1815), und das Gedicht *Schul-Pforta* (1825?) gedenkt vereh-rungsvoll Klopstocks. (Vgl. *Dichtung und Wahrheit* I,2,4; II,10, III,12,15; zu Eckermann 9. 11. 1824 und 16. 2. 1826).

H. Düntzer, Aus G.s Freundeskreise, 1868; O. Lyon, G.s Verhältnis zu K., 1882; P. Leg-band, K. und G., GJb 25, 1904; H. T. Betteridge, K's contacts with Weimar, PEGS 24, 1955; R. Alewyn, K.!, Euph 73, 1979; M. Lee, K. and the problem of influence, in J. W. v. G., hg. U. Goebel, Texas 1984; M. Lee, K.!, in: The age of G. today, hg. G. B. Pi-ckard 1990.

Klotz, Christian Adolf (1738–1771). Der klassische Philologe und Archäologe, 1762 Professor in Göttingen, 1765 in Halle, war G. vor allem bekannt durch seinen Angriff auf Lessings *Laokoon* (1767) in *Über den Nutzen und Gebrauch der alten geschliffenen Steine* (1768), den Lessing in den *Briefen antiquarischen Inhalts* (7–8, 1768) abwies. G. spielt mehrfach auf diesen Streit an und rezensierte K. R. Hausens Biographie *Leben und Charakter Herrn Christian Adolf Klotzens* (1772) in den *Frankfurter Gelehrten Anzeigen* (29. 5. 1772).

Klubisten. Die allgemeine Bezeichnung für die Mitglieder der französischen Jakobinerklubs meint bei G. vor allem die Anhänger der Revolutionsideen in Mainz, die sich nach der französischen Be-setzung der Stadt zu einer »Gesellschaft der Freunde der Freiheit und Gleichheit« zusammengeschlossen hatten. G. begegnete ihnen bei der →*Belagerung von Mainz*. Ihr Schicksal ist mit Gegenstand der Rahmengespräche in den *Unterhaltungen deutscher Ausgewanderten*.

Knabe Lenker. Der schöne Knabe, der beim »Mummenschanz« am Kaiserhof (*Faust II*, v. 5520–5708) ein von vier Drachen (Schatzhütern) gezogenes Gefährt mit Plutus (Reichtum, Faust) und Geiz (Mephisto) lenkt, wird vom Herold nicht erkannt und stellt sich daher selbst als »Verschwendung, Poesie« (v. 5573) vor. Doch seine Gaben, die er verschwenderisch unter die Höflinge streut, lösen sich in nichts auf, und die Flämmchen (der Begeiste-rung) verlöschen schnell in der oberflächlich-materialistischen

Hofgesellschaft: der Kaiserhof besteht die Probe der Poesie nicht. Im Hinblick auf die andere Personifikation der nicht an Ort, Zeit oder eine Person gebundenen Poesie im *Faust*, Euphorion, kann G. den Knaben Lenker mit Euphorion identifizieren bzw. gleichsetzen (zu Eckermann 20. 12. 1829).

J. Anderegg, K. L., in: J. W. G., hg. A. Maler 1983.

Knabenmärchen →*Der neue Paris*

Des Knaben Wunderhorn →Arnim, Achim von

Knebel, Bernhard Carl Maximilian von (1813–1844). Dem spätgeborenen Sohn C. L. von Knebels, späterem Pagen, Hofjunker und Gerichtsassessor, an dessen Entwicklung G. Anteil nahm, gilt das Stammbuchblatt »Den November, den dreißigsten ...« (28. 11. 1820).

Knebel, Carl Ludwig von (1744–1834). G.s lebenslanger »Urfreund« und einer der wenigen, mit denen G. sich duzte, war zwar eine Randfigur der Weimarer Klassik, prägte sie aber als »Hebamme guter Gedanken« (Carl August an Knebel 4. 10. 1781) entscheidend mit. Aus fränkischer, 1756 geadelter Familie, war er nach abgebrochenem Jurastudium 1765–73 preußischer Fähnrich im Garderegiment in Potsdam, fand dort durch Verbindung mit Nicolai, Ramler, Gleim und Boie zur Literatur und publizierte seit 1771 eigene Gedichte. Nachdem er im September 1773 auf dem Heimweg nach Franken in Weimar bei Wieland und bei Hofe einen guten Eindruck gemacht hatte, berief Anna Amalia ihn im Juli 1774 als Erzieher des Prinzen Constantin, des jüngeren Bruders von Carl August, nach Weimar. Im Dezember 1774–Mai 1775 begleitete er diesen und Carl August auf einer Bildungsreise über Frankfurt, Mainz, Karlsruhe und Straßburg nach Paris. Auf dem Hinweg suchte er am 11. 12. 1774 Goethe in Frankfurt auf (*Dichtung und Wahrheit* III,15), vermittelte die Bekanntschaft mit den Prinzen – G. folgte am 13.–15. 12. mit Knebel deren Einladung nach Mainz –, die zur Freundschaft mit Carl August und zur Einladung G.s nach Weimar führte. In Weimar ergab sich ein enges Freundschaftsverhältnis zwischen G. und Knebel, der am Weimarer Genietreiben teilnahm (Gedicht *Ilmenau* v. 59–68), sich an der Tafelrunde Anna Amalias, am *Tiefurter Journal* und höfischen Liebhabertheater beteiligte (als Thoas in G.s *Iphigenie* 6. 4. 1779) und G.s Werke mit lebhaftem Interesse und kritischem Verständnis begleitete. Schloß Tiefurt, wo er seit Mai 1776 mit Prinz Constantin lebte, machte er zum Ort unzeremoniöser höfischer Geselligkeit und gestaltete den Garten in einen englischen Park um. Leicht hypochondrischer Sonderling und temperamentsmäßig unausgeglichen, wurde er nach der Mündigkeit des eigenwilligen Prinzen als Erzieher ent-

lassen. Um ihn an Weimar zu binden, gewährte Carl August ihm
1780 eine Reise in die Schweiz und an den Rhein und anschließend ein Ruhegehalt und 1784 den Majorsrang, jedoch, da es
Knebel bei vielseitigen Interessen an Ausdauer mangelte, kein
höheres Amt. Die Verbindung mit G. blieb erhalten, als Knebel 1784
nach Jena zog, wo G. oft sein Gast war, und lockerte sich nur
während G.s Freundschaft mit Schiller, als Knebel zeitweilig in das
Lager Herders überschwenkte. Sympathisant der Französischen Revolution und Bewunderer Napoleons, wurde Knebel zum Kritiker
der autoritären Übergriffe Carl Augusts. 54jährig heiratete er 1798
die junge Kammersängerin Louise Rudorff (1777–1852, →Knebel,
Louise von), adoptierte deren Sohn von Carl August, Carl Wilhelm
(1796–1861) – er hatte 1813 auch einen eigenen Sohn Bernhard –
und zog sich 1798 für sechs Jahre nach Ilmenau zurück. 1805 zog
er wieder nach Jena, wo er in seinem Haus »im Paradiese«, das ihm
die Freunde 1821 schenkten, eine behagliche Gastlichkeit pflegte.
Er betrieb Griechischstudien, schrieb 1803/04 für Mme de Staël
eine Übersicht der deutschen Literatur im 18. Jahrhundert, beteiligte sich an G.s naturwissenschaftlichen Forschungen, übersetzte
1788–90 Properz (1796 in den *Horen*, Buch 1798), mit Zuspruch
G.s Lukrez (II 1821; G.s Rezension in *Über Kunst und Altertum* III,3,
1822), Byron und Alfieri (*Saul*, Aufführung in Weimar 1811, Buch
1829) und veröffentlichte eigene Gedichte (*Sammlung kleiner Gedichte*, 1815; *Lebensblüten*, 1826). G. widmete ihm die Geburtstags-
gedichte »Lustrum ist ein fremdes Wort …« (1817) und »Dir ins
Leben …« (1825). Der vertraulich-unprätentiöse Briefwechsel mit
G. ist aufschlußreich für G.s Werk, Leben und Verhältnis zu Weimar.

H. v. Knebel-Döberitz, C. L. v. K., 1890; H. v. Maltzahn, K. L. v. K., 1929; H. Tümmler, K. und Carl August, Goethe 9, 1944; ders., Knebeliana, Goethe 16, 1954; L. Blumenthal, Schillers und G.s Anteil an K.s Properz-Übertragung, SchillerJb 3, 1959;
R. Otto, K. L. v. K., Diss. Jena 1968; J. Klauss, C. L. v. K., Palmbaum 2, 1994; R. Otto/
Ch. Rudnik, K. L. v. K., in: Das G.- und Schiller-Archiv, hg. J. Golz 1996.

Knebel, Carl Wilhelm →Knebel, Carl Ludwig, →Knebel, Louise

Knebel, Henriette Magdalene von (1755–1813). Die einzige
Schwester von C. L. von Knebel, musikalisch und literarisch interessiert, kam 1791 durch dessen Vermittlung als Erzieherin und später Gesellschafterin der Prinzessin Caroline nach Weimar und zog
bei deren Heirat 1810 auf ihren Wunsch mit nach Mecklenburg-
Schwerin. In Weimar verkehrte sie bei Ch. von Stein und G. und
war Mitglied der Mittwochsgesellschaft. Ihr Briefwechsel mit dem
Bruder zeigt ihr scharfes kritisches Urteil und ist eine aufschlußreiche Quelle für das gesellschaftliche und literarische Leben Weimars.

O. Gräfin Taxis-Bordogna, H. v. K., in: Frauen von Weimar, 1948.

Knebel, Louise Dorothea von, geb. Rudorff (1777–1852). Die
Sopranistin kam 1791 mit ihrer Mutter, Rittmeisterswitwe, nach

Weimar und war 1791–94 erste Liebhaberin an der Oper, dann
Kammersängerin und Freundin Anna Amalias. Aus einer Liaison
mit Carl August gebar sie 1796 in aller Stille bei Verwandten einen
Sohn Carl Wilhelm, den C. L. von →Knebel, einer der wenigen, die
davon wußten, bei seiner Heirat mit ihr (9. 2. 1798) adoptierte. Die
ungleiche Ehe des alternden Junggesellen mit der jungen Schönheit
fand in Weimar Empörung und wenig Zutrauen (G. an Schiller
31. 1. 1798) und erwies sich bei dem Charakter des Gatten und
ihrer Hilflosigkeit in Haushalts- und Ordnungssachen wie ihrem
Desinteresse an literarischen Dingen anfangs als schwierig, bis die
Geburt des 2. Sohnes Bernhard von K. einen modus vivendi
brachte. G. genoß gern die Gastfreundschaft der Familie in Jena, wo
Louise mitunter G.-Lieder vortrug, und nahm Anteil an der Entwicklung der Söhne.

Kniep, Christoph Heinrich (1755–1825). Der Hildesheimer Landschaftsmaler und Zeichner, Freund Hackerts und Tischbeins, lebte
seit 1781 nach dem Tod seines Gönners in Rom, dann Neapel in
bedrückten Verhältnissen. Anfang März 1787 lernte er in Neapel
durch Tischbein G. kennen, schuf einige Landschaftszeichnungen
für ihn, reiste am 21.–23. 3. 1787 mit ihm nach Paestum, blieb dann
in seiner Gesellschaft und begleitete ihn anstelle Tischbeins am
29. 3.–17. 5. 1787 auf der Reise nach und in Sizilien. Dort schuf er
für G. eine stattliche Reihe von Bleistiftzeichnungen, teils in Sepia,
der wichtigsten Stationen und besten Ansichten, die von gut ge-
wählten Standpunkten aus das Malerische hervorheben. G. ließ sich
von ihm auf der Hinfahrt in die Technik der Aquarellmalerei einführen (*Italienische Reise*, passim). Mit dem in Neapel verbleibenden,
pedantischen und wenig originellen Künstler blieb G. noch Jahre in
brieflichem Kontakt und verschaffte ihm Aufträge aus Weimar und
von Herzog Ernst II. von Gotha.

A. Peltzer, Ch. H. K., GJb 26, 1905; H.-W. Kruft, G. und K. in Sizilien, JbSKipp 2,
1970; ders., Ch. H. K., in: Goethe in Sicilia, hg. P. Chiarini, Rom 1992; Ch. H. K., Katalog Hildesheim 1992; R. Formanek, Die Welt mit malerischen Augen sehen: G. und
K. in Sizilien, in: Les songes de la raison, Festschrift D. Iehl, 1995.

Knittelvers. Seit seiner Beschäftigung mit Hans Sachs im Frühjahr
1773 verwendet G. häufig den Knittelvers, so in Briefgedichten
an Freunde, Farcen, Satiren, Gelegenheitsgedichten der frühen
Weimarer Zeit, *Hans Sachsens poetische Sendung* (1776) und zumal
im *Urfaust* und *Faust I* (z. B. v. 354 ff.: »Habe nun, ach …«). Abweichend vom silbenzählenden Vorbild ist G.s Knittelvers jedoch ein
paarreimender Vierheber mit freier Taktfüllung (0–3 Senkungen)
mit oder ohne Auftakt, der, gelenkig und abwechslungsreich, eine
holzschnitthaft kräftige Wirkung erzielt.

E. Feise, Der K. des jungen G., 1909; G. Fittbogen, Der lyrische K. des jungen G.,
ZfdU 24, 1910; K.-H. Tuschel, Der K. in G.s Faust, NDL 9, 1961; D. Chisholm, G's K.,
1975.

Kobell, Ferdinand (1740–1799). Den Mannheimer Landschaftsmaler und Radierer im Stil der Niederländer (ab 1793 in München) besuchten G. und Carl August auf dem Rückweg von der
2. Schweizer Reise am 21./23. 12. 1779 in Mannheim. Ende 1780
übersandte Kobell einige Gemälde für die herzogliche Sammlung,
für die G. am 3. 12. 1780 dankte und um einige Zeichnungen für
seine eigene Sammlung bat, für die er sich am 5. 2. 1781 bedankte.
Weitere Zeichnungen (Stiche?) des von ihm geschätzten Künstlers
erhielt er Ende 1784 von F. H. Jacobi (an Jacobi 3. 12. 1784, 12. 1.
1785).

Kobell, Franz (1749–1822). Von dem jüngeren Bruder Ferdinand
Kobells, Maler und Zeichner arkadischer, heroischer und idealer
italienischer Landschaften in Mannheim, 1779–84 Rom, dann
München, bestellte G. am 3. 12. 1780 über den Bruder »ein Dutzend Zeichnungen von Ihrem Bruder in Rom«. Bei seinem Aufenthalt in München am 6. 9. 1786 traf er ihn nicht zu Hause an. G.s
Sammlung enthält von ihm elf Handzeichnungen italienischer
Landschaften, mit denen sich G. besonders 1808–11 wiederholt beschäftigte. In der Einleitung zur *Proserpina* von 1815 empfiehlt er sie
als Anregung zur Bühnendekoration seines Monodramas.

Koblenz. Die Residenzstadt der Kurfürsten und Erzbischöfe von
Trier sah G. zuerst, als er sich nach einer Lahnwanderung von Wetzlar aus am 14.–18. (?) 9. 1772 mit Merck zu einem mehrtägigen
Aufenthalt bei der Familie von La Roche in Thal-Ehrenbreitstein
traf und von dort aus die Stadt besichtigte (*Dichtung und Wahrheit*
III,13). Auf der Rheinfahrt mit Lavater und Basedow fuhr man am
18. 7. 1774 an Koblenz vorbei und kehrte am 26. 7. dort ein; das
berühmte →*Diné zu Koblenz* jedoch fand wohl in Bad Ems statt
(ebd. III,14). Nach der Campagne in Frankreich kam G. von Trier
per Boot moselabwärts und weilte wohl am 2.–4. 11. 1792 in der
Stadt (*Campagne in Frankreich*). Auf der Rheinreise mit dem Freiherrn vom Stein sah man am 25. 7. 1815 die Stadt am anderen Ufer
und machte dort am 28./29. 7. 1815 Station (Frühstück mit Görres). Im durch diese Reise angeregten Aufsatz *Kunst und Altertum am
Rhein, Main und Neckar* (1815) preist G. »die herrliche Lage des
Orts, die schönen Straßen und Gebäude« und empfiehlt ihn als
Kunststadt.

A. Martini, G. in K. und Umgegend, 1899; B. Schmeißer, G. und K., 1996.

Koburg   →Coburg

Koch, Christoph Wilhelm (1737–1813). Der Schüler Schöpflins
und Freund Salzmanns, 1766 Bibliothekar, 1779 Professor des
öffentlichen Rechts in Straßburg, stand G. während seiner Straßburger Studienzeit 1770/71 nahe. Er und Oberlin förderten G.s In-

teresse an elsässischen Altertümern, führten ihn in das Museum ein und schlugen ihm nach der Promotion eine akademische Laufbahn in Geschichte, Staatsrecht oder Beredsamkeit vor (*Dichtung und Wahrheit* III,11).

Koch, Heinrich Gottfried (1703–1775). Der Schauspieler und Theaterdichter, anfangs Mitglied der Truppe der Neuberin, leitete 1749–56 in Leipzig eine eigene, durch die Zusammenarbeit mit Lessing berühmte Truppe, 1758–63 die Schönemannsche Truppe und eröffnete 1766 das neue Leipziger Schauspielhaus. G., der die Vorstellungen oft besuchte und einige Schauspielerinnen (G. E. Schmehling, C. Schröter, C. Schulze) kannte, sah den altershalber selten auftretenden Künstler in *Hermann* von J. E. Schlegel und als Crispin (*Dichtung und Wahrheit* III,13; *Leipziger Theater 1768*). 1768–71 gastierte die Kochsche Truppe besonders mit Singspielen am Weimarer Hof der theaterbegeisterten Anna Amalia und ging dann nach Berlin, wo sie am 14.4.1774 im Berliner Komödienhaus die Uraufführung von G.s *Götz von Berlichingen* gab.

Kochberg →Groß-Kochberg

Köchy, Christian Heinrich Gottlieb, Pseudonym Friedrich Glover (1769–1828). Der heute vergessene Jurist und Schriftsteller veröffentlichte 1823 eine pseudonyme Schmähschrift *Goethe als Mensch und Schriftsteller. Aus dem Englischen übersetzt und mit Anmerkungen versehen von Friedrich Glover.* Sie übersetzt einen englischen Aufsatz aus der *Edinburgh Review* (XXVI,52, Juni 1816), erweitert ihn durch Prolog, boshafte Anmerkungen und (in der F. M. Klinger gewidmeten 2. Auflage von 1824) einen Epilog und versucht durch hämische Angriffe und parodistisch-kritische Urteile über G. eine Generalabrechnung mit dem Klassiker. Die mit abgedruckte, G. unterschobene Abhandlung über die Flöhe (*Dissertatio de pulicibus*) stammt in Wirklichkeit von O. P. Zaunschlieffer (1694). Unter den Erwiderungen des G.-Kreises auf das Pamphlet erfreute G. besonders F. M. Klingers 1824 in mehreren Zeitschriften und Zeitungen veröffentlichte Ehrenerklärung für G. (zu F. von Müller 3.4.1824; an Klinger 7.10.1824).

M. Holzmann, Aus dem Lager der G.-Gegner, 1904.

Kölbele, Johann Balthasar (1726–1778). Der Frankfurter Advokat und Schriftsteller, Junggeselle und Sonderling, war ein entfernter Verwandter von G.s Mutter und verkehrte in G.s Elternhaus und auch mit G. und seiner Schwester. Er oder J. B. →Crespel gilt als der ungenannte Erfinder des →Mariage-Spiels (*Dichtung und Wahrheit* II,6 und III,15).

H. Voelcker, J. B. K., 1924.

Köln. In die niederrheinische Metropole kam G. zuerst am 20.7.
1774 auf seiner Rheinreise mit Lavater und Basedow und reiste am
gleichen Tag nach Düsseldorf zu Jacobis weiter. Auf der Rückreise
kam er am 24.7.1774 mit diesen wieder über Schloß →Bensberg
nach Köln, wo man den Dom und die Sammlung →Jabach besichtigte und G. seine Balladen *Der König in Thule* und *Der untreue
Knabe* rezitierte (*Dichtung und Wahrheit* III,14 mit irrtümlicher
Chronologie). Nach dem Frankreichfeldzug ging die Rheinfahrt
nach Düsseldorf am 5./6.11 an Köln vorbei. Die Rheinfahrt mit
dem Freiherrn vom Stein führte ihn am 25.7.1815 abends nach
Köln. Am 26.7. besuchte er den Maler M. H. Fuchs, besichtigte die
Sammlung altdeutscher Kunst von F. F. Wallraf, den Dom (Begeg-
nung mit E. M. Arndt), den Gürzenich, St. Gereon (»von außen«)
und den Römerturm, am 27.7. nach einem Rundgang St. Kunibert
(*Tag- und Jahreshefte* 1815). Die Kunststadt Köln bespricht G. in
Kunst und Altertum am Rhein, Main und Neckar (1815). →Kölner
Dom.

H. Düntzer, G.s Beziehungen zu Köln, in ders., Abhandlungen zu G.s Leben und
Werken 2, 1885.

Kölner Dom. Der 1248 begonnene gotische Dom, dessen Bau
1559 eingestellt wurde, bestand zur G.zeit aus dem Chor (1322),
kleineren Teilen von Quer- und Langschiff, dem Sockel des Nord-
turms und dem bis zum Glockenstuhl aufgeführten Südturm
(1447). Seine Fertigstellung (1842–80) verdankt er der romantischen Begeisterung für das christliche Mittelalter und die vermeintlich deutsche Gotik. Aus G.s Freundeskreis wurde vor allem
S. →Boisserée seit 1802 zum Fürsprecher der Erhaltung und Wer-
ber für die Weiterführung des Baus, der dem herrschenden klassizistischen Geschmack zuwiderlief, und suchte einflußreiche Persönlichkeiten dafür zu gewinnen, darunter im Hinblick auf seine
frühere Begeisterung für das Straßburger Münster besonders G., der
den Dom am 24.7.1774 besichtigt hatte. Am 8.5.1810 sandte er
G. dazu sechs Zeichnungen des Doms und der geplanten Vollendung (*Tag- und Jahreshefte* 1810), und bei seinem ersten Besuch in
Weimar am 3.–12.5.1811 brachte er weitere Zeichnungen und
Grundrisse mit, die mit seinen und G.s Erläuterungen bei Hofe
ausgestellt wurden und Interesse fanden. Im Oktober 1814 beschäftigte sich G. bei Boisserée in Heidelberg erneut mit den
Zeichnungen und Rissen und besprach diese bei seinem Aufenthalt
in Darmstadt am 9.–11.10.1814 mit dem Hofbaumeister G. Moller. Nach anfänglicher Zurückhaltung und nachdem er am 26.7.
1815 mit dem Freiherrn vom Stein den Dom nochmals besichtigt
hatte (*Tag- und Jahreshefte* 1815), setzte sich G. selbst in Wort und
Schrift für die Verwirklichung der (1814 aufgefundenen) Original-
baupläne ein (*Von deutscher Baukunst*, 1823). Das Monumentalwerk
seines Freundes Boisserée *Ansichten, Risse und einzelne Teile des Doms*

zu Köln (1821–31), das er schon im Manuskript kennenlernte, besprach G. ausführlich in *Über Kunst und Altertum* (IV,1, 1823 undV,1, 1823) und wies auch in *Von deutscher Baukunst* (1823) und *Dichtung und Wahrheit* (III,14) auf die Wichtigkeit dieses Anliegens hin. Erst ein halbes Jahrhundert nach seinem Tod war »das Märchen vom Turm zu Babel an den Ufern des Rheins verwirklicht« (an Reinhard 14. 5. 1810).

R. Benz, G.s Anteil am Wiederaufbau des K. D., Goethe 7, 1942; A. Grisebach, G. in Heidelberg und der K. D., in: G. in Heidelberg, 1949; J. Schmitz van Vorst, G., der K. D. und seine Vollendung, Kölner Domblatt 4/5, 1950.

König, Johann Ulrich von (1688–1744). Der Zeremonienmeister und Hofpoet Augusts des Starken, Kurfürsten von Sachsen und Königs von Polen, schrieb 1731 ein unvollendetes Epos über das prunkvolle, militärisch-höfische Lustlager Augusts bei Mühlberg zu Ehren Friedrich Wilhelms I. von Preußen im Juni 1730. G. erwähnt es als Beispiel beschreibender Dichtung (*Dichtung und Wahrheit* II,7).

Der König in Thule. Beim Auskleiden und Zubettgehen singt Gretchen (*Faust* v. 2759 ff., schon *Urfaust* v. 611 ff.) ähnlich wie Desdemona in Shakespeares *Othello* halb unbewußt ein scheinbar altes Volkslied von ewiger Liebe und Treue bis über das Grab hinaus: Ein König im sagenhaften Nordreich der antiken Überlieferung, Thule, hat von seiner sterbenden Geliebten – »Buhle« war damals noch nicht abschätzig – einen goldenen Becher erhalten. Angesichts seines nahenden Todes entäußert er sich fast teilnahmslos seiner irdischen Besitztümer. Nur das Symbol der Liebe ist nicht übertragbar, unveräußerlich, heilig und soll mit ihm untergehen. G.s frühe Ballade im schlichten Volksliedton zeigt bereits die ganze Reife künstlerischer Gestaltung, die Inneres in äußere Handlung umsetzt. Da G. sie zuerst am 24. 7. 1774 in Köln rezitierte (*Dichtung und Wahrheit* III,14), mag sie kurz vor oder auf der Rheinreise von 1774 entstanden sein. Die älteste Fassung mit der Überschrift *Der König von Thule* erschien mit C. F. S. von Seckendorffs Vertonung in dessen *Volks- und andere Lieder* (1782), die spätere Fassung zuerst im *Faust*-Fragment 1790. Seit den *Neuen Schriften* (1800) fand sie Eingang in G.s Gedichtsammlung und wurde eine der meistvertonten Balladen G.s mit an 70 Vertonungen (u. a. von Berlioz, Gounod, Hiller, Liszt, Reichardt, Schubert, Schumann, Silcher und Zelter).

H. Meyer-Benfey, D. K. i. T., ZDB 2, 1926, auch in ders., Welt der Dichtung, 1962; W. Krogmann, G.s Ballade Es war ein K. i. T., Archiv 161, 1932; W. Richter, D. K. von T. und seine Buhle, MDU 36, 1944; E. Beutler, D. K. i. T., 1947, auch in ders., Essays um G. 2, 1947; I. Feuerlicht, G.s früheste Balladen, JEGP 48, 1949; H. Eichner, Bemerkungen zur Form von G.s K. i. T., MDU 43, 1951; S. Steffensen, D. K. i. T., OL 15, 1960; W. Ross, G.: Es war ein K. i. T., in: Wege zum Gedicht 2, hg. R. Hirschenauer 1963, auch in ders., Die Feder führend, 1987; R. Littlejohns, G.s K. i. T. in seinem dramatischen Zusammenhang, Archiv 229, 1992.

Königinhofer Handschrift. Die 1817 von Václav Hanka angeblich in Königinhof entdeckten Pergamentstreifen mit alttschechischen Epenfragmenten und Gedichten des 13./14. Jahrhunderts, mit deren deutscher Übersetzung durch Wenzel Swoboda (1819) G. sich im Sommer 1822 beschäftigte und die er für »ganz unschätzbare Reste der ältesten Zeit« erklärte (*Böhmische Poesie*, in *Über Kunst und Altertum* VI,1, 1827), wurden in ihrer Echtheit seit 1824 angezweifelt und 1880/88 endgültig als nationalromantische Fälschung erwiesen. Motive der Sammlung inspirierten G.s Gedicht *Das Sträußchen. Altböhmisch* (28. 7. 1822). Aus der Handschrift übersetzte G. ferner das Gedicht *Die Lerche* (»Gätet das Mädchen …«).

Die königliche Einsiedlerin. G.s Jugenddrama, ein »heroisches Schäferspiel«, entstand vielleicht 1764/65 im Anschluß an den schmerzlichen Abbruch des Frankfurter Gretchenabenteuers – *Dichtung und Wahrheit* II,6 schildert ähnliche Situationen, wo G. in der Natur seinen Seelenfrieden sucht – oder spätestens 1767 und fiel wohl im Oktober 1767 dem Leipziger Autodafé seiner Jugenddichtungen zum Opfer. Erhalten haben sich lediglich zwei Fragmente, wohl in einer späteren, metrisch und stilistisch geglätteten Rekonstruktion aus dem Gedächtnis, Monologe der Heldin in gereimten Jamben, die in *Wilhelm Meisters theatralische Sendung* (II,4 bzw. III,12) Eingang fanden. Dort wird das Drama als Mischung von Tragödie, Komödie und Schäferspiel um unter die Schäfer verschlagene fürstliche Personen charakterisiert (ebd. II,3). Weitere direkte Zeugnisse G.s fehlen.

König Rother. Das mittelhochdeutsche Brautwerbungsepos (um 1150/60) las G. nach der Ausgabe in Büschings/F. von der Hagens *Deutsche Gedichte des Mittelalters* (1808) am 5.–26. 4. 1809 in der Mittwochsgesellschaft vor; seine Hauptfiguren ließ er im Maskenzug *Die romantische Poesie* vom 30. 1. 1810 auftreten, und deren Verse zitiert G. wiederum in einem Stammbuchvers für W. E. von Spiegel vom 25. 2. 1824 (»Seit jenen Tagen …«).

Königsleutnant →Thoranc, François de

Königstein im Taunus. Die Stadt und die damals noch intakte, 1796 von General Custine gesprengte Festung besuchte G. erstmals 1764 bei seinen Ausflügen in die Frankfurter Umgebung zum Zeichnen nach der Natur.

Körner, Anna Maria →Körner, Minna

Körner, Christian Gottfried (1756–1831). Der Jurist und intime Freund Schillers, seit 1785 Gatte von Minna →Körner, geb. Stock, und 1791 Vater von Theodor →Körner, war seit 1790 Oberappellationsgerichtsrat in Dresden und zog 1815 als Staatsrat, zuletzt geheimer Oberregierungsrat, nach Berlin. Den hochgebildeten, elbst schriftstellerisch tätigen Mann und klugen Beurteiler G.s *Über Wilhelm Meisters Lehrjahre, Horen* 12, 1796) lernte G. wohl 789 in Jena oder bei Körners und Schillers Besuch in Weimar im August 1789 kennen, besuchte ihn auf der Reise nach Schlesien am 8.–30.7. 1790 in Dresden und sah ihn am 29.4.–1.5. 1796 bei chiller in Jena wieder. Neben weiteren Besuchen G.s in Dresden m 17.–25.9. 1810 und 20.–22.4. 1813 verkehrte G. vor allem am ..–24.7. 1810 in Karlsbad und am 9.5.–25.6. 1813 in Teplitz häu-ig mit der Familie Körner, sah ihn als Besucher in Weimar, führte 790–1821 einen lockeren Briefwechsel mit ihm und las im Juli 811 mit Zustimmung seine für die Werkausgabe Schillers (XII 812–15) bestimmte Schiller-Biographie (an Körner 4.8. 1811).

Körner, Minna, eig. Anna Maria Jacobina, geb. Stock (1762–1843). Die Tochter des Leipziger Kupferstechers J. M. →Stock, der G. 1768 n Kupferstich und Radierung einführte (*Dichtung und Wahrheit* I,8), spielte schon als Kind mit G. und war ihm lebenslang in Freundschaft verbunden. 1785 heiratete sie Ch. G. →Körner und vurde 1791 die Mutter von Theodor →Körner. G. besuchte das Ehepaar mehrfach in Dresden und verkehrte in Karlsbad und Teplitz häufig mit ihm.

Körner, (Karl) Theodor (1791–1813). Den Sohn von Ch. G. und Minna →Körner kannte G. seit dessen früher Kindheit, verfolgte päter sein literarisches Schaffen mit Lob, brachte seinen Dramen eit 1812 großes Interesse entgegen und bot ihm auch seinen Rat n (an Ch. G. Körner 23.4. 1812). Neben dem Mangel geeigneter Bühnenwerke ist es wohl nur aus G.s besonderem Wohlwollen ge-genüber den Eltern und Freunden Schillers erklärlich, daß das Weimarer Theater 1812–16 neun Stücke des Schiller-Epigonen in d. 50 Aufführungen auf die Bühne brachte: 4.5. 1812 *Die Sühne,* 5.6. 1812 *Toni,* 23.11. 1812 *Die Braut,* 9.12. 1812 *Der grüne Domino,* 1.3. 1813 *Der Nachtwächter,* 1.7. 1815 *Hedwig die Banditenbraut,* 6.3. 1816 *Der Vetter aus Bremen,* 14.9. 1816 *Rosamunde,* 12.10. 1816 *Zriny.*

Körte, Friedrich Heinrich Wilhelm (1776–1846). Den Halber-städter Domvikar und Neffen, Nachlaßverwalter, Herausgeber und Biographen →Gleims lernte G. Ende August 1805 bei seinem Be-uch im Gleimhaus Halberstadt kennen (*Tag- und Jahreshefte* 1805). Am 3./4. 12. 1810 las er seine Biographie *Gleims Leben* (1811), am 4.6. 1829 besuchten Körte und seine Frau Wilhelmine, eine Toch-er von F. A. Wolf, G. in Weimar. Einen weiteren Berührungspunkt gab G.s Aufsatz *Fossiler Stier* (1822), der z. T. auf Arbeiten des Ama-eur-Naturwissenschaftlers Körte zurückgriff (ebd. 1821, 1822).

Koethe, Friedrich August (1781–1850). Der protestantische Theo-oge, Pfarrer und Dichter geistlicher Lieder wurde 1810 Professor in Jena, 1819 Superintendent in Allstedt. G. lernte ihn wohl bei seinem Besuch bei ihm in Weimar am 25. 10. 1810 kennen und traf ihn besonders 1811 öfter in Gesellschaft in Jena. Im Mai 1814 heiratete er Silvie von →Ziegesar; G. besuchte das Ehepaar am 5., 7. und 15. 12. 1814 in Jena u. ö. und versicherte Koethe seines Interesses und seiner Mitarbeit an dem von ihm 1815 begonnenen biographischen Sammelwerk *Zeitgenossen*. Daß zwar nicht Silvie, aber andere G. und Koethe verwechselten, berichtet G. selbst (zu Eckermann 5. 5. 1824).

Kolbe, Heinrich Christoph (1771–1836). Der klassizistische Düsseldorfer Porträt- und Historienmaler, nach einem Studienaufenthalt in Paris (1800 ff.) um 1820–31 Professor an der Kunstakademie Düsseldorf, erhielt bei der 1. Weimarer Kunstausstellung 1799 für seine Zeichnung »Venus führt Helena dem Paris zu« zusammen mit F. Hartmann den 1. Preis und beteiligte sich auch 1801 an den Preisaufgaben. G. rühmte sein »schönes Talent« (an Jacobi 23. 11. 1801). 1822 malte Kolbe bei einem längeren Aufenthalt in Weimar die Porträts bedeutender Persönlichkeiten, u. a. Carl August (*Tag- und Jahreshefte* 1822), besuchte G. zuerst am 26. 2. 1822, dann mehrfach bis Dezember 1822 und wieder am 28. 12. 1829. Sein im Mai/Juni 1822 entstandenes Brustbild G.s fand den Beifall der Freunde. Ein zweites, theatralisches, lebensgroßes Ölporträt (1822–26), das am 14. 9. 1826 in Weimar eintraf, erschien G. »nicht erfreulich« (an Meyer 15. 9. 1826).

K. T. Gaedertz, G. und der Maler K., 1889 u. ö.

Kolmar →Colmar

Kommentare →Selbstkommentare

Komödienhaus. Nachdem der Weimarer Schloßbrand von 1774 das kleine Schloßtheater vernichtet hatte, besaß Weimar außer dem Redoutenhaus an der Esplanade, in dem seit 1775 das Liebhabertheater eine gelegentliche Spielstätte fand, kein größeres Theatergebäude. Darauf errichtete der Weimarer Bauunternehmer A. G. Hauptmann mit Unterstützung Anna Amalias 1779 gegenüber dem Wittumspalais, an der Stelle des jetzigen Nationaltheaters, das langgestreckte, niedrige Komödienhaus für Redouten, Bälle, Gesellschaften und Theater, das am 7. 1. 1780 mit einer Redoute eröffnet wurde und dem Liebhabertheater, 1784–91 der Bellomoschen Truppe als Spielstätte diente. Nach Erwerb durch den Hof wurde das Gebäude am 7. 5. 1791 mit einem Prolog G.s als Haus des Herzoglichen Hoftheaters, bis 1817 unter G.s Leitung, eröffnet. Es genügte jedoch bald den steigenden Ansprüchen nicht mehr und wurde im Juli–Oktober 1798 von N. F. Thouret umgebaut und am 12. 10. 1798 mit Schillers *Wallensteins Lager* neu eröffnet (*Eröffnung des weimarischen Theaters*, in *Allgemeine Zeitung* 7. 11. 1798). In der

Nacht vom 21./22. 3. 1825 brannte das Komödienhaus völlig nieder. Der Neubau, nunmehr Großherzogliches Hoftheater, folgte durch eine Intrige der Jagemann nicht den Plänen G.s und C. W. Coudrays, sondern dem wenig originellen Entwurf von C. F. C. Steiner und wurde nach nur sechsmonatiger Bauzeit am 3. 9. 1825 eröffnet. Er wurde erst 1907 (Eröffnung 11. 1. 1908) durch das repräsentative, neoklassische Hoftheater, ab 1919 »Deutsches Nationaltheater«, ersetzt. →Theater.

A. Weichberger, G. und das K. in Weimar, 1928 u. ö.

Kompositionen →Vertonungen

Konfession. G.s geflügeltes Wort von 1812, »Alles, was von mir bekannt geworden, sind nur Bruchstücke einer großen Konfession« (*Dichtung und Wahrheit* II,7), ist im Kontext als Anstoß, Motivation, Rechtfertigung und Ziel seiner Autobiographie gemeint, nämlich die Lücken des von ihm und über ihn Bekannten zu füllen. Aus dem Zusammenhang gerissen und in mißverstandener religiöser Auslegung des Begriffs ›Konfession‹ als ›Beichte, Schuldbekenntnis‹ statt ›Selbstaussage‹ hat es die frühere G.-Philologie vielfach dazu verleitet, gleich alle Werke G.s als öffentliche Selbstbezichtigung und Selbstrechtfertigung, literarische Abreaktion von Schuldkomplexen zu betrachten, hinter der Dichtung das vermeintliche Schuldbekenntnis zu suchen und sich oft mit dessen Aufdeckung als Erklärung des Werkes zufriedenzugeben. So gewiß eigene Erlebnisse, Eindrücke und Erfahrungen, aber auch die innere Auseinandersetzung mit Fremderleben und Sekundärerfahrungen in das Werk eingehen und dort künstlerisch bewältigt, überwunden und den künstlerischen Erfordernissen gemäß umgestaltet werden können (zu Eckermann 17. 2. 1830), sind ein gewisser Erlebnishintergrund sowie die literarische Anverwandlung und stellvertretende Auflösung teils auch imaginierter Probleme und Konflikte mit ihrer Katharsis-Wirkung ein allgemeines dichterisches Prinzip, nicht aber ein veröffentlichtes, privates Beichtgeheimnis.

Konfirmation. G. wurde Ostern 1763 in Frankfurt durch den Pfarrer Johann Georg Schmidt, sein Sohn August am 13. 6. 1802 in Weimar durch Herder konfirmiert.

Konstantin →Constantin

Konstanz. Die Stadt am Bodensee berührte G. auf der 1. Schweizer Reise um den 8. 6. 1775 und auf dem Rückweg von der 2. Schweizer Reise mit Carl August um den 5./6. 12. 1779. Auf der Rückreise von Italien weilte er am 4.–10. 6. 1788 dort, vorwiegend in Gesellschaft von Barbara →Schultheß.

G. A. Müller, G. in K., 1906; E. v. Schultheß, G. und B. Schultheß in Konstanz, Bodenseebuch 34/35, 1948 f.

Konversationsblatt →*Literarisches Konversationsblatt*

Konversationslexikon. Obwohl er sich gelegentlich über den um 1800 aufkommenden Begriff und sein Verhältnis zur Konversation lustig machte (*Zahme Xenien* V; *Maximen und Reflexionen* 196: »Gescheite Leute sind immer das beste Konversationslexikon«), besaß und benutzte G. das von R. G. Löbel und C. W. Franke begonnene, von F. A. Brockhaus 1808 erworbene und abgeschlossene *Conversationslexikon* (VI 1796–1808).

Konvertiten →Katholizismus

Kopernikus, Nikolaus (1473–1543). Mit dem polnischen Astronom und Entdecker des heliozentrischen Weltsystems, vor allem aber mit den Schwierigkeiten, die dessen Annahme entgegenstanden, befaßt sich G. mehrfach in der *Geschichte der Farbenlehre* und in den *Maximen und Reflexionen* 1138, ironisch auf sich als Reisenden bezogen auch im Gedicht *Der neue Kopernikus* (25.7.1814).

Kophtische Lieder. Die beiden *Kophtischen Lieder* »Lasset Gelehrte …« und »Geh, gehorche meinen Winken …« entstanden 1787 in Rom als Liedeinlagen für das Fragment gebliebene Singspiel in Reimversen →*Die Mystifizierten* um den Cagliostro-Stoff, wurden bei dessen Umarbeitung zum Prosalustspiel *Der Groß-Cophta* (1792) ausgeschieden – daher die sonst unverständliche Überschrift – und erschienen umgestaltet erstmals 1795 in Schillers *Musen-Almanach für das Jahr 1796* mit der Vertonung von F. J. Reichardt (1789), der zahlreiche andere folgten. Seit den *Werken* (I, 1815) stehen sie unter den »Geselligen Liedern«. Ihr ironisch-frivoler, überheblicher Ton erklärt sich daraus, daß als Sprecher die Hochstaplerfigur (Cagliostro) zu denken ist.

R. Heinz, G., K. L., in: Saarbrücker Beiträge zur Ästhetik, hg. R. Malter 1966.

Koran. Mit der Heiligen Schrift des Islam, die als Offenbarung Allahs gegenüber Mohammed gilt, beschäftigte sich G. zuerst im Herbst 1772 anläßlich der Arbeit am *Mahomet* anhand der deutschen Übersetzung von D. F. Megerlein (*Die türkische Bibel*, 1772); damals übersetzte er auch die 6. Sure nach der lateinischen Ausgabe von L. Marraccius (*Mohammedis Fides Islamitica*, 1721). Eine erneute intensive Beschäftigung brachte 1815 die Arbeit am *West-östlichen Divan*, der häufig auf den Koran anspielt und ihn auch als Umschreibung für die Bibel verwendet (»Sonst, wenn man …«). Die *Noten und Abhandlungen* (Kap. »Mahomet«) würdigen die Bedeutung des Koran. Neben den obengenannten benutzte G. ferner die deutschen Übersetzungen von Th. Arnold (1746) und J. von Hammer in dessen *Fundgruben des Orients* (1809–18) sowie die französische Übersetzung von A. du Ruyer (1672).

H. Fischer-Lamberg, Zu G.s K.-Auszügen, in: Beiträge zur G.forschung, hg. E. Gru-
nach 1959; K. Mommsen, Die Bedeutung des K.s für G., in: G. und die Tradition, hg.
H. Reiss 1972; →Arabien, →Islam.

Korrespondenz →Briefe/Briefwechsel

Kosaken. Nach der Völkerschlacht bei Leipzig war eine Plünderung und Brandstiftung Weimars durch die sich zurückziehenden
Franzosen zu befürchten, die am 22. 10. 1813 vom Ettersberg aus
Weimar überfielen, jedoch in mehrstündigem Gefecht von Oberst
von Geismar mit österreichischen Dragonern und Hetmann Platow
mit 3000 Donkosaken zurückgeschlagen wurden. G. erhielt am
22. 10. von Oberstleutnant von Bock eine Leibwache von Kosaken,
meinte allerdings angesichts der Verheerungen durch die Kosaken,
das Heilmittel sei übler als die Krankheit (W. von Humboldt an
seine Frau 26. 10. 1813). G. gedenkt der Ereignisse in Widmungsversen an von Bock (»Von allen Dingen …«, 22. 10. 1813) und von
Geismar (»Dem wir unsre Rettung …«, 21. 10. 1815).

Kosegarten, Gotthard Ludwig Theobul (1758–1818). Der Dichter
empfindsamer Idyllen und Romane, Beiträger zu Schillers Musen-
almanach und den *Horen*, Pfarrer, seit 1808 Professor in Greifswald,
erntete mit der hochtrabenden Ankündigung seiner *Poesien* (III
1798–1802) das Mißfallen G.s und Schillers (Briefwechsel 12.–17. 8.
1797; Xenion 126 *K* …?). G. las am 11. 5. 1806 Kosegartens *Legenden* und kam 1817/18 über den Sohn, J. G. L. →Kosegarten,
auch mit ihm in Briefkontakt. 1819 sandte er dem Sohn auf dessen
Bitte eine Grabschrift für den Vater (»Laßt nach viel geprüftem
Leben …«).

Kosegarten, Johann Gottfried Ludwig (1792–1860). Der Sohn des
Dichters G. L. →Kosegarten war Orientalist, 1817–24 Professor in
Jena, dann Greifswald. Er beriet G. in seinen orientalischen Studien
zum *West-östlichen Divan*, lieferte Erklärungen und Übersetzungen
z. B. moderner orientalischer Texte für die *Noten und Abhandlungen*,
las die Korrekturen des *Divan* mit, besorgte das Register und ein
(nicht veröffentlichtes) arabisches Titelblatt für die Quartausgabe.
G. dankt ihm im Kapitel »Übersetzungen« und am Schluß der
Noten und Abhandlungen sowie im Brief vom 5. 9. 1824 ausdrücklich
für seine Hilfe und gewann bei seinen Aufenthalten in Jena und
Kosegartens Besuchen in Weimar bald ein freundschaftliches Verhältnis zu dem »zuverlässigen Mann« (*Noten*), der ihn 1820 auch um
die Patenschaft für seinen Sohn Gottfried Carl Gotthard bat. Er verfolgte weiterhin mit Interesse Kosegartens Arbeiten, las 1820
C. J. L. Ikens Übersetzung des *Tûtî-namé* mit den Anmerkungen
von Kosegarten (*Tag- und Jahreshefte* 1820), die er lobend besprach
(*Über Kunst und Altertum* IV,1, 1823), ferner 1821 die Teilüber-

setzung von Kalidasas *Meghaduta* (*Tag- und Jahreshefte* 1821; *Indische Dichtungen*, 1821) und die der *Nala und Damayanti*-Episode aus dem *Mahabharata* (1820).

E. Gülzow, G. und die beiden K., Unser Pommerland 17, 1932.

Kotzebue, August Friedrich Ferdinand (seit 1785) von (1761– 1819). Der Sohn eines 1761 verstorbenen Weimarer Legationsrats war durch seine Jugend-, Gymnasial- und frühe Anwaltszeit und seine dort lebende Mutter mit Weimar (»Deutschlands Athen«) verbunden und hatte auch in G.s Garten gespielt. Obwohl er 1781 wohl infolge kleiner Indiskretionen seinerseits in Weimar kein Hofamt erhielt – wofür er G. verantwortlich glaubte – kehrte er in seiner wechselhaften Karriere in St. Petersburg, Wien, Sibirien, Estland und wieder St. Petersburg 1799, 1802 und 1817/18 vorübergehend dorthin zurück. Seine oberflächlichen, aber theaterfesten Rühr- und Unterhaltungsstücke wie *Menschenhaß und Reue*, *Die deutschen Kleinstädter*, *Die beiden Klingsberg* u. a. m. machten ihn zum meistgespielten Dramatiker der Goethezeit und Hauptstütze des Repertoires: allein während G.s Theaterleitung erlebten 87 Stücke Kotzebues (nicht einmal die Hälfte seiner Produktion) 638 Aufführungen und bestritten 15% aller Weimarer Theaterabende oder jede siebente Aufführung. G. anerkannte durchaus Kotzebues »vorzügliches, aber schluderhaftes Talent« (an Knebel 17. 3. 1817) und seine Bühnenwirksamkeit (*Kotzebue*, um 1825; *Campagne in Frankreich*), stieß sich jedoch an seinem Charakter, seinem Querulantentum, seinen Sticheleien und Intrigen und ging ihm aus dem Wege: »Kotzebue hatte bei seinem ausgezeichneten Talent in seinem Wesen eine gewisse Nullität, ... die ihn quälte und nötigte, das Treffliche herunter zu setzen, damit er selber trefflich scheinen möchte« (*Kotzebue*). Seit 1802, als er mit aller Macht seine Anerkennung erzwingen und in G.s Kreise eindringen wollte, aber zu G.s Haus und der Mittwochsgesellschaft keinen Zutritt fand, und als G. aus den *Deutschen Kleinstädtern* persönliche Anspielungen auf Weimarer Persönlichkeiten strich, entwickelte Kotzebue als »Todfeind aller weimarischen Tätigkeit« (*Tag- und Jahreshefte* 1803) eine erbitterte persönliche Feindschaft zu G., eröffnete seinen eigenen Salon, schloß sich den G.-Gegnern um Anna Amalia an, plante am 5. 3. 1802 ein (an der Sperrung des Stadthaussaals gescheitertes) Schiller-Fest, das Schiller auf seine Seite ziehen sollte (ebd. 1802), schürte den Theaterskandal um F. Schlegels *Alarcos* und griff G. in Schriften wie *Expektorationen* (1803) und dem mit Böttiger und G. Merkel gegründeten Organ der Romantik- und G.-Gegner *Der Freimütige* (1803–07) gehässig an. G. dagegen bearbeitete Kotzebues Stücke *Der Schutzgeist* (9.–27. 2. 1817), *Die Bestohlenen* (2.–15. 3. 1817) und *Der Rothmantel* (2.–16. 3. 1817, unvollendet) für die Weimarer Bühne und hielt, nachdem schon die *Xenien* (9 und 271) mit Kotzebue schonend verfahren waren, seine eigenen »Invektiven«

Der neue Alcinous I/II; Triumvirat; K … und B …; Ultimatum; An Kotzebue I/II u. a.) bis zur postumen Ausgabe von 1836 zurück. Nur der Zufall wollte es, daß der Jenaer Student Carl Ludwig Sand, der Kotzebue als vermeintlichen russischen Spion in Mannheim ermordete, G. am 14. 11. 1817 besucht hatte.

W. v. Biedermann, G. und K., in ders., G.-Forschungen, NF 1886; R. Schlösser, G.s persönliches und literarisches Verhältnis zu K., WMh 92, 1902; G. Stenger, G. und A. v. K., 1910.

Krackow, Caroline →Kirms, Franz

Kräuter, Friedrich Theodor David (1790–1856). Der »junge, frische, in Bibliotheks- und Archivgeschäften wohlbewanderte Mann« *Archiv des Dichters und Schriftstellers*, 1823), dessen »Fleiß, Genauigkeit und Zuverlässigkeit« G. lobte (an C. G. von Voigt 19. 12. 1815), wurde 1805 Schreiber, 1814 Akzessist, 1816 Bibliothekssekretär, 1837 Bibliothekar der Weimarer Bibliothek und 1841 Rat. Daneben zog G. ihn seit 1811 als Privatsekretär heran und erbat ihn am 19. 12. 1815 auch offiziell als Sekretär für sein Amt der »Oberaufsicht«, übertrug ihm Ordnung, Vervollständigung und Katalogisierung seines Archivs, der Tagebücher und Briefe, 1817 auch seiner Bibliothek und 1822 die Anlage eines Repertoriums aller seiner gedruckten und ungedruckten Werke (*Tag- und Jahreshefte* 1822), Arbeiten, die er stets zu G.s voller Zufriedenheit verrichtete. G. ließ ihn 1824 von Schmeller für seine Porträtsammlung zeichnen und machte ihn testamentarisch zum Kustos seiner Kunst-, Naturalien-, Briefsammlungen und der Bibliothek.

Krafft, Johann Friedrich (?–1785). Ein Zeuge für G.s selbstlose Menschenliebe als praktizierte Humanität: Der gebildete, belesene, bereiste, aber hypochondrisch empfindsame und hoffnungslos unglückliche »edle Mensch« (Tagebuch 13. 5. 1780) unbekannter Herkunft, vielleicht Sekretär – Krafft ist ein angenommener Name, seine wahre Identität bleibt Geheimnis –, wandte sich im Oktober 1778 von Gera aus hilfesuchend an G. Tief beeindruckt vom Schicksal des nicht schuldlos Verarmten unterstützte G. ihn insgeheim mit Naturalien, Kleidung, Büchern und Geld (1778–80 je 100, 1781–85 je 200 Taler jährlich), brachte ihn, als er Unterkunft und Beschäftigung in Jena aus unbekannten Gründen ablehnte, im Mai 1779 in Ilmenau unter, ließ ihn Berichte über die dortigen Mißstände schreiben (*Tag- und Jahreshefte* 1794) und vertraute ihm sein Mündel P. im →Baumgarten zur Erziehung an. Die 20 Briefe G.s an Krafft (1778–83) dokumentieren G.s Überwindung des Subjektivismus zugunsten von Selbstdisziplin und sozialer Hilfeleistung.

J. Voigt, G. und Ilmenau, 1912; R. Diezel, G.s geheimnisvoller Schützling J. F. K., JbWGV 94, 1990.

Krakau. Die alte Krönungsstadt der polnischen Könige berührte G. auf der Schlesischen Reise mit Carl August um den 5. 9. 1790 auf einem Abstecher zu den Bergwerken Oberschlesiens und Galiziens.

Krankheiten. »Krankheit hielt G. für das größte irdische Übel«, schreibt sein letzter Arzt, C. Vogel (*Die letzte Krankheit Goethes*, 1833). Doch dem populären Zerrbild G.s als des körperlich ebenso wie geistig kerngesunden, stets heiteren, kraftstrotzenden Olympiers in unangefochtener seelisch-körperlicher Harmonie, der seinen Körper durch Wandern, Reiten, Schwimmen, Trink- und Badekuren, Diät und rastlose Tätigkeit abhärtet und stählt, steht das Bild eines kranken G. von zarter psychisch-physischer Konstitution gegenüber, der von seiner lebensbedrohenden Geburt bis zum Tod durch Herzinfarkt mehrfach und vor allem in den dunklen, naßkalten Wintermonaten (nicht in Italien!) von gefährlichen körperlichen und psychosomatischen Krankheiten geplagt wurde, die er mithilfe seiner →Ärzte nach dem damaligen Stand der Medizin teils selber therapierte, oder der nach schweren seelischen Erschütterungen in Krankheiten flüchtete. Nicht alle lassen sich nach den Dokumenten retrospektiv diagnostizieren; die wichtigsten: Masern, Windblattern, 1758 Pocken, 1768/69 Blutsturz und Lungenaffektation mit Rückschlägen und langwieriger Rekonvaleszenz, ab 1775 häufig Katarrhe, grippale Infektionen, Mandelentzündungen, anhaltende Verdauungsbeschwerden, 1792 Rheuma, 1801 Gesichtsrose und Gehirnhautentzündung, 1804 Angina pectoris, seit 1805 häufige Nierenkoliken, 1822 erster Herzinfarkt, 1823 Herzbeutelentzündung und schwerer Krampfhusten, 1829 Netzhautentzündung, 1830 Lungenblutsturz, dazu erhöhter Blutdruck, häufige Herz- und Kreislaufstörungen und Zahnvereiterungen.

P. J. Möbius, G., II 1903; F. Lorenz, G.s Leben. Eine Krankengeschichte, Diss. Jena 1937; W. H. Veil, G. als Patient, 1939 u. ö.; L. Vogel, Das Bild der K. in Natur und Geistesanschauung G.s, Diss. Tübingen 1945; R. Kühn, G. Eine medizinische Biographie, 1949; M. Oberhoffer, G.s Krankengeschichte, 1949; E. Grünthal, Über G.s K. und die Periodizität seines Schaffens, Monatsschrift für Psychiatrie und Neurologie 125, 1953; H. G. Heilemann, G. Eine Krankengeschichte, Diss. Berlin 1989; F. Nager, Der heilkundige Dichter, 1990; K. Bellin, Was muß der arme Teufel leiden, NDL 40, 1992; P. Ridder, Gesund mit G., 1995; H. Reckendorf, G.s Ansichten zu Gesundheit, Krankheit und Tod, 1996.

Kranz, Johann Friedrich (1754–1810). Der Weimarer Bürgerssohn, seit 1766 Violinist der Hofkapelle, 1778 Hofmusikus, machte 1781–87 auf Kosten Carl Augusts eine musikalische Studienreise u. a. durch Italien, war 1787 gleichzeitig mit G. in Rom, gab im Januar 1787 bei G. ein kleines Konzert und spielte im Juli 1787 bei dessen Konzert für A. Kauffmann (*Italienische Reise*). Nach seiner Rückkehr wurde der »unermüdliche Konzertmeister« (*Tag- und Jahreshefte* 1791) 1791 musikalischer Leiter des Hoftheaters und 1799 Hofkapellmeister, bearbeitete mit Vulpius italienische Opern für die deutsche Bühne und komponierte 1791 die Bühnenmusik für G.s

Groß-Cophta. Ein hartnäckig geführter Streit mit der Sängerin C.
gemann um musikalische Tempi veranlaßte G. 1801 zu seiner Dis-
ensierung; Kranz ging 1803 als Hofkapellmeister nach Stuttgart.

Kraus, Georg Melchior (1737–1806). Den Frankfurter Maler,
eichner und Radierer eines bürgerlichen Rokoko bzw. des sog.
Zopfstils«, Schüler Tischbeins, 1761–66 in Paris an Greuze u. a. ge-
hult, lernte G. vielleicht schon 1768 in Frankfurt, eher 1774 auf
er Rheinreise mit Lavater in Nassau beim Freiherrn vom Stein
der in Ems kennen. Er trat ihm aber erst Anfang 1775 in Frank-
urt näher, nahm bei ihm Zeichenstunden, fand Förderung seiner
unst-Sammeltätigkeit und begeisterte sich besonders für die idyl-
sch-romantischen Zeichnungen von Weimar und Umgebung, die
raus von seinem Besuch dort 1774 mitgebracht hatte und die mit
s Entschluß bestimmten, nach Weimar zu gehen (*Dichtung und
Wahrheit* IV,20). G. nennt ihn den »angenehmsten Gesellschafter:
eichmütige Heiterkeit begleitete ihn durchaus; dienstfertig ohne
emut, gehalten ohne Stolz« (ebd.) oder den »heitersten Mann,
nmer gleich, immer gesellig und gefällig« (Papiere zu den *Tag- und
hresheften* 1807) und schätzte seine Werke sehr. Am 1. 10. 1775,
urz vor G., traf Kraus, zum Zeichenmeister Carl Augusts berufen,
 Weimar ein, fand Zugang zum Kreis um Anna Amalia, war Dar-
eller und Dekorateur des Liebhabertheaters, häufig in Gesellschaft
s und später Mitglied von dessen Mittwochsgesellschaft. Von 1776
s zu seinem Tod war er auf G.s und Bertuchs Betreiben Direktor
er Weimarer →Freien Zeichenschule und wurde 1780 weimari-
her Rat. Er begleitete G. im August/September 1784 auf seiner
 Harzreise (Zeichnungen von Felsarten), wurde 1786 Mitheraus-
eber von Bertuchs →*Journal des Luxus und der Moden* und reiste
793 mit G. und Gore in das Feldlager vor Mainz (*Belagerung von
Mainz*; Brandstudien). Infolge körperlicher und seelischer Miß-
andlung durch französische Soldaten bei der Plünderung Weimars
n 14. 10. 1806 starb er am 5. 11. 1806 und wurde am 9. 11. in G.s
nwesenheit begraben.

Zahlreiche, idyllisch geschönte Bilder von Kraus geben ein
nschauliches Bild vom Leben, dem Theater und den Personen des
lassischen Weimar (Tafelrunde bei Anna Amalia, 1792; G. als Orest
 Iphigenie, 1779; *Die Fischerin* in Tiefurt, 1780); seine Veduten vom
ago Maggiore mögen Anregungen für die *Wanderjahre* gegeben
aben. Von G. schuf er mehrere Porträts, so ein Ölbild G.s mit
nem Schattenriß (1775), von dem G.s Mutter 1778 von Anna
malia eine Kopie erhielt, und eine Kreidezeichnung (1776). Er
alte 1781 ein Aquarell zu *Das Neueste von Plundersweilern* und
ach und illuminierte die Skizzen von G. Schütz für die Erstaus-
abe von G.s *Römischem Carneval* (1789; *Italienische Reise*, Bericht
ebruar 1788). Daß aber die Kunst des Freundes in Weimar fast zur
outine stagnierte, muß G. wohl entgangen sein.

E. Schenk zu Schweinsberg, G. M. K., 1930; H. v. Maltzahn, G. M. K. in Weimar un? auf Reisen, GKal 33, 1940; E. Beutler, G. M. K., in ders., Essays um G. 2, 1947 u. ö.; De? Maler G. M. K., hg. J. Göres 1983.

Krause, (Gottlieb) Friedrich (1805–1860). Der Absolvent des Wei? marer Lehrerseminars war vom 1. 12. 1824 bis zu G.s Tod desse? Diener und erfüllte seine Pflichten, wenn auch weniger sensibe? und einfühlend als seine Vorgänger, zur Zufriedenheit G.s, der de? »braven Diener« testamentarisch 150 Taler und ein Stück Land ver? machte. Krause blieb bis 1837 im Dienst Ottilie von G.s, scheitert? dann als Gastwirt und Buchkolporteur und endete als Amtsdiene? in Ilmenau.

W. Schleif, G.s Diener, 1965.

Krebel, Gottlieb Friedrich (1729–1793). Der Leipziger Finanzbe? amte, 1777 Oberkonsistorialsekretär in Dresden und Herausgebe? geographischer und genealogischer Handbücher, war zu G.s Stu? dienzeit Mitglied der Schönkopfschen Tischgesellschaft in Leipzig G. beschreibt ihn als einen »wahren Falstaff«, der ihn »mit Maßen z? necken und anzuregen« wußte (*Dichtung und Wahrheit* II,7).

Kreis von Münster →Münster

Kretschmann, Carl Friedrich (1738–1809). Der Zittauer Advoka? und Schriftsteller beteiligte sich mit *Der Gesang Rhingulphs des Ba?* *den* (1768) an der modischen Bardendichtung. Gegen die Unehr? lichkeit solcher literarischen Maskerade ereiferte sich G. im Brief a? Friederike Oeser vom 12. 2. 1769.

Kreuchauff, Franz Wilhelm (1727–1803). Der Leipziger Kauf? mann, Schriftsteller, Kunstkenner und -sammler gab 1764 seine? Kaufmannsberuf auf und widmete sich im Kreis um A. F. Oese? ganz kunstwissenschaftlich-ästhetischen Schriften und seiner Kup? ferstichsammlung. G. lernte den »Liebhaber mit geübtem Blick? 1768 durch Oeser kennen (*Dichtung und Wahrheit* II,8).

J. Jahn, Das künstlerische Leipzig und G., Goethe 12, 1950.

Kreutzburg, Kreuzburg →Creuzburg

Krieg. G. lehnte seiner ganzen, auf allmähliche Entwicklunge? ausgehenden Weltanschauung nach den Krieg als gewaltsames Mit? tel der Politik ab: »Unsre modernen Kriege machen viele unglück? lich, indessen sie dauern, und niemand glücklich, wenn sie vorbe? sind« (*Italienische Reise* 6. 9. 1787; vgl. *Vier Jahreszeiten* 75; zu Rieme? 13. 12. 1806). Dennoch mußte er im Elternhaus die Parteinahm? für Preußen im Siebenjährigen Krieg und die Niederlage Preußen? am 13. 4. 1759 in der Schlacht bei →Bergen vor den Toren Frank? furts erleben, wurde 1779–86 Leiter der Weimarer Kriegskommis?

on zur Rekrutenaushebung und mußte auf Wunsch Carl Augusts '92 widerwillig an der →Campagne in Frankreich und 1793 an er →Belagerung von Mainz teilnehmen. In den Napoleonischen riegen erlebte er nach der Schlacht bei Jena und Auerstedt am 4.10. 1806 die Plünderung Weimars mit und in den →Freiheits-iegen, denen er skeptisch gegenüberstand, die Nachwirkungen er Völkerschlacht bei Leipzig. Entsprechend sah G. ungern den Eintritt Carl Augusts in die preußische Armee; seinen eigenen Sohn August ließ er 1813 nicht als Kriegsfreiwilligen ausziehen. Im terarischen Werk spiegeln sich Auswirkungen des Krieges im *Götz n Berlichingen*, im *Egmont*, dann vor allem in *Hermann und Doro-ea* und den *Unterhaltungen deutscher Ausgewanderten*; der »Dämon es Krieges« erscheint als Figur in *Des Epimenides Erwachen* (V).

C. Fritz, G.s Stellung zum K., Diss. Marburg 1930; W. Wittich, G. et la guerre, in: G., ris 1932; H. Wahl, Vom Kriegskommissar G. und seinen Soldaten, GKal 35, 1942; '. Emrich, G.s dichterische Darstellung des K.es, Europäische Literatur 3, 1944; T. Larkin, War in G's writings, Lewiston 1992.

riegskommission →Amtliche Tätigkeit

ritik. Einen bedeutenden Anteil von G.s literarischem Werk neh-men seit seiner Mitarbeit an den *Frankfurter Gelehrten Anzeigen* kri-sche Schriften vorwiegend zu Literatur, Volksdichtung, Theater, ter und neuer Kunst und Architektur ein. Sie reichen formal von nzeigen, Vorankündigungen, Empfehlungen und besonders Re-ensionen bis zu selbständigen Essays, Untersuchungen, allgemeinen bhandlungen (z. B. *Einfache Nachahmung …; Über den Dilettantis-us; Über epische und dramatische Dichtung*) und Biographien über Künstler und Kunstkritiker (→Cellini, →Hackert, →Winckelmann). ei aller Einschränkung auf ein zunehmend klassizistisches Litera-ur- und Kunstverständnis, persönliche Vorlieben und ästhetische rämissen zeigen sie in ihrer Fülle die ganze Breite von G.s Re-eption und Vermittlung älterer wie neuerer, orientalischer, antiker nd europäischer Literatur und Kunst. Die anfänglich noch intui-v-emphatische, dann individuell auf das Einzelwerk ausgerichtete kritik zielt auf das Schöpferische; sie fragt nach Entstehungsbedin-ungen, Vorsätzen, Ausführung und Gelingen des Kunstwerks und vill zugleich als Rat und Hilfe für die Autoren bzw. Künstler ver-tanden sein (*Graf Carmagnola noch einmal*, 1821). Die spätere Kri-k, besonders die Kunstkritik nach der Italienreise, sieht das Werk orwiegend in geschichtlichen und thematischen Zusammenhän-en. Im Unterschied zu Schiller enthält sich G. aus prinzipieller Hochachtung selbst des wenig bedeutenden Werkes der direkt ne-ativen Kritik in Form des Verrisses. Ein gehöriges Maß an Selbst-ritik bezeugen auch die zahlreichen Neufassungen eigener Werke ei gewandeltem Formwillen (*Faust, Iphigenie, Wilhelm Meister* u. a.).

J. Rouge, G. critique, RLC 12, 1932; E. R. Curtius, G. als Kritiker, Merkur 2, 1948, uch in ders., Kritische Essays zur europäischen Literatur, 1950 u. ö.; Ch. Joisten, Struk-

turen der Literaturk. G.s, Diss. Köln 1959; J. Wohlleben, G.s Literaturk., Diss. Berl
1965; G. as a critic of literature, hg. K. J. Fink, New York 1984; K. Haenelt, Studien
G.s literarischer K., 1985.

Kronach. In der oberfränkischen Stadt übernachtete G. a
17./18. 11. 1797 auf dem Rückweg von der 3. Schweizer Reise.

Kronach. Die Stadt im Taunus besuchte G. zuerst 1764 im Zug
seiner Taunuswanderung zum Zeichnen nach der Natur (*Dichtu.*
und Wahrheit II,6).

Krüdener, Juliane von, geb. von Vietinghoff (1764–1824). D
Frau, die Europas Literatur- und Adelswelt in Aufregung versetzt
Schriftstellerin und 4. Gattin des russischen Gesandten B. A. K. vo
Krüdener, wandte sich 1804 von ausschweifender Vergnügung
sucht einem mystizistischen Pietismus zu, als dessen Prophetin s
auf weiten Reisen Anhänger warb und dabei vielerorts ausgewiese
wurde. G., damals in Jena, verpaßte ihren Aufenthalt in Weimar i
April 1812, ließ sich aber gern von ihren Extravaganzen erzähle
Ihre marktschreierische Frömmigkeit verspottet seine Invektiv
»Junge Huren …« (4. 4. 1818); ihre *Werther*-Imitation im Brie
roman *Valérie* (Paris II 1803) nennt er eine »Nichtigkeit« (an Eicl
städt 21. 4. 1804).

Krüger, Carl Friedrich (1765–1828). Der nach Genast »höch
talentvolle Schauspieler«, nach G. »ein entsetzlicher Windbeutel« (a
Schiller 12. 5. 1798), spielte 1791–93 in Weimar erst Liebhaber
dann Väterrollen, u. a. Falstaff (*Herzogliches Hoftheater zu Weima*
1792).

Krüger, Georg Wilhelm (1791–1841). Der Berliner Hofschauspie
ler besuchte anläßlich eines Weimarer Gastspiels am 23. 3. 1823 C
mit einem Empfehlungsbrief von Zelter und war am 25. 3. mit an
deren Schauspielern sein Tischgast. Nachdem Eckermann G., de
nicht mehr ins Theater ging, am 1. 4. ausführlich über Krüger
vorzügliche Darstellung des Orest in G.s *Iphigenie* am 31. 3. berich
tet hatte, schrieb G. für Krüger das auf den 31. 3. datierte Wid
mungsgedicht »Was der Dichter diesem Bande …« und sandte e
ihm mit der Luxusausgabe der *Iphigenie* von 1825 am 7. 4. 182
nach Berlin. Die oft zitierten Verse daraus von der »reinen Mensch
lichkeit« geben trotz ihrer Herkunft aus einem Gelegenheits-Wid
mungsgedicht einen wesentlichen Deutungsaspekt. Krüger be
suchte G. wieder bei einem zweiten Gastspiel am 20. 9. 1829.

Krüger, Johann Christian (1723–1750). In dem einaktigen Alexan
drinerlustspiel *Herzog Michel* (1750) des Hamburger Schauspieler
und Dramatikers um die »Milchmädchenrechnung« eines Bauern
burschen spielte G. bei einer Leipziger Liebhaberaufführung End

767 die Titelrolle, Käthchen Schönkopf dessen Geliebte (*Dichtung
und Wahrheit* II,7).

rug von Nidda, Friedrich Albert Franz (1776–1843). Der
reußische Hauptmann und romantische Schriftsteller besuchte G.
n 25. und 26. 7. 1816 in Bad Tennstedt und am 12. 8. 1829 in Wei-
ar und wurde von ihm in seinem Schaffen ermutigt.

W. v. Biedermann, G. mit F. K. v. N. in Tennstädt, in ders., G.-Forschungen, 1879 und
F 1886.

rummacher, Friedrich Wilhelm (1796–1868). G. begegnete
em Sohn des Fabeldichters im Sommer 1817 als Jenaer Theolo-
iestudenten. Um sein Urteil ersucht, besprach er am 18. 1. 1830
ir J. F. Röhrs *Kritische Prediger-Bibliothek* (11,1, Mai 1830) Krum-
aachers pietistische Predigtsammlung *Blicke ins Reich der Gnade*
1828), von der selbstgefälligen Frömmelei abgestoßen, als »narko-
sche Predigten«. Privat wurde G. noch deutlicher: »absurd« (zu
von Müller 11. 1. 1830), »solche Verirrungen« (an J. F. Röhr 20. 1.
830).

ügelgen, Franz Gerhard von (1772–1820). Der Dresdener klas-
zistische Historien- und Porträtmaler hielt sich am 8. 12.
808–25. 1. 1809 in Weimar auf und schuf im Dezember 1808 das
in wenig theatralische, von den Zeitgenossen mit viel Beifall auf-
enommene Ölporträt G.s als Minister und Dramatiker mit Orden
nd gleichzeitig ein Wachsrelief-Porträt. »Der gute, im Umgang
llen so werte Künstler« (*Tag- und Jahreshefte* 1809) war nach den
itzungen meist G.s Tischgast. Am 21.–24. 9. 1810 saß G. ihm in
Dresden für ein zweites, ursprünglich für Schlosser bestimmtes Por-
rät; dieses behielt Kügelgen (heute verschollen) und sandte G. statt-
essen am 25. 12. 1810 eine Kombination beider Ölgemälde, die
ieser am 27. 1. 1811 Schlosser sandte. Von beiden Porträts existie-
en Kopien von eigener und fremder Hand, eines besaß C. F. Zel-
er. G. besuchte Kügelgen (wie sich dessen Sohn Wilhelm in den
ugenderinnerungen eines alten Mannes erinnert) wieder am 24. 4.
813 in Dresden, war jedoch von seinen romantisch-religiösen
pätwerken weniger angetan.

O. Clemen, G. v. K.s G.bilder, in ders., Beiträge zur deutschen Kulturgeschichte,
919; L. v. Kügelgen, G. v. K., 1924.

Künstlerische Behandlung landschaftlicher Gegenstände.
Jnter diesem nicht von G. stammenden Titel veröffentlichte J. H.
Meyer in *Über Kunst und Altertum* (VI,3, 1832) einen meist nur
tichwortartigen, offensichtlich unvollendeten Entwurf aus G.s letz-
en Jahren zu einem Aufsatz, der vielleicht den Entwurf *Landschaft-
iche Malerei* ergänzen sollte oder Brouillon zu einem größeren Auf-
atz über Landschaftsmalerei war.

Künstler-Lied. Das Gedicht, das recht abstrakt G.s kunsttheoreti
sche Gedanken zusammenfaßt, entstand am 27./28. 12. 1816 au
Bitten J. G. Schadows für das Stiftungsfest des Berliner Künstler
vereins (an Zelter 1. 1. 1717) und erschien zuerst in Gubitz' *Der Ge
sellschafter* (11. 1. 1817). Ohne Überschrift wurde es 1821 in *Wilhel
Meisters Wanderjahre* (II,8) eingefügt.

Künstlers Abendlied. Das war schon ursprünglich kein Abend
lied, sondern Teil eines Briefgedichts an Merck vom 5. 12. 1774
dessen erste zwölf Verse (»Mein altes Evangelium ...«) später an de
Anfang des Gedichts *Sendschreiben* gestellt wurden. Am 19. 4. 177!
sandte G. das Gedicht mit der Verlegenheitsüberschrift *Lied de
physiognomischen Zeichners* auch an Lavater, der es 1775 am Schlu
des 1. Teils der *Physiognomischen Fragmente* veröffentlichte. Die irre
führende Überschrift *Künstlers Abendlied*, wohl als Pendant z
Künstlers Morgenlied, erhielt das Gedicht erst beim ersten strophisc
gegliederten Druck in den *Schriften* von 1789. Das hochgemut
Lied vom Künstler im weitesten Sinn – nicht nur vom Maler, a
der sich G. versuchte, sondern auch vom Dichter – als Nachschaf
fer, Erfühler, Organ der Natur und von der Schöpferkraft des Ge
nies als Ausweitung, Entgrenzung des »engen Daseins« wurde u. a
von J. F. Reichardt vertont.

Künstlers Apotheose. Schon bei der Zusammenstellung un
Überarbeitung seiner Werke für die *Schriften* von 1789 faßte G. de
Entschluß, das frühe szenische Fragment →*Des Künstlers Vergötterun
* (1774) zur Abrundung und Ergänzung von →*Des Künstlers Erde
wallen* zu vollenden (*Italienische Reise* 1. 3. 1788). Die vollständig
Neufassung als »Drama« in Knittelversen (mit Anklängen an de
Faust) wurde nach der Rückkehr aus Italien am 19. 9. 1788 i
Gotha abgeschlossen und erschien in den *Schriften* (Bd. 8, 1789). Si
behält nur den szenischen Rahmen, Figuren und Idee des frühe
Entwurfs bei, erweitert jedoch den Themenkreis: Der demütig
resignierende Malschüler, der sein Vorbild nie zu erreichen glaubt
wird einerseits durch die Negativfigur des Liebhabers auf die in
stinktive Nachahmung ungebändigter Natur (Sturm und Drang)
andererseits durch den Meister auf den hohen Kunstverstand (Klas
sizismus) verwiesen. Die Verherrlichung des zu Lebzeiten verkann
ten Künstlers, der durch Empfindung, Verstand und Fleiß zun
unsterblichen Meister wurde, gibt schließlich Anlaß für einen Auf
ruf zum Mäzenatentum. In der Abkehr von dumpfem Natur
instinkt zu klassischem Kunstverstand bekundet sich G.s in Italie
gewonnene klassische Ästhetik.

Künstlers Erdewallen →*Des Künstlers Erdewallen*

Künstlers Morgenlied. In einer gleichzeitig durch die Form
(vierzeilige sog. Chevy Chase-Strophen von reimlosen, alternieren

en Vier- und Dreihebern) gebändigten, hymnisch begeisterten prache mit kühnen Verkürzungen, Verknüpfungen und Über-hneidungen der schwelgenden Bildsphären veranschaulicht G. rstmals in der deutschen Literatur die inneren Vorgänge beim ünstlerischen Inspirations- und Schaffensprozeß: einen jubi-erenden Schaffensrausch, der im Vollgefühl schöpferischer Kraft um Werk drängt, ja Werk wird. Die Homer-Lektüre (*Ilias* XVI/XVII: Tod des Patroklos) beschwört vor dem inneren Auge es Künstlers Bilder und Kampfszenen, in die er sich selbst hinein-erissen fühlt und die er zugleich – aus unmittelbarem Verhältnis um Gegenstand – auf der Leinwand gestaltet. In einem zweiten eil (v. 49 ff.) wird angesichts der nur im Bild anwesenden Ge-ebten auch das Liebeserlebnis zum Schaffensanstoß: wie sie in ielfältigem Gestaltenwandel als Madonna, Nymphe oder Venus viederkehrt, sieht sich der Künstler selbst als Beter, Faun und Mars. iebeswonne und aus dem Eros erneute Schöpferkraft verbinden ch in der männlich-übermütigen Schlußvision des liebenden Paa-es. Die lyrische Gestaltung von G.s Genieästhetik entstand wohl n Frühjahr 1773 oder 1774, erschien zuerst im Anhang »Aus G.s Brieftasche« zu H. L. Wagners Übersetzung von L. S. Merciers *Neuem Versuch über die Schauspielkunst* (1776) und seit 1789 abge-chwächt in den *Schriften* und wurde von J. F. Reichardt vertont.

H. R. Vaget, Eros und Apoll, SchillerJb 30, 1986; F. Kemp, Schöpfungskraft und rustration, SchillerJb 31, 1987.

Künstlers Vergötterung →*Des Künstlers Vergötterung*

Küßnacht. Den Ort am Vierwaldstätter See berührte G., jeweils uf dem Rückweg vom St. Gotthard, auf der 1. Schweizer Reise am 9. 6. 1775 (*Dichtung und Wahrheit* IV,19) und auf der 3. Schweizer Reise am 7. 10. 1797 (*Reise in die Schweiz 1797*). Die bei beiden Gelegenheiten gesehene und erwähnte Tellskapelle an der »Hohlen Gasse« von Küßnacht nach Immensee zur Erinnerung an Tells Tötung des Landvogts Geßler regte G. zum Plan eines →Tell-Epos n, das Schiller später als Drama ausführte.

Küttner, Carl Gottlob (1753–1805). Der Leipziger Reiseschrift-teller besuchte G. am 7. 5. 1798 und empfing seinen Besuch in Leipzig am 9. 5. 1800.

Kugler, Franz Theodor (1808–1858). Der spätere Schriftsteller und Kunsthistoriker besuchte G. am 24. 4. 1827 mit einer Empfehlung on Zelter.

Kunst. »Das Auge war vor allen anderen das Organ, womit ich die Welt faßte« (*Dichtung und Wahrheit* III,6): Dem Augenmenschen G. ot die bildende Kunst lange Zeit eine Alternative zur Dichtung als Hauptrichtung seines Interesses, seines Studiums und seiner Kreati-

vität. Ihrer Erfassung, ihrem Verständnis und ihrer Ausübung wid
mete er einen Aufwand an Zeit und Mühe, der in den Ausgaben de
nur literarischen Werkes keinen adäquaten Niederschlag finde
kann und der es verständlich macht, daß in diesem Zusammenhan
nur die Hauptaspekte von G.s Verhältnis zur Kunst in den gröbste
Zügen angedeutet werden können. Vieles an G.s Kunstanschauung
die geprägt und begrenzt ist durch das unangezweifelte Vorbild de
Antike und durch die ästhetischen Begriffe von Schönheit, Har
monie und Naturwahrheit, mag dem heutigen Geschmack über
holt und einseitig, sein Kunsturteil dogmatisch eingeengt erschei
nen; anderes ist zeitbedingt als Reaktion der älteren Generation au
eine neue Epoche, die sich erstmals anschickte, die bisher verbind
lichen Muster zugunsten einer subjektiven Kunstfreiheit umzustür
zen. So gewiß G.s Beitrag zur Kunst trotz seines Umfangs nicht de
stärkste seines Werkes ist und in seiner Rückwärtsgewandtheit fü
die Entwicklung der Kunst nahezu folgenlos blieb, eröffnet er doc
als integrierter Aspekt von G.s Ganzheit Einsichten in die geistig
Formation und Ästhetik der deutschen Klassik.

Bei G.s Kunsterlebnissen ist grundsätzlich zu berücksichtigen
daß G., kein habitueller Museumsbesucher und dann durchaus z
selektivem Sehen neigend, viele Werke nur in Kopien ode
schwarz-weißen Reproduktionsstichen bzw. Gipsrepliken oder ga
nur vom Hörensagen und aus Beschreibungen kennenlernte un
daß nicht wenige von ihm bewunderter Meisterwerke sich späte
als Falschzuschreibungen erwiesen.

Die erste Begegnung des jungen G. mit der bildenden Kuns
vollzog sich im Elternhaus an der Kunstsammlung seines Vaters, de
ebenso wie später der Königsleutnant Thoranc Frankfurter Künst
ler für sich beschäftigte und dessen Geschmacksbreite von Nach
ahmungen der Niederländer bis zu einem bürgerlichen Rokok
reichte. Die niederländische Landschaftsmalerei steht auch bei G.
erstem Besuch der Dresdner Galerie im Vordergrund des Interesses
Gleichzeitig wird G. in Leipzig durch den Winckelmann-Schüle
A. F. Oeser auf die Schönheits- und Harmoniepostulate des Klassi
zismus verwiesen, der nach Auffassung der Zeit die unverfälscht
Natur offenbare und seither für G. der verbindliche Kunstst
bleibt, damit aber zugleich seine Empfänglichkeit für andere Rich
tungen begrenzt. Die erste Begegnung mit klassischer Kunst in
Mannheimer Antikensaal (1769) bestimmt die Leitbilder seine
eigenen Kunstanschauung, die auf der Italienreise (1786–88) m
die Auswahl des Besichtigten bestimmt. Ihr gegenüber nehmen di
italienische Renaissancemalerei und Künstler wie Raffael, Poussi
und Claude Lorrain aufgrund ihrer klassischen Elemente als »neu
Griechen« den zweiten Rang ein. G.s Verhältnis zum Barock i
zwiespältig; die Gotik fällt in Italien trotz der frühen Begeisterun
für das Straßburger Münster und Dürer praktisch der Nichtbeach
tung anheim. Für die altdeutsche Kunst eröffnet Boisserée G. ers

später und vorübergehend das Verständnis, das bald wieder überlagert wird durch die von G.s künstlerischem Ratgeber J. H. Meyer geschürte Abwehr der Romantik mit ihrer dem klassischen Kunstideal zuwiderlaufenden, nationalistischen Mittelalterverehrung, ihrem schrankenlosen Subjektivismus und dem christlichen Mystizismus der Nazarener. Über die zeitgenössische Kunst außerhalb Weimars ist G. unleugbar höchst lückenhaft bis unzureichend informiert; während er mit klassizistischen Malern wie Tischbein, Hackert und A. Kauffmann in Italien oder klassizistischen Bildhauern wie Schadow und Rauch in Berlin Kontakt hatte, ist es fraglich, ob ihm Namen wie Canova, Turner oder Goya je begegnet sind.

G.s Schriften zur Kunst nehmen innerhalb seines nichtdichterischen Werkes – Abgrenzungsfragen etwa bei der *Italienischen Reise* und der *Farbenlehre* einmal beiseitegelassen – trotz seines Bewußtseins von der Unangemessenheit von Verbalisierungen des Kunsterlebnisses (→Bildbeschreibungen) einen noch größeren Anteil ein als die Schriften zur Literatur. Sie reichen von den Übersetzungen von Cellini und Diderot und den Biographien von Hackert und Winckelmann bis zu kritischen Auseinandersetzungen mit Kunstwerken aller Gattungen und essayistischen Abhandlungen über generelle ästhetische Fragen (→Kritik), die zumeist in den von G. herausgegebenen Kunstzeitschriften →*Propyläen* (1798–1800) und →*Über Kunst und Altertum* (1816–32) erschienen.

G.s eigene künstlerische Ambitionen als Zeichner vor allem von Landschaften (→Handzeichnungen), vom Vater früh gefördert und durch Anleitung von Oeser, G. M. Kraus, Tischbein, Hackert, Kniep u. a. unterstützt, erlitten 1787 in Rom einen Rückschlag, als er einsah, daß seine mehr dilettantischen Wiedergaben von Natureindrücken nicht der klassischen Norm entsprachen; als Freizeitbeschäftigung wurden sie später besonders auf Reisen wieder aufgenommen. Die Kunstpädagogik förderte G. durch sein lebhaftes, praktisches Interesse und seine Mitarbeit an der Weimarer →Freien Zeichenschule.

In die Kunstpolitik greifen G.s allerdings vergebliche Versuche ein, durch die →Preisaufgaben für bildende Künstler (1799–1805) der →Weimarischen Kunstfreunde die Kunst seiner Zeit durch Themen und Motive in orthodox klassizistischem Sinn zu beeinflussen. Dieselbe Tendenz wirkt bei den Ankäufen von Kunstwerken für den Weimarer Hof (nach Beratung mit J. H. Meyer), beim Aufbau der eigenen →Kunstsammlung, die ihm ein imaginäres Museum seiner bevorzugten Werke bot, und selbst in der Weimarer Theaterdekoration.

Für die Wechselbeziehungen von Kunst und Literatur schließlich ist es nicht unwesentlich, daß Kunstprobleme, Kunstwerke oder Kunsterlebnisse G.s sich auch im literarischen Werk (z. B. *Faust*, den sog. Künstlergedichten u. a.) niederschlagen, umgekehrt G. und seine Werke zahlreichen Künstlern Anregungen zu →Illustrationen (→Faust-Illustrationen) und etwa 100 zeitgenössischen →Porträts gaben.

A. Heusler, G. und die italienische K., 1891; Th. Volbehr, G. und die bildende K., 1895; W. Waetzold, G.s kunstgeschichtliche Sendung, ZfD 34, 1920; E. Maaß, G. und die Werke der antiken K., JGG 10, 1924; H. A. Korff, G. und die bildende K., ZfD 41, 1927; K. K. Eberlein, G. und die bildende k. der Romantik, JGG 14, 1928; W. Kampmann, G.s K.theorie nach der italienischen Reise, JGG 15, 1929; F. Denk, G. und die Bildk. des Sturm und Drang, DVJ 8, 1930; A. Feulner, Der junge G. und die Frankfurter K., 1932; H. Koch, G. und die bildende K. des klassischen Altertums, ZfA 26, 1932; W. Pinder, G. und die bildende K., 1933, auch in ders., Gesammelte Aufsätze, 1938; H. Prang, G. und die K. der italienischen Renaissance, 1938; R. Benz, G. und die romantische K., 1940; R. Benz, G.s Glaube an die klassische K., GKal 34, 1941; M. Wegner, G.s Anschauung antiker K., 1944 u. ö.; Th. Hetzer, G. und die bildende K., 1948; H. v. Einem, G. und die bildende K., Studium generale 2, 1949; O. Stelzer, G. und die bildende K., 1949; J. Jahn, Das künstlerische Leipzig und G., Goethe 12, 1950; W. Kayser, G.s Auffassung von der Bedeutung der K., Goethe 16, 1954, auch in ders., Kunst und Spiel, 1961; E. Staiger, G.s Weg zur klassischen K., OL 9, 1954; H. v. Einem, Beiträge zu G.s K.auffassung, 1956, erw. als G.-Studien, 1972; W. G. Oschilewski, G. und die bildende K., 1957; M. Jolles, G.s K.anschauung, 1957; D. Kuhn, Zu G.s Theorie der Künste, Goethe 23, 1961; E. Hempel, G. zur Aufgabe der K.geschichte, 1964; W. Stellmacher, Zur Entwicklung der K.auffassung G.s, WB 15, 1969; W. D. Robson-Scott, G. und die Tradition der bildenden K., in: G. und die Tradition, hg. H. Reiss 1972; Ch. Bürger, Der Ursprung der bürgerlichen Institution K. im höfischen Weimar, 1977; V. Lange, Art and literature, in: G.zeit, hg. G. Hoffmeister 1981; W. D. Robson-Scott, The younger G. and the visual arts, Cambridge 1981; H. v. Einem, Die bildende K. in Leben und Schaffen G.s, JbWGV 86–91, 1982–87; T. Namowicz, G.s Stellung in der K.forschung seiner Zeit, Impulse 10, 1987; W. Busch, Die große, simple Linie, GJb 105 1988; G. Schulz, Chaos und Ordnung in G.s Verständnis von K. und Geschichte, GJb 110, 1993; G. und die K., hg. S. Schulze 1994.

Kunstausstellungen. Die von G. mit den →Weimarischen Kunstfreunden 1799–1805 alljährlich im September im Weimarer Theater veranstalteten Ausstellungen der für die →Preisaufgaben eingesandten Werke, meist ergänzt um Arbeiten der Freien Zeichenschule oder Ausstellungen zu Sonderthemen (Büsten, Schloßdekoration u. ä.) dienten ebenso wie die Themen der Preisaufgaben aus Homer der Propagierung einer klassizistischen Kunst im gegenständlich-symbolischen Stil. Über die Ausstellungen berichteten G. und J. H. Meyer mit Angabe der Preisträger und der neuen Preisaufgaben in den *Propyläen* (1800) und dann jeweils am 1. 1. des Folgejahrs in der *Jenaischen Allgemeinen Literaturzeitung*. Nach Aufgabe der den neueren Kunstrichtungen zuwiderlaufenden Wettbewerbe organisierte G. gelegentlich Sonderausstellungen, deren Exponate teils für Weimar erworben wurden.

G. und die Kunst, hg. S. Schulze 1994.

Kunst, die Spröden zu fangen. Die beiden um 1766/67 entstandenen neckisch-erotischen Erzählungen in einer Mischung von Vers und Prosa im Buch →*Annette* behandeln rokokohaft leicht die Liebe als ein unpersönliches, geistreiches und intellektuell ausgeklügeltes Spiel.

Kunstfreunde →Weimarische Kunstfreunde

Kunstkritik →Kritik

Kunstsammlungen. Gleich vielen seiner Bekannten und einigen einer Figuren (z. B. →*Der Sammler und die Seinen*) sammelte G. in einem Haus am Frauenplan zumeist durch Ankäufe bei Kunsthändlern und Auktionen plan- und absichtsvoll alles ihm preislich rreichbare Bedeutende, Beachtenswerte und Merkwürdige an Werken der Kunst als Gegenstände seiner eigenen Bildung (zu von Müller 23. 10. 1812, 19. 11. 1830) und baute auch durch die ange Zeit seiner Sammeltätigkeit eine der derzeit umfangreichsten und bedeutendsten Privatsammlungen Deutschlands auf. Die Wertchätzung seiner Sammlung bekundet sich in den Vorschriften des Testaments, die eine Auflösung und Verstreuung der Sammlung zunächst bis zur Volljährigkeit seiner Enkel verhindern, ihre geschlossene Überführung in eine öffentliche Anstalt befürworten und sie inzwischen in seinem Haus unter einem Kustos (→Kräuter) ewahrt wissen wollen. Die →Sammlungen aus den verschiedenten Kunstgattungen umfassen insgesamt über 26 000 Objekte, darunter (in runden Zahlen) 6000 Kupfer- und Stahlstiche, Radierungen, Holzschnitte und Lithographien, 2000 Handzeichnungen aller pochen, 2000 eigene Handzeichnungen, zahlreiche Ölgemälde und Aquarelle, 130 Skulpturen, Büsten und deren Abgüsse, 5000 antike Gemmen und deren Abgüsse, 100 Majoliken, 200 Porzellane, azu antike Vasen, 50 Basreliefs und Medaillons, 4000 Münzen und Medaillen, ferner Kleinplastik, Terrakotten, Erotica u. a. m. Ihre enaue Inventarisierung und Katalogisierung, zuerst von J. Ch. chuchardt (*G.s Kunstsammlungen*, III 1848 f.) eingeleitet, ist noch m Gange.

W. v. Oettingen, Über G.s K., in: Funde und Forschungen, Festschrift J. Wahle, 1921.

Kunstschule →Freie Zeichenschule

Kunst und Altertum →*Über Kunst und Altertum*

Kunst und Altertum am Rhein, Main und Neckar. Bei G.s uraufenthalten in Wiesbaden 1814 und 1815 fanden die Kunstchätze der Städte am Rhein, Main und Neckar, die er besuchte, ein lebhaftes Interesse. Die Schrift zieht eine Summe dieser und rüherer Kunstreisen und Besuche in Köln, Bonn, Neuwied, Koblenz, Mainz, Frankfurt, Hanau, Darmstadt und Heidelberg. Anstelle einer ursprünglich geplanten Schrift über die Sammlung oisserée schrieb G. auf Anregung des Freiherrn vom Stein am 9. 8. 1815–27. 2. 1816 diese Denkschrift zur Erhaltung und Organisation der rheinischen Altertümer, Kunstwerke und Kunstinstitute n den nunmehr preußischen Rheinlanden und unterbreitete sie 816 mit Begleitschreiben über die Kulturaufgaben Preußens am Rhein dem preußischen Innenminister C. F. von Schuckmann und

dem Oberpräsidenten der Rheinprovinz J. A. Sack. Sie erschien zuerst u. d. T. *Kunst und Altertum am Rhein und Main* 1816 im 1. Heft
der damit neugegründeten Zeitschrift G.s *Über Kunst und Altertum*,
die in den ersten drei Heften den Untertitel *Über Kunst und Altertum in den Rhein- und Maingegenden* führte und die G. im *Morgenblatt für gebildete Stände* (9.–12. 3. 1816) unter diesem Untertitel
ausführlich referierend anzeigte. Die Herausgeber der *Nachgelassenen Werke* (Bd. 3, 1832) drucken sie unter dem Sammeltitel *Aus einer
Reise am Rhein, Main und Neckar in den Jahren 1814 und 1815* neben
anderen Schriften als *Kunstschätze am Rhein, Main und Neckar. 1814
und 1815.*

W. Tichy, Über K. u. A., Diss. Marburg 1953.

Kunstwettbewerbe →Preisaufgaben für bildende Künstler

Kupferstiche. Die Kupferstiche römischer Veduten im Elternhaus
gaben G. neben den Ölgemälden mit die frühesten Kunsteindrücke
besonders Italiens (*Dichtung und Wahrheit* I,1); ihr Reinigen dagegen
erwies sich als weniger lustbetonte Tätigkeit (ebd. I,4). 1768 machte
sich G. bei dem Leipziger Kupferstecher J. M. Stock mit der Technik der Radierung vertraut und versuchte sich selbst gelegentlich in
Reproduktionsstichen nach Landschaften des Dresdner Hofmalers
J. A. Thiele (ebd. II,8), von denen zwei erhalten sind. Als Frankfurter Rekonvaleszent beschäftigte er sich 1768 mit Kupferstichen, las
eine *Abhandlung von Kupferstichen* (1768) und besuchte Sammlungen. Noch in Weimar radierte er 1781 eine Landschaft A. van Everdingens. Seine Vorliebe für Kupferstiche, und zwar Originalgraphik
ebenso wie Reproduktionsstiche, wie sie ihm und den Zeitgenossen die Kenntnis der damals nicht leicht und nicht immer öffentlich zugänglichen Meisterwerke erschlossen, dokumentiert sich in
G.s →Kunstsammlung: am 11. 10. 1780 bittet er Merck um Rat für
die Anordnung einer Kupferstichsammlung, und bei Lebensende
umfaßt diese an 6000 Werke der Graphik, vorwiegend Kupferstiche, wobei G. zumal bei seinen Favoriten Dürer und Claude
Lorrain durchaus auch gute Drucke bevorzugt. Als Rezensent der
Frankfurter Gelehrten Anzeigen besprach G. dort seit Mai 1772 auch
Kupferstiche (*Englische Kupferstiche*, 6. 10. 1772) u. a., später mit
unter Einzelwerke wie im *Kupferstich nach Tizian* (1822), und begann 1797 eine für die *Propyläen* geplante, nicht abgeschlossene
Recension einer Anzahl französischer satyrischer Kupferstiche.

H. Brandt, G. und die graphischen Künste, 1913; W. Born, Die Graphik in G.s
Kunstwelt, Die graphischen Künste 55, 1932; G. und die graphischen Künste, Buch
und Schrift 6, 1931; G. Femmel, G.s Graphiksammlung. Die Franzosen, 1980.

Kurland, Herzogin von →Dorothea

Labores juveniles (Jünglingsarbeiten). Diesen von G. nachträglich
hinzugefügten Titel trägt ein 87 Blätter umfassendes, gebundenes

onvolut von Schülerarbeiten G.s aus den Jahren 1757–59, das Auf-
hluß über die vielseitige Ausbildung und den Wandel der Hand-
hrift des jungen G. gibt: Schönschreibeübungen, grammatische
bungen, Vokabellisten, Übersetzungen ins Lateinische, deutsch-
teinische Dialoge aus dem Alltag, Stilübungen, Morgengrüße,
prüche und Diktate in deutscher, lateinischer, griechischer, franzö-
scher und jiddischer Sprache.

a cena, pittura in muro di Giotto →Giotto

a Chaussée →Nivelle de la Chaussée

ade, Philippine (1797–nach 1877). G. fand Gefallen an dem »rei-
enden jungen Mädchen« (zu F. von Müller 12. 5. 1815), Tochter
ines Wiesbadener Sekretärs, die er im August 1814 bei L. W. Cra-
er in Wiesbaden kennenlernte. Er nahm sie auf Ausflüge mit,
hulte ihren literarischen Geschmack und Rezitationsstil und sah
e im Mai/Juni 1815 in Wiesbaden wieder.

ändliches Glück. Das am 5. 5. 1782 an Knebel gesandte Gedicht
 Distichen war als →Inschrift für den Weimarer Park an der Ilm
edacht und spiegelt dessen Intentionen.

aertes. Die Figur des begabten Schauspielers in *Wilhelm Meisters
ehrjahre*, »den wir einstweilen Laertes nennen wollen« (II,4), behält
iesen Namen durchweg, gewissermaßen als Vorgriff auf seine Dar-
ellung des Laertes in Shakespeares *Hamlet* (V,5). Der Darsteller von
iebhaberrollen, schon am Morgen nach seiner Hochzeit von sei-
er jungen Frau betrogen (IV,4), wird zum Weiberfeind, dessen
ersönliches Schicksal hinter der Schauspielerrolle verschwindet.
in Bezug zu Laertes, dem Vater des Odysseus in Homers *Odyssee*,
iit dem G. mehrfach seinen leidenschaftlich gärtnernden Groß-
ater Textor vergleicht (*Dichtung und Wahrheit* I,1) besteht nicht.
  H.-J. Schings, W. Meisters Geselle L., Euph 77, 1983; Y. A. Elsaghe, Einstweilen L.,
 Jb 111, 1994.

afontaine, August Heinrich Julius (1758–1831). Den Verfasser
berflächlich-sentimentaler Liebes- und Familienromane, deren
Beliebtheit beim Lesepublikum die G.s weit übertraf, lernte G. im
Mai 1803 bei seinem Besuch bei Reichardt in Halle kennen, be-
uchte ihn am 7. 5. 1803 und mag ihn auch später bei seinen Auf-
nthalten in Lauchstädt getroffen haben.

afontaine, Jean de (1621–1695). Den französischen Dichter von
abeln und frivol-galanten Verserzählungen schätzte G. außer-
rdentlich. Am 14.–17. 7. 1807 las er die ihm am 14. 7. 1807 von
Graf Reinhard geschenkte Ausgabe der *Contes* und spielt wieder-
olt auf diese an, am 23./24. 7. 1807 *Les amours de Psyché et de*

Cupidon und am 28./29. 11. 1808 die *Fabeln.* 1824 rühmte er a[?] Lafontaine die »Großheit seines Charakters« (zu Eckermann 30. 3[?] 1824).

Lago Maggiore. G. berührte den oberitalienischen See, der ihn[?] schon in der Frankfurter Jugendzeit durch Beschreibungen un[?] Abbildungen in J. G. Keyßlers *Neueste Reisen* (1751) bekannt wa[?] (*Dichtung und Wahrheit* IV,19), weder auf der 2. Schweizer Reis[?] 1779, wo er als Alternativroute erwogen wurde (*Briefe aus de[?] Schweiz 1779*), noch auf dem Rückweg von Italien 1788, wo e[?] über den Comer See reiste. Der »Große See« und seine Borromei[?] schen Inseln, besonders die Isola Bella, wurden ihm jedoch durc[?] Zeichnungen und Veduten gegenwärtig, die Ch. Gore und G. M[?] Kraus von ihrer Reise 1795 mitbrachten. Der Lago Maggiore al[?] Schauplatz der Kindheitsgeschichte Mignons (*Wilhelm Meister[?] Lehrjahre* VIII,9) und die Isola Bella mit den Terrassengärten un[?] Palästen der Grafen Borromeo bei Wilhelm Meisters Aufenthal[?] dort (*Wilhelm Meisters Wanderjahre* II,7) werden daher nicht au[?] Autopsie beschrieben. Für das Kapitel der *Wanderjahre* entlie[?] sich G. 1821 aus der Weimarer Bibliothek die Reisebeschreibun[?] Keyßlers und die großen Aquarelle von G. M. Kraus; andere zeigt[?] er 1824 Eckermann (zu Eckermann 22. 2. 1824).

A. Farinelli, G. e il L. M., Bellinzona 1894, auch in ders., Poesia germanica, Mailan[?] 1927 u. ö.; W. v. Wasielewski, War G. am L. M. ?, JGG 9, 1922.

Lahn. In dem ihm von Wetzlar und Gießen her vertrauten Lahn-tal wanderte G. am 11.–14. 9. 1772 bei seinem Weggang von Wetz-lar nach Thal-Ehrenbreitstein zur Familie La Roche (*Dichtung un[?] Wahrheit* III,13). Am 28.–30. 7. 1774 begleitete er Lavater nach[?] Nassau und Bad Ems und reiste am 15. 7. 1774 wieder mit Basedow[?] von Frankfurt nach Bad Ems, wo am 18. 7. die »Geniereise« mi[?] Basedow und Lavater lahn- und rheinabwärts bis Köln begann, be[?] der G. am 18. 7. angesichts der Burgruine Lahneck das Lied *Gei[?]-stesgruß* schrieb (ebd. III,14). Eine letzte Fahrt führte G. und L. W[?] Cramer von Wiesbaden aus am 21.–24. 7. 1815 durch das Lahnta[?] nach Nassau; dort schloß sich am 25. 7. die Rheinfahrt mit dem[?] Freiherrn vom Stein bis Köln an, die G. am 29.–31. 7. wieder nach[?] Nassau zurück führte.

Lahneck →Lahn

Lamartine, Alphonse de (1790–1869). Von dem französischen Ly-riker der Romantik las G. im Januar 1823 die *Méditations poétiques[?]* im Juni 1825 den *Chant du sacre*, im August 1829 Gedichte und im[?] Januar 1832 *Sur la politique rationelle.*

Lamb, Caroline (1785–1828). Von der englischen Erzählerin las G[?] im Oktober 1817 den Schlüsselroman *Glenarvon* (1816) über di[?]

Liebesabenteuer ihres langjährigen Geliebten Lord Byron. Er tadelte daran vor allem den Umfang und die Wiederholungen und übersetzte daraus am 22. 10. 1817 den irischen *Klagegesang* »So singet laut den Pillalu …« (*Tag- und Jahreshefte* 1817).

Lambert, Johann Heinrich (1728–1777). Der berühmte elsässische Physiker, Mathematiker, Astronom und Philosoph in der Schweiz begründete 1760 die Photometrie (Lichtstärkenmessung) und stellte 1772 eine Farbenpyramide zusammen. G. erwähnt ihn lobend in der *Geschichte der Farbenlehre* und an Schiller 21. 2. 1798.

Lamien. Lamien sind in der niederen Mythologie der Spätantike vampirische Dämonen in weiblicher Gestalt, die junge Männer durch ihre entblößte Schönheit verlocken und verschiedene Gestalt annehmen können. Nach dem großen Schema zur »Klassischen Walpurgisnacht« vom 17. 12. 1826 sollten sie Faust zu verführen versuchen; in der endgültigen Fassung des *Faust* (v. 7235 ff., 7696–7790) dagegen erproben sie ihre Künste an Mephisto, der eine Blocksbergorgie erhofft, verspotten ihn mit der Überlegenheit antiker Geister als »alten Sünder« und verwandeln sich jedesmal, wenn er einer von ihnen habhaft wird, in etwas Abstoßendes.

Lancaster, Joseph (1778–1838). Der englische Pädagoge und Quäker gründete 1798 mehrere Elementarschulen in London und entwickelte gleichzeitig mit dem Schotten Andrew Bell, doch unabhängig von ihm die Methode des gegenseitigen Unterrichts der Schüler untereinander, indem ältere Schüler unter Aufsicht von Lehrern die jüngeren unterrichteten. Carl August versuchte 1818 eine ähnliche Methode in Weimar einzuführen. G. verhielt sich zurückhaltend (an Zelter 6. 6. 1825), nahm den »wechselseitigen Unterricht« jedoch in den amerikanischen Siedlungsplan in *Wilhelm Meisters Wanderjahre* (III,11) auf.

Landes-Industrie-Comptoir →Bertuch, F. J. J.

Landolt, Salomon (1741–1818). Den Schweizer Oberst, Landvogt von Greifensee bei Zürich, Sonderling und »Liebhaber von Seltsamkeiten und Exzentrizitäten« lernte G. auf der 2. Schweizer Reise 1779 in Zürich bei Lavater oder Geßner kennen und traf ihn auf der 3. Schweizer Reise am 17. 9. 1797 in Schaffhausen wieder. Am 1. 12. 1820 erhielt G. von David Heß dessen Landolt-Biographie, die er sogleich am 11.–19. 12. 1820 las und sie an Carl August weitergab. In seinem Dankbrief erbat G. eine Porträtzeichnung und Schriftprobe des »wundersamsten Menschenkindes« (*Tag- und Jahreshefte* 1820; an Carl August 15. 1. 1821). G. Keller nahm Landolt zur Titelfigur seiner Novelle *Der Landvogt von Greifensee* (1877).

Landschaft. Das literarische Thema der Landschaft wandelt sich in der G.zeit von subjektiv aufgenommener, gefühlsmäßig oder ästhe-

tisch dem Inneren anverwandelter Natur zu einem dynamischen
der jeweiligen Stimmung und Aussage adäquaten, symbolischen
Naturbild. Zumal G.s Studien im Landschaftszeichnen als optisch
visuelle Alternative führen in der literarischen Landschaft in Lyrik
und Erzählkunst zur symbolischen Verdichtung des Landschafts
erlebnisses als sinnbildliche Aussage, Spiegel der Seele des Betrach
ters oder der Natur als Veranschaulichung höherer Gesetze (*Novelle
Wahlverwandtschaften, Wanderjahre*).

K. Gerstenberg, G. und die italienische L., DVJ 1, 1923; R. Beitl, G.s Bild der L.
1929; F. Tschirch, G. als L.zeichner im Wortkunstwerk, Muttersprache 61, 1951
A. Müller, L.serlebnis und L.sbild, 1955; E. Bosshardt, G.s späte L.slyrik, 1962; H. Esau
Die L. in G.s Wilhelm Meisters Wanderjahren, CG 7, 1973; A. Koch, Wirklichkeit in
Poesie verwandeln, GJb 91, 1974; K. Bertau, Über schöne L. und glückliches Ende be
G., JbWGV 80, 1976; O. Gillen, Wo faß ich dich, unendliche Natur, GJb 100, 1983
H. S. Daemmrich, L.sdarstellungen im Werk G.s, DVJ 67, 1993; W. Pape, Die Sinne trie
gen nicht, in: Reflecting senses, hg. ders. 1995.

Landschaftliche Malerei. G.s fragmentarischer, teils nur stich-
wortartiger Aufsatz von 1832 nach einem Entwurf vom 22. 3. 1818
seine letzte kunstgeschichtliche Arbeit, wurde postum mit Zusätzer
von J. H. Meyer in *Über Kunst und Altertum* (VI,3, 1832) gedruckt
Die Anlage des Ganzen läßt auf einen geplanten großangelegter
Überblick über die Entwicklungsgeschichte der →Landschafts-
malerei von der Spätantike bis zu G.s Gegenwart auf ästhetisch-
geistesgeschichtlichem Hintergrund schließen. Die genauer formulierten Absätze behandeln Tizian, J. Brueghel d. Ä., P. Bril, M
de Vos, die Carracci und Domenichino und brechen mit Claude
Lorrain ab.

E. Trunz, G.s Entwurf L. M., in ders., Weimarer G.-Studien, 1980.

Landschaftsmalerei. Nach der akademischen Kunstlehre des
18. Jahrhunderts und ihrer Rangordnung der künstlerischen Gattungen nach ihren Gegenständen, gipfelnd im Historienbild, nahm
die Landschaftsmalerei nächst dem Stilleben und der Blumen- und
Tiermalerei den drittuntersten Rang ein. In der Goethezeit, von
Mercks (?) anonymen Briefen *Über die Landschaftsmalerei* (*Teutsche
Merkur* 1777) bis zu G. Carus' Briefen *Über die Landschaftsmalere*
(1831), die G. schon 1822 im Manuskript las, und sodann unter
dem Einfluß der Romantik vollzieht sich ihre Neubewertung. G.
Liebe zur Landschaftsmalerei beruht auf den in Frankfurt und in
der Dresdener Galerie reichlich vertretenen Niederländern und
gipfelt besonders nach der Italienreise in seiner Hochschätzung der
idealen Landschaftsmalerei von Poussin und Claude Lorrain. Eigene
Versuche in →Handzeichnungen, 1764 im Taunus, auf der Schweizer Reise 1775 und zumal in Italien unter Anleitung von Tischbein
und Hackert 1787/88 sowie bei den Kuraufenthalten in Böhmer
vertiefen seine Einsichten in die von ihm bevorzugte Kunstgattung
sie spiegeln sich in den späten Aufsatzfragmenten *Landschaftlich*
Malerei und *Künstlerische Behandlung landschaftlicher Gegenstände* vor

832, in der Schilderung des Malers in *Wilhelm Meisters Wanderjahre* II,7), den Ratschlägen für F. Preller (O. Roquette, *F. Preller*, 1883) und den Gesprächen mit Eckermann (5. 6. 1825, 21. 12. 1831).

A. Peltzer, G. und die Ursprünge der neueren deutschen L., 1907; →Kunst.

Landwirtschaft. G.s praktische Erfahrungen mit der Landwirtschaft, von amtlichen Obliegenheiten abgesehen, beschränken sich auf seine Versuche bei der Bewirtschaftung des Gutes →Oberroßla, das er 1798 erwarb, zunächst verpachtete und 1803 wieder verkaufte. Von den Schriften zur Morphologie befassen sich das postume Fragment *Über den Weinbau* und *Von dem Hopfen und desen Krankheit, Ruß genannt* (1824) mit landwirtschaftlichen Fragen.

F. Koberg, G. und die L., 1932.

Lang, Karl Heinrich, Ritter von (1764–1835). Der Historiker und Satiriker, 1806–10 und 1815–17 Regierungsdirektor in Ansbach, besuchte G. im Sommer 1825 und schildert in seinen *Memoiren* (1842) witzig diese enttäuschende Begegnung mit dem wortkargen, »steifen Reichsstadtsyndikus«.

Lange, Susanne Marie Cornelia, geb. Lindheimer (1718–1794). G.s Großtante, die jüngste Schwester von G.s Großmutter Textor, heiratete 1742 den Kammergerichtsprokurator J. T. A. Dietz (1701–1752), 1754 den Prokurator am Reichskammergericht in Wetzlar Johann Friedrich Lange (1725–1822). G. verkehrte bei ihnen in Wetzlar; am 15. 9. 1773 besuchte sie Goethes in Frankfurt.

Langen. Das Städtchen zwischen Frankfurt und Darmstadt berührte G. häufig auf seinen Wanderungen nach und von Darmstadt und später auf seinen Reisen. Hier traf er sich häufig mit Merck, so am 26.–28. 8. 1774 und Ende März 1775.

Langensalza. Die damals kursächsische »alte, aber doch reinliche Stadt« in Nordthüringen besuchte G. am 5. 6. 1801. Im Tagebuch beschreibt er Stadtbild und Rathaus.

Auf G.s Spuren im Kreis L., hg. W. Limpert 1932.

Langenschwalbach →Schwalbach

Langenstein. Auf dem Gut der Marquise von →Branconi bei Halberstadt weilte G. auf der 2. und 3. Harzreise am 9.–10. und 13. 9. 1783 und Mitte September 1784.

Langer, Ernst Theodor (1743–1820). Der vormalige preußische Husarenoffizier aus Breslau wurde im Oktober 1767 Nachfolger Behrischs als Erzieher der jungen Grafen von Lindenau in Leipzig. G. lernte ihn im Oktober 1767 bei Oeser kennen und gewann nach anfänglicher Fremdheit erst allmählich ein enges Freundschaftsver-

hältnis zu ihm. Langer umging des Grafen von Lindenau Verbot
eines Umgangs mit G., beeinflußte ihn in langen nächtlichen Gesprächen über Bibel und Christentum in religiös-pietistischem
Sinne (an Langer 24.11.1768, 17.1.1769), betreute ihn im Juli
1768 auf dem Leipziger Krankenlager und tauschte vor G.s Heimreise dessen Ausgaben deutscher Autoren gegen griechische Klassiker (*Dichtung und Wahrheit* II,8). Langer besuchte G. am 15.–17.9.
1769 auf der Reise nach Lausanne in Frankfurt, wurde 1781 auf
Empfehlung Lessings dessen Nachfolger als Bibliothekar in Wolfen-
büttel und stellte sich 1797 im Xenienkampf mit zwei kritischen
Aufsätzen auf die Seite Nicolais. G.s Briefe an Langer aus den Jahren 1768–74 sind eines der aufschlußreichsten Dokumente für die
Stellung des jungen G. zu religiösen und weltanschaulichen Fragen.

P. Zimmermann, E. T. L., Zeitschrift des Harz-Vereins für Geschichte und Altertums-kunde 16, 1883.

Langermann, Johann Gottfried (1768–1832). G. lernte den
preußischen Staatsrat, Obermedizinalrat in Berlin, Begründer der
Psychiatrie und Chef des preußischen Gesundheitswesens am 15.5.
1810 bei Knebel in Jena kennen, traf ihn am 2.8.1812 in Teplitz
wieder und suchte in Karlsbad vom 15.8. bis 5.9.1812 täglich den
»lehrreichen Umgang« des »wahrhaft tätigen Mannes« (an W. von
Humboldt 31.8.1812), bei dem er sich ausführlich über die Berliner Verhältnisse und das Gesundheitswesen in Preußen informierte
(Tagebuch). Langermann besuchte G. am 15.10.1817 und am
28./29.9.1822 in Weimar und blieb durch Briefe und Berliner
Freunde in Kontakt mit G.

L. Geiger, Ein wenig bekannter Freund G.s, GJb 24, 1903 und 28, 1907.

Lannes, Jean (1769–1809). Der Sohn eines Stallknechts, unter Napoleon französischer Marschall und 1804 Herzog von Montebello,
war nach der Schlacht bei Jena und Auerstedt am 15./16.10.1806
bei G. einquartiert. Bei der Besprechung seines Porträts von F. Gérard (*Über Kunst und Altertum* V,3, 1826) erwähnt G., er verdanke
»seiner anmutigen Persönlichkeit« und »schnell gefaßten Neigung«
damals seine Rettung. Beim Erfurter Fürstentag war G. am 3.10.
1808 zum Dejeuner bei Lannes; am 7.10.1808 gab er ihm und
Minister Maret in Weimar ein »großes Frühstück«. Lannes fiel 1809
bei Aspern.

Laokoon. Die 1506 in Rom gefundene berühmte Skulptur des
1. Jahrhunderts v. Chr. – Kampf des trojanischen Poseidonpriesters
Laokoon und seiner Söhne mit den Schlangen – beeinflußte wie
kaum ein anderes Kunstwerk jahrhundertelang das europäische
Stilgefühl und Kunstdenken. G. sah bei Oeser in Leipzig nur den
Abguß des Laokoon-Kopfes, beschäftigte sich aber auf dessen Anregung mit der Auseinandersetzung um die Skulptur (Winckelmann, *Gedanken über die Nachahmung griechischer Werke*, 1755; Les-

sing, *Laokoon*, 1767; Klotz, *Über den Nutzen und Gebrauch der alten geschliffenen Steine*, 1768; Herder, *Kritische Wälder*, 1769). Die Begegnung mit der vollständigen Gruppe als Gipsabguß im Mannheimer Antikensaal Ende Oktober 1769 und wohl wieder im August 1771 (auch Weimar besaß einen Abguß) hinterließ einen stärkeren Eindruck (an Langer 30. 11. 1769) als die wenig dokumentierte Konfrontation mit dem Original in Rom im November 1787 (*Italienische Reise*, Bericht November 1787). Nachdem G. schon 1769 eine (verlorene) Betrachtung des Laokoon an Oeser gesandt hatte, regte ihn im Juli 1797 ein Aufsatz von A. Hirt für Schillers *Horen* (1797) zur Sammlung und Erweiterung seiner Gedanken über das Werk in der Abhandlung *Über Laokoon* (Schlußredaktion 7. 6. 1798) an, die in den *Propyläen* (I, 1, 1798) erschien und zu G.s tiefsten Äußerungen über die Kunst ganz allgemein gehört (vgl. an Schiller 5. und 8. 7. 1797, an Meyer 14. 7. 1797; Schiller an G. 10. 7. 1797; Meyer an G. 26. 7. 1797). Mit A. Hirts Thesen zum Laokoon beschäftigt sich auch G.s *Der Sammler und die Seinigen*.

W. G. Howard, G's essay Über L., PMLA 21, 1906; G. v. Lücken, G. und der L., in: Natalicum, Festschrift J. Geffcken, 1931; H. Keller, G. und das L.-Problem, 1935; M. Bieber, L., New York 1942; B. v. Hagen, G.s Beitrag zur Deutung des L., Goethe 14/15, 1952 f.; H. Sichtermann, L., 1964; H. Althaus, L., 1968; S. J. Richter, The end of L., GYb 6, 1992; S. J. Richter, L's body, Detroit 1992.

La Roche, Carl (eig. Johann Carl August, ab 1873) Ritter von (1794–1884). Der bedeutende Charakterschauspieler klassischer Rollen wirkte 1823–33 am Weimarer Theater und gab 1827 ein Gastspiel in Berlin. Bei der Weimarer Erstaufführung des *Faust I* zu G.s Geburtstag am 29. 8. 1829 spielte er den Mephisto. G. hatte die Rolle mit ihm genau einstudiert und schrieb ihm am Vorabend der Aufführung Verse aus dem *West-östlichen Divan* ins Stammbuch. 1833 heiratete La Roche die Hofschauspielerin Auguste Kladzig (1810–1875), die Freundin Eckermanns, und ging als Schauspieler und Regisseur an das Wiener Burgtheater.

La Roche, Georg Michael Frank von (1720–1788). Wahrscheinlich unehelicher Sohn des Grafen Stadion, wurde er von diesem erzogen, heiratete 1753 Marie Sophie Gutermann (→La Roche, M. S.), lebte auf Stadions Schlössern, dann ab 1771 als Geheimrat, 1775–80 Staatsrat und Kanzler des Fürstbischofs von Trier in Thal-Ehrenbreitstein. Nachdem er 1780 in Ungnade gefallen und zurückgetreten war, zog er nach Speyer, später Offenbach. G. lernte den rationalistischen Ironiker, Autor der spöttischen *Briefe über das Mönchswesen* (1771) und »heiteren Welt- und Geschäftsmann« kennen, als er nach dem Weggang von Wetzlar am 14.–19. 9. 1772 dessen Frau besuchte und sich mit Merck bei ihm traf (*Dichtung und Wahrheit* III, 13).

La Roche, Maximiliane Euphrosyne von, gen. Max(e), verh. Brentano (1756–1793). Die Tochter von Georg Michael Frank und

Sophie von →La Roche lernte G. im April 1772 mit ihrer Mutter durch Merck in Frankfurt kennen. Er sah sie wieder, als er nach seinem Weggang von Wetzlar Mitte September 1772 ihre Eltern in Thal-Ehrenbreitstein besuchte, und fühlte sich ihr, die ihn »gar bald besonders anzog« (*Dichtung und Wahrheit* III,13), durch seine Jugend verbunden. »Eher klein als groß von Gestalt, niedlich gebaut; eine freie anmutige Bildung, die schwärzesten Augen …« (ebd.), machte sie auf sein in Wetzlar verletztes Gemüt keinen geringen Eindruck: »Es ist eine sehr angenehme Empfindung, wenn sich eine neue Leidenschaft in uns zu regen anfängt, ehe die alte noch ganz verklungen ist« (ebd.). Man mag aus G.s Briefen an die Mutter eine aufkeimende Neigung zur Tochter herauslesen, die wohl mehr war als »eigentlich ein geschwisterliches« Verhältnis (ebd.) und sich durch den einwöchigen Besuch von Mutter und Tochter in Frankfurt Ende August 1773 noch verstärkte. Die von den Eltern geförderte Heirat der 18jährigen »Maxe« mit dem 39jährigen Witwer (mit sechs Kindern) Peter Anton →Brentano am 9. 1. 1774 empörte G. bis zu düsterem »Lebensverdruß«, wich aber dann dem Willen, sich bei der nicht durchweg leichten Ehe mit der Rolle des tröstenden Hausfreundes abzufinden. Trotz der Eifersucht des Gatten blieb G. in lockerer Verbindung mit »Maxe«, als sie am 15. 1. 1774 in das »düstere Handelshaus« ihres Gatten nach Frankfurt einzog, wo sie ihm »immer eine Erscheinung vom Himmel« war (an S. von La Roche, Mai 1774). Züge des Verhältnisses gingen in die *Leiden des jungen Werthers* ein, so Maximilianes schwarze Augen (statt der blauen Charlotte Buffs) und die karikierte Eifersucht Brentanos (= Alberts). Nach dem frühen Tod Maximilianes, die ihrem Gatten 12 Kinder gebar, übertrug G. die freundschaftliche Zuneigung auch auf diese, besonders Michael Georg (1775–1851), Sophie (1776–1800), Clemens →Brentano, Kunigunde (gen. Gunda, verh. Savigny, 1780–1863), Bettina, verh. von →Arnim, Ludovica (gen. Lulu, 1787–1854) und Maria Magdalena (gen. Melina, verh. Guaita, 1788–1861).

A. Bach, Aus dem Kreise der S. v. La Roche, 1924; W. Milch, G. und die Brentano, ChWGV 42, 1937.

La Roche, (Maria) Sophie von, geb. Gutermann (1731–1807). Die Kusine, Jugendgeliebte und 1750–52 Verlobte Wielands, mit dem sie auch später ein freundschaftliches literarisches Verhältnis unterhielt, heiratete 1753 Georg Michael Frank von →La Roche und lebte mit ihm in Mainz, Thal-Ehrenbreitstein, 1780 Speyer und ab 1786 Offenbach. Als Schriftstellerin wurde sie durch ihren empfindsamen Briefroman in der Nachfolge Rousseaus und S. Richardsons *Geschichte des Fräuleins von Sternheim* (II 1771) bekannt, der im Darmstädter Kreis begeistert aufgenommen und ein Vorbild für G.s *Leiden des jungen Werthers* wurde; evtl. stammt auch die Rezension in den *Frankfurter Gelehrten Anzeigen* (Nr. 13, 14. 2. 1772) von G. oder

Merck. G. lernte »die wunderbarste Frau« durch Vermittlung
Mercks im April 1772 in Frankfurt kennen und besuchte sie am
14.–19. 9. 1772 nach seinem Weggang von Wetzlar in Thal-Ehrenbreitstein, wo er mit Merck u. a. in einen literarisch-empfindsamen
Kreis geriet und sich für ihre Tochter Maximiliane →La Roche erwärmte; *Dichtung und Wahrheit* (III,13) gibt ein ausführliches Bild
der La Roche. Mitte August 1773 weilte sie mit Maximiliane »acht
glückliche Tage« (an Kestner, Mitte August 1773) in Frankfurt und
besuchte in der Folgezeit wiederholt, u. a. im Januar 1774, diese in
Frankfurt nicht unbedingt glücklich verheiratete Tochter. G. besuchte sie am Ende der »Geniereise« Anfang August 1774 in Thal-
Ehrenbreitstein, stand mit ihr 1772–80 in einem herzlichen, doch
distanzierten Briefwechsel und beriet sie im Februar 1774 brieflich
bei ihrem Roman *Rosaliens Briefe* (III 1779–81). Spätere, kühlere
Begegnungen erfolgten am 11. 8. 1797 in Offenbach und anläßlich
ihres Aufenthalts bei Wieland in Oßmannstedt am 17. 7. 1799 in
Tiefurt, am 21. 7. 1799 in Oßmannstedt und am 25. 7. 1799 bei G.s
»großem Gastmahl« zu ihren Ehren in Weimar (vgl. an Schiller
24. 7. 1799, an Schlosser 30. 8. 1799; die *Tag- und Jahreshefte* verlegen
diese Begegnung irrtümlich in das Jahr 1798).

W. Milch, S. v. L. R., 1935; B. Heidenreich, S. v. L. R., 1986.

Laßberg (Lasberg), Christiane Henriette von (?–1778). Die junge
Tochter eines Weimarer Obersten, Hoffräulein und Mitwirkende
am Liebhabertheater, suchte am 16. 1. 1778 aus enttäuschter Liebe
von der Floßbrücke aus den Tod in der Ilm nahe G.s Gartenhaus.
G.s Diener fanden und bargen die Tote, angeblich mit den *Leiden
des jungen Werthers* in der Tasche, tags darauf und brachten sie zu
Frau von Stein. Das Ereignis ergriff G. tief; er plante, »der armen
Christel« am Ilmufer ein Denkmal zu setzen, und höhlte im Januar
1778 einen Felsen am Ilmtal zum »Felsentor« (später »Nadelöhr«)
als Gedenkstätte an sie aus (an Ch. von Stein 19. 1. 1778). Ein vermuteter Bezug der 1. Fassung des Gedichts *An den Mond* (II) auf
den Freitod ist jedoch unwahrscheinlich.

Latein. G.s humanistische Erziehung umschloß selbstverständlich
das Lateinische, das er früh und schnell, wenn auch ungrammatisch
erlernte, flüssig las und in Rede und Schrift beherrschte (*Dichtung
und Wahrheit* II,6) wie in frühen Briefen an den Vater und lateinischen Abhandlungen. Er bestellte selbst Riemer als Latein- und
Griechischlehrer seines Sohnes August und trat wiederholt und mit
allem Nachdruck für den Unterricht der alten Sprachen als Grundlage für das Verständnis des antiken Erbes und Geistes und damit der
Quellen abendländischer Kultur ein, z. B. im Xenion *Tote Sprachen*
der *Tabulae votivae*, dem Luther zitierenden Spruch »Das mußt du
als ein Knabe leiden …« und den *Maximen und Reflexionen* 659.

E. Schwabe, G. als L.schüler, NJbb 28, 1911; H. Friese, Lateinische Sprache und
L.unterricht im Urteil G.s, Das humanistische Gymnasium 47, 1936; →Antike.

Lauchstädt. Das einstige Residenzstädtchen und Modebad zwischen Halle und Merseburg wurde besonders in den Jahren 1775–1810 vom sächsischen und thüringischen Adel und von der Weimarer Hofgesellschaft, auch von Christiane G. und Schiller, viel besucht. Im Zuge einer großzügigeren Ausgestaltung als Luxusbad errichtete der Dresdner Theaterdirektor Koberwein 1776 einen ersten Theaterbau, der Weimarer Theaterdirektor G. Bellomo 1785 ein größeres Haus für die alljährliche Sommersaison (Juni–August) seiner Weimarer Truppe mit Oper und Schauspiel, das auch Dozenten und Studenten der Universität Halle anzog, aber immer noch eine »Scheune« mit 13 Sitzbankreihen und sehr beschränkten Garderobenräumen blieb. Mit der Ablösung Bellomos in Weimar erwarb das Weimarer Hoftheater von ihm 1791 Gebäude, Ausstattung und Spielkonzession für 1200 Taler und spielte dort regelmäßig in den Sommermonaten 1791–1810 mit dem Weimarer Repertoire, nutzte jedoch die Einnahmen für das Weimarer Theater und ließ das den steigenden Ansprüchen nicht mehr genügende Haus, »eine alte, geringe Hütte«, verwahrlosen. Schon am 25. 7. 1797 bat G. im Namen des Weimarer Hoftheaters den Kurfürsten von Sachsen um die Genehmigung zum Bau eines größeren, solideren Theaters in günstigerer Lage, aber erst Anfang 1802 kamen die Verhandlungen zum Abschluß, und G. setzte sich intensiv für den raschen Bau ein. Der Entwurf von Heinrich Gentz und M. F. Rabe für ein schlicht ausgestattetes, hölzernes Langhaus mit halbkreisförmigem Zuschauerraum, Rang und Logen für über 500 Personen wurde am 15. 2. 1802 genehmigt, Wegebauinspektor P. Götze aus Jena mit der Bauleitung beauftragt, und nach dreimonatiger Bauzeit konnte der Neubau am 26. 6. 1802 mit G.s eigens gedichtetem Vorspiel *Was wir bringen* und Mozarts Oper *Titus* in Anwesenheit von G.s Familie, F. A. Wolf, J. F. Reichardt, A. W. Schlegel, Schelling, Hegel, Frommann u. a. feierlich eröffnet werden (*Tag- und Jahreshefte* 1802). Da die Weimarer Dekorationen auch dort Verwendung fanden, überlebt in der Lauchstädter Bühne ein Abbild des alten Weimarer Hoftheaters. Pietätvolle Restaurierungen (1830, 1908, 1954) erhielten das »G.-Theater« im wesentlichen in seiner ursprünglichen Form. Theaterbau und die Regelung von Theaterangelegenheiten erforderten öfter G.s Anwesenheit in Lauchstädt, so am 17./18. 4., 21. 6.–8. 7. und 21.–25. 7. 1802, 3.–5. und 9./10. 5. 1803, 17. 8.–3. 9. 1804. Bei G.s Kuraufenthalt in Lauchstädt 3. 7.–12. 8. und 27. 8.–6. 9. 1805 gab man am 10. 8. 1805 eine Gedenkfeier für Schiller mit der Aufführung von Schillers *Glocke* und der Uraufführung von G.s →*Epilog zu Schillers Glocke.*

A. Doebber, L. und Weimar, 1908; P. Menge, Bad L. und sein G.theater, 1908; G. Wolff, Das G.-Theater in L., 1908; J. Hoffmann, Bad L. und das L.er G.theater, 1912, erw. 1936; H. Reinhold, Bad L., 1914; W. Ehrlich, Bad L. und sein G.theater, Goethe 29, 1967; ders., Bad L., 1969; ders., G. und Bad L., G.-Almanach 1970; A. Paul, Das L.er Theater zur G.zeit, Euph 67, 1973; →Theater.

Laufen. Das Schloß am →Rheinfall bei Schaffhausen sah G. am 18. 9. 1797 (*Reise in die Schweiz 1797*).

Laukhard, Friedrich Christian (1758–1822). Der abenteuernde, »verbummelte Magister« und politische Schriftsteller nahm 1792 als preußischer Soldat an den Koalitionskriegen gegen Frankreich teil, die er in seiner Autobiographie *Leben und Schicksale, von ihm selbst beschrieben* (V 1792–1802) recht drastisch beschreibt. G. las sie zuerst am 4.–7. 10. 1811 und zog sie im Januar 1820 bei der Niederschrift der *Campagne in Frankreich* zu Rate.

Laun, Friedrich →Schulze, Friedrich August

Die Laune des Verliebten. G.s »Schäferspiel in Versen und einem Akte«, neun Auftritte in Alexandrinern, entstand vom Februar 1767 bis April 1768 wohl aus der Vorstufe des noch 1765 in Frankfurt geschriebenen (verlorenen) Schäferspiels →*Aminta*, entging dem Autodafé der Jugenddichtungen und wurde zuerst am 20. 5. 1779 vom Weimarer Liebhabertheater in Ettersburg mit G. als Eridon, C. Schröter als Egle und Musik von Seckendorff aufgeführt. Erst nach einer öffentlichen Aufführung durch das Weimarer Hoftheater am 6. 3. 1805 erschien der Erstdruck in *Werke* (Bd. 4, 1806). Das dramatische Erstlingswerk des 18jährigen G., dessen Wertung als »Gipfel des deutschen Schäferspiels« mehr über die Gattung als über das Werk selbst aussagt, folgt den Konventionen und stereotypen Handlungszügen des von der Renaissance bis zur Aufklärung gepflegten einaktigen Spiels mit arkadischer Szenerie und einer Liebeshandlung von zwei – einem harmonischen, einem disharmonischen – Liebespaaren, hier um die Bekehrung des launenhaften, unerträglich eifersüchtigen Eridon durch eine kleine Intrige. Daß das Eifersuchtsmotiv reale Entsprechungen in G.s Beziehungen zu K. Schönkopf haben könnte, mag allenfalls als Schreibanstoß, kaum als biographisch aufschlußreiche Parallele von Interesse sein. (*Dichtung und Wahrheit* II,7; *Tag- und Jahreshefte* 1764–69; an Cornelia 12.–14. 10. 1767; an Behrisch 20. 11. 1767 und 26. 4. 1768). Für die Berliner Aufführung vom 3. 12. 1813 schrieb J. A. Gürrlich die Schauspielmusik.

H. Emmel, G.s L. d. V. und der Mythos von Arkadien, in: Gedenkschrift für F. J. Schneider, 1956, auch in dies., Kritische Intelligenz, 1981; H. Arntzen, Die ernste Komödie, 1968; W. Preisendanz, Das Schäferspiel D. L. d. V., in: G.s Dramen, hg. W. Hinderer 1980; H. Detering, Die Heilung des Verliebten, JFDH 1991; E. Powers, From Empfindungsleben to Erfahrungsbereich, GYb 8, 1996; E. H. Denton, A kiss is but a kiss, GR 71, 1996.

Lausanne. In der Stadt am Genfer See weilte G. auf der 2. Schweizer Reise am 20.–23. 10. 1779 und besuchte dort auf Empfehlung von Lavater am 22. und 23. die schöne Frau M. A. von →Branconi.

Lauterbrunnen. In dem Ort im Berner Oberland übernachteten G. und Carl August auf der 2. Schweizer Reise, von Thun kommend und dorthin zurückkehrend, am 9.–11. 10. 1779 und unternahmen von dort Touren in das Gebirge. Unter dem erhabenen Eindruck des Staubbach-Wasserfalls entstand dort der →*Gesang der Geister über den Wassern.*

Lauth, Anne Marie und Suzanne Marguerite. Die beiden Schwestern führten in der Straßburger Knoblochgasse »mit Ordnung und gutem Erfolg« einen Mittagstisch, an dem G. während seiner Straßburger Studienzeit speiste und wo er mit J. C. Engelbach, Jung-Stilling, J. Meyer, J. D. Salzmann, H. L. Wagner, F. L. Weyland u. a. bekannt wurde (*Dichtung und Wahrheit* II,9).

Lavater, Johann Caspar (1741–1801). Die intensive und spannungsreiche Freundschaft G.s mit dem Züricher Schriftsteller und reformierten Prediger spiegelt die Entwicklung von G.s religiösen Anschauungen und scheitert an diesen. G. rezensierte in den *Frankfurter Gelehrten Anzeigen* (3. 11. 1772) den 3. Band von Lavaters *Aussichten in die Ewigkeit* und sandte ihm im August 1773 seinen *Götz von Berlichingen.* Lavaters Dankbrief vom 14. 8. 1773 leitet einen Briefwechsel ein, der seit G.s Übersendung seiner Schrift *Zwo bisher unerörterte biblische Fragen* (August 1773) vorwiegend religiöse Fragen behandelt und bis zum Dezember 1783 reicht. Nachdem Lavater G. schon im Oktober 1773 durch J. D. Bager für sich porträtieren läßt, folgt eine persönliche Bekanntschaft am 23.–28. 6. 1774 bei Lavaters Besuch in Frankfurt und der anschließenden gemeinsamen Reise am 28./29. 6. 1774 über Höchst, Wiesbaden, Schwalbach und Nassau nach Bad Ems. Die »Geniereise« von G., Lavater, Basedow und dem Zeichner G. F. Schmoll per Schiff lahn- und rheinabwärts von Ems bis Köln und weiter nach Elberfeld (15.–21. 7. 1774; →*Diné zu Koblenz*) festigte die rasch geschlossene Freundschaft. G. nahm lebhaften Anteil an Lavaters *Physiognomischen Fragmenten zur Beförderung der Menschenkenntnis und Menschenliebe* (IV 1775–78), sah das Manuskript durch, lieferte seit Dezember 1774 Zeichnungen, Silhouetten und eigene allgemeine und spezielle Beiträge dazu (über Homer, Brutus, Rameau, Klopstock u. a. sowie einige fälschlich Raffael und Rembrandt zugeschriebene Porträtköpfe und →*Künstlers Abendlied*) und besorgte Anfang 1775 den Druck des Werkes, das er später sehr distanziert beurteilte. Auf den beiden ersten Schweizer Reisen wohnte G. am 9.–15. 6. und 26. 6.–6. 7. 1775 bzw. am 18. 11.–2. 12. 1779 in Zürich bei Lavater; 1780 ordnete und vervollständigte er dessen Dürer-Sammlung. Seine Verehrung und Bewunderung (»der beste, größte, weiseste, innigste aller … Menschen, die ich kenne«, an Ch. von Stein um 24. 11. 1779), die sich nachträglich noch in der um Objektivität bemühten Darstellung in *Dichtung und Wahrheit* (III,14; IV,18–19) spiegelt, erfuhr 1782 einen schroffen Bruch durch Lavaters christliche Schwärmerei, verstiegene Prophetenhaltung, anmaßenden

Dilettantismus und religiöse Intoleranz, zumal im *Pontius Pilatus* (III 782–85; vgl. G.s *Ein Wort über den Verfasser des ›Pilatus‹*, 1782). G.s anfangs noch schonender Protest gegen Lavaters Bekehrungssucht (29.7. und 9.8. 1782; an Ch. von Stein 7.4. 1783) steigerte sich bis zum Selbstbekenntnis als »dezidierter Nichtchrist« (29.7. 1782). Nicht nur Lavaters Bekehrungsreisen als Wanderprophet und Seelenbekehrer, auf denen er am 18.–20.7. 1786 auch bei G. in Weimar wohnte, waren G. verhaßt, das unerfreuliche Wiedersehen und die Tatsache, daß Lavater in seinem *Jesus Messias* (IV 1783–86) dem Versucher Christi die Physiognomie G.s geben ließ, setzte auch der menschlichen Beziehung zum einstigen Freund ein Ende: »Ich habe unter seine Existenz einen großen Strich gemacht« (an Ch. von Stein 21.7. 1786). Äußerungen des Unmuts (zu Herder, Jacobi, Schiller, Eckermann u.a.) mehren sich nach der Italienreise. Im literarischen Werk nehmen die *Venetianischen Epigramme* (21) und *Xenien* (12 *Das Verbindungsmittel*, 20 *Der Prophet* und 21 *Das Amalgama*) und einzelne Kurzgedichte gegen Lavater Stellung; nach Eckermann (17.2. 1829) meint auch der »Kranich« in der Walpurgisnacht (*Faust* v. 4323) Lavater. Auf der 3. Schweizer Reise meidet G. bei seinen Aufenthalten in Zürich im September und Oktober 1797 Lavater und weicht ihm aus, als er ihm am 20.9. 1797 auf der Straße begegnet (»der Kranich«, *Reise in die Schweiz 1797*; zu F. von Müller 25.12. 1822), trifft aber am 23.10. 1797 dessen Bruder Diethelm (1743–1826), den Arzt und Apotheker in Zürich, den er bei dessen Besuch in Jena im Oktober 1786 erfolgreich vermieden hatte.

E. v. d. Hellen, G.s Anteil an L.s Physiognomischen Fragmenten, 1888; G. und L., hg. H. Funck 1901; M. Lavater-Sloman, Genie des Herzens, 1939 u.ö.; M. Lavater-Sloman, G. und der Prophet, Goethe 5, 1940; S.P. Atkins, J.C.L. and G., PMLA 63, 1948; O. Guinaudeau, Les rapports de G. et L., EG 4, 1949; O. Huppert, Humanismus und Christentum, G. und L., 1949; H.F. Pfenninger, Die Freundschaft zwischen G. und L., Schweizer Monatshefte 45, 1965; K. Pestalozzi, Zum L.-Porträt in G.s Dichtung und Wahrheit, in: G. im Kontext, hg. W. Wittkowski 1984; H. Weigelt, J.K.L., 1991; I.B. Fliedl, L., G. und der Versuch einer Physiognomik als Wissenschaft, in: G. und die Kunst, hg. S. Schulze 1994; Das Antlitz Gottes im Antlitz des Menschen, hg. K. Pestalozzi 1994.

Lazarettpoesie. G. prägte diese Bezeichnung für die zeitgenössische romantisch-pessimistische Weltschmerzdichtung, die den Menschen allen Mut angesichts der Härten des Lebens nähme, am 24.9. 1827 (zu Eckermann).

Lazzarelli, Giovanni Francesco (1621–1693). Mit dem italienischen Dichter, Juristen und Präfekten von Mirandola, der 1683/84 tagtäglich ein Schmähsonett gegen einen Kollegen aus Lucca richtete, und deren Sammlung in *La Cicceide* (1692) befaßte sich G. am 12.11. 1810 und 26.–31.3. 1815 und schrieb darüber seinen Aufsatz *Don Ciccio* (*Morgenblatt für gebildete Stände* 22.5. 1815).

A. Chiarloni, G. e L., in dies., Le quinte della memoria, Turin 1988.

Lebende Bilder. Tableaux vivants, Bilderszenen als Nachbildungen bekannter Gemälde durch bewegungslos verharrende menschliche Darsteller waren eine beliebte gesellschaftliche Unterhaltung der Goethezeit. G. leitet ihre Herkunft zu Recht von der Darstellung der Geburt Christi/ Anbetung der Hirten/ Drei Könige zu Weihnachten ab (*Wahlverwandtschaften* II,6). Er erlebte sie bei Lady →Hamilton in Neapel, schildert sie in den *Wahlverwandtschaften* (II,5–6) als Darstellungen nach van Dyck, Poussin und Terborch, endet die *Proserpina* bei der Einzelaufführung am 4.2.1815 mit einem erstarrten Schlußtableau (vgl. G.s Aufsatz *Proserpina. Melodram von Goethe. Musik von Eberwein* im *Morgenblatt für gebildete Stände* Nr. 136, 8.6.1815) und schrieb zwei Gedichte als Einleitung für die *Bilder-Szenen* nach Raffael und Poussin beim Freiherrn von Helldorf am 15.3.1816 und 2.2.1817.

N. Miller, Mutmaßungen über l. B., in: Das Triviale in Literatur, Musik und bildender Kunst, hg. H. de la Motte Haber 1972; A. Langen, Attitüde und Tableau in der G.zeit, in ders., Gesammelte Studien, 1978; G. Brude-Firnau, L. B. in den Wahlverwandtschaften, Euph 74, 1980; E. Trunz, Die Kupferstiche zu den L. B. in den Wahlverwandtschaften, in ders., Weimarer G.-Studien, 1980.

Leben des Benvenuto Cellini →Cellini

Le Brun, Charles (1619–1690). Mit dem Werk des Pariser Hofmalers wurde G. zuerst 1758/61 bekannt, als er unter Anleitung seines Zeichenlehrers J.M. →Eben Lebruns Darstellungen der Gemütsbewegungen und Leidenschaften (»Affekte«) nach einer (nicht mehr identifizierbaren) seiner auch in Deutschland weit verbreiteten Anweisungen für den Zeichenunterricht kopieren sollte (*Dichtung und Wahrheit* I,4), die auch Lavaters Physiognomik beeinflußten. Lebruns Gemälde der Familie →Jabach, das G. 1774 in Köln und 1815 in einer Kopie ebd. sah, machte ihm einen tiefen Eindruck (*Dichtung und Wahrheit* III,14).

Leda. Die Gemahlin des Spartanerkönigs Tyndareos, mit der nach dem griechischen Mythos Zeus in Gestalt eines Schwans →Helena zeugte – häufiges Motiv besonders der Renaissance- und Barockkunst –, erscheint im *Faust* (v. 6904 ff.) zunächst als Vorklang des Helena-Akts im Traum des Homunculus; weitere Anspielungen auf sie und den Schwan v. 7295 ff., 9106 ff., 9520.

S. Atkins, The visions of L. and the swan in G's Faust, MLN 68, 1953.

Legende. G.s Legende vom Hufeisen entstand Ende Mai – Mitte Juni 1797 in Jena und erschien im gleichen Jahr in Schillers *Musen-Almanach für das Jahr 1798* (Balladen-Almanach). Im Tonfall des Hans Sachs und einer an das Spätmittelalter anklingenden Knittelversform – paarreimende Vierheber mit freier Füllung – gestaltet sie schlicht und gemüthaft einen Vorfall, als dessen Schlußmoral Christus Sparsamkeit und »Recycling« als Bürgertugenden bestätigt.

J. Bolte, Zu G.s Legende vom Hufeisen, Zeitschrift für Volkskunde 35/36, 1925 f.

Legenden. Zur Legendendichtung seiner Zeit trug G. mehr durch die Legenden um seine Person als durch eigene Werke bei. Nur vier seiner Gedichte führen den Titel oder Untertitel »Legende«: 1. die *Legende* »In den Wüsten ein heiliger Mann …« (um 1771/76), eher ein satirisches Gleichnis in Legendenrahmen, 2. die →*Legende* vom Hufeisen (1797), 3. die »Indische Legende« →*Der Gott und die Bajadere* (1797) und 4. die *Legende* der →*Paria-Trilogie* (1822). Weitere Legenden werden in Prosa innerhalb anderer Werke nacherzählt: die Alexius-Legende in den *Briefen aus der Schweiz 1779* (11. 11. 1779), die von der Hl. Ursula und dem Hl. Gereon in *Kunst und Altertum am Rhein und Main* (1816), die des Hl. Rochus im *Sankt-Rochus-Fest zu Bingen* (1817) und die von Filippo Neri in der *Italienischen Reise*. Gefallen fand G. besonders an der Legende →*Die heiligen drei Könige* des Johannes von Hildesheim.

N. Tumparoff, G. und die L., 1910.

Lehne, Friedrich (1771–1836). Der Mainzer Professor, Bibliothekar und Archäologe führte G. und Boisserée am 11. 8. 1815 durch die Mainzer Museen und Privatsammlungen (*Kunst und Altertum am Rhein und Main*).

Lehrer Goethes: Maria Magdalena →Hoff: Kindergarten 1752–55; Johann Tobias →Schellhaffer: Grundschule 1755–56; seither Privatunterricht gemeinsam mit Cornelia u. a. Patrizierkindern bei »Schreibmeister« Johann Henrich →Thym: Schreiben, Rechnen, Geographie, Geschichte 1756–60, 1762–65; Johann Jacob Gottlieb →Scherbius: Latein, später Griechisch 1756 ff.; Mlle Marie Madeleine Gachet: Französisch 1758 ff.; Domenico →Giovinazzi: Italienisch 1760–62; Johann Peter Christoph →Schade: Englisch 1762 ff.; Johann Georg →Albrecht: Hebräisch 1762–65; Johann Michael →Eben: Zeichnen 1758–61. Spätere Zeichenlehrer in Leipzig Adam Friedrich →Oeser, Johann Michael →Stock (Kupferstich), in Frankfurt 1769 Johann Ludwig Ernst →Morgenstern, 1774 Georg Melchior →Kraus und Johann Andreas Benjamin →Nothnagel (Ölmalerei).

E. Mentzel, Wolfgang und Cornelia G.s Lehrer, 1909.

Lehrgedichte. Die von der Antike bis zur Aufklärung beliebte Form der Aufbereitung von Wissen und Erkenntnis in poetischer Form verlor zur Goethezeit mit der Vorliebe für individuelle Gefühlsaussprache in symbolischer Form an Popularität. Innerhalb von G.s Werk entsprechen eigentlich nur noch die Gedichte →*Die Metamorphose der Pflanzen* (1798) und →*Metamorphose der Tiere* (um 1800) in ihrer Verbindung von Naturschau und Dichtkunst dem Wesen des Lehrgedichts. Ein großes Lehrgedicht über die Natur in Hexametern, das G. 1798/99, vielleicht angeregt durch die Lektüre von E. K. von der Lühes Lehrgedicht *Hymnus an Flora* (1797) plante, kam nicht zur Ausführung und wurde 1815 endgültig aufgegeben. Eine Lanze für das Lehrgedicht, das jedoch keine separate Dichtart darstelle, bricht G.s Aufsatz *Über das Lehrgedicht* (*Über Kuns und Altertum* VI,1, 1827).

L. L. Albertsen, Das L., Aarhus 1967; U. Fülleborn, Um einen G. von außen bittend oder G. als Lehrdichter, 1982 und ZGP 103, 1984.

Lehrjahre →*Wilhelm Meisters Lehrjahre*

Leibniz, Gottfried Wilhelm (1646–1716). Bei seiner Aversion gegen die Philosophie scheint G. sich mit dem bedeutendsten deutschen Denker und Universalgelehrten des vorangehenden Jahrhunderts nicht intensiver befaßt zu haben. Das Tagebuch verzeichne einzelne Leibniz-Lektüre für April und Juni 1817; der Prioritätsstreit mit Newton um die Integralrechnung war G. bekannt. Leibniz' Monadenlehre fand G.s Zustimmung, doch zog er statt →Monade den Begriff Entelechie für eine sich in Tätigkeit verwirklichende Lebenseinheit vor (*Maximen und Reflexionen* 391 f.; zu Falk 25. 1. 1813; an Zelter 19. 3. 1827; zu Eckermann 3. 3. 1830).

P. Sickel, L. und G., Archiv für Geschichte der Philosophie 32, 1920; D. Mahnke, L. und G., 1924; H. Rehder, G. and L., in: Myth and reason, hg. W. D. Wetzels, Austin 1973.

Die Leiden des jungen Werthers. ENTSTEHUNG: Der Roman der G.s größter Bucherfolg wurde und ihn sofort zu einem in ganz Europa berühmten Schriftsteller machte, entstand angeblich »in vier Wochen« (*Dichtung und Wahrheit* III,13), richtiger wohl vom 1. 2. bis Ende April 1774, erschien anonym im September 1774 und erlebte allein 1775 zehn weitere Drucke. Zur 2. Auflage 1775 steuerte G. Einleitungsverse zum 1. und 2. Teil bei. Im November–Mai 1783 und Juni–August 1786 entstand die stilistisch dämpfende, um einige Episoden erweiterte, die Sozialkritik und den Charakter Alberts mildernde 2.Fassung, für die G. jedoch von dem fehlerhaften Nachdruck Himburgs ausging, ohne dessen Eingriffe rückgängig zu machen. Sie erschien zuerst in *Schriften* (1, 1787) und wurde seither nicht verändert. Der Titel lautet erst seit der Jubiläumsausgabe von 1825 *Die Leiden des jungen Werther*. Der biographische Hintergrund ist für Verständnis und Deutung des Werkes wenig ergiebig, da das biographisch Erlebte nur Anregung und Rohmaterial lieferte und stark verändert und mit vorgegebenen Themen und Motiven verschränkt erscheint: Die Bekanntschaft mit Charlotte →Buff und deren Verlobtem Johann Christian →Kestner beim Ball in Volpertshausen; Charlottes praktischer Sinn und häusliche Tüchtigkeit in der Sorge für die Geschwister; G.s Liebeswerben um Charlotte, die treu zu Kestner hält; seine plötzliche Abreise ohne Abschied; die neue Neigung zur 16jährigen Maximiliane von →La Roche, deren »schwarze Augen« Werthers Lotte bekommt; Zusammenstöße mit deren eifersüchtigem Gatten P. A. →Brentano in Frankfurt im Januar/Februar 1774, der Züge für Albert leiht; schließlich der

Selbstmord des G. bekannten C. W. →Jerusalem am 30. 10. 1772 in Wetzlar mit von Kestner geliehenen Pistolen aus unglücklicher Liebe zu einer verheirateten Frau, über den G. von Kestner genauen Bericht erhielt.

HANDLUNG: Der junge, begeisterungsfähige, empfindsame und kunstsinnige Jurist Werther kommt Anfang Mai 1771 zur Regelung von Erbschaftsangelegenheiten in eine kleine Stadt. Auf einem ländlichen Ball lernt er die schon verlobte Amtmannstochter Lotte kennen, deren Natürlichkeit und Anmut ihn entzücken. In besinnungslosem Glückstaumel und wachsendem Realitätsschwund mißachtet er die gesellschaftliche Situation und glaubt sich wiedergeliebt. Lottes Treue zu ihrem Verlobten Albert steigert nur seine Hochachtung. Nach Alberts Rückkehr von einer Reise schließt er auch mit diesem, Verkörperung des arbeitsamen, braven, rationalen Bürgertums, Freundschaft, flieht aber, als seine wachsende Leidenschaft die Beziehung unerträglich macht, am 10. September und wird am 20. Oktober Mitglied der Delegation eines adligen Gesandten in einer süddeutschen Stadt. Im März erlebt er einen Konflikt mit der Ständehierarchie, als eine adlige Tischgesellschaft ihn ausschließt; gekränkt erbittet und erhält er am 19. April seinen Abschied. Im Mai/Juni ist er Gesellschafter eines kunstliebenden Fürsten, kehrt jedoch im Juli, seinem Herzen folgend, zu Lotte und Albert, die inzwischen geheiratet haben, zurück. Er zweifelt an Lottes Eheglück, glaubt aufgrund seiner Liebe ein seelisches Recht auf sie zu haben und fühlt sich zugleich als hoffnungsloser Außenseiter dem Leben nicht mehr gewachsen. Bei einem letzten Besuch bei Lotte am 21. Dezember in Abwesenheit Alberts bezeichnet die Lektüre Ossians statt, wie früher, Klopstocks, seine düstere Stimmung, die er mit Lotte zu teilen glaubt, aber nach einer Umarmung und einem Kuß reißt Lotte sich von ihm los und schließt sich ein. Am 22. Dezember schreibt er einen Abschiedsbrief an sie, leiht sich von Albert ein Paar Pistolen und erschießt sich. Werthers Schicksal ist die Tragödie extremer Subjektivität, die Selbstvernichtung eines edlen Menschen, der sich widerstandslos seinen Stimmungen, Gefühlen und Launen hingibt, im Realitätsverlust die Grenzen von Objektivität und Subjektivität des Erlebten verwischt und unfähig wird, sein tiefes Gefühlsleben mit der Außenwelt in Einklang zu bringen. Die scheinbare Harmonie in Natur und Menschenleben schließt den zu krankhafter Empfindsamkeit Neigenden aus, verweist ihn auf selbstquälerische Gefühlsanalyse und den Stimmungen anempfundene Lektüre (Klopstock, Homer, Ossian, Lessing). Seine Weltfrömmigkeit, seine fast selbstzweckhafte Gefühlsseligkeit setzt die Liebe kompromißlos als ein Absolutes, stellt ihr Scheitern dem Tode gleich, verstellt ihm den Blick auf die sozialen Gegebenheiten und praktischen Erfordernisse und führt damit letztlich zu Haltlosigkeit, Handlungsunfähigkeit und Zweifel am Lebenssinn.

FORM: Die Erzählform des Briefromans nach Vorbild von Richardson, Rousseau und S. von La Roche gibt hier nicht einen Briefwechsel, sondern nur die vertraulichen Briefe einer Person, nämlich Werthers an seinen Freund Wilhelm, in der Zeit vom 4. 5. 1771–23. 12. 1772. Sie ermöglicht einerseits dem Erzähler einen unbeschränkten Subjektivismus, andererseits dem Leser auch mittels der Anreden, sich quasi selbst als Vertrauten und zugleich Diagnostiker Werthers zu verstehen, dem dieser in emphatisch-gefühlsstarker Sprache sein von Naturschwärmerei, Liebe und Todessucht volles Herz ausschüttet und dabei neue Wege der Kommunikation des Unaussprechlichen und subtilster Erfahrungen und Seelenregungen erprobt. Nur Werthers letzte Tage, in denen sein Kontakt zur Welt abbricht, und sein Ende werden als Erzählberichte des fiktiven Herausgebers mitgeteilt.

REZEPTION: Der Widerhall des epochemachenden Werkes, das den Durchbruch des Gefühls durch die vernunftbestimmte Aufklärungsliteratur der Zeit darstellt, war spontan und außerordentlich. Eine ganze junge Generation wurde vom »Wertherfieber« ergriffen, identifizierte sich mit Werthers Gefühlsseligkeit, seiner Naturandacht und seiner Liebe zu natürlichen, unverbildeten Menschen, kleidete sich z. T. wie G. und die Stolbergs auf der 1. Schweizer Reise in »Werthertracht« (blauer Frack mit Messingknöpfen, gelbe Weste und Hose, braune Stulpstiefel, runder Filzhut) und teilte Werthers Weltschmerzhaltung teils bis in den Selbstmord, so daß der Roman z. B. in Leipzig 1775 wegen Gefährdung der Moral verboten wurde. F. H. Jacobi, Merck, Claudius, Lessing, C. D. Schubart, J. M. R. Lenz, Heinse, Wieland, W. von Humboldt u. a. m., später auch Napoleon, waren begeistert; Kestner stieß sich an allzu deutlichen Ähnlichkeiten; J. M. Goeze (»Lockspeise des Satans«), Ch. Garve u. a. lehnten den Roman als unmoralisch ab; H. L. Wagner (*Prometheus, Deukalion und seine Rezensenten*, 1774) und J. M. R. Lenz (*Briefe über die Moralität der Leiden des jungen Werthers*, 1775, Druck 1918) verteidigten den Roman. F. →Nicolai parodierte die Empfindsamkeit und den übertriebenen Sturm und Drang-Stil in *Freuden des jungen Werthers* und *Leiden und Freuden Werthers des Mannes* (1775), in dem Albert verzichtet und Werther Lotte heiratet und verbürgert; G. reagierte 1775 mit einigen (zurückgehaltenen) Schmähgedichten. Eine Vielzahl heute nur noch historisch interessanter »Wertheriaden«, Parodien, Imitationen, Erweiterungen, Fortsetzungen, Rettungen, weiblicher Gegenstücke, Gedichte und Bänkellieder folgte. Neben den rasch einsetzenden Übersetzungen (französisch 1776, englisch 1779, italienisch und russisch 1781 u. a.) entstanden bald bedeutendere Werke, die das Werther-Thema selbständig aufgriffen: J. M. R. Lenz, *Der Waldbruder* (1776, Druck 1797), J. M. Miller, *Siegwart* (1776), U. Foscolo, *Ultime lettere di Jacopo Ortis* (1799), E. P. de Senancour, *Obermann* (1804), zuletzt U. Plenzdorf, *Die neuen Leiden des jungen W.* (1972). Auch in Th. Manns *Lotte in Weimar* (1939) steht der Roman im Hintergrund. Von den wegen der introvertierten Handlung problematischen Bühnenbearbeitungen des Stoffes (A. S. von Goué, *Masuren oder der junge Werther*, 1775; J. R. Sinner 1775, de la Rivière 1778, A. Henselt 1784, F. Reynolds 1785 mit Bühnenmusik von V. Rauzzini, A. S. Sografi 1794, E. Souvestre/E. Bourgeois 1846, V. Arnault 1864, P. Decourcelle 1903), zahlreichen Opern (R. Kreutzer 1792, J. E. B. Déjaure 1792 V. Puccita 1804, N. Benvenuti 1811, C. Coccia 1814, M. Aspa, R. Gentili 1862, A. Randegger 1899) und einer Reihe von teils anonymen Lustspielen, Travestien, Possen und Ballets hat keine die Zeit überdauert, im Unterschied zu den Opern von J. Massenet *Werther* (Text von E. Blau u. a., Uraufführung 16. 2. 1892 Wien) und von Hans-Jürgen von Bose *Die Leiden des jungen Werthers* (Text mit F. Sanjust, Uraufführung 30. 4. 1986 Schwetzingen). Eine Werther-Sinfonie schrieb G. Pugnani 1795, eine Kantate F. Blangini 1813. Der Film bemächtigte sich des Werkes 1910, 1938, 1949 und 1975. Zeitgenössische Künstler wie F. Bartolozzi, D. Berger, H. W. Bunbury, D. N. Chodowiecki, Ch. G. Geyser, A. Kauffmann, W. von Kaulbach, J. W. Meil, J. H. Ramberg, J. D. Schubert u. a. illustrierten Werther-Motive in Zeichnungen, Gemälden und Kupferstichen bis hin zu Karikaturen und der Meißener Porzellanmalerei. Schließlich knüpfte G. selbst, dem der Weltruhm seines Werkes bald lästig wurde, in dem Erzählfragment →*Briefe aus der Schweiz* (entstanden Februar 1796 als »Werthers Reise«, Druck 1808) an die Werther-Figur an und schrieb für die Jubiläumsausgabe von 1825 statt eines Vorworts am 25. 3. 1824 das Gedicht →*An Werther*, das später zum Einleitungsgedicht der *Trilogie der Leidenschaft* wurde.

E. Feise, Zu Entstehung, Problem und Technik von G.s W., JEGP 13, 1914; H. Gose, G.s W., 1921 u. ö.; G. Rieß, Die beiden Fassungen von G.s D. L. d. j. W., 1924; W. Rose, The historical background of G's W., in ders., Men, myths and movements in German literature, London 1931 u. ö.; J. Michels, G.s W., 1936; H. Schöffler, D. L. d. j. W., 1938, auch in ders., Deutscher Geist im 18. Jahrhundert, 1956; E. Beutler, Wertherfragen, Goethe 5, 1940; W. Kayser, Die Entstehung von G.s W., DVJ 19, 1941, auch in ders., Kunst und Spiel, 1961; S. P. Atkins, The testament of W. in poetry and drama, Cambridge/Mass. 1949; G. Storz, Der Roman D. L. d. j. W., in ders., G.-Vigilien, 1953; G. Fricke, G. und W., in ders., Studien und Interpretationen, 1956; H.-E. Hass, W.-Studie, in: Gestaltprobleme der Dichtung, Festschrift G. Müller, 1957; A. Hirsch, D. L. d. j. W., EG 13, 1958; H. Reiss, D. L. d. j. W., MLQ 20, 1959; W. Grenzmann, D. L. d. j. W., in ders., Der junge G., 1964; V. Lange, Die Sprache als Erzählform in G.s W., in: Formenwandel, Festschrift P. Böckmann, 1964, auch in ders., Bilder, Ideen, Begriffe, 1991; P. Müller, Zeitkritik und Utopie in G.s W., 1969; K. R. Scherpe, W. und W.wirkung, 1970 u. ö.; G.: D. L. d. j. W., Erläuterungen und Dokumente, hg. K. Rothmann 1971 u. ö.; H.-H. Reuter, Der gekreuzigte Prometheus, GJb 89, 1972; Insel-Almanach a.d. J. 1973: D. L. d. j. W., 1972; D. L. d. j. W., Katalog Düsseldorf, hg. J. Göres 1972; E. Redslob, D. L. d. j. W., GJb 53, 1980; 200 Jahre, MDH 19, 1972; D. Welz, Der Weimarer W., 1973; I. Graham, G.s eigener W., SchillerJb 18, 1974; G. Jäger, Die W.wirkung, in: Historizität in Literatur- und Sprachwissenschaft, hg. W. Müller-Seidel 1974; K. Oettinger, Eine Krankheit zum Tode, DU 28, 1976; I. Feuerlicht, W's suicide, GQ 51, 1978; H. Schmiedt, Woran scheitert W.?, Poetica 11, 1979; M. Gsteiger, Wandlungen W.s, 1980; B. Bennett, G.s W., GQ 53, 1980; R. Assling, W.s Leiden, 1981; K. Müller-Salget, Zur Struktur von G.s W., ZDP 100, 1981; K. Hübner, Alltag im literarischen Werk, 1982 u. ö.; J. Stückrath, G.: D. L. d. j. W., in: Deutsche Romane I, hg. J. Lehmann 1982; E. Waniek, W. lesen und W. als Leser, GYb 1, 1982; P. Pütz, W.s Leiden an der Literatur, in: G's narrative fiction, hg. W. J. Lillyman 1983; U. Fülleborn, D. L. d. j. W. zwischen aufklärerischer Sozialethik und Büchners Mitleidspoesie, in: G. im Kontext, hg.

W. Wittkowski 1984; S. Prawer, W.'s people, PEGS 53, 1984; G. Jäger, Die Leiden des alten und neuen W., 1984; H. Blessin, G.: D. L. d. j. W., 1984; E. Nolan, G.s D. L. d. j. W., SchillerJb 28, 1984; H. R. Vaget, D. L. d. j. W., in: G.s Erzählwerk, hg. P. M. Lützeler 1985; I. Engel, W. und die Wertheriaden, 1986; H. Flaschka, G.s W., 1987; M. Swales, The sorrows of young W., Cambridge 1987; I. Husmann, G.: D. L. d. j. W., 1987; W. Eggeling/M. Schneider, Der russische W., 1988; R. Könecke, G.s D. L. d. j. W. und die Literatur des Sturm und Drang, 1989; Wie froh bin ich, daß ich weg bin!, hg. H. Schmiedt 1989; H. Koopmann, Warum bringt W. sich um?, in: »Stets wird die Wahrheit …«, hg. G. Cepl-Kaufmann 1990; S. P. Sondrup, Wertherism and D. L. d. j. W., in: European romanticism, hg. G. Hoffmeister, Detroit 1990; B. Wang, Rezeptionsgeschichte des Romans D. L. d. j. W. in Deutschland seit 1945, 1991; E. Hein, J. W. G., D. L. d. j. W., 1991; Th. Siebmann, J. W. v. G., D. L. d. j. W., 1991; D. Vincent, W.'s G. and the game of literary creativity, Toronto 1992; J. v. d. Thüsen, Das begrenzte Leben, DVJ 68, 1994; G.s W., Kritik und Forschung, hg. H. P. Herrmann 1994; H. Koopmann, G.s W., in: Was soll ein Roman, hg. M. Nüchtern 1995; W. Link, W. auf englischen und amerikanischen Bühnen, Anglia 113, 1995; B. Leistner, G.s W. und seine zeitgenössischen Kritiker, GJb 112, 1995; J. Nelles, W.s Herausgeber, JFDH 1996; J. Hermann-Huwe, Pathologie und Passion in G.s Roman D. L. d. j. W., 1997.

Die Leidenschaft bringt Leiden →*An Madame Marie Szymanowska*, →*Trilogie der Leidenschaft (Aussöhnung)*

Leila →Medschnun und Leila

Leipzig. Die sächsische Handels-, Messe- und Universitätsstadt, die G.s Vater, der dort 1731 studiert hatte, dem Sohn statt des von diesem bevorzugten Göttingen zum Studienort wählte, hatte damals rd. 28 000 Einwohner. Zentrum der deutschen Aufklärung und des literarischen Rokoko, zeigte es gegenüber dem mehr traditionsgebundenen Frankfurt einen weltläufigeren, eleganten Lebensstil (»Klein-Paris«, »Pleiße-Athen«) und ein durch Wohlstand begünstigtes reiches geistiges Leben, so daß der Student erst allmählich seine provinziell wirkende Kleidung, Ausdrucksweise und Allüren ablegte und sich nicht nur eine vielseitige Bildung aneignete, sondern sich auch der Mode und den galanten gesellschaftlichen Umgangsformen anpaßte. G. pries auch später noch Leipzigs »Handelstätigkeit, Wohlhabenheit, Reichtum« (*Dichtung und Wahrheit* II,6) und »Reichtum, Wissenschaft, Talent, Besitztümer aller Art« (an Ch. von Stein 29. 12. 1782).

G. traf am 3. 10. 1765 in Leipzig ein und blieb dort bis 28. 8. 1768, nachdem ein Blutsturz Ende Juli 1768 seine Studien unterbrach. Mit einem monatlichen Wechsel von 100 Gulden versehen, bezog er eine Wohnung im Haus zur »Großen Feuerkugel« und nahm seinen Mittagstisch anfangs beim Rektor der Universität Ch. G. Ludwig, ab Ostern 1766 durch Vermittlung Schlossers bei Ch. G. Schönkopf, in dessen Tochter Käthchen →Schönkopf er sich verliebte.

An der Universität, damals mit rd. 600 Studenten einer der ersten Deutschlands, wurde G. am 19. 10. 1765 immatrikuliert und studierte zwar offiziell Jura, besuchte die Lehrveranstaltungen jedoch bald nicht sehr regelmäßig und weitete seinen Interessenkreis bis in die Medizin und Naturwissenschaften hin. Er hörte u. a. bei

J. G. Böhme (Staatsrecht, Geschichte), der ihn in seinen Studien beriet und dessen Frau ihm zu gesellschaftlicher Bildung half, bei Ch. A. Clodius (Philologie, Philosophie, Stil), J. A. Ernesti (Philologie, Theologie), Ch. F. Gellert (Poetik, Morallehre), S. F. N. Morus (Altphilologie) und J. H. Winckler (Philosophie, Physik) und stattete J. Ch. Gottsched einen Besuch ab. Außerhalb der Universität nahm er seit 1765 Zeichenunterricht bei A. F. Oeser, der ihm das klassische Kunstideal Winckelmanns vermittelte und mit dessen Tochter Friederike →Oeser ihn seit Herbst 1766 eine Freundschaft verband, und lernte Kupferstich und Radierung bei J. M. Stock, dessen Töchter Minna und Dora G. später als Frau und Schwägerin Ch. G. Körners wiedersah. Zu den Freunden und Bekannten der Leipziger Studienzeit zählen ferner die Teilnehmer der Tischgesellschaft bei Schönkopf Ch. G. Hermann, E. W. Behrisch, J. G. B. Pfeil, E. Th. Langer und J. F. W. Zachariae, die Frankfurter Freunde J. A. Horn und J. G. Schlosser, der Mitstudent C. W. Jerusalem, der Verleger J. G. I. Breitkopf, bei dessen Hauskonzerten G. Flöte spielte, der Buchhändler Ph. E. Reich, der Dichter Ch. F. Weiße und der Kunstsammler F. W. Kreuchauff.

Vom Kulturangebot Leipzigs nahm G. besonders das Theater wahr, dessen neues Komödienhaus am 10. 10. 1766 mit J. E. Schlegels *Hermann* durch die Theatertruppe von H. G. Koch eröffnet wurde. Hier sah G. Aufführrngen von Lessing, Lillo, Molière, Voltaire, Otway, C. F. Weiße u. a. und Singspiele von G. A. Hiller und lernte die Schauspielerinnen Corona Schröter, G. E. Schmehling und Caroline Schulze kennen (*Leipziger Theater 1768*). 1767/68 wirkte G. auch an Liebhaberaufführungen im Freundeskreis von K. Schönkopf u. a. mit und spielte u. a. den Wachtmeister Werner in Lessings *Minna von Barnhelm*. In die Leipziger Zeit fällt auch die erste Beschäftigung mit Shakespeare. Von den Leipziger privaten Kunstsammlungen kannte und besuchte G. damals bzw. später diejenigen von Oeser, F. W. Kreuchauff, G. Winkler, J. Th. Richter u. a. und erwarb später auf Auktionen vieles für seine Sammlung.

Von den eigenen, nunmehr vom spielerisch-scherzhaften Rokoko bestimmten Dichtungen der Leipziger Zeit entgingen dem Autodafé vom August 1768 nur das K. Schönkopf gewidmete Buch *Annette*, die *Oden an meinen Freund* (Behrisch), die F. Oeser gewidmeten *Lieder mit Melodien* (sog. Leipziger Liederbuch), das Schäferspiel *Die Laune des Verliebten* und eine Teilübersetzung von Corneilles *Der Lügner*.

Während der Frankfurter und Straßburger Zeit lösten sich viele der Leipziger Kontakte; von Weimar aus besuchte G. dann öfter, teils auf der Durchreise nach Dessau und Wörlitz, teils als Messebesucher mit Carl August, Leipzig und erneuerte alte und fand neue Bekanntschaften: 25. 3.–4. 4. 1776 (C. Schröter), 3. und 19.–21. 12. 1776 (Oeser), 10.–13. 5. 1778 (Oeser, Clodius, Lange), 23.–25. 4. 1780 (Messe), 21.–30. 9. 1781, 25. 12. 1782–4. 1. 1783, Oktober

1789, 1. 7. 1794, 29. 12. 1796–2. 1. 1797 und 6.–10. 1. 1797 (Lerse, Oeser, Weiße), 28. 4.–16. 5. 1800 (Messe; Rochlitz, Hermann, Verleger: Bohn, Cotta, Fleischer, Frommann, Härtel, Unger, Vieweg) und zuletzt 18./19. 4. 1813 (»locos classicos besucht«, Tagebuch).

W. v. Biedermann, G. und L., II 1865; M. Herrmann, Das L.er Theater während G.s Studentenzeit, GJb 11, 1890; J. Vogel, G.s L.er Studentenzeit, 1899 u. ö.; O. Jahn, G. und L., 1909 u. ö.; V. Tornius, L. im Leben G.s, 1943 u. ö.; J. Jahn, Das künstlerische L. und G., Goethe 12, 1950; A. Jericke, Es ist ein klein Paris, 1965; G. Sauder, Der junge G. in L., in: L., hg. G. Martens 1990.

Leipziger Liederbuch →*Lieder mit Melodien*

Leisewitz, Johann Anton (1752–1806). Der dem Göttinger Hain und dem Sturm und Drang nahestehende Dramatiker – sein Trauerspiel *Julius von Tarent* (1776) wurde 1796 und 1798 in Weimar aufgeführt –, 1778 Landschaftssekretär, 1801 Justizrat in Braunschweig, bemühte sich im August 1780 in Weimar um eine Anstellung. Er lernte Herder und Wieland kennen, besuchte G. am 8. 8. 1780 in seinem Gartenhaus und war am 14. 8. bei literarischen Gesprächen sein Tischgast.

Lemercier, Louis Jean Népomucène (1771–1840). Von dem französischen Dramatiker las G. im Februar 1828 die Komödie *Richelieu, ou la journée des dupes* und besprach sie lobend in *Über Kunst und Altertum* (VI,2, 1828).

Lemierre, Antoine Marin (1723–1793). Unter den französischen Dramen, die G. 1759 im französischen Theater in Frankfurt sah, machte ihm Lemierres Tragödie *Hypermnestre* (1758) besonderen Eindruck (*Dichtung und Wahrheit* I,3).

Lemuren. Nach altrömischer Vorstellung waren die Lemuren die nächtlich als Schreckgespenster ruhelos umgehenden Seelen der Verstorbenen. Im *Faust II* (v. 11511–11611) ruft Mephisto sie herbei, Fausts Grab zu schaufeln, und der blinde Faust hält ihren Arbeitslärm für den seiner Erdarbeiter. Die visuelle Vorstellung von den Lemuren als »aus Ligamenten [sic] und Gebein geflickten Halbnaturen« (v. 11513 f.) geht zurück auf die bildliche Darstellung der Lemuren auf dem Basrelief eines Grabes bei Cumae, die F. C. L. Sickler veröffentlicht hatte und die G. in seinem Aufsatz *Der Tänzerin Grab* (1812) beschreibt, wo den Lemuren ähnlich wie im Gedicht *Totentanz* »noch so viel Muskeln und Sehnen übrigbleiben, daß sie sich kümmerlich bewegen können, damit sie nicht ganz als durchsichtige Gerippe erscheinen und zusammenstürzen«. Das Lemurenlied (v. 11531–38 und 11604–11) mit dem Memento mori-Thema ist in den ersten 12 Versen eine freie Bearbeitung des Totengräberlieds aus Shakespeares *Hamlet* (V,1), das G. schon aus Th. Percys *Reliques of ancient English poetry* (1765) kannte.

B. Neuland, Faust, die drei Gewaltigen und die L., in: Ansichten der deutschen Klassik, hg. H. Brandt 1981.

Lenardo. Eine der Hauptfiguren in *Wilhelm Meisters Wanderjahre* I,6 ff.): der gebildete, technisch interessierte und weitgereiste Neffe der Makarie sieht dank seiner Erfahrungen u. a. bei den Spinnern und Webern in den Alpentälern (Tagebuch, III,5 und 13) den Übergang von der Landwirtschaft zur Industrie voraus, lernt selbst ein nützliches Handwerk (Tischler), verzichtet auf Adelsprivilegien und Besitz und sammelt im Bund der Auswanderer qualifizierte Fachkräfte um sich, die einen völligen Neubeginn in einer neuen, freiheitlichen Gemeinschaft in Amerika anstreben (III,9). Durch seine Erkenntnisse, seine Selbstlosigkeit und Gewissenhaftigkeit (vgl. die Binnennovelle *Das nußbraune Mädchen* um →Nachodine) ist er zum Leiter dieser neuen Gemeinschaft prädestiniert, mit deren Abreise der Roman endet.

K.-D. Müller, L.s Tagebuch, DVJ 53, 1979.

Lengefeld, Caroline von →Wolzogen, Caroline von

Lengefeld, Charlotte von →Schiller, Charlotte von

Lengefeld, Louise Juliane von, geb. von Wurmb (1743–1823). G. lernte die Witwe eines Rudolstädter Landjägermeisters, spätere Schwiegermutter Schillers und Freundin der Charlotte von Stein, wohl spätestens im Oktober 1782 durch diese kennen. Am 7. 4. 1783 empfahl er sie und ihre Töchter an Lavater. In ihrem Hause in Rudolstadt kam es am 7. 9. 1788 in größerer Gesellschaft zu einer ersten, flüchtigen Begegnung und kurzem Gespräch mit Schiller. Nach Schillers Heirat sah G. sie öfter in Weimar bei ihm oder bei sich.

Lenz, Jacob Michael Reinhold (1751–1792). Der livländische Pastorensohn, Theologe und Schriftsteller kam im April/Mai 1771 als Hofmeister zweier kurländischer Herren von Kleist nach Straßburg und lernte Anfang Juni im Kreis um Salzmann G. kennen, mit dem er sich in der Verehrung Shakespeares traf. G. nennt ihn einen »so talentvollen als seltsamen Menschen«, aber auch »whimsical« (*Dichtung und Wahrheit* III,11). Für Lenz bedeutete die kurze Begegnung mit dem vergötterten Genius und »Bruder G.«, dem er sich als Streitgenosse in enger Freundschaft verband, den Gipfel seines Literatenlebens, und nach G.s Abreise im August entfaltet sich ein reger (verlorener) Briefwechsel. Auf G.s Spuren suchte Lenz 1772 von Fort Louis aus in Sesenheim Friederike Brion auf, verliebte sich in sie und schrieb ihr Gedichte, die zeitweilig als Teil von G.s »Sesenheimer Liedern« galten. Ihre Treue zu G. feierte er im Gedicht *Die Liebe auf dem Lande* (1776?; Erstdruck in Schillers *Musen-Almanach für das Jahr 1798*), so wie er nach einem Besuch in Emmendingen im April/Mai 1775 G.s Schwester Cornelia als seine Muse verherrlichte (*Moralische Bekehrung eines Poeten*). G. beförderte 1773 von Frankfurt aus Lenz' *Anmerkungen über das Theater* (1774),

Lustspiele nach dem Plautus (1774) und *Der Hofmeister* (1774) zum Druck, die, anonym beim *Werther*-Verleger Weygand erschienen, teils für Werke G.s gehalten wurden. Lenz seinerseits ließ im März 1774 G.s *Götter, Helden und Wieland* drucken, schrieb *Über Goetz von Berlichingen* (1775?) und *Briefe über die Moralität der Leiden des jungen Werthers* (Druck 1918) und sah sich und G. als geniale Erneuerer der deutschen Literatur in der Literatursatire *Pandaemonium Germanicum* (1775) und der (verlorenen) humoristischen Schrift *Über unsere Ehe* (1773; vgl. *Dichtung und Wahrheit* III,14). Die Freundschaft wurde vertieft bei G.s zweitem Besuch in Straßburg auf der 1. Schweizer Reise (23.–26. 5. und 12.–18?. 7. 1775), bei der Lenz G. am 28. 5.–5. 6. zu Cornelia nach Emmendingen begleitete und ihm sein privates *Tagebuch* seines Gefühlslebens zur dichterischen Gestaltung unterbreitete. G. schrieb Lenz beim Abschied »Zur Erinnerung guter Stunde …« ins Stammbuch und erwähnt ihn in der *Dritten Wallfahrt nach Erwins Grabe im Juli 1775*. Am 3. 4. 1776 kam Lenz in der Hoffnung auf eine Position nach Weimar, wurde von G. wohl aufgenommen und bei Hofe eingeführt, geriet jedoch bald in Konflikt mit der höfischen Etikette, zog sich am 27. 6. 1776 in die Einsamkeit nach Berka zurück, lebte im September/Oktober auf Schloß Kochberg bei Ch. von Stein als deren Englischlehrer und schrieb seinen fragmentarischen Briefroman einer Korrespondenz zwischen Rothe (= G.) und Herz (= Lenz) *Der Waldbruder*, den G. 1797 in den *Horen* drucken ließ, und das allegorische Dramolett *Tantalus* über sein Verhältnis zu Weimar und G. Eine nie aufgeklärte »Eselei« Lenz', vielleicht ein verlorenes Pasquill auf Weimarer Verhältnisse, machte ihn in Weimar, wohin er am 25. 11. 1776 zurückgekehrt war, unmöglich und führte zum Bruch mit G. und seiner Ausweisung aus Weimar am 1. 12. 1776. Die schon in Weimar aufgetretenen Symptome hypochondrischer Unruhe – man behandelte ihn wie ein »krankes Kind« (an Merck 16. 9. 1776) – führten Ende 1777 zum Ausbruch der Geistesgestörtheit, während derer 1777/78 Schlossers u. a. den Kranken betreuten. Mit der Rückkehr nach Riga 1779, St. Petersburg und Moskau verschwand Lenz aus dem Gesichtskreis der Freunde. Manuskripte aus dem Nachlaß stellte G. 1797 für Schillers *Horen* und den *Musenalmanach* zur Verfügung. Später unterstellte G. Lenz wohl zu Unrecht eine Intrige gegen ihn (*Dichtung und Wahrheit* III,14), der sich bei Friederike Brion durch geheuchelte Liebe G.s Briefe an sie habe verschaffen und ihm mit der Veröffentlichung von *Götter, Helden und Wieland* habe schaden wollen (ebd. III,15; *Besuch in Sesenheim 1779*; Skizze *Lenz*). G.s negatives Bild von Lenz bestimmte weitgehend die geringe Rezeption seiner Werke im 19. Jahrhundert.

J. Froitzheim, L. und G., 1891; M. Sommerfeld, J. M. R. L. und G.s Werther, Euph 24, 1922; H.-O. Burger, J. M. R. L. innerhalb der Goethe-Schlosserschen Konstellation, in Dialog, Festschrift J. Kunz, 1973; E. M. Inbar, G.s L.-Porträt, WW 28, 1978; D. Arendt, J. W. G. und J. M. R. L., GRM 74, 1993; H.-G. Winter, Poeten als Kaufleute, Lenz-Jahrbuch 5, 1995; R. Krebs, L., lecteur de G., EG 52, 1997.

enz, Johann Georg (1748–1832). Der Jenaer Magister und Mineraloge wurde dort 1780 Aufseher des Naturalienkabinetts, 1794 Professor der Mineralogie und Direktor der Mineralogischen Sammlung, an deren Erweiterung und Katalogisierung G. mit Interesse mitarbeitete. 1798 gründete er unter starker Beteiligung G.s die Jenaer Mineralogische Gesellschaft, deren Ehrenmitglied 1798 und deren Präsident 1804 G. wurde. G. stand mit dem von ihm geschätzten Lehrer und Sammler seit April 1784 in regem persönlich-wissenschaftlichem Gedankenaustausch und Briefwechsel. Zum 40. Dienstjubiläum (25. 10. 1822) des eifrigen Neptunisten schrieb G. ihm am 18./19. 6. 1822 die launigen Begleitverse »Erlauchter Gegner aller Vulkanität …« zu einer vulkanartigen Torte mit goldener Verdienstmedaille; für die Jenaer Mineralogische Gesellschaft ließ er ihn von L. Seidler malen, für seine eigene Sammlung von Schmeller zeichnen.

    J. Salomon, G. und J. G. L., Goethe 23, 1961.

Leonardo da Vinci (1452–1519). Den Maler, Bildhauer und Architekten der italienischen Renaissance kannte G. nur als Maler; als einziges Originalwerk sah er auf dem Rückweg von Italien am 23. 5. 1788 in Mailand das berühmte Abendmahl-Fresko:»ein rechter Schlußstein in das Gewölbe der Kunstbegriffe« (an Carl August 23. 5. 1788). Mit dem Gemälde beschäftigte sich G. wieder im November/Dezember 1817 anläßlich der in Weimar ausgestellten Durchzeichnungen von G. →Bossi und von dessen Monographie. Sie regten G. zu einem eigenen Aufsatz *Joseph Bossi über Leonard da Vincis Abendmahl zu Mailand* (1817/18) an (*Tag- und Jahreshefte* 1817) und fanden auch im Aufsatz *Relief von Phigalia* (1818) und der Betrachtung über →Giottos »La cena« (1824) Niederschlag. Die anderen in der *Italienischen Reise* erwähnten Gemälde Leonardos gelten heute als Werke seines Schülers B. Luini. Leonardos *Trattato della pittura* (postum 1651) las G. im Februar 1788 in Rom (*Italienische Reise* 9. 2. 1788); dessen Abschnitt über die »blauen Farberscheinungen an fernen Bergen«, der ihm »wiederholt große Freude« machte (*Tag- und Jahreshefte* 1817), druckte G. deutsch u. d. T. *Würdigste Autorität* in *Zur Naturwissenschaft* (I, 4, 1822) ab.

    J. Strzygowski, L.s Abendmahl und G.s Deutung, GJb 17, 1896; L. Mazzucchetti, G. il Cenacolo di L., Mailand 1939, auch in dies., Cronache e saggi, Mailand 1966; W. Scheidig, L., G., Bossi, in: L. d. V., hg. H. Lüdecke 1952; G. Haupt, L.s Abendmahl und G.s Deutung, GJb 101, 1984; →Bossi.

Leonhard, Carl Cäsar, Ritter von (1779–1862). Mit dem Hanauer Geologen und Mineralogen, 1816 Professor der Mineralogie in München, 1818 in Heidelberg, Verfasser und Herausgeber mineralogischer Lehr-, Hand- und Jahrbücher, stand G. seit 1807 in Briefwechsel. Er veröffentlichte in *Leonhards Taschenbuch für die gesamte Mineralogie* 1808 und 1809 jeweils zwei Aufsätze, u. a. über J. Müllers Mineraliensammlung, über Karlsbader Granite und den Kammerberg bei Eger, und besprach u. a. Leonhards *Handbuch de Oryctognosie* (1821). G. besuchte Leonhard am 28. 7. und 20. 10 1814 in Hanau, Leonhard ihn am 6. 8. 1814 in Wiesbaden und an 27. 10. 1821 in Jena.

L. Milch, G.s Beziehungen zu dem Mineralogen K. C. v. L., GJb 29, 1908.

Leonore d'Este (1537–1581). Die historische Prinzessin von →Este ist unhistorisch Gegenstand der legendären Liebe →Tassos im →*Torquato Tasso.*

M.-L. Waldeck, The princess in Torquato Tasso, OGS 5, 1970; G. A. Wells, G's L. von Este, Quinquereme 8, 1985; H. Ammerlahn, Aufbau und Krise der Sinn-Gestalt, 1990

Leonore Sanvitale →Sanvitale

Leopold (Maximilian Ludwig Leopold), Herzog von Braunschweig-Lüneburg (1752–1785). Der Bruder Anna Amalias, 1782 preußischer Generalmajor, ertrank am 27. 4. 1785 bei Frankfurt an der Oder, als er nach einem Dammbruch und Überschwemmung Ertrinkende zu retten suchte. G. setzte ihm im Gedicht *Herzog Leopold von Braunschweig* (1785) ein Denkmal und erwähnt ihn in der Gedenkrede für Anna Amalia (*Zum feierlichen Angedenken …*, 1807).

Leopold III. Friedrich Franz, Fürst (ab 1807 Herzog) von Anhalt-Dessau (1740–1817). Der seit 1758 im Sinne der Aufklärung und Humanität musterhaft regierende Fürst, Freund Winckelmanns, der Behrisch zum Erzieher seines natürlichen Sohns Graf Waldersee berufen hatte und die Bestrebungen um einen Fürstenbund sehr förderte, stand zu dem Weimarer Hof in engem Freundschaftsverhältnis. G. bewunderte den »in jeder Hinsicht trefflichen Fürsten«, der »durch sein Beispiel den übrigen voranleuchtete« (*Dichtung und Wahrheit* II, 7 und 8). Dem Freund und Schöpfer des Wörlitzer Parks setzte Carl August 1782/83 in dem durch diesen angeregten Weimarer Park an der Ilm einen Denkstein. G.s erste Begegnung mit Leopold III. erfolgte am 3.–19. 12. 1776 bei Treibjagden um Wörlitz; weitere am 3. 6. 1777 in Weimar; am 11. 5. 1778 auf der Reise mit ihm und Carl August nach Berlin, davor und danach (13./14. und 23.–29. 5. 1778) in Dessau und Wörlitz; Ende April 1780 in Leipzig; 12. 6. und 29. 7. 1782 in Weimar; 20.–24. 12. 1782 in Dessau; 20.?–24. 11. 1783 in Weimar; 28. 4.–1. 5. 1800 mit Carl August auf der Leipziger Messe; schließlich am 30. 9. und 1. 10. 1808 in Erfurt vor der Begegnung mit Napoleon. Leopold III. war der ursprüngliche Adressat von G.s Gedicht →*Der wahre Genuß.*

A. Fränkel, G. und der Fürst von Dessau, 1864; H. Düntzer, Aus G.s Freundeskreise, 1868.

Leopoldsorden. Auf Verwendung Carl Augusts wurde G. am 16. 7. 1815 durch den österreichischen Kaiser Franz I. zum Kommandeur des 1808 gestifteten Leopoldsordens ernannt, mit dem der An-

pruch auf Verleihung des erblichen Freiherrnstandes verbunden
var. G. erfuhr von der Verleihung in Wiesbaden am 19. 7. 1815
iurch Freiherrn von Hügel; dieser überreichte ihm am 1. 8. 1815
len Orden zusammen mit einem Brief Metternichs, und G. dankte
liesem am 4. 8. 1815.

Die Lepaden. G.s Aufsatz über die Lepaden (Entemuscheln), im
Anschluß an C. G. Carus' Aufsatz *Grundzüge allgemeiner Naturbe-*
rachtung am 13./14. 4. 1823 entworfen und am 14. 12. 1823 dik-
iert, erschien neben Carus' Aufsatz in *Zur Morphologie* (II,2, 1824).

Lerse, Franz. G. gab der Figur des treuen Reitknechts im *Götz von*
Berlichingen den Namen seines Straßburger Studienfreundes F. Ch.
→Lersé (*Dichtung und Wahrheit* II,9): Lerse, der sich einst in einem
leinen Gefecht gegen Götz als »der bravste Knecht, den ich gese-
ien« bewiesen hatte, bietet dem seither von ihm bewunderten Rit-
er in Bedrängnis seine Dienste an (3. Akt) und erweist sich bald als
ler treueste seiner Mannen; er erhält das letzte Wort im Drama.

Lersé, Franz Christian (1749–1800). Der Elsäßer Theologiestudent
var 1770/71 in Straßburg G.s Tischgenosse und enger Freund.
Seine redliche, edle Persönlichkeit, gepflegte Erscheinung, Ord-
iungsliebe, Korrektheit, Unparteilichkeit und Vertrauenswürdigkeit
ireist G. in *Dichtung und Wahrheit* (II,9) als »ein rechtes Muster einer
zuten und beständigen Sinnesart«. Obwohl nicht Jurist, war Lersé
iei der Disputation von G.s *Positiones juris* dessen Opponent, der
ihn recht in die Enge trieb. Der Freundschaft tat das keinen Ab-
»ruch. Lersé, seit 1774 Inspektor der Militärakademie in Kolmar,
raf G. am 29.–31. 12. 1796 in Leipzig und besuchte ihn in Weimar
im 5. 4. 1796, 16. 4. und 4. 5. 1797, 30. 11. und 1. 12. 1798. G. setzte
ihm ein literarisches Denkmal, indem er Götz' treuesten Knecht
→Lerse nach ihm benannte.

A. Becker, F. L., Mannheimer Geschichtsblätter 28, 1927; M. Lanckoronska, F. C. L.,
bSKipp 2, 1970.

Lesage, Alain René (1668–1747). G. kannte, schätzte und las
wiederholt die komischen Romane des französischen Erzählers *Le*
Hiable boiteux (*Der hinkende Teufel*, 1707) und *Histoire de Gil Blas de*
Santillane (*Gil Blas*, 1715–35), auf die er häufig anspielt; dem Werk
von J. Ch. →Sachse gab er den Titel *Der deutsche Gil Blas* (1822).

B. Fries, G. und L., Euph 21, 1914.

Lessing, Gotthold Ephraim (1729–1781). G. sah »diesen so vorzüglichen und von mir aufs höchste geschätzten Mann niemals mit
Augen« (*Dichtung und Wahrheit* II,8); schon beim Aufenthalt Lessings
n Leipzig im Mai 1768 wich der Student G. in jugendlicher
Eigenwilligkeit Lessing aus (ebd.). G.s Plan eines Besuchs bei ihm

vom Februar 1781 wurde durch Lessings Tod zunichte, von dem G.
am 20. 2. 1781 erfuhr: »Wir verlieren viel, viel an ihm. Mehr als wir
glauben« (an Ch. von Stein 20. 2. 1781). Zeitlebens aber äußerte G.
in Wort und Schrift (*Dichtung und Wahrheit* II,7–8; *Xenien* 338,
393–412 u. a.; Briefe und Gespräche) direkt und indirekt seine uneingeschränkte Verehrung und allerhöchste Bewunderung des »Repräsentanten des kritischen Geistes« (*Justus Möser*), der ihm unter
allen deutschen Dichtern am meisten literarischer Lehrer, in seiner
Denkweise ein Vorbild und ihm seit seiner Jugend vertraut war.
Lessings *Miss Sara Sampson* (1755) kannte G. seit 1759 und sah das
Stück im Oktober 1765 auf der Leipziger Bühne. G.s *Stella* greift
das Thema des Mannes zwischen zwei Frauen auf, und *Wilhelm
Meisters theatralische Sendung* (I,15) schildert eine Bühnenprobe. Den
Laokoon (1766) las G. gleich nach Erscheinen und wiederholt in
Leipzig (*Dichtung und Wahrheit* II,8) und legte dessen Erkenntnisse
dem eigenen Werk und seinem von Winckelmann mitbestimmter
Verständnis antiker Kunst zugrunde. Die Ausgangsfrage allerdings,
warum →Laokoon nicht schreie, beantwortete G. in einem Brief an
Oeser (ebd. III,11) und seinem Aufsatz *Über Laokoon* in einer von
Lessing abweichenden Art. Lessings *Hamburgische Dramaturgie*
(1767 ff.) verwies G. auf Shakespeare als Muster eines deutschen
Dramas und bahnte den Weg zur Ignorierung der Einheiten von
Ort und Zeit im *Götz von Berlichingen*. Lessings *Minna von Barnhelm*
(1767) sah G. bei der Leipziger Erstaufführung am 18. 11. 1767 und
spielte bei einer Liebhaberaufführung am 28. 11. 1767 selbst den
Wachtmeister Werner. Die vielgepriesene, ausgedehnte Exposition
dieses Lustspiels ahmen *Die Mitschuldigen* bewußt nach (ebd. II,8).
Emilia Galotti (1772) las G. sogleich nach Erscheinen im Juli 1772,
stieß sich aber am »nur Gedachten« des »Meisterstücks« (an Herder
um 10. 7. 1772; dagegen an Zelter 27. 3. 1830). Ihre Erwähnung am
Schluß des *Werther* entspricht zwar den im Bericht Kestners beschriebenen Fakten, ist aber zugleich als Huldigung an Lessing zu
werten. Eine Aufführung des Dramas, das auch die Dramentechnik
des *Clavigo* beeinflußte, durch Serlos Truppe schildern *Wilhelm Meisters Lehrjahre* (V,16). Lessings *Nathan der Weise* (1779), »das höchste
Meisterstück menschlicher Kunst« (zu F. H. Jacobi April 1780), beeinflußte in der mit ihm durchgesetzten Blankvers-Form die Gestaltung der klassischen Weimarer Versdramen (*Iphigenie, Tasso*). Lessings *Faust*-Fragment begegnet sich mit G.s Drama in der Hebung
des abgesunkenen Stoffes und dem untragischen Ende. Als Vertreter
der älteren, arrivierten Generation stand Lessing andererseits G.s
Werk und seiner literarischen Bedeutung mit einiger Skepsis gegenüber, zumal er wie viele Zeitgenossen J. R. M. Lenz' *Anmerkungen über das Theater* (1774) für ein Werk G.s hielt, äußerte seine Kritik jedoch nicht öffentlich, so daß sie G. unbekannt geblieben sein
mag. Der *Götz von Berlichingen* entsprach als dialogisierte Biographie nicht Lessings Formempfinden. *Die Leiden des jungen Werther*

as Lessing mit »Vergnügen«, stand allerdings als Freund und (1776)
Herausgeber Jerusalems diesem zu nahe, als daß er die Umgestal-
tung von dessen Charakter zur literarischen Figur in anderem Kontext akzeptieren konnte. Auch lag ihm Werthers unmännliche
Liebes- und Gefühlsschwärmerei fern, und aus erzieherischer
Perspektive um die moralische Wirkung des Werkes besorgt, hätte
er ein warnendes, ja zynisches Schlußwort bevorzugt (an J. J.
Eschenburg 26. 10. 1776). Sein uneingeschränktes Gefallen dagegen
fand G.s Hymne *Prometheus*, die F. H. Jacobi ihm beim berühmten
Gespräch im Juli 1780 vorlegte (*Dichtung und Wahrheit* III,14), über
das Jacobi in seinem Buch *Über die Lehre des Spinoza* (1785) berichtet.

W. v. Biedermann, G. und L., GJb 1, 1880; P. Stapfer, Études sur G., Paris 1906;
A. Bartscherer, Zur Kenntnis des jungen G., 1912; J. Petersen, G. und L., Euph 30, 1928,
auch in ders., Aus der G.zeit, 1932; I. Graham, G. and L., New York 1973; E. Leibfried,
L.s Werther als Leser von L.s Emilia Galotti, in: Text, Leser, Bedeutung, hg. H. Grabes
1977; G. Schulz, L. und G., GJb 96, 1979; W. Albrecht, »Wenn ihr Lessingen seht …«,
Impulse 6, 1983; P. J. Burgard, Emilia Galotti und Clavigo, ZDP 104, 1985.

Letzte Worte →Tod und Bestattung

Leuchsenring, Franz Michael (1746–1827). Der Hofrat und seit
1769 Hofmeister des Erbprinzen Ludwig von Hessen-Darmstadt
(1784 Lehrer des späteren Königs Friedrich Wilhelm III. von
Preußen, später in Paris) drängte sich mit einer Mischung von vor-
gespiegeltem Mitgefühl, Fürsorge und Neugier als weichlicher
Empfindsamkeitsapostel, einschmeichelnder Schwärmer, gefühlvoller Tröster und weltverbessernder Schwätzer in die Herzens-
geheimnisse und Intimitäten gefühlsunsicherer, leichtbestimmbarer
Mädchen und Frauen und nutzte den vermeintlichen Seelenein-
klang und die ihm anvertrauten Geheimnisse und Briefe, um die
Personen – wenigstens ihrer Meinung nach – durch Indiskretionen,
Zwischenträgereien und Intrigen gegeneinander auszuspielen.
Zumal im →Darmstädter Kreis der Empfindsamen mischte er sich
als gefühlvoller Hausfreund in Mercks Ehe, verunsicherte Herders
Braut Caroline Flachsland in ihrem Gefühl für den in Bückeburg
abwesenden Bräutigam und trübte zeitweilig G.s Verhältnis zu
Merck und Herder. G. lernte ihn im März 1772 in Darmstadt
(nicht, wie *Dichtung und Wahrheit* III,13 irrtümlich, im September
1772 bei S. von La Roche), dann genauer im Frühjahr 1773 in
Darmstadt und Frankfurt kennen und durchschaute bald sein Treiben. Er verspottet ihn im Estherspiel des *Jahrmarktsfests zu Plundersweilern* (1773) als Mordechai und als Titelfigur im *Fastnachtsspiel vom
Pater Brey* (1773), wo er als Prediger bei den Säuen endet.

M. Bollert, Beiträge zu einer Lebensbeschreibung von F. M. L., Jahrbuch für Geschichte, Sprache und Literatur Elsaß-Lothringens 17, 1901; L. Papendorf, Monsieur
Kiserin, Goethe 18, 1956.

Leuchtenberg, Herzog von, →Beauharnais, Eugène

Leukerbad. Den Kurort im Wallis besuchte G. mit Carl August von Sion aus am 9./10. 11. 1779 und genoß die Landschaft mehr al die durch »ein großes Heer hüpfender Insekten« beeinträchtigt Nachtruhe (*Briefe aus der Schweiz 1779*).

Levetzow, Amalie Theodore Caroline, geb. von Brösigke (1788– 1868). Die Mutter der Ulrike von →Levetzow heiratete 180: in erster Ehe den mecklenburgischen Hofmarschall J. Otto vo Levetzow in Schwerin, war 1807–15 in zweiter Ehe mit dessen Vet ter, dem Offizier und Gutsbesitzer Friedrich von Levetzow un 1843–57 in dritter Ehe mit dem österreichischen Hofkammerprä sidenten Franz Graf von Klebelsberg-Thumburg verheiratet. G. tra sie im Juli 1806 in Karlsbad und im August 1810 in Teplitz, schloß sich jedoch erst näher an die Familie an, als sie mit ihren dre Töchtern Ulrike (1804–1899), Amalia (1806–1832, 1826 verh. vo Rauch) und Bertha (1808–1884, später verh. von Mladota vo Solopisk) gleichzeitig mit ihm im Hause ihres Vaters von Brösigk in Marienbad wohnte. G. hielt den herzlichen Briefwechsel mit ih bis August 1831 aufrecht.

Levetzow, Ulrike Theodore Sophie (1804–1899). Die älteste Toch ter der Amalie von →Levetzow, gerade aus einem Straßburger In ternat heimgekehrt, lernte G. kennen, als er am 29. 7.–25. 8. 182 mit der Familie von Levetzow in Marienbad im Hause von Ulrike Großvater von Brösigke wohnte. Er schloß das heitere, gefühlvolle und jugendfrische Mädchen rasch an sein Herz, nahm sie auf Spa ziergänge mit, schenkte ihr die *Wanderjahre* und erzählte ihr de Inhalt der *Lehrjahre*. Beim zweiten Aufenthalt am gleichen Or (19. 6.–24. 7. 1822) entstanden einige Kurzgedichte an Ulrik (»Könnt' ich vor mir selber fliehn …«, »Ach! wer doch wieder ge sundete …«, »Denn freilich sind's …«), kleinere Widmungsgedicht und nach dem Abschied am 24./25. 7. 1822 das Gedicht eine Wunschbildes *Äolsharfen*. Beim dritten Aufenthalt in Marienbac (2. 7.–20. 8. 1823) kam die leidenschaftliche Neigung des 74jähri gen Dichters zum 19jährigen »sehr hübschen Kinde« (an Zelte 24. 8. 1823) zum Durchbruch; Carl August mußte bei der Mutte förmlich um Ulrikes Hand anhalten und erhielt nach deren Befra gung eine höflich aufschiebende Antwort, und die Levetzow reisten am 17. 8. nach Karlsbad ab, wohin G. am 25. 8.–5. 9. 182 folgte und wo er am 28. 8. zum Geburtstag, dem »Tag des öffent lichen Geheimnisses«, jenen »holden« Glasbecher mit den Name Ulrikes und ihrer Schwestern erhielt, den er stets in Ehren hielt Damals entstanden die vielleicht als Briefsendungen gedachten spielerisch-freundschaftlichen Gedichte an Ulrike, die in leichte Form die verhaltene Leidenschaft vorzeigbar gestalten (»Du hattes längst …«, »Tadelt man, daß wir uns lieben …«, »Du Schüler Ho wards …«, »Wenn sich lebendig …«, »Du gingst vorüber? …«, »An heißen Quell …«) und auf der Heimreise am 5.–19. 9. 1823 die das tiefe, entsagungsvolle Liebeserlebnis gestaltende →Marienbader *Elegie*, Kernstück der →*Trilogie der Leidenschaft*. G. hoffte noch lange und deutet das in den Briefen an die Mutter an. Mit dem Sohn und Erben August gab es eine unliebsame Szene. Ulrike blieb bis ins hohe Alter unverheiratet und schrieb später ihre Erinnerungen an G. nieder: »Keine Liebschaft war es nicht«.

H. Sauer, G. und Ulrike, 1925; A. Sauer, U. v. L. und ihre Erinnerungen an G., in ders., Probleme und Gestalten, 1933; Ch. Du Bos, Der Weg zu G., 1949; P. Meuer, Eine Liebschaft war es nicht, in ders., Fülle des Augenblicks, 1985; →Marienbader Elegie, →Trilogie der Leidenschaft.

Levin, Rahel →Varnhagen von Ense, Rahel

Leybold, Carl Jacob Theodor (1786–1844). Der Stuttgarter Historien- und Porträtmaler folgte 1825 dem Aufruf G.s an die bildenden Künstler *Zu Charon, dem Neugriechischen* (in *Über Kunst und Altertum* IV,2, 1823, wiederholt im *Stuttgarter Kunstblatt*), das von G. übersetzte neugriechische Gedicht *Charon* zu illustrieren; sein Entwurf fand G.s volle Zustimmung und Begeisterung.

Libretti. Neben zahlreichen Singspielen beschäftigte sich G. fünfmal mit Plänen zu Opernlibretti, die jedoch kaum über einen ersten Entwurf hinaus gediehen oder Fragment blieben. Nach dem später im *Groß-Cophta* behandelten Stoff der Halsbandaffäre plante er im Oktober 1787 in Rom eine Opera buffa →*Die Mystifizierten*. Vom Plan einer Ossian-Oper schreibt G. an Reichardt (10. 2. 1789, 8. 11. 1790). Im Anschluß an die Weimarer Aufführung von Mozarts *Zauberflöte* 1794 begann G. eine Weiterdichtung bzw. Fortsetzung in zwei Akten →*Der Zauberflöte zweiter Teil*, die nur etwa zur Hälfte ausgeführt wurde. Ebenfalls 1794 wurde Pasquale Anfossis komische Oper *La maga Circe* in einer Bearbeitung von Ch. A. Vulpius in Weimar aufgeführt, die G. durch Verstärkung des poetischen und komischen Elements zu vervollkommnen suchte. Nach dem Stoff einer *Ballade* vom vertriebenen Grafen schuf G. den Entwurf zu einer romantischen Oper →*Der Löwenstuhl* (1814). Der Plan einer orientalischen Oper →*Feradeddin und Kolaila* (1816) schließlich gedieh nicht über die Ansätze hinaus.

O. Janowitz, G. als Librettist, GLL 9, 1955 f.

Lichnowsky, Carl, Fürst von (1758–1814). Mit dem an Kunst, Musik und Literatur interessierten Kammerherrn der österreichischen Kaiserin Maria Ludovica verkehrte G. im Juni 1810 in Karlsbad (»besonders freundlich«) und im Juli/August 1812 in Teplitz »immer der alte«) und korrespondierte 1810/11 mit ihm.

G. und Österreich, hg. A. Sauer 1902.

Lichtenberg, Friedrich Wilhelm von (?–1790). Der preußische Leutnant kam 1774 als Rittmeister und Kommandeur des (rd. 40

Mann starken) Husarenkorps, der herzoglichen Leibgarde, und Adjutant des Herzogs nach Weimar. Wegen seiner Rohheit bei Disziplin und Exerzieren berüchtigt und von den Damen des Hofs gemieden, heiratete er 1778 Sophie von →Ilten. Carl August unterhielt sich gern mit ihm über Militaria, und G. nutzte seine Geschicklichkeit im Eislauf für seine Eisfeste.

Lichtenberg, Georg Christoph (1742–1799). Den vor allem durch seine Aphorismen und Satiren bekannten aufklärerischen Schriftsteller und Göttinger Professor der Physik lernte G. kennen, als er Ende September 1783 in Göttingen eine physikalische Vorlesung Lichtenbergs besuchte. G. sandte ihm 1792 seine *Beiträge zur Optik* und 1793 das Manuskript *Von den farbigen Schatten* sowie einige Apparate zu Farbuntersuchungen. Im Briefwechsel 1792–96 über Farbphänomene und naturwissenschaftliche Fragen versuchte G. vergeblich, den Anhänger Newtons für seine Theorie der Farben zu gewinnen, doch Lichtenberg ging als Fachmann auf Distanz. Daß er G.s Versuche zur Farbenlehre auch in der 6. Auflage 1794 der seit 1784 von ihm betreuten *Anfangsgründe der Naturlehre* von J. P. C. Erxleben nicht erwähnte, kränkte G. tief (*Geschichte der Farbenlehre:* Konfession des Verfassers; an Schiller 21. 11. 1795); warum eine laut Notiz aus Lichtenbergs Nachlaß vorgesehene Erwähnung von G.s Forschungen nicht erfolgte, bleibt unklar. Der Schriftsteller Lichtenberg beeinflußte durch seine Aphorismen G.s *Maximen und Reflexionen* (713: »Wo er einen Spaß macht, liegt ein Problem verborgen«). Über seine *Ausführliche Erklärung der Hogarthischen Kupferstiche* (1794 ff.) urteilte G. zurückhaltend (*Tag- und Jahreshefte* 1795) und führte Lichtenbergs Interesse an Karikaturen auf seine Buckligkeit zurück (zu Riemer März 1806). Als Aufklärer gegen Empfindsamkeit, Sturm und Drang und besonders gegen Lavater allergisch (*Fragment von Schwänzen*), urteilte Lichtenberg über G.s Dichtungen nach anfänglich spöttischer Ablehnung besonders des *Werther* (L. an J. C. Dietrich 1. 5. 1775) seit dem *Wilhelm Meister*, den er schätzte (an G. 15. 1. 1796), günstiger.

W. Matz, G.s Verhältnis zu L., GRM 7, 1915; W. A. Berendsohn, L. und der junge G., Euph 23, 1921; M. Domke, G. und L., 1935; E. Volkmann, G. und L., 1942; H. Lang, G., L. und die Farbenlehre, Photorin 6, 1983.

Lichtwer, Magnus Gottfried (1719–1783). Den Halberstädter Juristen und von Gottsched als Vorbild gepriesenen Fabeldichter der Aufklärung (*Vier Bücher Äsopischer Fabeln*, 1748 u. ö.) zählte G. zu den »besten Köpfen« des 18. Jahrhunderts (*Dichtung und Wahrheit* II,7).

H. Petzsch, Äußerungen G.s über Werk und Wert von M. G. L. und J. L. W. Gleim, in: Festschrift zur 250. Wiederkehr der Geburtstage von J. W. L. Gleim und M. G. L., 1969

Lida. Unter diesem poetischen Decknamen für Charlotte von Stein verschleiert G. in den Liebesgedichten an sie aus den Jahren

781/82 bei der Veröffentlichung den Namen der Adressatin, während die an sie gesandten Originalhandschriften z. T. statt Lida »Lotte« oder »Psyche« haben. Nur vier Gedichte erwähnen den Namen »Lida«: *Der Becher* (September 1781), *An Lida* (9. 10. 1781), *Ferne* (12. 4. 1782) und *Zwischen beiden Welten* (Druck 1820); jüngere Auswahlausgaben stellen sie teils mit den anderen Gedichten an Ch. von Stein in eine Abteilung als »Verse an Lida« o. ä.

Liebe. Die Frauenliebe durchzieht nicht nur G.s Leben (Gretchen, Käthchen Schönkopf, Friederike Brion, Charlotte Buff, Maximiliane Brentano, Lili Schönemann, Charlotte von Stein, Christiane, Minna Herzlieb, Silvie von Ziegesar, Marianne von Willemer, Ulrike von Levetzow). Sie wird schon früh zur großen Triebkraft einer Dichtung und durchzieht als literarisches Motiv und Grundthema seine Werke in unerschöpflicher Vielfalt und in allen Variationen von der reinen Seelenfreundschaft über alle Stufen der sinnlichen Liebe bis zur Erfüllung und zum Liebesbetrug. Glück und Qual, Hoffnung und Verzweiflung, Hingabe und Irrtum, Not und Resignation der Liebe finden literarische Gestaltung in zahllosen Liebesgedichten und Zyklen (*Römische Elegien, West-östlicher Divan, Trilogie der Leidenschaft* u. a.), in allen epischen Werken (*Leiden des jungen Werthers, Unterhaltungen deutscher Ausgewanderten, Hermann und Dorothea, Wilhelm Meister, Wahlverwandtschaften*) und als Haupt- oder Nebenmotiv in vielen Dramen (*Clavigo, Stella, Egmont, Torquato Tasso, Faust* u. a.).

W. Bode, G.s Liebesleben, 1914 u. ö.; W. Bode, Neues über G.s Liebe, 1921; P. Kluckhohn, Die Auffassung der Liebe in der Literatur des 18. Jahrhunderts und in der deutschen Romantik, 1922 u. ö.; E. Elster, G. und die Liebe, 1932; B. Schumann, Darstellungen der Liebe bei G., Diss. Leipzig 1953; K. R. Eissler, G., 1985.

Lieber, Carl Wilhelm (1791–1861). Der in Weimar und auf Empfehlung G.s 1812/13 in Dresden ausgebildete Landschaftsmaler, Zeichner, Radierer und Restaurateur, seit 1813 Lehrer an der Freien Zeichenschule in Weimar, schuf u. a. ein Gemälde »Erlkönig« und mehrere Radierungen nach Handzeichnungen G.s. G. lobte seine »große Genauigkeit und Gewissenhaftigkeit« (an Boisserée 11. 11. 1827).

K. K. Eberlein, C. D. Friedrich, L. und G., Kunst-Rundschau 49, 1941.

Liebhabertheater. Das Weimarer Liebhabertheater bildete sich aus adligen und bürgerlichen Mitgliedern der Hofgesellschaft, Beamten und Akademikern 1775, um die durch die Zerstörung des Schloßtheaters im Schloßbrand vom 6. 5. 1774 und den Abzug der Seylerschen Truppe nach Gotha entstandene Lücke wenigstens provisorisch zu füllen, und entwickelte sich rasch zu einem Mittelpunkt des unkonventionellen gesellig-literarischen Lebens besonders um Anna Amalia. Man spielte im Weimarer Redoutensaal, ab 1780 im neuerbauten Komödienhaus, in Ettersburg (Schloß und

Naturbühne) und im Tiefurter Park, später auch im Wittumspalais ein vielseitiges Repertoire unterschiedlicher Gattungen: Fastnachtsspiele, Stegreifkomödien, Possen, Maskenspiele, Lustspiele von Voltaire, Destouches, Regnard, Cumberland, Gozzi, Goldoni, Aristophanes (*Die Vögel* in G.s Bearbeitung), Lessing (*Minna von Barnhelm*), Ayrenhoff, J. J. Engel, auch Weimarer Autoren wie J. Ch Bode, Einsiedel und Seckendorff, vor allem aber G.s Lustspiele und Singspiele (*Erwin und Elmire* 1776, *Die Geschwister* 1776, *Die Mitschuldigen* 1777, *Lila* 1777, *Der Triumph der Empfindsamkeit* 1778, *Das Jahrmarktsfest zu Plundersweilern* 1778, *Die Laune des Verliebten* 1779, *Jery und Bätely* 1780, *Das Neueste von Plundersweilern* 1781, *Die Fischerin* 1782) und als Höhepunkt am 6. 4. 1779 im Redoutensaal G.s *Iphigenie* mit C. Schröter als Iphigenie und G. als Orest. Als Darsteller wirkten u. a. Knebel, Musäus, Bertuch, G. M. Kraus, Einsiedel, Seckendorff, L. von Göchhausen u. a. m., gelegentlich auch Anna Amalia, Carl August und Prinz Constantin und als einzige Berufsschauspielerin und -sängerin Corona Schröter. G. war vom 1. 10. 1776 bis 1782 offizieller Leiter, spiritus rector, Dramaturg, Regisseur und Darsteller in 20 Rollen. Als Komponisten wirkten Seckendorff, Anna Amalia und C. Schröter mit, als Dekorateur der »Theatermeister« J. M. Miedling (→*Auf Miedlings Tod* gibt eine Schilderung des Betriebs). Mit dem Einzug der Bellomoschen Truppe in Weimar 1782 und G.s Reise nach Italien erlosch das Liebhabertheater bis auf gelegentliche Liebhaberaufführungen, z. B. von G.s *Paläophron und Neoterpe* zum Geburtstag Anna Amalias 1800. Seine Bedeutung geht über die gesellige und sozial integrierende Funktion hinaus: es diente als Probierstätte aller Elemente der Theaterpraxis (Bühnentechnik, Dekoration, Kostüm, Besetzung, Rollenstudium, Proben, Regie u. a.) und damit als Voraussetzung für die Bildung des klassischen Weimarer Hoftheaterstils und als Vorbereitung für G.s Tätigkeit als Theaterdirektor. Die theoretische Summe aus den praktischen Erfahrungen zogen Einsiedels *Grundlinien zu einer Theorie der Schauspielkunst* (1797) und z. T. G.s *Regeln für Schauspieler* (1803); dichterisch spiegelt sie sich in G.s Theaterroman *Wilhelm Meisters theatralische Sendung*, künstlerisch in G. M. Kraus' Aquarellen und Gemälden nach den Aufführungen.

C. A. H. Burkhardt, Das herzogliche L., Grenzboten 32, 1873; W. Bode, Der weimarische Musenhof, 1917; G. Sichardt, Das Weimarer L. unter G.s Leitung, 1957; →Theater.

Liebholdt, Johann Wilhelm (1740–1806). Der gebildete, »treffliche Kopist« (*Dichtung und Wahrheit* III,13), dessen Wesen und Charakter leicht eine Romanfigur abgegeben hätten (ebd. IV,17), arbeitete in Frankfurt als »gewandter Schreiber« (ebd. IV,19) und Geschäftsbeistand in Rechts-, Vormundschafts- und Rechnungsfragen u. a. für G. und seinen Vater, nach dessen Tod auch für die Mutter, und machte sich durch »Rechtlichkeit und Pünktlichkeit« überall beliebt (ebd. IV,17). November 1793–Februar 1794 schrieb er den

Versteigerungskatalog der Bibliothek von G.s Vater mit 1691 Nummern, der für die Rekonstruktion der Bibliothek und indirekt auch für G.s frühe Lektüre von Interesse ist.

Liechtenstein, (Joseph Johann Baptist) Moritz, Fürst von (1775–1819). Der österreichische Feldmarschall-Leutnant gehörte zum näheren Umgang G.s im Juni/Juli 1810 und Juni–August 1812 in Karlsbad und im Juli/August 1813 in Teplitz; in den Kriegswirren des Oktober 1813 stand ihm sein »hoher Gönner und Freund« (*Reise nach Zinnwalde und Altenberg*, 1813) hilfreich zur Seite.

Liechtenstein, Philipp Joseph, Fürst von (1762–1802). Vor dem Vetter der ihm von Karlsbad 1786 her bekannten Gräfin Marie Josephine Harrach lüftete G. im November 1786 in Rom sein Inkognito und war mehrfach sein Tischgast; der Fürst verschaffte ihm Zugang zu privaten Kunstsammlungen in Rom, machte ihn mit dem Dramatiker V. Monti bekannt und führte ihn am 4. 1. 1787 in die →Arcadia ein (*Italienische Reise*).

Lied des physiognomischen Zeichners →*Künstlers Abendlied*

Lieder. Obwohl Sangbarkeit kein Wertkriterium für Lyrik darstellt, erweisen sich G.s Gedichte in hohem Maße als sangbar, und der hohe Anteil zum Singen bestimmter, wenn auch nicht unbedingt auch gesungener Gedichte machte G. zum meistvertonten deutschen Dichter, dessen Werk wesentlich zum Aufschwung des deutschen Liedes um 1800 beitrug: etwa 750 seiner Gedichte bzw. Lieder liegen in →Vertonungen, mehrere in jeweils über 50 Kompositionen vor. Da G. seine Gedichte nicht nach der Sangbarkeit ordnete, finden sich die meisten davon sowohl in den Abteilungen »Lieder« und »Balladen« wie in der Abteilung »Lyrisches« der Gedichtsammlungen. G.s Liederdichtung beginnt mit den Liedern des Buches *Annette* für K. Schönkopf, dem sog. Leipziger Liederbuch für F. Oeser (*Lieder mit Melodien*, 1768) und den Vertonungen durch B. T. Breitkopf (*Neue Lieder*, 1769); sie gewinnt großen Aufschwung in Straßburg unter dem Einfluß Herders und des Volksliedes (Sesenheimer Lieder für F. Brion), wobei G. teils alten Melodien neue Texte unterlegt, und setzt sich fort in den Liebesliedern an L. Schönemann und Ch. von Stein, in Künstler-, Abend- und Nachtliedern u. ä. Daneben entstehen die sangbaren Balladen, Gesellschaftslieder und gesellige Lieder, die Lieder des *West-östlichen Divan* u. a. m., die Liedeinlagen der Singspiele, der Dramen von *Götz von Berlichingen* bis zum *Faust* und des *Wilhelm Meister* (Harfner, Mignon u. a.). G.s besonderes Interesse gilt ferner den Liedern anderer Völker wie den serbischen und neugriechischen Liedern.

M. Friedländer, Das deutsche L. im 18. Jahrhundert, III 1902; H. Kretzschmar, Geschichte des neuen deutschen L., 1911; G. Müller, Geschichte des deutschen L., 1925; H. W. Schwab, Sangbarkeit, Popularität und Kunstlied, 1965; H. Jaskola, Vom Geheim-

nis des L., Aurora 26, 1966; L. L. Albertsen, G.s Lieder, in: Deutsche Literatur zur Zeit
der Klassik, hg. K. O. Conrady 1977; H. Keller, G. and the L., in: G. revisited, hg. E. M.
Wilkinson, London 1984; →Lyrik.

Lieder mit Melodien *Mademoiselle Friederiken Oeser gewidmet.* Bei
seinem Weggang aus Leipzig überreichte G. der Tochter seines Zeichenlehrers, Friederike →Oeser, zum Abschied am 27. 8. 1768 eine
von fremder Hand angefertigte Abschrift von zehn seiner rokoko-
haft-geselligen Gedichte aus den letzten Jahren mit Kompositionen
von B. T. Breitkopf. Das sog. »Leipziger Liederbuch«, G.s zweite
Gedichtsammlung nach dem Buch *Annette,* umfaßte die Gedichte
*Die Nacht, Wunsch eines jungen Mädchens, Die Freuden, Unbeständig-
keit, Das Schreien, Der Schmetterling, Das Glück, Amors Grab, Liebe und
Tugend* und *An Venus.* Alle bis auf das letzte wurden von Breitkopf
in die um weitere zehn Gedichte vermehrten *Neuen Lieder* (1769)
übernommen.

A. Strack, G.s Leipziger Liederbuch, 1893.

Ligne, Carl Joseph, Fürst von (1735–1814). Der schon im Siebenjährigen Krieg bewährte österreichische Offizier aus belgischem
Adel, 1808 Feldmarschall, charmanter Gesellschafter, witziger Plau-
derer und Schriftsteller – er prägte für den beginnenden Wiener
Kongreß die Formel »Der Kongreß tanzt, aber er bewegt sich
nicht« – war »immer heiter, geistreich, allen Vorfällen gewachsen
und als Welt- und Lebemann überall willkommen« (*Tag- und Jahreshefte* 1807). Mit fast allen führenden Geistern seiner Zeit im Briefwechsel und auch Verehrer G.s, sandte er diesem 1803 ein französisches Huldigungsgedicht. G. erwiderte im Januar 1804 mit den
Versen *An den Fürsten Carl von Ligne* (»In früher Zeit …«), lernte ihn
am 11. 7. 1807 in Karlsbad persönlich kennen und sah ihn im
August/September 1810 und Juli/August 1812 in Teplitz wieder,
nachdem Ligne am 12.–17. 10. 1811 als Gast am Weimarer Hof täglich in G.s Gesellschaft gewesen war. Auf die Nachricht von seinem
Tod (13. 12. 1814) begann G. im Januar 1815 sein (unvollendetes)
Requiem, dem frohsten Manne des Jahrhunderts.

G. und Österreich, hg. A. Sauer 1902; V. O. Ludwig, Blicke in G.s Welt, 1949.

Lila →Ziegler, Louise von

Lila. Das Singspiel, G.s erste Dichtung für Weimarer Hoffestlich-
keiten, entstand im Dezember 1776/Januar 1777 »aus dem Stegreif«
(an F. L. Seidel 3. 2. 1816) und wurde in dieser bis auf die Gesänge
verlorenen 1. Fassung am 30. 1. 1777 zum Geburtstag der Herzogin
Louise vom Liebhabertheater der Weimarer Hofgesellschaft unter
G.s Regie mit G. als Doktor Verazio und Musik von Seckendorff
aufgeführt. Von der 2. Fassung von 1777/78 gibt ein Druck von
1778 nur die *Gesänge zu Lila* und einige Prosadialoge. Die 3. Fassung von 1788 erschien in den *Schriften* (Bd. 6, 1790), wurde 1791

n J. F. Reichardt komponiert und am 9.12.1818 in der Ver-
onung von F. L. Seidel im Berliner Opernhaus öffentlich gespielt.
895/96 versuchte R. Strauss eine Neubearbeitung aufgrund eines
zenars von Cosima Wagner, und das Lied →«Feiger Gedanken
ängliches Schwanken ...« fand allein über 35 Vertonungen. An-
egungen gab G. wohl Jean de Rotrous französische Tragikomödie
.'Hypocondriaque (1628) von der Heilung des bei der falschen
Nachricht vom Tod der Geliebten in Wahnsinn verfallenen Clori-
an durch die Musik. In G.s 1. Fassung wird Baron Sternthal mit-
ilfe freundlicher Feen von der Schwermut und dem Wahn befreit,
ie ihm die nun totgeglaubte Gattin Lila entfremdeten. Die 3. Fas-
ung vertauscht die Rollen: Die durch den vermeintlichen Tod des
Gatten verstörte, melancholische, in Einsamkeit verschlossene Lila
vird durch eine »psychische Kur«, Eingehen auf ihren Wahn und
essen Vorführung durch ein Feenspiel mit Musik, Ballett und Mas-
en, geheilt. Im Spiel von der Lösung einer krankhaften Verstörung
piegeln sich wohl mehr oder weniger verschleiert die ehelichen
robleme und Verstimmungen des Weimarer Herzogspaars, die G.
ls »moralischer Leibarzt« zu lösen versucht. In Anspielungen
lingen auch G.s Verhältnis zu Ch. von Stein und der Darmstädter
Kreis an.

K. Rhode, Studien zu G.s L., ZfB NF 5, 1914; T. K. Brown, G's L. as a fragment of
ie great confession, in: Studies in honour of J. A. Walz, Lancaster 1941; E. Feise, Quel-
n zu G.s L. und Triumph der Empfindsamkeit, GR 19, 1944, auch in ders., Xenion,
altimore 1950; H. Geyer, Dichter des Wahnsinns, 1955; G. Diener, G.s L., 1971;
Kohler, G.s Singspiel L. in der Bearbeitung C. Wagners, Hofmannsthal-Blätter 26,
982.

Lili →Schönemann, Anna Elisabeth, gen. Lili

Lilis Park. Das übermütig-selbstironische Gedicht macht in leicht
okokohaft scherzendem Stil ohne Bitterkeit eine quälende, leid-
olle Erfahrung im Bild aussagbar: Das Gefühl G.s, als »wilder Ge-
elle« in dem (im Tierpark) gezähmten, geselligen Freundeskreis der
apriziösen Lili Schönemann und seiner verspielten, überzivi-
isierten, französisierenden Rokokokultur, dargestellt im Offen-
acher Park, fehl am Platze zu sein und als »Bär«, Naturgenie, der
reien Natur anzugehören, in die er auszubrechen trachtet. Das Ge-
icht, zuerst in *Schriften* (Bd. 8, 1789) gedruckt, mag auf oder kurz
ach der 1. Schweizer Reise vom Mai–Juli 1775, die das Sichlos-
eißen ermöglichen sollte, oder nach G.s Aussage erst im Herbst
775 entstanden sein (*Dichtung und Wahrheit* IV,19); der Gebrauch
hnlicher Bilder vom »durchgebrochenen Bären« in Briefen an
. Fahlmer vom 24.5. und 5.6.1775 könnte auch für eine Datie-
ung auf Anfang Mai 1775 sprechen.

W. Kraft, Eingemischte Prosasätze, Akzente 3, 1956, auch in ders., G., 1986.

Lillo, George William (1693–1739). Das Stück des englischen Dramatikers *Der Kaufmann von London* (*The London merchant, or History*

of George Barnwell, 1731), das erste bürgerliche Trauerspiel und Vorbild für Lessings *Miss Sara Sampson*, lernte G. schon 1759 in Frankfurt kennen und sah eine Aufführung in Leipzig im Oktober/November 1765. G. erwähnt das Stück, das gewisse Parallelen zur Adelheid-Weislingen-Handlung im *Götz* aufweist, mehrfach in *Dichtung und Wahrheit* (I,3; III,13).

J. A. Walz, G's Goetz and L's History of G. Barnwell, Modern Philology 3, 1906. S. Hirsch, Parallelen zur Adelheid-Weislingen-Handlung in G.s Götz, Neophil 25, 1940.

Limburg. Die Stadt an der Lahn durchquerte G. zuerst Mitte September 1772 bei seiner Lahnwanderung nach der Abreise von Wetzlar und in der Folgezeit wiederholt; zuletzt übernachtete er dort am 22./23. 7. 1815 mit Bergrat Cramer auf dem Weg nach Nassau zum Freiherrn vom Stein.

Limprecht, Johann Christian (1741–1812). Der unbemittelte, augenleidende Kandidat der Theologie war 1765–68 G.s Stubennachbar bei Frau Straube in der »Großen Feuerkugel« in Leipzig (*Dichtung und Wahrheit* II,6 und 8). Durch ihn lernte G. in Dresden seinen Verwandten, den »philosophischen Schuster« J. F. Haucke, kennen. Während G.s Krankheit im Juli/August 1768 betreute er neben anderen Freunden geduldig den launenhaften und gereizten Kranken und mag wie E. T. Langer zur religiösen Wendung G.s beigetragen haben. G. unterstützte aus Mitleid Limprecht anscheinend auch finanziell und sandte noch 1770 von Straßburg aus Geld an den später fast völlig Erblindeten.

W. Kötzschke, Das Leben des Kandidaten der Theologie J. Ch. L., Beiträge zur sächsischen Kirchengeschichte 36, 1927.

Limpurg, Haus Limpurg oder Alten-Limpurg. Die von G. (*Dichtung und Wahrheit* I,4 und IV,17) erwähnte Gesellschaft des Frankfurter Uradels bzw. der Patrizier, deren Mitglieder in Erbverbrüderung standen, kam als Interessengemeinschaft der Oberschicht im 16. Jahrhundert in ihrer Macht einer Oligarchie gleich, hatte bis ins 18. Jahrhundert starken Einfluß auf die Stadtpolitik und stellte zeitweilig bis zu 25 der 42 Senatoren Frankfurts.

Lindau, Heinrich Julius von (1754–1776). Der gebürtige Hannoveraner hatte unter dem Einfluß der Rousseau-Lektüre aus Liebeskummer Hamburg verlassen und Heilung in einem Einsiedlerleben im Schweizer Sihltal gesucht. Dort nahm er aus praktischer Menschenliebe den Hirtenjungen Peter im Baumgarten als Pflegesohn an. G. lernte ihn im Juni 1775 in Zürich kennen, lehnte seine Begleitung jedoch ab und besuchte ihn wieder nach der Rückkehr vom St. Gotthard Ende Juni im Sihltal (*Dichtung und Wahrheit* IV,19) Im Januar 1776 suchte Lindau G. in Weimar auf und nahm ihm das Versprechen ab, im Notfall für Peter zu sorgen. Im März 1776 tra r in hessische Dienste, ging im Mai als Sekondeleutnant des Regiments Wuthenau in den nordamerikanischen Unabhängigkeitskrieg und fiel am 16. 11. 1776 auf Manhattan Island. Im August 1777 traf Peter im →Baumgarten, aus dem Schweizer Erziehungsinstitut geflohen, bei G. in Weimar ein.

F. Ernst, H. J. v. L., in ders., Aus G.s Freundeskreis, 1955; →Baumgarten, Peter im.

Lindenau, Bernhard August von (1779–1854). Der Astronom und Politiker, Freund Carl Augusts, 1808 Direktor der Gothaer Sternwarte, 1820 Gothaer Geheimrat und Minister, besuchte G. seit 1808 gelegentlich, meist mit Carl August. 1811 sandte er G. seine *Resultate der neuesten Beobachtungen über den großen Cometen von 1811* (1811), die G. las und sich am 20. 10. 1811 bedankte.

P. v. Ebart, B. A. v. L., 1896; K.-R. Biermann, B. A. v. L., GJb 96, 1979.

Lindenau, Carl Heinrich August, Graf von (1755–1842). Der Sohn des Dresdner Oberstallmeisters war in Leipzig Zögling von G.s Freund Behrisch und nahm z. T. an den gemeinsamen Unternehmungen mit G. teil. Nach dessen Entlassung 1767 war E. T. Langer sein Hofmeister, dem der Vater den Verkehr mit G. verbot. Lindenau wurde später preußischer Generalleutnant und Oberstallmeister.

Linné, Carl von (1707–1778). Auf die Bedeutung des großen schwedischen Naturwissenschaftlers, 1742 Professors der Botanik in Uppsala, und sein System der Pflanzenklassifizierung (*Systema naturae*, 1735) wurde G. zuerst 1765 beim Mittagstisch des Prof. C. G. Ludwig in Leipzig aufmerksam (*Dichtung und Wahrheit* II,6). Im November 1785 studiert er Linnés *Philosophia botanica* (1751), 1786 begleitet ihn »mein Linné« nach Italien, und mit der Intensivierung seiner botanischen Studien einher geht besonders 1816 und 1817 ein erneutes Studium Linnés, den G. in den naturwissenschaftlichen Schriften oft erwähnt, so in *Die Metamorphose der Pflanzen* Kap. XVII. Über den Einfluß Linnés berichten u. a. der Brief an Zelter vom 7. 11. 1816 und der Aufsatz *Der Verfasser teilt die Geschichte seiner botanischen Studien mit* von 1817.

J. Gauss, G.-Studien, 1961.

Lippert, Philipp Daniel (1702–1785). Der Meißener Porzellanmaler, 1735 Zeichenmeister der Pagenakademie, Kustos des Antikenkabinetts und 1764 Professor der Kunstakademie in Dresden, Experte für antike Gemmen, sammelte und katalogisierte in seiner *Dactyliotheca* (1755) über 3000 Abdrücke mit einer von ihm erfundenen Abgußpaste. G. wurde 1766 durch Oeser auf →Gemmen als erreichbare Quelle des Antikestudiums hingewiesen und beschäftigte sich »so viel als erlaubt« mit Lipperts Sammlung (*Dichtung und Wahrheit* II,8), die nach der Italienreise seine eigene Sammlung anlegte.

Lips, Julius Heinrich (1758–1817). G. lernte den Züricher Maler und Kupferstecher auf seiner 1. Schweizer Reise im Juni 1775 bei Lavater kennen, für dessen *Physiognomische Fragmente* Lips seit 1773 mit »schönem und entschiedenem Talent« (*Dichtung und Wahrheit* IV,18) arbeitete. Auf G.s 2. Schweizer Reise entstand im November 1779 in Zürich Lips'Tuschzeichnung G.s. Nähere Beziehungen ergaben sich 1786 in Rom, wo Lips 1786–89 im Kreis deutscher Künstler weilte, 1787 u. a. die Titelkupfer für die Bände 3, 5, 6, 7 und 8 der *Schriften*, meist nach Zeichnungen von A. Kauffmann (*Egmont, Iphigenie*), stach und bei G.s Abreise dessen Wohnung am Corso übernahm. Auf G.s Einladung vom 23. 3. 1789 kam Lips im Herbst 1789 als Lehrer an die Freie Zeichenschule nach Weimar, kehrte aber 1794 nach Zürich zurück. Aus der Weimarer Zeit stammen die Bleistiftzeichnung Christianes im Gartenhaus und das als Kupferstich (1791) weit verbreitete, bekannte Rundporträt G.s in Kreidemanier (13.–16. 1. 1791). G.s Graphiksammlung enthält 54 Porträtstiche und vier Handzeichnungen von Lips. – N. B. : In Berichten über die Rheinreise mit Lavater vom Juni 1774 (*Dichtung und Wahrheit* III,14 u. ö.) verwechselt G. den daran beteiligten Maler G. F. Schmoll mit Lips.

E. Beutler, Das G.bild von L., GKal 29, 1936; J. H. L., Katalog Coburg 1989.

Liscow, Christian Ludwig (1701–1760). Den Juristen, Legationssekretär, Kriegsrat und Schriftsteller der Aufklärung, dessen *Sammlung satirischer und ernsthafter Schriften* (1739) in der Bibliothek von G.s Vater stand, charakterisiert G. nach erneuter Lektüre (1811/12) ausführlich als »vorzüglichen Satiriker« (*Dichtung und Wahrheit* II,7). Wenn er ihn ebd. allerdings jung sterben läßt, so entspricht das weniger der letzteren, der Wahrheit.

Lissabon →Erdbeben

Literarischer Sansculottismus. G.s grundlegender Essay vom Mai 1795 (*Horen* I,5, Mai 1795) verdankt seine Entstehung der Abwehr gegen einen pseudonymen Aufsatz *Über Prosa und Beredsamkeit der Deutschen* von Daniel →Jenisch in dem aufklärerischen *Berlinischen Archiv der Literatur und ihres Geschmacks* vom März 1795, der in »ungebildeter Anmaßung« überheblich und respektlos »die Armseligkeit der Deutschen an vortrefflichen klassischen prosaischen Werken« beklagte. In bewußter politischer Gleichsetzung solcher Ignoranz und böswilligen Nichtbeachtung oder gar Leugnung des erreichten Niveaus mit der Verdrängung des Besseren durch das Mittelmaß bei den Sansculotten der Französischen Revolution folgert G.: »Wir wollen die Umwälzungen nicht wünschen, die in Deutschland klassische Werke vorbereiten könnten.« Er untersucht dann die sozialen und kulturellen Voraussetzungen für das Aufkommen mustergültiger, klassischer Nationalautoren – hohe, allgemeine

Nationalkultur, politische Einheit, gesellschaftlich-literarischer Mittelpunkt, große Vorbilder, Geschmacksbildung des Publikums, bessere Lebens- und Arbeitsbedingungen für Autoren u. a. – und lobt die Vielfalt des trotz widriger Umstände bisher Erreichten, in dessen Wertschätzung das Publkum sich nicht durch »unreife Produkte« »mißlaunischer Krittler« irre machen lassen solle. Über den polemischen Anlaß hinaus spiegelt der Essay wie später die *Xenien* das Selbstbewußtsein der deutschen Klassik.

W. H. Bruford, G's L. S., in: Festgabe für L. L. Hammerich, Kopenhagen 1962; W. Miersemann, G.s Aufsatz L. S., Impulse 12, 1989.

Literarisches Konversationsblatt. Die Zeitschrift *Literarisches Conversations-Blatt*, die 1820–26 bei F. A. Brockhaus in Leipzig unter dessen Redaktion erschien, löste Kotzebues *Literarisches Wochenblatt* ab und wurde 1826 in *Blätter für literarische Unterhaltung* umbenannt. G. las sie, lobte sie mehrfach (*Über Kunst und Altertum* V,2, 1825) und ließ sich durch ihre Mitteilungen zu kleineren literarischen Aufsätzen (*Friedrich Raumer; Stoff und Gehalt*) anregen; insbesondere erfreute ihn eine verständnisvolle, anonyme Besprechung der *Wanderjahre* von 1821 (*Geneigte Teilnahme an den Wanderjahren*, 1822).

Literaturkritik →Kritik

Lobe, Johann Christian (1797–1881). Der Flötist der Weimarer Hofkapelle (1811–45) arbeitete beharrlich an der Erweiterung seiner musikalischen Bildung, komponierte Opern und Instrumentalmusik und wurde später Musiklehrer und Musikschriftsteller in Leipzig. Aus den Jahren 1820/21 zeichnete er seine Gespräche mit G. über Musik, Theater, Zelter und Mendelssohn auf.

Lobeda. Der Ort mit der Lobedaburg bei Jena war häufiges Ziel von G.s Ausflügen und Ausfahrten bei seinen Aufenthalten in Jena und gewann zusätzliche Attraktivität durch die Nähe zum Gut →Drackendorf des Kanzlers von →Ziegesar. G. interessierte sich zeitweilig für das zur Versteigerung stehende Rittergut Lobeda des Leutnants C. A. von Griesheim, bat C. A. Voigt am 1. 2. 1784, darauf zu bieten, und ließ ihn noch im September/Oktober 1792 Erkundigungen über einen möglichen Verkauf einziehen, doch das Gut blieb im Familienbesitz.

Lobkowitz, Franz Joseph Maximilian, Fürst von (1772–1816). G. lernte den böhmischen Fürsten im Sommer 1810 in Karlsbad kennen und war am 8.–12. 9. 1810 sein Gast auf Schloß →Eisenberg im Erzgebirge.

Lobstein, Johann Friedrich (1736–1784). Bei dem Straßburger Professor für Anatomie, einem der bedeutendsten Chirurgen seiner

Zeit, hörte G. im 2. Straßburger Semester 1770 Anatomie und war bei der mißlungenen Tränendrüsen-Operation anwesend, die Lobstein an Herder vornahm (*Dichtung und Wahrheit* II,9–10). Eindrücke aus der Straßburger Anatomie wirkten vielleicht auf die Darstellung von Wilhelm Meisters Medizinstudium (*Wilhelm Meister Wanderjahre* III,3) ein.

Lochner, Stephan (um 1400–1451). G. kannte den Namen des Kölner Meisters noch nicht, aber er sah am 26.7.1815 das »alte köstliche Gemälde« (an August 8.8.1815), das damals einem Wilhelm von Köln zugeschrieben, auf 1410 datiert und 1810 auf Veranlassung Boisserées von der Ratskapelle in den Kölner Dom überführt wurde, nämlich Lochners berühmten »Dreikönigsaltar« (um 1440). G. beschreibt ihn ausführlich als »Achse der niederrheinischen Kunstgeschichte« (*Kunst und Altertum am Rhein und Main*) und nimmt im Briefwechsel mit Boisserée mehrfach auf das »Dombild« Bezug.

Loder, Justus Christian (1753–1832). Den Professor der Anatomie und Medizin in Jena (1778–1803) bezeichnet G. wiederholt als seinen Freund. Bei seinen Aufenthalten in Jena verkehrte er regelmäßig mit ihm, trieb mit ihm anatomische Studien, sprach anatomische Probleme mit ihm durch und besuchte seit 1781 (28./29.10.1781; 17.–19.12.1794; 11.–23.1.1795; 1.3.1796; 20.3.–6.4.1798 u. ö.) gern seine anatomischen Vorlesungen über Knochen- und Bänderlehre oder Privatdemonstrationen. 1803 ging Loder nach Halle, wo G. ihn 1804 und 1805 besuchte, dann nach Königsberg; 1810 wurde er Leibarzt des Zaren in Moskau. In seinem *Anatomischen Lehrbuch* (1788) erwähnt Loder als erster G.s Entdeckung des Zwischenkieferknochens, bei der er mitgewirkt hatte.

W. Vogel, G. und L., GKal 29, 1936.

Loeben, (Ferdinand August) Otto Heinrich, Graf von, Pseudonym: Isidorus Orientalis (1786–1825). Den Dresdner pseudoromantischen Dichter, der ihm in seinen *Blättern aus dem Reisebüchlein* (1808) ein Sonett gewidmet hatte, lernte G. im August 1810 in Teplitz kennen. Am 15.3.1814 besuchte er G. in Weimar und sandte ihm am 1.8.1815 ein »wohlgelungenes« bombastisches Stanzengedicht, in dem er sich das Lob G.s für die Zeit nach dessen Tod vorbehielt. G. schrieb ihm daraufhin zum Geburtstag am 18.8.1818 in Karlsbad den Vierzeiler *An den Grafen Otto von Loeben* (»Da du gewiß …«) und ließ auf seinen Tod am 3.4.1825 die Verse »Nun ist's geschehen …« folgen, die ein Lob bei Lebzeiten anraten. Vgl. zu F. von Müller 7.9.1827, zu J. G. von Quandt Frühjahr 1826.

M. Hecker, Der Romantiker Graf L. als G.-Verehrer, GJb 15, 1929.

Löbichau →Dorothea, Herzogin von Kurland

Loen, Johann Michael von (1694–1776). Der weitgereiste, vermögende Frankfurter Jurist, Kunstsammler und bedeutende aufklärerische Schriftsteller (Staatsroman *Der redliche Mann am Hofe*, 1740) wurde durch seine Heirat (1729) mit Katharina Sibylla Maria Lindheimer (1702–1776), der Schwester von G.s Großmutter Textor, G.s Großonkel. In seinem Landhaus am Main wurden G.s Eltern 1748 getraut. Nach Angriffen der Theologen auf seine Schrift zu religiöser Toleranz *Die einzige wahre Religion* (II 1750) verließ er Frankfurt und wurde 1753–65 gegen den Rat von G.s Vater preußischer Regierungspräsident in Lingen/Westfalen. Durch seine *Neue Sammlung der merkwürdigsten Reisegeschichten* (V 1748–52) wurde G. erstmals mit Homer bekannt. G., der sich seiner nicht erinnerte, schildert ihn in *Dichtung und Wahrheit* (I,2) und mag ihn zum Urbild des Oheims in den »Bekenntnissen einer schönen Seele« (*Wilhelm Meisters Lehrjahre*) genommen haben. Seinen Sohn Johann Jost (1737–1803) traf G. am 4.1.1797 in Dessau (*Tag- und Jahreshefte* 1797).

S. Sieber, J.M. v. L., 1922; F. Götting, G.s Großoheim J.M. v. L., GKal 32, 1939; H. Reiss, G.s Großonkel und die Politik, SchillerJb 30, 1986.

Loewe, Johann Carl Gottfried (1796–1869). Der bedeutende Balladenkomponist, 1820 Organist, 1821 Musikdirektor in Stettin, von dem allein über 50 Vertonungen von G.s Balladen (*Erlkönig* 1818, *Der Zauberlehrling* 1822, *Die Braut von Korinth* 1830, *Totentanz* 1835 u. a.), Liedern und Szenen aus *Faust* stammen, besuchte G. am 16.9.1820 in Jena.

K.J. Schröer, L. bei G., ChWGV 6, 1891; H. Draheim, G.s Balladen in L.s Komposition, 1905; R. Sietz, C. L., 1948.

Löwen, Johann Friedrich (1727–1771). Der Hamburger Schriftsteller und 1767 Begründer des Nationaltheaters publizierte 1756 ein satirisches Gedicht *Die Walpurgis Nacht*, dessen G. aus der Bibliothek seines Vaters gedenkt (*Dichtung und Wahrheit* II,6); der Einfluß des Werks auf G.s »Walpurgisnacht« im *Faust* ist umstritten.

A. Schöne, Götterzeichen, Liebeszauber, Satanskult, 1982.

Der Löwenstuhl. Seit 1813 plante G. eine romantische Oper nach dem später in der →*Ballade* (vom vertriebenen Grafen) behandelten Stoff nach Boccaccio und Percy. Doch die dramatische Gestaltung geriet 1813 ins Stocken (*Tag- und Jahreshefte* 1813); einen neuen Entwurf vom Juli 1814 hoffte G. noch 1815 zu vollenden (an Christiane 28.7.1814; an M. von Brühl 1.5.1815), doch sind nur ein Entwurf und Bruchstücke des Textes vorhanden.

C. Redlich, D. L., in: Zum 8. Oktober 1892, 1892; M. Morris, D. L., GJb 31, 1910; K. Bezold, D. L., Die Drei 9,1929 f.

Loge »Anna Amalia« →Freimaurer

Logengedichte. Als →Freimaurer verfaßte G. zu einzelnen Festlichkeiten, Feiern u. a. Anlässen der Weimarer Loge »Anna Amalia« acht Festgedichte: *Symbolum* (»Des Maurers Wandeln …«) zur Aufnahme seines Sohnes August in die Loge am 5. 12. 1815; *Dank des Sängers* (»Von Sängern hat man viel …«, 29. 12. 1815) als Dank für die Aufnahme Augusts zum 16. 1. 1816 vorgetragen; *Verschwiegenheit* (»Wenn die Liebste …«, 20. 1. 1816) zur Beförderung Augusts zum Gesellen am 28. 12. 1816; *Trauerloge* (»An dem öden Strand des Lebens …«) zur Trauerfeier für Prinzessin Caroline am 26. 1. 1816; *Gegentoast der Schwestern* (»Unser Dank, wenn er auch trutzig …«, 28. 9. 1820) zum Stiftungsfest am 24. 10. 1820; *Zur Logenfeier des 3. Septembers 1825* (»Einmal nur in unserm Leben …«) zur Feier des 50jährigen Regierungsjubiläums Carl Augusts am 13. 9. 1825; *Dem … Herren Carl Bernhard, Herzog von Sachsen-Weimar …* (»Das Segel steigt!«) zur Rückkehr Herzog Bernhards aus Amerika am 15. 9. 1826; *Dem würdigen Bruderfeste* (»Fünfzig Jahre sind vorüber …«) zu G.s 50jährigem Logenjubiläum am 23. 6. 1830. Andere von den Freimaurern adoptierte gesellige Lieder wie das *Bundeslied* u. a. waren ursprünglich keine Logengedichte.

Literatur →Freimaurer.

Logogryph. G.s zweizeiliges Worträtsel hat in der Fachwelt viel Staub aufgewirbelt. Er sandte es am 14. 2. 1814 an Zelter, der es mit Hilfe J. G. Langermanns »herausbekommen« haben will (an G. 23. 2. 1814), die Lösung perfiderweise aber der Nachwelt nicht überliefert, so daß alle vorgebrachten Vorschläge (Leib-Schaden, Welt-Alter, Iste/Me*ister*) in der Luft stehen.

R. Matthaei, Goethe 28, 1966 und 31, 1969; G. Lohmann, JFDH 1973; H. Sachse, GJb 93, 1976 und GYb 2, 1984.

Loiano. In dem Dorf in den Apenninen übernachtete G. am 21. 10. 1786 und machte dort die Bekanntschaft eines päpstlichen Offiziers (*Italienische Reise*).

Lokman. Den sagenhaften arabischen Weisen der Vorzeit, Spruch- und Fabeldichter, der später mit Äsop gleichgesetzt wurde, erwähnt G. im »Buch der Sprüche« des *West-östlichen Divan* und spielt auf seine legendäre Häßlichkeit bei großer Seelenschönheit an.

Longhi, Giuseppe (1766–1831). G. benutzte und zitierte öfter die Schrift *La calcografia* (1830) des Mailänder Kupferstechers und Akademieprofessors und lobte besonders seinen Kupferstich nach Raffaels »Vermählung Mariae« (*Tag- und Jahreshefte* 1821).

Longos (3. Jahrhundert n. Chr.). Den spätantiken Hirten- und Liebesroman *Daphnis und Chloe* des griechischen Dichters las G. am 22./23. 7. 1807 in der französischen Übersetzung von J. Amyot,

1811 in der deutschen Übersetzung von F. Passow (an denselben
20. 10. 1811) und wieder am 19./20. 3. 1831 in der französischen
Übersetzung von P. L. Courier de Méré. Er äußerte sich in den
Tagebüchern, zu Riemer (22. 7. 1807) wie zu Eckermann (9., 15.,
20. und 21. 3. 1831) ausführlich über das bewunderte Meisterwerk,
»worin Verstand, Kunst und Geschmack auf ihrem höchsten Gipfel
erscheinen« (9. 3. 1831).

O. Klein, Longus' Hirtengeschichten von Daphnis und Chloe im Urteile G.s, 1912.

Longwy. Bei der Ardennenstadt Longwy traf G. bei der →Campa-
gne in Frankreich am 27. 8. 1792 im preußischen Feldlager bei Carl
August ein, blieb dort bis 29. 8. und erreichte die Stadt wieder auf
dem Rückzug am 12. 10. 1792; sie bedeutete für ihn die erste
direkte Konfrontation mit der rauhen Wirklichkeit des Krieges.

Lope de Vega →Vega Carpio, Lope Felix de

Lorrain →Claude Lorrain

Lorsbach, Georg Wilhelm (1752–1816). Der »wackere« Theologe,
1812–16 Professor für orientalische Sprachen in Jena, war 1815/16
»höchst teilnehmend und hilfreich« (*Tag- und Jahreshefte* 1815) als
Berater G.s in orientalistischen Fragen, obwohl »kein sonderlicher
Freund der orientalischen Poesie«, was G. in seiner Würdigung
Lorsbachs in den *Noten und Abhandlungen* (Kap. »Lehrer«) erklärt. G.
war gelegentlich sein Gast, so am 20. 12. 1814 zu einer Weihnachts-
feier und am 22. 11. 1815.

H. Haering, G. und der Orientalist G. W. L., 1993.

Lortzing, Beate →Elsermann, Beate

Lortzing, Johann Friedrich (1782–1851). Der spätere Gatte der
Schauspielerin Beate →Elsermann wirkte 1805–31 als Schauspieler
für feinkomische Rollen und gemütliche Alte am Weimarer Theater, seit 1821, da er gute Kostümentwürfe lieferte, auch als Garde-
robeinspektor, und zog sich 1831 als Porträtmaler ins Privatleben
zurück.

G. R. Kruse, G. und die L., GJb 23, 1902; J. Greß, G. und die Schauspielerfamilie L.,
Goethe 30, 1968.

Lothario. Der Edelmann im *Wilhelm Meister* (*Lehrjahre* VII–VIII),
Bruder Natalies und Friedrichs, früherer Liebhaber Aurelies, findet
nach einem aktiven Leben und seinen Erfahrungen im von Stan-
desschranken freien Amerika an der Seite Thereses in sozialer Fürsorge in der Heimat einen neuen Pflichtenbereich und gewinnt
Wilhelm für seine Idee eines Wirkens für die Gemeinschaft. Innerhalb der Figuren des Romans verkörpert er in seinem philanthro-

pischen Verhalten und Gleichheitsdenken den verantwortlichen, reformfreudigen Adel, der auf seine Vorrechte im Rahmen des Möglichen verzichtet und soziale Probleme schrittweise auf evolutionärem Wege lösen will.

Lottchen. Die Adressatin von G.s Gedicht *An Lottchen* (Erstdruck *Teutscher Merkur* Januar 1776) ist nicht identifizierbar, vielleicht eine Halbschwester der Jacobis, die Ostern–September 1773 in Frankfurt bei Johanna Fahlmer war, der G. das Gedicht möglicherweise mit Brief vom 2. 1. 1774 sandte.

Lotte. Die Geliebte Werthers und Verlobte Alberts in →*Die Leiden des jungen Werthers* ist eine liebevolle Idealisierung des realen Vorbildes Charlotte →Buff mit Zügen (z. B. schwarze Augen) von Maximiliane von →La Roche. Ihre Anmut, Schlichtheit, Natürlichkeit, innere Harmonie, Reinheit, Seelenruhe, Häuslichkeit, liebevolle Sorge für die Familie und ihre Treue zum Verlobten, die auch durch Werthers Leidenschaft nicht berührt wird, machten sie vor Gretchen zu G.s populärster Frauenfigur, nach deren Urbild er zu seinem Leidwesen ständig gefragt wurde.

T. P. Saine, The portrayal of L. in the two versions of G's Werther, JEGP 80, 1981; R. E. Dye, Werther's L., JEGP 87, 1988.

Louis Bonaparte (1778–1846). Den Bruder Napoleons und früheren König von Holland (1806–10), der nach einem Zerwürfnis mit Napoleon am 1. 2. 1810 abgedankt hatte und seither als Graf St. Leu lebte, lernte G. im August/September 1810 als seinen Zimmernachbarn in Teplitz kennen, schätzte ihn wegen seiner sittlichmenschlichen Eigenschaften sehr hoch und verkehrte gern und oft mit ihm (zu J. D. Falk 10. 11. 1810). Am 22. 7.–20. 8. 1823 traf er ihn in Marienbad wieder (an J. J. von Willemer 9. 9. 1823) und stellte ihm am 21. 8. 1823 sein Werkverzeichnis (*Ouvrages poétiques de G.*) zusammen. Bei der Besprechung seines Porträts von Gérard von 1806 (*Collection des portraits historiques de M. le baron Gérard*, 1826) erinnert sich G. wieder der Begegnungen.

B. Suphan, G. und der Graf St. Leu, GJb 15, 1894.

Louise Auguste, Herzogin, (ab 1815) Großherzogin von Sachsen-Weimar, geb. Prinzessin von Hessen-Darmstadt (1757–1830). G. erinnerte sich noch 1830 (zu F. von Müller 10. 2. 1830), er habe sie zuerst 1774 (recte: Mai 1773) gesehen, wie sie mit ihrer Mutter und zwei Schwestern auf Einladung Katharinas zur »Brautschau« von Frankfurt an den Zarenhof nach Petersburg abreiste. Doch die im Darmstädter Kreis der Empfindsamen aufgewachsene Tochter des Landgrafen Ludwig IX. von Hessen-Darmstadt und der »großen Landgräfin« Caroline wurde keine Zarin, sondern verlobte sich im Januar 1775 mit Carl August von Sachsen-Weimar (»Sie ist nicht

schön, aber … unendlich liebenswürdig«). Auf der 1. Schweizer
Reise im Mai 1775 lernte G. die Braut Carl Augusts in Karlsruhe
am Hof des Markgrafen von Baden, wo sie seit 1774 lebte, näher
kennen, und auf der Durchreise von der Hochzeit (am 3. 10. 1775)
in Karlsruhe nach Weimar erneuerte das jungverheiratete Paar in
Frankfurt am 12. 10. 1775 die Einladung G.s nach Weimar. In Weimar konnte die auf Zeremoniell, Konvention und Etikette bestehende junge Herzogin sich nicht an das überschwengliche Genietreiben und die Affären des Gatten gewöhnen; sie gebar ihm sieben
Kinder, von denen drei überlebten: 1783 Carl Friedrich, 1786
Caroline Louise und 1792 (Carl) Bernhard. G. begleitete sie am
29. 9. 1789 zum Besuch Carl Augusts in die Garnison nach Aschersleben. Doch die Liaison Carl Augusts mit C. Jagemann 1802 löste
die eheliche Gemeinschaft durch eine formale der Achtung und
Ehrerbietung ab. Ihr Verbleiben in Weimar bei der französischen
Besetzung und ihr kluges und mutiges Auftreten gegenüber Napoleon am 15. 10. 1806, bei dem sie die Einstellung der Beschießung
und Plünderung erreichte, nötigte allen, auch Napoleon und G.,
höchste Bewunderung ab. G. war der belesenen und literarisch interessierten Herzogin – sie las die Klassiker und Shakespeare im
Original und bewunderte G.s Werke – von Anfang an in zurück-
haltender Verehrung ergeben; seine Freitagsgesellschaft und Mittwochsgesellschaft und seine Vorlesungen aus eigenen und fremden
Werken (1775 *Faust*, 1781 *Tasso*, 1811 *Dichtung und Wahrheit*) gaben
der Vereinsamten geistige Anregungen; ihre Teilnahme an G.s optischen Experimenten veranlaßte ihn, ihr 1808 seine *Farbenlehre* zu
widmen. Darüber hinaus machten sich der Hof und das Weimarer
Theater zur Regel, zum Geburtstag Louises am 30. 1. jeweils Ur-
oder Erstaufführungen von Werken G.s, Ifflands, Schillers, Voltaires,
Corneilles, Calderons oder Grillparzers oder Maskenzüge anzuset-
zen, zu denen G. Huldigungs- und Glückwunschverse beisteuerte.
1777 wurde *Lila*, 1778 *Der Triumph der Empfindsamkeit*, 1781 *Iphigenie* aufgeführt, zum Namenstag Louises am 9. 7. 1778 →*Das Luisenfest* im Park an der Ilm inszeniert, und am 18./19. 1. 1813 entstand
als Geburtstagsgabe die Kantate *Idylle*.

M. Morris, Herzogin L. von Weimar in G.s Dichtung, in ders., G.-Studien 2, 1898;
E. v. Bojanowski, L. Großherzogin von Sachsen-Weimar, 1903 u. ö.; E. Beutler, Luise
von Weimar, in ders., Essays um G., 1941 u. ö.; E. Redslob, L. von Weimar und ihr Verhältnis zu G., Goethe 19, 1957; L. L. Hammerich, Zwei kleine G.studien, Kopenhagen
1962.

Louis Ferdinand, eig. Friedrich Ludwig Christian, Prinz von
Preußen (1772–1806). Den musikalisch begabten Sohn des Prinzen
August Ferdinand, Neffen Friedrichs des Großen und preußischen
Generalleutnant schätzte G. als »tüchtigen und freundlichen« Menschen (*Tag- und Jahreshefte* 1806). Er lernte ihn 1792 bei der Campagne in Frankreich kennen, konnte ihn am 13. 9. 1792 vor einem
gefährlichen Vorstoß warnen (*Campagne in Frankreich*), sah ihn bei

der Belagerung von Mainz 1793 oft wieder und besuchte den dort Verwundeten am 3. 8. 1793 in Mannheim (*Belagerung von Mainz*). Weitere Begegnungen folgten in Jena am 15. 12. 1805 und zuletzt am 3. 10. 1806, eine Woche vor des Prinzen Tod in der Schlacht bei Saalfeld am 10. 10. 1806.

E. Weniger, G. und die Generale, 1959.

Lowe, Johann Michael Siegfried (1756–1831). Aus der Folge des Berliner Kupferstechers und Porträtisten *Bildnisse jetzt lebender Berliner Gelehrten mit ihren Selbstbiographien* (1805 ff.) las G. am 13./14. 2. 1806 die Lieferung über J. von Müller. Ihre Besprechung in der *Jenaischen Allgemeinen Literaturzeitung* (26. 2. 1806) gab ihm Gelegenheit zu generellen Anmerkungen zum Problem der Autobiographie.

Lucas van Leyden (1494–1533). G.s recht allgemeine Urteile über den bedeutenden Maler und Kupferstecher der holländischen Renaissance beruhen zumeist auf den Kupferstichen; der »Bartholomäusaltar«, den G. im September 1814 in Heidelberg in der Sammlung Boisserée bewunderte, stammt jedenfalls nicht von ihm.

Lucchesini, Girolamo, Marchese (1751–1825). Der frühere Kammerherr und Vorleser Friedrichs des Großen und seit 1787 preußische Diplomat befand sich zu Verhandlungen mit dem Papst in Angelegenheiten des Fürstenbundes in Italien und hatte unterwegs Carl August in Weimar besucht, als G. dem »schätzbaren Mann« und »rechten Weltmenschen« (an Ch. von Stein 1. und 8. 6. 1787) und seiner Frau Charlotte, geb. von Tarrach, am 1. 6. 1787 in Neapel und Anfang Juli 1787 in Rom begegnete (*Italienische Reise*). Den späteren Leiter der diplomatischen Geschäfte im Hauptquartier der Koalitionsarmee besuchte G. im Auftrag Carl Augusts im Oktober 1792 in Trier in einer trotz freundlicher Aufnahme ergebnislosen Mission (*Campagne in Frankreich*). 1802–06 betrieb Lucchesini als preußischer Gesandter in Paris den Anschluß Preußens an Napoleon.

Luciane. Die Tochter Charlottes aus 1. Ehe in den *Wahlverwandtschaften* ist in ihrer wirbelnden Lebhaftigkeit, ruhelosen Geschäftigkeit, lauten Geselligkeit, egoistischen Gefallsucht, eitlen, mondänen Oberflächlichkeit und Vorliebe für prunkvolle Feste, mit der sie wie ein Wirbelwind in die Stille des Landsitzes einbricht (II,4–6), ein absolutes Gegenbild zur ruhigen Ottilie. Für einzelne Züge ihrer Selbstgefälligkeit und Hyperaktivität mag Bettina von Arnim als Vorbild gedient haben.

N. Puszkar, Frauen und Bilder, Neophil 73, 1989.

Lucidor. Der musterhafte Professorensohn und angehende Oberamtmann ist die Hauptfigur der lustspielhaften Novelle *Wer ist der*

Verräter? (*Wilhelm Meisters Wanderjahre* I,8–9). Auf Wunsch seines Vaters soll er die Tochter Julie seines Amtsvorgängers heiraten, verliebt sich aber in dessen Haus in deren Schwester Lucinde und gibt seinen Gefühlen allabendlich auf seinem Zimmer in Selbstgesprächen Ausdruck, die vom Nebenzimmer mitgehört werden und zum glücklichen Ausgang führen.

Lucinde →Lucidor

Luck, Friedrich von (1769–1844). Der preußische Hauptmann, 1815 Major und satirische Schriftsteller besuchte G. am 23. 1. 1814 in Weimar und verkehrte, damals in Mainz lebend, während G.s Wiesbadener Aufenthalten im August 1814 und Mai/Juni 1815 häufig mit ihm. Er besuchte ihn am 2. 12. 1819 in Weimar (*Tag- und Jahreshefte* 1819).

Luck, Johann Georg Leberecht von (1751–1814). Der Vollwaise kam 1763 als Page nach Weimar und stieg im Militär vom Leutnant (1778) zum Major (1801), am Hof vom Hofjunker (1782), Kammerjunker (1783) und Kammerherrn (1791) bis zum Hofmarschall (1794–1802) auf. Schon 1778–83 Mitwirkender des Liebhabertheaters, war er 1797–1812 neben G. und Kirms Mitglied der Hoftheaterkommission. Er war in 1. Ehe 1791–94 mit Sophie von →Ilten (1755–1794), in 2. Ehe mit deren Freundin Augusta Eleonore von Kalb (1761–1821) verheiratet. G. vergaß den Freund, der seit 1803 als Pensionär in Mannheim lebte, nicht: er legte größten Wert darauf, daß Christiane und August ihn im November 1808 von Heidelberg aus besuchten (an beide 7. 11. 1808), und besuchte ihn selbst von Heidelberg aus am 2. 10. 1814 (und seine Witwe am 30. 9. 1815?).

Ludecus, Johann August (1742–1801). G.s Beziehungen zu dem Geheimschreiber und Schatzmeister Anna Amalias, 1785 Steuerrat, Freund Bodes und Knebels, waren mehr amtlicher Art. Seine Frau (seit 1793) Johanne Caroline Amalie, geb. Kotzebue (1757–1827) schrieb anfangs anonym, später unter dem Pseudonym Amalia Berg Trivialromane (*Louise oder die unseligen Folgen des Leichtsinns*, 1801, u. a.), was wohl weder in Weimar noch in den Familien Kotzebue und Vulpius als störend empfunden wurde.

Luden, Heinrich (1780–1847). Der Historiker und national-liberale Publizist, seit 1806 Professor der Geschichte in Jena, begegnete G. zuerst am 10. 8. 1806 bei Knebel in Jena und traf sich seither öfter mit ihm zu längeren politisch-historischen Gesprächen, die er in *Rückblicke in mein Leben* (1847) aufzeichnete: am 19. 8. 1806 über *Faust*, Mai 1807 über die Lage nach der Schlacht bei Jena, 1. 10. 1812 über Herzog Bernhard u. a. m., bemerkenswert besonders das Gespräch am 13.12.1813 anläßlich von Ludens Gründung der nationalistisch-antinapoleonischen *Nemesis. Zeitschrift für Politik und Geschichte* (XII 1814–18) mit G.s Bekenntnis zu Freiheit, Volk und Vaterland. Der Abdruck eines Geheimberichts von Kotzebue an den Zaren in der *Nemesis* vom Januar 1818 führte zur Beschlagnahme der Nummer, doch Aushängebogen des Artikels zirkulierten in Jena, wurden als Flugblatt (*Luden contra Kotzebue*) und von anderen Zeitschriften (*Isis, Volksfreund*) nachgedruckt und lösten eine Folge von Prozessen aus, bei denen Luden zwar freigesprochen wurde, aber auf weitere Herausgabe der *Nemesis* verzichtete. In den Jahren 1825–27 beschäftigte G. sich mehrfach mit Ludens *Allgemeiner Geschichte der Völker und Staaten des Mittelalters* (III 1814–22) und *Geschichte des deutschen Volkes* (XII 1825–32).

E. Rosendahl, L.s Gespräche mit G., 1932; R. Marks, Die Entwicklung nationaler Geschichtsschreibung. L. und seine Zeit, 1987.

Ludwig I. Karl August, (1825–48) König von Bayern (1786–1868). Der kunstbegeisterte und selbst dichtende Verehrer der Weimarer Klassiker sandte G. Weihnachten 1825 einen Gipsabguß der »Medusa Rondanini«. Zu G.s Überraschung und besonderer Freude, die in vielen Briefen zum Ausdruck kommt, nahm er am 28.8.1827 in Weimar an der Feier zu G.s 78. Geburtstag teil, verlieh ihm Großkreuz und Stern des bayerischen Verdienstordens und besuchte ihn am 29.8. nochmals in seinem Haus. G.s Aufsatz *Zum nähern Verständnis des Gedichts »Dem Könige die Muse«* (1828) erläutert anhand von F. von Müllers Gedicht diese Reise des Königs. In Ludwigs Auftrag schuf der Hofmaler Karl Joseph Stieler am 25.5.–6.7.1828 in Weimar G.s bekanntes Porträt. 1829 erschien im 6. Band des G.-Schiller-Briefwechsels die Widmung an Ludwig I., und zum 80. Geburtstag 1829 erhielt G. von ihm einen Gipsabguß des Torsos »Der Niobe Sohn«. Der höfisch-rhetorische Stil von G.s Briefen an Ludwig verwischt die Differenzen zu dessen national-romantischer Kunstauffassung.

H. Pallmann, G.s Beziehungen zu Kunst und Wissenschaft in Bayern und besonders zu König L. I., JFDH 1902; E. C. C. Corti, König L. I. von Bayern und sein Verhältnis zu Schiller und G., ChWGV 43, 1938.

Ludwig XVI., König von Frankreich (1754–1793). In *Dichtung und Wahrheit* (IV,17) beschreibt G. die »heiterste Hoffnung«, die die Thronbesteigung (1774) des seit 1770 mit →Marie Antoinette verheirateten »wohlwollenden Königs« und seine Pläne erregten. Das Schicksal des »unglücklichen Monarchen« (*Campagne in Frankreich* 27.9.1792), seine Verhaftung, Verurteilung und spätere Hinrichtung (21.1.1793) bilden als Anlaß der Koalitionskriege den Hintergrund der *Campagne in Frankreich* und spiegeln sich möglicherweise indirekt in der Geschichte der Sängerin →Antonelli in den *Unterhaltungen deutscher Ausgewanderten*.

Ludwig XVIII., König von Frankreich (1755–1824). Der Bruder Ludwigs XVI., Graf von Provence, 1814 König, nahm 1792 im Korps der französischen Emigranten in der Nachhut der preußischen Armee an der Campagne in Frankreich teil; G. traf ihn dort, später in der Düsseldorfer Galerie, und seine Gemahlin Marie Josephine Louise (1753–1810) als Gräfin Lille 1801 in Pyrmont (*Tag- und Jahreshefte* 1801). 1818 ernannte Ludwig XVIII. G. zum Offizier der Ehrenlegion, und seine Memoiren waren am 1.3.1832 eine der letzten Lektüren G.s.

Ludwig X., (1790) Landgraf, 1806 als Ludwig I. Großherzog von Hessen-Darmstadt (1753–1830). Den Bruder der Herzogin Louise und Schwager Carl Augusts lernte G. spätestens im Juni/Juli und September 1776 bei seinen Aufenthalten in Weimar näher kennen. Auf der Rückkehr von der 2. Schweizer Reise weilte er am 30.12. 1779/1.1.1780 in Darmstadt. Am 29.5. und 8.6.1793 sah er ihn bei der Belagerung von Mainz wieder, im Januar 1796 in Weimar, und auf seinen Rheinreisen besuchte er ihn am 10.10.1814 und 9.9.1815 in Darmstadt.

Ch. Waas, G. und Großherzog L. I. von Hessen, Volk und Scholle 10, 1932.

Ludwig, Christian Gottlieb (1709–1773). Der Leipziger Professor der Medizin und damalige Rektor der Universität hielt einen großen Mittagstisch für Studenten, an dem von Oktober 1765 bis Ostern 1766 auch G. teilnahm, bevor er zu Schönkopf überwechselte. Die Tischgespräche der Medizinstudenten weckten G.s Interesse für Medizin und Naturwissenschaften (*Dichtung und Wahrheit* I,6; an Cornelia 6.12.1765).

Ludwigsburg. Auf seiner 3. Schweizer Reise besichtigte G. am 29.8.1797 das Schloß und das Schloßtheater in Ludwigsburg (*Reise in die Schweiz 1797*).

Ludwigsritter. Ein pensionierter Hauptmann, Ritter des von Ludwig XIV. gestifteten Ludwigsordens, vermutlich ein Freiherr von Cronhjelm, gehörte zu G.s Straßburger Tischgesellschaft bei den Jungfern Lauth. G. begleitete ihn anfangs gern auf Spaziergängen und beschreibt den leicht pathologischen Sonderling im Stil der englischen Humoristen (*Dichtung und Wahrheit* II,9).

Der Lügner →Corneille, Pierre

Lüttwitz, Henriette Eleonore Auguste, Freiin von. In seiner Biographie des Freiherrn von Schuckmann (1835) behauptet Ernst Freiherr von Lüttwitz, G. habe, obwohl seit zwei Jahren mit Christiane zusammenlebend, im August/September 1790 während seiner Schlesienreise im Hause des Freiherrn von Schuckmann in

Breslau als Freundin der Hausfrau dessen damals 21jährige Schwe
ster Henriette kennengelernt und sich ernsthaft um sie für ein
standesgemäße Ehe beworben, sei aber von ihrem Vater Hans Wo[
Freiherr von Lüttwitz als nicht dem Geburtsadel angehörig abge
lehnt worden. Zeugnisse G.s liegen dazu nicht vor.

A. Hoffmann, G. in Breslau und Oberschlesien und seine Werbung um H. v. L.
1898; I. M. Lengersdorff, Eine Heiratsabsicht G.s aus dem Jahr 1790, Goethe 27, 1965

Lützow, Adolf, Freiherr von (1782–1834). Der Freikorpsführer de
Freiheitskriege (»Lützower Jäger«) und 1822 preußische General
major besuchte G. am 30. 4. 1831.

Luftballon →Montgolfier

Luise Auguste Wilhelmine Amalie, Königin von Preußen, geb
Prinzessin von Mecklenburg-Strelitz (1776–1810), 1793 Gemahli[
des Kronprinzen, 1797 Königs Friedrich Wilhelm III. von Preußen
Als Prinzessin wohnte sie mit ihrer Schwester Friederike, spätere
Herzogin von Cumberland, bei der Krönung Kaiser Leopolds i[
Oktober 1790 bei G.s Mutter in Frankfurt, und beide besuchte[
1793 das Feldlager vor Mainz, wo G. sie am 20. 5. 1793 sah (*Belagerung von Mainz*). Bei ihren Besuchen in Weimar im Juli 1799 un[
Oktober 1806 scheint die volkstümliche, »höchst vollkommene
angebetete Königin« (*Maximen und Reflexionen* 231) G., dem si[
nicht »sonderlich wohlwollend« gesinnt war (zu F. von Müller 22. 1
1821), ignoriert zu haben, doch war es ihm eine Genugtuung, da[
sie in den Tagen von Memel 1807 den *Wilhelm Meister* lieb
gewonnen und in den Versen daraus »Wer nie sein Brot mit Träne[
aß ...« Trost gefunden habe (*Maximen* ebd., zu Müller ebd., z[
Eckermann 11. 10. 1828). Für eine Feier von Zelters Liedertafel a[
Geburtstag der Königin, 10. 3. 1810, dichtete G. die geselligen Lie
der *Rechenschaft* und (verspätet) *Ergo bibamus*.

G. v. Hartmann, Königin L. und die Frau Rat, JFDH 1910; H. Dreyhaus, G. und di[
Königin L., Eckart 2, 1925 f.

Luise, Herzogin von Sachsen-Weimar →Louise Auguste

Luisenburg. Das labyrinthische Durcheinander zusammengestürz
ter Granitblöcke bei Alexandersbad im Fichtelgebirge, erst 179[
besser erschlossen und 1805 zu Ehren der Königin Luise vor
Luchsburg in Luisenburg umbenannt, besuchte G. auf der Reis[
nach Karlsbad Ende Juni 1785 und zu genaueren Untersuchunge[
und Zeichnungen am 25. 4. 1820 (*Tag- und Jahreshefte* 1820). I[
Aufsatz *Die Luisenburg bei Alexanders-Bad* (1820) führt er seine Ent
stehung im Gegensatz zur herrschenden Vulkanismus-Theori[
richtig auf Verwitterung und Zusammensturz zurück.

Das Luisenfest. G.s später, erst 1837 gedruckter Prosatext be
schreibt das Fest zum Namenstag der Herzogin Louise am 9. 7

1778, das wegen der überschwemmten Ilmufer vom Stern auf das hohe Flußufer verlegt wurde, dort zur Errichtung einer Einsiedelei (Luisenkloster) führte und den Anstoß zur Gestaltung des Weimarer Parks an der Ilm gab.

Lukian (um 120–180). Mit dem Werk des griechischen Satirikers wurde G. schon um 1763–65 durch seinen Lehrer, den Lukian-Verehrer Rektor Albrecht in Frankfurt, später durch Wielands von ihm gelobte Übersetzung (1788 f.) vertraut; aus seinem *Lügenfreund* stammt die Anregung zum Gedicht *Der Zauberlehrling.* Vgl. Xenion 361.

I. H. Washington, Echoes of L. in G's Faust, Lewiston 1987.

Lukrez (Titus Lucretius Carus, um 99–55 v. Chr.). G.s Vertrautheit mit dem Lehrgedicht *De rerum natura* des römischen Dichters ist zuerst durch einen Brief an Stolberg vom 2. 2. 1789 belegt. Jahrzehntelang begleitet G. mit Rat und lebhaftem Anteil Knebels Übersetzung des Werkes, von der Lektüre des 1. Buches am 18. 1. 1799 über die Beschäftigung vom Herbst 1807 im Hinblick auf die *Geschichte der Farbenlehre* (Kap. »Römer«) bis zur Buchausgabe (Teildruck 1816, vollständig *Von der Natur der Dinge*, II 1821, 2. Auflage 1831), die er in *Über Kunst und Altertum* (III,3, 1822) bespricht. Der dort angekündigte Plan einer größeren Arbeit über Lukrez und seine Zeit kam ebensowenig zur Ausführung (an Knebel 27. 2. 1830) wie die von der Lukrez-Lektüre 1799 ausgehende Anregung zu einem großen, modernen naturphilosophischen Gedicht (an Knebel 22. 1. 1799), das im Herbst 1799 aufgegeben wurde.

K. Bapp, G. und L., JGG 12, 1926; E. Grumach, G. und die Antike I, 1949; F. Schmidt, L. bei G., Goethe 24, 1962; H. B. Nisbet, L. in 18th century Germany, MLR 81, 1986.

Luna →Mond

Lupton, Arthur (1748–1807). Ein junger Engländer, Sohn eines Tuchhändlers aus Leeds, der um 1766 in Frankfurt Geschäftsbeziehungen anknüpfen und in der Pfeilschen Privatschule Deutsch lernen sollte, wurde zum Freund Cornelia G.s, bei dem G. und seine Schwester ihr Englisch übten. *Dichtung und Wahrheit* (II,6) verlegt die Bekanntschaft irrtümlich in die Zeit vor G.s Abreise nach Leipzig.

L. A. Willoughby, G. looks at the English, MLR 50, 1955; J. R. Wilkie, G's English friend L., GLL NS 9, 1955.

Die Lustigen von Weimar. Das heitere, gesellige Lied, am 15. 1. 1813 entstanden (im Tagebuch »Die Wochenlust« genannt) und von der Schauspielerin E. Engels bei G. gesungen, beschreibt die wöchentlich wiederkehrenden Vergnügungen der lebenslustigen Christiane und ihrer Freundinnen mit Theater, Ball, Spiel und Ausflügen in und um Weimar.

Lustige Person. In *Dichtung und Wahrheit* (III,13) bedauert G. im Gefolge von J. Möser (*Harlekin*, 1761) und Lessing die Vertreibung der lustigen oder komischen Person (Pickelhering, Harlekin, Hanswurst) von der norddeutschen Bühne durch die Theaterreform Gottscheds und der Neuberin. In *Jahrmarktsfest zu Plundersweilern* und *Hanswursts Hochzeit* führt er sie als Hanswurst, in *Scherz, List und Rache* als Scapin und in *Des Epimenides Erwachen* als Lustige Person wieder ein. Im »Vorspiel auf dem Theater« zum *Faust* vermittelt die Lustige Person als Verkörperung des Schauspielertums zwischen der vom Dichter proklamierten Eigengesetzlichkeit hoher Kunst, den kommerziellen Interessen des Theaterdirektors und den Erwartungen des Publikums.

E. Geißler, Die L. P. in G.s Vorspiel auf dem Theater, ZfdU 27, 1913; H. Schanze, Nicht ohne Narrheit, in: Die L. P. auf der Bühne, hg. P. Csobádi 1994.

Luther, Martin (1483–1546). Es entspricht G.s Verhältnis zur christlichen Religion, daß er sich nur in seiner religiösen Phase von Luther anleiten ließ (*Dichtung und Wahrheit* III,1), seine Bedeutung als Reformator und Bibelübersetzer (ebd. III,11) aber zeitlebens hervorhob. Im Sinne des Protestantismus erscheint ihm Luther als Befreier aus »geistlicher Knechtschaft« und »verjährten Vorurteilen« (*Brief des Pastors ...*; zu Eckermann 11. 3. 1832); Luthers verinnerlichte Theologie und Sündenlehre aber blieben ihm fremd, und seine wissenschaftsfeindliche Haltung sowie sein mittelalterlicher Teufels- und Aberglauben finden scharfe Kritik in der *Geschichte der Farbenlehre* (Kap. »Roger Bacon«). Eine zum 31. 10. 1817, dem Reformationsfest und 300. Jahrestag von Luthers Thesenanschlag, geplante →Kantate kam nicht zur Ausführung (*Tag- und Jahreshefte* 1816). Vgl. →Martin.

F. Rittelmeyer, L. und G., in ders., L. unter uns, 1917; A. Raabe, G. und L., 1949; U. Wertheim, Einige Aspekte der L.-Rezeption bei G., WZ Jena 32, 1983; W. Hecht, Ein Genie sehr bedeutender Art, Impulse 7, 1984; H. Felden, M. L. in der Sicht G.s, in ders., Früh vertraut, spät entdeckt, 1987; G. Müller, Der junge G. über M. L. und die Reformation, Luther-Jahrbuch 56, 1989.

Luxemburg. Im Anschluß an den Rückzug aus Frankreich verbrachte G. am 14.–20. 10. 1792 relativ ruhige Tage in der Stadt und Festung, die er besichtigte, zeichnete und ausführlich beschrieb (*Campagne in Frankreich*).

N. H. Hein, 1792, G. in L., 1925 u. ö. und Goethe 6, 1941; J. Kohnen, G.s L.er Zeichnungen, 1980; G. in Trier und L., Katalog Trier 1992; J. Kohnen, G. und L., Nos cahiers 14, 1993.

Luzern. Die Stadt am Vierwaldstätter See besuchte G. auf der 2. Schweizer Reise am 16. 11. 1779; auf der 3. Schweizer Reise sah er sie am 7. 10. 1797 nur vom See aus bei der Überfahrt von Stansstad nach Küßnacht.

Lyde. Die spielerisch-lehrhafte Verserzählung von weiblicher Unbeständigkeit im Rokokostil entstand im November 1766 und gehört dem Buch →*Annette* an.

Lyncker, Carl Friedrich Ernst, Freiherr von (1726–1801). Der übermütige Gutsherr von Flurstedt und Kötschau und wohlgelaunte Mitwirkende des Weimarer Liebhabertheaters wurde 1763 Landschaftsdirektor, 1772 Vizepräsident und 1774 Präsident des Oberkonsistoriums in Weimar und damit ein konservativer Vorgesetzter Herders, der dessen Reformplänen Widerstand leistete.

Lyncker, Carl Wilhelm Friedrich, Freiherr von (1767–1843). Der Sohn von C. F. E. von Lyncker, 1780–84 Page in Weimar, wie sein Vater Mitwirkender am Liebhabertheater, dann Offizier, zuletzt Oberst und 1809 Landrat des Kreises Jena und Freund Knebels, zeichnete um 1840 sachgetreu und detailreich seine Erinnerungen aus dem Alt-Weimar der G.zeit auf: *Am Weimarischen Hof unter Amalien und Karl August* (1912).

Lynkeus. »Der Luchsäugige«, so heißen nach dem scharfsichtigen Steuermann der Argonauten typisierend nach ihrer Funktion die Türmer oder Turmwächter im *Faust II.* Im Helena-Akt (II,3) hat ein Ritter Lynkeus, von Helenas Schönheit geblendet, seine Pflicht vergessen, ihre Ankunft zu melden, und wird ihr von Faust gefesselt vorgeführt, erhält aber – zugleich in seinen endreimenden Liebesstrophen eine Art Minnesänger – ihre Verzeihung (v. 9192–9355). Ein anderer Turmwächter Lynkeus meldet im 5. Akt die Heimkehr der Schiffe (v. 11143–11166) und den Brand der Hütte von Philemon und Baucis (v. 11288–11337), eingeleitet durch das berühmte, im April 1831 entstandene »Türmerlied« (»Zum Sehen geboren, zum Schauen be-stellt …«), das die Quintessenz von G.s Weltfrömmigkeit enthält und dessen Preis der Schönheit und Harmonie der Welt dennoch im Drama angesichts des Geschauten in tiefe Klage umschlagen muß: Lynkeus kann nur sehen, nicht handeln und helfen; er erlebt den Kontrast von schöner Naturwelt und gemeiner Menschenwelt.

W. Kraft, Das Türmerlied, Merkur 3, 1949, auch in ders., Wort und Gedanke, 1959 und G., 1986; L. Forster, L' masque in Faust II, GLL 23, 1969 f., auch in ders., Das eiskalte Feuer, 1976; W. Müller-Seidel, L., in: Sprache und Bekenntnis, hg. W. Frühwald 1971.

Lyrik. G.s lyrisches Schaffen reicht von den Knabenjahren bis ins höchste Alter und umfaßt neben den Sammlungen der Gedichte in den Werkausgaben auch die Gedichteinlagen in den Dramen (*Egmont, Faust* u. a.), Singspielen und Romanen (*Wilhelm Meister*). Der thematischen Vielfalt (Natur, Mensch, Liebe, Gesellschaft, Weltanschauung), deren Motive besonders in der Naturbeseelung vielfach verknüpft werden, entspricht eine Vielzahl an Formen (Lieder, freirhythmische Hymnen, Knittelverse, Elegien, Epigramme, Sprüche, Balladen, Sonette, Terzinen), die durch Anverwandlung an G.s Sprache, Stil und Bilderwelt ihren unverwechselbaren Rang erhalten. Nach der anfänglichen Nachahmung traditioneller Muster bricht rasch die Persönlichkeit durch, die die Selbstaussage des erlebten

Gefühls, Freude wie Leid, in ein Bild und damit in bildhafte oder symbolische Erlebnislyrik verwandelt und in die Sprachkunst befreit.

Die Frankfurter Jugendlyrik, 1767 meist vernichtet, steht nach Form und Inhalt, meist vorgegebenen Themen, noch ganz in den traditionellen Normen des Spätbarock und der Aufklärung. Diese stark religiös geprägte Phase macht in den Leipziger Studienjahren einer an Anakreontik bzw. Rokoko ausgerichteten, witzigen und spielerisch-galanten weltlichen Lyrik Platz (*Annette* 1767, *Lieder mit Melodien* 1768, *Neue Lieder in Melodien* 1769). Epochemachend wird unter dem Einfluß von Herders Forderungen nach Natürlichkeit, Frische, Einfachheit und Gefühlsstärke wie der Liebe zu F. Brion der Durchbruch zur unmittelbaren Gefühlsaussprache in der Lyrik der Straßburger Zeit (Sesenheimer Lieder 1770/71) und ihrer Annäherung an den Volksliedton (*Heidenröslein* 1771) und die auf symbolische Augenblicke konzentrierte Volksballade (*Der König in Thule* 1774). Vertiefung findet das Erreichte unter dem Eindruck Klopstocks während des zweiten Frankfurter Aufenthalts und in den ersten Weimarer Jahren in den großen freirhythmischen Hymnen mit ihrem kühnen Thema des durch seine Schöpferkraft Gott und der Natur verbundenen Genies, Gipfel der Sturm und Drang-Lyrik (*Wandrers Sturmlied* 1772, *Prometheus* 1774, *Ganymed* 1774, *Harzreise im Winter* 1777), und den das Künstlergenie verherrlichenden Künstlergedichten (*Künstlers Morgenlied* 1773/74 u. a.). Persönlicheres, auch gebrochenes Gefühl gestalten gleichzeitig die sog. Lili-Lieder an Lili Schönemann (*Neue Liebe neues Leben* 1775, *Auf dem See* 1775).

Mit dem Wechsel nach Weimar 1775 zeichnet sich eine durch Zartheit und Entsagung bestimmte Vergeistigung der Liebeslyrik in den Gedichten an Ch. von Stein ab (»Warum gabst du uns ...« 1776, *Rastlose Liebe* 1776, *An den Mond* 1776). Ähnlicher Bändigung des Gefühls folgen im ersten Weimarer Jahrzehnt die Naturgedichte (*Wandrers Nachtlied* I und II, 1776–80), die weltanschaulichen Hymnen (*Grenzen der Menschheit* 1781, *Das Göttliche* 1783) und die naturmagischen Balladen (*Der Fischer* 1778, *Erlkönig* 1782). G.s Rückkehr aus Italien 1788 bringt die Wendung zu klassischen Versmaßen wie Distichon und Epigramm in den sinnenfrohen *Römischen Elegien* (1788–90), den kritischen *Venetianischen Epigrammen* (1790) und den *Xenien* (1795/96), den großen Elegien (*Alexis und Dora* 1796, *Euphrosyne* 1797/98) und Lehrgedichten (*Die Metamorphose der Pflanzen* 1798). Daneben entstehen idyllische Strophenlieder an Christiane und im Gedankenaustausch mit Schiller 1797 die Balladen (*Die Braut von Korinth, Der Gott und die Bajadere, Der Zauberlehrling*).

Am Übergang zur Alterslyrik stehen die großen Zyklen der Sonette (1807/08) und des an orientalische Vorbilder anknüpfenden West-östlichen Divan (1814–20). Typisch für die Alterslyrik sind die knappen, betrachtenden Sprüche (1806 ff.) als Sammlung der Lebenserfahrung, teils zusammengefaßt als *Zahme Xenien*, und belehrende weltanschauliche Gedichte, die das Irdische, Mensch, Natur und All, als Symbol eines Höheren verstehen (*Urworte. Orphisch* 1817). Die stärker gedankliche Lyrik der Spätzeit wird immer wieder unterbrochen durch rein lyrische, die Reflexion integrierende Gebilde, in denen das Persönliche transparent wird für das Typische (*Um Mitternacht* 1818, *Der Bräutigam* um 1824, *Trilogie der Leidenschaft* 1823) oder die Naturlyrik der *Chinesischen Jahres- und Tageszeiten* (1827) und der Dornburger Gedichte (*Dem aufgehenden Vollmonde* 1828, »Früh, wenn Tal, Gebirg und Garten ...« 1828). Schließlich sind auch die zahlreichen Gelegenheitsgedichte G.s, Briefgedichte, Gedichte an Personen (Freunde, Verwandte, Bekannte), Festgedichte, Huldigungsgedichte, Widmungs- und Stammbuchverse und Logengedichte nicht als bloße Pflicht- und Nebenprodukte eines Hofdichters zu verstehen: auch sie gelten der Erhöhung und Festlichkeit des Daseins.

B. Litzmann, G.s L., 1903 u. ö.; W. Masing, Sprachliche Musik in G.s L., 1910; V. Hehn, Über G.s Gedichte, 1911 u. ö.; H. A. Korff, Vom Wesen G.scher Gedichte, FDH 1927; H. Baumgart, G.s lyrische Dichtung, III 1931–39; K. Viëtor, G.s Altersgedichte, Euph 33, 1932, auch in ders., Geist und Form, 1952; B. Fairley, G. as revealed in his poetry, London 1932; H. Keipert, Die Wandlung G.scher Gedichte zum klassischen Stil, 1933; H. Hefele, G.s L., in ders., Geschichte und Gestalt, 1940; M. Kommerell, Gedanken über Gedichte, 1943 u. ö.; J. Boyd, Notes to G's poems, Oxford II 1944–49; E. M. Wilkinson, G's poetry, GLL NS 2, 1948 f.; R. Peacock, G. as lyric poet, in: Essays on G., hg. W. Rose, London 1949; E. Trunz, G.s späte L., DVJ 23, 1949, auch in ders., Ein Tag aus G.s Leben, 1990; W. Preisendanz, Die Spruchform in der L. des alten G., 1952; H. A. Korff, G. im Bildwandel seiner L., II 1958; E. Trunz, G.s lyrische Kurzgedichte, Goethe 26, 1964, auch in ders., Ein Tag aus G.s Leben, 1990; H.-H. Reuter, G. 1771–75, WB 17, 1971; M. Wünsch, Der Strukturwandel in der L. G.s, 1975; K. Richter, Morphologie und Stilwandel, SchillerJb 21, 1977; K. Weimar, G.s Gedichte 1769–1775, 1982 u. ö.; J. R. Williams, G., The crisis of the lyric poet, MLR 78, 1983; G. Malsch, L. des jungen G., 1990.

Lyser, Johann Peter, eig. Ludwig Peter August Burmeister (1803–1870). Der Schriftsteller und Zeichner besuchte nach seinen Aufzeichnungen G. in Weimar Ende 1830 und wieder Ende Februar 1832 und zeigte ihm seine Mephistopheles-Skizzen, die 1833 als Kupferstiche veröffentlicht wurden. G. erwähnt ihn nicht.

Maaß, Wilhelmine (1786?–?). Die Schauspielerin für das Rollenfach der Naiven spielte 1802–05 am Weimarer Theater und ging dann zu Iffland nach Berlin. G. lobte »ihre niedliche Gestalt, ihr anmutig natürliches Wesen, ein wohlklingendes Organ« (*Tag- und Jahreshefte* 1802) und ihre »allerliebste klare Rezitation« (an Zelter 3. 5. 1816), gab ihr jedoch, als sie im April 1804 zu einem (unerlaubten) Gastspiel auf Engagement in Berlin gewesen war, eine Disziplinarstrafe von acht Tagen Hausarrest mit einer Schildwache vor der Tür.

Macarthur, James (1798–1867). Der später bedeutende australische konservative Politiker aus Sydney und sein Bruder Edward besuchten G. am 15. 12. 1829. Die einzigen Australier, denen G. begegnete berichteten »viel Interessantes von ihren dortigen Zuständen« (Tagebuch).

Macco, Alexander (1767–1849). G. lernte den von ihm geschätzten Historien- und Porträtmaler 1787/88 in Rom kennen, besuchte ihn am 24. 10. 1797 in Zürich und zeigte wiederholt Interesse an seinen Arbeiten. 1824 schenkte Macco G. eine Charon-Zeichnung.Vom Oktober 1828 bis April 1829 im Auftrag des Hofes in Weimar arbeitend, besuchte Macco G. zuerst am 30. 9. 1828 und war im Oktober 1828 wiederholt sein Gast. Am 16. 4. 1829 sah G. seine Bilder in seinem Atelier.

E. Petzet, G. und M., Studien zur vergleichenden Literaturgeschichte 2, 1902 A. Macco, Der Maler A. M. und der G.-Kreis, ChWGV 44, 1939.

Machiavelli, Niccolò (1469–1527). Mit der *Florentinischen Geschichte* (*Istorie Fiorentine*, 1520–25) des bedeutenden italienischen Politikers und Historikers befaßte sich G. im März 1798 im Zusammenhang mit der Cellini-Übersetzung (1803), in deren Anhang er ihn zitiert, mit seiner Staatstheorie (*Il principe*, 1513) besonders im Februar/März 1806. Die Namensgleichheit mit dem (als Geheimagent Philipps II. historisch verbürgten) politisch umsichtigen Hofbeamten der Margarete von Parma im *Egmont* ist zwar zufällig, ergibt aber interessante Parallelen.

H. Clairmont, Die Figur des M. in G.s Egmont, Poetica 15, 1983.

Macklot, Karl Friedrich (?–1839). Der Karlsruher Buchhändler und Drucker war berüchtigt für seine unrechtmäßigen Nachdrucke zeitgenössischer Literatur auf miserablem Papier. G., obwohl nicht von ihm, sondern dem Karlsruher Nachdrucker Ch. G. Schmieder betroffen, ließ an ihm wiederholt seinen Zorn aus (»Macklotur«) und wollte ihn ursprünglich in *Hanswursts Hochzeit* »züchtigen« (*Dichtung und Wahrheit* III,16 und 18).

W. E. Oeftering, G. und der Verleger M. in Karlsruhe, Eckart 14, 1938.

Macpherson, James (1736–1796). Der schottische Dichter fälschte unter Benutzung alter Texte die Gesänge des angeblichen gälischen Barden →Ossian.

Madrigal. Der barocken Tradition des epigrammatisch zugespitzten, witzig tändelnden Kunstlieds und Komplimentiergedichts folgt G. in den drei Madrigalen des Buches *Annette*, davon zwei Nachbildungen nach dem Französischen von A. de Rambouillet de la Sablière und von Voltaire.

Mächtiges Überraschen. Das erste Gedicht der →*Sonette*, entstanden im Dezember 1807, faßt die Themen des Zyklus in einem anschaulichen Naturbild zusammen: Der unaufhaltsam zu Tal (d. h.

auch dem Tode zu) rauschende Lebensstrom (des alternden Mannes) wird überraschend durch einen von der Bergnymphe Oreas
verursachten plötzlichen Bergsturz aufgehalten und zum See gestaut – die Zeit also angehalten – und findet, durch den Einbruch
(der Liebe) auf sich selbst zurückverwiesen, in der Selbsterfahrung
und Verinnerlichung zu einem neuen Leben im Sinne von Dantes
Vita nuova.

Literatur →Sonette.

Das Mädchen von Oberkirch. Das Trauerspielfragment aus dem
Themenkreis der Revolutionsdramen entstand 1795/96, angeregt
durch ein »Zeitungsgerücht« in Reichardts Revolutionsalmanach
von 1795, und wurde erstmals 1895 gedruckt (Weimarer Ausgabe
I,18). Von dem »Trauerspiel in fünf Aufzügen« in Prosa sind nur
zwei Anfangsszenen ausgeführt: Im Straßburg der Jakobinerherrschaft von 1793 eröffnet ein Baron seiner gräflichen Tante, er wolle
aus Liebe und politischer Opportunität, um sich den herrschenden
Jakobinern zu empfehlen, ihre schöne und tugendhafte Dienerin
Marie heiraten, der er bisher vergeblich nachgestellt habe. Er sucht
Unterstützung seines Vorhabens beim Geistlichen Manner, der
Marie ebenfalls liebt. Über den geplanten Fortgang der Handlung
gestattet auch ein erhaltenes, knappes Figurenschema zur Vermutungen. Anscheinend sollte Marie in dem von den Jakobinern
zum Tempel der Vernunft umgewandelten Münster die Göttin der
Vernunft darstellen, wies aber die Zumutungen der Machthaber
zurück, wurde eingekerkert und hingerichtet.

E. Schmidt, D. M. v. O., in ders., Charakteristiken 2, 1901; B. Päschke, G.s Trauerspielfragment D. M. v. O., Pädagogische Warte 20, 1913; G. Roethe, D. M. v. O., in ders.,
G., 1932; R. I. Cape, D. M. v. O., Die Ortenau 70, 1990.

Mämpel, Johann Christian (?–1862). Der Sohn des gleichnamigen
früheren Weimarer Pastors und Garnisonspredigers (?–1790) nahm
seit 1806 als französischer und englischer Soldat an verschiedenen
Kriegen und den napoleonischen Feldzügen teil und verfaßte später, seit 1816 als Schriftsteller in Weimar lebend, Erlebnisberichte
darüber (*Der junge Feldjäger*, 1826; *Des jungen Feldjägers Kriegskamerad*, 1826), deren Veröffentlichung G. anregte und zu deren Buchausgaben er ebenso wie zu Mämpels Übersetzung der *Memoiren
Robert Guillemards* (1827), eines französischen Sergeanten, Einführungen schrieb. Den ersten Band besprach G. auch in einer Voranzeige in *Über Kunst und Altertum* (V,1, 1824). Mämpel besuchte G.
am 11. 6, 1. 7. und 27. 12. 1825, 5. 11. und 8. 12. 1826. Die Lektüre
von Mämpels Berichten im Manuskript, zuerst im November 1823
und März/April 1824, steht am Anfang von G.s zunehmendem
Interesse an biographischer und autobiographischer Literatur.

Märchen. G.s Kenntnis von Märchen, belegt durch zahlreiche Anspielungen auf bekannte Märchen in Werken und Briefen, reicht von den Märchenerzählungen der Mutter über die französischen Feenmärchen seiner Jugend bis zu der späteren Lektüre von *Tausendundeine Nacht, Tausendundein Tag*, dem *Papageienbuch* und Grimms *Kinder- und Hausmärchen*. Die meisten seiner eigenen Märchendichtungen sind jedoch im Grunde weniger eigentliche Märchen als vielmehr modernisierende Bearbeitungen alter Sagenstoffe, so das Gedicht *Der neue Amadis*, das »Knabenmärchen« *Der neue Paris*, das der junge G. seinen Frankfurter Spielkameraden erzählte (*Dichtung und Wahrheit* I,2), und *Die neue Melusine*, die er 1770/71 F. Brion erzählte (ebd. II,10), aber erst 1807–12 niederschrieb und 1821 in *Wilhelm Meisters Wanderjahre* (III,6) einfügte. Reines, symbolisches Kunstmärchen ist lediglich →*Das Märchen* in den *Unterhaltungen deutscher Ausgewanderten*. Die wenigen poetologischen Anmerkungen G.s zum Märchen finden sich vor und nach der Einbettung dieser Märchen in die Erzählzusammenhänge.

F. Meyer von Waldeck, G.s M.dichtungen, 1879; B. Tecchi, G. scrittore di fiabe, Turin 1966; V. Klotz, Das europäische Kunstm., 1985; S. Vietor, Das Wunderbare in den M. von G. und Novalis, 1995.

Das Märchen. G.s rätselhafteste und vieldeutige Prosadichtung entstand im August/September 1795 und erschien schon im Oktober 1795 in Schillers *Horen* (10, 1795) als Abschlußtext der *Unterhaltungen deutscher Ausgewanderten*, mit dem diese »gleichsam ins Unendliche ausliefen« (an Schiller 17. 8. 1795). Das tief symbolische Kunstmärchen mit seinem Reichtum an Bildern, Figuren und Beziehungen spielt in einer Traumrealität, in der die Naturgesetze durch andere Regeln aufgehoben sind und nur der Zeitablauf bis zur ersehnten Erlösung zu neuem Leben unabänderlich ist. G. gab ihm die »schwere Aufgabe, zugleich bedeutend und deutungslos zu sein« (an Humboldt 27. 5. 1796) – der Hörer solle »an nichts und an alles erinnert werden« (*Unterhaltungen deutscher Ausgewanderten*) – und verweigerte jede eigene Deutung. Zur Verzweiflung der Interpreten widersetzt sich der Text daher zu Recht jeder dezidierten Festlegung und spekulativen Auslegung, und die Vielzahl der (allegorischen, mystischen, symbolischen, moralisch-politischen, humanitären, psychoanalytischen u. a. m.) Deutungsversuche, die das dunkle Geschehen auf einen eindeutigen Sinnzusammenhang festlegen wollen und dabei dem Kunstwerk Gewalt antun, beweist nichts weiter als das Gelingen von G.s Konzeption. Opernbearbeitungen von Ralph Kux und Giselher Klebe (Uraufführungen 1967 bzw. 1969).

H. Baumgart, G.s M., 1875; M. Morris, D. M., in ders., G.-Studien I, 1897; P. Pochhammer, G.s M., GJb 25, 1904; E. Eloesser, G.s M., Euph 13, 1906; C. Lucerna, D. M., 1910; H. Schneider, D. M., 1911; K. Albrich, G.s M., Euph 22, 1915; G.s M., hg. T. Friedrich 1925; S. Wukadinovic, D. M., in ders., G.-Probleme, 1926; M. Diez, Metapher und Märchengestalt, PMLA 48, 1933; E. Metman, Green snake and fair lily, London 1946; J. Hoffmeister, D. M., in ders., Die Heimkehr des Geistes, 1946; F. Hiebel, G's M. in the light of Novalis, PMLA 63, 1948; E. A. Meyer, G.s politisches M., in dies., Politische Symbolik bei G., 1949; C. Lucerna, G.s Rätselmärchen, Euph 53, 1959; F. Ohly, Römisches und Biblisches in G.s M., ZDA 91, 1961 f.; C. Lucerna, Wozu dich-

te G. D. M. ?, Goethe 25, 1963; J. Milfull, The symbolism of G's M., AUMLA 29,
*)68; Ch. Oesterreich, Zur Sprache von G.s M., DVJ 44, 1970; G. L. Fink, D. M.,
oethe 33, 1971; R. Ayrault, Le Conte de G., in: Hommage à M. Marache, Paris 1972;
J. Bartscht, G., D. M., Lexington 1972; P. Pfaff, Das Horen-M., in: Geist und Zeichen,
g. H. Anton 1977; I. Kreuzer, Strukturprinzipien in G.s M., SchillerJb 21, 1977;
.-L. Fink, G., Paris 1980; K. Mommsen, M. des Utopien, in: Literaturwissenschaft und
eistesgeschichte, hg. J. Brummack 1981; dies., Bilde, Künstler! Rede nicht!, in: Thea-
*um Europeum, hg. R. Brinkmann 1982; J. Osinski, G.s M., ZDP 103, 1984; B. Witte,
*as Opfer der Schlange, in: Unser Commercium, hg. W. Barner 1984; P. Morgan, The
iry-tale as radical perspective, OL 40, 1985; H. Geulen, G.s Kunstm., DVJ 59, 1985;
. Niggl, Verantwortliches Handeln als Utopie?, in: Verantwortung und Utopie, hg.
J. Wittkowski 1988; T. Zemella, Il M. di G., Rom 1991; R. Geiger, G.s M., 1993;
. Fischbacher-Bosshardt, J. W. G.: M., in: Kunstm., hg. R. Tarot 1993.

März. Das durch an 40 Vertonungen (u. a. von F. Hiller, A. Knab,
C. Loewe) bekannte, schlichte Vorfrühlingslied entstand wohl am
. 3. 1817 und erschien zuerst in *Über Kunst und Altertum* II, 3,
820).

Magdeburg. Die frühere Erzbischofsstadt an der Elbe besuchte G.
on Halle aus am 14./15. 8. 1805 mit August und F. A. Wolf und
*esichtigte neben Stadt und Festung vor allem den Dom und zumal
*essen Skulpturen und Grabmäler, unter denen ihn besonders das
*ronzegrabmal des Erzbischofs Ernst (1495) von Peter Vischer be-
*eisterte (*Tag- und Jahreshefte* 1805 und kunstkritische, aber sachlich
*eils unrichtige Reisenotizen aus dem Nachlaß). Auf das Nieder-
rennen der Stadt durch Tilly 1631 bezieht sich das wohl für Schil-
*ers *Wallensteins Lager* gedachte Gedicht *Die Zerstörung Magdeburgs*
*om Oktober 1798.

Magelone. Das Volksbuch von der schönen Magelone, einer
*eapolitanischen Prinzessin, 1527 von Veit Warbeck aus dem Fran-
*ösischen übersetzt, gehörte zu den billigen Jahrmarktsdrucken, die
*. in seiner Frankfurter Jugend las (*Dichtung und Wahrheit* I, 1). Zu
*.s Lebzeiten wurde es von den Romantikern wiederentdeckt und
797 von L. Tieck erneuert.

Magie. G.s Beschäftigung mit alchemistischen, mystischen und ok-
*ultistischen Schriften (*Aurea catena Homeri*; G. von Welling, *Opus
iago-cabbalisticum, 1735; Swedenborg u. a.) während der Frankfur-
*er Rekonvaleszenz 1769/70 kam dem bereits im Stoff vorge-
*ebenen Thema Magie bzw. Zauber im *Faust* zugute. Nach Vor-
*tellungen der Renaissance lehrte der Teufel an verschiedenen
*Jniversitäten schwarze Magie. Aus dem Ungenügen der traditio-
*iellen Wissenschaften für seinen Erkenntnisdrang resultiert Fausts
*Zuflucht zur universalen Geheimwissenschaft der Magie (»Drum
*tab ich mich der Magie ergeben …«, v. 377 ff.), die jedoch nach der
*rschreckenden Beschwörung des Erdgeists nicht neuen Einsichten
*ind Erkenntnissen durch den Zugang zur Geisterwelt nutzbar ge-
*nacht wird, sondern gemäß der Stofftradition nur zauberischen
*Effekten dient (Beschwörung des Pudels, Helenas; Mephistos Zau-

bertricks in Auerbachs Keller, am Kaiserhof und in der Schlacht). I[n] der Einsicht, die falschen Mittel gewählt zu haben, bedauert Faus[t] zu Ende seines Lebens seine frevelhafte Benutzung der Magi[e] (»Könnt ich Magie von meinem Pfad entfernen …«, v. 11404–10[)] ohne ihr indessen definitiv abzuschwören. Außerhalb des *Faust* er[-] scheint das Motiv Magie nur in G.s Märchen und ironisch in de[r] Ballade *Der Zauberlehrling* (1797).

H. Birven, G.s Faust und der Geist der M., 1923 u. ö.; L. Gorm, G. und die M., i[n] Katalog der G.-Ausstellung München 1932; B. Wachsmuth, G. und die M., Goethe [&] 1943.

Magnetismus. Im Rahmen seiner naturwissenschaftlichen Stu[-] dien unternahm G. von Anfang Mai bis Ende Juli 1798 Versuch[e] zum physikalischen Magnetismus, entwarf am 19. 6. 1798 ei[n] Schema dazu und schrieb am 31. 7. 1798 einen Aufsatz über di[e] dabei beobachteten physischen Erscheinungen. Weitere Studie[n] und Versuche zum Erdmagnetismus sind für November/Dezembe[r] 1820 verzeichnet. Dem tierischen Magnetismus oder Mesmerismu[s] des Wiener Arztes Franz Mesmer (1733–1815), der einen de[m] physikalischen Magnetismus verwandten »tierischen Magnetismus als unbekannte, fernwirkende Kraft und einen Einfluß des »Welt[-] äthers« auf das »Nervenfluid« der Lebewesen annahm und darau[s] der Hypnose verwandte magnetische Heilpraktiken entwickelte[,] stand er bei allem Interesse distanziert gegenüber, ohne seine Auf[-] fassung näher auszuführen (an Nees von Esenbeck 23. 7. 1820; z[u] Eckermann 7. 10. 1827).

K. H. Kiefer, G. und der M., in: Jahresberichte des Präsidenten, Univ. Bayreuth, 1982; F. A. Mesmer und die Geschichte des Mesmerismus, hg. H. Schott 1985; A. Ego[,] Animalischer M. oder Aufklärung, 1991; J. Barkhoff, Magnetische Fiktionen, 1995.

Mahabharata →Indien

Mahadöh. Den Beinamen (»der große Gott«) des indischen Gotte[s] Siva benutzt G. für die männliche Hauptfigur der Ballade *Der Got[t] und die Bajadere* (1797).

Mahmud von Ghasna (971–1030). Der vorderasiatische Herr[-] scher türkischer Abkunft, Eroberer des östlichen Iran, Afghanistan[s] und des Pandschab und Ausbreiter des Islam, war ebenso wie sein Sohn Messud Förderer der Dichtung und versammelte viele Dich[-] ter an seinen Hof. G. widmet ihm als dem »Stifter persischer Dicht[-] kunst und höherer Kultur« in den *Noten und Abhandlungen* ei[n] eigenes Kapitel.

Mahomet. Der Religionsstifter Mohammed (um 570–632; i[n] damaliger französischer Schreibung Mahomet) als eine große Ge[-] stalt der Weltgeschichte, wenngleich im 18. Jahrhundert als falsche[r] Prophet und Betrüger abgetan, entsprach dem Sturm und Drang[-] deal des tätigen Genies und übte durch die involvierten Probleme des Übergangs vom Pantheismus zum Monotheismus eine zusätzliche Anziehungskraft auf G. aus. Die Auszüge des →*Koran* in D. F. Megerlins *Die türkische Bibel* (1772), die G. wohl selbst kritierte (*Frankfurter Gelehrte Anzeigen* 22.12.1772), L. Marraccios lateinische Ausgabe des *Koran* (1698 und 1721), aus der G. die). Sure übersetzte, und die französischen Mohammed-Biographien von J. Gagnier und F. H. Turpin (1732 bzw. 1773) lieferten im Sommer 1772 das Material für das geplante Entwicklungsdrama in fünf Akten, von dem jedoch zwischen Herbst 1772 und Frühjahr 773 – *Dichtung und Wahrheit* III,14 datiert die Entstehung irrtümlich nach der Rheinreise vom Sommer 1774 – nur eine Prosaszene zwischen Mahomet und seiner Pflegemutter Halima und ein hymnischer Wechselgesang zwischen Fatema und Ali entstanden; letzter erschien bereits im Herbst 1773 in H. Ch. Boies Göttinger *Musenalmanach* für das Jahr 1774 und gelangte 1789 als →*Mahomets Gesang* unter G.s Gedichte. Nach dem geplanten Handlungsabriß, den G. 1813 im Rückblick in *Dichtung und Wahrheit* (III,14) gibt, sollte das Drama das Schicksal des Propheten gestalten, der auf der Suche nach dem Unvergänglichen seinen Gott findet, in unbeirrtem Glauben an seine Sendung sein Bekehrungswerk beginnt, kompromißlos auch zur List greift, bei seinen Eroberungen Grausamkeiten begeht, von der Witwe eines seiner Opfer vergiftet wird und im Sterben zur Reinheit seiner Idee zurückfindet. Mit der Übersetzung von Voltaires →*Mahomet* kehrte G. 1799 zum Stoff zurück.

J. Minor, G.s M., 1907; F. Saran, G.s M. und Prometheus, 1914; R. Petsch, Zu G.s M., ZfdU 29, 1915; E. Staiger, G.s M., Trivium 7, 1949.

Mahomet. *Trauerspiel in fünf Aufzügen nach Voltaire.* Auf Wunsch Carl Augusts, der →Voltaire schätzte, übersetzte G. am 29. 9.–17. 11. 799 Voltaires 1742 entstandenes Alexandriner-Trauerspiel *Mahomet* in deutsche Blankverse. Einer Vorlesung vor der Hofgesellschaft am 17. 12. 1799 folgten am 30. 1. 1800 die Weimarer Erstaufführung zum Geburtstag der Herzogin Louise und 1802 die Buchausgabe. In einer kurzen Einleitung zum Abdruck zweier Szenen einer Übersetzung in den *Propyläen* (III,1, 1800) rechtfertigt G. im Anschluß an den vorangehenden Aufsatz W. von Humboldts *Über die gegenwärtige französische tragische Bühne* seine Übersetzung als Erweiterung des Repertoires regelmäßig gebauter Verstragödien zur Schulung der Schauspieler im Memorieren und Versesprechen gemäß dem Weimarer Hoftheaterstil im Unterschied zum naturalistischen Bühnenstil des Lustspiels und anderer Theater (ebenso *Tag- und Jahreshefte* 1800). Eine ähnliche Rechtfertigung der Erneuerung einer überlebten Kunstform unternahm Schillers Gedicht *An Goethe, als er den Mahomet von Voltaire auf die Bühne brachte* 1800). Auf seine frühere Ablehnung Voltaires und die Diskrepanz von dessen Darstellung Mohammeds als Betrüger zu seinem eigenen dramatischen Fragment →*Mahomet* geht G. nicht ein. Als zweite Voltaire-Übersetzung folgte 1800 der →*Tancred*.

M. Bernays, Schriften zur Kritik und Literaturgeschichte I, 1895; J. Graul, G.s M. und Tankred, Diss. Berlin 1914; R. Kilchenmann, G.s Übersetzung der Voltairedramen M. und Tancred, CL 14, 1962; K. Mommsen, Übersetzung von Voltaires M., in dies., G. und die arabische Welt, 1988; I. H. Solbrig, The theatre, theory and politics, MGS 16 1990; J. v. Stackelberg, Ein M. aus Fleisch und Blut, Colloquium Helveticum 18, 1993; →Voltaire.

Mahomets Gesang. Die freirhythmische, zunehmend trochäische Sturm und Drang-Hymne entstand 1772/73 als Teil des Fragment gebliebenen Dramas →*Mahomet* und war dort wie im Erstdruck (mit der Überschrift *Gesang*) in Boies Göttinger *Musenalmanach* auf das Jahr 1774 (1773) als Wechselgesang zwischen Mohammeds Tochter Fatema und seinem Schwiegersohn Ali zum Preis →*Mahomets* gedacht. Im zweiten Druck mit einigen Glättungen in den *Schriften* (1789) entfielen die Sprecherangaben, so daß sie als geschlossener Einzelgesang anzusehen ist. Dort lautet die Überschrift *Mahomets Gesang*, die moderne Drucke als *Mahomets-Gesang* wiedergeben, da wohl nicht an einen Gesang des Propheten, sondern an einen Gesang auf Mohammed gedacht ist. Die rhythmisch stark bewegte Hymne schildert und deutet das Leben des genialen Religionsstifters in Bildern aus dem Leben des Stroms.

J. Minor, G.s Mahomet, 1907; F. Saran, G.s Mahomet und Prometheus, 1914 R. Petsch, Zu G.s Mahomet, ZfdU 29, 1915; L. W. Kahn, The problem of genre, GR 49, 1974; I. H. Solbrig, Die Rezeption des Gedichts M. G., GJb 100, 1983; K. F. Hilliard, G. and the cure for melancholy, OGS 23, 1994.

Mahr, Johann Heinrich Christian (1787–1868). Der geologisch interessierte Ilmenauer Rentamtmann und Berginspektor besuchte G. am 27. 1. 1822 (und zuletzt am 26. 11. 1831) und sandte G. 1822 Fossilien. Bei G.s Aufenthalt in Ilmenau am 26.–31. 8. 1831 war er sein täglicher Umgang und begleitete ihn am 27. 8. 1831 bei der letzten Fahrt auf den →Kickelhahn.

Maifest →*Mailied*

Mailänderin, Die schöne →Riggi, Maddalena

Mailand. Die Hauptstadt der (damals österreichischen) Lombardei besuchte G. auf der Rückreise von Italien am 22.–28. 5. 1788. Er besichtigte →Leonardos »Abendmahl« in S. Maria delle Grazie konnte nach der Begegnung mit der klassischen Architektur dem gotischen Mailänder Dom aber keine Reize abgewinnen: »ein ganzes Marmorgebirg in die abgeschmacktesten Formen gezwungen« (an Carl August 23. 5. 1788; vgl. *Von deutscher Baukunst*, 1823 und besuchte den Mineralogen Ermenegildo Pini. Späterhin wurde ihm die Stadt, die er zur Heimat Mignons macht (*Wilhelm Meister*

ehrjahre VIII,3), als Wohnsitz Manzonis und Kulturzentrum be-
eutsam (*Klassiker und Romantiker in Italien*, 1820).

Mailied (»Wie herrlich leuchtet mir die Natur!«). Der Höhepunkt
on G.s Sesenheimer Liedern für F. Brion entstand wohl im Mai
771, vielleicht für ein Sesenheimer Maifest, denn der Erstdruck in
acobis *Iris* (II,1, Januar 1775) trägt noch die Überschrift *Maifest*, die
n den *Schriften* 1789 in *Mailied* geändert wird. Zwar erscheint das
n Form und Motiven fast volksliedhaft schlichte Lied wie der
ubelnde Gefühlsüberschwang einer liebenden und geliebten Seele,
ür die Natur, Leben und Liebe eine Einheit bilden, doch der Jubel
berdeckt einen kunstvollen Aufbau nach thematisch gegliederten
-Strophen-Gruppen und läßt leicht übersehen, daß hier weniger
in individuelles Liebesbekenntnis zum Ausdruck kommt als viel-
nehr eine glückliche Teilhabe aller an der göttlichen Liebe, daß das
yrische Ich ein allenfalls ursprünglich persönliches Erlebnis verallgemeinert. Das in seiner Emphatik mitreißende Lied fand über 90
Vertonungen (Beethoven, Loewe, Marschner, Pfitzner, Reichardt,
ilcher u. a. m.), G.s zweites *Mailied* (»Zwischen Weizen und Korn
..«) vom Sommer 1810 an 30 Kompositionen (Zelter u. a. m.).

H. Stolte, Walther von der Vogelweide und G., in: Festschrift für A. Leitzmann, 1937;
.. Staiger, G.s M., Hamburger Akademische Rundschau 3, 1948 f.; J. Müller, Wirk-
chkeit und Klassik, 1955; G. Storz, Vier Gedichte von G., in: Wege zum Gedicht I, hg.
R. Hirschenauer 1956 u. ö.; K. May, Drei G.sche Gedichte, in ders., Form und Bedeu-
ung, 1957 u. ö.; P. Müller, Zwei Sesenheimer Gedichte G.s, WB 13, 1967; C. Pietzcker,
;.: M., WW 19, 1969; N. Boyle, Maifest und Auf dem See, GLL 36, 1982 f.; D. Höl-
cher-Lohmeyer, Die Entwicklung des G.schen Naturdenkens, GJb 99, 1982; J. Mar-
getts, The creative act in G's M., NGS 15, 1988 f.

Mainz. Das »goldene Mainz«, Residenz der Erzbischöfe/Kurfür-
ten, war G. seit seiner Jugend durch die Ausflüge ins Rheintal, bei
denen er auch den Drususstein zeichnete, vertraut (*Dichtung und
Wahrheit* II,6). Bei der Rückkehr von Straßburg Ende August 1771
rachte er aus Mainz einen harfespielenden Knaben nach Frankfurt
nit, dem er zum Entsetzen der Mutter Unterkunft und Förderung
versprochen hatte (ebd. III,12). Vom Besuch bei den La Roche in
Ehrenbreitstein kehrte er am 18. 9. 1772 mit Merck zu Schiff über
Mainz heim. Am 13.–15. 12. 1774 verbrachte G. auf Einladung
Carl Augusts, den er am 11. 12. in Frankfurt kennengelernt hatte,
zwei »sehr angenehme« Tage in Mainz und bereinigte von dort aus
durch einen freundlichen Brief sein Verhältnis zu Wieland (ebd.
II,15). Die Hinreise zum Frankreichfeldzug unterbrach er am
20.–22. 8. 1792 (die *Campagne in Frankreich* gibt falsche Daten) in
Mainz, lernte den preußischen Gesandten J. F. Freiherr vom Stein
kennen und verbrachte zwei »muntere Abende« mit L. F. Huber,
dem Freund Schillers, Georg Forster, Caroline Böhmer und dem
Anatom S. T. von Sömmering (*Campagne in Frankreich*). Nach der
→*Belagerung von Mainz*, die auch den zeitgeschichtlichen Hintergrund der *Unterhaltungen deutscher Ausgewanderten* abgibt, besichtigte

G. am 26./27. 7. 1793 die eingenommene, aber zerstörte und ver-
wüstete Stadt (Domprobstei, Kurfürstliches Schloß, Osteiner Hof,
Akademie, Kartause, Zitadelle, Dom) und besuchte Sömmering.
Von seinen Kuraufenthalten in Wiesbaden aus besuchte G. in Mainz
am 3./4. 8. 1814 den Kommandanten Oberst von Krauseneck zur
Geburtstagsfeier des preußischen Königs mit Fürsten und hoher
Offizieren, am 18. 7. 1815 den Erzherzog Carl Ludwig Johann von
Österreich und am 11./12. 8. 1815 den Major von Luck und den
Bibliothekar F. Lehne, der ihn durch Bibliothek und Museen führte
(*Kunst und Altertum am Rhein und Main*, Kap. »Mainz«).

A. Börckel, G. und Schiller in ihren Beziehungen zu M., 1904; T. C. W. Blanning,
Reform and revolution in M. 1743–1803, London 1974; A. Gassner, G. und M., 1988.

Majolika. G.s Interesse an der farbenfrohen italienischen Renais-
sance-Keramik des »istoriato«-Typs mit Szenen aus der antiken Mythologie und der biblischen Geschichte wird zuerst 1804 evident,
als ein Aufsatz von J. H. Meyer einen italienischen Majolika-Teller
mit Darstellung der Geburt des Adonis in G.s Besitz erwähnt. Der
Hauptteil von G.s 102 Stücke umfassender Sammlung italienischer
Majolika meist des späten 16. Jahrhunderts aus Urbino, Faenza,
Casteldurante, Castelli, Venedig, Pesaro und Savona stammt aus der
im Januar 1817 erworbenen Sammlung des Hauptmanns H. A. von
Derschau in Nürnberg. Sie traf am 10. 2. 1817 unbeschädigt in Weimar ein, wurde am 25./26. 2. 1817 im Hause aufgestellt und später
um einzelne Stücke erweitert. G. berichtet mit Freude und Stolz
darüber (an Knebel 15. 2. 1817, an Rochlitz 1. 6. 1817, an Reinhard
26. 12. 1825).

Ch. Topfmeier, G.s M.sammlung, Diss. Jena 1958.

Major. Nur mit ihrem militärischen Rang bezeichnet G. die
männliche Hauptfigur von →*Der Mann von fünfzig Jahren* und den
zweiten Mann, anfangs →Hauptmann, in den *Wahlverwandtschaften*.

Makarie. Die geheimnisvollste Figur in *Wilhelm Meisters Wanderjahre* (I,10, III,14–15), erst in der 2. Fassung von 1829 eingearbeitet,
wo Wilhelm und Felix sie auf Empfehlung des Oheims und Hersilies in ihrem Schloß aufsuchen. Sie ist einerseits eine gebrechliche,
gute alte Tante, »wunderwürdige«, »unschätzbare« Dame voll Weisheit und Güte; Ratgeberin der Figuren in menschlichen Verwicklungen und moralischen Konflikten, erkennt sie die innere Natur
der Menschen hinter deren Masken und übt einen ordnenden, be-
stimmenden Einfluß auf sie aus. Andererseits erscheint sie in der
»ätherischen Dichtung« (III,15) als »Heilige« und »Seherin«, die
durch eine geheimnisvolle Veranlagung naturmagisch mit den Gestirnen verbunden ist, das ganze Sonnensystem in sich trägt und sich
zugleich als integrierender Teil auf einer zur Peripherie strebenden
Spiralbahn darin bewegt. Diese kühne Science Fiction-Seite, deren

unsicherer Überlieferung ohne Wahrheitsbeweis der Autor allerdings selbst mit Vorbehalten begegnet (III,14), stilisiert sie zum Wunschbild höchster menschlicher Steigerung über das Diesseitige, Tragische und die Grenzen der irdischen Existenz hinaus, aber auch in eine dem Vortod ähnliche Einsamkeit. Vgl. →*Aus Makariens Archiv.*

J. Schiff, Mignon, Ottilie, M. im Lichte der G.schen Naturphilosophie, JGG 9, 1922; G.-K. Bauer, M., GRM 25, 1937; A. Gode von Aesch, M., MDU 34, 1942; E. Spranger, Die sittliche Astrologie der M., in ders., G.s Weltanschauung, 1946; A. Fuchs, M., in ders., G.-Studien, 1968; E. Loeb, M. und Faust, ZDP 88, 1969; R. Godard, M. ou l'anti-Grand Cophte, in: G.-L. Finck u. a., G., Paris 1980; →Wilhelm Meisters Wanderjahre.

Makariens Archiv   →*Aus Makariens Archiv*

Makrokosmos/Mikrokosmos. In der pansophischen Lehre (Paracelsus, Kepler, J. Böhme, B. Valentinus, G. von Welling u. a.) meint Makrokosmos die gesamte Schöpfung, das Universum: All, Sternenwelt, Himmel, Erde und die gesamte Natur, Mikrokosmos dagegen die im Menschen verkörperte kleine Welt, die ein »Auszug« des Alls ist, aber zum Makrokosmos in magischen Beziehungen steht. Nur eine Kunstfigur wie →Makarie hat an beiden Teil. Faust (v. 430 ff.) schlägt im »Buch von Nostradamus' eigner Hand« das Zeichen des Makrokosmos auf und erkennt in ihm, aber nur als von Menschen erdachtem Bild, die Weltharmonik und das Ineinandergreifen der Naturkräfte, vermag aber nur den Erdgeist als Vertreter der irdischen Sphäre zu beschwören.

A. Gillies, The macrocosm-sign in G's Faust, MLR 36, 1941; H. Jantz, Faust's vision of the macrocosm, MLN 68, 1953; S. Steffensen, M.zeichen und Erdgeist, Kopenhagener germanistische Studien 1, 1969.

Malcesine. Den ersten venezianischen Ort am Gardasee nach der österreichischen Grenze erreichte G. auf der Italienreise von Torbole aus am 13. 9. 1786, als ein starker Gegenwind das Boot an der Weiterfahrt hinderte, und erlebte dort ein gefährlich-groteskes Abenteuer: Den Aufenthalt zu einer Zeichnung der malerischen Scaligerburg von Malcesine nutzend, verursachte er durch so ungewöhnliches Tun einen Menschenauflauf und wurde vom herbeigerufenen Bürgermeister als österreichischer Spion verdächtigt, bis er sich dem früher in Frankfurt bediensteten Italiener Gregorio durch seine Kenntnis der italienischen Familien in Frankfurt als Frankfurter ausweisen und nach Mitternacht am 14. 9. die Weiterfahrt nach Bardolino antreten konnte. Der Zwischenfall, im Tagebuch nur kurz angedeutet und im Gespräch mit H. Voß vom Februar 1804 abweichend mit Loskauf durch Geldverteilen dargestellt, wird erst in der Buchausgabe der *Italienischen Reise* (1816) zur reizvollen Episode ausgestaltet.

R. Brenzoni, G. a M., Atti e memorie dell'Accademia d'agricoltura, scienza e lettere di Verona. V, 11, 1934; M. e G., Malcesine 1983.

Malcolmi, Amalie, verh. Wolff (1783–1851). Die jüngste Tochter von C. F. →Malcolmi, von C. Schröter für die Bühne vorbereitet, trat seit 1791 in Weimar zuerst in Kinder- und Knabenrollen, dann jugendlichen Liebhaberinnen- und schließlich Frauenrollen auf (Leonore Sanvitale, Iphigenie, Eugenie, Klärchen, Proserpina u. a.). G. schätzte die begabte Schauspielerin sehr, schrieb ihr zuliebe 1813 den *Epilog zum Trauerspiele Essex* und zählte im Gedicht *An die Schauspielerin Amalie Wolff* (»Erlaubt sei dir …«) zu ihrem Geburtstag am 10. 12. 1812 einige ihrer Rollen auf. Witwe eines Herrn Miller, heiratete sie nach kurzer, geschiedener Ehe (1803–05) mit dem Schauspieler und Regisseur Heinrich Becker 1805 den Schauspieler P. A. Wolff, mit dem sie 1816 ans Hoftheater Berlin ging.

Malcolmi, Carl Friedrich (1745–1819). Der Schauspieler und Bassist kam 1788 zu Bellomos Truppe nach Weimar, wurde 1791 für das Hoftheater übernommen und spielte bis 1817 vor allem gutmütige, komische Alte und polternde Väter, z. B. Märten im *Bürgergeneral*. Dem geschätzten Darsteller schrieb G. am Tag nach dessen Tod das Denkblatt »Reichen Beifall …« (16. 10. 1819). Auch Malcolmis drei Töchter aus 1. Ehe, seine 2. Frau Helena Elisabeth Schmahlfeld (1761–1798) und deren beide Töchter aus 1. Ehe waren zeitweilig Schauspielerinnen in Weimar.

Malebranche, Nicole (1638–1715). Schriften des französischen Philosophen waren G. nach Ausweis der *Ephemerides* bereits in der Frankfurter Jugendzeit bekannt. Mit seinen *Réflexions sur la lumière et les couleurs* (1699) setzt sich die *Geschichte der Farbenlehre* kritisch auseinander.

Maler Müller →Müller, Friedrich

Malsburg, Ernst Friedrich Georg Otto, Freiherr von der (1786–1824). Der hessische Diplomat, 1817 Gesandter in Dresden, dessen Übersetzungen Calderons (VI 1819–25) und Lope de Vegas (1824) G. las, besuchte ihn in Weimar am 8. 9. 1820 (*Tag- und Jahreshefte* 1820) und am 28. 6. 1824.

W. Schoof, G. und E. O. v. d. M., Goethe 2, 1937.

Maltitz, Friedrich Apollonius, Freiherr von (1795–1870). Der Diplomat in russischen Diensten und Lustspieldichter sah G. in seiner Jugend wiederholt in den böhmischen Bädern (1807 und 1813 Karlsbad, 1808 Franzensbad) und besuchte ihn 1828 in Weimar.

P. T. Falck, G. und der Baron v. M., Baltische Monatsschrift 76, 1913.

Mandandane. Die Gemahlin des »humoristischen Königs« Andrason im →*Triumph der Empfindsamkeit* (1787) schmachtet nach dem empfindsam-schwärmerischen Prinzen Oronaro, der aber einer mit

empfindsamen Büchern vollgestopften Puppe nach ihrem Bilde
den Vorzug gibt. Von ihrer empfindsamen Verirrung geheilt, kehrt
sie zum Gatten zurück.

Mandeville, Sir John, Johannes de Montevilla (um 1300–1372).
Der angebliche englische Weltreisende, vielleicht ein Lütticher Arzt
oder Notar, kompilierte 1357–71 aus verschiedenen Quellen seine
großenteils phantastische Reisebeschreibung *Voyage d'outre-mer*, die
im Spätmittelalter weite Verbreitung fand. G. las sie am 2.–7. 4. 1812
im Zusammenhang seiner orientalischen Studien, schrieb aber ihre
Unzuverlässigkeit weitgehend der Überlieferung zu (*Noten und Abhandlungen*).

Manier →*Einfache Nachahmung der Natur, Manier, Stil*

Mannheim. Die kurpfälzische Residenzstadt, »das freundliche
Mannheim, das gleich und heiter gebaut ist« (*Hermann und Dorothea*
II,24), übte als Kunststadt unter dem Kurfürsten Carl Theodor von
Dalberg große Anziehungskraft aus, vor allem durch den 1753 mit
Hilfe des Hofbildhauers P. A. von Verschaffelt errichteten Mannheimer Antikensaal mit Gipsabgüssen antiker Skulpturen, der, von
Lessing und Schiller gerühmt, der einzige Ort zur Begegnung
wenigstens mit Repliken antiker Kunst (→Apoll von Belvedere,
→Laokoon, →Ildefonso-Gruppe, Tanzender Faun, Sterbender Fechter) in Deutschland war. G., von Oeser darauf hingewiesen, besuchte Mannheim zuerst Ende Oktober 1769 und sah den Antikensaal, die kunst- und naturhistorischen Sammlungen und das
Theater (an Langer 30. 11. 1769), lernte den Direktor Verschaffelt
kennen und war besonders vom Laokoon tief beeindruckt. In *Dichtung und Wahrheit* (III,11) legt er irrtümlich diesen Besuch mit dem
zweiten Besuch Mitte August 1771 auf der Rückreise von Straßburg zusammen. Beim dritten Besuch in Mannheim auf der
1. Schweizer Reise mit den Stolbergs am 16. 5. 1775 lernte G. wohl
den Buchhändler und Verleger C. F. Schwan kennen (ebd. IV,18).
Auf dem Rückweg von der 2. Schweizer Reise am 21.–23. 12.
1779 mit Carl August machte er die Bekanntschaft des Nationaltheater-Intendanten W. H. von Dalberg und Ifflands, sah eine
Aufführung des *Clavigo* mit Iffland und besuchte Schwan. Nach der
Befreiung von Mainz unternahm G. mit Gore und G. M. Kraus am
2./3. 8. 1793 einen Abstecher nach Mannheim, besuchte den verwundeten Prinzen Louis Ferdinand und lernte J. F. von Rietz, den
Kämmerer Friedrich Wilhelms II., kennen (*Belagerung von Mainz*).
Auf den späteren Rheinreisen besuchte G. jeweils von Heidelberg
aus am 2. 10. 1814 in Mannheim den Major J. G. L. von Luck und
am 30. 9./1. 10. 1815 mit Carl August Caroline Jagemann.

J. A. Beringer, G. und der Mannheimer Antikensaal, GJb 28, 1907; F. Walter, G. und
M., Mannheimer Geschichtsblätter 33, 1932; H. Sitte, Im Mannheimer Antikensaal,
JGG 20, 1934; M. Wegner, G.s Anschauung antiker Kunst, 1944.

Mannlich, Johann Christian (ab 1808) von (1741–1822). Der bayrische Hofmaler, Kunstschriftsteller und 1799 Generaldirektor der bayrischen Kunstsammlungen, mit dem G. 1804–07 korrespondierte, besorgte für G. mehrfach über Maler Müller Medaillen aus Rom. Sein *Zeichnungsbuch für Zöglinge der Kunst und für Liebhaber* (II 1804) besprach G. 1805 (*Jenaische Allgemeine Literaturzeitung* 1.1. 1805), und Mannlichs Pläne zur Organisation der Münchner Kunstsammlungen fanden seinen Beifall.

Der Mann von fünfzig Jahren. Diese vordergründig so leichte und flüssig erzählte Novelle von einer Gefühlsverirrung, Leidenschaft, Entsagung und Neuordnung in *Wilhelm Meisters Wanderjahren* umspannt in ihrer Entstehung dennoch ein Vierteljahrhundert: Am 5.3. 1803 konzipiert G. den Plan, am 3.6.–4.8. 1807 entsteht das erste Drittel (II,3 der Endfassung), das 1817 in Cottas *Taschenbuch für Damen auf das Jahr 1818* und 1821 als Kapitel 11 der Erstfassung der *Wanderjahre* erscheint. Nach verschiedenen Schemata zur Fortsetzung vom April 1808, November 1820 und Oktober 1826 wird die Novelle im März/April 1827 abgeschlossen und erscheint vollständig zuerst 1829 in der 2. Fassung der *Wanderjahre* (II,3–5 mit Abschluß in II,7 und III,14), mit der sie die Figur Makaries als Ratgeberin verknüpft. Das Unerhörte der Novelle liegt nicht etwa darin, daß sich die junge Hilarie statt in den ihr aus Familienrücksichten vorbestimmten jungen Vetter Flavio in ihren 50jährigen Onkel, Flavios Vater, den Major, verliebt, der sich daraufhin geschmeichelt (wie Th. Manns Aschenbach im *Tod in Venedig*) einer kosmetischen Verjüngungskur unterzieht. Auch nicht darin, daß der ungestüme Flavio, von der schönen jungen Witwe, der er den Hof macht, abgewiesen, zu Hilarie findet und sein Vater, durch Zahnausfall an sein Alter gemahnt, auf sie verzichtet, sondern daß es einer langen Zeit bedarf, bis die Wunden des absoluten Gefühls bei Hilarie unter Mithilfe Makaries heilen und die rechten Paare zusammenfinden können. In der szenischen Gestaltung der Gefühlsverwirrung, der perspektivischen Kunst und den tiefgründigen Bildsymbolen bestätigt sich G.s späte Novellenkunst.

H. Maync, D. M. v. 50 J., Euph 18, 1911; G. Kettner, G.s Novelle D. M. v. 50 J., NJbb 33, 1914; A. Ludwig, Das Motiv vom kritischen Alter, Euph 21, 1914; E. Maaß, D. M. v. 50 J., NJbb 37, 1916; W. Krogmann, G.s dramatischer Entwurf D. M. v. 50 J., Archiv 177, 1940; M. Thalmann, J. W. G.: D. M. v. 50 J., 1948; G. Schweißer, G.s Novelle D. M. v. 50 J. und ihre literarische Nachfolge, Diss. Wien 1956; B. v. Wiese, G.: D. M. v. 50 J., in ders., Die deutsche Novelle 2, 1962; C. Sommerhage, Familie Tantalos, ZDP 103, 1984; A. Muschg, D. M. v. 50 J., in ders., G. als Emigrant, 1986; D. Borchmeyer, Spätstil in zweierlei Gestalt, in: Germanistik aus interkultureller Perspektive, Straßburg 1989; Y. A. Elsaghe, Eins und doppelt, Sprachkunst 23, 1992; Y. A. Elsaghe, ZDP 112, 1993; G. Dane, Die heilsame Toilette, 1994; →Wilhelm Meisters Wanderjahre.

Manso, Johann Caspar Friedrich (1760–1826). Der Breslauer Gymnasialdirektor, Philologe, Historiker, Aufklärer und anakreontische Dichter in der Wieland-Nachfolge, den G. übrigens im August

790 in Breslau kennengelernt hatte, ist durch die →*Xenien* vielleicht zu Unrecht in Verruf geraten. In einer längeren Rezension in der *Neuen Bibliothek der schönen Wissenschaften und der freien Künste* hatte er 1795 Schillers *Horen* und seine *Briefe über die ästhetische Erziehung des Menschen* kritisch angegriffen. Er und einige seiner Werke (*Über die Horen und Grazien,* 1787, *Über den Einfluß der Grazien,* 1795, das Lehrgedicht nach Ovid *Die Kunst zu lieben,* 1794, und seine Übersetzung von Tassos *Befreitem Jerusalem,* 1791) bildeten daher eines der Hauptziele der *Xenien* (33–42, 89, 335, *Xenien aus dem Nachlaß* 72, 73, 179). Manso und der Verleger J. G. Dyck antworteten anonym mit *Gegengeschenke an die Sudelköche in Jena und Weimar von einigen dankbaren Gästen* (1797, recte 1796).

Mantegna, Andrea (1431–1506). Originale des italienischen Malers und Kupferstechers der Renaissance sah G. zuerst am 27.9. 1786 (und wieder am 23.5.1790) in den (1944 zumeist zerstörten) Fresken der Cappella Ovetari der Eremitani-Kirche in Padua und erkannte im Gegensatz zur derzeitigen Einschätzung des Malers eine von Effekthascherei freie, derbe und reine Wirklichkeitsdarstellung als eigenwüchsige und geschichtlich bedeutende Kraft. Weitere Gemälde könnte er 1788 in Mailand und 1790 in Venedig und Mantua gesehen haben. Für G.s Wertschätzung sprechen zahlreiche Kupferstiche nach Werken Mantegnas in seiner Sammlung. Im Juni 1820 gab die Erwerbung der Folge von neun Holzschnitten von A. Andreani nach Mantegnas »Triumphzug des Julius Caesar« neuen Anlaß zur Beschäftigung mit dem Maler unter Heranziehung der Vita von Vasari (*Tag- und Jahreshefte* 1820–21), aus der der umfassende Aufsatz →*Julius Caesars Triumphzug, gemalt von Mantegna* (1823) hervorging. Die Holzschnittfolge, die G. 1821 durch C. A. Schwerdgeburth um ein 10. Blatt (nach dem seitenverkehrt vorliegenden Stich »Die Senatoren«) ergänzen ließ, beeinflußte die Darstellung des Mummenschanz-Festzugs im *Faust II* (v. 5065 ff.).

K. Francke, M's Triumph of Caesar in the 2. part of Faust, Studies and notes in philology and literature 1, 1892; ders., G. and M., MLN 11, 1896; G. Mattenklott, M.s Doppelleben als Muster für G.s späte Ästhetik, in: Bausteine zu einem neuen G., hg. P. Chiarini 1987.

Manto. Die antike Seherin und Apollopriesterin ist in der griechischen Sage die Tochter des Sehers Teiresias; G. macht sie zur Tochter des Arztgottes Äskulap/Asklepios (*Faust II*, v. 7451), da Faust Heilung für seine Liebeskrankheit sucht. Sie sitzt zeitlos in ihrem Tempel und weist dem durch Chiron herbeigeführten Faust, der Helena in die Oberwelt zurückholen will, wie einst dem Orpheus den Weg zu Persephone in die Unterwelt (*Faust II*, v. 7471–94).

Mantua. Seine Eindrücke aus der Residenz der Gonzaga bleibt G. der Nachwelt schuldig. Am 27./28.5.1790 verbrachte er auf dem Rückweg von Venedig mit Anna Amalia und Meyer »zwei schöne Tage« (an Knebel 31.5.1790) in Mantua. Zwar erwähnt er die »in-

teressante Bekanntschaft mit den Mantuanischen Kunstwerken«
(Schema zu *Dichtung und Wahrheit* vom 31. 5. 1810) und das »Übermaß dortiger Kunstschätze« (*Tag- und Jahreshefte* 1790), stellt Cotta
für die *Propyläen* am 27. 5. 1798 einen Aufsatz »Mantua und der
Palazzo del Tè« in Aussicht und verfolgt Meyers Arbeit über die
dortigen Fresken →Giulio Romanos; zur Ausführung indessen gelangt nichts.

Manzoni, Alessandro (1785–1873). »Einen wahrhaften, klar auf-
fassenden, innig durchdringenden, menschlich fühlenden, gemüt-
lichen Dichter« (*Tag- und Jahreshefte* 1820) und »klassisch« nennt G.
den italienischen Romantiker, mit dessen Werk er sich seit 1820
kontinuierlich und intensiv beschäftigte und dessen Wirkung und
Weltruhm er begründen half. Schon der Aufsatz *Klassiker und Romantiker in Italien* (1820) wies lobend auf Manzonis *Inni sacri* (1810)
hin. Von Carl August erhielt G. am 12. 1. 1822 die noch ungedruckte Ode auf den Tod Napoleons *Il cinque Maggio (Der 5. Mai)*
und übersetzte sie sogleich am 14./15. 1. 1822. Am 30. 3. 1820 las
G. das Drama *Il conte di Carmagnola* (1820) und würdigte es am
13. 5.–21. 6. 1822 einer eingehenden, anerkennenden Besprechung
mit Übersetzungsprobe in *Über Kunst und Altertum* (1820–23 mit
Nachträgen). Von Manzonis Tragödie *Adelchi* (1822) erhielt er im
November 1821 ein Exemplar mit handschriftlicher Widmung, das
er am 8. 12. 1822 las und am 24. 12. 1822, ebenfalls mit Übersetzungsprobe, besprach. G. veranlaßte und förderte dessen deutsche
Übersetzung durch A. F. C. Streckfuß (1827). Aus den früheren Aufsätzen redigierte G. im Februar/März 1827 seine Einleitung *Teilnahme Goethes an Manzoni* für Frommanns italienische Ausgabe der
Opere poetiche (1827). Von Manzonis Hauptwerk, dem historischen
Roman *I promessi sposi* (*Die Verlobten*, 1825/26) erhielt G. im Juli
1827 ebenfalls ein Widmungsexemplar, las es im Juli/August 1827
(zu Eckermann 18. und 21. 7. 1827) und konnte schon im Okto-
ber/November 1827 nicht zuletzt dank seines Einsatzes für den
Dichter zwei deutsche Übersetzungen vergleichen. Manzonis Verehrung für G. bezeugt dessen Brief vom 23. 1. 1821, den G. für *Über
Kunst und Altertum* (IV,1, 1823) übersetzte und auch seiner Einleitung beifügte. Über die Besprechungen und zahlreichen Erwähnungen hinaus bekunden auch viele Briefe G.s seine Hochachtung
des »Freundes«, z. B. an G. Cattaneo 28. 3. 1820, an Knebel 14. 12.
1822, an A. F. C. Streckfuß 27. 1. und 14. 8. 1827 u. a. m.

H. H. Polt, G. und M., Diss. Wien 1924; J. F. Beaumont, M. and G., Italian Studies 2,
1939; B. Cestaro, G. e M., Padua 1940; E. Flori, M. e G., Mailand 1942; C. Curto, La
poesia del M. nel pensiero di G., Nuova Antologia 447, 1949; E. Rosenfeld, G. und M.,
LJb NF 1, 1960; H. Rüdiger, Ein Versuch im Dienste der Weltliteratur-Idee, in: Studi
in onore di L. Bianchi, Bologna 1960; H. Rüdiger, Teilnahme G.s an M., Arcadia 8,
1973, auch in ders., G. und Europa, 1990; R. Fertonani, G. e M., in: Letteratura e
filologia, hg. F. Cercignani, Mailand 1987; H. Blank, G. und M., 1988; G. und M., hg.
W. Ross 1989; Mailand und Weimar, hg. H. Blank 1992; S. de Angelis, Le implicazioni
estetiche del giudizio di G. su M., Colloquium Helveticum 24, 1996.

Mara, Gertrud Elisabeth, geb. Schmehling, 1773 verh. Mara (1749–1833). Der gefeierten, »höchst vollendeten Sängerin«, die 1766–71 in Leipzig, dann in Berlin und auf Konzertreisen wirkte, hatte schon 1767 der Leipziger Student G. tief beeindruckt »wütend applaudiert« (an Zelter 3. 2. 1831; vgl. *Leipziger Theater 1768, Für Freunde der Tonkunst*, 1824). Im Oktober 1778 und 1803 gastierte sie in Weimar und besuchte auf der Durchreise am 10. 11. 1821 auch G. Auf Bitten Hummels schrieb G. ihr am 17. 1. 1831 ein von diesem vertontes Festgedicht zum Geburtstag *An Madame Mara zum frohen Jahresfeste*, das die Jugenderinnerung an die Aufführung von Hasses Oratorium *Santa Elena al Calvario* wachruft.

Maratti, Carlo (1625–1713). Von dem »heiteren« römischen Maler des klassizistischen Hochbarock, den G. »schätzen und lieben« lernte und den er auch in der *Geschichte der Farbenlehre* erwähnt, sah G. am 2. 11. 1786 die »Anbetung der Hirten« (1657) in der Galerie des Quirinalpalasts und wohl auch »Maria mit dem Kinde« (1695/97) in der Galerie des Vatikan (*Italienische Reise* 3. 11. 1786).

Marc Aurel, eig. Marcus Aurelius Antoninus (121–180). Mit den *Selbstbetrachtungen* des römischen Kaisers (seit 161) und Stoikers, dessen Denkmal so beherrschend am Schluß der *Italienischen Reise* beschworen wird, mag G. von früh auf, spätestens seit 1780, vertraut gewesen sein; sie gaben ein Vorbild für die *Maximen und Reflexionen*.

Marcello, Benedetto (1686–1739). G. erwärmte sich im Februar 1788 unter Anleitung P. C. Kaysers für die Psalmenkompositionen des venezianischen Komponisten (*Estro poetico-armonico*, VIII 1724–26), schlug ihre Anschaffung für Weimar vor (*Italienische Reise* 1. 3. 1788) und bat noch am 3. 11. 1809 Bettina von Arnim um Abschriften »Marcellischer Kompositionen«.

Marco Polo →Polo, Marco

Maret, Hugues Bernard (1763–1839). Den französischen Journalisten und Politiker, Minister und Vertrauten Napoleons, 1809 Herzog von Bassano, lernte G. am 30. 9. 1808 bei der Freifrau Luise von Reck in Erfurt kennen. Er vermittelte möglicherweise die Unterredung mit Napoleon am 2. 10. 1808 und wohnte am 6./7. 10. 1808 bei G. in Weimar. G. dankt ihm am 14. 10. 1808 brieflich für das Kreuz der Ehrenlegion und notiert, daß Maret am 27. 12. 1812 wieder durch Weimar kam.

Margarete von Parma (1522–1586). Die Herzogin von Parma, Tochter Kaiser Karls V. und Halbschwester Philipps II., war nach dessen Abzug aus den Niederlanden 1559–67 Generalstatthalterin in den Niederlanden. Aus Empörung über die Gewaltakte des von

Philipp II. entsandten Herzogs von Alba und dessen Verhaftung
Egmonts legte sie 1567 die Regentschaft nieder und kehrte nach
Parma zurück. In G.s *Egmont* (I,III), der ihr eine »stille Neigung
einer Fürstin« zu Egmont unterstellt (*Dichtung und Wahrheit* IV,20),
ist sie zugleich höfische Kontrastfigur zum bürgerlichen Klärchen
und humanes Gegenbild zu Alba.

Margarethe (*Faust*) →Gretchen

Maria (von Berlichingen). Die fromme, herzensgute und unschuldige Schwester des Götz in *Götz von Berlichingen* verlobt sich mit
dem gefangenen Weislingen, wird jedoch von dem Freigelassenen
um Adelheids willen verlassen. Maria wird die Frau Franz von
Sickingens und bewegt den todkranken Weislingen, Götz' Todesurteil zu zerreißen. Daß das Motiv des verlassenen Mädchens und
der Treubruch Weislingens über den dramaturgischen Kontext hinaus nicht ganz ohne Bezug zur F. Brion-Episode stehen, wird von
G. selbst bestätigt (*Dichtung und Wahrheit* III,12; an Salzmann Oktober 1773).

Maria Feodorowna, Kaiserin von Rußland, geb. Sophie Dorothea
Augusta Luise, Prinzessin von Württemberg (1759–1828). Die
2. Gemahlin Pauls I. von Rußland und Mutter der Erbgroßherzogin Maria Paulowna von Sachsen-Weimar besuchte am
23. 11.–21. 12. 1818 ihre Tochter in Weimar. Neben zahlreichen anderen Festlichkeiten wurde G. um einen Maskenzug gebeten und
schrieb seinen letzten und bedeutendsten Festzug: *Festzug, dichterische Landeserzeugnisse, darauf aber Künste und Wissenschaften vorführend*,
der am 18. 12. 1818 von rd. 150 Mitgliedern der Hofgesellschaft im
Weimarer Schloß aufgeführt wurde und mit Gestalten aus den Werken Weimarer Dichter ein Ruhmeslied auf den Geist von Weimar
darstellt. G., der sich mehrfach mit der Kaiserin unterhielt, berichtet darüber u. a. an seine Freunde Klinger, Knebel und Zelter
(20. 12., 26. 12. 1818, 4. 1. 1819; *Tag- und Jahreshefte* 1818) und vergißt nie, das kaiserliche Geschenk einer »kostbaren Porträtdose« zu
erwähnen.

Mariage-Spiel. Das Gesellschaftsspiel, bei dem in einem Freundeskreis junger Leute Damen und Herren durch Los zu meist auf
eine Saison befristeten sog. Braut- oder Ehepaaren zusammengeführt wurden, förderte durch die zufällige Verbindung auch unver-
einbarer Gegensätze die geselligen Tugenden Anpassungsfähigkeit,
Duldsamkeit und Höflichkeit. Seit dem frühen 18. Jahrhundert in
Frankfurt beliebt, wurde es 1773/74 in G.s Freundeskreis durch
B. Crespel erfolgreich eingeführt. Auf Wunsch seiner dreimaligen
Partnerin Susanna Magdalena →Münch schrieb G. 1774 den →*Clavigo* (*Dichtung und Wahrheit* II,6; III,15).

C. Müller, Das M.-S., ZfdU 20, 1906.

Maria Kulm. Den nordböhmischen Wallfahrtsort zwischen Franzensbad und Karlsbad berührte G. regelmäßig auf seinen Reisen nach und von Karlsbad (1786, 1806–08, 1812, 1819–20) und wurde bei der Rast mehrfach Zeuge von Prozessionen.

Maria Laach. G. besichtigte die 1802 aufgehobene und damals verödete« romanische Benediktinerabtei in der Eifel am 28.7. 1815 auf der Rheinreise von Köln; in *Kunst und Altertum an Rhein und Main* schlägt er vor, die restlichen Kunstschätze der Abtei nach Koblenz zu retten.

Maria (Louise Alexandrine), Prinzessin von Sachsen-Weimar-Eisenach (1808–1877). Der Tochter Herzog Carl Friedrichs und Enkelin Carl Augusts war G. sehr zugetan. Für eine Aufführung von *Paläophron und Neoterpe* an ihrem Geburtstag am 3.2.1819 schrieb er einen neuen Schluß, zum 12. Geburtstag am 3.2.1820 das Gedicht »Sanftes Bild ...« zu einer Abbildung von Raffaels »La belle jardinière« und im Juni 1827 zu ihrem Bildnis den Vierzeiler »Lieblich und zierlich ...«. Sie heiratete 1827 Prinz Friedrich Karl Alexander von Preußen.

Maria Louise Augusta →Augusta, Prinzessin von Sachsen-Weimar-Eisenach

Maria Ludovica, Kaiserin von Österreich, geb. Erzherzogin von Österreich-Este (1787–1816). Der kränkelnden dritten Gemahlin (seit 1808) Kaiser Franz' I. begegnete G. am 6.–22.6.1810 in Karlsbad, war dort öfter in ihrer Gesellschaft, unterhielt sich mit ihr und schrieb auf Bitten der Stadt am 2.–24.6. die Festgedichte *Der Kaiserin Ankunft, Der Kaiserin Becher, Der Kaiserin Platz* und *Der Kaiserin Abschied*, die er im Juli 1810 auf eigene Kosten drucken ließ. Als Geschenk der Kaiserin erhielt er im Februar 1811 eine goldene Dose. Am 7.6.1812 schrieb G. auf ihre erwartete Ankunft in Karlsbad das Festgedicht *Ihro der Kaiserin von Österreich Majestät*. Nachdem sie jedoch gleich nach Teplitz ging, folgte er am 15.7.–10.8. 1812 ihrer Einladung dorthin, las ihr auf ihren Wunsch fast täglich aus eigenen Werken vor, bearbeitete am 29./30.7.1812 auf ihre Veranlassung ihr kleines Lustspiel →*Die Wette* für die Bühne (»ein klein wenig zurecht gerückt«) und schrieb zu dessen (wegen seiner Krankheit unterbliebener) Aufführung oder zu einer Liebhaberaufführung des *Tasso* die Huldigungsverse der *Eleonore* (»Wenn's jemand ziemt ...«). In G.s tiefe Verehrung der hochgeschätzten Kaiserin, deren Anmut, Heiterkeit, Bildung und Geist er wiederholt preist (*Tag- und Jahreshefte* 1810 und 1812; zu Knebel 2.10.1810; an Christiane 19.7.1812, an Reinhard 13.8.1812), mag über die höfische Devotion und den Kult der Hochgestellten hinaus eine mehr persönliche Zuneigung eingeflossen sein, die verhüllt im Gedicht

Geheimstes des *West-östlichen Divan* und im Schmerz über ihren frühen Tod (*Tag- und Jahreshefte* 1816) zum Ausdruck kommt.

E. Guglia, G. und die Kaiserin M. L., ChWGV 8, 1893; H. Siebenschein, G. und M. L., WZ Jena 7, 1957 f.

Mariane. Die junge Schauspielerin in *Wilhelm Meisters Lehrjahre* und schon in *Wilhelm Meisters theatralische Sendung* wird auf Zureden ihrer Dienerin Barbara die ausgehaltene Geliebte des reichen Kaufmanns Norberg und in dessen Abwesenheit aus echter Zuneigung die Geliebte Wilhelm Meisters, dessen Theaterbegeisterung sie fördert. Als Wilhelm, der schon Heiratspläne faßt, sie zufällig auf einer vermeintlichen Untreue ertappt, bricht er enttäuscht die Beziehungen abrupt ab (I, 17), verweigert die Annahme ihrer Briefe und verliert sie zwar aus den Augen, aber nicht aus dem Sinn. Mariane stirbt kurz nach der Geburt seines Sohnes →Felix, von dessen Existenz Wilhelm erst Jahre später erfährt (VII, 8).

Marianne. Die weibliche Hauptfigur in *Die Geschwister,* die Tochter von Wilhelms verstorbener Geliebten, wird von diesem als seine angebliche Schwester aufgezogen. Erst ein Bewerber um ihre Hand führt zur Enthüllung der wahren Verhältnisse und überführt die vermeintliche Geschwisterliebe in wahre Liebe.

Marianus. »Doctor Marianus« war ein Ehrentitel der großen mittelalterlichen Kirchenlehrer und Marienverehrer Anselm von Canterbury, Duns Scotus und Bernhard von Clairvaux. G. erkundigte sich am 18. 12. 1830 beim Jenaer Bibliothekar C. E. F. Weller nach Einzelheiten, doch ist die Antwort unbekannt, und der über den Patres stehende Marienverehrer, der im *Faust* (v. 11989 ff. 12096 ff.) Reue predigt und Gnade erfleht, wird nicht näher identifiziert.

O. v. d. Pfordten, Der Doktor M. in G.s Faust, Euph 18, 1911; F. Rackow, Doctor M. im Faust, Dichtung und Volkstum 44, 1944.

Maria Paulowna, Erbgroßherzogin, 1828–53 Großherzogin von Sachsen-Weimar-Eisenach, geb. Großfürstin von Rußland (1786-1859). Die Tochter des Zaren Paul I. und der →Maria Feodorowna aus dem Hause Württemberg, Enkelin Katharinas der Großen und Schwester der Zaren Alexander und Nikolaus, heiratete am 3. 8. 1804 in Petersburg den Erbprinzen Carl Friedrich von Sachsen-Weimar-Eisenach und brachte damit dem Herzogtum neben einer kostbaren Aussteuer ansehnliche Geldmittel und hohes politisches Prestige ein. Zu ihrem prunkvollen Einzug in Weimar am 9. 11. 1804 schrieb Schiller die am 12. 11. aufgeführte *Huldigung der Künste* (vgl. G.s *Epilog zu Schillers Glocke*). G. verehrte die schöne, geistvolle, belesene, musikalisch und zeichnerisch begabte »Kaiserliche Hoheit« als »ein Wunder von Anmut und Artigkeit« (an M. von

Eybenberg 26. 4. 1805). Sie nahm lebhaften Anteil an G.s Schaffen, an den Aktivitäten der Weimarischen Kunstfreunde, förderte besonders das Weimarer Musikleben und den Ruf Weimars als Musenhof, widmete sich aber auch sozialer Fürsorge für Frauen, Kinder und Kranke. G. scherzte gern mit ihren beiden Töchtern →Maria und →Augusta; der von ihr engagierte Erzieher des Prinzen Carl Alexander, F. Soret, gehörte seit 1822 zu seinem Freundeskreis. Als G. im Alter nicht mehr zu Hofe ging, besuchte Maria Paulowna ihn jeden Donnerstagvormittag, zuletzt am 15. 3. 1832. G. dedizierte ihr nur wenige Huldigungs- und Gelegenheitsgedichte (»Wer Marmor hier …«, 1812; »Die Blumen, in den Wintertagen …«, 1812; »Zu würdiger Umgebung …«, 1813; »Erleuchtet außen …«, 1824), widmete ihr aber seine Hackert-Biographie (1811) und schrieb auf ihre Bitte 1818 den Maskenzug für →Maria Feodorowna.

L. Preller, Ein fürstliches Leben, 1859.

Marie Antoinette, Königin von Frankreich, geb. Erzherzogin von Österreich (1755–1793). Die Tochter Kaiser Franz' I. und Maria Theresias, 1770 Gemahlin Ludwigs XVI. von Frankreich und 1774 Königin, sah G. am 7. 5. 1770 bei ihrer Ankunft in Straßburg auf dem Wege nach Paris. Ein französisches Gedicht G.s, das ihren Einzug mit dem Jesu in Jerusalem vergleicht, ist nicht erhalten. Von den Vorbereitungen zu ihrem Empfang faszinierten G. besonders die Gobelins im Lusthaus nach den Vorlagen Raffaels von 1515/16, die sein Interesse von der niederländischen auf die italienische Malerei lenkten (*Dichtung und Wahrheit* II,9). Ihr späteres Unglück verfolgt G. in der *Campagne in Frankreich*. Vgl. →Halsbandaffäre.

Marie de France (um 1130–um 1200). Die Lais und Fabeln der altfranzösischen Dichterin las G. am 12. 6. 1820.

Marie Louise, Kaiserin von Frankreich, geb. Erzherzogin von Österreich (1791–1847). Auf die Ankunft der Gattin (seit 1810) Napoleons mit ihrem Vater Kaiser Franz I. in Karlsbad am 2. 7. 1812 verfaßte G. »im Namen der Bürgerschaft von Karlsbad« am 8./9. 6. 1812 ein höfisch-rhetorisches Begrüßungsgedicht *Ihro der Kaiserin von Frankreich Majestät*, das zugleich die Hoffnung auf Erhaltung des Friedens zum Ausdruck bringt.

Marienbad. Den jüngsten, 1818 eröffneten und rasch aufstrebenden nordböhmischen Kurort, der nach hektischem Bauboom bald Adel, Diplomaten und gehobenes Bürgertum anzog, sah G. zum erstenmal von Eger aus am 27./28. 4. 1820 und wählte ihn infolge seiner günstigen Eindrücke (an Zelter 2. 5. 1820, an Carl August 27. 5. 1820) für seine Kuraufenthalte der nächsten drei Jahre, zumal sein geologisches Interesse an der Karlsbader Gegend erschöpft war. Am 29. 7.–25. 8. 1821 wohnte er neben A. von →Levetzow und ihren drei Töchtern Ulrike, Amalia und Bertha im Hause von deren Vater von Brösigke (bzw. Graf Klebelsberg), trieb geologische und meteorologische Studien und verkehrte mit J. St. Zauper, dem Arzt C. J. Heidler, C. Jagemann, Fürst Maximilian von Thurn und Taxis, Großfürst Michael von Rußland u. a. Beim zweiten Aufenthalt im gleichen Quartier am 19. 6.–24. 7. 1822 entfaltete sich seine Neigung zu Ulrike von →Levetzow; daneben pflegte er Umgang mit österreichischen, deutschen und russischen Diplomaten und Militärs (Fürst Khevenhüller, Fürst Labanoff, Graf Yermaloff, Graf Luxburg, Barclay de Tolly u. a.), vorwiegend aber mit dem Botaniker Graf Caspar von Sternberg, dem Geologen Freiherr C. L. von Buch, dem Chemiker Freiherr J. J. von Berzelius und Grüner. Beim dritten Aufenthalt am 2. 7.–20. 8. 1823 wohnte G. in der »Goldenen Traube«, sammelte meteorologische Beobachtungen, verkehrte mit Carl August, dem Herzog von Leuchtenberg, Louis Bonaparte, Caroline von Humboldt und M. Szymanowska, vor allem aber bei gemeinsamen Mahlzeiten, Spaziergängen und Bällen mit der jungen Ulrike von Levetzow, seiner letzten großen Leidenschaft, um die Carl August für ihn – allerdings vergeblich – warb und der er sechs kleine Gedichte widmete. Das Erlebnis findet literarisch seinen Höhepunkt in der nach der Abreise am 5.–19. 9. 1823 entstandenen sog. →Marienbader *Elegie*, Mittelstück der →*Trilogie der Leidenschaft*. Mit der Geologie Marienbads beschäftigt sich G.s Aufsatz *Marienbad überhaupt und besonders in Rücksicht auf Geologie* (1821/22).

F. Fischl, G. in M., 1904; M. Urban, G. in M., 1912; B. Brandl, G.s erster Kuraufenthalt in M., 1921; Aus G.s Marienbader Tagen, 1932; J. Urzidil, G. in Böhmen, 1962.

Marienbader Elegie. G.s bedeutendstes und bedrückendstes Altersgedicht, von ihm nur *Elegie* überschrieben, entstand nach dem letzten Abschied von Ulrike von →Levetzow auf der Rückfahrt von Karlsbad nach Weimar am 5.–19. 9. 1823. In Weimar ließ G. seine Reinschrift kostbar einbinden und zeigte sie nur wenigen Auserlesenen: Eckermann, Humboldt und Zelter, der sie ihm im Dezember 1823 am Krankenbett mehrmals vorlas. 1827 erschien die *Elegie*, durch Einbettung neutralisiert, als beherrschendes Mittelstück der →*Trilogie der Leidenschaft*. Elegie nicht der Form (Stanzen), sondern der Stimmung nach und in der strengen Stilisierung ohne Hinweis auf Ort, Zeit, Personen und deren Alter, ist sie scheints allgemeine Liebesklage und dennoch fast spontan aus dem konkreten Erlebnis der Leidenschaft des 74jährigen Dichters zur 19jährigen Ulrike und dem Schmerz der Trennung von ihr hervorgegangen und spiegelt die Seelenzustände der Erinnerung an die Geliebte, der Sehnsucht, Wehmut, Klage und Trauer ohne Auflehnung, wechselnd zwischen Verzweiflung und Weltfülle, bis zu Ratlosigkeit und Selbstverlust.

Ch. du Bos, Der Weg zu G., 1949; G. Bianquis, L'élégie de M., in dies., Etudes sur G., Paris 1951; H. Leisegang, Die M. E., in: Beiträge zur Einheit von Bildung und Spra-

che, hg. G. Haselbach 1957; V. Nollendorfs, G's Elegie, GR 40, 1965; E. Heller, Die
M. E., in ders., Essays über G., 1970; J. W. G., Elegie von Marienbad, hg. Ch. Michel
1983; W. Kraft, Zur M. E., in ders., G., 1986; M. Mayer, Dichten zwischen Paradies und
Hölle, ZDP 105, 1986; →Trilogie der Leidenschaft.

Marienborn bei Mainz. In Marienborn befand sich das Hauptquartier der preußischen Belagerungsarmee von Mainz, in dem G.
auf Wunsch Carl Augusts am 28. 5. 1793 eintraf und bis 25. 7. 1793
in seiner Nähe blieb (→*Belagerung von Mainz*).

Marienborn in der Wetterau. Am 21./22. 9. 1769 besuchte G.
unter dem pietistischen Einfluß S. C. von Klettenbergs auf einem
Ausflug mit dem befreundeten Legationsrat J. F. Moritz die Herrnhuter Brüdergemeine in Marienborn, wohnte einer Synode bei
und fühlte sich vom dortigen Kreis zeitweilig angezogen (*Dichtung
und Wahrheit* III,15). Mitglieder der Brüdergemeine besuchten ihn
im Januar 1772 in Frankfurt.

Marino. Den Ort in den Albaner Bergen besuchte G. am 15. 12.
1787 und wohl noch öfter von Rom aus.

Marionettentheater. Das Marionetten- (nicht Handpuppen-)
Theater, das G. zu Weihnachten 1753 von der Großmutter G. erhielt (*Dichtung und Wahrheit* I,1; Reste im Goethehaus Frankfurt),
regte ihn später, um 1765, zur Erfindung eigener Spiele nach biblischen Stoffen für das Puppentheater an (ebd. I,2). Mit stark autobiographischen Anklängen lebt das Motiv in *Wilhelm Meisters
theatralischer Sendung* (I,1–2) und *Wilhelm Meisters Lehrjahre* (I, 2–6)
fort und wurde inzwischen fast zum Standardmotiv des Bildungsromans (z. B. Th. Manns *Buddenbrooks*). Auch sein Sohn August erhielt Weihnachten 1800 von G. ein Puppenspiel. Einer Aufführung
des Straßburger Marionettentheaters von 1770 verdankt G. möglicherweise seine Kenntnis des Faust-Puppenspiels.

W. Röhler, Das Puppentheater im Weimarer G.haus, Goethe 3, 1938.

Mariotte, Edme (um 1620–1684). Mit dem *Traité de la nature des
couleurs* (1686) des französischen Physikers, Priors des Klosters
St. Martin-sous-Beaune bei Dijon, befaßte sich G. im Juli und
November 1809. Die *Geschichte der Farbenlehre* widmet ihm ein
ausführliches Kapitel.

Marivaux, Pierre Carlet de Chamblain de (1688–1763). Mit den
geistreich psychologisierenden Liebes- und Intrigenkomödien des
französischen Dramatikers und Romanciers wurde der junge G. im
französischen Theater in Frankfurt 1759–62 bekannt (*Dichtung und
Wahrheit* I,3). Mit seinen Memoiren befaßte sich G. im Januar 1805
im Zusammenhang mit seiner Übersetzung von Diderots *Rameaus*

Neffe; in den Anmerkungen dazu kommentiert G. die Unfähigkeit Marivaux', sich mit dem eigenen Überlebtsein durch den Wandel der Moden abzufinden.

Marktredwitz →Redwitz

Marlborough. Das halb italienische, halb französische Spottlied auf einen Kreuzritter »Marlborough s'en va-t-en guerre« wurde als Volkslied auf den englischen Feldherrn im Spanischen Erbfolge-krieg John Churchill, Duke of Marlborough (1650–1722), bezogen und war um 1785 als Schlager in ganz Europa verbreitet. 1784 zeichnet das *Tiefurter Journal* es auf. G. begegnete ihm überall in Italien (*Italienische Reise* 17. 9. 1786; *Über Italien II: Volksgesang,* 1789) und benutzt es in der 2. *Römischen Elegie.*

Marlowe, Christopher →Fauststoff

Marmontel, Jean François (1723–1799). Von dem französischen Dichter und Kritiker zitiert G. im Brief an Cornelia vom 15. 5. 1767 den *Epître aux poètes* (1761). Um 1774 sah er in Frankfurt und am 11. 5. 1778 in Leipzig Grétrys Märchenoper *Zémire et Azor* (1771) nach dem Libretto von Marmontel (*Dichtung und Wahrheit* IV,17), und im Januar 1805 las er im Zusammenhang mit der Über-setzung von Diderots *Rameaus Neffe* Marmontels Memoiren (»sehr angenehm unterhalten«, an Schiller 14. 1. 1805).

B. Barnes, G's knowledge of French literature, Oxford 1937.

Maron, Anton von (1733–1808). Den klassizistischen Wiener Porträtmaler (»Winckelmann«, 1768), 1756–65 und seit 1773 in Rom, und seine Frau, die Malerin Therese Concordia Mengs (1725–1808), Schwester seines Lehrers A. R. Mengs, lernte G. im Oktober 1787 bei gemeinsamem Aufenthalt in Castel Gandolfo kennen (*Italienische Reise* 8. 10. 1787).

Marot, Clément (1496–1544). Den französischen Lyriker und Sa-tiriker schätzte G. seit der Straßburger Zeit so sehr, daß er später seine Sprache und seinen Stil als Vorbild einer französischen *Faust*-Übersetzung empfahl (zu Soret 13. 4. 1823; zu V. Cousin 28. 4. 1825).

Marsen →Psyllen

Marthe, Frau Marthe Schwerdtlein. Die von G. erfundene, bereits im *Urfaust* angelegte Figur von Gretchens Nachbarin im *Faust* (v. 2865 ff., 3149 ff.) dient in der Handlung zur Herstellung einer Beziehung von Faust und Gretchen: Da ihr Mann aus dem Ausland nicht heimgekehrt ist, bezeugt Mephisto seinen Tod mit den warm-

herzigen Worten »Ihr Mann ist tot und läßt Sie grüßen« (v. 2916)
und bringt als erforderlichen zweiten Zeugen Faust mit. In der Figurenkonstellation ist die schwatzhafte und neugierige Vertraute
Gretchens gewissermaßen deren Mephisto und zerstreut alle ihre
moralischen Bedenken und Hemmungen. In der Gartenszene bilden sie und Mephisto parodistische Kontrastfiguren zum gefühlvol-
len Paar Faust/Gretchen und eine Umkehrung von deren Konstellation insofern, als beim mephistophelischen Paar die Frau die
Initiative ergreift.

H. Röllecke, Frau M., JFDH 1997.

Martial, Marcus Valerius (um 38/41–um 102/03). Der römische
Dichter scharf pointierter, spottender Distichen wurde zumal mit
seinen *Xenia* (»Gastgeschenken«) zum Vorbild der europäischen
Epigrammdichtung. G. nahm ihn schon in den *Venetianischen Epigrammen* (1795) zum Vorbild und schlug seine *Xenia* im Brief an
Schiller vom 23. 12. 1795 als Muster für die Generalabrechnung der
gemeinsamen →*Xenien* vor. Vgl. Xenion 364 *Martial* und Xenion
aus dem Nachlaß 4 *Unser Vorgänger.*

Martigny. Den Ort an der Rhône im Wallis erreichten G. und Carl
August auf der 2. Schweizer Reise am 6. 11. 1779 zu Fuß von Chamonix aus. Sie übernachteten im Wirtshaus, gingen am 7. 11. talab
nach St. Maurice, die dort wartenden Pferde abzuholen, übernachteten wieder in Martigny und ritten am 8. 11. talauf nach Sion
weiter.

Martin. Die Nebenfigur im *Götz von Berlichingen* (I: »Herberge im
Wald«) Klosterbruder Martin (Klostername: Augustin) aus dem
Kloster Erfurt (1. Fassung: Weißenfels), der unter den Gelübden leidet, spielt in der Namengebung auf Martin Luther an, auf den sich
die aufständischen Bauern beriefen, ist jedoch nicht mit ihm
gleichzusetzen. Seine Verehrung für Götz spiegelt dessen Ansehen
in der Umwelt.

V. Valentin, Bruder M. in G.s Götz und M. Luther, Berichte des Freien Deutschen
Hochstifts NF 11, 1895.

Martius, Carl Friedrich Philipp von (1794–1868). Der Münchner
Botaniker und Ethnograph, 1817–20 Forschungsreisender in Brasilien, 1820 Professor der Botanik in München und wesentlich von
G.s *Metamorphose der Pflanzen* beeinflußt, hatte schon im April 1823
mit Nees von Esenbeck eine 1817 von Maximilian Prinz von Neuwied entdeckte brasilianische Malvenart »Goethea« benannt. Er
korrespondierte Oktober 1823 – Dezember 1829 mit G. über botanische Fragen und besuchte ihn in Weimar am 13. 9. 1824 (Gespräch über Brasilien und Palmen) und wieder von Berlin aus
am 4.–6. 10. 1828 zu einem Gedankenaustausch über die →Spiral-

tendenz der Pflanzen und schenkte ihm zum Geburtstag 1829 sein
Demonstrationsmodell. G. beschäftigte sich im Anschluß an das Gespräch und besonders seit 13.10.1829 intensiver mit der Spiraltendenz und schrieb 1830/31 Bruchstücke und Materialien zu
einem Aufsatz *Über die Spiraltendenz der Vegetation* nieder. Er brachte
auch Martius' Publikationen starkes Interesse entgegen, besonders
der *Reise in Brasilien* (III 1823–31) und seinem Prachtwerk *Genera
et species palmarum* (1823–50), das er zweimal besprach.

G. und M., hg. A. v. Martius 1932; Brasilianische Reise 1817–1820, Katalog München 1996.

Masaccio, eig. Tommaso di Ser Giovanni di Simone Guidi (1401–
1428). Den Florentiner Maler und Begründer der italienischen Renaissancemalerei nennt G. »groß und einzig in seiner Zeit« (Anhang
zu *Cellini*), doch ist fragwürdig, ob er Originale Masaccios wie die
Fresken in der Cappella Brancacci (1424–26) der Kirche Santa
Maria del Carmine in Florenz gesehen hat (an Meyer 1.8.1796).
Die *Italienische Reise* erwähnt ihn nicht.

Maskenzüge. Als leichtgewichtige dramatische Auftrags- und Gelegenheitsdichtungen für Weimarer Hoffeste, Redoutenfeste zum
Geburtstag Anna Amalias und besonders zu den Geburtstagen der
Herzoginnen Louise (30.1.) und Maria Paulowna (16.2.) komponierte der Weimarer »Hofdichter« G. nach Vorbild der antiken und
italienischen Renaissance-Triumphzüge (Mantegna) und des römischen Karnevals Kostüm- und Festzüge mit allegorisch-symbo-
lischen und fabelhaften Rahmenthemen aus Mythologie und Geschichte, die Wort, Schau, Pantomime, Musik und Ballett zu einem
Gesamtkunstwerk vereinigten und unter seiner Regie von der Hofgesellschaft und Bürgern als kostümierten Festteilnehmern aufgeführt wurden. Sie sollten die pantomimischen Einlagen der »Maskenbälle«, welche gar bald in ein wildes, geistloses Wesen ausarten,
durch dichterische Darstellungen veredeln« (an W. Gerhard 27.2.
1815) und in der Feier gemeinsamen Kulturbesitzes eine geist-
reichere Unterhaltung bieten. In den nur z. T. erhaltenen Szenarien
und gesprochenen und gesungenen Texten, die kaum einen adäquaten Eindruck von den Aufführungen geben, sind nicht alle Anspielungen heute noch verständlich. Zwar klagt G. über die lästige
Pflicht und nennt die Maskenzüge anfangs »Aufzüge der Torheit«
»im Dienste der Eitelkeit« (an Lavater 18.2.1781) und spottet, er
hoffe »mit der größten Pfuscherei in dem gedankenleersten Raum
die zerstreuten Menschen zu einer Art von Nachdenken zu nötigen« (an Schiller 26.1.1798), doch behandelte er die Aufträge als
Künstler und bietet selbst im »Mummenschanz« am Kaiserhof
des *Faust II* (v. 5065 ff.) ein Beispiel dichterischer Veredelung des
Genres.

Die wichtigsten Maskenspiele G.s (mit Aufführungsdaten)

waren: 2. 2. 1781 *Ein Zug Lappländer*; 16. 2. 1781 *Aufzug des Winters*; 0. 1. 1782 *Pantomimisches Ballett (Der Geist der Jugend ?)*; 1. 2. 1782 *Die weiblichen Tugenden*; 12. 2. 1782 *Aufzug der vier Weltalter*; 30. 1. 784 *Planetentanz*; 26. 1. 1798 *Maskenzug zum 30. Januar 1798* zum rieden von Campoformio; 30. 1. 1802 *Maskenzug zum 30. Januar 802 (Aufzug der Dichtarten)*; 2. 2. 1810 *Die romantische Poesie* mit Gestalten der mittelalterlichen Dichtung; 16. 2. 1810 *Maskenzug russischer Nationen* und *Quadrille italienischer Tänzer und Tänzerinnen* zum Geburtstag Maria Paulownas und, als G.s letzter und bedeutendster Maskenzug, am 18. 12. 1818 *Festzug, dichterische Landeszeugnisse, darauf aber Künste und Wissenschaften vorführend* für die Zarin Maria Feodorowna. Zu anderen Maskenzügen (1796, 1806, 809) steuerte G. einzelne Strophen, Lieder oder Huldigungsedichte für die Herzogin bei.

H. Düntzer, G.s M., 1886; L. Geiger, Zu den Weimarer M. 1809 und 1810, GJb 24, 903; W. Hecht, G.s M., in: Studien zur Goethezeit, hg. H. Holtzhauer 1968; E. M. Oppenheimer, A midwinter night's dream, CGP 1, 1973; K. Seiffert, Entwicklung von G.s unstauffassung an Hand der Festspiele und M., 1973; Ch. Siegrist, Dramatische Gegenheitsdichtungen, in: G.s Dramen, hg. W. Hinderer 1980.

Massenbach, Christian Carl August Ludwig von (1758–1827). Der preußische Offizier und Historiker nahm als Major 1792 am Frankreichfeldzug teil; G. benutzte seine *Memoiren* (1809), in denen er ähnlich wie G. den Tag von →Valmy zum »wichtigsten Tag des Jahrhunderts« erklärt, für die *Campagne in Frankreich*. G. sah ihn als Oberst und Oberquartiermeister des Fürsten Hohenlohe im Oktober 1806 in Jena wieder und konnte ihm auf Bitten der Jenaer Bürger den Druck eines von ihm verfaßten Manifests gegen Napoleon kurz vor der entscheidenden Schlacht von Jena und Auerstedt ausreden (*Tag- und Jahreshefte* 1806).

Massys, Quentin (1466–1530). Ob G. Originale des von ihm mehrfach erwähnten führenden Antwerpener Malers der flämischen Frührenaissance gesehen hat, ist fraglich; der »Geldwechsler« der Dresdner Galerie ist eine Werkstattarbeit, und der Flügelaltar aus St. Columba in Köln in der Sammlung Boisserée gilt heute als Werk des Kölner »Meisters der Heiligen Sippe«.

Material der bildenden Kunst. G.s kurze Miszelle im *Teutschen Merkur* (Oktober 1788) betont die Materialbedingtheit der Kunstformen und sieht künstlerische Meisterschaft in der Beschränkung auf die im Material gegebenen Anforderungen und Möglichkeiten und deren Ausschöpfung.

Materialien zur Geschichte der Farbenlehre →Farbenlehre

Mathematik. Als Künstlernatur und Augenmensch entwickelte G. eine begreifliche Abneigung gegen die Mathematik und ging allen

mathematischen Zweigen der Naturwissenschaften (z. B. in Optik
und Physik) gern aus dem Weg. Bei aller Anerkennung ihrer Verdienste macht er ihr Trockenheit, Unanschaulichkeit, bloße Exakt-
heit bei Lebensferne und Fremdheit gegenüber dem Sittlichen zum
Vorwurf (*Maximen und Reflexionen* 605–09, 1279–86, 1388–93)
verwahrt sich gegen ihren anmaßenden Ausschließlichkeitsanspruch auf Wahrheit und tadelt ihre Unerheblichkeit gegenüber
den eigentlichen Lebensfragen (an Zelter 28. 2. 1811, 17. 5. 1829
zu F. von Müller 18. 6. 1826, zu Eckermann 20. 12. 1826). Sein gebrochenes Verhältnis zur Mathematik bekundet sich besonders im
Aufsatz *Über Mathematik und deren Mißbrauch* (1826).

P. Epstein, G. und die M., JGG 10, 1924; W. Lorey, G.s Stellung zur M., in: G. als
Seher und Erforscher der Natur, hg. J. Walther 1930; M. Dyck, G's views on pure m.
GR 31, 1956; M. Dyck, G.s Verhältnis zur M., Goethe 23, 1961; J. Neubauer, Die Ab-
straktion, vor der wir uns fürchten, in: Versuche zu G., hg. V. Dürr 1976; D. Laugwitz
M. um G., in: J. W. G., hg. H. Böhme 1984.

Matthisson, Friedrich (ab 1809) von (1761–1831). Der epigonale
empfindsame Lyriker, 1781–83 Lehrer am Philanthropinum Dessau, dann in Hofstellungen in Dessau, 1811 Stuttgart, 1824 Wörlitz
war seit dem *Werther* ein großer Verehrer G.s, der seinerseits der
Menschen wohl höher schätzte als sein Werk und in seinem Gedicht *Hexenfund* Anklänge an den *Zauberlehrling* fand. Matthisson
sah G. zuerst am 24. 9. 1781 bei einem Volksfest bei Dessau, lernte
ihn auf einem Kinderfest in G.s Garten im April 1783 persönlich
kennen und besuchte ihn häufig in Weimar (Sommer 1799, 22. 4.
1815, 15. 5. 1824, 26. 3. 1826, 15. 6. und 27./28. 7. 1827, 21./22. 9.
und 7. 10. 1829). Auch mit Schiller befreundet, der seine Gedichte
rezensierte, lieferte er Beiträge zu dessen *Musenalmanach*. →Ueltzen
H. W. F.

D. Jacoby, G.s und Schillers Verhältnis zu M., GJb 28, 1907.

Maturin, Charles Robert (1780–1824). Von dem englischen
Schauerromantiker (*Melmoth the wanderer*, 1820) las G. am 24. 3.
1817 die Tragödie *Bertram or the castle of St. Aldobrand* (1816). Anhand der ihm im Mai 1817 übersandten handschriftlichen Prosaübersetzung von C. Iken versuchte er am 13.–20. 6. 1817 als Stil-
probe die Versübersetzung einiger Szenen und schrieb eine kurze
Einführung, die wohl für *Über Kunst und Altertum* vorgesehen war
sich aber erst im Nachlaß fand.

Maxe →La Roche, Maximiliane von

Maximen und Reflexionen. G.s Lebenswerk der Weltweisheit ist
zwar dem Text, nicht aber der Anordnung und dem Titel nach sein
Werk. Zwar zeigt er schon relativ früh die Tendenz, Erfahrungen
Betrachtungen und Ergebnisse seines Denkens und Tuns in knapper Formulierung festzuhalten, aber erst im Alterswerk nach 1800
gewinnt das gedankliche Element in seiner Prosa zunehmend a

Bedeutung und neigen auch einige Romanfiguren zu maximen-artigen Wendungen. Daneben entstanden als Nebenprodukte seines Denkens aus unmittelbarer Augenblickseingebung in Briefen, Tage-büchern, Aufsätzen, Gesprächen und Lesefrüchten reflektierende, verallgemeinernde Aphorismen in konzentrierter sprachlicher Zu-spitzung, die Resultate seines Daseins, Lebensweisheiten, Einsichten und Erkenntnisse in Form von Aperçus, Notizen, Anmerkungen, Betrachtungen, Kommentaren, Gleichnissen oder erweiterten und fortgeführten Zitaten zusammenfassen. Oft in sprachlich spröder und umständlicher Form des Altersstils und ohne den literarischen Schliff geistreicher Aphorismen, eleganter Sentenzen oder witziger Pointen etwa der französischen Moralisten oder Lichtenbergs um-kreisen sie Themen wie Mensch und Welt, Denken und Tun, Ge-sellschaft und Geschichte, Kunst und Literatur, Religion und Natur, die Wissenschaften u.a.m. Sie wurden nicht als zusammen-hängendes Werk oder systematisches Gedankengebäude kompo-niert, sondern teils auf beliebige Zettel hingeworfen, so daß ihre Einheit in der Persönlichkeit und Weltsicht des Autors liegt, die sie, als Ganzes genommen, in Analogien und Antithesen, wechsel-seitigen Bezügen und Ergänzungen spiegeln. Von den über 1400 Stücken solcher Spruchprosa veröffentlichte G. zu Lebzeiten nur etwa 800, zuerst in »Ottiliens Tagebuch« in den *Wahlverwandtschaften* (1809), dann in den Aphorismen des 2. Teils der *Farbenlehre* (1810) und kleinere Gruppen in *Über Kunst und Altertum* (1818–27), den *Heften zur Morphologie* und den *Heften zur Naturwissenschaft über-haupt* (1822–23). Umfangrücksichten veranlaßten G. dazu, weitere Zusammenstellungen von Sprüchen durch Eckermann am Ende des 2. und 3. Buches der 2. Fassung von *Wilhelm Meisters Wanderjahre* (1829) unter den Überschriften *Betrachtungen im Sinne der Wanderer* bzw. *Aus Makariens Archiv* einzuschalten, die Eckermann wohl in-folge Mißverständnisses bei späteren Ausgaben wieder entfernte, obwohl sie (wie auch »Ottiliens Tagebuch«) integrierender Be-standteil des Romans sind und aus dem gleichen Gedankenkreis wie dieser stammen. Aus diesen und den restlichen Nachlaßzetteln stellten Eckermann und Riemer auf G.s Wunsch als Gegenstück zu den »Sprüchen in Reimen« in loser Gruppierung die »Sprüche in Prosa« für die *Sämtlichen Werke* (Band 3, 1840) zusammen. Neuere Ausgaben lösen das Problem der Anordnung, indem sie entweder die historischen, publizierten Gruppen geschlossen übernehmen und nur die Nachlaßsprüche in Sachgruppen ordnen (so M. Heckers auch für die Numerierung maßgebliche Ausgabe von 1907) oder das gesamte Material neu nach weiteren oder engeren Sachgruppen bzw. Aspekten von G.s Weltverständnis ordnen und zählen (G. Müller 1944, *Hamburger Ausgabe* Band 12, 1953). Dem vorliegenden Band liegt die Numerierung M. Heckers zugrunde.

G. Baumann, Maxime und Reflexion als Stilform bei G., 1949; P. Stöcklein, Wege zum späten G., 1949; G. Bianquis, Les maximes et réflexions, in dies., Études sur G.,

Paris 1951; C. P. Magill, The dark sayings of the wise, PEGS 36, 1966; P. Grappin, Réflexions sur quelques maximes de G., in: Un dialogue des nations, hg. M. Colleville 1967; W. Müller-Seidel, G.s M. u. R., GJb 97, 1980, auch in ders., Die Geschichtlichkeit der deutschen Klassik, 1983; R. H. Stephenson, G.s wisdom literature, 1983; R.-R. Wuthenow, Berührungspunkte, in: Allerhand G., hg. D. Kimpel 1985; J. John, Aphoristik und Romankunst, 1987, u. d. T. Die Aphorismen in G.s Romanen, 1993; H. Fricke, Wieviel Philologie verlangt die Gattungstheorie?, in ders., Literatur und Literaturwissenschaft, 1991; G. Marahrens, Über eine Neudefinition der G.schen Aphoristik, GJb 110, 1993; G. Baumann, Dichterische Erfahrungen, in ders., Zuordnungen, 1995; G. Marahrens, Über aphoristische Metaphorik und metaphorische Aphorismen in G.s M. u. R., in: Offene Formen, hg. R. Bräutigam 1997.

Maximilian I., römisch-deutscher Kaiser (1459–1519). Der Kaiser tritt im *Götz von Berlichingen* (III,1) zwar nur in einer Episodenrolle auf, hat jedoch als Bezugsperson für Götz, dem dieser bis zuletzt die Treue hält, eine wesentliche Funktion. G. verlegt seinen Tod in die Zeit der Bauernkriege von 1525 und setzt beider Leben und Ende als das »letzter Ritter« in Parallele: »Ich hab ihn lieb, denn wir haben einerlei Schicksal« (III, »Saal«). – Mit dem von Maximilian I. teils selbst geschriebenen Ritterroman *Theuerdank* (1517), den Adelheid im *Götz* (II,6) erwähnt, befaßte sich G. im Zuge seiner Studien deutscher Dichtungen des Mittelalters am 15. 2. 1809.

Maximilian I. Joseph, König von Bayern (1756–1825). Den damaligen Prinzen von Pfalz-Zweibrücken lernte G. im Mai 1793 bei der Belagerung von Mainz kennen. 1785 Herzog von Pfalz-Zweibrücken, 1799 Kurfürst und 1806 König von Bayern, besuchte dieser am 16. 5. 1823 G. in Weimar; die Königin Maximiliane Caroline (1776–1841) und die Prinzessinnen folgten am 18. 5. 1823.

May, Georg Oswald (1738–1816). Der Offenbacher Porträtmaler schuf im Mai 1779 ein Pastellgemälde G.s und im Juli 1779 im Auftrag der Herzogin Friederike von Württemberg ein Ölgemälde G.s, zu dessen Sitzungen am 26. und 31. 7. Wieland ihm seinen *Oberon* vorlas.

F. Schrod, G. und sein Maler G. O. M., Alt-Offenbach 8, 1932; C. v. Faber du Faur, G. O. M's portraits of G. and Wieland, Yale Univ. Library Gazette 31, 1957.

Mayer, Johann Tobias d. Ä. (1723–1762). Mit der Schrift *De affinitate colorum* (1758, in *Opera inedita*, 1775) des Göttinger Professors für Ökonomie und Mathematik und Astronomen beschäftigte sich G. am 3. 2. 1798 und im Februar/März 1810 und bespricht sie kritisch in der *Geschichte der Farbenlehre*.

Mechel, Christian von (1737–1817). Den Baseler Kupferstecher und Kunsthändler, Freund Winckelmanns, besuchte G. auf der 1. Schweizer Reise am 8. 7. 1775. Auf der 2. Schweizer Reise führte Mechel G. Anfang Oktober 1779 durch die Baseler Kunstschätze.

Medaillen. Angeregt durch die Besichtigungen italienischer Medaillensammlungen z. B. in Monreale und Palermo (*Italienische Reise*

10.–12. 4. 1787) u. a. und als Seitenstück zu seiner Münzsammlung begann G. um 1800 mit dem Sammeln besonders italienischer, deutscher und französischer Medaillen. Durch Ankäufe, Freunde und den Sohn August vermehrt, umfaßte die Sammlung bei seinem Tod an 2000 Stücke. Hinzu treten als eigene Bildnisse die G.-Medaillen z. B. von Jean François Bovy (1824) und Henri François Brandt (1826).

L. Frede, Die zeitgenössischen G.-M., 1936; ders., Das klassische Weimar in M., 1959; G. Förschner, G. in der M.kunst, Katalog Frankfurt 1982; J. Klauß, G. als M.sammler, 1994.

Mediceische Venus →Venus von Medici

Medici. Während G.s *Italienische Reise* über seine Eindrücke von Florenz und dessen Herrscherfamilie, den Medici, als Stadtherren, 1531 Herzögen, 1569–1737 Großherzögen von Toskana, schweigt, beschäftigte G. sich als Hintergrundstudien zum →*Cellini* 1796/97 und 1802/03 eingehender mit dieser Familie, ihrem Aufstieg und ihrer Rolle als Mäzene der Künste und Wissenschaften und stellte ihre wichtigsten Vertreter im Anhang zur Cellini-Biographie vor. Bereits im *Torquato Tasso* (v. 2521 ff., 2842, 2942 ff.) werden die Medici als vorbildhafte Mäzene genannt.

Medizin. Schon in der Leipziger Studienzeit wurde G.s Interesse durch die Gespräche am Mittagstisch des Mediziners Prof. Ch. G. Ludwig auf die Medizin gelenkt (*Dichtung und Wahrheit* II,6); die medizinischen Gespräche der Straßburger Tischgenossen 1770/71 vertieften dieses Interesse, so daß G. dort auch medizinische Vorlesungen besuchte (ebd. II,9; III,11). Sein ganzheitliches Interesse am Menschen und an der Anatomie, aber auch Pharmazie und Psychiatrie, führte in Weimar und Jena zu häufigem Umgang mit Medizinern und Ärzten. Während Mephisto den »Geist der Medizin« zynisch verspottet (*Faust* v. 2011 ff.), bildet sich Wilhelm Meister im Sinne einer praktisch-nützlichen Tätigkeit zum Wundarzt aus und kann dadurch seinem Sohn das Leben retten (*Wilhelm Meisters Wanderjahre* II,11; III,18).

E. Müller, G. und die M., Heilkunde 3–4, 1898–1900; P. H. Gerber, G.s Beziehungen zur M., 1900; W. Vulpius, G. und die M., Medizinische Welt 6, 1932; P. Diepgen, G. und die M., Klinische Wochenschrift 11, 1932; E. Beutler, G. und die Heilkunst, Deutsches Ärzteblatt 63, 1933; F. Husemann, G. und die Heilkunst, 1936 u. ö.; F. Nager, Der heilkundige Dichter, 1990; M. Wenzel, G. und die M., 1992; W. Müller-Seidel, Dichtung und M. in G.s Denken, in: Idealismus mit Folgen, hg. H. J. Gawoll 1994; I. Müller, G. und die M. seiner Zeit, GJb 112, 1995.

Medschnun und Leila. Die tragische Geschichte des unglücklichen arabischen Liebespaars aus verfeindeten Familien, ein verschärftes orientalisches Gegenstück zum Romeo und Julia-Stoff, wurde in persischer Dichtung häufig behandelt, u. a. von Nezami (*Leila o Madjnun*, 1188) und Dschami (dass., um 1470/80). G. be-

schäftigte sich wohl mit →Dschamis Version, die 1807 französisch
und 1808 deutsch von A. Th. Hartmann vorlag, am 26. 5. 1808 und
1. 3. 1815 (*Tag- und Jahreshefte* 1815) und erwähnt das Liebespaar
mehrfach im *West-östlichen Divan* (*Musterbilder; Geheimstes* u. a.).

Medusa Rondanini. In dem seiner römischen Wohnung am
Corso gegenüberliegenden Palazzo Rondanini sah G. 1786 die
überlebensgroße Medusenmaske in Hochrelief aus Marmor, kaiser-
zeitliche römische Kopie eines griechischen Originals aus dem
5. Jahrhundert v. Chr., und erwarb davon im Dezember 1786 einen
unbefriedigenden Gipsabguß, den er 1788 in Rom zurückließ (*Italienische Reise* 25. 12. 1786, 29. 7. 1787, Bericht April 1788). Nachdem Ludwig I. von Bayern die Maske 1814 für die Münchner
Glyptothek erworben hatte, schenkte er G. auf dessen Bitte im
Dezember 1825 einen neuen, in Rom angefertigten Gipsabguß (an
Zelter 21. 1. 1826). Sie erneuerte ihm »gewisse Empfindungen«,
»welche zu den besten und harmlosesten zu zählen sind, die uns das
Leben gewähren kann« (an C. F. Tieck 23. 4. 1828).

E. Buschor, M. R., 1958.

Medwin, Thomas →Byron

Meer. G. hatte das Meer als Nebenmotiv bereits in den Gedichten
Der König in Thule (1774), *Seefahrt* (1776) und *Der Fischer* (1778)
und als szenischen Hintergrund für *Iphigenie* verwendet, als er, der
Binnenländer, das Meer erstmals am 30. 9. 1786 vom Campanile in
Venedig aus der Ferne und am 8. 10. 1786 am Lido aus der Nähe
sah und dann und am Folgetag die Strandvegetation und die Ge-
zeiten beobachtete. Auf der Überfahrt von Neapel nach Sizilien,
seiner ersten Seefahrt, erlebte er das Element um sich und setzte
sich seinen Tücken aus (*Italienische Reise* 3. 4. 1787), versetzt sich in
die *Odyssee* und konzipiert den Plan eines *Nausikaa*-Dramas. Die
gefahrvolle Rückfahrt von Sizilien gibt das Thema der Gedichte
Meeresstille und *Glückliche Fahrt* (1795) ab; typische Situationen der
Seereise gestaltet die Elegie *Alexis und Dora* (1796). Die Venedigreise 1792 bringt keine neuen Motive. Die bedeutendste symbolische Gestaltung des Meeresmotivs aber findet sich im Fest der
Meergötter in der »Klassischen Walpurgisnacht« (*Faust* v. 8034 ff.)
und in Fausts Gewinnung von Neuland aus dem Meer (ebd.
v. 10198 ff.).

O. Harnack, Hochgebirgs- und Meerespoesie bei G., in ders., Aufsätze und Vorträge,
1911; D. W. Schumann, Motive der Seefahrt beim jungen G., GQ 32, 1959; H.-J.
Geerdts, Meeressymbolik in G.s Schaffen, in: Studien zur Literaturgeschichte und
Literaturtheorie, hg. H.-G. Thalheim 1970.

Meeresstille (*Meeres Stille*). Das spätestens im Sommer 1795 entstandene, vielleicht entfernt durch ein Erlebnis bei der Rückfahrt
von Sizilien (*Italienische Reise* 14. 5. 1787) angeregte Gedicht erschien zuerst 1795 in Schillers *Musen-Almanach für das Jahr 1796*,

efolgt von →*Glückliche Fahrt*. G. ließ seither stets beide Gedichte nmittelbar nacheinander auf derselben Seite drucken: auf die ab->lute Bewegungslosigkeit in der ungeheuren Weite und Leere des ‹aums, Erfahrung der Stille des Todes, folgt die Lösung im auch 1ythmisch differenzierten Gegenstück *Glückliche Fahrt*, obwohl die Naturbilder – hier der unendliche Raum, dort Nebel – dem Er-‘bniszusammenhang widersprechen. Von den über 40 Vertonungen 3eethoven für Chor Op. 112, 1815/16; Schubert 1815; Mendels-)hn: Konzertouverture Op. 27, 1828) bevorzugte G. die von F. Reichardt.

F. Mende, M. und Glückliche Fahrt, DU (Berlin) 9, 1956; H. J. Geerdts, Zu G.s Ge-chten M. und Glückliche Fahrt, in: Natur und Idee, hg. H. Holtzhauer 1966, auch in ·rs., Zu G. und anderen, 1982; H. Blumenberg, Schiffbruch mit Zuschauer, 1979.

Megalio Melpomenio, G.s Name als Mitglied der →Arcadia.

Megaprazon →*Reise der Söhne Megaprazons*

Meghaduta →Kalidasa

Meine Göttin. Das Gedicht, das G. am 15. 9. 1780 von einer In-)ektionsreise an Ch. von Stein sandte, wurde zuerst in Abschriften nd im *Tiefurter Journal* (5, Herbst 1781) mit der Überschrift *Ode* andschriftlich verbreitet und fand 1789 in die *Schriften* Eingang.)er allegorische Hymnus des Künstlers auf die Phantasie als der vandlungsfähigen, über den Alltag erhebenden Kraft erprobt zu-leich launig komplizierte Verwandtschaftsverhältnisse: Die Phanta-·e wird von ihrem Vater Jupiter dem Menschen als dem einzigen ber die Alltagssorgen sich erhebenden Wesen zur Gattin gegeben, er daneben ihre ältere Schwester, die Trösterin Hoffnung, zur »stil-·n Freundin« hat und zugleich die »unsterbliche« »Göttin« und ;attin Phantasie vor Beleidigungen durch ihre Schwiegermutter Veisheit schützen will.

E. Spranger, G. über die Phantasie, Goethe 9, 1944; B. Tecchi, Sette liriche di G., Bari °949.

Meine Ruh' ist hin ... Gretchens Lied am Spinnrade mit der weimal aufgegriffenen Refrainstrophe (*Faust* v. 3374 ff.), obwohl äufig vertont (Zelter, Schubert, Loewe, Berlioz, Wagner, Verdi ·. a.), ist trotz der volksliedhaften Schlichtheit (mit Anklängen an ·as *Hohelied*), die dennoch ihr Sprachvermögen übersteigt, kein ·achgesungenes Volkslied, sondern zögernd und zagend gesproche-·er Monolog.

Meinhold, Johann Wilhelm (1797–1851). Der später durch seine 3ernsteinhexe (1843) bekannte Schriftsteller sandte G. im Juni 1824 eine Erstveröffentlichung *Vermischte Gedichte* (1824), die dieser 824 in einer erst 1833 aus dem Nachlaß gedruckten, unvollständi-;en Sammelbesprechung (»Individualpoesie«) würdigte.

Meiningen. Die thüringische Residenzstadt des Herzogtum
Sachsen-Meiningen besuchte G. zuerst auf seiner Thüringenreise
mit Carl August am 22. 9. 1780 und besichtigte deren Kunstschätze
(an Merck 11. 10. 1780). Auf zwei diplomatischen Reisen zu der
Thüringer Höfen in Angelegenheiten der Universität Jena besuchte
er die beiden jungen regierenden Herzöge Georg Friedrich Car
und Carl August Friedrich Wilhelm von Sachsen-Meiningen am
12. 4. 1782, als der Vierzeiler an Ch. von Stein *Ferne* entstand, und
am 10.–13. 5. 1782. Die launige Schilderung dieser formellen Audienz im Gedicht »Man lauft, man drängt …« ergänzt der Bericht
an Ch. von Stein vom 12. 5. 1782. Auf der Heimreise von Heidelberg nötigte eine Wagenreparatur G. am 9.–10. 10. 1815 zu einen
Aufenthalt in Meiningen, wo er Ziegesars besuchte und zwe
Divan-Gedichte schrieb.

Meißen. Die sächsische Stadt des Porzellans und der Fürstenschule
besuchte G. auf der Reise über Dresden nach Teplitz am 19./20. 4
1813 und besichtigte die Albrechtsburg, das Magazin der Porzellanfabrik, den Dom und die Stadtkirche (an Christiane 21. 4. 1813).

Meister, Wilhelm → *Wilhelm Meisters theatralische Sendung,* → *Wil
helm Meisters Lehrjahre,* → *Wilhelm Meisters Wanderjahre*

Meixner, Charitas, verh. Schuler (1750–1777). Die Wormser
Nichte des mit G.s Eltern befreundeten Kanzleidirektors Heinrich
Philipp → Moritz, der seit 1762 in G.s Elternhaus wohnte, und seines Bruders Johann Friedrich → Moritz wurde bei ihren häufiger
Besuchen in Frankfurt seit 1764/65 mit G. und seiner Schwester
Cornelia bekannt und bald beider Freundin. G. läßt sie von Leipzig
aus mehrfach grüßen. Seine Neigung zu dem schönen und intel-
ligenten Mädchen mag aus einem Schlosser gewidmeten englischer
Gedicht (*A song over the unconfidence toward my self,* Mai 1766) sprechen. In einem Brief an ihren Vetter Augustin Trapp in Worms von
2. 6. 1766 und beigefügten französischen Versen bekennt G. »ma
passion pour la belle Charitas« und gibt fast ein poetisch verschlüs-
seltes Eheversprechen, macht aber im Brief vom 1. 10. 1766 einer
Rückzieher. Am 15. 5. 1767 kündigt er Cornelia eine (verlorene)
»Ode pour Mlle Charitas« an, die schon von G. G. Hunger komponiert sei. Ende Dezember 1769 besuchte G. die Jugendfreundin ir
Worms, damals vermutlich bereits Verlobte des Kaufmanns Schuler
den sie 1773 heiratete.

Melber, Johanna Maria Jacobäa, geb. Textor (1734–1823). Die
2. Tochter des Stadtschultheiß J. W. Textor, Schwester von G.s Mutter, G.s »lebhafte«, »leidenschaftliche« Tante (*Dichtung und Wahrhei
I,1–2*), verheiratet mit dem Frankfurter Materialienhändler Georg
Adolf Melber (1725–1780), verwöhnte den jungen G. ebenso wie

vernachlässigte Nachbarskinder. G. besuchte sie am 11. 8. 1797 und
auf seinen Rheinreisen im September/Oktober 1814 und August
1815 und korrespondierte bis 1820 mit ihr. Ihr erster Sohn, der
Kaufmann Johann Wolfgang, besuchte G. am 24./25. 2. 1779 in
Weimar. Ihr 3. Sohn Johann Georg David (1773–1824) war Hausarzt von G.s Mutter. Auch ihn besuchte G. 1797, 1814 und 1815.

F. Ebner, Ein Vetter G.s in der Engel-Apotheke, 1963.

Melchior, Johann Peter (1742–1825). Der Bildhauer und Porzel-
lanmodelleur in Höchst, 1779 Frankenthal und 1797 Nymphenburg
schuf 1779 Gipsmedaillons von G.s Eltern (G.-Nationalmuseum
Weimar) sowie zwei Gipsmedaillons von G.: 1775 in zeitgenössischer Kleidung und Frisur, »nach dem Leben gearbeitet« (Schloß
Tiefurt), und danach 1785 leicht verändert, entblößt, mit gelöstem
Haar und Leier als Apollon Musagetes (G.-Nationalmuseum Weimar).

F. H. Hofmann, J. P. M., 1921.

Melina. Die Figur des exzentrischen Schauspielers wider Willen in
Wilhelm Meisters Lehrjahre: Der Schauspieler Melina verliebt sich in
eine angesehene Bürgerstochter, entführt sie, wird verhaftet, darf
aber auf Wilhelm Meisters Fürsprache bei ihren Eltern die Geliebte
heiraten und muß mit seiner Frau zum Schauspielerberuf zurückkehren, den er aufgeben wollte. Im weiteren Verlauf trifft Wilhelm
Meister das Paar bei einer aufgelösten Theatertruppe wieder, stellt
Melina Geld zur Gründung einer eigenen Theatergesellschaft unter
seiner Direktion zur Verfügung und bleibt der Truppe zeitweilig als
Aushilfsdarsteller und Theaterdichter verbunden.

Mellish of Blith, Joseph Charles (1769–1823). Der englische Diplomat und Schriftsteller, Übersetzer G.s und Schillers, 1798 weimarischer Kammerherr, lebte 1797–1802 mit seiner deutschen Frau
in Weimar und auf dem Dornburger Schloß. Gesellig, gastfrei und
trinkfest, verkehrte er häufig mit G. und Schiller, der bei Mellishs
Weggang als englischer Konsul nach Hamburg 1802 dessen Haus
an der Weimarer Esplanade (heute Schillerhaus) erwarb. Am
29. 4.–8. 5. 1816 besuchte der »alte Freund« G. in Weimar. Am
12. 12. 1821 schrieb G. ihm die Widmungsverse *An Freund Mellish*
in ein Taschenbuch.

E. Ebstein, G. und J. C. M., GJb 26, 1905; D. F. S. Scott, Some English correspondents
of G., London 1949.

Melusine. Das Volksbuch *Melusine*, Bearbeitung der französischen
Sage von der Ehe eines Ritters mit einer Nixe durch Thüring von
Ringoltingen (1456, Erstdruck 1474), gehörte zu den billigen Jahr-
marktsdrucken, die der junge G. in Frankfurt las (*Dichtung und*

Wahrheit I,1). *Werther* (12. Mai), die *Unterhaltungen deutscher Ausgewanderten* und G.s Neugestaltung →*Die neue Melusine* spielen darauf
an.

O. Seidlin, M. in der Spiegelung der Wanderjahre, in: Aspekte der G.zeit, hg.
S. A. Corngold 1977.

Memling, Hans (um 1433–1494). Den bedeutenden niederländischen Maler, seinerzeit auch Hemling, Hemmelink u. ä. genannt,
erwähnt G. häufig in den kunsthistorischen Schriften, ferner im
Gedicht *Den Drillingsfreunden von Köln* (1815) und ausführlich in
der Besprechung der Steindrucke von Strixner (*Über Kunst und
Altertum* V,3, 1826). Nach intensivem Studium der Werke in der
Sammlung Boisserée in Heidelberg am 26. 9. 1814 plante er einen
Aufsatz über »Meister Memling« und entwarf am 30. 7.–7. 8. 1816
ein Schema dazu. In Wirklichkeit sah G. in Heidelberg jedoch nur
ein Originalwerk Memlings, die »Sieben Freuden Mariae« (bzw.
»Szenen aus dem Leben Mariae«, 1480, jetzt München, Alte Pinakothek). Alle anderen Zuschreibungen der Boisserées erwiesen sich
als irrig; fast alle von G. erwähnten Werke gelten heute als Werke
von Dieric Bouts (um 1449–1490), der »Christuskopf« als Kopie
nach einem verschollenen Original Jan van Eycks von 1438.

Menander (342–290 v. Chr.). Den attischen Komödiendichter
schätzte G. außerordentlich hoch und stellte ihn neben Molière (zu
Eckermann 12. 5. 1825, 28. 3. 1827). Aus seinen Fragmenten notiert
G. am 30. 4. 1809 den griechischen Vers, den er als Motto dem
1. Teil von *Dichtung und Wahrheit* voranstellt (deutsch etwa: »Wer
nicht geschunden wird, wird nicht erzogen«).

Mendelssohn, Abraham (1776–1835). Der Sohn von Moses Mendelssohn, Gatte von Lea, geb. Salomon (1777–1842), und Vater von
Felix →Mendelssohn und Fanny, verh. →Hensel, Bankier und
Stadtrat in Berlin und Freund Zelters, lernte G. auf dessen
3. Schweizer Reise Mitte August 1797 in Frankfurt kennen und berichtet schwärmerisch am 1. 9. 1797 Zelter über seinen Besuch bei
ihm. Er besuchte G. wieder in Weimar am 10. 4. 1816, am 7./8. 10.
1822 mit Familie und am 20. 5. 1825 mit Felix, dessen Musik auch
im Mittelpunkt seiner Korrespondenz mit G. steht.

Mendelssohn, Fanny →Hensel, Wilhelm

Mendelssohn, Moses (1729–1786). Mit den frühen Schriften
(*Briefe über die Empfindungen*, 1755; *Phädon oder über die Unsterblichkeit der Seele*, 1767) des Berliner Kaufmanns, Popularphilosophen
und Freundes von Lessing, den er »einen unserer würdigsten Männer« nennt (*Dichtung und Wahrheit* III,15), befaßte sich G. nach Ausweis der *Ephemerides* schon um 1770/71. Nach einer Behauptung

er Karschin hätte G. ihn am 19. 5. 1778 in Berlin besucht. Aus dem
pinoza-Streit zwischen F. H. Jacobi, Mendelssohn und Lessing ver-
«chte G. sich herauszuhalten, doch der Mitarbeiter an Nicolais auf-
lärerischen Zeitschriften wurde mit einem Xenion (354) bedacht.

1endelssohn, Felix, ab 1822: Mendelssohn Bartholdy (1809–
847). Der Sohn von Lea und Abraham →Mendelssohn, virtuoser
ianist, Improvisator und Komponist, Schüler Zelters in Berlin,
rregte durch sein Künstlergenie (»wundervolles Talent«), sein
ebenswürdiges Wesen und sein wohlerzogenes Benehmen die Zu-
eigung und enthusiastische Bewunderung G.s, der lebhaften An-
eil an seiner künstlerischen Entwicklung und seinen Reisen nahm
nd sich bei seinen Besuchen in Weimar allein oder in Gesellschaft
ıst täglich von ihm eigene und fremde Kompositionen vorspielen
eß. Nach einem ersten Besuch des Achtjährigen mit seiner Mut-
er im Mai 1817 (an Zelter 29. 5. 1817) waren er und Zelter am
.–19. 11. 1821 G.s Hausgäste, und das »Wunderkind« entzückte G.
ırch wiederholtes Vorspielen. Am 20. 1. 1822 schrieb ihm G. zu
inem Scherenschnitt von Adele Schopenhauer den Sechszeiler
Wenn über die ernste Partitur …«. Weitere kurze Besuche folgten
m 7./8. 10. 1822 (»Du bist mein David«) und am 13. 3. 1825. Am
0. 5. 1825 spielte Mendelssohn G. das ihm gewidmete 3. Klavier-
uartett in h-Moll Op. 3 vor, dessen Notendruck er am 9. 6. 1825
bersandte. 1826 erhielt G. seine Übersetzung von Terenz' *Das
Mädchen von Andros*. Bei seinem letzten Besuch am 21. 5.–3. 6. 1830
pielte er G. fast täglich Werke der »großen Meister« Bach, Haydn,
Mozart, Gluck, Weber und den 1. Satz von Beethovens 5. Sympho-
ie vor und ließ sich für G.s Sammlung von J. J. Schmeller zeich-
en. Von den an 20 Kompositionen Mendelssohns zu Texten G.s,
lie meisten erst 1839–45, sind die Konzertouverture *Meeresstille und
Glückliche Fahrt* (Op. 27, 1828) und die Kantate für Chor und
Orchester *Die erste Walpurgisnacht* (Op. 60, 1831) am bekanntesten.
838 studierte G.s Enkel Walther Wolfgang bei Mendelssohn in
Leipzig.

K. Mendelssohn-Bartholdy, G. und F. M.-B., 1871; A. Heilborn, M. und G., Gegen-
vart 75, 1909; H. v. Maltzahn, F. M.s Besuche bei G., Düsseldorfer Hefte 5, 1960;
I. Kupferberg, Die Mendelssohns, 1972.

Mengs, Anton Raphael (1728–1779). Der klassizistische Porträt-
ınd Historienmaler, 1746 Hofmaler in Dresden und 1761 in Ma-
lrid, dazwischen 1751–60 in Rom, Freund und Lehrmeister
Winckelmanns, erlangte als der über Wert meistgepriesene Künstler
les frühen Neoklassizismus europäischen Ruhm und galt wie vie-
en Bewunderern seines eklektischen Klassizismus so auch G. als
iner der größten Maler seit der Renaissance und als geschmacks-
ıildendes Vorbild schlechthin. G. beschäftigte sich im Juli 1778 mit
einen kunsttheoretischen Schriften (*Gedanken über die Schönheit
ınd über den Geschmack in der Malerei*, 1762), im Februar/März 1782

und erneut Februar 1788 mit seinen Schriften und im Januar 179⟨⟩
mit seinen Briefen und bezieht sich in seinen kunsthistorische⟨⟩
Schriften, besonders *Winckelmann, Farbenlehre* und *Geschichte d⟨⟩*
Farbenlehre, häufig auf seine Autorität. In Rom sah G. u. a. Meng⟨⟩
Parnaß-Deckenfresko im Hauptsaal des Casinos der Villa Alba⟨⟩
(1760/61) und sein Porträt des Papstes Clemens XIII. Rezzonic⟨⟩
(*Italienische Reise*, Bericht Februar 1788). Das auch von Winckel⟨⟩
mann enthusiastisch gepriesene, angeblich antike Fresko »Jupite⟨⟩
und Ganymed« (ebd. 18. 11. 1786), das G. gern erworben hätte (a⟨⟩
Ch. von Stein 15. 11. 1786), ist allerdings eine auf Winckelmann⟨⟩
Homoerotik anspielende Fälschung von Mengs aus dem Geist de⟨⟩
entstehenden Klassizismus.

O. Harnack, R. M.s Schriften und ihr Einfluß auf Lessing und G., in ders., Essais un⟨⟩ Studien, 1899; D. Honisch, A. R. M., 1965.

Menzel, Wolfgang (1798–1873). Der politisch wandlungsfähig⟨⟩
Kritiker und Publizist, 1826–49 Herausgeber des Literaturblatts vo⟨⟩
Cottas *Allgemeiner Zeitung*, 1835 »Denunziant« des Jungen Deutsch⟨⟩
land, begann 1824/25 in den *Europäischen Blättern* seine Angriff⟨⟩
gegen G., dem er Entartung, Demoralisierung, Genußsucht un⟨⟩
Egoismus vorwarf, und setzte sie in seiner weitverbreiteten Schrif⟨⟩
Die deutsche Literatur (II 1828) fort. Von Zelter am 17. 6. 1828 dar⟨⟩
auf hingewiesen, winkte G. am 27. 8. 1828 uninteressiert ab, freut⟨⟩
sich aber doch, als die Zeitschrift *Le Globe* ihn am 7. 11. 1829 i⟨⟩
Schutz nahm (an Zelter 31. 12. 1829). Auf Menzel bezieht sich de⟨⟩
Vierzeiler »Verwandte sind ...« (1829?) und vielleicht auch da⟨⟩
Zahme Xenion »Ein bißchen Ruf ...«.

F. Melzer, W. M.s Kampf gegen G., Neue kirchliche Zeitschrift 43, 1932; E. Jena⟨⟩ W. M., 1937; W. Dietze, Junges Deutschland und deutsche Klassik, 1957 u. ö.

Mephistopheles. Der traditionelle Name der Teufelsfigur in de⟨⟩
Faustliteratur und seine Varianten (bis zum heute bevorzugten »Me⟨⟩
phisto«) sind etymologisch ungeklärt (von hebr. »mephir« = Zer⟨⟩
störer, Verderber und »tophel« = Lügner?). Im Faustbuch von 158⟨⟩
heißt er Mephostophiles, in Marpergers Ausgabe des Volksbuch⟨⟩
von Wagner 1742 Mephistophiles. Auch G. wußte keine Erklärun⟨⟩
(an Zelter 20. 11. 1829). Im Zuge von G.s Arbeit am Fauststoff er⟨⟩
lebte die Konzeption der Figur mehrere Wandlungen, ohne daß G⟨⟩
sich viel um seine Herkunft und seinen Rang in der Höllenhierar⟨⟩
chie kümmerte, so daß Mephisto, teils bewußt irreführend, sein⟨⟩
Rolle unterschiedlich definieren kann. Als dämonische Figur is⟨⟩
Mephisto nicht Allegorie, sondern individuell gestaltete Verkör⟨⟩
perung des Bösen und der verneinenden Kraft mit persönlichen, teil⟨⟩
auch positiven Zügen wie weltmännische Gewandtheit, Jovialität⟨⟩
Bildung, Witz, Scharfsinn, Ironie, Selbstironie, Satire und Sarkasmus⟨⟩
doch ohne Sinn für menschliche Werte und Ideale. Er ist ein Teu⟨⟩
fel, aber nicht der Teufel (Satan, Luzifer) schlechthin, »ein Teil vo⟨⟩
jener Kraft, die stets das Böse will« (*Faust* v. 1335 f.) und »keiner vo⟨⟩

len Großen« (v. 1641). Auch der »Prolog im Himmel« macht ihn
war zu einem »von allen Geistern, die verneinen« (v. 338), aber
doch zu einem direkten, wenn auch nicht ebenbürtigen Wider-
acher Gottes. Er sieht das Nichts als Ursprung und Ende der Welt
n und betrachtet das Gute als Verminderung seines Reiches
v. 1350), erkennt aber nicht die Notwendigkeit seiner Existenz als
Widerspruch, Widerstand und Ansporn für die göttliche Ordnung
des Kosmos. In seinem Bemühen, Faust durch Trug und Illusion
von seinem ihm unverständlichen Streben nach Höherem, nach
Erkenntnis und übersinnlicher Liebe abzulenken, sein Gewissen zu
betäuben, ihn durch niedere Genüsse zur Selbsterniedrigung zu
veranlassen, in Schuld zu verstricken und in den Untergang zu
führen, stößt er, der selbst immer nur Teilaspekte und Teilziele erfaßt, selbst immer wieder an die Grenzen seiner Macht, so bei Gretchens und Fausts Erlösung. Zu seiner Rolle in der Handlung
→*Faust.*

M. Morris, M., GJb 22 f., 1901 f.; A. Oehlke, Zum Namen M., GJb 34, 1913; M. Fie-
big, Die Bedeutung des Namens M., Euph 21, 1914; J. Richter, Der Charakter des M.
m Urfaust, NJbb 41, 1918; R. Runge, Das Faust-M. Motiv in deutscher Dichtung,
Diss. Bonn 1933; J. Müller, Zur M.-Gestalt in G.s Faust, GJb (Japan) 4, 1935; W. Krogmann, M., Archiv 170, 1936; A. Daur, Faust und der Teufel, 1950; W. Weiss, G.s Mephi-
to, Diss. Innsbruck 1952; R. Flatter, M. und die Handlungsfreiheit, ChWGV 60, 1956;
.. C. Mason, Mephistos Wege und Gewalt, in ders., Exzentrische Bahnen, 1963;
. Fuchs, M., in ders., G.-Studien, 1968; H. Ide, Faust und Mephisto, Jahrbuch der
Wittheit zu Bremen 12, 1968; U. Rüdiger, Zu einigen Beinamen des M. in G.s Faust,
arcadia 5, 1970; Ch. M. Barrack, M., Seminar 7, 1971; L. Forster, Faust und die acedia,
M. und die superbia, in: Dichtung, Sprache, Gesellschaft, hg. V. Lange 1971; J. Hienger,
M.s Witz, in: J. W. G., hg. A. Maler 1983; J. K. Brown, M. the nature spirit, Studies in
Romanticism 24, 1985; I. H. Washington, M. as an Aristophanic devil, MLN 101, 1986;
Stenzel, M.s Endzeit, GRM 67, 1986; W. Baumgart, M. und die Emanzipation des
Bösen, in: Das 18. Jahrhundert, hg. W. Adam 1988; U. Hoffmann, M., GJb 109, 1992;
W. Koepke, M. and aesthetic nihilism, in: Subversive sublimities, hg. E. Timm, Colum-
bia 1992; A. Henkel, M. oder der vertane Aufwand, in: Gegenspieler, hg. T. Cramer
1993; P. Michelsen, M.s eigentliches Element, in: Das Böse, hg. C. Colpe 1993; F.
Schmidt-Möbus, Des Teufels falsche Waden, in: Faust, hg. F. Möbus 1995; →Faust.

Mercier, Louis-Sébastien (1740–1814). Der französische Kritiker
und Dramatiker, dessen Lustspiel *Der Schubkarren des Essighändlers*
H. L. Wagner 1775 übersetzte, wandte sich in seiner Schrift *Du
théâtre ou nouvel essai sur l'art dramatique* (1773) gegen den französi-
schen Klassizismus und forderte unter Hinweis auf Calderon,
Shakespeare und Goldoni ein neues Drama frei von allem Regel-
zwang mit Stoffen aus dem Leben der Gegenwart in volkstümlicher
Sprache. Wegen dieser Übereinstimmung mit den Bestrebungen des
Sturm und Drang bewog G. seinen Freund H. L. Wagner zu einer
Übersetzung des Essays (*Neuer Versuch über die Schauspielkunst,* 1776).
Statt ursprünglich geplanter Anmerkungen steuerte G., wohl wegen
Wagners *Prometheus, Deukalion und seine Rezensenten,* nur ein kurzes,
allgemeines Nachwort und den Anhang →*Aus Goethes Brieftasche*
zur Publikation bei.

Merck, Johann Heinrich (1741–1791). Der vielseitig gebildete
Darmstädter Schriftsteller, Übersetzer und Kritiker lebte nach

seiner Heirat mit der Schweizerin Françoise Louise Charbonnier (1743–1810) 1767 als Kanzleisekretär, 1768 Kriegszahlmeister und 1774 Kriegsrat in Darmstadt. Er besuchte auf Anregung Herders im Dezember 1771 G. in Frankfurt, und dieser kam Ende Februar/Anfang März 1772 mit J. G. Schlosser zu einem mehrtägigen Gegenbesuch nach Darmstadt, wo Mercks Haus ein Mittelpunkt des →Darmstädter Kreises war und G. sich ihm seither zu regem geistigen Austausch anschloß. Merck bewog G. zur Mitarbeit an den 1772 von ihm mit geleiteten *Frankfurter Gelehrten Anzeigen,* traf sich mit ihm zu einer Redaktionsbesprechung am 18./19. 8. 1772 in Gießen bei Prof. J. L. F. Höpfner und versuchte anschließend in Wetzlar, G. von Ch. Buff zu lösen. Nach G.s Weggang von Wetzlar traf er ihn am 14.–18. 9. 1772 bei S. von La Roche in Thal-Ehrenbreitstein und reiste mit ihm zeichnend auf dem Rhein nach Frankfurt zurück, wo er bis 23. 9. 1772 blieb. Am 14. 11.–12. 12. 1772 war G., fleißig zeichnend, Gast Mercks in Darmstadt, der G.s Schriften *Von deutscher Baukunst, Brief des Pastors zu* *** *an den neuen Pastor zu* *** und *Zwo wichtige bisher unerörterte Biblische Fragen* im Selbstverlag zum Druck gab und G. zum Abschluß des *Götz von Berlichingen* drängte, der ebenfalls 1773 im Selbstverlag erschien, wobei G. die Papierkosten trug. Am 5. 2. 1773 war Merck in Frankfurt, am 15. 4.–3. 5. 1773 war G. zu Herders Hochzeit (2. 5.) in Darmstadt, am 6. 5. 1773 reiste Merck von Frankfurt nach Petersburg und kehrte im Dezember wieder über Frankfurt zurück. Am 27. 8. 1774 trafen sich die Freunde in Langen. Auf das Leipziger Verbot der *Leiden des jungen Werthers* reagierte Merck im Februar 1775 mit der Satire *Pätus und Arria.* Bei der 1. Schweizer Reise sah G. Merck am 14. 5. 1775 und auf der Rückreise am 22. 7. 1775 in Darmstadt. Nach G.s Abreise nach Weimar trafen sich die Freunde am 21.–28. 9. 1777 auf der Wartburg und, nachdem Merck 1778 Anna Amalia auf ihrer Rheinreise begleitet hatte, am 29./30. 5. 1779 in Erfurt; anschließend war Merck bis 13. 7. 1779 Gast Anna Amalias in Ettersburg bei Weimar. Die letzten Begegnungen am 30. 12. 1779–1. 1. 1780 in Darmstadt und am 20./21. 10. 1780 in Mühlhausen standen bereits im Zeichen einer erkaltenden Freundschaft. Der spätere Briefwechsel bezieht sich vorwiegend auf naturwissenschaftliche Fragen und G.s Abhandlung über den Zwischenkieferknochen (*Specimen osteologicum*), die G. am 19. 12. 1784 an Merck zur Weiterleitung an Sömmerring und Camper übersandte. G.s Italienreise mit neuen Eindrücken vertiefte die Entfremdung, und auf Mercks Hilfeersuchen nach geschäftlichen Mißerfolgen und Vermögensverlust bei der Gründung einer Baumwollfabrik antwortete G. am 10. 11. 1788 kühl ablehnend.

Mercks kritische, analytische Intelligenz befähigte ihn, als einer der ersten G.s Größe zu erkennen und einen zugleich kritischen und starken, anspornenden Einfluß auf ihn auszuüben. Allen Halbheiten, allem Mittelmaß und schönen Schein, allen Normen und

Vorurteilen abgeneigt, erwartete er das Höchste, tadelte das Unbedeutende (*Clavigo* als »Quark«) und G.s Zeitverschwendung auf außerliterarische Dinge in den frühen Weimarer Jahren, unterstützte aber seine mineralogischen, osteologischen und paläontologischen Studien. Die Neigung des »braven, edlen, zuverlässigen Mannes« und »guten Gesellen« (*Dichtung und Wahrheit* III,12–13) zu beißendem Spott, Negationen und desillusionierender, z. T. verletzender Kritik, gefördert durch ein langwieriges Leiden, führte ihn schließlich zu hypochondrischer Erbitterung gegen die Welt, Sympathien mit der Revolution und zum Freitod. Doch ein mephistophelisch verneinender Charakter war Merck nicht, wenngleich Züge von ihm in die Mephistopheles-Figur eingegangen sein mögen. G.s Darstellung Mercks in *Dichtung und Wahrheit* (III,12–13) zeichnet bei aller Betonung der Vorzüge ein wenig vorteilhaftes Bild des selbstlosen Mannes, der mit fast allen Größen seiner Zeit brieflich oder persönlich im Kontakt stand, Künstler und Künste förderte und G. und Carl August den Ankauf von Kunstwerken vermittelte. Dokumente des Verbundenseins sind die an Merck gerichteten Gedichte »Schicke dir hier in altem Kleid …« (März 1773, wohl mit einer *Götz*-Handschrift), »Hier schick ich dir …« (Ende 1774, mit einer Zeichenmappe) und *Sendschreiben* (4. 12. 1774). Mercks Verhalten gegenüber Leuchsenring diente als Vorbild für die Figur des Würzkrämers im *Fastnachtsspiel … vom Pater Brey* (1773).

H. Pfeiffer, G. und M. im Darmstädter Freundeskreis, 1932; H. Prang, J. H. M. im Urteil seiner Zeitgenossen, Goethe 5, 1940; W. Michel, Der Kriegsrat J. H. M., 1941; H. Prang, J. H. M., 1949; H. Bräuning-Oktavio, G. und J. H. M., Goethe 12, 14/15, 1950, 1952/53; ders., Der Einfluß von J. H. M.s Schicksal auf G.s Faust und Tasso, FDH 1962; ders., G. und J. H. M., 1970; N. Haas, Spätaufklärung. J. H. M., 1975.

Mereau, Sophie (1770–1806). Die Schriftstellerin, Gattin des Jenaer Professors F. E. C. Mereau, steuerte Beiträge zu Schillers *Horen* und *Musenalmanach* bei und ließ sich von Schiller literarisch beraten. G., der sie spätestens am 24. 11. 1798 in Jena kennenlernte, ließ sich von Schiller über die »kleine Schönheit« berichten (an Schiller 15. 10. 1796). 1801 geschieden, heiratete sie 1803 Clemens Brentano und zog 1805 mit ihm nach Heidelberg.

Merian, Matthäus d. Ä. (1593–1650). Zu den frühesten und anhaltenden Kunsteindrücken des jungen G. gehören die Kupferstiche des Frankfurter Kupferstechers und Kunsthändlers Merian in einer Foliobibel (1630 u. ö.; wohl eher das Tafelwerk zum Neuen Testament, 1627, das aus des Vaters in G.s Bibliothek gelangte) und in J. L. →Gottfrieds *Historischer Chronica* (1633). Einzelne Szenen daraus regten die Bildphantasie des Knaben an, wurden später aufgegriffen (*Wilhelm Meisters theatralische Sendung* II,4; *Italienische Reise* 14. 5. 1787) und regten wohl auch Szenen im *Götz*, der *Novelle* und im *Faust* an. Beide Werke betrachtet auch Friedrich in *Wilhelm Meisters Lehrjahren* (VIII,6).

F. Lübbecke, M. M., GKal 34, 1941.

Mérimée, Prosper, Pseudonym Clara Gazul (1803–1870).Von dem von ihm am höchsten geschätzten französischen Romantiker kannte G. das gesamte lyrische und dramatische Werk. 1825/26 las er die Dramen *Le théâtre de Clara Gazul* (1825), 1828 *La Jacquerie* (1828) und 1832 *Le carosse du saint-sacrement* (1829) und *L'occasion* (1830). Die fingierten serbischen Gedichte *La Guzla, poésies illyriques* (1825) las er 1827 und lüftete in seiner lobenden Besprechung *Nationelle Dichtkunst* (*Über Kunst und Altertum* VI,2, 1828) Fiktion und Pseudonym. In Gesprächen (zu Eckermann 3. 5. 1827, 14. 3. 1830, zu Soret 27. 6. 1831) bewunderte G. vor allem die durch Ironie gebrochene Darstellung des Schaurigen. Mérimées erfolgreiche Wendung zur Novelle erlebte G. nicht mehr.

L. Geiger, G. und M., GJb 15, 1894.

Merkel, Garlieb Helwig (1769–1850). Der baltische Schriftsteller und Kritiker lebte 1796 in Jena, wo er G. am 15. 9. 1796 bei Loder ein einziges Mal sah, dann 1797–99 in Weimar im Verkehr mit Böttiger und Herder. Als spätaufklärerischer Publizist (*Briefe an ein Frauenzimmer über die neuesten Produkte der schönen Literatur in Deutschland*, IV 1800–02) und 1803–06 mit Kotzebue Herausgeber der Zeitschrift *Der Freimütige* befehdete er vorwiegend unter moralisch-politischem Aspekt G., Schiller und die Romantiker und versuchte diese Haltung in seinen Erinnerungen (1812 ff., 1839 f.) zu rechtfertigen. Gegen ihn, Kotzebue u. a. richteten sich daher G.s Spottgedichte *Der neue Alkinous* I/II, *Triumvirat, Ultimatum, Kläffer* und »Verwandte sind sie …«.

Merrem, Blasius (1761–1824). Den Professor der Mathematik und der Naturwissenschaften besuchte G. am 5. 12. 1792 in →Duisburg und erhielt als Geschenk sein Werk über Schlangen (*Beyträge zur Naturgeschichte*, II 1790). Erhoffte weitere Kontakte unterblieben.

Merseburg. Die Stadt an der Saale berührte G. wohl öfter auf seinen Reisen, so am 22. 9. 1781, oder von Lauchstädt aus wie am 10. 5. 1803; vor allem jedoch klagt er über das schwere Merseburger Bier.

Mesmer, Mesmerismus →Magnetismus

Messina. Als letzte Station seiner Sizilienreise besuchte G. nach seinen Angaben am 10.–13. 5. 1787, nach neuerer Berechnung am 8.–11. 5. die durch das Erdbeben vom 5. 2. 1783 fast völlig zerstörte Hafenstadt im Nordosten Siziliens. Da die Trümmer noch keineswegs beseitigt waren, gab sie ihm den »fürchterlichen Begriff einer zerstörten Stadt«, aus deren »Ruinenwüste« die überlebenden Bewohner in eine »Buden-, Hütten-, ja Zeltwirtschaft« in der nördlichen Vorstadt ausgewichen waren.Von den Prachtbauten der Stadt

konnte er lediglich die solide gebaute, unversehrte Jesuitenkirche
San Gregorio von 1542 besichtigen (die dem Erdbeben von 1908
zum Opfer fallen sollte). G.s Darstellung in der *Italienischen Reise*
gleicht die deprimierenden Eindrücke aus durch seine anekdoti-
chen Erlebnisse mit dem cholerischen, alten Gouverneur, dem
rischen Feldmarschall Don Michele Odea. – Daß G. das Erdbeben
von Messina im Februar 1783 körperlich gespürt habe, wie Eckermann (13. 11. 1823) unter Berufung auf G.s Diener Sutor berichtet,
st auf einer Datenverwechslung beruhende Legende (vgl. an
Ch. von Stein 6. 4. 1783).

E. Di Carlo, G. a M., Perugia 1933; D. P. Sigillo, Poesia e verità riguardanti M. nel
Viaggio in Italia di G., Archivio Storico Messinense III,1, 1939/48; E. Di Carlo, Preci-
azioni sul soggiorno di G. a M., Archivio Storico Messinense III,7, 1955 f.; A. Placa-
nica, G. tra le rovine di M., Palermo 1987.

Messud von Ghasna →Mahmud von Ghasna

Metamorphose. Der Grundbegriff von G.s Naturwissenschaft,
Naturphilosophie und in weiterem Sinn Weltanschauung postuliert
als Naturgesetz einen allmählichen, dynamischen Wandel als geschlossene Folge von Metamorphosen im Sinne eines unendlichen
Fortschreitens, meist in aufsteigender Entwicklung zum Höheren,
von einer gemeinsamen Urgestalt (z. B. Urpflanze) aus anstelle
plötzlicher, katastrophengleicher Brüche, Sprünge und Umwälzungen. »Der Hauptbegriff der Metamorphose ist, daß die sich auseinander entwickelnden, der innern Naturmöglichkeit nach gleichen
Teile sich nach verschiedenen Umständen einander koordinieren,
subordinieren und, wenn man so sagen darf, superordinieren müssen. Die Metamorphose findet vorwärts wie rückwärts statt.« (*Fragmente zur Botanik*). G. verfolgt die Erscheinung in der Abhandlung
→*Versuch die Metamorphose der Pflanzen zu erklären* (1790), in der
Elegie →*Die Metamorphose der Pflanzen* (1798), dem Hexametergedicht →*Metamorphose der Tiere* (1820) und im anorganischen Bereich im Wandel des Amorphen ins Gestaltete (*Maximen und Reflexionen* 1259), vertritt sie in der Geologie in seiner Ablehnung des
Vulkanismus zugunsten des Neptunismus und indirekt auch in der
Geschichte in seiner Abneigung gegenüber politisch-sozialen Revolutionen. Als allgemeines Denkschema wendet er den Begriff
auch auf die Kunst- und Literaturgeschichte wie auf zwischen-
menschliche Beziehungen an (*Die Metamorphose der Pflanzen*
v. 71 ff.). →Ovid.

H. Muckermann, G.s M., Zeitschrift für Morphologie und Anthropologie 44, 1952;
C. Heselhaus, M.-Dichtungen und M.-Anschauungen, Euph 47, 1953; A. Portmann, G.
und der Begriff der M., GJb 90, 1973; D. Kuhn, Typus und M., 1988; Ch. Lichtenstein,
M. in der Kunst des 19. und 20. Jahrhunderts I: Die Wirkungsgeschichte der M.lehre
G.s, 1990.

Die Metamorphose der Pflanzen (Abhandlung) →*Versuch die
Metamorphose der Pflanzen zu erklären*

Die Metamorphose der Pflanzen (Elegie). Das Lehrgedicht in Distichenform entstand am 17./18. 6. 1798 und erschien zuerst Ende 1798 in Schillers *Musen-Almanach für das Jahr 1799*, dann leicht verändert unter den Elegien der *Neuen Schriften* (7, 1800), kommentiert in den Heften *Zur Morphologie* (I,1, 1817) und seit 1827 auch in der Gedichtgruppe »Gott und Welt«. Es steht im Zusammenhang mit G.s Versuchen dichterischer Darstellungen der Naturlehre und gab den Anstoß für ein durch Knebels gleichzeitige Lukrez-Übersetzung angeregtes Projekt eines großen naturphilosophischen Lehrgedichts, das bis Herbst 1799 verfolgt und dann aufgegeben wurde. In Aufbau und Gedankenführung entspricht es G.s Abhandlung →*Versuch die Metamorphose der Pflanzen zu erklären* (1790), beschränkt sich jedoch auf das Prinzip – das Blatt als Keimzelle aller pflanzlichen Formen – und ersetzt die Begriffe durch anschauliche Bilder. Durch die wiederholte persönliche Anrede an die Geliebte (Christiane im Garten) und die Ausweitung auf Tiere, Menschen und das liebende Paar selbst erhält das Lehrgedicht die der Elegie angemessene individuelle Note.

G. Müller, G.s Elegie D. M. d. P., DVJ 21, 1945, auch in: Die deutsche Lyrik I, hg. B. v. Wiese 1956 u. ö.; G. Overbeck, G.s Lehre von der M. d. P. und ihre Widerspiegelung in seiner Dichtung, PEGS 31, 1961; K. Prange, Das anthropologisch-pädagogische Motiv der Naturauffassung G.s, LWU 8, 1975; E. Hudgins, Das Geheimnis der Lucinde-Struktur, GQ 49, 1976; K. Richter, Wissenschaft und Poesie »auf höherer Stelle« vereint, in: Gedichte und Interpretationen 3, hg. W. Segebrecht 1984; K. Oettinger, Unschuldige Hochzeit, DU 38, 1986; G. Peters, Das Schauspiel der Natur, Poetica 22, 1990; M.-L. Kahler, »Alle Gestalten sind ähnlich«, 1991; →Metamorphose.

Metamorphose der Tiere. Das undatierte Hexametergedicht mag, wenn die Tagebucheintragung vom 10. 11. 1806 »Hexameter zur Morphologie« sich auf *Die Metamorphose der Pflanzen* bezieht, um 1798/99 entstanden sein und erschien zuerst in den Heften *Zur Morphologie* (I,2, 1820). Nur dem Titel nach Gegenstück zur *Metamorphose der Pflanzen,* erweist es sich trotz Leseranrede als unpersönliches Fragment, vermutlich Bruchstück des 1799 geplanten großen Lehrgedichts über die Natur, das in Anlehnung an den *Ersten Entwurf einer allgemeinen Einleitung in die vergleichende Anatomie* (1795) dessen Kerngedanken des »haushälterischen Gebens und Nehmens« (ebd. IV) in der Organisation der Tiere poetisch gestaltet.

F. Cramer, »Denn nur also beschränkt war je das Vollkommene möglich«, 1983; H. B. Nisbet, Lucretius in 18th century Germany, MLR 81, 1986; →Metamorphose.

Meteore des literarischen Himmels. Der 1817 entstandene Aufsatz, gedruckt in den Heften *Zur Naturwissenschaft* (I,3, 1817), steht nur wegen des Erstdrucks und des leicht irreführenden Titels unter den naturwissenschaftlichen Schriften; seinem Thema nach betrifft er alle Wissenschaften und Künste und erläutert einige heute zumeist unüblich gewordene Begriffe zur Originalität und Abhängigkeit geistigen Eigentums.

Meteorologie. Von Natur außerordentlich wetterfühlig und in seiner Leistungsfähigkeit stark von gutem Wetter, etwa in Italien, ab-

ängig, interessierte sich G. von früh auf für atmosphärische und
limatische Erscheinungen, stellte auf seinen Reisen (1779 Schweiz,
786 Brenner und Italien, 1818 Jena, 1820 Karlsbad, 1822 Marien-
ad u. ö.) sorgfältig aufgezeichnete meteorologische Beobachtun-
en an und förderte 1817 unter Anteilnahme Carl Augusts die Ein-
ichtung meteorologischer Beobachtungsstationen in Thüringen,
ür die er Beschreibungsgrundsätze aufstellte. Als Augenmensch we-
iger an Klimatabellen und -messungen als am sichtbaren Wetter
nteressiert, konzentrierte er seine eigenen Studien auf den Abend-
immel (Wirkung auf die *Farbenlehre*) und besonders auf →Wolken,
Volkenbildung und Wolkenformen, für die ihm Luke →Howards
erminologie 1815 willkommene Kategorien bereitstellte. Seine
chriften zur Meteorologie *Wolkengestalt nach Howard* (1820), *Über
ie Ursache der Barometerschwankungen* (1822), *The Climate of London*
Besprechung von Howard, 1823) und *Versuch einer Witterungslehre*
1825) spiegeln bis auf einige Fehlschlüsse den Wissensstand der
Zeit. G. erkannte selbständig die Abhängigkeit der Witterung vom
Luftdruck, nicht vom Mond und Planeten, nahm jedoch als Ursache
ür Luftdruckwechsel Veränderungen der pulsierenden Erdanzie-
ungskraft an. Literarisch spiegelt sich G.s meteorologisches Inter-
sse in *Howards Ehrengedächtnis* (1820) und den →Wolkengedichten.

W. v. Wasiliewski, G.s meteorologische Studien, 1910; F. Loewicke, G. und die M.,
Zeitschrift für angewandte Meteorologie 60, 1943; K. Schneider-Carius, G.s Erlebnis
und Erforschung der atmosphärischen Erscheinungen, Goethe 12, 1950; L. R. Phelps,
G's meteorological writings, MDU 48, 1956; W. M. H. Schulze, G. und die M.,
Wissenschaftliche Annalen 6, 1957; M. Sommerhalder, Pulsschlag der Erde, 1993;
G. Martin, G.s Wolkentheologie, ZDP 114, 1995.

Metrik →Verskunst

Metternich, Clemens Wenzel Lothar, Fürst von (1773–1859). Der
hohe österreichische Diplomat, 1809 Außenminister, 1821–48
Staatskanzler und Hauptvertreter der Reaktion, besuchte G. nach
den Wirren der Völkerschlacht von Leipzig am 26. 10. 1813 zu
seiner großen Beruhigung in seinem Haus in Weimar (an Gräfin
I. O'Donell 30. 10. 1813). G. besuchte ihn am 28. und 31. 7. 1818 in
Karlsbad, empfing am 17. 8. 1818 dort seinen Gegenbesuch und besuchte ihn dort wieder am 30. 8. 1819 nach Abschluß der Diplo-
matenkonferenz für die Karlsbader Beschlüsse (*Tag- und Jahreshefte*
1819). Für die Verleihung des →Leopoldsordens, begleitet von
einem Handschreiben Metternichs, dankte G. ihm am 4. 8. 1815
mit den konventionellen diplomatischen Devotionsformeln und
stand bis 1825 mit ihm in Briefwechsel, als Metternich ihm am 6. 9.
1825 den Nachdruckschutz seiner Werke für ganz Österreich bestätigte.

L. Geiger, G. und M., GJb 13, 1892; K. Glossy, G. und M., Österreichische Rundschau 55, 1918; E. Fischer-Colbie, M.s Urteil über G., ChWGV 34, 1924.

Metz (Mez), Johann Friedrich (1721–1782). Der erfolgreiche,
namentlich bei den Pietisten und Herrnhutern beliebte Frankfur-

ter Arzt, ein »unerklärlicher, schlaublickender, freundlich sprechen
der, übrigens abstruser Mann« (*Dichtung und Wahrheit* II,8), wurd
im Herbst 1768 wohl auf Empfehlung S. von Klettenbergs nebe
dem Hausarzt Dr. J. J. Burggrave zu G.s Krankheit hinzugezogen. E
erreichte nach der lebensgefährlichen Krise vom 7. 12. 1768 woh
eher durch ein geheimnisvolles (illegales, da selbst zubereitetes) Sal
als durch die Entfernung des sittlich gefährdenden Mädchenbild
nisses von F. →Boucher ab 18. 12. eine rasche Besserung. Auf sein
Anregung studierten G. und S. von Klettenberg die magisch
okkultistische und alchemistische Literatur und unternahmen che
mische Experimente, deren Nachklänge sich im *Faust* finden. Met
mag ein Vorbild für den Arzt in den »Bekenntnissen einer schöne
Seele« gewesen sein.

Meulen, Adam Frans van der (1632–1690). Von dem flämische
Schlachten- und Landschaftsmaler, der seit 1662 als Hofmaler Lud
wig XIV. von Frankreich auf allen Feldzügen begleitete, sah G
mehrere Gemälde in der Dresdner Galerie und erwarb 1818 ein
Radierung. Seine Erwähnung in der *Campagne in Frankreic*
(13.–17. 9. 1792) bezeugt, wie sehr G. auch die Kriegswirklichkei
aus der Perspektive alter Meister sah.

Meyer, Ernst Heinrich Friedrich (1791–1858). Mit dem Göttinge
Privatdozenten (seit 1819) und Botaniker, den er nie persönlich
kennenlernte, stand G. 1822–31 in Briefwechsel. G. übersandte ihm
am 2. 2. 1823 einige dadurch mit angeregte naturphilosophische
Aufzeichnungen und veröffentliche diese mit Meyers Erwiderung
vom 13. 3. 1823 und einem Vorwort vom 17. 3. 1823 u. d. T. *Probleme* in den Heften *Zur Morphologie* (II,1, 1823). Für die Neuausgabe von 1831 des *Versuchs die Metamorphose der Pflanzen zu erklären*
erbat er Meyers Hinweise zur Rezeption des Werkes und erwähnt
diesen selbst im Kapitel »Wirkung dieser Schrift«. Der begeisterte
Anhänger von G.s Metamorphosenlehre plante eine (nicht ausgeführte) Morphologie der Pflanzen auf deren Grundlage. Bei Meyers Berufung zum Professor der Botanik und Direktor des botanischen Gartens nach Königsberg 1826 spielte der für Anerkennung
seiner Forschungen empfängliche G. eine maßgebliche Rolle.

R. Neumann, Prof. E. M. und seine Beziehungen zu G., Botanische Zeitung 17,
1859.

Meyer, Friedrich Ludwig Wilhelm →*Berlinisches Archiv der Zeit und
ihres Geschmacks*

Meyer, Johann (1749–1825). G.s Tischgenosse und Studienfreund
in Straßburg war ein reicher Lindauer Medizinstudent, Spötter,
Theaterfan, Flötist und Komponist einer Oper, dem sein unglaubliches Gedächtnis das Studium erleichterte und der gern die Pro-

fessoren imitierte. G.s anschauliche Beschreibung (*Dichtung und Wahrheit* II,9) rügt bei allem Lob seiner Schönheit, Gutmütigkeit und Intelligenz seinen »unglaublichen Leichtsinn« und seine »unbändige Liederlichkeit«. Dennoch brachte Meyer es zum angesehenen Arzt in Wien, später London.

Th. Stettner, M. von Lindau, GJb 24, 1903.

Meyer, Johann Heinrich (1760–1832). G.s »Kunscht-Meyer«, der Schweizer Maler und Kunstschriftsteller, Schüler J. C. Füßlis in Zürich, studierte schon seit 1784 die Kunst in Rom, als G. am 2. 11. 1786 im Quirinal den »belehrenden Künstler« kennenlernte, der ihm seine Frage nach einem Maler rasch und sicher, wenn auch nach neuer Zuschreibung sachlich falsch, beantwortete (→Bordone; *Italienische Reise* 3. 11. 1786) und den G. seither wegen seiner Kenntnisse hochschätzte. Seit Oktober 1787 entstand im täglichen Umgang ein Freundschaftsverhältnis (ebd. Bericht November 1787, 25. 12. 1787), das, über vier Jahrzehnte ungetrübt, G.s Kunstauffassung wesentlich beeinflußte. Am 6. 5. 1790 traf G. ihn in Venedig in der Reisegesellschaft Anna Amalias wieder, der Meyer bis Mantua folgte, und im November 1791 zog er ihn als Freund und Hausgenossen nach Weimar, wo er auf G.s Veranlassung 1795 Lehrer an der →Freien Zeichenschule und 1806 als Nachfolger von G. M. Kraus deren Direktor wurde. Zunächst leitete Meyer 1792 den klassizistischen Umbau und die Innenausstattung des Hauses am Frauenplan, in dessen Mansarde er bis zu seiner Verheiratung Anfang November 1802 wohnte, schuf dafür die Sopraporten und Entwürfe der Deckengemälde im Juno- und Urbinozimmer, das Deckengemälde in dem unter seinem Einfluß neugestalteten Treppenhaus u. a. m. und war G.s Berater und Gutachter in allen Kunstfragen, besonders auch bei den Neuerwerbungen für den Weimarer Hof. Im Juli 1794 war er mit G. zu einwöchigen Kunststudien in Dresden, 1795–97 zur Materialsammlung für das von G. geplante große kulturhistorische Werk über Italien in Rom und Florenz, wo er für G. die Kunstwerke Cellinis beschrieb und ihm eine Kopie der »Aldobrandinischen Hochzeit« besorgte. Am 20. 9. 1797 traf er G. während dessen 3. Schweizer Reise in Zürich zur gemeinsamen Heimreise und folgte ihm auch sonst auf Reisen: 15. 8. 1801 nach Kassel, Mai 1811 nach Karlsbad, Juni/Juli 1816 nach Jena. Die Verletzung seines Reisegefährten bei einem Wagensturz am 20. 7. 1816 veranlaßte G. sogar, die begonnene letzte Reise an den Rhein und nach Süddeutschland (Baden-Baden) aufzugeben. Anfangs bis 1806 noch künstlerisch tätig (dekorative Malereien, Kopien antiker und italienischer Meister, Friese, Gemälde und Skulpturen im Weimarer Schloß, Entwürfe für Denkmäler, Masken, Theaterkostüme, Titelblätter und Vignetten, ein steifes Kniebild G.s um 1792/95, Rundbild Christianes mit August 1793 u. a. m.), konzentrierte Meyer sich seit 1794 auf Kunstschriften, wurde Mitarbeiter von Schillers *Horen,*

G.s *Propyläen* (1798 ff.) und *Über Kunst und Altertum* (1816 ff.) sowie der *Jenaischen Allgemeinen Literaturzeitung,* arbeitete an der Ausgabe der Schriften Winckelmanns mit und war nächst G. die treibende Kraft der »Weimarischen Kunstfreunde«, deren Preisaufgaben, Ausstellungen und Entscheidungen er 1799–1805 im Verein mit G. in den Zeitschriften kommentierte. Als quasi Ghostwriter G.s steuerte er Kapitel zu *Winckelmann und sein Jahrhundert* (1805; »Entwurf einer Kunstgeschichte des 18. Jahrhunderts« u. a.) und zu G.s *Geschichte der Farbenlehre* bei (»Hypothetische Geschichte des Kolorits besonders griechischer Maler«; »Geschichte des Kolorits seit Wiederherstellung der Kunst«). Sein Bericht über die Schweizer Heimindustrie der Spinner und Weber fand teils wörtlich Eingang in *Wilhelm Meisters Wanderjahre* (III,5). In Aufsätzen seit 1805 und besonders in *Neudeutsche religiös-patriotische Kunst* (1817) machte er sich zum Sprachrohr von G.s Verdammung der romantischen Malerei. Meyers *Geschichte der bildenden Künste bei den Griechen* (II 1824), an der G. lebhaften Anteil nahm, und die erst 1974 aus dem Nachlaß veröffentlichte *Geschichte der Kunst* mit Spuren von G.s Redaktion waren schon bei ihrer Entstehung unoriginell, epigonal und in ihrem dogmatischen Festhalten an klassizistischen Kunstideen überholt. G.s maß- und kritiklose Überschätzung von Talent, Bedeutung, Leistung und Urteil des biederen, aber unoriginellen, begrenzten, völlig einseitigen und rigoros unduldsamen »Experten«, der seinerseits bis zur fast völligen Identifikation mit G.s Ideen und Zielen aufging, und sein unbedingtes Vertrauen auf seine Meinung dokumentieren die Grenzen und Unsicherheiten in G.s Kunstkennerschaft, für die Meyer nicht Ursache, sondern Symptom ist. Zur Durchsetzung des epigonalen Klassizismus, den er beschreibend formuliert, trug sein Eifer weniger bei als zu dessen abschätziger Beurteilung.

O. Harnack, G. und H. M., in ders., Essais und Studien, 1902; W. Waetzoldt, Deutsche Kunsthistoriker I, 1921; A. Federmann, J. H. M., 1936; W. Pfeiffer-Belli, G.s Kunstmeyer und seine Welt, 1959; C. Kahn-Wallerstein, G. und der Schweizer Freund H. M., in dies., Der alte Mann am Frauenplan, 1979; E. H. Gombrich, G. und die Kunstgeschichte: der Beitrag J. H. M.s, in ders., Gastspiele, 1992.

Meyer, Marianne →Eybenberg, Marianne von

Meyer, Nicolaus (1775–1855). Der Bremer Medizinstudent in Jena (1798–1801) verkehrte seit 28. 12. 1799 häufig und als gern gesehener Gast in G.s Haus, wo G.s naturwissenschaftliche Sammlungen ihm Material lieferten für seine auf G.s vergleichender Anatomie aufbauende, von ihm angeregte und ihm gewidmete Dissertation *Prodromus anatomiae murium,* und entwickelte ein freundschaftliches Verhältnis zu G. und Christiane, das sich auch im späteren Briefwechsel (1800–1831) meist um häuslich-familiäre Dinge spiegelt. 1802 Arzt, Schriftsteller und Kunstsammler in Bremen, 1809 in Minden, sandte er G. Geschenke für seine naturwissenschaftlichen und Kunst-Sammlungen (Antiquitäten, Münzen, Majolica) sowie Delikatessen und Portwein. Er besuchte G. auf seiner Hochzeitsreise am 11.–14. 8. 1806 in Weimar, 16. 8. 1806 in Jena und wieder am 6.–18. 12. 1808, 14.–21. 9. 1809 und 8.–10. 11. 1828 in Weimar. G. beriet ihn auch wohlwollend bei seinen belanglosen Gelegenheitsdichtungen.

K. Knebel, N. M. als Freund G.s, Diss. Münster 1908; G.s Bremer Freund, hg. H. Kasten 1926.

Meyer, Sara →Grotthuß, Sara von

Meyerbeer, Giacomo (1791–1864). In Gesprächen mit Eckermann (29. 1. 1827; 12. 2. 1829) äußerte G. wiederholt, Meyerbeer wäre der ideale Komponist einer *Faust*-Oper. Doch kam es nicht dazu; selbst Meyerbeers Bühnenmusik (1861) zu dem Drama *La jeunesse de Goethe* von Henri Blaze de Bury mit einer Szene *Faust* wurde nicht aufgeführt und ist nicht erhalten.

Meyr, Melchior (1810–1871). Der junge Dichter sandte G. im Januar 1832 seine ersten Gedichte mit der Bitte um Beurteilung. Seinem vorsichtig günstigen Antwortbrief vom 22. 1. 1832 legte G. den Aufsatz *Wohlgemeinte Erwiderung* vom 19. 1. 1832 bei, den Eckermann u. d. T. *Für junge Dichter* in *Über Kunst und Altertum* (VI,3, 1832) druckte.

Mez, Johann Friedrich →Metz, Johann Friedrich

Michael, Großfürst von Rußland (1798–1848). Den Sohn Kaiser Pauls I. und der Maria Feodorowna von Rußland und Bruder der Großfürstin Maria Paulowna, Großherzogin von Sachsen-Weimar, sah G. am 9. 3. 1814, 18. 10. 1815 und 25. 4. 1818 in Weimar; er verkehrte mit ihm am 14.–23. 8. 1821 in Marienbad.

Michaelis, Johann David (1717–1791). Bei dem berühmten Göttinger Theologen, 1750 Professor für orientalische Sprachen, Erforscher der altorientalischen Alltagskultur, Begründer der undogmatischen, historisch-kritischen Erforschung des Alten Testaments und übrigens Vater der Caroline Böhmer-Schlegel-→Schelling, hätte G. gern studiert (*Dichtung und Wahrheit* II,6–7). Er besuchte ihn auf der 2. Harzreise Ende September 1783 in Göttingen und erwähnt ihn u. a. im *Werther* und in den *Noten und Abhandlungen.*

Michelangelo Buonarroti (1475–1564). Von dem großen, »übermenschlichen, aber auch die Menschheit gewaltsam überbietenden« (*Über Kunst und Altertum* I,2, 1817) Bildhauer, Maler und Architekten der italienischen Renaissance sah G. in Rom zuerst am 22. 11. 1786 die Deckenfresken (1508–12) und das Altarwandfresko »Jüngstes Gericht« (1534–41) in der Sixtinischen Kapelle des Vatikans und kehrte wiederholt zu deren überwältigendem Eindruck zurück (*Italienische Reise* 22. 11., 2. und 3. 12. 1786, 16. 2. und 23. 8. 1787, 1. 3. 1788). Ferner sah er am 3. 12. 1787 die Statue des »Moses« (1513–16) in S. Pietro in Vincoli, die sein Moses-Bild bleibend prägte (*Antik und modern*, 1818; *Christus ...*, 1830) und von der er eine kleine Bronzenachbildung besaß (zu Eckermann 12. 5. 1830), vielleicht auch die unvollendete »Pietà Rondanini«, damals im Palazzo Rondanini, auf die sich das Xenion aus dem Nachlaß 48 *Der Künstler* beziehen könnte. Die Bauten (außer der Peterskirche) und weitere Skulpturen, etwa in Florenz (David, Medicäergräber), erwähnt die *Italienische Reise* nicht. Von der Größe seines Schöpferwillens überwältigt, erkannte G. Michelangelo Naturnähe, »Kraft und Großheit« (*Weimarische Pinakothek*, 1821), nicht aber Schönheit zu. In dem unter Kunstfreunden beliebten Rangstreit zwischen Raffael und Michelangelo, der vielen als »Verderber« der Kunst galt (zu Eckermann 14. 4. 1829), ergriff G. zwar am 31. 7. 1787 für Michelangelo Partei (*Italienische Reise*) und erwähnt ihn später auch in Gesprächen mit Anerkennung, kehrte aber bald zu den Griechen und Raffael als Vorbildern zurück.

H. v. Einem, G. und M., GJb 92, 1975.

Mich ergreift, ich weiß nicht wie ... →*Tischlied*

Mickiewicz, Adam (1798–1855). Der bedeutendste Dichter der polnischen Romantik, großer G.-Verehrer und übrigens Schwiegersohn der Pianistin Maria →Szymanowska, besuchte G., von Zelter angemeldet, auf einer Deutschlandreise mit seinem Schriftstellerkollegen Anton Eduard Odyniec am 19.–31. 8. 1829 in Weimar, wurde 19. 8. von G., der wenig von ihm gelesen hatte, im Gartenhaus freundschaftlich empfangen, war am 24.–31. 8. fast ständiger Tischgast G.s oder Ottilies im Haus am Frauenplan und nahm am 28. 8. an den Feierlichkeiten zu G.s Geburtstag teil. Bei Abschied am 31. 8. schenkte ihm G. auf seine (schon am 28. 6. 1828 von M. Szymanowska an Kanzler von Müller gerichtete) Bitte eine angeschriebene Schreibfeder mit dem Zweizeiler *Mit einer angeschriebnen Feder* (»Dem Dichter widm' ich mich ...«).

G. Karpeles, G. in Polen, 1890; Zwei Polen in Weimar, hg. F. T. Bratanek 1870, u. d. T. Besuch in Weimar hg. M. Mell 1949; J. Kleiner, W kregu Mickiewicza i Goethego, Warschau 1938; H. Schroeder, M. in Germany, in: A. M. in world literature, hg. W. Lednicki, Berkeley 1956; H. Mayer, A. M., in ders., Deutsche Literatur und Weltliteratur, 1957.

Mieding, Johann Martin →*Auf Miedings Tod*

Mignon. Die poetischste und rührendste Frauengestalt G.s ist die zwitterhaft-geschlechtslose, vieldeutig-rätselhafte und geheimnisvoll fremde Kindfrau in *Wilhelm Meisters Lehrjahre,* bereits angelegt in *Wilhelm Meisters theatralische Sendung.* Wilhelm Meister trifft sie

als 12/13jähriges Mädchen unbekannter Herkunft und ohne
Namen, Mignon (d. h. »Liebling«) gerufen, bei einer Seiltänzertruppe, der er sie abkauft (II,4). Sie dient ihm hingebungsvoll, unbewußt in kindlich-erotischer Zuneigung ohne Sentimentalität
und stirbt am Herzeleid, als Wilhelm Therese umarmt (VIII,5). Erst
nachträglich enthüllt sich ihre Vorgeschichte: Kind des Harfners aus
einer inzestuösen Verbindung mit seiner Schwester Sperata (VIII,9),
wurde sie von Seiltänzern aus ihrer Heimat bei Mailand am Lago
Maggiore entführt, die Wilhelm in *Wilhelm Meisters Wanderjahren*
(II,7) wieder aufsucht. Des Deutschen wenig mächtig, verständigt
sich Mignon vornehmlich durch Gestik, Tanz und ihre seelenvollen
Lieder (→Mignon-Lieder) einer unstillbaren Sehnsucht nach ihrer
Heimat im Süden, der Liebe und schließlich Tod und Erlösung.
Schlichtweg Verkörperung des reinen Gefühls und unbedingter
Sehnsucht nach dem Unerfüllbaren, Fernen, nur Erahnten, wurde
die Figur seit der Romantik als Schlüsselfigur des hoffnungslosen
Strebens nach dem Erhofften, Unerreichbaren vielfach nachge-
ahmt, bis zu Ambroise Thomas' erfolgreicher Oper *Mignon* (1866)
und G. Hauptmanns Novelle *Mignon* (1944). Vgl. →*An Mignon*.

R. Rosenbaum, M., PrJbb 87, 1897; E. Wolff, M., 1909; E. Maaß, M. und Harfner, in
ders., G. und die Antike, 1912; G. Cohen, M., JGG 7, 1920; J. Schiff, M., Ottilie, Makarie im Lichte der G.schen Naturphilosophie, JGG 9, 1922; F. R. Lachmann, G.s M.,
GRM 15, 1927; D. Flashar, Bedeutung, Entwicklung und literarische Nachwirkung
von G.s M.gestalt, 1929 u. ö.; P. Sarasin, G.s M., Imago 15, 1929, separat 1930; W. Wagner, G.s M., GRM 21, 1933; P. Gazzola, La figura di M., Convivium 12, 1940; P. Krauß,
M., der Harfner, Sperata, DVJ 22, 1944; A. Dornheim, G.s M. und Th. Manns Echo,
Euph 46, 1952; G. Storz, M.s Bestattung, in ders., G.-Vigilien, 1953; M. L. Kaschnitz,
M., Merkur 16, 1962, auch in dies., Zwischen Immer und Nie, 1971; L. Mazzucchetti,
M. da G. a Hauptmann, Studi germanici NS 2, 1964, deutsch Schweizer Monatshefte
45, 1965; H. Ammerlahn, Wilhelm Meisters M., DVJ 42, 1968; H. Ammerlahn, M.s
nachgetragene Vorgeschichte, MDU 64, 1972; J. Lienhard, M. und ihre Lieder, 1978;
R. Schottländer, Das Kindesleid der M., JFDH 1979; W. Gilby, The structural signifi-
cance of M., Seminar 16, 1980; K. Keppel-Kriems, M. und Harfner, 1986; M. Fick, Das
Scheitern des Genius, 1987; S. P. Scher, M. in music, in: G. in Italy, hg. G. Hoffmeister,
Amsterdam 1988; E. Tunner, L'esprit de M., GJb 106, 1989; J. König, Das Leben im
Kunstwerk, 1991; G. Saße, Die Sozialisation des Fremden, in: Begegnung mit dem
Fremden Bd. 11, 1991; G.s M. und ihre Schwestern, hg. G. Hoffmeister 1993; U. R.
Mahlendorf, The mystery of M., GYb 7, 1994; →Wilhelm Meisters Lehrjahre.

Mignon (»Kennst du das Land …«). Das bekannteste der →Mi-
gnon-Lieder entstand 1782/83 vor G.s Italienreise, die ihm die
Richtigkeit seiner und Mignons Vision bestätigte (*Italienische Reise*
24. 2. 1787, Bericht Oktober 1787), und war schon in *Wilhelm Meisters theatralische Sendung* (IV,1) enthalten, wo im Refrain durchweg
»Gebieter« steht. In *Wilhelm Meisters Lehrjahren* (III,1) singt Mignon
es angeblich italienisch, und Wilhelms deutsche Übersetzung variiert die Anreden zu »Geliebter, Beschützer, Vater« und verdeutlicht
damit die Vielschichtigkeit ihres Verhältnisses zu Wilhelm. Zu Mignons Gedenken erklingt es wieder in *Wilhelm Meisters Wanderjahre*
(II,7). 1815 nahm G. das im Roman überschriftslose Lied u. d. T.
Mignon als erstes der Abteilung »Balladen« in die Gedichtbände auf.
Zunächst durchaus Ausdruck der noch unbefriedigten Italien-

sehnsucht, malt das Lied in drei gleichgebauten Strophen, durch
den abgesetzten Refrain auch als Zwiegesang denkbar, die Natur
und Landschaft, die Architektur und Kunst und die bewußt eingegangenen Gefahren der Reise mit Alpenüberquerung in Bildern
übermächtiger Sehnsucht aus, die allerdings in Mignons Mund für
den Freudianer mehrdeutig mit verschlüsselten erotischen Hinweisen der sinnlichen Verlockung und der Initiation besetzt sind. – Das
Lied ist nicht zuletzt durch den Zauber seiner Sängerin zum Stan-
dardzitat deutscher Italiensehnsucht geworden und fand an 90 Vertonungen (Beethoven, Gounod, Liszt, Reichardt, A. Rubinstein,
Schubert, Schumann, Spohr, Tschaikowsky, Wolf, Zelter u. a. m.,
dazu J. Strauß' d. J. Walzer »Wo die Zitronen blühn«, Op. 364, 1874).
Bekanntheit, Visionstopik (Utopie) und eingängige Versform führten überdies schon zu G.s Lebzeiten und später zu einer Vielzahl
von Umdichtungen und Parodien, von Eichendorffs nahrhaftem
»Italien, wo die Pomeranzen wachsen« (*Aus dem Leben eines Taugenichts*, 1826, III) bis zu Erich Kästners »Land, wo die Kanonen
blühn« (1928), meist jedoch zeitgebundenen, kurzlebigen politischen Paraphrasen des Wunsches nach alternativen Zuständen
(Glaßbrenner, F. von Sallet, Dingelstedt u. a.).

E. Wolff, Mignon, 1909; C. Pitollet, Kennst du das Land?, Revue Germanique 6,
1910; G. Schaaffs, Zwei Gedichte von G., MLN 28, 1913; O. Seidlin, Zur Mignon-
Ballade, MDU 41, 1949 und Euph 45, 1950, auch in ders., Von G. zu Th. Mann, 1963;
W. Ross, Kennst du das Land, GRM 33, 1951 f.; H. Meyer, Mignons Italienlied, Euph
46, 1952; H. Meyer, Kennst du das Haus, Euph 47, 1953; A. Böhm, O Vater, laß uns
ziehn, MLN 100, 1985; J.-T. Ahn, Mignons Lied, 1993; →Mignon, →Mignon-Lieder.

Mignon-Lieder. Die vier Lieder →Mignons in *Wilhelm Meisters
Lehrjahren* (1795/96) unterlegen dem epischen Vorgang eine tiefere
lyrische Schicht; sie sprechen von ihrer Sehnsucht nach der Heimat, Liebe, Tod und vom Schicksal und verdanken ihre Beliebtheit
besonders ihrer rätselhaften Sängerin. Im Roman erscheinen sie
ohne Einzelüberschriften. Als G. sie wegen ihrer Beliebtheit als Ein-
zelkompositionen auch in die Gedichtausgaben aufnahm, stellte er
in der Abteilung »Aus Wilhelm Meister« der *Werke* (1815) drei Lieder Mignons und die des Harfenspielers unter deren Namen (nicht
als Überschrift, sondern als Sänger/-in) in anderer Reihenfolge als
im Roman zusammen: 1. →»Heiß mich nicht reden ...« (entstanden Herbst 1782; in der *Theatralischen Sendung* III,12 als Rollenlied aus Wilhelms Drama zitiert; *Lehrjahre* V,16; 18 Vertonungen:
Reichardt, Schubert, Schumann, Wolf, Zelter u. a.). – 2. »Nur wer
die Sehnsucht kennt ...« (entstanden 20. 6. 1785 an Ch. von Stein;
Theatralische Sendung VI,7; *Lehrjahre* IV,11, anfangs als Duett mit dem
Harfner; über 50 Vertonungen: Beethoven, Loewe, Reichardt,
Schubert, Schumann, Tschaikowsky, Wolf, Zelter u. a.). – 3. →»So
laßt mich scheinen ...« (kontextgebunden um 1795/96 entstanden;
Lehrjahre VIII,2; 21 Vertonungen: Reichardt, Schubert, Schumann,
Wolf, Zelter u. a.). Das bekannteste der Mignon-Lieder jedoch,

»Kennst du das Land …«, erschien in derselben Ausgabe unter der Überschrift →*Mignon* als erste der Abteilung »Balladen«.

H. Meyer, Mignons Italienlied und das Wesen der Verseinlagen im Wilhelm Meister, Euph 46, 1952; G. Storz, Die Lieder aus Wilhelm Meister, in ders., G.-Vigilien, 1953; P. A. Treanor, G's Mignon poems, Diss. Princeton 1963; J. Lienhard, Mignon und ihre Lieder, 1978.

Mikrokosmos →Makrokosmos

Milder(-Hauptmann), Anna Pauline (1784–1838). Die gefeierte Berliner Opernsängerin besuchte G. in Marienbad am 13. und 17. 8. 1823; am 15. 8. 1823 hörte er sie mit großer Rührung in kleinem Kreis bei Dr. Heidler vier Lieder singen (an Zelter 24. 8. 1823). Am 12. 6. 1826 schrieb er ihr, die in Berlin Glucks Iphigenie gesungen hatte, in ein Exemplar seiner *Iphigenie* den Vierzeiler »Dies unschuldvolle fromme Spiel …« und empfing am 7. 10. 1830 anläßlich eines Weimarer Gastspiels ihren Besuch.

L. Grünstein, G. und die Sängerin M.-H., in: Aus G.s Marienbader Tagen, 1932.

Miller, Johann Martin (1750–1814). Der Lyriker und Erzähler der Empfindsamkeit aus dem Umkreis des Göttinger Hains lernte G. im August 1775 kurz in Frankfurt kennen, ohne ihm näher zu treten. Seinen übersteigert empfindsamen, tränenreichen Roman in der *Werther*-Nachfolge *Siegwart. Eine Klostergeschichte* (1776), den er am 21.–27. 10. 1810 wieder las, nennt G. in einer Notiz zu *Dichtung und Wahrheit* »völlig kunstlos« und verspottet ihn im *Triumph der Empfindsamkeit* (1778, Akt V), wo er zum empfindsamen Füllsel der ausgestopften Puppe gehört.

Milton, John (1608–1674). Von dem von ihm geschätzten englischen Dichter las G. am 28. 7.–Mitte August 1799 das Epos *Paradise Lost* (1667) und setzte sich besonders mit seiner Satan-Figur und Miltons Teufelshierarchie im Hinblick auf den *Faust* auseinander (an Schiller 31. 7. und 3. 8. 1799; *Dichtung und Wahrheit* III,15). G. kannte ferner *L'Allegro* (1632; vgl. ebd. III,13), und am 18. 8. 1829 las H. C. Robinson ihm einen Teil der Tragödie *Samson Agonistes* (1671) vor, die ihn sehr beeindruckte (an Zelter 31. 12. 1829; zu Eckermann 31. 1. 1830) und die er im November 1830 wiederholt mit Ottilie las.

Mineraliensammlung →Mineralogie

Mineralogie. G.s anhaltende, zeitweise intensive Beschäftigung mit der Mineralogie wie mit der Geologie begann um 1776 aus den praktischen Erfordernissen seiner amtlichen Tätigkeit besonders im Ilmenauer Bergwerk; sie blieb durchaus das reine Naturstudium eines Liebhabers auf der Stufe der Sammlung und Beschreibung ohne tieferes Studium der Fachliteratur und beschränkte sich wesentlich auf das Feststellen äußerer Kennzeichen in der Nachfolge A. G. Werners, das zu genauester Beobachtung anregte und zwar wenig Neues, aber die Satisfaktion der Erkenntnis brachte. Die mathematisch-geometrische und physikalische Kristallographie vermied G. ebenso wie die chemische Untersuchung der Mineralien im Gefolge von J. Berzelius und J. W. Döbereiner in Jena. Mit großem Sammeleifer baute er seit 1780 seine eigene, umfangreiche Mineraliensammlung durch eigene Funde auf Fahrten (Thüringen, Ilmenau) und Reisen (Harz, Böhmen, Alpen, Apenninen), durch Geschenke und Tausch sonst unerreichbarer Stücke aus, besuchte gern fremde Privatsammlungen und achtete den Wert einer wohlgeordneten Mineraliensammlung für Forschung und Unterricht. So förderte und bereicherte er durch Erwerbungen, u. a. der reichhaltigen Sammlung des Bergrats J. C. W. Voigt, die Jenaer Sammlung unter J. G. Lenz und kümmerte sich selbst, besonders 1804, 1806 und 1812, um Katalogisierung, Ordnung und Aufstellung der Neuerwerbungen, veranlaßte eine Mineraliensammlung im Weimarer Gymnasium, regte 1806 den Karlsbader Steinschneider J. Müller zur Zusammenstellung der Karlsbader Mineralien auch für Verkaufszwecke an und verfaßte eine Beschreibung dieser Sammlung (*Vollständige Sprudelstein-Sammlung*, 1832). G. war aktives Mitglied der 1798 gegründeten →Mineralogischen Gesellschaft in Jena und verkehrte freundschaftlich mit vielen Mineralogen (außer obigen besonders Cramer, von Trebra, Graf von Sternberg). Ihm zu Ehren heißt das Nadeleisenerz seit 1806 Goethit. Die wichtigsten mineralogischen Versuche G.s sind das Fragment einer *Mineralogie von Thüringen* (um 1782) und der Aufsatz *Über den* →*Granit* (1784). Vgl. auch G.s *Wiegenlied dem jungen Mineralogen Walther von Goethe* (1818).

G. Linck, G.s Verhältnis zur M. und Geognosie, 1906; J. Walther, G. und das Reich der Steine, in: G. als Seher und Erforscher der Natur, hg. ders. 1930; E. Baier, M. und Geologie in G.s Leben und Werk, Experientia 5, 1949; K. H. Scheumann, Das Reich der Steine in G.s Welt, in: G. und die Wissenschaft, 1951; H. Seifert, M. und Geologie in G.s Lebenswerk, Philosophia naturalis 2, 1952/54; W. v. Engelhardt, G.s Sammlungen von Mineralien und Gesteinen bis zum Jahre 1786, Neue Hefte zur Morphologie 4, 1962.

Mineralogische Gesellschaft. Die 1798 unter Mitwirkung G.s durch ihren späteren Direktor, Prof. J. G. Lenz, in Jena gegründete Gesellschaft, an deren Aktivitäten und Tagungen sich G. als aktives Gründungsmitglied beteiligte, verfügte über eine ansehnliche Mineraliensammlung im Jenaer Schloß, die durch Vermächtnisse und Schenkungen vermehrt wurde, und eine Fachbibliothek. G. berichtet darüber im Aufsatz *Mineralogische Gesellschaft* (*Jenaische Allgemeine Literaturzeitung* 1805).

Minister Goethe →Amtliche Tätigkeit

Misel. Das Lieblings- und Modewort G.s in der frühen Weimarer Zeit rd. 1776–80, zumal in den Briefen an Ch. von Stein gebraucht,

bezeichnet ein (hübsches) junges Mädchen (auch »Mäuschen« genannt); dazu die Ableitungen »miseln« = flirten, »Miselei« = Flirt.

G. Schaaffs, M. nebst Ableitungen bei G., ZfdU 28, 1914.

Mistra. Oberhalb des in byzantinischer Zeit bedeutenden, heute
verfallenen griechischen Ortes westlich der Ruinen von Sparta erbaute Guillaume II. de Villehardouin als Sitz des von Kreuzrittern
errichteten Herzogtums Achaia 1249 eine Felsenburg, die G. aus
griechischen Reiseberichten bekannt war. Sie, an der sich antike
Sage und abendländisch-mittelalterliche Geschichte begegnen, gilt,
ohne daß G. sie nennt, als Vorbild für die »Ritterburg« Fausts, den
Schauplatz der 2. Szene des Helena-Akts (*Faust* II,3; v. 8995 ff.,
9017 ff., 9127 ff.).

R. Busch-Zantner, Faust-Stätten in Hellas, 1932; H. Tietze, M., ChWGV 40, 1935;
J. Schmidt, Sparta – M., Goethe 18, 1956; R. Hauschild, M., die Faustburg G.s, 1963.

Mit einem gemalten Band (»Kleine Blumen, kleine Blätter …«).
G. sandte das unter den Sesenheimer Liedern erhaltene Gedicht
ohne Überschrift etwa im März 1771, der Zeitmode entsprechend,
mit einigen selbstbemalten Bändern an Friederike Brion (*Dichtung
und Wahrheit* III,11). Im leicht veränderten Erstdruck (*Iris* II,1,
1775) mit der Überschrift *Lied, das ein selbst gemaltes Band begleitete*
straffte er es durch Weglassung der teils redundanten, ursprünglich
4. Strophe; sie bleibt auch seit den *Schriften* (1789) weg, wo es erstmals die Überschrift *Mit einem gemalten Band* erhält. Die duftig
leichten, musikalischen Verse spielen anfangs noch graziös mit dem
Rokoko-Inventar von Frühlingsgöttern (Putti), Zephir (Westwind)
und Rosen, die aus dem Bild in die Natur entschweben, bis die
leichtfertige anakreontische Galanterie angesichts der vorgestellten
Geliebten statt in eine scherzende Pointe ohne Stilbruch in eine
ernste, persönliche Liebeswerbung mündet und damit die tän-
delnde Rokokokonvention überwindet. 17 Vertonungen, u. a. von
Beethoven und Reichardt.

K. Goedeke, G.s »Lied, das ein selbst gemaltes Band begleitete«, Archiv für Litera-
turgeschichte 6, 1876; E. Schmidt, Kleine Blumen, in ders., Charakteristiken 2, 1901;
H. Meyer, G.s Kleine Blumen, Trivium 7, 1949, auch in ders., Zarte Empirie, 1963;
K. May, Drei G.sche Gedichte, in ders., Form und Bedeutung, 1957 u. ö.

Mitleid und Furcht →Katharsis

Die Mitschuldigen. Das Lustspiel in Alexandrinern entstand in
einer ersten, einaktigen Fassung, vielleicht nach einem Entwurf aus
der Leipziger Zeit, im November 1768 – Februar 1769 in Frankfurt, wurde in einer zweiten, durch einen ausführlichen Exposi-
tionsakt erweiterten, dreiaktigen Fassung vom Juni – September
1769 nach langwierigen Proben am 9. 1. 1777 vom Weimarer Liebhabertheater mit G. als Alcest aufgeführt, am 30. 12. 1777 wiederholt und in einer dritten, 1780 – April 1783 überarbeiteten Fassung
in den *Schriften* (Bd. 2, 1787) gedruckt (*Dichtung und Wahrheit*

II,7–8). G.s versittlichende, auf die höfisch-klassische Dezenz einer bürgerlichen Charakterkomödie abzielende Änderungen verschlimmbesserten jedoch die handfeste Situationskomödie in Richtung auf ein psychologisches Sittenstück; einige Streichungen machte G. sogar auf Wunsch Carl Augusts wieder rückgängig. Prosafassung von J. F. E. Albrecht (*Alles strafbar*, 1795); Opernbearbeitungen von Marie Wurm 1923, Helmut Riethmüller 1964. – Formal bis zum Beiseitesprechen und den Zuschaueranreden (à part; ad spectatores) noch stark der Tradition Molières, Goldonis und der sächsischen Aufklärungskomödie (Lessing) verhaftet, deckt die derbdrastische Situationskomödie Mißstände und moralische Abgründe hinter der Fassade bürgerlicher Wohlanständigkeit auf, ohne zu einer zufriedenstellenden Lösung im Sinne der Besserungskomödie zu gelangen. Mitschuldig sind alle Figuren des rasanten, doch fast mechanisch ablaufenden Bühnengeschehens: der auf die Geheimnisse seines Gastes Alcest neugierige, heimlich bei ihm herumschnüffelnde Wirt, sein leichtsinniger Schwiegersohn Söller, der Alcest bestiehlt, um seine Spielschulden zu bezahlen, Söllers vernachlässigte Frau, die Wirtstochter Sophie, die sich auf ein – immerhin unschuldiges – nächtliches Rendezvous mit ihrem früheren Liebhaber Alcest einläßt, und der reiche, adlige Freigeist Alcest selbst, der sich ein ehebrecherisches Liebesabenteuer mit Sophie erhofft und dessen Frivolität vor deren züchtigem Gewissen kapitulieren muß. Sie alle treffen sich, vermeintlich unbelauscht, doch von Söller beobachtet, nächtlicherweise in Alcests Zimmer und verdächtigen und beschuldigen sich anschließend gegenseitig des Diebstahls. Mit dessen Aufklärung sind zwar die Mißverständnisse, nicht aber das moralische Chaos beseitigt. G.s spätere Rechtfertigung der moralischen Indifferenz unter einem »höheren Gesichtspunkt« als Gesetz der Komödie mit dem Christuswort »Wer sich ohne Sünde fühlt, der hebe den ersten Stein auf« (*Dichtung und Wahrheit* II,5) verlagert die Problematik des Stücks nur von dem verfehlten Erwartungshorizont der Zuschauer, die unter den kalt und unsympathisch gezeichneten Typen keine Identifikationsfigur finden, auf eine unliterarisch-moralische Ebene. Trotz Mißerfolgs auf der zeitgenössischen Bühne erwies sich das handfeste, bühnensichere Theaterstück, dem G.s besondere Vorliebe galt, als seine einzige bis in die Gegenwart wirksame Komödie.

A. Döll, G.s M., 1909 u. ö.; R. Petsch, D. M., Freihafen 14, 1931; H.-R. Bortfeldt, Der junge G. als Satiriker und Gesellschaftskritiker, NDL 2, 1954; H. Fischer-Lamberg, Die 2. Fassung der M., in: Beiträge zur G.-Forschung, hg. E. Grumach 1959; F. Martini, G.s »verfehlte« Lustspiele, in: Natur und Idee, hg. H. Holtzhauer 1966, auch in ders., Lustspiele und das Lustspiel, 1974; F. Martini, G.s D. M., in: Das deutsche Lustspiel I, hg. H. Steffen 1968; H. Arntzen, Die ernste Komödie, 1968; H. Preisendanz, Das Schäferspiel Die Laune des Verliebten und das Lustspiel D. M., in: G.s Dramen, hg. W. Hinderer 1980; W. Stauch-von Quitzow, Ein Lustspiel auf dem Weg zur Klassik?, in: Klassik und Moderne, hg. K. Richter 1983; W. Kröger, Das Arrangement im Chaos, LfL 1984; H. Kaiser, Das Spielen mit Liebe und Geld als Farce, in: Deutsche Komödien, hg. W. Freund 1988; K.-D. Müller, G.s D. M., in: Von der Natur zur Kunst zurück, hg. M. Bassler 1996.

Mittelalter. In seiner Auffassung vom Mittelalter, der »Mittelzeit«, bleibt G. im allgemeinen den Vorurteilen des Humanismus wie der Aufklärung verhaftet, nach denen das Mittelalter bzw. in G.s Wortgebrauch die »altdeutsche« Zeit die »dunkle« Zeit der Barbarei zwischen der Antike und der Renaissance, in Deutschland bis ins 17. Jahrhundert reichend, sei, deren vorherrschende christlich-religiöse Ausrichtung G. wenig entsprach. Zwar gibt es Ausnahmen: von den wenigen damals beachteten Leistungen des Mittelalters fanden z. B. die gotische Baukunst des Straßburger Münsters und des Kölner Doms, die mittelalterliche Malerei in der Sammlung Boisserée, die Kunst A. Dürers, Hans Sachs, 1808/09 das *Nibelungenlied* und im Januar–April 1809 (Vorlesungen in der →Mittwochsgesellschaft) die Volksbücher zeitweilig G.s stärkeres, doch nie anhaltendes Interesse beim Versuch, einen Verständniszugang zu ihnen zu finden (zu Eckermann 3. 10. 1828). Dem widerspricht nicht, wenn G. sich in seiner Dichtung mittelalterliche Stoffe, Motive und Formen (z. B. Knittelvers) zunutze macht wie das Rittertum im *Götz*, Teufels-, Hexenwahn und Zauberei im *Faust*.

A. Schoener, G. und die altdeutsche Kunst, 1928; E. Jenny, G.s altdeutsche Lektüre, Diss. Basel 1930; A. Hübner, G. und das deutsche M., Goethe 1, 1936, auch in ders., Kleine Schriften, 1940; R. Samuel, Die Rezeption des M. durch G., in: Akten des 5. Internationalen Germanisten-Kongresses 4, 1976; F. Wagner, Zur Rezeption des lateinischen M. durch J. W. G., Mittellateinisches Jahrbuch 15, 1980.

Mittenwald. In dem bayrischen Alpenort übernachtete G. am 7. 9. 1786 auf dem Weg von München nach Innsbruck und weiter nach Italien.

Mittler. Der groteske Sonderling in den *Wahlverwandtschaften* ist ein früherer Pastor, der seit einem großen Lotteriegewinn nur noch seiner Leidenschaft lebt, in Zwisten aller Art den Vermittler zu spielen, und daher Häuser ohne Streit meidet (I,2). Mit seinem triebhaften Übereifer, blinden Aktionismus (I,18; II,15) und seinem unpersönlich-schablonenhaften Bibelworten und Lebensregeln ohne Rücksicht auf die individuelle Situation richtet er allerdings mehr Unheil und Verwirrung als Gutes an, und im Hause Eduards verursacht er mit seiner rhetorischen Verherrlichung der Ehe (I,9) und seiner Auslegung des 6. Gebots (II,18) Ottilies seelischen Zusammenbruch und Tod.

G. Reitz, Die Gestalt des M.s in G.s Dichtung, 1932 u. ö.; T. Plankensteiner, Die Figur des M. bei G., Diss. Innsbruck 1980; E. Petuchowski, M. as comment, FMLS 18, 1982.

Mittwochsgesellschaft. Die im November 1805 von G. eingerichtete, mit Unterbrechungen bis etwa 1820 fortlebende Gesellschaft versammelte an den Mittwochvormittagen der Wintermonate (etwa 10–13 Uhr) Herzogin Louise, die Damen des Hofes, mitunter auch Carl August, Knebel und Wieland, im Haus am Frauenplan zu allgemeinbildenden Vorträgen G.s, für die er z. T.

Schemata ausarbeitete. Nach anfangs vorwiegend naturwissenschaftlichen Themen (15. 1.–7. 2. 1806 Galvanismus, 12. 2.–11. 6.
1806 Farbphysik mit experimentellen Vorführungen, 1.–8. 4. 1807
Erdbildung) ging man später mehr zu literarischen Themen über:
am 9. 11. 1808–11. 1. 1809 las G. mit Stegreifübersetzung das
Nibelungenlied vor (*Tag- und Jahreshefte* 1807, 1809) und sprach
darüber, am 25. 1.–22. 2. 1809 folgten das Volksbuch *Fierabras*, am
1.–8. 3. 1809 Calderons *Blume und Schärpe*, 15.–22. 3. 1809 Albrecht
Dürer, 29. 3. 1809 nordische Sagenstoffe, 5. 4.–2. 6. 1809 *König
Rother* u. a. m., daneben auch Vorlesungen aus entstehenden eigenen
Werken. Vgl. →Mittwochskränzchen.

Mittwochskränzchen. Als Gegengewicht zur Langeweile der
trüben Weimarer Winterabende und zwecks Hebung kultivierter,
heiterer privater Geselligkeit schlug G. im Oktober 1801 einem
Damenkreis bei L. von Göchhausen eine »edle Gesellschaft« nach
Muster des minnesängerlichen cour d'amour (und mit Anklängen
an das Frankfurter →Mariage-Spiel) vor, die sich seit Anfang
November 1801 wöchentlich oder vierzehntägig jeweils mittwochs
nach dem Theater bei ihm zu einem zwanglosen Souper versam-
meln sollte. Man verständigte sich auf sieben Damen und Herren in
der Paarung von G. und Henriette Gräfin Egloffstein, Schiller und
C. von Wolzogen, W. von Wolzogen und Ch. von Schiller, Einsiedel
und Caroline von Egloffstein, W. G. Chr. von Egloffstein und
Henriette von Wolfskeel, August von Egloffstein und Amalie von
Imhoff, J. H. Meyer und Louise von Göchhausen. Die von G. vorgeschlagenen, feierlichen Statuten erlaubten jedem Mitglied, jeweils
einen allen genehmen Gast mitzubringen, gestatteten eine Lösung
der Partnerschaften erst im Frühjahr und untersagten alle politischen und strittigen Unterhaltungsthemen als die Harmonie ge-
fährdend. Für diese Anlässe schrieb G. seine →geselligen Lieder
(*Stiftungslied, Tischlied, Generalbeichte, Zum neuen Jahr* u. a.), die als
»der Geselligkeit gewidmete Lieder« in G.s und Wielands *Taschenbuch auf das Jahr 1804* erschienen. Auch Schiller steuerte Lieder bei;
er nannte die Abende »recht vergnügt« mit Gesang und Trank (an
Körner 16. 11. 1801); Gräfin Egloffstein dagegen beklagt in ihren
Erinnerungen das pedantische Reglement und die gravitätische
Steifheit. Das Mittwochskränzchen fand im März 1802 ein sanftes
Ende, als der zudringliche →Kotzebue, dem G. trotz Bitten der
Freundinnen den Zutritt verwehrte, als Konkurrenzunternehmen
sein Donnerstagskränzchen gründete. Vgl. *Tag- und Jahreshefte* 1802.

H. Düntzer, Die Stiftung von G.s M., GJb 5, 1884.

Moallakat →Muallaqat

Modena. Die italienische Stadt in der Emilia, deren Türme er
schon am 18. 10. 1786 von Bologna aus gesehen hatte, und deren

Kunstgalerie besuchte G. Mitte Mai bei der Rückreise von Rom
auf dem Weg von Florenz nach Parma.

Möller, Johann (Jean) Philipp(e), Kaufmann aus Leipzig, auch
Filippo Miller, Maler: diesen Namen benutzte G. auf seiner Italienreise 1786–88 schon in Regensburg und München, besonders
aber in Rom, u. a. um nicht als Autor des *Werther* angesprochen und
von Literatenzirkeln in Anspruch genommen zu werden. Nur wenige enge Freunde kannten seine wahre Identität (*Italienische Reise*
. 11. 1786).

Mönchenholzhausen (»Münchenholzen«). Das Dorf zwischen
Weimar und Jena ist der Ort, an dem G.s gerade begonnene dritte
Rheinreise am 20. 7. 1816 nach nur zweistündiger Fahrt zu einem
jaschen Ende kam, als der Reisewagen umstürzte, die Achse brach
und J. H. Meyer verletzt wurde (an Zelter 22. 7. 1816).

Möser, Justus (1720–1794). Der Osnabrücker Staatsmann und Historiker übte mit seinen naturrechtlichen und staatsbürgerlichen
Aufsätzen einen sehr starken Einfluß auf das Geschichts- und Gesellschaftsbild des jungen G. aus, den dieser in seiner Schilderung
des »herrlichen, unvergleichlichen Mannes« dankbar bekennt (*Dich-
ung und Wahrheit* III,13). Herder hatte G. auf Möser hingewiesen
und hatte die Einleitung zu dessen *Osnabrückischer Geschichte* (1768)
unter dem Titel *Deutsche Geschichte* neben G.s *Von deutscher Baukunst* in seinen Sammelband *Von deutscher Art und Kunst* (1773) aufgenommen. Insbesondere wirkte Mösers Aufsatz *Von dem Faustrechte* (1770) auf den *Götz* ein. Mösers *Patriotische Phantasien* (IV
774–86) waren ein Hauptgesprächsthema bei G.s erster Begegnung mit Carl August in Frankfurt am 11. 12. 1774 (ebd. III,15),
und im Anschluß daran ermutigte G. am 28. 12. 1774 Mösers Toch-
er Jenny von Voigts, deren Sammlung fortzusetzen. In seiner Schrift
Über die deutsche Sprache und Literatur (1781) gegen Friedrichs des
Großen *De la littérature allemande* verteidigte Möser G.s *Götz*, und
G. bedankt sich am 21. 6. 1781 bei Jenny von Voigts für deren Übersendung. Für seine Darstellung der Sturm und Drang-Zeit in *Dich-
ung und Wahrheit* las G. im Juni/Juli 1813 wiederum die *Patriotischen
Phantasien*. In seinem Aufsatz *Justus Möser* (*Über Kunst und Altertum*
IV,2, 1823) preist er Möser mit größter Hochachtung als »himm-
lischen Geist« und veröffentlicht einen Auszug aus dessen Aufsatz
Etwas zur Verteidigung des sogenannten Aberglaubens unserer Vorfahren.

G. Kaß, M. und G., Diss. Göttingen 1909; E. Hempel, M.s Wirkung auf seine Zeitgenossen, Mitteilungen des Vereins für Geschichte und Landeskunde Osnabrücks 54,
933; R. Buchwald, G. und das deutsche Schicksal, 1948; Ch. Fell, J. M's social ideas as
mirrored in G's Götz von Berlichingen, GR 54, 1979; H. Reiss, G., M. and the Auf-
lärung, DVJ 60, 1986; R. Stauf, J. M.s Konzept einer deutschen Nationalidentität,
991; J. Moes, Histoire et théâtre au temps des génies, Germanistik, Luxembourg 9,
996.

Mohammed →Mahomet, →Koran

Molière, Jean Baptiste Poquelin (1622–1673). Mit dem Werk des bedeutendsten französischen Komödiendichters war G. früh vertraut; um 1764 kannte er sein Gesamtwerk aus der väterlichen Bibliothek (*Dichtung und Wahrheit* I,3). Später schätzte er besonders *Le misanthrope, L'avare, Le Tartuffe* und *Le malade imaginaire* und zitierte mehrfach *Le bourgeois gentilhomme. Les fourberies de Scapin* und andere Stücke sah er zuerst 1759–62 auf dem französischen Theater in Frankfurt (ebd. I,3) und den *Tartuffe* 1765 in Leipzig. 1805 erneuerte der französische Rezitator Texier in Weimar seine Eindrücke (*Tag- und Jahreshefte* 1805); im gleichen Jahr spielte man in Weimar den *Geizigen* und den *Wunderarzt* in der Bearbeitung Zschokkes und G. widmete M. »jährlich einige Zeit, um eine wohl empfundene Verehrung immer wieder zu prüfen und zu erneuen« (ebd.) Molières *Sganarelle* wirkte stark auf G.s Komödie *Die Mitschuldigen* sein *Scapin* auf das Singspiel *Scherz, List und Rache.* In seiner Rezension von J.-A. Taschereaus Molière-Biographie von 1828 (*Über Kunst und Altertum* VI,2, 1828) rühmt G. nochmals Molières Genie Geschmack, Bildung und Dramentechnik, ebenso bringt er seine Bewunderung in Gesprächen und Briefen zum Ausdruck (zu Eckermann 12. 5. 1825, 29. 1. und 26. 7. 1826, 28. 3. 1827; an Zelter 27. 7. 1828).

A. Ehrhard, Les comédies de M. en Allemagne, Paris 1888; F. Strich, G. und die Weltliteratur, 1946.

Moller, Georg (1784–1852). Der klassizistische Architekt, Schüler Weinbrenners, 1810 Hofbaumeister, später Oberbaudirektor in Darmstadt, rekonstruierte nach den 1814/16 von ihm und der Boisserées aufgefundenen alten Fassadenrissen den ursprünglichen Bauplan des →Kölner Doms und publizierte ihn 1818 in Kupferstichen, die G. und Meyer in *Über Kunst und Altertum* (II,2, 1820) besprachen. G. besuchte den »höchst gebildeten, einsichtigen Künstler« (*Von deutscher Baukunst,* 1823) am 11. 10. 1814 und 19. 9. 1815 in Darmstadt und fühlte sich durch ihn und sein Tafelwerk *Denkmäler der deutschen Baukunst* (1815–17), das er mehrfach benutzte und in *Altdeutsche Baukunst* (*Über Kunst und Altertum* I,2 1817) besprach, zu erneuter Beschäftigung mit der gotischen Architektur angeregt (*Kunst und Altertum am Rhein, Main und Neckar.* Kap. »Heidelberg«).

Molo di Gaeta. Im italienischen Ort am Golf von Gaeta, dem antiken Formiae, seit 1862 Formia, weilte G. am 24. 2. 1787 auf dem Weg von Fondi zur Poststation S. Agata bei Sessa. Er genoß die herrliche Aussicht bis Ischia, bemerkte die Ruinen römischer Villen am Strand und fand seine »ersten Seesterne und Seeigel« (*Italienische Reise*).

Molsheim. Die Abtei Molsheim im Elsaß besuchte G. 1770/71 bei inem Ausflug von Straßburg aus und bewunderte die farbigen Glasfenster im Kreuzgang (*Dichtung und Wahrheit* III,11).

Moltke, Carl Melchior Jacob (1783–1831). Der Opernsänger und Liederkomponist wirkte seit April 1809 als »höchst angenehmer« Tenor und Kammersänger am Weimarer Hoftheater (Debüt 22. 4. 809 als Tamino), vertonte mehrere Lieder G.s (*Die Lustigen von Weimar* u. a.), war besonders 1813–16 häufiger Tischgast G.s und unterhielt ihn und seine Gäste gern mit eigenen Liedern.

Momper, Jodocus (Joos, Josse) de (1564–1635). Der niederländische Maler und Radierer von Gebirgslandschaften gehörte zu den Malern, die G. zeitlebens schätzte und im Zusammenhang mit der Landschaftsmalerei wiederholt nennt. Von ihm besaß G. einige Stiche.

Monade. Der schon in der griechischen Philosophie benutzte Begriff bezeichnet in →Leibniz' *Monadologie* (1714) die letzte, unteilbare, in sich abgeschlossene und selbständige geistige Einheit. G. übernahm den Begriff für seine Morphologie und setzt ihn als mit der Materie verbundene ewige Lebenskraft, »letzten Urbestandteil aller Wesen« (zu Falk) mit Aristoteles' →Entelechie gleich (*Maximen und Reflexionen* 391 f., 1397; zu J. D. Falk 25. 1. 1813; zu Eckermann 1. 3. 1828, 3. 3. 1830).

O. Harnack, Über G.s M.lehre, in ders., Essais und Studien, 1899 u. ö.; U. Schönlorfer, Die M.lehre G.s, JbWGV 65, 1961.

Mond. In Verbindung mit den Tageszeitenmotiven Dämmerung, Abend und Nacht ist der Mond eines der wiederkehrenden Motive in G.s gesamter Lyrik, aber auch in der Erzählprosa (*Werther, Wanderjahre*) und im Drama (z. B. *Faust* v. 386 u. ö.). Die Bandbreite reicht von der kecken Luna als Dekorationsstück in der Leipziger Rokokolyrik, als Mondgöttin auch in den *Römischen Elegien* wiederkehrend, über die dämmerhafte Trübe ossianischer Stimmung in der Sturm und Drang-Lyrik bis zum angesprochenen Stimmungspartner und symbolischen Naturbild als Neben- oder Hauptmotiv: *An Luna* (1768), *Willkommen und Abschied* (1770), *An Belinden* (1775), *Jägers Abendlied* (1776), *An den Mond* (1777), *Um Mitternacht* (1818), »Dämmrung senkte sich von oben …« (1827), *Dem aufgehenden Vollmonde* (1828) u. a. m.

H. Schulz, Anschauung und Darstellung des M. in G.s Werken, Diss. Greifswald 1912; R. Petsch, G.s M.lyrik, ZDB 4, 1928; H. Meyer, Der M. und G., Studium generale 18, 1965; W. Schadewaldt, M. und Sterne in G.s Lyrik, in: G. und die Tradition, hg. H. Reiss 1972; L. Sommer, G.s M.lieder, in dies., Literarische Vorträge, 1975; J. Göres, G.s M.gedichte, 1989.

Monodrama. Die im 18. Jahrhundert seit Rousseaus *Pygmalion* (1762) beliebte Gattung von stark pantomimischen Schauspielen

mit Musik und nur einer (meist weiblichen) Sprechrolle pflegte G
mit dem in den *Triumph der Empfindsamkeit* eingefügten Monodrama →*Proserpina* (1776). Ein geplanter *Nero* kam nicht zur Ausführung.

Monreale. Durch die Erzbischofsstadt südwestlich oberhalb Paler-
mos fuhr G. am 10. 4. 1787, um die Kunst- und naturwissenschaftlichen Sammlungen des weiter oberhalb gelegenen, im 6. Jahrhundert gegründeten, nach der Zerstörung durch die Araber (820)
1346 wieder aufgebauten und 1770–86 erweiterten Benediktiner-
klosters San Martino delle Scale zu besichtigen. In Monreale selbst
schenkte er auch bei der Durchreise am 18. 4. 1787 weder dem
hochbedeutenden byzantinisch-normannischen Dom von 1172–82
mit seinen Mosaiken noch der anstoßenden Benediktinerabtei von
1174 mit ihrem Kreuzgang Beachtung, die dem klassizistischen
Zeitgeschmack als barbarisch galten.

Montaigne, Michel Eyquem de (1533–1592). Mit den *Essais*
(1580) des französischen Moralphilosophen war G. schon um
1769/70 vertraut (*Dichtung und Wahrheit* III,11) und beschäftigte
sich im Juni/Juli 1826 wieder mit ihnen. Aus der Prosa des Kapitels
I,30 schuf G. für das *Tiefurter Journal* (38, 1782) die Versübersetzun-
gen *Todeslied eines Gefangenen* und *Liebeslied eines amerikanischen
Wilden* (2.Fassung u. d. T. *Brasilianisch* in *Über Kunst und Altertum*
V,3, 1826). Montaignes erst 1774 veröffentlichtes *Journal du voyage
en Italie* las er am 22.–25. 2. 1812 und wieder im Juni 1821 und
März 1822; in der Einleitung zu J. C. Sachses *Der deutsche Gil Blas*
(1822) und im Gespräch mit Soret (22. 1. 1830) kommt er ausführlich darauf zurück.

R. Köhler, Goethiana I, ZDP 3, 1871;V. Bouillier, M. et G., RLC 5, 1925.

Montan →Jarno

Montblanc. Den höchsten, damals noch gar nicht bestiegenen
Berg Europas sah G. erstmals vom Schweizer Jura aus am 24.10.
1779 und kam ihm in Chamonix am 4.11.1779 am nächsten
(*Briefe aus der Schweiz 1779*). Eine Erstbesteigung erfolgte 1786
durch J. Balmat; für die wissenschaftliche Besteigung durch den G.
bekannten H. B. de Saussure im August 1787 und deren Beschreibung zeigte G. starkes Interesse (an Knebel 3. 10. 1787).

Montecatino, Antonio →Antonio

Monte Cavo. Die höchste und aussichtsreiche Erhebung (949 m)
der Albaner Berge südlich von Rom bestieg G. am 13. 12. 1787
(*Italienische Reise*).

Monte Pellegrino. Auf dem imposanten, Palermo im Nordwesten beherrschenden Kalksteinfelsen besuchte G. am 6. 4. 1787 die der Grotte der Hl. Rosalia 1625 vorgebaute Wallfahrtskirche und war von der Liegefigur der Heiligen (von G. Tedeschi) tief beeindruckt. Seine stimmungsvolle Beschreibung, die er, wie er dort zu versichern sich bemüßigt fühlt, nicht (nur) »einigen Gläsern guten sizilianischen Weins« verdankte, erschien als frühestes Stück der *Italienischen Reise* und erster der *Auszüge aus einem Reisejournal* im Oktober 1788 in Wielands *Teutschem Merkur*.

Monte Rosso →Ätna

Montesquieu, Charles-Louis de Secondat, Baron de la Brède et de M. (1689–1755). Mit dem Werk des bedeutenden französischen Schriftstellers und Staatstheoretikers wurde G. früh bekannt. Er zitiert ihn schon 1770 in den *Ephemerides* und erwähnt in einer kurzen Anmerkung zur Übersetzung von Diderots *Rameaus Neffe* die *Lettres persanes* (1721) und *De l'esprit des lois* (1748). Mehrfach beschäftigte er sich am 27.–31. 7. 1807 und 9. 11. 1813 mit Montesquieus *Considérations sur les causes de la grandeur des Romains t de leur décadence* (1734), von denen Graf Reinhard ihm 1807 eine Taschenausgabe geschenkt hatte (an Reinhard 28. 8. 1807); in *Dichtung und Wahrheit* (III, 13) zitiert er daraus (Kap. 3) Montesquieus Rechtfertigung des Selbstmords.

Montgolfier, Joseph Michel (1740–1810) und Jacques Etienne (1745–1799). Die Erfindung des Luftballons mit erhitzter Luft (»Montgolfiere«) durch die französischen Brüder interessierte G. außerordentlich; schon im Oktober 1783 wohnte er Versuchen Sömmerings bei, und ein Jahr nach dem ersten erfolgreichen Aufstieg eines unbemannten Warmluftballons der Montgolfier (5. 6. 1783), am 2. (?) 6. 1784, gelang es dem Weimarer Apotheker →Buchholz nach längeren Vorarbeiten mit G.s Mithilfe, einen unbemannten Ballon in Weimar aufsteigen zu lassen.

Literatur →Buchholz, W. H. S.

Monti, Vincenzo (1754–1828). Den klassizistischen italienischen Lyriker und Dramatiker, Mitglied der »Arcadia«, damals Sekretär des Herzogs Luigi Braschi, des Neffen von Papst Pius VI., lernte G. im November 1786 im Hause der Fürsten Liechtenstein in Rom kennen. Dort las Monti seine Tragödie *Aristodemo* vor, die als Tragödie eines Selbstmörders Stellen aus *Werther* entlehnt und an deren Bühnenerfolg G. bei aller höflichen Beurteilung zweifelte (*Italienische Reise* 23. 11. 1786). Anschaulich schildert G., wie sie trotzdem durch geschickte Publikumssteuerung und Protektion mithilfe der deutschen Künstler bei der Aufführung in seiner Anwesenheit in Rom Mitte Januar zum Erfolg wurde (ebd. 15. 1. 1787). 1813 über-

sandte Monti G. seine italienische Übersetzung der *Ilias*. Die Tragödie *Caio Gracco* (1802) erwähnt G. bei seiner kurzen Charakteristik
Montis im Aufsatz *Klassiker und Romantiker in Italien* (1820), und
sein Lehrgedicht *Sulla mitologia* (1825) besprach er in *Über Kuns*
und Altertum (V,3, 1826 und VI,1, 1827).

Moor →More, Jacob

Moore, Thomas (1779–1852). Der Welterfolg des irischen Dichters mit seiner orientalischen Verserzählung *Lalla Rookh* (1817) ließ
G. kühl. Als jedoch der Berliner Hof im Januar 1821 ein Kostüm-
fest mit lebenden Bildern daraus veranstaltete, wurden dessen Abbildungen 1823 in seinem Kreise mehrfach besprochen.

J. Hennig, G. and Lalla Rookh, MLR 48, 1953.

Moors, Friedrich Maximilian (1747–1782). Der Sohn des Frankfurter Schöffen und Bürgermeisters Johann Isaak Moors war wie
sein Bruder W. C. L. →Moors G.s Jugendfreund (»Pylades«), beide
hatten gemeinsamen Unterricht und fanden sich 1765 mit G.,
Horn und Riese sonntags zu Vorträgen im Gymnasium zusammen.
Dem zum Studium nach Göttingen Abreisenden schrieb G. am
28. 8. 1765 die Verse »Dieses ist das Bild der Welt …« ins Stammbuch. Bei G.s erster Amtshandlung als Anwalt am 16. 10. 1771 (Prozeß Heckel/Heckel) vertrat Moors, nunmehr Anwalt in Frankfurt,
die Gegenpartei.

Moors, Wilhelm Carl Ludwig (1749–1806). Am gleichen Tag wie
G. geboren, war Moors wie sein Bruder F. M. →Moors G.s Jugend-
und Schulfreund (»der Hofrat«). Auf seine Klage über die Göttinger
Mädchen schrieb G. das Spottgedicht »Zu was will er ein Mädchen …« (an Riese 8. 11. 1765), und im Brief vom 1. 10. 1766
rechtfertigt G. ihm gegenüber seine Liebe zu Käthchen Schönkopf.
Moors war später Stadt- und Gerichtsschreiber in Frankfurt.

More, Jacob (1740–1793; G. schreibt »Moor«). Am 3. 7. 1787 besuchte G. mit Angelica Kauffmann den seinerzeit sehr geschätzten
schottischen klassizistischen Landschaftsmaler in der Tradition von
Claude Lorrain und G. Poussin, der seit 1773 sein Atelier in Rom
hatte. G. lobte den Ideengehalt seiner Landschaften, deutete das
große Gemälde »The Fall of Terni« (1785/86) sogleich als Darstellung der Sintflut und beachtete ferner eine Morgen- und eine
Nachtlandschaft (*Italienische Reise* 9. 7. 1787). Auch J. H. Meyer anerkannte in seinem Beitrag zu G.s *Winckelmann und sein Jahrhundert*
(1805) More als »denkenden Künstler« und seine »poetische Idee«.

D. Irwin, J. M., Burlington Magazine 114, 1972.

Morgenblatt für gebildete Stände. Die 1807–65 (ab 1837 als
Morgenblatt für gebildete Leser) bei Cotta erscheinende Tageszeitung,

ab 1820 mit den Beilagen Kunstblatt und Literaturblatt, erhielt G.
von Cotta und las sie regelmäßig, nicht immer zu seiner Freude, da
ihm die Tendenz besonders des Literaturblatts unter A. →Müllner
und W. →Menzel keineswegs zusagte, sich mitunter sogar gegen ihn
und seine Kunstauffassung wandte. G. konterte insgeheim mit
zunächst unpublizierten Gedichten und Epigrammen gegen die
Redakteure und machte seinem Unmut in Briefen an Freunde Luft
(z. B. an Boisserée 15. 9. 1826, 3. 7. 1830; an F. von Müller 21. 5.
1830). Entsprechend publizierte G. nur wenig Eigenes im *Morgenblatt*, u. a. 1807 *Vorspiel zur Eröffnung des Weimarischen Theaters*, 1814
Was wir bringen, 1815 *Shakespeare und kein Ende* I und *Über das deutsche Theater*, 1815–16 kleinere Beiträge, 1822 *Geneigte Teilnahme an
den Wanderjahren*, vorwiegend aber Selbstanzeigen seiner Werke wie
1807 *Hackert*, 1809 *Die Wahlverwandtschaften*, 1810 *Farbenlehre*, 1815
Des Epimenides Erwachen, 1816 *West-östlicher Divan* und *Über Kunst
und Altertum* und 1816 und 1826 die Ausgaben seiner *Werke*.

Morgenklagen. Das in seiner Ungleichstrophigkeit wie improvi-
siert erscheinende erotische Gedicht aus der Frühzeit der Liebe zu
Christiane (August 1788; Erstdruck *Schriften*, 1789) steht in seiner
Motivik des vergeblich auf den versprochenen nächtlichen Besuch
der Geliebten wartenden Liebhabers den *Römischen Elegien* nahe.

Morgenstern, Carl Simon (1770–1852). Der Schüler von F. A.
Wolf, 1794 Privatdozent für klassische Philologie in Halle, 1798
Professor in Danzig, 1802 in Dorpat, besuchte G. im Mai 1798
(Schiller an G. 8. 5. 1798) und traf ihn auf einer Deutschlandreise
im Oktober 1808 mehrmals in Weimar und Erfurt. Er schrieb 1796
Über Wilhelm Meisters Lehrjahre (*Neue Bibliothek der schönen Wissenschaften* 57). G. beschäftigte sich gelegentlich mit seinem Reisetagebuch (1811–13), seiner Zeitschrift *Dörptische Beiträge* (III 1814–21)
und seiner Schrift *Über Raffael Sanzios Verklärung* (1822).

Morgenstern, Johann Ludwig Ernst (1738–1819). Bei dem Frankfurter Architekturmaler (Kircheninterieurs) und Restaurator (*Kunst
und Altertum am Rhein und Main*, Kap. Frankfurt), dem »Hauskünst-
ler« von G.s Vater, der Gemälde von ihm besaß, nahmen G. und
Cornelia im Herbst 1769 Zeichenunterricht (*Dichtung und Wahrheit*
II,8). Von ihm stammt auch eine Porträtzeichnung Cornelias.

R. Schapire, J. L. E. M., 1904.

Morhard, Otto (?–1814). Der »angenehme und hoffnungsvolle«
Tenor (*Tag- und Jahreshefte* 1807), den Maria Paulowna 1807 aus
Schleswig nach Weimar zog, wurde im November 1808 unverse-
hens zum Anlaß der ersten größeren Weimarer Theaterkrise: Seine
Bitte um Beurlaubung von einer Aufführung wegen Heiserkeit
wurde dem Herzog von der intriganten C. Jagemann als böswillige

Insubordination ausgelegt und führte über G.s Kopf hinweg zu seiner sofortigen Entlassung und Landesverweis. G. konnte die Strafe zwar abmildern und empfahl ihn Ostern 1809 nach Kassel, stellte aber, durch den Eingriff in sein Resort gekränkt und durch eine geplante Konstitution des Theaterwesens in künftigen Entscheidungen stark eingeschränkt, am 10. 11. und wieder am 18. 12. 1808 sein Intendantenamt zur Verfügung, und es bedurfte des Feingefühls der Herzogin Louise, einen gangbaren Kompromiß zu finden. Die Krise führte auf G.s Vorschlag zur Trennung von Schauspiel und Oper.

Morhof, Daniel Georg (1639–1691). Der barocke Universalgelehrte, Professor der Poesie und Rhetorik in Rostock und Kiel, veröffentlichte 1688–92 mit seinem *Polyhistor* ein systematisches Kompendium sämtlicher Wissenschaften, ihrer Geschichte und Bibliographie, das bis 1747 immer wieder neubearbeitet wurde. G. verschaffte sich daraus 1765 in Frankfurt einen Überblick (*Dichtung und Wahrheit* II,6) und benutzte das Werk wieder 1809 als historisches Gerüst für die *Geschichte der Farbenlehre*.

Moritz, Carl Philipp (1756–1793). Der Ästhetiker und Schriftsteller (*Anton Reiser*, IV 1785–90) lernte G. bei beider gleichzeitigem Italienaufenthalt (1786–88) Mitte November 1786 in Rom kennen und schloß sich ihm, dem er »wie ein jüngerer Bruder« (an Ch. von Stein 14. 12. 1786) und »mein liebster Gesellschafter« war (*Italienische Reise* 2. 10. 1787), in engem freundschaftlichem Verkehr an. Zumal nach Moritz' Armbruch bei einem Sturz vom Pferde am 8. 12. 1786 war G. zeitweise Tag und Nacht sein Krankenpfleger, Berater, Sekretär und Gesellschafter (ebd. 8. 12. 1786, 6. 1. 1787), erfuhr seine bisherigen Schicksale und gewann großen Einfluß auf seine Lebens- und Denkweise. Im September 1787 trug G. ihm seine Gedanken zur Metamorphose der Pflanzen vor, die er anschließend schriftlich fixierte (ebd. 28. 9. 1787). Aus dem Gedankenaustausch über künstlerische Fragen ging Moritz' für die Kunsttheorie der Zeit wichtige Abhandlung *Über die bildende Nachahmung des Schönen* (1788) hervor, von der G. in einer Besprechung (*Teutscher Merkur*, Juli 1789) ein knappes Resümee und im 3. Teil der *Italienischen Reise* (1829, »Bericht März 1788«) einen Auszug des vergriffenen Buches veröffentlichte (vgl. *Einwirkung der neueren Philosophie*, 1820); sie wirkte auf G.s Aufsatz *Einfache Nachahmung der Natur, Manier, Stil* vom Februar 1789. Moritz' *Götterlehre* (1791) wendet G.s Symbolbegriff auf die griechische Mythologie an; seine *Reisen eines Deutschen in Italien in den Jahren 1786 bis 1788* (1792 f.) schildern u. a. seinen Umgang mit G. und greifen teils dessen Ideen auf. Moritz seinerseits beeinflußte durch seinen Rat und seinen *Versuch einer deutschen Prosodie* (1786) die Jambenfassung der *Iphigenie* (*Italienische Reise* 10. 1. 1787; vgl. auch »Moritz als Etymolog« ebd.).

Nach seiner Rückkehr von Italien lebte Moritz am 3. 12. 1788–1. 2. 1789 zu neuem Gedankenaustausch über Kunst und Naturwissenschaft als Gast G.s in Weimar und reiste dann nach Berlin, wo er durch Vermittlung Carl Augusts Professor an der Akademie der Künste wurde. Über seine *Grundlinien zu meinen Vorlesungen über den Stil* (1791) referierte G. in der Freitagsgesellschaft am 17. 2. 1792. Ein ungünstiger Nachruf auf Moritz' Tod in Schlichtegrolls *Nekrolog merkwürdiger Deutschen* (1793) gab Anlaß zu den *Xenien* 44, 77 und Nachlaß-Xenien 75 (*Moritz*; vgl. an Schiller 26. 10. 1796).

A. Hackemann, G. und sein Freund K. P. M., ZfdU 21, 1907; E. That, G. und M., Diss. Kiel 1921; P. Menzer, G., M., Kant, Goethe 7, 1942; H. Pyritz, G.s römische Ästhetik, in ders., G.-Studien, 1962; J. Nohl, K. P. M. als Gast G.s in Weimar, SuF 15, 1963; K. P. M., hg. A. H. Buhofer 1994.

Moritz, Heinrich Philipp (1711–1769). Der Kanzleidirektor, Geschäftsträger mehrerer kleinerer Fürsten und Hofrat bezog 1762 nach dem Auszug des Königsleutnants Thoranc mit Frau und Kindern den 1. Stock von G.s Elternhaus, um neue Einquartierung zu vermeiden (*Dichtung und Wahrheit* I,4). Durch ihn lernte G. seine Nichte Charitas →Meixner kennen.

Moritz, Johann Friedrich (1716–1771). Der Bruder von H. Ph. →Moritz, dänischer Legationsrat in Frankfurt, ein »Weltmann von einer ansehnlichen Gestalt« (*Dichtung und Wahrheit* I,4), Pietist und juristischer Geschäftsfreund von G.s Vater, verkehrte in G.s Elternhaus und vermittelte G. mathematische Kenntnisse. Mit ihm besuchte G. am 21./22. 9. 1769 die Herrnhuter Brüdergemeine in Marienborn. Seine Töchter Esther Maria Margarethe, verh. →Stock, und Marie Anna zählten zu G.s Jugendfreundinnen.

Morphologie. Der von G. (Tagebuch 25. 9. 1796) eingeführte und zur Wissenschaft ausgebildete Begriff meint in seinem Sinn als Teilgebiet der Naturwissenschaft »die Lehre von der Gestalt, der Bildung und Umbildung der organischen Körper« (*Vorarbeiten zu einer Physiologie der Pflanzen*, um 1795/96) oder allgemeiner die Lehre von den organischen Wesen als Universalwissenschaft des Organischen einschließlich Physiologie und Entwicklungsgeschichte. Sie beruht auf G.s Annahme, »ein allgemeiner, durch Metamorphose sich erhebender Typus gehe durch die sämtlichen organischen Geschöpfe durch, lasse sich in allen seinen Teilen auf gewissen mittlern Stufen gar wohl beobachten und müsse auch noch da anerkannt werden, wenn er sich auf der höchsten Stufe der Menschheit ins Verborgene bescheiden zurückzieht« (*Tag- und Jahreshefte* 1790). G.s Morphologie geht nicht auf den Ursprung organischen Lebens, sondern bis zu einem hypothetischen »Urphänomen« bzw. einer »Urpflanze« zurück und sucht keine kausalen Zusammenhänge für die Bildung bzw. Entwicklung der höheren aus den niederen Arten, die durch Koordination, Subordination bzw. Superordination der

Teile mittels →Metamorphose erfolge, sondern beschreibt die gemeinsamen Eigenarten eines Typus nach Gestalt und Struktur und vergleicht ihn mit anderen Organismen auf der Suche nach der Einheit, Ordnung und Harmonie allen Lebens in der Idee. Seine Einzelstudien zur Morphologie in alten und neuen anatomischen, botanischen und zoologischen Arbeiten sammelte G. in lockerer Form in der Schriftenreihe →*Zur Naturwissenschaft überhaupt, besonders zur Morphologie* (1817–24). Zu einer systematischen Zusammenfassung seiner teils materialistisch-empirischen, teils idealistisch-spekulativen Lehre kam es nicht mehr. Die Fachwissenschaft entfaltete sich unabhängig nebenher, nahm aber anfangs und im 20. Jahrhundert Anregungen aus G.s Morphologie auf. Im 20. Jahrhundert fehlte es auch nicht an Versuchen, G.s morphologische Methode auf andere Bereiche (Wissenschaft, Kultur, Sprache, Dichtung) zu übertragen.

A. Hansen, G.s M., 1919; V. Haecker, G.s morphologische Arbeiten und die neuere Forschung, 1927; G. als Seher und Erforscher der Natur, hg. J. Walther 1930; W. Troll und K. L. Wolf, G.s morphologischer Auftrag, 1940 u. ö.; G. Müller, Die Gestaltfrage in der Literaturwissenschaft und G.s M., 1944; H. Oppel, Morphologische Literaturwissenschaft, 1947; W. Bargmann, G.s M., 1949; F. Weinhandl, G.s M., ChWGV 52/53, 1949; B. Hassenstein, G.s M. als selbstkritische Wissenschaft, Goethe 12, 1950; H. Fischer, G.s Naturwissenschaft, 1950; E. Jockers, M. und Klassik G.s, in: G. und die Wissenschaft, 1951, auch in ders., Mit G., 1957; G. Müller, G.s M. in ihrer Bedeutung für die Dichtungskunde, in: G. und die Wissenschaft, 1951, auch in ders., Morphologische Poetik, 1968; A. B. Wachsmuth, Geeinte Zwienatur, 1966; A. Meyer-Abich, Die Vollendung der M. G.s durch A. v. Humboldt, 1970; M. Kleinschnieder, G.s Naturstudien, 1971; D. Kuhn, Grundzüge der G.schen M., GJb 95, 1978; A. Kiesselbach, G.s morphologische Schriften, 1982; G. und die Wissenschaften, hg. H. Brandt 1984; W. Wildgen, G. als Wegbereiter einer universalen M., 1984; G. Altner, Gestaltwandel der Welt, in: G. und die Natur, hg. H. A. Glaser 1986; R. H. Brady, Form and cause in G's m., in: G. and the sciences, hg. F. Amrine, Dordrecht 1987; D. Kuhn, Typus und Metamorphose, 1988; K. Richter, Beziehungen von Dichtung und M. in G.s literarischem Werk, in: In der Mitte zwischen Natur und Subjekt, hg. W. Ziegler 1992; P. Giacomoni, Le forme e il vivente, Neapel 1993.

Morphologische Hefte →*Zur Naturwissenschaft überhaupt, besonders zur Morphologie*

Morus, Samuel Friedrich Nathanael (1736–1792). Den »ungemein sanften und freundlichen Mann«, 1761 Dozenten, 1768 außerordentlichen, 1771 ordentlichen Professor der klassischen Philologie, 1782 der Theologie in Leipzig, lernte G. 1765 am Mittagstisch des Prof. Ludwig kennen, wo er neben G. der einzige Nicht-Mediziner war, und besuchte ihn auch zu Hause (*Dichtung und Wahrheit* II,6).

Moser, Friedrich Carl Ludwig, (ab 1767) Freiherr von (1723– 1798). Der Politiker, Staatsrechtler und Schriftsteller, bedeutender Verfechter einer gerechteren, christlichen Sozialordnung gegen Fürstenwillkür und einer sich als Staats-, nicht Fürstendiener verstehenden Beamtenschaft, lebte 1751–67 als hessen-darmstädtischer Legationsrat, später Gesandter, in Frankfurt und gehörte zum Pietistenkreis um S. K. von Klettenberg. Züge von ihm gingen in die

igur des Philo in den »Bekenntnissen einer schönen Seele« ein. G.
af ihn dort und im Darmstädter Kreis und nennt ihn einen »an-
enehmen, beweglichen und dabei zarten Mann«, einen »gründ-
ch-sittlichen Charakter«, der einen »sehr bedeutenden Einfluß«
uf ihn gehabt habe (*Dichtung und Wahrheit* I,2). Mosers Schrift *Der
Herr und der Diener* (1759) allerdings tun die *Ephemerides* (1770) als
nkünstlerisch ab; das Prosaepos *Daniel in der Löwengrube* (1763)
agegen machte einen tiefen Eindruck auf G. und gab wohl den
nstoß zur (verlorenen) Josephsdichtung (ebd. I,4). Den späteren
Darmstädter Präsidenten und Kanzler (1772–1780) sah G. im Mai
775 in Karlsruhe bei den Verhandlungen zum Ehekontrakt Carl
ugusts wieder. Nach seinem aufsehenerregenden Sturz 1780, über
en sein erbitterter Gegner Merck ausführlich nach Weimar be-
ichtete, und einstweiligem Vermögenseinzug in einem erst 1790
urch Vergleich beendeten Prozeß gegen Landgraf Ludwig bat
Moser G. 1795 um Unterstützung beim Verkauf seiner Gemälde-
ammlung; G.s Antwort vom 22. 5. 1795 bedauert seine Unfähigkeit
u helfen und betont Mosers Förderung seiner geistigen Entwick-
ung.

D. W. Schumann, G. und F. C. v. M., JEGP 53, 1954.

Moses. Die Gestalt des biblischen Volksführers und Gesetzgebers,
essen Bild G. später immer mit der Skulptur →Michelangelos ver-
and, beschäftigte G. schon in seiner Jugend beim Studium der
Bücher Mosis (*Dichtung und Wahrheit* I,4; III,12). Die Entstehung
er Zehn Gebote steht im Mittelpunkt seiner frühen Schrift *Zwo
wichtige bisher unerörterte biblische Fragen* (1773). Aus erneuten Stu-
ien zum Alten Testament und seiner Umwelt im April 1797 ging
m Mai 1797 ein bibelkritischer Aufsatz über Moses und den Aus-
ug aus Ägypten hervor (an Schiller 12. und 15. 4. 1797), der später
um Abschnitt *Israel in der Wüste* der *Noten und Abhandlungen* ver-
rbeitet wurde. Auch zu Fragen der Moses-Ikonographie nahm G.
nehrfach Stellung (z. B. an F. Müller 21. 6. 1781).

Mounier, Jean Josèphe (1758–1806). Der französische Politiker,
1789 kurz Präsident der Nationalversammlung, emigrierte 1790,
am 1793 nach Weimar und gründete 1797 in den Kava-
iershäusern des Schlosses Belvedere eine Diplomatenschule, die
nach seiner Rückkehr nach Paris 1801 bald einging. Sein Sohn
Claude Philippe (1784–1843) wurde nach dem Einzug der Franzosen 1806 Commissaire Ordonnateur (Ortskommandant) von Wei-
nar. G. verkehrte gelegentlich mit beiden.

H. Tümmler, Vater und Sohn M. als Emigranten im klassischen Weimar, AfK 55,
1973.

Mozart, Wolfgang Amadeus (1756–1791). G.s Bewunderung für
Mozart, den er ohne Einschränkung als Genie und Wunder anerkannte (zu Eckermann 14. 2. 1831) und dessen Werke er sich

immer wieder von befreundeten Pianisten vorspielen ließ, entschä
digt für vieles Mittelmäßige unter seinen musikalischen Vorlieber
Am 25. 8. 1763 besuchten G. und Cornelia in Frankfurt ein Kor
zert des siebenjährigen Mozart, und später erinnerte sich G. »d
kleinen Mannes in seiner Frisur und Degen noch ganz deutlich
(zu Eckermann 3. 2. 1830). *Die Entführung aus dem Serail*, am 5. 4
1785 durch Bellomos Truppe in Weimar gespielt, übertraf G.s Vor
stellungen vom deutschen Singspiel und setzte zugleich den eige
nen Bemühungen dazu ein Ende (*Italienische Reise*, Bericht No
vember 1787). Unter G.s Theaterleitung gelangten alle wichtige
Bühnenwerke Mozarts in Weimar und z. T. Lauchstädt zur Auf
führung und standen mit vielen Wiederholungen an der Spitze de
musikalischen Repertoires: *Die Entführung aus dem Serail* 13. 1C
1791, *Don Giovanni* 30. 1. 1792, *Die Hochzeit des Figaro* 24. 10. 179͠
Die Zauberflöte 16. 1. 1794, *Così fan tutte* 10. 1. 1797 und *Titus* 31. 9
1799. Das neuerbaute Theater in Lauchstädt wurde am 26. 6. 180
mit G.s Vorspiel *Was wir bringen* und Mozarts *Titus* eröffnet. Für *D*
Zauberflöte, die in der rationalisierenden Bearbeitung von Ch. A
Vulpius gespielt wurde – die Theaterliebhaberin Christiane be
suchte über 30 Vorstellungen, und Hermann macht sich durch sein
Unkenntnis der Oper lächerlich (*Hermann und Dorothea* II, 220 ff.
–, entwarf G. ein Bühnenbild und plante 1795 eine Fortsetzun͠
→*Zauberflöte zweiter Teil*, die jedoch Fragment blieb. G. hätte sicℎ
eine Vertonung des *Faust* im Stil des *Don Giovanni* durch Mozar
gewünscht (zu Eckermann 12. 2. 1829), doch als einzigen Text G.
vertonte Mozart am 8. 6. 1785 das Gedicht →*Das Veilchen*, ohne G.
Verfasserschaft zu ahnen. 1799 errichtete G. M. Klauer nach einer
Entwurf von J. H. Meyer im Park von Schloß Tiefurt das erste deut
sche Mozart-Denkmal; 1803 widmete I. F. Arnold G. seine Mozart
Biographie *Mozarts Geist*, und mit der Berufung des Mozart
Schülers J. N. Hummel zum Hofkapellmeister 1819 wirkte di͠
Mozartpflege in Weimar fort.

W. Nagel, G. und M., 1904; G. v. Graevenitz, G.s Stellung zu M., Mitteilungen fü
die M.-Gemeinde in Berlin 34, 1912; E. Beutler, Begegnung mit M., in ders., Essay
um G. 1, 1941 u. ö.; E. Staiger, G. und M., in ders., Musik und Dichtung, 1947; P. Nettℎ
G. und M., 1949; L. Magnani, G. e M., Paragone 7, 1956; E. Valentin, M. hätte den Faus
komponieren müssen, Acta Mozartiana 29, 1982; R. Spaethling, Music and M. in th͠
life of G., Columbia S. C. 1987; D. Borchmeyer, G., M. und die Zauberflöte, 1994.

Muallaqat (Moallakat). Die Sammlung von sieben angeblicℎ
wegen ihrer Vorbildlichkeit an der Kaaba in Mekka aufgehängter
altarabischen/vorislamischen Preisgesängen (Kassiden) lernte G. im
Februar 1815 in der englischen Ausgabe von W. Jones (1783) und
der deutschen Übersetzung von A. Th. Hartmann (1802) kenner
und übersetzte Teile der 1. Kasside (*Tag- und Jahreshefte* 1815). Eͬ
charakterisiert sie im Anschluß an Jones in den *Noten und Abhand-*
lungen (Kap. »Araber«).

K. Mommsen, G. und die M., 1960 u. ö.

Müffling, Friedrich Carl Ferdinand, Freiherr von (1775–1851). Der preußische Hauptmann, seit 1802 mit karthographischen Vermessungen in Thüringen beschäftigt, gewann die Freundschaft und das Vertrauen Carl Augusts, wurde von ihm zum Vizepräsidenten des Landeskollegiums in Weimar berufen und 1808–13 Mitglied des Geheimen Consiliums und verkehrte in dieser Zeit öfters mit G., den er auch, später preußischer General, 1819, 1820, 1826, 1827 und 1829 in Weimar besuchte. Züge von Müffling mögen in die Figur des Hauptmanns/Majors in den *Wahlverwandtschaften* eingegangen sein.

Mühlhausen. In der thüringischen Stadt an der Unstrut übernachtete G. auf dem Rückweg von der 1. Harzreise am 14./15. 12. 1777 und auf der Reise nach Pyrmont am 5./6. 6. 1801; er durchquerte sie am 8. 8. 1784 auf der 3. Harzreise. Am 20./21. 10. 1780 traf er sich dort mit Merck.
    E. Kettner, G. und M., in: Auf G.s Spuren im Kreis Langensalza, hg. W. Limpert 1932.

Müller, Adam Heinrich, ab 1826 Ritter von Nittersdorff (1778–1829). G.s Verhältnis zu dem bedeutenden Vertreter der konservativen romantischen Staats- und Gesellschaftslehre, österreichischen Diplomaten und Freund von Kleist und F. von Gentz wird dadurch einseitig, daß G. in ihm den Romantiker und überdies (1805) Konvertiten sah und nicht seine staatsphilosophischen Schriften, sondern fast nur die Dresdner literarischen Vorlesungen kannte. Am 25. 4. 1806 las G. Müllers *Vorlesungen über die deutsche Wissenschaft und Literatur* (1806), die ihm Gentz gesandt hatte, »mit geteilter Empfindung« (*Tag- und Jahreshefte* 1806), am 29.–31. 7. 1807 die *Vorlesungen über das spanische Drama* mit »besorglicher Apprehension« (ebd., Paralipomena 1807). 1807 übersandte Müller G. Kleists *Amphitryon* und *Der zerbrochene Krug*; doch zu der erbetenen und anfangs auch zugesagten Mitarbeit G.s an der von Kleist und Müller herausgegebenen Zeitschrift *Phoebus* (1808 f.) kam es nicht. Auch persönliche Begegnungen in Karlsbad am 27. 7. 1818 und am 30. 8. 1819 brachten keine Annäherung. Für G. blieb Müller »ein recht hübsches, aber falsch gesteigertes Talent« (an Zelter 20. 10. 1831).

Müller, August Eberhard (1767–1817). Der Leipziger Organist, Thomaskantor, Komponist und Klaviervirtuose kam 1810, von seiner früheren Schülerin Maria Paulowna berufen, als Hofkapellmeister, Musikdirektor und Musiklehrer nach Weimar, trug dort wesentlich zur Verbesserung des Hof- und Theaterorchesters bei, beteiligte sich an G.s Hausmusik und war öfters G.s Gast und Berater in musikalischen Fragen. 1813 vertonte er G.s →*Idylle*.

Müller, Franz Heinrich (1793–1866). Der Sohn von J. C. E. →Müller, Kupferstecher und Lithograph, gründete 1820 in Weimar

eine lithographische Anstalt und schuf im Auftrag G.s Lithogra
phien nach Carstens Zeichnungen sowie 1821 die Abbildungen fü
die (nach dem 1. Heft erloschene) →*Weimarische Pinakothek*, zu de
G. die Erläuterungen schrieb (*Tag- und Jahreshefte* 1820), 1824 auch
eine Zeichnung zu G.s *König in Thule*. 1824–29 war er Lehrer an
der Freien Zeichenschule in Weimar, dann Professor in Eisenach.

Müller, Friedrich, »Maler Müller« (1749–1825). Ein fehlgeschla
gener Versuch in Kunstmäzenatentum: G. lernte den Sturm und
Drang-Dichter und Maler 1775 bei dem Verleger und Buchhänd
ler Ch. F. Schwan in Mannheim kennen. Als Müller 1778 zu Kunst
studien nach Rom ging, organisierte G. auf Anstoß C. T. von Dal
bergs für ihn eine jährliche Unterstützung vom Weimarer Hof
Knebel, Wieland und ihm selbst, die er teils selbst vorstreckte. Mül
ler sollte dafür durch regelmäßige Zusendung von Arbeiten seine
Fortschritte dokumentieren, blieb jedoch damit trotz G.s Mahnun
gen im Verzug, da er sich mehr literarischen Arbeiten zuwandte, und
enttäuschte mit einer Sendung von Gemälden und Zeichnungen
im Juli 1781 die in ihn gesetzten Hoffnungen, so daß G. ihn in
einem langen Brief vom 21. 7. 1781 kritisierte (»nur noch gestam
melt«), ihm geeignetere Sujets und Schulung an der Natur, der
Antike und Raffael vorschlug und die Unterstützung nach 1781
versiegte. In Rom kam es nur zu einer zufälligen, flüchtigen Be
gegnung mit dem 1780 konvertierten Müller, der G. die Kritik und
das Ausbleiben der Unterstützung nachtrug und die Widmung sei
nes am *Götz* geschulten Dramas *Golo und Genovefa* an G. wieder
strich. G. brachte 1797 einen Aufsatz Müllers gegen Carsten und
Fernow in den *Horen* (3/4, 1797) unter und lobte einen seiner Auf
sätze in seiner Besprechung von G. Bossis Schrift über Leonardo da
Vincis *Abendmahl* (1817); über Müllers weitschweifige Faust-Frag
mente (*Situation aus Fausts Leben*, 1776; *Fausts Leben, dramatisiert*
1778) aber verlor er kein Wort. Daß Müller auch eine *Iphigenie*
schrieb, blieb ihm wohl unbekannt.

K. Weinhold, Maler M. und G., PrJbb 30, 1872; F. Denk, Maler M. und G., Pfälzi-
sches Museum 46, 1929; J. van Selm, G. und F. M., GYb 4, 1988.

Müller, Friedrich Theodor Adam Heinrich (ab 1807) von (1779–
1849). Einer der engsten Freunde und Vertrauten des späten G. war
der vielseitig begabte und interessierte, tatkräftige Jurist, der am
21. 9. 1801 als frisch ernannter Justizbeamter in weimarischen
Diensten seinen Antrittsbesuch bei G. machte und rasch zu einem
der führenden Männer des Herzogtums aufstieg: 1804 Regierungs
rat, 1806 Geheimer Regierungsrat, 1815 Kanzler, d. h. Justizmini
ster, 1826 Geheimrat, erreichte er 1806 seinen Höhepunkt, als er in
Abwesenheit Carl Augusts im Auftrag des Geheimen Consiliums al
geschickter Unterhändler und Diplomat bei Napoleon die fort
dauernde Selbständigkeit Sachsen-Weimars erwirkte und den Frie-

densvertrag sowie den Beitritt Sachsen-Weimars zum Rheinbund unterzeichnete. G. sah den hilfreichen, behenden und geselligen Juristen, der auch als Gelegenheitsdichter, Übersetzer, Memoiren-schreiber, Festredner und -arrangeur (besonders zu G.s 50jährigem Weimarer Jubiläum am 7.11.1825) hervortrat, zumal seit 1808 gern um sich, unterhielt sich mit ihm über literarische, künstleri-sche, naturwissenschaftliche und politische Themen, vertraute ihm auch spontan seine Gefühle, Launen und Stimmungen an und machte ihn zu seinem Testamentsvollstrecker. Am 13.4.1822 schrieb ihm G. die Widmung »Will sichs wohl geziemen ...« in die Ausgabe der *Werke*. 1848 edierte Müller G.s Briefwechsel mit Graf Reinhard. Müllers eigene Aufzeichnungen der Gespräche mit G. seit 31.3.1808 *Goethes Unterhaltungen mit dem Kanzler Friedrich von Müller* (postum 1870) entstanden meist unmittelbar nach dem fri-schen Eindruck, geben ein realistisch-nüchternes Bild G.s im Alltag mit seinen positiven wie negativen Zügen fern der monumentalen Harmonisierung Eckermanns und sind ein wichtiges Zeugnis für die Kenntnis des späten G. und seiner Anschauungen.

U. Crämer, Der politische Charakter des weimarischen Kanzlers F. v. M., 1934; B. Sevin, Kanzler F. v. M., 1936; E. v. Krosigk, Der Kanzler F. v. M., Diss. Erlangen 1952.

Müller, Johann Christian Ernst (1766–1824). Der Kupferstecher, Vater von Franz Heinrich →Müller, wurde 1788 Lehrer an der Freien Zeichenschule in Weimar, 1820 Professor und Kustos der Gemälde- und Kupferstichsammlung und hatte als solcher häufigen Umgang mit G. Er schuf u.a. ein Kupferstich-Porträt G.s nach Jagemann (1817), Tafeln zu G.s *Farbenlehre* und das Titelkupfer zum *West-östlichen Divan*.

Müller, Johannes (1801–1858). Der Physiologe und Anatom, 1824 Privatdozent, 1830 Professor in Bonn, 1833 in Berlin, wurde in sei-nen frühen Schriften *Zur vergleichenden Physiologie des Gesichtssinnes des Menschen und der Tiere* (1826) und *Über die Entwicklung der Eier im Eierstock ...* (in *Nova Acta*, 1825) sowie *Über die phantastischen Gesichtserscheinungen* (1826) von G.s *Farbenlehre*, seiner Sinnesphy-siologie und seinen anatomisch-morphologischen Untersuchungen angeregt. Er übersandte G. am 5.2.1826 die ersten beiden Schrif-ten und bekannte im Begleitbrief wie in Kap. 8 der *Physiologie* (»Fragmente zur Farbenlehre«) seine Dankesschuld, ohne sich des-sen Kritik an Newton anzuschließen. G. dankte daher am 23.2. 1826 etwas distanziert. Müller besuchte G. am 10.10.1828 in Wei-mar.

Ch. Scherer, Zum Briefwechsel zwischen G. und J. M., 1936; A. Meyer-Abich, Bio-logie der G.zeit, 1949.

Müller, Johannes (ab 1791) von, Edler zu Sylvelden (1752–1809). Die Bekanntschaft des bedeutenden Schweizer Historikers, 1781–83 Professors in Kassel, 1786 Bibliothekars in Mainz, 1792

Hofrats in Wien und 1804 Hofhistoriographen in Berlin, machte G. bei dessen erstem Besuch in Weimar im März 1782. Sie wurde vertieft durch Müllers erneute Besuche in Weimar am 12. 10. 1788, 14. 1.–3. 2. 1804 (*Zum Jahre 1804*) und 2. 11. 1807 sowie durch eine Begegnung in Zürich am 20. 9. 1797. Am 4. 9. 1803 bat G., der Müllers Werk stets mit Interesse, Anerkennung, aber auch Kritik verfolgte, ihn als einen der ersten Gelehrten erfolgreich um Mitarbeit als Rezensent der *Jenaischen Allgemeinen Literaturzeitung* (Chiffre:Ths). Am 13./14. 2. 1806 las und rezensierte G. in derselben Zeitschrift (26. 2. 1806) Müllers Selbstbiographie (in: *Bildnisse jetzt lebender Berliner Gelehrten*, hg. S. M. Lowe 1806) und im Juni 1810 seine *24 Bücher Allgemeiner Geschichten* (III 1810; an Reinhard 22. 7. 1810). Müllers bei den preußischen Patrioten umstrittene Berliner Gedenkrede auf Friedrich II. vom 29. 1. 1807 *La gloire de Frédéric* übersetzte G. mit Riemer am 13.–17. 2. 1807 und publizierte sie als *Friedrichs Ruhm* im *Morgenblatt für gebildete Stände* (Nr. 53/54 vom 3./4. 3. 1807) mit einer verteidigenden Vorrede, die auch als Rezension in der *Jenaischen Allgemeinen Literaturzeitung* (Nr. 51 vom 28. 2. 1807) erschienen war.

O. Stempell, Das Verhältnis J. v. M.s zu G. und Schiller, Diss. Göttingen 1921; A. Leitzmann, G.s Beziehungen zu J. v. M., Historische Zeitschrift 152, 1935; M. Pape, G. und J. v. M. im Briefwechsel, JFDH 1986.

Müller, Joseph (1727–1817). Der Karlsbader Stein- und Wappenschneider, mineralogisch Autodidakt, begleitete G. in den Sommern 1806 und 1807 vielfach auf seinen mineralogisch-geologischen Wanderungen und Ausflügen um Karlsbad. Auf G.s Rat legte er eine 100 Karlsbader Gesteinsarten umfassende, systematische Sammlung an, die er für Mineraliensammler wiederholte und abgab (*Tag- und Jahreshefte* 1806, 1807 und 1808). G. erwarb 1806 eine solche Sammlung für Jena, die er im September/Oktober 1806 mit Bergrat Lenz katalogisierte und aufstellte. Zum Katalog der Sammlung verfaßte G. als Einleitung und Beschreibung den Aufsatz *Joseph Müllerische Sammlung* (1807), auch u. d. T. *Sammlung zur Kenntnis der Gebirge von und um Karlsbad* (1808), sowie verwandte Aufsätze (*Karlsbad*, 1807; *Ferneres über Joseph Müller und dessen Sammlung*, 1832; *Echte Joseph Müllerische Steinsammlung*, 1817) und sammelte Material zu Müllers Biographie. Nach Müllers Tod versuchte G. 1818 und 1819, die ursprüngliche Sammlung aus dem konfusen Nachlaß wiederherzustellen (ebd. 1818).

F. Puchtinger, G.s mineralogische Studien und der Steinschneider M., in: G. in Karlsbad, 1922.

Müller, Wilhelm (1794–1827). Der durch seine *Lieder der Griechen* (»Griechen-Müller«) und die von Schubert vertonte *Winterreise* bekannte Lyriker, Gymnasiallehrer und Bibliothekar in Dessau und Übersetzer von Ch. Marlowes *Doctor Faustus*, den G. 1818 las, be-

suchte G. am 24. und 26. 8. 1826 und am 21. 9. 1827 in Weimar und
wurde höflich, aber kühl empfangen: »eine unangenehme Person-
nage, suffisant, überdies Brillen tragend« (zu F. von Müller 23. 9.
1827).

Müllerin-Zyklus   →*Der Edelknabe und die Müllerin*

Müllner, Amandus Gottfried Adolf (1774–1829). Der Weißenfelser
Anwalt, Literaturkritiker (1820–25 Redakteur des *Literaturblatts* von
Cottas *Morgenblatt für die gebildeten Stände*) und Verfasser von
Schicksalstragödien besuchte G. am 30. 12. 1812 in Weimar und am
13. 6. 1817 in Jena. Er übersandte G. regelmäßig seine Dramen, von
denen unter G.s Leitung *Die Vertrauten* (7. 10. 1812), *Die großen Kinder* (19. 5. 1813), *Der Blitz* (10. 1. 1814) und *Die Schuld* (31. 1. 1814;
Tag- und Jahreshefte 1814), später auch *Die Albaneserin* (1. 2. 1820) in
Weimar aufgeführt wurden, da G. trotz Klagen »über den verdorbenen Geschmack an Müllnerischen Stücken« (zu C. F. A. Conta
19. 5. 1820) die Zugkraft ihrer theatralischen Effekte anerkannte.
Nur dem *König Yngurd* (1818), einem Schlüsseldrama über Napoleon, in dem dieser ein Bündnis mit dem Teufel eingeht, stand er
reserviert gegenüber. Müllners teils polemische Literaturkritiken
auch des *Wilhelm Meister*, den er nach einer begeisternden Leipziger *Hamlet*-Aufführung mitsamt aller Shakespeare-Literatur »zum
Fenster hinauswerfen« wollte (*Morgenblatt* 7. 10. 1818) allerdings
zeitigten Versinvektiven wie »Ein strenger Mann …« (an Zelter
Oktober 1818) und »Wir litten schon durch Kotzebue …« (1820).
Auf Müllners *Mitternachtblatt für gebildete Stände* (1826–29), an dem
G. die Mitarbeit ablehnte, reagiert das Zahme Xenion »Wer hätte
auf deutsche Blätter acht …« (um 1827).

T. Distel, Aus Müllnerianis über G., GJb 21, 1900; L. Geiger, M., G. und Weimar, GJb 26, 1905; L. Geiger, Zu G. und M., GJb 27, 1906.

Münch, Anna Sibylla (1758–1825). Die Schwester von S. M.
→Münch, Jugendfreundin G.s und Cornelias, lebte seit 1799 als
Konventualin im lutherischen Katharinenkloster in Frankfurt.

H. Düntzer, Frauenbilder aus G.s Jugendzeit, 1852.

Münch, Susanna Magdalena (1753–1806). G. verschweigt zwar mit
Diskretion den Namen, doch mithilfe der Briefe an Kestner vom
26. 1. und 11. 2. 1773 und dem dort angegebenen Geburtstag
(11. 1.) läßt sie sich identifizieren: Das »Frauenzimmer«, das G. 1773
dreimal beim →Mariage-Spiel als Partnerin zufiel und der zuliebe
er binnen acht Tagen den →*Clavigo* schrieb (*Dichtung und Wahrheit*
III,15), war die Tochter des Frankfurter Kaufmanns Philipp Anselm
Münch (1711–1788) am Hühnermarkt. Nach ihrer liebevollen
Charakterisierung (ebd.) und späteren Andeutungen war die vom
Los so entschieden geförderte Verbindung beiden Seiten angenehm,

G. träfe dieselbe Wahl, »wenn ich zu heiraten hätte« (an Kestner 26. 1. 1773), und auch die Eltern hätten sie begrüßt und erwarteten eine Verlobung – bei G.s Ehescheu allerdings vergeblich.

München. Bei seinem einzigen Besuch in der bayrischen Metropole traf G. auf der Reise nach Italien am 6. 9. 1786 um 6 Uhr morgens ein und stieg im »Schwarzen Adler«, Kaufingerstraße, ab. Er besuchte die Gemäldegalerie im Galeriebau an der Nordseite des Hofgartens (Dürer: Beweinung Christi, Paumgartner-Altar, Lukrezia, Vier Apostel, vgl. *Italienische Reise* 18. 10. 1786; Rubens: Skizzen für die Gemäldefolge aus dem Leben der Maria de' Medici für das Palais du Luxembourg in Paris), das Antiquarium der Residenz (Büsten von Caesar, Drusus, Antoninus), das Naturalienkabinett im Jesuitenkollegium, bestieg einen Turm der Frauenkirche, versuchte vergeblich, den Maler Franz →Kobell zu besuchen, und reiste am 7. 9. morgens um 5 Uhr nach Mittenwald weiter. Die ersten größeren Kunstsammlungen, die G. seit dem Mannheimer Antikensaal sah, veranlaßten ihn zu der Feststellung, daß er seine Augen erst auf Museumsbesuche einstellen müßte (*Italienische Reise*).

F. Rapp, G. und M., 1932 u. ö.; G. Hess, G. in M., in: Klassik und Moderne, hg. K. Richter 1983.

Münster (Moutier). In dem Dorf an der Birs im Schweizer Jura übernachtete G. am 3./4. 10. 1779 auf der 2. Schweizer Reise.

Münster/Westfalen. Auf der Rückkreise von der Campagne in Frankreich weilte G. am 6.–10. 12. 1792 in der von französischen Emigranten erfüllten Bischofsstadt. Er verbrachte, spät eintreffend, die erste Nacht auf einem Stuhl im überfüllten Gasthof, zog dann ins Haus der Fürstin →Gallitzin und genoß in dem geistig aufgeschlossenen, fromm-katholischen, doch toleranten »Kreis von Münster« um sie und F. von →Fürstenberg »die geistreichste, herzlichste Unterhaltung«, sah Hamanns Grab in ihrem Garten, schrieb das Gedicht *Der neue Amor*, bewunderte die von F. →Hemsterhuis hinterlassene Gemmensammlung, die ihm die Fürstin beim Abschied als Leihgabe aufdrängte, und reiste, eine Wegstrecke von der Fürstin begleitet, über Paderborn und Kassel nach Weimar zurück (*Campagne in Frankreich*, dort bei der Niederschrift 1820/22 irrig auf »November 1792« datiert).

H. Rothert, Vaterland und Welt muß auf ihn wirken, 1949; P. Brachin, Le cercle de M., Paris 1951; Fürstenberg, Fürstin Gallitzin und ihr Kreis, hg. E. Trunz 1955; F. Flaskamp, G. in M., FuF 34, 1960; Der Kreis von M., hg. S. Sudhoff II 1962–64; G. und der Kreis von M., hg. E. Trunz 1971 u. ö.; S. Sudhoff, G. und der Kreis von M., GJb 98, 1981; →Gallitzin.

Münter, Friedrich Christian Carl Heinrich (1761–1830). Der Schriftsteller, Theologe und Altertumsforscher, 1790 Theologieprofessor in Kopenhagen, 1808 Bischof von Seeland, übrigens Freund

n F. L. zu Stolberg und Bruder der Dichterin Friederike Brun,
f G. am 3.9.1781 in der Weimarer Kunstausstelllung, besuchte
n am 5.9. im Gartenhaus und sah ihn am 30.3.1782 in Gotha.
uf dem Rückweg von einer zweijährigen Italien- und Sizi-
nreise (*Nachrichten von Neapel und Sizilien*, 1790) sah er G. am
.,24.,30.11. sowie 1.,11. und 18.12.1786 in Rom bei Tischbein,
oritz und Reiffenstein wieder, zeigte ihm am 24.11. seine Münz-
mmlung und erweckte damit G.s Interesse an der Numismatik
alienische Reise 20.12.1786: »ein energischer, heftiger Mann«). Zu
eiteren Begegnungen kam es am 5.7.1791 in Weimar und am
.7.1791 in Erfurt. 1821 beschäftigte sich G. intensiv mit Mün-
rs Aufsatz *Die Odinische Religion* (1821).

ünzen. G.s Interesse für Münzen wurde im November 1786 in
om durch die Besichtigung der Münzsammlung von F. →Münter
weckt. Noch in Italien besichtigte er die Münzsammlungen des
önigs von Neapel in Capodimonte (*Italienische Reise* 9.3.1787),
s Prinzen Torremuzza in Palermo (ebd. 12.4.1787) und des Prin-
n Biscari in Catania (ebd. 3.5.1787), 1805 in Deutschland die
on →Beireis und später mehrere in den Rheinlanden. Seit Juli
788 beschäftigte G. sich gelegentlich mit numismatischer Literatur
n F. von Stein 18.11.1788), besonders J. Pellerins *Receuil de*
édailles (1762 ff.). 1797 übernahm er mit C. G. Voigt die Leitung
s herzoglichen Münzkabinetts. Für die eigene Sammlung, die G.
esonders seit 1803, wieder angeregt durch die Beschäftigung mit
ellini, beharrlich und systematisch durch Ankäufe (später auch
ugusts in Italien 1830) ausbaute und in einem von August be-
rgten Münzschrank im Junozimmer aufbewahrte, bevorzugte G.
üünzen mit bildlichen Darstellungen, die auf antiken Bildwerken
siieren und ihm Besitz und Anschauung originaler Kunstwerke
setzen mußten (an M. von Eybenberg 25.4.1803) oder zu deren
ekonstruktion herangezogen werden konnten (*Tag- und Jahreshefte*
312; →*Myrons Kuh*). Über Einzelerwerbungen geben die Doku-
ente wenig Aufschluß (*Tag- und Jahreshefte* 1803, 1812, 1813,
318). Im Januar 1803 beschäftigte sich G. anhand von »1400 Mio-
ttischen Schwefelpasten antiker Münzen«, die er 1802 aus Paris
worben hatte, mit J. H. Eckhels *Doctrina nummorum veterum* (VIII
792–98) (an W. von Humboldt 27.1.1803) und erwarb auf einer
üürnberger Auktion eine größere Sammlung von Kupfermünzen
s 15.–18. Jahrhunderts (*Tag- und Jahreshefte* 1803). Bei seinem Tod
nfaßte G.s Münzsammlung rd. 2000 Stücke, darunter rd. 750
tiike Münzen, ferner solche fast aller europäischen Länder und
merikas. G.s Aufsätze zur Münzkunde umfassen eine allgemeine
üürdigung von *Voigts Münzkabinett* und die Miszelle über Hohl-
üünzen *Münzkunde der deutschen Mittelzeit* (1817).

B. Pick, G.s Münzbelustigungen, JGG 7, 1920; H. Kuhn, Geprägte Form, 1949;
Frede, Münzbelustigungen, JbSKipp NF 1, 1963.

Mütter. G.s tiefsinnige Mythenschöpfung vom Reich der Mütter
(*Faust* v. 6213–6306, 6427–38, 7060 f.), die die ewigen Urbilder de
Lebens bewahren, wurde angeregt durch eine Stelle in Plutarch
Biographie des Marcellus (Kap. 20) über die Stadt Engyion auf Sizi
lien: dort gäbe es »Göttinnen, welche Mütter heißen« (wohl ei
alter Magna Mater-Kult), und eine andere in Plutarchs *Über den Ve*
fall der Orakel (Kap. 22), wo von den ewigen Urbildern Platons di
Rede ist. Über diesen Hinweis hinaus verweigert G. (zu Eckerman
10. 1. 1830) jeden Kommentar, so daß Eckermann eine Deutun
auf eigene Faust versucht. Auf Anweisung Mephistos soll Faust z
den Müttern hinabsteigen, um für den Kaiserhof die Schattengei
ster Helenas und Paris' heraufzuholen, d. h. das Urbild der Schön
heit dem mütterlichen Schoß der Natur abzugewinnen, der all
Urbilder bewahrt. Die Stelle gab mit Recht zu vielen und tief
schürfenden Interpretationen des urbildhaften Mütterreichs auch
im Sinne von G.s Naturphilosophie der Urphänomene Anlaß
Gleichzeitig aber ist nicht zu übersehen, daß in bewußter Zwei
deutigkeit und ironischer Brechung der Gang zu den Mütter
nicht sucherischem Impuls und mystischem Drang folgt, sonder
einem etwas anrüchigen und betrügerischen Showgeschäft, viel
leicht gar einer magisch-illusionären »Materialisation« mithilfe de
Laterna magica, dient und dadurch wiederum in seiner Sinntief
relativiert wird und ins Zwielicht einer pro domo-Mystifikatio
Mephistos gerät. Solche Ambivalenz entspricht der Diskrepanz vo
Faust und Mephisto.

A. Frederking, Fausts Gang zu den M., Euph 18, 1911; R. Petsch, Fausts Gang zu de
M., in ders., Gehalt und Form, 1925; F. Koch, Fausts Gang zu den M., Festschrift de
Nationalbibliothek in Wien, 1926, auch in ders., Geist und Leben, 1939; C. Enders
Faust-Studien, 1948; F. Bruns, Die M. in G.s Faust, MDU 43, 1951; St. Atkins, Th
mothers …, MDU 45, 1953; A. Fuchs, Les mères, EG 21, 1966, deutsch in ders., G.
Studien, 1968; H. Jantz, The mothers in Faust, Baltimore 1969; P. Citati, Le madri ne
Faust, Paragone 20, 1969; J. R. Williams, Mephisto's magical mystery, PEGS, NS 58
1989; P.-L. Assoun, Le thème mythologique des mères, in: Analyses et réflexions sur G
Le second Faust, Paris 1990; R. Scholz, Der M.mythos, in: Aufsätze zu G.s Faust II, hg
W. Keller 1991.

Mummenschanz. Die Mummenschanz-Szene am Kaiserhof i
Faust II (»Weitläufiger Saal«, v. 5065–5986), die sich aus der Faust
Handlung weitgehend verselbständigt, geht auf Anregungen de
Trionfi aus der italienischen Renaissance zurück, die G. von seine
Studien zu →Mantegnas (→*Julius Caesars Triumphzug*), Dürers un
Lebruns Triumphzügen, besonders aus A. F. Grazzinis *Tutti i Trion*
(1750) und nicht zuletzt aus der eigenen Praxis der Weimare
→Maskenzüge vertraut waren. Handlungsmäßig wichtig sind be
diesem karnevalesken Fest am Kaiserhof nur Fausts Einführung a
Plutus und die Erlaubnis zur Verbreitung des von Mephisto erfun
denen Papiergeldes. Ansonsten spielt die Gesellschaft im locker ver
knüpften, revuehaften Aufzug sich selbst als Allegorie und offenba
im Willen zum Schein im Maskenspiel ihr wahres Wesen auf der

intergrund von Bankrott und Korruption. In dieser leichtsinnigen
Gesellschaft der Erotik, der Magie und des sich selbst dekuvrieren-
en Scheins bleibt nur die Poesie, der Knabe Lenker, ein Fremdling.

J. Collin, Zur M.-Szene in G.s Faust, in: Aufsätze zur Sprach- und Literatur-
schichte, Festschrift W. Braune 1920; B. Busch, Der M. in Faust II, NJbb 53, 1924;
H. Borcherdt, Die M. im 2. Teil des Faust, Goethe 1, 1936; G. Pickerodt, Geschichte
d ästhetische Erkenntnis, Das Argument 18, 1976; G. Mattenklott, Das Monströse
d das Schöne, TeKo 9, 1981; H. H. Rennert, The M.-scene of G's Faust II, in:
plorations, hg. M. Ueda, Lanham 1986.

Mundart →Dialekt

Murillo, Bartolomé Estéban (1617–1682). Von dem spanischen
Barockmaler sah G. am 16. und 18. 8. 1797 im Städelschen Kunstkabinett in Frankfurt die »Trauben- und Melonenesser« (1645–55;
heute München, Alte Pinakothek) und notierte am 19. 8. eine
kurze Beschreibung des »höchst schätzbaren Bildes«.

Musäus, Johann Carl August (1735–1787). Anna Amalia holte den
Theologen und aufklärerischen Schriftsteller (*Grandison der Zweite,*
I 1760–62; *Volksmärchen der Deutschen,* V 1782–86) 1763 als Pa-
genhofmeister, 1769 als Gymnasialprofessor an ihren Musenhof; in
ihrem Kreis und als Mitwirkenden des höfischen Liebhabertheaters,
besonders in komischen Rollen, lernte G. den gutmütig-humor-
vollen Mann 1776 kennen, der manchen Spaß vertragen konnte.
Auf Musäus' Verspottung der Lavater-Schwärmerei in seinen *Physiognomischen Reisen* (IV 1778 f.) kontert G. mit den Hexametern
Physiognomische Reisen (um 1780), und nachdem Musäus Texte zu
R. Schellenbergs Zeichnungen *Freund Heins Erscheinungen in Hol-
beins Manier* (1786) verfaßt hatte und selbst von der Coburger Tor-
wache ohne Paß nicht eingelassen wurde, sandte G. ihm eine entsprechende Zeichnung von G. M. Kraus mit den ironischen Versen
Gespräch zwischen Schildwache und Freund Hein am Coburger Tor.

Musaget. Den Beinamen Apolls als Anführer der Musen, Apollon
Musagetes, überträgt G.s Gedicht *Die Musageten* (1798 in Schillers
Musen-Almanach für das Jahr 1799) scherzhaft auf die Fliegen, die
den Dichter morgens zur Arbeit wecken. Der »Musaget« im »Walpurgisnachtstraum« (*Faust* v. 4311 ff.) dagegen bezieht sich auf die
literarische Beilage zur Zeitschrift *Genius der Zeit* von A. A. F. von
→Hennings.

Museen →Goethe-Museen

Musenalmanache. Jährlich erscheinende Anthologien zeitgenössischer Lyrik unterschiedlichen, oft nicht beneidenswerten Niveaus
wurden als Musenalmanache oder Taschenbücher nach dem Vorbild
des französischen *Almanac des Muses* (1765 ff.) rasch auch in

Deutschland Mode. G. hielt sich aus Abneigung gegen die Tage⸞
schriftstellerei und das generelle Niveau bewußt zurück, gab sog⸞
»eine Art Gelübde« vor (an Gubitz 10. 12. 1816) und unterzog s⸞
mit Schiller in den *Xenien* einer satirischen Revision. Beiträge
größerer Anzahl lieferte er nur an zwei Musenalmanache: Gedich⸞
der Frankfurter Zeit erschienen 1774–76 in dem von Boie, Voß u.⸞
herausgegebenen Göttinger *Musenalmanach*, solche der klassische⸞
Zeit 1796–99 in Schillers *Musenalmanach*, zumal dem sog. »Xenie⸞
almanach« 1797 und dem sog. »Balladenalmanach« 1798. Kleine
Gedichte erschienen in den letzten Jahren u. a. noch in A. Wend⸞
Deutschem Musenalmanach 1831 und in Chamissos und Schwa⸞
Deutschem Musenalmanach für das Jahr 1833. Nur einmal wirkte ⸞
(neben Wieland) als Mitherausgeber eines Almanachs: des →*T*⸞
schenbuchs auf das Jahr 1804 mit den »der Geselligkeit gewidmete
Liedern«. →*Taschenbuch für Damen*, →*Taschenbuch für 1798*.

A. Goldschmidt, G. im Almanach, Bibliographie, 1932; W. Bunzel, Publizistisc⸞
Poetik. G.s Veröffentlichungen in Almanachen und Taschenbüchern, in: Almanach- u⸞
Taschenbuchkultur, hg. Y.-G. Mix 1996.

Musenhof. Der vom Eigenlob des Herzogshauses vielleicht nic⸞
ganz unbelastete Begriff eines Weimarer Musenhofes in den Jahre
1770–1830 scheint der Legende eines nur an den schönen Künste
interessierten und sie fördernden Hofes Vorschub zu leisten und d⸞
gleichzeitigen politischen, militärischen, sozialen, wirtschaftliche
und wissenschaftlichen Belange auszuklammern. Mit dieser Ein⸞
schränkung kann er dennoch auf die Struktur der politisch relati⸞
belanglosen Residenzstadt Weimar Anwendung finden, die dur⸞
wohlüberlegte Berufungen und durch eine für eine Kleinstadt d⸞
Zeit ungewöhnliche Konzentration hochrangiger literarische
musikalischer, theatralischer, künstlerischer und architektonisch⸞
Begabungen einzigartig dastand und durch diesen Ruf eine stark
Attraktivität auf Künstler wie auf Besucher allgemein ausübte.

W. Bode, Der weimarische M., 1917 u. ö.

Der Musensohn. Das oft (u. a. von Reichardt, Schubert und Ze⸞
ter) vertonte, leichtbeschwingte Rollenlied eines Musikers mit se⸞
nen idyllischen Bildern aus dem Naturrhythmus der Jahreszeite⸞
erschien zuerst in den *Neuen Schriften* (Bd. 7, 1800) und mag ku⸞
davor im Herbst 1799 entstanden sein. G. zitiert es zwar in *Dichtu⸞*
und Wahrheit (IV, 16) als Beispiel für das Naturgefühl der vorweima⸞
rischen Zeit, doch läßt sich daraus keine Datierung gewinnen.

Musen und Grazien in der Mark. Die platte, selbstgefällig
Banalität und behaglich-philiströse brandenburgische Dorf- un⸞
Heimatdichtung mit ihrer zivilisationsfeindlichen Verherrlichun⸞
des ländlichen Alltags, wie sie der *Neue Berlinische Musenalmana⸞*
und der *Calender der Musen und Grazien* (1794–96) des Pfarre⸞

W. A. →Schmidt aus Werneuchen vertraten, erregten den Unmut
s und gaben Anstoß zu dieser Parodie, die am 17. 5. 1796 entstand
d 1796 in Schillers *Musen-Almanach für das Jahr 1797*, dem »Xe-
enalmanach«, mit Vertonung von Zelter erschien.

Musik. Trotz der Musikalität seiner Verse hatte G., in erster Linie
ugenmensch, zur Musik als der abstraktesten Kunst (*Maximen und
eflexionen* 487) das schwächste Verhältnis von allen Künsten, ein
rk theoretisches Verhältnis, das »mehr durch Nachdenken als
rch Genuß« entstand (an Zelter 19. 6. 1805). Insbesondere bei der
rbeit an Diderots *Rameaus Neffe* um 1805 wurde ihm bewußt, daß
m »ein schöner Teil des Lebensgenusses abgeht« (an Zelter 27. 2.
04). In G.s Elternhaus spielte der Vater die Laute, die Mutter Kla-
er, und Cornelia sang. Der Musikunterricht beim Cembalolehrer
A. Bismann in Frankfurt 1763–66 und beim Cellolehrer Basch in
raßburg 1770/71 ermutigten G. kaum zur geselligen Ausübung
r Musik; nur bei Breitkopfs in Leipzig spielte er Flöte. Bei aller
ebe und allem Interesse für die Musik blieb er weitgehend rezep-
, gewann in Italien weder der Opera seria noch der Opera sacra
el ab, begeisterte sich aber für Cimarosas sprühende Melodien
d verfolgte den italienischen Volksgesang und die frühe →Kir-
enmusik. Im Weimarer Kreis der musizierenden Dilettanten
hlte er sich trotz Hofkapelle und Oper »von der Musik gar zu
hr abgeschnitten« (an Zelter 7. 5. 1807), ließ sich gern von ande-
n wie C. Eberwein, J. H. P. Schütz, F. Mendelssohn, M. Szymano-
ska oder C. Wieck(-Schumann) Werke von J. S. Bach, C. P. E.
ch, Händel, Haydn, Mozart, Dussek und Beethoven vorspielen
d genoß Hummels Improvisationen am Klavier und die
legentlichen Konzerte durchreisender Virtuosen, war jedoch
ehr auf Vokal- als auf die aufkommende Instrumentalmusik ein-
stellt, für die ihm in bloßen Klavierauszügen der volle sinnliche
ndruck fehlte. Wenn G. zeitgenössischen Komponisten wie Schu-
rt oder Berlioz und musikalischen Neuerungen der Romantik
fremdet gegenüberstand, so lag dies neben dem Mangel an Hör-
lebnissen auch an seiner Abhängigkeit vom Urteil seiner musika-
chen Berater, d. h. nicht unbedingt genialer, sondern eher kon-
rvativer Liedkomponisten wie Kayser, Reichardt oder Zelter, das
sich vielfach zu eigen machte: seinen musikalischen Ambitionen
hlte der große Komponist als Vertoner, Berater, Helfer und Mit-
beiter. Dennoch zeigen G.s lebhafte Bemühungen um das Sing-
iel unter dem Eindruck J. A. Hillers, sein Ringen um das
rständnis von Händels *Messias*, seine Verehrung für Mozart und
endelssohn, sein Streben nach Vertonung seiner Lieder, seine
Hausmusik und seine →Hauskapelle, sein Studium von J. Matthe-
ns *Der vollkommene Kapellmeister* (1739) im Jahr 1818, sein Plan
ner der *Farbenlehre* entsprechenden, nur im Konzept vorliegenden
Tonlehre von 1810 (*Tag- und Jahreshefte* 1810), der Briefwechsel

mit Zelter und die Musikgespräche mit vielen Tonkünstlern d[
unermüdliche Bestreben, sein musikalisches Verständnis zu vertie[
fen:»Wer Musik nicht liebt, verdient nicht, ein Mensch genannt z[
werden« (zu J. Pleyer August 1822). G.s Wirkung auf die zeitgenö[
sische und spätere Musik durch →Vertonungen seiner Texte (Lie[
der, Kantaten, Libretti, Dramen) übertrifft im Ausmaß die jedes an[
deren Dichters.

A. Jullien, G. et la musique, Paris 1880; W. J. v. Wasielewski, G.s Verhältnis zur M[
1880; W. Bode, Die Tonkunst in G.s Leben, II 1912; M. Friedländer, G. und die M., JG[
3, 1916; H. Abert, G. und die M., 1922; H. John, G. und die M., 1928; G. Istel, G. an[
music, Musical Quarterly 14, 1928; A. della Corte, La vita musicale di G., Turin 193[
H. J. Moser, G.s Anschauungen vom Wesen der M., NJbb 8, 1932; F. Küchler, G[
M.verständnis, 1935; K. J. Krüger, Die Bedeutung der M. für G.s Wortkunst, Goethe[
1936; F. W. Sternfeld, G. and music, Diss. Princeton 1943; F. Blume, G. und die M[
1948; H. J. Moser, G. und die M., 1949; A. Guttmann, M. in G.s Wirken und Werke[
1949; S. Fisch, G. und die M., 1949; G. Kisch, Music in G's life, MDU 42, 195[
F. W. Sternfeld, G. and music, Bibliographie, New York 1954; B. Q. Morgan, G's dram[
tic use of music, PMLA 72, 1957; W. C. R. Hicks, Was G. musical?, PEGS NS 27, 195[
E. Valentin, G.s M.anschauung, 1960; J. Müller-Blattau, G. und die Meister der M[
1969; J. L. Miller, G. and m., Seminar 8, 1972; W. Tappolet, Begegnungen mit der M[
in G.s Leben und Werk, 1975; E.-J. Dreyer, Versuch, eine Morphologie der M. z[
begründen, 1976; E.-J. Dreyer, Musikgeschichte in nuce, JFDH 1979; J. Müller, G. un[
die M., in ders., G.-Wirkung und Humanitätstradition, 1980; H.-J. Daebeler, G. und d[
M., in: G.s Universalität, 1982; W. Schmidt, G. und die M., 1982; H. Jordan, Aug' u[
Ohr, 1982; W. Huschke, M. im klassischen und nachklassischen Weimar, 198[
E. J. Dreyer, G.s Ton-Wissenschaft, 1985; R. Spaethling, Music and Mozart in the life[
G., Columbia S. C. 1987; B. Holtbernd, Die dramaturgische Funktion der M. in de[
Schauspielen G.s, 1992.

Mut →Eis-Lebens-Lauf

Mykon. Eine nicht erhaltene Dichtung dieses Titels, der auch a[
Name eines Hirten und Sängers in S. Geßners *Idyllen* (1756) vo[
kommt, erwähnt G. im Brief an Cornelia vom 15. 5. 1767.

Mylius, August. Der Berliner Buchhändler und Verleger verleg[
durch Vermittlung Mercks 1776 die Erstausgaben von G.s *Stella* un[
Claudine von Villa Bella.

Mylius, Heinrich (1769–1854). Der Frankfurter Kaufmannssoh[
und Bankier in Mailand besuchte G. in Weimar am 13. und 18. [
1818 und 2.,3. und 6. 10. 1825, wickelte für ihn Zahlungen nac[
Italien, zumal auch bei der Reise Augusts, ab und machte ihn m[
dem Werk A. Manzonis bekannt.

J. Rumpf-Fleck, H. M., GKal 35, 1942.

Myrons Kuh. G.s kunsthistorischer Aufsatz entstand am 19. 11[
26. 12. 1812, wurde am 9.–15. 3. 1818 überarbeitet und erschie[
1818 in *Über Kunst und Altertum* (II,1; Nachtrag VI,2, 1828). Er ve[
sucht anhand von Epigrammen der *Anthologia Graeca* und vo[
Münzabbildungen eine beschreibende Rekonstruktion der im A[
tertum berühmten, aber verlorenen erzenen Kuh des griechische[
Bildhauers und Erzgießers Myron (5. Jahrhundert), zu der C. A[
Schwerdgeburth einen Kupferstich schuf, und vergleicht sie m[

ınlichen Darstellungen desselben Motivs. Da G.s Rekonstruk-
ıonsversuch sich über die Quellen hinwegsetzt und dem Werk sein
unstideal einer symbolischen Natürlichkeit unterstellt, wurde und
ʻird er von der klassischen Archäologie abgelehnt, bleibt aber Do-
ument für G.s idealische Sicht antiker Skulptur. (*Tag- und Jahres-
ɛfte* 1812, 1818; zu Eckermann 29. 5. 1831).

W. Speyer, M. K. in der antiken Literatur und bei G., Arcadia 10, 1975.

Die Mystifizierten. Von der komischen Oper in drei Akten in
ʻersen um →Cagliostros Rolle in der →Halsbandaffäre *Die Mystifi-
ierten* oder *Il Conte,* die G. im Sommer 1787 als Gemeinschafts-
rbeit mit dem Komponisten P. C. Kayser plante (an Kayser 14. 8.
787), haben sich nur Szenarien und einzelne kürzere Fragmente
rhalten, da Kayser sich als zu größeren Kompositionen unfähig
rwies. Den Stoff gestaltete G. 1791 im Prosalustspiel →*Der Groß-
Cophta,* und aus dem ursprünglichen Entwurf veröffentlichte er
795 die beiden →*Kophtischen Lieder.*

E. Elster, Über eine ungedruckte Operndichtung G.s, in: Forschungen zur deutschen
hilologie, Festgabe für R. Hildebrand 1894; →Groß-Cophta.

Mythologie, Mythos. Die griechische und römische Mythologie
ıit ihren klassischen Götter- und Heldensagen gehörte in einem
päteren kaum vorstellbaren Maße zum allgemeinen Bildungsgut
er Goethezeit. Sie war G. in ihren Grundzügen und z. T. Varianten
eit seiner frühen Jugend aus dem Unterricht, der Literatur, der
Kunst, der Oper und zumal aus seinem Standard-Nachschlagewerk,
3. →Hederichs *Lexicon mythologicum* (1724), vertraut. Sein Werk
erwendet zu allen Zeiten und durchaus nicht immer knechtisch
ıre Stoffe, Motive und Figuren (z. B. *Prometheus, Ganymed, Proser-
ina, Nausikaa, Römische Elegien*), teils ironisiert wie im Mummen-
chanz am Kaiserhof und der Klassischen Walpurgisnacht des *Faust,*
eils frei umgedichtet wie in *Pandora, Iphigenie* und *Des Epimenides
Erwachen.* G. versteht die Mythen sinnbildlich als »unerschöpflichen
Reichtum göttlicher und menschlicher Symbole« (*Dichtung und
Wahrheit* III,15) und ergänzte sie bei Bedarf mit eigenen mythi-
chen Figuren (Erdgeist, Mütter u. a. m.). Die romantische Mythen-
orschung und -deutung (Creuzer) verfolgte er besonders 1817 mit
nteresse und Skepsis. Die nordische Mythologie, die ihm bei Klop-
tock und in unzulänglichen Übersetzungen aus der *Edda* begeg-
ıete, erschien ihm mit ihren nebulösen und ungeschlachten Ge-
talten zwar humoristisch, blieb ihm aber fremd (ebd. III,12), und
ie indische Mythologie mit ihren unförmlichen Fabelgestalten
var ihm zuwider (ebd.).

F. Strich, Die M. in der deutschen Literatur, II 1910; R. Sühnel, Die Götter Grie-
henlands und die deutsche Klassik, Diss. Leipzig 1935; E. Ermatinger, G. und der
Mythos, in: Lebendiges Erbe, Festschrift E. Reclam 1936; W. F. Otto, Die Gestalt und
as Sein, 1955; J. Schneider, G. und die Mythenforschung der Romantik, Diss. Ham-
urg 1959; W. Killy, Der Begriff des Mythos bei G. und Hölderlin, in: Mythographie
er frühen Neuzeit, hg. ders. 1984.

Nachahmung. G. erkennt in der Nachahmung einen Naturtrie
des Menschen und übernimmt in den Schriften zur Kunst ohn
nähere Definition den Begriff aus der Kunstlehre der Antike un
der Neuzeit von der Renaissance bis ins 18. Jahrhundert. Er emp
fiehlt die Nachahmung der Natur und der alten Meister als erst
Lernphase und unterste Stufe des werdenden Künstlers zur Selbst
bildung und zum Fortschritt je nach Begabung, die eine ausrei
chende technische Fähigkeit und Feingefühl in der Auswahl de
Nachzuahmenden, nämlich des Schönen, voraussetzt. Vgl. →*Einfach
Nachahmung der Natur, Manier, Stil* und G.s Anteil an C. Ph. →*Mo
ritz'* Schrift *Über die bildende Nachahmung des Schönen.* Nicht gleich
zusetzen mit Nachahmung ist die bloße Kopie eines Kunstwerks
der im Zeitalter vor der massenweisen Reproduzierbarkeit de
Kunst ein Ersatzwert zukommt.

Nachbarn. G.s Nachbarn im Weimarer Haus am Frauenpla
waren rechts/westlich (Frauenplan Nr. 3) der Zeug- und Säge
schmied Johann Georg Franke, dessen Witwe G. 1793 300 Taler fü
das Haus bot. Doch der Leinenweber Johann Heinrich →Herte
überbot ihn mit 400 Talern. G. mußte seither den Lärm der Web
stühle in Kauf nehmen und versuchte vergeblich, sich des laute
Nachbarn zu entledigen. Erst 1834 erwarben G.s Enkel das Hau
von der Witwe Herter. Das südlich daran anstoßende Haus gehört
zuerst dem Hofbrauer Müller und seit 1817 dem Kammerdiene
Johann Carl Wilhelm Lämmermann. Als dieser beim Ausbau de
Hinterhauses Fenster zu G.s Garten einbauen wollte, protestierte G
erfolgreich. Im Februar 1832 erwarb er das Haus und überließ e
zur Miete der Familie Vulpius, die ab 1834 auch das Hertersch
Haus bewohnte. Links/östlich grenzte G.s Haus an das des Rente
reidieners Treuter und seines Sohnes, des Kammerkalkulator
Johann Wilhelm Siegmund Treuter, von dessen Erben G. den Besit
1817 erwarb und großenteils vermietete, den Garten mit dem
Ackerwand-Pavillon aber zur Abrundung seines Gartens nutzte.

Nachdrucke. Die durch die deutsche Kleinstaaterei und das Feh
len eines allgemeinen Urheberrechtsschutzes begünstigte Praxi
unrechtmäßiger Nach- oder Raubdrucke fand in G. zugleich ei
lohnenswertes Opfer und einen unermüdlichen Gegner, der da
Nachdruckunwesen nicht nur aus finanziellen Erwägungen, son
dern auch aus Rechtsgefühl mit missionarischem Eifer bekämpft
und verhöhnte (*Das Neueste von Plundersweilern; Die Vögel*). Berüch
tigte Nachdrucker wie Carl Friedrich →Macklot in Karlsruhe
Johann Thomas von Trattner in Wien (beide keine G.-Nach
drucker), Christian Gottlieb Schmieder in Karlsruhe, Johann Chri
stoph Heilmann in Biel, Johann Georg Fleischhauer in Reutlinge
u. a. m. mit fingierten Verlagsnamen und Druckorten brachten bal
nach Erscheinen einzelner Werke billige und textlich verunstaltet

Nachdrucke, teils mit unechten, nicht von G. stammenden Texten oder überholten Textfassungen, auf den Markt. Christian Friedrich →Himburg in Berlin kompilierte drei- und vierbändige Ausgaben seiner Schriften in mehreren Auflagen (1775/76, 1777 und 1779) auf gutem Papier mit Kupferstichen von Chodowiecki u.a. ohne jedes Unrechtsbewußtsein und bot G. 1779 sogar Berliner Porzellan als Anerkennung an, erhielt aber keine Antwort. Vor Erscheinen der ersten rechtmäßigen Ausgabe der *Schriften* (1787–90) bei Göschen kursierten schon zehn unrechtmäßige Ausgaben; Bestseller wie *Die Leiden des jungen Werthers* erreichten an 20 Nachdrucke. Selbst G. benutzte mitunter Nachdrucktexte Himburgs als Druckvorlage. Erst für die Ausgabe letzter Hand (XL 1826 ff.) erwirkte G. mithilfe eigener Eingaben, besonders eines Gesuchs vom 11.1. 1825, und einflußreicher Fürsprecher (u.a. C. F. F. von →Nagler) beim Deutschen Bund bzw. dessen einzelnen Mitgliedstaaten ein Druckprivileg als Sicherung gegen Nachdrucke und deren Verkauf innerhalb der deutschen Länder. Drucke im Ausland und fremdsprachige Übersetzungen unterlagen jedoch keinem Copyright. →Werkausgaben.

I. C. Loram, G's reaction to the pirating of his works, GLL 7, 1954; H. Fröbe, Die Privilegierung der Ausgabe letzter Hand, Archiv für Geschichte des Buchwesens 2, 1960; →Verleger.

Nachgefühl. Das am 24.5.1797 entstandene, 1797 in Schillers *Musen-Almanach für das Jahr 1798* mit der Überschrift *Erinnerung* gedruckte und über 15mal, u.a. von Reichardt, Spohr und Zelter, vertonte Gedicht integriert in vollendeter Vers- und Reimkunst empfindsame und Rokoko-Motive in die Erinnerung an eine vergangene Liebe. Ihr Gegenstand mit dem Schäfernamen Doris veranlaßte die cherchez-la-femme Experten der G.-Philologie zu vielfältigen, gleichwohl fruchtlosen Spekulationen.

Nach Falconet und über Falconet →Falconet

Nachgelassene Werke →Nachlaß, →Werkausgaben

Nachkommen Goethes. Kinder: August, Caroline, Carl und Kathinka von →Goethe. Enkel aus der Ehe von August und Ottilie: Walther Wolfgang, Wolfgang Maximilian und Alma von →Goethe. Vgl. →Familie.

Nachlaß. Gemäß seiner letztwilligen Verfügung vom 22.1.1831 bevollmächtigte G. Riemer und Eckermann mit der Herausgabe seines literarischen Nachlasses. Sie erfolgte nach seinen Instruktionen in den Bänden 41–60 der *Werke,* Ausgabe letzter Hand (1832–42).

W. Hagen, G.s Maßnahmen zur Sicherung seines literarischen N., in: S. Scheibe u. a., G.-Studien, 1965.

Nachlese zu Aristoteles' Poetik. Aus G.s wiederholtem Studium der *Poetik* des →Aristoteles (1767, 27./28. 4. 1797, 12.–14. 8. 1826, März 1827), insbesondere des Kapitels zur →Katharsis, im griechischen Text wie in verschiedenen lateinischen und deutschen Übersetzungen ging 1826 dieser Aufsatz hervor, der 1827 in *Über Kunst und Altertum* (VI,1) erschien. G.s eigenwillige Interpretation der Katharsis nicht als Reinigung der Affekte im Zuschauer, sondern als versöhnender Ausgleich innerhalb des Kunstwerks und seine Ablehnung der üblichen wirkungsästhetischen Betrachtungsweise zugunsten einer geforderten werkimmanenten Geschlossenheit des Kunstwerks jenseits aller Wirkungsintention entsprechen dem in Italien gewonnenen klassischen Kunstideal.

J. Schillemeit, Produktive Interpretation, DVJ 55, 1981; →Aristoteles.

Nachodine. Eine Nebenfigur in *Wilhelm Meisters Wanderjahre*: die Pächterstochter, die durch Lenardos halbherzige Reaktion auf ihre Bittschrift mit ihrem Vater ins Elend getrieben wird. Ihre Vorgeschichte schildert die Novelleneinlage →*Das nußbraune Mädchen* (1815; II,11). Als Lenardo sich später schlechten Gewissens nach ihr erkundigt, verwechselt er sie zum Überfluß mit Valerine. Auf Lenardos Bitte sucht Wilhelm Meister nach ihrem Verbleib und findet sie als Leiterin einer blühenden Heimindustrie im Gebirge (II,6), wo Lenardo sie besucht (III,5,13). Die Figur mag somit für die Überwindung sozialer Nachteile durch Fleiß, Umsicht und Energie stehen.

Die Nacht. Im Frühjahr 1768 in Leipzig entstanden und wohl im Mai 1768 an Behrisch gesandt, erschien das Gedicht zuerst leicht verändert in den *Neuen Liedern* (1770) und dann nach mehreren Nachdrucken 1789 mit der Überschrift *Die schöne Nacht* in den *Schriften*. Es ist bezeichnend für G.s erstes Nachtlied (→Abendlieder), daß sich hier zwar ein neues Naturgefühl leicht ankündigt, daß das weitgehend traditionelle Stimmungsbild jedoch in allen Fassungen durch die Schlußpointe im Sinne des Rokoko teils witzig wieder aufgehoben wird.

A. Schirokauer, Luna bricht die Nacht der Eichen, MDU 36, 1944; H. Schlaffer, Musa iocosa, 1971; H. Zeman, Die deutsche anakreontische Dichtung, 1972.

Nachtgedanken. Das Neue an diesem originellen Liebesgedicht, das G. am 20. 9. 1781 an Charlotte von Stein sandte, ist, daß es die Geliebte weder unter die Sterne versetzt noch mit ihnen vergleicht, sondern daß der Liebende die Sterne wegen ihrer Gefühllosigkeit einfach bedauert und sie in den Armen der Geliebten vergißt. Das spielt zwar auf objektive und subjektive Zeit an und ist ein rhetorisches Kompliment an die Frau, die G. dennoch nicht nennen durfte. Deshalb erschien das Gedicht zuerst im handschriftlichen

Tiefurter Journal (6, 1781) mit der irreführenden Überschrift *Nach dem Griechischen*; erst seit den *Schriften* (1789) heißt es *Nachtgedanken*.

B. Tecchi, Sette liriche di G., Bari 1949.

Nachtgesang. G.s viel zu wenig bekanntes Wortkunstwerk vom Herbst 1803, das zuerst in G.s und Wielands *Taschenbuch auf das Jahr 1804* erschien, geht auf das italienische Volkslied »Tu sei quel dolce fuoco« mit dem Refrain »Dormi, che vuoi di più« zurück und schafft in äußerster formaler Beschränkung – gleiche Schlußzeile aller Strophen, nur zwei Reimklänge, Wiederkehr der jeweils 3. Zeile einer Strophe als erste der folgenden (bzw. der ersten) – ein bewußt eintönig-hypnotisches melodisches Wortgemälde aus selbstwertigen Stimmungschiffren fast ohne rational faßbaren Gehalt. »Nachtgesang« mag für das italienische »Serenade« als nächtliches Ständchen stehen, doch selbst das Geschlecht des Sprechers bleibt unklar. Nur Brentano (*Der Spinnerin Lied*) ließ sich zu ähnlichen Experimenten hinreißen, die dem seriösen, nach Erlebnis- und Sinngehalt schürfenden Philologen leicht als bloße Formspielerei suspekt erscheinen, aber die Komponisten (u. a. Walther von G., Loewe, Reichardt, Schoeck, Schubert und Zelter) zu über 40 Vertonungen begeisterten und in der Literatur zahlreiche Nachahmungen wie Parodien fanden (Eichendorff, *Ahnung und Gegenwart* I,5; Heine, »Du hast Diamanten …«; Herwegh, *Wiegenlied*).

W. Vordtriede, Vom weichen Pfühle, MDU 47, 1955; G. Storz, G.: N., in: Die deutsche Lyrik I, hg. B. v. Wiese 1956 u. ö.; W. S. Davis, A little night music, GYb 6, 1992.

Nachtlieder →Abendlieder, →Mond

Nadelöhr →Laßberg, Christiane von

Nähe des Geliebten. Anfang April 1795 hörte G. bei Hufelands in Jena in Zelters Vertonung das gefühlvoll-bilderreiche Lied *Ich denke dein* von Friederike →Brun, das in J. H. Voß' *Musenalmanach für das Jahr 1795* erschienen und seinerseits von Matthissons *Andenken* angeregt worden war. Melodie und rhythmische Form im Wechsel von Lang- und Kurzzeilen machten ihm tiefen Eindruck und regten ihn im Versuch, Zelters Lied einen besseren Text zu unterlegen, zu seinem Gegenstück an (an F. H. Unger 13. 6. 1796), das 1795 in Schillers *Musen-Almanach für das Jahr 1796* mit einer Vertonung von Reichardt erschien und seither mit über 80 Kompositionen (u. a. von Beethoven 1799, Eberwein, Hiller, Loewe, Medtner, Reichardt, Schubert, Schumann, Zelter) zu einem der am häufigsten vertonten Gedichte G.s wurde.

H. Hoffmann, Wort und Ton im Lied, Musikpflege 4, 1933 f.; T. Jörg, Metamorphose einer Strophenform, GJb 90, 1973; K. Mommsen, G.s Gedicht N. d. G., GJb 109, 1992.

Naeke, Gustav Heinrich (1786–1835). Der Dresdner Historienmaler und Professor an der Kunstakademie schuf 1811 ein Gemälde »Faust und Gretchen« sowie zwei Zeichnungen zum gleichen Thema, die J. H. Meyer im Aufsatz *Neudeutsche religios-patriotische Kunst* und G. erwähnen.

Nagler, Carl Ferdinand Friedrich von (1770–1846). Der preußische Staatsmann und bekannte Kunstsammler, dem G. auf seine Bitte am 17. 2. 1821 eine eigene Handzeichnung überließ, besuchte G. am 26. 9. 1824, 29. 3. 1825, 4. und 28. 4. 1827. Als preußischer Gesandter beim Bundestag in Frankfurt seit 1824 setzte er sich auf G.s Bitte vom 4. 11. 1824 nachdrücklich für ein Privileg der Ausgabe letzter Hand gegen →Nachdrucke ein, sandte ihm am 26. 12. 1824 den Entwurf eines Gesuchs an die Bundesversammlung und erwirkte 1825 das Privileg für Preußen.

Nahl, Johann August d. J. (1752–1825). Der klassizistische Historienmaler, Schüler Tischbeins, nach mehreren Italienaufenthalten (1774–81, 1783–92) 1792 Professor an der Kasseler Akademie, beteiligte sich an den Weimarer Kunstausstellungen sowie den Preisaufgaben für Künstler und erhielt 1800 für »Hektors Abschied von Andromache« ²/₃ des 1. Preises, 1801 für »Achill auf Skyros« den halben 1. Preis sowie Aufträge für Supraporten im Weimarer Schloß. Bei G.s Besuch in Kassel im August 1801 zeigte »der wackere Nahl« ihm die Sehenswürdigkeiten und tauschte mit ihm römische Erinnerungen aus (*Tag- und Jahreshefte* 1801).

Nala und Damayanti →Indien

Namen. »Name ist Schall und Rauch«, sagt Faust (v. 3457) nur, wenn er sich vor der Gretchenfrage drücken will. G. nahm es zumindest mit seinem Namen sehr genau und war ziemlich sauer, als Herder ihn scherzhaft von Göttern, Goten und Kot ableitete (*Dichtung und Wahrheit* II,10). Auch die Namengebung seiner literarischen Figuren nahm G. sehr ernst, nachdem er das fäkalsprachige Arsenal in *Hanswursts Hochzeit* ausgeschöpft hatte; sie sind, wo nicht durch Geschichte, Mythos oder die Nomenklatur der Schäferdichtung bedingt, so unauffällig maßgeschneidert, daß sie nahtlos »passen«. Im *Wilhelm Meister*, der selbst mit seinem Namen Probleme hat (*Wilhelm Meisters theatralische Sendung* III,3), neigen sie zu zeitlosen, italianisierend-romanischen Formen und beschränken sich vielfach auf die Vornamen, wo nicht bloße Verwandtschaftsoder Berufsbezeichnungen eintreten. In den *Wahlverwandtschaften* haben alle Figuren bis auf Mittler, den sein Name zu einer verhängnisvollen Beschäftigung verleitet (I,2), nur Vornamen, und diese verschlüsseln subkutane Beziehungen, wenn etwa beide männlichen Hauptfiguren, Eduard (»so nennen wir ...«, I,1) und

r Hauptmann, eigentlich Otto heißen und Charlottes Sohn also
n Namen beider Väter trägt (II,8), die Frauen Charlotte und
ttilie aber ihre Affinität zum Otto-Element ebenfalls im Namen
fenbaren.

L. A. Willoughby, Name ist Schall und Rauch, GLL NS 16, 1962 f., deutsch in: G.
d die Tradition, hg. H. Reiss 1972; A. White, Names and nomenclature in G's Faust,
ndon 1980; J. Mattausch, Der Name, »lebendigster Stellvertreter der Person«, Im-
lse 10, 1987; M. Schwanke, Name und Namengebung bei G., 1992.

apoleon I. Bonaparte (1769–1821). G.s Verehrung für den
anzösischen Kaiser (1804–1814/15) galt dem Überwinder der
Französischen Revolution, dem Wiederhersteller der staatlichen
rdnung, dem Schöpfer des *Code Napoléon* und dem energischen
atmenschen und schöpferischen Genie, dessen Neuordnung
uropas er gegenüber der Kleinstaaten-Rivalität bevorzugte, aber
ich der exemplarischen Verkörperung des Dämonischen, das, über
ernunft und Moral erhaben, für ihn den Charakter der schicksal-
aften, unausweichlichen Notwendigkeit trug. Sie war unabhängig
on der militärischen Situation und von politischen Wechselfällen
ad stand im Gegensatz zur Meinung seiner Umwelt einschließlich
arl Augusts, der im preußischen Lager stand, als Napoleon nach
er Schlacht bei Jena und Auerstedt am 15.–17. 10. 1806 im
plünderten Weimar im Schloß Quartier nahm und Herzogin
uise sich für die Erhaltung ihres Staates einsetzte. Einer ersten
egegnung mit Napoleon ging G. aus unklaren Beweggründen aus
m Wege, als er sich zu einer Audienz des Geheimen Consiliums
i Napoleon am 16. 10. 1806 mit Gesundheitsgründen entschul-
gte (an Voigt 16. 10. 1806). Beim zweiten Aufenthalt Napoleons
Weimar am 23. 7. 1807 war G. in Karlsbad. G.s spätere Haltung
Napoleon war mit beeinflußt durch die persönliche Audienz bei
m in Anwesenheit Talleyrands, Darus u. a. am 2. 10. 1808 im
hloß von Erfurt, wo G. auf Wunsch Carl Augusts am 29. 9.–4. 10.
m Erfurter Fürstenkongreß weilte. G.s Bericht über die *Unter-
lung mit Napoleon*, erst am 15. 2. 1824 auf Drängen des Kanzlers
n Müller aufgezeichnet, weicht nur in Details von den Darstel-
ngen Außenstehender ab. Die Audienz galt nicht dem Staatsmini-
er, sondern dem Dichter; Napoleon sagte ihm einige schmeichel-
fte Worte über *Die Leiden des jungen Werthers*, die er kannte, und
annte »eine gewisse Stelle« darin, die G. jedoch nie bezeichnete,
it G.s Zustimmung »nicht naturgemäß«. Napoleons Anfangsworte
ous êtes un homme« (nach F. von Müllers *Erinnerungen* waren es
e Abschiedsworte »Voilà un homme«) werden vielfach als ein
cce homo« überbewertet und verstehen sich wohl als »ein wirk-
her (stattlicher, bedeutender, interessanter) Mann«. Eine weitere
egegnung fand am 6. 10. 1808 beim Hofball in Weimar statt; dort
rderte Napoleon nach der Aufführung von Voltaires *La mort de
ésar* G. auf, nach Paris zu kommen und eine verherrlichende
aesar-Tragödie zu schreiben. Jedenfalls fühlte sich G. durch die

Narciss

Audienz und das am 14. 10. 1808 verliehene Kreuz der →Ehren
legion hoch geehrt. Weitere Berührungen blieben folgenlos: bei de
Flucht aus Rußland kam Napoleon am 15. 12. 1812 nachts durc
Weimar und ließ G. Grüße ausrichten; bei seinem Aufenthalt a
28. 4. 1813 bei Carl August in Weimar war G. in Teplitz; am 13. 8
1813 begegnete G. ihm zuletzt in Dresden. G.s spätere antinapo
leonische Wendung in *Des Epimenides Erwachen* im Anschluß an d
→Freiheitskriege galt eher der Hybris des Usurpators als der un
eingeschränkt verehrten Persönlichkeit Napoleons, mit dem sich G
zumal 1819 und 1829/30 bei der Lektüre von Memoiren und Ge
schichtswerken häufig befaßte.

W. v. Biedermann, Die Unterredung mit N., in ders., G.-Forschungen 3, 1899; A. F
scher, G. und N., 1900; F. Strich, G. und N., Horen 5, 1928 f.; H. Loiseau, G. et N., M
moires de l'Académie de Toulouse 12/10, 1932; D. van Eek, N. im Spiegel der G.sche
und Heineschen Dichtung, Diss. Amsterdam 1933; E. Redslob, G.s Begegnung mit N
1944 u. ö.; I. Peters, Das N.bild G.s in seiner Spätzeit, Goethe 9, 1944; L. Blumenth
Zur Textgestaltung von G.s Unterredung mit N., Goethe 20, 1958; P. Berglar, G. un
N., 1968; G. Masur, G. und N., in ders., Geschehen und Geschichte, 1971; P. O. Dr
scher, G.s N.bild, Castrum Peregrini 107/109, 1973; H. Tümmler, G.s Unterredu
mit N., in ders., Das klassische Weimar, 1975; R. Vierhaus, G. und N., in: Weltpoliti
Europagedanke, Regionalismus, hg. H. Dollinger 1982; G.-L. Fink, G. und N., GJb 10
1990; P. Grappin, G. und N., GJb 107, 1990.

Narciss. Diesen Namen führen, nicht ohne Bezug auf den in sic
selbst verliebten Jüngling der klassischen Mythologie, zwei Figure
in *Wilhelm Meisters Lehrjahre*: 1. »Monsieur Narciss«, der Seiltänze
und Frauenheld der Theatertruppe (II,4), und 2. der oberflächlich
Höfling und zeitweise Verlobte der Schreiberin der »Bekenntniss
einer schönen Seele« (VI).

P. Ohrgaard, Die Genesung des Narcissus, Kopenhagen 1978.

Nassau. Die Stadt an der Lahn durchquerte G. zuerst Mitte Sep
tember 1772 bei seiner Wanderung von Wetzlar durchs Lahntal z
S. von La Roche. Am 29. 6. 1774 machte er in Nassau mit Lavat
einen Besuch bei der Freifrau H. C. vom Stein, traf dort auf ein
große Gesellschaft und erzählte den Kindern, u. a. dem später
Minister H. F. K. vom →Stein, Märchen. Am 23./24. 7. 1815 folg
er von Wiesbaden aus dessen Einladung nach Nassau, stieg zuerst i
Gasthof Löwen ab, wurde am 24. 7. auf sein Schloß geladen, unte
nahm Spaziergänge auf die Burgen und begann am 25. 7. mit ih
seine Rheinreise nach Köln. Nach der Rückkehr weilte er a
29.–31. 7. 1815 wieder in Nassau in Gesellschaft von J. Görre
Staatsrat J. A. Sack und der späteren Minister Ph. W. von Motz un
J. A. F. Eichhorn.

F. Otto, G. in N., Annalen des Vereins für Nassauische Altertumskunde 27, 1895.

Natalie. Eine Figur aus *Wilhelm Meister*: Dem bei einem Rau
überfall verwundeten Wilhelm hilft eine unbekannte, schöne, jun
Reiterin, die ihm wie eine Heilige erscheint (*Lehrjahre* IV,6).
seiner Phantasie stilisiert er die bald Entschwundene, die »ein

nauslöschlichen Eindruck auf sein Gemüt gemacht hatte« (ebd.
V,9), zu einer Amazone und ruft sich oft ihr Bild in Erinnerung,
als er sie als Pflegerin der erkrankten Mignon und als Lotharios
Schwester Natalie wiederfindet (VIII,2). Obwohl er durch sie
Thereses Jawort erhält (VIII,4), verliebt er sich erneut in sie und
gewinnt sie zur Frau (VIII,10). Während Wilhelms Reisen in den
Wanderjahren erscheint Natalie nur als Empfängerin seiner Briefe;
an Schluß ist sie bereits nach Amerika unterwegs (*Wanderjahre*
III,14), wohin Wilhelm ihr folgt. Die Schilderung der edlen,
liebenswürdigen, klugen und schönen Frau bleibt in der Anhäufung
von Tugenden reichlich blaß und ohne individualisierende Einzelzüge.

I. Kruse, Charakter und Bedeutung der Gestalt der N. in G.s Wilhelm Meister,
Diss. Frankfurt 1944; H. Ammerlahn, G. und Wilhelm Meister, Shakespeare und N.,
DH 1978; H. J. Schings, Wilhelm Meisters schöne Amazone, SchillerJb 29, 1985;
.-J. Schings, N. und die Lehre des +++, JbWGV 89/91, 1985–87.

Nationalliteratur →Weltliteratur

Nationelle Dichtkunst. Unter diesem Titel veröffentlichte G. in
Über Kunst und Altertum (VI,2, 1828) eine Sammelbesprechung von
Ausgaben, Übersetzungen und Darstellungen serbischer, neugrie-
chischer, litauischer u. a. Volksdichtung.

Die natürliche Tochter. Das Trauerspiel in fünf Akten (Vers) entstand nach einem Szenarium vom 6./7. 12. 1799 im wesentlichen
in Oktober 1801–14. 1. 1802, 17.–20. 2. 1802 und 15. 11.
1802–Mitte März 1803. Dabei wuchs der vorliegende Teil, Akt 1–2
des ursprünglichen Plans, zum fast selbständigen Teil einer dann
geplanten Trilogie über die Französische Revolution an, die G.s
bisherige Auseinandersetzungen mit dem Thema (*Die Aufgeregten,
Der Bürgergeneral, Der Groß-Cophta*) fortsetzen und abschließen
sollte, aber nicht mehr ausgeführt wurde. Im Sommer 1804 plante
G. einen Abschluß durch ein zweites fünfaktiges Trauerspiel, zu dem
ein Handlungsschema und einzelne Szenenskizzen vorliegen. Der
kühl bis ablehnend aufgenommenen Uraufführung am 2. 4. 1803
auf dem Hoftheater Weimar folgte im Herbst 1803 die Buchausgabe als *Taschenbuch auf das Jahr 1804. Die natürliche Tochter.* Den
Stoff zum höfischen Intrigenstück aus dem ancien régime und die
Figuren entnahm G. den *Mémoires historiques* (1798) der Stéphanie-
Louise de →Bourbon-Conti, auf die Schiller ihn am 18. 11. 1799
hingewiesen hatte, ergänzt im März 1802 durch J. L. Soulavies
Mémoires historiques et politiques du règne de Louis XVI (1801):
Eugenie, die natürliche, d. h. uneheliche, Tochter eines Herzogs und
einer Fürstin, soll nach dem Tode ihrer Mutter vom Vater legitimiert
werden. Bei einem Jagdunfall wird sie dem König vorgestellt, der
sie bei Hofe einführen will, im Hinblick auf ihren rebellischen
Halbbruder aber vorerst strenge Geheimhaltung verlangt (I). Der

durch die plötzlich auftauchende Halbschwester in seinem Erbe g
schmälerte Halbbruder jedoch läßt sie durch einen Sekretär und d
ihm hörige Hofmeisterin Eugenies heimlich entführen (II), und e
bestochener Weltgeistlicher bringt dem Herzog falsche Kunde vo
ihrem tödlichen Unfall und ihrer bereits erfolgten Bestattung (III
Im Hafen, wo ein Schiff sie zu einer einsamen, verseuchten Ins
bringen soll, eröffnet sich ihr als Ausweg die bürgerliche Ehe m
einem ungeliebten Gerichtsrat, die Eugenie ablehnt (IV). Vor d
Einschiffung fleht sie vergeblich das Volk, den Gouverneur und ei
Äbtissin um Hilfe an; die Hofmeisterin weist ein Schriftstück d
Königs vor, das ihre Verbannung anordnet – die Motivation daf
bleibt unklar (Motivationslücke). Nachdem ein Mönch dunkle Ar
deutungen über einen möglichen Umsturz der korrupten Gesel
schaft macht, beschließt Eugenie, unerkannt im Lande auf die Ge
legenheit zu warten, ihrem Vaterland in der Not zu helfen, un
willigt in eine Scheinehe mit dem geduldigen Gerichtsrat (V). D
nicht ausgeführte Fortsetzung sollte sie wohl wieder in die Haup
stadt führen und in den Revolutionswirren ein tragisches Ende fi
den lassen. Die hochstilisierte, feierlich distanzierte Verssprache m
ihrer Neigung zum Generalisieren, zu Sentenzen und Symbole
und die idealisierende Gestaltung der Figuren schränken die Aktio
des Stücks in ein kunstvolles, doch mehr statuarisches Gewebe vo
Seelenerfahrungen und Reflexionen ein und schaffen damit e
künstliches Gegengewicht gegen das sich andeutende Chaos d
Revolution. Auf der symbolischen Ebene wird Eugenies »Fall« i
die politische Hofwelt durch vorzeitiges Anlegen des Schmucks z
einem solchen in die Welt des Scheins, da Würde und Solidarität d
Aristokratie und damit des sittlich-organischen hierarchischen Ge
füges in Egoismus, Desorientierung und Bindungslosigkeit verfa
len. Innere Seelengröße und wahre Humanität können nur noc
im Verborgenen fortbestehen und vielleicht in ein neues Zeitalt
hinübergerettet werden. Das unschuldig verfolgte, von Deportatio
und Untergang bedrohte Individuum sieht sich von den Hand
langern politischer Machtträger an den Rand des Selbstmor
getrieben. Sein Rückzug aus der höfisch-politischen in die bürge
lich-private Welt entspricht einer Absage an die Politik, die – nur a
Hinweis auf aktuelle Perspektiven – nicht jedem von politisch
Deportation Bedrohten in Zukunft offenstehen sollte. Doch lä
der Fragmentcharakter des Werkes, das vor dem Ausbruch d
Revolution mit einer solchen Entsagung abbricht, den politische
Gehalt und damit G.s Stellung zur Französischen Revolution wei
gehend offen und bietet den gegensätzlichsten Spekulationen we
ten Spielraum.

M. Bréal, Deux études sur G., Paris 1898; E. Castle, D. n.T., ChWGV 24, 1910; E. K
lian, D. n.T. auf der Bühne, GJb 32, 1911; A. Fries, G.s N. T., 1912; G. Kettner, (
Drama D. n.T., 1912; A. Fries, Zum Stil und Versbau der N. T., Bayreuther Blätter 4
1917; M. Gerhard, G.s Erleben der Französischen Revolution im Spiegel der N.
DVJ 1, 1923, auch in dies., Leben im Gesetz, 1966; K. May, G.s N. T., Goethe 4, 19

auch in ders., Form und Bedeutung, 1957 u. ö.; A. Grabowsky, G.s N. T. als Bekenntnis, Goethe 13, 1951; H. Boeschenstein, G's N. T., PEGS NS 25, 1956, auch in ders., Selected essays, 1986; H. Moenkemeyer, Das Politische als Bereich der Sorge in G.s Drama D. n. T., MDU 48, 1956; V. Bänninger, G.s N. T., 1957; H.-E. Hass, G.: D. n. T., in: Das deutsche Drama I, hg. B. v. Wiese 1958; R. Peacock, Incompleteness and discrepancy in D. n. T., in: The Era of G., Festschrift J. Boyd, Oxford 1959; S. P. Jenkins, G's N. T., PEGS NS 28, 1959; S. Burckhardt, D. n. T., G.s Iphigenie in Aulis?, GRM 41, 1960, auch in dies., The drama of language, 1970; P. Böckmann, Die Symbolik in der N. T. G.s, in: Worte und Werte, Festschrift B. Markwardt 1961; R. Peacock, G.s D. n. T. als Erlebnisdichtung, DVJ 36, 1962; W. Staroste, Symbolische Raumgestaltung in G.s N. T., SchillerJb 7, 1963; T. Stammen, G. und die Französische Revolution, 1966; D. van Abbé, Truth and illusion about D. n. T., PEGS 41, 1971; E. Bahr, G.s N. T., in: Deutsche Literatur zur Zeit der Klassik, hg. K. O. Conrady 1977; W. Emrich, G.s Trauerspiel D. n. T., in: Aspekte der G.zeit, hg. S. A. Corngold 1977, auch in ders., Poetische Wirklichkeit, 1979; I. Graham, Das flücht'ge Ziel, in dies., G., 1977; H. R. Vaget, D. n. T., in: G.s Dramen, hg. W. Hinderer 1980; H.-G. Pott, Zivilisationskritik in G.s Trauerspiel D. n. T., LfL 1980; B. Boeschenstein, Die Bedeutung der Quelle für G.s N. T., in: Gallo-Germanica, hg. E. Heftrich, Nancy 1986; W. Schultheis, G., D. n. T., Euph 80, 1986; B. Boeschenstein, G.s N. T. als Antwort auf die Französische Revolution, in: Bausteine zu einem neuen G., hg. P. Chiarini 1987; F. Ryder, G's N. T., in: Antipodische Aufklärungen, hg. W. Veit 1987; H. Uerlings, D. n. T., GJb 104, 1987; I. Wagner, D. n. T. and the problem of representation, GYb 4, 1988; W. Weiß, G., D. n. T., in: Poetik und Geschichte, hg. D. Borchmeyer 1989; K. Mickel, D. n. T. oder G.s soziologischer Blick, GJb 107, 1990; B. Boeschenstein, Hoher Stil als Indikator der Selbstbezweiflung der Klassik, in: Das Subjekt der Dichtung, hg. G. Buhr 1990; K. F. Gille, D. n. T., ZfG NF 1, 1991; N. Boyle, D. n. T. and the origins of Entsagung, LGS 4, 1992; R. Görner, Entsagung der Entsagenden, GJb 111, 1994; K. Keller-Loibl, Eugenie, eine Alternativgestalt?, Euph 88, 1994.

Natur. G.s Verhältnis zur Natur im allgemeinen kann hier nur skizzenhaft angedeutet werden. Seit der Ablösung von den kulissenhaften Versatzstücken der Rokoko-Naturbilder aus der Leipziger Zeit gewinnt zumal in Straßburg ein ebenso von Herder und Rousseau, Klopstock und Ossian beeinflußtes wie aus echtem, unmittelbarem Naturerleben genährtes starkes Naturgefühl, das sich mitunter zum Naturkult steigert, eine Schlüsselstellung als Leitmotiv in G.s Dichtung. Der religiös-pantheistische Charakter seiner Naturverehrung führt weniger zur reflektierten Betrachtung und literarischen Gestaltung von Einzelphänomenen als vielmehr in die Ganzheit der Natur zurück, deren Teil der Mensch ist und deren Kraft sich im Gefühl und in der Liebe zu jeder ihrer Erscheinungen beweist. Die Außenwelt – Landschaft, Fauna, Flora, Elemente, Gestirne, Jahres- und Tageszeiten – wird nicht als selbständiges Naturbild beschrieben, sondern reflektiert zugleich stets die Stimmung des Dichters bzw. seiner Figuren, so wie diese der Natur nicht gegenüberstehen, sondern sie durch Naturbeseelung als Teil ihres Ichs empfinden (Darmstädter Hymnen, *Werther, Briefe aus der Schweiz, Harzreise im Winter* u. a. m.). Während der Italienreise gewinnt nur zeitweilig das Kunsterlebnis den Vorrang vor dem Naturerlebnis, das im Landschaftszeichnen seinen Ausdruck sucht; aus dem Komplex →»Natur und Kunst« erwächst ein spezielles Problem von G.s Ästhetik. Während die spätere Naturlyrik (z. B. Dornburger Gedichte) und die Naturszenen im *Faust* das ursprüngliche, starke Naturgefühl fortsetzen, betritt mit zunehmendem Interesse an Naturforschung und →Naturwissenschaften die Naturbetrachtung ruhigere, sachlichere Bahnen und mündet in eine die Erscheinungen zu Gesetzlichkeiten verbindende →Naturphilosophie besonders um die Triebkräfte Polarität und Steigerung.

L. Meyer, Die Entwicklung des N.gefühls bei G. bis zur italienischen Reise, 1906; A. Kutscher, Das N.gefühl in G.s Lyrik, 1906; W. Moog, Das Verhältnis von N. und Ich in G.s Lyrik, Diss. Gießen 1909; H. Wohlbold, Die N.erkenntnis im Weltbild G.s, JGG 13, 1927; G. als Seher und Erforscher der N., hg. J. Walther 1930; G. W. Hertz, N. und Geist in G.s Faust, 1931; P. van Tieghem, G. et le sentiment de la nature, RLC 12, 1932; E. Ermatinger, G. und die N., 1932; J. Walther, Die N. in G.s Weltbild, 1932; E. Michel, G.s N.anschauung im Lichte seines Schöpfungsglaubens, 1946; K. Hildebrandt, G.s N.erkenntnis, 1947; A. Bangert, G.s N.symbolik, Diss. Freiburg 1948; C. F. von Weizäcker, G. und die N., Gegenwart 13, 1958; W. Heisenberg, Das N.bild G.s und die technisch-wissenschaftliche Welt, JGG NF 29, 1967; W. Weiland, G.s N. betrachten, 1981; H. Brandt, N. in G.s Dichten und Denken, in: G. und die Wissenschaften, hg. B. Wilhelmi 1984; A. Schmidt, G.s herrlich leuchtende N., 1984; H. Böhme, Lebendige N., DVJ 60, 1986; G. und die N., hg. H. A. Glaser 1986 u. ö.; G. Kaiser, G.s N.lyrik, GJb 108, 1991.

Die Natur. Das handschriftlich verbreitete *Tiefurter Journal* enthielt in Nr. 32 (1782/83) ein anonymes Prosafragment u. d. T. *Fragment*. Als Kanzler von Müller G. 1828 das Manuskript seines Schreibers Seidel mit G.s eigenen Korrekturen aus dem Nachlaß Anna Amalias brachte, hielt G. das Fragment für möglicherweise ein eigenes Werk, identifizierte sich mit dessen Gedanken und kommentierte in seinen Erläuterungen (an F. von Müller 24. 5. 1828) den mittlerweile zurückgelegten Weg seiner Naturbetrachtung. Auf diesem Weg geriet der Text u. d. T. *Die Natur* in G.s *Nachgelassene Werke*. G. hatte vergessen, daß er Knebel schon am 3. 3. 1783 geschrieben hatte, der Aufsatz sei nicht von ihm, aber er kenne den Verfasser. Tatsächlich stammt das Fragment von dem Schweizer Theologen Georg Christoph →Tobler (1757–1812), beruht allerdings teilweise auf dessen Unterhaltungen mit G. in Weimar im Jahre 1781.

H. Schneider, G.s Prosahymnus D. N., Archiv 120, 1908; R. Hering, Der Prosahymnus D. N. und sein Verfasser, JGG 13, 1927; F. Schultz, Der pseudogoethische Hymnus an die Natur, in: Festschrift J. Petersen, 1938; M. O. Kistler, The sources of the G.-Tobler fragment D. N., MDU 46, 1954; G. Schmidt, Spinozistisches Naturbekenntnis im Umkreis G.s, in: G. und die Wissenschaften, hg. B. Wilhelmi 1984.

Naturalienkabinett →Naturwissenschaftliche Sammlungen

Naturdichter. Als Naturdichter bezeichnet G. solche Dichter aus dem Volk, die ohne höhere Bildung, literarische Schulung oder hohe dichterische Fähigkeiten ihren Gefühlen schlichten, poetischen Ausdruck geben und heiter-gemüthaft, teils auch belehrend und moralisierend die Natur, die Landschaft, den dörflichen Alltag, seine Arbeiten und Gegenstände, Sitten und Gebräuche besingen. G. sprach sich wiederholt lobend über ihre wenig ambitiösen Bemühungen aus. Neben J. C. Grübel, G. Hiller und D. G. Babst galt ihm besonders Anton →Fürnstein als Beispiel eines Naturdichters, in Prosa auch J. Chr. →Sachse. Vgl. *Maximen und Reflexionen* 112.

U. Wertheim, Von der herrlichen Musengabe der Naturpoeten, in dies., G.-Studien, 1968.

Naturformen der Dichtung. In den *Noten und Abhandlungen* (Kap. »Dichtarten«, »Naturformen der Dichtung«) anerkennt G. drei »echte Naturformen der Poesie«: die »klar erzählende« Epik, die »enthusiastisch aufgeregte« Lyrik und das »persönlich handelnde« Drama. Er bezeichnet damit die Grundgattungen der Literatur im Unterschied zu den diese Elemente oft mischenden, nach Inhalt, Bezug, Stil und Form unterschiedenen Untergattungen oder mit G.s Terminus »Dichtarten«.

R. Petsch, G. und die N. d. D., in: Dichtung und Forschung, hg. W. Muschg 1933.

Naturforschende Gesellschaft zu Jena. Der 1793 von A. C. Batsch gegründeten Gesellschaft gehörte G. als Ehrenmitglied an und besuchte häufig deren regelmäßige, monatliche Sitzungen. Nach Batschs Tod (1802) 1804 zeitweise Vorsitzender, konnte er jedoch 1805 die Teilauflösung der Gesellschaft und die Zerstückelung ihrer Sammlungen durch Ansprüche der Erben nicht verhindern (*Tag- und Jahreshefte* 1802, 1806; *Museen zu Jena*, 1817). Im Anschluß an die Tagung der Gesellschaft am 20. 7. 1794 ergab sich durch ein Gespräch G.s mit →Schiller über Urpflanze und Metamorphose die erste Annäherung der beiden Dichter (→*Glückliches Ereignis*, 1817).

E. v. Skramlik, Die N. G. z. J. und ihre Beziehungen zu G., Goethe 17, 1955.

Naturforschung →Naturwissenschaft

Naturgedicht. Anfang 1799 plante G., durch die →Lukrez-Lektüre angeregt, in Gesprächen mit Schiller ein großes Lehrgedicht über die Natur, von dem vermutlich nur das Hexametergedicht →*Metamorphose der Tiere* fertiggestellt wurde. Der Plan wurde im Herbst 1799 aufgegeben (*Tag- und Jahreshefte* 1799; Tagebuch 18. 1. und 8. 5. 1799; an Knebel 22. 1. 1799).

Naturgefühl →Natur

Naturphilosophie. In G.s Naturphilosphie, die sich von derjenigen der Aufklärung (A. von Haller) absetzt und z. T. mit Gedanken Kants, Schellings (*Erster Entwurf eines Systems der Naturphilosophie*, 1799) und des französischen Naturphilosophen Charles Bonnet berührt, mischen sich empirische Ergebnisse mit spekulativen Elementen, deduktive und induktive Erkenntniswege, so daß er zwischen »den Naturphilosophen, die von oben herunter, und … den Naturforschern, die von unten hinauf leiten wollen … in der Anschauung, die in der Mitte steht«, seinen Ort findet (an Schiller 30. 6. 1798). Trotz aller Anerkennung empirischer →Naturwissenschaft neigt er jedoch in seiner Erklärung und Deutung von Naturphänomenen, wie Schiller gleich zu Anfang ihrer Freundschaft bemerkte, zur Ideenbildung, indem sich in jeder Naturerscheinung eine (göttliche) Idee oder ewig gleiche (göttliche) Kraft offenbare, die die Einheit der »Gott-Natur« bekräftige. Im Naturhaushalt betont G. die Harmonie des Organismus, die sich aus der ursprünglichen Identität der Teile und deren →Metamorphose mittels Korrelation und Kompensation ergäbe. Polarität und Steigerung bewirkten die allmähliche Verfeinerung des ursprünglichen Typus des Organismus aus innerer Anlage oder durch äußere Einflüsse, die sich als organische Entwicklung verstehe und die Lehre von der Abstammung der Arten voneinander ausschließt. Die naturphilosophische Idee der allmählichen, bruchlosen und harmonischen Entwicklung bestimmt als Leitidee auch G.s Auffassung der geschichtlichen und politischen Welt, der Wissenschaften und Künste (Aufsatz *Naturphilosophie*, 1826).

C. Lucerna, G.s N. als Kunstwerk, Annalen der N. 10, 1911; C. Siegel, Geschichte der deutschen N., 1913; W. Hertz, G.s N. im Faust, 1913; G. als Seher und Erforscher der Natur, hg. J. Walther 1930; P. Fischer, Gott-Natur, 1932; M. Trapp, G.s naturphilosophische Denkweise, 1949; M. Sobotka, G. und die N. seiner Zeit, Philologica Pragensia 25, 1982; R. H. Stephenson, Last universal man, or wilful amateur, in: G. revisited, hg. E. M. Wilkinson, London 1984; Philosophie und Natur, hg. B. Schweinitz 1985; E. Zolla, N., in: G. und die Natur, hg. H. A. Glaser 1986; A. Jungmann, G.s N. zwischen Spinoza und Nietzsche, 1989; →Natur, →Naturwissenschaften.

Natur und Kunst. Das ästhetische Problem des Klassizismus, inwiefern Natur und Kunst Gegensätze seien und inwieweit schöne Kunst bei allem Bewußtsein ihres Kunstcharakters wieder der Natur nahekomme, spiegelt sich vielfältig in G.s Romanen, in *Dichtung und Wahrheit*, der Einleitung zu den *Propyläen* u. a. m. Es wandelt sich für G. vom frühen Realismusdrang des regelsprengenden Sturm und Drang-Dichters zum Streben nach Typischem und Symbolischen in der Kunst des Klassikers insofern, als »die höchste Aufgabe einer jeden Kunst ist, durch den Schein die Täuschung einer höheren Wahrheit zu geben« (*Dichtung und Wahrheit* III,11). Das Sonett *Natur und Kunst* aus dem Lauchstädter Vorspiel *Was wir bringen* (1802) freilich engt das Problem zunächst auf die persönliche Erfahrung ein, nach der erst die Zivilisierung der ungebundenen Triebnatur durch die Kunstgesetze zu hoher Kunst führt. Es greift auf Schillers Gedanken der Harmonie von Sinnlichkeit und Vernunft und der ästhetischen Erziehung des Menschen zu wahrer Humanität zurück – auch die rhetorisch formulierten Scheinparadoxa zeigen Schillers Einfluß – und exemplifiziert gerade in der glanzvollen Meisterung der strengen Kunstform des Sonetts das Gesagte.

V. Valentin, N. u. K. bei G., Berichte des Freien Deutschen Hochstifts NF 15, 1899; G. Varenne, G. devant la nature et l'art, Paris 1943; M. Newton, G's views on the relationsship of art to nature, Diss. Harvard 1948; E. L. Stahl, Nature and art in G's science and poetry, in: Literature and science, Oxford 1954.

Naturwissenschaften. G.s vielseitige Beschäftigung mit naturwissenschaftlichen Forschungen nimmt in seinem ganzen Leben und Werk einen bedeutenden Raum ein, überwiegt zeitweise das dichterische Schaffen und wurde von ihm mitunter als diesem gleichwertig eingeschätzt. Unter dem Aspekt wechselseitiger Ergänzung und Beeinflussung bildet sie daher eine wesentliche, oft unterschätzte Komponente des Gesamtwerks als Einheit. Nach frühen Beobachtungen besonders atmosphärischer Erscheinungen (Sonnenuntergänge, Regenbogen) und einer vorübergehenden Beschäftigung mit der Alchemie während der Frankfurter Rekonvaleszenz zeichnet sich eine größere Neigung zur Naturwissenschaft erst nach der Übersiedlung nach Weimar ab. Sie ist zunächst durchaus praxisbezogen auf Land- und Forstwirtschaft, Garten- und Bergbau und steht im Zusammenhang mit der amtlichen Tätigkeit. Vertiefung finden vor allem die anatomischen und pflanzenphysiologischen Interessen (Zwischenkieferknochen; Metamorphose) während der Italienreise. Weitere Reisen in Thüringen, in den Harz und in Böhmen bieten dann reiches Material für Mineralogie, Geologie und Meteorologie, wobei zunächst das Sammeln und Beobachten im Vordergrund steht. Etwa 20 Jahre lang galt G.s besonders intensives Studium der Optik und Farbenlehre. Die amtliche, wissenschaftsorganisatorische Tätigkeit bei der Oberaufsicht für die wissenschaflichen Anstalten, besonders die Universität Jena und deren Sammlungen, sowie die Bekanntschaft mit Jenaer Professoren förderte das Interesse an fast allen naturwissenschaftlichen Fächern bis hin zu gemeinsamen physikalischen und chemischen Versuchen. Umgang und Briefwechsel mit den führenden europäischen Naturwissenschaftlern seiner Zeit halten bis zum Lebensende an. In seiner naturwissenschaftlichen Arbeitsmethode mischt G., wie jeder Nicht-Fachgelehrte Eklektiker, experimentelle und idealistisch-spekulative Elemente. Er geht zumeist von eigenen Beobachtungen aus, leitet mithilfe der Fachliteratur seine Ergebnisse daraus ab und versucht, die Originalanschauung mit rezipierten Ideen zu vereinigen. In der Überschau größerer Zusammenhänge auf dem Weg zu einer vom Neuplatonismus geprägten →Naturphilosophie läßt er sich weitergehend von seiner Intuition leiten, lehnt alle Einseitigkeit der Forschung und deren Vereinzelung in Spezialistentum ab und bewahrt seine Aversion gegen empirisch-rationalistische Methoden und deren restlos kausale Erklärungen der Natur, in der für ihn immer ein Rest des Geheimnisses verbleibt. Das positivistische 19. Jahrhundert betrachtete G.s Naturwissenschaft als laienhaft und verwies gern auf G.s Irrtümer zumal in der Polemik gegen Newton in der *Farbenlehre*; neuere Strömungen dagegen würdigen und verfolgen G.s Ansatz zu einer ganzheitlich ausgerichteten Naturwissenschaft. Viele Ergebnisse von G.s Naturforschung mögen heute ebenso überholt sein wie die seiner Zeitgenossen auf dem Übergang von einer ideellen zur empirischen Naturwissenschaft; ihre Bedeutung für G.s Weltbild und Werk jedoch bleibt davon unberührt. Vgl. einzeln →Alchemie, →Anatomie, →Astronomie, →Botanik, →Chemie, →Farbenlehre, →Geologie, →Meteorologie, →Mineralogie, →Morphologie, →Optik, →Zoologie.

R. Magnus, G. als Naturforscher, 1906; W. Jablonski, Vom Sinn der G.schen Naturforschung, 1927; W. Jablonski, Die geistesgeschichtliche Stellung der Naturforschung
G.s, JGG 15, 1929; A. Meyer-Abich, G.s Naturerkenntnis, JFDH 1929; G. als Seher und
Erforscher der Natur, hg. J. Walther 1930; P. Walden, G. und die N., 1933; G. Schmid,
G. und die N., Bibliographie, 1940; R. Michéa, Les travaux scientifiques de G., Paris
1943; K. Hildebrandt, G.s Naturerkenntnis, 1947; H. Henel, G. und die N., JEGP 48,
1949, auch in ders., G.zeit, 1980; Biologie der G.zeit, hg. A. Meyer-Abich 1949;
E. Grünthal/F. Strauß, Abhandlungen zu G.s N., 1949; H. Fischer, G.s N., 1950; A. B.
Wachsmuth, G.s Naturforschung und Weltanschauung in ihrer Wechselbeziehung,
Goethe 14/15, 1952 f.; A. Portmann, Biologie und Geist, 1956; E. Buchwald, Natur-
schau mit G., 1960; A. B. Wachsmuth, Geeinte Zwienatur, 1966; M. Kleinschnieder, G.s
Naturstudien, 1971; D. Kuhn, Über den Grund von G.s Beschäftigung mit der Natur
und ihrer wissenschaftlichen Erkenntnis, SchillerJb 15, 1971; H. B. Nisbet, G. and the
scientific tradition, London 1972, deutsch in: G. und die Tradition, hg. H. Reiss 1972;
W. Müller-Seidel, Naturforschung und deutsche Klassik, in: Untersuchungen zur
Literatur als Geschichte, hg. V. J. Günther 1973, auch in ders., Die Geschichtlichkeit der
deutschen Klassik, 1983; L. Kreutzer, Wie herrlich leuchtet uns die Natur?, Akzente 25,
1978, auch in ders., Mein Gott G., 1980; G. A. Wells, G. and the development of
science, Alphen 1978; W. Voigt/U. Sucker, J. W. v. G. als Naturwissenschaftler, 1979
u. ö.; D. Käfer, Methodenprobleme und ihre Behandlung in G.s Schriften zur N., 1982;
G. und die Wissenschaften, hg. B. Wilhelmi 1984; M. Böhler, N. und Dichtung bei G.,
in: G. im Kontext, hg. W. Wittkowski 1984; H. Böhme, Lebendige Natur, DVJ 60, 1986;
G. und die Natur, hg. H. A. Glaser 1986 u. ö.; G. and the sciences, hg. F. Amrine, Dordrecht 1987; P. Sachtleben, Das Phänomen Forschung und die N. G.s, 1988; K. J. Fink,
G's history of science, Cambridge 1991; O. Krätz, G. und die N., 1992; P. Säflström,
G. och naturvetenskapen, Stockholm 1993; H. Bortoft, G.s naturwissenschaftliche
Methode, 1995; R. H. Stephenson, G's conception of knowledge and science, Edin-
burgh 1995; G. in the history of science, hg. F. Amrine, Bibliographie II 1996; R. Pen-
ter, G.s naturwissenschaftliche Methode, Diss. Freiburg 1996.

Naturwissenschaftliche Sammlungen. G.s Naturalienkabinett
im Weimarer Goethehaus, aus reger Sammeltätigkeit im Zusammenhang mit seiner Naturforschung seit 1780 entstanden, umfaßte
bei seinem Tod 1832 ca. 23 000 Einzelstücke, darunter rd. 17 800
Stücke Mineralien, Gesteine und Fossilien, ein Herbarium von rd.
2000 Blättern, u. a. mit Beispielen zur Metamorphose der Pflanzen,
und 200 Früchten, Samen und Abnormitäten, Hölzer, zur Anatomie
und Zoologie Tierschädel, Kleintierskelette besonders von Vögeln
und Reptilienpräparate sowie die seit 1791 angeschafften optischen
und physikalischen Apparate, besonders zur Farbenlehre, teils nach
eigenem Entwurf, und für elektrische Versuche u. a. m. Darüber
hinaus waren ihm die Sammlungen des Herzogs zugänglich, und
diejenigen der Universität Jena unterstanden seiner Oberaufsicht.
Auf seinen Reisen besichtigte G. wiederholt Naturalienkabinette,
wie sie auch im *Wilhelm Meister* mehrfach geschildert werden.

Ch. Schuchardt, G.s Sammlungen 3, 1849; W. v. Engelhardt, G.s Sammlungen von
Mineralien und Gesteinen bis z. J. 1786, Neue Hefte zur Morphologie 4, 1962; H. Prescher, G.s Sammlungen zur Mineralogie, Geologie und Paläontologie, 1978.

Naumburg. Die Stadt an der Saale berührte G. auf seinen Reisen
von Weimar nach Leipzig, Bad Lauchstädt oder Halle, so zuerst am
25. 3. 1776 und wieder am 16. 10. 1776, am 2. und 10. 5. 1803. Zuletzt übernachtete er dort am 17./18. 4. 1813 auf dem Weg nach
Teplitz und besichtigte den Dom (an Christiane 17. 4. 1813).

Nausikaa. Das Schicksal der Tochter des Phäakenkönigs Alkinoos
auf der Insel Scheria, die sich in den gestrandeten Odysseus verliebt

und nach seiner Abreise den Tod sucht (Homer, *Odyssee* VI), nahm G. am 22. 10. 1786 zum Plan einer anfangs *Ulysses auf Phäa* genannten Tragödie. Hatten die Begegnung mit den klassischen Stätten Italiens und den Bilderzyklen zur *Odyssee* in Cento, Bologna oder Capodimonte den Plan angeregt, so konnte der »Wanderer« G. sich mit seinem mythischen Ebenbild identifizieren und »aus eignen Erfahrungen nach der Natur« dichten (*Italienische Reise* 8. 5. 1787). Doch erst die Ankunft in Palermo im April 1787 und die Eindrücke Siziliens, das G. mit der Phäakeninsel in Verbindung bringt, schaffen die Stimmung für die Arbeit. Eine am 15. 4. 1787 erworbene Homer-Ausgabe gestattet die Wiederbegegnung mit dem nur annähernd erinnerten Stoff und läßt einen genaueren Plan und die ersten zweieinhalb Szenen (93 Verse) entstehen. Mit der Rückkehr aus Sizilien Mitte Mai 1787 wird das Drama zu G.s späterem Bedauern abgebrochen. Zu den späteren Szenen haben sich nur kleine Teile erhalten, für das ganze Stück 155 Verse. Aus der »flüchtigen Erinnerung« gibt G. 1814 bei der Redaktion der *Italienischen Reise* zum 5. 8. 1787 ein erweitertes, mehr theatralisches Exposé der fünfaktigen Handlung, das jedoch nicht mehr ganz dem Szenar des ursprünglichen Seelendramas von unerwiderter Liebe, Täuschung, Enttäuschung und Hoffnungslosigkeit entspricht: I. Ballspiel der Mädchen am Ufer und Entdeckung des gestrandeten Odysseus, der von ihnen in den Palast des Alkinoos geführt wird, aber seinen Namen verschweigt. II. Odysseus gibt sich als unverheirateten Gefährten des Odysseus aus, erzählt dessen Schicksale und äußert den Wunsch nach Heimkehr. III. Nausikaas offenes Bekenntnis ihrer Liebe zu Odysseus brüskiert sie vor ihren Freiern; sie bittet Odysseus zu bleiben. IV. Die Enthüllung von Odysseus' wahrer Identität und die Rechtfertigung seines Verhaltens bringen die tragische Wendung. V. Abschied des Odysseus, der seinen Sohn Telemach als Bräutigam empfiehlt; Nausikaas Tod und Totenklage. G.s 1827 veröffentlichtes Fragment gab im 19./20. Jahrhundert Anlaß zu zahlreichen variierenden Bearbeitungen des Stoffes von H. Viehoff (1842) bis zu E. Schnabels Roman *Der sechste Gesang* (1956).

W. Scherer, N., in ders., Aufsätze über G., 1886 u. ö.; W. Morris, N., GJb 25, 1904; G. Kettner, G.s N., 1912; J. Heilborn, N. in der deutschen Dichtung, Diss. Breslau 1921; R. Bach, N., Goethe 5, 1940; W. Kohlschmidt, G.s N. und Homer, WW 2, 1951 f., auch in ders., Form und Innerlichkeit, 1955; E. Prossinagg, Zu G.s N.-Stoff, JbWGV 64, 1960; H. Mainzer, Zu G.s Fragmenten Ulyß auf Phäa und N., Goethe 25, 1963; D. Lohmeier, G.s N.-Fragment, JFDH 1974; S. Atkins, G's N., in: Studien zur Goethezeit, hg. H.-J. Mähl 1981; D. Constantine, Achilleis and N., OGS 15, 1984; A. Faure, La femme-ile, Cahiers d'études germaniques 15, 1988; R. Görner, G's Ulysses, PEGS 64 f., 1993 ff.; N. Miller, Die Insel der N., 1994.

Nauwerck, Ludwig Gottlieb Carl (1772–1855). Der Kammersekretär in Ratzeburg und Neustrelitz beteiligte sich als Zeichner 1800–05 an den Preisaufgaben der Weimarer Kunstfreunde. 1810 und 1811 sandte er Sepiazeichnungen u. a. zum *Faust* nach Weimar, die G. der Prinzessin Caroline Louise zum Ankauf empfahl (*Tag-*

und Jahreshefte 1811). G. besaß von ihm ein parodistisches Blatt »Die Erscheinung auf dem Winterberg«. Über Nauwercks als Lithographien publizierte *Darstellungen zu Goethes Faust* (1826) äußerte sich G. positiv in der Notiz *Nauwerck, Bilder zu Faust* (*Über Kunst und Altertum* VI,2, 1828).

A. Bergmann, G. und N., JbSKipp 6, 1926.

Nazarener. Die 1810 gegründete deutsch-romantische Künstlerkolonie im Kloster San Isidoro in Rom (P. Cornelius, F. Pforr, J. F. Overbeck, W. Schadow, J. Schnorr von Carolsfeld, Ph. und J. Veit u. a.) strebte eine Erneuerung der Kunst auf christlicher Grundlage an und orientierte sich retrospektiv-katholisierend an der altdeutschen und der italienischen Kunst vor Raffael wie an der romantischen Kunstauffassung F. Schlegels, Wackenroders (*Herzensergießungen eines kunstliebenden Klosterbruders*) und Tiecks (*Franz Sternbalds Wanderungen*). G., der von der Bewunderung der Sammlung Boisserée wieder zum Klassizismus zurückgefunden hatte, akzeptierte zwar die Verehrung mittelalterlicher Kunst, wies aber ihre Erhebung zum Vorbild moderner Kunst als verhängnisvollen Irrweg und Rückschritt entschieden zurück, sah in ihr eine Ursache für den Geschmacksverfall, verdächtigte die Nazarener heuchlerischer »Frömmelei« und verfolgte sie wiederholt mit schroffer, starrsinniger Ablehnung und bitterem Hohn (*Tag- und Jahreshefte* 1820; *Deutsche Sprache,* 1817; *La cena,* 1824; zahlreiche Briefe). Sein Verdikt gipfelt in dem von ihm inspirierten Aufsatz J. H. Meyers *Neudeutsche religios-patriotische Kunst* (*Über Kunst und Altertum* I,2, 1817).

K. K. Eberlein, G. und die bildende Kunst der Romantik, JGG 14, 1928; R. Benz, G. und die romantische Kunst, 1940; K. Andrews, The Nazarenes, Oxford 1964; F. Büttner, Der Streit um die Neudeutsche religiös-patriotische Kunst, Aurora 43, 1983; F. Sengle, Die politisch-religiösen Voraussetzungen der nazarenischen Bewegung, in ders., Neues zu G., 1989.

Neapel. Es war ein anderes, unbekümmert genießendes, heitereres, glücklicheres und reizvolleres Neapel als das heutige, in dem G. vom 25. 2. bis 3. 6. 1787, unterbrochen durch die sechswöchige Sizilienreise (29. 3.–14. 5.), sich aufhielt und im (1880 abgerissenen) Gasthof Moriconi am Largo del Castello wohnte. Schon sein Vater hatte häufig begeistert von Neapel erzählt (*Dichtung und Wahrheit* I,1) und ihm gesagt, »wer Neapel nicht gesehn, habe nicht gelebt« (ebd. IV,19). War Rom das Zentrum für das Studium der Antike und der Kunst, so bot Neapel dem Besucher die Anschauung südlicher Landschaft und Naturschönheit mit dem Meer und den Inseln sowie süditalienischen Volkslebens und Volkscharakters in seiner Freiheit und Unbefangenheit. »Neapel ist ein Paradies, jedermann lebt in einer Art von trunkner Selbstvergessenheit. Mir geht es ebenso, ich erkenne mich kaum, ich scheine mir ein ganz anderer Mensch« (*Italienische Reise* 16. 3. 1787). Neapel bot G. Gelegenheit zu Ausflügen zum Vesuv, nach Pompeji und Herculanum, ins

ntikenmuseum von Portici, nach dem Schloß der Könige von
eapel in Caserta und nach Capodimonte, Pozzuoli oder Paestum,
m Besuch der Oper (Cimarosa) und der Volkskomödie wie zur
?obachtung der Volksfeste (Filippo →Neri). Neben Tischbein, der
 nach Neapel begleitet hatte und dort blieb, schloß G. Freund-
haften mit den Malern J. Ph. Hackert und Ch. H. Kniep, ver-
hrte beim englischen Gesandten Sir William Hamilton und
nma Hart, späterer Lady Hamilton, und fand Zugang zu den hei-
r-geselligen Kreisen um den Staatsrechtler G. Filangieri und seine
hwester, Prinzessin Satriona, den Diplomaten Marchese Lucche-
ii, den Naturwissenschaftler und Kunstsammler Marchese Venuti,
e Hofdame Herzogin von Giovane u. a. m. (*Italienische Reise*).
eapel ist auch Schauplatz der Gespenstergeschichte von der Sän-
rin Antonelli in den *Unterhaltungen deutscher Ausgewanderten*.

B. Croce, Volfgango G. a Napoli, Neapel 1903 u. ö.; F. Torraca, V. G. a Napoli, in ders.,
ritti vari, Mailand 1928; R. Michéa, G. au pays des lazaroni, in: Mélanges en l'hon-
ur de J. Legras, Paris 1939; A. Vitolo, G. e Napoli, Annali. Studi tedeschi 30, 1987.

ebel. Nebel erscheint neben und gemeinsam mit der Morgen-
ler Abenddämmerung zumal in der Natur- und Landschaftslyrik
's jungen G. häufig als Sinnbild gedrückter Stimmung und diffu-
r Schönheit in nächtlicher Landschaft vor dem Aufgang der kla-
n Gestirne, aber auch als Ausdruck wohliger Heimeligkeit in der
atur (*An den Mond, Willkommen und Abschied, Pilgers Morgenlied,
anymed, An Schwager Kronos, Auf dem See,* später *Zueignung, Glück-
he Fahrt,* »Dämmrung senkte sich …«, »Früh, wenn Tal …« u. a.).
it der Verdrängung ossianischer Stimmungen nach der Italienreise
ht der Nebel vielfach als Charakteristikum der verhangenen nor-
schen Landschaft im Unterschied zur klaren Reinheit der süd-
h-klassischen Atmosphäre (*Römische Elegien* XV,3; *Faust* v. 3940,
)24 u. ö.).

H. S. Daemmrich, Die Motivreihe N.-Licht im Werk G.s, PEGS NS 42, 1972.

eckar. Auf seiner 3. Schweizer Reise fuhr G. am 27. 8. 1797 von
eidelberg mit dem Wagen neckaraufwärts bis Neckargemünd,
nn, das Flußtal verlassend, über Sinsheim nach Heilbronn, hielt
h dort einen Tag auf und reiste am 29. 8. weiter das Neckartal
itlang und dann über Bietigheim nach Ludwigsburg (*Aus einer
?ise in die Schweiz 1797*). Auch bei seinen verschiedenen Aufent-
ilten in Heidelberg, Stuttgart (Ausflug ins Neckartal bis Neckar-
ms 3. 9. 1797, ebd.) und Tübingen sah er den Fluß. Auf seiner
tzten Rückreise von Heidelberg über Würzburg nach Weimar
)ernachtete er mit Boisserée am 7./8. 10. 1815 in Neckarelz.

eckarelz →Neckar

ecker, Jacques (1732–1804). Von dem französischen Staatsmann,
ınkier und 1777 Finanzminister, dem Vater der Mme de Staël, las

G. im September 1785 mit »vielVergnügen« (an Knebel 11. 9. 1785
seine Rechtfertigungsschrift *De l'administration des finances de*
France (III 1784).

Neckerroda. In dem Dorf südlich vonWeimar bekämpften G. um
Carl August am 23. 5. 1776 vergeblich eine den Ort einäschernde
Feuersbrunst (an A. zu Stolberg 24. 5. 1776).

Neer, Aert van der (1603–1677). An den von ihm geschätzten nie
derländischen Maler effektvoller Nachtstücke mit Mondlandscha
ten und Feuersbrünsten fühlte sich G. bei einer Mondscheinnach
am Golf von Neapel mit dem aktivenVesuv im Hintergrund erin
nert (*Italienische Reise* 30. 5. 1787).

Nees von Esenbeck, Christian Gottfried (1776–1858). G. kannt
den Botaniker und Naturphilosophen, zuerst Arzt in Frankfur
1818 Professor der Botanik in Erlangen, 1819 in Bonn, 1831 i
Breslau, seit 1804 als Rezensenten der *Jenaischen Allgemeinen Liter
turzeitung* und versuchte ihn wiederholt für Jena zu gewinnen. I
seinen Schriften *Die Algen des süßen Wassers* (1814) und *Das Syste*
der Pilze und Schwämme (III 1816 f.; vgl. *Tag- und Jahreshefte* 1816
Wirkung dieser Schrift, 1830) erkannte G. den Anhänger seine
Metamorphosenlehre und pflegte 1816–27 einen intensiven brief
lichen und mündlichen Gedankenaustausch mit ihm übe
naturwissenschaftlich-morphologische Fragen, aber auch über sei
literarisches Werk. Nees besuchte G. am 28. 6. 1816 in Jena und a
18./19. 3. und 31. 5. 1819 in Weimar und widmete G. den 1. Ban
seines *Handbuchs der Botanik* (II 1820 f.). 1818 wurde G. Ehrenmi
glied der Kaiserlich Leopoldinisch-Carolinischen Akademie d
Naturforscher, deren Präsident Nees war; 1823 benannten er un
C. F. Ph. von →Martius eine Malvengattung »Goethea«.

J. Schiff, C. G. N. v. E. und G., Schlesische Monatshefte 7, 1930.

Nehrlich, Gustav (1807–1840). Der Karlsruher Maler sandte G. i
August 1831 einen Zyklus von 16 Zeichnungen zum *Faust*, die di
ser im Anschluß an Anmerkungen J. H. Meyers im Ganzen positi
besprach (*Nehrlichs Darstellungen aus Faust*, 1831). Sie wurden 186
publiziert.

Nelson, Horatio →Hamilton, Lady Emma

Nemesis. *Zeitschrift für Politik und Geschichte* →Luden, Heinrich

Nemi–See. Den vulkanischen Kratersee in den Albaner Berge
besuchte G. wiederholt von Rom aus, so im Oktober 1787 (an Ca
August 23. 10. 1787) und am 14. 12. 1787 (*Italienische Reise* 15. 1.
1787).

Neoterpe →*Paläophron und Neoterpe*

Nepomuk, Johannes von (um 1350–1393). Dem Brückenheiligen und Landespatron Böhmens, der wegen Wahrung des Beichtgeheimnisses in der Moldau ertränkt wurde, zollt G. seinen Tribut für die häufigen Kuraufenthalte in Böhmen mit den Gedichten *Celebrität* (um 1806?) und →*Sankt Nepomuks Vorabend* (19. 5. 1820).

Nepos, Cornelius (um 100 – um 25 v. Chr.). Mit dem Werk des vielfach als Schulautor benutzten römischen Historikers machte G. im Frankfurter Lateinunterricht eine wenig erbauliche Bekanntschaft (*Dichtung und Wahrheit* I,1).

Neptunismus und Plutonismus/Vulkanismus. Hinsichtlich der Entstehung der Erdoberfläche, der Gebirge und ihrer Gesteine gab es um 1800 zwei sich heftig bekämpfende, spekulative Lehrmeinungen und Schulen. Die Neptunisten erklärten ihre Entstehung als Ablagerung aus einem allmählich absinkenden Ur-Ozean und führten den Vulkanismus auf Brände oberflächennaher Kohlelager zurück, die bereits gebildete Gesteine wieder zum Schmelzen brächten. Die Plutonisten oder Vulkanisten (A. von Humboldt, Ch. G. von Voigt, C. L. von Buch u. a.) dagegen leiteten die Entstehung der Gesteine aus einem ursprünglich feurig-flüssigen Zustand und einem Zentralfeuer im Erdinneren ab. Hauptvertreter des Neptunismus war der Freiberger Geologe A. G. →Werner, der jedoch den Vulkanismus nicht aus eigener Anschauung kannte. Von Natur aus allmählichen, organischen Metamorphosen zuneigend und plötzlichen, gewaltsamen Umbrüchen abhold, blieb G. trotz gelegentlichen Schwankens zeitlebens im Grunde Anhänger und Verteidiger des Neptunismus. Als dessen Anhänger nach Werners Tod 1817 fast durchweg zum Plutonismus umschwenkten und dessen Richtigkeit bald über jeden Zweifel erhoben, hielt G. mit einer gewissen Starrheit nach außen an dem als wissenschaftlicher Irrtum erwiesenen, überholten Neptunismus fest (*Über den Granit; Vergleichsvorschläge*). Er beobachtete den Zulauf der Plutonisten mit Unmut (an C. C. von Leonhard 8. 1. 1819), war jedoch der Sache nicht mehr ganz so sicher, scheute das offene Eingeständnis des Irrtums (an Knebel 17. 9. 1817) und versagte schließlich dem Vulkanismus sein Verständnis (an Zelter 5. 10. 1831). Die wissenschaftliche Auseinandersetzung beider Schulen spiegelt sich poetisch im Streitgespräch zwischen Anaxagoras und Thales im *Faust II* (v. 7851–72) und in den Unterhaltungen in *Wilhelm Meisters Wanderjahre* (II,9); *Faust II* (v. 10075) macht sinnigerweise sogar Mephisto zum Fürsprecher der vulkanistischen Theorie.

W. v. Engelhardt, N. und P., Fortschritte der Mineralogie 60, 1982; H. H. Rudnick, N. in G's work, in: Poetics of the elements, hg. A.-T. Tymieniecka, Dordrecht 1988; J. Prescher, G.s 1. italienische Reise und der N., GJb 106, 1989; →Geologie.

Nereus. Der weise und weissagende Meergreis der griechischen Mythologie, Vater der 50 Nereiden (Meeresnymphen, *Faust*

v. 8044 ff.), wird als Vater der Thetis in der *Achilleis* (v. 149–21
erwähnt und erscheint in der »Klassischen Walpurgisnacht« d
Faust II (v. 8094–8468) zunächst als Berater des Homunculus.

Neri, Filippo (1515–1595). Der Florentiner Mönch in Ror
Gründer eines Pilgerhospitals und der Kongregation der Oratori
ner, wurde nach seiner Heiligsprechung 1622 volkstümlich und
seinem Tag (26. 5.) besonders in Rom verehrt. G. erwarb bei seine
Fest am 26. 5. 1787 in Neapel eine kleine Biographie seines Lie
lingsheiligen (P. G. Bacci, *Vita di S. Filippo Neri*, 1745) und stellt i
zunächst an diesem Tag in der *Italienischen Reise* vor. Für sein
längeren Aufsatz *Philipp Neri, der humoristische Heilige*, der 1810 u
Mai–Juli 1829 entstand und im 3. Teil der *Italienischen Reise* e
schien, übernimmt er die Dokumente (Memorial, Resolutio
wohl in Riemers Übersetzung wörtlich. G. schreibt keine He
ligenlegende; seine wohlwollend kritische Würdigung soll den syr
pathischen, demütigen Heiligen, der »das Heilige mit dem We
lichen« verband, auch nichtkatholischen Lesern nahebringen. D
ekstatische Schweben über der Erde, das die Legende Neri nac
sagt, hat G. wohl auch dem Pater ecstaticus im Schlußakt d
Faust II (v. 11854) zugute kommen lassen.

L. Ponnelle/L. Bordet, San F. N., Florenz 1986.

Nero, Nero Claudius Caesar (37–68). Nach Riemers Beric
(14. 1. 1810) habe G. früher ein Monodrama über den römisch
Kaiser beabsichtigt, »wie er vor dem Volke agiert und wie
während dieser Zeit die Nachricht von einer Verschwörung erhäl
Nach den Worten Merkulos (*Triumph der Empfindsamkeit*, II) w
Nero »ein exzellenter Schauspieler. Er spielte bloß Monodramen
Der sonst nicht erwähnte Plan mag in dieselbe Zeit um 1777 falle

Nerval, Gérard de (1808–1855). Der französische Romantik
übersetzte Gedichte G.s (*Poésies allemandes*, 1830) und den *Fau*
(I 1827, II 1840) in lyrischer Prosa, die G. als »sehr gelungen, .
durchaus frisch, neu und geistreich« lobte (zu Eckermann 3.
1830).

L. P. Betz, G. und G. d. N., GJb 18, 1897.

Nettelbeck, Joachim (1738–1824). Auf die Autobiograph
(*Lebensbeschreibung, von ihm selbst aufgezeichnet*, III 1821–23) des Ko
berger Seefahrers, Branntweinbrenners und 1806/07 Verteidige
der Stadt gegen die französische Belagerung machte Zelter G. 182
aufmerksam. G. las sie im März/April 1822 und empfiehlt sie
seiner Einleitung zu J. Ch. Sachses *Der deutsche Gil Blas* (1822) z
Lektüre.

Neuber(in), Friederike Caroline, geb. Weißenborn (1697–1760
Die berühmte Schauspielerin, die mit ihrer Truppe in Leipzig Got
scheds Bühnenreform durch Verbannung des Hanswurst und Ei

ührung des regelmäßigen Sprechdramas nach französischem Vorbild durchführte, sich dann mit ihm überwarf und durch ihre Sorg-
losigkeit in Liebschaften wie in Geldsachen ins Elend geriet, gab ein
Vorbild für die Figur der Prinzipalin Madame de Retti in *Wilhelm
Meisters theatralischer Sendung* (III,4–IV,10).

Neudeutsche, religios-patriotische Kunst →Nazarener

Der neue Amadis →Amadis

Der neue Amor. Das Gedicht entstand im Dezember 1792 bei
der Fürstin Gallitzin in Münster (zur Entstehung vgl. *Campagne in
Frankreich*, November 1792) und erschien zuerst 1797 in Schillers
Musen-Almanach für das Jahr 1798. Im Versuch, die zwiespältige
Haltung der christlichen Religion zur sinnenfreudigen bildenden
Kunst zu überwinden, erklärt es die Liebe zur Kunst als Produkt der
sinnlichen (Amor) und der himmlischen/platonischen Liebe (Venus
Urania).

Neue Liebe neues Leben. Mit Unruhe und Verwirrung des Herzens unter dem Eindruck einer aufkeimenden neuen Liebe beginnt
dieses erste Gedicht G.s an Lili Schönemann, das im Januar/Februar
1775 entstand und nach dem anonymen Erstdruck in Jacobis *Iris*
(II,3, März 1775) 1789 in die *Schriften* aufgenommen wurde. Monologisch werden die Diskrepanz seiner und ihrer Welt und der
Eingriff der Liebe auf seine Lebensweise – »neue Liebe« bedeutet
ein »neues Leben« – durchgespielt und der Wunsch, sich ihr zu entziehen, zugleich als Unmöglichkeit erkannt. Die Dialektik von
Hingerissenheit und Selbstbewahrung spiegelt sich auch in den an
30 Vertonungen, u. a. von Beethoven 1809, Marschner, Reichardt,
Spohr und Zelter.
   H. Anton, Deutschland 1775, in ders., Heilungskraft, 1987.

Neue Lieder, *in Melodien gesetzt von Bernhard Theodor Breitkopf.* G.s
erste Buchveröffentlichung und zugleich die erste Vertonung seiner
Gedichte erschien im Oktober 1769 in Leipzig mit der Jahreszahl
1770, aber ohne den Namen des damals noch unbekannten Verfassers. Sie umfaßte 20 Gedichte überwiegend aus der Leipziger Zeit,
darunter neun aus der F. Oeser gewidmeten handschriftlichen
Sammlung →*Lieder mit Melodien* (1768), dazu einige aus der Frankfurter Zeit, mit Vertonungen seines Leipziger Freundes B. T.
→Breitkopf zum geselligen Singen. Zwar nennt G. sie »die Geschichte meines Herzens in kleinen Gemälden« (an E. T. Langer
Oktober 1769), doch handelt es sich um spielerisch-witzige und
distanzierte Rokokoformen weitgehend ohne den späteren Er-
lebniston, wenn auch herzlicher, gelöster, natürlicher, selbst derber
als das Buch *Annette.*
   A. Strack, G.s Leipziger Liederbuch, 1893; E. Wolff, Der junge G., 1907; E. Schenk,
Breitkopfs Musik zum Leipziger Liederbuch, ChWGV 52/53, 1949.

Die neue Melusine. Das Volksbuch von der →*Melusine* war G. schon seit seiner Kindheit vertraut (*Dichtung und Wahrheit* I,1). 1770/71 erzählte er seine Umgestaltung dem Kreis um F. Brion in Sesenheim als »Jünglingsmärchen« im Unterschied zum »Knabenmärchen« *Der neue Paris* (ebd. II,10–11), zeichnete es jedoch entgegen seinem Versprechen damals wohl nicht auf, so daß die spätere Fassung in Gehalt und Stil abweicht. Ein Plan zur Ausarbeitung entstand 1797 (an Schiller 4. 2. 1797), die Niederschrift folgte am 21.–31. 5. 1807, die Reinfassung erst 24.–29. 9. 1812. Nach dem Erstdruck in zwei Teilen in Cottas *Taschenbuch für Damen auf das Jahr 1817* und 1819 wurde das Märchen in *Wilhelm Meisters Wanderjahre* übernommen und erschien als Kapitel 15 der 1. Fassung von 1821 bzw. als III,6 der 2. Fassung von 1829. Der Ich-Erzähler, ein Barbier, begegnet auf einer Reise einer schönen Frau, verliebt sich spornstreichs in sie, muß sich als ihr Kavalier einigen leichten Prüfungen und Bedingungen unterwerfen, reist allein mit einem seiner Obhut anvertrauten, stets in einem besonderen Zimmer unterzubringenden, zierlichen Kästchen der Frau weiter, mißachtet ihre Warnungen und wird mehrmals durch ihr plötzliches Erscheinen aus Notlagen gerettet. Nach der Verbindung mit ihr strahlt eines Nachts Licht aus dem Kasten, und durch eine Ritze sieht er dort seine Frau als winzige Gestalt in einer possierlichen Miniaturwelt. Auf seine Vorwürfe erklärt sie ihm ihre Herkunft als Prinzessin eines Zwergengeschlechts, dessen stetes Schrumpfen nur durch ihre Verbindung mit einem Menschen aufgehalten werden kann. Mit ihrem Verlust bedroht, nimmt der Barbier freiwillig auch Zwergengestalt an und heiratet sie, gewinnt jedoch bald reuevoll seine menschliche Größe zurück und verkauft das wertlos gewordene Kästchen. Der vielleicht ursprünglich von G.s Ehescheu mit inspirierte Stoff, der auch die Disproportionalität, vergebliche Anpassung und fragile Harmonie (Musik) in die Eheproblematik einbringt, fügt sich mit seinen Hauptmotiven (Bedingungen, Prüfungen, →Kästchen, Entsagung) der Thematik der *Wanderjahre* ein und ist deren phantastischste Erzähleinlage.

R. Garnett, D. n.M., PEGS 2, 1887; R. Fürst, Das undenische Pygmäenweibchen, GJb 21, 1900; H. Becker, Eine Quelle zu G.s N. M., ZDP 52, 1927; G.-L. Fink, G.s N. M. und die Elementargeister, Goethe 21, 1959; O. Seidlin, M. in der Spiegelung der Wanderjahre, in: Aspekte der G.zeit, hg. S. A. Corngold 1977, auch in ders., Vom erwachenden Bewußtsein und vom Sündenfall, 1979; G.-L. Fink, La nouvelle M., in ders., G., Paris 1980; H. Geulen, G.s Kunstmärchen Der neue Paris und D. n. M., DVJ 59, 1985; M. Schmitz-Emans, Vom Spiel mit dem Mythos, GJb 105, 1988; Ch. Lubkoll, In den Kasten gesteckt, in: Sehnsucht und Sirene, hg. I. Roebling 1992; H. Herwig, Mann und Frau in G.s Märchen D. n. M., Colloquium Helveticum 17, 1993.

Der neue Paris. In *Dichtung und Wahrheit* (I,2, entstanden 1811) erzählt G., wie er seine Frankfurter Spielkameraden durch Märchenerzählungen unterhielt, und gibt als Beispiel dieser kindlichen Phantasieprodukte nach dem Gedächtnis, doch in späterer Stilisierung das »Knabenmärchen« *Der neue Paris*, das nach den Anpielungen auf reale Details im vorliegenden Text auf 1763 zu datieren wäre. Äußerlich eine Neugestaltung des bekannten Stoffes vom Parisurteil mit Einverleibung anderer antiker Stoffe (Narziß, Achill, Amazonen), doch in das zeitgenössische Frankfurt versetzt, in dessen Mitte sich dem Knaben ein weltabgeschiedenes, konzentrisch angelegtes Zaubergarten-Paradies mit schönen Mädchen auftut, verarbeitet es Anregungen aus eigenem Erleben, aus der bildenden Kunst (Gemälde Thorancs) und französischen Feenmärchen zu einem von Traumlogik beherrschten Kunstmärchen und verbindet Motive der jugendlichen Phantasie mit Ansätzen von Auserwähltheitsbewußtsein, Initiationsriten, Erotik und Geschlechterkampf (mit Zinnsoldaten). Selbst noch nicht abgeschlossen und der notwendigen Fortsetzung ermangelnd, entwickelt es erstmals Märchenmotive und Erzählstrategien, die in dem späteren *Märchen* der *Unterhaltungen deutscher Ausgewanderten* und der *Neuen Melusine* wieder aufgenommen werden, und entzieht sich wie diese weitgehend einer zergliedernden und das Gewebe zerstörenden Auslegung.

W. F. Kirby, G's New Paris, PEGS 5, 1890; M. Beyerle, G.s Märchen D. n. P., Hochland 29, 1932; W. Schadewaldt, G.s Kunstmärchen D. n. P., NR 70, 1959, auch in ders., G.-Studien, 1963; S. Mosès, Le nouveau Paris, RA 5, 1973, auch in ders., Spuren der Schrift, 1987; K.-H. Kausch, G.s Knabenmärchen D. n. P., SchillerJb 24, 1980; G.-L. Fink, Le nouveau Paris de G., EG 38, 1983; H. Geulen, G.s Kunstmärchen D. n. P. und Die neue Melusine, DVJ 59, 1985; R. Tiedemann, Zu G.s Knabenmärchen D. n. P., Jahrbuch der Psychoanalyse 18, 1986.

Der neue Pausias und sein Blumenmädchen. Ein ebenso heikles wie delikates Unterfangen, als Dichter, der für das klatschsüchtige Weimar mit einem »Blumenmädchen« zusammenlebt, das in einer Fabrik künstlicher Blumen arbeitete (Christiane von →Goethe), die Liebe eines Dichters zu einem Blumenmädchen zu schildern und die Kunstfertigkeit beider Gewerbe sowie der Malerei zu vergleichen. Der vorausgeschickte Hinweis auf Plinius' Bericht vom Maler Pausias (4. Jahrhundert v. Chr.) als Quelle verhilft kaum zu einem Feigenblatt, wenn der »neue Pausias« ausgerechnet wieder zum Dichter entfremdet wird und der eigenem Erleben entspringende Anlaß für die Wahl des Sujets so evident ist. Doch das Wechselgespräch beider in klassisch strengen elegischen Distichen, das sich gegen Ende bei der Annäherung in Stichomythie auflöst, gibt noch mehr als das Nacherleben von erster Begegnung, Trennung und Wiederfinden der Liebenden; es lebt von den erotischen Konnotationen der Bilder wie Kränzchen, Binden und Schoß, die über die biographische Parallele ins Allgemeine hinausgreifen. Das idyllische Gedicht entstand am 22./23. 5. 1797 in Jena und erschien im gleichen Jahr in Schillers *Musen-Almanach für das Jahr 1798*.

R. C. Ockenden, Art and narrative in G's D. n. P. u. s. B., PEGS 61, 1990 f.

Neueröffnetes moralisch-politisches Puppenspiel. Unter diesem Titel veröffentlichte F. M. →Klinger 1774 anonym einige kleinere dramatisch-satirische Dichtungen, die G. ihm 1774 zur Veröffentlichung geschenkt hatte und die im *Prolog* als eine Art Puppenspiel aus einzelnen, bunt aneinandergereihten Szenen eingeführt werden. Die Sammlung enthält: *Prolog* (»Auf, Adler, dich zur Sonne schwing …«), →*Künstlers Erdewallen*, →*Das Jahrmarktsfest zu Plundersweilern* und das →*Fastnachtsspiel vom Pater Brey*.

Neue Schriften. Die zweite rechtmäßige Sammelausgabe von G.s Werken nach den *Schriften* bei Göschen (VIII 1787–90) erschien 1792–1800 in sieben Bänden bei Unger in Berlin und umfaßte die seitdem abgeschlossenen Werke: I(1792) *Der Groß-Cophta, Das römische Carneval,* II(1794) *Reineke Fuchs,* III–VI(1795–96) *Wilhelm Meisters Lehrjahre* und VII(1800) Gedichte. →Werkausgaben.

Neueste deutsche Poesie. Der knappe, im Titel leicht irreführende Aufsatz (*Über Kunst und Altertum* VI,1, 1827) gibt eine schematische »Würdigungstabelle poetischer Produktionen der letzten Zeit« und stellt sechs Hauptkategorien zur Beurteilung von Literaturwerken auf: Naturell, Stoff, Gehalt, Behandlung, Form und Effekt, für die jeweils rd. 14 Adjektive bereitgestellt werden, widerruft dann jedoch ein solches Verfahren als zeitraubend und subjektiv und stellt die »Sonderung des Echten und Falschen« der Zeit anheim.

Das Neueste von Plundersweilern. Im Anschluß an seine erfolgreiche Satire →*Das Jahrmarktsfest zu Plundersweilern* entwarf G. anstelle einer 1780 geplanten derben Klopstock-Satire 1781 eine allgemeine Literatursatire auf zeitgenössische literarische Praktiken und Autoren wie Massenkonsum, Lesewut, Nachdrucke, Kritik, Ramler, Wertherfieber, Göttinger Hain, Klopstock, Wielands *Teutschen Merkur* u. a. m. in Form eines Bänkelliedes. G. M. Kraus gestaltete nach G.s Entwurf ein großes allegorisch-satirisches Aquarell dazu, und G. führte die Satire selbst in der Rolle eines Bänkelsängers mit Zeigestock und mit Ballettmeister Aulhorn in der stummen Rolle des Hanswurst am 24. 12. 1781 bei Anna Amalia in Weimar auf. Diese war davon so erheitert, daß sie sie noch zweimal, am 8. 1. und 4. 2. 1882, vor Gästen wiederholen ließ. Nachdem sich eine Abschrift des verlorenen Originalmanuskripts durch L. von Göchhausen 1808 im Nachlaß von G.s Mutter gefunden hatte, ließ G. den Text mit einer kurzen Einleitung in den *Werken* (Band 9, 1817) drucken. Zum heutigen Verständnis bedarf das zeitgebundene Werk eines genauen Kommentars.

P. Weizsäcker, D. N. v. P., Vierteljahrsschrift für Literaturgeschichte 6, 1893; W. H. Bruford, D. N. v. P., MuK 10, 1964.

Neugriechische Literatur. Im Sinne einer Weltliteratur interessierte sich G. in späteren Jahren zumal im Zeichen des Philhellenismus und der griechischen Freiheitskriege, die besonders durch seine Anteilnahme am Schicksal Byrons in seinen Gesichtskreis traten, stärker auch für neugriechische Literatur und Volksdichtung. Im Juli 1815 legte ihm W. M. M. Freiherr von Haxthausen-Abbenburg in Wiesbaden neugriechische Lieder im Original und in seiner Übersetzung vor, auf deren Drucklegung G. vergeblich hoffte. 1817 lernte G. in Jena unter anderen griechischen Studenten J. Papadopulos kennen, der 1818 die *Iphigenie* ins Neugriechische übertrug. Im Mai 1822 erhielt G. vom Pariser Historiker J. A. Buchon einen Aufsatz über neugriechische Dichtung und sechs neugriechische Lieder im Original und in französischer Übersetzung und veröffentlichte seine im Sommer 1822 entstandene deutsche Fassung *Neugriechisch-epirotische Heldenlieder* mit dem Aufsatz *Volksgesänge abermals empfohlen*, der »kräftige Kontraste« und »tüchtigen Freisinn« an ihnen lobt, in *Über Kunst und Altertum* (IV,1, 1823). Am 2. 12. 1822 übersetzte G. mit Riemers Hilfe das von Haxthausen erhaltene neugriechische Gedicht *Charon* vom Reiter Tod und regte mit seiner Veröffentlichung (*Über Kunst und Altertum* IV,2, 1823) Cotta zu einem Preisausschreiben für dessen Illustration an, dessen Ergebnisse er wiederum beschrieb. C. Fauriels griechisch-französische Anthologie *Chants populaires de la Grèce moderne* (1824/25, deutsch von W. Müller 1825), die G. im Juli 1824 kennenlernte, gab ihm am 3./4. 6. 1825 Anlaß zu einer freien, teils die Situation umkehrenden Nachdichtung der *Neugriechischen Liebe-Skolien*. In seiner Besprechung von J. Rizo Néroulas' *Cours de littérature grecque moderne* (1827) referiert G. den sprach- und literatursoziologischen Hintergrund der neugriechischen Literatur, in der von K. T. Kinds *Neugriechischen Volksliedern* (1827) fordert er zur kritischen Sichtung des Bestandes auf (*Über Kunst und Altertum* VI,2, 1828).

K. Dieterich, G. und die neugriechische Volksdichtung, Hellas-Jahrbuch 1929; G. Soyter, Die Quellen zu G.s Übertragungen aus dem Neugriechischen, Hellas-Jahrbuch 1936; G. Soyter, G. und das neugriechische Volkslied, Gymnasium 58, 1951; J. Irmscher, G. und die n. L., GJb 98, 1981.

Neujahrsgedichte. Poetische Neujahrsglückwünsche, rhetorische Kasualpoesie im pompösen hohen Stil des Spätbarock und in Alexandrinern, gehörten zu den obligatorischen Exerzitien des jungen G. Die Neujahrsgedichte an die Großeltern Textor zum 1. 1. 1757 (»Ein neues Jahr erscheint ...«, wohl mithilfe eines Lehrers entstanden) und zum 1. 1. 1762 (»Großeltern, da dies Jahr ...«) sind die ältesten erhaltenen Gedichte G.s; weitere mögen verloren sein. Ganz anderer Art ist das →*Neujahrslied* von 1768. Noch am 30. 12. 1778 schmiedeten G. und S. von Seckendorff nach einer Jagdpartie nächtlich gemeinsam 22 lustige Neujahrsverse (»Neujahrspossen«), die mit verstellter Schrift abgeschrieben und am 1. 1. 1779 anonym durch Boten den Empfängern zugestellt wurden (zu F. von Müller 30. 12. 1825).

Neujahrslied. Mitte Dezember 1768 versandte G., soeben von
einem Rückfall seiner Krankheit genesen, aus Frankfurt als Lebens-
zeugnis an seine Leipziger Freunde (nicht erhaltene) Einblatt-
drucke, wie sie die Bänkelsänger verteilten, in denen er nach Art
der Jahrmarktshändler mit Wahlsprüchen frisch-fröhliche Ratschläge für alle Lebensalter und Familienstände erteilt. Das Gedicht,
in mehreren, teils abweichenden und drastischeren Abschriften
überliefert, erschien im Oktober 1769 als erstes der →*Neuen Lieder*.
Im Brief an K. Schönkopf (30. 12. 1768) erklärt G., er habe es »in
einem Anfall von großer Narrheit gemacht und zum Zeitvertreibe
drucken lassen«.

H. M. Braun, G.s N., Neue Musikzeitschrift 3, 1949; H. M. Braun, G.s Lied zum
Neuen Jahr, Musica 10, 1956.

Neukirch, Benjamin (1665–1729). Noch in der väterlichen Bibliothek las G. um 1765 Neukirchs Übersetzung (III 1727–39) von
→Fénelons *Télémaque* (*Dichtung und Wahrheit* I,1–2). In Leipzig
mokiert er sich wohl unter Einfluß Gellerts über die Pleonasmen
des spätbarocken Dichters, der sich trotz späterer Absage an den
Schwulststil nie ganz davon freimachte (an Riese 30. 10.–6. 11.
1765).

Neumann, Johann Christian (1754–1791). Der »sehr schätzbare
Schauspieler« (*Tag- und Jahreshefte* 1791) für Heldenrollen aus Kö-
nigsberg, seit 1784 bei Bellomos Truppe in Weimar und nach Carl
Augusts Meinung ein möglicher Direktor des Hoftheaters, starb
kurz vor G.s Übernahme der Theaterleitung und hinterließ seine
Witwe Johanna Elisabeth Neumann (1752–1796), Schauspielerin
für Gouvernantenrollen, und seine 14jährige Tochter Christiane
(Neumann-)→Becker, um deren Ausbildung sich G. kümmerte.

Neumann-Becker, Christiane →Becker, Christiane

Neunheiligen. Auf dem Schloß Neunheiligen bei Langensalza des
Grafen Jacob Friedemann von →Werthern-Neunheiligen und seiner Gattin Jeanette Louise, der von Carl August verehrten Schwester des Ministers Freiherr vom Stein, weilte G. zuerst am 25. 5.
1780, dann mit Carl August am 7.–15. 3. 1781 und wieder am
12. 12. 1782.

Auf G.s Spuren im Kreis Langensalza, hg. W. Limpert 1932.

Neureuther, Eugen Napoleon (1806–1882). Der Maler, Radierer
und romantische Illustrator, Schüler von P. Cornelius in München,
schuf seit 1828 46 Randzeichnungen zu G.s Gedichten, die er auf
dessen Empfehlung auch lithographiert veröffentlichte (*Randzeichnungen zu Goethes Balladen und Romanzen*,V 1829–39), ferner 1845
auch Holzschnitte zu G.s *Götz von Berlichingen*. G. zollte Neu-

reuthers »Erfindung, Kunst und Geschmack« höchstes Lob (zu
Eckermann 5.4.1831; vgl. an Cornelius 26.9.1828, an Zelter
30.10.1828 und 27.3.1830 u.a.) und stand seit 23.9.1828 mit
ihm im Briefwechsel.

Neustadt an der Orla. Kein Ort glücklichen Angedenkens für
G., der hier gleich am ersten Tag seiner Reise mit Knebel durch das
Fichtelgebirge nach Karlsbad an einem Zahngeschwür erkrankte
und während des unbeabsichtigten einwöchigen Aufenthalts
(23.–29.6.1785) teils bettlägerig war, so daß Prof. Loder aus Jena
geholt werden mußte. Ein zweiter Aufenthalt mit Übernachtung
am 13./14.9.1808 war nicht weniger vom Pech begünstigt: erst
warf der Kutscher den Wagen um, dann verfehlte er den Ort.

Neuwied. In der »freundlichen Stadt« am Rhein hielt sich G. bei
der Geniereise mit Lavater und Basedow am 18./19.7.1774 auf,
machte Besuch bei Hofe, traf dort E.C.L.von Buri, dem er ein
paar Gedichte übergab, sah vielleicht die Möbelwerkstatt
D. →Roentgens und schrieb Stammbuchverse für die Hofrätin
Kämpf. Auf der Rheinreise mit dem Freiherrn vom Stein im Juli
1815 berührte er Neuwied scheints nicht, interessierte sich aber für
die römischen Ausgrabungen und Altertümer, über die er in *Kunst
und Altertum am Rhein und Main* (Kap. »Neuwied«) berichtet.

Newton, Sir Isaac (1643–1727). G.s wohl größtes Feindbild, der
englische Mathematiker und Physiker, 1669 Professor in Cambridge, 1703 Präsident der Royal Society in London, begründete
nach Vorgang anderer seit 1672 und besonders in *Opticks* (1704) die
Lehre von der Entstehung der Farben durch Zerlegung/Beugung
des weißen Tageslichts mittels eines Prismas in das Spektrum der
Regenbogenfarbenskala und erklärte das Weiß als Bündelung sämtlicher Spektralfarben. Diese durch ihn und seine Schüler auch
mathematisch unterbaute, in den Grundzügen seither herrschende
Lehre lernte G. 1765/66 in Leipzig durch die Vorlesungen
J.H.Wincklers kennen und studierte sie wiederholt, besonders
1791/92 und 1799/1800, verwarf jedoch bei seinen im Januar 1790
einsetzenden optischen Experimenten spontan Newtons Spektral-
analyse und erklärte die Entstehung der Farben aus dem Licht
durch trübende Mittel. Er polemisierte seither zeitlebens in seinen
Beiträgen zur Optik (*Resultate meiner Erfahrungen*, 1793; *Über
Newtons Hypothese der diversen Refrangibilität*, 1793; *Über die Farbenerscheinungen*, 1793; *Grundversuche über Farbenerscheinungen bei der
Refraktion*, 1794 u.a.), im historischen und polemischen Teil der
→*Farbenlehre*, in den *Xenien* (165–175) und *Maximen und Reflexionen* (431, 432, 1288–1297), aber auch mündlich (z.B. zu Eckermann 20. und 27.12.1826, 19.2.1829) unermüdlich und verbissen
gegen die vermeintlichen Irrtümer Newtons und seiner Nachfol-

ger. Dabei ließ er sich auch durch Schweigen und Ablehnung vonseiten der Fachwissenschaft nicht umstimmen und hielt mit der Unbelehrbarkeit des Autodidakten und vermeintlichen »Märtyrers« (*Xenien* 168, 171) an seinem Irrtum fest, der seine *Farbenlehre* schon bei Erscheinen als wissenschaftlich überholt abstempelte.

W. Heisenberg, Die G.sche und N.sche Farbenlehre im Lichte der modernen Physik, Geist der Zeit 19, 1941, auch in ders., Wandlungen in den Grundlagen der Naturwissenschaft, 1945 u. ö.; L. Hansel, N., G., Pascal, ChWGV 52/53, 1949; J. Hennig, G. N. übersetzend, Goethe 20, 1958; W. Lambrecht, Die G.sche und die N.sche Farbenlehre im Lichte der Erkenntnistheorie, Zeitschrift für philosophische Forschung 12, 1958; A. Bjerke, Neue Beiträge zu G.s Farbenlehre I, 1963; H. J. Schrimpf, Über die geschichtliche Bedeutung von G.s N.-Polemik und Romantik-Kritik, in: Gratulatio, hg. M. Honeit 1963, auch in ders., G., 1966; E. Buchwald, G. und N. in der Farbenlehre, in ders., Physik, 1967; S. M. Gruner, G's criticism of N's Opticks, Physis 16, 1974; M. Martin, Die Kontroverse um die Farbenlehre, 1979; H. Emmel, Das Problem des Irrtums in G.s Auseinandersetzung mit N., in dies., Kritische Intelligenz, 1981; J. Adler, G. und N., in: G. im Kontext, hg. W. Wittkowski 1984; M. Bothe, G. und N., Leviathan 14, 1986; F. Burwick, The damnation of N., 1986; D. L. Sepper, G. against N., in: G. and the sciences, hg. F. Amrine, Dordrecht 1987; D. L. Sepper, G. contra N., Cambridge 1988; W. Buchheim, Der Farbenlehrestreit G.s mit N., 1991; →Farbenlehre.

Nezami, auch Nizami, Nisami (1141–1209). Von dem bedeutenden persischen Dichter, den er im *West-östlichen Divan* mehrfach erwähnt und in den *Noten und Abhandlungen* charakterisiert, kannte G. besonders aus J. von →Hammers *Geschichte der schönen Redekünste Persiens* (1818) Episoden der Liebesromanzen *Chosrau und Schirin* und *Leila und Medschnun*. Im Gedicht *Lesebuch* des *West-östlichen Divan* allerdings verwechselt er ihn mit dem türkischen Dichter Nischani, dessen von Diez übersetztes Gedicht die Vorlage lieferte.

M. Schaginjan, G. und N., Neue Welt 2, 1947; H. W. Duda, Das romantische Liebesepos der Perser, ChWGV 52/53, 1949.

Nibelungenlied. G.s Begegnung mit dem mittelhochdeutschen Epos vollzieht sich parallel zu seiner Wiederentdeckung und Aufwertung durch die national-romantische Germanistik und deren Bemühungen um die deutsche Literatur des Mittelalters. Die Existenz des Epos war ihm schon früh durch J. J. Bodmers Teilausgabe (*Chriemhildens Rache*, 1757) bekannt, doch auch die Ausgabe des Bodmer-Schülers Christoph Heinrich Myller bzw. Müller (1782) blieb, da ungebunden, ungelesen liegen; nur ein flüchtiger Einblick gab G. den Plan einer (unausgeführten) Rheintöchter-Ballade (*Tag- und Jahreshefte* 1807). F. H. von der Hagens *Proben der Nibelungen nebst Auszug des Inhalts vom Ganzen* in der Zeitschrift *Eunomia* (1805) regten G. am 25.–27. 6. 1806 zu einer ersten Beschäftigung mit dem Epos an (ebd. 1806). Erst F. H. von der Hagens Ausgabe (1807) in modernisierter Sprache führte im Oktober–Dezember 1808 (nicht 1807 wie *Tag- und Jahreshefte* 1807) zu eingehender Lektüre und Beschäftigung, in deren Verlauf G. sich Aufzeichnungen über Inhalt, Örtlichkeiten, Geschichte, Sitten usw. machte, ein charakterisierendes Personenverzeichnis anlegte und eine »hypothetische Karte« zum 1. Teil entwarf. Diese dienten als Unterlage

ür die regelmäßigen wöchentlichen Vorlesungen mit Stegreifüber-
setzungen und Erläuterungen des Textes, die G. vom 9. 11. 1808 bis
11. 1. 1809 in der Mittwochsgesellschaft hielt (ebd. 1807 und 1809).
Zu erneuter Lektüre regte am 17. 8.–6. 9. 1827 Karl Simrocks
Übersetzung (II 1827) an, für die G. unter Heranziehung eigener
Materialien und erster Studien eine ausführliche Besprechung ent-
warf, die im Gegensatz zum Versuch christlicher Vereinnahmung
durch die Romantiker (A. W. Schlegel) den nordisch-»grundheid-
nischen« und götterlosen Charakter des Werkes betont. In den
Noten und Abhandlungen (Kap. »Warnung«) warnt G. vor schiefen
Vergleichen des *Nibelungenliedes* mit Homers *Ilias* und anderen
Nationalepen; Eckermann gegenüber nennt er in dem berühmten
Gespräch vom 2. 4. 1829 über das Romantische als das Kranke »die
Nibelungen klassisch wie der Homer, denn beide sind gesund und
tüchtig«. 1811 sah und lobte G. auch die Federzeichnungen zum
Nibelungenlied von P. Cornelius (*Tag- und Jahreshefte* 1811).

E. Jenny, G.s altdeutsche Lektüre, 1900; A. Hübner, G. und das deutsche Mittelalter,
Goethe 1, 1936; R. Hahn, »Dies Werk ist nicht da, ein für allemal beurtheilt zu werden«, GJb 112, 1995.

Nicht zu weit. Die 1828 entstandene, wenig beachtete tragische
Ehenovelle aus der 2. Fassung von *Wilhelm Meisters Wanderjahre*
(III,10) greift in der facettenartigen Erzählperspektive wechselnder
Erzähler einen prägnanten Augenblick als Krisenpunkt in der Ehe
der sozial ebenbürtigen, doch gefühlsmäßig disproportionierten
Partner Odoard und Albertine heraus, an dem der Konflikt von
Konventionsehe und Liebesbindung zum Scheitern führt. Die lebenslustige Albertine verspätet sich zu ihrer sorgfältig vorbereiteten
familiären Geburtstagsfeier und erfährt bei einem Unfall die Falschheit ihres Hausfreunds; Odoard verläßt nach langem Warten verstört
das Haus und trifft durch Zufall seine frühere Geliebte. Das labile
Gleichgewicht zwischen einer durch Rituale stabilisierten sozialen
Ordnung und der durch Verdrängung des Gefühls gekennzeichneten Intimsphäre gerät durch kleine Zufälle zum Einsturz. Das ritu-
ell eingelernte Rollenspiel der Maskierungen, Verkleidungen,
Prätentionen und der enthüllenden Zufälle mündet in ein zwar
offenes, doch tragisch vorgezeichnetes Ende.

Nicolai, Christoph Friedrich (1733–1811). Der Berliner Buchhändler, Verleger und Schriftsteller der Aufklärung, Freund Lessings,
Mendelssohns u. a. und Mitherausgeber der *Briefe, die neueste Literatur betreffend* (1759–65), verfocht vor allem in der von ihm gegründeten Zeitschrift →*Allgemeine Deutsche Bibliothek* (1765–1805)
hartnäckig den Standpunkt einer zusehends verflachenden Spätaufklärung gegen die neueren Strömungen des Sturm und Drang,
des Idealismus und der Romantik. In seiner anonymen Satire
Freuden des jungen Werthers. Leiden und Freuden Werthers des Mannes

(1775) verspottete er die Gefühlsseligkeit von G.s *Leiden des jungen Werthers* und ließ Werther überleben und mit Lotte eine philiströse Ehe führen. G. antwortete mit den Spottgedichten *Nicolai auf Werthers Grabe* (1775) und *Die Leiden des jungen Werther an Nicolai* (1775) sowie der Parodie →*Anekdote zu den Freuden des jungen Werthers* (1775). Nicolais unbeirrter Rationalismus und seine Schriften wurden eine der Hauptzielscheiben der →*Xenien* (10, 56, 84, 142–144, 184–206, 254, 334, 355 und Nachlaß-Xenien 59, 83, 115, 163–165), auf die Nicolai mit Anti-Xenien konterte. Als »Proktophantasmist« (»Aftervisionär«, da Nicolai erklärte, durch Ansetzen von Blutegeln am Hintern von Geistererscheinungen geheilt zu sein) und »Neugieriger Reisender« erscheint er karikiert im *Faust* (v. 4144–71 bzw. 4267 ff. und 4319 ff.). Gerechter verfährt G. mit dem Verstorbenen bei dessen Charakterisierung in *Dichtung und Wahrheit* (III,13); dort nennt er ihn einen »übrigens braven, verdienst- und kenntnisreichen Mann«, der sich nur zu eigenem und anderer Verdruß in »dünkelhaftem Bestreben« mit Dingen befaßte, »denen er nicht gewachsen war«. →Tegel.

W. v. Biedermann, G. und N., in ders., G.-Forschungen, 1879; M. Sommerfeld, F. N. und der Sturm und Drang, 1921; G. Sichelschmidt, F. N., 1971; H. Möller, Aufklärung in Preußen, 1974; E. Meyer-Krentler, Kalte Abstraktion, DVJ 56, 1982; K. L. Berghahn, Maßlose Kritik, ZfG 8, 1987; B. Hauger, Individualismus und aufklärerische Kritik, 1987; W. Albrecht, F. N.s Kontroverse mit den Klassikern und Frühromantikern, in: Debatten und Kontroversen 2, hg. H.-D. Dahnke 1989.

Nicolovius, Alfred (1806–1890). G.s Großneffe, 6. Sohn von G. H. L. →Nicolovius, Jurist, 1834 Professor der Rechte in Königsberg, 1835 in Bonn, besuchte G. in Weimar 28. 8.–Mitte November 1825, 31. 10.–3. 11. 1827, 15. 4.–2. 5. 1828 und 31. 12. 1831. Er veröffentlichte die erste G.-Bibliographie *Verzeichnis einer Sammlung der Goetheschen Werke, der sich auf sie beziehenden Schriften und Kupfer* (1826) und eine Dokumentation der G.-Kritik und -Rezeption 1773–1811 *Über Goethe. Literarische und artistische Nachrichten* (I 1828; 2. Teil nicht erschienen). G. las das Werk, das ihm laut F. von Müller (8. 9. 1827) »unerfreulich« war, im September 1827 im Manuskript oder in Druckbogen, besprach es zurückhaltend-anerkennend in *Über Kunst und Altertum* (VI,2, 1828) und regte ihn zu einer Sammlung von Zeugnissen der G.-Gegner an (2. 10. 1827).

Nicolovius, Ferdinand (1799–?). G.s Großneffe, 4. Sohn von G. H. L. →Nicolovius, besuchte G. in Weimar am 25. 5.–12. 6., 5.–20. 9. und 29.–31. 12. 1822, 16.–23. 5. und 24. 9.–15. 10. 1823, 23.–26. 2. 1828 und 4. 2. 1832.

Nicolovius, (Georg Heinrich) Franz (1797–1877). G.s Großneffe, 2. Sohn von G. H. L. →Nicolovius, studierte Jura in Berlin und Jena und war vom April 1818 bis April 1819 häufig Gast in G.s Haus. Er war später Generalprokurator in Köln.

Nicolovius, Georg Heinrich Ludwig (1767–1839). Der Verwaltungsbeamte in Eutin und Königsberg, 1808 Staatsrat in Berlin, heiratete 1795 G.s einzige Nichte Maria Anna Louise, geb. Schlosser (1774–1811), die Tochter seiner Schwester Cornelia (*Tag- und Jahreshefte* 1795). G. sah die Nichte nur 1775 und 1779 als Kind und lernte ihn trotz mehrfacher Einladungen nie persönlich kennen, stand aber besonders seit 1811 in herzlichem Briefwechsel mit ihm. Seine Söhne Franz, Heinrich, Ferdinand und Alfred →Nicolovius waren umso häufiger G.s Gäste, und August und Ottilie von Goethe besuchten ihn im Mai 1819 in Berlin. Die von Nicolovius geplante Hamann-Ausgabe, bei der G. ihn wiederholt beriet, kam nicht zustande.

E. Beutler, Cornelias Tochter, GKal 24, 1931, auch in ders., Essays um G. 1, 1941 u. ö.

Nicolovius, Heinrich (1798–?). G.s Großneffe, 3. Sohn von G. H. L. →Nicolovius und Jurist, besuchte G. am 13. 10.–21. 11. 1821, 2.–6. und 22.–26. 12. 1827 in Weimar.

Nicolovius, Maria Anna Louise →Nicolovius, G. H. L.

Niebuhr, Barthold Georg (1776–1831). Der preußische Politiker, Jurist und Historiker wurde berühmt als Begründer der modernen, quellenkritischen Geschichtsschreibung in seiner *Römischen Geschichte* (II 1811–12), für deren Übersendung G. ihm am 17. 12. 1811 bzw. 23. 11. 1812 dankte und die er im Dezember 1811 bzw. September–November 1812 las. Die 2. Auflage erhielt G. am 18. 1. 1827, las sie am 27.–31. 1. 1827 und sandte Niebuhr am 4. 4. 1827 eine anerkennende, persönliche Wertung. Die offizielle Rezension für *Über Kunst und Altertum* (VI,2, 1828) übernahm Göttling. Auch im Juli 1828 und im Januar 1831 befaßte G. sich mit Niebuhrs Werk (an Zelter 17. 1. 1831), durch dessen Kritik der Geschichtslegenden die Phantasie zwar zerstört werde, »aber die klare Einsicht gewinnt ungemein« (zu F. von Müller 5. 1. 1831).

K. T. Gaedertz, G. und B. G. N., in ders., Bei G. zu Gaste, 1900; H. Dreyhaus, N. und G., PrJbb 142, 1910.

Niederbronn. Die Stadt im Elsaß mit ihren Hüttenwerken besuchte G. auf seiner Elsaßwanderung mit Weyland im Sommer 1770 und war erstaunt, dort Überreste römischer Bäder zu finden (*Dichtung und Wahrheit* II,10). Das Erlebnis fand Niederschlag im Gedicht *Der Wandrer* (1771/72).

Niederländische Malerei. Mit Gemälden, insbesondere Landschaften, Seestücken, Interieurs und Stilleben der niederländischen Maler, vielfach jedoch Kopien, Falschzuschreibungen oder Nachahmungen durch zeitgenössische Frankfurter Maler (Trautmann, Juncker u. a., *Dichtung und Wahrheit* I,3), wie sie in den großbürgerlichen Kreisen Frankfurts im 18. Jahrhundert beliebt waren, kam G. schon in seiner Jugend in Berührung (ebd. III,13). Sie prägten weitgehend seinen frühen Begriff von Malerei. Die privaten Kunstsammlungen in Leipzig (ebd. II,8) und besonders der Besuch der Dresdner Galerie 1768 erweiterten seine Vorstellung um die Werke der großen Meister Rembrandt, Rubens, Ruysdael, van Dyck, Brueghel, Teniers, Hals u. a., doch treten auch diese gewissermaßen als Vorbereitungsstufe der Kunsterfahrung nach der Italienreise gegenüber der antiken und italienischen Kunst in den Schatten. Die Besuche 1774 und 1792 in den Düsseldorfer und 1815 den Kölner Galerien sowie 1814 und 1815 in der Sammlung Boisserée vertieften trotz vieler falscher Zuschreibungen nur zeitweilig wieder seine Schätzung der niederländischen und niederrheinischen Kunst, besonders Jan van Eycks, zeigen aber gleichzeitig im Vergleich zur italienischen Kunst ihre Grenzen und den Mangel an »geistreicher Erfindung« (*Tag- und Jahreshefte* 1806), soweit die Künstler nicht in Italien geschult wurden (*Maximen und Reflexionen* 734; *Antik und modern*). Einzelne Werke der Niederländer gaben Anregungen zu Gedichten oder Bildbeschreibungen in den Romanen wie Terborch in den *Wahlverwandtschaften* (II,5). Auch G.s Graphiksammlung umfaßte zahlreiche niederländische Zeichnungen und Kupferstiche.

P. O. Rave, Die holländernde Mode in der Vaterstadt des jungen G., JGG NF 12, 1950; W. D. Robson-Scott, G. and the art of the Netherlands, in: European Context, hg. P. K. King, Cambridge 1971; H. Jaffé, G. en de Nederlandse schilderkunst, Duitse Kroniek 33, 1983.

Niederlande →Holland

Niederroßla. In dem Dorf bei Apolda weilte G. wiederholt bei seinen Ausflügen (29./30. 10. 1799, 9. 9. 1800, 28. 3. 1801; 19. 9. 1803); bei einem Besuch im Hauptquartier Carl Augusts am 24. 9. 1806 begegnete er an dessen Tafel einer Reihe preußischer Generale. →Oberroßla.

Niederwald. Den Bergrücken des Taunus erstieg G. von Winkel a. Rh. aus am 3. 9. 1814; er beschreibt die weite Aussicht in *Im Rheingau Herbsttage*.

Niemcewicz, Julian Ursyn (1757–1841). Der polnische Dichter, Historiker und Politiker besuchte G. am 5. 8. 1813 in Teplitz.

Niemeyer, August Hermann (1754–1828). Den klassischen Philologen und Theologen, Theologieprofessor und Universitätskanzler in Halle, kannte G. seit 1778 und stand bei seinen Aufenthalten in Halle und Lauchstädt im Juli 1802 und Mai 1803 in engem freundschaftlichem Verkehr mit ihm, der ihn auch mit seiner Familie mehrfach in Weimar besuchte (21. 9. 1820, 26. 9. 1824, 30. 7.

1826). Für das Weimarer Theater bearbeitete Niemeyer 1802 die *Andria* des Terenz (*Die Fremde aus Andros*, Aufführung 6. 6. 1803 Weimar, 23. 6. 1803 Lauchstädt) und 1805 Corneilles *Cid* (Aufführung 30. 1. 1806 Weimar).

K. Menne, A. H. N., 1928 u. ö.; G. de Landsheere, A. H. N., RLV 27, 1961.

Nienburg bei Halberstadt →Hagen, Carl Ernst von

Niethammer, Friedrich Immanuel (1766–1848). G. lernte den Anhänger der idealistischen Philosophie als Professor der Philosophie und Theologie in Jena (1793–1803) kennen, pflegte bei seinen Aufenthalten in Jena, besonders 1795 und 1798, näheren Umgang mit ihm und ließ sich im September 1800 von ihm in fast täglichen Colloquien in die Philosophie des Idealismus einführen. Als Herausgeber (mit Fichte) des *Philosophischen Journals* geriet Niethammer in den sog. Atheismusstreit von 1798/99, der trotz G.s Vermittlungsversuchen zur Entlassung Fichtes führte. Seit 1807 Schulrat und Mitglied der Akademie der Wissenschaften in München, wandte sich Niethammer am 22. 6. 1808 im Auftrag der bayrischen Regierung an G. mit dem Vorschlag, eine Anthologie deutscher Lyrik, ein »Nationalbuch als Grundlage der allgemeinen Bildung der Nation« zu schaffen. Der Plan, Gutachten (*Plan eines lyrischen Volksbuches*, 19. 8. 1808) und mehrere Entwürfe, in denen G. auf den »tüchtigen Gehalt mehr als die Form« Wert legte und die außerdeutschen Einflüsse einbeziehen wollte, beschäftigte G. längere Zeit (in *Tag- und Jahreshefte* 1807 fälschlich auf 1807 datiert), gelangte jedoch nicht zur Ausführung.

W. Lütgert, G.s Entwurf zu einem deutschen Lesebuch, Neue Sammlung 6, 1966; H. J. Schrimpf, G.s Plan eines Volksbuchs für die Deutschen, in ders., Der Schriftsteller als öffentliche Person, 1977.

Nikolaus I., Großfürst, (ab 1825) Kaiser von Rußland (1796–1855). Den Sohn Kaiser Pauls I. und Maria Feodorownas sah G. bei dessen Besuchen in Weimar am 9. 3. 1814 und 18. 10. 1815. Bei seinem Besuch in G.s Haus mit seiner Gemahlin Alexandra Feodorowna, geb. Prinzessin Charlotte von Preußen, am 3. 6. 1821 fragte G. ihn nach seinem Urteil über den *Werther* (*Tag- und Jahreshefte* 1821).

Niobe. Die berühmte griechische Skulptur des 4. Jahrhunderts v. Chr., in der Niobes jüngste Tochter bei der Mutter vor den todbringenden Pfeilen von Apollo und Artemis Schutz sucht, ist nur in kaiserzeitlichen römischen Kopien (Florenz, Uffizien) erhalten. G., dem sie seit seiner Jugend bekannt war, erwarb um 1772 in Frankfurt Gipsnachbildungen der Niobe-Töchter (*Dichtung und Wahrheit* III,13; *Italienische Reise,* Bericht April 1788). Einen Abguß in Originalgröße sah er zuerst am 8. 10. 1786 im Palazzo Farsetti in Venedig, 1788 vielleicht auch die Gruppe in Florenz. Weshalb er jedoch der »Matrone Niobe« den »ersten Reiz jungfräulicher Brüste« andichtet (Anmerkungen zu Diderots *Versuch über die Malerei*), bleibt rätselhaft, falls er nicht ein anderes Bildwerk meint. In seinen Schriften zur Kunst nimmt Niobe nächst dem Laokoon den zweiten Platz unter den Skulpturen ein. Die *Anzeige der Propyläen* (1799) kündigt ausführlich einen von G. redigierten Aufsatz J. H. Meyers (ebd. 1799) an.

Nisami →Nezami

Nivelle de la Chaussée, Pierre Claude (1692–1754). Rührstücke des derzeit auch in Deutschland viel aufgeführten Vertreters der »comédie larmoyante« sah der junge G. auf dem französischen Theater in Frankfurt (*Dichtung und Wahrheit* I,3).

Nixen. Von dem erst in der Romantik wieder beliebten Motiv der Wasser-Elementargeister macht G. vor allem in der Ballade *Der Fischer* Gebrauch. Die →*Neue* →*Melusine* wird ihres Nixencharakters entkleidet. →Undinen erscheinen im *Prolog zur Eröffnung des Berliner Theaters* (1821) und im *Faust II* (v. 10712 ff.). Ein durch die Rheintöchter im →*Nibelungenlied* angeregter Balladenplan kam nicht zur Ausführung.

Nobel. Der Löwe als König der Tiere erscheint in G.s *Reineke Fuchs* als Verkörperung macht- und geldgierigen Herrschertums.

Nobilitierung →Adel

Noch ein Wort für junge Dichter. Der kurze Aufsatz, wohl Konzept eines Briefes an einen (unbekannten) jungen Dichter, entstand aus dem gleichen Gedankenzusammenhang wie die →*Wohlgemeinte Erinnerung* an M. Meyr vom 22. 1. 1832, die Eckermann in der Ausgabe letzter Hand (Bd. 45, 1833) unter dem Titel *Für junge Dichter* veröffentlichte und der er diesen Text unter der von ihm stammenden Überschrift anfügte. Die Weimarer Ausgabe nennt ihn *Ein Wort für junge Dichter.* Der Text ist bezeichnend für G.s Bewußtsein, durch die Entdeckung der Individualität und Innerlichkeit des Dichters, des Schaffens »von innen heraus«, die deutsche Literatur aus ihrer Abhängigkeit von Vorbildern, Traditionen, Normen und Formen befreit und zur Originalität echter Erlebnisdichtung geführt zu haben: »Poetischer Gehalt aber ist Gehalt des eigenen Lebens.«

Noehden, Georg Heinrich (1770–1826). Der kunstinteressierte Philologe und Englandkenner war im Winter 1818/19 Englischlehrer der Prinzessinnen Maria und Augusta in Weimar und damals häufig G.s Gast und geschätzter Gesprächspartner. Seit 1819 Bibliothekar am Britischen Museum in London, unterstützte er G. 1820 durch örtliche Recherchen bei der Abfassung des Aufsatzes *Julius Caesars Triumphzug, gemalt von Mantegna* (*Tag- und Jahreshefte* 1820) und übersetzte 1821 G.s Abhandlung *Giuseppe Bossi: Über Leonardo da Vincis Abendmahl zu Mailand* ins Englische (ebd. 1821), die G. in *Über Kunst und Altertum* (III,3, 1821) lobend besprach.

Norberg. Der reiche, seine Geliebte aushaltende Liebhaber der Schauspielerin Mariane in *Wilhelm Meisters Lehrjahre* (I,1 und 12; VII,8) wird von ihr zwar abgewiesen, nachdem sie sich für Wilhelm entschieden hat; seine Entdeckung veranlaßt Wilhelm jedoch, ohne Kenntnis der Umstände mit Mariane zu brechen.

Nordamerika →Amerika

Nordhausen. Die Stadt am Harz mit ihren »wunderlichen Turm- und Mauerbefestigungen« (*Campagne in Frankreich*) durchquerte G. am 30. 11. 1777 zu Pferd auf der 1. Harzreise auf der Strecke von Sondershausen nach Ilfeld.

Nostradamus, eigentlich Michel de Notredame (1503–1566). Der französische Arzt und Astrologe erregte mit seinen in gereimten Vierzeilern gefaßten, zuerst 1555 gedruckten Prophezeiungen großes Aufsehen. G. mag dem Namen in G. Arnolds *Unparteiischer Kirchen- und Ketzerhistorie* begegnet sein. Wenn er jedoch den noch jugendlichen Faust, dessen historisches Vorbild um 1480–um 1540 lebte, ein »Buch von Nostradamus' eigner Hand« aufschlagen läßt (*Faust* v. 419 f.), so liegt diese Möglichkeit, selbst wenn man darunter eine Handschrift verstehen will, an der Grenze zum Anachronismus.

A. Bartscherer, Von N.' eigener Hand, GRM 5, 1913; E. R. Ernst, N., 1986.

Noten und Abhandlungen *zu besserem Verständnis des* →*West-östlichen Divans* (so der Titel in der Ausgabe letzter Hand 1827; im Erstdruck 1819 nur *Besserem Verständnis*). Der ursprünglich geplante Kommentar dunkler Begriffe und Stellen im *Divan* wuchs 1816–18 durch neue Studien zu einer fast selbständigen, einführenden Darstellung des kulturgeschichtlichen, historisch-politischen und religiösen Hintergrunds, der Entwicklung und Charakteristik der orientalischen Dichtung und ihrer Vertreter aus, soweit sie in G.s Gesichtskreis getreten waren. So konnte ihr auch der 1797 entstandene Aufsatz →*Israel in der Wüste* eingegliedert werden. An die Interpretation des *Divans* und seiner einzelnen Bücher schließt sich an die Geschichte von G.s Beschäftigung mit dem Orient und die Beschreibung seiner literarischen und kulturgeschichtlichen Quellen, Hilfsmittel und Gewährsmänner (Pietro della Valle, Hammer,

Diez u. a.). G.s umfangreichste literarhistorische Darstellung, wechselnd zwischen Übersichten und Einzelaspekten, ist sachlich durch neuere Forschung in vielen Punkten überholt, legt aber ein eindrucksvolles Zeugnis ab für G.s Zugang zur orientalischen Literatur, ihren Formen, Stilen, Bilderwelten usw., für sein Einfühlungsvermögen in fremde, andersartige Kulturen, aber auch für die Grenzen seines Verständnisses. Zugleich gab sie der deutschen Dichtung Anstoß zu intensiverer Beschäftigung mit dem orientalischen Erbe in der sich entfaltenden orientalisierenden Dichtung.

W. Lentz, G.s N. u. A., 1958 u. ö.; H. H. Reuter, Dichters Lande im Reiche der Geschichte, 1983; H. Schlaffer, Gedichtete Theorie, GJb 101, 1984; B. Stemmrich-Köhler, Zur Funktion der orientalischen Poesie bei G., Herder, Hegel, 1992; J. Wohlleben, Des Divans Poesie und Prose, GJb 111, 1994; →West-östlicher Divan.

Nothnagel, Johann Andreas Benjamin (1729–1804). Der Frankfurter Maler und Radierer im Stil der Niederländer, auch Kupferstichsammler und Kunsthändler, nach Talent und Denkweise »mehr zum Fabrikwesen als zur Kunst« neigend, übernahm 1749 eine große Wachstuch- und Tapetenfabrik, deren Produktion G. beobachtete und beschrieb (*Dichtung und Wahrheit* I,4). 1759 arbeitete er auch für den Königsleutnant Thoranc. Seit 20. 11. 1774 führte er G. in die Anfangsgründe der Ölmalerei ein, in der G. »einige einfache Stilleben« nach der Natur hervorbrachte (ebd. III,13). G. besuchte ihn und seine Kupferstichsammlung wieder am 11. 8. 1797.

Novalis, eigentlich Friedrich von Hardenberg (1772–1801). Der frühromantische Dichter besuchte G. am 29. 3. 1798 mit A. W. Schlegel in Jena, sah ihn am gleichen Abend bei Schiller und war am 21. 7. 1799 mit A. W. Schlegel und Tieck G.s Tischgast in Weimar (an Schiller 24. 7. 1799). Novalis' Urteil über G. schwankte zwischen Verehrung und Ablehnung. In den *Blütenstaub*-Fragmenten (*Athenäum* I, 1798) feiert er ihn als »wahren Statthalter des poetischen Geistes auf Erden«. Nach anfänglicher Bewunderung von *Wilhelm Meisters Lehrjahren* kritisiert er diese nach erneuter Auseinandersetzung mit ihnen während seiner Arbeit am *Heinrich von Ofterdingen* vom romantischen Standpunkt als »ein fatales und albernes Buch – so prätentiös und preziös – undichterisch im höchsten Grade« (Fragmente und Studien Nr. 536 vom 11. 2. 1800) und versteht seinen Roman als deren romantisches Gegenstück (»Goethe wird und muß übertroffen werden«, Vorarbeiten Nr. 445, 1798). Die willkürliche und einseitig negativ entstellte Teilveröffentlichung von Novalis' G.-Aufzeichnungen in den von F. Schlegel und L. Tieck herausgegebenen *Schriften* (II, 1802), die G. ebenso wie die jüngeren Romantiker als pauschale Polemik verstehen mußte, erklärt G.s spätere Abneigung gegen Novalis (zu J. D. Falk 17. 4. 1808), der »mich auch wollte deliert (ausgelöscht) haben« (an Zelter 28. 10. 1831).

O. Hein, N. und G., 1914; R. Steiner, F. v. Hardenberg und G.s Wilhelm Meister, Diss. Wien 1937; R. T. Ittner, N' attitude toward Wilhelm Meister, JEGP 37, 1938;

H.-J. Mähl, N.' Wilhelm-Meister-Studien des Jahres 1797, Neophil 47, 1963; H.-J. Mähl, G.s Urteil über N., JFDH 1967; J. Müller, Schiller, G. und N. in Jena, WZ Jena 23, 1974.

Novelle. Schon am 23. 3. 1797 erörterte G. mit Schiller den Plan zu einem epischen Gedicht →*Die Jagd*, das wegen Schillers und W. von Humboldts Bedenken hinsichtlich der Vereinbarkeit von Stoff und Gattung einstweilen zurückgestellt und im Juni 1797 fallen gelassen wurde (*Tag- und Jahreshefte* 1797). Es fand fast 30 Jahre später am 4.–22. 10. 1826 und 11. 1.–25. 2. 1827 als Prosaerzählung neue Gestaltung, der G. wegen ihrer Übereinstimmmung mit seinem Novellenbegriff (zu Eckermann 29. 1. 1827) den schlichten Gattungstitel *Novelle* gab. Nach einer letzten Revision am 26. 1.–12. 2. 1828 erschien sie zuerst in Band 15 (1828) der Ausgabe letzter Hand (zu Eckermann 15., 18. und 29. 1. 1827).

Ein Brand in den Jahrmarktsbuden der Residenz läßt einen Tiger und einen Löwen aus der Menagerie in die freie Natur entkommen und versetzt die höfische Jagdgesellschaft in Panik. Der Tiger, der die junge Fürstin auf einem Spazierritt in die halbwilde Landschaft bedroht, wird von ihrem Kavalier Honorio erlegt. Der Löwe dagegen, kostbarster und zärtlich geliebter Besitz der urtümlich-naturhaften Schausteller, kann durch Flötenspiel und Gesang des der Gefahr unbewußten Schaustellerkindes – die lösende Macht der Musik – gezähmt und eingefangen werden. Die Spannung löst sich in friedlich-harmonischem Ausgleich. G.s distanziert erzählte, hochsymbolische Altersdichtung von der Bändigung des Wild-Elementaren in der äußeren Natur wie im inneren Menschen fand erst spät das Interesse der Interpreten. Symbolische Deutungen verweisen in erster Linie auf den human-christlichen Aspekt der Überwindung wilder Gewalten durch Naturfrömmigkeit und Liebe; ethische Interpretationen betonen das Entsagungsmotiv bei Honorio, der seine verhaltene Leidenschaft für die Fürstin überwindet; politische Betrachtungen beziehen Ausbruch und Überwindung der Gefahr auf gewaltsame Umstürze wie die Französische Revolution. Es entspricht der Vielschichtigkeit dieses Kunstwerks, sich allen diesen Aspekten widerspruchslos zu öffnen.

B. Seuffert, G.s N., GJb 19, 1898; S. Wukadinovic, G.s N., 1909; P. J. Arnold, G.s N., NJbb 33, 1914; A. v. Grolman, G.s N., GRM 9, 1921; K. May, G.s N., Euph 33, 1932, auch in ders., Form und Bedeutung, 1957 u. ö.; E. Beutler, Ursprung und Gehalt von G.s N., DVJ 16, 1938; E. Staiger, G.s N., Trivium 1, 1943, auch in ders., Meisterwerke deutscher Sprache, 1943 u. ö.; E. Wäsche, Honorio und der Löwe, 1947; W. Staroste, Die Darstellung der Realität in G.s N., Neophil 44, 1960, auch in ders., Raum und Realität, 1971; H. Himmel, Metamorphose der Sprache, JbWGV 65, 1961; D. W. Schumann, Mensch und Natur in G.s N., in: Dichtung und Deutung, hg. K. S. Guthke 1961; K.-H. Hahn, Erzählende Dichtung: G.s N., in ders., Aus der Werkstatt deutscher Dichter, 1963; E. Edel, J. W. G.s N., WW 16, 1966; M. Swales, The threatened society, PEGS NS 38, 1968; H. Meyer, Natürlicher Enthusiasmus, 1973; A. G. Steer, G's N. as a document of its time, DVJ 50, 1976; D. Brüggemann, G.s N., Akten des 5. Internationalen Germanisten-Kongresses 3, 1976; H. Knott, Gezähmter Löwe, fliehendes Pferd, LfL 1979; R. Clouser, Ideas of utopia in G.s N., PEGS NS 49, 1979; P. Klotz, J. W. v. G., N., in: Deutsche Novellen von G. bis Walser I, hg. J. Lehmann 1980; L. D. Wells, Organic structure in G's N., GQ 53, 1980; J. K. Brown, The tyranny of the ideal, Studies in Romanticism 19, 1980; J. W. G., N., Erläuterungen und Dokumente, hg. Ch. Wagenknecht

1982 u. ö.; J. Jacobs, Löwen sollen Lämmer werden, in: Literarische Utopie-Entwürfe, hg. H. Gnüg 1982; R. Thieberger, Die Fürstin als Heldin von G.s N., in ders., Gedanken über Dichter und Dichtungen, 1982; H. Lehnert, Tensions in G's N., in: G's narrative fiction, hg. W. J. Lillyman 1983; G. Kaiser, Zur Aktualität G.s, SchillerJb 29, 1985; E. Klüsener, N., in: G.s Erzählwerk, hg. P. M. Lützeler 1985; A. Klingenberg, G.s N. und Faust II, Impulse 10, 1987; G. Schulz, J. W. G., N., in: Erzählungen und Novellen des 19. Jahrhunderts I, 1988; D. Barry, A tyrant on the loose in G's N., Seminar 25, 1989; H. Kaiser, Böses Wollen, schöne Tat, in: Deutsche Novellen, hg. W. Freund 1993; T. Cheesman, G.s N., GJb 111, 1994; S. Atkins, G's N. as a pictorial narrative, in: Poetry, poetics, translation, hg. U. Mahlendorf 1994; R. Otto, J. W. G., N., in: Deutsche Erzählprosa der frühen Restaurationszeit, hg. B. Leistner 1995; H. Rowland, Chaos and art in G's N., GYb 8, 1996; H. Möbius, Die Schlußszene in der N., LiLi 27, 1997.

Novellen. G.s Begriff der Novelle als »eine sich ereignete unerhörte Begebenheit« (zu Eckermann 29. 1. 1827) impliziert im »sich ereignet« die Fiktion, das Erzählte sei geschehen oder hätte zumindest geschehen können, und im »unerhört« sowohl den Neuigkeitscharakter des ursprünglichen Novellenbegriffs wie das Seltsam-Verwundersame, fast kaum Glaubhafte des Erzählinhalts, das sich dennoch real erklärt. Soweit G.s schmaler Definitionsansatz reicht, steht er damit der sich entwickelnden Novellentheorie der Romantik, besonders Tiecks, nahe. G.s eigenes Novellenschaffen wurde 1794 durch die Beschäftigung mit der romanischen Novellenkunst angeregt und bezeichnet seinerseits den Beginn der neueren deutschen Novellendichtung. Es setzt ein mit dem Novellenzyklus der →*Unterhaltungen deutscher Ausgewanderten* (1795), der in den Rahmengesprächen Hinweise zur publikumsbezogenen Praxis mündlichen Erzählens gibt und die französischen Vorbildern nachgedichteten Novellen vom →*Prokurator*, vom Marschall von →*Bassompierre* sowie G.s eigene Novelle von Ferdinand und Ottilie, darüber hinaus aber auch Gespenstergeschichten und *Das Märchen* umfaßt. Die teils andernorts vorabgedruckten Novelleneinlagen in →*Wilhelm Meisters Wanderjahre* (1821, vollständig 2. Auflage 1829) umspielen exemplarisch die Thematik des Romans, und ihre Figuren gehen z. T. in den Roman ein: →*Sankt Joseph der Zweite*, →*Die pilgernde Törin*, →*Wer ist der Verräter?*, →*Das nußbraune Mädchen*, →*Der Mann von fünfzig Jahren*, →*Die gefährliche Wette* und →*Nicht zu weit*. Die ebenfalls als Novelleneinlage geplanten *Wahlverwandtschaften* weiteten sich zum Roman aus und integrieren ihrerseits die Novelle →*Die wunderlichen Nachbarskinder*. Als exemplarisch für die Gattung bezeichnete G. seine einzige selbständig veröffentlichte Erzählung →*Novelle*.

G. Haupt, G.s N., Diss. Greifswald 1913; M. Mitchell, G's theory of the n., PMLA 30, 1915; E. Krüger, Die N. in Wilhelm Meisters Wanderjahren, 1927; M. R. Jessen, Spannungsgefüge und Stilisierung in den G.schen N., PMLA 55, 1940; E. F. v. Monroy, Zur Form der N. in Wilhelm Meisters Wanderjahre, GRM 31, 1943; B. v. Arx, Novellistisches Dasein, 1953; E. Voerster, Märchen und N. im klassisch-romantischen Roman, 1964 u. ö.; W. Duesing, Der Novellenroman, Diss. 1976; S. Weing, The genesis of G's definition of the N., JEGP 81, 1982; E. Lämmert, G. als Novellist, in: G's narrative fiction, hg. W. J. Lillyman 1983; H. Remak, G. and the n., in: J. W. v. G., hg. U. Goebel, Texas 1984, auch in ders., Structural elements of the German novella, 1996; Ch. Träger, Novellistisches Erzählen bei G., 1984; H. Herbst, G., Vater der deutschen N.?, in: G. im Kontext, hg. W. Wittkowski 1984; →*Unterhaltungen deutscher Ausgewanderten*, →*Wilhelm Meisters Wanderjahre*.

Nürnberg. Die Freie Reichsstadt, die schon im *Götz* figuriert und G. aus seiner Beschäftigung mit H. Sachs 1776 (und später mit J. K. Grübels Gedichten) vertraut war, berührte G. erstmals Mitte Juni 1788 auf der Rückreise von Italien. Auf der Venedigreise besichtigte er auf der Hinfahrt am 15. 3. 1790 bei einem 7stündigen Aufenthalt die Gemälde Dürers im Rathaus und der Sebalduskirche und traf sich auf der Rückfahrt dort am 13. 6. 1790 mit Knebel (»angenehmer Aufenthalt«). Auf dem Rückweg von der 3. Schweizer Reise wohnte G. am 6.–15. 11. 1797 im »Roten Hahn«, besuchte Knebel und besichtigte die Stadt und ihre »alten Kunstwerke« (an Schiller 10. 11. 1797; *Tag- und Jahreshefte* 1797).

E. Reicke, G. in N., Festschrift zum 60. Geburtstag von Th. Hampe, 1926; E. Heerdegen, G. und N., Nürnberger Hefte 1, 1949; F. Schnellbögl, G. und N., Archiv und Wissenschaft 3, 1960, auch in Mitteilungen des Vereins für Geschichte der Stadt N. 65, 1978.

Nugent, Thomas →Cellini, Benvenuto

Nuguet, Lazare (um 1700). Der sonst unbekannte französische Geistliche und Physiker erklärte in seinem Aufsatz *Système pour les couleurs* (1705) die Farben als Mischung von Licht und Schatten. Die Entdeckung der durch die Newtonianer widerlegten Theorie war G. ebendeswegen »höchst willkommen« (*Tag- und Jahreshefte* 1807), so daß er den Aufsatz in dem Nuguet gewidmeten Kapitel der *Geschichte der Farbenlehre* übersetzte und verteidigte.

Numismatik →Münzen

Nur wer die Sehnsucht kennt ... →Mignon-Lieder

Das nußbraune Mädchen. Diese formal nach der Technik ihrer Verflechtung mit der Haupthandlung interessanteste Novelle in *Wilhelm Meisters Wanderjahre* (1829; Teildruck 1815 im *Taschenbuch für Damen auf das Jahr 1816*) verdankt ihren Titel der Ballade *The nut-brown maid* in Th. Percys *Reliques of ancient English poetry* (1765), deren Titel *Das nußbraune Mädchen* in Herders Übersetzung (*Volkslieder*, 1779) bald zu einer Art geflügeltes Wort wurde. Sie entstand ebenso stückweise (1807, 1809, 1810, 1824, 1825), wie sie in die Romanhandlung eingeflochten wird und dort allmählich vom Bericht des Vergangenen in die Lebensgeschichte Lenardos übergeht. →Nachodine ist die Tochter eines frommen Pächters, den Lenardos Onkel, um dessen Bildungsreise zu finanzieren, wegen rückständiger Pacht vertrieben hatte. Sie hatte mit inständigen Bitten Lenardo das Versprechen abgenommen, beim Onkel für sie zu bitten. Dieser empfindet sein Versäumnis, das Versprochene zu erreichen, als Schuld und verzögert seine Heimkehr, bis das Schicksal des Mädchens, das er als Valerine in Erinnerung hat, aufgeklärt ist (I,6). Als Wilhelm ihm mitteilt, Valerine sei glücklich und reich verheiratet, suchen beide sie auf, müssen jedoch feststellen, daß sie Lenardos

Namensverwechslung aufgesessen sind. Enttäuscht bittet Lenardo Wilhelm, die echte Nachodine zu suchen (I,11), und dieser findet sie als Leiterin einer florierenden Heimindustrie im Gebirge (II,6). In Fortsetzung der Handlung berichtet »Leonardos Tagebuch« (III,5) von seiner Reise zu den Heimwebern, wo er in der reichen jungen Witwe Susanne die »Gute-Schöne«, Nachodine, wiedererkennt, die den Namen ihrer verstorbenen Schwägerin angenommen hat und im Begriff ist, eine neue Verbindung einzugehen (III,13), sich dann jedoch dem Kreis um Makarie anschließt, so daß im offenen Schluß Lenardos »Leidenschaft aus Gewissen« in der Schwebe bleibt (III,14).

P. Howarth, Zur Namengebung des n. M., GJb 89, 1972; G. Lehnert-Rodiek, D. n. M., GJb 102, 1985; →Novellen, →Wilhelm Meisters Wanderjahre.

Oberaufsicht. Das Ressort des Ministers G. seit seiner Rückkehr aus Italien war kein Ministerium und keine eigentliche Behörde, sondern ein ganz auf seine persönlichen Interessen zugeschnittener Aufgabenbereich, der, nach und nach erweitert, ab 1809 alle unmittelbar dem Herzog unterstellten künstlerischen und wissenschaftlichen Institute des Herzogtums umfaßte (→Amtliche Tätigkeit) und erst 1815 offiziell »Oberaufsicht über die unmittelbaren Anstalten für Wissenschaften und Kunst in Weimar und Jena« benannt wurde. G. teilte sich in die Verwaltung mit Minister Ch. G. von Voigt und erhielt als Hilfskräfte einen Schreiber und einen Sekretär sowie als Mitarbeiter August von G., nach dessen Tod ab Oktober 1830 Dr. Carl Vogel.

I. Schmid, Die O. über die naturwissenschaftlichen Institute an der Univ. Jena unter G.s Leitung, Impulse 4, 1982.

Oberlin, Jeremias Jacob (1735–1806). Der Straßburger Philologe, Schüler J. D. Schöpflins, Gymnasiallehrer, seit 1765 Lehrbeauftragter der Universität, 1778 Professor, bei dem G. 1770/71 historische Vorlesungen hörte, wies ihn auf die Denkmäler der elsässischen Geschichte, Kunst und Kultur, die mittelhochdeutsche Epik und den Minnesang hin. Ebenso wie Ch. W. Koch versuchte er 1771 vergeblich, G. zur akademischen Laufbahn zu bewegen (*Dichtung und Wahrheit* III,11). Sein Bruder, der Pfarrer Johann Friedrich Oberlin in Waldersbach, nahm 1778 den geisteskranken J. M. R. Lenz auf (vgl. G. Büchners Novelle *Lenz*).

Obermann, Johann Wilhelm (1713–1784). Bei dem Leipziger Kaufmann und Spirituosenimporteur, der schräg gegenüber von Schönkopfs wohnte, verkehrte G. in seinen Leipziger Studienjahren. Obermanns Töchter waren wiederum mit Käthchen Schönkopf und Konstanze Breitkopf befreundet. Im kunstfreudigen Haus fanden Konzerte und Liebhaberaufführungen statt, wohl auch am 28. 11. 1767 die von Lessings *Minna von Barnhelm* mit G. als Wachtmeister Werner.

Ober-Olm. In dem Dorf südlich von Mainz verbrachte G. am 6./27. 5. 1793 die erste Nacht bei der Belagerung von Mainz, wurde aber durch Wanzen aus dem Quartier vertrieben (an Christiane 29. 5. 1793).

Oberon. Der Feenkönig Oberon und seine Versöhnung mit seiner Gemahlin Titania, in altfranzösischen Epen vorgebildet, waren zur G.zeit besonders durch Shakespeares *Sommernachtstraum*, Wielands Epos *Oberon* (1780) und P. Wranitzkys Operette *Oberon, König der Elfen* (1781, Aufführung in Weimar 1796), später auch C. M. von Webers Oper (1826) bekannt. G. griff die Figur auf, als er nach Erscheinen der *Xenien* (1796) am 5. 6. 1797 eine Fortsetzung der zeitkritischen Spottverse in – wohl bewußt dilettantisch – gereimten Vierzeilern im Rahmen »Oberons goldene Hochzeit« für Schillers *Musenalmanach* plante. Da Schiller von einer Fortsetzung der Polemik abriet, blieb das bis Dezember 1797 auf den doppelten Umfang angewachsene Manuskript liegen. Schließlich gliederte G. es in einer Art Verlegenheitslösung als →»Walpurgisnachtstraum oder Oberons und Titanias goldne Hochzeit. Intermezzo« locker der Walpurgisnacht« des *Faust I* (1808, v. 4223–4398) ein, deren zeitkritische Teile schon ihrerseits Einschiebsel darstellten. Das spielerische Intermezzo ohne näheren Bezug zur Faust-Handlung läßt modellhaft zeitgenössische Schriftsteller (v. 4259–4330), Philosophenschulen (v. 4343–62) und politische Typen (v. 4367–86) in Selbstdarstellungen und Anspielungen auftreten, die heute zum Verständnis des Kommentars bedürfen.

Oberroßla. In dem Dorf bei Apolda, nahe von Wielands Gut in Oßmannstedt, erwarb G. nach jahrelangen Kaufverhandlungen am 8. 3. 1798 für 13 125 Reichtaler von Prof. Ch. G. Gruner, und zwar unbesehen (an Schiller 10. 3. 1798), ein kleines Freigut, das am 12. 6. 1798 feierlich übergeben wurde und das er zunächst an F. Fischer verpachtete. Mit einem zweiten Pächter ab 1801 legte G. Baumpflanzungen und Spazierwege an. Der Besitz sollte G. dem Landleben näherbringen und zu ländlichen Vergnügungen und festen Gelegenheit geben, beanspruchte aber auch seine häufige Anwesenheit in Verwaltungssachen. G. weilte dort am 11. 3., 13. 4., 21.–23. 6., 2./3. 7., 18. 7., 16.–18. 8., 18.–20. 9. und 2.–6. 11. 1798, 10.–16. 6., 21. 7. und 28.–31. 10. 1799, 8./9. 9. 1800, 25. 3.–14. 4., 12.–30. 4. und 2. 9. 1801 sowie 26. 3., 5.–11. 4. und 29. 7. 1802. Doch die »unwiderstehliche Lust nach dem Land- und Gartenleben« (*Tag- und Jahreshefte* 1797), die »landschaftliche Grille« (ebd. 1798) des »verwöhnten Weltbürgers« (ebd. 1802) dauerten nur fünf Jahre. Der geringe Ertrag, unerfreuliche Auseinandersetzungen mit den Pächtern und erhebliche Aufwendungen, die in keinem Verhältnis zum Gewinn standen, verleideten ihm den Besitz, den er am

16. 7. 1803 für 15 500 Reichstaler an seinen Pächter verkaufte. Vgl
Tag- und Jahreshefte 1797, 1798, 1801, 1802, 1803.

A. Doebber, G. und sein Gut O., JGG 6, 1919.

Oberweimar. Das alte, erst 1922 Weimar eingemeindete Dorf am
rechten Ilmufer oberhalb Weimars, durch den Park an der Ilm ge
trennt und auf einem oberhalb von G.s Gartenhaus vorbeiführen
den Weg zu erreichen, war nur selten das Ziel von Spaziergänger
oder -fahrten G.s.

Ochsenstein. Die drei Söhne des Frankfurter Stadtschultheiße
Johann Christoph von Ochsenstein (1674–1747), nämlich Johann
Sebastian (1700–1756), ein materialistischer Sonderling, Heinrich
Wilhelm (1702–1751), Senator, und Heinrich Christoph (1715-
1773), angesehene Juristen und »ernste und einsame Männer«
lebten in ihrem Vaterhaus im Großen Hirschgraben G.s Elternhau
gegenüber und ermunterten den jungen G. gelegentlich durch
ihren Beifall zu Eulenspiegeleien und tollen Streichen wie dem
alles ihm erreichbare Tongeschirr auf die Straße zu werfen (*Dichtung
und Wahrheit* I, 1 und 2).

Odea, Don Michele. Der irische Feldmarschall war seit 178.
spanischer Gouverneur von Messina. In der *Italienischen Reis*
(12./13. 5. 1787) berichtet G. anekdotisch von seiner merkwürdi
gen Begegnung mit dem alten Sonderling und heftigen Polterer
dem er am 12. 5. 1787 vorgestellt wurde und den er am 13. 5. zu
Mittagstafel aufsuchen mußte.

Oden. G. ist nicht für die Ode zu retten. Der strenge Odenstil, de
Ernst, Würde und Erhabenheit in fester metrischer, strophisch ge
gliederter und sangbarer Form ohne rhythmische Freiheiten vor
aussetzt, lag weder dem Anakreontiker noch dem Sturm und
Drang-Dichter. Aus der Leipziger Zeit lehnen sich allein die *Ode a.
Herrn Professor Zachariae* (1767) und die Clodius-Parodie →*An der
Kuchenbäcker Händel* (1767) an das Formmodell an, das schon die
→*Oden an meinen Freund* durch ihre freien Rhythmen durchbre
chen. Der Einfluß der Oden Klopstocks führt zum dithyrambischen
Stil der Darmstädter Hymnen. Auch spätere Gedichte, die G. ge
legentlich als Oden bezeichnet, gehören durch ihre freien Rhyth
men der Hymne an (*Meine Göttin, Grenzen der Menschheit, Das Gött
liche* u. a.).

K. Viëtor, Geschichte der deutschen Ode, 1923 u. ö.

Oden an meinen Freund. Die drei »Oden« genannten, von
Klopstocks Oden angeregten Gedichte in strophisch gegliederten
freien Rhythmen, G.s erste Gedichte in freien Rhythmen, über
reichte G. seinem Freund →Behrisch nach dessen Entlassung von

Hofmeisteramt in Leipzig kurz vor dessen Abreise nach Dessau am 3. 10. 1767 als Abschiedsgeschenk. Sie verbinden G.s Parteinahme für den Freund gegenüber den Neidern und Hassern mit einer rousseauistischen Kritik der Großstadtgesellschaft Leipzigs, in deren Sumpf der Gemeinheit (I.) der naturhafte Mensch nicht gedeihen kann (II.) und der Zurückbleibende bei allem Trennungsschmerz die Freiheit des Freundes als Vorahnung eigener Freiheit erlebt (III.). Aus dem persönlichen Betroffensein erwächst erstmals in G.s Lyrik ein Ansatz echter, gefühlter Erlebnisdichtung, die, wenn auch formal noch unsicher, bedingt durch den Anlaß, über das Zierliche und die Witzkultur des Rokokostils hinausgreift. Erstdruck in der Quartausgabe (Bd. 1, 1836).

R. Plate, Allegorische Bilderjagd, SchillerJb 31, 1987.

Odilienberg (Ottilienberg). Der Berg am Westrand der Vogesen bei Barr ist Wallfahrtsort der Hl. Odilie, Patronin des Elsaß, die dort Ende des 7. Jahrhunderts ein Kloster gründete und um 720 starb. Bei seinen Wanderungen durch das Elsaß nahm G. wohl im Juli 1771 an einer großen Wallfahrt zum Odilienberg teil und beschreibt die Gebäude und die weite Aussicht vom Berg (*Dichtung und Wahrheit* III,11). Den Namen der Heiligen übertrug er Jahrzehnte später auf die →Ottilie der *Wahlverwandtschaften*.

Odoard. Der erfahrene und konservative Weltmann und Provinzgouverneur in *Wilhelm Meisters Wanderjahre* (III,9–12) bereitet in Parallelaktion zu Lenardos Amerikaplänen eine Siedlungsaktion in einer unterentwickelten Gegend Europas vor. Seine Vorgeschichte schildert die Novelle →*Nicht zu weit*.

O'Donell, Christine (gen. Titine), Gräfin d', geb. Gräfin Clary (1788–1867). Die Enkelin oder natürliche Tochter des Fürsten de Ligne und Schwiegertochter der Gräfin Josephine d'O'Donell kannte G. seit August 1810 aus Teplitz. Nach einer verlorenen Pferdewette schrieb er ihr am 2. 9. 1810 die Verse »Ein klein Papier …« auf den Geldschein. Am 7.–12. 10. 1816 machte sie mit ihrem Gatten Graf Moritz (1780–1843) Besuche bei G. in Weimar und erhielt auf ihre Bitte um eine Schreibfeder G.s am 9. 10. 1816 eine solche mit den Widmungsversen *Der Gräfin Titinne Odonell* (»Als der Knabe …«).

O'Donell von Tyrconnel, Josephine Gräfin d', geb. Gräfin Gaisruck (1779–1833). G. lernte die 1810 verwitwete Gattin des Grafen Carl Johann d'O'Donell im Juli/August 1812 in Teplitz als Hofdame und Vertraute der verehrten Kaiserin Maria Ludovica kennen und blieb durch eine im November 1812 begonnene Korrespondenz mit ihr in indirektem Kontakt mit der Kaiserin. Eine Wiederbegegnung nach Maria Ludovicas Tod am 25. 7. 1818 in Franzens-

bad gab zur Erinnerung an die Verstorbene Anlaß, und daraus entstanden bei G.s Rückweg über Franzensbad am 13.9.1818 da
Divan-Gedicht »Woher ich kam ...« und in Karlsbad am 7.4.1820
dem Todestag der Kaiserin, die Verse »Hier, wo noch ihr Platz ...«
Die Gräfin ist Adressatin mehrerer Widmungsgedichte G.s: *Der Liebenden Vergeßlichen* (Teplitz 7.8.1812 zum Geburtstag), »Die kleinei
Büchlein ...« (3.2.1814 mit zwei Taschenbüchern), *Mit Wahrhei
und Dichtung* (10.5.1814 mit Band 3 von *Dichtung und Wahrheit*
und »Ich dachte dein ...« (8.8.1818 Karlsbad, mit einem bemalter
Glasbecher nach Franzensbad).

R.M.Werner, G. und Gräfin O'Donell, 1884.

Odyniec, Anton Eduard →Mickiewicz, Adam

Odyssee →Homer

Odysseus. Der Held der *Odyssee* →Homers, für den er die lateinische Namensform Ulysses bevorzugt, war G. durch wiederholte
Lektüre seit seiner Jugend gegenwärtig, und Anspielungen auf ihr
finden sich in vielen Werken (*Werther* 15.3., 9.5.; *Iphigenie* v.762 ff.;
Faust II, v.7184, 7203 ff., 8122 ff. u. a. m.). Zur Hauptfigur sollte ei
in der Fragment gebliebenen Tragödie →*Nausikaa* (1786/87) werden.

Oehlenschläger, Adam Gottlob (1779–1850). Der dänische
romantische Dichter, ab 1810 Professor der Ästhetik in Kopenhagen, besuchte G. mit H. Steffens Ende August/Anfang September
1805 in Lauchstädt. Während seines Aufenthalts in Weimar vom
25.4. bis 14.6.1806 und anschließend am 17.–19.6.1806 in Jena
war er häufig G.s Gast und las ihm sein Märchenspiel *Aladdin oder
die Wunderlampe* und seine Tragödie *Hakon Jarl,* deren Aufführung G.
plante, in Stegreifübersetzung vor. Vor seiner Italienreise am
8./9.10.1806 und bei der Rückreise am 3., 4. und 6.11.1809 besuchte er in Weimar wieder G., der jedoch durch seine Weigerung,
sich die Künstlertragödie *Correggio* anzuhören, einen temperament-
vollen Auftritt auslöste (an Zelter 30.10.1828). Bei allem persönlichen Wohlwollen fiel Oehlenschläger als »einer der Halben, die
sich für ganz halten« (ebd.) unter das Verdikt der Romantiker. Er
übersetzte G.s *Götz von Berlichingen* und *Reineke Fuchs* ins Dänische.

R.Schmidt, Fra liv og literatur, Kopenhagen 1887; A. Sergel, Oe. in seinen persönlichen Beziehungen zu G.,Tieck und Hebbel, 1907.

Oels, Carl Ludwig (1771–1833). Der gebildete Schauspieler war
30 Jahre lang eines der bedeutendsten Mitglieder des Weimarer
Hoftheaters. Er kam 1803 über Berlin und Bamberg nach Weimar
und durchlief G.s klassizistische Schauspielerausbildung. Durch
seine imponierende Gestalt und volltönende Stimme besonders für

lassische Rollen geeignet, erntete er zuerst in den jugendlichen
Heldenrollen Schillers, dann als Charakterdarsteller (Egmont,
Clavigo, Orest in *Iphigenie*, Alfons in *Torquato Tasso* u. a.) Erfolge, war
ber auch als Komiker beliebt und führte gelegentlich Regie. G. sah
hn für die Rolle Fausts vor.

Oerstedt, Hans Christian (1777–1851). Der bedeutende dänische
Physiker, 1806 Professor der Physik in Kopenhagen und 1820 Entdecker des Elektromagnetismus, besuchte G. am 16. 12. 1822 in
Weimar zu physikalischen Gesprächen (*Tag- und Jahreshefte* 1820,
822).

Oeser, Adam Friedrich (1717–1799). Der Maler, Zeichner, Radie-
er und Bildhauer, 1739 in Dresden, 1754/55 Freund Winckelmanns, mit dem er das Kunstideal der »edlen Einfalt und stillen
Größe« entwickelte, seit 1759 in Leipzig und seit 1764 Direktor der
neugegründeten Kunstakademie in der Pleißenburg, war als Ästhetiker und anregender Kunsterzieher bedeutender denn als Künstler.
Gegner des herrschenden Barockgeschmacks und Verfechter von
Winckelmanns Lehre von der absoluten Schönheit der Antike,
wurde er zum Vorkämpfer des frühen Klassizismus. In seiner Leipziger Studienzeit nahm G. von Dezember 1765 bis 1768 mit
C. A. von Hardenberg u. a. Zeichenunterricht bei ihm, der allerdings mehr auf Kunstanschauung und Geschmacksbildung als auf
künstlerische Praxis ausgerichtet war, wurde durch ihn mit dem
klassizistischen Kunstideal und den Schriften Winckelmanns vertraut und fand Zugang zu den Leipziger Kunstsammlern (F. W.
Kreuchauff, G. Winkler, J. Z. Richter). G. zeichnete in Oesers Wohnung in der Pleißenburg, besuchte ihn in seiner Werkstatt, trat seit
Herbst 1766 auch in freundschaftliche Beziehungen zu Oesers
Familie, besonders seiner Tochter Friederike →Oeser, und verbrachte manche Abende, auch seinen letzten Abend in Leipzig
(27. 8. 1768), in dessen Landhäuschen in Dölitz. G. bewahrte seinem
ersten und bedeutendsten Kunstlehrer, den er neben Shakespeare
und Wieland zu seinen »echten« Lehrern rechnete (an P. E. Reich
20. 2. 1770), auch später seine Verehrung und Freundschaft, korrespondierte mit ihm und besuchte ihn am 3. 12. 1776, 11. 5. 1778
und zuletzt 30. 12. 1796 in Leipzig und sah ihn öfter, u. a. am
25./26. 12. 1776 und 12.–28. 6. 1780, in Weimar, wo Klauer Oesers
Büste schuf. Er zog ihn für Theaterdekorationen heran (*Die Vögel*,
1780 in Ettersburg) und vermittelte ihm Weimarer Aufträge (Monumente im Park an der Ilm und im Tiefurter Park, Deckengemälde im Wittumspalais und im Roten Turm, jetzt Belvedere).
Erst mit der Italienreise klang Oesers Einfluß auf G.s Kunstverständnis ab. Er setzte mehr dem Menschen als dem Künstler
Oeser, dessen vag-nebulöse Entwürfe und spielerisch-allegorische
Ornamentik er nur mit Einschränkungen würdigte, ein Denkmal in

Dichtung und Wahrheit (II,8) und veröffentlichte in den *Propyläen* (1800) einen Nachruf J. H. Meyers. G.s Graphiksammlung umfaß mehrere Handzeichnungen Oesers.

A. Dürr, A. F. Oe., 1879; K. Benyovszky, A. F. Oe., 1930; F. Schulze, A. F. Oe., 1944.

Oeser, Friederike Elisabeth (1748–1829). G.s Freundschaft mit de gebildeten, heiter-sanften und schlicht-natürlichen Tochter seine Leipziger Zeichenlehrers A. F. →Oeser begann im Herbst 1766 seither ist sie ihm, auch im späteren Briefwechsel, Beichtigerin un Vertraute, der er beim Abschied von Leipzig die →*Lieder mit Melo dien* widmet und überreicht und der das Briefgedicht *An Mademoi selle Oeser* vom 6. 11. 1768 (»Mamsell, so launisch …«) gilt.

Österreich. Nicht, daß G. viel von den Kernlanden der Habsbur ger Monarchie gesehen hätte; die dreimalige Durchquerung Tirol beim Alpenübergang auf der Reise nach Italien 1786 und den Hin- und Rückweg der Venedigreise 1790 sowie die Rückreise 1788 über Feldkirch/Vorarlberg bezeichneten schon fast den ganze Umfang lokaler Berührungen, zu denen man allenfalls noch da damals österreichische Mailand, Como und Mantua und den Ab stecher von Schlesien nach Galizien 1790 rechnen könnte – wäre da nicht die zusammengerechnet über drei Jahre seines Lebens, di G. in →Böhmen und seinen Bädern zubrachte. Tatsächlich spiele diese Kuraufenthalte eine kardinale Rolle für G.s Verhältnis zu Österreich. Sie vor allem brachten ihn in Kontakt mit allen Schich ten der österreichischen Gesellschaft vom Kaiserhaus (→Mari Ludovica) über den Hochadel, die Diplomaten (Metternich, Gentz) Politiker und Militärs, die Künstler, Musiker, Schriftsteller und Wis senschaftler bis hin zu den niederen örtlichen Beamten, Natur forschern und einfachen Bürgern und legten neben seinen an 10(österreichischen Briefpartnern die Grundlage für G.s Kenntniss der nationalen, sozialen und religiösen Zustände und Probleme de Donaumonarchie.

G. und Ö., hg. A. Sauer II 1902–04; M. Enzinger, G. und Tirol, 1932; F. Koch, G. un Ö., in ders., Drei G.-Reden, 1932; E. Castle, G.s Beziehungen zu Ö., G.-Almanac 1948; M. Enzinger, G. und das alte Ö., Innsbrucker Univ.-Almanach 1949; J. Nadler, G und Ö., 1965; R. Rocek, G., nachsommerlich, TuK 167 f., 1982; M. Osten, G. und Ö. GJb Tokyo 30, 1988.

Offenbach am Main. Die Frankfurt mainaufwärts gegenüber liegende, noch ländliche, aber aufstrebende kleine Stadt mit ihren ungezwungeneren Leben bot dem jungen G. 1775 manche Attrak tionen. Dort wohnten der Komponist und Musikverleger Johann →André, bei dem G. öfter wohnte, und der Pfarrer Johann Ludwi →Ewald, vor allem aber die Verwandten Lili Schönemanns: Nicola →Bernard und sein Schwiegersohn Jean George d'→Orville. I ihren geselligen Häusern und Terrassengärten zum Mainufer un bei ihren Festen verlebte G. bei wiederholten Aufenthalten in ge

sterer Atmosphäre als in Frankfurt im März/April und August/
September 1775 seinen Liebesfrühling mit Lili Schönemann (*Dich-
ung und Wahrheit* IV,17). Und dann gab es dort noch ein mysteriö-
es, offenbar moralisch großherziges »Offenbacher Mädchen«, viel-
icht die Wirtstochter Lottchen Nagel, bei dem die Stürmer und
Dränger (G., Stolbergs, Haugwitz, Miller, Klinger, H. L. Wagner) die
Nächte »verliebelten« (an Auguste von Stolberg 17. 9. 1775). Auf
späteren Reisen besuchte G. am 11. 8. 1797 S. von La Roche und
m 17. 10. 1814 und 29. 8. 1815 B. Meyer und seine Sammlung
usgestopfter Vögel in Offenbach.

G. und O. a. M., hg. A. Völker 1932.

Offenbares Geheimnis. Die für den späteren G. fast toposhafte,
paradoxe Formel steht in Bezug zu seinem Symbolbegriff, der das
Gemeinte im weitesten Sinn verschleiert und gleichsam im Abglanz
andeutet, ohne es direkt auszusprechen oder aussprechen zu
önnen. Sie findet Anwendung auf Kunst- und Literaturwerke, das
igene Schaffen, symptomatische Ereignisse und deren wahren,
noch geheimen Sinn und auf die Natur allgemein als durchlässig für
ie Offenbarung des Weltgeists bzw. des Göttlichen. (Gedichte
Epirrhema und *Offenbar Geheimnis, Maximen und Reflexionen* 201,
Das Märchen, Faust v. 672 ff. und 10093, *Wilhelm Meisters Wanderjahre*
I,1 und 7, III,13 u. ö.; an Zelter 1. 6. 1809, an F. A. Wolf 28. 9.
1811, an Schultz 28. 11. 1821). Auch seinen allen bewußten, aber
nicht erwähnten Geburtstag am 28. 8. 1823 nennt G. ein »öffentliches Geheimnis« (an U. von Levetzow 10. 9. 1823).

H. Schmitz, G.s Altersdenken, 1959; E. Trunz, G.s Gedicht an Hafis O. G., in: Stu-
ien zu G.s Alterswerken, hg. ders. 1971; M. H. Mehra, G.s Altersformel O. G., ZDP 98,
979; M. H. Mehra, Die Bedeutung der Formel O. G. in G.s Spätwerk, 1982; W. Biner, Das O. G., in: Welt der Symbole, hg. G. Benedetti 1988.

Offne Tafel. Das scherzhafte gesellige Lied vom Gastgeber, der
auter nicht vorkommende Charaktertypen zur Tafel lädt, entstand
m 12. 10. 1813 in Anlehnung an A. de La-Motte-Houdarts Lied
Les raretés und wurde von Zelter u. a. vertont.

O'Hara, Anton Maria Marcellus (1751–?). Einen »trefflichen Gesellschafter, guten Wirt und Ehrenmann« (*Tag- und Jahreshefte* 1811)
nennt G. den russischen Offizier und Johanniterritter und lobt sowohl das Erzähltalent wie auch die exquisite Küche des Weitgerei-
ten, dessen Gesellschaft er im Mai–Juli 1810 und Mai–Juni 1811 in
Karlsbad genoß und der dazwischen vom Dezember 1810 bis Mai
1811 in Weimar wohnte und zu G.s Gesellschaftskreis wie zum Hof
Zugang fand.

J. Hennig, G's friendship with A. O., MLR 39, 1944.

Oken, Lorenz, eigentlich Laurentius Ockenfuß (1779–1851). Der
Naturforscher und bedeutende romantische Naturphilosoph war
1807 Professor der Medizin, dann 1812–19 Professor der Natur-

geschichte und -philosophie in Jena. G. lernte ihn am 13. 11. 180
in Jena kennen und schätzte ihn als talentierten Wissenschaftle
(und Neptunisten) durchaus, obwohl einige seiner Thesen wie di
zur Bildung der Schädelknochen aus Wirbeln und zum Zwi
schenkieferknochen G.s bis dahin noch ungedruckte, seit 178
handschriftlich oder mündlich verbreitete Ansichten berührten, fü
die G. insgeheim die Priorität beanspruchte (*Tag- und Jahreshef*
1807; zu Boisserée 20. 9. 1815). Noch weniger erbaut war G. vo
Okens radikaler politisch-publizistischer Tätigkeit: als Herausgebe
der Zeitschrift →*Isis* (1816–48) griff der linksliberale Oken 181
unter dem Schutz der Pressefreiheit die Verfassung Weimars an; G
riet zum Verbot, doch Oken gab 1819 lieber die Professur als di
Zeitschrift auf, lebte bis 1828 ohne Lehramt in Jena, gründete 182
die »Gesellschaft deutscher Naturforscher und Ärzte« und folgt
1828 einem Ruf nach München, 1832 nach Zürich. Auf ihn bezie
hen sich G.s Invektiven *Versus memoriales* (1809, gegen Okens neu
mineralogische Terminologie), »Hätte Oken gewußt …« und *Isis*.

M. Pfannenstiel und R. Zaunick, L. O. und G., Sudhoffs Archiv 33, 1941; H. Bräu
ning-Oktavio, G. und O., Goethe 17, 1955; H. Bräuning-Oktavio, O. und G. im Licht
neuer Quellen, 1959; →Isis.

Okkultismus. Die Auffassung und Lehre von verborgenen, ir
ihren Ursachen wissenschaftlich (noch) nicht erfaßbaren ode
erklärten Kräften in Natur, Mensch und Seele als Erklärung fü
außersinnliche Phänomene und Wirkungen wie Telepathie, Hellsehen, Materialisationen, Spuk u. ä., im weiteren Sinne auch Gei-
sterglaube, Alchemie und Magie, d. h. die sog. Geheimwissenschaften, gewinnt im naturwissenschaftlich-technischen Zeitalter al
→Aberglaube stark abwertende Akzente. Da ihr Bereich trotz de
Rationalismus der Aufklärung zur G.zeit auf der Vorstufe natur-
wissenschaftlich exakter Erforschung noch weit größer war und im
einfachen Volk ebenso Glauben fand wie die Scharlatane und Geisterseher vom Schlage Cagliostros in höheren Kreisen, geriet auch
G. mit dem Okkultismus in Berührung, zumal in der solch mystisch
gefärbten Betrachtungen offenen Frankfurter Rekonvaleszentenzeit, als er auf der Suche nach einem verbindlichen Weltbild auf Anregung S. von Klettenbergs mystisch-magische Schriften wie G. von
Wellings *Opus mago-cabbalisticum et theosophicum* (1735), die *Aurea
catena Homeri* (1723), die Schriften Swedenborgs u. a. m. studierte.
Späterhin mokiert er sich über F. Nicolais Geistererscheinunger
und die Geisterforschungen von J. Ch. Hennings. Bei aller wiederholt betonten Offenheit gegenüber dem Unerklärbaren, bei seine
symbolischen Weltsicht, dem Interesse am Geheimnisvollen und
dem Glauben an ein →Dämonisches verwendet G. solche phantastischen Elemente jedoch ebenso wie die ohnehin nicht geglaubter
Wesen der klassischen Mythologie oder der christlich-religiöser
Glaubenswelt und eigene Mythenschöpfungen (Erdgeist, Homun-

ulus) nur in poetischem Kontext als Ausfluß volkstümlicher Vorstellungen in Balladen (*Der Fischer, Der Zauberlehrling, Die Braut von Korinth* u. a.), Märchen und Gespenstergeschichten und im mittelalterlichen Zeitgewand des *Faust* (Elementargeister, Hexen u. a.) und ironisiert sie und den Glauben daran im *Groß-Cophta.* Aufgrund dieser poetischen Bilderwelt G. für den Okkultismus in Anspruch zu nehmen, bleibt Okkultisten überlassen.

M. Seiling, G. als Okkultist, 1920; Ch. Lepinte, G. et l'occultisme, Paris 1957.

Olearius. Im eingebildeten Doktor beider Rechte, d. h. des kanonisch/kirchlichen und römisch/weltlichen Rechts, aus Frankfurt am Hof des Bischofs von Bamberg, der seinen Namen Öhlmann latinisiert hat (wie G.s Ururgroßvater Weber zu Textor), karikiert G. im *Götz von Berlichingen* die trockene, umständliche und weltfremde Rechtsgelehrsamkeit, wie er sie in Wetzlar erlebt hatte, und setzt sie gegen Götz' lebendig-pragmatische Rechtsauffassung ab.

Olearius, Adam, eigentlich Öhlschlegel (1599–1671). Der sächsische Dichter und Hofgelehrte begleitete 1633–38 eine Gesandtschaft Herzog Friedrichs III. von Schleswig-Holstein-Gottorp nach Rußland und Persien und veröffentlichte 1647 seinen Bericht *Moskowitische und persische Reise* und 1654 eine Übersetzung von Saadis *Gulistan* (*Persianisches Rosenthal*), die G. im Januar 1815 las und in den *Noten und Abhandlungen* kurz würdigt.

Olenschlager, Johann Daniel von (1711–1778). Der Frankfurter Patrizier, dem G. viel für seine Erziehung zum Hofmann verdankte, war »ein schöner, behaglicher, sanguinischer Mann« mit »viel Anmut im Umgang« (*Dichtung und Wahrheit* I,4), Dr. iur., 1748 Ratsherr und 1761 Bürgermeister von Frankfurt, zeitweilig Verlobter von S. von Klettenberg (als »Narziß« erscheint er in den *Bekenntnissen einer schönen Seele*). Er veranlaßte die Kinder um 1765 zu Aufführungen von Racines *Britannicus* mit G. als Nero und J. E. Schlegels *Canut* mit G. als König. Seine Erläuterung der Goldenen Bulle (1766), während deren Entstehung er G. mit dieser vertraut machte, benutzte G. noch 1831 für die Belehnungszeremonie im *Faust II* (v. 10871–10930). Olenschlager gab ihm 1765 Ratschläge für das Leipziger Studium und nahm ihm 1771 den Bürger- und Advokateneid ab. Vgl. *Dichtung und Wahrheit* (I,3 und 4).

F. Götting, J. D. v. O., GKal 33, 1940.

Oliva, Franz, Baron von (?–1848). Beethovens Freund und Berater, der Wiener Bankier und Pianist, besuchte G. am 3., 4. und 6. 5. 1811 in Weimar mit einem Brief des Komponisten und spielte G. Werke Beethovens, vielleicht auch Proben aus der *Egmont*-Musik, vor.

Oper. G.s nähere Begegnung mit der Oper vollzog sich 1775 im Frankfurter Theater unter Th. Marchand, der Opern von Grétry,

Hiller, Audinot, André und auch G.s Singspiel *Erwin und Elmire* aufführte (*Dichtung und Wahrheit* IV,17). Seine eigenen Bemühungen
um das Musiktheater setzten zunächst beim →Singspiel ein, das er
in Italien durch Umarbeitungen auf die Höhe der Opera buffa zu
heben versuchte, die er 1786–88 in Venedig, Rom und Neapel erlebte. Eigene Pläne für Opern-→Libretti gelangten jedoch, teils aus
Mangel an geeigneten Komponisten (→Kayser), nicht zur Vollendung, und seit Mozarts *Entführung aus dem Serail* (1782), die alle
seine Wünsche übertraf, gab er eigene Pläne für eine große Oper
auf. Auch die nach der Weimarer Aufführung von Mozarts *Zauberflöte* (1794) 1795 und 1798–1800 vorangetriebene Fortsetzung
→*Der Zauberflöte zweiter Teil* kam nicht zum Abschluß. Als Theaterleiter setzte G. die von Bellomos Truppe in Weimar und Lauchstädt
begonnene Tradition von Opernaufführungen unter den Opern-
dirigenten J. F. Kranz, F. S. Destouches und A. E. Müller fort und
ließ Werke von Ditters von Dittersdorf, Paisiello, Cimarosa,
Guglielmo u. a. m. sowie alle großen Opern Mozarts spielen. Er
beteiligte sich seinerseits an deutschen Textbearbeitungen von
Cimarosas *L'impresario in angustie* (*Die theatralischen Abenteuer*, 24. 10.
1791), *Le trame deluse* (*Die vereitelten Ränke*, 24. 10. 1794) und
Anfossis *La maga Circe* (*Circe*, 22. 11. 1794). Schwierigkeiten mit
dem Opernpersonal und besonders Intrigen der C. Jagemann veranlaßten ihn 1808, eine Trennung von Schauspiel und Oper vorzuschlagen, und auch nach Beilegung der Theaterkrise widmete er
sich mehr dem Schauspiel. Zu den zahlreichen Opernbearbeitungen von G.s Dramen und epischen Werken (*Werther*, Mignon u. a.)
→Vertonungen, →Faust-Vertonungen und die Einzelwerke.

M. Morris, G. als Bearbeiter von italienischen Operntexten, GJb 26, 1905; E. Seg-
nitz, G. und die O. zu Weimar, 1908; R. Meister, G.s Stellung zum Musikdrama, Bayreuther Blätter 56, 1933; K. Blechschmidt, G. in seinen Beziehungen zur O., Diss.
Frankfurt 1937; A. Orel, G. als Operndirektor, 1949.

Operette →Singspiel

Opernbearbeitungen →Oper

Oppenheim, Moritz Daniel (1800–1882). Der Frankfurter Genre-
und Porträtmaler weilte am 3.–22. 5. 1827 in Weimar und besuchte
am 5., 6., 8., 10. und 17. 5. G., von dem er (später?) ein Porträt
schuf. Seine Folge von zehn Umrißzeichnungen zu *Hermann und
Dorothea*, die er im Oktober 1828 als Lithographien G. übersandte,
fand dessen Gefallen.

Optik. G.s Beschäftigung mit Fragen der Optik führte nach
Einzelbeobachtungen (farbige Schatten am Brocken 10. 12. 1777
u. a.) seit Januar 1791 zu anhaltenden Versuchen und Arbeiten über
die Spektralfarben, die zunächst in den →*Beiträgen zur Optik*

II 1791 f.) erschienen. Sie konzentriert sich nahezu ausschließlich
auf die →*Farbenlehre,* in deren Publikation (1810) alle vorangegangenen Arbeiten in endgültiger Gestalt aufgingen.

G. A. Wells, G's scientific method and aims in the light of his studies in physical
optics, PEGS 38, 1968; →Farbenlehre, →Naturwissenschaften.

Oranien →Wilhelm I., Prinz von Oranien

Orcagna, Andrea, eigentlich Andrea de Cione (1308–1368). Wenn
G. im Anhang (III.) zum *Cellini* und im *Dante*-Aufsatz (1827) auf
den Florentiner Maler und seine von Dante inspirierten Werke verweist, so denkt er dabei vermutlich an die Fresken zum »Triumph
des Todes« an der Südwand des Campo Santo in Pisa, die Vasari zwar
Orcagna, neuere Forschung jedoch meist dem Pisaner Maler Francesco Traini zuschreibt.

Orden. Bekanntlich war G. sehr empfänglich für Orden und zeigte
geradezu eine Schwäche für solche sichtbaren Anerkennungen seiner Verdienste, die er sowohl bei Hofe wie bei privaten Empfängen,
nicht immer zur Freude seiner Gäste (→Colloredo), trug und von
denen er meinte, daß sie ihm manchen Vorteil verschafften und »im
Gedränge manchen Puff« abhielten (zu M. Oppenheim, Mai 1827).
Bei den Verleihungen im Einzelfall läßt sich kaum entscheiden, ob
sie eher dem Menschen, dem Dichter oder dem Minister galten:
14. 10. 1808 Ritterkreuz des Ordens der (französischen) →Ehren-
legion, 15. 10. 1808 Kaiserlich-Russischer Annenorden 1. Klasse
(Großkreuz mit Stern), 1. 8. 1815 Kommandeurkreuz des Öster-
reichisch-Kaiserlichen →Leopolds-Ordens, 30. 1. 1816 Großkreuz
des Großherzoglichen (Weimarischen) Hausordens der Wachsam-
keit oder vom weißen Falken (→Falkenorden) und 28. 8. 1827
Großkreuz des Verdienstordens der Bayerischen Krone.

Orden des Übergangs →Geheimgesellschaften, →Goué

Orest(es). Nach der griechischen Sage rächt Orest, der Sohn des
Agamemnon und der Klytämnestra, die Ermordung seines Vaters an
Ägisth und der Mutter und wird von den Erinnyen in den Wahnsinn getrieben. Das delphische Orakel Apolls verspricht ihm Genesung, wenn er das Kultbild der Schwester (Apolls), Artemis, von der
Tauris nach Griechenland heimhole. Auch in G.s humanerer Gestaltung des Stoffes in →*Iphigenie in Tauris* segelt Orest nach Tauris,
um das Kultbild zu rauben, wird aber hier abweichend von der Tradition schon früh durch die schwesterliche Liebe Iphigenies vom
Wahnsinn erlöst und erkennt, daß die laut Orakel Heimzuholende
nicht das Artemisbild, sondern die eigene Schwester Iphigenie ist.
Diese lehnt Orests Plan einer heimlichen Entführung ab und erwirkt durch ihre Menschlichkeit und Wahrheitsliebe von Thoas die

Erlaubnis zur Heimkehr. G. war mit der Figur Orests von früh
an vertraut; für Lavaters *Physiognomische Fragmente* beschrieb er die
Züge Orests nach Benjamin West und verfolgte später die Orest-
Ikonographie (A. Kauffmann, Tischbein, Flaxman u. a.), an die er
auch in *Der Mann von fünfzig Jahren* erinnert. Bei der Uraufführung
der Prosafassung der *Iphigenie* am 6. 4. 1779 spielte er den Orest
Orests Heimkehr mit Iphigenie nach Delphi sollte auch im Mittelpunkt des geplanten Dramas →*Iphigenie in Delphi* stehen (*Italienische
Reise* 19. 10. 1786).

K. Heinemann, Die Heilung des O., GJb 20, 1899; A. Metz, Die Heilung des O.,
PrJbb 102, 1900; P. Warncke, Die Entsühnung des O., JGG 9–10, 1922–24; H. Geyer,
Dichter des Wahnsinns, 1955; Th. C. van Stockum, Zum O.-Problem, in: ders., Von
F. Nicolai bis Th. Mann, Groningen 1962; W. Boeddinghaus, O.s Tod und Wieder-
geburt, AG 3, 1968; U. K. Goldsmith, The healing of O., Far-Western Forum 1, 1974;
J. Philippon, La guérison d'O., in: Études allemandes et autrichiennes, hg. R. Thieber-
ger, Paris 1978; F. W. Fowler, The problem of G's O., PEGS NS 51, 1981; →Iphigenie.

Orient. G.s Beschäftigung mit den Kulturen und Literaturen des
Ostens fußt im wesentlichen auf den zeitgenössischen, teils un-
zureichenden Übersetzungen von Literaturwerken, auf der Lektüre
von Reiseberichten und den Schriften einer sich erst entfaltenden
Orientalistik. Sie begann, bald von Herder gefördert, mit dem
frühen Studium der →*Bibel*, der althebräischen Literatur und seit
1771 des →*Koran* und konzentrierte sich dann zunächst auf
den Stoffkreis um Mohammed (→*Mahomet*). Mit den →*Muallaqat*
und anderen Werken stand zuerst →Arabien im Vordergrund. Mit
→Kalidasas *Sakuntala* trat 1791 Indien in seinen Gesichtskreis, der
sich stetig erweiterte. Seit 1808 wendete sich der Blick mit
Dschami, Hafis und Saadi nach →Persien, dem 1815–18 das Hauptinteresse galt, das durch ein ausgedehntes Studium orientalistischer
Schriften (Jones, Hyde, Chabert, Warning, von Hammer, von Diez,
Lorsbach, de Sacy) und Kontakte mit führenden Orientalisten ausgeweitet wurde (*Tag- und Jahreshefte* 1815). Die schöpferische Anverwandlung östlicher Dichtung gipfelt 1819 im →*West-östlichen
Divan* und der Aufarbeitung der orientalischen Studien in dessen
→*Noten und Abhandlungen*. Aus der später intensivierten Beschäftigung mit →China gehen die *Chinesisch-deutschen Jahres- und Tageszeiten* hervor. G.s Beschäftigung mit dem Orient, dem mitunter
auch ein persönlicher Eskapismus angesichts widriger Zustände in
Europa nicht abzusprechen ist (an Knebel 8. 2. 1815), bedeutet
keine Abkehr, sondern eine Alternative gegenüber der klassischen
Antike. Sie zielt letztlich auf die Einbringung neuer, unerschlossener Bereiche in das abendländische Bewußtsein und auf eine
Durchbrechung des nur westeuropäischen Blickfeldes zugunsten
einer Weltliteratur im weitesten Sinne (an Knebel 11. 1. 1815, an
Schlosser 23. 1. 1815). Dabei warnt G. generell und wiederholt vor
vorschnellem Vergleichen der unter anderen politisch-gesellschaft-
lichen Verhältnissen, kulturellen Voraussetzungen und fremdartigen
Geschmacksrichtungen entstandenen orientalischen Literaturen

mit antiken oder westeuropäischen Maßstäben. Zum einzelnen →Arabien, →China, →Indien, →Persien.

H. Krüger-Westend, G. und der O., 1903; E. Jenisch, G. und das ferne Asien, DVJ 1, 1923; F. Strich, G. und der Osten, in ders., Dichtung und Zivilisation, 1928; H. H. Schaeder, G.s Erlebnis des Ostens, 1938; F. Strich, G. und die Weltliteratur, 1946; G. Reismüller, G. und der O., G.-Almanach 1948; H. Birus, G.s imaginativer Orientalismus, FDH 1992.

Originalgenie →Genie

Originalität. Für die von den »Originalgenies« (→Genie) des Sturm und Drang beanspruchte und überschätzte Vorbildfreiheit und selbständige Eigenart des schöpferischen Menschen zeigt der spätere G. wenig Verständnis, wenn er nur »die Energie, die Kraft, das Wollen« als Eigenes ansieht (zu Eckermann 12. 5. 1825), dagegen wiederholt betont, daß jede künstlerische Leistung von der Anerkennung des alten Wahren, von historischen Vorbildern und der Einwirkung der Gegenwart abhängig sei und Neues eigentlich nur in der fruchtbaren Entwicklung und Neuformulierung überlieferter Gedanken entstehe (*Maximen und Reflexionen* 254, 470, 761, 791 f., 1016, 1118 f., 1146; zu Eckermann 12. 5. 1825, 2. 1. und 16. 12. 1828, 6. 4. 1829, 17. 2. 1832). Nur der Halbkünstler beschönige seine Mißgriffe aus Beschränktheit »unter dem Vorwand einer unbezwinglichen Originalität und Selbständigkeit« (*Wilhelm Meisters Wanderjahre* II,8; Gedicht *Den Originalen*).

Oronaro, Prinz →*Der Triumph der Empfindsamkeit*

Orpheus. Der mythische thrakische Sänger, der durch Gesang und Saitenspiel das Meer und wilde Tiere besänftigte und Persephone bewegte, seine tote Gattin Eurydike aus der Unterwelt freizugeben, sie aber endgültig verlor, als er sich auf dem Rückweg wider Verbot sehnsüchtig nach ihr umwandte, steht wie allgemein auch bei G. als Sinnbild für die magische Macht des Gesangs, der Musik und der lyrischen Dichtkunst (*Achilleis* v. 245 f., *Faust* v. 4342 u. a.). Darüber hinaus betont G. im *Faust II* (v. 7375 f., 7493) die Parallele zu dem Helena losbittenden *Faust* als »zweitem Orpheus« (Paralipomenon 123C). Die Beschreibung einer Orpheus-Darstellung auf einer Berliner Gemme, von der G. einen Abdruck besaß, fand sich in G.s Nachlaß. Vgl. auch *Maximen und Reflexionen* 1133. Die zeitweise fälschlich Orpheus zugeschriebenen sog. *Orphischen Hymnen*, die G. in Straßburg durch Herder kennenlernte, regten später G.s →*Urworte. Orphisch* an.

F. Dornseiff/F. John, G. und O., FuF 26, 1950.

Orphisch →*Urworte. Orphisch*

Orth, Johann Philipp (1698–1783). Von dem reichen, aber zurückgezogen lebenden Frankfurter Juristen bekennt G., der »vortreffliche Mann« habe ihn in seiner Jugend beeinflußt und er habe dessen Auslegung der Statuten des Frankfurter Rechts *Anmerkungen über die sogenannte erneuerte Reformation der Stadt Frankfurt* (1731, Fortsetzungen IV 1742–54, Zusätze 1774) »fleißig studiert« (*Dichtung und Wahrheit* I,2).

Orville, Jean George d' (1747–1799). Der Kaufmann aus einer aus Nordfrankreich zugewanderten, reformierten, angesehenen Frankfurter Familie war der Onkel von Lili Schönemann, Bruder ihrer Mutter, einer geborenen d'Orville. Er siedelte nach seiner Heirat mit Jeanne Rahel, geb. Bernard, einer Nichte von Nicolas →Bernard, um 1768 nach Offenbach über und war dort Teilhaber von Bernards Schnupftabakfabrik. Der »jüngere, lebhafte Mann von liebenswürdigen Eigenheiten« (*Dichtung und Wahrheit* IV,17) war 1775 während G.s Verlobung mit Lili Schönemann – er stand der Verbindung wohlwollend gegenüber – häufiger und herzlicher Gastgeber G.s, der die Zeit seiner Aufenthalte in →Offenbach meist in seinem Hause und Garten verbrachte. Sie bildeten auch die Szenerie von G.s verlorenem Scherzspiel →*Sie kommt nicht!* (1775). G. zeichnet die Offenbacher Idylle in seinem Briefgedicht *An Johann Georg und Jeanne Rahel d'Orville* (»Lieber Hr. Dorville …«, 30.7. oder 3.9. 1775) und korrespondierte im August 1775 auch mit seiner Frau.

Oschatz. In der sächsischen Stadt entstand bei einer Mittagspause auf der Reise nach Teplitz am 19.4. 1813 im »Gasthof zum Löwen« die Kontrafaktur →*Gewohnt, getan.*

Ossegg. In der nordböhmischen Stadt besichtigte G. auf Tagesausflügen von Teplitz aus am 25.8. 1810 und wieder am 8.5. 1813 das alte Zisterzienserstift und dessen Kirche, Bibliothek und Naturalienkabinett.

Ossian. Die literarische Fälschung des schottischen Dichters James →Macpherson (1736–1796; *Fragments of ancient poetry,* 1760; *Fingal,* 1762; *Temora,* 1763; *The Works of Ossian,* II 1765), der seine eigenen wehmutvoll-weltschmerzlichen Gedichte in rhythmischer Prosa nach alten Sagenmotiven als Übersetzung gälischer Gedichte des sagenhaften Helden und Barden Ossian aus dem 3. Jahrhundert herausgab, kam mit ihren nebel- und geisterhaften Mondnachtstimmungen und Vorzeitphantasien dem von formglatter, gefühlsleerer Aufklärungslyrik übersättigten Lesepublikum der Zeit entgegen, fand kritiklos begeisterte Aufnahme und regte einer Reihe von »ossianischen Dichtungen« an. G. lernte die deutsche Übersetzung von Michael Denis (II 1768 f.) noch im gleichen Jahr kennen, doch sind nicht alle Nebelmotive seiner Leipziger Lyrik auf Ossian zurückzuführen, da die Erscheinung auch in Deutschland bekannt ist. Herder, der in Ossian seine Ideale verkörpert sah (*Über Ossian und die Lieder alter Völker*, 1773), regte G. 1770/71 in Straßburg im Zuge seines Interesses an alten Volksliedern wieder zu näherer Beschäftigung mit Ossian an. Wohl im Spätsommer 1771 entstand G.s Übersetzung der →*Gesänge von Selma*, die G. im Herbst 1771 an Friederike Brion sandte und in überarbeiteter Fassung in die *Leiden des jungen Werthers* (20. 12.) aufnahm. Im September 1771 gingen weitere Übersetzungsproben an Herder. Gleichzeitig wirken ossianische Stimmungen in Gedichte wie *Willkommen und Abschied* ein. 1773 beteiligte G. sich, auch mit einem von ihm radierten Titelblatt zum 1. Band, an Mercks Nachdruck des englischen Ossian-Textes (IV 1773–77). Aber schon in den *Leiden des jungen Werthers* distanziert sich G. von der Ossian-Begeisterung, indem sie in einer treffenden Schilderung von Ossians düsterer Welt und Todessucht als indirekte Charakteristik auf seinen empfindsamen Helden und dessen tragische Situation überträgt und Werthers zunehmende Verdüsterung sich in der Progression seiner literarischen Idole von Homer zu Ossian spiegeln läßt (*Werther* 12. 10., 20. 12.; vgl. *Dichtung und Wahrheit* III,13). Mit dem *Werther*, der seinerseits wiederum wesentlich zur Ossian-Begeisterung in Deutschland beitrug, erlischt im Grunde G.s Interesse an Ossian. Der spätere Plan einer »großen Oper« um die Helden Ossians von 1789/90 blieb unausgeführt (an Reichardt 10. 12. 1789, 25. 10. und 8. 11. 1890). Nur als J. R. Zumsteeg G. am 2. 10. 1797 in Stuttgart seine nach G.s Übersetzung komponierte Ossian-Kantate *Colma* vorspielte, erwog G. deren Aufführung (*Reise in die Schweiz 1797,* 2. 9. 1797).

R. Tombo, O. in Germany, New York 1901; P. van Tieghem, O. et l'ossianisme, Groningen 1920; H. Schöffler, O., GKal 34, 1941, auch in ders., Deutscher Geist im 18. Jahrhundert, 1956; J. Hennig, G's translation of O's Songs of Selma, JEGP 45, 1946; G. A. Koenig, O. und G., Diss. Marburg 1959; H. Gaskill, German Ossianism, GLL NS 42, 1989.

Oßmannstedt. Noch vor G. gab Wieland der Verlockung idyllisch abgeschiedenen Landlebens nach und erwarb im März 1797 in Oßmannstedt an der Ilm, »in der traurigsten Gegend von der Welt« (G. an Schiller 21. 6. 1797), die G. seit Oktober 1776 kannte, ein Landgut, das er mit seiner Familie bis 1803 bewohnte und, unrationell genug, selbst bewirtschaftete (*Tag- und Jahreshefte* 1797, 1798, 1802). Während G.s Aufenthalten auf seinem Gut →Oberroßla am anderen Ilmufer ergaben sich häufig Gelegenheiten zu wechselseitigen Besuchen und Geselligkeiten; so war G. am 19. 6. und 1. 7. 1797, 18. 7. und 4. 11. 1798, 15. 6. 1799, 8. 4. 1802 u. ö. in Oßmannstedt. Im gleichen Jahr wie G., 1805, verkaufte auch Wieland das finanziell schwer tragbare Gut und kehrte nach Weimar zurück. Er wurde jedoch 1813 im Park von Oßmannstedt neben seiner Frau, die 1801 dort starb, begraben (*Zu brüderlichem Andenken Wielands*).

F. Menzel, O., G.-Almanach 1970.

Ostade, Adriaen van (1610–1684). Mit den leicht karikierenden Genrebildern aus dem Bauernleben des niederländischen Malers und Radierers war G. schon früh bekannt und fand bei allem Wandel seiner Kunstanschauung zeitlebens an ihnen Vergnügen, sammelte auch Stiche nach seinen Bildern. Bezeichnend für seine Veranlagung, Natur durch die Kunst zu sehen, ist z. B., daß er beim Eintritt in die Werkstatt des Schusters →Haucke in Dresden sogleich ein Gemälde van Ostades vor sich zu sehen glaubte (*Dichtung und Wahrheit* II,8).

Osteologie. G.s Interesse an der →Anatomie allgemein geht bis auf seine Leipziger Studienjahre zurück. Erstes Ergebnis seiner Beschäftigung mit der Knochen- und Schädellehre ist sein Beitrag über Tierschädel für Lavaters *Physiognomische Fragmente* (1775). 1781/82 und wieder im August 1802 studiert G. unter Anleitung J. Ch. Loders in Jena die Knochen- und Bänderlehre und verwertet sein Wissen 1781/82 in Vorträgen über Anatomie in der Freien Zeichenschule. 1784 konzipiert er die Abhandlung über den →Zwischenkieferknochen, 1790 entwickelt er aus dem am Lido von Venedig gefundenen Schafsschädel die →Wirbeltheorie des Schädels. 1790 entsteht der *Versuch über die Gestalt der Tiere*, 1794 der *Versuch einer allgemeinen Knochenlehre* und 1795 der *Erste Entwurf einer allgemeinen Einleitung in die vergleichende Anatomie, ausgehend von der Osteologie*, 1824 der Bericht *Die Skelette der Nagetiere* nach d'Alton, die alle, erst in den Heften *Zur Morphologie* 1820–24 veröffentlicht und in einer *Vergleichenden Knochenlehre* zusammengefaßt, G.s Begriff der →Morphologie untermauern.

Osterspaziergang. Die allgemein so genannte Szene »Vor dem Tor« im *Faust* (v. 808–1177) ist im *Urfaust* und im »Fragment« von 1790 noch nicht enthalten, auch nicht der Hinweis in v. 598 f. Sie mag im Februar 1801 entstanden sein, zeigt Faust nicht mehr als den einsamen Studierzimmer-Gelehrten, sondern als geehrten Bürger der Reichsstadt und kennzeichnet in einer Revue typisierter Figuren die gesellschaftliche Umwelt Fausts, gleichzeitig aber auch das banale Volksgeschwätz und die philiströse Enge Wagners. Fausts wiederbelebtem Lebensdrang entspricht das frühlingshafte Naturgeschehen, doch führt ihn der lange betrachtende Monolog wieder in sein einsames Außenseitertum zurück. Das für den Handlungsfortgang entscheidende Motiv der Szene ist das Auftauchen des Pudels, der sich als Mephisto entpuppen wird.

R. Petsch, Der O. in G.s Faust, in: Festschrift P. Kluckhohn/H. Schneider, 1948; P. Michelsen, Der Einzelne und sein Geselle, Euph 72, 1978.

Ostheim vor der Rhön. In der Stadt bei Meiningen, die noch zum Herzogtum Sachsen-Weimar-Eisenach gehörte, weilte G. auf seinen Fahrten durch Thüringen am 18.–22. 9. 1780 mit Carl August und am 10./11. 4. 1782.

Ostia. Bei seinem Ausflug mit Tischbein, Moritz u. a. von Rom an das Meer bei Fiumicino am 8. 12. 1786, auf dessen Rückweg Moritz sich den Arm brach, kam G. an der am anderen Tiberufer gelegenen früheren Hafenstadt Roms vorbei, die er in den *Römischen Elegien* (VI) erwähnt; sehen konnte er das damals noch nicht freigelegte Ostia Antica nicht.

Otricoli →Zeus von Otricoli

Ottilie →Goethe, Ottilie von

Ottilie. Die Nichte und Pflegetochter Charlottes in den →*Wahlverwandtschaften* (1810) ist eine der tragischsten und geheimnisvollsten Frauengestalten G.s. Unschuldig-schuldig in das scheinbar zwanghafte chemische Gleichnis der →»Wahlverwandtschaft« einbezogen, zerbricht das demütige, natürliche und engelhafte, von der Reinheit der Ehe überzeugte Mädchen am Konflikt der mit Elementargewalt auf die Ahnungslose hereinbrechenden Liebe Eduards und ihrer ethischen Grundsätze, der ihr harmonisch stilles Wesen aus dem Gleichgewicht bringt. Der durch ihre Unvorsicht verschuldete Tod des Kindes Otto bei einer unerwarteten, leidenschaftlichen Begegnung mit Eduard führt sie zur Einsicht und Umkehr. Reue und Entsagung bezeichnen ihren Weg zu neuem Einklang mit sich selbst und der sittlichen Idee, und in einer bis zur Selbstaufgabe in Schweigen und Nahrungsverweigerung führenden Vereinsamung entzieht sie sich gleich einer Heiligen der Welt. Ihre schon früher bei Pendelversuchen und Mineralien erwiesene übernatürliche Sensibilität steigert sich nach dem Tode zu vermeintlichen Wundertaten. Blicke in das Innenleben seiner liebsten Figur gewährt der Erzähler in den Auszügen »Aus Ottiliens Tagebuche« (II,2–9), die teils an Erlebtes anknüpfen und es ins Allgemeine ausweiten. – Ottilie heißt auch die weibliche Hauptfigur der titellosen Novelle von Ferdinand und Ottilie in den *Unterhaltungen deutscher Ausgewanderten.*

J. Schiff, Mignon, O., Makarie im Lichte der G.schen Naturphilosophie, JGG 9, 1922; R. Ehwald, Wesen und Bedeutung O.s in den Wahlverwandtschaften, Diss. Frankfurt 1941; P. Drake, O. revisited, GQ 26, 1953; W. Milch, O., in ders., Kleine Schriften, 1957; F. J. Stopp, Ein wahrer Narziß, PEGS NS 29, 1960; F. J. Stopp, O. and das innere Licht, in: German studies, Festschrift W. H. Bruford, London 1962; E. Scheling-Schaer, Die Gestalt der O., 1969; W. J. Lillyman, Affinity, innocence and tragedy, GQ 53, 1980; G.s Wahlverwandtschaften, hg. N. W. Bolz 1981; W. J. Lillyman, Monasticism, tableau vivant and romanticism, JEGP 81, 1982; E. Nolan, Das wahre Kind der Natur?, JFDH 1982; J. Kunz, O. in G.s Wahlverwandtschaften als tragische Gestalt, in: Deutsch-französische Germanistik, hg. S. Hartmann 1984; I. Haag, O. la fascinante, Cahiers d'études germaniques 8, 1984; M. Osten, Mit dem Gewissen verheiratet, in: G. und Forster, hg. D. Rasmussen 1985; A. Gelley, O. and symbolic representation in Die Wahlverwandtschaften, OL 42, 1987; S. D. Leonhard, Fate and formation, in: G. in the 20th century, hg. A. Ugrinsky, New York 1987; N. Puszkar, Frauen und Bilder, Neophil 73, 1989; D. Farrelly, Die Gestalt einer Heiligen, ZfG NF 1, 1991; →Wahlverwandtschaften.

Ottilienberg →Odilienberg

Ottiliens Tagebuch →Ottilie

Otto. So heißt nach seinen beiden Vätern der Sohn von Eduard, der eigentlich ebenso wie der Hauptmann Otto heißt, und Charlotte in den *Wahlverwandtschaften*. →Namen.

Otto von Freising (um 1114–1158). Von einer Handschrift der Weltchronik des Freisinger Bischofs und Historikers auf der Jenaer Bibliothek gibt G. eine genaue Beschreibung in dem Aufsatz *Chronik des Otto von Freysingen* (*Archiv der Gesellschaft für ältere deutsche Geschichtskunde* 2, 1820). Vgl. *Tag- und Jahreshefte* 1820.

Otway, Thomas (1652–1685). Das Hauptwerk des englischen Dramatikers, die Tragödie *Venice preserved* (1682, *Das gerettete Venedig*), sah G. zuerst im Oktober/November 1765 auf dem Leipziger Theater. Das Weimarer Theater gab das Stück zuerst am 14. 10. 1794.

Overbeck, Johann Friedrich (1789–1869). Von dem romantischen Maler, 1809 Haupt der Lukasbrüder in Wien, 1810 der Nazarener in Rom, besaß G. als Geschenk seines Sohnes August (1814) das Bildnis der Hl. Elisabeth von Thüringen sowie einige Zeichnungen und ließ sich am 30. 9. 1815 von G. A. Ch. Kestner über seine Entwicklung berichten, bis Overbeck bald nach 1815 unter sein generelles Verdikt gegen die →Nazarener fiel.

Ovid (Publius Ovidius Naso, 43 v. Chr.–18 n. Chr.). Von dem römischen Dichter gehörten vor allem die *Metamorphosen* aus der väterlichen Bibliothek zur Lieblingslektüre G.s während der Frankfurter Knabenzeit (*Dichtung und Wahrheit* I,1 und 3), die später, wiederholt gelesen, zur Stoffquelle u. a. für den *Prometheus*, die *Proserpina* und die Philemon-und-Baucis-Episode im *Faust II* wurden und ebenso wie die *Liebeskunst* in zahlreichen Anspielungen der *Xenien* (z. B. 38, 123), Epigramme und der *Römischen Elegien* gegenwärtig sind. In Straßburg versuchte Herder mit zeitweisem Erfolg, G. Ovid als unoriginell zu verleiden (*Dichtung und Wahrheit* II,10), was zu G.s negativem Urteil über den Dichter in seiner Rezension zu J. J. Volkmanns Sandrart-Bearbeitung (*Frankfurter Gelehrte Anzeigen* 82, 13. 10. 1772) führte. Nach der Rückkehr aus Italien identifiziert G. seine Sehnsucht nach Rom mit der des verbannten Ovid (*Maximen und Reflexionen* 1032), beginnt das 3. Buch der *Italienischen Reise* mit einem Ovid-Zitat aus den *Fasti* (4,831 f.) und sendet Herder am 27. 12. 1788 das Zitat aus den *Tristia* (I,3) nach Rom, mit dem er auch (in Riemers Übersetzung) die *Italienische Reise* abschließt. Der Rekonstruktionsversuch von Euripides' *Phaeton* (1823) führt zu erneuter Beschäftigung mit Ovids Version, und in *Wilhelm Meisters Wanderjahre* (II,4) greift *Der Mann* *von fünfzig Jahren* ein Ovid-Zitat (*Metamorphosen* VI,17 f.) auf. Wie stark sich G.s →Metamorphosen-Gedanken mit denen Ovids berühren, zeigt ein Vergleich des Gedichts →*Vermächtnis* mit Ovids *Metamorphosen* XV.

M. v. Albrecht, T. Tasso, G. und Puschkin als Leser und Kritiker der Liebeslehre O.s, in ders., Rom, Spiegel Europas, 1988.

Paar, Johann Baptist, Graf von (1780–1839). Den österreichischen Oberst und Generaladjutant des Feldmarschalls Fürst Schwarzenberg lernte G. am 2. 8. 1818 in Karlsbad kennen. In den nächsten zwei Wochen war Paar ihm fast täglich »einer der liebsten und eifrigsten Gesellschafter« auf geologischen Spaziergängen und bei abendlichen Gesprächen über sein Werk. G. bot dem Freund nicht nur, wie im Alter höchst selten, die Duzbrüderschaft an, sondern ertrug auch sein Rauchen und schickte ihm sogar eine Pfeife (21. 10. 1818). G. schenkte ihm am 12. 8. 1818 seine Schrift *Zur Kenntnis der böhmischen Gebirge* mit den Widmungsversen »Der Berge denke gern …« und dankte am 16. 8. 1818 für Paars Abschiedsgeschenk, die Bronzestatue einer Vestalin, mit den Versen »Dem Scheidenden ist jede Gabe wert …«. Paar besuchte G. am 25. 8. 1820 in Jena (*Tag- und Jahreshefte* 1820).

Paderborn. Durch die westfälische Stadt kam G. am 11.(?) 12. 1792 auf der Rückreise von Münster nach Weimar.

Paderno bei Bologna →Bologna

Padua. In der norditalienischen Universitätsstadt hielt sich G., von Vicenza kommend, am 26./27. 9. 1786 auf und reiste am 28. 9. auf der Brenta nach Venedig weiter. Er besichtigte das Observatorium (Panoramablick in die Umgebung), die Universität und deren Anatomie, den ältesten botanischen Garten Europas, wo er seine botanischen Erkenntnisse zur Metamorphose der Pflanzen in südländischer Flora bestätigt fand (*Der Verfasser teilt die Geschichte seiner botanischen Studien mit*, 1817; *Bignonia radicans*, 1828), die Grabkirche des Hl. Antonius (Il Santo), ein »barbarisches Gebäude« (Tagebuch), in dem schon vorher Mephisto Frau Marthe Schwerdtleins Mann hatte begraben sein lassen (*Urfaust* v. 779, 889, *Faust* v. 2925, 3035), und beachtete daran die Büste P. Bembos, aber nicht Donatellos Reiterstandbild Gattamelatas. Er besuchte den Prato della Valle mit seinen Statuen, die Scuola di Sant' Antonio mit den Tizian-Fresken, die Eremitani-Kirche mit den eindrucksvollen Mantegna-Fresken, den Rathaussaal (Salone im Palazzo della Ragione) und die Kirche Santa Giustina. Auch auf dem Rückweg der Venedigreise machte man am 23./24. 5. 1790 in Padua Station und besichtigte dieselben Sehenswürdigkeiten und weitere Kirchen.

D. de Tuoni, V. G. in Padova, Triest 1939.

Pädagogik. G.s durch seine Lehrhaltung und seine Kinderliebe
stark entwickelte pädagogische Neigung, verstärkt durch sein Interesse an schulischen Experimenten wie Basedows Philanthropinum
in Dessau und an Schweizer Internaten, fand praktische Aufgabenbereiche in den brieflichen Bildungshinweisen für seine Schwester
Cornelia, dann in der Erziehung seines Mündels Peter im Baumgarten und von Charlotte von Steins Sohn Fritz von →Stein, des eigenen Sohns August und schließlich seiner Enkelkinder. Sie basierte
stets auf einem engen persönlichen Verhältnis zu den Heranwach-
senden und der Anerkennung ihrer Individualität. G.s in *Dichtung
und Wahrheit*, den *Wahlverwandtschaften* sowie vielen Briefen und
Gesprächen entwickelten pädagogischen Ideen über Voraussetzungen, Wege und Ziele der Erziehung stellen die geistig-sittliche Seite
der →Bildung, die Berücksichtigung der Entwicklungsphasen und
besonders die Entfaltung der im Jugendlichen angelegten Begabungen in den Vordergrund aller Bemühungen. Sie gipfeln in der
nunmehr nicht mehr praxisnahen, sondern idealistisch-dichteri-
schen Vision der →Pädagogischen Provinz in *Wilhelm Meisters Wanderjahren* und ihrer Erziehung zur Ehrfurcht. Viele Anregungen G.s
wurden in der Folgezeit von verschiedenen Richtungen der
Pädagogik aufgegriffen, doch geht die neuere Pädagogik mit stärkerer Orientierung an der Psychologie des Jugendalters und der
Neudefinition der Lernziele und Bildungsideale im allgemeinen
eigene Wege.

A. Langguth, G.s P., 1886; ders., G. als Pädagog, 1887; B. Münz, G. als Erzieher, 1904;
A. Nebe, G.s Erziehungsideen und Bildungsideale, PrJbb 137, 1909; F. Steinmetz, Die
pädagogischen Grundgedanken in G.s Werken, Diss. Greifswald 1910; W. Rein, G. als
Pädagog, 1912; R. Zilchert, G. als Erzieher, 1921; A. Herkommer, Autorität und Freiheit bei G., 1932; J. W. Eaton, G's contribution to modern education, GR 9, 1934;
F. Koch, G. als Erzieher, in ders., Geist und Leben, 1939; W. Flitner, G.s pädagogische
Ideen, 1948; J. Rattner, G. und die P., in ders., Große Pädagogen, 1956; M. Bindsched-
ler, G.s Gedanken zur Erziehung, in: Vom Geist abendländischer Erziehung, 1961;
H. Deiters, G.s Gedanken über Jugenderziehung, Goethe 22, 1960; M. Hohmann, Die
pädagogische Insel, Diss. Münster 1964; C. Günzler, Bildung und Erziehung im Denken G.s, 1981; L. Fertig, J. W. v. G., der Mentor, 1991; →Bildung.

Pädagogische Provinz. In *Wilhelm Meisters Wanderjahre* (II, 1–2,8)
bringt Wilhelm seinen Sohn Felix zur Erziehung in die »Pädagogische Provinz«. Die Fiktion einer abgeschlossenen Erziehungsanstalt
nach strengen, wohldurchdachten Grundsätzen, angeregt u. a. durch
P. E. von Fellenbergs Erziehungsanstalt in Hofwil, gibt G. Anlaß,
seine Vorschläge und Ideen zu einem idealistischen Erziehungs-
system niederzulegen, das Erziehung zu praktischen wie musischen
Tätigkeiten mit der zur vierfachen →Ehrfurcht verbindet. Von
vornherein als »eine Art von Utopie« bezeichnet (I,11), bleibt die
vieldiskutierte Vision weitgehend geheimnisvoll, undurchschaubar
und unwirklich, da der Leser sie nur aus den Schilderungen und
Verlautbarungen der Pädagogen über die generellen Prinzipien und
abstrakten Begriffe, Gesten, Bilder und Symbole, aber nicht im
praktischen Unterricht kennenlernt. Ihre literarische Nachwirkung

zeigt sich besonders in der Provinz Kastalien in H. Hesses Roman
Das Glasperlenspiel (1943).

W. G. Burkhardt, Darstellung und Besprechung der P. P., Diss. Jena 1903; K. Jungmann, Die p.P., Euph 14, 1907; K. Baumgarten, Die Quellen der P. P., Diss. Jena 1922;
O. Kohlmeyer, Die P. P., 1923 u. ö.; H. Scholz, G.s p.P., Vierteljahrsschrift für
wissenschaftliche Pädagogik 5, 1929; G. Weydt, Zur Deutung der P. P., ZDB 12, 1936;
O. Nitschke, G.s P. P., 1937; W. Flitner, Die P. P. und die Pädagogik G.s in den Wanderjahren, Die Erziehung 16, 1941; M. Hohmann, Die pädagogische Insel, Diss. Münster
1964; W.-U. Klünker, G.s Idee der Erziehung zur Ehrfurcht, Diss. Göttingen 1988.

Paer, Ferdinando (1771–1839). Die Opern des italienischen Komponisten und Kapellmeisters in Parma, Wien, Dresden und Paris
waren auch in Weimar erfolgreich. Unter G.s Theaterleitung spielte
man *Camilla* (23. 1. 1802), *Der lustige Schuster* (6. 10. 1804), *Die Wege-
lagerer* (19. 12. 1807), *Sargino* (29. 10. 1808), *Achille* (28. 11. 1810;
von G. gelobt: *Tag- und Jahreshefte* 1810, 1811), *Agnese* (30. 1. 1813,
mit G.s Zusammenfassung auf dem Theaterzettel), *Hektors Abschied
von Andromache* (25. 3. 1816) und *Griselda* (16. 11. 1816).

Paesiello, Giovanni →Paisiello, Giovanni

Paestum. Die griechische Stadtgründung Poseidonia am Golf von
Salerno um 600 v. Chr. war im 9. Jahrhundert von den Einwohnern
aus Angst vor den Sarazenen und dem Sumpffieber verlassen worden und verödet. Erst um 1750 wurden ihre drei mächtigen, gut erhaltenen dorischen Tempelruinen aus dem 6.–5. Jahrhundert v. Chr.
bei einem Straßenbau wieder entdeckt und erschlossen. Winckelmann sah sie 1758 als einer der ersten Deutschen. G. reiste am 21. 3.
1787 mit Kniep als Zeichner von Neapel aus an, übernachtete auf
der Hin- und Rückfahrt in Salerno und besichtigte am 22. 3. 1787
die ersten dorischen Tempel, die er sah und deren Primitivität und
massige Schwere ihm zunächst einen zwiespältigen, befremdenden
Eindruck machten (»lästig, ja furchtbar«, *Italienische Reise* 23. 3.
1787). Erst die Sizilienreise sollte ihm den Zugang zur dorischen
Architektur eröffnen. Ein zweiter Besuch in Paestum unmittelbar
nach der Sizilienreise, von dem G. nach seiner Angabe am 16. 5.
1787 zurückkam (ebd. 17. 5., 1. 6. 1787), läßt sich zeitlich schwer
einordnen und wird daher von der Forschung teils in Frage gestellt.

W. Woesler, G.s Besuch der griechischen Tempel von P., LiLi 68, 1987; N. Boyle,
Eine Stunde in P., in: Begegnung mit dem Fremden 7, 1991; N. Boyle, G. in P., OGS
20/21, 1991 f.

Paganini, Niccolò (1782–1840). Der berühmte und gerüchteum-
witterte italienische Geigenvirtuose und Komponist besuchte G.
anläßlich einer Übernachtung in Weimar am 29. 9. 1829 »abends
spät«. Am 30. 10. 1829 hörte G. ihn bei einem öffentlichen Konzert
in Weimar, ohne dieser »Flammen- und Wolkensäule« viel abzugewinnen (an Zelter 9. 11. 1829). G. korrespondierte 1829–31 mit
Zelter über ihn und rechnete ihn zu den dämonischen Naturen (zu
Eckermann 2. 3. 1831).

Paisiello, Giovanni (1740–1816). G. schätzte den seinerzeit beliebten italienischen Opernkomponisten und Vertreter der Opera buffa besonders hoch und verdankte ihm manche Anregung: Paisiellos Oper *König Theodor in Venedig* galt ihm als Vorbild für seine 1787 mit Ph. Ch. Kayser geplante Oper *Die Mystifizierten*. Das Singspiel *Die Müllerin*, das G. am 5. 1. 1797 in Dessau und am 8. 8. 1797 in Frankfurt sah, inspirierte ihn zum Müllerin-Zyklus (→*Der Edelknabe und die Müllerin*). In Straßburg sah G. ferner am 26. 9. 1779 N. E. Framerys *L'infante de Zamora* nach Paisiellos *La Frascatana*. Das Weimarer Theater spielte unter G.s Leitung *Die eingebildeten Philosophen* (26. 5. 1791), *Die Zigeuner* (24. 11. 1792), *König Theodor in Venedig* (30. 1. 1794), *Die Müllerin* (11. 11. 1797), *Der Barbier von Sevilla* (19. 10. 1799) und das Intermezzo *Der Schuster* (25. 10. 1800).

Pakt, Paktszene (*Faust*) →Wette

Paläophron und Neoterpe. G. diktierte das kleine, ursprünglich *Alte und neue Zeit* genannte Festspiel in zwei Tagen (28./29. oder 29./30. 10. 1800) aus dem Stegreif L. von Göchhausen und ließ zugleich die höfischen Darsteller ihre Rollen lernen und proben, so daß das Stück als nachträgliche Huldigung zum Geburtstag (24. 10.) der Herzogin Anna Amalia am 31. 10. 1800 im Weimarer Wittumspalais aufgeführt werden konnte. Der Erstdruck erfolgte in Seckendorffs *Neujahrs Taschenbuch von Weimar auf das Jahr 1801*. Die erste öffentliche Aufführung am 1. 1. 1803 im Weimarer Hoftheater und eine Privataufführung in G.s Haus am 3. 2. 1819 zum Geburtstag der Prinzessin Marie, der Enkelin Carl Augusts, bringen jeweils veränderte Schlüsse. Das symbolisch-allegorische Festspiel in jambischen Trimetern und Vierhebern folgt, formal bis in die Masken der Nebenfiguren antikisierend und das Allgemein-Typische dem Besonders-Individuellen vorziehend, der Tradition barocker Fest- und Huldigungsspiele. Es thematisiert angesichts der Jahrhundertwende 1800/01 den Generationsgegensatz von Alt und Neu, Vergangenheit und Zukunft, verkörpert in Paläophron (»Altgesinnt«) und Neoterpe (»Neuvergnügt«; die griechischen Namen nach Vorschlag F. Schlegels), die ihre Spannungen nur nach Einschränkung der Ansprüche ihrer streitsüchtigen Trabanten im Gleichgewicht von Alt und Neu auflösen können, und endet in der 1. Fassung mit einer Huldigung an Anna Amalia, die Alt und Jung zu höherer Harmonie verbindet.

A. Petak, Über G.s P. u. N., ChWGV 15, 1901; B. Croce, Nuovi saggi sul G., Bari 1934.

Palagonia, Ferdinando Francesco II. Gravina, Cruylas ed Agliata, Principe de (1722–1788). Der reiche sizilianische Fürst und Besitzer mehrerer Schlösser wäre längst vergessen, hätte er nicht seine Villa Palagonia in →Bagheria östlich von Palermo und insbeson-

dere deren Garten durch eine Vielzahl von Steinskulpturen grotes-
ker Ungeheuer und Chimären im Stil des Manierismus ver(un)-
ziert, die das Kopfschütteln der Besucher erregten, u. a. auch das
G.s, der den Fürsten selbst am 12. 4. 1787 in Palermo sah, die Villa
am 9. 4. 1787 besuchte, sich in aller Ausführlichkeit über den »Pala-
gonischen Unsinn« ergeht (*Italienische Reise* 9. und 12. 4. 1787) und
ihn noch 1828 als abschreckendes Beispiel erwähnt.

K. Lohmeyer, G.s Prinz P. und seine Familie, DVJ 20, 1942; K. Lohmeyer, Palagoni-
sches Barock, 1944; G. Macchia, Il principe di P., Mailand 1978; N. Tedesco, Villa P., in:
Sui passi di G., hg. G. Giarrizzo, Catania 1987.

Palermo. In der Hauptstadt Siziliens, der ersten Station seiner Sizilienreise, landete G. am 2. 4. 1787 und wohnte bis zur Weiterreise
durch Sizilien am 18. 4. in der Casa Gramignani. Nachdem die ersten Tage allgemeinen Eindrücken der Stadt, ihrer Brunnen (Piazza
Pretoria), öffentlichen Gärten und der Umgebung gewidmet
waren, machte er am 6. 4. einen Ausflug zum →Monte Pellegrino
mit der Wallfahrtskirche der Hl. Rosalie, besuchte am 7. 4. die Gärten der Villa Giulia, folgte am 8. 4. der Einladung zum Mittagsmahl
beim Vizekönig in dessen Palast, besichtigte am 9. 4. Schloß und
Garten des Fürsten →Palagonia in →Bagheria, am 10. 4. die Benediktinerabtei →Monreale und die Antiken- und Naturaliensammlung des Klosters San Martino, am 11. 4. den Palazzo Reale (dei
Normanni) mit dessen Antikensammlung und die Katakomben und
am 12. 4. das Medaillenkabinett des Fürsten G. L. C. di Torremuzza.
Am 13. 4. war er bei den Steinschleifern, am 14. 4. besuchte er die
Familie Balsamo, die Verwandten des sog. →Cagliostro, am 15. 4. besichtigte er den Dom mit den Staufergräbern, das maurische Lustschloß La Zisa (erste Begegnung mit orientalischer Kunst) und das
ehemalige Jesuitenkollegium und erwarb eine Homer-Ausgabe,
deren Lektüre in den Gärten der Villa Giulia ihn am 16. 4. zur Ausführung des Plans und einiger Szenen der →*Nausikaa* anregte.
Jedoch schon am 17. 4. rief die exotische Vegetation der Gärten in
ihm die Idee der Urpflanze wieder wach und verdrängte den Dramenplan. Der verhältnismäßig lange Aufenthalt in Palermo spiegelt
die Bedeutung, die G. der Stadt und der sizilianisch-großgriechi-
schen Atmosphäre zumaß, während er den reichen Denkmälern der
normannischen, maurischen, byzantinischen und staufischen Architektur und Kultur dort kaum Beachtung schenkte. (*Italienische Reise*
2.–18. 4. 1787).

G. Pitrè, G. in P., Palermo 1908 und 1976; G. v. Graevenitz, G. in P., in: Stunden mit
G. 6, hg. W. Bode 1910; E. Di Carlo, G. a P., Palermo 1934; →Italienische Reise, →Sizi-
lien.

Palestrina, Giovanni Pierluigi da (um 1525–1594). Dank Ph. Ch.
→Kaysers Interesse an alter Kirchenmusik hörte G. im März 1788
bei Aufführungen in der Sixtinischen Kapelle ein Motett und die
Improperien des italienischen Komponisten.

Palissot de Montenoy, Charles (1730–1814). Von dem französischen Dramatiker sah G. im Juli 1760 auf dem französischen Theater in Frankfurt die böse Satire gegen die französischen Enzyklopädisten *Les philosophes* (1760; *Dichtung und Wahrheit* I,3). Da Diderots *Rameaus Neffe* scharf mit ihm ins Gericht geht, setzt sich G. in den Anmerkungen zu seiner Übersetzung ausführlich mit Palissot auseinander.

Palladio, Andrea (1508–1580). Der bedeutende, G. am nachhaltigsten beeindruckende Architekt der italienischen Renaissance beherrschte nach genauem Studium des Vitruv und der römischen Bauten die Formen, Proportionen und Stilelemente der klassischen römischen Architektur und übertrug sie mit harmonischer Wirkung auf seine Bauten in Vicenza und Venedig. Er wirkte auch durch seine *Quattro libri dell'architettura* (1570) auf die Zeitgenossen und die europäische Architektur des Klassizismus, besonders auf die englischen Country Houses. G. war er aus dem Reisebericht seines Vaters und die Bauten des deutschen Palladianismus, u. a. Schloß Wörlitz, bereits bekannt. Dennoch bedeutete die Begegnung mit seinen Bauten im September 1786 in Vicenza und im Oktober in Venedig für G. ein grundlegendes und faszinierendes Erlebnis, das ihm das Verständnis für Architektur als Raumgestaltung erschloß. Er erkannte nicht nur ihre Übereinstimmung mit seinem eigenen, bisher unklaren Empfinden und seinen Vorstellungen von klassizistischer Ordnung und Klarheit; Palladios Adaption der Antike für seine Zeit entsprach auch in einer anderen Kunst gewissermaßen G.s Adaption des klassischen Dramas für ein bürgerliches Zeitalter. In Vicenza sah G. u. a. Palladios Basilica, die Villa Rotonda (deren Unzweckmäßigkeit als Wohnhaus er zugestand) und das Teatro Olimpico, in Venedig San Giorgio Maggiore, Il Redentore und den Convento della Carità. In Vicenza suchte G. am 21. 9. den Palladio-Herausgeber O. B. →Scamozzi zu einem Gespräch über Palladio auf und besuchte Palladios angebliches (nicht authentisches) Wohnhaus. In Padua kaufte er sich die *Quattro libri dell'architettura* (»ein großes Werk«, an Ch. von Stein), in das er sich in Italien immer wieder vertiefte (*Italienische Reise* 19. 9.–3. 10. 1787). Palladios Stil beeinflußte 1792 auch die Neugestaltung des Treppenhauses im Haus am Frauenplan und J. A. Arens' Bauplan des Römischen Hauses in Weimar. Noch 1815 beklagt sich der für die Gotik begeisterte Boisserée über G.s »rein persönliche Leidenschaft für Palladio, bis ins krasseste nichts als Palladio« (zu Boisserée 8. 8. 1815; vgl. G.s Aufsatz *Baukunst,* 1795, und zu J. H. Meyer 30. 12. 1795).

G. C. Argan, A. P. e la critica neoclassica, L'Arte NF 1, 1930; H. Meyer, Kennst du das Haus?, Euph 47, 1953, auch in ders., Zarte Empirie, 1963; H. v. Einem, G. und P., in ders., Beiträge zu G.s Kunstauffassung, 1956, und G.-Studien, 1972; H. Keller, G., P. und England, 1971, auch in ders., Blick vom Monte Cavo, 1984; G. Martin, G. und P., JFDH 1977; H. v. Einem, P. und G., in: 400 Jahre A. P., 1982; L. Puppi, P., 1982; W. J. Lillyman, A. P. and G's classicism, GYb 5, 1990.

Pallagonia →Palagonia

Panamakanal. Mit dem u. a. von Alexander von Humboldt pro-
pagierten Projekt eines Durchstichs der Landenge von Panama
machte sich G. laut Tagebuch am 22. 8. 1825 vertraut und erörtert
es am 21. 2. 1827 mit Eckermann. Zwei Jahre später, 1829, wurden
erste Vermessungen vorgenommen, doch erst nach langwierigen
politischen Verhandlungen konnte der Kanal 1906 begonnen und
1914 eröffnet werden.

Pandin, Beauregard →Jariges, Carl Friedrich von

Pandora. G.s unvollendetes kulturmythisches Festspiel ist wegen
seiner tiefgründigen Symbolik und seines Fragmentcharakters von
besonderer Attraktivität für die Interpreten. Den äußeren Anstoß zu
seiner Entstehung (19. 11. 1807–13. 6. 1808; vgl. *Tag- und Jahreshefte*
1807, 1808) gab die Bitte der Schriftstellerfreunde L. von Seckendorff und J. L. Stoll um einen Beitrag für ihre neugegründete Zeitschrift *Prometheus*, in der (1/2, 1808) ein Teildruck (v. 1–402) unter
dem Titel *Pandoras Wiederkunft* erschien; die Buchausgabe folgte
1809 als *Taschenbuch für das Jahr 1810*. Der allein ausgeführte, anfangs stark retrospektive 1. Teil, in dem Pandora selbst noch nicht
auftritt, verknüpft eine optimistische Umkehrung des herkömmlichen Pandora-Mythos mit dem vom gegensätzlichen Brüderpaar
Prometheus und Epimetheus. Pandora wirkte als Verkörperung der
Himmelsschönheit, und ihre Büchse enthielt nicht Not und
Verderben, sondern die Verheißung von Liebe, Freude, Würde,
Schönheit u. a. m. Sie wurde vom nüchtern-praktischen, tatkräftigen Prometheus abgewiesen, verband sich mit dem besinnlich-
träumerischen Epimetheus und gebar ihm zwei Töchter, Epimeleia
und Elpore, verschwand aber dann mit letzterer, Epimetheus in
schmerzlicher Erinnerung und sehnsüchtiger Hoffnung auf ihre
Wiederkehr tatenlos zurücklassend. Prometheus' Sohn Phileros
liebt Epimeleia, tötet aus Eifersucht einen vermeintlichen Rivalen,
verwundet selbst die Geliebte und stürzt sich verzweifelt vom Felsen ins Meer. Er wird jedoch von Eos aus den Fluten gerettet und
verbindet sich mit der aus den Flammen geborgenen Epimeleia.
Diese aus der Todesbereitschaft errungene Lebenserneuerung im
Zeichen eines harmonischen Ausgleichs der einseitig praktischen
oder reflektierenden Haltungen der Väter (vita activa und vita con-
templativa) zu neuer Sinnerfüllung sollte in dem nur als Schema
(vom 18. 5. 1808) geplanten, optimistischen 2. Teil durch eine neue
Gabe Pandoras (Kunst und Wissenschaft) und ihre Wiederkunft
verherrlicht werden; doch *Die Wahlverwandtschaften* gewannen Vorrang vor der schließlich aufgegebenen, dem Zeitgefühl nicht mehr
entsprechenden Fortsetzung. Die rhythmisch-metrische Mannigfaltigkeit des Versspiels bringt neben den dramatisch-dialogischen

Partien in jambischen Trimetern eine Vielzahl lyrischer Einlagen (Arien, Duette, Chöre) in verschiedenen Metren, die zu mehreren Vertonungen anregten. Eine ironisch fortsetzende Bearbeitung versuchte P. Hacks 1982.

W. Scherer, P., in ders., Aufsätze über G., 1886 u. ö.; U. v. Wilamowitz-Moellendorff, G.s P., GJb 19, 1898, auch in ders., Reden und Vorträge, 1901 u. ö.; O. Harnack, Über G.s P., in ders., Essais und Studien, 1899 u. ö.; M. Morris, G.s P., Archiv 104, 1900, auch in ders., G.-Studien 1, 1902; E. Cassirer, G.s P., ZfÄ 13, 1918 f., auch in ders., Idee und Gestalt, 1921 u. ö.; E. Castle, P., in ders., In G.s Geist, 1926; R. Petsch, Die Kunstform von G.s P., Antike 6, 1930; H. Lichtenberger, Pandore, in: G., Paris 1932; A. Coehn, Moria, Goethe 2, 1937; H. Schell, Das Verhältnis von Form und Gehalt in G.s P., 1939; F. Ernst, G.s P., in ders., Essais 2, 1946; P. Hankamer, Spiel der Mächte, 1947; H.-G. Gadamer, Vom geistigen Lauf des Menschen, 1949; D. Burich Valenti, La P. di G., Rom 1951; C. Heselhaus, Prometheus und P., in: Festschrift J. Trier, 1954; H. Lindenberger, G's P., GLL NS 8, 1954 f.; W. Kohlschmidt, Form und Innerlichkeit, 1955; D. und E. Panofsky, P's box, London 1956 u. ö.; S. Burckhardt, Sprache als Gestalt in G.s Prometheus und P., Euph 50, 1956; H. Moenkemeyer, Polar forms of the imagination in G's P., JEGP 57, 1958; R. Bach, Tat und Traum, in ders., Leben mit G., 1960; W. Emrich, G.s Festspiel P., Goethe 24, 1962, auch in ders., Geist und Widergeist, 1965; H. J. Geerdts, Zu G.s Festspiel P., Goethe 24, 1962, auch in ders., Zu G. und anderen, 1982; P. Böckmann, Die Humanisierung des Mythos in G.s P., SchillerJb 9, 1965, auch in ders., Formensprache, 1966 u. ö.; T. Satura, Eine Betrachtung über die Einheit in G.s P., GJb 8, 1966; G. Diener, P., 1968; G. Vogel, Der Mythos von P., 1972; P. Dettmering, Ungleiche Zwillinge in G.s P., in ders., Dichtung und Psychoanalyse 2, 1974; G. Kaiser, Wandrer und Idylle, 1977; D. Borchmeyer, G.s P. und der Preis des Fortschritts, EG 38, 1983; J. P. Stern, On G's P., LGS 2, 1983; R. Geißler, Die P.-Mythe bei G. und P. Hacks, LfL 1987; G. Jähnert, Probleme der Antikeaneignung G.s, Diss. Berlin 1988; dies., Das Festspiel als Experiment, in: Literatur zwischen Revolution und Restauration, hg. T. Namowicz 1989; R. Drux, P.s utopische Wiederkunft, in: Begegnung mit dem Fremden Bd. 11, 1991; G. v. Graevenitz, Erinnerungsbild und Geschichte, GJb 110, 1993; K. Mommsen, G.s P. als Nänie auf Schillers Tod, GJb Tokyo 35, 1993.

Pantomimisches Ballett, *untermischt mit Gesang und Gespräch* (auch *Der Geist der Jugend* genannt). Mit dieser »Comédie-Ballet« um das Thema Verjüngung durch Liebe, deren Sprechrollen Zauberer und Zauberin G. und Corona Schröter übernahmen, feierte G. am 30. 1. 1782 den Geburtstag der Herzogin Louise, der Amor vor dem großen Schlußballett das Gedicht *Amor* überreicht. G. nahm den Sprechtext (in Prosa) des herkömmlichen Feenstücks nicht in seine Werke auf, sandte ihn aber am 9. 3. 1782 an Knebel.

Paoli, Pasquale (1725–1807). Der korsische Freiheitskämpfer gegen die Herrschaft Genuas, dann 1768 Frankreichs mußte 1769 vor der französischen Übermacht fliehen und weilte auf dem Weg nach England kurze Zeit bei J. Ph. Bethmann in Frankfurt. Dort lernte der junge G. den »schönen, schlanken blonden Mann voll Anmut und Freundlichkeit« kennen (*Dichtung und Wahrheit* IV,17), dessen Charakter und Taten ihn sehr beeindruckten und den er in *Die Mitschuldigen* (I, v. 50–60) preisen läßt. 1789 als Kommandeur von Bastia nach Korsika zurückberufen, wandte er sich nach der Hinrichtung Ludwigs XVI. von den Jakobinern ab, erhoffte aber von der englischen Expedition 1793/94 vergeblich die Unabhängigkeit Korsikas und starb im Londoner Exil.

Papadopoulos, Johannes (?–um 1819). Der griechische Student in Jena besuchte G. 1817/18 mehrmals in Jena und überbrachte ihm am 27.7.1817 seine in Jena gedruckte neugriechische Übersetzung der *Iphigenie*, die G. am 17.8.1818 las (*Tag- und Jahreshefte* 1817).

Papageienbuch   →*Tûtî-nâmé*

Papiergeld. In der 1828/29 entstandenen sog. Papiergeldszene (»Lustgarten«, *Faust II*, v. 6037–6172), vorbereitet durch v. 4889–4947, macht G. das Papiergeld zu einer teuflischen Erfindung Mephistos, der eine vom Kaiser beim Maskenfest erschlichene Unterschrift auf magische Weise zu Schuldscheinen auf noch ungehobene Bodenschätze an Gold vervielfältigt, durch diese Geldbeschaffungsaktion die Ablösung der hohen Staatsverschuldung bewirkt und Geld unter die Leute bringt. Nur der Kanzler ahnt die »Schlingen« (v. 4941 f.) dieser frevelhaft-trügerischen Grenzüberschreitung, und nur der Baron, der seinen Besitz entschuldet, und der Narr, der Grundbesitz erwirbt, reagieren durch Flucht in Sachwerte vernünftig auf die Situation. G. vorverlegt damit bewußt anachronistisch die Erfindung des künstlichen Geldes durch den schottischen Bankier John Law 1716, der mit ungenügend gedeckten Banknoten die Schulden Ludwigs XIV. tilgte und durch Papiergeldinflation eine schwere Wirtschaftskrise bewirkte. Die verheerende Wirkung der echten und gefälschten, bald wertlosen Assignaten der Französischen Revolutionsregierung und der Emigranten beschreibt G. in der *Campagne in Frankreich* (13. und 26.10.1792).

Pappenheim, Jenny von, verh. Baronin von Gustedt (1811–1890). Sie erfuhr erst 1844 beim Tode ihrer Mutter, was ihre Freunde und Freundinnen längst wußten: sie führte zwar den Namen des Mannes, mit dem ihre Mutter Diana von Pappenheim, geb. von Waldner-Freundstein, bei ihrer Geburt verheiratet war, aber sie war die »natürliche«, d. h. uneheliche Tochter aus deren Liaison mit Jérôme Bonaparte, dem König von Westfalen. Nach Weimar kam sie 1814 mit ihrer inzwischen verwitweten Mutter, die 1817 eine zweite Ehe mit dem Weimarer Minister E. C. A. von →Gersdorff einging, und wuchs als Gespielin der Töchter Maria Paulownas heran, an deren Erziehung auch G. teilnahm. Nach einer Internatszeit in Straßburg (1822–26) Hofdame in Weimar, schloß sie sich in enger Freundschaft Ottilie von G. an, bemutterte und unterrichtete deren Kinder, besonders Alma, und erregte als dunkeläugiges »Frauenzimmerchen« (»gar so schön, so unbewußt anmutig und reizend«, zu F. Mendelssohn 1. 6. 1830) auch die Aufmerksamkeit G.s, der sie mit zwei Gelegenheitsversen (»Dem heiligen Vater …«, 28. 8. 1831; »Dich säh' ich lieber selbst …«, 16. 1. 1832) und kleinen Geschenken bedachte. Nach ihrer Heirat mit dem westpreußischen Gutsbesitzer Baron Werner von Gustedt 1837 verließ sie Weimar, kehrte als Witwe 1874 dorthin in den Freundeskreis des Großherzogs Carl Alexander und der G.-Enkel zurück, zog aber bald aus finanziellen Gründen auf das Gut ihres Sohnes in Ostpreußen, wo sie auf Anregung Carl Alexanders ihre Lebenserinnerungen aus Weimars großer Zeit (*Aus Goethes Freundeskreise*, hg. 1892) schrieb.

Parabase. Die Überschrift des zuerst titellos in den Heften *Zur Morphologie* (I,3, 1820) gedruckten Gedichts aus dieser Zeit geht vielleicht auf eine Anregung Riemers zurück, als G. für die Gedichtgruppe »Gott und Welt« der »Ausgabe letzter Hand« die kleineren naturwissenschaftlichen Gedichte *Parabase, Epirrhema* und *Antepirrhema* um die längeren *Metamorphose der Pflanzen* und *Metamorphose der Tiere* rankte. Parabase bezeichnet als Bestandteil der attischen Komödie eine die Bühnenhandlung durchbrechende Anrede des Chorführers ans Publikum mit persönlichen Worten des Dichters. Entsprechend gestaltet *Parabase* die subjektive Aussage des Dichters in eigener Sache als Rückblick auf die Wege und die Summe seiner Naturbetrachtung unter dem Aspekt von Gestaltung und Umgestaltung.

Parabel. Die lehrhafte Dichtform der poetischen Gleichniserzählung um eine allgemeine sittliche Erkenntnis, die oft gar nicht direkt ausgesprochen wird, war G. durch die Gleichnisse der Bibel und Herders Vorliebe für orientalische Parabeln vertraut. Ihre Unwiderlegbarkeit erörtert der Begleiter Wilhelms in *Wilhelm Meisters Wanderjahre* (II,2). G. sammelte seine (mehr als Nebenprodukte anzusehenden) gesellschaftssatirischen Lehrdichtungen in den Gedichtgruppen →»Parabolisch« und orientalisch inspirierte Stücke im »Buch der Parabeln« des *West-östlichen Divan*, deren Wesen und Möglichkeiten er in den *Noten und Abhandlungen* erörtert. Dazu treten als Einzelstücke mit der Überschrift *Parabel* die Gedichte »Ein Meister einer ländlichen Schule …« (nach 1800) und »Ich trat in meine Gartentür …«. Im Alter bezeichnete er auch einige seiner Sprüche als Parabeln, so »Gedichte sind gemalte Fensterscheiben …«, »Ein großer Teich war zugefroren …« und »Im Dorfe war ein groß Gelag …«.

M. Morris, G.s P., Studien zur vergleichenden Literaturgeschichte 4, 1904; W. Buch, G.s P., Pädagogische Rundschau 15, 1961.

Parabolisch. Eine Gedichtgruppe dieses Titels, der durch die Adjektivform über die eigentlichen →Parabeln hinaus auch andere gleichnishafte und kritisch-satirische Erzählgedichte der Zeit um 1808 über die Themen Kunst, Wissenschaft und Leben zuläßt, erscheint erstmals in den *Werken* von 1815. Ihr folgt in der »Ausgabe letzter Hand« 1827 eine zweite Gruppe gleichen Titels mit vorwiegend spruchartigen, doch bildhaften Kurzgedichten der Jahre nach 1816.

Paracelsus, eigentlich Theophrastus Bombastus von Hohenheim (1493–1541). Mit den Schriften des Schweizer Arztes, Naturforschers, Naturphilosophen und Pansophen beschäftigte sich G. im Anschluß an Wellings *Opus mago-cabbalisticum* während der Frankfurter Rekonvaleszentenzeit 1769 (*Dichtung und Wahrheit* II,8) und in Straßburg (Zitate in den *Ephemerides* von 1770) und später im Zusammenhang der *Geschichte der Farbenlehre,* wo er ihm einen kurzen Absatz widmet. Stärker ist Paracelsus' Einwirkung auf die Faustfigur und Motive der *Faust*dichtung, indem G. Züge aus Paracelsus' Leben und Werk auf dessen Zeitgenossen Faust übertrug. So mag die von der Tradition abweichende Angabe, Fausts Vater habe als Arzt mit seinem Sohn die Pest bekämpft (v. 676 f., 997 ff.), auf Paracelsus' Biographie zurückgehen. Ebenso findet sich eine Parallele zur Homunculus-Figur in den von Paracelsus erwähnten Bemühungen um Herstellung künstlicher Menschen in der Retorte. Auch für die Bezeichnungen der vier Elementargeister (v. 1272 ff.), den Erdgeist und die Lehre von Makro- und Mikrokosmos käme Paracelsus neben anderen als Quelle in Frage.

A. Bartscherer, P., Paracelsisten und G.s Faust, 1911; dies., P. als Quelle zum Urgötz, GJb 33, 1912; K. Sudhoff, P. und G., Die medizinische Welt 6, 1932; S. Domandl, G. als P.kenner, JbWGV 80, 1976.

Paralipomena. G. benutzte den griechischen Ausdruck für »Übriggelassenes, Zurückgehaltenes«, einstweilen beiseitegelegte, nicht zum Druck gegebene oder zur Veröffentlichung ungeeignete, weil kontroverse oder politisch inopportune Gedichte u. ä., deren eventuelle spätere Publikation er dem Urteil seiner literarischen Nachlaßverwalter überließ. Entsprechend heißen auch die nicht für die Ausgaben verwendeten Werkteile und Vorarbeiten zum *Faust* und zu *Dichtung und Wahrheit* Paralipomena.

Paria. Der Stoff der lyrisch-balladischen Trilogie gehört zu denjenigen, die G. jahrzehntelang mit sich trug (*Tag- und Jahreshefte* 1821; *Bedeutende Förderis*; zu Eckermann 10. 11. 1823); er wird zuerst im Tagebuch vom 26. 5. 1807 als bekannt erwähnt, taucht im September–Dezember 1816 wieder auf; erst im Dezember 1821–März 1823 formt sich das Gedicht, das 1824 in *Über Kunst und Altertum* (IV,3) erscheint. Die Legende war G. nach 1770 aus Olfert Dappers *Asia* (1681) bekannt, mit der er sich noch 1818 beschäftigte; als Vorlage diente 1821 jedoch, wesentlich verfeinert, wie schon zu *Der Gott und die Bajadere,* Pierre Sonnerats *Reise nach Ostindien* (deutsch 1783). Etwa gleichzeitig entstanden zwei Dramen, die das Motiv des Paria als der untersten indischen Gesellschaftsschicht mehr allegorisch verwendeten: Casimir Delavignes *Le paria* (1821) und Michael Beers *Der Paria* (1823); G.s und Eckermanns Aufsatz *Die drei Paria* (*Über Kunst und Altertum* V,1, 1824) vergleicht sie mit G.s Gedicht.

Dieses kleidet die abstruse indische Legende in sprachlich verknappten, reimlosen Trochäen durch die Rahmung mit den schlichten Reimstrophen von *Des Paria Gebet* und *Dank des Paria* in einen sozialen Zusammenhang und distanziert sie zu einer humanitären Mythenschöpfung. Das Gebet des Paria an den höchsten Gott um Mitgefühl oder wenigstens eine Mittlergestalt findet eine seltsame Erfüllung: Ein Brahmane enthauptet seine durch eine überirdische Erscheinung versuchte und vermeintlich untreue Frau, läßt aber, ihre Unschuld erkennend, den um die Mutter flehenden Sohn Haupt und Rumpf wieder zusammenfügen und wiederbeleben. Nur verwechselt der Sohn den Körper der Mutter mit dem einer am gleichen Ort hingerichteten Verbrecherin – Motiv der vertauschten Köpfe –, so daß die Wiederbelebte sowohl Brahmanin als Paria, Göttin und Übeltäterin ist, der reinsten wie der unreinsten Kaste angehört und hinfort den Paria als deren Mittlerin beim Gott dienen kann. Das Gedicht, dessen Kombinatorik G. mit »einer aus Stahldrähten geschmiedeten Damaszenerklinge« vergleicht (zu Eckermann 10.11.1823), ist ein wesentliches Zeugnis für G.s soziales Denken, seine Sympathie und sein Mitgefühl mit der sozial benachteiligten Unterschicht und ihrem Anspruch auf menschliche Würde. – Eine ironische Umgestaltung des Stoffes gab Th. Manns *Die vertauschten Köpfe* (1940).

H. Baumgart, G.s Geheimnisse und seine indischen Legenden, 1895; T. Zachariae, Zu G.s P.legende, Zeitschrift des Vereins für Volkskunde 11, 1901; E. Castle, Die drei P. in ders., In G.s Geist, 1926; K. Weinhold, Dem Leben zurückgegeben, in ders., Brauch und Glaube, 1937; M. Kommerell, G.s indische Balladen, GKal 30, 1937 und ders., Gedanken über Gedichte, 1945 u. ö.; H. H. Schaeder, P., in ders., G.s Erlebnis des Ostens, 1938; Th. C. van Stockum, G.s indische Legenden, Neophil 28, 1943; E. M. Butler, Pandits and Pariahs, in: German studies, Festschrift L. A. Willoughby, Oxford 1952; L. Blumenthal, G.s P., JbWGV 81/83, 1977/79; W. Dietze, Die Gegenwart hat wirklich etwas Absurdes, Impulse 8, 1985; J. Stenzel, Assimilation durch Klassik, JFDH 1987; B. B. Kulkarni, Darstellung des Eigenen im Kostüm des Fremden, in: Begegnung mit dem Fremden 10, 1991; M. Mayer, Opfer waltender Gerechtigkeit, SchillerJb 39, 1995.

Paris. Der griechische Mythos vom trojanischen Prinzen, Sohn des Priamos, der beim Streit zwischen Hera, Athene und Aphrodite um die Schönheit als Schiedsrichter im sog. Parisurteil den Preis (Apfel) Aphrodite zuerkennt, die ihm die schönste Frau, Helena, versprochen hatte, und durch seine Entführung Helenas den Trojanischen Krieg auslöste, war ein beliebtes Motiv der bildenden Kunst. G. kannte von früh auf den Mythos aus Homers *Ilias* und die bildlichen Darstellungen von Rubens, Flaxman u. a., als er 1799 für die Weimarer Preisaufgaben für bildende Künstler das Thema »Venus, dem Paris die Helena zuführend« stellte (*Nachricht an Künstler und Preisaufgabe*, in Propyläen II,1, 1799). G., der schon im »Knabenmärchen« →*Der neue Paris* (*Dichtung und Wahrheit* I,2) den Stoff adaptiert hatte, beschreibt eine Szene des Parisurteils in *Reineke Fuchs* (X,79 ff.) und läßt im *Faust* (v. 6184 f., 6450 ff.) Paris und Helena vor dem Kaiser beschwören.

Pariser Akademiestreit →Cuvier, →*Principes de philosophie zoologique*

Park an der Ilm →Ilm

Parma. In der norditalienischen herzoglichen Residenz- und Universitätsstadt, Heimat der →Margarete von Parma im *Egmont*, besichtigte G. auf dem Rückweg von Rom Mitte Mai 1788 die Fresken Correggios (in San Giovanni Evangelista, dem Dom und im Kloster San Paolo?).

Parodie. Obwohl der junge G. selbst Parodien verfaßte wie das Gedicht →*An den Kuchenbäcker Händel* (1767) auf Clodius, die →*Anekdote zu den Freuden des jungen Werthers* (1775) auf F. Nicolai oder die Parodie von F. H. Jacobis Roman *Woldemar* (1779), erklärte er sich später zum »Todfeind von allem Parodieren und Travestieen, ... weil dieses garstige Gezücht das Schöne, Edle, Große herunterzieht« (an Zelter 26. 6. 1824). Was freilich nicht verhinderte, daß G.s Werke vom *Werther* (F. Nicolai u. a. m.) bis zum *Faust* F. Th. Vischer u. a., am häufigsten die Schülerszene) und vor allem eine Balladen (*Erlkönig; Der Fischer*), *Wandrers Nachtlied II* (Brechts *Lied vom Hauch*) und →*Mignon* (»Kennst du das Land«), wenn auch nicht in gleichem Maße wie die Schillers, bald selbst zur Zielscheibe von Parodien wurden.

K. Albrecht, Die parodistischen Fortsetzungen von G.s Stella, Archiv 94, 1895; A. Hünich, Zehn bisher unbekannte P.n Goethischer Gedichte, ZfB NF 2–3, 910–12; V. Tornius, Die humoristischen Travestien von G.s Roman Die Leiden des jungen Werthers, Philobiblon 5, 1932; W. Hecht, Erlkönig-P., G.-Almanach 1968; W. Wende, G.-P.n, 1995.

Parry, William. Der Bericht *The last days of Lord Byron* (1825) des englischen Majors und Freundes von Lord Byron, den G. im Juni 1825 las und sehr lobte (zu F. von Müller 1. 6. 1825, zu Eckermann 1. 6. 1825, an Zelter 6. 6. 1825), gab Anlaß zu G.s zweitem Gedicht an Byron (»Stark von Faust ...«).

Parthey, Elisabeth, gen. Lili (um 1805–1829). Die Schwester (nicht Tochter!) von G. F. Parthey, Musikschülerin Zelters und ab 1824 Gattin des Komponisten Bernhard Klein, überbrachte G. am 23. 7. 1823 in Marienbad Gruß und Kuß von Zelter und gab in ihrem Tagebuch eine begeisterte Schilderung dieses Zusammentreffens. G.s später Ulrike von Levetzow zugeeignetes Gedicht »Du hattest gleich (später: längst) mirs angetan ...« war ursprünglich für dieses allerliebste Kind« (an Zelter 24. 7. 1823) bestimmt.

O. Harnack, G. und L. P., GJb 22, 1901.

Parthey, Gustav Friedrich (1798–1872). Der Enkel F. Nicolais, Berliner Buchhändler, Archäologe, Kunstsammler und Orientreisender, besuchte mit einer Empfehlung Zelters G. am 25. 8. 1827 in Weimar und mußte ihm als sein Mittagsgast am 25., 28., 29. und 30. 8. 1827 ausführlich über seine Reisen und Eindrücke berichten Er schilderte die Begegnung in seinem Buch *Ein verfehlter und ein gelungener Besuch bei Goethe 1819 und 1827* (1862).

Parthenon →Phidias

Parzen. Die Vorstellung der antiken Mythologie von den drei griechischen Moiren oder römischen Parzen (Atropos, Klotho, Lachesis), die als Schicksalsgöttinnen die Lebensfäden der Menschen spinnen, zuteilen und abschneiden, erscheint bei G. wiederholt als traditionelles allegorisches Bild für das unbekannte, unerforschliche Schicksal. Die Parzen selbst treten nur am Schluß der *Proserpine* (v. 217–271) auf; im *Faust II* (v. 5305–44) sind es als freundliche Parzen verkleidete Hofdamen, und das eindringliche »Parzenlied« trägt Iphigenie selbst vor (*Iphigenie* v. 1726–66).

C. Fries, P.lied und Völuspa, GJb 33, 1912; G. Müller, Das P.lied in G.s Iphigenie PEGS NS 22, 1953, auch in: Die deutsche Lyrik I, hg. B. v. Wiese 1956 u. ö. und ders. Morphologische Poetik, 1968.

Parzenlied →Parzen

Passavant, Jacob Ludwig (1751–1827). G.s Jugendfreund stammte aus einer angesehenen, reformierten Frankfurter Familie und wurde Theologe. Seinem Bruder schrieb G. im Juli 1774 ein Hochzeitscarmen (*Dem Passavant- und Schübelerischen Brautpaare*). Auf seiner 1. Schweizer Reise traf G. ihn 1775 als Kandidaten und Amtsgehilfen Lavaters in Zürich und durchwanderte mit ihm allein am 15.–26. 6. 1775 die »kleinen Kantone« mit Einsiedeln, Schwyz Rigi, Vierwaldstätter See, St. Gotthard und Zuger See, versagte sich jedoch dem Drängen des Freundes, mit ihm nach Italien zu gehen (*Dichtung und Wahrheit* IV,18–19). Bei der Abreise von Frankfurt mit dem Reiseziel Italien im Oktober 1775 war Passavant der einzige Freund, von dem sich G. (heimlich) verabschiedete (ebd. IV,20) G. sah ihn im September/Oktober 1814 als Prediger in Frankfurt wieder.

H. Dechent, Pfarrer P., Archiv für Frankfurts Geschichte und Kunst 3/1, 1888.

Passow, Franz Ludwig Carl Friedrich (1786–1833). Der klassische Philologe, den G. 1805 in Halle kennenlernte, besuchte G. am 3. 5 1807 und wurde sogleich als Nachfolger von Voß Gymnasialprofessor in Weimar (1807–10). Ein Mißverständnis, angebliche Kritik Passows an G.s Gedichten, veranlaßte G. jedoch, ihn vom Herbst 1808 bis März 1810 zu meiden. G. schätzte seine Übersetzungen von Johannes Secundus, Longos und Persius.

P.s Aufzeichnungen über G., in: Stunden mit G. 7, hg. W. Bode 1911.

Pater Brey → *Fastnachtsspiel vom Pater Brey*

Pater Ecstaticus, Pater Profundus, Pater Seraphicus. G. übernimmt für die Bergschluchten-Szene im Schlußakt des *Faust II*
(v. 11854–925) die Bezeichnungen, die das Mittelalter dem Hl. Antonius, Bernhard von Clairvaux und Franz von Assisi beilegte, meint
jedoch keine bestimmten historischen Gestalten, sondern allgemein
den Typus eines der Verzückung fähigen, eines noch sehr erdnahen,
aus der Tiefe rufenden Paters und eines den Engeln nahen, der die
Seraphim schaut.

Patriotismus. In einer Zeit des erwachenden Nationalbewußt-
seins, des patriotischen Taumels der Freiheitskriege und der nationalen Romantik betrachtet der »Weltbürger und Weimaraner«
(*Zahme Xenien* V) G. einen engstirnigen, intoleranten Patriotismus
als Gefahr für die allgemeine Weltkultur und erkennt als einzigen
echten Patriotismus den Versuch an, auf seinem jeweiligen Gebiet
das Bestmögliche zu leisten. Insbesondere wehrt er sich gegen die
Forderung, ein Dichter habe Patriotismus zu demonstrieren: »Das
Vaterland seiner poetischen Kräfte und seines poetischen Wirkens
ist das Gute, Edle und Schöne, das an keine besondere Provinz und
an kein besonderes Land gebunden ist« (zu Eckermann März 1832).

Paul, Jean →Jean Paul

Paulinzella. Es entspricht G.s geringem Interesse an romanischen
Baudenkmälern, daß er trotz seiner vielen Reisen in Thüringen die
Kirchenruine des 1106 gegründeten, 1534 aufgehobenen Klosters
bei Blankenburg, deren Baupläne er am 6. 5. 1811 studiert hatte,
erst zu seinem Geburtstag am 28. 8. 1817 von Stadtilm aus in Begleitung seines Sohnes August und F. A. von Fritschs aufsuchte (*Tag-
und Jahreshefte* 1817).

E. Anemüller, G. und P., in: Festschrift B. Rein, 1935.

Paulowna →Maria Paulowna

Paulus, Elisabeth Friederike Caroline, Pseudonym: Eleutherie
Holberg (1767–1844). Die Gattin des Orientalisten H. E. G. Paulus,
bei dem G. in Jena verkehrte, verfaßte u. a. den Eheroman *Wilhelm
Dumont* (1805), den G. in der *Jenaischen Allgemeinen Literaturzeitung*
(Nr. 167 vom 16. 7. 1806) wohlwollend-kritisch besprach.

Paulus, Heinrich Eberhard Gottlob (1761–1851). Der rationalistische Theologe und Verfasser eines Kommentars zum Neuen
Testament (IV 1800–04) wurde 1789 Professor der orientalischen
Sprachen, 1793 auch der Theologie in Jena und verstand sich gut
mit G., der ihn gern gehalten hätte, als Paulus 1803 im Gefolge des

Jenaer Atheismusstreits nach Würzburg und 1811 nach Heidelberg ging. Dort verkehrte G. am 25. 9.–8. 10. 1814 fast täglich mit ihm, wobei seine durch die Arbeit am *West-östlichen Divan* geweckten orientalistischen Interessen im Vordergrund standen. Im September 1815 ließ sich G. von ihm in die arabische Schrift einführen.

Pausanias (um 110–um 180 n. Chr.). Mit der *Beschreibung Griechenlands* des griechischen Schriftstellers befaßte sich G. im September–November 1803 ausführlich für seine Rekonstruktion →*Polygnots Gemälde* und wieder im Juli 1826 wohl im Zusammenhang mit dem Helena-Akt des *Faust*.

Pausias →*Der neue Pausias*

Pellegrino →Monte Pellegrino

Pempelfort →Düsseldorf

Peneios. Von den beiden gleichnamigen Flüssen Altgriechenlands ist es nicht der ins Ionische Meer fließende Peneios in der Landschaft Elis auf der Peloponnes, sondern der durch die Ebene Thessaliens bei Pharsalos und das Tempetal zwischen Olympos und Ossa ins Ägäische Meer fließende Peneios, an dem G. die »Klassische Walpurgisnacht« des *Faust II* (v. 6952, 7080 ff.) ansiedelt und der selbst als Sprecher personifiziert wird (v. 7249–56). Die zwischen dem oberen und unteren Peneios unterscheidenden Szenenangaben sind den Handlungsfluß irrtümlich unterbrechende, spätere Herausgeberzutaten.

Pentagramm →Drudenfuß

Percy, Thomas (1729–1811). Die *Reliques of ancient English poetry* (1765), eine Sammlung älterer englischer und schottischer Volkslieder und Balladen des englischen Dichters, Pfarrers und 1782 Bischofs von Dromore in Irland, erregte die Begeisterung des Volksliedersammlers Herder, der G. in Straßburg darauf hinwies. Der Ballade *The beggar's daughter of Bednall Green* entlehnte G. Motive seiner *Ballade*, der Ballade *Lucy and Collin*, die Herder als *Röschen und Kolin* übersetzte, vielleicht den Schluß des *Clavigo* (*Dichtung und Wahrheit* III,15).

Pergolesi, Giovanni Battista (1710–1736). Der italienische Opernkomponist beeinflußte mit seinem rasch als Singspiel verselbständigten Intermezzo *La serva padrona* (1733) die Bemühungen um eine Neubegründung der Oper vom Lustspiel her und wirkte auf G.s *Scherz, List und Rache* (*Italienische Reise*, Bericht November 1787).

Persephone, Persephoneia. Die Tochter des Zeus und der Demeter in der griechischen Mythologie wurde, von Pluton aus der Oberwelt geraubt, die Herscherin der Unterwelt. Von ihr bitten →Orpheus die Eurydike und Faust Helena frei, und zu ihr kehrt Helena mit Euphorion zurück (*Faust* v. 7490, 9944). G. spielt mehrfach auf sie an (*Euphrosyne, Römische Elegien, Achilleis*) und widmet ihr unter ihrem lateinischen Namen das Monodrama →*Proserpina*.

Perseus. In griechischer Mythologie der Sohn des Zeus und der Danae, schlug Perseus der Gorgone Medusa, deren Blick versteinerte, das Haupt ab. Von den zahlreichen bildlichen Darstellungen kannte G. u. a. die →Medusa Rondanini und die Skulptur von B. Cellini in Florenz (Loggia dei Lanzi) und spielt im *Faust* (v. 4194, 4208) auf das Motiv an. Die in Literatur und Kunst (Tizian, Carracci, Rubens, Rembrandt u. a.) noch häufiger behandelte zweite Tat des Perseus, die Befreiung der von einem Seeungeheuer bedrohten Andromache, setzte G. als 4. →Preisaufgabe für bildende Künstler 1802, bei der Ludwig Hummel den Preis erhielt (*Tag- und Jahreshefte 1802*; *Weimarische Kunstausstellung vom Jahre 1801 und Preisaufgaben für das Jahr 1802*). Nochmals befaßte er sich ausführlich mit dem Motiv in *Philostrats Gemälde* (1818).

Persien. G.s Beschäftigung mit persischer Literatur und Kultur steht im Zusammenhang seiner orientalistischen Studien zum *West-östlichen Divan* und konzentriert sich auf die Jahre 1814–18. Sie beginnt 1814/15 mit der Lektüre von Übersetzungen (J. von →Hammer, H. F von →Diez) des →Hafis, 1814 →Firdusis, 1815 des *Buches des* →*Kabus* u. a., besonders in J. von Hammers *Fundgruben des Orients* (VI 1809–18), bezieht Reisebeschreibungen ein (Marco Polo, A. Olearius 1647, Pietro della Valle 1674, J. de Chardin 1686, J. B. Tavernier 1712) und weitet sich auf die ihm erreichbare orientalistische Literatur aus, so 1816 Thomas Hydes *Historia religionis veterum Persarum* (1690), 1818 J. von Hammers *Geschichte der schönen Redekünste Persiens* (1818), A. H. Anquetil-Duperrons Einleitung zur Übersetzung des *Zend-Avesta* (1769–71) und J. Malcolms *History of Persia* (II 1815). G.s Studien zur persischen Literatur, die ihn unter den islamischen Literaturen wegen ihrer weniger dogmatischen, mehr poetisch-mystischen und weltfrohen Haltung anzog, fanden Niederschlag besonders in den *Noten und Abhandlungen* zum *West-östlichen Divan*, in denen sie den breitesten Raum einnehmen. Nach allgemeinen Bemerkungen zur altpersischen Religion und ihrer Verdrängung durch den Islam, zur persischen Geschichte, Kunst und Kultur charakterisiert G. in Einzelkapiteln sieben große persische Dichter: →Firdusi (Ferdausî), →Enweri (Anvarî), Nisami (→Nezâmi), Rumi, →Saadi (Sa'dî), →Hafis (Hâfez) und →Dschami (Djâmî), bemerkt das Fehlen dramatischer Literatur und schließt mit einem Ausblick auf die Literaturgesellschaft und die literarische Formensprache.

H. Krüger-Westend, G. und P., GJb 26, 1905; W. Lentz, G.s Beitrag zur Erforschung der iranischen Kulturgeschichte, Saeculum 8, 1957; J. S. Braginski, Die west-östliche Synthese im Diwan G.s und die klassische altpersische Dichtung, WB 14, 1968; W. Lentz, G. und die altiranische Religion, in: G. und die Tradition, hg. H. Reiss 1972 →Orient.

Perugia. In der kunstreichen Hauptstadt Umbriens übernachtete G. am 25. 10. 1786, hat jedoch nach eigener Angabe »nichts gesehen, aus Zufall und Schuld« (Tagebuch) und bezeichnet in der *Italienischen Reise* auch nur die Lage der Stadt in der Nähe des Trasimenischen Sees als schön.

Perugino, eigentlich Pietro Vanucci, genannt Il Perugino (um 1450–1523). Von dem Hauptmeister der umbrischen Malerschule, Lehrer Raffaels und späterem Vorbild der Nazarener sah G. am 18. 10. 1786 in Bologna in S. Giovanni in Monte die »Madonna in Gloria e Santi« und vielleicht weitere Werke in Italien. Ob er seine Fresken in der Sixtinischen Kapelle im Vatikan wahrgenommen hat, bleibt ungewiß.

Pestalozzi, Johann Heinrich (1746–1827). Den Züricher Pädagogen und Schriftsteller hat G. trotz einer wohl mißverstandenen Behauptung (zu Th. Schacht, Mai 1810) wohl nicht persönlich gekannt. Der Freund Lavaters namens Pestaluz, der G. im September 1775 in Frankfurt besuchte (an Lavater September 1775), war Kaufmann. Doch verfolgte G. aus der Distanz mit Interesse Pestalozzis pädagogische Bestrebungen, ließ sich darüber berichten, besuchte am 9. 8. 1814 eine Elementarschule des Pestalozzi-Schülers J. de l'Aspée in Wiesbaden und las tags darauf *Lienhard und Gertrud*. Im ganzen lehnte er Pestalozzis Erziehungsmethoden als zu eng, zu pedantisch, zu verstandesmäßig-mathematisch ab (zu Knebel Mai 1810, zu Boisserée 5. 8. 1815) und beklagte »die babylonische Verwirrung, welche durch den Pestalozzischen Erziehungsgang Deutschland ergriffen« (an F. Passow 20. 10. 1811). Briefe Pestalozzis ließ er scheints unbeantwortet und bestritt dessen Einfluß auf die »Pädagogische Provinz« im *Wilhelm Meister*.

K. Muthesius, G. und P., 1908; G. Bohnenblust, G. und P., 1923, auch in ders., Vom Adel des Geistes, 1943; W. Feilchenfeld, P., G., Lavater, DVJ 3, 1925.

Peter im Baumgarten   →Baumgarten, Peter im

Petersen, Georg Wilhelm (1744–1816). Der Theologe und Darmstädter Prinzenerzieher, 1772 Mitarbeiter der *Frankfurter Gelehrten Anzeigen* und 1787 Hofprediger, stand dem →Darmstädter Kreis der Empfindsamen nahe (*Dichtung und Wahrheit* III,12).

Peterskirche. Die von Bramante, Raffael, Michelangelo u. a. geschaffene, bedeutendste Kirche der katholischen Christenheit im Vatikan in Rom, mit deren Äußerem und Innerem G. durch die upferstiche im Elternhaus bereits vertraut war, sah er erstmals am ̄. 10. 1786. Am 22. 11. 1786 bestieg er mit Tischbein die Kuppel ̄er Kirche, am 25. 12. wohnte er einem vom Papst zelebrierten ̄ochamt in der Peterskirche bei, am 30. 6. 1787 erlebte er deren ̄lumination zum Peter-und-Paulsfest und besuchte sie auch sonst ̄viederholt. Für die geplante dritte Italienreise machte er sich ̄795/96 Auszüge zur Geschichte der Kirche nach F. Bonanni ̄696).

̄etrarca, Francesco (1304–1374). Mit Leben und Werk des italie- ̄ischen Dichters und Humanisten war G. vermutlich von früh auf ̄ertraut. Im *Tasso* spielt er zweimal auf ihn an (v. 73 und 1939). Als ̄er bis in den Barock vorbildliche Meister des Sonetts bei den ̄.omantikern und 1807 im Jenaer Sonettenstreit wieder zu Ehren ̄am, beschäftigte sich G. wieder mit ihm und las am 5. 1. 1807 ̄ernows Petrarca-Biographie. In seinen eigenen →Sonetten spielt ̄r mehrfach auf ihn an, und im Sonett XVI *Epoche* vergleicht er ̄eine im Advent 1807 aufkeimende Liebe zu Minna Herzlieb mit ̄ler am Karfreitag des Jahres 1327 erwachenden, unglücklichen ̄Liebe Petrarcas zu seiner Laura.

F. Wagner, J. W. G. e P., Quaderni Petrarcheschi 6, 1989; K. G. Kennedy, Der junge G. ̄ı der Tradition des Petrarkismus, 1995.

̄etrographie →Mineralogie, →Geologie

̄eucer, Heinrich Carl Friedrich (1779–1849). 1810 Weimarer Re- ̄gierungsassessor, 1815 Regierungsrat und Direktor des Oberkonsi- ̄toriums, 1838 dessen Präsident, war der gebildete Beamte zugleich ̄Dichter und Übersetzer (Hugo, Racine, Voltaire), dessen Arbeiten ̄3. günstig beurteilte, mit dem er freundschaftlich verkehrte und ̄len er von Schmeller für seine Sammlung zeichnen ließ. Am 17. 2. ̄1810 spielte das Weimarer Theater seine Übersetzung von Voltaires ̄Zaïre, am 16. 10. 1815 seine Dramatisierung von G.s *Wanderer und* ̄*Pächterin*. Im April schrieb Peucer ein *Nachspiel zu Ifflands Hagestol-* ̄*zen*, das, von G. überarbeitet, teils gekürzt (II,III) und erweitert ̄III,IV), am 10. 5. 1815 zusammen mit Schillers *Lied von der Glocke* ̄und G.s *Epilog zu Schillers Glocke* in einer Gedenkfeier für Schiller ̄und Iffland in Weimar aufgeführt wurde. Nachdem G. 1814 eine ̄Wette über Krieg oder Frieden verloren hatte, sandte er Peucer ein ̄kleines Wettgedicht (»Nein! frechere Wette …«). In der Weimarer ̄Freimaurerloge hielt Peucer am 9. 11. 1832 den Nachruf auf den ̄Dichter.

Pfalzburg. Die lothringische Festung bei Zabern besuchte G. auf ̄seinem Ritt durch Lothringen Ende Juni 1770 (*Dichtung und Wahr-* ̄*heit* II,10).

W. Kahl, P. zur Zeit des jungen G., Jahrbuch für Geschichte, Sprache und Litteratur ̄Elsaß-Lothringens 18, 1902.

Pfeffel

Pfeffel, Gottlieb Conrad (1736–1809). Der elsässische Idyllen- und Fabeldichter, seit 1758 völlig erblindet, gründete und leitete 177. eine protestantische Militärschule in Colmar, an der ab 1775 auch G.s Jugendfreund F. Lersé lehrte. G. lernte ihn 1771 in Straßburg kennen, besuchte ihn wohl auch in Colmar, schätzte ihn durchaus empfahl Knebel einen Besuch bei ihm (an Knebel 4. 6. 1780) und erkundigte sich bei Lavater nach seinem Ergehen (an Lavater 29. 7 1782). Doch die Sympathie blieb unerwidert: Pfeffel, als moralisch-religiöser Aufklärungsdichter Schüler Gellerts, lehnte G.s Dichtun gen wie den Sturm und Drang überhaupt ab.

Pfeil, Johann Gottlob Benjamin (1732–1800). Der Jurist und Schriftsteller, Verfasser des empfindsamen Romans *Geschichte de Grafen von P.* (1755), Dramatiker und Theoretiker des bürgerlichen Trauerspiels, war zu G.s Leipziger Studienzeit Hofmeister in Leip zig und Mitglied der Schönkopfschen Tischgesellschaft, späte Justizamtmann in Rammelburg bei Eisleben. G. verdankte ihm Hinweise für seine geistige Ausrichtung (*Dichtung und Wahrhe* II,7).

H. Prähle, G., S. Schütze und P., in ders., Abhandlungen über G., 1889.

Pfeil, Leopold Heinrich (1725/26–1792). Der Diener, dann Sekretär von G.s Vater heiratete 1746 dessen Kusine Friederike Charlotte Wilhelmine Walther, wurde französischer Sprachmeiste in Frankfurt und gründete um 1755 mit Unterstützung seiner Gönner eine angesehene, besonders von Engländern besuchte Internatsschule im Großen Hirschgraben. Er führte wohl seiner Schüler Arthur →Lupton in die Familie G. ein, überwachte Corne-lia G.s Klavierspiel, korrigierte auf Wunsch des Vaters G.s französi-sche Briefe an die Schwester und wurde dafür in G.s Gedich *Vaudeville à Mr Pfeil* (13. 10. 1766) verspottet (*Dichtung und Wahrhei* I,4).

E. Mentzel, Wolfgang und Cornelia G.s Lehrer, 1909.

Pfenninger, Johann Conrad (1747–1792). Der Züricher Prediger und religiöse Schriftsteller, ein Verwandter, Mitarbeiter und enger Freund Lavaters und Anhänger von dessen religiösen Bestrebungen, korrespondierte schon im Frühjahr 1774 mit G., um ihn für Lava-ters christliche Anschauungen zu gewinnen, doch wies G. den Be-kehrungsversuch in seinem aufschlußreichen Brief vom 26. 4. 1774 zurück. Trotz der Gegensätze blieb das freundschaftliche Einver-nehmen, gestärkt durch die persönliche Bekanntschaft in Zürich im Juni 1775, erhalten. Pfenningers *Christliches Magazin* (III,1, 1780) brachte den Erstdruck von G.s *Wandrers Nachtlied I* (»Der du von dem Himmel bist …«) mit der Vertonung von Ph. Ch. Kayser.

Pfitzer, Johann Nicolaus →Fauststoff

Pforr, Franz (1788–1812). Der Frankfurter Maler und Zeichner der Romantik, seit 1810 bei den →Nazarenern in Rom, schuf 1808 ff. eine Reihe von Zeichnungen zu G.s *Götz von Berlichingen,* die G. 1810 erhielt und zwar als Symptom der »Neigung der sämtlichen Jugend zum Mittelalter« deutete (an J. B. Engelmann 5. 10. 1810), aber doch als »sehr originell und kräftig und von vieler Erfindung« lobte (zu A. Kestner 30. 8. 1815).

F. P.s Zeichnungen zu G.s Götz von Berlichingen, hg. R. Benz 1941.

Pfuel, Ernst von (1779–1866). Mit dem damaligen Major (1825 preußischen General, 1848 Minister) und Freund H. von Kleists verkehrte G. am 14.–23. 8. 1810 in Teplitz.

Phaedrus (um 15 v.–50 n. Chr.). Von dem römischen Fabeldichter und beliebten Schulbuchautor wurde auch G. im Lateinunterricht nicht verschont; in einem Schulheft von 1757/58 liegen Übersetzungen zweier seiner Fabeln vor (*Der Wolf und das Lamm; Die Frösche*).

Phänomen. Das am 25. 7. 1814 zu Beginn der Reise nach Wiesbaden entstandene Gedicht des *West-östlichen Divan* leitet in einer für G. typischen Weise heiter, leicht selbstironisch und fast unmerklich vom Bild zur Anwendung gleitend, aus einem gesehenen Naturphänomen eine symbolische Selbstvergewisserung ab: So wie hinter dem gesehenen weißen Nebelregenbogen das Wissen um dessen farbiges Urbild steht, sind des 64jährigen »Greises« weiße Haare nur die verschleierte Ankündigung eines noch ungewissen, neuen, farbigen Lebens und Liebens.

Phaeton →Euripides

Phantasmagorie. »Klassisch-romantische Phantasmagorie«, d. h. Vorspiegelung von Trugbildern, besonders Darstellung von Geistererscheinungen auf der Bühne durch optisch-technische Mittel, nennt G. den Helena-Akt des *Faust II* im 1. Entwurf zur Ankündigung der *Helena* vom 10. 6. 1826.

Phidias (um 460–430 v. Chr.). Der attische Bildhauer galt wie vor ihm Winckelmann so auch G. als der bedeutendste Bildhauer der Antike, als Verkörperung des Klassischen schlechthin nur Homer vergleichbar, obwohl seine verlorenen Meisterwerke nur aus antiken Beschreibungen bekannt waren. Erst Erwerb, Verbringung nach London und Veröffentlichung (*The Elgin Marbles,* 1816) der ihm zugeschriebenen Parthenon-Skulpturen durch Thomas Bruce, Earl of Elgin 1803–12 und ihr Ankauf durch das British Museum 1816 machte Werke von ihm in Westeuropa öffentlich zugänglich, allerdings ist die Zuschreibung der Parthenon-Skulpturen – Phidias war nur Leiter der Bildhauerarbeiten am Parthenon – umstritten. G. sah Zeichnungen einiger Basreliefs von R. Worthley zuerst am 22. 8. 1787 in Rom (*Italienische Reise* 23. 8. 1787 und Bericht August 1787), dann erste Abgüsse am 10. 10. 1814 in Darmstadt (an Christiane 12. 10. 1814). Er erhielt 1819 als Leihgabe des Großherzogs Kohlezeichnungen der Gruppe der Tauschwestern und des Dionysos aus der Götterversammlung von W. Landseer und W. Bewick und 1818 einen Abguß des Pferdekopfes vom Gespann der Selene aus dem Ostgiebel und nahm regen Anteil an der Erforschung des Werkes (*Elgin Marbles*, 1817; *Elginische Marmore,* 1817; *Tag- und Jahreshefte* 1805, 1817, 1820; Gedicht *Antike*, 1821). Nach der Lektüre von Quatremère de Quincys *Jupiter Olympien* 1815 beschäftigte er sich auch mit dem Problem der Rekonstruktion von Phidias' verlorener Goldelfenbeinstatue des Zeus im Zeustempel von Olympia.

Phigalia →*Relief von Phigalia*

Philemon und Baucis. Ovids *Metamorphosen* (VIII,618–724) berichten wohl erstmals von dem armen, greisen Ehepaar Philemon und Baucis, die für ihre Gastfreundschaft gegenüber den unerkannten Wanderern Zeus und Hermes von einer Flutstrafe ausgenommen werden, auf ihre Bitte hin in ihrer in einen Marmortempel verwandelten Hütte als Priester dienen und gleichzeitig sterben dürfen und dann in eine Eiche und eine Linde verwandelt werden: Idylle eines selbstlosen und anspruchslosen Glücks in Bescheidenheit. Die u. a. von La Fontaine, Dryden, Swift, von Hagedorn, Pfeffel, J. H. Voss, auch als Ballett und Oper und in der bildenden Kunst – G. besaß zwei Stiche nach A. Elsheimers Dresdner Gemälde – behandelte rührende Sage fand früh G.s Interesse und Anteilnahme und hinterließ zahlreiche Spuren in seinen Werken (*Götter, Helden und Wieland, Nach Falconet und über Falconet,* Lauchstädter *Was wir bringen* IX; Haller *Was wir bringen* I; *Wahlverwandtschaften* II,1; *Dichtung und Wahrheit* II,10 u. a.). Im *Faust II* (v. 11043–383) gibt G. 1831 den frommen, bescheidenen alten Leuten, Gegenbild zu Fausts hartem Aktionismus und Herrscherwillen, die Fausts Kolonisierungswerk und seinem Nachbarneid zum Opfer fallen, ihre Umsiedlung verweigern und entgegen Fausts Wunsch von Mephisto und seinen Helfern in ihrer Hütte verbrannt werden, nach dem antiken Paar die typisierenden Namen Philemon und Baucis, obwohl ihr Schicksal hier trotz gemeinsamer Grundzüge tragisch endet. Er erhebt das Paar damit zum zeitlos-mythischen Symbol für die unschuldigen Opfer eines rücksichtslosen Fortschrittsoptimismus, der vor Mord nicht zurückschreckt.

K. Kindt, Die Düne des Glaubens, Zeitwende 13, 1936 f.; E. Beutler, Die P. u. B.-Szene, in: Beiträge aus Frankfurter Bibliotheken zum Gutenbergjahr, 1942; M. Beller, P. u. B. in der europäischen Literatur, 1967; A. Henkel, Erwägungen zur P. u. B.-Szene, EG 38, 1983.

Phileros →*Pandora*

Philine. G.s wohl glücklichste und lebendigste Frauenfigur erscheint zuerst mit ausführlicher Charakteristik als »junge muntere Actrice« in *Wilhelm Meisters theatralischer Sendung* (IV,10) und wird als »wohlgebildetes Frauenzimmer« (II,4) eine der weiblichen Hauptfiguren in *Wilhelm Meisters Lehrjahre*. Leichtlebig, temperamentvoll-impulsiv, graziös und charmant, ungebunden, unbeständig, erotisch ungehemmt und sinnlich-verführerisch, ist die als Schauspielerin mittelmäßige Philine mit ihrer beweglichen, schmetterlingshaften Leichtigkeit und ihren leicht frivolen Liedern (→»Singet nicht in Trauertönen …« V,10; auch u. d. T. *Philine*) eine Verkörperung moralfreier, elementarer Lebensfreude, die ihre Weiblichkeit und ihre Anziehungskraft auf die Männer genießt – Frauen sind ihr feindlich –, sorglos-spielerisch in den Tag hineinlebt und aus allen Abenteuern unbeschwert-leicht hervorgeht. Wilhelm, der sie nicht liebt, aber sich anfangs durch sie an die Schauspielergruppe fesseln (II,12) und nach dem Überfall von ihr pflegen läßt (IV,9), bietet alle Kraft auf, ihren Werbungen und Verführungskünsten zu widerstehen, verfällt ihr jedoch im Dunkel einer Nacht (V,12–13) und lernt durch sie das Leichtnehmen des Daseins als Wert der Lebenskunst verstehen. Nachdem sie mit dem jungen Friedrich durchgebrannt ist (V,15), tut G. ihr in *Wilhelm Meisters Wanderjahren* (III, 4 und 14) den Tort an, sie als kunstreiche Schneiderin zu verbürgerlichen und als nützliches Glied der Gesellschaft den Amerikafahrern beizugesellen.

G. Keferstein, Ph., Goethe 3, 1938; W. Baumgart, Ph., in: Lebendige Antike, hg. H. Meller 1967.

Philipp Hackert →Hackert, Jakob Philipp

Philipp Neri, der humoristische Heilige →Neri, Filippo

Philippsburg. Im elsässischen Philippsbourg bei Niederbronn (nicht in Philippsburg am Rhein bei Speyer) besuchte G. mit Friederike Brion 1771 Bekannte und Freunde, die er in Sesenheim kennengelernt hatte (*Dichtung und Wahrheit* III,11).

Philister. Dem engherzigen und selbstgenugsamen Spießbürgertum besonders der Spätaufklärung, das sich seiner emotionalen Enge und geistigen Hohlheit gar nicht bewußt ist und seine Meinung und Lebensweise intolerant anderen aufzwingen will, galt zeitlebens G.s Spott: *Leiden des jungen Werthers* (26. Mai), *Xenien, Zahme Xenien, Tabulae votivae* (3 und 4/5); Gedichte *Generalbeichte* und »Gedichte sind gemalte Fensterscheiben …«; zu Riemer 10. 5. 1806, 18. 8. 1807; zu Eckermann 18. 4. 1827 u. a. m.

P. Lorentz, Der Typus des P.s bei G., PrJbb 111, 1903; E. McIlvenna, The philistine in Sturm und Drang, MLR 33, 1938; E. Morgan, G. and the philistine, MLR 53, 1958.

Philo (»Bekenntnisse einer schönen Seele«) →Moser, Friedrich Carl Ludwig

Philoktet. Die Sage vom griechischen Bogenschützen und Freund des Herakles, den die Griechen auf der Fahrt nach Troja wegen einer übelriechenden Schlangenbißwunde auf Lemnos aussetzen und zehn Jahre später zurückholen, war G. von früh auf bekannt. Angeregt durch G. Hermanns *De Aeschyli Philocteta dissertatio* (1825), die er im Februar 1826 las, begann G. im Frühjahr 1826 eine Fragment gebliebene vergleichende Untersuchung über die Darstellung des Philoktet in der antiken Tragödie bei Aischylos, Sophokles, Euripides und Accius *Philoktet, dreifach* (an Zelter 20. 5. 1826).

Philomele. Nach der griechischen Sage war Philomele eine in eine Nachtigall (eigentlich Schwalbe) verwandelte athenische Prinzessin. Wie die Lyrik der Empfindsamkeit und des Rokoko verwendet auch G. die Bezeichnung wiederholt als poetischen Namen der Nachtigall, u. a. im Vierzeiler auf C. Schröter *Philomele* (1782) als Inschrift im Tiefurter Park.

Philosophie. G. erklärte 1817: »Für Philosphie im eigentlichen Sinne hatte ich kein Organ« (*Einwirkung der neuern Philosophie*), und eigentlich brauche er keine Philosophie (zu F. von Müller 16. 7. 1827). Er betrachtete die Philosophie, deren abstraktes Begriffsdenken und befremdende Begriffssprache ihm weitgehend unzugänglich blieben, nur als Teil der allgemeinen Bildung, aus der er sich das ihm Zusagende und Verständliche aneignete. Zwar las er in der Jugend J. J. Bruckers philosophiegeschichtliches Schulbuch *Institutiones historiae philosophicae* (1747), lernte seit 1764 die Philosophie der Antike (Aristoteles, Plato, Seneca) und die ihn nicht befriedigende Popularphilosophie der Aufklärungszeit kennen, beschäftigte sich näher mit Rousseau und 1784/85 mit dem ihm zusagenden Spinoza, besonders seiner Ethik, schätzte seit 1790 Kants Anthropologie und seine *Kritik der Urteilskraft*, führte mit Schiller lange philosophische Erörterungen, diskutierte mit Schelling über die Naturphilosophie, nahm 1817 Leibniz' Monadenlehre in sein Weltbild auf, durchforschte dann die Philosophen mehr im Hinblick auf Wissenschaftstheorie und Farbenlehre und äußerte sich im Alter gelegentlich in Gesprächen mit Eckermann, Falk und F. von Müller über philosophische Fragen. Doch trotz seines Umgangs mit Herder, Fichte, Hegel, Schelling und Schopenhauer zeigte er aus seinem gegenständlichen Denken heraus keine besondere Neigung zu einer vergleichenden Abwägung der Lehrmeinungen oder zur Errichtung eines philosophischen Systems und bedurfte dessen auch nicht. Ihm genügte, daß die kritische und idealistische Philosophie »mich auf mich selbst aufmerksam gemacht hat« (an Ch. L. F. Schulz

8. 9. 1831). So beschränkt sich seine philosophische Weltdeutung auf eine auf Beobachtung und Erfahrung beruhende →Naturphilosophie, und die teils einseitig philosophische Deutung seines Werks blieb späteren Philosophen und einer geisteswissenschaftlich orientierten Literaturwissenschaft vorbehalten. Vgl. ferner *Dichtung und Wahrheit* II,6; *Einwirkung der neuern Philosophie*; *Winckelmann*, Kap. »Philosophie«; *Maximen und Reflexionen* 806; an F. H. Jacobi 23. 11. 1801.

R. Eucken, G. und die Ph., GJb 21, 1900; H. Siebeck, G. als Denker, 1902 u. ö.; E. A. Boucke, G.s Weltanschauung, 1907; K. Vorländer, Die Ph. unserer Klassiker, 1923; B. Bauch, G. und die Ph., 1928; H. Leisegang, G.s Denken, 1932; N. v. Bubnoff, G. und die Ph. seiner Zeit, Zeitschrift für philosophische Forschung 1, 1946; H.-G. Gadamer, G. und die Ph., 1947, auch in ders., Kleine Schriften 2, 1967 u. ö.; F.-J. v. Rintelen, Der Rang des Geistes, 1955; J. Hennig, Zu G.s Ph.begriff, DVJ 29, 1955; H. Hamm, Der Theoretiker G., 1976.

Philostrat, Flavius Philostratos (um 170–um 250 n. Chr.). Der griechische Sophist und Rhetoriker in Athen und Rom gab in seinen aus Stilübungen der Rhetorenschule hervorgegangenen *Eikones* (*Imagines*) Beschreibungen von 65 vielleicht erfundenen antiken Gemälden, die sein Enkel Philostratos d. J. um weitere 17 ergänzte. G., der sich schon am 31. 12. 1796, dann am 17. 1. und 21. 11. 1804 anläßlich der Themen für die Weimarer Preisaufgaben mit dem Werk befaßt hatte und es im Zusammenhang mit Meyers Kunstgeschichte am 8.–11. 1. 1813 wieder studiert und am 4.–6. 12. 1813 Ch. G. Heynes Arbeiten dazu gelesen hatte, beschäftigte sich am 9. 3.–14. 6. 1818 nochmals eingehend mit dem Werk und verfaßte den Aufsatz *Philostrats Gemälde*, der von der realen Existenz einer solchen Galerie ausgeht und der zeitgenössischen Malerei Anregungen für die Behandlung antiker Bildthemen und deren Gestaltungsweise geben will. Er erschien zusammen mit der Rechtfertigung →*Antik und modern* in *Über Kunst und Altertum* (II,1, 1818) und wurde 1820 (ebd. II,3) durch weitere *Kunstgegenstände* (Eckermanns Titel: *Nachträgliches zu Philostrats Gemälden*) ergänzt. G. entdeckte auch bei Giulio Romano und Tizian Anregungen aus Philostrat und benutzte solche wohl auch für die Szenik der »Klassischen Walpurgisnacht«. Der Appell an die zeitgenössische Kunst jedoch blieb wirkungslos; erst 1840 ff. griff M. von Schwind für seine Fresken in der Badischen Kunsthalle Karlsruhe auf Bildmotive Philostrats zurück.

R. Foerster, G.s Abhandlung über die Ph.ischen Gemälde, GJb 24, 1903; Ch. Michel, G. und Ph.s Bilder, JFDH 1973.

Phlegon von Tralles →*Die Braut von Korinth*

Phorkyaden. Die drei uralten Töchter des Meergreises Phorkys in der griechischen Mythologie, auch Graien genannt, sind Personifikationen des Alters und des Zerfalls, die zusammen nur ein Auge und einen Zahn zu wechselseitiger Benutzung haben und sich in einer lichtlosen Höhle vor der Welt verbergen. Sie erscheinen als Gegenbilder zur Schönheit Helenas im *Faust II* (v. 7967–8033). Auch Mephisto als Gegenfigur zu Helena paßt sich nunmehr im antiken Milieu dem Maximum denkbarer Häßlichkeit im Negativbild der Phorkyaden an, erscheint im Helena-Akt als →Phorkyas (v. 8024 f., 8696 ff.) und wird vom Chor sogleich für eine der Phorkyaden gehalten (v. 8728 ff.).

Phorkyas. Für sein Auftreten im Helena-Akt des *Faust II* adaptiert sich Mephisto dem schlimmstmöglichen antiken Häßlichkeitsbild und nimmt mit Kothurn, Maske und Schleier (vgl. nach v. 10038) die Gestalt einer →Phorkyade an (v. 8024 f.). Der christliche Teufel schlüpft aus Stilgründen in diese Verkleidung, da in der antiken Schönheitswelt das Böse nur als das Abgrundhäßliche denkbar ist. Als solches widerwärtiges altes Mannweib, Hermaphrodit, angeblich eine von Menelaos während Helenas Abwesenheit als Schaffnerin angestellte kretische Sklavin (v. 8864 f.), redet er Helena ein, was sie schon befürchtete (v. 8528): Menelaos werde sie für ihre Untreue bestrafen (v. 8924 ff.), und treibt sie damit Faust in die Arme.

Phyllis. Den traditionellen Mädchennamen der Schäferdichtung, den auch G. mitunter verwendet (*An einen jungen Prahler*), benutzt die Verfasserin der »Bekenntnisse einer schönen Seele« in *Wilhelm Meisters Lehrjahren* (VI) zur Verkleidung ihrer Liebesgeschichte in Briefen für ihren Französischlehrer.

Physik. G.s Interesse erstreckte sich auf die gesamte Physik mit Ausnahme der von ihm für schädlich gehaltenen mathematischen Physik und einer Abneigung gegen die nur mit künstlichen Instrumenten die Natur erforschende Richtung (*Maximen und Reflexionen* 706). Es führte von frühen Versuchen mit der Elektrisiermaschine, den Leipziger Vorlesungen J. H. Wincklers und W. H. S. Buchholz' Weimarer Luftballon bis zu seiner Teilnahme an physikalischen Experimenten, besonders 1812 mit T. J. Seebeck, und zu seiner Förderung der Physiker und der physikalischen Labors der Universität Jena. Selbst experimentierte und forschte er aktiv jedoch nur auf dem Gebiet der Optik und der Farbphysik im Zusammenhang der *Farbenlehre*.

E. Cassirer, G. und die mathematische Ph., in ders., Idee und Gestalt, 1921 u. ö.; W. Wien, G. und die Ph., 1923; W. Troll, G. und die Ph., Die Tat 18, 1926; M. Gebhardt, G. als Physiker, 1932; →Naturwissenschaften.

Physiognomik. Die pseudowissenschaftliche »Gesichtslesekunst«, das Herauslesen von Charaktereigenschaften eines Menschen aus seinen Gesichtszügen, besonders der Profillinie, meist nach Porträts, Zeichnungen und Schattenrissen, versuchte die heute noch täglich unausgesprochene Beurteilung von Menschen aus der Beobachung ihrer Gesichtszüge, ihrer Gebärden und ihrer Sprechweise in ein fast dogmatisches System zu bringen und deutete das äußere Erscheinungsbild als Ausdruck geistig-seelischen Gehalts und individueller Charakteranlagen. Sie wurde zeitweilig durch J. C. →Lavaters *Physiognomische Fragmente zur Beförderung der Menschenkenntnis und Menschenliebe* (IV 1775–78) zu einer modischen Lieblingsbeschäftigung der Scherenschnittzeit und bald u. a. von Lichtenberg verspottet. Der junge G., durch Herders Vermittlung mit Lavater bekannt, griff sie 1774–76 mit schwärmerischer Begeisterung auf und lieferte für Lavaters Werk eine Reihe intuitiv-emphatischer Beschreibungen und Porträtskizzen (u. a. Homer, Caesar, Brutus, Newton, Rameau, Klopstock, Tierschädel) sowie die »Zugaben« *Von der Physiognomik überhaupt, Einige Gründe der Verachtung und Verspottung der Physiognomik, Von den oft nur scheinbaren Fehlschlüssen des Physiognomisten* und das *Lied des physiognomischen Zeichners* (→ *Künstlers Abendlied*). Er sah die Bände I und II im Manuskript durch, versah sie mit einigen Zusätzen, gab sie zum Druck und arbeitete von Weimar aus auch am III. Band mit. G. erhoffte sich daraus Gewinne für die Historien- und Porträtmalerei (an G. F. E. Schönborn 4. 7. 1774). Bald jedoch erkannte er, daß die Physiognomik nur bereits bekannte Eigenschaften der Abgebildeten herein- oder herauslas und bei Unbekannten zu Verlegenheiten oder Fehlschlüssen führte, gab nach dem Bruch mit Lavater das Interesse an ihr auf, betrachtete sie später mit einer »komisch heiteren Empfindung« (*Dichtung und Wahrheit* IV,18) und wertete sie schließlich als wissenschaftlichen Irrtum und Selbstbetrug ab (zu Eckermann 17. 2. 1829). Dennoch interessierte G. sich 1805 für die auf physiognomischen Beobachtungen basierende Schädellehre F. J. →Galls.

E. v. d. Hellen, G.s Anteil an Lavaters Physiognomischen Fragmenten, 1888; I. Stauf, G. und die Ph., Diss. Frankfurt 1950; G. Mattenklott, G. als Ph.er, in: G., hg. T. C. Classen 1984; A. Käuser, Ph. und Roman im 18. Jahrhundert, 1989; The faces of physiognomy, hg. E. Shookman, Columbia 1993; J. Saltzwedel, Das Gesicht der Welt, 1993; I. B. Fliedl, G., Lavater und der Versuch einer Ph. als Wissenschaft, in: G. und die Kunst, hg. S. Schulze 1994; C. Schmölders, Das Vorurteil im Leibe, 1995; →Lavater.

Physiognomische Fragmente →Physiognomik, →Lavater

Piazzetta, Giovanni Battista (1682–1754). Von dem venezianischen Maler, dessen »Köpfe« (*Teste al naturale*) G. schon im Frankfurter Zeichenunterricht hatte kopieren müssen (*Dichtung und Wahrheit* I,4), sah G. in Padua die »Enthauptung Johannis des Täufers« von 1744: »die Komposition frappant und von der besten Wirkung« (*Italienische Reise* 27. 9. 1786).

Pichler, Caroline, geb. von Greiner (1769–1843). Die als Mittelpunkt eines großbürgerlichen literarisch-musikalischen Salons einflußreiche Wiener Schriftstellerin sandte G. im Frühjahr 1812 für seine Sammlung Autographen von Haydn u. a., was ihn wohl veranlaßt haben mag, ihre Romane *Agathokles* (III 1808) und *Sie war es dennoch* (1807) für den August/September 1812 als Urlaubslektüre zu wählen. Am 4. 11. 1815 spielte das Weimarer Theater ihre Tragödie *Heinrich von Hohenstaufen*.

Pietismus. Von allen Richtungen des protestantischen Christentums wirkte die verinnerlichte Frömmigkeit des in Deutschland von Ph. J. Spener begründeten Pietismus wenigstens zeitweise am stärksten auf G. Durch den Verkehr der Mutter und ihrer Familie in Frankfurter pietistischen Kreisen wurde auch G. früh mit diesen und der Auseinandersetzung um sie vertraut (*Dichtung und Wahrheit* I, 1). In Leipzig wirkte 1767/68 der Freund E. Th. Langer auf G.s Entwicklung zum Pietismus ein, die sich im späteren Briefwechsel mit ihm am deutlichsten spiegelt. Nach der Rückkehr von Leipzig und besonders während der Frankfurter Rekonvaleszenz 1769 öffnete sich besonders unter Einfluß S. C. von →Klettenbergs das weiche Gemüt des Genesenden vorübergehend der verinnerlichten Gefühlsfrömmigkeit, und die Lektüre von G. Arnolds *Unparteiischer Kirchen- und Ketzerhistorie* lenkte ihn von der starren protestantischen Orthodoxie zu einem überkirchlichen Herzenschristentum. Er adoptierte schwankend und fast versuchsweise pietistische Formen religiösen Erlebens und deren Terminologie, die zugleich sein Seelenleben genauer beschreiben und seinen literarischen Wortschatz der Innerlichkeit und Selbstanalyse erweitern. G. trat der Frankfurter Brüdergemeine nahe, nahm an ihren Veranstaltungen teil und besuchte am 21./22. 9. 1769 mit J. F. Moritz eine Synode der →Herrnhuter Brüdergemeine in Marienborn; nur deren Erbsünden- und Gnadenlehre standen seinem vollständigen Anschluß an die Herrnhuter im Wege. In Straßburg stießen die engherzigstarren Pietisten ihn bald ab (an S. C. von Klettenberg 26. 8. 1770); dagegen wirkten pietistische Züge Jung-Stillings (auch im Elberfelder Pietistenkreis am 21. 7. 1774) und später Lavaters auf ihn ein, und pietistische Elemente finden sich noch in der Sprache des *Werther* und in den frühen Briefen an Ch. von Stein. Allmählich jedoch erkaltete G.s Interesse am Pietismus; pietistische Sprachformen werden säkularisiert, und ein Besuch mit Carl August bei den Herrnhutern in Barby bei Dessau am 7.–9. 12. 1776 bestätigt die inzwischen eingetretene Entfremdung vom Pietismus. G.s späteres Verhältnis zu ihm ist geprägt von Achtung, Nachsicht und milder Ironie. Dichterischen Niederschlag fand der Pietismus vor allem in den »Bekenntnissen einer schönen Seele« (*Wilhelm Meisters Lehrjahre* VI).

H. v. Schubert, G.s religiöse Jugendentwicklung, 1925; F. Blanke, Der junge G. vor der religiösen Entscheidung 1768–71, Furche 8, 1932; A. Grosser, Le jeune G. et le piétisme, EG 4, 1949; A. Langen, Der Wortschatz des deutschen P., 1954 u. ö.; H. Loewen, G's pietism, in: Deutung und Bedeutung, hg. B. Schludermann, Den Haag 1973; F. Strack, Selbst-Erfahrung oder Selbst-Entsagung, in: Verlorene Klassik?, hg. W. Wittkowski 1986; A. Chiarloni, G. und der P., GJb 106, 1989; →Christentum, →Herrnhuter, →Religion.

Die pilgernde Törin. Am 5. 8. 1807 begann G. die Übersetzung der anonymen französischen Novelle *La folle en pélerinage* nach einer Abschrift aus der von H. A. O. Reichard in Gotha herausgegebenen französischen Monatsschrift *Cahiers de lecture* (2, 1789), die dieser der Novellensammlung *Nouvelles folies sentimentales* (Paris 1786) entnommen hatte. Der am 25.–29. 6. 1808 abgeschlossene und überarbeitete Text erschien zuerst 1808 in Cottas *Taschenbuch für Damen auf das Jahr 1809* und wurde dann in *Wilhelm Meisters Wanderjahre* eingegliedert. In deren 1. Fassung (1821, Kapitel 16) lesen Friedrich und Wilhelm sie in einem Heft Lenardos, in der 2. Fassung (1829, I,5) gibt Hersilie ihre Übersetzung Wilhelm zu lesen. Der Zusammenhang mit dem Rahmenthema der *Wanderjahre* ergibt sich aus den Motiven der Wanderung, der Identitätssuche, der Selbsterprobung und Entsagung der Pilgerin, Fräulein von Revanne, die in ruheloser Wanderung den Betrug des Geliebten zu sühnen sucht. Die für die Vorgeschichte aufschlußreiche Romanze hatte G. schon 1798 als *Der Müllerin Verrat* dem Müllerin-Zyklus eingefügt und 1798 in Schillers *Musen-Almanach für das Jahr 1799* veröffentlicht.

N. Oellers, G.s Novelle D. p. T. und ihre französische Quelle, GJb 102, 1985; L. Martin, Who's the fool now?, GQ 66, 1993.

Pilgers Morgenlied. *An Lila.* Nach seinem Weggang nach Wetzlar übersandte G. im Mai 1772 den Damen des Darmstädter Kreises ihnen gewidmete Gedichte. Dieses »Lila«, d. i. Louise von →Ziegler, gewidmete empfindsame Gedicht, das zugleich in seinen Freien Rhythmen und seiner Emphase den späteren Hymnen präludiert, beschwört den ragenden Turm des Homburger Schlosses, in dem Louise von Ziegler wohnte, und stärkt das Selbstgefühl des lyrischen Ichs durch die Erinnerung an dankbar empfangene Freundschaft und Liebe.

Pindar (522/518–446/448 v. Chr.). G.s Erlebnis des griechischen Lyrikers konzentriert sich auf wenige Monate des erwachenden Geniebewußtseins. Von Herder in Straßburg 1771 auf ihn verwiesen, widmete sich G. im Früjahr und Sommer 1772 in Frankfurt und besonders in Wetzlar dem eindringlichen Studium seiner Dichtung, die in ihrer berauschenden Bilderfülle und Sprachkraft zum Vorbild seiner Sturm und Drang-Hymnen, besonders *Wandrers Sturmlied*, mit ihren Freien Rhythmen und ungewöhnlichen Wortbildungen wurde. Der Brief an Herder vom 10. 7. 1772 bezeugt dieses Erlebnis: »Ich wohne jetzt in Pindar«. 1773 übersetzte G. Pindars 5. Olympische Ode nach Heynes griechisch-lateinischer Ausgabe und kam später durch Herders, Knebels und Humboldts Übersetzungen auf ihn zurück. G.s anfängliche Vorstellung eines aus leidenschaftlichem Gefühlsüberschwang schaffenden Dichtertums von stürmender Dynamik basiert jedoch auf einem produktiven Mißverständnis der kunstvollen lyrischen Bauformen Pindars als

regelauflösende Dynamik und Ekstatik; sie macht bald der Einsicht
in die meisterhafte künstlerische Bändigung der anscheinenden
Zügellosigkeit Platz.

P. Reiff, G. und P., MLN 18, 1903; F. Kuh, G. und P., Das humanistische Gymnasium
30, 1919; O. Regenbogen, G.s P.-Erlebnis, in ders., Griechische Gegenwart, 1942, und
Kleine Schriften, 1961; H. Trevelyan, G. und die Griechen, 1949; F. Zucker, Die
Bedeutung P.s für G.s Leben und Dichtung, Altertum 1, 1955; J. Schmidt, P. als Genie-
Paradigma im 18. Jahrhundert, GJb 101, 1984.

Piranesi, Giovanni Battista (1720–1778). Im Vorsaal von G.s Elternhaus hingen römische Veduten von Vorgängern Piranesis (Alessandro Specchi, Giovanni Battista Falda), die G.s Vorstellung von
Rom prägten und seine Italiensehnsucht stärkten (*Dichtung und
Wahrheit* I,1) und an die er sich in Rom erinnert fühlte (*Italienische
Reise* 11. 11. 1786). Er kannte wohl auch schon einige Veduten des
großen italienischen Zeichners, Architekten und Radierers Piranesi
(*Vedute di Roma; Antichità Romane*, deren 1. Band er später besaß),
erkannte jedoch angesichts der Originallokalitäten in ihnen manche effektvoll-phantastische Idealisierung (ebd. Bericht Dezember
1787), verhielt sich zurückhaltend bis ablehnend gegenüber Piranesis heroischen Visionen der Architekturlandschaft und mißtraute
ihrem überschwenglichen Pathos.

M. D. Henkel, Swanefeld und P. in G.scher Beleuchtung, Zeitschrift für bildende
Kunst 58, 1924 f.

Pirna. In der sächsischen Handelsstadt stieg G. am 25. 4. 1813 im
»Rößchen« ab, besichtigte die Stadt, das Elbufer, bestieg den Son-
nenstein und reiste am 26. 4. nach Teplitz weiter.

Piron, Alexis (1689–1773). Stücke des französischen Theaterdichters oder mythologisch-allegorische Stücke »im Geschmack des
Piron« sah G. seit 1759 auf dem französischen Theater in Frankfurt
(*Dichtung und Wahrheit* I,3). In den Anmerkungen zur Übersetzung
von Diderots *Rameaus Neffe* verteidigt er seine »geistreichen und
leichten Kompositionen« gegen die französischen Kritiker.

Pitaval, François Gayot de (1673–1743). Die berühmte und vielgelesene Sammlung merkwürdiger Kriminalfälle des französischen
Juristen *Causes célèbres et intéressantes* (1734 f.) mag G. in der Jugend
in der deutschen Ausgabe (1747–67) aus der väterlichen Bibliothek
gelesen haben (eine deutsche Neubearbeitung besorgte Schiller
1792–95); jedenfalls rät er seiner Schwester Cornelia von der Lektüre ab (28. 5. und 27. 9. 1766).

Pius VI., Gian Angelo Braschi (1717–1799), Papst seit 1775. G. sah
den auf Prachtentfaltung bedachten Papst zuerst am 2. 11. 1786
bei der Allerseelenmesse in seiner Hauskapelle im Quirinalspalast
(*Italienische Reise* 3. 11. 1786), dann u. a. am 22. 11. 1786 von der
Kuppel der Peterskirche, am 25. 12. 1786 beim Hochamt in der

Peterskirche (ebd. 6. 1. 1787), Anfang Januar 1787 in der Peterskirche (an F. von Stein 4. 1. 1787) und im Februar 1788 bei einer Messe in der Sixtinischen Kapelle (*Italienische Reise* 1. 3. 1788). Ein negatives Urteil über seinen Nepotismus enthält der Brief an J. F. von Fritsch vom 27. 10. 1787.

Plan eines lyrischen Volksbuches →Niethammer, Friedrich Immanuel

Planetentanz. Für den Geburtstag der Herzogin Louise am 30. 1. 1784 schrieb G. in der Tradition der italienischen Planetentänze der Renaissance das kleine Maskenspiel *Planetentanz*, das am 30. 1. von Mitgliedern der Hofgesellschaft aufgeführt wurde. Die Erstausgabe erschien 1784 nur mit der Überschrift *Der regierenden Herzogin von Weimar zum 30. Januar 1784*; unter dem von Riemer stammenden Titel *Planetentanz* erschien der Text in *Werke* Bd. 9 (1808).

Literatur →Maskenzüge.

Plastik →Skulptur

Platen-Hallermünde, August, Graf von (1796–1835). Der spätromantische Lyriker und Dramatiker sandte G. am 9. 4. 1821 seine *Ghaselen*. Nach einem ersten positiven Echo – G. lobte sie später in seiner Besprechung von Rückerts *Östlichen Rosen* (*Über Kunst und Altertum* III,3, 1822) als geistreiche, sinnige Gedichte – besuchte Platen mit J. G. Gruber G. am 17. 10. 1821 in Jena. Trotz eines recht formellen Empfangs sandte Platen G. späterhin regelmäßig seine Gedichte und Dramen, so u. a. 1822 *Vermischte Schriften*, 1823 *Neue Ghaselen* (vgl. zu Soret 23. 10., zu Eckermann 21. 11. 1823), deren Besprechung durch Eckermann (*Über Kunst und Altertum* IV,3, 1824) G. veranlaßte, 1824 das Manuskript *Der gläserne Pantoffel* (vgl. zu Eckermann 22. und 30. 3. 1824), das G. in seinem einzigen Brief an Platen (27. 3. 1824) aus Zeitgründen erst im Druck zu lesen versprach, 1825 *Sonette aus Venedig*, 1826 *Die verhängnisvolle Gabel* und 1829 *Der romantische Ödipus*. G. beantwortete die Sendungen nicht, machte sich aber mit Platens Werk vertraut. Sein Urteil ist zwiespältig: bei aller Anerkennung seines Geistes, seiner dichterischen Fähigkeiten und seines technischen Könnens vermißt G. tieferen Gehalt und Liebe (zu Eckermann 25. 12. 1825) und tadelt eine leichtgewichtige Oberflächlichkeit und später die Verwicklung in literarische Polemik (ebd. 14. 3. 1830, 11. 2. 1831).

R. Unger, P. in seinem Verhältnis zu G., 1903.

Platner, Ernst (1744–1818). Der Leipziger Profesor der Medizin (1770), später auch der Philosophie, richtete sich 1779 ein mit Büsten reichverziertes Auditorium mit einem Deckengemälde von Oeser ein, was ihm den wohl ungerechtfertigten Spott der *Xenien* 64, 65 und 285 eintrug. G. traf ihn am 8. 1. 1797 in Leipzig.

Platon (427–347 v. Chr.). Die Beschäftigung und Auseinandersetzung mit dem großen griechischen Philosophen, den G. neben der Bibel und Aristoteles zu den prägenden Kräften des Abendlandes zählt, durchzieht G.s ganzes Werk. Das erste Kennenlernen scheint um 1764 erfolgt zu sein (*Dichtung und Wahrheit* II,6), nähere Beschäftigung mit den Hauptwerken 1771/72 auf Anstoß Herders und im Zusammenhang mit dem geplanten Sokrates-Drama, erneute Lektüre Januar/Februar 1793, besonders *Symposium, Phaedrus, Apologie* (an Jacobi 1. 2. 1793). Schon die Erwähnung Platons im *Torquato Tasso* (v. 222: »Du Schülerin des Plato!«) bekundet die Bedeutung Platons für die italienische Renaissance und seine Verwandtschaft mit G.s Grundthemen Eros und Schönheit. F. L. zu Stolbergs Übersetzung *Auserlesene Gespräche des Platon* (1796) mit ihrer frömmelnden Vorrede (an Schiller 21. 11. 1795) veranlaßte 1796 G.s kritischen Aufsatz *Plato als Mitgenosse der christlichen Offenbarung* (Druck erst *Über Kunst und Altertum* V,3, 1826). Platons Dialog *Protagoras* verhalf zur gegensätzlichen Charakterisierung des Prometheus und Epimetheus in der *Pandora* (1810). Die *Geschichte der Farbenlehre* und *Maximen und Reflexionen* verweisen wiederholt auf Platon und dessen Ehrfurcht vor der Natur. G. erfreute auch A. B. Kayßlers Vergleich der Pädagogik Platons und der G.s im *Wilhelm Meister* (*Geneigte Teilnahme an den Wanderjahren*, 1815).

E. Rotten, G.s Urphänomen und die platonische Idee, 1913; E. Cassirer, G. und P., Sokrates 76, 1922, auch in ders., G. und die geschichtliche Welt, 1932; H. Reuther, P.s und G.s Naturanschauung, NJbbWJ 5, 1929; E. Grumach, G. und die Antike, 1949; P. Stöcklein, Wege zum späten G., 1949; P. Hartmann, La leçon herméneutique, Poétique 99, 1994.

Plautus, Titus Maccius (um 250–184 v. Chr.). Stücke des römischen Komödiendichters kannte G. im Original und aus Lenz' Nachdichtung *Lustspiele nach dem Plautus fürs deutsche Theater* (1774), deren Manuskript G. am 6. 3. 1773 für J. D. Salzmann beurteilte. Nach Lenz' Vorbild beginnt auch Wilhelm Meister mit Plautus-Nachahmungen (*Wilhelm Meisters theatralische Sendung* II,3). 1807 las F. H. von Einsiedel seine Bearbeitungen der *Mostellaria* und des *Trinummus* vor. Im Zuge von G.s Versuchen, die antike Maskenkomödie wieder zu beleben (*Über das deutsche Theater*, 1815), gelangten von Plautus *Die Gefangenen* am 23. 4. 1806, *Das Gespenst* am 29. 4. 1807 in Einsiedels Bearbeitungen auf die Weimarer Bühne. Spätere Plautus-Lektüre G.s ist für Januar 1821 und November 1828 bezeugt. →Terenz.

O. Francke, Über G.s Versuch …, ZvL 1, 1886 f.; A. Denecke, G. und P., Literarisches Echo 14, 1911 f.

Plessing, Friedrich Victor Leberecht (1749–1806). Der Sohn eines Wernigeroder Theologen, der Jura und Theologie studiert und sich dann in einer seelischen Krise als selbstquälerischer Weltverächter und Hypochonder ins Elternhaus zurückgezogen hatte, wandte sich

1777 in zwei schwermütigen Briefen ratsuchend an den Autor des *Werther*, erhielt jedoch keine Antwort. Auf seiner 1. Harzreise besuchte G. ihn am 3. 12. 1777 unerkannt in Wernigerode, gab sich als Zeichner aus Gotha aus und ließ sich über G. ausfragen, reiste jedoch trotz einer Verabredung für den folgenden Tag weiter. Der Eindruck Plessings spiegelt sich in dem Unglücklichen, Liebelosen in der *Harzreise im Winter* (v. 35 ff.). Vom Januar 1778 bis November 1782 korrespondierte G. mit ihm, der ab 1778 in Königsberg Philosophie studierte und dort 1782 promovierte. Wohl im Sommer 1783 besuchte Plessing G. im Weimarer Gartenhaus und erkannte in ihm, wie vermutet, den unbekannten Reisenden wieder. Gleichzeitig mag G. ihm ein Darlehen von 60 Talern gegeben haben, das Plessing Ostern 1787 zurückzahlte. Ab 1788 war er Philosophieprofessor an der kleinen Universität Duisburg, wo G. ihn am 4. oder 5. 12. 1792 aufsuchte. G. berichtet über die Begegnungen ausführlich in der *Campagne in Frankreich* (»Duisburg, November«) und andeutend in der Rezension (1821) von Kannegießers *Über Goethes Harzreise im Winter*.

H. Düntzer, Aus G.s Freundeskreise, 1868; H. Kleinschmidt-Ilfeld, G. und P. 1777, 1932.

Plinius Secundus, Gaius, d. Ä. (23–79 n. Chr.). Mit der *Naturgeschichte* (*Naturalis historia*) des römischen Schriftstellers befaßte sich G. besonders im Mai 1797, Januar/Februar 1806 und September–November 1807 im Hinblick auf die *Geschichte der Farbenlehre*, in der er wiederholt auf ihn zurückgreift und eine Zusammenfassung von J. H. Meyer einrückt. Demselben Werk entnahm G. auch den Stoff zu *Der neue Pausias*.

Plitt, Johann Jacob (1727–1773). Der Professor in Rinteln war 1762–73 als Nachfolger von J. Ph. Fresenius Senior des Frankfurter Predigerministeriums. Seine didaktischen Predigten schrieb der junge G. 1763 mit bzw. nach (*Dichtung und Wahrheit* I,4).

Plotin (205–270). Der griechische Philosoph und Hauptvertreter der neuplatonischen Schule zog durch seine Lehre von der Welt als Emanation Gottes verwandte Vorstellungen G.s an und fesselte ihn durch seine Auffassung über das Verhältnis von Kunst und Natur, die beide aus der Idee einer höheren Schönheit, der über die Sinne erhabenen Vernunft Gottes, schaffen. G. studierte Plotins *Enneaden* schon 1764 in einer griechisch-lateinischen Ausgabe (*Paralipomena* zu *Dichtung und Wahrheit* II,6). Von F. A. Wolf 1805 erneut auf ihn hingewiesen, las er im August/September 1805 in Bad Lauchstädt Plotin im Original mit lateinischer Übersetzung. Damals entstanden die in der Einleitung zur *Farbenlehre* gedruckten Verse (nach Plotins *Enneaden* VI,9) »Wär nicht das Auge sonnenhaft ...« und die Übersetzung aus dem Lateinischen des Anfangs von Plotins Abhandlung über intelligible Schönheit (*Enneaden* V,8,1), die später in die Spruchsammlung »Aus Makariens Archiv« in den *Wanderjahren* übernommen wurden (dort 17–25, = *Maximen und Reflexionen* 633–641) und dort von G.s kritischem Einwand begleitet werden, die Erscheinung sei mit der Idee gleichwertig (26–28, = *Maximen und Reflexionen* 642–644).

H. F. Müller, G. und P., GRM 7, 1915–19; F. Koch, G. und P., 1925; F. Koch, P.s Schönheitsbegriff und G.s Kunstschaffen, Euph 26, 1925; E. Grumach, G. und die Antike, 1949; H. Schmitz, G.s Altersdenken, 1959.

Plundersweilern. Der imaginäre Ort auf der Landkarte menschlicher Torheiten ist G.s Beitrag zu denjenigen literarischen Stätten, die sich dem Leser nicht für längeren Aufenthalt empfehlen (→*Jahrmarktsfest zu Plundersweilern;* →*Das Neueste von Plundersweilern*).

Plutarch (um 46–nach 120 n. Chr.). Die Lektüre der Biographien und moralischen Schriften des griechischen Schriftstellers begleitete G. sein ganzes Leben bis zum 14. 3. 1832 (Tagebuch), insbesondere im Januar 1787, August 1798, 1811, November 1820, Oktober 1821, 1826, September–November 1831 und Januar/Februar 1832, wobei zuletzt Ottilie ihm vorlas. Dennoch hinterließ Plutarch, an dem G. weniger die heroische Größe als die milde Toleranz ansprach, nur geringe Spuren in G.s Werk, so in den *Zahmen Xenien* (»Was hat dich …«), den *Maximen und Reflexionen* (399, 1191), der *Geschichte der Farbenlehre* und in *Julius Caesars Triumphzug, gemalt von Mantegna.* Die von F. A. Wolf entliehenen Übersetzungen von Plutarchs *Moralischen Abhandlungen* (1783–1800) und *Vergleichenden Lebensbeschreibungen* (1799–1806) durch F. J. Kaltwasser, die er am liebsten gar nicht zurückgeben wollte (an F. A. Wolf 28. 9. 1811), waren G.s Begleitlektüre während der Niederschrift von *Dichtung und Wahrheit* (*Tag- und Jahreshefte* 1811). Plutarchs Marcellus-Biographie (20,3) und die Schrift über den Verfall der Orakel (Kap. 22) inspirierten im *Faust II* das dann selbständig ausgeführte Motiv der →*Mütter* als Gottheiten (zu Eckermann 10. 1. 1830).

E. Grumach, G. und die Antike, II 1949; W. Schadewaldt, G., P. und Sophokles, DVJ 35, 1961, auch in ders., G.studien, 1963.

Plutonismus →Neptunismus

Plutus (Plutos). In der Maske des griechisch-römischen Gottes des Reichtums erscheint Faust im Mummenschanz am Kaiserhof (*Faust II*, 1, v. 5520–5986) auf einem vom Knaben Lenker (Poesie) gelenkten, von Drachen als Schatzhütern gezogenen prächtigen Gefährt, auf dessen Schlag hinten Mephisto als die Geiz hockt. Der sie ankündigende Herold vermag die allegorischen Masken nicht zu benennen und kann sie nur beschreiben; auch der Text gibt keinen direkten Aufschluß (vgl. zu Eckermann 20. 12. 1829).

U. Maché, G.s Faust als P. und Dichter, JFDH 1975; F. Möbus, Des P. zwiefache Rede, ZDP 107, Sonderheft 1988.

Poërio, Alessandro (1802–1848). Der italienische Schriftsteller und Übersetzer von G.s *Iphigenie* besuchte G. in Weimar am 2., 4. und 20. 10. 1825 und am 5., 12., 13., 14. 2. sowie am 22. 6. 1826.

Poesie →Lyrik

Pößneck. Die thüringische Industriestadt war Poststation auf dem Weg von Weimar/Jena nach und von den böhmischen Bädern, in der G. auf seinen Reisen nach Böhmen stets Mittagsrast machte oder auch im »Goldenen Löwen« übernachtete (2. 7. 1795, 7./8. 8. 1806, 12./13. 5. 1808, 16./17. 5. 1810, 1. 7. 1811, 23. 7. und 16. 9. 1818, 26. 8. und 28. 9. 1819, 23. 4. und 31. 5. 1820, 26./27. 7. und 15. 9. 1821, 16./17. 6. und 26./27. 8. 1822, 27./28. 6. und 12./13. 9. 1823). Historische und sachliche Parallelen mit dem Schauplatz von *Hermann und Dorothea*, z. B. die Tagebucheintragung vom 2. 7. 1795 und *Hermann und Dorothea* III,13–39, gaben seinerzeit Anlaß zu der Vermutung, Pößneck sei deren Schauplatz. Vgl. dagegen zu Eckermann 27. 12. 1826.

C. J. Kullmer, P., 1910 u. ö.; M. Görler, G. in P., 1922 u. ö.

Poetik. Nach den frühen, für den Praktiker sehr wenig ersprießlichen Erfahrungen mit den regelsetzenden Poetiken und poetologischen Schriften von Aristoteles, Horaz, Corneille, Gottsched, Bodmer, Breitinger, Sulzer u. a. (*Dichtung und Wahrheit* II,7) enthält sich G. weitgehend der schriftlichen Fixierung seiner Gedanken zur Poetik. Nur die gelegentlichen gattungspoetischen Äußerungen zur →Ballade und zur →Novelle, der Absatz über »Naturformen der Dichtung« in den *Noten und Abhandlungen* sowie die spät publizierten Aufsätze →*Über epische und dramatische Dichtung* (mit Schiller, 1827) und →*Nachlese zu Aristoteles' Poetik* (1827) mit Gedanken zur →Katharsis gehen auf grundsätzliche Fragen der Dichtungstheorie ein.

D.-M. Noé-Rumberg, Naturgesetze als Dichtungsprinzipien, 1993.

Poetische Gedanken über die Höllenfahrt Jesu Christi. Die erste gedruckte Dichtung G.s, 1764/65 »auf Verlangen entworfen«, wurde nach G.s Weggang nach Leipzig 1766 ohne seine Zustimmung von Freunden in der Frankfurter Zeitschrift *Die Sichtbaren* (12, 1766) zum Druck gebracht, sehr zu seinem Verdruß (an Cornelia 12. 10. 1767). Die Ode hat sich jedoch daher als einzige einer verlorenen handschriftlichen Sammlung geistlicher Lieder von 1765 erhalten. Angelehnt an Gedichte wie A. Schlegels *Der Gottesleugner* (1745) und J. A. Cramers *Ode auf das Leiden Christi* (1758), zeigt sie nicht mehr als G.s formale Beherrschung der rhetorischen Formeln und biblischen Bilder konventioneller geistlicher Lieder des Spätbarock. Als Eckermann G. den einzigen erhaltenen Erstdruck aus dem Nachlaß seines Dieners Ph. F. Seidel am 16. 2. 1826 wieder vorlegte, betrachtete G. das vergessene Werk sarkastisch: »Das Gedicht ist voll orthodoxer Borniertheit und wird mir als herrlicher Paß in den Himmel dienen« (zu Soret/Eckermann 17. 3. 1830).

L. Blume, Das Vorbild zu G.s ältestem Gedichte, ChWGV 3, 1889.

Pogwisch, Henriette Ottilie Ulrike, Freifrau von, geb. Gräfin Henckel von Donnersmarck (1776–1851). Die geschiedene Gattin des preußischen Majors von Pogwisch kam 1809 durch die Vermittlung ihrer Mutter, Ottilie Gräfin →Henckel von Donnersmarck, als Hofdame der Herzogin Louise nach Weimar. Sie gründete dort eine Französische Lesegesellschaft. Mutter von G.s Schwiegertochter Ottilie von →Goethe, besuchte sie diese und ihre Enkel öfter im Haus am Frauenplan.

S. Kaufmann, H. v. P. und ihre Französische Lesegesellschaft, 1994.

Pogwisch, Ottilie von →Goethe, Ottilie von

Pogwisch, Ulrike Henriette Adele Eleonore von (1804–1875). Die jüngere Schwester von G.s Schwiegertochter Ottilie von G. kam 1809 mit ihrer Mutter Henriette von →Pogwisch nach Weimar, teilte dort die recht sorglose Erziehung und die Geselligkeit der Schwester und besuchte mit dieser erstmals am 4. 10. 1812 G. Sie lebte nach Ottilies Heirat oft monatelang als »Tantchen«, Haus- und Tischgast im Goethehaus. Hübsch, natürlich, lebhaft und schwatzhaft, plauderte sie einem amüsierten G. den Klatsch und die »Geheimnisse des Hofs, der Stadt, der Zimmer und Kammern, der Säle und Gallerien« aus (Briefkonzept an Ottilie Januar 1824) und wußte seine väterliche Anteilnahme zu gewinnen. Nach einem Sturz auf dem Tanzparkett mit Gehirnerschütterung litt sie zusehends an Migräne, Depressionen und Melancholie. August von G. arrangierte 1828 ihren Umzug in die Wohnung der Mutter, wo sie bis zu deren Tod 1850 lebte. 1859 ging sie als Konventualin, 1864 Priorin des adligen Fräuleinstifts St. Johannis nach Schleswig, baute sich auf dem Klostergrund ein kleines Haus und sah dort Ottilie und deren Söhne als Gäste.

Pohl, Johann Baptist Emanuel (1782–1834). Der Prager, dann Wiener Professor für Botanik, der 1817–20 mit C. F. Ph. von →Martius eine Forschungsreise in Brasilien gemacht hatte, besuchte G. mit dem Grafen von Sternberg und J. J. von Berzelius am 30./31. 7. 1822 in Eger, wo man am 30. 7. gemeinsam den →Kammerberg bestieg.

Polarität. Innerhalb von G.s dynamischer Naturphilosophie und Weltanschauung allgemein kommt dem Begriff der Polarität oder des Gegensatzes von Extremen, den er in fast allen Lebenserscheinungen wiederfindet, neben dem der Steigerung als konstituierendem Prinzip eine zentrale Bedeutung zu. Ausgehend vom alchemistisch-theosophischen Schrifttum über die Philosophie von Kant und Herder bis zu Schelling und den Naturphilosophen seiner Zeit entwickelt G. den Begriff besonders im Anschluß an magnetische und elektrische Erscheinungen der Polarität und wendet ihn schließlich über die Naturerscheinungen hinaus auch auf die Doppelnatur des Menschen und auf das künstlerische und geistige Leben an. Die nur scheinbar simplistische Auffassung führt im literarischen Bereich keineswegs zur Schwarz-Weiß-Zeichnung, sondern zur intensiveren Auslotung des Graufeldes und seiner Möglichkeiten in abgestuften Figurenkonstellationen (*Egmont*, Faust-Mephisto, *Wahlverwandtschaften* u. a.). Die Liste der Beispiele in den am 2. 10. 1805 als Einleitung physikalischer Vorlesungen niedergelegten Gedanken zur *Polarität* läßt sich erweitern: Systole und Diastole (Ein- und Ausatmen), Leib und Seele, Geist und Materie, Licht und Finsternis, Anziehen und Abstoßen, Vereinigung und Trennung, Liebe und Haß, Natur und Kunst, Gut und Böse, Zwei Seelen (*Faust* v. 1112) u. a. m. Weitere Ausführungen G.s in der *Campagne in Frankreich* (Pempelfort, November 1792), im Vorwort zur *Farbenlehre,* den *Maximen und Reflexionen* (429, 571, 1254 u. a.), ferner an Sömmering 2. 7. 1792, an Schweigger 25. 4. 1814, an F. von Müller 24. 5. 1828 (= Erläuterung zum Aufsatz *Die Natur*) u. a.

E. A. Boucke, G.s Weltanschauung, 1907; H. J. Meessen, G.s P.sidee und die Wahlverwandtschaften, PMLA 54, 1939; F. Schmidt, Die P. in der Menschengestaltung G.s, Die Sammlung 4, 1949; C. H. Cardinal, Polarity in G's Faust, PMLA 64, 1949; C. Riemann, P. bei G., WZ Jena 4, 1954 f.; R. C. Zimmermann, G.s P.sdenken im geistigen Kontext des 18. Jahrhunderts, SchillerJb 18, 1974; J. Teller, Totalität, P., Steigerung, in: G. und die Wissenschaften, hg. H. Brandt 1984; H. G. Degner, P., Steigerung und Metamorphose in G.s Naturanschauung, 1984.

Polen. G.s Beziehungen zu Polen sind durchaus sporadisch. Den ersten Polen begegnete G. 1765 in Leipzig (*Dichtung und Wahrheit* II,6). 1772 rezensierte er J. F. Behrs *Gedichte eines polnischen Juden.* Auf der Reise mit Carl August nach Schlesien besuchte er bei einem Ausflug nach Polen Anfang September 1790 Czenstochau, Krakau und das galizische Wieliczka. Die drei polnischen Teilungen von 1772, 1793 und 1795 und der polnische Aufstand von 1830/31 hinterlassen in seinem Werk kaum Spuren. Nur ein um 1795 entstandener, erst postum gedruckter Aufsatz *Vorschlag zur Einführung der deutschen Sprache in Polen* nimmt auf das Sprachproblem der Preußen angegliederten Landesteile Polens Bezug, das durch Aufführungen erzieherisch beispielhafter deutscher Familiendramen durch deutsche Schauspieltruppen gemildert werden könne. In den böhmischen Bädern, zumal im August 1823 in Eger, kam G. mit mehreren polnischen Adligen in Kontakt; in Marienbad faszinierte ihn 1823 die polnische Pianistin M. Szymanowska, und die polnischen Schriftsteller A. Mickiewicz und A. E. Kozmian besuchten ihn 1829 bzw. 1830 in Weimar.

G. Karpeles, G. in Polen, 1890; S. Wukadinovic, G. und P., Krakau 1930; J. v. Twardowski, G. und P., JGG 19, 1933; W. Lednicki, G. and the Russian and Polish romantics, CL 4, 1954; N. Honsza, Polnische Persönlichkeiten bei G., Deutsch-polnische Hefte 7, 1964; F. Witczuk, G.s polnische Bekanntschaften, WB 16, 1970; J. Hennig, G.s P.kunde, AfK 65, 1983, auch in ders., G.s Europakunde, 1987.

Polignac, Melchior de (1661–1741). Der französische Kardinal, Diplomat Ludwigs XIV., 1724–32 Gesandter in Rom und dilettierender Naturforscher, nimmt in seinem Lehrgedicht *Anti-Lucretius* (1745), das G. im Januar 1810 las, nicht deutlich genug gegen Newton Stellung und erhält daher in der *Geschichte der Farbenlehre* keine gute Note.

Politik. Mit seiner →amtlichen Tätigkeit als Minister und Staatsmann im Herzogtum Sachsen-Weimar-Eisenach betrat G. die politische Bühne eines deutschen Kleinstaats und wirkte innerhalb seines beschränkten Ressorts durch überschauende und vernünftige Problemlösungen in Finanzsachen, Militärhaushalt, Steuern, Straßen- und Bergbau wie Bildungspolitik verdienstvoll und segensreich. In seinen allgemeinen politischen Anschauungen verstand er sich als Patrizier und Befürworter der ständisch gegliederten Gesellschaft des Ständestaats (an Zelter 17. 9. 1831) und als konstitutioneller Monarchist bzw. Royalist (»Warum ich Royaliste bin …«; zu Eckermann 25. 2. 1824), jedoch durch seinen Dienst bei einem guten Fürsten keineswegs als devoter und kritikloser →Fürstendiener (ebd. 27. 4. 1825). Weniger sein Minister- als sein Dichterrang brachte ihn in Kontakt mit zahlreichen führenden politischen Köpfen seiner Zeit. Prinzipiell Legitimist und Gegner gewaltsamer Umwälzungen, die er jedoch als Naturvorgänge und unabwendbares Schicksal verstand, war er Feind der →Französischen Revolution und ihrer deutschen Nachahmer (Klubisten, Wartburgfest, Julirevolution), des haltlosen Politisierens der Menge, politischer Agitation und irrationaler patriotischer Begeisterung gegen den verehrten Napoleon (→Freiheitskriege) und unterstützte von daher die Restauration Metternichs. Mit zunehmender, durch seine wachsende Einflußlosigkeit verstärkter Resignation wuchs in späteren Jahren seine Abneigung gegen die Politik allgemein, sein Abscheu vor Parteilichkeit und Parteienstreit und vor dem politischen Engagement in der Dichtung, die deren freie Geistigkeit und Weltoffenheit ruiniere. In politisch unruhigen und aufregenden Zeiten zog er sich daher gern auf literarisches und wissenschaftliches Schaffen zurück, das politische Ereignisse nur als Randerscheinungen berührte. Trotzdem hat sein vielseitiges und umfangreiches Werk noch fast jeder politischen Richtung Schlagworte für ein einseitig-parteiliches G.bild geliefert.

F. H. Reinsch, G's political interests prior to 1787, California 1923; P. Honegger, Il pensiero politico e sociale di G., Turin 1924; H. Buddensieg, G.s Verhältnis zu Staat und P., Ständisches Leben 2, 1932; F. S. Sethur, G. und die P., PMLA 51–52, 1936 f.; W. Kunz, G. und das Politische, 1938; W. Mommsen, Die politischen Anschauungen G.s, 1948;

F. Krennbauer, G. und der Staat, 1949; H. Haußherr, G.s Anteil am politischen Geschehen seiner Zeit, Goethe 11, 1949; E. v. Hippel, G.s politische Grundanschauungen, in: Um Recht und Gerechtigkeit, Festschrift E. Kaufmann, 1950; E. G. Gudde, G. und die politische Dichtung, MDU 44, 1952; H. Tümmler, Aus G.s staatspolitischem Wirken, 1952; H. Tümmler, G. in Staat und P., 1964; O. Badelt, Das Rechts- und Staatsdenken G.s, 1966; F. J. Lamport, Entfernten Weltgetöses Widerhall, PEGS 44, 1973 f.; H. Tümmler, G. als Staatsmann, 1976; E. Krippendorff, G. und die P., DU 39, 1987; ders., Wie die Großen mit den Menschen spielen, 1988; G. A. Craig, Die P. der Unpolitischen, 1993.

Polo, Marco (1254–1324). Mit dem Reisebericht des Venezianers von seiner Reise bis nach China 1271–92 *Il Milione* befaßte sich G. wiederholt, zuerst am 31. 8. 1809, dann im Zuge seiner Chinastudien im Oktober 1813 und wieder im April/Mai 1819; ihm widmet er ein Kapitel in den *Noten und Abhandlungen.*

Polygnot (um 450 v. Chr.). Von dem im Altertum hochgeschätzten griechischen Maler lieferte Pausanias (X,25/31) eine detaillierte, aber unanschauliche Beschreibung seiner Wandgemälde im Innenhof der Lesche (Versammlungsort) der Knidier in Delphi: Zerstörung Trojas und Odysseus in der Unterwelt. Einen frei imaginierten Rekonstruktionsversuch unternahmen die Brüder Friedrich und Christian Riepenhausen (1786–1831 bzw. 1788–1860) in zunächst zwölf Bleistiftumrissen im Stil Flaxmans, die sie im September 1803 an G. sandten und die 1803 in Weimar ausgestellt wurden. Im Anschluß daran gab G. in seinem im September–Dezember 1803 entstandenen Aufsatz *Polygnots Gemälde in der Lesche zu Delphi (Jenaische Allgemeine Literaturzeitung* 1. 1. 1804) eine ausführliche, deutende Beschreibung der Gemälde (*Tag- und Jahreshefte* 1803), die ähnlich dem späteren Aufsatz *Philostrats Gemälde* als Anregung für die zeitgenössische Kunst zur Neuorientierung an der Antike dienen sollte. Die Publikation (1805) von 16 Umrißstichen der Brüder Riepenhausen, deren erläuternder Text die griechische Kunst gegenüber der christlichen abwertete, veranlaßte Meyer und G. zu einer scharfen Stellungnahme gegen die mittlerweile zur Romantik der Nazarener und zum Katholizismus konvertierten Zeichner (*Jenaische Allgemeine Literaturzeitung* 1. 7. 1805). Spätere weitere Zeichnungen (1829 publiziert) fanden im September 1827 wieder G.s Anerkennung.

H. Nahler, G.s Aufsatz über P., Goethe 28, 1966; E. Osterkamp, Im Buchstabenbilde, 1991; G. und die Kunst, hg. S. Schulze 1994.

Pomona. Die römische Göttin des Herbstes steht in G.s Lyrik und Maskenzügen mehrfach als Allegorie oder Personifikation des Herbstes.

Pompeji. Die am 24. 8. 79 n. Chr. beim Ausbruch des Vesuvs unter Bimsstein und Asche begrabene, seit 1748 wiederentdeckte und zunächst wild, ab 1755 systematisch ausgegrabene römische Provinzstadt besuchte G. am 11. 3. 1787 mit Tischbein. Er besichtigte die

wenigen damals freigelegten Teile, war zunächst über die »Enge und
Kleinheit« des Wohngebiets verwundert, interessierte sich für die
Wandmalereien mit phantastischer Scheinarchitektur, Ornamenten,
Arabesken (Aufsatz *Arabesken*, 1789) und figürlichen Darstellungen
und amüsierte sich über die »Kunst- und Bilderlust eines ganzen
Volkes«, verhehlte jedoch nicht »den wunderlichen, halb unange-
nehmen Eindruck dieser mumisierten Stadt« (*Italienische Reise* 11.
und 13. 3. 1787). Ausgrabungsfunde sah er am 16. 3. 1787 in Portici
(ebd. 18. 3. 1787). Sein Interesse an authentischen antiken Malereien sollte über Jahrzehnte bis zum Lebensende anhalten. Am
7.–15. 9. 1827 legte ihm der Maler und Architekt Wilhelm →Zahn
bei einem Besuch in Weimar seine Durchzeichnungen pompejanischer Wandmalereien vor, von denen G. sich neue Impulse für eine
klassizistische Kunst versprach. Zahns Tafelwerk *Die schönsten Ornamente und merkwürdigsten Gemälde aus Pompeji, Herculanum und Stabiä*
(1828 ff.) nahm er in einer Voranzeige (*Über Kunst und Altertum*
VI,2, 1828) und in einer eingehenden Rezension (Wiener *Jahrbücher der Literatur* 51, 1830) zum Anlaß, es zeitgenössischen Innen-
dekorateuren als Vorbild zu empfehlen. Am 6. 3. 1832 übersandte
Zahn u. a. Durchzeichnungen der seit 7. 10. 1830 in Anwesenheit
August von G.s freigelegten »Casa di G. « (heute »Casa del fauno«)
und des Alexandermosaiks (Tagebuch 7. 3. 1832; an Zahn 10. 3.
1832). Im April 1827 besprach J. H. Meyer mit Zusätzen G.s die
Kopien pompejanischer Wandgemälde des Potsdamer Malers
F. W. Ternite (*Sendungen aus Berlin*, in *Über Kunst und Altertum* VI,1,
1827), die Ternite z. T. G. verehrte (an Zelter 10. 4. 1827, 19. 10.
1829).

B. v. Hagen, P. im Leben und Schaffen G.s, Goethe 9, 1944; W. Leppmann, G. und die
pompejanische Tradition, GQ 37, 1964, auch in ders., In zwei Welten zu Hause, 1989.

Pontinische Sümpfe. Durch die Pontinischen Sümpfe, gefährlich
wegen der Malaria, die man damals der Sumpfluft (mal aria) zuschrieb, reiste G. am 23. 2. 1787 auf dem Weg von Velletri nach
Fondi. Dabei interessierte ihn als Leiter der Weimarer Wege- und
später Wasserbaukommission besonders der nach vielen Vorgängern
erneut von Papst Pius VI. unternommene Versuch einer Trocken-
legung der versumpften Lagune durch Entwässerungskanäle. Das
Erlebnis mag sich auch auf die Beschreibung des Deich- und
Kanalbaus im *Faust II* ausgewirkt haben.

Pope, Alexander (1688–1744). Der in G.s Jugend einflußreiche
englische Popularphilosoph und Schriftsteller der Aufklärung war
G. wohl schon aus der väterlichen Bibliothek vertraut. Verse Popes
zitiert er im Brief an Cornelia vom 12. 12. 1765, den markanten
Satz aus Popes *Essay on man* übernimmt Ottilie in ihr Tagebuch
(*Wahlverwandtschaften* II,7 am Ende). Aus G.s Freundeskreis imitierte
J. A. Horn Popes komisches Epos *The rape of the lock*, und J. G.

Schlosser schrieb ein Gegenstück zu Popes *Essay on man* (*Anti-Pope*, 1766, Druck 1776; *Dichtung und Wahrheit* II,6 und 7).

Pordenone →Bordone, Paris

Porta, Giambattista della (um 1535–1615). Mit der Schrift *Magia naturalis* (1558, verändert 1589) des reichen neapolitanischen Adligen, Naturforschers und Alchemisten, die u. a. eine Camera obscura beschreibt, befaßte sich G. im Dezember 1800 und Januar/Februar 1809. Die *Geschichte der Farbenlehre* gibt eine treffende Charakteristik des Forschers.

Porth, Friederike Margaretha (1777–1860). Die »anmutige« Tochter des Schauspielers Johann Porth kam 1793 an das Weimarer Theater und brillierte vor allem 1794 als Gurli in Kotzebues *Die Indianer in England*, als Turandot und Maria Stuart. Sie heiratete 1793 den Schauspieler Heinrich Vohs (*Tag- und Jahreshefte* 1793, 1794), ging 1802 mit ihm nach Stuttgart und gastierte 1817 von Dresden aus wieder in Weimar.

Portici. Das 1738–52 erbaute Palazzo Reale von Portici bei Neapel wurde durch die dort aufgestellte Sammlung der Ausgrabungsfunde aus Pompeji und Herculaneum als »Herkulanisches Museum« zum Zentrum der Antikeforscher. G. besichtigte es am 18. 3. 1787 mit Tischbein und wiederholt in der 2. Maihälfte 1787 (*Italienische Reise* 18. 3. und 1. 7. 1787). Die Sammlungen wurden 1790 nach Neapel überführt und im späteren Museo Nazionale zusammengefaßt.

Portius (Porzio), Simone (1497–1554). Der Philosophielehrer in Padua, Pisa und Neapel veröffentlichte 1548 eine lateinische Übersetzung der Theophrast (oder Aristoteles) zugeschriebenen Schrift *Über die Farben* (*De coloribus*) mit einem philologischen, nicht naturwissenschaftlichen Kommentar, ferner 1550 eine Abhandlung über die Augen *De coloribus oculorum*. G. befaßte sich besonders 1798/99, 1801 und Dezember 1808–Januar 1809 mit ihm und widmet ihm ein Kapitel in der *Geschichte der Farbenlehre*.

Porträts Goethes. Von dem in der bildenden Kunst am häufigsten dargestellten deutschen Dichter existieren über 100 Porträts als Ölgemälde, Aquarelle, Tusch-, Kreide- und Bleistiftzeichnungen, Kupferstiche, Radierungen, Büsten, Reliefs, Medaillons, Denkmünzen und Denkmalsentwürfe, viele davon in mehreren Versionen, Kopien, Repliken oder Abgüssen, die meisten nach der Natur und persönlicher Anschauung oder lebendiger Erinnerung, andere im Anschluß an bereits vorhandene Vorlagen. Die bekanntesten zu G.s Lebzeiten entstandenen Porträts sind in annähernd chronologischer Folge:

Johann Conrad Seekatz: Die Familie G., Ölgemälde 1762

Johann Daniel Bager, Ölgemälde 1773

Goethe: Selbstporträt im Frankfurter Mansardenzimmer. Bleistiftzeichnung 1768/70

Georg Friedrich Schmoll, 2 Kreidezeichnungen 1774 (danach die anonymen Kupferstiche in Lavaters *Physiognomischen Fragmenten* Bd. 3, 1777 und 1787)

Johann Peter Melchior, Gipsrelief 1775

Heinrich Boltschhauser, Denkmünzen 1775–78

Georg Melchior Kraus: G. mit einer Silhouette, Ölgemälde 1775/76

Georg Melchior Kraus, Kreidezeichnung 1776

Johann Ehrenfried Schumann: G. mit einer Silhouette, Ölgemälde 1778 (nach G. M. Kraus, für G.s Mutter)

Gottlieb Martin Klauer, Kalksteinbüste 1778/79

Georg Oswald May, Ölgemälde 1779

Georg Oswald May, Pastell 1779

Jens Juel, Bleistiftzeichnung 1779

Johann Heinrich Lips, Kreide- und Tuschzeichnung 1779

Heinrich Pfenninger, Bleistiftzeichnung 1779

Georg Melchior Kraus: G. als Orest und C. Schröter als Iphigenie, Ölgemälde 1779

Gottlieb Martin Klauer, Gipsbüste 1780

Johann Peter Melchior, Gipsrelief 1785

Joseph Friedrich August Darbes, Ölgemälde 1785

Johann Heinrich Wilhelm Tischbein: G. in der Campagna, Ölgemälde 1786–88

Johann Heinrich Wilhelm Tischbein: G. am Fenster seiner römischen Wohnung, Aquarell 1787

Johann Heinrich Wilhelm Tischbein, mehrere Zeichnungen und Skizzen zu G. in Rom, um 1787

Angelika Kauffmann, Ölgemälde 1787

Alexander Trippel, Marmorbüste 1787/88

Gottlieb Martin Klauer, Terracottabüste 1790

Johann Heinrich Lips, Kreidezeichnung 1791

Johann Heinrich Meyer, Aquarell um 1794

Georg Melchior Kraus: Tafelrunde bei Anna Amalia, Aquarell 1795

Friedrich Bury: G. als Theaterdirektor, Kreidezeichnung und Ölgemälde 1800

Friedrich Bury, Kreidezeichnung 1800

Christian Friedrich Tieck, Gipsbüste 1801 (drei Fassungen)

Ferdinand Jagemann, Ölgemälde 1806

Caroline Bardua, Ölgemälde 1806

Carl Gottlob Weißer, Gesichtsmaske 1807

Carl Gottlob Weißer, Büste 1807/08

Christian Friedrich Tieck, Kolossalbüste in Marmor für die Walhalla 1807/08

Friedrich Bury, Kreidezeichnung 1808

Gerhard von Kügelgen, Wachsrelief 1808
Gerhard von Kügelgen, Ölgemälde 1808/09
Carl Ludwig Kaaz, Ölgemälde 1809
Gerhard von Kügelgen, Ölgemälde (2.) 1810
Gerhard von Kügelgen, Ölgemälde (3.) 1810
Friedrich Wilhelm Riemer: G. auf der Straße, Bleistiftskizze um
    1810
Carl Joseph Raabe, Miniaturgemälde 1811
Louise Seidler, Pastell 1811
Carl Joseph Raabe, Ölgemälde 1814 und 1815
Johann Gottfried Schadow, Gesichtsmaske 1816
Johann Gottfried Schadow, Wachsrelief 1816
Johann Gottfried Schadow, Bronzemedaille 1816
Ferdinand Jagemann, Kreidezeichnung 1817
Ferdinand Jagemann, Ölgemälde 1818
George Dawe, Ölgemälde 1819
Christian Friedrich Tieck, Atempo-Büste 1820
Christian Daniel Rauch, Atempo-Büste 1820
Heinrich Kolbe, Ölgemälde 1822
Wilhelm Hensel, Zeichnung 1823
Johann Gottfried Schadow, Gipsbüste 1823
Bettina von Arnim, Denkmalsentwurf 1823/24
Christian Daniel Rauch, Entwürfe zum Frankfurter Denkmal
    1823–25
Carl Christian Vogel von Vogelstein, Kreidezeichnung 1824
Antoine Bovy, Denkmünzen 1824 und 1831 (nach Rauch)
Angelika Facius, Denkmünze 1825
Angelika Facius, Relief 1825–30
Heinrich Franz Brandt, Denkmünzen 1825/26
Heinrich Kolbe: G. vor dem Vesuv, Ölgemälde 1826
Julius Ludwig Sebbers, Miniaturbild auf einer Tasse 1826
Julius Ludwig Sebbers, Silberstiftzeichnung 1826
Julius Ludwig Sebbers, Ölgemälde 1826
Friedrich König und Gottfried Bernhard Loos, Denkmünzen 1826
Julie von Egloffstein, Ölgemälde 1826/27
Leonhard Posch, Relief 1827
Leonhard Posch, Büste 1827
Johann Joseph Schmeller: G. vor Rheinlandschaft, Ölgemälde 1827
Christian Daniel Rauch: G. im Hausrock, Statuette 1828
Joseph Carl Stieler, Ölgemälde 1828
Joseph Carl Stieler, Aquarell und Farbkreide, 1828
Pierre Jean David d'Angers, Relief 1829
Pierre Jean David d'Angers, Kolossalbüste in Marmor 1829–31
Johann Joseph Schmeller: G. im Arbeitszimmer, seinem Schreiber
    John diktierend, Ölgemälde 1831
Carl August Schwerdgeburth, Silberstiftzeichnung 1831
Carl August Schwerdgeburth, Tuschzeichnung 1831/32

Carl August Schwerdgeburth, Radierung 1832
Friedrich Preller: G. auf dem Totenbett, Bleistiftzeichnungen 1832
ferner: Schattenrisse von 1768–70,1772,1774,1780–83,1789

H. Rollett, Die G.-Bildnisse, 1883; F. Stahl, Wie sah G. aus, 1904 u. ö.; E. Schulte-Strathaus, Die Bildnisse G.s, 1910; E. Schaeffer, G.s äußere Erscheinung, 1914; F. Neubert, G. und sein Kreis, 1919; H. Wahl, G. im Bildnis, 1930; G. und die Kunst, hg. S. Schulze 1994.

Posch, Leonhard (1750–1831). Der Berliner Wachsbildner und Medailleur modellierte am 19.–27. 2. 1827 in Weimar ein Relief von G.s Kopf im Profil und schuf danach 1827 eine Eisenbüste.

Posillipo. Der aussichtsreiche Bergrücken westlich von Neapel wurde als Verkehrshindernis schon im 1. Jahrhundert durch einen langen, im 16. und 18. Jahrhundert erweiterten Tunnel umgangen; diese »Grotta Vecchia« besuchte G. am 27. 2. 1787, ohne das nahe ihrem Eingang gelegene Grab Vergils zu erwähnen (*Italienische Reise* 27. 2. 1787). Am Fuß des Posillipo lag Sir William →Hamiltons Sommerresidenz Villa Emma.

Positiones iuris. Nach der Ablehnung seiner kirchenrechtlichen →Dissertation *De legislatoribus* bewarb sich G. in Straßburg um die Promotion zum Lizenziaten der Rechte und wählte dazu die Möglichkeit, statt einer längeren Abhandlung ein gedrucktes Thesenpapier *Positiones iuris* (1771) mit 56 lateinischen Thesen zu aktuellen Rechtsfragen einzureichen, über die er am 6. 8. 1771 vor der Fakultät mit Lerse als Opponenten »cum applausu« disputierte (*Dichtung und Wahrheit* III,11). Unter den Thesen sind die interessantesten 41: das Jurastudium als das herrlichste Studium (ironisch?), 43/44: der Fürst als Quelle und Ausleger der Gesetze, 46: das Wohl des Staates als oberstes Gesetz, 53: Beibehaltung der Todesstrafe und 55: Hinrichtung von Kindesmörderinnen. Über welche und wie G. über die z. T. nur Themen andeutenden Thesen disputierte, ist nicht überliefert.

G. Schubart-Fikentscher, G.s 56 Straßburger Thesen, 1949; G. Radbruch, G.s Straßburger Promotionsthesen, in ders., Gestalten und Gedanken, 1944 u. ö.

Posselt, Johann Friedrich (1794–1823). Der Jenaer Professor für Mathematik und Astronomie war G.s Fachberater bei seinen meteorologischen Forschungen. Mit ihm beobachtete G. am 7. 9. 1820 von der Jenaer Sternwarte eine Sonnenfinsternis, und seiner Rezension von L. Howards *The climate of London* (II 1818) in den Heften *Zur Naturwissenschaft* (II,1, 1823) fügte G. einen Nachtrag an (*Tag- und Jahreshefte* 1820–22).

Potsdam. Auf seiner Reise nach Berlin mit Carl August besuchte G. bei sechsstündigem Aufenthalt in Potsdam am 15. 5. 1778 das Exerzierhaus, das Waisenhaus und das Schloß Sanssouci. Auf der

Rückreise von Berlin übernachtete er vom 20. bis 23.5. in Potsdam, besuchte am 21.5. wiederum Sanssouci, am 22.5. das Jagdschloß Stern, das Alte Schloß, die Garnisonskirche und die Gewehrfabrik und sah eine Parade.

H. Pröhle, G. in P. und Berlin, in ders., Abhandlungen über G., 1889; O. Pniower, G. in Berlin und P., 1925; →Berlin.

Poussin, Gaspard →Dughet, Gaspard

Poussin, Nicolas (1594–1665). Der seit 1620 meist in Italien arbeitende französische Hauptvertreter der klassizistischen Barockmalerei war für G. neben Claude Lorrain der zweite verehrte Meister pastoraler und heroischer Ideallandschaften und ihm von früh auf bekannt. Welche Originale G. etwa 1768 in Dresden, 1789 in Mannheim, 1779 in Kassel, 1786 in München, 1786–88 in Rom und 1787 in Neapel als Werke Poussins wahrnahm, ist angesichts vieler fraglicher Zuschreibungen und der bei Zeitgenossen üblichen Verwechslung mit dem Schwager Poussins, Gaspard →Dughet, der sich ebenfalls Poussin nannte, nicht ersichtlich. Auf jeden Fall war G. mehr an Poussins Landschaften als an seinen Historienbildern interessiert. In G.s Entwürfen zur Landschaftsmalerei hat Poussin seinen festen Platz. Für seine Dramen *Lila* und *Pandora* wünschte er Bühnendekorationen im Stil Poussins. Das zweite der in den *Wahlverwandtschaften* (II,5) nachgestellten »lebenden Bildern« betrifft Poussins »Esther vor Ahasverus«. G.s Graphiksammlung umfaßte 22 Kupferstiche und Radierungen nach Poussin, die er wiederholt mit Freunden betrachtete.

Pozzuoli. Am 1.3.1787 machte G. in Gesellschaft des Fürsten Christian August von Waldeck, Tischbeins u.a. von Neapel aus eine Wasserfahrt nach Pozzuoli (G.: »Puzzuol«) im Westen des Golfs von Neapel und zum naheliegenden, halberloschenen Vulkan (→Solfatara; Zeichnung G.s) und sah dabei nördlich von Pozzuoli die Überreste des seit 1750 freigelegten Tempels des Jupiter Serapis (um 200 n.Chr.), dessen Säulen einmal unterhalb des Meeresspiegels gestanden haben mußten (*Italienische Reise* 1.3.1787). Nach der Sizilienreise kehrte er am 19.5.1787 (Tagebuch) zum Tempel zurück, um sich das geologisch interessante Phänomen zu erklären. Da ihm jedoch eine zeitweilige lokale Erdkrusten- absenkung nicht vorstellbar war, führte er in dem am 9.2.–27.4.1823 entstandenen Aufsatz *Tempel zu Puzzoul* (*Zur Naturwissenschaft* II,1, 1823) die Wasserspuren fälschlich auf einen Binnensee zurück.

Praetorius, Johannes, eigentlich Hans Schultze (1630–1680). Der Leipziger Magister und marktorientierte Kompilator erfolgreicher Sachbücher besonders zum Dämonen-, Gespenster- und Volksaberglauben lieferte in seinem Sammelwerk *Anthropodemus Plutonicus*

(II 1666 f.) den Stoff für G.s Ballade *Die Braut von Korinth* und in *Blockes-Berges Verrichtung* (1668) zahlreiche Züge des Hexen- und Teufelsglaubens für die »Walpurgisnacht« im *Faust I*.

A. Bartscherer, Der Anthropodemus Plutonicus als Faustquelle, GRM 6, 1914.

Preisaufgaben für bildende Künstler. In Erinnerung an ähnliche spontane Künstlerwettbewerbe in Rom und zur Erneuerung einer klassizistischen Kunstauffassung, Stilrichtung und Thematik in der zeitgenössischen bildenden Kunst stellten G. bzw. die →Weimarischen Kunstfreunde (G., Schiller, Meyer, Fernow) 1799–1805 alljährlich Themen aus der antiken Literatur und Mythologie, zumal aus Homer, zur Bearbeitung. Die Einsendungen sollten sich durch Einfachheit und Verzicht auf alles Überflüssige auszeichnen, wurden bis jeweils 25. 8. erbeten, im September in Weimar öffentlich ausgestellt (→Kunstausstellungen) und mit einem 1. und 2. Preis von 20 bzw. 10 Dukaten (später 125 Dukaten) bedacht. Nach der Besprechung des Plans mit Schiller am 22. 3. 1799 erfolgte die erste Ankündigung in der *Allgemeinen Zeitung* vom 29. 4. 1799, dann im Mai ausführlicher in den *Propyläen* (II,1, 1799), ebenda (III,1 und 2, 1800) auch G.s allgemeiner Bericht über die Kunstausstellung, Meyers Besprechung der Einsendungen und die neuen Preisaufgaben. Nach Einstellung der *Propyläen* wurden Ausstelllungsbericht, Meyers Besprechung der Einsendungen und neue Aufgaben jeweils am 1. 1. 1801–06 in der *Jenaischen Allgemeinen Literaturzeitung* veröffentlicht. Die Themen der Preisaufgaben waren: für 1799: Aphrodite führt Paris die Helena zu; für 1800: Hektors Abschied von Andromache und Raub der Pferde des Rhesus; für 1801: Achill auf Skyros und Der Kampf Achills mit den Flüssen; für 1802: Befreiung der Andromache durch Perseus und ein Thema nach Wahl (»lieber aus der Fabel als aus der Geschichte«); für 1803: Ulyß, der den Zyklopen hinterlistig durch Wein besänftigt, und Die Küste der Zyklopen nach homerischen Anlässen; für 1804: Das Menschengeschlecht, vom Elemente des Wassers bedrängt; für 1805: Thema nach Wahl aus dem Leben des Herkules. G.s Versuch einer Rücklenkung der Kunst seiner Zeit zur Antike fand nicht den erhofften Widerhall und scheiterte am Geschmackswandel der Zeit, an der dogmatischen Enge und der Einseitigkeit der gelehrten Themenwahl. Trotz gelegentlicher Beteiligung von Künstlern wie Ph. O. Runge, C. D. Friedrich, J. H. W. Tischbein und Ch. F. Tieck waren die meisten der maximal je 30 Einsendungen blutleere, akademische Illustrationen ohne künstlerischen Eigenwert, deren Mittelmäßigkeit G. nur aus der provinziellen Enge Weimars und seiner Isolation von aktuellen künstlerischen Entwicklungen optimistisch beurteilen konnte. G.s Aufsätze in diesem Zusammenhang mit ihrer Überbewertung von künstlerischer Gegenstandswahl und idealer Konzeption sind ein mitunter beklemmendes Zeugnis für die Enge seines Kunstverständnisses.

W. Scheidig, G.s P. f. b. K., 1958; E. Osterkamp, G.s P. f. b. K., in: G. und die Kunst, hg. S. Schulze 1994

Preisausschreiben →*Dramatische Preisaufgabe,* →Preisaufgaben für bildende Künstler

Preller, Ernst Christian Johann Friedrich (1804–1878). Der klassizistische Landschaftsmaler, 1818–21 Schüler der Zeichenschule in Weimar, trat zuerst 1821 in G.s Gesichtskreis, als dieser ihn mit Wolkenstudien nach Howard beauftragte und ihn bei seinen Naturstudien beriet. G. unterstützte seine Studienaufenthalte (mit Stipendien Carl Augusts) 1821–23 in Dresden, 1824–26 in Antwerpen, 1826–28 in Mailand und 1828–31 in Rom, wo August von G. in Prellers Armen starb. Am 4. 6. 1826 beim Abschied vor der Reise nach Italien verwies G. das »bedeutende Talent« auf Poussin und Claude Lorrain (zu Eckermann 5. 7. 1826). 1832 als Nachfolger Meyers Leiter der Weimarer Zeichenschule und Hofmaler, zeichnete Preller am 23. 3. 1832 »G. auf dem Totenbett«, sah jedoch auf Wunsch der Familie von der Verbreitung als Radierung ab und schuf stattdessen mehrere Wiederholungen.

A. Dürr, P. und G., Zeitschrift für bildende Kunst 17, 1882; O. Roquette, F. P., 1883; J. Gensel, F. P., 1904; J. Gensel, F. P. als Schützling G.s und Carl Augusts, in: Stunden mit G. 3, hg. W. Bode 1907; F. Radermacher, G.s letztes Bildnis, 1949; B. C. Witte, Der Italienmaler F. P., GJb 111, 1994.

Pressefreiheit. Das Herzogtum Sachsen-Weimar-Eisenach wurde durch die dort seit 1816 gesetzlich garantierte Pressefreiheit bis zu deren Aufhebung durch die Karlsbader Beschlüsse von 1819 eine Hochburg der freien Presse in Deutschland und geriet dadurch gelegentlich in Schwierigkeiten, so mit L. Okens Zeitschrift →*Isis* 1816–19 (vgl. an Carl August 5. 10. 1816) und H. →Ludens Zeitschrift *Nemesis* 1819. G., der die Karlsbader Beschlüsse begrüßte, war nicht zuletzt aus ästhetischen Gründen ein Gegner der absoluten Pressefreiheit und Befürworter einer Zensur, die vor direkten Grobheiten schütze und die sonst rasch platte Opposition zu indirekterem, geistreicherem Ausdruck ihrer Ideen zwinge (zu Riemer 24. 8. 1809, zu Eckermann 9. 7. 1827, 27. 3. 1831). Vgl. G.s amtliche Schrift *Über die Einführung der Zensur* vom 15. 4. 1799, *Maximen und Reflexionen* 679, 680, 972.

H. Ehrentreich, Die freie Presse in Sachsen-Weimar, 1907; H. Koch, Die Ausübung der Zensur durch die Universität Jena, Goethe 23, 1961; H. Tümmler, G., Voigt und die weimarische P., in ders., G. in Staat und Politik, 1964; W. Ogris, Verbietet mir keine Zensur!, in: Festschrift zum 125j. Bestehen der Juristischen Gesellschaft zu Berlin, 1984; H.-J. Koppitz, G.s Verhältnis zur Zensur, Gutenberg-Jahrbuch 61, 1986; W. Liersch, Die Censur in Weimar, NDL 37, 1989.

Preußen. G. weilte zwar nur selten, 1778 auf der Reise nach Potsdam und Berlin, 1780 auf der nach Schlesien und 1815 auf der durch die Rheinprovinz, länger auf preußischem Territorium, doch darüber hinaus gehörten etwa Teile des Harzes und mehrere von G. besuchte Städte wie Erfurt, Halberstadt, Halle, Köln, Magdeburg u. a. wenigstens zeitweilig zu Preußen. Er selbst war schon seit dem Siebenjährigen Krieg 1757–63 preußisch oder »fritzisch« gesinnt (*Dichtung und Wahrheit* I,3) und verehrte (trotz dessen Ablehnung des *Götz*) →Friedrich II. und dessen Nichte Anna Amalia, traf auch mit Friedrichs II. Bruder Prinz Heinrich und Friedrichs II. Neffen, den Prinzen August, Heinrich und Louis Ferdinand sowie den Königen Friedrich Wilhelm II. und Friedrich Wilhelm III. u. a. Mitgliedern des preußischen Königshauses zusammen. Durch den Beitritt Carl Augusts zum preußisch beeinflußten Deutschen Fürstenbund und dessen Dienst in der preußischen Armee, die Campagne in Frankreich und die Belagerung von Mainz sowie durch andere diplomatische und ministerielle Obliegenheiten geriet G. in vielfachen Kontakt mit führenden preußischen Staatsmännern, Diplomaten, Beamten und Militärs. Er bewahrte sich jedoch bei aller wohlwollenden Anerkennung der militärischen, diplomatischen, wirtschaftlichen und kulturellen Erfolge Preußens eine gewisse Abneigung gegen das betriebsame, besserwisserische und realistische Preußentum: »Es sind Preußen, die wollen immer alles besser wissen als andere Leute« (zu J. S. Grüner 11. 8. 1822).

E. Schaumkell, G. und das Preußentum, Zeitschrift für Politik 24, 1934.

Prévost d'Exiles, Antoine François, Abbé (1697–1763). Von dem französischen Romancier las G. 1763/64 während seiner Liebe zum Frankfurter →Gretchen den Roman einer pathologischen Leidenschaft *Histoire du chevalier des Grieux et de Manon Lescaut* (1743), der ihn »auf eine süß-quälende Weise in meinen hypochondrischen Torheiten« bestärkte. Während der Niederschrift der Gretchen-Episode für *Dichtung und Wahrheit* (I,5) beschäftigte er sich im Mai und August/September 1811 wiederholt mit dem Roman und plante, die Schilderung der Gretchen-Episode mit einer Zusammenfassung dieses Romans als Spiegelung seines Verhältnisses zu Gretchen zu schließen, unterdrückte dann jedoch die am 16. 5. 1811 bereits niedergeschriebene Passage, die ein anderes Licht auf das selbstquälerische Verhältnis und jugendliche Liebesträume wirft.

H. Remak, Manon Lescaut und die Gretchenepisode in Dichtung und Wahrheit, Goethe 19, 1957; S. Scheibe, G.s Inhaltsangabe von Manon Lescaut, Goethe 28, 1966.

Priapea. Unter den Kunstobjekten mit erotischer Thematik in G.s Sammlung – Stichen, Zeichnungen, Gemmen, Majolica und Kleinplastik – befindet sich eine Anzahl von Priapea, bildlichen Darstellungen des antiken Fruchtbarkeitsgottes Priapus mit erigiertem Phallus (vgl. *Römische Elegien* III) aus Antike und Renaissance. G.s Interesse an ihnen mag eher den ästhetisch gefälligen Lösungen des Kunstthemas als dem sinnlichen Anreiz gedient haben; zwei unterdrückte *Römische Elegien* (III und IV einer Handschrift von 1795)

eiern den Fruchtbarkeitsgott; weitere direkte Einwirkung auf G.s
Dichtungen (→Erotica) ist kaum nachweisbar.

Die Erotica und P. aus den Kunstsammlungen J. W. G.s, hg. G. Femmel u. a. 1990.

Primavesi, Johann Georg (1774–1855). Den Landschaftsmaler
und Radierer (»Der Rheinlauf«, 24 Blätter, 1819), Hoftheatermaler
in Darmstadt, ab 1822 Kassel, besuchte G. in Darmstadt am 11. 10.
1814 und 19. 9. 1815; er lobt sein Werk in *Kunst und Altertum an
Rhein, Main und Neckar.*

Principes de philosophie zoologique. Der Pariser Akademiestreit vom 15. 2.–5. 4. 1830 über die Entstehung der Arten zwischen der analysierenden Richtung von Georges Baron de →Cu-
vier und der synthetisierenden Richtung von Étienne Geoffroy de
Saint-Hilaire fand G.s stärkstes Interesse und erregte ihn angeblich
mehr als die Nachrichten der →Julirevolution (zu Soret 2. 8. 1830).
Daher nahm er die Rezension der den eigenen Standpunkt zusam-
menfassenden Schrift *Principes de philosophie zoologique* (1830)
Geoffroy de Saint-Hilaires zum Ausgangspunkt, ausführlich über
den Anlaß und die Standpunkte beider Parteien zu referieren.
Geoffroys These stand G. nach seiner Forschungsweise näher, doch
sieht er auch die Berechtigung der Gegenseite ein und plädiert für
ein gegenseitiges Geltenlassen. Die zweiteilige Abhandlung, die G.s
naturwissenschaftliches Werk abschließen sollte, entstand vom 27. 6.
1830 bis 11. 12. 1831 und erschien in den Berliner *Jahrbüchern für
wissenschaftliche Kritik* (Nr. 52/53 bzw. 51–53) im September 1830
und März 1832.

Th. Cahn, G.s und G. Saint-Hilaires anatomische Studien, JGG 22, 1960; G. Uschmann, G. und der Pariser Akademiestreit, in: Festschrift G. Harig, 1964; D. Kuhn,
Empirische und ideelle Wirklichkeit, 1967.

Prinzessinnengarten. 1818 erwarb die Großfürstin Maria Paulowna, vielleicht auf G.s Anregung, das Haus und den zierlich angelegten Garten des Theologieprofessors Griesbach in Jena, bei dem
G. oft verkehrt hatte, als Sommersitz für ihre Töchter, die Prinzessinnen →Maria und →Augusta, die spätere deutsche Kaiserin. Bei
seinen Aufenthalten in Jena kam G. oft aus seiner Wohnung im Gar-
tenhäuschen des angrenzenden Botanischen Gartens in den Prinzessinnengarten herüber, die Prinzessinnen mit Scherzen und Erzählungen zu unterhalten.

Problematische Naturen. G.s Bezeichnung meint Menschen,
»die keiner Lage gewachsen sind, in der sie sich befinden, und
denen keine genug tut«, die ihr Leben daher ohne Genuß im Widerstreit von Wollen und Tun verzehren (*Maximen und Reflexionen*
134, 473 f.). Ihre Bevorzugung in frühen Jahren erkannte G. als
einen Fehler (ebd. 212). Von G.s literarischen Figuren gehören besonders Weislingen (*Götz*) und Clavigo zu diesem Typus.

Prokesch-Osten, Anton, 1830 Ritter, 1871 Graf von (1795–1876). Der österreichische Offizier, 1818 Adjutant des Fürsten Schwarzenberg, später Diplomat, Forschungsreisender und Schriftsteller, besuchte am 25. 8. 1820 mit dem Grafen →Paar G. in Jena, wo dieser ihnen Schloß, Museen und Bibliothek zeigte und ihnen abends aus dem *Divan* vorlas.

A. Schlossar, G. und Graf A. P.-O., GJb 16, 1895.

Proktophantasmist →Nicolai, Christoph Friedrich

Prokurator-Novelle. G.s im März 1795 entstandene Novelle, innerhalb der →*Unterhaltungen deutscher Ausgewanderten* zuerst in Schillers *Horen* 1795 und 1808 in den *Werken* gedruckt, ist keineswegs, wie vielfach angenommen, eine bloße Übersetzung der 99. bzw. 100. Novelle aus der anonymen französischen Novellensammlung *Cent nouvelles nouvelles* (1482), die ihrerseits auf die lateinische *Marina*-Novelle des frühen 15. Jahrhunderts zurückgeht. Sie ist vielmehr eine durchaus freie Bearbeitung und psychologische Vertiefung der frivolen Vorlage, behält deren Handlungsgang zwar bei, gestaltet sie aber im einzelnen in den Monologen und Dialogen frei aus und gibt überdies der politischen Abstinenz der *Horen* und der *Unterhaltungen* ironischerweise soweit nach, daß sie eine »Revolution« in eine ganz private Krankheit der Titelfigur umfunktioniert. Ein 50jähriger italienischer Kaufmann rät seiner schönen jungen Frau vor seiner längeren Seereise, sich wenn schon, dann keinen leichtfertigen, sondern einen klugen und verschwiegenen Liebhaber zu wählen. Nach anfänglicher empörter Zurückweisung solch unmoralischen Verhaltens eröffnet sie schließlich doch einem jungen Prokurator diese Möglichkeit, vergreift sich jedoch in der Wahl: der weise Prokurator hat (angeblich?) für seine Genesung ein Fasten- und Enthaltsamkeitsgelübde getan, das ihm die eröffnete Chance verwehrt, dessen Frist aber, wenn beide sich in die Erfüllung des Gelübdes teilten, um die Hälfte verkürzt würde. Der Ausgang der pädagogischen Aktion ist absehbar: Das Fasten schwächt die junge Frau so sehr, daß sie ihren erotischen Absichten entsagt. Das Entsagungsmotiv verbindet die »moralische Erzählung« mit der anschließenden Novelle von Ferdinand und Ottilie im gleichen Zyklus.

J. Pfeiffer, Wege zur Erzählkunst, 1953; F. X. Braun, The merchant of Genoa in G's P., MLN 69, 1954; H. Brandt, Entsagung und Französische Revolution, Impulse 6, 1983; G. v. Wilpert, Revolution als Krankheit, Arcadia 26, 1991; H.-J. Ziegeler, Aronus, oder: Marina und Dagianus, in: Kleinere Erzählformen des 15. und 16. Jahrhunderts, hg. W. Haug 1993; H. J. Rindisbacher, Procurator or procreator, GYb 7, 1994; →Unterhaltungen deutscher Ausgewanderten, →Novellen.

Prologe. Aus G.s praktischer Theaterarbeit mit dem Weimarer Hoftheater ging neben mehreren Vor- und Nachspielen und Epilogen eine Reihe von Prologen hervor, die entweder besondere Anlässe im Theater, z. B. Eröffnungen oder Spielzeitbeginn feiern oder einzelnen Stücken vorangestellt wurden. Es sind in chronologischer Folge:

Prolog. Gesprochen den 7. Mai 1791. Zur Eröffnung des Weimarer Hoftheaters unter G.s Leitung mit Ifflands »ländlichem Sittengemälde« *Die Jäger,* gesprochen von Herrn Domaratius.

Prolog. Gesprochen den 1. Oktober 1791. Zur Eröffnung der neuen Spielzeit in Weimar, gesprochen von Madame Gatto.

Prolog zu dem Schauspiel Der Krieg von Goldoni. Gesprochen von Madame Becker, geb. Neumann, den 15. Oktober 1793. Verspätet zur Spielzeiteröffnung und gleichzeitig zur Rückkehr Carl Augusts und G.s von der Belagerung von Mainz.

Prolog zum Lustspiel Alte und neue Zeit von Iffland. Gesprochen von Madame Becker, geb. Neumann, im Charakter des Jakob. Den 6. Oktober 1794. Zur Spielzeiteröffnung am 7. 10. 1794 aufgeführt.

Prolog bei Wiederholung des Vorspiels in Weimar. Zur Wiederholung des zuerst bei der Eröffnung des neuen Schauspielhauses in Lauchstädt gespielten Vorspiels → *Was wir bringen* zur Spielzeiteröffnung in Weimar am 25. 9. 1802, gesprochen von Christiane Becker-Neumann.

Prolog bei Eröffnung der Darstellungen des Weimarischen Hoftheaters in Leipzig den 24. Mai 1807. Gesprochen von Madame Wolff. Zum ersten Gastspiel des Weimarer Theaters in Leipzig.

Prolog. Halle, den 6. August 1811. Zur Eröffnung des neuerbauten Theaters in Halle, in dem das Weimarer Theater im Sommer seither statt in Lauchstädt spielte. Entstanden 17.–26. 7. 1811 und von G. mit genauen Vortragsanweisungen versehen.

Prolog zur Eröffnung des Berliner Theaters im Mai 1821. Auf Wunsch des Grafen Brühl zur Eröffnung des von Schinkel neuerbauten Schauspielhauses als Prolog der Muse des Dramas am 27.4.–17. 5. 1821 entstanden, am 26. 5. 1821 vor einer Aufführung der *Iphigenie* gesprochen.

Prolog zu dem dramatischen Gedicht Hans Sachs, von Deinhardstein. Im Januar 1828 entstandener Prolog zu → *Hans Sachsens poetische Sendung,* die Graf Brühl als Einleitung einer Aufführung von Deinhardsteins Drama im Berliner Hoftheater am 13. 2. 1828 voranstellte.

V. W. Robinson, G's allegorical prologues, MLF 26, 1946; G. Marahrens, G.s Theaterreden, Diss. Freiburg 1958; Ch. Siegrist, Dramatische Gelegenheitsdichtungen, in: G.s Dramen, hg. W. Hinderer 1980.

Prolog im Himmel. Die dritte Vorgabe zum *Faust* (v. 243–353) vor Einsatz der eigentlichen Spielhandlung, wohl vor 1797 konzipiert, um 1800 entstanden und 1808 gedruckt, ist im Unterschied zur »Zueignung« und dem »Vorspiel auf dem Theater« integrierender Bestandteil des Dramas, indem es das Spiel auf der Bühne der Welt unter einen höheren Gesichtspunkt stellt. Er setzt den metaphysischen Rahmen für das gesamte Geschehen, gibt dem Thema

seine überindividuelle und überzeitliche Bedeutung als Qualitäts-
kontrolle der göttlichen Schöpfung und damit als Theodizee und
formuliert zugleich das Verhältnis von Gott zu Mephisto und
Mephisto zu Faust. Anregung bis in viele Einzelzüge hinein gab das
biblische Buch *Hiob* (I,6–12; vgl. zu Eckermann 18. 1. 1825), auf das
G. wohl durch eine Stelle in Pfitzers Faustbuch über die Rechte
Mephistos bei der Versuchung der Frommen geriet, doch ist die
dichterische Gestaltung durchaus eigenständig. Der Wechsel von er-
habenem und komisch-umgangssprachlichem Stil entspricht zwar
mehr dem Stil des *Faust I*, doch ist der *Prolog im Himmel* durchaus
Prolog der ganzen Faustdichtung und sollte ursprünglich durch
einen Epilog am Schluß aufgegriffen werden. Auf den feierlich-
erhabenen, oratorienartigen Preis der Elemente und der Sphären-
harmonie als Weltharmonie durch die Erzengel erscheint der gefallene Engel Mephisto als der Ankläger, Verneiner der Güte der
Schöpfung und jeder Aufwärtsentwicklung im Sinne einer Steigerung. Gottes höherer Einsicht und Weisheit stellt er seine beschränkte materialistische Weltsicht entgegen. Als Gott den Faust als
Exempelfall nennt, ist Mephisto zunächst über diese Wahl eines
außerordentlichen Falls verblüfft, bietet dann jedoch eine Wette an,
daß er Faust von seinem höheren Streben werde ablenken können.
Gott indessen nimmt die Wette mit keinem Wort an; er kennt seine
Geschöpfe besser, weiß, daß Streben auch den Irrtum impliziert
und kennzeichnet Mephistos Versucherrolle als die eines unruhe-
stiftenden Anreizers, der die Menschen vor selbstgefälliger Taten-
losigkeit und Trägheit des Herzens bewahrt. Mit der Mahnung an
die Erzengel, die ewigen Gesetze der Natur aufzuzeigen, entschwindet Gott, und der Schalk und quasi Hofnarr Mephisto behält
das letzte Wort. Das Thema einer »himmlischen« Erprobung der
Welt wirkte in der modernen Dramatik u. a. auf B. Brechts *Der
gute Mensch von Sezuan* und F. Dürrenmatts *Ein Engel kommt nach
Babylon*.

O. Pniower, Der P. i. H. in G.s Faust, NJbb 51, 1923; E. Grumach, Prolog und Epilog
im Faustplan von 1797, Goethe 14/15, 1952 f.; F. Bruns, Der P. i. H. in G.s Faust, MDU
45, 1953; W. Ross, Vorspiel auf dem Theater und P. i. H., WW 12, 1962; O. Hammels-
beck, Zum P. i. H. in G.s Faust, Neue Sammlung 3, 1963; J. Müller, Prolog und Epilog
zu G.s Faustdichtung, 1964, auch in ders., Neue G.-Studien, 1969; A. Binder, Es irrt der
Mensch so lang er strebt, GJb 110, 1993; →Faust.

Prolog zu den neuesten Offenbarungen Gottes, *verdeutscht
durch Dr. Carl Friedrich Bahrdt*. G.s kurze dramatische Farce, seine
letzte persönliche Satire, entstand Anfang 1774 und erschien spätestens im März 1774 anonym in Mercks Verlag. Sie wendet sich
gegen die verwässernde, im Zeitgeschmack modernisierte Sprache
und den platten Rationalismus von C. F. →Bahrdts Bearbeitung des
Neuen Testaments in den *Neuesten Offenbarungen Gottes in Briefen
und Erzählungen* (IV 1773 f.). Die vier Evangelisten in ihrer roh-
archaischen Gestalt mit ihren Symboltieren besuchen ihren ehr-

furchtlosen Verächter in seinem Studierzimmer, ergreifen jedoch vor seinem Versuch, ihnen eine kraftlose Sprache, stutzerhafte Kleidung und Lebensart aufzuzwingen, d. h. sie zu seichten Aufklärern umzufrisieren, die Flucht. Vgl. *Dichtung und Wahrheit* III, 13.

G. Sauder, G.s P. z. d. n. O. G., in: C. F. Bahrdt, hg. ders. 1992.

Prometheus (Stoff). In der griechischen Mythologie ist Prometheus (= der Vorausdenkende) ein Sohn des Titanen Japetos und der Klymene, Bruder des Atlas und des Epimenides und Vater des Deukalion. Er beteiligte sich mit geistigen Waffen und List am Kampf der Titanen gegen Zeus, überlistete diesen bei der Verteilung des Speiseopfers zugunsten der Menschen, brachte das ihnen von Zeus als Strafe entzogene Feuer wieder auf die Erde und wurde damit zu deren Wohltäter und Kulturbringer. (Eine jüngere Überlieferung macht Prometheus selbst zum Schöpfer des Menschengeschlechts aus Lehm und Wasser.) Daraufhin sandte Zeus den Menschen die unheilbringende →Pandora und ließ Prometheus an einen Felsen im Kaukasus schmieden, wo ihm ein Adler tagsüber die (nachts nachwachsende) Leber zerhackt. Erst nach langem Zögern verriet Prometheus Zeus das ihm von seiner Mutter anvertraute Geheimnis, wie er seinem drohenden Sturz entgehen könne (indem er Thetis nicht schwängerte), wurde schließlich von Herakles befreit und kam als Berater der Götter in den Olymp. Die rebellischste Figur der griechischen Mythologie, als Feuerbringer Schöpfer der Kultur, der Künste und Wohltäter der Menschheit, als Empörer gegen die inhumane, ungerechte Gewaltherrschaft Erlöser der Menschen von der Unterdrückung, als Trutzfigur später Wortführer eines Angriffs gegen die etablierte Religion, wurde besonders seit A. Shaftesbury (*Soliloquy*, 1710) zur Symbolfigur des Schöpferischen und damit des titanischen Aufbegehrens der Sturm und Drang-Genies gegen ein restriktives Ordnungssystem in Staat, Religion und Künsten. In diesem Sinn eines aufbegehrenden, selbstbewußten Schöpfertums, das das Schöpferische als gottgleich erachtet, durchzieht der Prometheus-Mythos das Werk des jungen und z. T. des klassischen G.: zuerst in *Zum Shakespeares-Tag* (1772) und *Von deutscher Baukunst* (1772) erwähnt, dann im →*Prometheus*-Dramenfragment (1773) und der →*Prometheus*-Hymne (1774) näher ausgestaltet, nebenher auch in Gedichten wie *Die Nektartropfen* (um 1781), *Ilmenau* (1783), *Die Geschwister* (vor 1786) u. a. behandelt. Auch die *Römischen Elegien* (IV, v. 15) und die *Achilleis* (v. 179, 593) spielen auf Prometheus an. Der Dramenplan →*Die Befreiung des Prometheus* (1795), von dem sich nur wenige Verse erhalten haben, ging schließlich in der *Pandora* (1806) auf, und aus dem himmelstürmenden Titanen wurde dort ein nüchterner, fleißiger Tatmensch und Nützlichkeitsfanatiker.

O. Walzel, Das P.symbol von Shaftesbury zu G., 1910 u. ö.; T. Uéda, Die Entwicklung der P.gestalt von der Antike bis zu G., Diss. Wien 1935; J. Fränkel, Wandlungen des P., 1910; K. Kerényi, P., 1946; L. Séchan, Le mythe de P., Paris 1951; K. Reinhardt,

P., in ders., Tradition und Geist, 1960; A. B. Wachsmuth, P. und Epimetheus im Selbstverständnis G.s, SchillerJb 7, 1963; R. Trousson, Le thème de P. dans la littérature européenne, Genf II 1964 f.; P. Grappin, G. et le mythe de P., EG 20, 1965; K. Eibl, Mehr als P., SchillerJb 25, 1981; E. Lämmert, Die Entfesselung des P., in: Literarische Symbolfiguren, hg. W. Wunderlich 1989; G. Gillespie, P. in the romantic age, in: European romanticism, hg. G. Hoffmeister, Detroit 1990; H. Nalewski, P. '82, GJb 108, 1991; K. Matthiesen, P., in: Mythen im Moderne und Postmoderne, hg. M. M. Helmes 1995; M. Wimmer, Der lahme P., 1997.

Prometheus. Dramatisches Fragment. Das Dramenfragment in zwei Akten in Freien Rhythmen entstand im Sommer/Herbst 1773 unter Heranziehung von Motiven aus Wielands Traumgespräch mit Prometheus (in *Beiträge zur geheimen Geschichte des menschlichen Herzens und Verstandes*, 1770) und B. Hederichs *Gründlichem mythologischen Lexikon*, das vor allem die von der Tradition abweichenden Versionen lieferte (Prometheus als Sohn von Jupiter und Juno, Pandora als Geschöpf des Prometheus, Minervas Hilfe bei der Belebung). Um den 10./11. 10. 1773 las G. die ersten beiden Akte G. F. E. Schönborn vor, doch dann brach er die Arbeit ohne Hinweis auf den geplanten (wohl tragischen) Ausgang ab und gestaltete im Herbst 1774 deren Essenz, Prometheus' Rebellion gegen die Götter, in der →*Prometheus*-Hymne. Das damit obsolet gewordene Manuskript des Fragments schenkte er später Ch. von Stein, vergaß es und hielt es 1813 bei der Abfassung der diesbezüglichen Partien von *Dichtung und Wahrheit* (III,15) für verschollen. 1819 tauchte aus dem Nachlaß von J. M. R. Lenz eine Abschrift auf; G. ließ das Fragment trotz Bedenken wegen seiner revolutionären Haltung in der »Ausgabe letzter Hand« (Bd. 33, 1830) drucken, schloß dabei jedoch die *Prometheus*-Hymne irrtümlich als vermeintlichen Eingangsmonolog des 3. Aktes an (an Zelter 11. 5. 1820). Die kurzen, streng stilisierten Einzelszenen leben weniger aus Figuren und Handlung als aus einer Reihe typischer, symbolischer Situationen ohne vorantreibendes Bühnengeschehen. Der in stolzer Isolation von seinem Vater Jupiter wie von den Titanen lebende Prometheus formt als einsamer Schöpfer Tongestalten nach seinem Bilde und versammelt sie wie seine Kinder um sich. Da Jupiter ihnen nur bei einer Unterwerfung des Prometheus Leben einhauchen will, führt Minerva ihn heimlich zum Quell des Lebens, der sie verlebendigt. Seither lebt Prometheus unter seinen Geschöpfen in einem von Gedanken Rousseaus geprägten Urzustand der Kultur, lehrt sie Hütten bauen und damit Eigentum schaffen, schlichtet ihre Streite um Besitz, heilt ihre Krankheiten, läßt sie in die Ordnungen hineinwachsen und ist mit ihnen trotz ihrer Unvollkommenheiten glücklich. Im Gespräch mit seinem liebsten Geschöpf Pandora erläutert er ihre Stellung im Rahmen der Natur zwischen Göttern und Tieren und erkennt die Spannungen zwischen den Widersprüchen und den Extremen der Erfahrung als menschliche Grundbefindlichkeit eines erfüllten Lebens. Das Ichbewußtsein der aus der Erfahrung eigener Macht hervorgegangenen Individualität

des schöpferischen Genies in seinem eigenen Wirkungskreis trotzt
dem Verlangen der Götter nach Unterordnung und erkennt keinen
Wesensunterschied zu ihnen an. Erst marxistischen Interpretations-
künsten blieb es vorbehalten, die Rebellion des seiner Kraft bewußten individuellen Schöpfertums gegen die Forderung religiöser
Unterwerfung materialistisch auf eine Rebellion des Bürgertums
gegen die Aristokratie zu verengen.

E. Schmidt, G.s P., in ders., Charakteristiken 2, 1901; F. Saran, G.s Mahomet und P.,
1914 u. ö.; C. Cierjacks, Gehalt und Gestalt von G.s P.fragment, Diss. Hamburg 1927;
J. Richter, Zur Deutung der G.schen P.dichtung, JFDH 1928; J. Richter, Die Hütte des
P., GRM 21, 1933; H. G. Gadamer, Vom geistigen Lauf des Menschen, 1949; E. Braemer, G.s P. und die Grundpositionen des Sturm und Drang, 1959 u. ö.; H. Fischer-
Lamberg, Die P.-Handschriften, Goethe 14/15, 1952 f.; C. Heselhaus, P. und Pandora,
in: Festschrift J. Trier, 1954; S. Burckhardt, Sprache als Gestalt in G.s P. und Pandora,
Euph 50, 1956; R. Bach, Leben mit G., 1960; P. Grappin, G. et le mythe de P., EG 20,
1965; O. F. Lawrence, P. under a romantic veil, Euph 61, 1967; A. Fuchs, G.s P.-Frag-
ment, in ders., G.-Studien 1968; T. Metscher, P., in: Deutsches Bürgertum und
literarische Intelligenz, hg. B. Lutz 1974; P. Müller, G.s P., WB 22, 1976; H. Marhold, P.
und Werther, LWU 16, 1983; S. Streller, Der gegenwärtige P., GJb 101, 1984; H. Reinhardt, P. und die Folgen, GJb 108, 1991; →Prometheus (Stoff) und →Prometheus
(Hymne).

Prometheus. Hymne. Die vermutlich im Herbst 1774 entstandene Hymne in Freien Rhythmen und ungleich langen Strophen
erschien nach dem Druck Jacobis (1785, s. u.) zuerst in den *Schriften* von 1789 und erlebte zahlreiche Vertonungen, u. a. von Reichardt, Schubert und H. Wolf. Sie gehört zwar in den Zusammenhang des →*Prometheus*-Dramas, jedoch nicht, wie G. später
irrtümlich meinte und sie entsprechend druckte, als Eingangsmonolog zu dessen 3. Akt, sondern sie faßt als selbständige Dichtung
ein Kernthema des Dramas unter Verwendung einzelner Verse daraus in einem Monolog oder Rollenlied zusammen: Die Rebellion
des schöpferischen Genies und kraft seines Schöpfungsakts gott-
gleichen Künstlers gegen die Herrschaftsansprüche eines Gottes,
dem dieser in neu erwachtem Selbstbewußtsein, seines Eigen-
wertes, seiner Kraft und Individualität gewahr und zu keinem Dank
verpflichtet, Gehorsam und Achtung aufkündigt. Der trotzige, auf
die eigene Leistung bauende und selbstherrliche Rebell erkennt
nur die Mächte Schicksal und Zeit über sich an, denen auch die
Götter unterworfen sind. Prometheus' Rollenlied hält bewußt nur
den Akt des Aufbegehrens aus der Sicht des Sprechers fest und
besticht gerade durch diese Einseitigkeit; für G.s eigene Haltung
ist bezeichnend, daß er die Hymne stets im Zusammenhang mit
Ganymed als Gegengewicht drucken ließ.

   Die Hymne gab unschuldigerweise mit Anlaß zum Spinozismus-
oder Pantheismusstreit zwischen F. H. Jacobi und M. Mendelssohn.
Jacobi publizierte sie ohne G.s Wissen und ohne Verfasserangabe als
loses Blatt in seiner Schrift *Über die Lehre des Spinoza* (1785). Da
dort auch G.s *Das Göttliche* mit seinem Namen abgedruckt ist,
konnte man auf G. als Verfasser schließen. Jacobi erwähnt dort, er
habe den *Prometheus* am 6./7. 7. 1780 Lessing gezeigt, der sich mit

dessen Weltsicht identifiziert habe und daher Spinozist gewesen sei.
Mendelssohn bestritt dies in der postumen Schrift *Moses Mendelssohn an die Freunde Lessings* (1786), und Jacobi konterte in *Wider
Mendelssohns Beschuldigung* (1786), so daß der Streit bald über
den Anlaß auf die Probleme Offenbarungsglauben, Pantheismus,
Atheismus und säkularisierte Weltanschauung ausuferte, während
G.s Gedicht nach Entstehung und Gehalt nichts mit dem Spinozismus und weniger mit metaphysisch-religiöser Rebellion als mit
dem erwachenden Selbstbewußtsein des Künstlergenies zu tun hat
(*Dichtung und Wahrheit* III,15).

E. Schmidt, G.s P., GJb 20, 1899, auch in ders., Charakteristiken 2, 1901; J. Richter,
Die Hütte des P., GRM 21, 1933; H. Meyer, G.s P.ode in ihrem zyklischen Zusammenhang, RLV 15, 1949; K. O. Conrady, J. W. v. G.: P., in: Die deutsche Lyrik I, hg.
B. v. Wiese 1956; G. Storz, G.: P., in: Wege zum Gedicht, hg. R. Hirschenauer 1956;
E. Braemer, G.s P. und die Grundpositionen des Sturm und Drang, 1959 u. ö.; J. Müller, G.s Hymnen P. und Ganymed, SuF 11, 1959, auch in ders., Neue G.-Studien, 1969;
O. F. Walter, G.s P., in ders., Mythos und Welt, 1962; P. Müller, G.s P., WB 22, 1976;
R. Ch. Zimmermann, Das Weltbild des jungen G. 2, 1979; H. Thomé, Tätigkeit und
Reflexion in G.s P., in: Gedichte und Interpretationen 2, hg. K. Richter 1983; H. Marhold, P. und Werther, LWU 16, 1983; C. Pietzcker, G.s P.-Ode, in ders., Trauma, Wunsch
und Abwehr, 1985; P. Wruck, G.s P.-Gedicht, erneut gelesen, WZ Berlin 35, 1986;
ders., Die gottverlassene Welt des P., ZfG 8, 1987; U. Gaier, Vom Mythos zum Simulacrum, Lenz-Jahrbuch 1, 1991; H. Reinhardt, P. und die Folgen, GJb 108, 1991;
M. Meller, Wo sitzt der Gott?, DVJ 68, 1994; A.-T. Bühler, P. und Grenzen der Menschheit, 1995; H.-J. Schings, Im Gewitter gesungen, in: Traditionen der Lyrik, hg. W. Düsing 1996; →Prometheus (Stoff), →Prometheus (Drama).

Prometheus (Zeitschrift) →Stoll, Joseph Ludwig

Prometheus, Deukalion und seine Rezensenten. Die 1775
anonym erschienene Satire, in der ein Schriftsteller Prometheus
(= Goethe) sich mit den Kritikern seines Werkes »Deukalion«
(= *Werther*, Deukalion war der Sohn des Prometheus) auseinandersetzt, galt der Zeitgenossen, z. B. Merck, wegen ihrer Nähe zu G.s
Knittelversstil und der intimen Kenntnis seiner Umwelt als Werk
G.s. Dieser erschloß durch Stilanalyse richtig seinen Freund H. L.
→Wagner als Verfasser, vergab ihm den gutgemeinten, aber verfehlten Einsatz und stritt in einer *Öffentlichen Erklärung* (*Frankfurter Gelehrte Anzeigen* 9. 5. 1775), die er auch als Einblattdruck an Bekannte
versandte, jede Verfasser- oder Mitwisserschaft ab, fand aber nicht
überall Glauben. Vgl. *Dichtung und Wahrheit* III,15.

E. Genton, P., D. u. s. R., RA 3, 1971.

Promotion →Dissertation, →Doktortitel

Prooemion (d. h. Vorspruch, Einleitung). Das im März 1816 entstandene weltanschauliche Gedicht erschien zuerst als Einleitungsgedicht der Hefte *Zur Naturwissenschaft überhaupt* (I,1, 1817). Es
wurde in der Ausgabe letzter Hand (1827) als Einleitungsgedicht
der religiös-naturwissenschaftlichen Abteilung »Gott und Welt«
vorangestellt. Erst dort folgen ihm gewissermaßen als zweiter Vor-

spruch die 1812/15 selbständig entstandenen und bereits 1815 in der Gruppe »Gott, Gemüt und Welt« (*Werke* 2, 1815) gedruckten Strophen »Was wär' ein Gott …« und »Im Innern ist …«. Einer den Höchsten, ohne ihn zu nennen, beschwörenden Ermächtigungsformel folgt das feierliche Glaubensbekenntnis des Dichters und Naturforschers an eine Gott-Natur: Die unmittelbare Schau des Göttlichen ist dem Menschen verwehrt und unerträglich (vgl. *Faust* v. 4695–4727), nur im symbolischen Bild, Gleichnis, Abglanz ist es faßbar. Gott verwirklicht sich und lebt in seiner Schöpfung, und nur im Vergänglichen ist das Unvergängliche erahnbar.

E. Trunz, G.s Gedicht P., DVJ 21, 1943; E. Trunz, Drei weltanschauliche Gedichte G.s, JFDH 1992.

Properz, Sextus Propertius (um 50–16 v.Chr). Neben gewissen Damen trifft vor allem den römischen Dichter von Liebeselegien eine gewisse Mitschuld an der Entstehung von G.s *Römischen Elegien*, die G. im Verzeichnis seiner Werke für Louis Bonaparte als »Elegien im Geschmack des Properz« bezeichnet. Nach Ausweis der *Ephemerides* war G. schon früh mit dem Elegiker vertraut. Nach G.s Rückkehr aus Italien beschäftigte sich C. L. von Knebel mit einer Übersetzung des Properz, an der G. lebhaften Anteil nahm, Verbesserungen vorschlug und sie im Oktober 1795 für den Druck in Schillers *Horen* (1796) vermittelte. Im Oktober 1788 überließ Knebel G. eine Ausgabe der römischen Elegiker Catull, Tibull und Properz, der »Triumvirn« lateinischer Liebesdichtung (*Römische Elegien* V,20), in die G. sich sogleich vertiefte und die ihm schon 1788 das Motiv zum Gedicht →*Der Besuch* lieferte. Für die *Römischen Elegien* und den Motivkomplex Rom/Liebe wurde Properz zum gern berufenen Muster; G. übernahm von ihm die Ichform, die Pseudonymität der Geliebten und zahlreiche Einzelzüge, jedoch nicht die bei Properz häufigen Themen der unerfüllten Liebe, des Liebesschmerzes, der Eifersucht und des Zweifels an der Treue der Geliebten.

L. Blumenthal, Schillers und G.s Anteil an Knebels P.-Übertragung, SchillerJb 3, 1959; G. Herwig-Hager, G.s Properz-Begegnung, in: Synusia, Festgabe für W. Schadewaldt 1965; H. J. Meissler, G. und P., 1987; →Römische Elegien.

Propyläen. *Eine periodische Schrift, herausgegeben von Goethe.* G.s kurzlebige Kunstzeitschrift erschien in drei Bänden zu je zwei Stücken vom Oktober 1798 bis Dezember 1800 bei Cotta in Tübingen. Nach der Vorhalle zum griechischen (Kunst-)Tempel benannt, war sie seit der Planung mit J. H. Meyer im Oktober 1797 und mit Schiller im Mai/Juni 1798 von vornherein als programmatisches Forum zur Verbreitung von G.s klassizistischer Kunstauffassung mit einem weitreichenden Spektrum von Aufsätzen über Kunst, Künstler, Kunstgegenstände und Kunstprobleme gedacht. Derselben Zielsetzung galten die zuerst in den *Propyläen* ausgeschriebenen und besprochenen →Preisaufgaben für bildende

Künstler und die Weimarer →Kunstausstellungen. Mitarbeiter der Zeitschrift waren neben G. und Meyer auch Schiller und W. von Humboldt; viele der von G. und Meyer gemeinsam verfaßten Artikel erschienen anonym oder mit der Sigle W. K. F. (= Weimarische Kunstfreunde). Nachdem die *Propyläen* aus mangelndem Publikumsinteresse Verluste erbrachten und 1800 ihr Erscheinen einstellten, fanden G.s Kunstinteressen später in der Zeitschrift *Über Kunst und Altertum* (1816–32) ein weniger normatives Forum. Über die Zielsetzung der *Propyläen* handeln ausführlich G.s *Einleitung in die Propyläen* (I,1) und die Selbstanzeige der ersten drei Stücke in Cottas *Allgemeiner Zeitung* (Nr. 119 vom 29. 4. 1799).

E. Boehlich, G.s P., 1915; W. Kampmann, G.s P. in ihrer theoretischen und didaktischen Grundlage, ZfA 25, 1931; D. Lüders, G.s P., Muttersprache 76, 1966.

Proserpina (Stoff). In der antiken Mythologie ist Proserpina (griechisch →Persephone) die Tochter des Jupiter (Zeus) und der Ceres (Demeter), die von Pluto (Hades) geraubt und als seine Gemahlin in die Unterwelt entführt wird. Ihre Mutter sucht sie verzweifelt auf der ganzen Erde und läßt diese inzwischen zu Unfruchtbarkeit verdorren. Schließlich stimmt Jupiter ihrer Befreiung zu, falls sie in der Unterwelt noch keine Speise genossen habe. Doch Proserpina kostet inzwischen ahnungslos die Kerne eines Granatapfels und bleibt daher der Unterwelt verbunden, darf jedoch für die Hälfte des Jahres zu ihrer Mutter auf die Erde zurückkehren. G. kannte den antiken, in der europäischen Literatur seit der Renaissance vielfach behandelten Stoff vor allem aus Ovids *Metamorphosen* und *Fasti* und wohl auch aus Daniel Schiebelers Travestie *Proserpina* (1769). Er spielt am Schluß von *Götter, Helden und Wieland* wie im *Faust* mehrfach auf Proserpina an, von der Faust Helena freibitten sollte, und gestaltet ihr Schicksal im Monodrama →*Proserpina*, das seinerseits direkt auf W. von Schütz' *Der Raub der Proserpina* (1818) und A. Gides Dramenfragment *Proserpine* (1912) und sein Melodrama *Perséphone* (1934) einwirkte.

Ch. Siegrist, P., Diss. Zürich 1962; H. Anton, Der Raub der P., 1967.

Proserpina. G.s lyrisches Monodrama um den seinerzeit weitbekannten →Proserpina-Stoff, formal beeinflußt durch die in der Empfindsamkeit im Gefolge von Rousseaus »lyrischer Szene« *Pygmalion* (1770) beliebten Mono- und Melodramen, entstand wohl 1776 oder 1777, vielleicht mit autobiographisch inspiriert durch den Tod der Schwester Cornelia (1777) oder, weniger wahrscheinlich, durch Ch. W. →Glucks Bitte um eine Totenklage für seine Nichte Nanette (1776). *Proserpina* wurde unverständlicherweise, vielleicht als wirksame Glanzrolle für C. Schröter, »frevntlich in den *Triumph der Empfindsamkeit* eingeschaltet und ihre Wirkung vernichtet« (*Tag- und Jahreshefte,* bis 1780). Sie wurde in diesem Zusammenhang zum Geburtstag der Herzogin Louise am 30. 1. 1778

vom Weimarer Liebhabertheater mit C. Schröter in der Titelrolle
und Musik von S. von Seckendorff aufgeführt und gleichzeitig als
Einzeldruck und im Februar 1778 im *Teutschen Merkur* gedruckt.
Eine zweite Aufführung des Liebhabertheaters in Ettersburg am
10. 6. 1779 gab *Proserpina* als selbständiges Stück nach Molières *Le
médecin malgré lui.* Eine 1786 entstandene Fassung in Freien Rhythmen erschien innerhalb des *Triumph der Empfindsamkeit* in den
Schriften (4, 1787). Sie erlebte am 4. 2. 1815 im Weimarer Hoftheater eine Einzelaufführung mit Musik von C. Eberwein und Amalie
Wolf als Proserpina. G.s Anzeige dieser Aufführung im *Morgenblatt
für gebildete Stände* (Nr. 136, 8. 6. 1815) gibt ausführliche Ratschläge
zur Inszenierung.

Das handlungslose lyrische Drama ist als völlig selbständige
Dichtung, nicht als Parodie auf den Zeitgeschmack an Monodramen zu verstehen. Es gestaltet die bewegte Klage der in die Unterwelt entführten Göttin und malt die Seelenzustände der ausweglos
Einsamen bei einem verhaßten Gatten und ihre Sehnsucht nach der
glücklichen Oberwelt aus, und zwar in dem Moment, als sie die
Kerne eines Granatapfels ißt, damit unwissentlich ihr Schicksal
besiegelt, ohne Trost und Hoffnung der Unterwelt verfällt und von
den Parzen als Königin des Schattenreiches begrüßt wird. Den im
Mythos gegebenen Kompromiß eines halbjährlichen Aufenthalts
auf der Erde spart G.s Drama bewußt aus.

H. Düntzer, G.s Monodrama P., ZfdU 3, 1889; E. Schmidt, G.s P., in ders., Charak-
teristiken 2, 1901; A. v. Weilen, P., ChWGV 16, 1902; R. Petsch, G.s P., Das deutsche
Drama 5, 1922; K. Gaiser, G.s P., Aus Unterricht und Forschung 2, 1930; E. Redslob,
G.s Monodrama P. als Totenklage für seine Schwester, Goethe 8, 1943, auch in ders.,
Schicksal und Dichtung, 1985; Ch. Siegrist, P., Diss. Zürich 1962; T. Matsuyama, G.s
Melodrama P., GJb 8, 1966; H. Anton, Der Raub der P., 1967; A. Lange-Kirchheim,
Spiel im Spiel, Traum im Traum, in: Psychoanalytische und psychopathologische Lite-
raturinterpretation, hg. B. Urban 1981; H. M. Brown, G. in the underworld, OGS 15,
1984; E. A. Blackall, G's P. in context, in: Patterns of change, hg. D. James, New York
1990; →Proserpina (Stoff), →Der Triumph der Empfindsamkeit.

Protestantismus. Zwar betrachtete G. sich, soweit kirchliche
Konfessionen überhaupt zählten, als Protestanten, kam aus prote-
stantischem Elternhaus, genoß eine protestantische Erziehung, lebte
vorwiegend in protestantischen Ländern, ließ seinen Sohn August
1802 durch Herder protestantisch konfirmieren und wohnte selbst
der Konfirmandenlehre bei, doch spielten für ihn Kirchenzuge-
hörigkeit, Sakramentenlehre und kirchliche Dogmen, die er überhaupt ablehnte, weniger eine Rolle als die religiösen Symbole. Obwohl er die Reformation als eine Tat des Humanismus, aufklärende
Befreiung aus geistiger Knechtschaft (*Maximen und Reflexionen*
668), ansah und den Protestantismus im wesentlichen als eine irdische Moral- und Tugendlehre betrachtete (Tagebuch 7. 9. 1807;
Dichtung und Wahrheit I,1), gab er gelegentlich katholischem Dogma
und Ritus als dem Menschen gemäßer den Vorzug, hielt die den
Protestanten auferlegte Gewissenslast als für einzelne zu schwer (zu

H. Voß Februar 1805) und verurteilte im Protestantismus eine – im →Pietismus verstärkte – verinnerlichende Sentimentalität, die aus der »Rechtfertigung allein durch den Glauben« anstelle durch »gute Werke« getreten sei (*Maximen und Reflexionen* 317). Die Reformation selbst bezeichnete G. als einen »verworrenen Handel« (zu Riemer 22. 8. 1817). Zum 300. Jahrestag von Luthers Thesenanschlag schrieb er das persönliche Gedicht *Dem 31. Oktober 1817*; eine seit 1816 geplante →Kantate zum Reformationsfest jedoch blieb unvollendet. Generell differieren G.s Äußerungen zu einer für ihn so peripheren Frage wie dem Protestantismus je nach Anlaß, Gesprächspartner und Zeit und lassen keine widerspruchslose Synthese zu. Den Stand von 1812 dokumentiert der Vergleich der christlichen Kirchen in *Dichtung und Wahrheit* II,7. →Christentum, →Katholizismus, →Religion

R. v. Campe, G., ein Protestant?, Wartburg 31, 1932; E. Franz, Deutsche Klassik und Reformation, 1937; H. Loewen, G's response to P., 1972; →Christentum, →Religion.

Proteus. Der Meergreis der griechischen Mythologie besaß die Wahrsagegabe und entzog sich unliebsamen Fragern durch seine Fähigkeit, sich andauernd zu verwandeln und in den verschiedensten Gestalten und Elementen zu zeigen. Als Allegorie der Metamorphose nennt ihn G. schon in der *Italienischen Reise* (Bericht Juli 1787). Als Bild der sich wandelnden Materie und der Gestaltung/Umgestaltung alles Lebendigen erscheint er in der »Klassischen Walpurgisnacht« des *Faust II* (v. 8225–8469) in verschiedenen Gestalten; in Delphingestalt (v. 8317) trägt er Homunculus zum Muschelwagen der Galatea, an dem Homunculus zerschellt und im Elementaren aufgeht.

K. R. Mandelkow, Der proteische Dichter, Neophil 46, 1962.

Psyche. Als Personifikation der Seele (»mit Flügeln«) wird Psyche im *Faust II* (v. 11660) verstanden. Im Darmstädter Kreis war Psyche der Deckname für Caroline Herder, auf den G. im *Satyros* (v. 130 ff.) und im *Felsweihe-Gesang* anspielt. Das spätantike Märchen des Apuleius, nach dem die Prinzessin Psyche ihren Geliebten Amor nicht erblicken darf, ihn durch ihre Neugier verliert und erst nach schweren Prüfungen wiedergewinnt, war G.s Zeitgenossen durch zahlreiche Nacherzählungen und Dramatisierungen, besonders aber durch Darstellungen der bildenden Kunst bekannt. G. sah die Fresken nach Raffaels Entwurf in der Villa Farnesina in Rom am 18. 11. 1786 und 15. 7. 1787 und spielt in den Gedichten *Ungleiche Heirat*, *Der neue Amor* und »Den Musenschwestern fiel es ein …«, in *Torquato Tasso* (v. 228) und in *Wilhelm Meisters Wanderjahre* (II,5) auf den Stoff an.

Psyllen und Marsen. G. fand die zwei Urvölker des Mittelmeerraums, sagenhafte, zauberkundige Schlangenbeschwörer, in Johan-

nes Meursius' *Creta, Cyprus, Rhodus* (1675) erwähnt, das er für die
»Klassische Walpurgisnacht« heranzog. Die Psyllen wohnten nach
Herodot (IV,173) in Libyen, die Marsen nach Plinius (*Naturgeschichte* VII,2,2) in Süditalien. G. verlegt beide unhistorisch nach
Zypern und macht sie in der »Klassischen Walpurgisnacht« (*Faust II*,
v. 8359–78) als Urvölker ewigen, mythischen Daseins im Unterschied zu den temporären geschichtlichen Völkern zu den Hütern
und Geleitern des Muschelwagens der Galatea.

Publikum. G.s Haltung gegenüber dem allgemeinen zeitgenössischen Lese- und Theaterpublikum war durchaus zwiespältig (*Dichtung und Wahrheit* I,2) und zumal in privaten Äußerungen keineswegs schmeichelhaft, so daß ihm die Publikumsreaktion auf seine
Werke angeblich meist »ganz gleichgültig« war (*Italienische Reise*
16. 2. 1787). Zwar erkennt er an, daß das Publikum auch einzelne
urteilsfähige Menschen umfasse (an Schiller 6. 12. 1797), und glaubt
an die Möglichkeit der Heranziehung eines verständigen Publikums (*Wilhelm Meisters Lehrjahre* V, 9 und 16); zunehmend spricht
er jedoch in späteren Jahren dem großen Publikum die Urteils-
fähigkeit ab: Es sei »ohne Geschmack« (*Literarischer Sansculottismus*),
es liebe nur das Neue (an F. Kirms 15. 10. 1798, an Zelter 29. 1.
1831), interessiere sich mehr für den Inhalt als die Behandlung
(*Dichtung und Wahrheit* III,13), verachte das bekannte Gute (an
Cotta 20. 2. 1819), sei daher den Verdiensten gegenüber gleichgültig und bevorzuge das Schlechte (*Wilhelm Meisters Lehrjahre* V,16;
Maximen und Reflexionen 498), habe keine Maßstäbe (Anmerkungen zu *Rameaus Neffe*; *Maximen und Reflexionen* 132) und bilde sich
dennoch ein, eine Urteilsinstanz zu sein (zu Riemer 31. 12. 1809),
der man allerdings nur sagen dürfe, was ihr schmeichle (*Maximen
und Reflexionen* 1019). Der Dichter tue gut daran, das Publikum zu
ignorieren (an Schiller 7. 11. 1798, an W. von Humboldt 3. 12.
1795, an Knebel 7. 3. 1821; Gedicht *Das Publikum / Herr Ego*) oder
es wie »Pöbel« (*Weimarisches Hoftheater*) oder »Parterrekloak« (Invektive *B. und K.)* zu behandeln; er solle nicht schreiben, um dem
Publikum zu gefallen und den Beifall der Masse zu finden, sondern
für ähnliche Gleichgesinnte (*Einleitung in die Propyläen*, zu Eckermann 11. 10. 1828); das Wertvolle werde von späteren Generationen anerkannt werden (*Maximen und Reflexionen* 209; Einleitung zu
Noten und Abhandlungen).

V. Hehn, G. und das P., in ders., Gedanken über G., 1887 u. ö.; A. Köster, G. und sein
P., GJb 29, 1908; W. R. R. Pinger, Der junge G. und das P., Berkeley 1909; M. Sommerfeld, G. und sein P., in ders., G. in Umwelt und Folgezeit, 1935; A. Nollau, Das
literarische P. des jungen G., 1935.

Puck. Der Kobold aus Shakespeares *Sommernachtstraum* führt im
»Walpurgisnachtstraum« des *Faust* (v. 4235–38, 4387–90) die Reihe
der satirischen Gestalten und Geister ein.

Pudel. Der schwarze Hund, der um Faust beim Osterspaziergang »magisch leise Schlingen« zieht, ihm unter Nichtbeachtung des Drudenfußes ins Studierzimmer folgt, ihn bei der Bibelübersetzung völlig verwirrt, anschwillt, von Faust zuerst als vermeintlicher Elementargeist mit Magiersprüchen und -zeichen, dann als erkannter Teufel mit dem Zeichen der Dreieinigkeit beschworen wird, entpuppt sich endlich als →Mephisto (*Faust* v. 1147–1324). Der Hund entstammt der Fausttradition von Pfitzer und dem Christlich Meynenden wie einem Wandbild in Auerbachs Keller um 1625. In den Teufels-, Magier- und Dämonenberichten stellt er ein beliebtes Erscheinungsbild des Bösen dar. Allerdings verstanden frühere Jahrhunderte unter Pudel nicht den heutigen, figaromäßig bis zur anatomischen Paradoxie zurechtgestutzten Kläffer, den selbst Mephisto abhorreszieren würde, sondern eine größere und stärkere, auch als Jagd- und Zughund verwendete Rasse. Wieweit sich eine Inszenierung der Pudelszene mit G.s Verbot von →Hunden auf der Bühne vereinbaren ließe, muß dahingestellt bleiben.

B. Woods, G. and the poodle motif, Fabula 1, 1957 f.; F. D. Luke, Der nord-südliche G., OGS 15, 1984; H. Heinze, Das also war des Pudels Kern!, NDH 35, 1988 und GJb 109, 1992.

Pückler-Muskau, Hermann Ludwig Heinrich, Fürst von (1785–1871). Der sächsische Rittmeister (1813 Generaladjutant Carl Augusts) und vielgelesene Reiseschriftsteller, der nach längeren Reisen sich mit einer bis an den Rand des Bankrotts führenden Leidenschaft der Gartenkunst und den Parkanlagen seines Schlosses Muskau/Oberlausitz widmete, besuchte auf einer Deutschlandreise am 15. und 19. 9. 1826 G. in Weimar. Er schilderte seine Eindrücke und die Gespräche über Gartenkunst und europäische Literatur in seinen Reiseberichten *Briefe eines Verstorbenen* (IV 1830–32), deren erste beiden Teile G. im August 1830 las und in den Berliner *Jahrbüchern für wissenschaftliche Kritik* (Nr. 59, September 1830) im Anschluß an eine Rezension Varnhagens lobend besprach (»ein für Deutschlands Literatur bedeutendes Werk«), obwohl ihm die Darstellung seiner Person unangenehm war. Pückler dankte am 4. 12. 1831 für die Rezension und sandte die Bände 3–4, die G. noch im März 1832 las.

S. v. Arnim, G. und Fürst P., 1932; G. Ehrhard, G. et le prince de P.-M., in: Goethe, Paris 1932.

Püsterich. Die kurzatmigen, dickbackigen, feuerspeienden Kobolde oder Geister aus dem heidnischen Volksglauben ruft Mephisto (*Faust* v. 11716) zur Vernichtung der von den Engeln gestreuten Rosen auf. Ebenso benutzt G. die Bezeichnung zur Verspottung des Namens von J. F. W. →Pustkuchen in den *Zahmen Xenien* und Invektiven (»Über Moses Leichnam …« und »Pusten, grobes deutsches Wort …«).

O. Schmitt, Der P., GRM 5, 1913.

Pütter, Johann Stephan (1725–1807). Die Werke des bedeutend-sten deutschen Staatsrechtlers seiner Zeit, seit 1747 Professors in Göttingen, begleiteten G. über seine Studienzeit hinaus. In der Bibliothek des Vaters fand er Pütters *Anleitung zur iuristischen Praxis* (II 1765); laut den *Ephemerides* las er in Straßburg Pütters *Vollstän-diges Handbuch der teutschen Reichshistorie* (III 1762). Für den *Götz* benutzte er Pütters *Grundriß der Staatsveränderungen des teutschen Rei-ches* (1764), die auch auf Götz' Autobiographie hinwiesen, und in seiner eigenen Bibliothek standen die *Elementa iuris publici Germa-nici* (1754). Bei seinen Aufenthalten in Göttingen verkehrte G. am 7.6. und 14.8.1801 mit Pütter und las am 21./22.7.1801 dort dessen *Versuch einer akademischen Gelehrten-Geschichte von der Georg-Augustus-Universität zu Göttingen* (*Tag- und Jahreshefte* 1801).

Puppenspiel, Puppentheater →Marionettentheater

Purkinje (Purkyne). Johannes Evangelista (1787–1869). Der tsche-chische Arzt und Naturforscher wurde 1823 auf Empfehlung G.s und A. von Humboldts Professor der Physiologie und Pathologie in Breslau, 1850 in Prag. Er besuchte G. in Weimar am 11./12.12. 1822. G. las seine *Beiträge zur Kenntnis des Sehens in subjektiver Hin-sicht* (1819) am 28.12.1820–9.1.1821 (*Tag- und Jahreshefte* 1820, 1821) und stellte starke Anlehnungen an seine *Farbenlehre* fest, ohne daß Purkinje ihn zitierte (zu F. von Müller 18.5.1821, zu Soret 30.12.1823). Er rezensierte das Werk in den Heften *Zur Morpholo-gie* (II,2, 1824).

R. H. Kahn, Aus G.s P.zeit, Lotos 80, 1932; F. Krause, J. E. P. und G., Ackermann aus Böhmen 3, 1935; E. Lesky, P.s Weg, 1970; V. Kruta, G. und P., GJb 90, 1973.

Pustkuchen, Johann Friedrich Wilhelm (1793–1834). Der prote-stantische Pfarrer in Lieme bei Lemgo veröffentlichte 1821, wenige Wochen vor Erscheinen von G.s Roman, eine anonyme Schmäh-schrift *Wilhelm Meisters Wanderjahre* (V 1821–28), die sich als kri-tisch-polemische Fortsetzung der *Lehrjahre* gibt und G.s Figuren vom kirchlichen und patriotischen Standpunkt aus moralische Vor-würfe gegen G.s Charakter- und Sittenlosigkeit in Leben und Werk erheben läßt. Das vielgelesene Werk, Kanon der G.-Gegner, wurde häufig mit G.s Roman verwechselt und mit diesem zusammen besprochen, und der Haller Professor F. C. J. Schütz zog in seiner Schrift *Göthe und Pustkuchen* (1823) sogar die »falschen Wander-jahre« den echten vor. G. unterdrückte seinen Unmut bis auf zehn Sprüche in den *Zahmen Xenien* V (»Der Pseudo-Wandrer …« und folgende) und verspottete Pustkuchen als →Püsterich. Platen im Gedicht *Falsche Wanderjahre* (1821), Immermann in der Farce *Ein ganz frisch schön Trauerspiel von Pater Brey* (1822) und im *Brief an einen Freund über die falschen Wanderjahre Wilhelm Meisters* (1823) sowie

Tieck in der Novelle *Die Verlobung* (1823), die G. zum Dank besprach (*Über Kunst und Altertum* IV,3, 1824), verteidigten G. gegen die Vorwürfe.

H.-M. Kruckis, Enträtselte Welt, Grabbe-Jahrbuch 6, 1987.

Putbus, Moritz Ulrich, Graf von (?–1776). Der Oberhofmeister Anna Amalias und 1775 Geheime Rat war Mitbegründer des Weimarer höfischen Liebhabertheaters und beliebter Laienspieler in französischen Operetten. Kultivierter Vertreter des ancien régime, mockierte er sich zwar über das Weimarer Genietreiben, nahm jedoch G., den er als ehrenhaft schätzte, aus (Brief an Graf Wartensleben 29. 6. 1776).

Pygmalion. Ovid (*Metamorphosen* X, 243 ff.) berichtet von dem antiken Bildhauer, der sich so sehr in eine von ihm geschaffene Mädchenstatue verliebt, daß Aphrodite/Venus sie auf seine Bitte zum Leben erweckt. Von den zahlreichen Bearbeitungen des Stoffes in Kunst und Literatur kannte G. darüber hinaus Bodmers Erzählung *Pygmalion und Elise* (1747; *Italienische Reise* 1. 11. 1786), Rousseaus »lyrische Szene« *Pygmalion* (1762; *Dichtung und Wahrheit* III,11) und D. Schiebelers Romanze (Briefgedicht an F. Oeser 6. 11. 1768). Vielleicht in Konkurrenz zu letzterer entstand im November 1766 G.s ironische Umkehrung des Stoffes in der Romanze *Pygmalion* im Buch *Annette*. Das Motiv der Statuenbelebung kehrt auch im →Prometheus-Stoff wieder.

Pylades. (1) Der Sohn des Strophius, Ziehbruder, Reisegefährte und Freund des Orest im griechischen Mythos wie in G.s *Iphigenie,* begleitet Orest erst nach Mykene, dann nach Tauris und bewährt sich als der vernünftige, weltklug kalkulierende Helfer, der im Interesse der Mission nicht vor Verstellung, List und Lüge zurückschreckt und Orakel wie Satzungen zu seinem Vorteil rhetorisch auslegt. – (2) Pylades ist auch der von G. gewählte mythologische Deckname für einen nicht identifizierten Frankfurter Jugendfreund (evtl. Johann Christoph Clarus, 1741–1811?), der ihn zum Ghostwriter für Liebesgedichte macht und ihn mit dem Frankfurter Gretchen zusammenbringt (*Dichtung und Wahrheit* I,2 und 5).

R. Pascal, Some words of P., in: The era of G., Festschrift J. Boyd, Oxford 1959.

Pyrmont. Für einen aus Gesundheitsgründen notwendigen Kuraufenthalt in Begleitung seines Sohnes August wählte G. für die Zeit vom 13. 6. bis 17. 7. 1801 wegen der Nähe Göttingens das niedersächsische Bad, in dem 1776 Ch. von Stein und 1785 Carl August und Herzogin Louise gewesen waren. Er verkehrte dort mit J. J. Griesbach, Hofrat A. G. Richter aus Göttingen, Pfarrer J. G. Schütz aus Bückeburg u. a. m. sowie Carl August, der am 9. 7. eintraf, besuchte das Theater, amüsierte sich über die grassierende

Spielleidenschaft, unternahm Ausflüge in die Umgebung, besonders nach Lügde (Kilianskirche, Franziskanerkloster), arbeitete an der *Farbenlehre* und der Theophrast-Übersetzung und plante eine (nicht ausgeführte) sog. »Pyrmonter Novelle« als dichterische Darstellung der Geschichte Pyrmonts um 1582 (*Aufenthalt in Pyrmont*), war jedoch wegen des anhaltenden Regenwetters mit dem Aufenthalt wenig zufrieden (*Tag- und Jahreshefte* 1801).

W. Lampe, G. in P., 1949.

Qâbûs-nâme →Kabus

Quadrille italienischer Tänzer und Tänzerinnen →Maskenzüge

Quandt, Johann Gottlob von (1787–1859). Der Leipziger Kaufmann, Kunstfreund, -sammler und -schriftsteller, später in Dresden, entdeckte im Februar 1815 auf dem Speicherboden der Leipziger Nikolaikirche etwa 30 altdeutsche Tafelgemälde aus der Zeit um 1500, die teils als Wände eines Taubenschlags dienten, darunter mehrere Gemälde der Cranach-Werkstatt und Lucas Cranachs »Der Sterbende«. Er sandte seine Beschreibung der Funde mit Nachzeichnungen an G., der sie als *Nachricht von altdeutschen, in Leipzig entdeckten Kunstschätzen* für Cottas *Morgenblatt* (Nr. 69, 22. 3. 1815) redigierte. Quandt, der G. schon 1810 in Karlsbad kennengelernt hatte, besuchte ihn mit seiner Frau Clara Bianca am 3./4. 12. 1820 und 16./17. 5. 1830 in Weimar, blieb mit ihm in brieflichem Kontakt und übersandte ihm seine Kunstschriften.

Quetelet, Lambert Adolphe Jacques (1796–1874). Der belgische Astronom, 1828 Direktor der Brüsseler Sternwarte, besuchte G. in Weimar am 25., 29. und 30. 8. 1829. G. stellte ihm sein Gartenhaus für magnetische Messungen zur Verfügung und führte ihm seine optischen Versuche zur Farbenlehre vor.

V. John, Q. bei G., in: Festgabe für J. Conrad, hg. H. Paasche 1898; A. Collard, G. et Q., Isis 20, 1933.

Quintilian(us), Marcus Fabius (um 35–96 n. Chr.). Das Lehrbuch *Institutio oratoria* des römischen Redners und Rhetoriklehrers kannte G. nach Ausweis der *Ephemerides* seit 1770. Er beschäftigte sich wieder mit ihm im Frühjahr 1782 und zitiert daraus u. a. im *Winckelmann*-Essay.

Raabe, Carl Joseph (1780–1849). Der Porträtmaler, hessische Hofmaler und preußische Ingenieuroffizier, den G. als »so geschickten als gefälligen« Gesellschafter schätzte (*Tag- und Jahreshefte* 1811), besuchte G. wohl zuerst am 23. 5. 1806 und im Oktober/November 1810. Während eines längeren Aufenthalts als Gast G.s in Weimar

am 7. 1.–12. 5. 1811 schuf er Miniaturporträts von G., Christiane
und August, bei einem zweiten Aufenthalt am 15. 11.–3. 12. 1814
entstand ein zweites G.-Porträt, das G. am 2. 1. 1815 Boisserée
sandte und das Raabe am 1.–24. 1. 1815 in Weimar wiederholte.
Am 11.–13. 6. 1819 war Raabe wieder bei G., und von seinem
Aufenthalt in Rom und Neapel sandte er G. auf dessen Bitten
Kopien der Aldobrandinischen Hochzeit und pompejanischer
Wandgemälde (*Tag- und Jahreshefte* 1820, 1821). 1829 wurde Raabe
Lehrer, 1841 Professor an der Kunstschule Breslau.

E. Scheyer, J. R., GR 22, 1947; W. Baumgart, Ein Maler der G.zeit, K. J. R., in: Daß
eine Nation die ander verstehen möge, hg. N. Honsza, Amsterdam 1988.

Rabe, Martin Friedrich (1775–1856). Der junge Berliner Architekt
und Baukondukteur wurde 1800 von Heinrich Gentz als dessen
Assistent (»Hilfsarbeiter«) für den Weimarer Schloßbau herangezogen und lebte vom Frühjahr 1801 bis Ostern 1804 in Weimar. Er
assistierte Gentz auch 1802 bei den Plänen zum Neubau des Theaters in Lauchstädt, zum Anbau für die Bibliothek und den Ausbau
des Weimarer Stadthauses zum Gesellschaftshaus und entwarf 1803
die Innendekoration des gotischen Herzog Bernhard-Zimmers
im Schloß (*Tag- und Jahreshefte* 1801–1803). 1811 wurde Rabe als
Nachfolger von Gentz Professor an der Berliner Bauakademie,
1829 Schloßbaumeister.

Rabelais, François (1494–1553). Mit dem Werk des französischen
Satirikers war G. schon vor der Straßburger Zeit vertraut (*Dichtung
und Wahrheit* III,11) und las ihn wieder am 26./28. 11. 1807 bei
Knebel. Sein Stileinfluß sowie der seines deutschen Nachahmers
Fischart zeigen sich in dem Fragment *Reise der Söhne Megaprazons*
und in den Listen vital-deftiger bis unflätiger Namen in *Hanswursts
Hochzeit.*

L. Jordan, G. und R., GRM 3, 1911.

Rabener, Gottlieb Wilhelm (1714–1771). Die Schriften des sächsischen Steuerrats und populären Satirikers der Aufklärung standen
in der väterlichen Bibliothek und waren G. schon früh bekannt (an
L. Y. von Buri 23. 4. 1764). Als er ihn 1811 für *Dichtung und Wahrheit*
(II,7) wieder las, vermißte G. bei aller Anerkennung seiner Redlichkeit und Heiterkeit in den zahmen Satiren auf allgemeine Laster
und Torheiten der Bürger die Schärfe des Spotts und Abwechslung
in der ästhetischen Behandlung.

Racine, Jean Baptiste (1639–1699). Den Seelendramen des großen
Tragikers des französischen Klassizismus begegnete G. zuerst
1759–61 auf dem französischen Theater in Frankfurt, so daß seine
ersten Eindrücke der Tragödie auf dem französischen Klassizismus

aufbauten. Er beschäftigte sich zugleich mit der Regel der drei Einheiten, kehrte jedoch bald zur Lektüre zurück, las »meinen Abgott« Racine in des Vaters Bibliothek »ganz«, deklamierte ihn, »lernte ganze Stellen auswendig« und spielte in einer von Olenschlager veranstalteten Aufführung des *Britannicus* in französischer Sprache den Nero (*Dichtung und Wahrheit* I,3–4). Trotz zeitweiser Abkehr von der Formstrenge der tragédie classique unter dem Eindruck Shakespeares im Sturm und Drang bewahrte G. sich die hohe Wertschätzung der Dramen Racines als bleibender Meisterwerke (zu Kozmian 8.5.1830) und kehrte in den Versdramen der klassischen Epoche zu ähnlicher Formstrenge zurück. In *Wilhelm Meisters Lehrjahre* (III,8) rühmt Wilhelm Racine als Gestalter »vornehmer Personen« im Unterschied zu Corneilles »großen Männern«. In Straßburg sah G. 1771 Lecain in *Mithridate,* den Weimar am 30.1.1804 in Bodes Übersetzung gab; auch in Weimar wurde am 30.1.1805 Schillers Übersetzung der *Phèdre* aufgeführt, und bei G.s Begegnung mit Napoleon in Erfurt spielte man am 29. bzw. 30.9.1808 Racines *Andromache* und *Britannicus* mit F.J. Talma. G.s Übersetzung der *Chöre aus Racines Athalie* (1789), entstanden aus Unzufriedenheit mit C.F. Cramers Übersetzung (an Reichardt 15.6.1789), blieb Fragment.

H. Glaesener, G. et R., Revue hebdomadaire 41, 1932; L. Spitzer, R. et G., Revue d'histoire de la philosophie, NS 1, 1933; E. Merian-Genast, R. und G., Archiv 168, 1935; P. Cotet, G. et la tragédie racinienne, Cahiers raciniens 12–14, 1962 f.; H.R. Jauß, G.s und R.s Iphigenie, Neue Hefte für Philosophie 4, 1973, auch in ders., Ästhetische Erfahrung und literarische Hermeneutik, 1982.

Racknitz, Joseph Friedrich, Freiherr von (1744–1818). Den kursächsischen Kammerherrn, 1790 Hausmarschall, 1809 Ersten Hofmarschall in Dresden, der auch als Kunstschriftsteller hervortrat (*Briefe über die Kunst,* 1795; *Darstellung und Geschichte des Geschmacks,* IV 1796–99), lernte G. 1786 bei geologisch-mineralogischen Exkursionen in Karlsbad kennen, die in Racknitz' *Briefen über das Carlsbad* (1788) Niederschlag fanden und ihn selbst zu vertieften geologisch-mineralogischen Studien anregten. »Scharfblickend, bedächtig, genau, emsig« nennt G. (*Zur Kenntnis der böhmischen Gebirge,* 1817) den Besitzer einer bedeutenden mineralogischen Sammlung, den er bei seinen Aufenthalten in Dresden Ende Juli 1790, am 23.9.1810 und 14.–16.8.1813 aufsuchte. In seiner Schrift *Über den Basalt* (1790) nahm von Racknitz einen vermittelnden, neptunistisch beeinflußten Standpunkt ein. Seine Geschmacksgeschichte veranlaßte die *Xenien* 27–28.

Radierung. Von G.s Versuchen in der Kunst des Radierens, in die er sich 1768 vom Kupferstecher J.M.C. →Stock in Leipzig einführen ließ und die er 1769 in Frankfurt fortsetzte, haben sich zwei Radierungen nach Landschaften von J.A. →Thiele erhalten. 1773 radierte G. eine Titelvignette zu Mercks →Ossian-Ausgabe. 1821 veröffentlichte C. A. Schwerdgeburth Radierungen verschiedener Künstler nach Handzeichnungen G.s, die dieser in *Über Kunst und Altertum* (III,3, 1822) besprach.

G. Witkowski, G. und die R., Buch und Schrift 6, 1932.

Radziwill, Anton Heinrich bzw. Antoni Henryk (1775–1833). Der polnische Fürst zu Nieswiecz und Olyka, durch seine Heirat mit der Prinzessin Friederike Dorothea Luise dem preußischen Königshaus verschwägert und 1815–31 preußischer Statthalter des Großherzogtums Posen, Musik-Mäzen, Cellist, Sänger und Komponist, begann um 1808 eine Vertonung von G.s *Faust* (veröffentlicht 1835). Teile daraus sang Zelters Singakademie 1810; G. hörte Proben im August/September 1811. Radziwill besuchte G. zuerst am 25. 11. 1813, spielte ihm bei seinem zweiten Besuch am 1. 4. 1814 Teile »seiner genialischen, uns glücklich mit fortreißenden Komposition« (*Tag- und Jahreshefte* 1814) auf dem Cello vor und veranlaßte G. in den folgenden Tagen zur Anpassung einiger Szenen und zu neuen Zwischentexten, die dieser am 11. 4. 1814 (weitere am 3. 6. 1819) nach Berlin sandte. Die seit 1816 (18. 2., 9. 5. 1816, 21. 5. 1819) im Palais Radziwill gehaltenen Lese- und Musikproben führten wohl erst am 24. 5. 1819 zur ersten, privaten Aufführung einzelner Szenen des *Faust* mit Radziwills Musik vor Hofkreisen in Anwesenheit von August und Ottilie von G. im Schloß Monbijou (P. A. Wolff als Faust, Herzog Carl von Mecklenburg als Mephisto, Inszenierung Graf Brühl, Bühnenbild von Schinkel), die am 24. 5. 1820 erweitert wiederholt wurde. Eine öffentliche Gesamtaufführung brachte die Berliner Singakademie am 25. 10. 1825. Es ist das Verdienst von Radziwills teils melodramatischer *Faust*-Vertonung, erstmals die Aufführbarkeit der Dichtung auf der Bühne unter Beweis gestellt zu haben.

O. Tschirch, Fürst A. H. v. R. und seine Faustmusik, Mitteilungen des Vereins für die Geschichte Berlins 12, 1907; Z. Jachmecki und W. Pozniak, A. R. i jego musyka do Fausta, Krakau 1957; J. Schillemeit, G. und R., in: Daß eine Nation die ander verstehen möge, hg. N. Honsza, Amsterdam 1988.

Rätsel. Neben neun in die Gedichtsammlung aufgenommenen Rätseln, Logographen und Charaden (z. B. auf Minna Herzlieb, *Sonette* XVII) greift G. auch in größeren Dichtungen aus »Lust am Geheimnis« oder zur Aktivierung des Publikums mitunter auf Rätsel, Fragespiele und dunkle Orakel zurück, z. B. im Rätsellied der *Fischerin* oder Mephistos Rätseln im *Faust* (v. 4743 ff.) u. a. An Schillers *Turandot*-Bearbeitung lobte er die bei jeder Vorstellung ausgewechselten Rätselfragen, zu denen er selbst beisteuerte.

F. v. Biedermann, G. als R.dichter, 1924; H. Sachse, Über zwei R. von G., GJb 89, 1972; W. Resenhöfft, G.s R.dichtungen im Faust in soziologischer Deutung, 1972; J. Hörisch, Das Leben war ihnen ein R., Euph 78, 1984.

Raffael, eig. Raffaello Santi (1483–1520). Dem großen italienischen Renaissance-Maler brachte G. wegen seiner Reinheit, Klarheit und Selbstbeschränkung lebenslanges Interesse und höchste Bewunderung als Erneuerer der Antike und Gipfel der nachantiken Kunst entgegen. Einzelwerke kannte er bereits aus Stichen im Elternhaus; die Begegnung mit dem ersten Original, der »Sixtinischen Madonna« in der Dresdner Galerie 1768, wurde durch G.s Fixierung auf die Niederländer überschattet, doch schon in Straßburg faszinierten ihn im April 1770 die Brüsseler Gobelins zur Apostelgeschichte nach Entwürfen Raffaels (*Dichtung und Wahrheit* I,9; an Langer 29. 4. 1770). In Italien sah G. mehrere Originalwerke Raffaels und äußerte sich dazu vor allem in der *Italienischen Reise*: Die »Heilige Caecilia« in Bologna am 18. 10. 1786; die »Heilige Agathe« im Palazzo Ranuzzi in Bologna am 19. 10. 1786 (nicht mehr nachweisbar); die Fresken der Loggien und Stanzen des Vatikans mit der »Messe von Bolsena«, der »Befreiung Petri«, dem »Parnaß«, der »Disputà« und der damals in schlechtem Zustand befindlichen »Schule von Athen« am 7. 11. 1786 (*Von Arabesken*); die »Verklärung Christi« (»Transfiguration«) in San Pietro in Montorio, Rom am 18. 11. 1786 und Dezember 1787 (*Italienische Reise,* Bericht Dezember 1787); den »Amor und Psyche«-Zyklus nach Entwürfen Raffaels in der Villa Farnesina am 18. 11. 1786 und 15. 7. 1787, die G. bereits in kolorierten Stichen von N. Dorigny besaß (den »Triumph der Galatea« ebd. erwähnt er nicht); die Gobelins nach Entwürfen Raffaels am Fronleichnamsfest Juni 1787 in Rom (*Päpstliche Teppiche*); die »Fornarina« (Geliebte Raffaels) im Palazzo Barberini am 22. 7. 1787; »Christus und die Apostel« nach Entwürfen Raffaels (?) oder Giulio Romanos und Stichen von M. Raimondi in San Vinzenco ed San Anastasio (nicht San Paolo alle Tre Fontane) in Rom im Dezember 1787 (*Über Christus und die zwölf Apostel nach Raffael von Marc Anton gestochen*, 1789); die »Sibyllen« in Santa Maria della Pace, Rom im Dezember 1787 (*Italienische Reise,* Bericht Dezember 1787); dazu einige falsche oder umstrittene Zuschreibungen (»Lukas malt die Madonna« von G. F. Penni u. a.). Weniger glücklich war G. beim Aufsuchen von Raffael-Reliquien: am 7. 3. 1788 besuchte er die Accademia di San Luca, um den – vermeintlich echten, aber 1833 als falsch erwiesenen – Schädel Raffaels zu sehen, von dem er 1788 durch Reiffenstein einen Abguß erhielt (*Italienische Reise* 7. 3. 1788 und Bericht April 1788), und am 13. 3. 1788 die fälschlich sogenannte Villa Raffaels im Park der Villa Borghese, in der Raffael nie wohnte. G.s Graphiksammlung enthält zahlreiche Kupferstiche und Handzeichnungen nach Raffael. G.s betonte Vorliebe für den »römischen« Raffael steht in bewußtem Gegensatz zur Verehrung der Nazarener für das fromme Werk des frühen, »christlichen« Raffael.

W. Hoppe, Das Bild R.s in der deutschen Literatur, 1935; H. v. Einem, G. und R., in: Acta Historiae Artium, Festschrift L. Vayer, Budapest 1978; W. Franz, G.: Ich halte ihn ächt, in: G. in Italien, hg. J. Göres 1986.

Rahel →Varnhagen von Ense, Rahel

Rahmenerzählung. Die vor allem seit Boccaccios *Decamerone* beliebte Technik der zyklischen Rahmenerzählung mit eingefügten Binnenerzählungen verwendet G. in den →*Unterhaltungen deutscher Ausgewanderten*. Die mit dem Roman thematisch verknüpften Erzähleinlagen in *Wilhelm Meisters Wanderjahre* dagegen machen diese nicht zu einer bloßen Rahmenerzählung.

M. Goldstein, Die Technik der zyklischen R.en Deutschlands, Diss. Berlin 1906; J. K. Brown, G's cyclical narratives, Chapel Hill 1975; E. Marz, G.s R.en, 1985.

Raimondi, Marcantonio (um 1480 – vor 1534). Der berühmteste Kupferstecher der italienischen Renaissance trug wesentlich zur Verbreitung der Werke Raffaels und Giulio Romanos bei. G. erwähnt in *Päpstliche Teppiche* (*Italienische Reise*) seinen (von A. Veneziano vollendeten) Stich nach Raffaels »Bestrafung des Ananias« und bespricht 1789 in *Über Christus und die zwölf Apostel nach Raffael von Marc Anton gestochen* (verändert wiederholt in *Italienische Reise*, Bericht Dezember 1787) ausführlich und mit programmatisch-klassizistischer Tendenz diesen Zyklus, der seinerseits die Vorlage für die Fresken in San Vincenzo ed San Anastasio in Rom abgab. Entgegen G.s Annahme, es handle sich um »Nachbildungen der Originalzeichnungen« Raffaels, vermutet jüngere Forschung nur einen sehr mittelbaren Einfluß Raffaels und schreibt die Vorlagen eher dem Raffael-Schüler Giulio Romano (um 1514/15) zu.

E. Osterkamp, Bedeutende Falten, in: J. J. Winckelmann, hg. T. W. Gaehtgens 1986.

Ramayana →Indien

Ramberg, Johann Heinrich (1763–1840). G. lernte den Zeichner, Radierer, Maler von Genre- und Sittenbildern 1790 in Dresden kennen, sah 1806 aquarellierte Federzeichnungen von ihm in Karlsbad und hörte mehr von dem »höchst erfreulichen Talent« (zu Eckermann 28. 2. 1824) durch Eckermann, der 1815 in Hannover bei Ramberg Zeichenunterricht genommen hatte. Gesuchter Illustrator der Klassiker (Wieland, Schiller), veröffentlichte Ramberg seit 1820 in der Zeitschrift *Minerva* Illustrationen zu G.s Werken, u. a. *Das Jahrmarktsfest zu Plundersweilern, Lilis Park, Hermann und Dorothea, Faust.*

A. Mirus, G. und R., Velhagen und Klasings Monatshefte 15, 1900 f.

Ramboux, Johann Anton (1790–1866). Der Trierer Maler, Schüler J. L. Davids in Paris, schloß sich 1816–22 in Rom den →Nazarenern, besonders F. Overbeck, an. Seine Zeichnung »Das Abendmahl nach Giotto im Refektorium zu S. Croce in Florenz« nach dem damals →Giotto, heute T. Gaddi zugeschriebenen Fresko, 1819 in Rom ausgestellt, bezeichnet seine Hinwendung zur frühitalienischen christlichen Kunst. Sie wurde auf Anregung C. F. von Rumohrs 1821 von Ferdinand Ruscheweyh gestochen und publiziert. G.s Besprechung *La cena, pittura in muro di Giotto* (*Über Kunst und Altertum* VI, 1824) lehnt das Werk bei aller künstlerischen Anerkennung als Dokument romantischer Rückwärtsgewandtheit und Geschmacksverirrung ab. Sie bildet seine letzte öffentliche Stellungnahme gegen die Nazarener.

H. Eichler, Der Trierer Maler J. A. R. im Urteil G.s, Trierisches Jahrbuch 1952.

Ramdohr, Friedrich Wilhelm Basilius von (1757–1822). Der Jurist, Dichter und Kunstschriftsteller eines aufklärerischen Klassizismus, der 1778–87 in Hannover zum Freundeskreis Kestners gehörte, 1784 Italien bereiste und 1810 preußischer Gesandter in Rom, 1816 in Neapel war, hatte mit den Klassikern einen schweren Stand. Nach dem Erfolg seiner Schrift *Charis oder über das Schöne und die Schönheit in den nachbildenden Künsten* (II 1793), die G. und Schiller kritisch ablehnten (Briefwechsel 4.–7. 9. 1794, Xenion 119 *Charis*), besuchte er Schiller in Jena, G. im August 1794 in Dresden und am 18. 9. 1794 in Weimar. G., der schon im April 1783 in Ramdohrs Trauerspiel *Kaiser Otto III.* (1783) »keine dichterische Ader« gefunden hatte (an Kestner 2. 5. 1783), verurteilte auch Ramdohrs *Über Malerei und Bildhauerarbeit in Rom für Liebhaber des Schönen in der Kunst* (III 1787) in der *Italienischen Reise* (27. 10. 1787) sowie indirekt in der Rezension *La cena* (1824) aufs schärfste.

G. Schulz, F. W. B. v. R., Goethe 20, 1958.

Rameau, Jean Philippe (1683–1764). Mit dem bedeutenden französischen Komponisten befaßte sich G. nicht erst anläßlich seiner Übersetzung von Diderots *Rameaus Neffe* (1805) und der Anmerkungen dazu, die zu Rameau selbst nur ein Urteil Rousseaus wiedergeben. Vielmehr hatte er schon 30 Jahre zuvor eine kurze Charakteristik Rameaus für Lavaters *Physiognomische Fragmente* (I, 1775) verfaßt.

Rameaus Neffe. *Ein Dialog von Diderot.* Mit →Diderots Bibliothek, die Katharina II. von Rußland ankaufte, gelangte auch Diderots noch unveröffentlichtes Manuskript zum 1762 entstandenen satirischen Dialog *Le neveu de Rameau* nach Petersburg. Dort entdeckte es G.s Jugendfreund F. M. Klinger und gab eine Abschrift 1804 in Petersburg an Schillers Schwager Wilhelm von Wolzogen weiter, der sie im Gefolge Maria Paulownas nach Weimar brachte. Der Verleger Göschen bat durch Vermittlung Schillers G., seit langem Verehrer Diderots, das Manuskript zu übersetzen, was im Dezember 1804/Januar 1805 geschah, und publizierte den Band im Mai 1805 als Erstausgabe des Werkes überhaupt. Selbst die erste französische Ausgabe von 1821 ist, ohne dies einzugestehen, nur eine Rückübersetzung von G.s Text ins Französische, da die französische Vorlage verschwunden war, so daß man nach Auftauchen einer französischen Abschrift des Originals 1823 diese für eine

Fälschung hielt und G. um deren Identifizierung mit seiner Vorlage ersuchte. Der geistreich-zynische, auch auf der Bühne wirksame Pariser Kaffeehausdialog um Fragen von Kunst und Moral kennzeichnet die Dekadenz, Genußsucht und Skrupellosigkeit der vorrevolutionären Pariser Gesellschaft und gibt darüber hinaus Einblicke in das Musikleben des Rokoko. G.s Anmerkungen zu Personen und Themen des Dialogs führen in das Gesellschaftsbild ein und enthalten neben Erläuterungen auch eigene, durch die Arbeit angeregte Gedanken G.s. Sie wurden erweitert in *Nachträgliches zu Rameaus Neffen* (*Über Kunst und Altertum* IV,1 und 3, 1823 f.).

L. Geiger, G.s Übersetzung des Neffen Rameaus, GJb 3, 1882; R. Schlösser, R. N., 1900 u. ö.; E. Schramm, G. und Diderots Dialog R. N., Zeitschrift für Musikwissenschaft 16, 1934; E. Gamillscheg, Diderots Neveu de Rameau und die G.sche Übersetzung der Satire, 1953, auch in ders., Ausgewählte Aufsätze 2, 1962; U. Ricken, Die französische Rückübersetzung des Neveu de Rameau, Beiträge zur romanischen Philologie 15, 1976; J. Kolb, Presenting the unpresentable, GYb 3, 1986; M. Stoljar, The musician's madness, Australian journal of French studies 24, 1987; →Diderot.

Ramler, Carl Wilhelm (1725–1798). Der frühklassizistische, formstrenge Dichter von Oden und Kriegsliedern, Sänger Friedrichs des Großen und Lehrer des Kadettenkorps in Berlin, galt im 18. Jahrhundert als bedeutendster preußischer Lyriker. G. fand seine *Oden* (1767) schon in der Bibliothek des Vaters (*Ephemerides*) und würdigt ihn in *Dichtung und Wahrheit* (II,7 und IV,18) bei aller Anerkennung als »mehr Kritiker als Poet«. Ramler erwarb sich besonders durch seine Anthologie *Lyrische Blumenlese* (II 1774–78) einen fragwürdigen Ruf als unermüdlicher Redakteur, Umdichter und Verbesserer fremder Dichtungen, dessen kalter Formalismus oft zum Auslassen und Reduzieren neigte. Als solchen beschneidenden »Krebs« verspotten ihn die *Xenien* 74, 106, 358 und die Nachlaß-Xenien 109 und 154; in *Das Neueste von Plundersweilern* (1781) erscheint er als widerwilliger Barbier, dem oft mehr als der Bart zum Opfer fällt.

H. Freydank, G. und R., 1928.

Rammelsberg. Die Silberbergwerke des Rammelsbergs bei Goslar befuhr G. auf der 1. Harzreise am 5. 12. 1777.

Rapp, Albertine Charlotte, Gräfin, geb. Freiin von Rotberg. Der Witwe des französischen Generals und Lebensretters von Napoleon, Jean Rapp (1772–1821), die 1825 und 1828 zeitweilig bei ihrer Schwester W. E. von Spiegel in Weimar wohnte und bei G. verkehrte, widmete G. am 7. 7. 1827 die Stammbuchverse »Zu dem Guten …« und nach dem Tod ihres Sohnes Maximilian im Mai 1828 die Verse »Weimar, das von vielen Freuden …«. Die *Mémoires* (1823) des Generals Rapp, die G. im Februar 1831 las, sind jedoch unecht.

Rapp, Gottlieb Heinrich (1761–1832). Den Stuttgarter Kaufmann, Bankier und Kunstsammler lernte G. auf Empfehlung Schillers am

30. 8. 1797 in Stuttgart als »wohlunterrichteten, verständigen Kunstfreund« (*Reise in die Schweiz 1797)* kennen, las in seinem Hause am 5. 9. 1797 *Hermann und Dorothea* vor, besuchte ihn wieder am 6. 9. und korrespondierte bis 1803 mit ihm.

B. Zeller, G. H. R., in: Natur und Idee, hg. H. Holtzhauer 1966.

Rastlose Liebe. Das Gedicht, am 6. 5. 1776 bei einem Aufenthalt im noch winterlichen Ilmenau entstanden und zuerst in den *Schriften* (1789) gedruckt, klingt im emphatischen Stil noch an die Frankfurter Lyrik an. In rastlosem Ringen mit den Elementen erlebt das lyrische Ich Last und Lust der Liebe als polare Ganzheit des Lebens und bekennt sich zur unbedingten erotischen Leidenschaft, die in der die Extreme versöhnenden Schlußstrophe mit der hier säkularisierten biblischen Verheißung von der »Krone des Lebens« zugleich eine Heiligung erfährt.

W. Keller, R. L., in: J. W. v. G.: Verweile doch, hg. M. Reich-Ranicki 1992.

Der Rattenfänger. Das um 1802 für ein Kinderballett entstandene, spielerische Gedicht, zuerst in G.s und Wielands *Taschenbuch auf das Jahr 1804* gedruckt, nimmt den Stoff des Rattenfängers von Hameln auf, dessen Auftreten nach den *Faust*-Paralipomena ursprünglich auch für die Walpurgisnacht vorgesehen war. Ohne sich raumzeitlich auf Hameln und das 13. Jahrhundert festzulegen oder die Todessymbolik des Sängers zu enthüllen, beschränkt es sich auf die schelmische Darstellung der verführerischen Gewalt der Musik.

Rattenlied. Das vielfach, auch einzeln, vertonte Lied von der vergifteten Ratte, das die Studenten in Auerbachs Keller (*Faust* v. 2126–49) singen, ist eine den Sängern entsprechend üble Kontrafaktur petrarkistischer Liebeslyrik vom gequälten Liebhaber in den von Luther in die Kirchenlieddichtung eingeführten sog. Lutherstrophen (»vom neusten Schnitt«, v. 2124).

Raubdrucke →Nachdrucke

Rauch, Christian Daniel (1777–1857). Der Berliner Bildhauer und Professor an der Akademie der Künste, neben Schadow der bedeutendste Bildhauer des deutschen Klassizismus, schuf drei →Porträts G.s. Am 17. 8. 1820 besuchte er G. in Jena und modelllierte dort am 18.–21. 8. 1820 gleichzeitig mit Ch. F. Tieck bei »lebhafter, ja leidenschaftlicher Kunstunterhaltung« (*Tag- und Jahreshefte* 1820) die sog. Atempo-Büste, die bekannteste und meistverbreitete G.-Büste. G., der den Künstlern am 22. 8. nach Weimar folgte und am 4. 11. 1820 einen Abguß erhielt, nannte sie »wirklich grandios« (an Boisserée 1. 9. und 9. 12. 1820). Nach Scheitern der Verhandlungen mit Dannecker wegen des geplanten Frankfurter G.-Denkmals wurde auf G.s Anregung Rauch damit beauftragt und schuf 1823–25 mehrere Entwürfe einer Sitzstatue in antikem Gewand. Am 18.–27. 6. 1824 in Weimar, brachte er den 2. Entwurf mit und modellierte am 21.–26. 6. in täglichen Sitzungen den 3. Entwurf. Das Denkmal gelangte jedoch nicht zur Ausführung. Nach einem weiteren Besuch am 13. 6. 1826 modellierte Rauch am 23.–25. 9. 1828 zwei Statuetten G.s im antiken Gewand mit Lorbeerkranz und im Hausrock, die er beim letzten Besuch am 30. 6./1. 7. 1829 (diesmal mit E. →Rietschel) verbesserte. G. schätzte den interessanten Künstler und das Gespräch mit ihm außerordentlich, ließ ihn am 26./27. 6. 1824 von Schmeller für seine Sammlung zeichnen und blieb bis zum Tode in Briefkontakt mit ihm. Er erwähnt im Aufsatz *Die Externsteine* (1824) lobend Rauchs Durchzeichnung des Reliefs und in der Rezension *Vorzüglichste Werke von Rauch* (1828) dessen Bülow-, Blücher- und Scharnhorst-Denkmäler und die Basreliefs am Sockel der Berliner Blücherstatue, von denen er zwei Gipsabgüsse besaß. →Porträts.

K. Eggers, R. und G., 1889; J. v. Simson, Ch. D. R., 1996; →Porträts.

Rauchen. G.s Aversion gegen das Tabakrauchen war von Jugend auf eingewurzelt, wurde von ihm nicht verhehlt (*Venetianische Epigramme* 66) und führte mitunter bis zu physischem Unwohlsein – der einzige Rauch, den er gern sah, war Christian Daniel. Während ihn das bloß literarische Rauchen seiner Figuren und Personen seiner Schriften als charakteristisches Detail nicht störte (»Er saugt begierig am geliebten Rohr«, *Ilmenau*), sah er sich zu seinem Leidwesen in der Wirklichkeit oft von eingefleischten Rauchern umgeben wie Basedow mit seinem schlechten Tabak, Carl August, Peter im Baumgarten und besonders Knebel. Ihm gegenüber äußerte G. in einem undatierten Gespräch (Artemis-Ausgabe 22, 518), Rauchen sei unhöflich, ungesellig, kostspielig, etwas für Müßiggänger und mache dumm und unfähig zum Denken und Dichten – Erfahrungen eines Nichtrauchers?

E. v. Skramlik, G.s Stellung zum Tabak, WZ Jena, mathemat. Reihe 5, 1955 f.

Raumer, Friedrich Ludwig Georg von (1781–1873). Von dem ihm nicht persönlich bekannten Berliner Professor für Staatswissenschaft und Geschichte besprach G. die *Geschichte der Hohenstaufen und ihrer Zeit* (VI 1823–25) und die Schrift *Über die geschichtliche Entwicklung der Begriffe von Recht, Staat und Politik* (1826) in *Über Kunst und Altertum* (V,2, 1825 bzw. V,3, 1826) und beschäftigte sich im Dezember 1831 mit seinen *Briefen aus Paris* (1831). Daß Raumer in seiner G. übersandten Schrift *Über die Poetik des Aristoteles und sein Verhältnis zu den neuern Dramatikern* (1829) G.s Katharsis-Theorie (*Nachlese zu Aristoteles' Poetik*, 1827) zurückwies, nahm G. gelassen und unbeirrt zur Kenntnis (an Zelter 31. 12. 1829).

Realp. Im Dorf Realp im Urserental im Schweizer Kanton Uri übernachteten G. und Carl August am 12./13. 11. 1779 nach Überquerung des winterlichen Furkapasses bei den Kapuzinern und zogen am 13. 11. zum St. Gotthard weiter.

Récamier, Jeanne Françoise Julie Adélaïde, geb. Bernard (1777–1849). Die geistvoll-anmutige Gattin des Pariser Bankiers Jacques Récamier, Freundin von Mme de Staël, B. Constant und Chateaubriand, oft gemalt (J. L. David 1800), war der Mittelpunkt ihres konservativen Pariser Salons. G. beschreibt sie ausführlich im Bild von F. P. S. Gérard (1802) in seiner Besprechung der *Collection des portraits historiques de M. le Baron Gérard* (1826) und erwähnt ihren Salon in der Rezension *Le livre des cent-et-un* (1832). J.-J. Ampère berichtete ihr im April/Mai 1827 über seine Gespräche mit G.

Rechenschaft. Das gesellige Lied, in dem der Chor nur den Vollbringern guter Taten den Mittrunk gestattet, entstand Ende Januar 1810 und erschien 1810 als Einzeldruck mit Zelters Vertonung. G. stellte die Ergänzung durch weitere Strophen der Mitsingenden anheim. Eine zweite Vertonung schuf Reichardt.

Rechtsanwaltspraxis. Nach seiner Rückkehr aus Straßburg als Licentiatus iuris richtete G. am 28. 8. 1771 an den Magistrat und das Schöffengericht von Frankfurt ein Gesuch um Zulassung als Rechtsanwalt, das am 3. 9. 1771 bewilligt wurde, und führte 1771–75 mit Beistand seines Vaters und des Schreibers J. W. Liebholdt seine Praxis, die nur durch seinen Aufenthalt in Wetzlar Mai–September 1772, die Rheinreise mit Lavater und die 1. Schweizer Reise unterbrochen wurde, während derer er sich durch andere Anwälte vertreten ließ. Die Praxis war alles andere als umfangreich und ließ sich für einen angehenden Dichter »in Nebenstunden« erledigen (an Salzmann 28. 11. 1771). Insgesamt führte G. 28 (stets schriftliche) Prozesse, meist um Mündel-, Erbschafts-, Schulden- und Baurechtsfragen; einige davon übernahm er von seinem Onkel J. J. Textor, als dieser 1771 in den Stadtrat gewählt wurde, andere von J. G. Schlosser bei dessen Weggang von Frankfurt 1773. Vgl. *Dichtung und Wahrheit* III, 13.

G. L. Kriegk, G. als Rechtsanwalt, in ders., Deutsche Kulturbilder aus dem 18. Jahrhundert, 1874; W. Scherer, G. als Rechtsanwalt, Im neuen Reich 4, 1874, auch in ders., Aufsätze über G., 1886 u. ö.; J. Meisner, G. als Jurist, 1885; A. Wieruszowski, G. als Rechtsanwalt, 1909; O. Weißel, Der Advokat G., 1927; J. Fuchs, Advokat G., 1932; H. Liermann, G. und die Jurisprudenz, Juristische Rundschau 3, 1949; E. Wohlhaupter, G.s juristische Laufbahn, in ders., Dichterjuristen 1, 1953; M. Heinze, Der Jurist G., Neue juristische Wochenschrift 35, 1982; K. Lüddersen, »Ich will lieber eine Ungerechtigkeit begehen ...«, NR 94, 1983, auch in: Allerhand G., hg. D. Kimpel 1985; P. Sina, G. als Jurist, Neue juristische Wochenschrift 46, 1993; A. u. B. Pausch, G.s Juristenlaufbahn, 1996.

Reck, Louise, Freifrau von der, geb. von Ingersleben (1784–1849). Die Gattin des Erfurter Oberlandesgerichtspräsidenten Friedrich von der Reck, den G. am 27. 9. 1808 kennengelernt hatte, hielt während des Erfurter Kongresses offenes Haus. Zum großen Tee bei ihr am 30. 9. 1808 lernte G. Napoleons Minister Maret kennen, der G.s Unterredung mit Napoleon am 2. 10. arrangierte. Auch an diesem Abend war G. bei Recks, und am 17. 11. 1808 und 4. 4. 1809 war das Ehepaar zu Gast bei ihm in Weimar.

Recke, Charlotte Elisa(beth) Constantia von der, geb. Gräfin von Medem (1754–1833). Die vielumworbene Schriftstellerin, berühmt durch ihren Anteil an der Enthüllung des Schwindlers →Cagliostro (*Berlinische Monatsschrift*, Mai 1786; *Nachricht von des berüchtigten Cagliostro Aufenthalt in Mitau im Jahre 1779*, 1787) lebte nach der Trennung (1776, Scheidung 1781) ihrer unglücklichen Ehe mit dem Kammerherrn Georg von der Recke bei ihrer Stiefschwester, Herzogin Dorothea von Kurland, in Mitau, viel auf Reisen und ab 1819 in Dresden. Ihr erster Aufenthalt in Weimar am 6. 12. 1784–4. 1. 1785 gab G., der »diese sonderbare Frau« (an Knebel 6. 1. 1785) erst am 30. 12. 1784 bei Ch. von Stein traf und sie am 2. 1. 1785 besuchte, Anlaß zu einem leicht frivolen Kommentar (an Carl August 26. 12. 1784). Später traf G. sie fast regelmäßig bei seinen Aufenthalten in Karlsbad (1785, 1807, 1808, 1811, 1812, 1820 und 1823) und sandte ihr gelegentlich seine Werke, ohne ein rechtes Verhältnis zu der empfindsamen Dame zu finden, die sich lieber mit kleineren Größen umgab. Auch G.s Äußerungen über sie bleiben zwiespältig (zu Riemer 20. 8. 1808; zu F. von Müller 19. 10. 1823).

Rede bei Eröffnung des neuen Bergbaus zu Ilmenau →Ilmenau

Redekunst. Während G. bei Vorträgen und Vorlesungen in kleinerem Kreis, bei Hofe, in Gesellschaften und bei seinen Mittwochsvorträgen, nach Zeugnis seiner Zeitgenossen anschaulich und gemeinverständlich vorzutragen wußte und auch, wenngleich selten, bei halböffentlichen feierlichen Anlässen wie Jubiläen und Gedenkfeiern als Redner auftrat (Ilmenau, Freimaurer), bewahrte er sich eine gesunde Skepsis gegenüber der auf Überredung abzielenden öffentlichen Rhetorik, die das Wort mit dem Ziel der Täuschung und Verstellung zum eigenen Vorteil mißbrauche (*Maximen und Reflexionen* 511, 605; *Noten und Abhandlungen*, Kap. »Verwahrung«; zu F. von Müller 8. 6. 1821).

H. Schanze, G.s Rhetorik, in: Rhetorik zwischen den Wissenschaften, hg. G. Ueding 1991.

Redensarten, *welche der Schriftsteller vermeidet, sie jedoch dem Leser beliebig einzuschalten überläßt.* G.s amüsante, leicht zu ergänzende Liste der hohlen Phrasen, leeren Satzhülsen und Denkpausenfüller täglicher Erfahrung (*Über Kunst und Altertum* I,3, 1817) entstand aus seiner mit Fichte geteilten Aversion gegen nichtssagende, scheinbar relativierende und einschmeichelnde Wendungen. Eine Ergänzung brachte das Fragment vom 1.11.1821 über »Flick- und Schaltwörter« wie *Nichts anders als.*

Redouten. Zu den geselligen Veranstaltungen in Weimar, die Adel und Bürger (aber nicht Bedienstete) ungezwungen vereinten, gehörten die im Herbst in unregelmäßigen Abständen, zwischen Weihnachten und Aschermittwoch vierzehntägig veranstalteten Maskenbälle (Redouten) in dem 1775 von A.G. Hauptmann erbauten Redoutenhaus an der Esplanade (Schillerstraße 18), in dem auch die Liebhaberbühne spielte. Zu ihnen erschien gegen 9 Uhr oft auch der Hof, und das Eintrittsgeld kam der Theaterkasse zugute. An die dabei gelegentlich eingeschalteten Pantomimen und lebenden Bilder knüpfen G.s →Maskenzüge an, die zu besonderen Festlichkeiten aufgeführt wurden.

B. Satori-Neumann, G. und die Einrichtung der Weimarischen R., in: Festgabe für Max Herrmann, 1935.

Redoutenhaus →Redouten

Redwitz (heute Marktredwitz). In dem oberfränkischen Ort besuchte G. von Eger aus am 13.–18.8.1822 auf Empfehlung von J.S. Grüner, der ihn auch dort abholte, die chemische Fabrik und Glashütte von W.K. Fikentscher. Er wohnte beim Fabrikanten, ließ sich Gläser zur Demonstration seiner Farbenlehre anfertigen und bestellte weitere für das Jenaer Naturalienkabinett (an Knebel 23.8. 1822).

W. v. Biedermann, G. und die Fikentscher, 1878; O. Gebhardt, G.s Aufenthalt in Marktredwitz, Siebenstern 3, 1929; G. im chemischen Laboratorium zu Marktredwitz, 1938; E. Müller, G. in Marktredwitz, 1981.

Reformation →Protestantismus

Regeln für Schauspieler. Die mangelnde Schulung des Schauspielerstands im 18. Jahrhundert und die Durchsetzung des klassischen Weimarer Hoftheaterstils erforderten vom Theaterleiter G. einen persönlichen Einsatz für die Ausbildung des schauspielerischen Nachwuchses in seinem Sinne. Auf Wunsch der jungen Schauspieler P.A. Wolff und C.F. Grüner, denen sich bald weitere anschlossen, begann G. im Juli 1803 einen systematischen Trainingskurs mit Lehrvorträgen und praktischen Übungen (*Tag- und Jahreshefte* 1803). Die dabei entstandenen Niederschriften fixierten erste Elemente und Grundsätze zu einer Grammatik der Schauspielkunst (»Didaskalien«). Sie fanden sich 1816 wieder und wurden 1824 von Eckermann nach G.s Anweisung (zu Eckermann 2.5. 1824), doch in eigener Redaktion, zusammen mit Auszügen aus

Nachschriften der Schüler als *Regeln für Schauspieler* systematisch in elf Abschnitten und 91 Paragraphen zusammengestellt und 1832 im Nachlaß gedruckt. Sie erfassen, wenigstens fragmentarisch, die Grundsätze und Leitlinien der Weimarer Theaterarbeit: dialektfreie, reine und vollständige Aussprache, Rezitation, Deklamation und rhythmischen Vortrag, Körperhaltung und -bewegung, Hand- und Armbewegungen, Gebärden, Gruppierung auf der Bühne und gesellschaftlichen Anstand im Alltag. Obwohl gewissermaßen nur als Fibel und Leitfaden für den schauspielerischen Anfangsunterricht gedacht, der Ausnahmen zuläßt, in der Folge aber wegen ihrer pedantischen Details (bis in die Fingerhaltung hinein) zu unrecht als formalistisch und steril getadelt, geben sie einen Eindruck von den Anfangsschwierigkeiten der Schauspielerausbildung und bieten einen Ansatz zur Rekonstruktion des idealistischen Weimarer Hoftheaterstils mit seinem Ziel eines stilsicheren, geschlossenen und schönen Gesamteindrucks fern naturalistischer Naturnachahmung. Zur Nachwirkung vgl. →Reinhold, C. W.

R. M. Meyer, G.s R. f. Sch., GJb 31, 1910; A. Woehl, G's rules for actors, Quarterly Journal for speech education 13, 1927; V. Bouillier, G. directeur de théâtre, Mercure de France 225, 1931; G. Lohr, Inskription des Szenischen, in: G. et les arts du spectacle, hg. M. Corvin, Bron 1985; D. Borchmeyer, Saat von G. gesäet, in: Schauspielkunst im 18. Jahrhundert, hg. W. F. Bender 1992; →Theater.

Regenbogen. Das Phänomen des Regenbogens beschäftigte G. von den prismatischen Versuchen seiner Jugend bis in die letzten Wochen seines Lebens. Ein schon in der *Geschichte der Farbenlehre* (Kap. »Antonius de Dominis«) angekündigter Aufsatz über den Regenbogen fand sich nur als Entwurf unter den Paralipomena zur Farbenlehre, da G. eine Erklärung des Regenbogens im Sinne seiner Farbenlehre nicht gelang. Er wird ergänzt durch den Briefwechsel mit Boisserée über den Regenbogen (11. 1.–25. 2. 1832), in dem G. bekennt, hier an die Grenze des Erkennbaren zum Glauben gelangt zu sein. Als dichterisches Symbol erscheint der Regenbogen bei G. häufig in der Prosa (*Wilhelm Meisters Lehrjahre* VII,1 Anfang; *Dichtung und Wahrheit* III,11), in der Lyrik z. B. in dem Gedicht für Kaiserin Maria Ludovica *Im Namen der Bürgerschaft von Karlsbad*, in *Regen und Regenbogen*, in den *Divan*-Gedichten *Phänomen* und *Hochbild,* in *Äolsharfen* und den fünf Strophen zum symbolischen Bild *Regenbogen über den Hügeln einer anmutigen Landschaft* (1826), im Drama in *Iphigenie* (v. 1351–54) und am großartigsten als Symbol der Welterfahrung im *Faust* (v. 4715–27): »Im farbigen Abglanz haben wir das Leben«.

A. P. Speiser, G. und der R., Schweizer Monatshefte 76, 1996.

Regensburg. In der bayrischen Bischofsstadt übernachtete G. auf dem Hinweg zur Italienreise am 4./5. 9. 1786 im Gasthof »Zum weißen Lamm«, wohnte am 4. 9. einem Jesuitenschauspiel im Jesuitenkolleg bei, besichtigte am 5. 9. die Stadt, Kirchen, Stifte und

Klöster und das Naturalienkabinett des Pastor Schäffer und war von Glanz und Prunk der Jesuitenarchitektur sehr beeindruckt.

C. W. Neumann, G. in R., Archiv für Literaturgeschichte 4, 1875, separat 1876; H. Huber, G. in R., Oberpfalz 25, 1931.

Regie →Theater

Rehbein, Wilhelm (1776–1825). Der Weimarer Hofmedicus (1816), 1822 herzoglicher Leibarzt und Hofrat, war seit 1818 der Hausarzt G.s und seiner Familie. Der »vorzüglich einsichtige und sorgfältige Arzt« (*Tag- und Jahreshefte* 1819) fand G.s Hochschätzung, Vertrauen und Freundschaft, begleitete ihn 1818 und 1819 nach Karlsbad, betreute ihn bei seinen Krankheiten und Christiane auf dem Totenbett und führte mit G. Gespräche über physiologische und pathologische Probleme, die G. nach Rehbeins Tod schmerzlich vermißte.

Rehberg, August Wilhelm (1757–1836). Der Geheime Kabinettsrat in Hannover besuchte G. am 8. und 10. 3. 1804. Beim Wiedersehen in Marienbad im Juli 1823 rächte sich seine Gattin Marie, die Tochter des Gießener Professors L. J. F. →Höpfner, für G.s Streich an ihrem Vater. Das Ehepaar besuchte G. wieder am 5. 10. 1825 in Weimar.

W. Scherer, G. und Frau R., GJb 6, 1885; W. Scherer, G. und R., GJb 7, 1886.

Reich, Philipp Erasmus (1717–1787). Der angesehene Leipziger Buchhändler, 1762 Teilhaber der Weidmannschen Buchhandlung, Verleger von Gellert, Wieland u. a., Organisator des Buchhandels und Bekämpfer des Nachdrucks, gehörte zu G.s Bekannten aus der Leipziger Studienzeit, wo G. auch zu seinen wöchentlichen Gesellschaften für Gelehrte und Künstler Zugang fand. G. vermittelte ihm 1774 den Verlag von Lavaters *Physiognomischen Fragmenten,* deren Manuskripte über G. liefen, stand mit ihm deshalb seit 2. 1. 1775 in häufigem Briefwechsel und bezog auch Bücher (z. B. 1775 Hamanns Schriften) über ihn.

Reichardt, Johann Friedrich (1752–1814). Der vielseitige Komponist, Journalist und Schriftsteller, 1775 Hofkapellmeister in Berlin, 1790 beurlaubt, 1794 aus politischen Gründen entlassen, 1796 als Sinekure Salinendirektor in Halle, wo sein Wohnsitz in →Giebichenstein ein Treffpunkt der Romantiker wurde, komponierte seit 1780 G.s Lieder und plante 1790 sechs Bände *Musik zu Goethes Werken* (III 1793 ff.). Ein Besuch am 23. 4.–4. 5. 1789 als Gast bei G. in Weimar, dem er die Vertonung der 2. Fassung von *Claudine von Villa Bella* mitbrachte, eröffnete die freundschaftlichen Beziehungen G.s zu dem beweglichen, geist- und geschmackvollen, wenn auch leicht zudringlichen und indiskreten Komponisten. 1791 beriet sich G. als Theaterleiter brieflich mit ihm über Probleme der Theaterpraxis und schlug am 17.11.1791 eine Zusammenarbeit über akustische Probleme vor. Doch schon 1795 führten Reichardts politischer Radikalismus und seine offenen Sympathien für die Revolution zu einer tiefen Entfremdung (*Tag- und Jahreshefte* 1795): er war »von der musikalischen Seite unser Freund, von der politischen unser Widersacher« geworden (ebd.). Scharfe Angriffe Reichardts in seiner Zeitschrift *Deutschland* gegen Schillers *Horen* und G.s dort anonym erschienene *Unterhaltungen deutscher Ausgewanderten* sowie Gegenangriffe führten im Januar 1796 zum offenen Bruch und machten Reichardt zu einer bevorzugten Zielscheibe der *Xenien*; deren Nummern 50, 80, 145–147, 208–217, 219–229, 232, 236 und 251 und die Nachlaß-*Xenien* 6–23, 181, 207–211 und 224 beziehen sich wohl auf ihn. Erst Reichardts Sorge wegen der schweren Krankheit G.s im Januar 1801 gab Anlaß zur Wiederaufnahme des Briefwechsels und etwas abgekühlter Beziehungen im persönlichen Verkehr. Am 22.–24.5.1802 besuchte G. ihn in Giebichenstein, und anschließend war Reichardt am 27.5.–2.6.1802 sein Gast in Weimar. Weitere Besuche G.s in Giebichenstein erfolgten 17.–20.7.1802, 5.–9.5.1803 und August 1805, Besuche Reichardts bei G. in Weimar am 23.10.1802, 7. und 11.6.1806, 9.11. und 29.12.1807. Im Januar 1804 schrieb G. eine kritische Rezension von Reichardts *Vertraute Briefe aus Paris* (*Jenaische Allgemeine Literaturzeitung* 21.1.1804). Um diese Zeit begann Zelter, Reichardt als G.s Hauskomponisten und musikalischen Berater abzulösen; mit dessen Brief vom 28.7.1810 erlosch eine wechselvolle Verbindung. Reichardts beliebte und weitverbreitete Vertonungen von G.-Texten, die z. T. G.s Lyrik populär machten, umfassen etwa 150 Gedichte und Lieder, darunter die aus *Wilhelm Meisters Lehrjahren* (*Goethes Lieder, Oden, Balladen und Romanzen*, IV 1809–11), die Singspiele *Claudine von Villa Bella* (1789), *Jery und Bätely* (1789), *Erwin und Elmire* (1791) und *Lila* (1791), dazu (z. T. verlorene) Schauspielmusiken zu *Egmont, Iphigenie, Torquato Tasso, Clavigo, Götz von Berlichingen* und *Faust*.

H. Düntzer, R., in ders., Aus G.s Freundeskreise, 1868; E. Istel, G. und J. F. R., Neue Zeitschrift für Musik 80, 1913; F. Flössner, R., 1931; E. Neuß, Das Giebichensteiner Dichterparadies, 1932 u. ö.; K. Huschke, Musiker, Maler und Dichter als Freunde und Gegner, 1939; W. Salmen, J. F. R., 1963; W. Salmen, G. und R., JbSKipp NF 1, 1963; G. Hartung, J. F. R., Diss. Halle 1964.

Reichel, Georg Christian (1717–1771). Den im Breitkopfschen Hause wohnenden Arzt, seit 1767 a. o. Professor der Medizin, zog G. während der Leipziger Studienzeit bei kleineren Unpäßlichkeiten zurate, er behandelte G. bei seinem Zusammenbruch und Blutsturz im Juli 1768 »aufs freundlichste« (*Dichtung und Wahrheit* II,8).

J. G. Hartenstein, G. Ch. R., Sudhoffs Archiv 31, 1938.

Reichert, Johann (1738–1797). Der im Umgang etwas eigenwillige Weimarer Hofgärtner und 1793 Garteninspektor in Schloß

Belvedere war ein ausgezeichneter Botaniker und durch seine eigene Baumschule besonders für exotische und nordamerikanische Gehölze über Weimar hinaus bekannt. Er hatte wesentlichen Anteil an der Gestaltung des Parks an der Ilm.

Reichskammergericht. Das 1495 gegründete Reichskammergericht war das oberste Gericht des Deutschen Reiches für alle Reichssachen wie Landfriedensbruch und Reichsacht und alle Rechtsstreitigkeiten der Reichsstände untereinander und gegen reichsunmittelbare Gebiete und Personen sowie zugleich oberstes Berufungsgericht. Es bestand aus dem vom Kaiser ernannten Kammerrichter im Fürstenrang (1763–1797 Graf Spaur), zwei Senatspräsidenten, 17 von den Reichsständen nominierten ständigen Beisitzern, bis zu 50 Assessoren und der Kanzlei und hatte von 1695 bis zu seiner Auflösung 1806 seinen festen Sitz in →Wetzlar. Das schwerfällige, schriftliche und schleppende Prozeßverfahren und die Problematik der Urteilsvollstreckung durch Reichsexekution waren seine oft bemängelten Schwächen: 1772 standen rd. 16 000 Prozesse an, von denen jährlich rd. 200 erledigt wurden und etwa ebensoviele hinzukamen. G. war vom 25. 5. bis 11. 9. 1772 Rechtspraktikant am Reichskammergericht, d. h. er war nicht amtlich beim Gericht beschäftigt, sondern studierte für seine juristische Ausbildung den Reichsprozeß. Er schildert in *Dichtung und Wahrheit* (III,12) die Probleme und Gebrechen der Institution, die gleichzeitig 1767–76 eine Kammergerichtsvisitation durch eine Kommission von 24 Gesandten der Reichsstände, über 30 Legationssekretären und 12 Kanzlisten – allerdings vergeblich – abzustellen versuchte.

R. Smed, Das R., 1911 u. ö.; K. Demeter, Das R. in Wetzlar zu G.s Zeit, GKal 33, 1940; Die politische Funktion des R., hg. B. Diestelkamp 1993; →Wetzlar.

Reiffenstein, Johann Friedrich (1719–1793). Der Hofrat, Kunstfreund und Archäologe, Freund Winckelmanns, Hackerts und A. Kauffmanns, lebte seit 1763 als Geschäftsführer des gothaischen und russischen Hofes in Rom im Palazzo Zuccari, betrieb etwas Kunsthandel, war hilfreicher Fremdenführer für vornehme Reisende (G. empfahl ihn Herder), Auftragsvermittler für junge Künstler, Mittelpunkt der deutschen Künstlerkolonie in Rom und dilettierte selbst in Pastellmalerei, Wachsmalerei und Glaspasten. G. lernte den »gefälligen, guten, munteren Gesellschafter« (an Knebel 3. 10. 1787), der G.s Inkognito wahrte, im November 1786 kennen, verkehrte häufig mit ihm, besuchte mit ihm und A. Kauffmann sonntags die Museen und Galerien Roms, las beiden die *Iphigenie* vor und verbrachte im November 1786 und September, Oktober und Dezember 1787 öfter mehrere Tage zu Malstudien und Kunstgesprächen in seiner Sommerwohnung in →Frascati (*Italienische Reise*).

F. Noack, Aus G.s Römischem Kreise, GJb 26, 30, 31, 1905, 1909 f.

Reil, Johann Christian (1759–1813). Den bedeutenden Mediziner, 1787 Professor in Halle, 1810 in Berlin, Gründer des Kurbetriebs und Theaters in Halle, lernte G. am 10.7.1802 in Halle kennen und besuchte ihn dort am 7.5.1803. Im August 1805 betreute er G. bei einer Nierenkolik in Halle (Gutachten vom 13.9.1805). Der geniale Arzt und »denkende, wohlgesinnte und anschauende Mann« (*Tag- und Jahreshefte* 1805), den G. sehr schätzte, starb als Lazarettleiter in den Freiheitskriegen an Typhus. G.s nach seinem Entwurf im Mai 1814 von Riemer ausgeführtes Vorspiel *Was wir bringen. Halle* zur Spielzeiteröffnung des Weimarer Theaters in Halle am 17.6. 1814 ist zugleich (3.–5. Auftritt) Totenfeier für Reil (ebd. 1814).

M. Neuburger, J. Ch. R., 1913.

Reim. Während für G.s Vater »der Reim für poetische Werke unerläßlich« war (*Dichtung und Wahrheit* I,2), hatten bereits Klopstock u.a. der reimlosen Lyrik Bahn gebrochen (ebd. IV,18). G. selbst hält, abgesehen von freirhythmischen Hymnen, Oden u.ä., im allgemeinen am Reim fest, »wodurch Poesie erst zur Poesie wird« (ebd. III,11). Faust rechtfertigt Helena gegenüber den ihr (als Figur der Antike) ungewohnten Reim, der »Ohr und Sinn« befriedige (*Faust* v.9367–77). G.s Vorbild besonders in den Liedern, die Fazilität seiner Reime und seine Technik der gewichtigen Reimworte an bedeutungsvollen Stellen (z.B. *Faust* v.1224 ff.) festigen die Stellung des Reims im 19. Jahrhundert. G. betont jedoch wiederholt, wichtiger als der reine Reim und die technische Perfektion des Reimgebrauchs, das Wesentliche der Dichtung sei der Gehalt, »was vom Dichter übrig bleibt, wenn er in Prosa übersetzt wird« (*Dichtung und Wahrheit* III,11; zu Eckermann 9.2.1831): »Ein reiner Reim wird wohl begehrt, / doch den Gedanken rein zu haben, / Die edelste von allen Gaben, / Das sind mir alle Reime wert« (*Zahme Xenien* V). Daraus erklären sich, etwa im *West-östlichen Divan*, eine gewisse Laxheit der Reimbehandlung und frankfurtisch-mundartliche Reime wie Blätter/Götter, Flügel/Spiegel (*Mit einem gemalten Band*) und zum Entsetzen der Schulmeister: »Ach neige, / Du Schmerzensreiche …« (*Faust* v.3617 f.).

B. Wehnert, G.s R., Diss. Berlin 1899; H. Henkel, Von G.schen R.en, GJb 28, 1907; E. Staedler, Die R.e in G.s Faustgedicht, 1932; A. R. Hohlfeld, Zu G.s R.en, MDU 35, 1943, auch in ders., 50 years with G., Madison 1953; W. Solms, Des R.es holder Lustgebrauch, GJb 99, 1982.

Reineck, Friedrich Ludwig von (1707–1775). Der Frankfurter Weinhändler, polnische und kursächsische Geheime Kriegsrat, ein redlicher, aber durch Unglück verbitterter Sonderling, der in viele Prozesse, u.a. gegen den Entführer seiner Tochter, verwickelt war, sah den jungen G. gern um sich, wollte ihn zum Diplomaten ausbilden und versuchte, ihm die Literatur auszureden (*Dichtung und Wahrheit* I,4).

Reineke Fuchs. *In zwölf Gesängen.* G.s erstes Hexameterepos entstand Ende Januar – Mitte April 1793, wurde während der Belagerung von Mainz Mai/Juni und bis November 1793 revidiert und
unter Heranziehung Herders und Wielands metrisch verbessert und
erschien im Mai 1794 in *Neue Schriften* Band 2. Es ist eine »zwischen Übersetzung und Umarbeitung schwebende Behandlung«
(*Tag- und Jahreshefte* 1793) des weitbekannten mittelalterlichen,
anthropomorphisierten, politisch-satirischen Tierepos (*Ysengrimus,
Roman de Renart, Reinhart Fuchs*), das G. seit seiner Jugend vertraut
war (an Cornelia 13. 10. 1765), dessen volkstümlich derben Realismus er schätzte und das er am 19. 2. 1782 im Kreise Anna Amalias
vorlas. Als Vorlage benutzte G. Gottscheds Ausgabe und nüchterne
hochdeutsche Prosaübersetzung (1752) einer anonymen niederdeutschen Lübecker Fassung *Reynke de vos* von 1498 und von
Gottsched 1757 publizierte Bruchstücke einer Delfter Prosafassung
von 1485. Ihr folgt G. im Gang der Handlung bis in die Einzelheiten und die altertümlichen Wendungen der direkten Reden, erhebt
sie jedoch durch seinen dynamischen Stil und die für einen
volkstümlichen Stoff ungewöhnliche – von J. H. Voß und J. Grimm
als unangemessen empfundene – Hexameterfassung und die Ablösung mittelalterlicher Anspielungen in den Rang einer zeitlosen,
allgemeingültigen Karikatur gesellschaftlicher und menschlicher
Schwächen und Laster. In dem zugleich listig-diplomatischen und
brutalen Verhalten des Fuchses vor dem Gerichtshof des Löwen
Nobel, seiner schlauen, schmeichlerisch-heuchlerischen Selbstrechtfertigung, seiner Ausnützung der Schwächen anderer und seiner zweimaligen Rehabilitierung stellt sich »das Menschengeschlecht in seiner ungeheuchelten Tierheit ganz natürlich« dar
(*Campagne in Frankreich*, November 1792). Obwohl G. sich durch
die Arbeit am heiteren Tierepos »von der Betrachtung der
Welthändel abziehen« wollte (an Jacobi 2. 5. 1793) und sich von
der zeitgenössischen historischen Wirklichkeit ironisch-skeptisch
distanziert, scheinen in dieser »unheiligen Weltbibel« (*Tag- und Jahreshefte* 1793) Parallelen zu Ereignissen und Handlungsweisen der
Französischen Revolution durch, zumal in G.s eigenen Einschüben
(VIII, 152–160, 171–177). Vgl. das *Xenion 270 Reineke Fuchs*: »Vor
Jahrhunderten hätte ein Dichter dieses gesungen? / Wie ist das
möglich? Der Stoff ist ja von gestern und heut.« Von den von ihm
schon in Gottscheds Ausgabe bewunderten Kupferstich-Illustratio-
nen von Allaert van →Everdingen (17. Jahrhundert) erwarb G. im
März 1783 Originalabzüge.

M. Lange, G.s Quellen und Hilfsmittel bei der Bearbeitung des R. F., 1888;
K. Scheel, G.s R. F. und seine Quellen, Mitteilungen aus dem Quickborn 40, 1949;
L. Schwab, Vom Sünder zum Schelmen, 1971; K. Düwel, Reinhart/Reineke Fuchs in
der deutschen Literatur, MGS 7, 1981; H.-D. Dahnke, »Unheilige Weltbibel« und Epo-
chenumbruch, in: G.-Studien, hg. A. Mádl, Budapest 1982; H. Menke, »Denn so ist es
beschaffen, so wird es bleiben«, 1983; H.-W. Jäger, R. F., in: G.s Erzählwerk, hg. P. M.
Lützeler 1985; H. Schmidt, »Pfingsten, das liebliche Fest«, GJb 106, 1989; H. Kirmse,
G.s R. F., Editionen und Illustrationen, Imprimatur 15, 1994.

Reinhard, Carl Friedrich, (seit 1815) Graf von (1761–1837). Der Diplomat unter G.s Freunden führte ein bewegtes, wechselvolles Leben: schwäbischer Pfarrerssohn, Tübinger Stiftler und Theologe, ging er 1787 als Hauslehrer nach Bordeaux, schloß sich dort den Girondisten an, ging als Anhänger der Revolution nach Paris und trat 1792 in den diplomatischen Dienst des republikanischen Frankreich, dessen Interessen er in London, Neapel, Hamburg, Florenz, Bern, Jassy u. a. vertrat. 1799 war er kurz Außenminister, dann Gesandter 1808 am Hof Jérôme Bonapartes in Kassel, 1815 beim Deutschen Bundestag in Frankfurt, 1830–32 am sächsischen Hof in Dresden, zuletzt Vizepräsident der Académie Française. Den hochgebildeten, welterfahrenen, geistreichen, vielseitig interessierten und auch dichtenden, dabei teils unbeholfen-steifen und introvertierten Weltmann lernte G. am 29. 5. 1807 in Karlsbad kennen, verkehrte dort bis 15. 7. täglich mit ihm und begründete ein dauerndes Freundschaftsverhältnis, das sich zunächst in einem gewichtigen Briefwechsel (1807–32) über private, häusliche wie literarische, wissenschaftliche und künstlerische Begebenheiten und Erfahrungen, dann in den häufigen Besuchen Reinhards in Weimar (14.–15. 7. 1809, 30. 9.–8. 10. 1823, 8. 4. 1825, 21.–22. 10. 1827, 1.–5. 10. 1829, 11.–13. 12. 1830, 6.–9. 5. 1831) und vertrauten Gesprächen spiegelt. Reinhard nahm mit feinsinnigen Bemerkungen Anteil an G.s literarischem und wissenschaftlichem Werk, übersetzte 1807 Abschnitte der *Farbenlehre* ins Französische, vermittelte 1810 G.s Bekanntschaft mit den Brüdern Boisserée und nahm eine wichtige Mittlerstellung zwischen G. und Frankreich wie der Weltpolitik überhaupt ein. Er erweiterte G.s Weimarer Lebenskreis um eine internationale Dimension, die mit zu G.s Konzept einer Weltliteratur beitrug. G. ließ Reinhard, der auch Pate seines Enkels Wolfgang war, am 5. 10. 1829 von Schmeller für seine Sammlung zeichnen.

W. Lang, Graf R., 1896; Th. Heuß, Graf R., in ders., Schattenbeschwörung, 1947; K. F. R., hg. E. R. Gross 1961; E. Howald, G.s Freund K. R., in ders., Deutsch-französisches Mosaik, 1962; O. Heuschele, G. und Graf R., in ders., Umgang mit dem Genius, 1974; J. Delinière, K. F. R., 1989.

Reinhard, Franz Volkmar (1753–1812). Den Professor der Theologie und Philosophie in Wittenberg (1780), dann 1792 Oberhofprediger in Dresden, lernte G. am 19. 6. 1807 in Karlsbad kennen und führte mit ihm bis 18. 7. öfter lange Gespräche, besonders über den Verfall der Moral (*Tag- und Jahreshefte* 1807). Er traf ihn am 23./24. 9. 1810 in Dresden wieder. Reinhards *Kurze Vorstellung der Kantischen Philosophie* (1817) las G. im August 1816 und empfahl sie am 3. 1. 1817 mit einer kritischen Stellungnahme Maria Paulownas. Über Böttigers inadäquate Gedenkschrift *Dr. Franz Volkmar Reinhard als Oberhofprediger in Dresden* (1813) spottet die Invektive »Die Wolle, sie ist gut …«.

F. Blanckmeister, Dresden und Weimar, Beiträge zur sächsischen Kirchengeschichte 40, 1931.

Reinhold, Carl Leonhard (1758–1823). Der zum Protestantismus übergetretene frühere Jesuitennovize lebte seit 1784 in Weimar, wurde 1785 Schwiegersohn Wielands und Mitarbeiter am *Teutschen Merkur* und 1787–94 Professor der Philosophie in Jena, bei seinem Abgang nach Kiel von Fichte abgelöst. Ein glühender Kant-Verehrer und -Popularisator, regte er Schiller zu näherer Beschäftigung mit Kant an. G. hatte wenig Umgang mit ihm (»Ich habe nie etwas durch ihn oder von ihm lernen können«, an Jacobi 2. 2. 1795), traf ihn aber bei einem Besuch in Weimar am 22./23. 6. 1809.

Reinhold, Carl Wilhelm, eig. Zacharias Lehmann. Der Schauspieler, der mit seiner Frau nach einer kurzen Probezeit 1806/07 in Weimar als unbrauchbar entlassen wurde, nahm das erfolgreiche Gastspiel des Weimarer Theaters in Leipzig 1807 zum Anlaß einer Rache, indem er in seinem anonymen Pamphlet *Saat von Goethe gesäet* (1808) den idealistischen Weimarer Hoftheaterstil G.s und seine Manierismen gehässig persiflierend verspottete. G. nahm davon keine Notiz, doch in Gerhart Hauptmanns *Die Ratten* (3. Akt) zitiert Spitta fälschlich Reinholds Pamphlet als G.s →*Regeln für Schauspieler.*

Reise der Söhne Megaprazons. Im November 1792 las G. bei Jacobis in Pempelfort aus einem »seit der Revolution« begonnenen Roman vor (*Campagne in Frankreich*, November 1792), einer an Rabelais' *Pantagruel* (1535) anknüpfenden, abenteuerlich-allegorischen Romansatire von der Reise von sieben Brüdern zu einer durch vulkanischen Einfluß in mehrere Teile mit unterschiedlichen Lebensweisen (Gesellschaftsformen, Ständen, Parteien) geborstenen Insel. Das Fragment versucht, mit dem Ereignis der Französischen Revolution im grotesk-phantastischen Stil des satirischen Reise- und Abenteuerromans fertigzuwerden. Es fand jedoch schon bei den Jacobis keinen großen Anklang, blieb liegen, wurde durch die Zeitereignisse überholt, und die Bruchstücke, deren Zusammenhang unklar ist, wurden erst 1837 im Nachlaß veröffentlicht.

H. Düntzer, G.s R. d. S. M., 1873; M. Morris, Zur R. d. S. M., in ders., G.-Studien 1, 1897; H. Praschek, G.s Fragmente Die R. d. S. M., in: Studien zur Goethezeit, hg. H. Holtzhauer 1968; G. Bersier, R. d. S. M., in: G. im Kontext, hg. W. Wittkowski 1984; G.-L. Fink, Nachlese zu G.s D. R. d. S. M., SchillerJb 34, 1990.

Reise in die Schweiz 1797. Die Beschreibung von G.s 3. Schweizer Reise ist im Grunde kein vorgeplantes und eigenständiges Werk G.s, sondern eine auf G.s Anregung vom Oktober/November 1823 im Oktober–Dezember 1832 von Eckermann nach Vorbild und Anlage der *Italienischen Reise* aus Originalbriefen, Tagebuchaufzeichnungen, Notizen und Akten G.s aus dem Nachlaß zusammengestellte und 1833 in Band 43 der Ausgabe letzter Hand herausgegebene Komposition, die die autobiographischen Einzelschriften ergänzt.

C. Keßler, G.s R. i. d. Sch. 1797, Diss. Freiburg 1954.

Reisen. Dem beweglichen Geist und Wesen G.s, des Augenmenschen, waren Reisen und Ortsveränderungen ein inneres Bedürfnis und eine fast selbstzweckhafte Abwechslung (»Man reist ja nicht, um anzukommen, sondern um zu reisen«, zu C. v. Herder 4./8. 9. 1788). Für ihn sei »eine Reise unschätzbar; sie belebt, berichtigt, belehrt und bildet« (an Schiller 4. 10. 1797). Wissens- und Erlebnistrieb, Welt-Neugier, Schaulust, Welt-Anschauung, geistige Anregung durch neue Gegenstände, aber auch persönlicher Austausch, kunsthistorische und naturkundliche Interessen machten G. zum großen und bald zum geübten Reisenden, der auch auf und durch Reisen seine literarische Produktivität förderte und gern die Strapazen damaliger Reisen zu Fuß, zu Pferde oder mit der Kutsche, mitunter auch nachts, auf sich nahm. Selbst ein eifriger Leser von Reisebeschreibungen, hält er die eigenen Reiseerlebnisse in Aufzeichnungen zu Natur, Landschaft, Menschen, Volksleben, Gesellschaft, Architektur und Kunst fest, nicht nur mangels anderer Medien wie Photo und Film im Wort, sondern auch, um im Beschreiben (und gelegentlichen Zeichnungen) den Eindruck zu vertiefen. In seiner Jugend subjektiver Reisender, der die Landschaft als Ausdruck eigener Stimmungen erlebt, nach der Italienreise ein getreu wiedergebender, objektiver Beobachter, wird er seit der 3. Schweizer Reise 1797 zum systematischen, unbeteiligten, geographisch-statistischen Beschreiber und Registrator des Gesehenen. Im dichterischen Werk nimmt die Reise besonders in *Wilhelm Meisters Wanderjahren* den Charakter eines Symbols des Lebens an.

Frühe Reiselust zeigt sich in den Ausflügen und Wanderungen von Frankfurt in den Taunus, nach Mainz, Wiesbaden, Offenbach und Darmstadt, von Leipzig nach Dresden 1768, von Straßburg durch Elsaß und Lothringen 1770/71, wieder von Frankfurt und Wetzlar nach Ehrenbreitstein 1772 und der Lahn-Rhein-Fahrt bis Köln und Düsseldorf 1774, während die Fahrten an die Universitäten Leipzig und Straßburg und nach Wetzlar längerfristige Ortsveränderungen bedeuteten. An die Reise nach Weimar 1775 schließen sich Fahrten in Thüringen und nach Jena, Gotha, Erfurt, Ilmenau, Lauchstädt, Halle und Leipzig an, dazu dienstlich-diplomatische Reisen an die Thüringer Höfe. Dienstlichen Charakter haben auch die Reisen mit Carl August nach Dessau, Wörlitz, Braunschweig, nach Berlin und Potsdam 1778 und die Reise nach Schlesien 1790, im weiteren Sinne auch die →Campagne in Frankreich 1792 mit Anschlußreise nach Düsseldorf und Münster sowie die Reise zur →Belagerung von Mainz 1793 mit Anschlußreisen nach Mannheim, Heidelberg und Frankfurt. Dem eigentlichen Charakter der Reise als Suche nach Welterfahrung entsprechen am ehesten die drei Schweizer Reisen von 1775, 1779 (*Briefe aus der Schweiz*) und 1797 (*Reise in die Schweiz 1797*), die drei Harzreisen von 1777, 1783 und 1784, die Italienreise 1786–88 (*Italienische Reise*), die Venedigreise 1790 und die Reise nach Halle, Helmstedt und Halberstadt 1805. Eine Verbindung von Reisen mit längerfristigem Ortswechsel bringen die fast alljährlichen Badereisen und Kuraufenthalte in Böhmen (Karlsbad, Teplitz, Franzensbad, Marienbad, →Baden/Badekuren) mit ihren Abstechern oder nach Pyrmont-Göttingen 1807, während die späteren Rhein-Main-Neckar-Reisen 1814 und 1815 mit Stützpunkt in Wiesbaden durch viele Abstecher weniger stationär sind. Schließlich ist es interessant, daß G.s Reiseprogramm evidente Lücken aufweist: Griechenland, die norddeutschen Küstenländer und -städte, Paris, London und Wien.

F. Maschek, G.s R., 1887; H. Höhn, G. auf R., Deutsches Volkstum 33, 1931; A. Bettex, G. und die Kunst des Reisens, Goethe 11, 1949; A. R. Schultz, G. and the literature of travel, JEGP 48, 1949; H. Wolff, Wie G. reiste, WZ Halle-Wittenberg, gesellschafts- und sprachwiss. Reihe 5, 1955 f.; G. Balzer, G. auf R., 1979; J. Klauß, G. unterwegs, 1989; H.-W. Jäger, G. reist auch traditionell, GYb 5, 1990; L. Steinfeld, G.s R. zwischen Frankfurt und Weimar, 1991; P. Boerner, Man reist ja nicht, um anzukommen, in: Europäisches Reisen im Zeitalter der Aufklärung, hg. H.-W. Jäger 1992; U. Hentschel, G. und die Reiseliteratur, JFDH 1993.

Reisetagebuch für Frau von Stein.

Das für die Zeit vom 3. 9. 1786 (Abfahrt von Karlsbad) bis 30. 10. 1786 (Ankunft in Rom) geführte Reisetagebuch G.s überliefert die unmittelbaren Reiseeindrücke der Italienreise in ihrer ursprünglichen Form. G. ließ es Ch. von Stein aus Italien in einzelnen Sendungen zukommen. Er beabsichtigte ursprünglich, es für die *Italienische Reise* nur kurz zu redigieren und bat Ch. von Stein am 14. 10. 1786, es abzuschreiben, dabei das »Du« in ein »Sie« zu verwandeln und auf sie bezügliche, allzu persönliche Stellen nach Belieben wegzulassen, verlor jedoch nach der Rückkehr vorerst das Interesse daran. Erst Anfang 1814 wurde es neben den aus Italien geschriebenen Briefen zur Grundlage für den 1. Teil der →*Italienischen Reise*, aber auch dort um viele Passagen inneren, persönlichen Erlebens gekürzt.

C. Michel, G.s italienisches Tagebuch, Frankfurter Hefte 30, 1975; J. W. G.: Tagebuch der italienischen Reise, komm. ders. 1976.

Reise-, Zerstreuungs- und Trostbüchlein.

Dieses Stammbuch mit 88 Zeichnungen, meist idealen oder Thüringer Landschaften aus der Zeit vom September 1806 bis September 1807, schenkte G. wohl im Oktober 1807 mit einer *Zueignung* vom 17. 1. 1807 der kränklichen Prinzessin →Caroline Louise. Nach deren Tod schenkte ihr Gatte es der Ch. H. von Reitzenstein; 1927 tauchte es wieder in Weimar auf.

H. Wahl, Das wiedergefundene Trostbüchlein G.s, GKal 1929, auch in ders., Alles um G., 1956 u. ö.; G. Femmel/Ch. Michel, Einige Bemerkungen zu den idealen Landschaften in G.s R. Z. u. T., JFDH 1979.

Reiten.

G. erhielt 1765 Reitunterricht beim Reitlehrer Carl Ambrosius →Runckel (1709–1767) auf städtischen Pferden im Frankfurter Marstall und wurde später, zumal in Straßburg und anfangs in Weimar, ein »leidenschaftlicher und verwegener« Reiter, der »tage- und wochenlang kaum vom Pferd kam« (*Dichtung und Wahr-*

heit I,4). Viele Ausflüge in Elsaß und Lothringen (*Willkommen und Abschied*) und in Thüringen, nicht nur bei Jagdpartien, auch die 2. Schweizer Reise mit Carl August unternahm er zu Pferde. Pferde und Reiten sind daher häufige Motive seiner Dichtungen, z. B. *Erlkönig, Egmont, Wilhelm Meister, Novelle*. Vgl. *Tag- und Jahreshefte* 1801.

H. B. Müller, G. und die Reitkunst. JGG 8, 1921.

Reitzenstein, Christiane Henriette von, genannt Tinette (1784–1837). Die Tochter eines fränkischen Kammerherrn lebte mit ihrer geschiedenen Mutter bis April 1813 in Weimar, war 1802 kurz mit Fritz von Stein verlobt und gehörte als Freundin der Prinzessin Caroline Louise auch zu G.s Kreis. Wegen ihrer exzentrischen Extravaganzen vermutete man in ihr in Weimar, wie J. Grimm und Varnhagen berichten, zeitweilig ein Vorbild für die Figur der Luciane in den *Wahlverwandtschaften*.

E. G. Gudde, G.s Luciane und T. v. R., MDU 34, 1942.

Relief von Phigalia. Am 3. 2. 1818 sandte die Malerin Louise Seidler G. Zeichnungen nach Abgüssen in der Münchner Akademie von dem 1811 ausgegrabenen Innenfries des Apollotempels in Bassai bei Phigalia in Arkadien aus dem 5. Jahrhundert v. Chr. und verwunderte sich über die Disproportionen der Körper. Der von G. als Antwortbrief am 11. 2. 1818 diktierte, unvollendete und zu Lebzeiten nicht veröffentlichte Aufsatz rechtfertigt die Disproportionen als vorsätzliche Fehler aus dem architektonischen Konzept des Frieses und ist ein wesentliches Dokument für G.s erneute Hinwendung zur klassischen griechischen Kunst.

H. Kenner, Der Fries des Tempels von Bassae-Phigalia, 1946.

Religion. Fausts Antwort auf die berühmte Gretchenfrage »Wie hast du's mit der Religion?« im Religionsgespräch des *Faust* (v. 3414–68) könnte stellvertretend und ähnlich ausweichend-umschweifend für G.s Reaktion auf eine entsprechende direkte Ausfragung stehen. In einer offiziell vom →Christentum, genauer →Protestantismus, geprägten Welt aufgewachsen, übt er früh Kritik an den positiven Formen geoffenbarter Religion und der Kirche und hält sich schon in der Jugend an die Vorstellung einer natürlichen Religion, nach der ein höheres, ordnendes Wesen nur in der Natur verborgen spürbar sei (*Dichtung und Wahrheit* II,4). In der Krise von Krankheit und Rekonvaleszenz nähert er sich zeitweise einem kirchenfernen →Pietismus (→Herrnhuter), ohne dessen Dogmatik nachvollziehen zu können, und kehrt dann unter dem Einfluß Spinozas wieder zu einer seinem Naturgefühl entsprechenden, dem Pantheismus verwandten Naturfrömmigkeit zurück, die sich am einfachsten und umfassend als Diesseits- oder →Weltfrömmigkeit umschreiben läßt: Verehrung des ungreifbaren Höheren als Ordnungsmacht in der Schönheit der Welt, Einordnung in die

Gesetze des Daseins bzw. Schicksals und eine tätig-nützliche,
mitmenschliche Lebensgestaltung im schöpferischen wie sittlichen
Sinn bei weitgehendem Dahingestelltseinlassen der letzten Fragen
und Umgehung religiöser Spekulationen um Jenseits, Unsterblichkeit und Seelenheil. Dabei entspricht es G.s Zurückhaltung in
allen Glaubensäußerungen und seiner vorsichtigen Dezenz, daß er
alle Glaubensfragen eher stimmungshaft und stimmungsbedingt nur
als Möglichkeiten erwägt und seinen literarischen Figuren eher auf
deren Situation zugeschnittene Bekenntnisse und Entscheidungen
unterlegt, die einen Rückschluß auf den Autor kaum je rechtfertigen.

E. Filtsch, G.s religiöse Entwicklung, 1894; A. W. Ernst, G.s R., 1895; K. J. Obenauer,
G. in seinem Verhältnis zur R., 1921 u. ö.; K. Bornhausen, Wandlungen in G.s R., 1923
u. ö.; A. v. Harnack, Die R. G.s in der Epoche seiner Vollendung, in ders., Erforschtes
und Erlebtes, 1923; W. Loew, G. als religiöser Charakter, 1924; E. Neubauer, G.s religiöses Erleben, 1925; H. v. Schubert, G.s religiöse Jugendentwicklung, 1925; G. Krüger, Die R. der G.zeit, 1931; E. Franz, G. als religiöser Denker, 1932; E. Seeberg, G.s
Stellung zur R., 1932; Ch. Waas, G.s religiöse Entwicklung, 1932; W. Bienert, G.s pietistisch-humanistisches Privatchristentum, 1935; L. C. Delfour, La piété de G., Avignon
1935; H. Hoffmann, G.s R., 1940; E. Spranger, Weltfrömmigkeit, 1941; E. Busch, G.s
R., 1949; R. d'Harcourt, La r. de G., Straßburg 1949; L. Bieber, Die religiöse Entwicklung des jungen G., Diss. Münster 1954; P. Meinhold, Die R. G.s, in: Der Gottes-
gedanke im Abendland, hg. A. Schaefer 1964; A. B. Wachsmuth, Stationen der religiösen
Entwicklung G.s, JFDH 1967; J. Müller, G.s Verhältnis zur R., in: Philosophie und
Religion, 1981; G.-K. Kaltenbrunner, Die R.en G.s, NDH 29, 1982; C. Hohoff, G.s
religiöse Entwicklung, Internationale katholische Zeitschrift 15, 1986, auch in ders.,
Veritas christiana, 1994; E. Trunz, G.s religiöse Gedankenwelt, in ders., Weltbild und
Dichtung im Zeitalter G.s, 1993; G. Sauder, G. und das religiöse Denken des 18. Jahr-
hunderts, GJb 112, 1995.

Rellstab, Heinrich Friedrich Ludwig (1799–1860). Der Berliner
Musiker und angehende Schriftsteller, später ab 1826 Musik- und
Theaterkritiker der *Vossischen Zeitung,* weilte auf dem Weg zum
Studium nach Heidelberg vom 2. 9. 1821 bis 5. 2. 1822 und wieder
auf dem Rückweg im September/Oktober 1823 in Weimar, verkehrte bei August und Ottilie von G., überreichte G. im Septem-
ber/Oktober 1821 in Jena eine Empfehlung von Zelter und war
gelegentlicher Gast G.s bei Gesellschaften und Konzerten, so am
8. 11. 1821 beim Konzert F. Mendelssohns und am 11. 11. 1821
beim Konzert der E. G. Mara.

Rembrandt Harmensz. van Rijn (1606–1669). G. übernahm die
Bewunderung des holländischen Malers und Radierers von den an
den Niederländern orientierten Frankfurter Malern (Trautmann,
Nothnagel u. a.) und schätzte auch später seine alltagsnahe Realistik
der Gegenstände. Radierungen mag er in Frankfurter Privatsammlungen (Uffenbach u. a.) gesehen haben, zahlreiche Original-
gemälde sah er erst 1768 in der Dresdner Galerie. Für die eigenen
Zeichen- und Malstudien beschäftigte er sich 1774 intensiver mit
Rembrandt (»Ich lebe ganz mit Rembrandt«, an J. Fahlmer
November 1774). Für Lavaters *Physiognomische Fragmente* (I, 1775)
beschreibt G. eine obskure, angebliche Radierung Rembrandts

»Judas und Compagnie«, in *Nach Falconet und über Falconet* (1776) die »Anbetung der Hirten bei Laternenschein«, in *Maximen und Reflexionen* 1114 die »Vertreibung der Händler aus dem Tempel« und im späten Entwurf *Rembrandt der Denker* (1831) eine Radierung nach Rembrandts »Der barmherzige Samariter«. Auch die Wendung zum Klassizismus tat G.s Verehrung des Künstlers kaum Abbruch, da er im Einklang mit den Zeitgenossen irrtümlich vermeinte, Rembrandts »höchstes Kunsttalent« habe sich autochthon ohne jede Kenntnis der antiken Kunst entfaltet (*Kunst und Altertum am Rhein, Main und Neckar*, 1816, Kap. »Heidelberg«). G.s Kunstsammlung umfaßte zahlreiche Radierungen, Kupferstiche und Zeichnungen von und nach Rembrandt und seiner Schule; auch die berühmte Faust-Radierung war ihm natürlich bekannt (an Graf Brühl 2. 6. 1819).

A. Trendelenburg, R.s Faust und G., 1925; L. Münz, Die Kunst R.s und G.s Sehen, 1934; M. Bojanowski, R.s Faust, DVJ 30, 1956.

Renaissance. Im Unterschied zu dem ihn befremdenden Barock brachte G. der italienischen Renaissance und ihrem Bestreben nach Wiederbelebung der Antike in Wissenschaft, Kunst und Architektur zumal während der Italienreise großes Interesse entgegen. Es dokumentiert sich besonders in seinen Äußerungen und Aufsätzen zu Michelangelo, Raffael, Leonardo da Vinci, Mantegna, Cellini, Palladio u. a. Auch in seiner Graphik-, Medaillen- und Majolikasammlung bevorzugte G. die italienische Renaissance, unter den Dichtern der Zeit Ariost, Boccaccio und Tasso. Das Hofleben der Zeit bildet den Hintergrund für *Torquato Tasso*, renaissancehaftes Aufbegehren und humanistischer Wissensdurst spiegelt sich in der Figur Fausts.

L. Geiger, G. und die R., in ders., Vorträge und Versuche, 1890; O. Harnack, G. und die R., in ders., Aufsätze und Vorträge, 1911; H. Prang, G. und die Kunst der italienischen R., 1938; S. Atkins, G. und die R.lyrik, in: G. und die Tradition, hg. H. Reiss 1972; A. Jacobs, G. und die R., 1997.

Reni, Guido (1575–1642). Originalwerke des italienischen Barockmalers, der dem 18. Jahrhundert als größter Künstler seit Raffael galt und den er oft nur »Guido« nennt, lernte G. erst auf der Italienreise kennen, wurde jedoch bei aller Bewunderung der künstlerischen Vollkommenheit anfangs durch die »erniedrigenden Gegenstände« wie Leiden und Qualen abgestoßen. In Bologna sah er am 19. 10. 1786 die »Madonna della Pietà«, einen »Johannes in der Wüste« (in Wirklichkeit von S. Cantarini), den »Heiligen Sebastian« und eine heute verschollene »Säugende Madonna« (im Palazzo Tanari) (*Italienische Reise* 19. 10. 1786), in Rom am 3. 11. 1786 Renis Fresken in der Capella dell' Annunziata des Quirinal (ebd. 3. 11. 1786) und am 1. 2. 1787 das berühmte Deckengemälde »Aurora« im Casino Rospigliosi-Pallavicini, das G. in der *Italienischen Reise* jedoch nicht erwähnt, schließlich in Düsseldorf 1792

»Mariae Himmelfahrt« (*Campagne in Frankreich*), dazu 1805 höchst zweifelhafte, angebliche Renis bei Beireis in Helmstedt. G. kommt in den Schriften zur Kunst und der *Geschichte der Farbenlehre* wiederholt auf Reni zurück; seine Graphiksammlung umfaßte mehrere Stiche und Zeichnungen von und nach Reni.

D. S. Pepper, G. R., Oxford 1984; G. R. und Europa, Katalog Frankfurt 1988.

Requiem, dem frohsten Manne des Jahrhunderts →Ligne

Reschwog, heute Roeschwoog. In dem Dorf bei Sesenheim im Saal des Amtsschulzen tanzte G. am Pfingstmontag 1771 mit Maria Salomea Brion »von zwei Uhr nach Tisch bis 12 Uhr in der Nacht an einem fort« (an Salzmann 29. 5. 1771).

Restauration. Die Wiederherstellung der politischen und sozialen Zustände aus der Zeit vor der Französischen Revolution in allen europäischen Staaten, Ziel Metternichs und des Wiener Kongresses (1815), entsprach G.s Ansichten nicht nur aufgrund seiner amtlichen Stellung an einem Fürstenhaus, sondern auch aus seiner im Alter gewonnenen konservativen Haltung und seiner grundsätzlichen Ablehnung gewaltsamer Umstürze. →Politik.

Rétif de la Bretonne, Nicolas Edme (1734–1806). Den moralisierenden Sittenroman *Monsieur Nicolas ou le coeur humain dévoilé* (1794–97) des französischen Schriftstellers, von dem ihm W. von Humboldt aus Paris berichtete, las G. auf Schillers Empfehlung vom 2. 1. 1798 in Jena am 5.–7. 6. und 7./8. 7 1798.

Retti, Madame de. Die Schauspielerin ist Directrice bzw. Prinzipalin einer Theatertruppe in *Wilhelm Meisters theatralische Sendung* (III,4– IV,9), bei der Wilhelm erstmals und aushilfsweise als Schauspieler in seinem Stück *Belsazar* auftritt. Sein Versuch, das verschuldete Unternehmen durch ein Darlehen zu retten, endet mit dessen Verlust. Die Figur fällt in den *Lehrjahren* weg.

Retzsch, Friedrich August Moritz (1779–1857). Der Dresdner romantische Maler, Zeichner und Radierer, 1824 Professor der Kunstakademie, schuf 1810 eine Reihe von 12 Faust-Entwürfen, die G. im September 1810 in Dresden sah. G. regte ihn zur Publikation als Umrißzeichnungen an und erhielt am 28. 10. 1816 die *Umrisse zu Faust:* saubere, aber leere Umrisse, denen G. dennoch den Vorzug vor den Illustrationen von Cornelius und Delacroix gab (*Tag- und Jahreshefte* 1816, 1820). Retzsch illustrierte auch G.s Balladen und schuf Ölgemälde nach G.s Werken: »Erlkönig«, »Der Fischer« (1824), »Egmont und Klärchen«, »Wilhelm Meister und Mignon« (1825).

Reuß, Franz Ambrosius (1761–1830). Den Mediziner, Geologen und Mineralogen, Badearzt in Bilin/Böhmen und Erforscher der Geologie Böhmens, dessen Schriften er mehrfach benutzte, besuchte G. am 12. und 28. 5. und 18. 7. 1813 in Bilin, am 28. 5. zu einer geologischen Exkursion (*Tag- und Jahreshefte* 1813). Hinsichtlich des →Kammerbergs bei Eger neigte G. entgegen seiner 1809 vertretenen Meinung 1820 zur pseudovulkanischen Erklärung des Neptunisten Reuß (ebd. 1820).

Reuß(-Greiz), Heinrich XIII., Fürst von (1747–1817). Mit dem österreichischen General und seit 1800 regierenden Fürsten, der ihm »immer ein gnädiger Herr gewesen« (*Tag- und Jahreshefte* 1806), pflegte G. am 7. 7.–1. 8. 1806 in Karlsbad fast täglichen Umgang in Gesellschaften und Spaziergängen mit politischen Gesprächen. Den damaligen Gouverneur von Frankfurt besuchte er dort am 16. und 20. 9. 1814 und empfing am 3. 11. 1816 seinen Besuch in Weimar.

Reutern, Gerhard Wilhelm von (1794–1865). Den russischen Gardeoffizier aus Livland, der sich nach dem Verlust des rechten Arms in der Schlacht bei Leipzig zum Maler ausbildete, lernte G. im Sommer 1814 in Weimar kennen und traf ihn am 25. 9. 1815 auf dem Heidelberger Schloß und am 6. 1. und 5. 5. 1818 in Jena wieder, wo er ihn in seiner Kunst ermutigte. Am 4.–9. 9. 1827 und 19., 22. und 26. 5. 1830 besuchte er G. in Weimar und schenkte ihm mehrere Aquarelle und Zeichnungen, die G. sehr schätzte und oft Freunden vorzeigte. Eine am 24. 2. 1831 übersandte Mappe mit Aquarellen enthielt einen kunstvoll gemalten Rahmen, in den G. auf Reuterns Bitte nach langem Zögern am 23. 4. 1831 eigenhändig die *Inschrift* (»Gebildetes fürwahr ...«) eintrug (zu Eckermann 1. 4. 1831).

W. Beils, Der Maler G. v. R. in seinen Beziehungen zu G., Mein Heimatland 10, 1931 f.; W. Schoof, G. und der Maler G. v. R., Goethe 17, 1955; D. Vogel, Die Arabeske des Herrn v. R., JFDH 1980.

Revolution →Französische Revolution

Rezensent. G.s sarkastische Verse mit der vielzitierten Schlußpointe »Schlagt ihn tot, den Hund! Es ist ein Rezensent«, erstmals in M. Claudius' *Wandsbecker Boten* vom 9. 3. 1774 noch ohne Überschrift erschienen, erfreuen sich bei seriösen Berufskritikern keines besonders guten Rufes, zumal wenn man in der Persiflage ein Aufhetzung eines Gegners der Meinungsfreiheit zum Massenmord an Kritikern sehen will. Sie halten es wohl eher mit Ch. F. D. Schubarts Kompromiß *An einen Kritikaster* (1775) »Laßt ihn nur leben, er ist tot« oder H. L. Wagners Erwiderung *Der Sudelkoch* (1775): »Schmeißt ihn tot, den Hund! es ist ein Autor, der nicht kritisiert will sein.« Die fortdauernde Existenz der Literatur beweist, daß beide Anregungen anscheinend höchst selten Verwirklichung fanden.

Rezensionen. Von 1772 bis 1830 besprach G., zuerst in den *Frank-furter Gelehrten Anzeigen*, dann in der *Jenaischen Allgemeinen Literatur-zeitung*, schließlich vor allem in *Über Kunst und Altertum* schön-geistige, wissenschaftliche, kunsthistorische Werke, Tafelwerke und einzelne graphische Werke oder Mappen, je nach Bedeutung von kurzen Anzeigen bis zu ausführlichen Besprechungen z. T. mit Text-beispielen. Seine →Kritiken gingen in den Werkausgaben in die »Schriften zur Literatur« bzw. »Schriften zur Kunst« ein.

G. Rabanus, Zu G.s R. in der Jenaischen Allgemeinen Literatur-Zeitung, Diss. Göttingen 1957; G. as a critic of literature, hg. K. J. Fink, Lanham 1984; H. Koopmann, Dichter, Kritiker, Publikum, in: Unser Commercium, hg. W. Barner 1984; H. Sommerhäuser, Wie urteilt G.?, 1985; →Kritik.

Rezeption   →Wirkung

Rezzonico, Abbondio Faustino, Principe di. Mit dem Vetter des Papstes Clemens XIII. und Senator (d. h. obersten Richter) von Rom wurde G. im Februar 1787 durch den gemeinsamen Freund W. Chr. von Diede zum Fürstenstein und dessen Gattin bekannt und teils wider Willen in dessen geselligen Kreis im Senatorenpalast auf dem Kapitol, zumal zu einem großen Konzert im Februar 1788, hineingezogen (*Italienische Reise*, Bericht Februar 1788).

Rhein, Rheintal. Für den Sohn Frankfurts boten sich der Rhein und das Rheintal, aufwärt zum Oberrhein, abwärts zum Nieder-rhein, als natürliche Achse für Fahrten und Ausflüge in den Norden wie den Süden, zu Lande und zu Wasser an. Dabei mag die erst von den Romantikern popularisierte landschaftliche Schönheit des Rheinthals den Zeichner G. schon früh fasziniert haben. Häufige Ausflüge führten den Knaben von Frankfurt wie 1770/71 den Stu-denten von Straßburg und Sesenheim an den Rhein. Nach dem Weggang von Wetzlar kehrte G. im September 1772 mit Merck bis Mainz auf einem Rheinschiff zeichnend zurück (*Dichtung und Wahrheit* III, 13). Im Juni 1774 begleitete G. Lavater über Höchst und Wiesbaden nach Ems; im Juli/August 1774 schloß sich daran die »Geniereise« mit Lavater und Basedow zu Schiff von Ems bis Düsseldorf und zurück an (ebd. III, 13). Alle drei Schweizer Reisen (1775, 1779 und 1797) führten am Oberrhein entlang. Die Cam-pagne in Frankreich führte G. im August 1792 nach Mainz und schloß im November 1792 mit einer Schiffsreise von Koblenz nach Düsseldorf, die Belagerung von Mainz brachte ihn im Mai–August 1793 in die Städte am Mittelrhein, nach Mannheim und Heidel-berg. Eigentliche Rheinreisen im engeren Sinne sind dann die Kur-aufenthalte in →Wiesbaden im Sommer 1814 mit Fahrten in die Umgebung, nach Mainz, Rüdesheim, Bingen, Winkel a. Rh. (*Im Rheingau Herbsttage*), Heidelberg und Mannheim und im Sommer 1815 mit der Rheinfahrt mit dem Freiherrn vom Stein von Nassau bis Köln und zurück (25.–29. 7.) und anschließenden Aufenthalten in Heidelberg und Mannheim. Eine dritte, bereits angetretene Rheinreise mit J. H. Meyer wurde am 20. 7. 1816 nach zwei Stunden wegen eines Wagenunfalls abgebrochen. Von G.s Dichtungen spielen *Hermann und Dorothea* und die *Unterhaltungen deutscher Ausgewanderten* im rechtsrheinischen Gebiet, *Johanna Sebus* und die Gelegenheitsgedichte *Rhein und Main* am Fluß. Eine Überschau der rheinischen Kunstsammlungen bietet der Aufsatz *Kunst und Altertum am Rhein, Main und Neckar* (1816).

B. Rüttenauer, G. und der Rh., Rheinlande 4, 1902; G. und das Rheinland, hg. R. Klapheck 1932; W. E. Oefterings, G. am Oberrhein, Baden 12, 1960; H. J. Schmidt, G. und die Rheinlande, Hochschulwoche Düsseldorf, 1963; A. Bach, Aus G.s rheinischem Lebensraum, 1968.

Rheinfall. Der Rheinfall bei Schaffhausen als der zwar nicht höchste, aber wasserreichste Wasserfall Europas wurde ab Mitte des 18. Jahrhunderts zur beliebten Touristenattraktion. Auch G. ließ ihn auf keiner seiner Schweizer Reisen aus; er sah ihn auf der 1. Schweizer Reise am 7. 6. 1775 (*Dichtung und Wahrheit* IV,18), auf der 2. Reise am 6. und 7. 12. 1779 und auf der 3. Reise zweimal am 18. 9. 1797. Eine ausführliche Beschreibung nach dem Tagebuch gibt die *Reise in die Schweiz 1797.*

Rheinreisen →Rhein

Rhetorik →Redekunst

Riccoboni, Marie Jeanne, geb. Laboras de Mézières (1714–1792). In seinem Brief an die Schwester Cornelia vom 11. 5. 1767 spielt G. auf die französische Schauspielerin und Verfasserin empfindsamer Briefromane an. Vermutlich ist mit der Miss Jenny, an deren Schicksal Lotte im *Werther* (16. 6.) großen Anteil nimmt, die Heldin ihres Romans *Histoire de Miss Jenny Glanville* (1764, deutsch 1764) gemeint.

L. M. Price, Ch. Buff, Madame R. und S. v. La Roche, GR 6, 1931; W. Gebhardt, G.s Werther und Madame R., GRM 23, 1935.

Richardson, Samuel (1689–1761). Mit den empfindsam-moralisierenden bürgerlichen Briefromanen des englischen Erzählers und Begründers dieser Form (*Pamela,* 1740; *Clarissa Harlowe,* 1747 f.; *Sir Charles Grandison,* 1753 f.), die auch das deutsche Lesepublikum eroberten, war G. seit seiner Jugend vertraut und nennt sie wiederholt (u. a. *Dichtung und Wahrheit* II,6 und III,13). In seiner Leipziger Korrespondenz mit Cornelia empfiehlt bzw. gestattet er sie ihr als einzige Romanlektüre (6. 12. 1765). Für die →*Leiden des jungen Werthers* übernahm G. Richardsons Erzähltechnik des Briefromans.

E. Schmidt, R., Rousseau und G., 1875 u. ö.; L. M. Price, On the reception of R. in Germany, JEGP 25, 1926; J. Boyd, G's knowledge of English literature, Oxford 1932.

Richter, Johann Paul Friedrich →Jean Paul

Richter, Johann Thomas (1728–1773). Der Leipziger Kaufmann, Kammerrat und Obergeleiteinnehmer, Freund Oesers, setzte die von seinem Vater Johann Zacharias Richter 1730 begründete sog. Richtersche Kunstsammlung besonders von niederländischen Gemälden, Handzeichnungen und Kupferstichen in seiner Privatgalerie am Thomaskirchhof fort, die auch interessierten Besuchern zugänglich war. G. besuchte sie zuerst um Ostern 1766 mit J. G. Schlosser und dann wiederholt (*Dichtung und Wahrheit* II,8).

Richterswil. In dem Schweizer Ort am Zürichsee war G. um den 15. 6. 1775 zu Gast bei Lavaters Freund Dr. Johannes Hotz (*Dichtung und Wahrheit* IV,18). Auf der 3. Schweizer Reise begann er hier am 28. 9. 1797 seine Fußwanderung nach Einsiedeln (*Reise in die Schweiz 1797*).

   H. Gattiker, G. in der obern Zürichseegegend, 1932 u. ö.

Ridel, Amalie, geb. Buff (1765–1848). Die jüngere Schwester von Charlotte →Buff, die im *Werther* (16. 6.) als »kleine naseweise Blondine« figuriert, heiratete 1791 den Weimarer Prinzenerzieher C. J. R. →Ridel und traf seither gelegentlich in Weimarer Gesellschaften mit G. zusammen. Ihr galt in erster Linie der durch Thomas Manns *Lotte in Weimar* berühmt gewordene Besuch Charlotte (Buff-)Kestners in Weimar im September 1816.

Ridel, Cornelius Johann Rudolph (1759–1821). Der junge Lizentiat der Rechte erschien im April 1786 mit einer Empfehlung von J. G. Ch. Kestner in Weimar, gefiel bei Hofe und wurde mit G.s Fürsprache 1787–99 Erzieher des Erbprinzen Carl Friedrich und 1794 Kammerrat, trat dann voll in die Kammerverwaltung ein und wurde 1808 Geheimer Kammerrat, 1817 Kammerdirektor. 1791 heiratete er Charlotte Buffs Schwester Amalie (→Ridel, A.), die er seit seiner Zeit am Wetzlarer Reichskammergericht kannte. Zwar nicht zu G.s engerem Kreis gehörig, genoß er doch über den dienstlichen Umgang hinaus sein freundliches Wohlwollen, war der erste, den G. nach der Rückkehr aus Italien am 19. 7. 1788 herzlich begrüßte und bei Gesellschaften gelegentlich sein Gast. Kanzler von Müllers Nachruf auf Ridel in der Freimaurerloge veröffentlichte G. in *Über Kunst und Altertum* (1821).

   W. Bode, G. und R., in ders., Stunden mit G. 9, 1913.

Riedel, Johann Anton (1736–1816). Der Maler und Radierer, 1757–1816 Oberinspektor der Dresdner Galerie, führte G. 1768 durch die Dresdner Galerie. G. gedenkt in *Dichtung und Wahrheit* (II,8) des »trefflichen Mannes«, dessen Führung er in den Museen Italiens schmerzlich vermißte.

Riedesel, Johann Hermann, Freiherr von (1740–1785). Der preußische Kammerherr und Diplomat traf auf einer Kavalierstour

1762/63 in Rom Winckelmann, den er vergeblich zu einer Sizilienreise einlud. Den Bericht seiner *Reise durch Sizilien und Großgriechenland* (1771) in den Jahren 1767–70 kannte G. bereits 1771 aus der Bibliothek des Vaters (*Ephemerides*). Auf der eigenen Sizilienreise führte er ihn »wie ein Brevier oder Talisman« mit sich (*Italienische Reise* 26. 4. 1787) und lobte seine »schönen, genauen Beobachtungen« (*Volksgesang,* 1789).

W. Rehm, J. H. v. R., Imprimatur 8, 1938, auch in ders., Götterstille und Göttertrauer, 1951; E. Osterkamp, J. H. v. R, G.s Reiseführer in Sizilien, in: Un paese indicibilmente bello, hg. A. Meier, Palermo 1987; ders., J. H. v. R.s Sizilienreise, in: Europäische Reisen im Zeitalter der Aufklärung, hg. H.-W. Jäger 1992.

Riemer, Caroline Wilhelmine Johanna, geb. Ulrich, gen. Uline (1790–1855). Die arme Tochter eines Justizamtmanns, nach dessen Verschwinden bei der Stiefgroßmutter Buchholz in Weimar aufgewachsen, freundete sich mit Christiane von G. an, wurde 1806 deren Gesellschafterin, Vorleserin und Begleiterin zu Landpartien, Bällen, Theaterbesuchen, Reisen (Frankfurt) und Badekuren (1811 Karlsbad, 1814 Berka) und zog am 30. 11. 1809 ganz ins Haus am Frauenplan. Während G.s Abwesenheiten berichtete sie im Namen und angeblich nach Diktat Christianes ausführlich über häusliche Vorfälle, Unternehmungen und Pläne. Im Kriegswinter 1813/14 war sie zugleich G.s Sekretärin für Korrespondenz, amtliche Papiere, *Dichtung und Wahrheit, Des Epimenides Erwachen,* das Tagebuch und Schemata zur *Italienischen Reise* u. a., erhielt Einblick in G.s entstehende Werke und bewährte sich als aufgeschlossene und verständnisvolle Gesprächspartnerin, der G. zum Zeichen seines Dankes Pfingsten 1814 einen Ring schenkte. Möglicherweise gilt das *Divan*-Gedicht *Versunken* ihr. Am 8. 11. 1814 heiratete sie den ihr aus G.s Hausstand längst vertrauten F. W. →Riemer, der sich eine eigene Wohnung eingerichtet hatte, und tauschte mit G. gelegentlich kleine Geschenke, Stickereien oder Verse.

A. Pollmer, C. Ulrich und G., JbSKipp 6, 1926; C. Kahn-Wallerstein, C. Ulrich, in dies., Der alte Mann am Frauenplan, 1979.

Riemer, Friedrich Wilhelm (1774–1845). G.s langjähriger und engster wissenschaftlich-editorischer Mitarbeiter, der begabte und kenntnisreiche Altphilologe, studierte Theologie und Philologie bei F. A. Wolf in Halle, wurde dort 1798 Privatdozent, dann aus finanziellen Gründen Herausgeber eines erfolgreichen griechischen Lexikons (1802–04 u. ö.) und 1801–03 Hauslehrer bei W. von Humboldt in Tegel und 1802–03 in Rom, gab die Stellung wegen seiner Leidenschaft für Caroline von Humboldt auf und wurde in Weimar im September 1803 G.s Tischgast, bis 1812 sein Hausgenosse und 1803–08 Lehrer von G.s Sohn August (*Tag- und Jahreshefte* 1803). Der »so gelehrte als gewandte und freundliche Mitarbeiter« (ebd. 1810) wurde als erster Akademiker unter G.s Helfern rasch ein anregender, beratender Gesprächspartner, Reisegefährte (nach Karls-

bad 1806, 1807, 1810 und 1811 u. a.), 1806 auch G.s Trauzeuge,
Teilnehmer am geselligen Leben um G. und ein bald unersetzlicher,
vielbeanspruchter Berater in metrischen, grammatischen und
rhetorischen Fragen sowie Materialsammler, Übersetzer aus frem-
den Sprachen, Redakteur, Revisor, Korrektor und Mitarbeiter an
G.s literarischen, wissenschaftlichen, auch naturwissenschaftlichen
Schriften, dem G. auch die Freiheit zu sprachlichen und stilistischen
Änderungen gab (an Riemer 20. 6. 1813). G. ging seine Texte mit
ihm durch und vertraute ihm, später neben Eckermann, die
Redaktion seiner Werkausgaben (XIII 1806–10, XX 1815–19, XL
1827 ff.) an, zog ihn 1811 für die Bearbeitung von Shakespeares
Romeo und Julia und 1812 für die geplante Bühnenbearbeitung des
Faust, selbst als Ghostwriter heran: 1806 überließ er ihm bis auf die
letzte Durchsicht die Versfassung des *Elpenor,* 1814 die Ausführung
(nach seinem Entwurf) des Vorspiels *Was wir bringen* zur Eröffnung
des Theaters in Halle. Zur *Geschichte der Farbenlehre* steuerte Riemer
ein Kapitel »Farbenennungen der Griechen und Römer« bei. Obwohl die Zusammenarbeit bei Riemers labilem, launischem und
leicht verletztem Wesen und einer Anerkennung heischenden G.-
Attitüde nicht ohne gelegentliche Trübung (z. B. 1816–19) verlief,
verließ sich G. auf Riemers kritische Einsicht, sein mitdenkendes
Verständnis und seine hingebungsvolle Dienstfertigkeit, die auch
anhielt, als Riemer aus G.s Haus auszog und im März 1812 (bis
1821) Professor am Gymnasium in Weimar, 1814 2. Bibliothekar
und 1827 Oberbibliothekar der Weimarer Bibliothek wurde und
1814 Christianes Gesellschafterin Caroline Ulrich (→Riemer, C.)
heiratete. 1824 ließ G. Riemer von Schmeller für seine Sammlung
zeichnen. 1831 bestellte er testamentarisch Riemer neben Eckermann zum Herausgeber seines literarischen Nachlasses (*Nachgelassene Werke*, XX 1832–42) und Riemer zum Herausgeber des
Briefwechsels mit Zelter (VI 1833). 1846 erschienen, von ihm
herausgegeben, *Briefe von und an Goethe*, 1841 ein Buch der Verehrung *Mitteilungen über Goethe* (II 1841 u. ö.). Riemers eigene
Dichtungen (*Blumen und Blätter*, 1816; *Gedichte*, 1819) sind form-
glatt und unoriginell.

A. Pollmer, F. W. R. und seine Mitteilungen über G., 1922; S. Reiter, Neue Mittei-
lungen über F. W. R., Euph 31, 1930; A. Friedrichs, F. W. R., in: Schlesische Lebensbil-
der 4, 1931; G. Schulz, F. W. R., Jahrbuch der Schlesischen Friedrich-Wilhelm-Univ. zu
Breslau 16, 1971; G. und U. Pörksen, F. W. R. als Autor, GJb 102, 1985; E. Nahler,
J. P. Eckermann und F. W. R. als Herausgeber von G.s literarischem Nachlaß, in: Im
Vorfeld der Literatur, hg. K.-H. Hahn 1991; G. Kurscheidt, Zwischen Sinnenglück und
Seelenfrieden. F. W. R.s Liebe zu C. v. Humboldt, ZDP 115, 1996 Sonderheft.

Riepenhausen, Friedrich und Christian →Polygnot

Riese, Johann Jacob (1746–1827). G.s ältester, »treuer« Schul- und
Jugendfreund gehörte zum Freundeskreis, der seit 1764 sonntags im
Frankfurter Gymnasium zu Vorträgen und Debatten zusammen-
fand, wo er G.s »Enthusiasmus zu zügeln« und durch Widerspruch

seine »Dialektik zu üben verstand« (an Riese 14. 2. 1814; vgl. *Dichtung und Wahrheit* III,12). Er studierte Jura in Marburg und wurde 1773 »Kastenschreiber«, d. h. Verwalter der Armenkasse in Frankfurt. G. schrieb ihm als Leipziger Student launige Briefgedichte (21. und 30. 10.–8. 11. 1765, 28. 4. 1766), deren meiste Riese später verbrannte, hielt auch nach der Frankfurter Zeit den Kontakt aufrecht und traf ihn auf der 3. Schweizer Reise am 14. und 20. 8. 1797. Der Besuch seines Sohnes August bei Riese 1814 rief bei G. Erinnerungen an die »heitere und lustige« Jugend wach (an Riese 14. 2. 1814). Während G.s Kuraufenthalt in Wiesbaden besuchte Riese ihn am 10./11. 8. 1814; anschließend traf man sich in Frankfurt am 14. und 16. 9. und 15. 10. 1814 sowie im Folgejahr am 18. und 28. 8., 5. und 17. 9. 1815. Riese besuchte G. noch am 6. 11. 1825 in Weimar und vererbte ihm 1827 des Dichters 1806 von ihm ersteigerte Jugendbriefe an J. A. Horn, die G. befremdet verbrannte (an M. von Willemer 3. 1. 1828; zu Eckermann 11. 4. 1829).

Riesengebirge. Im Zuge der Schlesischen Reise machte G. von Breslau aus Mitte September 1790 einen Abstecher ins Riesengebirge und war am 15. 9. 1790 auf der Schneekoppe.

Rietschel, Ernst (1804–1861). Der Dresdner Bildhauer, »der viel Talent haben mag« (an Zelter 19. 7. 1829), 1826–30 Lieblingsschüler Ch. D. Rauchs in Berlin, 1832 Professor der Dresdner Akademie, besuchte G. zuerst im April 1828 und dann am 1. 7. 1829 mit Rauch in Weimar und half diesem bei der Verbesserung seiner G.-Statuette. Auf Vorschlag Rauchs wurde ihm 1852 der Auftrag für das am 4. 9. 1857 enthüllte Weimarer →Goethe- und Schiller-Denkmal erteilt. Seine Sitzstatue G.s ging 1869 bei Brand der Dresdner Hofoper zugrunde.

Riggi, Maddalena (1765–1825). Die »schöne Mailänderin« der *Italienischen Reise*, deren Namen G. nicht nennt (er ist aus einem Brief A. Kauffmanns an G. vom 1. 11. 1788 bekannt), war 1780 nach Rom gekommen, wo ihr Bruder Carlo Ambrogio Riggi beim Kunsthändler Th. Jenkins angestellt war. G. lernte sie durch eine römische Nachbarin im Oktober 1787 bei Jenkins in Castel Gandolfo kennen und verliebte sich »blitzschnell« in ihr natürliches, offenes und zierliches Wesen (*Italienische Reise* 12. 10. 1787, Bericht Oktober 1787). Er führte sie ein wenig ins Englische ein, zog sich jedoch, als er zu seinem »Entsetzen« erfuhr, daß sie verlobt sei, zurück, um »ein wertherähnliches Schicksal« zu vermeiden (ebd.). Als der Bräutigam im Dezember 1787 die Verlobung löste, hatte er seine Neigung bereits unter Kontrolle, verabsäumte jedoch nicht, sich täglich nach ihrem Befinden zu erkundigen, als sie krank zusammenbrach (ebd., Bericht Dezember 1787). A. Kauffmann nahm sich ihrer an, und im Februar 1788 sah er sie in ihrer Gegenwart

H. Gloël, G.s R. und der Orden des Übergangs zu Wetzlar, Mitteilungen des Wetzlarer Geschichtsvereins 3, 1910 und GJb 32, 1911; S. Kekulé von Stradonitz, Neue
Beiträge zur Kenntnis von G.s R. und dem Orden des Übergangs zu Wetzlar, GJb 33,
1912.

Robinson, Henry Crabb (1775–1867). Der englische Jurist und
Schriftsteller, Rechtsanwalt in London und einer der wichtigsten
Vermittler zwischen englischer und deutscher Literatur der Romantik, sah als Student in Jena (1801–05) G. erstmals am 20. 11.
1801, lernte ihn am 14. 3. 1804 im Weimarer Theater näher kennen
und war anschließend mehrfach sein Tischgast. Bei seinem zweiten
Aufenthalt in Jena im August 1818 war G. in Karlsbad. Sein dritter
Aufenthalt in Jena führte am 2. 8. 1829 zu einem Besuch bei G. in
Weimar und am 13.–18. 8. 1829 zu täglichem Verkehr mit G. und
seiner Familie im Haus am Frauenplan oder im Gartenhaus, wo er
ihm Byron, Coleridge und Miltons *Samson Agonistes* vorlas. G. ließ
Robinson am 16. 8. 1829 von J. J. Schmeller für seine Sammlung
zeichnen.

E. Mayer, Begegnungen eines Engländers mit G., DR 100, 1899; L. Gerhardt, C. R.
und seine Beziehungen in Weimar und Jena, ZfB 12, 1908 f.; J.-M. Carré, Un ami et
défenseur de G. en Angleterre, Revue Germanique 8, 1912; F. Norman, H. C. R. and
G., London II 1930 f.; J. B. Morse, C. R. and G. in England, Englische Studien 67, 1932;
E. J. Morley, The life and times of H. C. R., London 1935; J. M. Baker, H. C. R.,
London 1937; H. C. R. und seine deutschen Freunde, hg. H. Marquardt II 1964–67;
G. Maertz, H. C. R.'s translations of G's lyric poems and epigrams, MGS 19, 1993.

Robinson, Therese Albertine Louise →Jakob, Therese Albertine
Louise von

Rochlitz, Johann Friedrich (1769–1842). Den Leipziger Erzähler,
Lustspieldichter, vielgelesenen Publizisten und Musikschriftsteller,
1798–1818 Herausgeber der *Allgemeinen musikalischen Zeitung*, mag
G. seit den 90er Jahren (Weimar 1798?) gekannt haben. Zu einer
näheren Begegnung kam es am 6.–9. 5. 1800 in Leipzig, und seither spielte das Weimarer Theater seine Lustspiele (*Es ist die Rechte
nicht*, 1800; *Jedem das Seine*, 1801; *Revanche,* 1804; *So gehts*, 1805) und
die Sophokles-Bearbeitung *Antigone* (1809). 1800 erhielt Rochlitz
mit G.s Fürsprache den Titel eines Weimarischen Hofrats, 1801
beteiligte er sich erfolglos an der →Dramatischen Preisaufgabe für
ein Intrigenstück. Der »längst bewährte Freund« (*Tag- und Jahreshefte* 1821) traf während seiner Besuche in Weimar am 6.–21. 12.
1813 fast täglich und am 23.–28. 6. 1829 täglich zu Kunstgesprächen mit G. zusammen, der Rochlitz am 27. 6. 1829 von
J. J. Schmeller für seine Porträtsammlung zeichnen ließ. Bei einem
dritten Aufenthalt reduzierte die Krankheit beider die Begegnungen auf den 30. 5. und 1. 6. 1831. Rochlitz war G. beim Ausbau seiner Graphiksammlung behilflich, schenkte ihm 1817 ein »schät-
zenswertes Ölbildchen« (ebd. 1817), eine von Rochlitz Guercino
zugeschriebene Ölskizze von Christi Leichnam mit vier Engeln,
und besorgte ihm auf seine Bitte 1821 den Streicher-Flügel (ebd.

1821). G. schenkte ihm 1813 vier Handzeichnungen, 1819 seine *Werke* (XX 1815–19) und spätere Dichtungen und besprach (*Über Kunst und Altertum* V,1, 1824) den 1. Band von Rochlitz' *Für Freunde der Tonkunst* (IV 1824–32) und seinen Erlebnisbericht über die Schlacht bei Leipzig *Tage der Gefahr* (zuerst in *Neue Erzählungen* 2, 1816), den er »ein Dokument für künftige Zeiten« nennt. G.s freundschaftlich-vertraulicher Briefwechsel mit Rochlitz 1800– 1831 enthält aufschlußreiche Erörterungen der eigenen Werke.

A. Stern, G. und R., Grenzboten 46, 1888; H. Ehinger, F. R., 1929; P. Wimmer, F. R., JbWGV 76, 1972.

Rochus, Rochusfest, Rochuskapelle →*Sankt Rochus-Fest zu Bingen*

Rodawu. Ein Irrtum G.s und kein Inzestfall: Im Gedicht *Musterbilder* des *West-östlichen Divan* (»Buch der Liebe«) nennt G. »Rustan und Rodawu« als berühmtes orientalisches Liebespaar. In Firdusis *Königsbuch* ist die schöne indische Prinzessin Rodawu (eig. Rudabe) jedoch die Gattin des Helden Zal und Mutter des Helden Rustan, dessen Gattin Tehmine heißt und den G. versehentlich an die Stelle des Vaters setzt.

Röderer, Johann Gottfried (1749–1815). Der Straßburger Studienfreund G.s wurde nach dem Theologiestudium Pfarrer in Straßburg und unterhielt freundschaftliche Beziehungen zu Lenz, Kayser und Lavater. Nach zwei erhaltenen Briefen G.s vom 21. 9. 1771 und Herbst(?) 1773 versuchte G. später vergeblich, die ursprünglich wohl nicht besonders enge Freundschaft zu vertiefen.

A. Stöber, J. G. R. und seine Freunde, 1874.

Röhr, Johann Friedrich (1777–1848). Der aufgeklärte Theologe wurde 1820 von Carl August als Oberhofprediger und Generalsuperintendent nach Weimar berufen, wo seine erste Amtshandlung die Taufe von G.s Enkel Wolfgang Maximilian war (*Tag- und Jahreshefte* 1820); 1827 taufte er auch Alma von G. G. schätzte den »ganz vorzüglichen Mann« wegen seiner »klaren Gediegenheit und aufgeklärten Konsequenz« (zu F. von Müller 8. 6. 1821), zog ihn in seinen engeren Kreis und sah ihn oft zu Gast. Am 26. 3. 1832 hielt Röhr die Trauerrede bei G.s Bestattung.

Das Römische Carneval. Das Chaotisch-Ungestüme des römischen Karnevals stieß G. zuerst ab. Den 19. 2. 1787 verbrachte er als Außenstehender »mit Schmerzen unter den Narren« (*Italienische Reise* 19. 2. 1787) und fand »einen unglaublichen Lärm, aber keine Herzensfreude« unter den Teilnehmern (ebd. 20. 2. 1787); man müsse das »gesehen haben, um den Wunsch völlig loszuwerden, es je wieder zu sehen« (ebd.). Dennoch ging er im Februar 1788 wie-

der unter die Menge, die ihm »oft einen widerwärtigen, unheimlichen Eindruck machte« (ebd. Bericht Februar 1788). Diesmal
jedoch betrachtet er das Treiben, die Vorführungen, Pantomimen,
Masken, Kostüme, Kutschen, das Rennen und das Theater unter
folkloristisch-theatralischem Aspekt als »bedeutendes Naturerzeug-
nis und Nationalereignis« (ebd.), dessen verstörende Eindrücke er
gleich nach der Rückkehr aus Italien 1788 in einer unanschaulich-
systematischen Beschreibung zu bannen sucht, um »etwas Unge-
nießbares genießbar zu machen« (an Anna Amalia 17. 4. 1789). Das
Ergebnis, der Aufsatz *Das Römische Carneval*, erschien anonym
Ostern 1789 bei Unger in Berlin als Buch mit 20 handkolorierten
Kupfertafeln von G. M. Kraus nach Zeichnungen von Johann
Georg Schütz. Er wurde im Januar 1790 in Bertuchs *Journal des
Luxus und der Moden* (V) ohne die Tafeln nachgedruckt, 1792 als
Einzelwerk in die *Neuen Schriften* aufgenommen und 1829 in die
Italienische Reise integriert. In der zivilisierteren Form bühnenmäßig
inszenierter Maskenzüge lebt die Erfahrung in G.s Weimarer Mas-
kenzügen und im »Mummenschanz« im *Faust* (II,1) fort. Vgl. auch
Serlos Karnevalsspiele in *Wilhelm Meisters Lehrjahre* IV,18.

E. Redslob, G.s R. C. in alter und in neuer Gestalt, Philobiblon 3, 1959; L. Uhlig, G.s
R. C. im Wandel seines Kontexts, Euph 72, 1978; H. Brüggemann, Die Wege des Welt-
lebens und das Fest des Augenblicks, in ders., Aber schickt keinen Poeten nach Lon-
don, 1985; E. M. Batley, D. R. C., GJb 105, 1988; E. Nährlich-Slatewa, Das groteske
Leben und seine edle Einfassung, GJb 106, 1989; R. Jucker, D. R. K., GJb 111, 1994;
K. Gerhardt, G. und D. R. C., WB 42, 1996; H. A. Gläser, G.s R. C. und seine Folgen,
in: Italienbeziehungen des klassischen Weimar, hg. K. Manger 1997; →Italienische
Reise.

Römische Elegien. G.s erster Gedichtzyklus und zugleich sein
endgültiger Durchbruch zur klassischen Lyrik entstand nach der
Rückkehr von Italien etwa von September 1788 bis April 1790 in
Weimar. Als erster Teildruck erschien die XIII. Elegie im Juli 1791
in der Berliner *Deutschen Monatsschrift*. Nach erneuter Redaktion
(Oktober 1794 – Mai 1795), Streichung einzelner Stellen und Weglassung zweier etwas deutlicherer Elegien (II und XVI der Handschrift) aus Schicklichkeitsgründen erschienen die 20 Elegien im
Juni 1795 in Schillers *Horen* (I,6) unter dem Titel *Elegien* – der Titel
der Handschrift lautete zuerst *Erotica Romana*, dann *Elegien. Rom
1788*. Erst die *Werke* von 1806 nennen sie im Inhaltsverzeichnis mit
dem seither geläufigen Titel *Römische Elegien*. Formal und in Einzelmotiven inspiriert von den römischen Elegikern Catull, Tibull,
Properz und Ovid, an die sie bewußt erinnern sollen, stellen sich
die 20 bildhaften lyrischen Einzelszenen und Variationen in die Tradition der römischen Liebeselegie in Distichen und verwenden
nach deren Vorbild die lockere Reihung und die Ich-Form, doch ist
die autonome dichterische Realität nicht mit biographischen Fakten gleichzusetzen: das nachitalienische Liebeserlebnis mit Christiane Vulpius wird bewußt verdeckt, in römische Umwelt versetzt
und durch parallelisierende Einbeziehung der römischen Mytholo-

gie ins Allgemein-Typische überhöht gespiegelt. Die vitale Erotik der Liebesidylle bezeichnet die befreiende Wirkung des mediterranen Lebensstils zugunsten einer gesunden, natürlichen Harmonie des Lebens und eröffnet dem lyrischen Ich zugleich neue Perspektiven der Erlebnisbereiche Rom, Antike und Kunst. In der Verbindung von privat-intimem Liebes- und monumentalem Antikeerlebnis erlangt das moderne lyrische Ich die antike Unbefangenheit gegenüber der Erotik wieder und vermag sie im Sinne einer Totalität des Lebens in das Kunstwerk einzubeziehen, ohne sich der Problematik solcher Erneuerung und Aneignung der Antike zu verschließen. Elegisch-nostalgische Züge im Hinblick auf ein verlorenes Goldenes Zeitalter ganzheitlich glücklichen Lebens scheinen durch. Daß jedoch im Unterschied zu Properz nicht sentimentale Sehnsucht, Leidenschaft und Eifersucht, sondern sinnliche Erfüllung und Genuß vorherrschen und diese scheinbar ohne Distanz inszenierten Kunstgebilde sich der herkömmlichen witzigen oder moralischen Pointe versagen, führte zu einer zwiespältigen Aufnahme der *Römischen Elegien*: Schiller, F. und A. W. Schlegel, W. von Humboldt, Körner u. a. waren begeistert, Herder und Carl August rieten von der Veröffentlichung ab, kleinere und konservative Geister, auch Ch. von Stein, betrachteten sie als Skandal. Bekannte Illustration in lavierten Tuschzeichnungen des Schweden Yngve Berg 1929.

F. Bronner, G.s R. E. und ihre Quellen, Neue Jahrbücher für Philologie und Pädagogik 148, 1893; M. Blanc, Étude littéraire sur les Élégies romanes de G., Paris 1911; E. Eggerking, G.s R. E., Diss. Bonn 1913; E. Maaß, G.s Elegien, NJbb 23, 1920; H. v. Arnim, Entstehung und Anordnung der R. E. G.s, Deutsche Revue 47, 1922; R. Petsch, G.s R. E., JFDH 1931; M. Kommerell, Gedanken über Gedichte, 1943 u. ö.; F. Klinger, Liebeselegien, in ders., Römische Geisteswelt, 1956 u. ö.; W. Wimmel, Rom in G.s R. E., AuA 7, 1958; G. Kaiser, Wandrer und Idylle, Archiv 202, 1965, auch in ders., Wandrer und Idylle, 1977; G. Luck, G.s R. E. und die augusteische Liebeselegie, Arcadia 2, 1967; D. Jost, Deutsche Klassik: G.s R. E., 1974 u. ö.; H. G. Haile, Prudery in the publication of G's R. E., GQ 49, 1976; W. Malsch, Vorzeit und Gegenwart des Liebesglücks in den R. E. G.s, in: Geist und Zeichen, hg. H. Anton 1977; H. Rüdiger, G.s R. E. und die antike Tradition, GJb 95, 1978; L. L. Albertsen, Die Anerkennung des Sexuellen vor und bei G., TeKo 9, 1981; L. L. Albertsen, Rom 1789, auch eine Revolution, GJb 99, 1982; K. Eibl, Die andere Klassik, Trierer Beiträge Sonderh. 6, 1982; K. Oettinger, Verrucht, aber schön, DU 35, 1983; W. Segebrecht, Sinnliche Wahrnehmung Roms, in: Gedichte und Interpretationen 3, 1984, H. Glockhamer, Fama and Amor, 18th century studies 19, 1985 f.; Ch. Neumeister, G. und die römische Liebeselegie, in: Allerhand G., hg. D. Kimpel 1985; K.-H. Hahn, Der Augenblick ist Ewigkeit, GJb 105, 1988; E. D. Bernhardt, G's R. E., 1990; D. Barry, Sollte der herrliche Sohn uns an der Seite nicht stehn?, MDU 82, 1990; D. Luke, Eros und Priapus, LGS 5, 1993; F. Hoffmann, G.s R. E., 1994; T. Althaus, Lyrik der Klassik: G.s R. E., in: Interpretationen zur neueren deutschen Literaturgeschichte, hg. ders. 1994; W. Riedel, Eros und Ethos, SchillerJb 40, 1996; G. Willems, Klassische Lyrik?, in: Traditionen der Lyrik, hg. W. Düsing 1996.

Römischer Karneval →Das Römische Carneval

Römisches Haus. Das klassizistische Sommerhaus Carl Augusts am Steilhang des linken Ilmufers im Weimarer Park an der Ilm entstand März 1792 – Juli 1797 auf Wunsch Carl Augusts unter unmittelbarer künstlerischer Oberleitung G.s (»Den Bau des Garten-

hauses übergebe ich Dir ganz, tue, als wenn Du für Dich bautest«,
27. 12. 1792) und verkörpert somit G.s Begegnung mit der antiken
Architektur in Italien. Nach den Plänen des Hamburger Architekten Johann August →Arens, der am Weimarer Schloßbau mitwirkte,
erhebt sich über dem rustizierten dorischen Unterbau zur Talseite
ein leichteres, tempelartiges Obergeschoß mit jonischem Säulen-
vorbau und Reliefgiebel. Die festliche Innendekoration nach antiken Mustern schuf der Dresdner Architekt Christian Friedrich
Schuricht, und von den Weimarer Künstlern trugen M. G. Klauer,
J. H. Meyer, G. M. Kraus und C. Horny zur Ausstattung bei. Das
erste klassizistische Gebäude Weimars verleiht durch seine Lage als
Blickpunkt in der Landschaft dem Park einen südländischen
Akzent. Hierher zog sich Carl August gern zurück, hier begrüßte
ihn G. am 3. 9. 1825 um 6 Uhr morgens als erster zur Feier seines
50. Regierungsjahrs, und hier wurde im Juni 1828 der Leichnam
des Herzogs bis zur Beisetzung aufgebahrt.

A. Jericke, Das R. H., 1967 u. ö.; J. Beyer/J. Seifert, Weimarer Klassiker Stätten, 1995.

Roentgen, David (1743–1807). Den berühmten Kunsttischler und
Ebenisten in Neuwied, dessen handwerklich perfekt gearbeitete,
teils mit kunstvollen Mechanismen und Intarsien versehene Möbel
im Louis XV.-, Louis XVI.- und klassizistischen Stil sich an europäischen Fürstenhöfen internationaler Beliebtheit erfreuten, und
seine Werkstatt mag G. auf der Geniereise am 19. 7. 1774 gesehen
haben. Möbel von ihm konnten er und Carl August u. a. in Berlin,
Dessau oder Wörlitz sehen. Für die Neuausstattung des Weimarer
Schlosses verschaffte sich Carl August, vielleicht unter G.s Einfluß,
mehrere Möbel aus Roentgens Werkstatt und berief 1798 dessen
Gehilfen Johann Wilhelm Kronrath als Hof-Ebenisten nach
Weimar. G. huldigt dem Meister namentlich in den *Unterhaltungen
deutscher Ausgewanderten* (der reißende Schreibtisch) und in *Die neue
Melusine* (*Wanderjahre* III,6).

J. M. Greber, G. begegnet dem Kunstschreiner D. R., Deutsche Berufs- und Fach-
schule 45, 1949.

Rösel, Johann Gottlob Samuel (1768–1843). Der Berliner Landschaftsmaler und Professor an der Bauhochschule, Freund Zelters
und Schulfreund Riemers, besuchte G. wohl erstmals am 1. 8. 1808
in Karlsbad, traf ihn am 29. 9. 1810 in Löbichau und besuchte ihn
am 12. 10. 1823, 30. 9., 2. und 3. 10. 1828 in Weimar. G., dem Rösel
zu den Geburtstagen 1825–27 jeweils Zeichnungen gesandt hatte,
widmete ihm die Verse »Rösels Pinsel …« (1. 9. 1827), »Wage der
gewandte Stehler …« (4. 11. 1828) und »Schwarz und ohne Licht
…« (25. 1. 1829).

H. Kügler, Der Maler G. S. R. und G., Jahrbuch für brandenburgische Landesgeschichte 5, 1954.

Rohan-Guémené, Louis René Edouard, Prinz von (1734–1803). Der Kardinal und Fürstbischof von Straßburg wurde 1785 in die →Halsbandaffäre verwickelt und in der Bastille gefangengesetzt, 1786 jedoch, da er in gutem Glauben gehandelt habe, freigesprochen und verließ 1790 das revolutionäre Frankreich. Im *Groß-Cophta* erscheint er als »Domherr«.

Rohden, Johann Martin von (1778–1868). Der Kasseler Landschaftsmaler, seit 1795 meist in Rom, beteiligte sich an den Weimarer Kunstausstellungen und errang 1802 den Preis für eine Landschaft (*Tag- und Jahreshefte* 1802). Bei einem Aufenthalt in Weimar besuchte er G. am 27. und 29. 1. und 13. 2. 1812.

Rokoko →Anakreontik

Roland de la Platière, Marie Jeanne, geb. Phlipon (1754–1793). Die gebildete Pariser Kleinbürgertochter heiratete 1780 den Girondistenführer und 1792 französischen Innenminister Jean Marie Roland de la Platière (der Schillers Ehrenbürgerurkunde unterschrieb), wurde eine treibende Kraft und Revolutionsheldin der Girondisten und endete mit diesen unter der Guillotine. Im Zuge der Arbeit an der *Campagne in Frankreich* las G. am 15.–19. 2. 1820 ihre Schriften und Memoiren (*Oeuvres*, III 1800) mit »bewunderndem Erstaunen« (*Tag- und Jahreshefte* 1820). Vgl. *Maximen und Reflexionen* 258.

Rom. Stärker als jeder andere Ort Italiens, den G. eher als Tourist besuchte, bezeichnet der 15monatige Aufenthalt in der »Hauptstadt der Welt« (*Italienische Reise* 1. 11. 1786) die entscheidende Wende in G.s Leben zu Selbstfindung, Harmonie und Glück (ebd. 14. 3. 1788) und wurde zur maßgeblichen Epoche für die Ausbildung der deutschen Klassik. Bereits durch die Veduten und Prospekte im Flur des Elternhauses und die Erzählungen des Vaters auf die Sehenswürdigkeiten Roms vorbereitet, eilt er von Venedig ungeduldig nach Rom und betrachtet den 29. 10. 1786, als er die Stadt durch die Porta del Popolo betritt, als Erfüllung seiner langjährigen Sehnsucht und Tag »einer wahren Wiedergeburt« (ebd. 3. 12. 1786): »Ich kann sagen, daß ich nur in Rom empfunden habe, was eigentlich ein Mensch sei« (zu Eckermann 9. 10. 1828). Um sich gesellschaftlichen Pflichten als Minister und Autor zu entziehen, hält er das Pseudonym J. Ph. Möller offiziell aufrecht, steigt in der Locanda dell'Orso ab und nimmt tags darauf Wohnung bei J. H. W. Tischbein im Eckhaus an der Via del Corso 18. Sein Umgang beschränkt sich zunächst auf die deutsche Künstlerkolonie in Rom, an deren Besichtigungen, Treffen und Kunstgesprächen er teilnimmt: J. H. W. Tischbein, F. Bury, J. G. Schütz, J. H. Lips, A. Trippel, A. Kauffmann, J. F. Reiffenstein, M. von Verschaffelt, J. H. Meyer, dazu K. Ph.

Moritz und der Archäologe A. L. Hirt. In den nächsten Wochen und
Monaten besichtigt G., bedrängt von der Fülle der Eindrücke auf
welthistorischem Boden, die antiken Baudenkmäler (Pantheon,
Kaiserpaläste auf dem Palatin, Diokletiansthermen, Colosseum,
Grabmal der C. Metella, Cestiuspyramide, Via Appia u. a.; das
Forum Romanum war damals noch teils mit mittelalterlichen Be-
festigungen und Bauten zugebaut, teils wurde es, halb verschüttet,
ls Viehweide, »Campo Vaccino«, benutzt). Mit Ausnahme der Peterskirche und einiger Paläste, Villen und Gärten bleibt die italieni-
che Architektur dabei ausgespart. Weitere Kunsteindrücke bieten
die antiken Skulpturen (Juno Ludovisi, Minerva Giustiniani, Zeus
von Otricoli, Medusa Rondanini, Apoll von Belvedere, Herkules
Farnese), Inschriften, Gemmen und Münzen, dann zusehends auch
die italienische Kunst (Raffael, Michelangelo, Maratti, Guercino,
Tizian, Domenichino, A. Carracci, Guido Reni, Salvator Rosa u. a.,
dazu die Franzosen Poussin und Claude Lorrain), der G. sich in
eigenem Landschaftszeichnen, Modellieren, anatomischem und
perspektivischem Zeichnen nähert. Während Natur und Landschaft
um Rom, Volksleben (→*Das Römische Carneval*) und Volksdichtung
(Ritornelli), die Kirchenfeste und päpstlichen Zeremonien, später
auch Opern und Kirchenmusik, G. mit dem zeitgenössischen
römischen Leben verbinden, finden staatliche, soziale und politische
Themen kaum Beachtung, und zur italienischen Gesellschaft sucht
G., obwohl am 4. 1. 1787 in die →Arcadia aufgenommen, nur selten
Zugang. Von Neapel aus erscheint ihm Rom »wie ein altes, übel-
placiertes Kloster« (*Italienische Reise* 3. 3. 1787), doch nach der Reise
nach Neapel und Sizilien (22. 2.–7. 6. 1787) bringt der »Zweite
Römische Aufenthalt« eine Festigung und Vertiefung der Kunsteindrücke mit weiteren Besuchen von Museen, Sammlungen, Bauten
und Kunstwerken, jetzt auch solchen ägyptischer Herkunft. Dazu
treten botanische Studien. Ausflüge und Sommeraufenthalte in
Albano, Castel Gandolfo, Frascati, Tivoli (mit Hackert) u. a. mit Zeichenstudien verstärken die Erkenntnis, nicht zum bildenden Künstler, sondern zum Dichter berufen zu sein (*Italienische Reise* 22. 2.
1788). Sie gibt der Dichtung neue Anstöße: Die Versfassung der
Iphigenie und der *Egmont* werden vollendet, *Stella, Erwin und Elmire*
und *Claudine von Villa Bella* überarbeitet, weitere Singspiele mit
Kayser geplant, und *Tasso, Faust* (Hexenküche) und *Wilhelm Meister*
wenigstens gedanklich vorangetrieben, doch nur wenige Gedichte
entstehen (*Amor als Landschaftsmaler; Cupido, loser …, Kophtische
Lieder* u. a.). Erst nach der Rückkehr nach Weimar gewinnen die
literarischen Reflexe des Rom-Erlebnisses Gestalt (*Das Römische
Carneval, Römische Elegien,* später →*Italienische Reise*). Der unge-
zwungene mediterrane Lebensstil setzt auch die erotische Erlebnis-
fähigkeit des Dichters frei (→Faustina?, Maddalena →Riggi). Am
22. 4. 1788 nimmt G. in einem Mondnacht-Spaziergang schweren
Herzens Abschied von der Tiberstadt. Seinen Wunsch, an der

Cestiuspyramide begraben zu werden (ebd. 22.2.1788; *Römisch Elegien* IV), nahm 1830 tragischerweise sein Sohn August vorweg G.-→Porträts aus der römischen Zeit schufen Tischbein, A. Kauffmann und A. Trippel (Büste). Vgl. →*Italienische Reise.*

E. Sulger-Gebing, Das Stadtbild R.s zur Zeit G.s, GJb 18, 1897; Carletta, d. i. A Valeri, G. a Roma, Rom 1899; F. Noack, Aus G.s römischem Kreise, GJb 24–26,30–31 1903–10; J. Vogel, Aus G.s Römischen Tagen, 1905; O. T. Schultz, G. und R., 1926 A. Farinelli, G. und R., JGG 18, 1932, auch in ders., Neue Reden und Aufsätze, Pis 1937; W. Rehm, Europäische Romdichtung, 1939 u. ö.; J. Nohl, G. als Maler Möller in R., 1962; M. Gerhard, R. in seiner Bedeutung für G., JFDH 1977; A. Wagener, G. und sein römischer Freundeskreis, in: G. in Italien, hg. J. Görres 1986; G. a Roma, hg P. Chiarini, Rom 1988; H. Claussen, Gegen Rondanini über, GJb 107, 1990; H. Rüdi ger, G.s R.-Erlebnis, in ders., G. und Europa, 1990; G. in R., Katalog, Rom II 1997 →Italienische Reise.

Romane. Dem deutschen Roman, der erst im späten 18. Jahrhundert seine Stellung als vollwertige Literaturform, Verbürgerlichung des Epos, reklamierte, sichern G.s Romane durch Form, Stil und Tiefe des Gehalts den Rang und Anspruch auf Anerkennung als Dichtung und setzen die Maßstäbe und Wegmarken künftiger Entwicklung. Bei breiter Variation eines Grundthemas, der Konfrontation des einzelnen mit der Gesellschaft, findet jeder seiner Romane seinen eigenen Stil und seine adäquate Erzähltechnik: »Der Roman ist eine subjektive Epopöe, in welcher der Verfasser die Erlaubnis erbittet, die Welt nach seiner Weise zu behandeln« (*Maximen und Reflexionen* 133). Brechen schon im Sturm und Drang *Die Leiden des jungen Werthers* zu neuer Tiefe der Empfindung auf, so leiten *Wilhelm Meisters Lehrjahre* wegweisend zur spezifisch deutschen Form des Bildungs- und Entwicklungsromans über, dessen einsträngige Form in der Fortsetzung *Wilhelm Meisters Wanderjahre* durch Einlagen, Binnenerzählungen und Aphorismen mit einer Vielfalt von Motiven das Weltganze erfassen will und in den weitausladenden, vielsträngigen Gesellschaftsroman des Nebeneinander mit wechselseitigen Spiegelungen überleitet. G.s formstrengster, fast novellistisch strukturierter Roman *Die Wahlverwandtschaften* entfaltet eine reiche Symboltechnik und präludiert dem psychologischen Roman das 19. Jahrhunderts. In der Diskussion mit Schiller über epische und dramatische Dichtung und in Serlos Ausführungen über Roman und Drama (*Wilhelm Meisters Lehrjahre* V,7) entwickelt G. aus der Praxis heraus Ansätze und Aspekte einer Romantheorie und -poetik, ohne die Möglichkeiten der erst werdenden Kunstform einzuschränken. Nicht sie, sondern die Romane selbst gaben der Gattung lange nachwirkende Anregungen.

R. Riemann, G.s R.technik, 1902; H. H. Borcherdt, Der R. der G.zeit, 1949; E. L. Stahl, G. as novellist, in: Essays on G., hg. W. Rose, London 1949; V. Lange, G's craft of fiction, PEGS NS 22, 1953, deutsch in ders., Bilder, Ideen, Begriffe, 1991; H. Beriger, G. und der R., 1955; H. Reiss, G.s R., 1963; J. Müller, G.s R.theorie, in: Deutsche R.theorien, hg. R. Grimm 1974; E. A. Blackall, G. and the novel, Ithaca 1976; S. Blessin, Die R. G.s, 1979 u. ö.; P. Pütz, Der R. der Klassik, in: Handbuch des deutschen R.s, hg. H. Koopmann 1983; G's narrative fiction, hg. W. J. Lillyman 1983; G.s Erzählwerk, hg. P. M. Lützeler 1985; J. John, Aphoristik und R.kunst, 1987; D. Mahoney, Der R. der G.zeit, 1988.

Romano, Giulio →Giulio Romano

Romantik. G.s Verhältnis zur Romantik ist durchaus differenziert
nd läßt sich nicht auf die vielzitierte und überspitzte Formu-
lerung »Klassisch ist das Gesunde, romantisch das Kranke« festlegen
(*Maximen und Reflexionen* 1031; zu Eckermann 2. 4. 1829, vgl. ebd.
6. 12. 1829, 21. 3. 1830). Mit den Frühromantikern, zumal in Jena,
mit A. W. und F. Schlegel, Schelling, Tieck, Arnim und Brentano,
pflegte G. zunächst regen geistigen und persönlichen Austausch auf
der Basis gemeinsamer literarischer Bestrebungen (*Tag- und Jahres-
efte* 1801). Erst die Ausbildung einer antiklassischen romantischen
Kunsttheorie mit dem Zentralbegriff des »Unendlichen« um 1800
rweiterte die bald auch persönlich empfundenen Gegensätze. Den
national-patriotischen Tendenzen der Zeit der Napoleonischen
Kriege und ihren Versuchen zur Wiederbelebung altdeutsch-
mittelalterlicher Literatur und Kunst versagte G. ebenso seine Ge-
olgschaft wie der Betonung des Unbewußt-Phantastischen und
den zunehmend religiös-katholisierenden, subjektiven, sinnlichen
nd mystischen Bestrebungen der jüngeren Romantik (Hoffmann,
Werner, Görres, Creuzer), die für ihn in der religiösen Kunst der
→Nazarener in Rom gipfeln und die errungene, an der Natur und
an klassischen Vorbildern ausgerichtete diesseitige Harmonie in
Kunst und Leben in Frage stellen und daher zum Feindbild er-
oben werden: »Das Romantische ist kein Natürliches, Ursprüng-
ches, sondern ein Gemachtes, ein Gesuchtes, Gesteigertes, Über-
riebenes, Bizarres bis ins Fratzenhafte und Karikaturartige« (zu
Riemer 28. 8. 1808). Auf der anderen Seite ist die Abkehr der Romantiker vom anfangs bewunderten Vorbild G. für diese eine Frage
der Selbstbehauptung und der Entwicklung neuer ästhetischer
Zielvorstellungen über die »Kunstperiode« der Klassik hinaus. Daß
edoch Aspekte der Romantik G. nicht ganz fernstanden und nicht
hne Einfluß auf sein Schaffen blieben und daß sein Literatur-
egriff und sein Werk die Fronten überbrücken konnte, bezeugen
eine – allerdings vergeblichen – Bemühungen um Aufführung der
ühnenfernen romantischen Dramen (*Tag- und Jahreshefte* 1801), die
klassisch-romantische Phantasmagorie« des Helena-Akts im *Faust,*
er *West-östliche Divan* und G.s Märchendichtungen. Auch die
reundschaft mit S. Boisserée und den Brüdern Grimm sowie die
Verehrung für Lord Byron u. a. englische und französische Roman-
iker zeugen für G.s undogmatisches Verhältnis zur Romantik,
denn alles, was vortrefflich sei, sei eo ipso klassisch« (zu H. Voß
6. 1. 1804).

      G. und die R., hg. C. Schüddekopf, O. Walzel II 1898 f.; H. Röhl, Die ältere R. und
ie Kunst des jungen G., 1909; H. Meyer, The romantic school and its connection with
. and Schiller, PEGS 14, 1912; F. Strich, Deutsche Klassik und R., 1922 u. ö.;
. K. Eberlein, G. und die bildende Kunst der R., JGG 14, 1928; F. Schultz, Klassik und
. der Deutschen, II 1935–40; R. Benz, G. und die romantische Kunst, 1940; R. Benz,
. und die R., in ders., Stufen und Wandlungen, 1943; E. Jenisch, Das Klassische nenne
h das Gesunde, Goethe 19, 1957; N. H. Smith, The anti-romanticism of G., Renais-

sance and modern studies 2, 1958; W. Kaufmann, G. versus romanticism, in ders., Th owl and the nightingale, London 1959; A. B. Wachsmuth, G. und die R., WZ Leipzig ges.- und sprachwiss. Reihe 12, 1963; K.-H. Hahn, G.s Verhältnis zur R., Goethe 29 1967; J. Aler, G. und die R., Goethe 29, 1967; A. B. Wachsmuth, Zwei Kapitel zur Problem G. und die R., Goethe 30, 1968; O. Höfler, G.s Urteil über die R., Anzeige der Österr. Akademie der Wiss., Philos.-histor. Klasse 108, 1971; G. Hoffmeister, G. und die europäische R., 1984; G. und die R., hg. G. Kozielek, Breslau 1992; G. Schulz, R 1996.

Die romantische Poesie. Für diesen Maskenzug zum Geburtstag der Herzogin Louise am 30. 1. 1810 schrieb G. »Stanzen zur Er klärung« der vorbeiziehenden Allegorien und Figuren au mittelalterlicher Sage und Dichtung, die von einem Minnesänge und einem Heldendichter vorgetragen werden und an die Tradition der zum Herzogtum gehörenden Wartburg als Musensitz für di mittelalterliche Dichtung (Sängerkrieg) erinnern − Frucht de durch die Romantik und ihre Wiederentdeckung des Mittelalter angeregten Beschäftigung G.s mit der altdeutschen Dichtung un dem *Nibelungenlied*.

R. F. Arnold, Zum Maskenzug D. r. P., ChWGV 42, 1937; →Maskenzüge.

Roman über das Weltall. In Briefen an Ch. von Stein von 9.–12. 9. 1780 und 7. 12. 1781 erwähnt G. eine vielleicht durch seine Buffon-Lektüre angeregte, geplante geologisch-naturwissen schaftliche Prosadichtung dieses Titels zur Erdgeschichte. Der Plan löste sich nach 1784 in einzelne naturwissenschaftliche Abhandlun gen wie *Über den Granit* (1784) auf. Auch ein 1799 mit Knebel und Schiller erörtertes naturphilosophisches Lehrgedicht in der Art de →Lukrez gelangte nicht zur Ausführung.

L. Kober, G.s R. ü.d.W., ChWGV 52 f., 1949.

Romanzen →Balladen

Romeo und Julia. Das Mißbehagen mit Ch. F. Weißes Version von Shakespeares Tragödie erregte bei G. schon 1767 in Leipzig den Plan einer Neubearbeitung, deren Entwurf jedoch nicht erhalten ist. Erst der Stückebedarf des Weimarer Theaters veranlaßte G. in Dezember 1811 unter Hinzuziehung von P. A. Wolff und Rieme zu einer Bühnenbearbeitung anhand von A. W. Schlegels Überset zung, die jedoch abweichend von Shakespeare mit dem Selbstmord Julias schließt. Das Stück wurde zuerst am 1. 2. 1812 in Weimar auf geführt und mehrfach wiederholt, jedoch auf G.s Wunsch nicht in die Werkausgaben aufgenommen.

M. J. Wolff, R. u. J. bei Shakespeare, G. und Lope de Vega, in ders., William Shake speare, 1903; G. R. Hauschild, Das Verhältnis von G.s R. u. J. zu Shakespeares gleich namiger Tragödie, Programm Frankfurt 1907; E. Wendling, G.s Bühnenbearbeitung von R. u. J., Programm Zabern 1907; S. Korninger, Shakespeare und seine deutschen Übersetzer, Shakespeare-Jahrbuch 92, 1956; H. G. Heun, G.s Kritik an Shakespeare R. u. J., Shakespeare-Jahrbuch 98, 1962; H. G. Heun, Shakespeares R. u. J. in G.s Bear beitung, 1965; L. R. Phelps, G's adaptation of R. a. J., in: Creative encounter, hg. ders. Chapel Hill 1978.

Roos, Johann Heinrich (1631–1685). Werke des pfälzischen Land-
schafts- und Tiermalers, der seit 1657 in Frankfurt lebte, waren G.
aus Frankfurter Privatsammlungen von früh auf bekannt. Seit 1780
sammmelte G. Handzeichnungen von ihm und Kupferstiche nach
ihm, die er wegen ihrer Detailtreue schätzte (zu Eckermann 26. und
28. 2. 1824). Die Beobachtung italienischen Volkslebens bei Trient
erinnerte ihn lebhaft an den Künstler (*Italienische Reise* 11. 9. 1786).

Rosa, Salvator (1615–1673). Gemälde des neapolitanischen Malers
wildbewegter, heroischer Landschaften sah G. schon 1768 in der
Dresdner Galerie, und 1781 erwarb Carl August Mercks Sammlung
seiner Radierungen. Bleibenden Eindruck jedoch machten erst die
Gemälde Rosas in der Galleria Colonna in Rom, die G. am 27. 6.
1787 unter der kundigen Führung Hackerts besuchte.

Rosne, de →De Rosne

Rossini, Giacchino (1792–1868). Die Opern des italienischen
Komponisten fanden erst nach G.s Theaterleitung den Weg auf die
Weimarer Bühne, doch nahm G. nicht nur in Gesprächen und Brie-
fen lebhaften Anteil an dessen Schaffen, sondern besuchte auch
in Weimar die Aufführungen von *Tancredi* (22. 9. 1817), *Cyrus in
Babylon* (20. 3. 1819), *Der Barbier von Sevilla* (4. 9. 1826), *Die diebische
Elster* (13. 10. 1827), *Die Belagerung von Korinth* (3. 5. 1828) und
Moses (4. 10. 1828).

Roßla →Oberroßla

Roßtrappe. Die Felsenklippe im Harz bei Thale bestieg G. am 7. 9.
1784 mit G. M. Kraus und Ende August 1805 mit August von G.
und F. A. Wolf.

Rostock →Blücher

Roter Turm. Der ursprünglich 1775/76 im Garten des Wittumspalais in Weimar errichtete chinesische Pavillon mit Wandmalereien
von A. F. Oeser wurde 1818 abgetragen und 1819–21 im Anschluß
an das »Lange Haus« der Orangerie im Schloßpark Belvedere wie-
dererrichtet, wo er G. und Carl August als Arbeitsraum für botanische Studien diente.

Rotes Schloß. Der dreigiebelige Renaissancebau in Weimar
wurde 1574–76 als herzoglicher Witwensitz errichtet. Zu G.s Zeiten tagte in seinem Westflügel das Geheime Consilium, dem G. seit
1776 angehörte. Der 1808 zur Neugestaltung des Fürstenplatzes
(Platz der Demokratie) abgerissene Südflügel (an der Stelle der
Mauer mit dem Ildefonsobrunnen) beherbergte 1781–1807 die
→Freie Zeichenschule, an der G. 1781–82 Vorlesungen über Anatomie hielt, und die Wohnung ihres Direktors G. M. Kraus.

Rothe, Wilhelm. Der Kandidat der Theologie war seit August 1829 Hauslehrer von G.s Enkeln, wohnte im Haus und nahm gelegentlich an G.s Mahlzeiten und Gesellschaften teil.

Rother   →*König Rother*

Rousseau, Jean-Jacques (1712–1778). Durch sein »Naturevangelium«, seine Verherrlichung des Gefühls, der Natur und des einfachen Lebens gegenüber der Vernunft, dem Gesetz und der Unnatur der Gesellschaftskultur sowie durch seine Vorstellungen einer Evolution in Natur und Menschheit wirkte der französische Schriftsteller und Philosoph wie überhaupt auf das späte 18. Jahrhundert und den Sturm und Drang, so auch zeitlebens auf G., zumal den jungen G. der Sturm und Drang-Zeit (*Dichtung und Wahrheit* III,1). Indem er verwandten Regungen G.s entsprach, beeinflußte er tiefgreifend dessen Leben und Werk. Mit Einzelwerken des Schriftstellers wurde G. schon in der Frankfurter Jugend vertraut. Erste Versuche einer Rückkehr zur Natur und zum einfachen Leben in Leipzig bezeichnet er später als »mißverstandene Anregungen Rousseaus« (ebd. II,8). Während der Straßburger Studienzeit 1770/71 beschäftigt er sich dann intensiv mit Rousseau und bewundert ihn, ohne jedoch sein »blinder Anbeter« zu werden (J. Ch. Kestner, Tagebuch 1772). Auf der 2. Schweizer Reise besucht G. am 5. 10. 1779 Rousseaus Insel im Bieler See und anschließend die Rousseau-Stätten am Genfer See. Im Mai 1782 erhält er eine Gesamtausgabe der Werke Rousseaus geschenkt. Spuren von Anregungen Rousseaus finden sich entsprechend vorwiegend in den früheren Werken, in den Gedichten *Der Wandrer* und *Prometheus*, in der 1. Fassung des *Götz von Berlichingen*, im *Satyros*, ferner im *Triumph der Empfindsamkeit* und in *Erwin und Elmire*. Rousseaus Roman *Julie, ou la Nouvelle Héloïse* (1761), den G. wohl vor 1767 kennenlernte, beeinflußte durch die Brieform wie durch die Figur des »glücklich-unglücklichen« St. Preux (*Dichtung und Wahrheit* III,12) die *Leiden des jungen Werthers*. Rousseaus Erziehungsroman *Émile, ou de l'education* (1762), das Lieblingsbuch Klingers (ebd. III,14), das G. in Straßburg las, und seine *Confessions* (1782) wirkten auf Form, Darstellung und Gehalt von *Dichtung und Wahrheit*. Rousseaus Singspiel *Le devin du village* (1752), das G. um 1760 in Frankfurt sah (ebd. I,3), förderte G.s Singspiele, und das Monodrama *Pygmalion* (1771), das G. im Januar 1773 las (ebd. III,11), von dem er sich aber später distanzierte (*Tag- und Jahreshefte* 1811; an Zelter 3. 12. 1812), inspirierten mit G.s *Proserpina*. Nach der Lektüre von Rousseaus botanischen Studien (1782, 1824 und 1830) gedenkt G. in der *Geschichte meines botanischen Studiums* von 1831 des »einsiedlerischen Pflanzenfreundes« und »im höchsten Sinne verehrten J. J. Rousseau«.

E. Schmidt, Richardson, R. und G., 1875 u. ö.; H. Smith, G. and R., PEGS NS 3, 1926; A. Franz, Die literarische Porträtzeichnung in G.s Dichtung und Wahrheit und in

R.s Confessions, DVJ 6, 1928; V. Brunet, L'influence de R. sur les idées politiques et sociales et sur la sentimentalité de G., Diss. Toulouse 1932; M. Sommerfeld, J. J. R.s Bekenntnisse und G.s Dichtung und Wahrheit, in ders., G. in Umwelt und Folgezeit, Leiden 1935; A. W. Aron, The mature G. and R., JEGP 35, 1936; E. Vermeil, G. und R., Lancelot 30, 1951; M. Bémol, G. et R., EG 9, 1954; E. Vermeil, La nouvelle Héloise et son influence sur l'oeuvre de G., in: G. et l'esprit français, Paris 1958; K. M. Flavell, G., R. and the Hyp, OGS 7, 1972 f.; C. Hammer, G. and R., Lexington 1973; G. M. Tagliabue, G. e R. e la doppia Entsagung, Annali, studi tedeschi 22, 1979; H. R. Jauß, R.s Nouvelle Héloise und G.s Werther, in ders., Ästhetische Erfahrung und literarische Hermeneutik, 1982.

Roussillon, Henriette von (1745–1773). Die Hofdame der Herzogin von Pfalz-Zweibrücken in Darmstadt gehörte unter dem Namen »Urania« zum →Darmstädter Kreis der Empfindsamen. G. lernte sie Mitte April 1772 bei einem Besuch mit Merck in Homburg bei Louise von Ziegler kennen und sah sie seither öfter bei seinen Besuchen in Darmstadt. Länger kränkelnd, starb sie während eines solchen Aufenthalts am 18. 4. 1773. Der »teuer geliebten Freundin« galt G.s im Mai 1772 in Wetzlar entstandenes Gedicht →*Elysium*.

L. Baus, G.s Musengöttin Urania, 1989; G. Volz, S. H. v. R., Mitteilungen des Historischen Vereins der Pfalz 91, 1993.

Roux, Jacob Wilhelm Christian (1771–1831). Der Landschaftsmaler, Radierer und Zeichenlehrer in Jena und Weimar, später Professor in Heidelberg, wirkte 1817 bei G.s Versuchen zu den entoptischen Farben mit und lieferte ihm »genaue Nachbildungen der entoptischen Farbenbilder« (*Tag- und Jahreshefte* 1817). G. besprach lobend seine Schrift *Die Farben in technischem Sinne* (II1824–28) in *Über Kunst und Altertum* (VI,2, 1828) und besaß Handzeichnungen und Landschaftsradierungen von ihm.

Rovereto. In der italienischen Stadt im Etschtal übernachtete G. auf der Hinreise nach Italien am 11./12. 9. 1786 erstmals in rein italienischem Sprachgebiet. Von hier aus nahm er den Umweg über den Gardasee nach Verona.

Rubens, Peter Paul (1577–1640). G.s Hochschätzung des flämischen Meisters resultierte zwar aus seiner anfänglichen Vorliebe für die niederländische Kunst des 17. Jahrhunderts, blieb aber auch nach der Begegnung mit der italienischen Kunst und deren Ideallandschaften unvermindert und stärkte sich an seiner handfesten Detailfreunde und seiner Absolutierung des Gegenstandes im Sinne einer autonomen Kunst: »In Rubens erscheint die Selbständigkeit der Kunst, wo der Kunst der Gegenstand gleichgültig wird, sie rein absolut« wird (zu Boisserée 15. 9. 1815); seine Größe beruhe darauf, »daß er mit freiem Geiste über der Natur steht und sie seinen höheren Zwecken gemäß traktiert« (zu Eckermann 18. 4. 1827). Rubens' kräftiges Werk mit seinem »männlichen Geist« (ebd. 13. 2. 1831) wirkte zeitweise als bewußt aufgestelltes Gegenbild zur

mystisch-schwärmerischen Malerei der Nazarener, wobei G. jedoch
stets den Landschaften den Vorzug vor Figuren- und Historienbildern gibt. Gelegenheit zu Begegnungen mit Originalwerken
hatte G. zuerst 1768 in der reich mit Rubens und Rubens-Kopien
bestückten Dresdner Galerie, wo ihm besonders »Der Hl. Hieronymus« und »Das Urteil des Paris« gefielen. Am 24. 7. 1774 sah er in
der Peterskirche in Köln die »Kreuzigung Petri«, am 6. 9. 1786 in
München die Entwürfe zum Gemäldezyklus aus dem Leben der
Maria de' Medici für das Palais du Luxembourg in Paris (*Italienische
Reise*), sodann in Düsseldorf im November 1792 das »Jüngste Gericht«, den »Höllensturz der Verdammten«, die »Amazonenschlacht«,
den »Früchtekranz« u. a. m. (*Campagne in Frankreich*) und 1797 in
Frankfurt bei Städel einen »Christus und der Gichtbrüchige« (verschollen), ferner vielerorts Rubens-Kopien und Nachahmungen
wie die angeblich echte »Hökenfrau« (um 1700) bei Beireis in
Helmstedt, die G. ausführlich preist (*Tag- und Jahreshefte* 1805). In
den Schriften zur Kunst wird Rubens seit *Nach Falconet und über
Falconet* (1776), wo er auf eine Stufe mit Raffael und Rembrandt
gestellt wird, häufig genannt, besonders auch im Entwurf *Künstlerische Behandlung landschaftlicher Gegenstände*. G.s Graphiksammlung
umfaßte zahlreiche (besonders Landschafts-) Stiche nach Rubens,
u. a. »Das Gewitter«, »Landschaft bei Sonnenuntergang« und die
»Ländliche Umgebung von Mecheln«, die G. zum Anlaß eines aufschlußreichen Gesprächs mit Eckermann nimmt (zu Eckermann
11. und 18. 4. 1827).

Ruckstuhl, Carl Joseph Heinrich (1788–1831). G. identifizierte
sich mit dem Aufsatz des Schweizer Gymnasiallehrers in Aarau,
Bonn und Koblenz *Von der Ausbildung der deutschen Sprache in Be-
ziehung auf neue, dafür angestellte Bemühungen* (in Ludens Zeitschrift
Nemesis VIII,3, 1816) und dessen Tendenz gegen die Sprachreini-
gung und -verbesserung der Romantiker, versandte ihn an Freunde
(Boisserée, Knebel, Rochlitz) und besprach ihn in *Über Kunst und
Altertum* (I,3, 1817). Auch einen Aufsatz von Ruckstuhl über G.s
Schriften im *Morgenblatt* (1822) nannte G. »rein, gut und sehr ver-
ständig« (an J. H. Meyer 14. 6. 1822, an Ruckstuhl 15. 6. 1822).

L. Hirzel, K. R., 1876.

Rudolstadt. Die kleine Residenzstadt des Duodez-Fürstentums
Schwarzburg-Rudolstadt an der Saale mit dem mächtigen Schloß
Heidecksburg besuchte G. von Weimar aus anfangs öfter auf Ausflügen und diplomatischen Missionen, zumal auch wegen der Nähe
von Ch. von Steins Schloß Groß-Kochberg, so u. a. im Juli 1781
und Mai 1782 sowie am 7. 9. 1788, als bei einer Gesellschaft im
Hause der Frau von Lengefeld die erste, wenn auch kühle persönliche Begegnung mit Schiller erfolgte. In den Jahren 1794–1803
gab das Weimarer Hoftheater jeweils im August/September um die

Zeit des vielbesuchten Vogelschießens Gastspiele in Rudolstadt. Später mag, wie W. von Humboldt (an seine Frau 14. 9. 1810) vermutet, eine gegenseitige Antipathie mit der Fürstin G. ferngehalten haben, doch am 10. 10. 1817 fuhr G. ganz spontan nach Rudolstadt, um endlich die dort seit 1805 aufgestellten Abgüsse der Kolossalköpfe der Rossebändiger von der Piazza del Quirinale (Monte Caballo) in Rom zu sehen (*Tag- und Jahreshefte* 1817; an Boisserée 17. 10. 1817).

H. Hofmann-Stirnemann, R. zur G.zeit, 1949.

Rudorff, Louise Dorothea →Knebel, Louise Dorothea von

Rückert, Friedrich (1788–1866). Dem damals noch nicht literarisch hervorgetretenen Dichter und Übersetzer, der 1811 in Jena promovierte und anschließend dort ein Jahr Privatdozent für klassische Philologie war (später 1826–48 Professor für Orientalistik in Erlangen), mag G. dort selten genug begegnet sein; nur am 23. 7. 1811 besuchte Rückert G. in Jena. Rückerts erste Veröffentlichung jedoch, die im Gefolge von G.s *West-östlichem Divan* entstandenen, G. gewidmeten Lieder *Östliche Rosen* (1822), besprach er freundlich in *Über Kunst und Altertum* (III,3, 1822). Von der nachfolgenden langen Reihe von Übersetzungen und Nachdichtungen orientalischer Dichtungen scheint G. keine Notiz mehr genommen zu haben.

Rüdesheim. Den Weinort am Rhein besuchte G. mit C. F. Zelter und L. W. Cramer am 15./16. 8. 1814 vor und nach der Überfahrt zum →Sankt Rochus-Fest zu Bingen. Er übernachtete im Adlerturm (Gasthof zum Adler), besichtigte die Brömserburg des Grafen Ingelheim (»römisches Kastell«) und die Mineraliensammlung von W. F. Goetz (*Sankt Rochus-Fest zu Bingen*). Er wiederholte den Besuch am 1. 9. 1814 von Winkel aus mit Brentanos zur Besichtigung der Brömserburg und der Stadtkirche und am 5. 9. 1814 zur Überfahrt nach Bingen (*Im Rheingau Herbsttage*).

Rühle von Lilienstern, Johann Jacob Otto August (1780–1847). Der preußische Offizier und Historiker, Freund H. von Kleists, war 1807–11 Erzieher des Prinzen Bernhard von Sachsen-Weimar, weimarischer Major und Kammerherr und besuchte G. seit 7. 5. 1808 mehrfach, zuletzt am 8./9. 2. 1816. Näherer Umgang ergab sich in den Bädern: im Juni 1810 in Karlsbad, im August 1810 in Teplitz, im September 1810 in Dresden und im Juni 1813 in Teplitz. Im Juli 1827 sandte Rühle, seit 1820 Chef des Großen Generalstabs in Berlin, G. sein Werk *Zur ältesten Geschichte und Geographie von Äthiopien und Ägypten* (1827), mit dem sich G. am 27./28. 7. 1827 befaßte; sein Dankbrief vom 12. 8. 1827 resümiert sein Verhältnis zu Ägypten.

Rütli (»Grütli«). Die Bergwiese am Vierwaldstätter See, 1307 Ort des »Rütlischwurs« der Vertreter der drei Urkantone Uri, Schwyz und Unterwalden, sah G. jeweils vom Schiff aus am 19. 6. 1775, 30. 9. und 6. 10. 1797. Den Rütlischwur parodiert Breme in *Die Aufgeregten* (IV,1).

Ruhla. In dem Ort und Mineralbrunnen im Thüringer Wald bei Eisenach und seiner Umgebung (»Ruhl«) weilte G. meist auf Jagden am 4. und 27. 9. 1777, 10. 8. 1789 und 23. 8. 1801.

Ruisdael →Ruysdael, Jacob van

Runckel, Carl Ambrosius (1709–1767). An ihn hat G. eigentlich nur unliebsame Erinnerungen: Der Frankfurter Stallmeister war April– September 1765 G.s Reitlehrer. G. haßte den rein formalen Drill in der geschlossenen Reitbahn des Marstalls und fühlte sich überdies von ihm schlecht und ungerecht behandelt (*Dichtung und Wahrheit* I,4) – was indessen natürlich nicht ausschloß, daß er mit seiner Tochter Elisabeth (Lisette) Catharina →Runckel flirtete.

E. Mentzel, Wolfgang und Cornelia G.s Lehrer, 1909.

Runckel, Elisabeth (Lisette) Catharina (1752–?). Die Tochter von G.s Reitlehrer C. A. →Runckel galt zu G.s Jugend als Frankfurter Schönheit, deren Grazie, Koketterie, stete Heiterkeit und oberflächlicher Charme auch G. so sehr in den Bann schlugen, daß er (bis 1775) bei den Eltern verkehrte. Von Leipzig schickt er ihr über Cornelia wiederholt Grüße und Küsse, bittet die Schwester, sich um ihre Bildung durch ernste Lektüre zu kümmern und erwartet Berichte über ihre Unterhaltungen. Möglicherweise widmete G. ihr (oder Lili Schönemann?) das »mit einem goldnen Halskettchen überschickte« anakreontische Gedicht »Dir darf dies Blatt ...« (1768/70?). Mit ihrer Heirat mit dem Darmstädter Kammerrat F. W. Miltenberg verschwand sie 1780 aus dem Frankfurter Gesichtskreis.

E. Mentzel, Wolfgang und Cornelia G.s Lehrer, 1909.

Runge, Philipp Otto (1777–1810). Der Maler und Schriftsteller war einer der wenigen romantischen Künstler, bei denen G. seine Vorurteile gegen die künstlerische Intention vor der Achtung des originellen und denkenden schöpferischen Künstlers hintanstellte, zumal er hinsichtlich der Farbenlehre einen Gleichgesinnten in ihm erkannte. Der »gute und werte Runge« (*Tag- und Jahreshefte* 1806) beteiligte sich an den Weimarer Preisaufgaben für bildende Künstler 1801 mit einer am 23. 8. 1801 übersandten Tuschzeichnung »Achills Kampf mit den Flüssen«. Deren ablehnende Beurteilung durch die klassizistischen Weimarer Kunstfreunde (»unrichtig und manieriert«) fiel zusammen mit Runges durch die Begegnung mit

L. Tieck veranlaßter Abwendung vom Klassizismus (»Wir sind keine Griechen mehr«) zugunsten eines eigenen, von J. Böhme beeinflußten mystisch-allegorisch-symbolischen Arabeskenstils in zarten, durchdachten Kompositionen. Am 14.–19. 11. 1803 in Weimar, traf er G. am 15. 11. bei Voigt und besuchte am 17. und 18. 11. mit L. Tieck den Dichter, der trotz seiner Aversion gegen religiöse Symbolik die Persönlichkeit verständnisvoll anerkannte, lange Kunstgespräche mit ihm führte und seither Runges Entwicklung anhand ihm übersandter Zeichnungen und Schriften mit Interesse verfolgte, da Runge bezüglich der Farbensymbolik von der Praxis her zu ähnlichen Ergebnissen kam wie G. in seiner *Farbenlehre*. Am 26. 4. 1806 übersandte Runge G. die Stiche (und im Mai 1808 die Originalzeichnungen) zu seinem Zyklus »Die vier Tageszeiten«, die die »Weimarischen Kunstfreunde« zwar als Idee kritisierten (*Jenaische Allgemeine Literaturzeitung* 1. 1. 1807), die G. jedoch zwar zwiespältig, doch stark beeindruckten und deren hieroglyphisches Bezugssystem er immer wieder betrachtete (»schön und toll zugleich«, zu Boisserée 6. 5. 1811). Aus dem dadurch angeregten, vom 2. 6. 1806 bis zu Runges Tod geführten, aufschlußreichen brieflichen Gedankenaustausch über das Wesen der Farben fügte G. Runges Brief vom 3. 7. 1806 mit seinen Beobachtungen zur Farbentheorie dem didaktischen Teil seiner *Farbenlehre* am Schluß an (*Tag- und Jahreshefte* 1806). Auch Runges Schrift über die »Farbenkugel«, die G. im Oktober 1809 im Manuskript las und am 1. 2. 1810 als Buch erhielt, regte ihn zum Abschluß der *Geschichte der Farbenlehre* an (ebd. 1809). G.s Kunstsammlung enthält ein Selbstbildnis Runges.

O. Holtze, G.s Beziehungen zu R. und C. D. Friedrich, Unser Pommernland 17, 1932; O. Böttcher, P. O. R., 1937; R. Benz, G. und die romantische Kunst, 1940; H. Matile, Die Farbenlehre P. O. R.s, 1973; J. Traeger, P. O. R., 1975; G. S. Kallienke, Das Verhältnis von G. und R., 1973; H. v. Einem, P. O. R. und G., JFDH 1977; H. Meyer, Eigenständige Mythenschöpfung, in ders., Spiegelungen, 1987; K. Berthel, Kunst und Kanon, Impulse 8, 1985.

Rußland. Die Heirat des Weimarer Erbprinzen Carl Friedrich mit der russischen Großfürstin →Maria Paulowna, Enkelin Katharinas II. und Schwester Alexanders I., im Jahre 1804 schuf ein näheres Verhältnis zwischen den Höfen von Petersburg und Weimar, das im Laufe der Zeit von zahlreichen Mitgliedern des Petersburger Hofes und des russischen Adels besucht wurde, so von Zar Alexander I. (1805, 1808, 1811, 1813, 1814, 1818) und seiner Gemahlin Elisabetha Alexejewna (1814), dem Großfürsten Konstantin (1808, 1813), der Kaiserin Maria Feodorowna (1815, 1818) und dem späteren Zaren Nikolaus I. mit seiner Gemahlin Alexandra Feodorowna (1821). Hinzu kamen durchreisende Diplomaten, Militärs und Beamte, in zunehmendem Maße auch Literaten und literarisch interessierte Vertreter der jungen Intelligenz. G. hatte sie teils schon in den böhmischen Bädern kennengelernt und traf sie in Weimar bei Hofe, in Gesellschaften oder als Besucher seines Hauses. Auch die

Großfürstin Katharina lernte G. 1815 in Wiesbaden, den Großfürsten Michael 1821 in Marienbad kennen. Der französisierte
Lebensstil der russischen Aristokratie und die vielfach deutsche
Herkunft der Mitglieder des Zarenhauses gaben G. wenig Anlaß,
sich um den russischen Nationalcharakter, die Nationalkultur und
-literatur zu kümmern.

O. Harnack, G.s Beziehungen zu russischen Schriftstellern, in ders., Essais und Studien, 1902; E. Zabel, G. und R., JGG 8, 1921; Ch. M. Purin, G. und R., MDU 30, 1938;
R. Jagoditsch, G.s Beziehungen zu R., ChWGV 51, 1947; W. Lednicki, G. and the Russian and Polish romantics, CL 4, 1952; E. F. Sommer, Über das R.bild G.s, Ostdeutsche
Wissenschaft 5, 1958; J. Hennig, G.s Kenntnis von R.schrifttum, JbWGV 84 f., 1980 f.

Rustan →Rodawu

Ruth. Von einem dramatischen Entwurf dieses Titels, wohl nach
dem biblischen Stoff, den G. 1767 verbrannte (an Cornelia 12. 10.
1767), ist später nie mehr die Rede.

Ruysdael, Jacob van (1628–1682). Gemälde des berühmten
niederländischen Malers heroischer nördlicher Landschaften kannte
G. von seinen Besuchen in der Dresdner Galerie 1768, 1790 u. ö.,
in Leipzig 1782 und durch Ankäufe Carl Augusts für Weimar 1780.
Er besaß selbst mehrere Kopien und Stiche nach Ruysdael. In
seinem am 31. 1./1. 2. 1813 entstandenen, für sein Kunstideal aufschlußreichen Aufsatz *Der Landschaftsmaler als Dichter* (*Tag- und
Jahreshefte* 1813), der nach einem weiteren Besuch in Dresden 1813
erweitert u. d. T. *Ruysdael als Dichter* im *Morgenblatt für gebildete
Stände* vom 3. 5. 1816 erschien, erarbeitet G. an drei Gemälden
(»Der Wasserfall«, »Das Kloster«, »Der Judenkirchhof«) die den »inneren Sinn« aufrufende, poetische Symbolik dieses Künstlers, den er
»einen der vortrefflichsten Landschaftsmaler« nennt und dessen realistische und zugleich symbolische Landschaften er als Gegenbilder
zur spekulativen Romantik erhebt (an Carus 25. 4. 1822, zu Eckermann 2. 5. 1824).

Saadi (Sa'di, um 1215–1292). Mit dem *Rosengarten* (*Gulestan*) des
berühmten persischen Lyrikers in Schiras in der Übersetzung von
Adam Olearius (*Persianisches Rosenthal*, 1654) befaßte sich G. im
Januar und März 1815 und intensiver am 4.–6. 10. 1818. Ihm entlehnt er neben mehreren Einzelmotiven (→*Talismane*) die Sprüche
33 und 47 im »Buch der Sprüche« des *West-östlichen Divan* und
widmet ihm ein Kapitel in den *Noten und Abhandlungen*. Das ihm
dort oder in den *Zahmen Xenien* (»Bei Saadi gedenk ich …«) zugeschriebene Lebensalter von 102 bzw. 116 Jahren ist unrichtig:
Saadis Leben war kürzer als das G.s.

Saarbrücken. Auf seiner Reise zu Pferde durch Elsaß und
Lothringen mit F. L. Weyland und J. C. Engelbach am 22. 6.–4. 7.
1770 weilte G. etwa am 27.–29. 6. 1770 drei Tage in Saarbrücken,

besichtigte Stadt, Kirchen, Schloß und Park und war bei dem aus Frankfurt stammenden Regierungspräsidenten Hieronymus Max von Günderode zu Gast. Seit seiner anschließenden Reise durch die saarländischen Bergbau- und Industriegebiete datiert er sein Interesse für Geologie, Bergbau und Hüttenindustrie, das ihm bei der amtlichen Tätigkeit in Weimar zustatten kam (*Dichtung und Wahrheit* II,10; an A. C. Fabricius? 27. 6. 1770).

W. Feldmann, G. in S., Mitteilungen des historischen Vereins für die Saargegend 8, 1901; A. Zirkler, G.s Saarbrücker Reise, Zeitschrift für die Geschichte der Saargegend 8, 1958.

Sachs, Hans (1494–1576). Die Entdeckung des früher meist abschätzig als Handwerkerdichter, Schuhmacherpoet abgetanen Nürnberger Meistersingers im April 1773 eröffnete dem Sturm und Drang-Dichter G. nach der Begegnung mit der Volksdichtung unter Herders Anleitung neue Perspektiven und dichterische Möglichkeiten. Bei dem bürgerlichen Dichter, dem er sich verwandt fühlte (*Dichtung und Wahrheit* IV,18), fand er, allerdings manches nur hineinsehend, kraftvoll-derbe, volkstümlich frische Sprache und Verse, eine nicht durch Gelehrsamkeit verbildete Ursprünglichkeit, vitale Phantasie, unprätentiöse Nähe zum Volksleben und treuherzige Selbstbeschränkung auf die ihm vertraute Welt. Die von Sachs entlehnten Formen des →Knittelverses und des Schwanks und Fastnachtspiels (*Jahrmarktsfest zu Plundersweilern, Pater Brey, Satyros*), aber auch Wörter, Wendungen und Motive bereichern seither G.s Dichtungen (*Götz von Berlichingen, Faust, Der Ewige Jude*). In Weimar, wo H. Sachs noch unbekannt ist, entsteht die Huldigung an den Volksdichter →*Hans Sachsens poetische Sendung* (1776), erwärmt er Wieland für sein Vorbild und spielt das Liebhabertheater 1778 und 1779 Sachs' *Narrenschneiden* mit G. als Arzt und Musäus als Krankem.

B. Suphan, H. S. in Weimar, 1894; E. Goetze, G. und H. S., Berichte des Freien Deutschen Hochstifts NF 11, 1895; F. Eichler, Das Nachleben des H. S., 1904; K. Cleve, G.s Verhältnis zu H. S., Programm Schwedt 1911; M. C. Burchinal, H. S. and G., 1912.

Sachse, Johann Christoph (1761–1822). Nach unstetem Wanderleben als Vagabund fand der Diener und Handwerksbursche 1800 mit G.s Unterstützung Anstellung als Bibliotheksdiener in Weimar. 1821 las G. im Manuskript seine auf Tagebüchern beruhende Autobiographie, wies in *Über Kunst und Altertum* (III,1, 1821) auf sie hin und förderte sie mit einer eigenen Vorrede zum Druck: *Der deutsche Gil Blas, eingeführt von Goethe. Oder Leben, Wanderungen und Schicksale Johann Christoph Sachses, eines Thüringers. Von ihm selbst verfaßt* (1822). Als Sachse im gleichen Jahr Heilung suchend in Teplitz verstarb, widmete ihm G. noch einen *Nekrolog des deutschen Gil Blas* (ebd. IV,3, 1823). Im Vorwort rückt G. den anspruchsvollen, an A.-L. Lesages Abenteuerroman *Gil Blas de Santillane* anklingenden Titel zurecht: Die Aufzeichnungen seien kein Kunstwerk, sondern ein gut geschriebenes, »menschlich bedeutendes« Naturwerk eines »Naturprosaisten« in realistischer Weltsicht aus der Bedientenperspektive, eine »Bibel der Bedienten und Handwerksburchen«, die den Glauben an »eine moralische Weltordnung« stärke.

K.-D. Müller, Autobiographie und Roman, 1976; W. Psaar, Ein deutscher Gil Blas?, in: Sub tua platano, Festschrift A. Beinlich, 1981.

Sachsen-Gotha und Altenburg →August, Prinz von, und →Ernst II. Ludwig, Herzog von

Sachsen-Meiningen →Carl August, Herzog von

Sachsen-Weimar-Eisenach. Das thüringische Herzogtum, in dessen Staatsdienst G. 1776 trat, umfaßte damals als einer der kleineren deutschen Staaten das Herzogtum Sachsen-Weimar und das 1741 an Sachsen-Weimar gefallene Herzogtum Sachsen-Eisenach, insgesamt sieben räumlich voneinander getrennte größere und kleinere Gebiete mit einer Gesamtfläche von rd. 2600 qkm mit rd. 140 000 Einwohnern. Auf dem Wiener Kongreß wurde es 1815 zum Großherzogtum erhoben und zum größten der thüringischen Länder erweitert und umfaßte dann rd. 4300 qkm mit rd. 217 000 Einwohnern, immer noch in drei räumlich voneinander getrennten (Weimarer, Eisenacher und Neustädter) Landesteilen. Seine Regenten waren zur Goethezeit 1758–75 die Herzoginwitwe Anna Amalia, 1775–1828 Herzog/Großherzog Carl August und 1828–53 Großherzog Carl Friedrich. – Das herzogliche Haus Sachsen-Weimar-Eisenach: Aus der Ehe des Herzogs Ernst August II. Constantin (1737–1758) mit →Anna Amalia (1739–1807) gingen zwei Söhne hervor: →Carl August (1757–1828) und Friedrich Ferdinand →Constantin (1758–1793). Der Ehe Carl Augusts mit →Louise Auguste entstammten vier Kinder: →Louise Auguste Amalia (1779–1784), →Carl Friedrich (1783–1853), →Caroline Louise (1786–1816) und Carl →Bernhard (1792–1862). Aus der Ehe von Carl Friedrich mit →Maria Paulowna gingen drei Kinder hervor: →Maria Louise Alexandrine (1808–1877), Maria Louise →Augusta (1811–1890) und →Carl Alexander (1818–1901), der →Sophie, Prinzessin von Oranien (1824–1897) heiratete.

G. Mentz, Weimarische Staats- und Regentengeschichte, 1936.

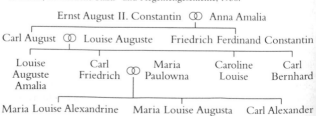

Sachsenhausen. Die Frankfurt südlich des Mains gegenüberliegende, heute eingemeindete Ortschaft war dem jungen G. durch Spaziergänge und Ausflüge wohlvertraut.

Sacy, Antoine Isaac (seit 1813) Silvestre Baron de (1758–1838). Dem berühmtesten Orientalisten seiner Zeit, 1808 Professor in Paris und Begründer der europäischen Islamistik, huldigt G. im zweiten und letzten der Vierzeiler am Schluß der *Noten und Abhandlungen* zum *West-östlichen Divan,* die auch in arabischer Übersetzung und in arabischer Schrift gedruckt wurden. Nach dem arabischen Brauch, Bücher mit der (europäisch) letzten Seite rückläufig zu beginnen, sind sie zugleich Eingangs- wie Ausgangswidmung.

Sächsischer Hof. In dem Eckhaus am Herderplatz in Weimar, einem Renaissancebau des Deutschritterordens, nach den späteren Besitzern, den Grafen von Schwarzburg, auch »Schwarzburger Hof« genannt und ab 1810 Gaststätte »Hotel de Saxe«, wohnte G. die ersten Monate nach seiner Ankunft in Weimar, 7. 11. 1775–18. 3. 1776, als Gast des Kammerpräsidenten Carl Alexander von →Kalb und seines Sohnes Johann August Alexander von →Kalb und bezog dann seine erste eigene Wohnung Am Burgplatz 1.

Der Sänger. Die spätestens im Herbst 1782 entstandene Ballade stand zuerst als Lied des Harfners in *Wilhelm Meisters theatralische Sendung* (IV,12) und wurde mit leichten Abweichungen 1795 in *Wilhelm Meisters Lehrjahre* (II,11) zuerst gedruckt. Am Anfang einer Reihe von Dichtungen zur Sänger/Dichter-Thematik und zum Verhältnis von Kunst und Macht stehend, prägte sie, obwohl hier ins Mittelalter versetzt, die romantisch-idealistische Vorstellung von der Selbstgenügsamkeit und Außerweltlichkeit der Kunst und des Dichtertums, das zwar die bestehende Gesellschaft verherrlicht, aber seinerseits eine sie integrierende materielle Belohnung ablehnt und nur symbolische Anerkennung wünscht. Sie mag durchaus einer inneren Sehnsucht G.s selbst entsprechen, von der »goldenen Kette« der Ämterlasten befreit zu sein und frei »wie der Vogel singt« ganz der Dichtung zu leben – eine Haltung, die sich andererseits angesichts der sozialen Einbindung G.s und seiner gleichwohl durchaus auch materiellen Interessen als illusorisches Wunschdenken enthüllt, jedoch langwirkend die populäre Idealvorstellung vom freien und bedürfnislosen Dichtertum bestimmte. An 25 Vertonungen, u. a. von Loewe, Reichardt, Schubert, Schumann, H. Wolf und Zelter.

B. Seuffert, G.s Gedicht D. S., ChWGV 39, 1934; E. Kerkhoff, G.s S., in: Verzamelde opstellen, Festschrift J. H. Scholte, Amsterdam 1947; W. Grenzmann, D. S., in: Wege zum Gedicht 2, hg. R. Hirschenauer 1963 u. ö.

Saint-Aignan, Nicolas Auguste Marie Rousseau, Baron de (1770–1858). Der gebildete Kunstliebhaber war während der Franzosenzeit 1812/13 Gesandter Napoleons an den sächsischen Höfen mit Sitz in Weimar, dessen kulturelle Bedeutung er erkannte. Kanzler F. von Müller führte ihn am 8. 2. 1812 bei G. ein, der sofort Kontakt zu ihm fand, ihn alle Sonntagvormittage zu Kunstgesprächen anhand seiner Sammlungen zu sich einlud und ihn häufig besuchte.

W. Andreas, G. und S.-A., DVJ 37, 1963.

Saint-Hilaire, Geoffroy de →Cuvier

Saint-Maurice. Den Ort im Schweizer Wallis besuchten G. und Carl August auf der 2. Schweizer Reise am 7. 11. 1779 auf einem Abstecher von Martigny ins untere Rhonetal und besichtigten die alte Abteikirche (*Briefe aus der Schweiz 1779*).

Saint-Pierre →Bernardin de Saint-Pierre

Saint-Simon, Claude Henri de Rouvroy, Comte de (1760–1825). Mit dem Gedankengut des französischen Sozialphilosophen, Begründers des modernen Sozialismus (Saint-Simonismus) machte sich G. in Gesprächen mit Soret und Kanzler von Müller (20. bzw. 30. 10. 1830) und im Mai 1831 durch die Lektüre von John Sinclairs *La doctrine de Saint-Simon* vertraut, stand ihm und besonders dem quasi-religiösen Anspruch der späteren Saint-Simonisten aber grundsätzlich ablehnend gegenüber (an Zelter 28. 6. und 17. 9. 1831).

G. C. L. Schuchard, Julirevolution, St.Simonismus und die Faustpartien von 1831, ZDP 60, 1935; W. Kahle, G.s Verhältnis zum Saint-Simonismus, GJb 89, 1972; H. Hamm, G. und C.-H. de S.-S., in: Philosophie und Kunst, 1987.

Saint-Simon, Louis de Rouvroy, Duc de (1675–1755). Die rd. 1740–50 entstandenen, glänzend geschriebenen *Memoiren* des französischen Offiziers und Staatsmannes mit ihrem ungeschminkten Bild des französischen Hoflebens unter Ludwig XIV. und der Régence, 1682–1723, deren erste authentische Ausgabe in Frankreich erst 1829/30 erscheinen durfte, lernte G. in Auszügen und Übersetzungen zuerst im Mai 1789 kennen, beschäftigte sich im Februar/März 1812 näher mit ihnen und las von Juli 1829 bis März 1830 mit viel Interesse das »höchst merkwürdige« Werk des »verständigen, klugen, braven Saint-Simon« in der französischen Ausgabe wenigstens bis zum Tod Ludwigs XIV. (zu F. von Müller 11. 1. 1830, zu Soret 6. 3. 1830, an Zelter 15. 2. 1830).

Sakuntala →Kalidasa

Salerno. In der süditalienischen Stadt übernachtete G. auf der Reise mit Kniep von Neapel nach Paestum und zurück am 21./22.

und 22./23. 3. 1787 und erinnerte sich der im Mittelalter berühmten medizinischen Fakultät der 1050–1817 dort bestehenden Universität (*Italienische Reise*).

Salieri, Antonio (1750–1825). Von dem von ihm sehr geschätzten italienischen Opernkomponisten, 1788–1824 Hofkapellmeister in Wien und Rivalen Mozarts, sah G. am 28. 8. 1784 in Braunschweig mit viel Freude *La scuola de' gelosi* (an Ch. von Stein 29. 8. 1784) und am 13. 8. 1797 in Frankfurt »mit sehr viel Vergnügen« (an C. A. Böttiger 16. 8. 1797) *Palmyra, Prinzessin von Persien* (an Schiller 14. 8. 1797). Der starke Eindruck dieser Aufführung und besonders des Bühnenbildes von G. →Fuentes schlug sich im Gespräch *Über Wahrheit und Wahrscheinlichkeit der Kunstwerke* (1798) nieder. Das Weimarer Theater spielte seit 3. 8. 1793 Salieris *Das Kästchen mit der Chiffre (La cifra)*, seit 2. 3. 1799 *Palmyra* und seit 26. 2. 1800 *Tarare*.

Salis-Marschlins, Carl Ulysses von (1728–1800). Der Schweizer Politiker und Schriftsteller, 1768–92 Geschäftsträger Frankreichs in Graubünden, gründete aus Begeisterung für die pädagogischen Ideen der Aufklärung mit dem »Philanthropin« in Marschlins/Graubünden eines der großen Schweizer Landerziehungsheime. G., der den »ernsten, verständigen Mann« bereits im Herbst 1774 in Frankfurt kennengelernt hatte (*Dichtung und Wahrheit* III,15), trat wieder indirekt in Beziehung zu ihm, als sein Mündel Peter im Baumgarten 1777 von dort entwichen war und G. wegen dessen Rest-Legat verhandeln mußte. Seine und Fellenbergs Erziehungsprinzipien wirkten ferner auf die Konzeption der »Pädagogischen Provinz« in *Wilhelm Meisters Wanderjahre* ein.

Salis-Seewis, Johann Gaudenz von (1762–1834). Der Schweizer Offizier, Politiker und empfindsame Lyriker besuchte auf einer Deutschlandreise am 8. 2. 1790 G. in Weimar, der ihn »mit viel Anstand und Kälte« empfing (Salis-Seewis, Tagebuch).

Sallust (Gaius Sallustius Crispus, 86–35 v. Chr.). Von dem römischen Historiker las G. im Januar 1785 Knebels fragmentarische Übersetzung von *De coniuratione Catilinae* und im Juni 1808 in Karlsbad das *Bellum Jugurthinum*.

Salomo   →*Hohelied*

Salomonis Schlüssel. Wenn Faust zur Beschwörung des im Pudel verkörperten Geists »Salomonis Schlüssel« nennt (*Faust* v. 1257 f.), so könnte damit das geisterbannende magische Pentagramm (→Drudenfuß, cingulum Salomonis) gemeint sein, eher jedoch das in den pansophischen Schriften oft genannte, Salomo als dem

angeblich größten Zauberer und Geisterbeschwörer zugeschriebene und seit dem 16. Jahrhundert in vielen Abschriften, seit 1686
auch im Druck verbreitete, kabbalistische Geister-Beschwörungs-
buch *Clavicula Salomonis*, das G. jedoch nur dem Titel nach bekannt
war.

**Salomons Königs von Israel und Juda güldne Worte von der
Ceder bis zum Issop.** Angeregt durch G. Jacobis Aufsatz über die
Fabel in der Zeitschrift *Isis* im Herbst 1774 und das biblische *Buch
der Könige* (I,5;12–13 und II,14,9) schrieb G. vor November 1775
die 15 Prosa-Parabeln von der Zeder des Libanon, die alles überragt
und dennoch Ehrfurcht vor dem Größeren wie dem Kleineren
zeigt: Ausdruck seines Selbstbewußtseins und seiner Selbsteinschät-
zung unter den Dichtern der Zeit und des Anspruchs auf freie Entfaltung der großen Persönlichkeit. Die einzige Handschrift fand
Bettina von Arnim 1806 bei Sophie von La Roche, der G. sie wohl
gesandt hatte; Clemens Brentano veröffentlichte die Texte 2–6 in
der *Zeitung für Einsiedler* (Nr. 4, 12. 4. 1808); der vollständige Text
erschien erst 1861 als Privatdruck.

M. Morris, G.s Parabeln, Studien zur vergleichenden Literaturgeschichte 4, 1904;
W. Buch, G.s Parabeln, Pädagogische Rundschau 15, 1961.

Salvandy, Narcisse Achille, Comte de (1795–1856). Von dem französischen Politiker und Schriftsteller schätzte G. besonders den
historischen Roman *Don Alonzo, ou l'Espagne* (1824); er las das
»höchst bedeutende Werk« (an Cotta 30. 5. 1824) Anfang 1824, unterhielt sich gern darüber und besprach es in *Über Kunst und Altertum* (V,1, 1824). Salvandys *Histoire de Pologne* las er im Mai 1829,
und den Essay *Une fête au Palais-Royale* (im *Livre des cent-et-un*, 1831)
besprach er in *Über Kunst und Altertum* (VI,3, 1832). Die ihm von
Maria Paulowna empfohlene Darstellung *Seize mois, ou la révolution
et les révolutionnaires* (1831) war das letzte Buch, das G. noch auf dem
Sterbelager vergeblich zu lesen versuchte.

Salzmann, Christian Gotthilf (1744–1811). Der Theologe, 1781
Lehrer am Philanthropinum in Dessau, gründete 1784 auf dem
Landgut Schnepfenthal bei Gotha eine philanthropische Erzie-
hungsanstalt. G. besuchte sie um den 20. 6. 1786 und am 27. 8.
1801, ließ sich wiederholt darüber berichten und befürwortete ihre
Grundsätze. Während Schiller Salzmanns moralisierenden Roman
Carl von Carlsberg (VI 1783–88) in den *Xenien* (148, 282) verspot-
tete, konnte G. Salzmanns Vorschlägen zur Vorbeugung einer deut-
schen Revolution in den *Revolutionsgesprächen* (1794) und dem
Erziehungsroman *Conrad Kiefer* (II 1798) zustimmen und ähnliche
Motive und Figuren in *Hermann und Dorothea* aufgreifen.

K. Albrich, G. und C. G. S., II 1918–23; G. Burggraf, Kosmopolitische Ziele bei
C. G. S. und G., Die Sammlung 4, 1949.

Salzmann, Johann Daniel (1722–1812). Der unverheiratete Aktuar am Vormundschaftsgericht in Straßburg führte bei G.s Ankunft in Straßburg 1770 seit langem würdevoll und umsichtig den Vorsitz bei der Tischgesellschaft der Fräulein Lauth, der G. beitrat. Daher in täglichem Umgang mit ihm, schloß G. sich dem angesehenen, vernünftigen, gelassenen und erfahrenen Älteren mit gelehrten Neigungen in vertrauensvoller Freundschaft an, ließ sich von ihm in seinem Studiengang beraten und in die Straßburger Gesellschaft einführen (*Dichtung und Wahrheit* II,9; an S. C. von Klettenberg 26. 8. 1770). G.s sehr persönliche Briefe an Salzmann aus Sesenheim und Frankfurt sind aufschlußreich für sein Verhältnis zu F. Brion. Für eine Shakespeare-Feier in Salzmanns »Gelehrter Übungsgesellschaft« verfaßte G. 1771 in Frankfurt die Rede *Zum Shakespeares Tag*; ob sie am 14. 10. 1771 neben der Festrede von Lerse verlesen wurde, ist jedoch zweifelhaft. Für Salzmann beurteilte G. am 6. 3. 1773 das Manuskript von J. M. R. Lenz' Plautus-Übersetzung, und am 5. 12. 1774 bemühte er sich um einen Verleger für seine *Kurzen Abhandlungen über einige wichtige Gegenstände aus der Religions- und Sittenlehre* (1776). Auf der 1. Schweizer Reise besuchte G. am 23. 5. 1775 Salzmann in Straßburg.

A. Stöber, Der Aktuar S., 1855; H. Düntzer, Der Aktuarius S., ZfdU 8, 1894; F. Dollinger, J. D. S., ami de G., L'Alsace française 12, 1932; A. Fuchs, La pensée de l'Actuaria S., in: Les lettres en Alsace, Straßburg 1962.

Der Sammler und die Seinigen. Der kunsttheoretisch-ästhetische Aufsatz, eine »Kunstnovelle« in erzählender Brief- und Gesprächsform, ist eine von G. formulierte und ausgeführte gedankliche Gemeinschaftsarbeit von Schiller und G. Er ging aus einem am 19. 11. 1798 mit Schiller entworfenen Gespräch *Der Kunstsammler* hervor, entstand am 20. 11. 1798–12. 5. 1799 im gegenseitigen Austausch und erschien 1799 in den *Propyläen* (II,2). Zugleich Programmschrift des klassizistischen Kunstideals, versucht er eine Künstlertypologie nach den Gruppen der Nachahmer, Imaginanten, Charakteristiker, Undulisten, Kleinkünstler und Skizzisten, fordert jedoch zur Vermeidung von Einseitigkeiten die Verbindung mehrerer Typen und sieht das vollendete Kunstwerk als Einheit und Gleichgewicht von Ernst und Spiel. Eine näher ausführende Fortsetzung wurde zwar geplant (an Schiller 22. 6. 1799), unterblieb jedoch, da die von G. erwartete große Wirkung ausblieb.

M. Jolles, G.s Kunstanschauung, 1957; E. W. Schulz, Die Wahrheit der Kunstwerke und das Kunsturteil, in: Vielfalt der Perspektiven, hg. H.-W. Eroms 1984.

Sammlungen. G.s Sammlungen im Weimarer Haus am Frauenplan, die seinem Bedürfnis nach Anschauen und Betrachten entgegenkamen, ihm das Material für seine vielfältigen wissenschaftlichen Studien und Interessen zur Hand gaben und für deren Weite Zeugnis ablegen, umfaßten neben den rd. 26 000 Objekten der →Kunstsammlungen, der Autographensammlung und der →Bibliothek aus dem Bereich der Geologie, Botanik und Physik rd. 18 000 Mineralien und 5000 andere naturwissenschaftliche Gegenstände und Instrumente (→Naturwissenschaftliche Sammlungen). Sie bildeten quasi das Inventar für ein auf die persönlichen Interessen zugeschnittenes Institut eines Privatgelehrten.

A. Märkisch, Die Bedeutung des Sammelns in G.s Leben und Wirken, FuF 35, 1961; L. Frede, G. der Sammler, 1969; E. Trunz, G. als Sammler, GJb 89, 1972, auch in ders., Ein Tag aus G.s Leben, 1990; G. als Sammler, hg. N. Baerlocher, Katalog Zürich 1989.

Sammlung zur Kenntnis der Gebirge von und um Karlsbad
→Müller, Joseph

Sand, Carl Ludwig (1795–1820). Die Ermordung →Kotzebues am 23. 3. 1819 in Mannheim durch den Jenaer Theologiestudenten und radikalen Burschenschaftler Sand, deren Nachricht G. am 26. 3. erreichte, mußte G. umso mehr erregen, als der Mörder ihn am 14. 11. 1817 in Jena persönlich aufgesucht und um Überlassung eines verfallenden Ballhauses als Fecht- und Turnhalle für die Studenten gebeten hatte und seine Verbindung zu der ohnehin als zu liberal verschrieenen Universität Jena dieser im Zuge der von Metternich eingeleiteten Reaktion gegen die Burschenschaften, der Karlsbader Beschlüsse und der Demagogenverfolgung, besonders nachteilig zu werden drohten.

Sankt Andreasberg. In der Stadt im Oberharz übernachtete G. auf der 1. Harzreise am 12. 12. 1777 und auf der 2. Harzreise am 23. 9. 1783.

Sankt Gotthard. Der damals noch besonders von Nordländern als wildromantisches Abenteuer empfundene Aufstieg zum zentralen Gebirgsmassiv der Schweizer Alpen mit dem Sankt Gotthard-Paß, dem traditionellen Übergang nach Italien, bildete jeweils den »Höhepunkt« von G.s drei Schweizer Reisen (obwohl der Furka-Paß noch über 300 m höher liegt). Auf der 1. Schweizer Reise erreichte ihn G. mit Passavant am 22./23. 6. 1775 von Altdorf-Andermatt aus, versagte sich eine Weiterreise nach Mailand, zeichnete den »Scheideblick nach Italien«, übernachtete im Hospiz und kehrte nach Zürich zurück (*Dichtung und Wahrheit* IV,18). Auf der 2. Schweizer Reise mit Carl August erreichte G. das »königliche Gebirge« am 13. 11. 1779 vom Rhonetal/Wallis über den Furka-Paß und ging über Luzern zurück (*Briefe aus der Schweiz 1779*). Auf der 3. Schweizer Reise gelangte er über Altdorf-Andermatt am 3. 10. 1797 dorthin und ging denselben Weg zurück (*Reise in die Schweiz 1797*). Das erhabene Gefühl der Bezwingung eines Urgebirges wirkt nach in den Schilderungen ungenannter Alpenpässe in *Wilhelm Meisters Wanderjahre* (I,1 und II,7).

Literatur →Schweiz.

Sankt Joseph der Zweite. Am 10. 5. 1799 erkundigt sich G. bei J. H. Meyer nach Darstellungen der Geschichte des Hl. Joseph in der Malerei: Zeugnis für den ersten Plan der *Wilhelm Meisters Wanderjahre* (I,2) eröffnenden Novelle *Sankt Joseph der Zweite*, die am 18.–20. 5. 1807 entstand und zuerst im Herbst 1809 in Cottas *Taschenbuch für Damen auf das Jahr 1810* erschien. Im Roman schließt sie an das Tableau der →*Flucht nach Ägypten* (I,1) an und erklärt diese merkwürdige Erscheinung durch die Erzählung Josephs, wie der junge Zimmermann mit seiner Frau Maria anhand eines Wandbilderzyklus zur Nachfolge der biblischen Geschichte angeregt wird und nunmehr mit seiner Familie eine glückliche Ehe im urtümlichen Zustand eines einfach-idyllischen Lebens in Harmonie mit der Natur führt, die als Vor- und Urbild gesunden Familienlebens ein Gegenbild für die nachfolgenden Novellen der Leidenschaften und Verwirrungen bildet. Das anfänglich Wunderbare erklärt sich als alltäglich, ohne die geheimnisvolle Vieldeutigkeit zu verlieren, mit der das Leben die Kunst imitiert.

G. Haupt, G.s Novellen S. J. d. Z …, Diss. Greifswald 1913; B. Croce, Una novella del G., in ders., Nuovi saggi sul G., Bari 1934; H.-J. Bastian, Zum Menschenbild des späten G., WB 12, 1966; B. Armstrong, An idyl sad and strange, MDU 77, 1985; →Wilhelm Meisters Wanderjahre, →Novellen.

Sankt Nepomuks Vorabend. Der Hl. Johannes von Nepomuk (um 1350–1393), Beichtvater der Königin Johanna von Böhmen, weigerte sich nach der Legende, deren Beichtgeheimnis zu verraten und wurde daher unter König Wenzel IV. gefoltert und in die Moldau gestürzt, wo sein Leichnam von wunderbaren Lichterscheinungen begleitet fortgeschwommen sei. Dem Märtyrer des Beichtgeheimnisses und Brückenheiligen zu Ehren werden besonders in Böhmen am Vorabend seines Tages (16. 5.) Kerzen auf der Moldau u. a. Flüssen ausgesetzt. Aus dem Erlebnis einer solchen Lichterschwemme in Karlsbad (Tagebuch 15. und 19. 5. 1820) entstand das auf den 15. 5. 1820 datierte, fast impressionistische Gedicht, das am 24. 5. an Zelter ging, der es sogleich (2. 6.) vertonte. Weitere 12 Vertonungen u. a. von H. Wolf.

H. Kuhn, Interpretationslehre, in: Unterscheidung und Bewahrung, hg. K. Lazarowicz 1961; M. Mayer, Mit Liebe beziffert, JFDH 1996.

Sankt Rochus-Fest zu Bingen. Am 16. 8. 1814 nahm G. in Begleitung von Zelter und L. W. Cramer von Wiesbaden bzw. Rüdesheim aus an der Weihe der in den Kriegsverwüstungen 1795 zerstörten und 1814 wiederhergestellten Kapelle (1677) des Pestheiligen St. Rochus bei →Bingen teil, die durch Tausende von Pilgern zugleich zu einem Friedensfest für den wiedervereinigten Rheingau wurde. Gleich darauf faßte er den Entschluß, der Kapelle ein Altarbild zu stiften (→Bingen), und am 17.–26. 8. 1814 entwarf er ein Schema zur literarischen Darstellung des Festes, doch erst am 25. 7.–26. 8. 1816 entstand in Bad Tennstedt die heiter distanzierte, autobiographische Prosaskizze, die in *Über Kunst und Altertum* (I,2,

1817) erschien. Sie überhöht die anschaulich geschilderten Details der Landschaft, der Prozession, des Menschengewimmels und des schlichten Volksfests symbolisch und verbindet die locker gereihten Eindrücke vom »politisch-religiösen Fest« der wiedergewonnenen Freiheit und überkonfessionellen, liberalen Weltfrömmigkeit im Spannungsfeld von Weltlichem und Geistlichem, Alt und Neu, Restauration und Erneuerung.

J. Kunz, G.s Schrift über das Rochusfest in Bingen, Pädagogische Rundschau 16, 1962; A. G. Steer, S. R.–F. z. B., JFDH 1965; R. Auener, Das Binger Rochusfest 1814 in dichterischer und amtlicher Sicht, Binger Geschichtsblätter 4, 1979; P. Ganz, S. R.–F. z. B., OGS 10, 1979.

San Martino delle Scale →Monreale

Sanssouci →Potsdam

Sanvitale, Eleonora (Leonore), geb. Contessa di Sala (?–1582). Die durch ihre Schönheit ebenso wie ihren Geist berühmte Gräfin lebte mit ihrer Stiefmutter, Barbara Sanseverino, Contessa di Sala, dann ab 1576 als Gattin des Giulio Tiene, Conte di Scandiano, und gesellschaftlicher Mittelpunkt in Ferrara. Tasso huldigt ihrer Schönheit in mehreren Gesängen. G.s *Torquato Tasso* macht sie zur selbstsüchtigen Freundin der Prinzessin Leonore von Este und zu deren lebhaftem, höfisch-oberflächlichen Gegenbild. Sie versucht, die Unstimmigkeiten Tassos mit dem Herzog auszunutzen, Tasso für sich zu gewinnen und ihn zu überreden, mit ihr nach Florenz zu gehen, um dort (wie Laura von Petrarca) von ihm besungen zu werden (III,2–IV,2).

H. Willenbücher, Antonio und L. S. in G.s Torquato Tasso, ZfdU 24, 1910.

Sarti, Giuseppe (1729–1802). Die sehr erfolgreiche opera buffa des italienischen Opernkomponisten und 1784 Hofkapellmeisters in Petersburg *Fra i due litiganti il terzo gode* (1782, »Wenn zwei sich streiten, freut sich der Dritte«) nach einem Text von G. B. Lorenzi suchte G. 1785 Kayser, vielleicht als Vorbild für geplante Singspiele, zu verschaffen. Eine Aufführung in Rom am 22. 11. 1786 verpaßte G., eine zweite in der Bearbeitung seines Jugendfreundes J. André unter dem Titel *Im Trüben ist gut fischen* sah G. am 6. 9. 1797 in Stuttgart und fand sie »schwach und unbedeutend« (*Reise in die Schweiz 1797*).

Sarto, Andrea del (1486–1530). Die dem Florentiner Maler der Hochrenaissance zugeschriebene »Madonna mit Kind und Johannes« von rd. 1521, »ein unglaublich schön Bild«, sah G. am 17. 7. 1787 in Rom beim Grafen Fries (*Italienische Reise*).

Sartorius, Georg, (ab 1827) Freiherr von Waltershausen (1765–1828). Den ihm persönlich wohl am nächsten stehenden Historiker, den Göttinger Professor für Geschichte und Staatswissenschaft, lernte G. am 24. 9. 1800 bei Loder in Jena kennen. Bei G.s Aufenthalten in Göttingen im Juni und Juli/August 1801 war ihm Sartorius als fast täglicher Führer äußerst behilflich (*Tag- und Jahreshefte* 1801); seither datiert ein reger freundschaftlicher Verkehr in persönlichem Briefwechsel, Austausch von Schriften und Grüßen sowie häufigen Besuchen von Sartorius, ab 1805 mit seiner Frau Caroline, geb. von Voigt (1779–1830) in Weimar: 20.–22. 4. 1802, 15.–20. 10. 1803, 8.–19. 10. 1808, 14. 4.–2. 5. 1814 (Beschäftigung mit Sartorius' Vorschlägen einer neuen deutschen Reichsverfassung), 29. 6.–15. 7. 1814 (als Sartorius auf Veranlassung G.s als politischer Berater der sachsen-weimarischen Gesandtschaft zum Wiener Kongreß geht), 13. 9. und 5.–9. 10. 1817 und 26.–28. 3. 1828. G. wurde 1809 Pate von Sartorius' 2. Sohn Wolfgang (1809–1876). Am 19. 7. 1810 riet G. ihm ernsthaft ab, einen Ruf als Staatsrat und Professor an die neugegründete Universität in Berlin anzunehmen. Die Briefe und Aufzeichnungen von Caroline Sartorius (1931) geben ein lebendiges Bild von G.s Leben in Weimar.

E. v. Monroy, Ein unerschlossener G.schatz, JGG 15, 1929.

Satiren. G.s Lust am geistreichen wie drastischen Spott auf Unnatur, Falschheit, Bosheit, Unsinn, auf literarische und moralische Verirrungen und sonstige Verkehrtheiten findet in der Sturm und Drang-Zeit ihren Ausdruck in den rasch improvisierten dramatischen Possen, Farcen, Schwänken und Fastnachtsspielen in Prosa oder Knittelvers (*Götter, Helden und Wieland; Jahrmarktsfest zu Plundersweilern; Satyros; Ein Fastnachtsspiel vom Pater Brey; Prolog zu den neuesten Offenbarungen Gottes; Hanswursts Hochzeit; Anekdote zu den Freuden des jungen Werthers*, alle 1773–75) und im *Triumph der Empfindsamkeit* (1777) wie auch in der Schülerszene (v. 1868 ff.), der Walpurgisnacht und dem Walpurgisnachtstraum des *Faust*. Seit den *Xenien* (1797) wird das Epigramm die bevorzugte Form kritisch-polemischer Stellungnahmen (*Venetianische Epigramme, Zahme Xenien,* →Invektiven) neben vereinzelten Literatursatiren in Gedichtform (*Musen und Grazien in der Mark; Deutscher Parnaß*).

H. Henkel, G.s satirisch-humoristische Dichtungen, Archiv 92–93, 1894; H. Hüchting, Die Literatursatire der Sturm und Drang-Bewegung, 1942.

Satriano, Teresa Fieschi Ravaschieri, Principessa di, geb. Filangieri. Bei dem Staatsrechtler G. Filangieri in Neapel lernte G. am 9. 3. 1787 dessen Schwester Teresa kennen, die mit dem 60jährigen Fürsten Filippo Fieschi Ravaschieri di Satriano verheiratet war. Das exzentrisch-bizarre, spottlustige »neapolitanische Prinzeßchen« lud G. als Tischherrn zu einer großen Gesellschaft in ihren Palast am 12. 3. ein, wo sie G. mit ihrem Spott über den Klerus amüsierte (*Italienische Reise* 9. 3., 12. 3. und 25. 5. 1787). Von ihr, die bald darauf in geistiger Umnachtung starb, stammt G.s *Maxime* 207 (vgl. *Aufklärung*, in *Über Kunst und Altertum* IV,2, 1823).

B. Croce, Figure Goethiane, Trani 1887; B. Croce, V. G. a Napoli, Neapel 1903.

Satyrn 926

Satyrn. Die halbtierischen, lüsternen Naturdämonen der antiken Mythologie aus dem Gefolge des Dionysos oder als Begleiter der Nymphen, wie sie die bildende Kunst oft mit Bocksbeinen, Pferdeohren und Schwanz darstellt, erscheinen bei G. im →*Satyros*, in *Künstlers Morgenlied* (v. 69 ff.) und im Gefolge des Pan-Kaisers beim Mummenschanz am Kaiserhof (*Faust* v. 5829 ff.)

Satyros oder Der vergötterte Waldteufel. Die bedeutendste von G.s Farcen und Satiren, das groteske Dramolett in fünf Akten aus 483 Knittelversen mit freier Senkungsfüllung, entstand wohl im Mai/Juni und August/September 1773, wurde zunächst nur abschriftlich verbreitet und erstmals 1817 im Band 9 der *Werke* gedruckt. Am 30. 10. 1777 las G. es in Weimar vor; eine Aufführung zu seinen Lebzeiten erfolgte nicht. In H. Sachs' Fastnachtsspiel *Der Dot im Stock* und seiner *Fabel von dem Waldbruder mit dem Satyrus*, Harsdörffers Oper *Seelewig*, Wielands Rousseau-Parodie *Bekenntnisse des Abulfauaris* und J. G. Jacobis Verserzählung *Charmides und Theone* fand G. motivische Anregungen für dieses »Dokument der göttlichen Frechheit unserer Jugendjahre« (an Jacobi 11. 1. 1808), das sich in einzelnen Stellen auch mit dem etwa gleichzeitig begonnenen *Urfaust* berührt. Ein roher, sittenloser und lüsterner Satyr, eine luziferische Figur, wirft sich zum falschen Propheten eines naturhaft-tierischen Urzustandes auf, nötigt in einer orgienhaften Szene durch die Suggestionskraft seiner Worte die leicht beeindruckbare Menge, die in Massenhysterie aus dem Verkünder großer Worte gleich einen Gott macht, ihn als Gott eines neuen Goldenen Zeitalters anzubeten, wird schließlich in seiner Schwäche und Lüsternheit entlarvt und zieht schmachvoll, aber straflos davon – Zeichen heiteren Darüberstehens des Autors. Positivistische biographische Forschung sah aufgrund einzelner Berührungspunkte in Basedow, Kaufmann, Lavater, Klinger, Heinse, Hamann, besonders Herder und A. S. von Goué Urbilder für die Satyros-Figur wie in Caroline Flachsland für die Figur der Psyche, doch gaben sie alle bestenfalls Einzelzüge ab (vgl. *Dichtung und Wahrheit* III,13). Die anti-rousseauistische Satire auf den Kult roher Kraftgenies, empfindsame Naturschwärmerei und unkritische Verherrlichung des Naturzustands ist keineswegs eine vordergründige, persönliche Satire, sondern eine verallgemeinernde, in sich schlüssige Dichtung nach eigenen Gesetzen über die Verführungskraft modischer Strömungen und die Verführbarkeit der Massen.

H. Düntzer, S., in ders., Neue G.-Studien, 1861; W. Scherer, S., in ders., Aus G.s Frühzeit, 1879; W. Wilmanns, G.s S., Archiv für Literaturgeschichte 8, 1879; W. Scherer, S. und Brey, GJb 1, 1880; E. Sträter, Zu G.s S., Diss. Tübingen 1882; H. Düntzer, S., in ders., Abhandlungen zu G.s Leben und Wirken 2, 1885; T. Matthias, Herder-S., ZdU 16, 1902; H. Funck, Herder, das Vorbild der S., GJb 25, 1904; G. Bäumer, G.s S., 1905; F. Holt, G.s S., Shakespeare und die Bibel, Diss. Ithaca 1914; E. Castle, Pater Brey und S., JGG 5, 1918; H. K. Neumann, G.s S., Diss. Erlangen 1925; F. J. Schneider, G.s S. und der Urfaust, 1949; H. M. Wolff, S., GR 24, 1949; H. Friederici, G.s S. und die Grenzen der Persönlichkeit, G.-Almanach 1967; M. Stern, S., JbWGV 81/83, 1977/79; M. Stern, Die Schwänke der Sturm und Drang-Periode, in: G.s Dramen, hg. W. Hinderer 1980; E. Denton, Satyr at play, MDU 88, 1996.

Saussure, Horace Bénédict de (1740–1799). Auf der 2. Schweizer Reise besuchte G. am 2. 11. 1779 den Genfer Naturforscher und (1762–86) Professor der Geologie und Physik auf seinem Landgut bei Genf, um ihn über die Ratsamkeit der geplanten Überquerung des winterlichen Furka-Passes zu befragen (an Ch. von Stein 2. 1. 1778), die er auf seinen Rat vornahm. Heimgekehrt las er im Oktober 1780 de Saussures *Voyages dans les Alpes* (IV 1779–96) und im Oktober 1787 seinen Bericht über seine Zweitbesteigung des Montblanc (*Relation abrégée d'un voyage à la cime du Mont-Blanc*, 1787).

Savary, Jean Marie René, (1807) Herzog von Rovigo (1774–1833). Der französische General und Polizeiminister Napoleons war am 2. 10. 1808 bei G.s Unterredung mit Napoleon in Erfurt zugegen.

Saverne →Zabern

Savery, Roelant (1576–1639). Den flämischen Maler, von dem er ein Bild in der Dresdner Galerie gesehen hatte und mehrere Stiche besaß, erwähnt G. mehrfach in den Entwürfen zur Landschaftsmalerei.

Savigny, Friedrich Carl von (1779–1861). Der bedeutende Rechtsgelehrte, Begründer der »historischen Schule«, Professor in Marburg, Landshut, 1810 Berlin, 1817 preußischer Staatsrat und 1842–48 Justizminister, wurde als Gatte von Kunigunde (Gunda) Brentano (1780–1863), einer Schwester von Clemens und Bettina Brentano, von dieser bei G. eingeführt, mit dem er bei seinem Aufenthalt in Weimar am 3.–10. 11. 1807 täglich verkehrte. Man traf sich wieder am 9.–12. 8. 1810 in Teplitz, am 25. 8. und 5. 9. 1815 in Frankfurt, am 28. 9. 1815 in Heidelberg und bei Besuchen in Weimar am 29. 10. 1818 und 14. 7. 1825. Frau von Savigny besuchte G. in Weimar ferner am 8. 11. 1821, 14. 10. 1823, 24. 10. 1825, 4. 9. 1831 und 12. 2. 1832.

Saxo Grammaticus (um 1140–um 1220). Mit der Hamlet-Erzählung in den *Gesta Danorum* des dänischen Geschichtsschreibers, der Quelle für Shakespeares *Hamlet*, befaßte sich G. am 14./15. 6. 1797 und begann eine freie Übersetzung von *Amlets Geschichte* (an Schiller 14. 6. 1797).

Scamozzi →Bertotti-Scamozzi, Ottavio

Scapin, Scapine. Für die Hauptfiguren seines Singspiels →*Scherz, List und Rache* greift G. auf die vorgeprägten Typenfiguren der Commedia dell'arte zurück.

Schachspiel. Dem königlichen Spiel konnte G. wie allen Brettspielen im Unterschied zum →Kartenspiel wenig abgewinnen. Im *Götz von Berlichingen* (II,1), wo die Intriganten Bischof und Adelheid Schach spielen und Adelheid es einen »Probierstein des Gehirns« nennt, sagt Liebetraut wenig Positives über Spiel und Spieler, und in den *Noten und Abhandlungen* (Kap. Geschichte) nennt G. es ein Spiel, das »allem Dichtersinn den Garaus zu machen völlig geeignet ist«.

Schade, Johann Peter Christoph (1734–?). Der englische Sprachmeister, der seit Juni 1762 in Frankfurt unterrichtete, versprach, die Grundkenntnisse des Englischen in vier Wochen zu lehren, und gewann damit G., seinen Vater und die Schwester Cornelia als seine ersten Schüler, die er im Juni/Juli 1762 neben anderen im Elternhaus G.s unterrichtete.

E. Mentzel, Wolfgang und Cornelia G.s Lehrer, 1909.

Schadow, Johann Gottfried (1764–1850). Das Verhältnis G.s zu dem bedeutenden Berliner Bildhauer eines realistisch getönten Klassizismus, Schöpfer der Quadriga auf dem Brandenburger Tor (1793) und 1816 Direktor der Berliner Akademie der Künste, begann unter keinem guten Stern. In seiner *Flüchtigen Übersicht über die Kunst in Deutschland* (*Propyläen* III,2, 1800) bedauerte G. vom Standpunkt der idealisierenden Antike den prosaischen »Naturalismus« und Patriotismus der Berliner Künstler. Daraufhin widersprach Schadow in seiner scharfen kritischen Entgegnung *Über einige in den Propyläen abgedruckte Sätze Goethes* (in der Berliner Zeitschrift *Eunomia*, Juni 1801) der klassizistischen Kunstauffassung. G. erwiderte nicht, doch widerspiegelt eine ganze Reihe der *Maximen und Reflexionen* (1064–1092) die Auseinandersetzung. Im Zeichen dieser Verstimmung erfuhr Schadow bei seinem Besuch bei G. am 22.9.1802 einen frostigen Empfang; seine Bitte, G.s Kopf »nach Maßen« zeichnen zu dürfen, wurde abgelehnt, und G.s (durch Entscheidung Carl Augusts vergeblicher) Versuch, zu verhindern, daß Wieland Schadow für eine Büste saß, vertiefte nur das Zerwürfnis. Nach Jahren der Entfremdung führte 1815 der Auftrag für das Rostocker →Blücher-Denkmal, für das G. die künstlerische Beratung, Schadow die Ausführung übernommen hatte, beide erneut zusammen, zunächst zu einem langwierigen Briefwechsel (1815–19), dann zu einer Besprechung in Weimar am 25.1.–10.2.1816, bei der vor allem durch künstlerische Zugeständnisse Schadows hinsichtlich der Sockelreliefs ein Kompromiß zustandekam (*Tag- und Jahreshefte* 1816). Das Ergebnis schildert G.s Aufsatz *Blüchers Denk-*

mal (*Über Kunst und Altertum* I,3, 1817). Bei dieser Gelegenheit modellierte Schadow G.s Wachsrelief im Profil für eine Medaille und erhielt einen Abguß von C. G. Weißers Gesichtsmaske von 1807, nach der er 1823 die Marmorbüste G.s schuf, an der G. jedoch kein Interesse zeigte: sein Urteil über Schadow änderte sich auch in der Spätzeit kaum.

H. Grimm, G. und der Bildhauer G. Sch., in ders., Aus den letzten fünf Jahren, 1890; H. Mackowsky, G. und Sch., Zeitschrift für Kunstwissenschaft 3, 1949; U. Krenzlin, J. G. Sch., 1990; U. Krenzlin, G. und Sch., WZ Berlin, Reihe Geistes- und Sozialwissenschaften 40, 1991; M. Schmidt, »Ich machte mir: eine Büste von G.«, 1995.

Schäfers Klagelied. Die elegische Klage eines Schäfers entstand, angeregt durch ein Volkslied, am 17. 2. 1802 und erschien zuerst Ende 1803 ebenso wie das gleichlautend beginnende Gedicht *Bergschloß* unter den geselligen Liedern in Goethes und Wielands *Taschenbuch auf das Jahr 1804*. Es wurde populär durch über 30 Vertonungen, u. a. von J. A. André, J. F. Reichardt, F. Schubert und C. F. Zelter.

R. Steig, Sch. K. von G., Euph 2, 1895; A. R. Hohlfeld, Zu Sch. K., GJb 24, 1903.

Schaffhausen. In der Schweizer Stadt am →Rheinfall weilte G. auf allen drei Schweizer Reisen: am 7. 6. 1775, um den 5.–7. 12. 1779 und am 16.–19. 9. und 26. 10. 1797.

Schall, Carl Christian Heinrich (um 1764–1806). Der gebildete Schauspieler und Übersetzer englischer Lustspiele wirkte Februar 1795–März 1803 am Weimarer Theater in Rollen wie Riccaut und Octavio Piccolomini, 1796–99 auch als Regisseur des *Wallenstein*.

Scharade. Das letzte von G.s →Sonetten (XVII), ein Silbenrätsel auf den Namen von Minna →Herzlieb, entstand am 17. 12. 1807, wurde jedoch nicht mit den anderen 1815, sondern aus persönlichen Gründen zusammen mit XVI erst 1827 in den *Werken* veröffentlicht.

Schardt, Concordia Elisabeth von →Schardt, Johann W. Ch.

Schardt, Ernst Carl Constantin von (1744–1833). Der älteste Bruder von Charlotte von Stein machte eine seinen mehr sportlichen als geistigen Fähigkeiten entsprechende langsame Karriere in Weimarer Regierungsämtern vom Regierungsrat bis zum Geheimen Rat (1802–14). Zum 50. Dienstjubiläum am 30. 5. 1815 sandte G. ihm und Carl Kirms von Wiesbaden aus am 10. 6. 1815 nachträglich das Festgedicht »Frage nicht …«, dessen vier erste Strophen später in den *West-östlichen Divan* übernommen wurden. Seine Ehe (1778) mit der geistig regsamen Sophie von →Schardt, geb. von Bernstorff, blieb kinderlos. G. verkehrte mit dem Ehepaar und räumte ihm im Sommer 1784 die Benutzung seines Gartens und Gartenhauses ein.

Schardt, Johann Wilhelm Christian von (1711–1790). Der Vater von Charlotte von Stein, ein anspruchsvoller, prätentiöser Hofmann – Sophie Becker nennt ihn in ihrem Tagebuch (2. 3. 1785) »eine verjahrte Hofschranze, die ihre Existenz im Lächeln des Fürsten sucht« –, trat 1741 als Reise-, Haus- und (bis 1782) Hofmarschall in den Dienst der Weimarer Herzöge, wurde von Anna Amalia 1758 der meisten Hofämter enthoben, vergeudete in unnötigem Repräsentationsaufwand sein und seiner Frau Concordia Elisabeth (geb. von Irving, 1724–1802) Vermögen und hinterließ sie nach Tilgung seiner Schulden fast mittellos, von einer kleinen Rente und Näharbeiten lebend. G. wich ihm aus, verkehrte jedoch mit seiner Gattin und den Kindern Charlotte, verh. von →Stein, Ernst Carl Constantin von →Schardt, Ludwig Ernst Wilhelm von →Schardt und Louise, verh. von →Imhoff.

Schardt, Louise von →Imhoff, Louise von

Schardt, Ludwig Ernst Wilhelm von (1748–1826). Der mehr körperlich als geistig tüchtige jüngere Bruder von Charlotte von Stein war Kammerjunker in Weimar, Leutnant in Eisenach, avancierte in den Koalitionskriegen 1792–95 zum Hauptmann und zog sich, zum Kammerherrn Maria Paulownas ungeeignet, nach kinderloser Ehe 1808 in den Ruhestand nach Ilmenau zurück.

Schardt, Sophie Friederike Eleonore von, geb. von Bernstorff (1755–1819). Die Nichte des dänischen Ministers Graf Bernstorff, in dessen großem Haus aufgewachsen, machte seit ihrer Heirat mit dem als Langweiler berüchtigten Ernst Carl Constantin von Schardt 1778 in Weimar von sich reden. Lebhaft, geistig interessiert und beweglich, liebenswürdig, kokett, schmeichlerisch und launisch, wechselte sie oft ihre Neigungen, Freundschaften, Passionen und Sehnsüchte, fand Anschluß an den Kreis um Charlotte von Stein und G., der »die Kleine« schätzte, häufig sah und regelmäßig grüßen ließ, wirkte am Liebhabertheater und dem *Journal von Tiefurt* mit, machte 1806 Aufzeichnungen nach G.s Vorträgen in der Mittwochsgesellschaft, entflammte zeitweilig Herder und konvertierte unter dem Einfluß von Z. Werner heimlich – nur Charlotte von Stein wußte davon – zum Katholizismus.

K. Th. Gaedertz, Bei G. zu Gaste, 1900.

Schattenriß →Silhouette

Der Schatzgräber. Es mag durchaus sein, daß G.s natürlich erfolglose Beteiligung an einer Hamburger Lotterie, von deren Gewinn er sich ein Landgut erhoffte, zur Entstehung dieser lehrhaften Ballade beitrug, die noch auf dem Lehrplan jeder Regierung stand, die das Volk zu mehr Arbeit anspornen wollte; entscheidend aber ist sie nicht. Denn stärker als die im Unterschied zu vielen romantischen Schatzgräbersagen hier leicht abziehbare Lehre, daß nicht Glückssuche, sondern Lebensmut und planvolle Tätigkeit ein erfülltes Leben bewirken, haftet das sinnliche Bild des Genius. G. sah es wohl auf einem Kupfer in der deutschen Übersetzung von F. Petrarcas Schrift *De remediis utriusque fortunae* und fand es eine »artige Idee, daß ein Kind einem Schatzgräber eine leuchtende Schale bringt« (Tagebuch 21. 5. 1797). Das Motiv, daß der Teufelsbund letztlich umgebogen zu höherer Erkenntnis führt, verweist in den Kontext der gleichzeitigen Arbeit am *Faust*. Die am 21./22. 5. 1797 in Jena entstandene Ballade erschien Ende 1797 in Schillers *Musen-Almanach für das Jahr 1798* und wurde von C. Loewe, F. J. Reichardt, F. Schubert u. a. vertont.

G. Schaaffs, G.s Sch. und die Weissagungen des Bakis, 1912; W. Krogmann, G.s Gewinn in einer Hamburger Lotterie, Goethe 13, 1951; M. Bruns, Der Geheimrat im Gewitter, GJb 97, 1980; H. Hartmann, G.s D. Sch. und Johanna Sebus, WB 28, 1982; E. Stoye-Balk, Einige Aspekte zur Interpretation der G.-Ballade D. Sch., in: G.-Studien, hg. A. Mádl, Budapest 1982; F. Dieckmann, Gute Lehre, verschwiegener Sinn, NDL 38, 1990; →Balladen.

Schauspielkunst   →Theater, →Regeln für Schauspieler

Scheffauer, Philipp Jakob (1756–1808). Schillers Mitschüler an der Karlsschule, den dieser 1794 wiedergesehen hatte, den Stuttgarter Hofbildhauer und Professor an der Karlsschule, hätte G. auch während dessen Romaufenthalt 1785–89 kennenlernen können. Er besuchte ihn in Stuttgart am 30. 8. 1797, ohne ihn selbst anzutreffen, sah jedoch seine Werkstatt (»Schlafende Venus« u. a.) und besichtigte am 6. 9. 1797 mit ihm das Stuttgarter Schloß (*Reise in die Schweiz 1797*).

Scheffer, Ary (1795–1858). Der französische romantische Historienmaler schuf neben einem G.-Porträt, einer »Mignon« und einem »König in Thule« seit 1830 vor allem zahlreiche gefühlsselige Gemälde nach Figuren und Szenen aus dem *Faust*. G. kannte sie nicht; er ließ sich Scheffers »Faust« und »Gretchen« am 8. 5. 1830 von A. E. Kozmian beschreiben und hätte in Cottas *Morgenblatt für gebildete Stände* vom Oktober 1831 H. Heines Bericht über den Pariser Salon von 1831 (*Französische Maler*) lesen können, der Scheffers aufsehenerregende Gemälde »Faust in der Studierstube« und »Gretchen am Spinnrad« ausführlich beschreibt, sie jedoch wegen ihrer düsteren, »todmüden« Farben für »mit Schnupftabak und grüner Seife« gemalt hält.

Schellhaffer, Johann Tobias (1715–1773). Der angesehene Schul-, Sprach- und Rechenmeister und Inhaber mehrerer städtischer Ehrenämter leitete seit 1744 die öffentliche Grundschule des Frankfurter 5.Quartiers nahe dem Großen Hirschgraben, die G. während des Umbaus des Elternhauses von April 1755 bis Januar

1756 besuchte. Anschließend wurde er von Privatlehrern unterrichtet. G. bewahrt dem offenbar oft gereizten Lehrer, der ihm zwar eine schöne Handschrift, aber auch empörende Schläge beibrachte, und der »rohen Masse« niederträchtiger Mitschüler kein freundliches Angedenken (*Dichtung und Wahrheit* I,1).

E. Mentzel, Wolfgang und Cornelia G.s Lehrer, 1909.

Schelling, (Dorothea) Caroline Albertine, geb. Michaelis, verwitwete Böhmer, geschiedene Schlegel (1763–1809). G. kannte die Vielgeliebte der Romantiker unter allen ihren vier Namen: im September 1783 sah er sie in Göttingen als Tochter des dortigen Orientalisten J. D. Michaelis. 1784 heiratete sie den Arzt J. F. W. Böhmer in Clausthal und lebte nach dessen Tod 1788 in Göttingen, Marburg und 1792 in Mainz bei Therese und Georg Forster, wo G. sie am 20./21. 8. 1792 wiedersah. Als Agitatorin für republikanische Ideen wurde sie nach der Befreiung von Mainz 1793 monatelang auf der Festung Königstein gefangengehalten, befreundete sich dann mit F. Schlegel, heiratete 1796 dessen Bruder A. W. Schlegel und lebte als seine literarische Mitarbeiterin seit Mai 1796 in Jena, geistreicher und geselliger Mittelpunkt der Jenaer Frühromantik und mit bestimmend für deren Verehrung G.s, der sich häufig in ihrem Kreis bewegte und ihr 1803 bei der einvernehmlichen Scheidung von A. W. Schlegel wegen Entfremdung behilflich war. 1803 heiratete sie F. W. Schelling und folgte ihm 1803 nach Würzburg, 1806 nach München. Im Unterschied zu Schiller, der die »Dame Luzifer« haßte, bewahrte ihr G. zeitlebens sein Wohlwollen und seine Freundschaft.

T. Schmidt, C. Schlegels ästhetische Lebensform, Diss. Hamburg 1952; G. F. Ritchie, C. Schlegel-Sch. in Wahrheit und Dichtung, 1968; E. Mangold, Caroline, 1973; R. Murtfeld, Moderne Frau in revolutionärer Zeit, 1973; E. Kleßmann, Caroline, 1975 u. ö.; G. Dischner, Caroline und der Jenaer Kreis, 1979; N. Oellers, C. Sch., in: Deutsche Dichter der Romantik, hg. B. v. Wiese, 2. A. 1983.

Schelling, Friedrich Wilhelm Joseph (ab 1808) von (1775–1854). Der bedeutende Philosoph der Romantik wurde mit seiner Naturphilosophie zum wichtigsten Gesprächspartner G.s für dieses Thema, wobei gegenseitige Hochschätzung und wechselseitige Beeinflussung der unterschiedlichen Auffassungen nur an G.s Ablehnung des Spekulativen ihre Grenze fanden. Schellings *Ideen zu einer Philosophie der Natur* (1797), die G. im Januar 1798 las und mit Schiller diskutierte, seine Schrift *Von der Weltseele* (1798), die G. im Juni 1798 las und die sein Gedicht *Weltseele* inspirierte, sowie der günstige Eindruck bei den ersten persönlichen Begegnungen am 28.–30. 5. 1798 in Jena veranlaßten G., sich für Schellings Berufung als a. o. Professor der Philosophie nach Jena einzusetzen. Die persönliche Übersendung des Anstellungsdekrets am 5. 7. 1798 eröffnete einen langjährigen Gedanken-, Brief- und Schriftenaustausch und ein nahes persönliches Verhältnis bei G.s Aufenthalten in

Jena (besonders November 1798, September/Oktober 1799) und denen Schellings in Weimar (Winter 1799/1800, Februar und September 1801 u. ö.). Schellings philosophisches Knittelversgedicht *Epikurisch Glaubensbekenntnis Heinz Widerporstens* (1799) folgte G.s Spuren; G. seinerseits überließ Schelling 1800 sein geplantes großes naturphilosophisches Lehrgedicht, das jedoch nicht zur Ausführung kam. Er beschäftigte sich am 19.1.1799 mit Schellings *Erstem Entwurf eines Systems der Naturphilosophie* (1799), am 22.4.1800 mit dessen *System des transzendentalen Idealismus* (1800) und am 15./16.3.1802 mit dem Gespräch *Bruno oder über das göttliche und natürliche Prinzip der Dinge* (1802). Auch nach Schellings von G. bedauertem Wegzug im Sommer 1803 nach Würzburg, später München, nahm G. reges Interesse an seinem Werk, zumal *Über das Verhältnis der bildenden Künste zu der Natur* (1807), *Philosophische Untersuchungen über das Wesen der menschlichen Freiheit* (1809) und der Schrift gegen Jacobi *Denkmal der Schrift von den göttlichen Dingen etc. des Herrn F. H. Jacobi* (1802). Einen Einbruch erlitt G.s Hochschätzung Schellings erst durch dessen Neigung zum G. befremdenden Mystizismus in *Über die Gottheiten von Samothrake* (1815), die er in den Kabiren des *Faust* (v. 8170 ff.) karikiert (zu Eckermann 17. und 21.2.1831). Aus Abneigung gegen einen spekulativen Mystizismus und einen vermuteten Kryptokatholizismus Schellings riet G. vertraulich am 27.2.1816 (an C. G. von Voigt) von einer Rückberufung Schellings als Professor der Philosophie und Theologie an die protestantische Universität Jena ab; doch noch dessen Rede gegen Studentenunruhen *An die Studierenden* (1830) entlockte G. Anerkennung für »das vorzügliche Talent, das wir lange kannten und verehrten« (zu Eckermann 21.2.1831). Vgl. Dorothea Caroline →Schelling.

M. Plath, Der G.-Sch.sche Plan eines philosophischen Lehrgedichts, PrJbb 106, 1901; A. Prack, G. über Sch., Österreichisch-ungarische Revue 33, 1905; H. Berendt, G. und Sch., in: Festschrift für B. Litzmann, 1920; O. Braun, Neue Schellingiana, Euph 24, 1922; O. Braun, G. und Sch., JGG 9, 1922; E. Jäckle, G.s Morphologie und Sch.s Weltseele, DVJ 15, 1937; E. Jäckle, G. und Sch., in ders., Bürgen des Menschlichen, 1945; W. R. Beyer, Natur und Kunst, GJb 92, 1975; U. Wertheim, Herrn und Meister Benedikt Spinoza. Zum Verhältnis von G. und Sch., in: Natur, Kunst, Mythos, hg. S. Dietzsch 1978; J. Adler, Sch.s Philosophie und G.s weltanschauliche Lyrik, GJb 112, 1995.

Schelling, Pauline →Gotter, Pauline

Schelver, Friedrich Joseph (1778–1832). Den Mediziner und Botaniker, April 1803 bis Oktober 1806 Professor der Botanik und Leiter der botanischen Anstalt in Jena, schätzte G. als »ein zugleich zartes und tiefsinniges Wesen« und einen liebenswürdigen Gesprächspartner (*Tag- und Jahreshefte* 1803, 1806). 1807 ging Schelver als Professor der Medizin nach Heidelberg und unternahm dort magnetische Heilversuche, über die er G. wohl bei späteren Begegnungen, 21./22.9.1814 in Frankfurt und 21.9.–7.10.1815 in Heidelberg sowie beim Besuch in Weimar am 13.10.1823 berichtete.

Schemata. Für seine größeren Werke und Werkpläne (*Faust I, Faust II, Dichtung und Wahrheit, Farbenlehre, Wilhelm Meisters Wanderjahre* u. a.), deren einzelne Akte oder Bücher bzw. Kapitel, aber auch für kleinere Werke (*Der Mann von fünfzig Jahren, Novelle*), Aufsätze und geplante Fortsetzungen (*Die natürliche Tochter*) legte G. etwa seit 1795 vor oder während der frühen Arbeitsphase Gliederungsübersichten und Aufbaupläne an, die das Gerüst der Handlung bzw. des Inhalts in Stichworten festhalten. Soweit sie erhalten sind, kann ihr Vergleich mit dem endgültigen Werk aufschlußreich sein für Änderungen, Abweichungen und Auslassungen gegenüber der ursprünglichen Disposition.

Schenkenbuch →*West-östlicher Divan*

Scherbius, Johann Jacob Gottlieb (1728–1804). Nach dem Studium in Jena 1756 zunächst Privatlehrer, dann 1759 Lehrer und 1766–98 Prorektor des Gymnasiums in Frankfurt, war Scherbius von November 1756 bis Februar 1760 Privatlehrer G.s für Latein, ab Januar 1759 auch Griechisch. Für seinen anspruchsvollen Unterricht sprechen die Übersetzungsübungen G.s unter den *Labores juveniles*.

E. Mentzel, Wolfgang und Cornelia G.s Lehrer, 1909.

Scherer, Alexander Nikolaus von (1771–1824). Der »hoffnungsvolle Chemikus« (*Tag- und Jahreshefte* 1797) promovierte 1794 und lehrte in Jena, unternahm dort im März 1797 mit G. und A. von Humboldt chemische und optische Versuche und war 1797–99 als Bergrat in Weimar mehrfach G.s Gast und sein Berater in chemischen Fragen. 1800 ging er als Professor der Physik nach Halle, 1803 als Professor der Chemie nach Dorpat und weiter nach Petersburg.

Scherz, List und Rache. G.s Singspiel in vier Akten (Vers) entstand im Juni–August 1784 aus seinen Bemühungen um eine Reform der deutschen Spieloper nach dem Muster der italienischen opera buffa und aus seinem Wunsch, seinem Freund P. Ch. Kayser eine Chance zum Bekanntwerden zu geben. Er schickte das Libretto im April 1785 an Kayser, der Kompositionsteile aktweise bis Januar 1787 übersandte, G. zu langen Briefen über Kompositionsfragen veranlaßte und die revidierte Partitur im November 1787 nach Rom mitbrachte. Doch Kaysers Komposition enttäuschte durch seine mangelnde Begabung für das Genre, auch wenn G. einen Teil des Versagens sich zuschreibt, indem er das angeblich allzu dichte Libretto als »zum musikalischen Drama zu überdrängt« bezeichnete (an Kayser 23. 1. 1786; *Tag- und Jahreshefte*, bis 1786). Da das »zu ausführlich« komponierte Singspiel nach Mozarts *Entführung aus dem Serail* auf der Bühne wenig Aussicht auf Erfolg hatte

(*Italienische Reise,* Bericht November 1787), erschien der Text 1790 in Band 7 der *Schriften.* Das burleske, stark pantomimische Dreipersonenstück behandelt das Motiv des betrogenen Betrügers: Scapin und Scapine, Figuren der italienischen commedia dell'arte, listen dem Doktor, dem »alten, verliebten Gecken«, die rechtmäßig ihnen gebührende Erbschaft von 100 Dukaten wieder ab, die er sich durch Verleumdungen erschlichen hatte, indem sie ihn mit der Vortäuschung erpressen, er habe Scapine vergiftet. Spätere Vertonungen durch P. von Winter 1790 (für das Theater des Grafen Törring in Seefeld bei München), E. T. A. Hoffmann 1801, J. Ch. Kienlen 1805, Max Bruch 1857 und E. Wellesz 1925.

Literatur →Singspiele.

Schicksal. Die geheimnisvolle, das Leben unbeeinflußt und ohne Rücksicht auf menschliches Wollen leitende Macht bleibt für G. zeitlebens »das Unerforschliche«, dem er zwar im Laufe seines Lebens unterschiedliche religiöse, fatalistische, dämonische (*Dichtung und Wahrheit* IV,20) und wieder wohlwollende Züge zuschreibt, um schließlich unter Ablehnung des antiken Fatums wie des Verhängnisses im romantischen Schicksalsdrama im Schicksal ein die individuelle Freiheit einschränkendes Element der Notwendigkeit für die ewige Ordnung der Natur zu sehen, das Ergebenheit fordert. Doch G.s Abneigung gegenüber abstrakten Spekulationen läßt die verschiedenen Äußerungen nicht zu einem einheitlichen, eindeutigen Schicksalsbegriff summieren. Insbesondere lassen die Schicksalsbegriffe in den Figurenreden im Drama (besonders *Egmont*) und im Roman (besonders *Wilhelm Meisters Lehrjahre, Die Wahlverwandtschaften*) nur in beschränktem Maße Rückschlüsse auf G.s eigene Vorstellung zu, da G. in Roman wie Drama das Schicksal bewußt als Agens einsetzt (an Schiller 26. 4. 1797; *Lehrjahre* V,7). →Dämon.

K. J. Obenauer, G.s Sch.sidee, ZDB 13, 1937; H. Leisegang, Schuld und Sch. in G.s Dichtung, Die Sammlung 3, 1948; E. Staiger, G. und das Sch. des Menschen, 1949; C. Riemann, G.s Gedanken über Sch. und Willensfreiheit, WZ Jena, ges.- und sprachwiss. Reihe 9, 1959 f.; H. Nicolai, G.s Sch.sidee, Goethe 26, 1964; G. Marahrens, Über die Sch.skonzeptionen in G.s Wilhelm Meister-Romanen, GJb 102, 1985.

Schiebeler, Daniel (1741–1771). Der Hamburger Dichter studierte 1765–68 zugleich mit G. Jura in Leipzig und verkehrte dort auch im Hause Oeser. G. sah am 25. 11. 1766 in Leipzig sein Singspiel *Lisuart und Dariolette* (nach Ch. S. Favart) in der Vertonung von J. A. Hiller (*Dichtung und Wahrheit* II,8) und spielt im Briefgedicht *An Mademoiselle Oeser* (6. 11. 1768) auf Schiebelers Romanze *Pygmalion* an.

Schierke. Das Dorf am Südhang des →Brocken berührte G. jeweils beim Abstieg vom Brocken im September 1783 und September 1784. In der »Gegend von Schierke und Elend« spielt die »Walpurgisnacht« des *Faust* (nach v. 3834).

Schikaneder, Emanuel → *Zauberflöte zweiter Teil*

Schiller, Carl Friedrich Ludwig von (1793–1857). Der älteste Sohn des Dichters, in seiner Jugend mit August von G. befreundet, Revierförster in Reichenberg, bat G. am 5. 1. 1827 zum Taufpaten für sein erstes Kind, was dieser am 6. 4. mit Freude annahm und dem Patenkind eine silberne Medaille sandte.

Schiller, Charlotte von, geb. von Lengefeld (1766–1826). Die Tochter der G. seit 1782 bekannten Frau von Lengefeld, die G. mit ihren Töchtern am 7. 4. 1783 an Lavater empfohlen hatte, begleitete G. 1788 in Gesellschaft zu einer Fahrt nach Groß-Kochberg und Rudolstadt, wo am 7. 9. 1788 im Hause ihrer Mutter die erste persönliche Begegnung der beiden Dichter stattfand. Nach ihrer Heirat (1790) mit Schiller, der sie 1787 in Rudolstadt kennengelernt hatte, war sie in Jena und ab Dezember 1799 in Weimar Gastgeberin und oft auch Gast G.s, stand mit ihm 1795–1824 in freundschaftlich-vertrautem Briefwechsel und hatte wesentlichen Anteil an der Entfaltung der Freundschaft beider: »Seine Gattin, die ich von ihrer Kindheit auf zu lieben und zu schätzen gewohnt war, trug das Ihrige bei zu dauerndem Verständnis« (*Glückliches Ereignis*).

H. Kiene, Schillers Lotte, 1996.

Schiller, Emilie Henriette Louise von (1804–1872). Die jüngste Tochter des Dichters heiratete 1828 den badischen Kammerherrn Adalbert Freiherr von Gleichen-Rußwurm. Die Verlobten besuchten G. am 21. 7. 1828 in Dornburg. Am 10. 8. 1819 schrieb G. ihr die Stammbuchverse *An Fräulein von Schiller* (»Weil so viel ...«).

Schiller, Ernst Friedrich Wilhelm von (1796–1841). Der zweite Sohn des Dichters studierte seit 1814 Jura in Jena, wo G. sich um seine Ausbildung kümmerte (an Eichstädt 19. 1. 1814), trat 1820 als Jurist in preußische Dienste und wurde 1824 Gerichtsassessor in Köln, später Appellationsgerichtsrat in Bonn. G. verhandelte 1826/27 mit ihm über die Herausgabe seines Briefwechsels mit Schiller und die gemeinsame Grabstätte in der Fürstengruft.

Schiller, (Johann Christoph) Friedrich (ab 1802) von (1759–1805). Die elf Jahre währende Freundschaft und Zusammenarbeit zweier nach Herkunft, Bildungsweg, Charakter, Denkweise und Weltanschauung so unterschiedlicher, teils gegensätzlicher Dichter wie G. und Schiller – der empirische Realist mit Neigung zur Synthese und der reflektierende Idealist mit Neigung zu Dialektik und Antithese – für ein gemeinsames Ziel ist ein Glücksfall der Geschichte und begründet die sog. Weimarer Klassik als Sonderweg der deutschen Literatur in der Aufbruchsphase der europäischen Romantik. Sie ist kein Zufall, sondern Ergebnis eines langen und

elbstlosen Ringens um Anerkennung des anderen. Das erste Zusammentreffen des literarisch noch unbekannten jungen Schiller
mit dem von ihm bereits als Dichter verehrten G. auf dessen
2. Schweizer Reise beim Stiftungsfest der Stuttgarter Karlsschule
am 14. 12. 1779 blieb für beide ebenso folgenlos wie Schillers Aufenthalt in Weimar im Juli 1787–Mai 1788 während G.s Italienreise.
Auch die erste persönliche Begegnung bei Lengefelds in Rudolstadt am 7. 9. 1788 führte zu keiner Annäherung, da G. in Schiller
nur den unreifen Sturm und Drang-Dichter der ihm odiosen
Räuber sah, dessen Erfolge ihn unliebsam an eine seinerseits bereits
überwundene Epoche gemahnten, und Schiller andererseits in G.
nicht ohne Neid, Eifersucht und Bitterkeit mit einer Art Haßliebe
den vom Glück begünstigten, egoistischen Weltmann und Dichter
erblickte, der seinen Stolz kränkte und seinem eigenen Aufstieg »im
Wege« war (Schiller an Körner 2. 2. und 9. 3. 1789). Vom November 1788 bis Mai 1789 wohnten beide Dichter gleichzeitig in Weimar und verkehrten vielfach in denselben Kreisen (von Kalb, von
Stein, Wieland, Herder, Knebel u. a.), ohne trotz deren Bemühungen näheren Kontakt zu suchen. G. glaubte, in *Über Anmut und
Würde* Anspielungen auf sich zu finden, war mit Schillers *Egmont*-
Rezension (1788) nicht einverstanden und schätzte in Schiller
mehr den Historiker, für den er die Berufung auf eine zunächst un-
besoldete Professur für Geschichte an der Universität Jena ab
Ostern 1789 erwirkte. Auch danach bleiben gelegentliche Begegnungen und Besuche (31. 10. 1790 in Jena) unverbindlich. Erst
Schillers Einladung zur Mitarbeit an den *Horen* (13. 6. 1794) und
G.s Zusage (24. 6.) eröffnen den Briefwechsel und bringen eine
erste Annäherung, bei der G. »in seinem Umgange manches Gute«
erhofft (an Ch. von Kalb 28. 6. 1794), zumal beide sich in der Ablehnung der Tagespolitik und der Französischen Revolution begegneten. Selbst das berühmte Gespräch über die Urpflanze als Erfahrung oder Idee nach der Sitzung der Naturforschenden Gesellschaft
in Jena am 20. 7. 1794 scheint zunächst wenig verheißungsvoll die
Gegensätze zu verdeutlichen, doch ein zweites Gespräch bei Humboldts über Kunst und Kunsttheorie bringt deren Überbrückung
durch gegenseitige Sympathie und führt damit zu »einem Bund, der
ununterbrochen gedauert und für uns und andere manches Gute
gewirkt hat« (*Glückliches Ereignis*). G. rechnet »von jenem Tage an
auch eine Epoche«, in der sie »miteinander fortwandern müßten«
(an Schiller 27. 8. 1794). In seinem großen, G.s Persönlichkeit
erfassenden Geburtstagsbrief an G. vom 23. 8. 1794 zieht Schiller
(wie 1795 in *Über naive und sentimentalische Dichtung*) nach G.s Worten »die Summe meiner Existenz« (ebd.), überwindet mit seinem
diplomatischen Werben G.s alte Vorurteile und Mißverständnisse
und legt die Basis zu gegenseitiger Anerkennung und gemeinschaft-
lichem Wirken. Im nächsten Brief G.s ist Schiller bereits der
»Freund« (an Schiller 30. 8. 1794), der in der Folgezeit mehrfach

länger Hausgast G.s in Weimar ist (14.–27. 9. 1794, 23. 3.–20. 4.
1796, 11.–18. 7. 1797). Halten daneben G.s Aufenthalte in Jena und
ein dichter Briefwechsel die Verbindung aufrecht, so intensiviert sie
sich mit Schillers Übersiedlung nach Weimar am 3. 12. 1799 zu
häufigem persönlichem, familiärem und gesellschaftlichem Umgang und Schillers Teilnahme am Mittwochskränzchen 1801/02.

Die Freundschaft traf beide Dichter rechtzeitig in einer durch das
Ausweichen auf Fachprosa bezeichnete künstlerische Krise und
Isolation, die sie in gegenseitigem Ansporn zu neuem literarischem
Schaffen überwanden; G. spricht von einer »zweiten Jugend« (an
Schiller 6. 1. 1798) und einem »neuen Frühling« (*Glückliches Ereig-
nis*). Das in regem Gedankenaustausch entwickelte gemeinsame
Kulturprogramm dokumentiert sich zuerst in Schillers *Egmont*-
Bearbeitung (1796), dann im satirischen Angriff auf die herr-
schende kulturelle und literarische Mittelmäßigkeit in den Auf-
sehen erregenden, als echte Gemeinschaftsarbeit entstandenen
Xenien (1796) und der gleichzeitigen Hinwendung zu Balladen
(1797), ferner in Debatten über den Dilettantismus und epische
und dramatische Dichtung, vor allem aber in der Weimarer Theaterreform und der Bereicherung des Repertoires durch Schillers
Dramen, Bearbeitungen und Übersetzungen sowie Preisausschreiben für neue Stücke (*Dramatische Preisaufgabe*, 1800). Die kollegiale
Freundschaft greift aber weit darüber hinaus in der vorsichtigen gegenseitigen Anteilnahme, Anregung und kritischen Beeinflussung
des Schaffens wie Schillers produktivem Einfluß auf *Hermann und
Dorothea* und *Wilhelm Meisters Lehrjahre*, seinem Drängen auf Abschluß des *Faust* und seiner Anregung zur Übersetzung von Diderots *Rameaus Neffe* (1804), in G.s Einfluß auf Schillers *Wallenstein*
und *Wilhelm Tell*, dessen Plan er Schiller abtritt. In welchem Maße
Schillers frühzeitiger Tod G. des einzigen ebenbürtigen Gesprächspartners und verständnisvoll-freundschaftlichen Beraters beraubte,
sprach G. wiederholt aus:»Ich ... verliere nun einen Freund und in
demselben die Hälfte meines Daseins« (an Zelter 1. 6. 1805). Nach
dem Scheitern der geplanten Fortführung des *Demetrius* setzte er
dem Freunde in *Schillers Totenfeier*, dem *Epilog zu Schillers Glocke*
(1815), in *Schillers Reliquien* (→*Bei Betrachung von Schillers Schädel*,
1826), im Maskenzug vom 18. 12. 1818 und vor allem in der
Herausgabe des →*Briefwechsels mit Schiller* (VI 1828/29) ein
literarisches Denkmal. In der gemeinsamen Beisetzung in der Weimarer Fürstengruft wie in Rietschels G.- und Schiller-Denkmal in
Weimar findet diese einzigartige Dichterfreundschaft über alle Un-
terschiede und geistigen Spannungen hinweg würdigen und bleibenden Ausdruck.

H. Grimm, Sch. und G., in ders., Essays, 1859 u. ö.; H. Düntzer, Sch. und G., 1859;
C. H. v. Stein, G. und Sch., 1893 u. ö.; A. Klaar, Sch. und G., GJb 19, 1898; H. G. Fied-
ler, Sch.s Freundschaft mit G., PEGS 12, 1910; P. Uhle, Sch. im Urteil G.s, 1910; A. M. B
Meakin, G. and Sch., London III 1932; I. Hofmann, Studien zum G.-Sch.schen Briefwechsel, 1937; A. Carlsson, G. und Sch. in ihren Briefen, GRM 31, 1943; K. Toggen-

burger, Die Werkstatt der deutschen Klassik, 1948; F.-W. Wentzlaff-Eggebert, Sch.s Weg zu G., 1949 u. ö.; B. Martin, Sch. und G., 1949; H. J. Weigand, G's friendship with Sch., in: G. and the modern age, hg. A. Bergsträsser, Chicago 1950; H. Pyritz, Der Bund zwischen G. und Sch., PEGS NS 21, 1952, auch in ders., G.-Studien, 1962; M. Gerhard, Der Briefwechsel zwischen Sch. und G., GR 30, 1955; W. Vulpius, F. Sch. als literarischer Bundesgenosse G.s, 1959; B. v. Wiese, G. und Sch. im wechselseitigen Vor-Urteil, 1967, auch in ders., Von Lessing bis Grabbe, 1968; M. Gerhard, Wahrheit und Dichtung in der Überlieferung des Zusammentreffens von G. und Sch., JFDH 1974; I. Graham, Zweiheit im Einklang, GJb 95, 1978; K. Mommsen, G.s Begegnung mit Sch. in neuer Sicht, LGS 1, 1980; M. Böhler, Die Freundschaft von Sch. und G. als literatursoziologisches Paradigma, IASL 5, 1980; K. Mommsen, G.s Bündnis mit Sch. im Spiegel ihrer Dichtungen, CGP 10, 1982; K. H. Bohrer, Covert confessions, in: G. revisited, hg. E. M. Wilkinson, London 1984; Unser Commercium. G.s und Sch.s Literaturpolitik, hg. W. Barner 1984; G. Willems, Daß ich Ideen habe …, 1994; G. Horn/D. Ignasiak, Glückliches Ereignis, 1994.

Schillers Reliquien → *Bei Betrachtung von Schillers Schädel*

Schillers Totenfeier. Nachdem G. den Plan zur Vollendung von Schillers *Demetrius*-Fragment aufgegeben hatte, entwarf er eine dramatische Dichtung großen Stils mit Chören und Soli für Schillers Geburtstag am 10. 11. 1805 (an Cotta und Zelter 1. 6. 1805), die Zelter vertonen sollte (an Zelter 4. 8. 1805). Der über einzelne Schemata und Entwürfe nicht hinaus gediehene Plan wurde noch im gleichen Jahr aufgegeben, als sich eine Gelegenheit bot, in Lauchstädt am 10. 8. 1805 und wiederholt in Weimar am 10. 5. 1806 das Andenken Schillers im Anschluß an eine szenische Aufführung des *Liedes von der Glocke* mit G.s → *Epilog zu Schillers Glocke* zu feiern.

B. Suphan, Sch. T., DR 81, 1894; M. Morris, Über G.s dramatischen Entwurf Sch. T., in ders., G.-Studien I, 1897; E. Castle, G.s Plan zu Sch. T., in ders., In G.s Geist, 1926; A. Sauer, G.s dramatischer Entwurf Sch. T., in ders., Probleme und Gestalten, 1933.

Schink, Johann Friedrich (1755–1835). Der fruchtbare Dramatiker und Dramaturg der Aufklärung polemisierte in der Farce *Hanswurst von Salzburg* (1778) gegen die Sturm und Drang-Dramatik und G.s *Götz von Berlichingen*, pries dagegen 1789 die *Iphigenie*. Von seiner »dramatischen Phantasie« *Johann Faust* (II 1804) erschien als Vorabdruck im Berliner *Archiv der Zeit und ihres Geschmacks* (7,1796) die Szene *Doktor Fausts Bund mit der Hölle*, die G. im Xenion 272 *Schinks »Faust«* als allzu prosaisch verspottet.

Schinkel, Carl Friedrich (1781–1841). »Dieser vorzügliche Mann« (an Boisserée 7. 8. 1816), der an klassischer Literatur, Kunst und Architektur geschulte Maler und Architekt, verfolgte in den bildenden Künsten dieselben Ideale klassischer Schönheit, höherer Sittlichkeit und harmonischer Durchbildung wie G. Seit 1810 in der obersten Baubehörde Preußens aufsteigend, begutachtete er alle Bauvorhaben des Staates und prägte mit maßvollen klassizistischen Bauten das architektonische Gesicht Berlins, trat aber auch für die Vollendung des Kölner Doms ein. Er besuchte Weimar fünfmal. Am 28. 8. 1798 besichtigte er den Neubau des Theaters und schuf die einzige

Zeichnung von dessen Innenraum, ohne G. zu begegnen. Am 11.7.
1816 auf der Durchreise nach Heidelberg zu Verhandlungen über
den (später gescheiterten) Erwerb der Sammlung Boisserée für Berlin ließ er sich von G. über diese beraten. Am 17.–22.8.1820 mit
Staatsrat Schultz, Chr. Rauch und F. Tieck in Jena und anschließend
in Weimar, zeigte er G. seine »unschätzbaren« Landschaftszeichnungen aus Tirol und erörterte ihm seine Baupläne für das Berliner
Schauspielhaus, das 1821 mit G.s *Prolog zur Eröffnung des Berliner
Theaters im Mai 1821* und seiner *Iphigenie* eröffnet wurde. G. zählte
die Tage einer »lebhaften, ja leidenschaftlichen Kunstunterhaltung
… unter die schönsten des Jahres« (*Tag- und Jahreshefte* 1820). Am
1.12.1824 auf der Heimreise von Italien waren die Gespräche mit
G. über gotische Architektur und über Landschaftsmalerei für
Schinkel »von unbeschreiblicher Wichtigkeit« (Schinkel an J. H.
Meyer 17.5.1825). Am 17.4.1826 besuchte er G. auf der Reise
über Paris nach England. G. nahm anhand von Plänen und Aufris-
sen, die Schinkel übersandte, mit viel Zustimmung Anteil an dessen
Schaffen.

A. Doebber, Sch. in Weimar, JGG 10, 1924; K. Koetschau, Sch.s Besuche bei G., DR 269, 1941; P. Altenberg, G.s Vermächtnis und Sch.s Auftrag, 1955; H. Ohff, K. F. Sch., 1997.

Schirin. Die Liebesgeschichte der schönen, christlichen Prinzessin
von Armenien und des Sassaniden Chosrau II. Parvez (reg. 590–
628), die sich nach dessen Ermordung das Leben nimmt, und die
tragische Geschichte des Architekten Farhad, den die unerwiderte
Liebe Schirins in den Tod treibt, behandelt nach Ferdausis
Königsbuch vor allem Nezamis Epos *Chosrau und Schirin* (1180/81).
Auf sie spielt G.s Gedicht *Musterbilder* im »Buch der Liebe« des
West-östlichen Divan an. Vgl. *Noten und Abhandlungen* (Kap. »Ältere
Perser«, »Geschichte«, »Nisami«).

Schlaggenwald. In dem Ort südwestlich von Karlsbad besichtigte
G. am 21.6.1811 die Zinnbergwerke und stritt sich mit dem Wirt
zum roten Ochsen über die hohe Rechnung (Promemoria vom
22.6. an den Karlsbader Kreishauptmann). Bei einem zweiten Besuch am 25.8.1818 besah er die Mineraliensammlung des Bergrats
Beschorner (*Tag- und Jahreshefte* 1818).

Schlange. Mit dem Motiv der Schlange befaßt sich G. unter verschiedenen Aspekten, von denen sich keiner im Sinne der Psychoanalyse als Sexualphantasie deuten läßt: Von einem realen Schlan-
genkampf in Wiesbaden berichtet der Brief an Cornelia vom 21.6.
1765. Mit der Anatomie der Schlange befaßt sich der *Erste Entwurf
einer allgemeinen Einleitung in die vergleichende Anatomie* (Kap. IV).
Über Darstellungen der Schlange in der bildenden Kunst handelt
G. im Zusammenhang des Laokoon (*Über Laokoon; Dichtung und*

Wahrheit III,12) und antiker Gemmen (*Reizmittel in der bildenden Kunst*). Auf seine »Muhme, die berühmte Schlange« im Paradies verweist Mephisto (*Faust* v. 335, 2049), und zum Symbol der Versöhnung wird die zur Brücke sich bildende »schöne grüne Schlange« im *Märchen*.

Schlangenbad. Den ihm wohl von früheren Ausflügen her bekannten Badeort im Taunus passierte G. am 31. 7. 1815, ohne Boisserée, der sich dort aufhielt, anzutreffen; dieser stieß am 2. 8. 1815 in Wiesbaden zu ihm und blieb bis 9. 10. sein Begleiter.

Schlegel, August Wilhelm (ab 1815) von (1767–1845). Das Verhältnis G.s zu dem Dichter, Kritiker, Theoretiker und Übersetzer der Frühromantik war starken Schwankungen unterworfen und endete im Mißklang. Der Kritiker hatte sich bereits durch eine verständnisvolle Besprechung von G.s *Schriften* (Band 6–8) in den *Göttinger Gelehrten Anzeigen* (1789/90) und eine Rezension der *Horen* in der *Allgemeinen Literaturzeitung* (4.–6. 1. 1796) empfohlen, als er 1796–1801 als Mitarbeiter der *Allgemeinen Literaturzeitung*, der *Horen,* Mitherausgeber des *Athenaeum* (1798–1800) und ab 1798 a. o. Professor der Ästhetik und Literatur nach Jena zog und damit Zugang zum Weimarer Kreis fand. G. fand bei der ersten Begegnung im Mai 1796 in Jena Gefallen an ihm und eröffnete einen lebhaften Gedankenaustausch und eine literarische Korrespondenz (1797–1829) mit ihm, die auch 1797 nach dem Bruch der Schlegels mit Schiller (vgl. dessen *Xenien* 307, 330, 331) fortgeführt wurde und zu häufigen Begegnungen in Jena und Weimar besonders im März und Juni 1797, im November 1798, September–November 1799 und September 1801 führte. Am 29. 3. 1798 besuchte Schlegel G. mit Novalis, am 6. 4. 1799 mit H. Steffens in Jena, im Juli 1799 führte er Tieck bei G. ein. Schlegels Besprechung von *Hermann und Dorothea* (*Allgemeine Literaturzeitung* 11.–13. 12. 1797) beeinflußte G.s Theorie des Epischen; seine auch vom *Wilhelm Meister* beeinflußten Shakespeare-Übersetzungen (IX 1797–1810) las G. seit Oktober 1799 und legte sie seiner *Romeo und Julia*-Bearbeitung von 1811 zugrunde. G. holte 1799/1800 für den Druck seiner Elegien und Epigramme in den *Neuen Schriften* (Band 7, 1800) Schlegels Rat in Fragen der antiken Metrik ein und berücksichtigte dessen Verbesserungsvorschläge. Er unterstützte ihn im Kampf gegen die Spätaufklärer, besonders Kotzebue, verteidigte sein schwaches, am 2. 1. 1802 in Weimar aufgeführtes Stück *Ion* gegen die Kritiker (*Weimarisches Hoftheater; Tag- und Jahreshefte* 1802) und zeigte starkes Interesse für Schlegels Calderon-Übersetzungen (*Spanisches Theater,* II 1803–09), von denen er *Die Andacht zum Kreuz* im September 1802 und *Der standhafte Prinz* im Januar 1804 im Manuskript las und letzteren am 30. 1. 1811 in Weimar aufführte. Am 26. 4. 1804 besuchte Schlegel mit Mme de Staël, die

er auf G.s Empfehlung in Berlin kennengelernt hatte, G. in Weimar.
Eine Abkühlung des Verhältnisses brachte Schlegels offene Stellungnahme für die christliche Kunst der Nazarener (*Schreiben an G. über
einige Arbeiten in Rom lebender Künstler*, 1805). Am 1. 11. 1824
schickte er G. seine indische Textausgabe der *Bhagavadgita* (1823),
mit der sich G. am 16. 11. 1824 beschäftigte, und das Gespräch bei
seinem letzten Besuch in Weimar am 24.–26. 4. 1827 galt der
indischen Literatur (zu Eckermann 24. und 25. 4. 1827). Inzwischen
hatte sich jedoch G.s Urteil über Schlegels Charakter und seine
Wiener Vorlesungen *Über dramatische Kunst und Literatur* (III
1809–11), die G. zuerst 1809/10 las, ins Ungünstige verändert (zu
Eckermann 30. 3. 1824, 28. 3. 1827): Nachdem Schlegel seiner
Empörung über die Veröffentlichung des Briefwechsels mit Schiller
und seine Beurteilung darin in Epigrammen Luft gemacht hatte
(*Literarische Scherze* im Leipziger *Musenalmanach für das Jahr 1832*),
fällt G. im Groll ein hartes Urteil über ihn und findet sein Vorurteil
gegen die Romantiker bestätigt (an Zelter 20. 10. 1831). →Schel-
ling, Caroline.

J. Körner, Romantiker und Klassiker, 1924; O. Höfler, Homunculus, eine Satire auf
A. W. Sch., 1972; B. Maurach, Die Affäre um G.s Inszenierung des Sch.schen Ion, Neo-
phil 60, 1976; E. Behler, Die Wirkung G.s und Schillers auf die Brüder Sch., in: Unser
Commercium, hg. W. Barner 1984; G. Reichard, A. W. Sch.s Ion, 1987.

Schlegel, Caroline →Schelling, Caroline

Schlegel, Dorothea (seit 1815) von, geb. Mendelssohn, gesch. Veit
(1763–1839). Die Tochter von Moses Mendelssohn wurde nach
Scheidung ihrer ersten Ehe (1783–99) mit dem Bankier Simon Veit
die Freundin und 1804 Gattin von Friedrich Schlegel und lebte mit
ihm 1799–1801 in Jena, wo G. sie am 13. 11. 1799 kennenlernte
und in ihrem Kreis öfter sprach. Ihren von *Wilhelm Meister* angeregten, anonymen Bildungsroman *Florentin* (1801) sandte Schiller
am 16. 3. 1801 an G. als »seltsame Fratze« und »Beweis, wie weit die
Dilettanterei wenigstens in dem Mechanischen und in der hohlen
Form kommen kann«. G. stimmte am 18. 3. seinem Urteil bei.

Schlegel, (Carl Wilhelm) Friedrich (ab 1815) von (1772–1829).
Der Dichter, Kritiker, Literaturhistoriker und Theoretiker der
Frühromantik lebte August 1796–Juli 1797 mit seinem Bruder
August Wilhelm in Jena, kehrte 1799–1801 als Mitherausgeber des
Athenaeum (III 1798–1800) mit Dorothea Veit (→Schlegel, Dorothea) von Berlin dorthin zurück, wurde von Schiller in den *Xenien*
angegriffen und ging 1802 nach Paris, 1809 nach Wien. G. lernte
ihn am 29. 3. 1797 in Jena kennen, empfing seit 26. 5. 1797 mehrfach seine Besuche, verkehrte besonders im Oktober/November
1799, Juli und September 1800 und Mai und November 1801 mit
ihm, führte Gespräche über antike Literatur und philosophische
Probleme und las seine Schriften, u. a. am 13.–20. 3. 1797 *Die
Griechen und Römer* (1797), im April 1797 (an Schiller 28. 4. 1797)

en Aufsatz *Über die Homerische Poesie* (*Deutschland* IV,11, 1796), am
21.6.1798 die *Geschichte der Poesie der Griechen und Römer* (1798)
und am 15.9.1799 den Roman *Lucinde* (1799). Im *Athenaeum* (I,2,
1798) veröffentlichte Schlegel seinen großen Aufsatz *Über Goethes
Meister«*, der zu den »größten Tendenzen des Zeitalters« gehöre
(*Athenaeum*-Fragment 216). Am 29.5.1802 fand in Weimar in seiner Anwesenheit die Uraufführung seiner Tragödie *Alarcos* statt, und
G. verteidigte das erfolglose, vom Publikum verlachte Stück gegen
die Kritik (»Man lache nicht!«). Nach Schlegels Konversion zum
Katholizismus 1808, seiner kühlen Rezension von G.s *Werken* (*Hei-
delbergische Jahrbücher der Literatur*, 1808; vgl. zu Riemer 18.4.1808,
an Reinhard 22.6.1808) und einem letzten Besuch in Weimar am
5./6.5.1808 erlosch die Verbindung. Schlegels *Über die Sprache und
Weisheit der Indier* (1808), die G. im Mai/Juni 1808 las, fand ebensowenig seine Zustimmung (an Zelter 22.6.1808) wie seine spätere
Neigung zum Mystizismus. Eine Mitarbeit an Schlegels *Deutschem
Museum* lehnte G. 1812 ab; der Briefwechsel endete 1813; ein
negatives Gesamturteil gibt der Brief an Zelter vom 20.10.1831.

J.W.Scholl, F.Sch. und G., PMLA 21, 1906; J.Körner, Romantiker und Klassiker,
1924; H.Grunicke, Das G.bild F.Sch.s, Diss. Hamburg 1948; H.Kunisch, F.Sch. und
G., in: Münchener Universitäts-Wochen an der Sorbonne, hg. J.Sarrailh 1956, auch in
ders., Kleine Schriften, 1968; J.Müller, Das G.bild in F.Sch.s Literaturtheorie, in: Festschrift H.Besseler, 1961; E.Behler, Die Wirkung G.s und Schillers auf die Brüder Sch.,
in: Unser Commercium, hg. W.Barner 1984; R.Drux, Der Streit um den Marionet-
tenstil, in: Stil und Stilwandel, hg. U.Fix 1996.

Schlegel, Johann Elias (1719–1749). Der Onkel von August Wilhelm und Friedrich Schlegel (dem Schiller daher das *Xenion* 341
in den Mund legt), der bedeutendste deutsche Dramatiker und
Literaturästhetiker der Aufklärung vor Lessing, galt G. noch in
Leipzig als »der große Schlegel« (an Riese 30.10.1765). G. hatte in
einer Frankfurter Kinderaufführung seines Trauerspiels *Canut*
(1746) die Titelrolle gespielt (*Dichtung und Wahrheit* I,4) und kannte
seit 1764 sein Lustspiel *Der Geheimnisvolle* (1747). Schlegels zur
Eröffnung des Leipziger Theaters am 10.10.1766 aufgeführte
patriotische Alexandrinertragödie *Hermann* (1743), die G. sah und
später als überholt beurteilte (*Leipziger Theater*, 1811), beeinflußte
wohl durch den nationalen Stoff mit G.s *Götz von Berlichingen*.
Wenn G. jedoch ein Gedicht Schlegels *Das jüngste Gericht* als Vorbild für seine frühen geistlichen Oden und die *Poetischen Gedanken
über die Höllenfahrt Jesu Christi* nennt (*Dichtung und Wahrheit* I,4),
liegt wohl eine Verwechslung mit J.A.Cramer vor.

Schlegel, Sophie Caroline von, geb. Paulus (1791–1847). Die
Tochter von H.E.G.Paulus, die G. von Jena her kannte und die
1814 »ein gar hübsch Frauenzimmerchen geworden« war (an
Christiane 6.10.1814), war von 1818 bis zur Scheidung 1820 die
2. Gattin von A.W.von Schlegel. G. nennt sie »einen sehr guten
Charakter« (zu F.von Müller 24.9.1823).

Schleiermacher, Ernst Christian Friedrich Adam (1755–1844) Unter der Führung des Darmstädter Kabinettsrats, Bibliothekar und Museumsdirektors besichtigte G. auf der Rheinreise an 10./11. 10. 1814 die Darmstädter Sammlungen, lobte wiederhol deren musterhafte Einrichtung (*Kunst und Altertum am Rhein un Main*, Kap. Darmstadt; *Principes de philosophie zoologique*) und korrespondierte bis 1816 mit ihm.

Schleiermacher, Friedrich Ernst Daniel (1768–1834). Der Theologe und Philosoph, 1804 Professor der Theologie in Halle, dessen *Reden über die Religion an die Gebildeten unter ihren Verächtern* (1799) G. am 23.–26. 9. 1799 gelesen hatte, wurde auf G.s Einladung 1803 Mitarbeiter der *Jenaischen Allgemeinen Literaturzeitung*. Persönlich begegnete G. ihm Mitte Juli 1805 und am 13. 8. 1805 in Gesellschaften bei F. A. Wolf in Halle, ohne ihm näherzutreten.

H. Scholz, Sch. und G., 1914.

Schleiz. In der thüringischen Stadt, Residenz der Fürsten von Reuß-Schleiz-Köstritz, übernachtete G. meist auf dem Weg von Weimar/Jena nach Karlsbad und zurück, so am 2. 7. 1795, 29. 6. 1806, 5. 5. 1807 (politische Gespräche mit dem Fürsten Heinrich XLIII. von Reuß-Schleiz-Köstritz) und 9. 9. 1807, 3. 5. und 30. 6. 1811, 30. 4. und 14. 9. 1812, 23. 7. und 15. 9. 1818, 26. 8. und 27. 9. 1819, 23. 4. und 30. 5. 1820 (Niederschrift von *Wer ist der Verräter?*), 27. 7. und 14. 9. 1821.

R. Hänsel, G. und Sch., Oberland 8, 1932.

Schlesien. G.s Reise in das schlesische Feldlager (26. 7.–6. 10. 1790) war weder freiwillig noch ergötzlich. Kaum von der Venedigreise heimgekehrt, wurde er von Carl August zu den preußischen Truppenmanövern nach Schlesien berufen, die als Drohgebärde gegen Österreich in einem möglichen militärischen Konflikt um Preußens Ostgrenze gemeint waren, der aber durch die Konvention von Reichenbach (27. 7. 1790) beigelegt wurde. G. reiste am 26. 7. über Dresden (28.–30. 7.) nach Breslau (9.–26. 8.), wo er sich inmitten der preußischen Offiziere, des schlesischen Adels und der Literaten betont mit vergleichender Anatomie befaßte, dann am 26. 8.–1. 9. zu geologischen Aufzeichnungen durch die Grafschaft Glatz, am 3.–10. 9. in die oberschlesischen und polnischen Bergwerksgebiete: Tarnowitz (erste Dampfmaschine), Krakau, Czenstochau und Wielicka, war am 11.–19. 9. wieder in Breslau, machte einen Abstecher in das Riesengebirge und auf die Schneekoppe (15. 9.), verbrachte auf der Rückreise eine Woche (25. 9. ff.) in Dresden und kehrte am 6. 10. nach Weimar zurück. Die Reise, von der G. keine näheren Aufzeichnungen machte, war auch literarisch unergiebig; sie zeitigte nur einige Epigramme (»Grün ist der Boden …«, 21. 8. 1790; »Fern von gebildeten Menschen, am Ende des Reichs …«, 4. 9. 1790).

H. Wentzel, G. in Sch., 1867 u. ö.; F. Zarncke, Zu G.s schlesischer Reise, GJb 11, 890; C. Grünhagen, G. in Sch., Jahresbericht der Schlesischen Gesellschaft für vaterländische Kultur 86, 1908; A. Perlick, G.s oberschlesische Reise, Der Oberschlesier 14, 932; H. Jantzen, G. und Sch., Der Oberschlesier 14, 1932; W. Baumgart, G. und Sch., 940; W. Andreas, Carl August und G. in Sch., Ostdeutsche Wissenschaft 6, 1959; A. Staude, J. W. v. G. in Schlesien, Schlesien 27, 1982; H. Zenker, Mit G. in Polen, GJb 101, 1984; K.-H. Ziolko, G.s Schlesische Reise, 1992.

Schlettstadt. Die oberelsässische Stadt besuchte G. 1770/71 auf seinen Fahrten mit Freunden von Straßburg aus (*Dichtung und Wahrheit* III,11).

Schlichtegroll, Adolf Heinrich Friedrich (ab 1808) von (1765–1822). Der Biograph und Gymnasiallehrer in Gotha, 1801 Bibliothekar ebd. und 1807 in München, hatte in den von ihm herausgegebenen jährlichen *Nekrolog merkwürdiger Deutschen* (1791–1806) 1793 eine abfällig-verständnislose Biographie von G.s Freund K. Ph. Moritz aufgenommen (an Schiller 26. 10. 1796) und wurde deshalb in den *Xenien* 44, 77, 178 und Nachlaß-Xenion 75 als Leichenfledderer verspottet.

Schlittschuhlaufen →Eislauf

Schlözer, August Ludwig (ab 1803) von (1735–1809). Den geschäftigen Göttinger Historiker und durch seine Zeitschriften einflußreichen politischen Publizisten lernte G. Ende September 1783 in Göttingen kennen, sah ihn im Oktober 1784 in Weimar und wieder am 8. 7. 1801 in Göttingen, ohne die nähere Bekanntschaft des ihm nicht sympathischen satirischen und reformerischen Journalisten zu suchen.

Schloß (Weimar). Das Weimarer Schloß, 1445–82, 1513–25 und kontinuierlich 1547–1918 (groß)herzogliches Residenzschloß, hat eine verwickelte tausendjährige Baugeschichte und erstand dreimal neu aus den Ruinen. Der erste nachweisbare Bau, die von einem Wassergraben und Ringmauern mit Türmen umgebene spätgotische Wasserburg der Grafen von Weimar mit ovalem Grundriß aus dem 10. Jahrhundert, blieb zwar beim Brand der Stadt 1299 erhalten, fiel aber dem großen Feuer von 1424 zum Opfer. Von dem 1439 fertiggestellten, im 16. Jahrhundert durch Umbauten von einer gotischen Burg zum Renaissanceschloß »Hornstein« veränderten rechtwinkligen Neubau sind nur noch ein Teil des Südwestflügels mit dem Torbau (gen. Bastille) und dem unteren Teil des Schloßturms (Hausmannsturm) erhalten. Der im Ostflügel dieses Schlosses gelegene Wohntrakt brannte am 2. 8. 1618 größtenteils nieder. Als sein Nachfolger entstand 1651–64 die prächtige, reich ausgestattete barocke »Wilhelmsburg«, ein nach Süden offener Dreiflügelbau mit Schloßkirche (1630), Rittersaal, Bibliothek, Kunstkammer und Schloßtheater (Oper, 1696). Ein im Küchentrakt des

Westflügels ausgebrochener Brand legte am 6.5.1774 in wenigen Stunden das ganze Schloß bis auf die Außenmauern in Asche. Anna Amalia fand im späteren Wittumspalais, die Prinzen im knapp fertiggestellten Fürstenhaus ein Unterkommen. Dieses Trümmerbild erlebte G. bei seiner Ankunft in Weimar 1775. Der angesichts der intakten Außenmauern naheliegende rasche Wiederaufbau mußte jedoch zunächst aus Geldmangel zurückgestellt, die Ruine notdürftig durch Abstützungen und Notdächer gesichert werden. Erst als diese erneuerungsbedürftig waren, entschloß sich Carl August am 21.8.1788 zum Wiederaufbau innerhalb der alten Grundmauern. Am 23.3.1789 setzte er eine Schloßbaukommission mit G., von Wedel, Minister von Voigt und Kammerpräsident Schmidt ein, die zahlreiche Pläne verschiedener Architekten erwog und die Finanzierung klären sollte. G., der sich seit 1778 und besonders nach der Italienreise im Zusammenhang seiner Architekturstudien mit »Grillen zum neuen Schloßbau« befaßte und entscheidende Anstöße gab, fiel dabei im Sinne seiner Kunstauffassung die künstlerisch-stilistische und architektonische Beratung zu, der er sich mit großer Energie und unermüdlichem Interesse widmete. Der oft durch Geldmangel, politische Verhältnisse, Mangel an qualifizierten Handwerkern und Künstlern unterbrochene Neubau zunächst des Ost- und Nordflügels und eines Teils des Westflügels dauerte 15 Jahre. An ihm waren neben dem Weimarer Baumeister J. F. R. Steiner vor allem auswärtige Architekten nach G.s Wahl beteiligt: J. A. Arens aus Hamburg unternahm 1789–91 die Gesamtplanung des 1796 fertiggestellten Rohbaus, N. F. Thouret aus Stuttgart (1798–1800) und nach ihm H. Gentz aus Berlin (1800–03) planten und dirigierten den Innenausbau. Die durch Einebnung der Wassergräben und Abriß der Wehrmauern zum Park hin geöffnete frühklassizistische »Karlsburg« wurde am 1.8.1803 von der herzoglichen Familie bezogen, am 9.11.1804 hielt der Erbprinz Carl Friedrich mit Maria Paulowna Einzug in den Nordflügel. Die Baukosten betrugen fast 700 000 Taler. Erst 1830–47 wurde nach Maria Paulownas Wünschen der Westflügel mit weiteren Wohnräumen, den sog. Dichterzimmern und der Schloßkapelle unter C. W. Coudray fertiggestellt, und erst seit 1913/14 riegelt ein Südflügel mit Torbogen anstelle der früheren Gitter den Innenhof vom Park ab. Nur Nord- und Ostflügel des Schlosses spiegeln also, von Innenumbauten abgesehen, den Zustand des Schlosses zu G.s Lebzeiten, als er dort ein- und ausging.

A. Doebber, Das Sch. in Weimar, 1911; W. Scheidig, Das Sch. in Weimar, 1949 u. ö.; →Weimar.

Schloßbaukommission →Schloß

Schlosser, Christian Heinrich (1782–1829). Den 2. Sohn von Hieronymus Peter →Schlosser lernte G. zusammen mit seinem

3ruder Johann Friedrich Heinrich →Schlosser am 19./20. 10. 1801
ils erstaunlich begabten Jenaer Studenten kennen, der sein lebhaf-
es Interesse erregte (an F. H. Jacobi 23. 11. 1801). 1808–12 lebte
5chlosser in Italien, verkehrte mit den Nazarenern und konvertierte
1812 zum Katholizismus, ohne daß dies G.s Verhältnis zu ihm be-
einträchtigte. Er berichtete G. über dortige Künstler, wies ihn auf
Overbeck und Cornelius hin und sandte ihm im September 1813
Zeichnungen beider. Auf der Rheinreise 1814 besuchte G. ihn seit
29. 7. 1814 häufig in Frankfurt, sah ihn am 25.–31. 8. bei sich in
Wiesbaden und wieder am 12.,13. und 16. 9. in Frankfurt, fand
Gefallen an ihm (an Christiane 16. 10. 1814) und nahm ihn am
24. 9.–9. 10. als Reisebegleiter nach Heidelberg zu den Boisserées
mit. Auch auf der Rheinreise von 1815 war Schlosser in Frankfurt
am 14. 8.–15. 9. sein fast täglicher Gastgeber oder Begleiter. Erst mit
G.s zunehmender Distanzierung von den Nazarenern erlischt nach
1816 der nicht häufige, aber freimütige Briefwechsel, in dem G.
aufschlußreiche Bemerkungen zu Kunst, Tonlehre, Farbenlehre und
Naturauffassung macht. Schlosser wurde 1817 Mitarbeiter des Freiherrn vom Stein, 1818/19 Gymnasialdirektor in Koblenz und starb
als Privatmann in Rom.

H. Düntzer, Aus G.s Freundeskreise, 1868; O. Dammann, G. und Ch. H. Sch., JGG
16, 1930.

Schlosser, Cornelia →Goethe, Cornelia

Schlosser, Friedrich Christoph (1776–1861). G. lernte den Frankfurter Lehrer und Bibliothekar im August 1815 kennen; er informierte ihn über den geplanten Bibliotheksneubau (*Kunst und Altertum am Rhein und Main*, Kap. Frankfurt). 1817 ging Schlosser als
Professor der Geschichte nach Heidelberg. Den 1. Band seiner *Uni-
versalhistorischen Übersicht der Geschichte der alten Welt und ihrer Kultur*
(IX 1826–34) las G. im Juli 1826 und zeigte ihn kurz an (*Über Kunst
und Altertum* V,3, 1826).

Schlosser, Hieronymus Peter (1735–1797). Der ältere Bruder von
G.s späterem Schwager Johann Georg →Schlosser, Anwalt, Ratsherr, Bürgermeister und Schöffe in Frankfurt, war »ein gründlicher
und eleganter Rechtsgelehrter« und zugleich gesellig unterhalten-
der Schöngeist und Gelegenheitsdichter (*Poematia*, 1775), der G. in
seiner Jugend als Vorbild hingestellt wurde und dessen Rat er für
seine Juristenlaufbahn einholte (*Dichtung und Wahrheit* I,4; III,12).
Anfang November 1774 widmete G. ihm mit einem gezeichneten
Ofenschirm das Gedicht »Du, dem die Musen ...«. Bei seiner
Witwe Rebecca Elisabeth, genannt Margaretha (1749–1819), der
»Frau Schöff«, war G. bei seinen Frankfurter Aufenthalten 1814 und
1815 häufig zu Gast und wohnte wohl auch 1814 zeitweilig in

ihrem Haus, als sich eine nähere Freundschaft zu ihren beiden Söhnen Johann Friedrich Heinrich und Christian Heinrich →Schlosser ergab.

J. Frese, G. und H. P. Sch., Mitteilungen an die Mitglieder des Vereins für Geschichte und Altertumskunde in Frankfurt 5, 1875.

Schlosser, Johann Friedrich (Fritz) Heinrich (1780–1851). Der ältere Sohn von Hieronymus Peter →Schlosser, eine »ruhige und verständige Natur« (an F. H. Jacobi 23. 11. 1801) wurde wie sein Bruder Christian Heinrich →Schlosser während seines Jurastudiums in Jena (1801/02) am 19./20. 10. 1801 mit G. bekannt und wurde 1803 Anwalt, 1806 Stadtgerichtsrat und 1815 Oberschulrat in Frankfurt. Nach dem Tod seiner Mutter machte G. ihn 1808 zu seinem Rechtsvertreter in Frankfurter Vermögens- und Rechtssachen sowie Kunstkäufen, und aus den geschäftlichen Beziehungen erwuchs ein »vieljährig tätiges freundschaftliches Verhältnis« (*Tag- und Jahreshefte* 1820), das auch durch Schlossers Übertritt zur katholischen Kirche (1814) nicht getrübt und durch häufige Besuche bei ihm in Frankfurt im Sommer 1814 und 1815 vertieft wurde. Am 16.–21. 10. 1820 besuchte Schlosser mit seiner Frau Sophie Johanna G. in Weimar (ebd.); er lebte zuletzt auf Stift Neuburg bei Heidelberg. Bei der Niederschrift von *Dichtung und Wahrheit* half Schlosser G. durch zahlreiche Informationen und Dokumente über Frankfurter Verhältnisse. G. schrieb ihm am 18. 3. 1821 das Gedicht *Gleichgewinn* ins Stammbuch.

O. Dammann, J. F. H. Sch. auf Stift Neuburg, Neue Heidelberger Jahrbücher NF 1934.

Schlosser, Johann Georg (1739–1799). G.s späterer Schwager, Sohn eines Frankfurter Juristen und Ratsherrn und jüngerer Bruder von Hieronymus Peter →Schlosser, wurde dem jungen G. wegen seines Fleißes und seiner Sprachkenntnisse als Vorbild empfohlen (*Dichtung und Wahrheit* I,4). G. anerkannte stets seine praktische Weltkenntnis und Rechtschaffenheit, empfand sich jedoch in vieler Hinsicht als Gegenteil des leicht pedantischen Juristen. Zunächst 1762–64 Anwalt in Frankfurt, wurde Schlosser 1766–69 Geheimsekretär und Prinzenerzieher beim Prinzen, späteren Herzog Friedrich Eugen von Württemberg, der als preußischer General sein Standquartier in Treptow hatte. Auf dem Wege dorthin kam er Ostern 1766 durch Leipzig, stieg in Ch. G. Schönkopfs Weinwirtschaft ab, zog auch G. an dessen Mittagstisch, wo er die Bekanntschaft von Käthchen Schönkopf machte, besuchte mit ihm Gottsched u. a. Gelehrte und die Kunstsammlung J. T. Richters und riet G. zu näherer Beschäftigung mit englischer Dichtung und Sprache, so daß G. ihm 1766 englische Verse (*A song over the unconfidence toward my self*) und Briefe schrieb (ebd. IV,7). Schlossers Rückkehr als Anwalt nach Frankfurt 1769 vertiefte sein Verhältnis zu G. (ebd. III,12), der teils kleinere Fälle aus Schlossers Praxis übernahm, als dieser 1772 Mitherausgeber und im Juli–Dezember 1772 Hauptredakteur der *Frankfurter Gelehrten Anzeigen* wurde, an denen G. mitarbeitete. Im Februar/März 1772 begleitete G. ihn nach Darmstadt zu Merck, dessen Bekanntschaft Schlosser im Dezember 1771 vermittelt hatte, und am 6.–10.11.1772 auf einer Geschäftsreise nach Wetzlar. 1773 heiratete Schlosser zu G.s Unwillen dessen Schwester Cornelia in einer wenig glücklichen Ehe und zog 1774 als Oberamtsverweser der Markgrafschaft Hochberg nach Emmendingen. Dort besuchte ihn G. auf der 1. Schweizer Reise am 27.5.–5.6.1775 und, nachdem Schlosser nach Cornelias Tod (1777) 1778 G.s Freundin Johanna →Fahlmer geheiratet hatte, auf der 2. Schweizer Reise mit Carl August am 27./28.9.1779. 1787 wurde Schlosser badischer Hofrat in Karlsruhe und 1790–94 Direktor des Hofgerichts. Eine letzte Begegnung in Heidelberg am 4.–7.8.1793 brachte eine unerfreuliche Auseinandersetzung um die Farbenlehre (*Belagerung von Mainz*; *Tag- und Jahreshefte* 1793; an F. H. Jacobi 11. und 18.11.1793). Schlosser lebte 1794 in Ansbach, 1796 in Eutin und zuletzt 1798 als Syndikus in Frankfurt. Zu Schlossers Kindern – der Ehe mit Cornelia entstammen Maria Anna Louise (1774–1811), verh. →Nicolovius, und Elisabeth Catharina Julie (1777–1793), der Ehe mit J. Fahlmer Eduard und Henriette, verh. Hasenclever – hatte G. keine Beziehungen. Von Schlossers zahlreichen juristischen, politischen, philosophischen und religiösen Schriften kannte G. vor allem *Anti-Pope* (1776) und die Gegenschriften zu Kant *Schreiben an einen jungen Mann …* (II 1797/98).

A. Nicolovius, J. G. Sch.s Leben und literarisches Wirken, 1844 u. ö.; E. Gothein, J. G. Sch. als badischer Beamter, 1899; E. Loewenthal, J. G. Sch., 1935; E. Beutler, J. G. Sch., in ders., Essays um G. I, 1941 u. ö.; I. Kreienbrink, J. G. Sch. und die geistigen Strömungen des 18. Jahrhunderts, Diss. Greifswald 1948; I. Kreienbrink, J. G. Sch. und die Familie G., in: Beiträge zur deutschen und nordischen Literatur, hg. H. W. Seiffert 1958; H. Bräuning-Oktavio, Neues zur Biographie J. G. Sch.s, JFDH 1963; J. van der Zande, Bürger und Beamter, 1986; W. E. Schäfer, Cornelias Mann, Allmende 28 f., 1990.

Schlosser, Johanna Catharina Sibylle →Fahlmer, J. C. S.

Schlosser, Maria Anna Louise →Nicolovius, G. H. L.

Schlüssel. Das Schlüssel-Motiv erscheint bei G. neben Fausts Gang zu den Müttern (*Faust* v. 6262–6305) vor allem im Zusammenhang mit dem →Kästchen-Motiv in *Wilhelm Meisters Wanderjahre.*

Schmalkalden. Die Stadt am Thüringer Wald berührte G. auf mineralogischen Expeditionen u. a. am 11./12.9.1780 (Übernachtung) und 11.5.1782 sowie bei der Rückkehr vom Rhein am 10.10.1815.

Schmehling, Gertrud Elisabeth →Mara, G. E.

Schmeller, Johann Joseph (1796–1841). Der Maler und Zeichner auf dem Übergang vom Klassizismus zum Realismus war Schüler F. Jagemanns und wurde, von G. gefördert, 1824 Zeichenlehrer an der Freien Zeichenschule in Weimar und gleichzeitig gewissermaßen »Hofmaler« G.s, der ihn als geschickten Porträtisten schätzte, der mit sicherer Hand die charakteristischen Züge festhielt, und von ihm an 150 Porträts in Kreide oder Kohle von ihm nahestehenden Personen aus seinem Lebenskreis, Freunden, Mitarbeitern und prominenten Besuchern zeichnen ließ, z. B. B. von Arnim, Boisserée, Carus, Coudray, David d'Angers, Eckermann, Humboldt, Hummel, Knebel, Kirms, Kräuter, F. Mendelssohn, J. H. Meyer, Mickiewicz, F. von Müller, Rauch, Riemer, Vulpius, Zelter u. a. Schmeller schuf 1825–31 auch etwa sieben →Porträts von G. in der charakteristischen steifen Alterspose als Zeichnungen und Ölgemälde, am bekanntesten »G. in seinem Arbeitszimmer, dem Schreiber John diktierend« (1831).

W. Handrick, Die Sch.-Bildnisse in G.s Kunstsammlung, Goethe 26, 1964; W. Handrick, J. J. Sch., 1966; →Porträts.

Schmettau, Friedrich Wilhelm Carl, Graf von (1742–1806). Der preußische Generalleutnant, Bruder der Fürstin Gallitzin, wurde in der Schlacht bei Jena und Auerstedt am 14. 10. 1806 tödlich verwundet, erlag kurz darauf im Hause der Frau von Stein in Weimar seinen Verletzungen und wurde am 18. 10. auf dem Weimarer Jakobsfriedhof beigesetzt. Auf Wunsch Prinz Augusts von Preußen entwarf G. zusammen mit J. H. Meyer 1807 ein würdiges Grabmonument für ihn, das jedoch von der Familie zugunsten eines anderen Entwurfs abgelehnt wurde, für dessen rasche Fertigstellung G. sich dann einsetzte. Den ursprünglichen Entwurf veröffentlichte G. am 1. 1. 1808 in der *Jenaischen Allgemeinen Literaturzeitung*.

H.-H. Lawatsch, G. und das Andenken des preußischen Generals Sch., GJb 109, 1992.

Schmid, Achatius Ludwig Carl (1725–1784). Den Karrierebeamten, Geheimen Rat und Mitglied des Geheimen Consiliums ernannte Carl August 1776 zum Präsidenten der Regierung mit dem Titel Kanzler und besetzte die dadurch im Geheimen Consilium freiwerdende Stelle mit G.

Schmid, Carl Christian Erhard (1761–1812). Auf den Kollegen Schillers, einen »trefflichen Mann« (an C. G. Voigt 27. 7. 1793), Kantianer, seit 1784 Professor der Philosophie in Jena, und seinen *Versuch einer Moralphilosophie* (1790) bezieht sich das Xenion 383.

Schmid, Christian Heinrich (1746–1800). Der einflußreiche, doch nach Meinung vieler Zeitgenossen charakterlose und unselbständige Vielschreiber, seit 1771 Professor der Beredsamkeit und Poesie in Gießen und 1775 Herausgeber der *Frankfurter Gelehrten Anzeigen*, rief oft den Widerspruch der jüngeren Generation hervor. G. lernte ihn am 18.8.1772 beim Besuch bei Höpfner in Gießen kennen und verspottete unter angenommener Maske seine Schwächen (*Dichtung und Wahrheit* III,12). Seine späteren Besprechungen von G.s *Von deutscher Baukunst* (*Frankfurter Gelehrte Anzeigen* Nr. 97 vom 4.12.1772) und *Götz von Berlichingen* (Wielands *Teutscher Merkur* III,3, September 1773) erregten durch ihre Verständnislosigkeit G.s Unwillen (an Kestner 25.12.1772; *Dichtung und Wahrheit* III,13); die letztere widerrief Wieland (*Teutscher Merkur* VI,3, Juni 1774) und trat damit für G. ein.

Schmidt, Friedrich Wilhelm August, gen. Schmidt von Werneuchen (1764–1838). Der märkische Heimatdichter, Pfarrer in Berlin und ab 1795 Werneuchen, gab den *Calender der Musen und Grazien* (1794–94) und andere Anthologien heraus, deren banale, philiströse Dorfidyllen im Xenion 246 und G.s →*Musen und Grazien in der Mark* (1796) verspottet wurden. Ausgleichend dagegen *Maximen und Reflexionen* 1044.

A. Molzan, F. W. A. Sch., WB 34, 1988.

Schmidt, Johann Christoph (1727–1807). Der Jugendfreund Klopstocks, Bruder von dessen »Fanny«, war seit 1756 Sekretär des Geheimen Consiliums in Weimar. Selbst literarisch interessiert, Gelegenheitsdichter (Lieder, Parodien, Glossen) und Mitwirkender am Liebhabertheater wie am geselligen Leben des Hofkreises, war er überdies als Besitzer des später sog. Pogwischhauses (das Schiller 1797 kaufen wollte) Nachbar von G.s Gartenhaus. 1776 Geheimer Assistenzrat mit Sitz und Stimme im Geheimen Consilium neben G., übernahm er während G.s Italienreise stellvertretend das Finanzressort und wurde in diesem auf G.s Empfehlung (an Carl August 17.3.1788) 1788 dessen Nachfolger als Geheimer Rat und Kammerpräsident, 1804 Oberkammerpräsident. G. schätzte ihn als gewissenhaften Beamten und Menschen, »dem es ernst ums Gute ist« (ebd. 18.10.1784).

W. Huschke, Ministerkollegen G.s, Genealogie und Heraldik 1, 1948 f.

Schmidt, Johann Georg (1694–1781). Der Pfarrer an der Hospitalkirche in Frankfurt, ein »guter, alter, schwacher Geistlicher«, war Beichtvater der Familie G., bei dem G. 1763 Konfirmationsunterricht hatte, die rein formale Beichte ablegte und konfirmiert wurde (*Dichtung und Wahrheit* II,7).

Schmiedel, Henriette (1753–1825). Seine und Cornelias Frankfurter Jugendfreundin läßt G. von Leipzig aus durch Cornelia am 12.10.1765 und 1,3.10.1766 grüßen.

Schmoll, Georg Friedrich (?–1785). Der Ludwigsburger Zeichner und Kupferstecher arbeitete für die *Physiognomischen Fragmente* seines späteren Schwagers Lavater, begleitete ihn z. T. auf seinen Reisen, kam mit ihm am 23. 6. 1774 zu G. nach Frankfurt und schuf am 25. 6. und 16. 7. 1774 zwei Kreidezeichnungen und einen Schattenriß von G. Er reiste mit G. und Lavater am 28.–30. 6. 1774 von Frankfurt über Höchst, Wiesbaden und Bad Schwalbach nach Ems und nahm am 18.–23. 7. 1774 an der Geniereise von G., Lavater und Basedow lahn- und rheinabwärts und bis Elberfeld teil. G. nennt ihn in *Dichtung und Wahrheit* (III,14) und der *Campagne in Frankreich* (Duisburg, November) irrtümlich J. H. Lips.

J. Göres, Zwei unveröffentlichte G.-Bildnisse, JbSKipp NF 1, 1963.

Schnabel, Johann Gottfried (1692–nach 1750). Des Schriftstellers im 18. Jahrhundert vielgelesene Robinsonade *Insel Felsenburg* (*Wunderliche Fata einiger Seefahrer ...,* IV 1731–43) las G. noch in seiner Jugend in Frankfurt um 1765 und wieder am 19.–23. 2. 1829 in Tiecks Bearbeitung von 1828.

Schnaps. Der durch den sprechenden Namen (den G. aus zwei Lustspielen von A. Wall nach J. P. C. de Florian entlehnt) gekennzeichnete Dorfbarbier in G.s Lustspiel →*Der Bürgergeneral* karikiert den großsprecherischen Pseudo-Revolutionär, der aus der Angst und Unsicherheit der Bauern Nutzen zieht.

Schnauß, Christian Friedrich (1722–1797). Der Karrierebeamte wurde nach dem Jurastudium in Jena 1743 Kabinettssekretär der Hofkanzlei Herzog Ernst Augusts in Eisenach, 1763 Regierungsrat und 1770 Hofrat ebd., dann 1772 Geheimer Assistenzrat (und ab 1776 G.s Kollege) im Geheimen Consilium in Weimar, schließlich 1779 Geheimrat. 1782 war G. Taufpate seines Sohnes. Ab 1786 führte der liebenswürdige und kunstliebende Beamte die Aufsicht über Bibliothek, Münzkabinett und Freie Zeichenschule in Weimar, letztere 1788–97 gemeinsam mit G.

C. v. Beaulieu-Marconnay, Ein weimarischer Beamter des 18. Jahrhunderts, Zeitschrift für deutsche Kulturgeschichte NF 4, 1875; W. Huschke, Ministerkollegen G.s, Genealogie und Heraldik 1, 1948 f.

Schneeberg. Die Stadt im sächsischen Erzgebirge besuchte G. am 19. 8. 1785 auf dem Rückweg von Karlsbad, durfte jedoch als Fremder nicht unter Tage gehen. Als er am 14. 8. 1786 Ch. von Stein auf ihrer Rückreise von Karlsbad bis Schneeberg begleitete, hielt er sich zwei Tage dort auf und konnte am 16. 8. in ein Bergwerk einfahren.

Schneekoppe →Riesengebirge

Schneider, Johann Caspar (1712–1786). Der Frankfurter Kaufmann und kurbayrische Rat, ein Jugendfreund von G.s Vater, war

Hausfreund der Familie G. und als Junggeselle sonntags oft deren Tischgast. Obwohl nüchterner Geschäftsmann, schwärmte er doch für Klopstocks *Messias*. Da G.s Vater gegen das Werk eine Abneigung hatte, lieh er sein Exemplar 1758 als Erbauungsbuch heimlich der Mutter G.s, der es auf diese Weise kennenlernte und teils auswendig lernte (*Dichtung und Wahrheit* I,2 und 4). Der daher von G. so genannte »messianische Hausfreund« entwirrte 1764 auch die Gretchen-Affäre (ebd. I,5) und förderte durch die Siegel seiner weitläufigen Korrespondenz G.s heraldische, durch sein Interesse an der Elektrizität seine naturwissenschaftlichen Kenntnisse.

A. Dietz, Der G.sche Hausfreund Rat Sch., Berichte des Freien Deutschen Hochstifts NF 6, 1890.

Schnepfenthal →Salzmann, Christian Gotthilf

Schnorr von Carolsfeld, Ludwig Ferdinand (1788–1853). Der von den Nazarenern beeinflußte romantische Maler in Wien schuf u. a. ein *Erlkönig*-Gemälde und 1821 zwei *Faust*-Illustrationen (»Faust und Mephisto«; »Kerkerszene«), die G. kannte, jedoch gemäß seiner Abneigung gegen die Nazarener nicht kommentierte.

Schön, Martin →Schongauer, Martin

Schönborn, Gottlob Friedrich Ernst (1737–1817). Der Dichter und Schriftsteller, Freund Klopstocks, Gerstenbergs und des Göttinger Hains, war 1773–76 dänischer Konsulatssekretär in Algier und machte auf der Reise dorthin am 10. 10. 1773 in seinem Frankfurter Gasthof die Bekanntschaft G.s, der ihm am 11. 10. im Elternhaus zwei Akte des *Prometheus*-Dramas und die Satiren auf Wieland und Jacobi vorlas. Schönborn ermutigte G., in Briefwechsel mit Gerstenberg und Klopstock zu treten, und vermittelte die Verbindung zu Matthias Claudius. Seinen Bericht von der Reise nach Algier beantwortete G. am 1. 6.–4. 7. 1774 mit einem Bericht über literarische Neuerscheinungen und eigene Werke (*Werther, Clavigo*). Aus späterer Zeit, als Schönborn 1777–1802 an der dänischen Gesandtschaft in London tätig war, ist nur ein Briefkonzept vom 3. 6. 1797 erhalten.

Das Schöne →Schönheit

Schöne, Carl Christian Ludwig (1779 – nach 1852). Der Arzt und Dichter in Stralsund publizierte 1809 ein *Faust*-Drama und sandte G. am 22. 7. 1821 mit der Bitte um Durchsicht und Kritik das Manuskript seiner *Fortsetzung des Faust von Goethe*, die 1823 mit einer Widmung an G. erschien. G. sandte das Manuskript am 3. 12. 1821 zurück und verweigerte einen Kommentar, spottete jedoch später über dessen Einfallslosigkeit (an Zelter 14. 12. 1822; Invektive *Herr Schöne*, 1823).

Schönemann, Anna Elisabeth, gen. Lili (1758–1817). G.s einzige Verlobte war die einzige Tochter des wohlhabenden Frankfurter Bankiers Johann Wolfgang Schönemann (1717–1763) und seiner Frau Susanne Elisabeth, geb. d'Orville (1722–1782), die als Witwe das Geschäft ihres Mannes mit einem Teilhaber weiterführte – erst 1784 folgten Bankrott und Versteigerung. G. lernte das vornehme, gebildete, zierliche, kokette, unsentimentale, jedoch keineswegs oberflächliche Weltkind aus der Geldaristokratie Anfang Januar 1775 bei einem Hauskonzert im Hause ihrer Mutter kennen, in das ihn wohl J. André einführte. Die Zuneigung zwischen dem viel-gerühmten, kraftgenialischen jungen Dichter und der blonden Schönheit war zu G.s Verwirrung gegenseitig und ließ die sozialen Gegensätze zeitweise vergessen; mit Billigung der Mutter wieder-holte G. seine Besuche, machte Lili den Hof und nahm um ihret-willen am protzig-oberflächlichen gesellschaftlichen Leben mit Festen, Bällen und Glücksspiel teil. Bald mehrten sich die Beden-ken der Familien gegen die unstandesgemäße Verbindung: G.s El-tern und Schwester lehnten die überdies reformierte »Staatsdame« ab, Lilis Mutter und vier Brüder hätten statt des jungen Dichters und nicht sonderlich aussichtsreichen Anwalts lieber einen reichen Bankier gesehen, der Lili einen standesgemäßen Lebensstil und ihrem Bankgeschäft günstige Verbindungen bieten konnte. Der Unentschlossenheit machte die Jungfer H. D. Delph aus Heidelberg zur Ostermesse 1775 ein Ende: in Gesprächen mit beider Eltern gewann sie deren Einwilligung, und eine inoffizielle, formlose Ver-lobung ohne Ringwechsel eröffnete um den 20.4. dem Brautpaar im Frühjahr unbefangeneren Umgang, vor allem bei den G. wohl-gesonnenen Verwandten und Freunden im ländlichen Offenbach (J. G. d'Orville, N. Bernard, J. L. Ewald, J. André), wo viele der sog. Lili-Lieder entstanden (*Neue Liebe, neues Leben; An Belinden; Sehn-sucht; Lilis Park; Auf dem See; Vom Berge; Im Herbst 1775; Wonne der Wehmut; An ein goldnes Herz; An Lili*). Doch wachsende Gegner-schaft, Einflüsterungen der Neider, Nebenbuhler, die sozialen Un-terschiede und vor allem seine Scheu vor einer festen Bindung ver-anlaßten G., am 14.5.1775 ohne Abschied von Lili, doch ihr Bild und ihr goldnes Herzchen in der Tasche, mit den Brüdern Stolberg die 1. Schweizer Reise anzutreten. Sie sollte aus dem räumlichen Abstand eine Klärung seiner Gefühle bringen, ohne dies zu er-reichen. Die Zerrissenheit und das Gefühl, Lili nicht entbehren zu können, hielten an, umso mehr, als er bei seiner Rückkehr von einer Erklärung Lilis hörte, sie wolle lieber mit ihm nach Amerika auswandern als ihn verlassen (*Dichtung und Wahrheit* IV,19). Den-noch führten eigene Unsicherheit, Kränkungen und Eifersüchte-leien im Oktober 1775 zu einer Lösung der Verlobung. Die Weh-mut darüber und Lilis Bild begleiteten G. nach Weimar. Die frühen Weimarer Singspiele und Dramen (*Erwin und Elmire; Claudine von Villa Bella; Stella*) mögen Motive des Lili-Erlebnisses verarbeiten.

Lili heiratete 1778 den Straßburger Bankier Bernhard Friedrich von Türckheim (1752–1831), 1792 Bürgermeister von Straßburg, wo G. das Ehepaar auf der 2. Schweizer Reise am 26. 9. 1779 besuchte. Als Türckheims 1794 vor drohender Verhaftung, als Holzfäller und Bäuerin verkleidet, mit fünf Kindern nach Mannheim fliehen mußten, erwiesen sich in der Notlage Festigkeit und Größe von Lilis Charakter im Unterschied zu der ihr gern und zu Unrecht nachgesagten Oberflächlichkeit. Am 14. 10. 1806 besuchte Lilis Sohn Wilhelm, am 30. 9. 1807, 4. 1., 9. 3., 1. 4., 16. 4. 1821 und 20. 11. 1829 ihr Sohn Karl G. in Weimar. Biographische Zeugnisse für G.s Bräutigamswirren sind besonders die Briefe an Auguste zu Stolberg; der Briefwechsel mit Lili wurde bis auf zwei späte Briefe von 1801 und 1807 vernichtet; die zu Lilis Lebzeiten hinausgezögerte, 1816 und 1824–31 entstandene Darstellung in *Dichtung und Wahrheit* (IV, 16–18, 20) und späte Äußerungen (»Tage, die ich unter die glücklichsten meines Lebens zähle«, an Lili 14. 12. 1807; zu Eckermann 5. 3. 1830) wirken verklärend.

W. Wilmanns, G.s Belinde, GJb 1, 1880; O. Heuer, Lilis Bild, JFDH 1905; A. Bielschowsky, Friederike und Lili, 1906; O. Heuer, Erinnerungen an Lili, JFDH 1913; F. Servaes, G.s Lili, 1916 u. ö.; E. Beutler, Lili, in ders., Essays um G. 2, 1947 u. ö.

Schöne Seele. Der Begriff der inneren Schönheit eines reinen, edlen, harmonischen, tugendhaften, aus eigenem Antrieb nach dem Guten strebenden Gemüts wurde bereits bei Platon (*Politeia, Symposion*), Plotin (*Enneaden* I,6,9), Augustinus, der spätmittelalterlichen und spanischen Mystik und der italienischen Renaissance ausgebildet und in Pietismus, Empfindsamkeit und Neuplatonismus des 18. Jahrhunderts, bei Shaftesbury, Richardson, Rousseau, Hemsterhuis, Zinzendorf, Klopstock, Lessing, Winckelmann, Wieland und Schiller (*Über Anmut und Würde*, 1793) vertieft. Populäre Breitenwirkung auch als Schlagwort gewann er vor allem durch G.s →»Bekenntnisse einer schönen Seele« im 6. Buch von *Wilhelm Meisters Lehrjahre*. Sie schildern im Anschluß an Aufzeichnungen der S. von →Klettenberg ein eher individuelles Beispiel, die Gedankenwelt eines heiteren, gotterfüllten, von innen her geformten Gemüts, das sich durch keine äußeren Widrigkeiten in seiner Glaubensgewißheit und Frömmigkeit erschüttern läßt und den inneren Einklang mit sich, seiner tiefen Natur und Gott findet. Der Begriff klingt bei G. schon im *Werther* an (Seele als Spiegel Gottes, 10. Mai; »herrliche Seele«, 10. September), erscheint in der *Iphigenie* (v. 1493) und später im *Faust II* (v. 10064) und wird in den *Lehrjahren* auch Natalie zuerkannt (VIII, 4 und 10). Mit ihm bezeichnet G. auch den frühen Klopstock (*Dichtung und Wahrheit* III, 12), Ch. von Stein (an sie 10. 4. 1781) und die Fürstin Gallitzin (an Jacobi 1. 2. 1793) und billigt ihn in seiner Rezension von Friedrich Buchholz' Roman *Bekenntnisse einer schönen Seele* (1806) dessen Heldin zu, da »ihre Tugenden aus ihrer Natur entspringen und ihre Bildung aus ihrem Charakter hervorgeht«.

E. Schmidt, Die sch. S., Vierteljahrschrift für Literaturgeschichte 6, 1893; H. F. Müller, Zur Geschichte des Begriffs sch. S., GRM 7, 1915; H. Schmeer, Der Begriff der sch. S., 1926; H. Pohlmeier, Untersuchungen zum Begriff der sch. S. im 18. Jahrhundert und in der G.zeit, Diss. Münster 1954; D. Farrelly, G. and Inner Harmony, New York 1973; P. Oury, La belle âme piétiste de Zinzendorf à G., EG 29, 1974; R. Konersmann, Die sch. S., Archiv für Begriffsgeschichte 36, 1993; R. E. Norton, The beautiful soul, Ithaca 1995.

Schönheit, das Schöne. Im Unterschied zu vielen seiner Zeitgenossen läßt G. sich nicht auf eine allgemeine →Ästhetik oder eine Theorie des Schönen ein, das als Idee und Urphänomen nie selbst, sondern nur im Abglanz, in Äußerungen des schaffenden Geistes, erscheine (an Hetzer 14.7.1770, zu Eckermann 18.4.1827; *Maximen und Reflexionen* 376), und abstrahiert es nicht ins Begriffliche: »Die Schönheit kann nie über sich selbst deutlich werden« (ebd. 256). Allenfalls stellt er es in Bezug zum Häßlichen, Guten, Nützlichen und Charakteristischen: »Das vollkommen Charakteristische nur verdient schön genannt zu werden, ohne Charakter gibt es keine Schönheit« (*Der Sammler und die Seinigen* V). Das Schöne sei die sinnliche Verkörperung des Guten (Stammbuchvers für Fürstin Gallitzin 17.4.1793), »das gesetzmäßig Lebendige in seiner größten Tätigkeit und Vollkommenheit« (*Campagne in Frankreich*, Münster November 1792), »eine Manifestation geheimer Naturgesetze« (*Maximen und Reflexionen* 183, 1345) und »vollkommene Harmonie« (*Gérard: Portraits historiques*). Im Einklang mit Lessings *Laokoon* bezeichnet er die Nachahmung des Naturschönen als Ziel der bildenden Kunst; da das Auge nur durch das Schöne befriedigt werde, müsse sich der Künstler innerhalb der Grenzen des Schönen halten, während der die Phantasie ansprechenden Literatur auch das Häßliche erlaubt sei (*Dichtung und Wahrheit* II,8). »Schönheit der Kunst ist gleichsam der Anblick des Vollkommenen, in der Seele des Künstlers zur Gestalt gereift und durch innere Kraft wieder zur Gestalt geworden« (an C. von Herder 5.2.1789). G.s Schönheitsbegriff ist stark von der klassischen Kunst geprägt; wieweit sein Ideal menschlicher Schönheit darüber hinaus auch dem Zeitgeschmack verpflichtet ist und für spätere Jahrhunderte gelten könne, werde hier nicht hinterfragt. Vgl. *Der Sammler und die Seinigen.*

E. Busch, Das Erlebnis des Schönen im Antikebild der deutschen Klassik, DVJ 18, 1940; E. E. Bohning, G's and Schiller's interpretation of beauty, GQ 22, 1949; S. H. Begenau, Zur Theorie des Schönen in der klassischen deutschen Ästhetik, 1956; P. Menzer, G.s Ästhetik, 1957; M. Jolles, G.s Anschauung des Schönen, DBgÜ 3, 1957; W. Albrecht, Sch., Natur, Wahrheit, GJb 100, 1983; V. Lange, Das Schöne und die Phantasie, in: Unser Commercium, hg. W. Barner 1984; →Ästhetik.

Schönkopf, Anna Katharina, gen. Käthchen und Annette (1746–1810). G.s Leipziger Freundin war die Tochter des Weinhändlers und Gastwirts Christian Gottlob Schönkopf (1716–1791) und seiner Frau Katharina Sibylla, geb. Hauck (1714–1790), deren Gastwirtschaft am Brühl in Leipzig zur Messezeit viel von Frankfurtern besucht wurde. Ostern 1766 stieg J. G. Schlosser auf der Durchreise dort ab und führte auch G. in die Schönkopfsche Tischgesellschaft (mit Ch. G. Hermann, G. F. Krebel, J. G. B. Pfeil, E. W. Behrisch, G. L. F. Zachariae, E. Th. Langer u. a.) ein, der G. bis zur Abreise von Leipzig angehörte. »Jung, hübsch, munter, liebevoll und so angenehm«, entfachte Käthchen im jungen Studenten eine Liebesneigung, die mit viel quälenden, »ungegründeten und abgeschmackten Eifersüchteleien« und »schrecklichen Szenen« wegen vermeintlicher Nebenbuhler des »bösen Mädchens« untermischt, wohl mehr gespielte Studentenliebschaft als ernsthafte Leidenschaft war. Das für beide Seiten quälende Verhältnis wurde im April 1768 durch eine klärende Aussprache freundschaftlich gelöst (*Dichtung und Wahrheit* II,7). Am 26. 8. 1768, zwei Tage vor seiner Abreise, nahm G. von ihr Abschied; der Briefwechsel erlosch 1770, nachdem Käthchen sich im Mai 1769 verlobte und im Mai 1770 den von G. bei Schönkopfs eingeführten Dr. Christian Karl Kanne (1744–1806), späteren Ratsherrn und Vizebürgermeister von Leipzig, heiratete. Ende März 1776 sah G. sie in Leipzig noch einmal wieder. G.s erste größere Liebe (zwischen dem mysteriösen Gretchen und Friederike Brion) spiegelt sich im Briefwechsel mit ihr und mit Behrisch und in *Dichtung und Wahrheit* (II,7); die fand literarischen Niederschlag in dem nach Käthchen benannten Liederbuch →*Annette* (1766 ff.) und im Schäferspiel *Die Laune des Verliebten* (1767 f.).

J. Vogel, K. Sch., 1920; R. d'Harcourt, L'éducation sentimentale de G., Paris 1931.

Schönkopfsche Tischgesellschaft →Schönkopf, Anna Katharina

Schöpflin, Johann Daniel (1694–1771). Der bedeutende, hochgeehrte Historiker war seit 1720 Professor der Geschichte und Rhetorik in Straßburg, wandte sich nach weiten Reisen an europäische Höfe 1751 dem Staatsrecht zu und zog künftige Diplomaten aus ganz Europa an. Auch G. hörte bei ihm »ohne nähere Berührung« 1770/71 staatsrechtliche Vorlesungen und näherte sich ihm einzig beim Fackelständchen der Studenten zu seinem 50jährigen Professor-Jubiläum 1770. Er schildert Persönlichkeit, Werk und Einfluß des berühmten Mannes in einem ausführlichen Nachruf in *Dichtung und Wahrheit* (II,11), für den er 1812 auch Schöpflins elsässische Geschichte *Alsatia illustrata* (II 1751–61) heranzog.

Ch. Pfister, J. D. Sch., Paris 1888; J. Voss, Universität, Geschichtswissenschaft und Diplomatie im Zeitalter der Aufklärung: J. D. Sch., 1979.

Schongauer, Martin, gen. Schön (1445/50–1491). Von dem bedeutendsten deutsche Maler, Zeichner und Kupferstecher vor Dürer nahm G. in Colmar scheints noch keine Notiz. Kupferstiche von ihm sah er im Juni 1775 und September 1797 im Kloster Einsiedeln. Dort beeindruckte ihn 1775 besonders der Stich »Tod Mariae«, nach dem er lange fahndete (*Dichtung und Wahrheit* IV,18), den er später doppelt besaß und noch am 16. 10. 1831 betrachtete. 1798 machte G. sich Notizen zu einem von J. H. Meyer geplanten Aufsatz über Schongauers Kupferstichpassion. Im Oktober 1819 erwarb er mit Hilfe J. F. G. Schlossers und J. A. G. Weigels eine größere Sammlung von Stichen Schongauers, auf deren Empfang er »mit der Ungeduld eines Liebhabers« wartete (an Weigel 13. 10. 1819; an Boisserée 22. 10. 1819, 23. 3. 1820). Weitere Werke, die G. 1814 in Frankfurt und in der Sammlung Boisserée in Heidelberg sah, sind nicht identifizierbare Zuschreibungen.

Schopenhauer, Arthur (1788–1860). G.s Verbindung mit dem Philosophen war von kurzer Dauer und endete in Enttäuschung. Nach Abbruch seiner Kaufmannslehre in Hamburg und Relegation vom Gymnasium in Gotha bezog der junge Schopenhauer Ende 1807 das Gymnasium in Weimar, wo seine 1805 verwitwete Mutter Johanna →Schopenhauer sich 1806 niedergelassen und einen literarischen Salon eröffnet hatte, den Sohn jedoch bei F. L. Passow unterbrachte und bei sich nur als Gast duldete. Nach dem Studium der Naturwissenschaften in Göttingen 1809 und – mit einer Empfehlung G.s an F. A. Wolf – der Philosophie in Berlin 1811 promovierte er im Oktober 1813 der politischen Umstände halber in absentia in Jena mit der Arbeit *Über die vierfache Wurzel vom zureichenden Grunde.* G. las das ihm von Schopenhauer gesandte Exemplar Anfang November 1813 und zeichnete den bisher kaum beachteten Verfasser bei einem Teeabend seiner Mutter am 6. 11. 1813 durch ein längeres Gespräch aus. Er sei »ein merkwürdiger und interessanter Mann ... mit einem gewissen scharfsinnigen Eigensinn ... ich finde ihn geistreich« (an Knebel 24. 11. 1813). Er lud Schopenhauer, dessen Ansichten ihm verwandt schienen, im November 1813–Mai 1814 häufig zu ernsten philosophischen Gesprächen ein, deren Gegenstand meist die Farbenlehre war, experimentierte mit ihm, ermutigte ihn zu eigenen Experimenten und selbständiger Weiterarbeit und stellte ihm sogar seine Instrumente dafür zur Verfügung. Das Ergebnis, Schopenhauers nach dem Zerwürfnis mit der Mutter und seiner Übersiedlung nach Dresden entstandene Schrift *Über das Sehn und die Farben* (1816), die G. 1815 im Manuskript las, folgte zwar weitgehend G.s Farbenlehre auch in der Ablehnung Newtons, wich jedoch hinsichtlich der Farbentstehung von G.s Ansichten ab, so daß G. – bei Widerspruch in naturwissenschaftlichen Fragen empfindlich und intolerant – das erbetene Geleitwort verweigerte und damit eine – wenn auch freundschaftliche – Trennung herbeiführte (Epigramme *Grabschrift* und *Lähmung; Tag- und Jahreshefte* 1816). Am 18.–24. 1. 1819 las G. mit Interesse und Lob Schopenhauers ihm überreichtes philosophisches Hauptwerk *Die Welt als Wille und Vorstellung* (1819), das in seiner pessimistischen Weltanschauung und analytischen Betrachtungsweise der ästhetisch-optimistischen, zur Synthese neigenden realistischen Sicht G.s kontrastierte. Am 19./20. 8. 1819 empfing G.

ihn auf seinem Rückweg von Italien in Jena und unterhielt sich
über entoptische Erscheinungen, doch damit enden die Beziehungen (*Tag- und Jahreshefte* 1819). Schopenhauer seinerseits betrachtete
sich zeitlebens als Anhänger und Verfechter von G.s Farbenlehre,
zollte G. auch als Dichter höchste Bewunderung und gedachte
noch im Alter des freundschaftlichen Umgangs mit G. in seiner
Jugend.

H. Döll, G. und Sch., Diss. Gießen 1903; W. Ostwald, G., Sch. und die Farbenlehre,
1918 u. ö.; K. Wagner, G.s Farbenlehre und Sch.s Farbentheorie, Jahrbuch der Sch.-
Gesellschaft 22, 1935; B. Witt, Sch. und G., Ostdeutsche Monatshefte 18, 1937 f.;
T. C. van Stockum, G. en Sch., Levende Talen 1943; H. Cysarz, G. und Sch., in ders., Welt-
rätsel im Wort, 1948; H. Zint, Sch.s G.-Bild, in ders., Sch. als Erlebnis, 1954; H. Stäg-
lich, G. und Sch., Bibliographie, 1960; A. Hübscher, G.s unbequemer Schüler, Sch.-
Jahrbuch 54, 1973; D. W. Schumann, G. und die Familie Sch., in: Studien zur G.zeit,
hg. H.-J. Mähl 1981; E. Wolffheim, Des Lehrers Bürden, TuK Sonderband G., 1982;
W. Wittkowski, G., Sch. und Fausts Schlußvision, GYb 5, 1990.

Schopenhauer, Johanna Henriette, geb. Trosiener (1766–1838).
Die gebildete, weitgereiste und gesellschaftlich ehrgeizige Witwe
eines Danziger, später Hamburger Großkaufmanns und polnischen
Hofrats, Mutter von Arthur und Louise Adelaide →Schopenhauer,
zog im September 1806 mit ihrer Tochter nach Weimar und fand
dort rasch Zugang zur bürgerlichen Gesellschaft, zumal sie sich bei
der Plünderung Weimars durch großzügige Hilfe bewährte. Am
12. 10. 1806 besuchte G. sie erstmals und unangemeldet, am 20. 10.
stellte er ihr die tags zuvor ihm angetraute Christiane vor, der sie
wie selbstverständlich und vorurteilslos ihr Haus und damit den
Zugang zur Weimarer bürgerlichen Gesellschaft öffnete: »Wenn
Goethe ihr seinen Namen gibt, können wir ihr wohl eine Tasse Tee
geben« (an Arthur Schopenhauer 24. 10. 1806). Aus Dankbarkeit
dafür unterstützte G. sie seit 12. 11. 1806 bei der Gründung ihrer
literarisch-künstlerisch-musikalischen Teeabende, die 1806–13, jeweils donnerstags für einen größeren und sonntags für einen engeren Kreis offen, dank ihrer Gewandtheit, Geselligkeit und ihrer
Talente – sie schrieb, malte und musizierte – rasch zum bedeutendsten bürgerlichen Salon und Treffpunkt des literarischen Weimar wurden (G., Wieland, Bertuch, Falk, Ridel, Fernow, Meyer,
Knebel, Riemer, St. Schütze u. a.). G. beteiligte sich, meist in gelöster Stimmung, anfangs und bis 1811 fast regelmäßig an ihren
Abendunterhaltungen, trug mit Lesungen dazu bei oder zeichnete
und malte an einem stets für ihn bereitstehenden Tischchen, lernte
dort ihren Sohn Arthur kennen, führte seine Bekannten und
berühmte Besucher bei ihr ein (Arnim, Brentano, W. Grimm,
Z. Werner, Fouqué, Kügelgen, Boisserée, L. Tieck, Holtei) und sah
sie auch als Gast in seinem Hause. Nach einem Zerwürfnis mit
ihrem Sohn wegen seines Erbes und ihres allzu großzügigen Fi-
nanzgebarens versuchte sie den Schwund ihres Vermögens durch
Erträge schriftstellerischer Tätigkeit auszugleichen und veröffentliche 1810 eine Biographie ihres Freundes C. L. Fernow, dann

plaudernde Reisebeschreibungen, Erinnerungen und empfindsame
Romane und Erzählungen, von denen G. den Roman *Gabriele*
(II 1819 f.) im Juni 1822 las und in *Über Kunst und Altertum* (IV,1,
1823) wohlwollend besprach. Im März 1829 zog sie sich aus Spar-
samkeitsgründen nach Unkel a. Rh. und Bonn zurück und lebte ab
1837 mit einer herzoglichen Pension in Jena.

H. Düntzer, Abhandlungen zu G.s Leben und Werken I, 1885; B. Pompecki, J. Sch.
und G., Altpreußische Forschungen 2, 1913 f.; W. Milch, J. Sch., Jahrbuch der Sch.-
Gesellschaft 22, 1935; D. W. Schumann, G. und die Familie Sch., in: Studien zur G.zeit,
hg. H.-J. Mähl 1981; J. Sch., hg. R. Weber 1986; A. Köhler, Salonkultur im klassischen
Weimar, 1996.

Schopenhauer, Louise Adelaide Lavinia, gen. Adele (1797–1849).
Die zwar häßliche, aber intelligente Tochter der Johanna →Scho-
penhauer und Schwester des Philosophen wuchs in Weimar im
geistig-geselligen Kreis um die Mutter auf und flüchtete sich nach
Gefühlsenttäuschungen in schwärmerische Mädchenfreundschaf-
ten. Als enge Freundin Ottilie von G.s verkehrte sie häufig im Haus
am Frauenplan. G. fand an ihren klugen Bemerkungen, ihren
Zeichnungen und besonders ihren kunstvollen Silhouetten Gefallen, pries ihre Kunst gelegentlich in kleinen Versen (»Zarte, schat-
tende Gebilde …«), zog sie später auch zu Gesellschaften und als
Rezitatorin zu seinen Hauskonzerten heran und korrespondierte
1819–31 mit ihr. Als Schriftstellerin wenig erfolgreich, ist sie eher
durch ihren Umgang mit G. (und dessen Behandlung in Th. Manns
Lotte in Weimar) bemerkenswert.

A. Brandes, A. Sch., Diss. Frankfurt 1930.

Schreiber, Ferdinand, gen. »Carl«. Der »sehr gutartige Mensch« (an
C. L. H. von Erffa 8. 1. 1817) war von April 1815 bis Ende 1816 G.s
Diener und wurde von ihm auch als Schreiber herangezogen.

Schreiber Goethes →Sekretäre

Schrepfer, Johann Georg (1730–1774). Der Leipziger Kaffeehaus-
besitzer hielt seit 1769 mit Förderung der Jesuiten magische Sitzungen und Geisterbeschwörungen ab und erschoß sich, als sein
Betrug aufkam. G. erwähnt ihn in den *Mitschuldigen* (v. 710) als »das
sächsische Gespenst«.

Schreyvogel, Joseph (1768–1832). Der Wiener Schriftsteller und
spätere Dramaturg des Burgtheaters lebte 1794–96, in Wien des
Jakobinertums verdächtigt, in Jena, wirkte an der *Allgemeinen Litera-
turzeitung* mit und trat in Verbindung zu G. und Schiller. G. las im
November 1794 sein Lustspiel *Die Witwe*, das Schiller 1795 in der
Neuen Thalia druckte, und ermutigte ihn zu literarischem Schaffen.

R. Payer von Thurn, J. Sch.s Beziehungen zu G., Jahrbuch der Grillparzer-Gesell-
schaft 10, 1900; E. Buxbaum, J. Sch., 1995.

Schriften. Seit 1778 erschien eine Reihe unrechtmäßiger Ausgaben von G.s Werken unter diesem Titel: bei Himburg in Berlin (IV 1775–79, 2. Aufl. 1777, 3. Aufl. 1779), bei Heilmann in Biel (III 1775–76), bei Schmieder in Karlsruhe (IV 1778–80, 2. Aufl. 1787) und bei Fleischhauer in Reutlingen (IV 1778–83, 2. Aufl. 1784). Im Juni 1786 vermittelte Bertuch G. den Vertrag mit Göschen in Leipzig für die erste von ihm selbst unternommene Sammlung seiner Dichtungen, die er vor der Italienreise begann, von Italien aus mit Hilfe Herders fortsetzte und nach der Rückkehr zum Abschluß brachte. Sie erschien als *Schriften* (VIII 1787–90) und enthält u. a. die Erstdrucke von *Iphigenie, Egmont, Torquato Tasso* und *Faust. Ein Fragment.* →*Neue Schriften,* →Werkausgaben.

Schröder, Friedrich Ludwig (1744–1816). Der berühmte Schauspieler, Dramatiker und (1771–81 und 1786–96) Theaterdirektor in Hamburg, der dort 1774 die zweite Inszenierung des *Götz von Berlichingen* brachte, wurde durch seine Bearbeitungen englischer Lustspiele und Shakespeares wegweisend für die Einbürgerung Shakespeares in Deutschland. G. würdigt diese Tätigkeit in *Dichtung und Wahrheit* (III,13) und *Shakespeare und kein Ende.* G. lernte ihn bei einem Besuch in Weimar am 15. 8. 1780 kennen und verfolgte seine Arbeit und sein Streben nach »natürlichem« Darstellungsstil mit Aufmerksamkeit. Bei seinem Aufenthalt in Weimar im April 1791 las Schröder Shakespeare-Szenen vor und gab G. wertvolle Ratschläge und Anregungen für die eben übernommene Leitung des Weimarer Theaters. Am 25. 4. 1791 schrieb G. ihm die Stammbuchverse »Viele sahn dich mit Wonne …«; er spiegelte seine Haltung in der Figur des Theaterdirektors →Serlo in *Wilhelm Meisters Lehrjahre.* Unter G.s Leitung spielte das Weimarer Theater 22 der bürgerlichen Rührstücke und Bearbeitungen Schröders, darunter am erfolgreichsten 1791 *Der Fähndrich,* 1793 *Der Vetter in Lissabon,* 1795 *Das Porträt der Mutter, Der Ring* und *Die unglückliche Ehe aus Delikatesse.* 1798 versuchten Schiller und G. vergeblich, den »Senior der deutschen Schaubühne« (an Schröder 7. 10. 1798) für die Rolle des Wallenstein in Weimar zu gewinnen. Er machte G. am 28. 6. 1800 einen letzten, kurzen Besuch. Im Dezember 1819 las G. F. L. W. Meyers Biographie Schröders (II 1819).

B. Litzmann, F. L. Sch., II 1890–94.

Schröder-Devrient, Wilhelmine (1804–1860). Die Berliner und Dresdner Opernsängerin gastierte durch Vermittlung von E. Genast im April und Dezember 1830 in Weimar. Sie besuchte G. am 10. und 24. 4. 1830. Ihr Vortrag von Schuberts *Erlkönig*-Vertonung am 24. 4. veranlaßte deren Aufwertung für G., der ihr am gleichen Tag einen variierten Stammbuchvers (»Guter Adler …«) schrieb.

Schröter, Corona Elisabeth Wilhelmine (1751–1802). Die kultivierte, künstlerisch vielseitig begabte Sängerin und Schauspielerin

– sie malte, musizierte und komponierte – aus einer Musikerfamilie wurde von J. A. Hiller in Leipzig ausgebildet und war in Leipzig 1765–76 bereits mit 14 Jahren eine gefeierte Sängerin tragender Rollen in Hillers »Großen Konzerten« (ab 1781 Gewandhauskonzerte). G. sah sie dort seit Herbst 1765, trat ihr in Gesellschaften auch persönlich näher und schrieb ihr, vielleicht im Auftrag ihrer Anbeter, im Dezember 1767 nach einer Aufführung von Hasses Oratorium *Santa Elena al Calvario* die Huldigungsverse »Unwiderstehlich muß die Schöne uns entzücken …« (*Leipziger Theater 1768*). Ende März 1776 reiste er im Auftrag Carl Augusts nach Leipzig, sie wiederzusehen (»Die Schröter ist ein Engel – wenn mir doch Gott so ein Weib bescheren wollte«, an Ch. von Stein 25. 3. 1776) und sie für Weimar als Kammersängerin der Herzogin Anna Amalia und Mitwirkende des höfischen Liebhabertheaters (nicht der Bellomoschen Theatertruppe) zu gewinnen. Gegen Zusicherung eines jährlichen Gehalts von 400 Talern auf Lebenszeit nahm sie an, wohl auch da ihre durch Überanstrengung ermüdete Stimme den großen Leipziger Räumen und Orchestern nicht mehr gewachsen war, und traf am 16. 11. 1776 in Weimar ein. Durch ihre edle Haltung, klassische Schönheit, Anmut, Eleganz, ihre schöne Stimme und ihr ausdrucksvolles Spiel beeindruckte und entzückte sie nicht nur G., der sie in seine Gesellschaft und sein Haus zog, oft mit ihr speiste, spazierte, ausritt, tanzte oder Schlittschuh lief, sondern die ganze Weimarer Herrenwelt einschließlich Wielands, der die »unendlich edle attische Eleganz ihrer ganzen Gestalt« und ihren »ganz simplen und doch unendlich raffinierten und insidiosen Anzug« pries (an Merck 3. 6. 1778), Carl Augusts, der ein Auge auf sie warf und sich daher mehrere Sittenpredigten G.s anhören mußte, und später H. von Einsiedels, dem ihre sentimentale und resignierte Liebe gehörte. Als einzige Berufsschauspielerin Hauptstütze und Seele des Weimarer Liebhabertheaters, übernahm sie oft die schwierigsten Rollen; von G.s Stücken spielte sie u. a. in *Der Triumph der Empfindsamkeit* mit der wohl für sie geschriebenen Einlage *Proserpina* (30. 1. 1778), *Das Jahrmarktsfest zu Plundersweilern* (20. 10. 1778), *Iphigenie* (6. 4. 1779, Prosafassung, mit G. als Orest, epochemachender Höhepunkt ihrer Karriere), *Die Laune des Verliebten* (20. 5. 1779), *Jery und Bätely* (12. 7. 1780) und der von ihr vertonten *Fischerin* (22. 7. 1782) im Park zu Tiefurt, wo eine Amorstatue mit G.s Versen *Philomele* (»Dich hat Amor gewiß …«, 1782) an sie erinnert. Mit dem nachlassenden Enthusiasmus für das Liebhabertheater zog sie sich 1783 von der Bühne zurück, nahm weiterhin am geselligen Leben teil, wirkte als Schauspiel- und Gesangslehrerin u. a. von Christiane Becker-Neumann, siedelte aber um 1801 aus Gesundheitsgründen nach Ilmenau über und starb dort einsam – keiner der Weimarer Freunde nahm an ihrem Begräbnis teil; G. beruhigte sich damit, sie vor 20 Jahren im Gedicht *Auf Miedings Tod* (1782) zu Genüge verherrlicht zu haben (*Tag- und Jahreshefte* 1802).

R. Keil, C. Sch., 1875; H. Düntzer, Ch. v. Stein und C. Sch., 1876; H. Stümcke, C. Sch., 1904 u. ö.; E. Beutler, C. Sch., in ders., Essays um G. 2, 1947 u. ö.; E. Redslob, C. Sch., in ders., Schicksal und Dichtung, 1985.

Schubart, Christian Friedrich Daniel (1739–1791). Der schwäbische Dichter, Journalist und Musiker, 1777–87 politischer Gefangener auf dem Hohenasperg, dann Hofmusikdirektor in Stuttgart, trat in seiner Zeitschrift *Deutsche Chronik* (1774 ff.), die G. später abschätzig beurteilte (an Schiller 10. 1. 1798), für G.s Jugendwerke, besonders den *Werther* (5. 12. 1774), ein und kritisierte Nicolais Parodie (22/1775), aber auch G.s Satiren und *Clavigo.* G. dankte am 3. 12. 1785 seinem Sohn L. A. Schubart für die Übersendung von Schubarts Gedichten und erwähnt einen unbeantworteten Brief. Er hielt ihn als Musiker »für unerreichbar« (*Italienische Reise,* Bericht November 1787). Schubarts Behauptung (17. 11. 1775), er habe G. auf dessen 1. Schweizer Reise 1775 in Ulm getroffen, und G.s angeblicher Besuch bei Schubart auf dem Hohenasperg im Dezember 1779 sind aus G.s Papieren nicht belegbar.

R. Krauss, Sch. und G., GJb 23, 1902.

Schubarth, Carl Ernst (1796–1861). Der klassische Philologe veröffentlichte die erste umfassende Gesamtwürdigung G.s *Zur Beurteilung Goethes mit Beziehung auf verwandte Literatur und Kunst* (1818, erw. II 1820), die G. im Juni 1818 anerkennend las und in *Antik und Modern* (1818) zitierte. Am 24.–28. 9. 1820 machte G. in Jena die »höchst angenehme Bekanntschaft« (*Tag- und Jahreshefte* 1820) Schubarths, unterhielt sich mit ihm vor allem über den *Faust* und dessen Fortsetzung und gewann ihn als Mitarbeiter für *Über Kunst und Altertum.* Bemühungen, ihn als Adlatus und Mitarbeiter (wie später Eckermann) und 1824 als Redakteur für die Ausgabe letzter Hand heranzuziehen, scheiterten jedoch. Im Juni 1821 las G. mit Beifall Schubarths *Ideen über Homer und sein Zeitalter* (1821), die gegen F. A. Wolf die Einheit des Werkes postulierten (*Tag- und Jahreshefte* 1821; an Zelter 14. 10. 1821), und im Juli 1830 seine Vorlesungen *Über Goethes Faust* (1830). Der Briefwechsel mit Schubarth (1818–23) enthält aufschlußreiche Äußerungen zum eigenen Werk, besonders *Faust.*

S. Schulz, C. E. Sch., Programm Hirschberg 1892; R. Hering, Über G. und C. E. Sch., JFDH 1905; A. R. Hohlfeld, C. E. Sch. und die Anfänge der Fausterklärung, in: J. Petersen zum 60. Geburtstag, 1938, auch in ders., 50 years with G., Madison 1953; W. Baumgart, C. E. Sch., Goethe 5, 1940.

Schubert, Franz (1797–1828). Das Verhältnis G.s zu dem Wiener Komponisten ist ein bedauerlicher Fall von Unkenntnis, Unverständnis und Nichtbeachtung. Erst an den Liedern seines Lieblingsdichters G. wurde Schubert zum Liederkomponisten; 1814 entstanden *Schäfers Klagelied, Gretchen am Spinnrade* u. a., 1815 *Wandrers Nachtlied, An den Mond, Jägers Abendlied, Der Fischer, Der Sänger,*

Der Schatzgräber, Claudine von Villa Bella (Fragment) u. a. und als Höhepunkt der *Erlkönig*, 1816 die Lieder des Harfners aus *Wilhelm Meister, Heidenröslein, Prometheus* u. a., insgesamt an 70 Lieder, oft in mehreren Versionen. 1816 sandte Joseph von Spaun G. eine zur Publikation geplante Sammlung von Liedvertonungen Schuberts, darunter *Rastlose Liebe, Heidenröslein* und *Erlkönig*, mit der Bitte, sie G. widmen zu dürfen. Die Sendung blieb unbeachtet und ging kommentarlos zurück. Am 20.10.1822 bemerkte Max von Löwenthal in einer Unterhaltung mit G. über Wiener Musik seine Unkenntnis der Vertonungen Schuberts. Am 16.6.1825 sandte Schubert G. seine Lieder *An Schwager Kronos, An Mignon* und *Ganymed* und bat im Begleitbrief, sie ihm widmen zu dürfen. Er wurde keiner Antwort gewürdigt. Erst der Vortrag von Schuberts *Erlkönig* durch W. →Schröder-Devrient am 24.4.1830 erregte G.s Bewunderung und Ergriffenheit (zu Genast 24.4.1830, zu J. G. von Quandt 17.5.1830), doch damals war Schubert bereits tot, und die wohl bedeutendsten Vertonungen G.s waren in Weimar unerhört. G.s traditioneller Musikgeschmack, seit Jahrzehnten auf leichte Strophenlieder wie die Reichardts und Zelters festgelegt, die das Dichterwort dienend begleiteten, konnte den neuartigen, anspruchsvollen, durchkomponierten Vertonungen Schuberts nichts abgewinnen.

O. E. Deutsch, Sch.s zwei Liederhefte für G., Musik 21, 1928; O. E. Deutsch, G. und Sch., ChWGV 41, 1936; H. Brauer, G.s Lieddichtung bei F. Sch. und H. Wolf, Diss. Gießen 1942; A. Witeschnik, G. und Sch., JbWGV 67, 1963; K. Mitchells, Nur nicht lesen! Immer singen!, PEGS 44, 1973/74; R. Taylor, G., Sch. and the art of song, in: Versuche zu G., hg. V. Dürr 1976; G. Knepler, Sch.s G.lieder und G.s Musikverständnis, Impulse 1, 1978; I. Graham, Wandrer in der Noth, JFDH 1983; L. L. Albertsen, Kritik an Sch.s Umgang mit G.-Texten, GJb 102, 1985; A. Arend, G. and Sch., CGP 22, 1994.

Schubert, Gotthilf Heinrich (ab 1853) von (1780–1860). Der romantische Naturphilosoph hatte G. schon während seiner Studienzeit in Jena 1800–03 öfter gesehen, ohne ihm näherzutreten, als er am 25.7.1807 in Karlsbad durch Fernow bei ihm eingeführt wurde und ihn bis 7.8. fast täglich zu Gesprächen über astronomische und naturwissenschaftliche Fragen traf und seine naturphilosophischen *Ahndungen einer allgemeinen Geschichte des Lebens* (III 1806–21) mit ihm erörterte. Schuberts *Ansichten von der Nachtseite der Naturwissenschaft* (1808), die mit ihren Spekulationen über Traum und Unbewußtes, Somnambulismus und Hellsehen so stark auf die Romantiker wirkten, nahm G. im Dezember 1808 kurz zur Kenntnis und wandte sich später gegen Schuberts christlichen Mystizismus (zu Boisserée 4.8.1815).

E. Feise, G. H. Sch. und G.s Selige Sehnsucht, MLN 59, 1944.

Schuchardt, Johann Christian (1799–1870). Der kunstinteressierte ausgebildete Jurist wurde ab 6.2.1825 als Registrator in der G. unterstellten →Oberaufsicht der unmittelbaren Anstalten für Wissen-

schaft und Kunst eingestellt und legte Inventare für die Graphiken
der Bibliothek und die herzogliche Kunstsammlung an, diente aber
praktisch als Sekretär G.s neben Kräuter und John, dem G. u. a.
Wilhelm Meisters Wanderjahre »wie aus einem gedruckten Buch« diktierte. Er legte noch unter G.s Aufsicht die ersten, teils noch nicht
überholten Inventare von G.s Sammlungen an und publizierte diese
Kataloge als *Goethes Kunstsammlungen* (III 1848 f.; I: Graphik,
Zeichnungen und Gemälde; II: Gemmen, Bronzen, Medaillen,
Münzen, Kleinkunst, Vasen, Terrakotten, Gipsabgüsse, Majolika
usw., III: Mineralogie und Naturwissenschaft). G. ließ ihn von
Schmeller zeichnen. 1862 wurde er Leiter der Freien Zeichenschule und der Großherzoglichen Sammlungen.

Schuckmann, Caspar Friedrich, (ab 1834) Freiherr von (1755–
1834). Der Jurist und Freund J. F. Reichardts war Oberbergrichter
in Breslau, wo G. ihn im August 1790 bei vertraulichen Unterhaltungen als »einen der schätzbarsten Männer, die ich in meinem
Leben gekannt habe« (an Knebel 10. 8. 1797) kennenlernte und mit
ihm, der auch an G.s naturwissenschaftlichen Arbeiten Interesse
zeigte, bis 1826 in lockerem Briefwechsel blieb. Vergeblich versuchte G. 1790/91 ihn im Auftrag Carl Augusts nach Weimar zu
ziehen. 1815 konsultierte Schuckmann als preußischer Innenminister G. über den besten Standort der neu zu gründenden rheinischen Universität: Köln oder Bonn. Im August traf er ihn in Karlsbad wieder, und 1826 erwirkte er das preußische Druckprivileg für
G.s Ausgabe letzter Hand.

Schülerszene. Die Schülerszene des *Faust* (v. 1868–2050) ist bereits im *Urfaust* (v. 249–444) vorhanden und wurde 1789 unter
Weglassung der Quartierfrage zugunsten der Wissenschaftskritik
wesentlich verändert. Indem der Studienanfänger, der bei seinem
Antrittsbesuch Studienberatung sucht, nicht von Faust, sondern von
Mephisto in Fausts Gewand empfangen und zynisch-ironisch un-
terwiesen wird, ergibt sich eine Universitätssatire, die den veräußer-
lichten, geistlosen und geisttötenden Unterrichtsbetrieb mit dem
obligatorischen Collegium logicum verspottet und in der Musterung der Fakultäten zynische Kritik an den Wissenschaften übt. Der
frische, unverdorbene und wißbegierige Schüler spiegelt in gewisser Weise Fausts eigenes Anfangsstadium; er kehrt als emanzipierter
Baccalaureus (v. 6689 ff.), noch immer von jugendlichem Elan und
Fortschrittsidealismus beherrscht, aber von der Universität enttäuscht, wieder und übt seinerseits Kritik an dem altmodischen
Lehrbetrieb, die zwar kontextuell die spätmittelalterliche Universität der Faust-Zeit meint, jedoch von eigenen Erfahrungen G.s in
seiner Zeit nicht unberührt ist.

O. Pniower, Die Sch. im Urfaust, Vierteljahrsschrift für Literaturgeschichte 4, 1891;
→Faust.

Schütz, Christian Georg d. Ä. (1718–1791). Der führende Frankfurter Künstler, Maler heiter durchsonnter, heroisch-idealisierter Rheinlandschaften, atmosphärischer Veduten und dekorativer Architekturcapriccios im Stil der Niederländer, besonders H. Saftlevens und indirekt Claude Lorrains, war in der Gemäldesammlung von G.s Vater vertreten und gehörte zu den Frankfurter Malern, die der Königsleutnant Thoranc 1759 in G.s Mansardenzimmer für sich malen ließ (*Dichtung und Wahrheit* I,1 und 3).

A. M. Banaschewski, Ch. G. Sch., Diss. Würzburg 1923; Ch. G. Sch., hg. Ch. Perels, Katalog Frankfurt 1991.

Schütz, Christian Georg d. J. (1758–1823). Den Frankfurter Maler atmosphärischer Rheinlandschaften, Schüler seines Onkels Ch. G. →Schütz d. Ä., besuchte G. am 16. 9. 1814 in seinem Atelier und rühmte die Reinheit und Sorgfalt seiner Bilder (*Kunst und Altertum am Rhein und Main,* Kap. Frankfurt). Am 17. 9. und 17. 10. 1814 führte Schütz G. durch die von ihm begründete und geleitete Bildersammlung der Frankfurter Museumsgesellschaft (ebd.; *Tag- und Jahreshefte* 1814).

Schütz, Christian Gottfried (1747–1832). Der Philologe, 1779 Professor der Poesie und Beredsamkeit und Hofrat in Jena, wo er mit G. und Schiller verkehrte, war seit 1785 Mitbegründer und Hauptredakteur der →*Allgemeinen Literatur-Zeitung.* Sein im August 1803 nach Zwistigkeiten mit den Jenaer Romantikern bekanntgegebener Entschluß, Anfang 1804 nach Halle zu gehen und mit preußischen Zuschüssen auch die Literaturzeitung dorthin zu verlegen, veranlaßte G. im Interesse des Rufes der Universität Jena 1804 zur Fortsetzung bzw. Neugründung des bisherigen Unternehmens als *Jenaische Allgemeine Literaturzeitung* mit H. C. A. Eichstädt als Herausgeber (*Tag- und Jahreshefte* 1803). Auf Schütz bezieht sich das Xenion 82.

Schütz, Christian Wilhelm (ab 1803) von (1776–1846). Der märkische Gutsbesitzer und romantische Dramatiker in Dresden rief mit seinem in romanischen Vers- und Strophenformen schwelgenden Trauerspiel *Lacrimas* (1803), das G. im Oktober 1802 las, seinen Ärger hervor (zu Schelling; vgl. Sonett XI: *Nemesis*). Dagegen begrüßte G. Schütz' Hefte *Zur intellektuellen und substantiellen Morphologie* (III 1821–23), die er seit August 1821 las und auszugsweise in seinen eigenen Heften *Zur Morphologie* (I,4, 1822) abdruckte. Sie regten auch die *Maximen und Reflexionen* 391–395 an. Persönlich begegnete ihm Schütz im Sommer 1808 in Karlsbad (*Tag- und Jahreshefte* 1808), am 20. 5. 1817 in Jena (ebd. 1817), am 20. 8.–7. 9. 1818 in Karlsbad, am 1.–7. 3. 1819 in Weimar und 3./4. 8. 1821 und 12. 8. 1822 in Marienbad. Die spätere Faustdeutung des Konverti-

ten Schütz (*Goethes Faust und der Protestantismus*, 1844) sah in
Mephisto die Verkörperung des Protestantismus.

F. Hiebel, W. v. Sch., Diss. Wien 1822; H. Sembdner, Sch.-Lacrimas, 1974.

Schütz, Friedrich Carl Julius (1779–1844). Der Sohn von Christian Gottfried →Schütz, 1801 Privatdozent in Jena, später Professor der Philosophie in Halle, nahm in seiner Schrift *Goethe und
Pustkuchen* (1823), von der G. allenfalls eine Rezension las, zugunsten →Pustkuchens Stellung. Seine oberflächliche Schrift *Goethes
Philosophie* (III 1825 f.) blieb ohne Echo.

Schütz, Johann Georg (1755–1813). »Geschickt, ohne eminentes
Talent« nennt G. den Frankfurter Historienmaler, Sohn von Christian Georg →Schütz d. Ä., der 1784–90 im Kreis deutscher Künstler in Rom wirkte und seit Oktober 1786 G.s Hausgenosse in
Tischbeins Wohnung am Corso und Begleiter in die Albaner Berge
war. Dort zeichnete G. im September 1787 in Frascati sein »hübsches Ohr« *(Italienische Reise* Bericht September 1787). Auf G.s Bitte
schuf Schütz im Januar/Februar 1788 die kolorierten Zeichnungen
zum →*Römischen Carneval,* die den 1789 publizierten Stichen von
G. M. Kraus zugrundeliegen.

Schütz, Johann Heinrich Friedrich (1779–1829). Der Lehrer und
»ausgezeichnete Pianist und Organist« (Riemer) lebte als Badeinspektor in →Berka, wo G. ihn am 16. 1. 1813 kennenlernte und
bei seinen Aufenthalten in Berka bei ihm wohnte. Während der
Arbeit an *Des Epimenides Erwachen* im Mai/Juni 1814 und am
Maskenzug von 1818 (*Festzug, dichterische Landeserzeugnisse …*) im
November 1818 ließ sich G. zu »musikalischer Aufmunterung« von
ihm oft stundenlang »in historischer Reihe« Werke von J. S. Bach,
C. P. E. Bach, Händel, Mozart, Haydn, Dussek, Beethoven u. a. vor-
spielen, am liebsten und bis zur Enervierung von Besuchern
J. S. Bachs »Trompeterstückchen« *Capriccio über die Abreise seines ge-
liebtesten Bruders* (*Tag- und Jahreshefte* 1814; an Zelter 4. 1. 1819).
Auch bei weiteren Besuchen G.s in Berka oder den häufigen Be-
suchen von Schütz' in Weimar spielte Schütz auf Wunsch gern vor.
Ihm gebührt das Verdienst, G. mit dem Werk des derzeit fast ver-
gessenen J. S. Bach bekanntgemacht zu haben. Als beim Brand von
Berka 1816 Schütz' Notensammlung u. a. mit Autographen von
J. S. Bach zugrundeging, bemühte sich G. um Ersatz (an Zelter 3. 5.
1816).

H. G. Gräf, G. in Berka, 1911.

Schütz, Johanna Henriette (Hendel-Schütz), geb. Schreiber (1772–
1849). Die Schauspielerin, 1796–1806 am Berliner Nationaltheater,
in 4. Ehe Gattin von Friedrich Carl Julius →Schütz, gastierte am
22.–29. 1. 1810 mit mimisch-deklamatorischen Vorstellungen im

Schütze

Stil der Lady Hamilton in Weimar. G. sah diese am 28. 1. und lobte ihr »ausgezeichnetes Talent« (*Tag- und Jahreshefte* 1810). Sie besuchte G. am 23. und 29. 1. und gab am 26. 1. bei ihm in kleiner Gesellschaft eine Privatvorstellung.

Schütze, Johann Stephan (1771–1839). Der reichlich skurrile, verwachsene, heiter-mittelmäßige Schriftsteller ließ sich im September 1804 als Journalist und Herausgeber von Taschenbüchern und Almanachen in Weimar nieder, wurde von Fernow bei Johanna Schopenhauer eingeführt und nahm regelmäßig an deren Teeabenden teil, die er aus scharfer Beobachtung beschrieb (im *Weimar-Album*, 1840) und bei denen er am 12. 11. 1806 G. kennenlernte. Dieser verhielt sich ihm gegenüber stets wohlwollend, lud seinen schüchternen Nachbarn gelegentlich zu Gesellschaften bei sich ein, verkehrte im Juli/August 1807 und Mai 1820 in Karlsbad und Mai/Juni 1813 in Teplitz mit ihm, lobte sein Lustspiel *Der Dichter und sein Vaterland* (1806), das Schütze am 1. 1. 1807 bei J. Schopenhauer vorlas, und amüsierte sich im Mai 1826 über seine Novellen *Heitere Stunden* (III 1821–23; zu Eckermann 15. 5. 1826).

Schukowsky, Wassily (Vasilij Zukovskij, 1783–1852). Der russische romantische Lyriker und Übersetzer u. a. der Balladen G.s und Schillers wurde bei seinem ersten kurzen Besuch bei G. in Jena am 29. 10. 1821 kühl behandelt, da er in der Unterhaltung G.s Schwäche im Französischen spürte und ins Deutsche überwechselte. Bei seinem zweiten Besuch bei G. in Weimar am 4., 5. und 6. 9. 1827 fand der »uns schon längst durch Lieb und Freundschaft verwandte« Dichter (*Nationelle Dichtkunst*) einen umso liebenswürdigeren Empfang und verabschiedete sich mit einem emphatischen Abschiedsgedicht.

Schultheß, Barbara, geb. Wolf (1745–1818). Von seiner Freundin, der Gattin des Züricher Kaufmanns David Schultheß, hatte Lavater G. schon 1774 erzählt. Auf der 1. Schweizer Reise lernte G. im Juni 1775 in Zürich die ausgeglichene, gefühlssichere und stets heitere Frau kennen, gewann ihre Freundschaft und schenkte ihr sein Vertrauen wie einer mütterlichen Beichtigerin, die er bald mit Du anredete. Nachdem ein Besuch auf der 2. Schweizer Reise im November 1779 das Verhältnis festigte, sandte er ihr bald auch Abschriften seiner neuen Dichtungen. Der rege Briefwechsel (bis 1797) ist größtenteils verschollen und bietet Spekulationen über die Art der Seelenfreundschaft Raum. Jedenfalls machte G. auf der Heimreise von Italien einen Umweg über Konstanz, um dort am 4.–9. 6. einige Tage mit ihr und ihrer Tochter Dorothea zu verleben. G.s Besuche auf der 3. Schweizer Reise am 19. 9. und 23. 10. 1797 in Zürich zeigten rasch eine – wohl durch das Verhältnis mit Christiane bedingte – Trübung und Entfremdung, und der Briefwechsel erlosch. Literarhistorisch wichtig wird B. Schulteß dadurch, daß sie und ihre Tochter eine Abschrift von Buch I–VI der Urfassung des *Wilhelm Meister,* →*Wilhelm Meisters theatralische Sendung,* machten. Obwohl teils fehlerhafte Kopie undurchgesehener Abschriften des diktierten Entwurfs von Schreiberhand, die G. ihr bis November 1785 zugweise Buch um Buch übersandte, ist diese 1910 entdeckte und 1911 edierte Kopie die einzige erhaltene Version des »Ur-Meister«.

B. Suphan, G. und B. Sch., GJb 13, 1892; G. v. Schulteß-Rechberg, Frau B. Sch., 1903 und 1912; A. Markstahler, G. und seine Züricher Freundin B. Sch. in Konstanz, 1913; E. v. Schulteß, G. und B. Sch. in Konstanz, Bodenseebuch 34/35, 1948 f.

Schultz, Christoph Friedrich Ludwig (1781–1834). Der gebildete Jurist und preußische Staatsrat, 1819–25 Regierungsbevollmächtigter an der Universität Berlin, war Amateur-Naturwissenschaftler und an den Künsten interessiert und stand durch Vermittlung Zelters 1814–31 in lebhaftem, vertrauensvollem Briefwechsel mit G., der die weitgefächerten Interessen beider spiegelt. G. nahm lebhaften Anteil an Schultz' mit seinen Ansichten übereinstimmenden Arbeiten zur Farbenlehre und beförderte 1816 seinen ersten Aufsatz *Über physiologe Gesichts- und Farbenerscheinungen* zum Druck. Bei Schultz' erstem Besuch bei G. in Jena, Weimar und Berka am 2.–18. 8. 1817 entstand unter G.s Anleitung sein zweiter Aufsatz zur Farbenlehre, darüber hinaus ergaben politische Gespräche gemeinsame konservativ-antiliberale Ansichten. Am 16.–22. 8. 1820 besuchte Schultz mit Ch. F. Tieck, Ch. D. Rauch und C. F. Schinkel G. in Jena und Weimar; weitere Besuche folgten am 1.–8. 7. 1821 und 28. 9.–9. 10. 1823, als Schultz bei G. wohnte und ihm am 7. 10. 1823 den Abguß (nach dem Berliner Abguß) der →Juno Ludovisi zum Geschenk machte. Seinen letzten Besuch in Weimar machte Schultz, der 1825 nach Wetzlar, 1831 nach Bonn zog, mit Zelter am 22.–25. 7. 1831.

Schulze, Catharina Caroline, verh. Kummerfeld (1745–1815). Die gefeierte Schauspielerin machte Mai 1767–Februar 1768 als Mitglied der Kochschen Truppe in Leipzig auf den jungen G. durch die »Anmut der Jugend« einen »lebhaften Eindruck« (*Leipziger Theater 1768*). Johanna Schopenhauer berichtet 1828, G. habe ihr erzählt, er sei »zum Sterben in sie verliebt gewesen«. Die Zuschreibung eines anonymen Huldigungsgedichts an sie »O du, die in dem Heiligtum …« vom Frühjahr 1767 in der *Sammlung theatralischer Gedichte* (1776) an G. ist jedoch fragwürdig. Sie spielte 1784 unter Bellomo in Weimar, zog sich dann von der Bühne zurück und ernährte sich dort von einer Nähschule und dem Verkauf von Schönheitsmitteln.

W. v. Biedermann, G. und C. Sch., in ders., G.-Forschungen 2–3, 1886–99.

Schulze 970

Schulze, Friedrich August, Pseudonym: Friedrich Laun (1770–1849). Der spätromantische Erzähler aus Dresden besuchte G. in Weimar am 3. 4. 1804 und wurde von ihm in Unterhaltungen über Dresdner Künstler verwickelt.

Schumann, Clara, geb. Wieck (1819–1896). »Ein sehr geschicktes Frauenzimmerchen« (Tagebuch), die 12jährige Klaviervirtuosin und ab 1840 Gattin von Robert Schumann, gab mit ihrem Vater Friedrich Wieck (1785–1873) ab 26. 9. 1831 mehrere private Gastkonzerte in Weimar und spielte am 1. und 9. 10. 1831 auch vor G. und seinen Gästen (an Zelter 5. 10. 1831).

Schumann, Johann Ehrenfried (1732–1787). Der Hofmaler Anna Amalias (seit 1764) und 1776 Lehrer an der Freien Zeichenschule wirkte nebenher als Theatermaler für das höfische Liebhabertheater; als solchen erwähnt ihn das Gedicht *Auf Miedings Tod* (v. 9 f.). 1779 kopierte er im Auftrag Anna Amalias das G.-Porträt von G. M. Kraus (1775/76) als Geschenk für G.s Mutter.

Schumann, Robert (1810–1856). Der Komponist, der seine lange Reihe von an 40 Vertonungen von Liedern G.s 1828 mit *Der Fischer* begann und 1844–53 *Szenen aus Goethes Faust,* 1851 die Ouvertüre zu *Hermann und Dorothea* komponierte, begegnete G. nicht persönlich. Vgl. Clara →Schumann.

Schummel, Johann Gottlieb (1748–1813). Das Erstlingswerk des schlesischen Schriftstellers und Magdeburger Lehrers *Empfindsame Reisen durch Deutschland* (III 1771 f.) unterzogen die *Frankfurter Gelehrten Anzeigen* (Nr. 18, 3. 3. 1772) in einer wohl G. zuzuschreibenden anonymen Rezension einer vernichtenden Kritik. Nach einer Tagebuchnotiz scheint G. den späteren Breslauer Gymnasialprofessor, mit dem ihn kaum mehr als die Napoleonverehrung verband, im August 1790 in Breslau getroffen zu haben.

Schwab, Gustav (1792–1850). Der später durch seine Sagen-Nacherzählungen bekannte Stuttgarter Theologe und Schriftsteller kam 1815 auf einer Bildungsreise nach Weimar und wurde am 21. 5. 1815 von G. freundlich empfangen. Erneuten Kontakt mit dem »geistreichen jungen Mann« (*Tag- und Jahreshefte* 1821) gab die durch G. veranlaßte Übersetzung Schwabs von Johannes' von Hildesheim →*Die heiligen drei Könige (Die Legende von den Heiligen drei Königen,* 1822), zu der G. am 1. 7. 1821 als Vorspruch die Verse »Wenn was irgend ist geschehen …« beisteuerte und die er in *Über Kunst und Altertum* (III,3, 1822) als »ein angenehmes Geschenk« besprach und dabei auch die als Einleitung beigegebenen zwölf Romanzen Schwabs lobte (an Boisserée 7. 7. 1821, 14. 4. 1822).

M. Halub, J. W. v. G. und G. Sch. im gegenseitigen Blickfeld, in: G. und die Romantik, hg. G. Kozielek, Breslau 1992.

Schwabach. Im Gasthof »Lamm« der mittelfränkischen Stadt übernachtete G. auf dem Rückweg von der 3. Schweizer Reise am 5. 11. 1797 (*Reise in die Schweiz 1797*).

G. Hetzelein, Mit G. von Sch. nach Weimar, 1982.

Schwäbisch-Gmünd →Gmünd

Schwänke. Der Begriff ist bei G. gattungsmäßig nicht festgelegt; so nennt er auch die Erzählung *Die gefährliche Wette* (*Wanderjahre* III,8) einen Schwank. Für die derbrealistisch-satirischen Kurzdramen der Sturm und Drang-Zeit (→*Jahrmarktsfest zu Plundersweilern*, →*Fastnachtsspiel vom Pater Brey*, →*Satyros*, →*Götter, Helden und Wieland*, →*Prolog zu den neuesten Offenbarungen Gottes*, →*Hanswursts Hochzeit*) mit ihren Stoffen aus der niederen mittelalterlichen und Renaissance-Literatur und ihrer Betonung der körperlichen Funktionen schwanken die Bezeichnungen ebenfalls zwischen Schwank, Farce, Fastnachtsspiel u. ä.

M. Stern, Die Schwänke der Sturm und Drang-Periode, in: G.s Dramen, hg. W. Hinderer 1980.

Schwalbach. Den Badeort im Taunus kannte G. von seinen jugendlichen Wanderungen in die Umgebung Frankfurts (*Dichtung und Wahrheit* II,6). Am 28. 6. 1774 übernachtete er auf dem Weg von Wiesbaden nach Ems mit Lavater im »Weißen Ross«, besuchte den Ort nach der Belagerung von Mainz um 27.–31. 8. 1793 und durchquerte ihn mehrfach auf späteren Reisen (31. 7. 1815 Mittagessen). Das ihm bekömmliche Schwalbacher Wasser (»ein Himmelstrank«, an Christiane 28. 6. 1814) ließ er sich 1814 auch nach Weimar senden.

Schwan, Christian Friedrich (1733–1815). Den Mannheimer Hofbuchhändler und Schriftsteller, Verleger und Förderer Schillers, lernte G. im Februar 1775 kennen, besuchte ihn auf dem Rückweg von der 2. Schweizer Reise am 22. 12. 1779 und wechselte 1780 mehrere Briefe mit ihm. 1813 sah er ihn in Teplitz wieder.

Schwarzburger Hof →Sächsischer Hof

Schwarzenberg, Carl Philipp, Fürst zu (1771–1820). Den österreichischen Generalfeldmarschall der Napoleonischen Kriege und seinen Bruder, den Diplomaten Joseph Johann Nepomuk Schwarzenberg (1769–1833), sah G. vom 31. 7. bis 16. 8. 1818 in Karlsbad; er war jeden zweiten Tag bei ihnen zur Tafel oder zur Abendgesellschaft mit hohen Adligen und Diplomaten und las am 14. 8. 1818 dort *Hermann und Dorothea* vor.

Schweigger, Johann Salomo Christoph (1779–1857). Den Physiker und Chemiker, 1803 Lehrer in Bayreuth, 1811 in Nürnberg,

1817 Professor in Erlangen, 1819 in Halle und 1811–34 Herausgeber des *Journals für Chemie und Physik*, das auch G. regelmäßig erhielt und las, lernte G. am 10. 8. 1809 in Jena kennen und unterhielt 1813–23 mit ihm einen Briefwechsel über naturwissenschaftliche, besonders optische Fragen. Anfang August 1818 schenkte Schweighäuser G. einen Polarisationsapparat (*Tag- und Jahreshefte* 1818), den er in *Entoptische Farben* (Kap. 28) beschreibt. Er besuchte G. in Weimar am 29. 10. 1816 und 5. 10. 1825; am 21.–31. 8. 1818 trafen sich beide fast täglich in Karlsbad.

J. Schiff, J. S. C. Sch. und sein Briefwechsel mit G., Die Naturwissenschaften 13, 1925.

Schweighäuser, Johann Gottfried (1776–1844). Der Straßburger Lehrer (1798/99 Hauslehrer bei Humboldt in Paris, 1812 Professor in Straßburg) sandte G. am 7. 4. 1798 seine französische Rezension von *Hermann und Dorothea* (*Magasin encyclopédique* III,15, 1797), die G. »nicht ganz unzufrieden« las. Er traf ihn am 7. 10. 1815 in Heidelberg.

Schweinichen, Hans von (1552–1616). Die Denkwürdigkeiten des schlesischen Ritters und Hofmarschalls der Herzöge von Liegnitz gab J. G. Büsching (III 1821–23) heraus und sandte sie G., der sie 1821–23 las und im Vorwort zu H. Sachses *Der deutsche Gil-Blas* (1822), in *Über Kunst und Altertum* (VI,1, 1827) und *Maximen und Reflexionen* 253 auf die interessante Sittenschilderung hinwies; ihr entlehnte G. die *Maximen und Reflexionen* 234 und 245.

Schweitzer, Christian Wilhelm (1781–1856). Der Jurist und 1810 Professor der Rechte in Jena war seit 1818 Geheimer Staatsrat und Staatsminister in Weimar und verkehrte zumal in den letzten Jahren oft gesellschaftlich mit G.

Schweiz, Schweizer Reisen. Wenn man herkömmlicherweise davon absieht, daß G. auch auf dem Heimweg von Italien sechs Tage lang (30. 5.–4. 6. 1788) von Chiavenna über den Splügen, Chur, (Feldkirch) und Fussach nach Konstanz durch die Schweiz reiste, bleiben die drei großen Schweizer Reisen die einzigen Aufenthalte G.s in der Eidgenossenschaft:

1. Die 1. Schweizer Reise (14. 5.–22. 7. 1775), schon 1774 geplant, unternahm G. recht spontan, um die Liebeswirren um Lili Schönemann abzuklären, indem er sich den Grafen Friedrich Leopold und Christian zu Stolberg und Baron C. von Haugwitz auf deren Reise anschloß. Reiseweg: 14. 5. Darmstadt (Merck) – Mannheim – 17. 5. Heidelberg – Karlsruhe (Carl August und seine Braut Louise) – 23. 5. Straßburg (Salzmann, Lenz) – 28. 5.–5. 6. Emmendingen (mit Lenz; Cornelia, Schlosser) – 6. 6. Freiburg – Schaffhausen (Rheinfall) – Konstanz – Winterthur – 9.–15. 6.

Zürich (Wohnung bei Lavater; Breitinger, Bodmer, Kayser, Lips, B. Schultheß, L. Passavant) – 15.–26. 6. mit Passavant: Züricher See, Einsiedeln – 16. 6. Schwyz – 17. 6. Rigi – 19. 6. Vierwaldstätter See – 22. 6. St. Gotthard – 26. 6.–6. 7. Zürich (Lavater; Trennung von den Stolbergs) – 8./9. 7. Basel (Iselin) – 12. 7. Straßburg (Lenz, Zimmermann) – Speyer – 20. 7. Heidelberg – Darmstadt (Merck, Herder) – 22. 7. Frankfurt (*Dichtung und Wahrheit* IV,18–19; dichterische Verarbeitung um die Figur Werthers in *Briefe aus der Schweiz, 1. Abteilung*).

2. Die 2. Schweizer Reise (12. 9. 1779 – 14. 1. 1780) unternahm G. mit dem incognito reisenden Carl August, dessen Kammerherrn J. A. M. von Wedel und seinem Diener Ph. Seidel u. a. als Erziehungs- und Abhärtungsmittel für den Herzog. Reiseweg: 14.–17. 9. Kassel (Antiken, J. G. Forster) – 18.–22. 9. Frankfurt (mit Carl August im Elternhaus wohnend) – 23. 9. Heidelberg – 25. 9. Sesenheim (F. Brion) – 26. 9. Straßburg (Lili Türckheim, geb. Schönemann) – 27./29. 9. Emmendingen (Schlosser; Cornelias Grab) – 29. 9. Freiburg – Basel – Biel – Bern – 8. 10. Thun – 9. 10. Lauterbrunnen, Staubbachfall – 11. 10. Grindelwald – Große Scheidegg – Brienz – Interlaken – 14. 10. Thun – 15.–19. 10. Bern – 20.–23. 10. Lausanne (Branconi) – 27. 10.–2. 11. Genf (Saussure) – 3. 11. Chamonix – Rhonetal – Furkapaß – 13. 11. St. Gotthard – Vierwaldstätter See – 16. 11. Luzern – 18. 11.–2. 12. Zürich (Lavater, Bodmer, Lips, B. Schultheß) – 2. 12. Winterthur – Konstanz – Schaffhausen (Rheinfall) – 11.–18. 12. Stuttgart (Herzog Carl Eugen, Karlsschule, Schiller) – 19.–20. 12. Karlsruhe – 21.–23. 12. Mannheim (*Clavigo*, Iffland) – 25. 12. Frankfurt – 30. 12. Darmstadt – 31. 12. Dieburg – 1. 1. 1780 Darmstadt – 2.–4. 1. Homburg – 6.–10. 1. Frankfurt – 14. 1. Weimar (*Briefe aus der Schweiz, 2. Abteilung*).

3. Die 3. Schweizer Reise (30. 6.–20. 11. 1797) wurde mit G.s Schreiber Geist anstelle einer seit 1795 geplanten, wegen Kriegswirren nicht durchführbaren zweiten großen Italienreise unternommen; sie diente sachlichen Forschungsinteressen, dem Sammeln, Beschreiben und Registrieren (nach vorgefaßtem Schema) von Eindrücken über Geographie, Geologie, Handel, Gewerbe, Landwirtschaft, Bauten, Kunst, Politik, Sitten und Gebräuche zur späteren Verwendung für ein geplantes Reisewerk. Reiseweg: 30. 7. Abreise von Weimar mit Christiane und August, die in Frankfurt bei der Mutter bleiben – 3.–25. 8. Frankfurt (Oper, S. von La Roche, Fuentes, Nothnagel, Sömmering, Hölderlin, Plan zum Müllerin-Zyklus) – 25. 8. Darmstadt bis Heidelberg – 27. 8. Heilbronn – 29. 8. Ludwigsburg – 29. 8.–7. 9. Stuttgart (Dannecker, Thouret, Zumsteeg, Rapp) – 7.–16. 9. Tübingen (als Gast Cottas) – 16. 9. Tuttlingen – 17./18. 9. Schaffhausen (Rheinfall) – 19. 9. Zürich (B. Schultheß, J. von Müller, J. H. Meyer; Vermeiden Lavaters) – 21.–27. 9. Stäfa (mit Meyer; Besichtigung von dessen Kunstschätzen

aus Italien) – 28. 9.–8. 10. Wanderung über Richterswil, Einsiedeln
(29. 9.), Schwyz und Altdorf (30. 9.) auf den St. Gotthard (3. 10.),
zurück über Altdorf, Vierwaldstätter See (Plan eines *Wilhelm Tell*),
Zug nach Stäfa (Elegie *Euphrosyne*) – 8.–21. 10. Stäfa (bei Meyer;
Kunstgespräche und Pläne) – 21. 10. Herrliberg – 22.–26. 10.
Zürich – 26. 10. Schaffhausen (Rheinfall) – 27. 10. Tuttlingen –
28. 10. Balingen – 29.–31. 10. Tübingen – 1. 11. Stuttgart – 2. 11.
Gmünd – 3. 11. Ellwangen – Dinkelsbühl – 5. 11. Schwabach –
6.–15. 11. Nürnberg (Knebel) – 16. 11. Erlangen – Bamberg – Kro-
nach – 20. 11. Jena und Weimar (*Reise in die Schweiz 1797* in der
Zusammenstellung von Eckermann).

J. Herzfelder, G. in der Sch., 1891; W. Bode, G.s Schweizer Reisen, 1922; G. Bohnenblust, G. und die Sch., 1932; J. Fränkel, G.s Erlebnis der Sch., 1932; F. Strich, G. und
die Sch., 1949; J. Huegli, G. en Suisse, EG 4, 1949; K. Guggenheim, Der labyrinthische
Spazierweg, 1975; W. Binder, Das Ungeheure und das Geordnete, 1979; G. Martin, Weg
du Traum, so gold du bist, GJb 96, 1979; B. Schnyder-Seidel, G.s letzte Schweizer
Reise, 1980; F. Hiebel, G. und die Sch., 1982; N. Haas, Sehen und Beschreiben, in:
Reise und soziale Realität, hg. W. Griep 1983; P. Maisak, Die Geniereise in die Sch., in:
Sturm und Drang, Katalog Frankfurt 1988; B. Schnyder-Seidel, G. in der Sch.: anders
zu lesen, 1989; H. Lauinger, G.s Schweizer Reisen 1779 und 1797, 1995; D. J. Farrelly,
Wie froh bin ich, daß ich weg bin, in: Reisen im Diskurs, hg. A. Fuchs 1995.

Schweizerlied (»Uf'm Bergli ...«). G.s *Schweizerlied*, dessen Entstehungszeit ganz ungewiß ist – er sandte es am 28. 2. 1811 an Zelter zur Vertonung –, imponiert den Schweizern nur sehr wenig, da
es nur rein äußerlich und durch die -li-Diminutive eine Mundart
imitiert, die er nicht beherrschte. Tatsächlich geht die Anregung
wohl auf eine ähnliche Strophe in schwäbischer Mundart in *Des
Knaben Wunderhorn* zurück. Das schloß indessen nicht aus, daß es
über 30 Vertonungen (u. a. von F. Hiller, J. F. Reichardt, F. Schubert
und F. Silcher) fand.

Schwerdgeburth, Carl August (1785–1878). Der »kunstreiche«
Zeichner und Kupferstecher von »gewissenhafter Genauigkeit«
(*Tag- und Jahreshefte* 1809) arbeitet seit 1805 in Weimar vorwiegend
für Bertuch und als Lehrer an der Freien Zeichenschule und wurde
durch G.s Betreiben 1822 zum Hofkupferstecher ernannt. Für G.
schuf er Stiche zu seinen Münzen, zur Optik und *Myrons Kuh* und
zeichnete nach Vorlage 1821 das vermeintliche 10. Bild zu *Julius
Caesars Triumphzug, gemalt von Mantegna*. 1821 gab er sechs *Radierte
Blätter nach Handzeichnungen von Goethe* mit Radierungen von
C. H. Holdermann und C. W. Lieber heraus, zu denen G. erläuternde Verse (→ *Zu meinen Handzeichnungen*) und eine Ankündigung
(*Über Kunst und Altertum* III,3, 1822) schrieb und die er gern an
Freunde versandte. Von einer Silberstiftzeichnung, die Schwerd-
geburth nach einem Gespräch mit ihm im Dezember 1831 aus der
Erinnerung gemacht hatte, war G. am 23. 12. 1831 so begeistert,
daß er dem Künstler ganz gegen seine Gewohnheit jederzeit zu sitzen versprach und die am 24. 1. 1832 vollendete »sehr lobenswür-

dige«Tuschzeichnung (Tagebuch) als das gelungenste seiner Porträts bezeichnete. Sie ist das letzte Bildnis G.s nach dem Leben. Den danach 1832 ausgeführten Kupferstich, nach dessen Fortschritt er sich wiederholt erkundigte, sah G. nicht mehr.

O. Heuer, C. A. Sch., JFDH 1916/25; Ch. Kröll, K. A. Sch., 1985; →Porträts.

Schwerdtlein, Marthe →Marthe

Schwind, Moritz von (1804–1871). Der Wiener Maler des Biedermeier schuf 1827 sein Ölgemälde »Der Spaziergang« in Anlehnung an Fausts Osterspaziergang und beteiligte sich mit vier Zeichnungen an der *Kupfer-Sammlung zu Goethes sämmtlichen Werken* (1827–33) bzw. einer seltenen Wiener G.-Ausgabe. G. kannte scheints nur seine Vignetten zu einer Übersetzung von *1001 Nacht* (1826?) und besprach sie in *Über Kunst und Altertum* (VI,2, 1828). Vgl. →*Ritter Kurts Brautfahrt.*

Schwyz. Den Hauptort des gleichnamigen Schweizer Kantons besuchte G. auf seinen Wanderungen durch die Urkantone mit Passavant am 16./17. 6. 1775 (Übernachtung) und mit Meyer am 30. 9. 1797.

Sciacca. In dem Ort an der Südküste Siziliens übernachtete G. am 22. 4. 1787 auf dem Weg von Castelvetrano nach Agrigent und besuchte am 23. 4. die östlich davon gelegenen Schwefelquellen der antiken Thermae Selinuntinae.

Sckell, Carl August Christian (1801–1874). Der Sohn des Hofgärtners in Belvedere Johann Conrad Sckell aus einer alten Weimarer Gärtnerfamilie kannte G. seit 1816, bildete sich 1819 mit Empfehlungen G.s und Unterstützung Carl Augusts in Göttingen aus, trat 1821 im Botanischen Garten von Jena G. näher und wurde 1823 Hofgärtner und Schloßverwalter in Dornburg, wo er und seine Frau bei G.s Aufenthalt nach Carl Augusts Tod im Juli/August 1828 und bei späteren Besuchen für ihn sorgten. Er veröffentlichte 1864 seine Erinnerungen *Goethe in Dornburg.*

Scorel (Schoreel), Jan van (1495–1562). Das von den Boisserées und von G. dem von ihm mehrfach genannten niederländischen Maler Scorel zugeschriebene Altarbild »Der Tod der Maria« (um 1523), das G. im Oktober 1814 in der Sammlung Boisserée sah, gilt heute als Werk des Joos van Cleve (um 1485–1540).

Scott, Sir Walter (1771–1832). Der englische Romantiker übersetzte 1799 G.s *Götz von Berlichingen* und einige Gedichte, u. a. *Erlkönig,* ins Englische. Eine indirekte Verbindung ergab sich erst 1817 beim Besuch von Scotts Schwiegersohn J. G. Lockhart bei G. in Weimar. Am 12. 1. 1827 sprach G. in einem Brief Scott seinen Dank und seine Verehrung aus und freute sich über Scotts verehrungsvolle Antwort vom 9. 7. 1827, die Eckermann in den *Gesprächen* (25. 7. 1827) übersetzt. 1831 beteiligte sich Scott an der Huldigungsadresse und Petschaft der »englischen Freunde« um Carlyle. Inzwischen hatte G. 1821–31 zahlreiche Werke Scotts meist auf englisch gelesen: *Kenilworth, Ivanhoe, The black dwarf, The abbot, Saint Valentine's day, Waverley, The fair maid of Perth, Rob Roy* und *Letters on demonology and witchcraft,* im November/Dezember 1827 auch *The life of Napoleon,* das er nach anfänglichem Lob bei fortschreitender Lektüre als einziges Werk Scotts kritisch beurteilte (an Zelter 4. 12. 1827, 20. 2. 1828, an Reinhard 28. 1. 1828 u. a.) und über das er 1827 eine Besprechung entwarf. Diese und die Auseinandersetzung (25. 12. 1827) mit Scotts Essay über Hoffmann *On the supernatural in fictitious compositions* erschienen erst 1833 im Nachlaß. G. schätzte und pries oft Scotts hohen Kunstverstand (zu Eckermann 3. und 9. 10. 1828) und »sein vorzügliches Talent, Historisches in lebendige Anschauung zu verwandeln« (*Tag- und Jahreshefte* 1821), bedauerte jedoch später seine Vielschreiberei (zu F. von Müller 25. 11. 1824) und bemerkte gelegentliche Anleihen aus seinem eigenen Werk (*Egmont* in *Kenilworth,* Mignon in *Peveril of the Peak*; zu Eckermann 18. 1. 1825, 31. 1. 1827).

L. K. Roesel, Die literarischen und persönlichen Beziehungen S. W. S.s zu G., Diss. Leipzig 1901; W. Macintosh, S. and G., Glasgow 1926; F. Gundolf, G. und W. S., NR 43, 1932; G. H. Needler, G. and S., Toronto 1950.

Sebbers, Julius Ludwig (1804–1839). Der junge Braunschweiger Porzellanmaler beeindruckte G. durch seine Arbeiten so sehr, daß er ihm entgegen seinem Vorsatz am 18. 7.–16. 8. 1826 zehnmal für ein en face-Porträt auf einer Porzellantasse saß, das vielen Zeitgenossen als ähnlichstes Altersporträt G. galt. G. nennt es »ein sehr ähnliches und lobenswürdiges Bild« (an J. H. Meyer 27. 9. 1826) und mokiert sich gleichzeitig in den Versen »Sibyllinisch mit meinem Gesicht ...« (an Zelter 12. 8. 1826) über Sebbers' Bemühungen. Am 2.–9. 9. 1826 saß er ihm ferner zu einer Profilzeichnung in Silberstift und Kreide; im gleichen Jahr entstand ein Ölbild auf Karton. Sebbers besuchte ihn wieder am 26. 2. 1828. →Porträts.

G. M. Priest, Das G.bild von S., GKal 31, 1938; →Porträts.

Sebus, Johanna →*Johanna Sebus*

Seckendorf, Franz Carl Leopold, Freiherr von (1775–1809). 1798–1802 Regierungsassessor in Weimar, fand der junge, literarisch ambitionierte Aristokrat rasch Zugang zu den Weimarer Dichtern und G., mit dem der »vieljährige Freund« (*Tag- und Jahreshefte* 1807) auch nach seinem Wegzug als Regierungsrat nach Stuttgart 1802 und 1807 nach Wien durch Briefe und Besuche Kontakt behielt. Für seine zahlreichen Almanache gewann Seckendorf Beiträge bedeutender Autoren. In seinem *Neujahrs Taschenbuch von Weimar, auf das Jahr 1801* erschien der Erstdruck von G.s *Paläophron und Neoterpe*, und für seine mit J. L. Stoll gegründete Zeitschrift *Prometheus* (1–2, 1808) sandte G. auf seine Bitte die *Pandora*.

G. Scheidel, F. K. L. Frhr. v. S., 1885.

Seckendorff, Carl Friedrich Siegmund, Freiherr von (1744–1785). Der weitgereiste, sprachkundige, geistreiche Aristokrat und Weltmann war 1761–64 österreichischer, 1786–74 sardinischer Offizier, zuletzt Oberstleutnant und wurde 1775–84 Kammerherr Carl Augusts, der jedoch bei seiner Bevorzugung G.s zur Enttäuschung Seckendorffs nicht alle ihm gemachten Versprechungen erfüllen konnte. Im Februar 1785 wurde Seckendorff, seit 1779 mit Sophia von Kalb (→Seckendorff, Sophia von) verheiratet, preußischer Gesandter in Ansbach. Der »liebe Junge, dem Fülle im Herzen ist« (an Ch. von Stein 17. 3. 1778) war ein gebildeter, liebenswürdiger Gesellschafter und beliebtes Mitglied des Musenhofs, der Tafelrunde Anna Amalias und des höfischen Liebhabertheaters, Arrangeur höfischer Feste, Ballette, Maskenzüge, Redouten, Theater und Konzerte und trat auch als produktiver Gelegenheitsdichter, Erzähler (Roman *Das Rad des Schicksals*, 1783), Mitarbeiter des *Tiefurter Journals* und des *Teutschen Merkur*, Übersetzer (u. a. von G.s *Werther* ins Französische, 1776), Laienkomponist in italienischem oder schlicht-volkstümlichem Stil (*Volks- und andere Lieder*, III 1779–82) und Sänger hervor. Er vertonte u. a. G.s *Lila, Jery und Bätely, Der Triumph der Empfindsamkeit* und *Die Laune des Verliebten* sowie mehrere Gedichte (*Der König in Thule, Der Fischer, Das Veilchen, Sehnsucht, Nähe des Geliebten, Der untreue Knabe*). Zu G.s Geburtstag am 28. 8. 1781 wurde sein Schattenspiel *Minervens Geburt, Leben und Taten* im Tiefurter Park aufgeführt, zu Ehren der Herzogin Louise am 9. 7. 1778 sein Dramolett *Das Luisenfest* (vgl. G.s →*Das Luisenfest*), und zur Eröffnung der Spielzeit im neuerbauten Komödienhaus am 26. 5. 1780 seine Tragödie *Kallisto.* G. schildert den ihm nahestehenden musischen Aristokraten im Gedicht *Ilmenau* (v. 69–76).

V. Knab, K. S. v. S., Jahresbericht des Historischen Vereins für Mittelfranken 60, 1914; W. Deetjen, S. Frhr. v. S., JbSKipp 10, 1935.

Seckendorff, Sophia Friederike, Freifrau von, geb. von Kalb (1755–1820). Die attraktive, kokett-kapriziöse Tochter des Weimarer Kammerpräsidenten C. A. von →Kalb wurde gleich bei seiner Ankunft in Weimar 1775 mit G. bekannt, der zunächst bei ihrem Vater logierte und ihr ebenso wie Bergrat J. A. von Einsiedel und Freiherr C. F. S. von →Seckendorff den Hof machte. 1779 heiratete sie Seckendorff. Als Witwe schockierte sie Weimar durch ihre Liaison mit dem Domherrn F. H. von Dalberg, dem sie sich zu Herders Entsetzen auf beider Italienreise 1788 anschloß und damit die

Reisekasse in Unordnung brachte. Später lebte sie meist in Mannheim und traf G. u. a. 1808 in Karlsbad.

Secundus →Johannes Secundus

Sedaine, Michel Jean (1719–1797). Von dem erfolgreichen französischen Dramatiker der Aufklärung will G. auf dem französischen Theater in Frankfurt (1759–62) das Singspiel *Rose et Colas* gesehen haben (*Dichtung und Wahrheit* I,3), was selbst für G. einigermaßen unwahrscheinlich ist, da die Uraufführung erst 1764 in Paris stattfand. Sicher dagegen sah er in Frankfurt am 5. 8. 1797 *Der Deserteur* und am 17. 8. 1797 *Richard Löwenherz.* Letzterer war schon seit 30. 1. 1793 in Weimar gegeben worden, *Der Deserteur* folgte dort am 3. 3. 1804, *Der Zweikampf* am 2. 3. 1801. Auch kannte G. Sedaines Lustspiel *Le philosophe sans le savoir* (ebd. III,13).

Seebach, Friedrich Johann Christoph Heinrich von (1767–1847). Der Weimarer Offizier (1815 Generalmajor) und Kammerherr gehörte als Stallmeister bzw. 1815 Oberstallmeister zum persönlichen Gefolge Carl Augusts, begleitete diesen auf gemeinsamen Reisen mit G. und verkehrte auch gesellschaftlich mit G.

Seebeck, Thomas Johann (1770–1831). Den Physiker und Chemiker, der 1802–10 als Privatgelehrter in Jena, später in Bayreuth, Nürnberg und ab 1818 als Mitglied der Akademie der Wissenschaften in Berlin lebte, lernte G. am 3. 12. 1803 in Jena kennen und trat ab Januar 1806 durch das gemeinsame Interesse an der Farbenlehre in nähere Beziehungen zu ihm, die zu häufigen gemeinsamen Experimenten über Farbenphysik und entoptische Farben und jahrelangem regem wissenschaftlichem Gedankenaustausch führten. Seebeck arbeitete selbst über entoptische Farben, hatte maßgeblichen Anteil an G.s Farbenstudien und anerkannte als einziger Fachgelehrter zunächst G.s Farbenlehre. Er traf G. im August/September 1815 in Frankfurt, wohnte mit ihm in der Gerbermühle und besuchte ihn zuletzt am 16.–21. 6. 1818 in Weimar. Mit seinem Weggang nach Berlin und seiner kritischeren Beurteilung von G.s Farbentheorie trat nach 1818 eine Entfremdung ein, die jedoch der gegenseitigen Hochachtung keinen Abbruch tat und von G. bei Seebecks Tod tief bedauert wurde. Seebeck vermittelte G. 1817 auch seine Majolikasammlung. Vgl. *Tag- und Jahreshefte* 1806, 1809, 1810, 1812, 1815, 1818 und 1820; an Carl August 3. 9. 1815, an Schopenhauer 23. 10. 1815, an Zelter 4. 2. 1832.

K. Fischer, G. und Th. S., in ders., Erinnerungen an Moritz S., 1886; M. Hecker, G. und S., JGG 10, 1924; A. Schöne, Über einen Kondolenzbrief G.s, in: Literatur und Gesellschaft, hg. H. J. Schrimpf 1963.

Seefahrt. Die auf den 11. 9. 1776 datierte, zuerst im September 1777 im *Deutschen Museum* gedruckte Hymne führt erst seit den

Schriften (Band 8, 1789) diese Überschrift. Sie steht nach Sprache, Stil und Bildern noch im Gefolge der großen Sturm und Drang-Hymnen, gibt jedoch durch das Versmaß der Trochäen statt Freier Rhythmen einen Vorklang der Klassik. Im Bild der riskanten, von allen beobachteten Schiffahrt (→Meer) spiegelt sich bei aller Allgemeingültigkeit des Motivs G.s autobiographische Situation der letzten Frankfurter Wochen und der ersten Weimarer Monate bis zur – einen Sturm auslösenden – Aufnahme ins Geheime Consilium: Wartezeit, entschlossener Aufbruch eines zielbewußten männlichen Willens, der voll Gottvertrauen sein Leben in die eigene Hand nimmt und den Kampf mit dem Schicksal besteht.

A. Gode von Aesch, G's S., MDU 41, 1949; D. W. Schumann, Motive der S. beim jungen G., GQ 32, 1959; R. Görner, G.s S., in ders., G., 1995.

Seekatz, Johann Conrad (1719–1768). Der Darmstädter Hofmaler von leicht-spielerischen, dekorativen Rokokoszenen und bürgerlichen Genrebildern wurde von G.s Vater beschäftigt, dessen Gemäldegalerie mehrere Bilder von ihm umfaßte, am bekanntesten die »Familie G. in Schäfertracht« von 1762. 1759–61 arbeitete Seekatz auch in G.s Mansardenzimmer für den Königsleutnant Thoranc und duldete, sonst leicht hypochondrisch, den Knaben G. gern um sich. G. schätze den »Freund« (an Oeser 9. 11. 1768), gedenkt seiner Eigenarten ausführlich in *Dichtung und Wahrheit* (I,1 und 3; II,6) und tadelt nur seine allzu rundlichen Frauengestalten, da seine kleine, dicke Frau ihm kein anderes Modell erlaubte.

L. Bamberger, J. C. S., 1916; H. Häuser, Zwei Gemälde von S., JFDH 1977; E. Emmerling, J. C. S., 1991.

Segesta. Von den Ruinen der antiken Stadt auf Sizilien sah G. am 20. 4. 1787, von Alcamo kommend, den unvollendet gebliebenen dorischen Tempel des 5. Jahrhunderts v. Chr., dessen merkwürdige Anlage er in der *Italienischen Reise* ausführlich beschreibt, und das damals noch nicht freigelegte Theater des 2. Jahrhunderts v. Chr.

D. Mertens, Der Tempel von S., 1984.

Seghers, Daniel (1590–1661). Von dem Antwerpener Blumenmaler sah G. mehrere »sehr schöne« Gemälde (Blumenstück, Maria mit Kind) in der Dresdner Galerie und erwähnt ihn im Aufsatz *Blumenmalerei* (1817). 1819 erwarb er zwei Gemälde von Seghers für Carl August.

Sehnsucht (»Dies wird die letzte Trän' nicht sein …«). Das Gedicht einer religiösen Sehnsucht mag in der Klettenberg-Zeit um 1770 oder spätestens 1775 entstanden sein. Es erschien zuerst im Juli 1793 in der *Urania für Kopf und Herz* (I,1, 1794), deren Herausgeber J. L. Ewald G. es 1775 gegeben haben könnte. Möglicherweise schon damals oder erst 1793/94 anläßlich der ihm wohl ärgerlichen

Veröffentlichung, die bei den Freunden und auch der Fürstin Gallitzin (an G. 28.8.1793) die Runde machte, setzte G. ihm als Antwort oder als Kontrafaktur aus gewandeltem Bewußtsein die Strophe »O Vater alles wahren Sinns …« entgegen, die erst 1864 veröffentlicht wurde. Beide Gedichte wurden von G. nicht in die *Werke* aufgenommen; dort steht seit 1806 ein »geselliges Lied« gleichen Titels (»Was zieht mir das Herz so …«), das 1802 von Zelter vertont wurde und zuerst im *Taschenbuch auf das Jahr 1804* von G. und Wieland erschien.

Seidel, Max Johann (1795–1855). Der Schauspieler war seit 1822 Schauspieler und Regisseur am Weimarer Theater, seine Frau Dorothea, geb. Meyer, seit 1823 Schauspielerin ebd. Er stand G. nahe, der ihn 1831 von Schmeller für seine Sammlung zeichnen ließ.

Seidel, Philipp Friedrich (1755–1820). Der Frankfurter Handwerkerssohn bildete sich autodidaktisch, wurde Hauslehrer u. a. für Cornelia G., fand als Schreiber des Vaters in G.s Elternhaus Beschäftigung und kopierte dort auch G.s Manuskripte. 1775 folgte er G. als Kammerdiener, Sekretär, Vertrauter und Reisebegleiter nach Weimar und genoß sein volles Vertrauen in einem für G. einmaligen freundschaftlichen Verhältnis zu Dienenden: Hellwach, flink, tüchtig, geschickt in Geschäften, absolut treu ergeben und verschwiegen auch in delikaten Missionen, führte er ihm den Haushalt, die Kasse (auch für eigene Anschaffungen und Vergnügungen) und das Tagebuch, öffnete und erledigte z. T. die Post, korrespondierte mit G.s Mutter und begleitete ihn u. a. auf der 2. Schweizer Reise 1779. Vor G.s heimlicher Abreise nach Italien, von der er neben Carl August als einziger im voraus wußte, verschaffte G. ihm eine Stellung als Kammerkalkulator im Rechnungsdepartment, überließ ihm daneben die Verwaltung seines Hauses und die Vertretung in geschäftlichen Angelegenheiten und benutzte ihn als Verbindungsmann zu den Weimarer Freunden wie zu Göschen. Er empfing aus Italien die Manuskripte für die *Schriften* zur Weiterleitung an Herder bzw. Göschen und begleitete sie mit kritischen Bemerkungen, auf die G. einging (an Seidel 15.5.1787). G. betrachtete ihn als seinen »Schutzgeist«, hörte auf sein Urteil, forderte ihn auf, ihm in allen Dingen unverhohlen seine Meinung zu sagen (ebd.), förderte seine naturwissenschaftlichen Interessen (ebd. 21. und 29.12.1787), schlug ihm vor, Fritz von Stein zu unterrichten (ebd. 9.2.1788), und empfahl ihn Carl August für den Staatsdienst (»weil er der Meinige war und im edelsten Sinne mein Geschöpf ist«, 7.12.1787). Nach G.s Rückkehr aus Italien, als Christiane die Haushaltsführung übernahm, fühlte Seidel sich in seiner Freundesrolle zurückgesetzt, verletzt und entfremdet. Er wurde 1789 Rentkommissar in Weimar, erwarb ein Vermögen, gründete 1789 eine Familie und baute ein Haus. Als er jedoch ab 1799 Anzeichen psychischer Störungen zeigte, ging G. nicht darauf ein und ignorierte ihn; G.s ergebenster und intelligentester Diener endete 1820 nach halbjährigem Aufenthalt in einer Jenaer Irrenanstalt.

C. A. H. Burkhardt, G.s Verhältnis zu P.S., Im neuen Reich 1, 1871; W. Schleif, Ph. S., Goethe 22, 1960; W. Schleif, G.s Diener, 1965.

Seidler, Caroline Louise (1786–1866). Die Malerin liebenswürdiger Biedermeierporträts war G. seit ihrer Jugend vertraut, als sie, Tochter des Jenaer Oberstallmeisters mit Dienstwohnung im Jenaer Schloß, wo auch G. abstieg, im Schloßhof unter den Augen G.s mit August von G. spielte und G. ihnen Torte herabließ oder ihren Hund verjagte, oder als sie im Mädchenflor der Frommanns verkehrte. Mit G.s Unterstützung erhielt sie 1810/11 einen Studienaufenthalt in Dresden bei C. L. Vogel und G. von Kügelgen, wo sie C. D. Friedrich und G. F. Kersting kennenlernte und G. sie im September 1810 besuchte, 1818 ein herzogliches Stipendium für München und 1819–23 für Italien. Nach ihrer Rückkehr nach Weimar wurde sie 1823 Zeichenlehrerin der Weimarer Prinzessinnen, 1824 Kustodin der herzoglichen Gemäldesammlung im Großen Jägerhaus mit kostenfreier Wohnung und Atelier, 1837 Hofmalerin und war, artig und bescheiden, gern gesehener Gast im Haus am Frauenplan. Von G. schuf sie am 26.–29. 11. 1811 ein weichliches Pastellbildnis und später Kopien fremder Porträts. 1816 führte sie in G.s Auftrag nach einer Skizze von ihm und einem Entwurf von J. H. Meyer das Altarbild für die Rochuskapelle bei Bingen aus (→*Sankt Rochus-Fest zu Bingen*), das G. in *Über Kunst und Altertum* (I,2, 1817) beschreibt. Am 3. 2. 1818 sandte sie G. Kreidezeichnungen der Figuren des Tempelfrieses in Phigalia nach den Abgüssen in der Münchner Akademie, und G. bedankte sich am 11. 2. 1818 mit dem als Brief an sie diktierten, unvollendeten Aufsatz →*Relief von Phigalia.* Während die mehr fleißige als geniale Malerin mit größeren allegorischen Kompositionen wie dem auf G.s Anregung unternommenen Versuch »Die bildende Kunst, von der Poesie begeistert« (1831) scheiterte, lebt G.s Weimarer und Jenaer Kreis in ihren liebenswürdigen Porträts und ihren *Erinnerungen* (1874 u. ö.) fort.

H. Grimm, G. und L. S., PrJbb 33, 1874, auch in ders., 15 Essays, 1874 u. ö.; M. Franke, Die Malerin L. S., Bildende Kunst 11, 1986; →*Porträts.*

Seifengasse. In dem Haus Nr. 16 der Weimarer Seifengasse, die vom Frauenplan nach Osten zum Park an der Ilm führt, hatte G. neben seiner Hauptwohnung im Gartenhaus 1779–81 ein städtisches Absteigequartier.

Sekretäre. Für einfache Schreibarbeiten und das Kopieren von Manuskripten, aber auch gelegentliches Diktieren zog G. in den frühen Weimarer Jahren auch seine →Diener heran; so wirkten

Ph. F. →Seidel 1775–88 und J. L. →Geist 1795–1804 zugleich als Diener und Schreiber. Späterhin beschäftigte G. zumal für das Diktieren eigene Sekretäre, die in Anbetracht seiner amtlichen Tätigkeiten teils von der Regierung, besonders dem Amt der »Oberaufsicht«, besoldet wurden, aber durchweg auch privaten Arbeiten zur Verfügung standen: 1782–86 Ch. G. C. →Vogel, 1812–14 E. C. Ch. →John, 1814–32 J. A. F. →John, ab 1811 bzw. 1815 F. T. D. →Kräuter und ab 1825 J. Ch. →Schuchardt. Nicht Sekretäre, sondern freie wissenschaftliche und editorische Mitarbeiter und Helfer dagegen waren 1803–12 F. W. →Riemer und 1823–32 J. P. →Eckermann.

W. Schleif, G.s Diener, 1965.

Selbitz, Hans von (16. Jahrhundert). Der fränkische Reichsritter, Verfechter des alten, unabhängigen Reichsritterstandes, stellt sich im *Götz von Berlichingen* (2. Akt) als treuer Freund und Verbündeter auf die Seite Götzens. G. übernahm die historische Figur aus Götzens Autobiographie als Gegenbild zu der fiktiven Figur Weislingens.

Selbstkommentare. Es entspricht der Idee klassisch-klassizistischer Poetik von der Selbstgenugsamkeit des objektiven, in sich ruhenden Kunstwerks, daß es weder eines textinternen Kommentars noch einer nachträglichen Auslegung vonseiten des Verfassers bedarf. Demgemäß enthält sich G. im Prinzip und mit nur wenigen Ausnahmen – etwa bei den sonst unverständlichen »Inschriften, Denk- und Sendeblättern« (1827) oder in Erwiderung und Ergänzung fremder Kommentare (→Kannegießer) – der Selbstkommentare seiner Werke, so sehr ihn auch die Leser um Aufklärung und Entschlüsselung bedrängten, und verlangt die Mittätigkeit des Lesers. Erst als er sich selbst historisch wird und seine Werke »in die Vergangenheit zurücktreten«, ortet er sie in *Dichtung und Wahrheit* in ihrem historischen und autobiographischen, also entstehungsgeschichtlichen Kontext, ohne jedoch näher auf ästhetische Gesichtspunkte einzugehen, und interpretiert auch dort überwiegend unvollendete, aufgegebene oder verlorene Werke quasi als Ersatz für den Originaltext. Auch die *Noten und Abhandlungen* zum *West-östlichen Divan* verstehen sich nicht als Auslegung der Dichtung, sondern als Erhellung des exotischen Umfeldes. Schließlich mystifiziert der alte G. bewußt seine eigenen Dichtungen, besonders *Faust II*, indem er manches »hineingeheimnißt«: »Die Philologen werden daran zu tun finden« (zu Eckermann 29. 1. 1827), und mokiert sich offen über die Mißverständnisse und das prosaische Breittreten seiner Ausleger (»Im Auslegen seid frisch und munter …«, »Was wir Dichter ins Enge bringen …« in *Zahme Xenien* u. a.). Nichtsdestotrotz hat die G.-Philologie durchaus zu Recht alle Äußerungen G.s über seine Werke sorgfältig gesammelt und systematisch als erstes Hilfsmittel zur Orientierung bereitgestellt; daß sie moderner

Interpretation oft wenig weiterhelfen, ist nach dem Obigen verständlich.

    H. G. Gräf, G. über seine Dichtungen, IX 1901–14 u. ö.

Selbstmord. Das Motiv des Selbstmords erscheint in G.s Werken in unterschiedlichen Abarten und Motivationen: Werther erwägt häufig den Freitod, den er schließlich wählt, Klärchen im *Egmont*, Ferdinand und Stella in der Tragödienfassung der *Stella* und gewissermaßen auch Ottilie in den *Wahlverwandtschaften* wählen ihn als Ausweg in hoffnungslosen Situationen. Selbst Faust (v. 686–736, 1579/80) steht ihm zeitweilig nahe. Selbstmordfälle aus G.s entfernterem Bekanntenkreis wie C. W. →Jerusalem, Ch. von →Laßberg, J. H. Merck, C. G. Weißer und C. von →Günderode bewegten G. tief. Er selbst durchlebte in der Jugend die Zeitstimmung melancholischen Lebensüberdrusses und Lebensekels (taedium vitae), in der ihm Selbstmordgedanken nicht fern lagen (an Behrisch 10. 11. 1767; *Dichtung und Wahrheit* III,13) und die er mit dem *Werther* externalisierte und überwand. Anläßlich des Selbstmordes von Zelters Stiefsohn bekennt er, »daß alle Symptome dieser … Krankheit auch einmal mein Innerstes durchrast haben« (an Zelter 3. 12. 1812). Gleichzeitig sieht er als Anlässe dazu »übertriebene Forderungen an sich selbst, … unbefriedigte Leidenschaften und eingebildete Leiden« (*Dichtung und Wahrheit* III,13), beurteilt den Selbstmord jedoch als »etwas Unnatürliches« (ebd.) und als »sittliches Vergehen« (zu Smirnow, Mai 1821), das seiner prinzipiellen Bejahung des Lebens zuwiderlief.

    F. Jost, Littérature et suicide, RLC 42, 1968; I. Feuerlicht, Werther's suicide, GQ 51, 1978; W. Schmitt, Melancholie und Suizid als literarisches Thema in der G.zeit, in: Licht der Natur, hg. J. Domes 1994.

Selbstverlag →Verleger

Selige Sehnsucht. Das wegen seiner kryptischen Bilder aus der persischen Mystik und seinen scheinbar paradoxen Sentenzen schwierige Gedicht des *West-östlichen Divans* entstand am 31. 7. 1814 in Wiesbaden in Anlehnung an ein mystisches Gedicht von Hafis. Es trug zuerst die Überschrift *Selbstopfer*, dann im Erstdruck (*Taschenbuch für Damen auf das Jahr 1817*) *Vollendung*. In der Exklusivität seiner Weisheit – »sagt es niemand« – vereinen sich untrennbar erotische und religiöse Motive und Erfahrungen mit der Lichtmetapher der Farbenlehre und dem orientalischen Symbol des Schmetterlings mit seiner todbringenden Sehnsucht nach dem Licht. Die Selbstaufgabe des Ich im Höhepunkt des Liebesgenusses wird gleichgesetzt mit der Auflösung des Individuums im Streben nach einem höheren Dasein und einer reinen, immateriellen Existenz im All, das über den ›petite mort‹ des Selbstopfers und eine Wiedergeburt im stufenweisen »Stirb und werde« Erfüllung sucht.

Über die Liebeserfüllung hinaus greift die Sehnsucht nach höherer Erfüllung durch göttliches Licht. Über zehn Vertonungen, u. a. von C. F. Zelter, H. Zilcher, O. Schoeck, H. Reutter.

F. Ch. Rang, G.s S. S., Neue deutsche Beiträge 1, 1922 f.; H. H. Schaeder, Die persische Vorlage von G.s S. S., in: Geistige Gestalten und Probleme, hg. H. Wenke 1942; F. Ch. und B. Rang, G.s S. S., 1949; W. Schneider, G., S. S., in ders., Liebe zum deutschen Gedicht, 1952 u. ö.; F. O. Schrader, S. S., Euph 46, 1952; W. Kraft, S. S., in ders., Augenblicke der Dichtung, 1964; E. Rösch, S. S., GRM NF 20, 1970; Interpretationen zum West-östlichen Divan, hg. E. Lohner 1973; E. Rose, G.s vollkommenstes Liebesgedicht, in ders., Blick nach Osten, 1981; H. Schlaffer, Weisheit als Spiel, in: Gedichte und Interpretationen 3, hg. W. Segebrecht 1984; R. E. Dye, S. S. and Goethean enlightenment, PMLA 104, 1989; I. Schmitt, Ein für allemal tot?, ZDP 115, 1996.

Selima. Einen dramatischen Entwurf dieses Titels, über den nichts Näheres bekannt ist, verbrannte G. beim Leipziger Autodafé im Oktober 1767 (an Cornelia 12.–14. 10. 1767).

Selinunt. Die Ruinen der 628 v. Chr. gegründeten und 409 von den Karthagern zerstörten, einst bedeutenden griechischen Kolonie und Hafenstadt an der Südwestküste Siziliens mit ihren zahlreichen dorischen Tempeln des 6./5. Jahrhunderts besuchte G. merkwürdigerweise nicht, obwohl ihn der Weg von Castelvetrano nach Sciacca am 22. 4. 1787 ganz in ihrer Nähe vorbeiführte. Am 28. 3. 1827 jedoch befaßte er sich mit dem Werk von S. Angell und Th. Evans *Sculptured metopes discovered amongst the ruins of the temples of the ancient city of Selinus in Sicily* (1826).

Senckenberg. In *Dichtung und Wahrheit* (I,2) erinnert sich G. an die drei als Frankfurter Originale geltenden Brüder Senckenberg: Heinrich Christian (1704–1768, ab 1751 Freiherr), späteren Reichshofrat in Wien, Johann Erasmus (1717–1795), einen als streitsüchtig gefürchteten Frankfurter Anwalt und Senator, und vor allem den mittleren Johann Christian (1707–1772), einen beliebten und geschätzten Frankfurter Arzt und Stadtphysikus, der nicht in näherer Beziehung zu G.s Eltern stand, aber durch seine selbstlose, menschenfreundliche Haltung und die Gründung (1763) der Senckenbergischen Stiftung, einer medizinischen Akademie mit Bibliothek, botanischem Garten und Bürgerhospital, sich große Verdienste um G.s Vaterstadt erwarb. G. besuchte die Stiftung am 22. 10. 1768 mit Dr. Kulmus aus Danzig und am 11. 9. 1815 und beschreibt sie in *Kunst und Altertum am Rhein und Main*.

G. L. Kriegk, Die Brüder S., 1869; A. de Bary, J. Ch. S., 1947; B. Reifenberg, J. Ch. S., 1964.

Seneca, Lucius Annaeus (4 v. Chr. – 65 n. Chr.). Von dem römischen stoischen Philosophen, mit dem sich G. nach Ausweis der *Ephemerides* (1770/71) schon in Frankfurt beschäftigt hatte, las G. im September–November 1808 die *Naturales quaestiones* im Hinblick auf die *Geschichte der Farbenlehre* und widmet Senecas naturwissenschaftlichen Anschauungen darin ein Kapitel.

Serassi, Pierantonio. Die kritische Tasso-Biographie *La vita di Torquato Tasso* (1785) des italienischen Abate studierte G. ab März 1788 in Italien und benutzte sie als Hauptquelle für die zweite Schaffensphase des →*Torquato Tasso* (an Carl August 28. 3. 1788). Ihr entlehnte er neben dem Hintergrundskolorit und den politischen Spannungen am Hof von Ferrara vor allem die Figur von Tassos Gegenspieler Antonio Montecatino.

Serbische Dichtung. G.s erste Begegnung mit serbischer Dichtung erfolgte in F. A. C. Werthes' Übersetzung (nach A. Fortis) *Über die Sitten der Morlacken* (1775); eine dort zweisprachig abgedruckte Volksballade gab den Anlaß für G.s →*Klaggesang von der edlen Frauen des Asan Aga* (1775). Dann bedurfte es allerdings eines halben Jahrhunderts und einer Anregung J. Grimms, bis G. seinen durch Herder geschärften Blick für volkstümliche Dichtung wieder der serbischen Dichtung zuwandte: Nachdem Vuk →Karadžić ihm seit 1814 ohne Echo seine Sammlung serbischer Volkslieder übersandt hatte, besprach G. diese als *Serbische Lieder* (*Über Kunst und Altertum* V,2, 1825) und lobte vor allem die lyrischen Stücke, zumal die Liebeslieder. Weitere Besprechungen folgten: die *Volkslieder der Serben* (1825 f.) in der Übersetzung von T. A. L. von Jakob (Talvj) und der Dichtungen von Sima Milutinovic (ebd. VI,1, 1827), die Übersetzungen *Wila* von W. Gerhard (1828) und John Bowrings Anthologie *Servian popular poetry* (1827) (ebd. VI,2, 1828). Im gleichen Heft erkannte G. P. Mérimées Mystifikation »illyrischer Gedichte« in *La Guzla* (1827). G.s Eintreten für die südslavische Volksepik und -lyrik, in deren melodischem, balladeskem und gemüthaftem Charakter er das »Ur-Ei« der Poesie vor Trennung der Gattungen sah, gab einen wichtigen Anstoß zur weiteren Sammlung, Erforschung und Übersetzung dieser Dichtung im Sinne der aufkommenden Weltliteratur.

M. Čurčin, Das serbische Volkslied in der deutschen Literatur, 1905; M. Trivunac, G. und die serbokroatische Literatur, Germano-Slavica 1, 1931 f.; M. Čurčin, G. and Serbo-Croat ballad poetry, Slavonic review 11, 1932 f.; J. M. Milović, G., seine Zeitgenossen und die serbokroatische Volkspoesie, 1941 u. ö.; H. Jilek, G. und der slavische Südosten, Zeitschrift für deutsche Geisteswissenschaft 3, 1940 f.; E. Krag, G. und die serbische Volksdichtung, Scando-Slavica 3, 1957; J. M. Milović, Das Echo der serbokroatischen Volkspoesie in der deutschen Literatur, JbWGV 68, 1964; D. Perisić, G. bei den Serben, 1968; R. Pribić, G. und das serbische Volkslied, Germano-Slavica 4, 1983; J. Hennig, Die literarischen Grundlagen von G.s Beschäftigung mit serbischer Volkspoesie, LJb 26, 1985, auch in ders., G.s Europakunde, 1987; Geschichte und Poesie, hg. Ch. Oberfeld 1994.

Serlo. Die Figur des Theaterdirektors und Bruders von Aurelie in *Wilhelm Meisters Lehrjahre* (besonders Buch IV–V), dessen Truppe sich der Rest von Melinas Truppe und zeitweilig auch Wilhelm Meister anschließen, die Diskussionen um Shakespeare und die Aufführung des *Hamlet* durch diese Truppe mit Wilhelm als Hamlet markieren den Höhepunkt und zugleich das Ende von Wilhelm Meisters Theaterlaufbahn. Für die Figur Serlos benutzte G. einige

Züge des Hamburger Theaterdirektors F. L. Schröder und sein Streben nach einem vom Hof unabhängigen, bürgerlichen Nationaltheater.

K. Bojunga, Der Name S. in G.s Wilhelm Meister, ZfD 35, 1921.

Sesenheim (eigentlich Sessenheim, doch hat sich in der Literatur G.s Schreibweise eingebürgert). Das Dorf im Unterelsaß nördlich von Straßburg und sein Pfarrhaus, das G. 1771 zeichnete, waren vom 10. 10. 1770 bis 7. 8. 1771 der Schauplatz der »Sesenheimer Idylle« G.s mit Friederike →Brion, zu dem G. mehrfach von Straßburg hinüberritt und wo er am 18. 5.–23. 6. 1771 auch wohnte. Er besuchte den Ort wieder auf der 2. Schweizer Reise am 25. 9. 1779 (*Besuch in Sesenheim 1779*). →Sesenheimer Lieder.

L. M. Price, Goldsmith, S., and G., GR 4, 1928; E. Staiger, S., Atlantis 22, 1950; W. Guggenbühl, S., Saverne 1961; A. Fuchs, S., Straßburg 1964; R. Matzen, G., Friederike und S., 1983 u. ö.; E. Bracht, Wakefield in S., Euph 83, 1989; H. Meller, Literatur im Leben, DVJ Sonderheft 1994.

Sesenheimer Lieder. Im Unterschied zu den Leipziger Liedern sammelte G. die Lieder und Briefgedichte an Friederike →Brion, die er ihr 1770/71 teils von Straßburg zusandte, nicht und besaß selbst wohl nur von wenigen Kopien. Nur vier davon veröffentlichte er, teils nach dem Gedächtnis aufgezeichnet und leicht verändert, 1775 anonym in Jacobis Zeitschrift *Iris*, und von diesen nahm er nur drei (*Mit einem gemalten Band, Willkommen und Abschied, Mailied*) in die *Schriften* (1789) auf. 1835 fand der Student Heinrich Kruse bei Friederikes Schwester Sophie eine handschriftliche Sammlung von zehn anonymen Gedichten an Friederike; ein elftes (»Dem Himmel wachs' entgegen«) teilte sie ihm aus dem Gedächtnis mit. Diese von verschiedenen Händen geschriebene Handschrift, nur noch in Kruses Abschrift erhalten, enthält jedoch auch zumindest zwei Gedichte (»Ach du bist fort« und »Wo bist du jetzt«) von J. M. R. Lenz, der 1772 bei Friederike G.s Nachfolge antreten wollte und sie ebenfalls besang; G. werden davon aus stilistischen und inhaltlichen Gründen oder aufgrund späterer Publikationen zugeschrieben: »Erwache, Friederike« (2., 4. und 5. Strophe vielleicht von Lenz), »Jetzt fühlt der Engel«, »Nun sitzt der Ritter«, »Ich komme bald«, »Kleine Blumen, kleine Blätter« (= *Mit einem gemalten Band*; *Iris*), »Balde seh' ich Rickgen wieder« (z. T. Lenz zugeschrieben), »Ein grauer, trüber Morgen« und »Es schlug mein Herz« (= *Willkommen und Abschied*; *Iris*). Zwei weitere Sesenheimer Lieder fanden sich im Nachlaß Johanna Fahlmers, der G. sie 1774 aus dem Gedächtnis diktiert haben mag (»Ob ich dich liebe«, auch *Iris*, und »Ach, wie sehn' ich mich nach dir«). Dem gleichen Umkreis gehören das *Maifest* bzw. *Mailied* (*Iris*) und »Ein zärtlich jugendlicher Kummer« an. Kennzeichnend für alle Sesenheimer Lieder, die den lyrischen Niederschlag der Straßburger Zeit bilden, ist der Durchbruch zu einer neuen, direkten Gefühlsaussprache und

Erlebnishaftigkeit in schlicht-volkstümlichen, innigen, jugendlich-kraftvollen Versen.

Th. Siebs, Die S. L. von G. und Lenz, PrJbb 88, 1897; E. Schröder, Die Sesenheimer Gedichte von G. und Lenz, Nachrichten von der Kgl. Gesellschaft der Wissenschaften zu Göttingen, Phil.-hist. Klasse, 1905; Th. Maurer, Die S. L., 1907; E. Schröder, Sesenheimer Studien, JGG 6, 1919; Th. Maurer, Das S. L.buch, in ders., G.s Michaeliserlebnis im Elsaß, 1932; E. Feise, Zu G.s S. L., PMLA 57, 1942; P. Müller, Zwei Sesenheimer Gedichte G.s, WB 13, 1967; Methoden- und Rezeptionswandel in der Literaturwissenschaft am Beispiel der Sesenheimer Lyrik G.s, hg. E. Mittelberg 1976; H. Brandt, G.s Sesenheimer Gedichte als lyrischer Neubeginn, GJb 108, 1991.

Sestini, Domenico. Der gelehrte Botaniker war 1774–77 Bibliothekar des Fürsten →Biscari in Catania und publizierte 1776 einen Katalog seiner Sammlungen. Er ist vermutlich nicht identisch mit dem »Hausgeistlichen« des Fürsten, der G. am 3. 5. 1787 durch dessen antiquarische und naturwissenschafliche Sammlungen und am 4. und 6. 5. durch die Sehenswürdigkeiten Catanias führte (*Italienische Reise* 2.–6. 5. 1787).

Seume, Johann Gottfried (1763–1810). Der durch seine abenteuerlichen Schicksale und seinen *Spaziergang nach Syrakus* (1803) bekannte Schriftsteller und demokratische Publizist besuchte G. mit H. C. Robinson am 20. 11. 1801 in Weimar. Seine Gedichte lehnte G. als zu negativ ab (zu F. von Müller 7. 7. 1825).

Sévigné, Marie de Rabutin-Chantal, Marquise de (1626–1696). Mit den Briefen der französischen Schriftstellerin beschäftigte sich G. am 4.–7. 6. 1824. Ihnen entlehnte er *Maximen und Reflexionen* 305.

Sexualität. Für das Verständnis und die Beurteilung von G.s Dichtungen erscheint es herzlich unbedeutend, ob G. wirklich, wie neuere psychoanalytische Forschung zu erhärten sucht, infolge einer Schwesterbindung oder aus Furcht vor Ansteckungen erst mit 37 Jahren in Rom (→Faustina) sexuell aktiv geworden sei, welche Rolle im Verhältnis zu Christiane seelische Zuneigung und sexuelle Kompatibilität gespielt hätten und wieweit die früheren und späteren leidenschaftlichen Neigungen zu Frauen im Stadium der Gefahr bewußt abgebrochen oder sublimiert wurden. Wie so oft führt die Suche nach Zeugnissen sexueller Verdrängung oder Befreiung in Werken und Briefen von ihrem eigentlichen Sinn ab und verleitet durch die Einseitigkeit der Fragestellung und den Beweiszwang zu waghalsigen Hypothesen. →Frauen, →Liebe, →Erotica.

E. M. Wilkinson, Sexual attitudes in G's life and works, in: G. revisited, hg. dies., London 1984; K. R. Eissler, G., 1985.

Shaftesbury, Anthony Ashley Cooper, 3. Earl of (1671–1713). Der einflußreiche englische Staatsmann, Moralphilosoph und Ästhetiker wirkte vor allem durch seinen Begriff vom Künstler als einem aus

Naturkraft schaffenden →Genie auf die Genieästhetik des Sturm und Drang und dessen Ablösung des herkömmlichen Regelzwangs. Zumal sein Vergleich des Künstlers mit →Prometheus als gottähnlichem Schöpfer (»Such a poet is indeed a second maker, a just Prometheus under Jove«, *Soliloquy*, 1710) stand mit Pate für G.s →*Prometheus*-Dichtungen. Später beschäftigte G. sich am 28.–31. 1. 1813 mit seinen Werken und würdigt ihn in der Logenrede *Zu brüderlichem Andenken Wielands* (1813) als dessen »älteren Zwillingsbruder«, »trefflichen Denker« und Verfechter einer durch »Geist, Witz, Humor« erreichbaren heiteren Geistesfreiheit gegenüber der Intoleranz der Kirche.

O. Walzel, Das Prometheussymbol von S. zu G., 1910 u. ö.; Ch. F. Weiser, S. und das deutsche Geistesleben, 1916 u. ö.; M. A. Morland, A. Earl of S. and the German classical writers, Diss. London 1946.

Shakespeare, William (1564–1616). Es ist nicht verwunderlich, daß von allen Dichtern der Weltliteratur der englische Dramatiker den stärksten Eindruck auf G. machte, umspannte G.s Lebenszeit doch die wesentlichen Phasen der deutschen Shakespeare-Aneignung von der »Entdeckung« des Genies durch Lessing, J. E. Schlegel, Bodmer, Gerstenberg, Herder u. a. über die ersten Übersetzungen (von Borck, Wieland, Eschenburg u. a.) und Aufführungen sowie die Shakespeare-Nachahmungen im Sturm und Drang-Drama bis zur definitiven Eindeutschung durch A. W. Schlegel und L. Tieck. An ihnen allen hatte G. selbst wesentlichen Anteil. Seine Auseinandersetzung mit Shakespeare begleitet ihn sein ganzes Leben und führt zu immer neuen Entdeckungen im unerschöpflichen Werk. Die erste, rezeptive Phase eines noch jugendlichen Shakespeare-Enthusiasmus beginnt mit der Lektüre von W. Dodds Anthologie *The beauties of Shakespeare* (1752) in Leipzig im März 1766; ihr folgt um 1768 die Beschäftigung mit Wielands Prosa-Übersetzung von 22 Dramen Shakespeares (VIII 1762–66) und mit der J. J. Eschenburgs (XIII 1775–82), und noch in Leipzig plant G. eine Neubearbeitung des Romeo und Julia-Stoffes. Lesefrüchte finden sich 1770/71 in den *Ephemerides,* und schon früh nennt G. Shakespeare neben Oeser und Wieland »meinen echten Lehrer« (an P. E. Reich 20. 2. 1770). So war ihm Shakespeare kein Unbekannter, als Herder ihm in Straßburg 1770/71 seine Größe erschloß und fruchtbare Anstöße zur tieferen Auseinandersetzung im Sinne gab, den später dessen eigener Aufsatz *Shakespeare* (in *Von deutscher Art und Kunst*, 1773) betonte: Shakespeare als Gegenbild zur französischen tragédie classique und Muster für das neue Drama. Ausdruck findet G.s überschwengliche Begeisterung zuerst in der hymnisch-feurigen Rede →*Zum Shakespeares Tag* (Erstdruck 1854), die G. am 14. 10. 1771 bei einer Shakespeare-Feier zu dessen Namenstag vor einem kleinen Publikum im Elternhaus hielt und die in pathetischem Bekenntnis das Schöpfertum des von den Regeln

unabhängigen Genies preist. Dichterischen Niederschlag fand die
Shakespeare-Begeisterung vor allem im *Götz von Berlichingen*, von
dessen 1. Fassung Herder meinte, Shakespeare habe ihn ganz verdorben, und in den frühen Szenen des *Urfaust*. Ein reiferes und kritisches Verständnis Shakespeares setzt in der 1780er Jahren in Weimar ein und bekundet sich in den Diskussionen zwischen Serlo
und Wilhelm Meister in *Wilhelm Meisters theatralische Sendung* und
Wilhelm Meisters Lehrjahre (III–V), in denen Wilhelm als Persona des
jugendlichen G. für die Unantastbarkeit des Werkes eintritt,
während der Theaterpraktiker Serlo für Streichungen und Bearbeitung im Hinblick auf die Bühnenerfordernisse der Zeit plädiert:
Distanzierung des Erlebnisses in dialektischer epischer Reflexion.
Zumal die Theaterleitung G.s erforderte eine sachlich-kritische Betrachtung der Dramen Shakespeares im Hinblick auf ihre theater-
praktische Aufführbarkeit; man spielte 1791 *König Johann*, 1792
Heinrich IV. und *Hamlet* (unverändert), 1796 *König Lear*, 1800
Macbeth (in Schillers Bearbeitung), 1805 *Othello*, 1812 *Der Kaufmann von Venedig* und am 1. 2. 1812 →*Romeo und Julia* in G.s
eigenwillig einschneidender Bearbeitung vom 5.–31. 12. 1811 auf
der Grundlage von A. W. Schlegels Übersetzung, die mit dem Tod
Julias ohne Versöhnung der Eltern ausklingt. G.s drei Aufsätze
→*Shakespeare und kein Ende* rechtfertigen seine Kürzungen aus dem
historisch-gesellschaftlichen Kontext des Werkes, doch bereits 1826
bekennt sich G. in der Rezension von *Ludwig Tiecks dramaturgischen
Blättern* zur »Einheit, Unteilbarkeit, Unantastbarkeit Shakespeares«.
Schließlich bietet ihm 1827 die Rezension des Neudrucks *The first
edition of the tragedy of Hamlet* (1825) noch einmal Gelegenheit zu
einer abwägenden, höchst positiven Bewertung des Dichters. Nebenher geht durch G.s ganzes Leben eine wiederholte und später
(1822–30) systematische Lektüre der Dramen im Originaltext oder
in der Übersetzung von Schlegel/ Tieck, die er seit 1799 mit Interesse verfolgte. Eine kleine Huldigung an Shakespeare bilden das
Gedicht *Zwischen beiden Welten* (vor 1820) und die Anlehnung des
»Walpurgisnachtstraums« (*Faust* v. 4223 ff.) an Shakespeares *Sommernachtstraum*. In gleichem Sinne sind auch die Anlehnungen von
Mephistos Lied in der Valentinszene *(Faust* v. 3682 ff.) an das Lied
Ophelias in *Hamlet* IV,5 (vgl. zu Eckermann 18. 1. 1825) und des
Lemurenliedes (*Faust* v. 11531 ff. und 11604 ff.) an das Totengräber-
lied im *Hamlet* V,1 zu verstehen, das G. auch aus Percys *Reliques*
kannte. Vgl. *Dichtung und Wahrheit* III,1.

F. Gundolf, S. und der deutsche Geist, 1911 u. ö.; W. Deetjen, S.-Aufführungen unter
G.s Leitung, S.-Jahrbuch 68, 1932; F. B. Wahr, G's S., Philological Quarterly 11, 1932;
R. Pascal, S. in Germany 1740–1815, Cambridge 1937; H. Schöffler, S. und der junge
G., S.-Jahrbuch 76, 1940, auch in ders., Deutscher Geist im 18. Jahrhundert, 1956;
E. L. Stahl, S. und das deutsche Theater, 1947; W. F. Schirmer, S. und der junge G., PEGS
NS 17, 1948; H. Oppel, Das S.-Bild G.s, 1949; H. Wolffheim, Die Entdeckung S.s,
1959; H. Himmel, S. und die deutsche Klassik, JbWGV 64, 1960; K. S. Guthke, Rich-
tungskonstanten in der deutschen S.-Deutung des 18. Jahrhunderts, S.-Jahrbuch 98,
1962; J. Boyd, G. und S., 1962; R. Pascal, G. und das Tragische, Goethe 26, 1964;

U. Wertheim, Philosophische und ästhetische Probleme in Prosastücken G.s über S., Goethe 26, 1964, auch in dies., G.-Studien, 1968; H. Plard, S. mis en scène par G., Revue de la société d'histoire du théâtre 16, 1964; H. Huesmann, S.-Inszenierungen unter G. in Weimar, 1968; K. Ermann, G.s S.-Bild, 1983, Auszug GJb 107, 1990; H. Henning, G.s S.-Rezeption, S.-Jahrbuch 119, 1983; P. J. Burgard, Literary history and historical truth. Herder, S., G., DVJ 65, 1991.

Shakespeare und kein Ende. Der dreiteilige Essay entstand am 21. 2.–30. 3. 1813 (I/II) und Anfang 1816 (III) und erschien zuerst im *Morgenblatt für gebildete Stände* (I/II: Nr. 113, 12. 5. 1815) bzw. *Über Kunst und Altertum* (III:V,3, 1826). Gegenüber der Emphase der frühen Rede *Zum Shakespeares-Tag* gibt die zweite Shakespeare-Schrift G.s aus abgeklärter Distanz eine abgewogene Bewertung des Dichters aufgrund der eigenen praktischen Theatererfahrung und unter dem Einfluß von Schillers philosophischen Ideen (Freiheit und Notwendigkeit, Pflicht und Neigung, Sollen und Wollen). Sie betrachtet Shakespeare »als Dichter überhaupt«, ortet seinen literarhistorischen Stellenwert zwischen antikem und modernem Drama, die er verbinde, erkennt seine sozial-geographische Bedingtheit und versucht, ihn »als Theaterdichter« in seiner Wirkung auf die Einbildungskraft zu verstehen. Sie spürt den fortwirkenden und zeitbedingten negativen Faktoren im Werk im Hinblick auf seine Adaptierbarkeit für moderne Bühnenerfordernisse nach, lehnt die komischen Figuren in den Tragödien ab und rechtfertigt G.s eigene (und F. L. Schröders) Praxis der Bearbeitung gegenüber den Forderungen der Romantiker nach sklavisch authentischen Aufführungen (zum Widerruf vgl. →Shakespeare).

Literatur →Shakespeare.

Shelley, Percy Bysshe (1792–1822). Der englische Romantiker interessierte G. wohl nur wegen seiner Verbindung zu Lord Byron, der »viel zu gut gegen ihn gewesen« sei (zu F. von Müller 20. 11. 1824). Daß dieser »armselige Wicht« (ebd.) einige Szenen seines *Faust* übersetzt und 1822 in Byrons Zeitschrift *The Liberal* veröffentlicht hatte, erfuhr G. scheints erst, als er sich am 19./20. 7. 1826 mit Shelleys Werk beschäftigte.

A. Koszul, Une traduction de poète, Revue Germanique 3, 1907; P. M. Buck, G. and S., in: The G. centenary, hg. A. R. Hohlfeld, Madison 1932; C. C. Vail, S's translations from G., GR 23, 1948; F. G. Steiner, S. and G's Faust, Rivista di letterature moderne NS 1/2, 1950 f.

Sheridan, Richard Brinsley (1751–1816). Von dem englischen Dramatiker sah G. am 16. 5. 1778 in Berlin und am 23. 12. 1779 in Mannheim (mit Iffland) die Komödie *Die Nebenbuhler.* Das Weimarer Theater spielte mit Erfolg ab 1792 *Die Nebenbuhler* und ab 1798 *Die Lästerschule,* deren Vorstellungen G. mehrfach besuchte.

Sickingen, Franz von (1481–1523). Der Reichsritter führte mehrere Privatfehden, trat 1517 als Feldhauptmann in kaiserlichen Dienst, ging zur Reformation über und bekämpfte im Namen der schwäbischen und rheinischen Ritterschaft den Kurfürsten von Trier, um durch die erstrebte Säkularisation der geistlichen Fürstentümer dem Ritterstand mehr Einfluß und sich die Kurfürstenwürde zu verschaffen. Er mußte jedoch die Belagerung von Trier abbrechen und wurde seinerseits von einer Strafexpedition der Fürsten in seiner Festung Landstuhl eingeschlossen, wo er am Tag der Übergabe an einer Verwundung starb. Als standesbewußter Freund Götz von Berlichingens erwirkte er 1519 die Umwandlung von dessen Gefängnishaft in eine ritterliche Haft im Gasthof. G.s *Götz von Berlichingen* macht ihn zur Parallelfigur von Götz; sein am Ende angedeuteter Untergang symbolisiert mit dem der Titelfigur das Ende des freien Reichsritterstandes. Durch die freundschaftliche Anrede »Schwager« in Götz' Autobiographie verleitet, macht G. ihn jedoch irrtümlich und unhistorisch zum Schwager von Götz, der dessen von Weislingen verlassene Schwester Maria heiratet (vgl. *Dichtung und Wahrheit* III,13). In der 1. Fassung (*Geschichte Gottfriedens von Berlichingen*) verfällt auch Sickingen bis zum Ehebruch der Dämonie Adelheids; bei der Straffung der Adelheid-Szenen in der Druckfassung wurde diese Szene (»Nacht. Adelheidens Vorzimmer«) gestrichen.

Sickler, Friedrich Carl Ludwig (1773–1836). Der Archäologe und Philologe, zeitweise Hauslehrer bei Humboldt in Rom, 1812 Gymnasialdirektor in Hildburghausen, entdeckte 1809 ein Grabmal bei Cumae und veröffentlichte 1812 Nachzeichnungen von dessen Basreliefs (*De monumentis aliquot Graecis*). G. gab eine ausführliche Interpretation der Darstellungen in Form eines *Sendschreibens* an Sickler im Aufsatz *Der Tänzerin Grab* (in *Curiositäten der physisch-literarisch-artistisch-historischen Vor- und Mitwelt* III, 1812) und sah seine Deutung durch die spätere Nachbildung von I. F. W. M. von Olfers (1831) bestätigt (*Ein Grab bei Cumae,* Nachlaß). Sie wirkte auf den Lemurenchor im *Faust* (v. 11515 ff.) ein.

G. Steiner, Die Sphinx zu Hildburghausen F. S., 1985.

Siebenjähriger Krieg (1757–63). Die kriegerischen Auseinandersetzungen zwischen Friedrich II. von Preußen einerseits und Österreich, Frankreich und Rußland andererseits erlebte der junge G. im Frankfurter Elternhaus, wo die politischen Sympathien – der Großvater war kaiserlich, der Vater preußisch gesinnt – die Familie in zwei Parteien spalteten (*Dichtung und Wahrheit* I,2). Direkte Kriegsfolgen waren die französische Besetzung Frankfurts 1759–62, die Einquartierung des Königsleutnants Thoranc, dessen Maleratelier und das französische Theater in Frankfurt (ebd. I,3). In hörbare Nähe geriet der Krieg mit der Schlacht bei →Bergen vor den Toren von Frankfurt am 13. 4. 1759 (ebd.). Die Wirkung des Krieges auf die deutsche Literatur beschreibt G. als »höheren eigentlichen Lebensgehalt« (ebd. II,7).

Sie kommt nicht! Das kleine, harmlos-scherzhafte, improvisierte, »jammervolle Familienstück« schrieb und inszenierte G. mit den Offenbacher Freunden André, Ewald, Bernard d'Orville u. a., um zu beschönigen, daß Lili Schönemann zur Enttäuschung aller nicht rechtzeitig zu einem für sie veranstalteten Fest in Offenbach eintreffen konnte. Der Text ist nicht erhalten, auch G. besaß keine Abschrift, als er den Inhalt für *Dichtung und Wahrheit* (IV,17) rekonstruierte. Die dort gegebene Datierung auf Lilis 17. Geburtstag am 23. 6. 1775 ist allerdings irrig, da G. an diesem Tag in der Schweiz auf dem St. Gotthard war.

Siena. In der Stadt der Toscana weilte G. auf dem Heimweg von Italien am 27./28. 4. 1788, besichtigte u. a. den Dom, S. Domenico und bestieg den Torre del Magia.

Sierre/Siders. In der Stadt im Schweizer Rhônetal übernachtete G. auf der 2. Schweizer Reise am 8. 11. 1779 und besuchte tags darauf Leukerbad.

Silber, Benjamin (1772–1821). Das Trauerspiel *Johann Friedrich, Kurfürst zu Sachsen* (1804) des sächsischen Offiziers und Erzählers besprach G. in der *Jenaischen Allgemeinen Literaturzeitung* (Nr. 38, 14. 2. 1805) negativ als »Schein eines Theaterstücks« in der *Wallenstein*-Nachfolge, dessen größter Verdienst in der Kürze liege.

Silhouette, Schattenriß, Scherenschnitt. Das späte 18. Jahrhundert war die Blütezeit der Porträtsilhouette, die man als Profilumriß freihändig nach Augenmaß oder nach geworfenen Schatten, teils mithilfe besonderer Silhouettenstühle, zeichnete oder ausschnitt, anstelle teurer Miniaturporträts (mangels Photographien) Freunden und Freundinnen schenkte und in Silhouettenalben sammelte – so auch G. Er interessierte sich seit der Mitarbeit an Lavaters *Physiognomischen Fragmenten* für Silhouetten, pries die Kunst etwa von J. F. →Anthing und L. A. L. →Schopenhauer, saß selbst vielen G.-Silhouetten (→Porträts) und hinterließ eine große Zahl meist unbenannter Silhouetten. Den ersten Eindruck von Ch. von Stein gewann G. 1771 in Straßburg anhand einer Silhouette bei J. G. Zimmermann. Seinen Silhouetten, die er am 15. 9. 1773 bzw. 31. 8. 1774 an Kestner und Ch. von Stein sandte, legte er das Gedicht *Das garstige Gesicht* bei.

S. aus der G.zeit, hg. L. Grünstein, 1909; Die G.zeit in S., hg. H. T. Kroeber 1911; →Porträts.

Silie, Johanna Sophie Friederike, geb. Petersilie (1785–1855). Die junge Schauspielerin gehörte Ostern 1802 – Herbst 1809 zum Weimarer Theater und verkehrte mit anderen Schauspielern öfter bei G. Sie heiratete 1809(?) den Schauspieler Carl Unzelmann.

Simrock, Karl →*Nibelungenlied*

Singet nicht in Trauertönen … Das spielerisch-frivole Rollenlied der →Philine in *Wilhelm Meisters Lehrjahren* (V,10) entspricht
auch in seinem witzig-graziösen, durchaus dezenten Wortlaut ihrem leichten, naiv-sinnlichen Charakter. Es bildet in seiner erotischen Sinnenfreude ein Gegengewicht zu den Mignon- und Harfnerliedern
und präludiert Philines nächtlichem Besuch bei Wilhelm (V,12).
Die sittenwächterische Erregung, die sein Preis der Liebesnacht
als »schönste Hälfte« des Lebens (ähnlich *Hermann und Dorothea*
IV,199) bei der schamhaften gründerzeitlichen Germanistik auslöste, und die ebenso grotesken Rettungsversuche gehören der
Geschichte wissenschaftlicher Prüderie an (GJb 4 und 21).

Singspiele. G.s Bemühungen um das musikalische Drama sind zunächst 1773–85 an der Leipziger Tradition der Singspiele von Ch. F.
Weiße und J. A. Hiller und der französischen *opéra comique* orientiert, in denen Wort und Handlung im Sprechdialog gegenüber der
Musik in Liedern, Arien und Duetten den Vorrang haben, und streben bei aller fast improvisierten Leichtigkeit des Dialogs nach An-
hebung der Texte auf ein höheres sprachliches Niveau: *Erwin und
Elmire, Claudine von Villa Bella, Lila, Jery und Bätely, Die Fischerin*. Seit
der Begegnung mit der italienischen *opera buffa* durch Bellomos
Truppe ab 1783 und insbesondere während der Italienreise (*Italienische Reise*, Bericht November 1787) wird deren Formgesetz zum
Vorbild. Eine stärkere Durchdringung von Wort und Musik führt
zur Unterordnung der zum →Libretto zurückgedrängten Dichtung
unter die Musik durch Ersatz der Prosadialoge durch Rezitative in
Versen und Ausdehnung der Gesangsteile: *Scherz, List und Rache*,
die zweiten Fassungen von *Erwin und Elmire* und *Claudine von
Villa Bella* sowie die Fragmente *Die ungleichen Hausgenossen* und
Die Mystifizierten. Das Streben nach gleichwertigen musikalisch-
theatralischen Kunstwerken bedingt, daß diese nicht mehr ausschließlich als literarische Texte, sondern als Aufführungstexte zu
bewerten sind. G.s Singspiele wirkten jedoch auch infolge ihrer
zweitklassigen oder dilettantischen Komponisten seiner Zeit (André,
Anna Amalia, Kayser, Reichardt, Eberwein, Schröter, Seckendorff
u. a.) kaum über die Weimarer Liebhaberbühne hinaus und wurden
nach dem Siegeszug von Mozarts *Entführung aus dem Serail* als aus-
sichtslos aufgegeben. Vgl. die einzelnen Singspiele.

W. G. J. Martinsen, G.s S. im Verhältnis zu den Weißeschen Operetten, Diss. Gießen
1887; S. E. Bötcher, G.s S., 1912; L. Hirschberg, G.s S. in der klassischen Musik, Zeitschrift für Musik 92, 1925; W. B. Schwan, Die opernästhetischen Theorien der deutschen klassischen Dichter, 1928; K. Blechschmidt, G. in seinen Beziehungen zur Oper,
Diss. Frankfurt 1937; M. Treisch, G.s S. in Kompositionen seiner Zeitgenossen, Diss.
Berlin 1951 und WZ Berlin, ges.- und sprachwiss. Reihe 3, 1953 f.; O. Janowitz, G. als
Librettist, GLL NS 9, 1955 f.; U. Pellaton-Müller, G.s S. von 1775–1786, Diss. Zürich
1973; H.-A. Koch, Das deutsche S., 1975; H.-A. Koch, Die S., in: G.s Dramen, hg.
W. Hinderer 1980; S. Kohler, Das S. als dramatischer Formtypus, in: G. im Kontext, hg.
W. Wittkowski 1984; F. van Ingen, G.s S., in: Revolution und Autonomie, hg. W. Witt-
kowski 1990; →Musik, →Oper.

Sion/Sitten. An der Hauptstadt des Schweizer Kantons Wallis, in der G. auf der 2. Schweizer Reise am 8. 11. 1779 übernachtete, fand er wenig Gefallen: Nicht nur verursachte eine abgetragene Brücke ihm einen großen Umweg, auch war »das Wirtshaus abscheulich, und die Stadt hat ein widriges, schwarzes Ansehn« (*Briefe aus der Schweiz 1779*).

Sirenen. G. übernimmt in der »Klassischen Walpurgisnacht« (*Faust* v. 7152 ff.) die griechischen Fabelwesen aus Homers *Odyssee* (XII, 39 ff.), die auf einer Insel hausen und vorüberfahrende Schiffer mit betörendem Gesang anlocken, um sie zu zerfleischen, in der nachhomerischen Tradition als Vogelsirenen mit Mädchenoberkörper und Raubvogelrumpf, nicht in der mittelalterlichen Form der Fischschwanz-Sirene. Auf einen Hinweis C. W. Göttlings (an G. 28. 7. 1827) auf die Ähnlichkeit Helenas mit den antiken Sirenen reagierte G. am 28. 7. 1827 mit dem Gedicht *Die neue Sirene.*

Sitten →Sion

Sittlichkeit →Ethik

Sixtinische Kapelle. Die 1475–81 erbaute päpstliche Kapelle im Vatikan mit den Deckengemälden (1508–12) und dem »Jüngsten Gericht« (1534–41) von →Michelangelo an der Altarwand besuchte G. zuerst mit Tischbein am 22. 11. 1786 und dann während seiner Aufenthalte in Rom häufig, besonders auch fast regelmäßig sonntags im März 1788 mit Kayser zur Kirchenmusik. In der *Italienischen Reise* gibt er wiederholt seinem überwältigenden Eindruck von der Großheit und Fähigkeit Michelangelos Ausdruck. Schon am 16. 2. 1787 rügt G. die zunehmende Verschmutzung der Fresken durch Kerzen und Weihrauch.

Sizilien. G.s etwa sechswöchige Reise nach und durch Sizilien (29. 3.–15. 5. 1787) in Begleitung des Malers Kniep bedeutete trotz G.s Seekrankheit auf den Überfahrten die Erfüllung einer langgehegten Sehnsucht: »Italien ohne Sizilien macht gar kein Bild in der Seele: hier ist erst der Schlüssel zu allem« (*Italienische Reise* 13. 4. 1787). Sie berührte fast alle wichtigen Orte an den Küsten und im Landesinneren mit Ausnahme von Selinunt und Syrakus und erreicht bei Agrigent den südlichsten Punkt seiner Reisen. Der 1813–15 redigierte Reisebericht der *Italienischen Reise* legt besonderen Wert auf Landschaft, Geschichte, Architektur, Volksleben, Landwirtschaft, Geologie und anekdotische Begegnungen mit kuriosen Personen. Die Stationen der Reiseroute (vgl. die Artikel über die einzelnen Orte; die hier genannten Daten meist nach dem Tagebuch weichen im Mai von denjenigen in der *Italienischen Reise* ab): 29. 3. 1787 Seereise von Neapel (Seekrankheit, Aquarellieren,

Arbeit am *Tasso*); 2.–17. 4. Palermo und Umgebung (6. 4. Monte
Pellegrino, 8. 4. beim Vizekönig, 9. 4. Bagheria/Palagonia, 10. 4.
Monreale, 14. 4. Familie Cagliostros, 15. 4. *Odyssee*-Lektüre, 16. 4.
Nausikaa-Plan, 17. 4. Gedanken zur Urpflanze und Metamor-
phose), 18.–19. 4. Alcamo, 20. 4. Segesta, 21. 4. Castelvetrano, 22. 4.
Sciacca, 23.–27. 4. Agrigent (Girgenti), 28. 4. Caltanisetta, 29. 4.
Enna (Castro Giovanni), 1.–5. 5. Catania (4. 5. Monte Rosso),
6.–8. 5. Taormina (*Nausikaa*-Schema), 9.–12. 5. Messina, 12.–15. 5.
Seereise Messina–Neapel.

G. v. Graevenitz, G. in S., JFDH 1911; K. Loewer, G.s sizilianische Odyssee, JGG 3,
1916; G. A. Alfero, G. e la Sicilia, Nuova Antologia 259, 1928; Viaggio in Sicilia, hg.
A. Loria, Mailand 1955; W. E. Mühlmann, G., S. und wir, GRM NF 26, 1976; Un paese
indicibilmente bello, hg. A. Meier, Palermo 1987; L. Ritter-Santini, Im Garten der
Geschichte, GJb 105, 1988; A. Meier, Seekranke Betrachtungen auf der Königin der
Inseln, GRM 39, 1989; G. in Sicilia, hg. P. Chiarini, Rom 1992; →Italien.

Skulptur. G.s Hochschätzung der Bildhauerkunst als »das eigentliche Fundament aller bildenden Kunst« (*Verein der deutschen Bildhauer*, 1817) beruht auf ihrer Aufgabe, »daß die Würde des Menschen innerhalb der menschlichen Gestalt dargestellt werde« (ebd.),
der gegenüber alles andere Nebenwerk sei, und »weil sie den Menschen von allem, was ihm nicht wesentlich ist, entblößt« (*Über Laokoon*, 1798*)*, also auf der Darstellung des nackten Menschen – »der
Mensch ohne Hülle ist eigentlich der Mensch« (*Wanderjahre* III,3)
– entsprechend dem klassizistischen Kunstideal Winckelmanns, das
ihm von Oeser vermittelt wurde und an dem er zeitlebens festhielt.
Dabei enthüllt sich die Misere einer angemessenen Kunstkritik
ohne breiteres, adäquates Anschauungsmaterial: So wie Lessing seinen *Laokoon* schrieb, ohne auch nur einen Gipsabguß der Gruppe
gesehen zu haben, beruhte G.s Kenntnis der für ihn einzig musterhaften antiken Skulptur am Straßburger
Münster nahm er ebensowenig wahr wie die am Naumburger
Dom – auf einigen Gipsabgüssen bei Oeser in Leipzig, denen im
Mannheimer Antikensaal (1769) und unvollkommenen Kupferstichen. Die Italienreise erweiterte zwar seine Anschauung, jedoch
nur um römische Kopien griechischer Originale (Apoll von Belvedere, Juno Ludovisi, Zeus von Otricoli, Minerva Giustiniani u. a.),
von denen er in Rom oder später teils Gipsabgüsse erwarb und
deren Ruhm heute weitgehend verblaßt ist. Griechische Originale
wie den Parthenonfries kannte er weiterhin nur aus Umrißzeichnungen; Renaissance- und Barockplastik (mit Ausnahme der Kleinplastik Cellinis) lag außerhalb seines Interessenkreises. Von Michelangelo sah er in Rom den Moses, für dessen Bildwerke in Florenz
fehlen Zeugnisse. Die Dürftigkeit der Begegnungen schließt jedoch
ein reges Interesse an Proportionen, Anatomie, Gestaltung und Bewegungen nicht aus; im Juli/August 1787 versucht G. sich in Rom
selbst im Modellieren von Köpfen, in Weimar verschönt er Stadt
und Ilmpark durch die Ildefonso-Gruppe und Monumente, sam-

melt Gemmen und Münzen als antike Kleinplastik, bemüht sich um eine Rekonstruktion von →*Myrons Kuh* und sitzt seinerseits für zahlreiche Büsten und Statuen (→Porträts). →Kunst

E. Wolf, G. und die griechische Plastik, NJbbWJ 1, 1925; A. Fuchs, G. und die antike Plastik, JbWGV 66, 1962, auch in ders., G.-Studien, 1968; →Kunst.

Soane, George (1790–1860). Der englische Schriftsteller publizierte 1820 zweisprachige *Extracts from Göthe's tragedy of Faustus* als Erläuterung zu den Unrißzeichnungen von F. A. M. Retzsch, die G.s Beifall fanden (an Reinhard 20. 6. 1822). Seine Übersetzung von *Howards Ehrengedächtnis* (*London Magazine* 1821) übernahm G. in die Hefte *Zur Naturwissenschaft überhaupt* (I, 4, 1822).

Söller →*Die Mitschuldigen*

Sömmering, Samuel Thomas von (1755–1830). Den bedeutenden Arzt, Anatomen und Physiologen lernte G. auf seiner 2. Harzreise Anfang Oktober 1783 als Professor der Anatomie in Kassel kennen und führte mit ihm, der 1784 als Professor in Mainz, 1797 als Arzt in Frankfurt und 1805–20 als Akademiemitglied in München wohnte, bis 1827 einen regen Briefwechsel und anhaltenden Schriftenaustausch zumal über anatomische Fragen, der G.s naturwissenschaftliche Interessen verstärkte. G. besuchte ihn am 21./22. 8. 1792 in Mainz (*Campagne in Frankreich*), am 17.–26. 5. 1793 in Frankfurt, sah ihn bei der Übergabe von Mainz am 22. 7. 1793 und traf ihn am 26. 7. 1793 in seinem zerstörten Quartier (*Belagerung von Mainz*). Während seines Aufenthalts in Frankfurt verkehrte er am 3.–14. 8. 1797 fast täglich mit ihm. Sömmering unterstützte durch Überlassung eines Elefantenschädels u. a. Schädel G.s Forschungen zum Zwischenkieferknochen, erhielt 1785 auf G.s Wunsch durch Merck seine lateinische Abhandlung darüber *Specimen osteologicum,* stand jedoch deren Ergebnissen bis 1791 ablehnend gegenüber. G. würdigt in den *Tag- und Jahresheften* und seinen naturwissenschaftlichen Schriften, besonders *Principes de philosophie zoologique,* wiederholt seine Verdienste als Forscher und Anreger.

R. Wagner, S. T. v. S. s Leben, II 1844; H. Schelenz, S. und G. in der Casseler Anatomie, Berliner klinische Wochenschrift 48, 1911; S. T. S. und die Gelehrten der G.zeit, hg. G. Mann 1985.

Sokrates (um 470–399 v. Chr.). Zu den nicht ausgeführten Dramenplänen G.s gehörte im Dezember 1771 ein Sokrates-Drama, für dessen stoffliche Grundlage er Platon, Xenophon, M. Mendelssohns *Phaedon* (1767) und Hamanns *Sokratische Denkwürdigkeiten* (1759) las (vgl. *Ephemerides*). Der Plan, den G. nur »in meinem Gehirn« dialogisierte und dessen Grundideen nur in einem mit Hamann-Zitaten und Anspielungen reichen Brief an Herder vom Anfang 1772 umreißt, trat jedoch bald in den Hintergrund (an Herder, Juli 1772). Mit Platons Sokrates-Bild befaßt sich G.s Aufsatz *Plato als Mitgenosse einer christlichen Offenbarung* (1796). Der verehrte griechische Philosoph bildete auch später einen festen Punkt in G.s Denken (Nachlaß-Xenion 222; *Maximen und Reflexionen* 658 und 663).

B. Böhm, S. im 18. Jahrhundert, 1929; E. Grumach, G. und die Antike, 1949.

So laßt mich scheinen … Das um 1795/96 entstandene letzte der →Mignon-Lieder (*Wilhelm Meisters Lehrjahre* VIII,2) greift situationsgebunden Bilder der vorangehenden Erzählung auf und artikuliert im Anschluß an *Offenbarung Johannis* 6,11 die Todessehnsucht und die christlich-katholischen Vorstellungen und Wünsche des Mädchens vom Leben nach dem Tode als einem von allen irdischen Bedingtheiten befreiten, geschlechtslosen und engelgleichen Zustand.

Literatur →Mignon-Lieder.

Solbrig, Christian Gottfried →*Gewohnt, getan*

Soldatenlied zu »Wallensteins Lager« →Es leben die Soldaten

Solfatara. Den von schwefelwasserstoffhaltigen Dünsten umgebenen Krater eines halberloschenen Vulkans inmitten einer Krater- und Hügellandschaft von vulkanischen Aschen östlich von Pozzuoli bei Neapel besuchte G. mit Fürst Christian August von Waldeck und Tischbein von Neapel aus nach einer Seefahrt bis →Pozzuoli am 1. 3. 1787. Er zeichnete die Landschaft und beschreibt sie in der *Italienischen Reise*.

Solger, Carl Wilhelm Ferdinand (1780–1819). Den Philosophen und Ästhetiker der Romantik, 1809 Professor der Philosophie in Frankfurt a.O., 1811 in Berlin, lernte G. im August 1818, zumal bei einem langen Spaziergang am 22.8., in Karlsbad persönlich kennen, nachdem er seit 1804 seine Übersetzung der Tragödien des Sophokles (1808) verfolgt und im Juli 1817 seine *Philosophischen Gespräche* (1817) gelesen hatte. 1827 besprach G. in *Über Kunst und Altertum* (VI,1) Solgers *Nachgelassene Schriften und Briefwechsel* (II 1817) und lobte darin besonders dessen Äußerungen zu den *Wahlverwandtschaften* (zu Eckermann 21. 1. 1827).

Solimena, Francesco →Giordano, Luca

Solms, Friederike Caroline Sophie Alexandrine, Fürstin, geb. Prinzessin von Mecklenburg-Strelitz (1778–1841). Die »unwiderstehliche Fürstin« (an Zelter 20. 9. 1820) kreuzte G.s Lebensweg unter vier Namen: Als 12jährige Prinzessin wohnte sie 1790 mit ihrer Schwester Luise, der späteren preußischen Königin, und ihrem Bruder Prinz Georg anläßlich der Kaiserkrönung Leopolds II. in Frankfurt bei G.s Mutter. G. sah sie zuerst am 29. 5. 1793 im Feldlager vor Mainz. 1793–96 war sie mit Prinz Friedrich Ludwig Karl von Preußen (1773–1796) verheiratet, 1798–1814 mit Prinz Friedrich Wilhelm von Solms-Braunfels (1778–1814); mit der »Hoheit« Fürstin Solms verkehrte G. häufig im Juli 1806 und August 1807 in Karlsbad (*Tag- und Jahreshefte* 1807) und im August/September 1810 in Teplitz. 1815 heiratete sie Herzog Ernst August von →Cumberland, ab 1837 König von Hannover; mit ihm besuchte sie G. am 16. 8. 1815 in der Gerbermühle bei Frankfurt und sah ihn am 5. 10. 1818 und 27. 7. 1819 in Weimar. G. erinnerte sich ihrer 1824 »mit besonderer Neigung« (zu Eckermann 14. 4. 1824).

H. Buck, G. und Königin Friederike von Hannover, ChWGV 14, 1900.

Sommernacht. Der lyrische Höhepunkt des »Schenkenbuches« im *West-östlichen Divan*, wohl im Juni 1814 entstanden, ist ein teils scherzendes, pädagogisches Zwiegespräch zwischen dem Dichter Hatem und dem jungen, doch einschlafenden Schenken Saki in Erwartung der Mitternacht und des Wechsels der Gestirne. Es gibt den Anlaß zu der Mythenschöpfung von der in den enteilenden Hesperus verliebten, ihm nacheilenden Aurora. Das Gedicht zeigt viele sprachliche Eigenarten von G.s lässigem Altersstil.

E. Staiger, Zu einem G.schen Gedicht, Corona 10, 1940, auch in ders., Meisterwerke deutscher Sprache aus dem 19. Jahrhundert, 1943 u. ö.; M. Mommsen, S., in ders., Studien zum West-östlichen Divan, 1962; W. Lentz, Bemerkungen zu G.s S., in: Grüße H. Wolffheim, hg. K. Schröter 1965; G. Favier, Les maléfices de l'Aurore, RG 11, 1981.

Sondershausen. Die Stadt in der Goldenen Aue durchritt G. am 30. 11. 1777 auf der 1. Harzreise auf dem Weg von Greußen nach Ilfeld; er übernachtete am 29. 11. nicht dort, wie irrtümlich in der *Campagne in Frankreich* angegeben, sondern laut Tagebuch in Greußen.

Das Sonett. G.s berühmtes erstes Sonett mag im März 1800 entstanden sein und erschien zuerst in den *Werken* (I, 1806). Es stellt vermutlich eine Erwiderung an A. W. Schlegel (*Das Sonett*, 1800) dar, der G. am 23. 3. 1800 seine *Gedichte* mit 62 Sonetten übersandte und ihn kurz darauf bei einem Besuch in Weimar im Gespräch über die Sonettform zur Beteiligung an der von den Romantikern initiierten Neubelebung der italienischen Form aufgefordert haben mag. Die beiden Quartette (v. 1–8) formulieren eine solche Anregung anderer, die Terzette (v. 9–14) G.s eigene Position und seine Bedenken, seine Gefühle in das Prokrustesbett der strengen Form zu zwängen – Bedenken, die G. wenig später im Sonett →*Natur und Kunst* (1802) und im eigenen Sonettenzyklus widerrief. Insofern wehrte sich G. dagegen, daß Cottas *Morgenblatt* (5. 1. 1807) *Das Sonett* für eine Polemik gegen die romantische Sonettendichtung in Anspruch nahm (an Zelter 22. 6. 1808).

Literatur →Sonette.

Sonette. Bis 1807 verwendet G. die dem Sturm und Drang ungemäße, in der Aufklärung und Klassik verpönte, dann von den

Romantikern, besonders A. W. Schlegel, propagierte Sonettform
nur selten: in →*Das Sonett* (1800) und dessen Widerruf →*Natur und
Kunst* (1802), als Einlage in *Die natürliche Tochter* (1802) »Welch
Wonneleben …« (II, v. 947 ff.) und in den beiden als Invektiven
gegen Kotzebue, Böttiger und Merkel gerichteten Schweifsonetten
B. und K. und *Triumvirat* (1800/02). Während G.s Aufenthalt im
Jenaer Kreis im November/Dezember 1807 trug Z. Werner am
3. 12. eigene Sonette und solche von A. W. Schlegel u. a. vor, und
zwischen Werner, Riemer und nunmehr auch G. entspann sich eine
Art Dichterwettstreit (*Tag- und Jahreshefte* 1807, Paralipomena) in
Sonetten auf die junge Minchen →*Herzlieb* (*Charade*). G. beteiligte
sich mit einem locker gebauten, fast handlungslosen Zyklus von 17
für den Vortrag bestimmten Sonetten, die meist im Dezember 1807
entstanden und in den *Werken* (II, 1815), die Sonette 16 und 17 aus
persönlichen Rücksichten erst in der Ausgabe letzter Hand (1827),
im Druck erschienen. Lebensstoff boten neben der verborgenen,
zarten Liebesneigung zu M. Herzlieb vielleicht auch seine Empfindungen für Silvie von Ziegesar und einzelne Motive aus Briefen
Bettina von Arnims, die in den Frauenstrophen lyrisch verarbeitet
wurden. Über die Entstehung des Zyklus und dessen biographischen Hintergrund äußerte sich G. kaum, doch wird neben der traditionellen Liebesthematik und der virtuosen Formbeherrschung
gerade die Sonettform als Bändigung einer wider Willen aufkeimenden Leidenschaft in zuchtvoll strenger Form bedeutsam: Eine
Leidenschaft mit Absolutheitsanspruch und potentiell tragisch-
dämonischen Zügen wird zwar als Möglichkeit des Inneren erfahren, aber durch Unterdrückung aller persönlichen und Umwelt-
Details verallgemeinert, im Verzicht verinnerlicht und in die Kunst
distanziert und spiritualisiert. Im Wechsel der Stilebenen von Ernst,
Ironie, Spiel und Spruchweisheit, der dramatischen Dialogisierung
der Gedichte und der Wahl einer von der Romantik geförderten
Form bahnt sich G.s gegenklassische Wendung zur hochartistischen
und hochbewußten Spätlyrik an. In der späteren Lyrik verwenden
noch die Gedichte *Der Kaiserin Becher* (1810), *An Herrn Abbate
Bondi* (1812) und *Der … Frau Erbgroßherzogin* (»Zu würdiger Umgebung …«, 1813) die Sonettform. Vertonungen einzelner Sonette
durch J. Brahms, F. Mendelssohn, F. Schubert und R. Strauss

Ch. Tomlinson, On G's sonnets, PEGS 7, 1893; K. Fischer, G.s Sonettenkranz, 1895;
J. Schipper, Über G.s S., GJb 17, 1896 und PMLA 11, 1896; O. Pniower Zu G.s S.,
Euph 7, 1900; P. Hankamer, Spiel der Mächte, 1943 u. ö.; H. M. Wolff, G. in der Peri-
ode der Wahlverwandtschaften, 1952; W. Mönch, Das S., 1955; J. Müller, G.s S., 1966;
Das deutsche Sonett, hg. J.-U. Fechner 1969; H.-J. Schlütter, G.s S., 1969; I. Graham,
Strange encounter, in dies., G., 1977; E. L. Stahl, G's sonnets, in: Festschrift R. Farrell,
hg. A. Stephens 1977; M. G. Ward, Lover and poet, FMLS 15, 1979; R. Ayrault, Les
sonnets de G., RA 13, 1981; G. Kaiser, Literatur und Leben, JFDH 1982, auch in ders.,
Augenblicke deutscher Lyrik, 1987; R. Spuler, Three sonnets by G., NGS 12, 1984.

Sonneberg. Die thüringische Stadt im Herzogtum Sachsen-Meiningen besuchte G. am 16./17. 5. 1782 auf seiner mit geologisch-

mineralogischen Studien verbundenen Reise an die thüringischen Höfe (Aufzeichnung *Mineralogie von Thüringen*, 1782).

Sonnerat, Pierre (1749–1841). Der *Reise nach Ostindien und China* (1782, deutsch 1783) des französischen Indologen, mit der er sich wiederholt beschäftigte, entnahm G. den Stoff zur Ballade *Der Gott und die Bajadere* und zur *Paria*-Trilogie.

Sontag, Henriette Gertrude Walpurgis, 1828 verh. Gräfin Rossi (1806–1854). Die in ganz Europa gefeiertste Opernsängerin ihrer Zeit, die G. schon im Juni/Juli mit dem (ihr unbekannten) Gedicht »Ging zum Pindus …« erwartungsvoll begrüßt hatte, kam am 4. 9. 1826 zu einem Gastspiel nach Weimar, war vormittags und als Mittagsgast bei G., sang abends bei vollem Haus in G.s Anwesenheit die Rosine in Rossinis *Barbier von Sevilla* (»unvergleichlich«, Tagebuch) und war zum Nachtessen wieder in Gesellschaft Hummels bei G., der von ihr wohl mehr verwirrt als begeistert war (zu F. von Müller 23. 8. 1827). Sie besuchte ihn wieder auf der Durchreise am 12. 11. 1827 und trug »einige sehr anmutige Gesänge« vor. 1828 erhielt G. ihre Büste von dem Bildhauer L. W. Wichmann. G.s Epigramm *Die neue Sirene* (1827) bezieht sich nicht auf sie, sondern auf die Helena-Figur.

Sophie →*Die Mitschuldigen*

Sophienausgabe →Sophie Wilhelmine, →Werkausgaben

Sophie Wilhelmine Marie Louise, Großherzogin von Sachsen-Weimar-Eisenach (1824–1897). Die an Literatur und Wissenschaft interessierte Prinzessin der Niederlande heiratete 1842 den Erbgroßherzog Carl Alexander von Sachsen-Weimar-Eisenach. Im Testament von G.s letztem Enkel Walther von G. zur Erbin, Betreuerin und Verwalterin von G.s schriftlichem Nachlaß ernannt, regte sie die große und umfassendste, bis heute im ganzen nicht überholte historisch-kritische Gesamtausgabe der dichterischen und naturwissenschaftlichen Werke, Tagebücher und Briefe G.s an, die als *Weimarer Ausgabe* – oder nach ihr *Sophienausgabe* genannt – 1887–1919 in 143 Bänden erschien (→Werkausgaben). Nachdem ihr 1889 auch der Schiller-Nachlaß übereignet wurde, gründete sie 1889 das Goethe- und Schiller-Archiv in Weimar.

J. Göres, Großherzogin S., Duitse Kroniek 29, 1977; J. Hecker, Großherzogin S. von Sachsen, GJb 106, 1989; C. TerHaar, Großherzogin S., 1993.

Sophokles (um 497 – um 406 v. Chr.). Der zweite der großen griechischen Tragiker, »der große Meister meiner frühen Jahre« (an von Gersdorff 20. 4. 1822), mit dem sich G. wohl auf Hinweis Herders etwa seit 1772 befaßte, war für G. der unbestrittene Hauptvertreter des antiken Dramas, den er in beiden Shakespeare-Aufsätzen, darin

Herder folgend, Shakespeare als dem Vertreter des modernen Dramas gegenübergestellt. Nachdem G. 1777 eine Sophokles-Ausgabe »verloren« hatte (an die Mutter 6. 11. 1777), las er ihn 1781 erstmals vollständig in G. Ch. Toblers Übersetzung, später in den Übersetzungen von Ch. zu Stolberg (II 1787), Hölderlin (1804), Solger (1808), E. Ch. A. von Gersdorff (*Philoktet*, 1822) u. a. Die Lektüre der *Elektra* 1786 gab mit Anlaß zur Versfassung der *Iphigenie* (an Herder 1. 9. 1786), die ebenso wie *Torquato Tasso* Einflüsse von Sophokles verrät. *Oedipus auf Kolonos* ist G. nach der *Campagne in Frankreich* (Pempelfort November 1792) »ganz unerträglich«. 1826 vergleicht G. Sophokles' *Philoktet* mit den anderen Fassungen dieses Stoffes (*Philoktet vierfach*), und am 28. 3. 1827 bekundet G. in einem langen Gespräch mit Eckermann seine Verehrung des Dichters.

M. Mommsen, G.s »S.-Bearbeitung«, Euph 51, 1957; →Antike.

Soret, Frédéric Jacob (1795–1865). Der Sohn des aus Genfer Hugenottenfamilie stammenden Hofmalers Katharinas II. in Petersburg und Pate der Zarin Maria Feodorowna kehrte 1800 mit den Eltern nach Genf zurück, studierte dort 1811 Theologie, dann 1819 in Paris Naturwissenschaften (Geologie, Mineralogie, Kristallographie). 1822 wurde er von Maria Paulowna als Erzieher des Erbprinzen Carl Alexander nach Weimar berufen und war dort, obgleich vom höfischen Zeremoniell gelangweilt, überall als gebildeter, geistreich-witziger und klug-nüchterner Gesellschafter gern gesehen. Seit seinem ersten Besuch bei G. am 21. 9. 1822 gehörte er, von G.s Interesse und Freundschaft fasziniert, zum engeren Kreis der Hausfreunde als sein Gesprächspartner in Fragen der Mineralogie, Kristallographie, Optik, Naturphilosophie und Kunst – nur die von Soret skeptisch beurteilte Farbenlehre blieb ausgespart – und als Berater beim Ankauf von Mineralien, Münzen und Medaillen. 1824 ließ G. ihn von Schmeller für seine Porträtsammlung zeichnen. 1829/30 übersetzte er den von G. für diesen Zweck neu bearbeiteten *Versuch, die Metamorphose der Pflanzen zu erklären* ins Französische (zweisprachige Ausgabe bei Cotta 1831). 1832 veröffentlichte Soret seine *Notice sur Goethe*. Nach der Volljährigkeit Carl Alexanders kehrte er 1836 mit einer herzoglichen Pension nach Genf zurück und etablierte sich als Autorität für orientalische Münzen. Seine präzisen, nüchternen Aufzeichnungen und Tagebücher über seine Unterhaltungen mit G. stellte er Eckermann zur Verfügung; sie gingen großenteils redigiert und aus eigenen Erinnerungen ergänzt im 3. Teil von →Eckermanns *Gesprächen mit Goethe* (1848) auf. Die originalen *Conversations avec Goethe* und andere Zeugnisse aus Sorets handschriftlichem Nachlaß veröffentlichte H. H. Houben deutsch 1929.

A. Robinet de Cléry, G. et F. S., RA 6, 1932; ders., F. J. S. et J. P. Eckermann, RG 24, 1933; ders., Les débuts de F. S. à Weimar, in: Mélanges H. Lichtenberger, Paris 1934; G. Bohnenblust, S.s Bild G.s, Bodenseebuch 34/35, 1948 f.; E. Gallati, F. S. und G., 1980.

Sorge. Obwohl temperamentsmäßig von Mutters Seite her kein Kind der Sorge, bezieht G. in seine Dichtungen das Thema Sorge mit ein und berührt es, oft nur vorübergehend, in seiner Lyrik (*Sorge*, um 1776; *Süße Sorgen*, 1788; *Römische Elegien* XVIII; *Alexis und Dora* v. 138; *Zahme Xenien* VI; *West-östlicher Divan*, »Was machst du an der Welt …«), Dramatik (*Egmont* II,2,V,2; Maskenzug vom 12. 2. 1782; *Die natürliche Tochter* v. 1730; *Faust I*, v. 644 ff.) und Epik (*Hermann und Dorothea* I,v. 159, VI,v. 237; *Lehrjahre* VIII,7; *Wanderjahre* I,7; *Wahlverwandtschaften* I,2). Erst in *Faust II* (v. 11384–11498) jedoch tritt die Sorge personifiziert als Phantom auf, nachdem Faust der Magie entsagen will (v. 11404, 11423) und damit die durch den Bund mit Mephisto garantierte Absicherung vor Mangel, Schuld, Not und Sorge aufgibt, also auch der Sorge für sein Lebenswerk, der alle Tätigkeit lähmenden Zukunftsangst und der Todesfurcht zugänglich wird. Doch Faust will auch ohne Magie unerbittlich den Kampf mit der Natur, sein aktives Weltbegehren, fortsetzen; er weist die Sorge von sich und weigert sich, ihre Macht anzuerkennen (v. 11494). Auch als sie diese Macht erweist, indem sie ihn erblinden läßt, also sein direktes Weltverhältnis entscheidend stört, beugt er sich in »sorglosem« Aktionismus und unerschütterlich-»blindem« Selbstbehauptungswillen nicht, sondern ruft zu zielstrebiger Weiterarbeit an seinem Werk auf. Sein tatenfreudiges Weiterstreben stellt einen Triumph des Geistes über die äußere Welt dar und ermöglicht mit seine Erlösung.

H. Türck, Die Bedeutung der Magie und S. in G.s Faust, GJb 21, 1900; G. Rosenthal, Faust und die S., ZfdU 27, 1913; K. Burdach, Faust und die S., DVJ 1, 1923; H. Herrmann, Faust und die S., ZfA 31, 1937, auch in ders., Einfühlung und Verstehen, 1988; M. Kommerell, Faust und die S., GKal 32, 1939, auch in ders., Geist und Buchstabe der Dichtung, 1940 u. ö.; K. Gaiser, Faust und die S., ZfD 54, 1940; P. Stöcklein, Fausts zweiter Monolog und der Gedanke der S., GRM 31, 1943; G. Schaeder, »Geburt und Grab ein ewiges Meer«, Die Sammlung 2, 1947 f.; P. Stöcklein, Die S. im Faust, in ders., Wege zum späten G., 1949 u. ö.; J. Müller, S. und Gnade, Die Pforte 3, 1951 f.; A. Weber, Die S. in G.s Faust, Diss. München 1952; P. Westra, Faust und die S., RLV 20, 1954; H. Moenkemeyer, Erscheinungsformen der S. bei G., 1954; P. Westra, Versuch zur Deutung der Figur S. in G.s Faust, Levende talen 184, 1956; W. Wittkowski, Gedenke zu leben!, PEGS 38, 1968.

Soubise, Charles de Rohan, Prince de (1715–1787). An den französischen Marschall, Verlierer der Schlacht bei Roßbach (1757), erinnert sich G. als eines »schönen leutseligen Herrn«, der während der französischen Besetzung Frankfurts in seinem Elternhaus den Königsleutnant Thoranc besuchte (*Dichtung und Wahrheit* I,3).

Spalding, Johann Joachim (1714–1804). Der bedeutende protestantische Theologe und Moralphilosoph der Aufklärung, der für eine Verbindung des Christentums mit der aufklärerischen Idee einer »natürlichen Religion« eintrat, wurde 1764 von Friedrich dem Großen als Propst und Oberkonsistorialrat an die Berliner Nikolaikirche berufen. Dort hörte G. am 17. 5. 1778 seine Predigt und lobte später den »guten und reinen Stil« seiner Schriften (*Dich-*

tung und Wahrheit II,7). Auf seine Schrift *Betrachtung über die Bestimmung des Menschen* (1748) bezieht sich das Xenion 293.

Spanien. Obwohl der *Clavigo* nominell in Madrid und die Alba-Szenen im *Egmont* zumindest im spanischen Milieu spielen, blieb Spanien G. relativ fremd, und noch 1799 hoffte er durch W. von Humboldts Spanienreise Näheres zu erfahren (an Humboldt 26. 5. 1799). Der Einfluß der spanischen Literatur verebbte nach der Hochblüte im Barock wieder bis zu ihrer Neuentdeckung durch die Romantiker, besonders A. W. Schlegel. In Weimar setzte sich schon F. J. J. Bertuch durch seine Übersetzung von Cervantes' *Don Quichote* (VI 1775–77) und sein *Magazin der spanischen und portugiesischen Literatur* (1780–82) mit Übersetzungen für die spanische Literatur ein. G.s Kenntnis beschränkte sich mangels Sprachkenntnis auf Übersetzungen. →Cervantes' *Don Quichote* war ihm schon früh und dann in mehreren Übersetzungen begegnet; in dessen *Novelas ejemplares* fand er Parallelen zu seiner Novellendefinition. Den *Cid*-Stoff lernte er auf dem Umweg über Herders Nachdichtung französischer Romanzen kennen, den →*Amadis*-Roman las er 1805. G.s zeitweise Begeisterung für →Calderon wurde durch die Übersetzungen von A. W. Schlegel, Einsiedel und Gries geschürt. C. F. von Jadwiges Übersetzung *Spanische Romanzen* besprach G. in *Über Kunst und Altertum* (IV,2, 1823). Spanische Einflüsse auf das dichterische Werk sind nicht nachweisbar.

A. Farinelli, G. et l'Espagne, in ders., G. de Humboldt et l'Espagne, Paris 1898, Turin 1924 u. ö.; F. Strich, G. und die Weltliteratur, 1946 u. ö.; C. Clavería, G. y la literatura española, Revista de ideas estéticas 8, 1950; J. C. Davis, G. and Spain, in: The Southern Illinois G. celebration, hg. H. A. Hartwig, Carbondale 1950; J. Hennig, G.s S.lektüre, JFDH 1982; K. Maurer, G. und die romanische Welt, 1996.

Specimen osteologicum. Unter diesem Titel läuft die lateinische Übersetzung (durch J. Ch. Loder) von G.s Abhandlung *Über den* →*Zwischenkiefer*, die dieser zusammen mit dem deutschen Original und den Abbildungen am 19. 12. 1784 an Merck zur Weitergabe an S. T. Sömmering und P. Camper sandte.

Sperata. In *Wilhelm Meisters Lehrjahre* (VIII,9), in der nachträglichen Enthüllung der Vorgeschichte des →Harfners, ist Sperata dessen als Nachgeborene verheimlichte Schwester; aus seiner unwissentlich eingegangenen inzestuösen Liebesverbindung geht →Mignon hervor.

Speyer. Die Domstadt am Rhein besuchte G. zuerst auf dem Rückweg von der 1. Schweizer Reise Mitte Juli 1775, sodann mit Carl August auf dem Hinweg der 2. Schweizer Reise am 24. 9. 1779. Er besichtigte in Begleitung des Domherrn J. A. S. von Beroldingen den Dom, den Domschatz und einige Gemäldesammlungen (an Ch. von Stein 25. 9. 1779).

K. Lutz/H. Thiele, S. zur G.zeit, 1949.

Sphinx. In die multikulturelle Mythenwelt der »Klassischen Walpurgisnacht« (*Faust II,* v. 7083 ff., 7112–48, 7523–81) finden die ägyptischen Fabelwesen in Löwengestalt mit Frauenkopf und -brust – Mephisto findet sie »schamlos«, doch »recht appetitlich oben anzuschauen« (v. 7083, 7146) – wohl über die griechische Sage von Ödipus und dem Rätsel der Sphinx Zutritt (v. 7131, 7185). Sie verkörpern hier jedoch in ihrer überlegenen Ruhe und ihrer Ironie gegenüber Mephisto weniger Geheimnis und Rätsel als das Zeitüberdauernde, überzeitlich Bleibende, Unveränderliche, das auch durch Erdbeben nicht zu erschüttern ist (v. 7247 f., 7523 ff.). G. sah originale ägyptische Darstellungen der Sphinxen zuerst am »Obelisk des Sesostris« (richtig: des Psammetich II.) in Rom und ließ davon Abgüsse für sich machen (*Italienische Reise* 3. 9. 1787).

Spiegel, Spiegelbild, Spiegelungen   → *Wiederholte Spiegelungen*

Spiegel von und zu Pickelsheim, Carl Emil, Freiherr von. Der Weimarer Kammerherr (1807), 1815 Oberhofmarschall, übernahm im Dezember 1828 zu G.s Zufriedenheit (an Zelter 12. 2. 1829) von C. Stromeyer die Leitung des Weimarer Hoftheaters. G. verkehrte mit ihm und seiner Familie und schrieb seiner Frau Emilie, geb. Freiin von Rotberg, die ihn im Januar 1821 darum gebeten hatte, endlich am 25. 2. 1824 die Verse »Seit jenen Zeilen …«, teils aus dem Maskenzug *Die romantische Poesie*, ins Stammbuch.

Spiel. G.s Begriff des Spiels im weitesten Sinne umfaßt die zunächst zweckfreie und interessenlose Übung und Ausübung der menschlichen Kräfte und Anlagen im Rahmen der jeweils gültigen Regeln, nicht zu praktischem Nutzen, sondern als Zeichen der »großen Freiheit des Geistes« (zu Riemer 20. 2. 1809) und zur Erforschung seiner Möglichkeiten. Nicht im theoretischen Wissen und Kenntnis der bestehenden Regeln und Grenzen, sondern in der immer neu zu erprobenden Übung und der Ausführung von praktischen Aufgaben durch spielerische Versuche, immer erneute Kombinationen und exploratorische Wagnisse ergeben sich ihm Lösungsmöglichkeiten sowohl für menschliche Lebensprobleme wie auch für künstlerische, literarische und wissenschaftliche Probleme. So kann aus harmonischer Verschmelzung von »innig verbundenem Ernst und Spiel wahre Kunst entspringen« (*Der Sammler und die Seinigen* VIII; an Schiller 22. 6. 1799) und auch die Pflicht zum ergötzlichen Spiel werden (*Wilhelm Meisters Wanderjahre* I,11). In solchem Verhalten sieht G. einen natürlichen Vorgang: auch die Natur spiele »immerfort mit der Mannigfaltigkeit der einzelnen Erscheinungen« (zu F. von Müller 27. 2. 1831).

W. Kayser, G. und das S., Die Sammlung 6, 1951, auch in ders., Kunst und Spiel, 1961; P. Bertaux, Gar schöne Spiele spiel' ich mit dir!, 1986.

Spiele   →Kartenspiel, →Schachspiel, →Marriagespiel

Spielmann, Jacob Reinbold d. Ä. (1722–1783). Bei dem Professor
der Chemie und Botanik in Straßburg (seit 1759) hörte G. im
Wintersemester 1770/71 Vorlesungen über Chemie (*Dichtung und
Wahrheit* II,9).

P. Diergart, Auf unbeachteten Pfaden G.s in Straßburg, Chemiker-Zeitung 51, 1927;
W. Dörr, G. und Apotheker S., Süddeutsche Apotheker-Zeitung 72, 1932; O. Zekert,
J. R. S., in ders., Berühmte Apotheker, 1955.

Spies (Spieß), Johann →Faustbuch

Spinoza, Baruch (1632–1677). Auf der Suche nach einem philo-
sophisch-religiösen Weltbild, das seiner eigenen Gedankenwelt entgegenkam, geriet G. im Mai 1773 bei Höpfner in Gießen auf eine
Werkausgabe des Amsterdamer Philosophen, entlieh sie und fand
hier – was immer er hinein- oder herauslas und davon verstand –
im wesentlichen Bestätigung für seine Idee der Einheit von Gott
und Natur, die Ablehnung der traditionellen anthropomorphen
Gottesvorstellung und ein ateleologisches Verständnis der Natur
sowie die ethische Anweisung zur Selbstlosigkeit und Uneigennüt-
zigkeit. Die 1. Phase der Beschäftigung mit Spinoza 1773/74 umfaßt dieses noch irritierte Kennenlernen seiner Lehre und seines
Wesens (nach J. Colerus, *Leben des B. von Spinoza*, 1733, und P. Bayles *Dictionnaire historique et critique*, 1741) sowie erregte Diskussionen
darüber mit Lavater auf der Fahrt nach Ems am 28. 6. 1774 und mit
F. H. Jacobi auf Schloß Bensberg am 24. 7. 1774. Die 2. Phase
1784/85, angeregt durch Jacobis Besuch in Weimar im September
1784, beginnt mit einem eingehenden Studium von Spinozas Ethik
nach dem lateinischen Text, die seither brieflich oft erwähnt wird.
Sie führt 1784/85 zu einem lebhaften Gedankenaustausch mit Herder und Ch. von Stein, der G.s Widerwillen gegen metaphysische
Spekulation überwindet, und findet Niederschlag in einer im Winter 1784/85 Ch. von Stein diktierten *Studie nach Spinoza* (Druck
1891). F. H. Jacobis Schrift *Über die Lehre des Spinoza in Briefen an
Herrn Moses Mendelssohn* (1785) erregt G.s Widerspruch gegen dessen These von Spinozas Atheismus (an Jacobi 9. 6. und 21. 10. 1785)
und beginnt den von G. genau verfolgten Atheismus/Pantheismus-
Streit. In der 3. Phase 1811/12 führt der Unwillen über Jacobis
Schrift *Von den göttlichen Dingen und ihrer Offenbarung* (1811) G. am
12.–14. 11. 1811 zu einer erneuten, intensiven Lektüre von Spinozas Ethik, die ihn auch in der Folgezeit oft begleitet (*Tag- und Jahreshefte* 1812). In seiner Grundauffassung der Einheit von Gott und
Natur bleibt G. zeitlebens Spinozist, für den Dasein und Vollkommenheit dasselbe sind (*Studie nach Spinoza*). Das Spinoza-Erlebnis
seiner Jugend unter Einbeziehung späterer Erkenntnisse beschreibt
Dichtung und Wahrheit (III,14 und IV,16); Spuren von G.s Spinozismus finden sich im *Ewigen Juden* und in der *Prometheus*-Dichtung.
Vgl. an Boisserée 3. 8. 1815, an Zelter 7. 11. 1816, zu Eckermann
28. 2. 1831.

B. Suphan, G. und S., in: Festschrift zur 2. Säkularfeier des Friedrichwerderschen Gymnasiums, 1881; F. Warnecke, G., S. und Jacobi, 1908; G. Schneege, G.s S.ismus, 1911; A. Trampe, G. und S., 1911; W. Dilthey, Aus der Zeit der S.-Studien G.s, in ders., Gesammelte Schriften 2, 1914 u. ö.; E. Kühnemann, G. und S., JGG 15, 1929; J. H. Carp, S.en G., Den Haag 1932; A. Henkel, Entsagung, 1954; T. C. van Stockum, G. en S., Leiden 1956; H. Lindner, Das Problem des S.ismus im Schaffen G.s und Herders, 1960; F. Strich, G. und S., in ders., Kunst und Leben, 1960; J. Gauss, G.-Studien, 1961; H. Nicolai, G.-S.-Jacobi, in: Gratulatio, hg. M. Honeit 1963; M. Bollacher, Der junge G. und S., 1969; M. Mommsen, G.s Verhältnis zu Christus und S., in: Deutsche Weltliteratur, hg. K. W. Jonas 1972; H. Timm, Gott und Freiheit 1, 1974; M. Mommsen, S. und die deutsche Klassik, CGP 2–3, 1974f.; D. Bell, S. in Germany, London 1984; J. Teller, Der Prometheus des Ein-und-Alles, Impulse 8, 1985; R. Gould, S. und Lavater in Dichtung und Wahrheit, Seminar 24, 1988; R. Kluth, G. und S., in: 50 Jahre Bremer Ortsvereinigung der G.-Gesellschaft, hg. ders. 1991; A. Costazza, Ein Aufsatz aus der Zeit von Moritz' Weimarer Aufenthalt, GJb 112, 1995; G. Jellinek, Die Beziehungen G.s zu S., 1996.

Spiraltendenz der Vegetation. G.s letzte Forschungen zur Botanik 1829–31 befaßten sich mit der Spiraltendenz der Pflanzen, die im Unterschied zur vertikalen (Wuchs-)Tendenz u. a. die Blatt-, Blüten- und Fruchtstellung bestimmt und die er im Zusammenhang mit der Metamorphosenlehre sah. Angeregt durch Gespräche mit C. F. P. von →Martius am 4.–6. 10. 1828 und dessen Vorträge und Aufsätze (*Isis* Nr. 21–22, 1828 f.), sammelte G. vom 13. 10. 1829 bis 25. 11. 1831 eigene Gedanken und Beobachtungen, Notizen und Materialien zum Thema für eine geplante Darstellung in mehreren Mappen. Zur Ausführung kam jedoch nur ein am 29. 3. 1831 abgeschlossener Aufsatz für Sorets deutsch-französische Ausgabe des *Versuchs über die Metamorphose der Pflanzen* (1831).

J. Zellner, Zur S. d. V., ChWGV 26, 1912; H. A. Froebe, Ulmbaum und Rebe, JFDH 1969; A. Fink-Langlois, G. et la tendance spirale, in: G., hg. G.-L. Fink, Paris 1980.

Spittler, Ludwig Timotheus, Freiherr von (1752–1810). Auf den Historiker (Landes- und Verfassungsgeschichte), 1784–96 Professor in Göttingen, dann württembergischen Politiker und 1807 Minister, beziehen sich die *Xenien aus dem Nachlaß* 26 und 97. Seinen *Entwurf der Geschichte der europäischen Staaten* (1793 f. u. ö.) las G. im Mai/Juni 1808 und empfahl ihn seinem Sohn August.

Splügen. Den Schweizer Alpenpaß überquerte G. am 30. 5. 1788 auf der Rückreise von Italien.

Spohr, Louis (1784–1859). Der bedeutende Komponist und Violinvirtuose der Romantik, 1805 Kapellmeister in Gotha, 1813 Wien, 1817 Frankfurt und 1822 Kassel, gastierte am 20. 10. 1807 mit seiner Gattin Dorette als Harfenistin beim Weimarer Hofkonzert und erhielt von G. »mit vornehm-kalter Miene einige lobende Worte« (*Selbstbiographie*, 1860). 1808/09 kam er von Gotha mehrfach nach Weimar, um seine Oper *Alruna, die Eulenkönigin* anzubieten und einzustudieren, und verhandelte dabei auch mit G., der statt der Vers- Prosadialoge wünschte. Eine Aufführung kam nicht zustande. An Spohrs Musik zeigte G. wenig Interesse. Über Spohrs

Oper *Faust* (1813, revidierte Fassung 1852) nach einem Textbuch von J. C. Bernard, deren Uraufführung am 1. 9. 1816 in Prag C. M. von Weber dirigiert hatte, ließ sich G. erst anläßlich einer Berliner Aufführung am 13.–16. 11. 1829 von Zelter berichten. Von Spohrs zehn Kompositionen zu G.s Gedichten hielt dieser *Mignon* für »gänzlich mißverstanden«, da Spohr den Text nicht strophisch, wie G. es von Zelter gewohnt war, sondern durchkomponiert hatte (zu Tomaschek 6. 8. 1822).

L. Hirschberg, L. S., G. und Beethoven, Allgemeine Musik-Zeitung 56, 1929.

Spoleto. Die umbrische Bergstadt »bestieg« G. am 27. 10. 1786. Er besichtigte den vermeintlich römischen, doch im 7. und 14. Jahrhundert erneuerten Aquädukt (Ponte delle Torri) und am Weg nach Rom den im 8. Jahrhundert nach antiken Mustern gebauten sogenannten Tempel des Clitumnus, dessen nichtantiken Ursprung er zu Recht annimmt (*Italienische Reise*).

E. Maaß, G. in S., NJbb 33, 1914.

Spontini, Gasparo Luigi Pacifico (1774–1851). Der bedeutende italienische Opernkomponist, 1805 Kammermusikdirektor in Wien, 1820 Generalmusikdirektor in Berlin, dessen am 19. 12. 1812 in Weimar aufgeführte Oper *Die Vestalin* G. als »zu geräuschvoll« empfand, besuchte G. in Weimar am 4. 7. 1825, am 16. 7. 1830, als er seine Komposition von *Mignon* (»Kennst du das Land ...«) mitbrachte, und am 31. 3. 1831, als er ihm von seiner Arbeit an der Oper *Die Athenerinnen* berichtete und deren Textbuch (von V. J. E. Jouy) zu übersenden versprach. Nach dessen Lektüre schrieb G. ihm am 5.–9. 2. 1832 eine kritische Besprechung mit unverbindlichen Verbesserungsvorschlägen. Von den anderen Opern Spontinis ließ G. sich gern berichten.

S. Kekulé von Stradonitz, S. bei G., Allgemeine Musik-Zeitung 54, 1927.

Sport. Und natürlich wird G. von vielen Sportfanatikern als Kronzeuge in Anspruch genommen. Die Richtigkeit solcher Behauptungen hängt weitgehend von der Definition des erst 1828 von Fürst Pückler-Muskau ins Deutsche eingeführten Begriffs Sport ab. Sicher lag G. nichts ferner als anstrengende Leibesübungen zur körperlichen Ertüchtigung, als sportlicher Wettkampf oder gar schweißtreibender Leistungssport als Selbstzweck. »Schlafen, Essen, Trinken, Baden, Reiten, Fahren war so ein paar Tage her der selige Inhalt meines Lebens«, schreibt er am 5. 6. 1775 an J. Fahlmer und setzt in dieser Aufzählung die beiden Verben körperlicher Betätigung wohl eher in den rechten Kontext. Nicht absichtsvolles, stählendes Muskeltraining, gymnastisches Boden- oder Geräteturnen oder irgendeine Art von Mannschaftssport sind das Ziel, sondern für ihre Zeit ganz natürliche Bewegungen, Vergnügungen und Freizeitbeschäftigungen wie →Reiten, Wandern, Fechten, Baden,

Schwimmen, Jagen, Bergsteigen und Tanzen, selbst der →Eislauf, werden nicht als selbstzweckhafter Sport, sondern als selbstverständliche, zumeist gesellige Unterhaltungen und gesunde Tätigkeiten, mitunter auch als Mut- und Kraftprobe, Beweis geistiger und körperlicher Leistungsfähigkeit, betrieben und bewirken zugleich eine Steigerung des Körper- und Lebensgefühls (*Dichtung und Wahrheit* III,12). Darin allerdings, nicht jedoch für die Geschichte der Leibesübungen, war G. vorbildlich.

H. B. Müller-Schönau, Sportsmann G., 1936; E. H. Dummer, G. und der S. am Weimarer Hof, GQ 12, 1939; C. Diem, Körpererziehung bei G., 1948 u. ö.

Sprachen →Fremdsprachen

Sprengel, Kurt Polycarp Joachim (1766–1833). Den Professor der Botanik in Halle, dessen *Anleitung zur Kenntnis der Gewächse in Briefen* (1802) er im Juli 1802 las (an Schiller 5. 7. 1802), besuchte G. am 11. 7. 1802 und besichtigte mit ihm den Botanischen Garten. Seit Dezember 1817 beschäftigte G. sich mit seiner *Geschichte der Botanik* (II 1817 f.) und war sehr erfreut, im 2. Band seine Metamorphosenlehre anerkannt zu finden (*Andere Freundlichkeiten*, in *Zur Morphologie* I,2, 1820), was offensichtlich zu G.s Hochschätzung Sprengels beitrug (zu C. E. von Weltzien 9. 10. 1820). Sprengel besuchte G. in Weimar am 24. 2. 1822.

Sprichwörter, Sprichwörtlich. G. pflegte seit seiner Jugend eine Vorliebe für urwüchsige, volkstümliche Sprichwörter und schlagkräftige sprichwörtliche Redensarten (*Dichtung und Wahrheit* II,6 und III,15), für deren Verwendung oder Abwandlung in Wort und Schrift und für eigene bildhaft-sprichwortartige Erfahrungssätze. Ein seit 1806 einsetzendes, 1812 gipfelndes Interesse an alten deutschen und lateinischen Sprichwortsammlungen (Erasmus, Agricola, Zincgref, Lassenius, Schellhorn u. a.) und orientalischen Sinnsprüchen führte besonders um 1813/14 zur Entstehung einer Reihe gnomischer Sentenzen, die Fremdes und Eigenes verbinden, neu formulieren oder weiterführen (vgl. das Gedicht *Sprichwörtlich*). Sie gingen vorwiegend in die im Januar 1814 und Januar 1815 zusammengestellte, seit 1815 bestehende Abteilung *Sprichwörtlich* der Gedichte ein, die in einem Schatz übersubjektiv verbürgter Erfahrungslehren in krisenhafter Zeit G.s Lebensanschauung dokumentiert. Als »Sprüche in Reimen« und Spruchgedichte bilden sie das Vers-Gegenstück zu den *Maximen und Reflexionen* in Prosa.

G. v. Loeper, Zu G.s gereimten Sprüchen, GJb 5, 1884; H. Henkel, Sprichwörtliches bei G., GJb 11, 1890; R. M. Meyer, Zu G.s Sprüchen, Archiv 106, 1901; O. Pniower, Vier Spruchgedichte G.s, DR 178, 1919; F. Seiler, G. und das deutsche Sprichwort, GRM 10, 1922; J. A. Pfeffer, The proverb in G., New York 1948; W. Preisendanz, Die Spruchform in der Lyrik des alten G., 1952; W. Kraft, Sprüche in Reimen von G., in ders., Über Gedichte und Prosa, 1979; R. H. Stephenson, G's Sprüche in Reimen, PEGS 49, 1979; W. Preisendanz, Die Spruchform in der Lyrik G.s, GJb 108, 1991.

Sprickmann, Anton Matthias (1749–1826). Der Professor für Staatsrecht und Reichsgeschichte in Münster (1778; 1814 Breslau, 1817 Berlin) war mit F. H. Jacobi befreundet und gehörte zum Kreis von Münster um die Fürstin Gallitzin. Nachdem er G. schon im Juli 1776 in Weimar gesehen hatte, besuchte er ihn mit ihr im September 1785. Von den Lustspielen aus seiner Frühzeit spielte Weimar 1800 *Der Schmuck* (1780); ein weiteres *Die natürliche Tochter* (1774) hat nur den Titel mit G.s Drama gemein.

Spruchdichtung, Spruchgedichte, Sprüche →Sprichwörter

Staat →Politik

Staatsdienst →Amtliche Tätigkeit

Stackelberg, Otto Magnus, Freiherr von (1787–1837). Der livländische Maler und Archäologe, der 1808–10 und 1816–28 in Italien, 1810–14 in Griechenland gewesen war und dessen archäologische Schriften (*Der Apollotempel zu Bassä*, 1826 u. a.) G. kannte, besuchte den Dichter in Weimar am 9.–12. 8. 1829 zu täglichen Gesprächen über seine Reisen, Kunst, Archäologie und Mythologie, war sein Tischgast und Begleiter auf Spazierfahrten und zeichnete sein Gartenhaus.

R. Bechtle, Wege nach Hellas, 1959.

Stadelmann, Carl Johann Wilhelm (1782–1844). »Der treue gute Mensch« und überdies gelernte Buchdrucker war 1814–15 und 1817–1.7.1824 G.s Diener, der seinen Herrn umsorgte, pflegte, auch kopierte, ihn nach Jena und auf Reisen an den Rhein und nach Böhmen begleitete, dabei sein eigenes Tagebuch führte, ihm findig und fix alle möglichen Annehmlichkeiten zu verschaffen wußte, teils auf skurrile Weise an seinen botanischen, geologischen und meteorologischen Interessen teilnahm und daneben privatdiskret mit »Locken Sr. Excellenz« handelte. Schließlich wegen Trunksucht entlassen, versuchte er sich in Jena in verschiedenen Berufen, kam 1834 nach dem Tod seiner Frau ins Armenhaus, gelangte noch einmal zu Ehren, als er mangels bereitwilliger Verwandter oder Vertrauter G.s am 22. 10. 1844 das Frankfurter G.-Denkmal enthüllen durfte, und erhängte sich bald darauf im Jenaer Armenhaus. Als Parodie und heiter-unernstes Pendant zur feierlichen G.-Gesellschaft gründeten deren Mitglieder eine Stadelmann-Gesellschaft mit eigener Schriftenfolge. S. ist Titelfigur des Dramas *Stadelmann* (1988) von dem italienischen Germanisten Claudio Magris.

A. Kippenberg, S.s Glück und Ende, 1922; A. Kippenberg, S., in ders., Reden und Schriften, 1952; E. Beutler, S. und die S.-Gesellschaft, GKal 32, 1939, auch in ders., Essays um G., 1941 u. ö.; W. Schleif, G.s Diener, 1965; G. Richter, Die Reise nach Frankfurt, 1971.

Stadtkirche St. Peter und Paul. Die schlichte, um 1245 gegründete, 1299 und 1424 bei Stadtbränden zerstörte, 1498–1500 als spätgotische Hallenkirche erneuerte, 1726–45 im Barockstil veränderte und nach Bombenschaden 1948–53 wiederaufgebaute Weimarer Kirche am heutigen Herderplatz, vielfach Herderkirche genannt, mit ihren Grabmälern der Weimarer Herzogsfamilie des 16./17. Jahrhunderts und dem Altarbild von Lucas Cranach d. Ä. und seinem Sohn, in der Luther gepredigt und J. S. Bach wohl gelegentlich die Orgel gespielt hatte, betrat G. erstmals im Juli 1776 (an Herder 10. 7. 1776), als er das nahe liegende Pfarrhaus für Herder als künftigen Oberpfarrer der Kirche und Generalsuperintendenten von Weimar einrichten ließ.

Städel, Anna Rosina Magdalena, gen. Rosette, geb. von Willemer (1782–1845). Die Tochter J. J. von →Willemers aus 1. Ehe heiratete 1799 den Kaufmann Johann Martin Städel und nach dessen Tod 1819 den Senator und Bürgermeister Johann Gerhard Christian Thomas (1785–1838). G. lernte sie am 18. 9. 1814 auf Willemers Gerbermühle kennen, verkehrte mit ihr im September/Oktober 1814 und August/ September 1815 in Frankfurt und am 23.–26. 9. 1815 in Heidelberg und begann anschließend eine freundschaftliche Korrespondenz, die zugleich an ihre enge Freundin Marianne von →Willemer gerichtet ist. Zum Geburtstag am 28. 8. 1815 schenkte sie G. eine selbstgefertigte kolorierte Zeichnung »Aussicht aus seinem Fenster auf der Gerbermühle auf die Stadt Frankfurt« (wohl nach einer Zeichnung ihres Zeichenlehrers Anton Radl). G. ließ davon Abzüge anfertigen und kolorieren und verschenkte sie 1815 und 1816 gern an sie und andere Freunde mit den Vierzeilern Nr. 84, 86, 87, 90, 92, 93, 94 oder 95 der »Denk- und Sendeblätter«. Nach Aufschub der für 1816 geplanten Rhein/Main-Reise sandte er ihr am 5. 5. 1816 einen Ring mit sieben Steinen, deren Anfangsbuchstaben den Namen »Rosette« ergeben, und den Vierzeiler »Was mit mir die Freunde wollen …«.

Städel, Johann Friedrich (1728–1816). Der »vaterländisch denkende, treffliche« Frankfurter Kaufmann, Bankier und bedeutende Kunstsammler, »Dekan aller hier lebenden echten Kunstfreunde« (*Kunst und Altertum am Rhein und Main*), vermachte 1815 testamentarisch sein Vermögen und seine Kunstsammlungen für ein zu errichtendes »Städelsches Kunstinstitut« der Stadt Frankfurt. G. besuchte ihn und seine Sammlung schon auf der 3. Schweizer Reise am 16., 18. und 19. 8. 1797, notierte sich einige Hauptwerke und traf ihn am 17. und 21. 7. 1807 in Karlsbad. Bei seinen Aufenthalten in Frankfurt besuchte er ihn am 15. 9. 1814 und besichtigte die Sammlungen am 22. 9. und 15. 10. 1814 und 22. 8. 1815. Er lobt sie in *Kunst und Altertum am Rhein und Main* und bedauerte nur die verspätete Einrichtung des Instituts (*Tag- und Jahreshefte* 1815), dessen Leitung der Freiherr vom Stein ihm angetragen hatte (an Knebel 15. 2. 1817).

Stäfa. In dem Heimatort J. H. Meyers am Zürichsee weilte G. mit diesem auf der 3. Schweizer Reise, unterbrochen durch die St. Gotthardreise, vom 21.–28. 9. und 8.–21. 10. 1797 und versuchte auch eine Beschreibung des Orts (*Tag- und Jahreshefte* 1797; *Reise in die Schweiz 1797*). Hier legte ihm Meyer Ergebnisse und Ausbeute seines Italienaufenthalts vor, machte G. Quellenstudien zum Wilhelm Tell-Plan (Tschudi), entstanden in gemeinsamen Gesprächen der Plan zur Kunstzeitschrift *Propyläen* und der Aufsatz *Über die Gegenstände der bildenden Kunst*.

H. Gattiker, Ein schweizerisches Dorf von 100 Jahren in G.s Aufzeichnungen und Werk, Die Garbe 17, 1934.

Staël-Holstein, Anne Louise Germaine, Baronne de, geb. Necker (1766–1817). Als die französische Schriftstellerin, Tochter des Finanzministers unter Louis XVI. und Gattin des schwedischen Gesandten, 1803 von Napoleon exiliert, auf ihren Reisen nach Weimar kam, war sie dort keine Unbekannte: Im Oktober 1795 hatte G. ihren den *Werther* preisenden *Essai sur les fictions* (1795) als *Versuch über die Dichtungen* für die *Horen* (2, 1796) übersetzt, 1796 ihr Buch *De l'influence des passions sur la bonheur des individus et des nations* (1796) sehr positiv beurteilt (an Schiller 30. 11. 1796), im April 1800 von ihr auf Humboldts Veranlassung die Schrift *De la littérature considerée dans ses rapports avec les institutions sociales* (1800) erhalten und mit Dank und *Wilhelm Meisters Lehrjahren* quittiert. Dennoch war ihr Aufenthalt in Weimar vom 13. 12. 1803 bis März 1804 in Begleitung von Benjamin →Constant kein ungetrübter Genuß. G., der sich bei ihrer Ankunft in Jena aufhielt, wurde sie am 21. 12. 1803 von Schiller avisiert. Er empfing sie am 24. 12. in kleiner Gesellschaft als Mittagsgast und traf in der Folgezeit etwa ein dutzendmal, oft in Gesellschaft, mit ihr zusammen, die Material über deutsche Sitten, Gesellschaft, Literatur und Philosophie sammelte. Bei aller Anerkennung ihres geistigen Ranges, ihrer Liebenswürdigkeit und gesellschaftlichen Gewandtheit ging sie ihm doch durch ihre Oberflächlichkeit, ihre Leidenschaftlichkeit und ihre sprunghafte Gesprächsführung ein wenig auf die Nerven (*Tag- und Jahreshefte* 1803 und 1804; *Zum Jahre 1804* in den *Biographischen Einzelnheiten*). Am 1. 3. 1804 empfahl er sie an A. W. Schlegel nach Berlin, den sie als Reisebegleiter und Erzieher ihrer Kinder mit nach Coppet nahm. Als sie G. für Ende Mai 1808 zu einer erneuten Begegnung nach Dresden lud, wich G., damals in Karlsbad, höflich aus (an sie 26. 5. 1808). Auch ihre Schrift *De l'Allemagne* (1810, von Napoleon unterdrückt, dann London 1813 in Heften erschienen) nahm G. nach internen Äußerungen trotz wiederholter Lektüre (Auszüge 1810, dann 1814, 1825, 1827) reserviert und mit gemischten Gefühlen auf, da sie dem klassizistischen Frankreich die deutsche Romantik gegenüberstellte, anerkannte jedoch ihre Bedeutung für die Rezeption der deutschen Literatur und des eigenen Werkes in Frankreich. Im Juli 1807 las G. ihren Roman *Corinne* (II 1807), im August 1818 ihre *Considérations sur les principaux événements de la révolution française* (III 1818).

J. C. Blankenagel, G., Mme de S. and Weltliteratur, MLN 40, 1925; A. Götze, Ein fremder Gast, 1928; C. d'Haussonville, Mme de S. et l'Allemagne, Paris 1928; J. de Pange, Mme de S. et la découverte de l'Allemagne, Paris 1929; M. L. Blumenthal, Die Begegnung zwischen G. und Mme de S., Neuphilologische Zeitschrift 1, 1949; A. Götze, G. im Urteil der Frau von S., Goethe 13, 1951; O. Hohagen, Frau von S. und ihr Urteil über G., Diss. Göttingen 1953; A. Fuchs, G. und sein Werk in Mme de S.s Deutschlandbuch, in: Stoffe, Formen, Strukturen, hg. A. Fuchs 1962, auch in ders., G.-Studien, 1968; B. Böschenstein, Mme de S., G. und Rousseau, in: G.zeit, hg. G. Hoffmeister 1981; J. Voisine, G. traducteur de L'essai sur les fictions de Mme de S., EG 50, 1995.

Stans. In dem Hauptort des Schweizer Kantons Unterwalden über dem Vierwaldstädter See übernachtete G. auf dem Rückweg vom St. Gotthard am 6./7. 10. 1797 im Gasthof zur Krone. Er kam mit dem Schiff von Flüelen nach Beckenried, ging zu Fuß nach Stans und am Folgetag nach Stansstad und nahm dort das Schiff nach Küßnacht.

Stanze. Die Versform des italienischen Strophenepos aus acht jambischen Elfsilbern mit der Reimfolge ababab cc verwendet G. vorwiegend in Zueignungs- und Festgedichten wie der *Zueignung* zu *Faust* und der *Zueignung* zu den Gedichten, ursprünglich zu dem ebenfalls in Stanzen geschriebenen Epenfragment *Die Geheimnisse*, im *Epilog zu Schillers Glocke*, dem Huldigungsgedicht an Marie Louise von Frankreich (»Sieht man den schönsten Stern ...«), dem Festgedicht *Herrn Staatsminister von Voigt*, in Briefgedichten an Ch. von Stein u. a., aber auch in *Urworte. Orphisch.*

W. Simon, Zu G.s S.ndichtungen, in: Beiträge zur deutschen und nordischen Literatur, hg. H. W. Seiffert 1958; W. Kayser, G.s Dichtungen in S., Euph 54, 1960, auch in ders., Kunst und Spiel, 1961.

Stapfer, Frédéric Albert Alexandre (1802–1892). Der französische romantische Schriftsteller gab mit E. L. G. Cavaignac und Marguéré eine französische Übersetzung von G.s Dramen heraus (*Oeuvres dramatiques de Goethe*, IV 1821–25). G. besprach sie in *Über Kunst und Altertum* (V,3 und VI,1, 1826 f.) weitgehend unter Verwendung der ausführlichen Rezension von J. J. A. Ampère (*Le Globe* Nr. 55, 64, 1826) und sprach auch der Einleitung von Stapfer hohe Anerkennung aus. Eine separate Prachtausgabe von Stapfers Übersetzung des *Faust I* mit 17 Lithographien von →Delacroix erhielt G. am 22. 3. 1828 und besprach sie in *Über Kunst und Altertum* (VI,2, 1828).

Starck, Johann Jacob (1730–1796). G.s Onkel, Gatte der Anna Maria Textor, Pfarrer an der St. Katharinenkirche in Frankfurt, besaß eine »schöne Bibliothek«, in der G. erstmals Homer und

Vergil kennenlernte (*Dichtung und Wahrheit* I,1), doch unterbrachen seit Ausbruch des Siebenjährigen Krieges heftige politische Meinungsverschiedenheiten mit G.s preußisch gesinntem Vater den engeren Verkehr (ebd. I,2).

Stark, Johann Christian (1753–1811). Der Jenaer Arzt, Professor der Medizin und Direktor des Hebammeninstituts wurde 1786 Leibarzt Carl Augusts, 1804 Geheimer Hofrat. Er behandelte neben Schiller auch G. in Jena, mitunter auch in Karlsbad, und wurde bei schwereren Krankheiten G.s (1801, 1805, 1809) auch nach Weimar gerufen. Sein Amtsnachfolger als Leibarzt wurde 1811 sein Neffe Johann Christian Stark d. J. (1769–1837), der ebenfalls G. behandelte.

R. Theis, G.s Arzt J. Ch. S., Diss. Jena 1949, Ausz. in: Dem Tüchtigen ist diese Welt nicht stumm, 1949.

Statius, Publius Papinius (um 40 – um 96). Mit dem Werk des römischen Epikers und Lyrikers befaßte sich G. im März 1813.

Staubbachfall →Lauterbrunnen

Stedten. Auf dem Gut Stedten bei Erfurt des Gothaer Geheimrats Dietrich von Keller und seiner Frau Auguste weilte G. als Begleiter Wielands am 1.–3. 1. 1776.

Steffens, Henrik/Henrich (1773–1845). Der deutsch-dänische Naturphilosoph und spekulativ-romantische Naturforscher stand 1798/99 in Jena dem Kreis der Älteren Romantiker und besonders Schelling nahe und war häufig in Weimar. G. sah er zuerst am 30. 1. 1799 im Weimarer Theater bei der Uraufführung der *Piccolomini;* seine persönliche Bekanntschaft machte er, wenn auch flüchtig, am 11. 2. 1799 bei Frommanns in Jena. Seit Frühjahr 1799 traf Steffens G. gelegentlich zu naturwissenschaftlichen Gesprächen (6. 4. 1799 Jena, 31. 12. 1800 Weimar); am 29. 5. 1801 beginnt G. eine lockere Korrespondenz (bis 6. 8. 1830), 1803 fordert er ihn zur Mitarbeit an der *Jenaischen Allgemeinen Literaturzeitung* auf. 1804 wurde Steffens Professor der Naturgeschichte in Halle (dann 1811 Breslau, 1832 Berlin) und heiratete 1805 J. F. Reichardts Tochter Johanna (1784–1835). Im Juli 1805 traf er G., der gelegentlich auch seine Vorlesungen hörte, in Halle in Gesellschaften und besuchte ihn Ende August 1805 mit Öhlenschläger in Lauchstädt. Weitere Besuche erfolgten u. a. am 31. 12. 1808, Dezember 1809 und 17. 4. 1811 in Weimar, im Januar 1811 in Jena. Doch kühlte sich die ohnehin nur sehr lockere Verbindung ab, nachdem G. Steffens' *Grundzüge der philosophischen Naturwissenschaft* (1806) bedenklich negativ beurteilt hatte (an Steffens Oktober 1806; *Tag- und Jahreshefte* 1806). 1811 ließ G. Fritz von Stein vor Steffens' naturwissenschaftlichen Vorlesungen warnen.

Steigentesch, Ernst August, Freiherr von (1774–1826). Der österreichische Offizier, Diplomat und Lustspieldichter hatte mit seinen »gefälligen, heiteren Stücken« (*Tag- und Jahreshefte* 1809) beim Weimarer Publikum Erfolg; im Jahre 1809 standen allein fünf seiner Lustspiele auf G.s Weimarer Spielplan: *Die Entdeckung, Die Entfernung, Die Kleinigkeiten, Die Mißverständnisse* und *Der Schiffbruch*.

E. Horner, G. und S., Zeit 40, 1904.

Steigerung. Modifizierung durch Progression ist für G. ein Grundphänomen der Natur und neben der →Polarität das zweite der »großen Triebräder aller Natur« (an F. von Müller 24. 5. 1828), das er in der Entwicklung aller Lebewesen, z. B. in der Verfeinerung der Organe, erkennt und seiner Auffassung von der kontinuierlich aufsteigenden Reihe zugrundelegt. Er überträgt den Begriff auch auf die *Farbenlehre* (Kap. XXXVIII) und bestätigt seine Anwendbarkeit auch auf ästhetische und moralische Erscheinungen (zu Riemer 24. 3. 1807) sowie auf das literarische Werk.

E. M. Wilkinson, Tasso – ein gesteigerter Werther, Goethe 13, 1951; M. Tietz, Begriff und Stilformen der S. bei G., Diss. Mainz 1961.

Stein, Charlotte Albertine Ernestine, geb. von Schardt (1742–1827). G.s platonische Freundin der Jahre 1775–88 und diejenige Frau, die den stärksten Einfluß auf sein Leben und Werk ausübte, war eine sanfte Schönheit mit großen Augen und graziösen Bewegungen, ausgezeichnet durch schlichte Eleganz, vielseitige Bildung und einen nüchtern-skeptischen, bescheidenen und soliden Charakter. Sie stammte aus einer kleinen Adelsfamilie im Dienste der Weimarer Herzöge. Ihr Vater, Hofmarschall J. W. Ch. von →Schardt, hatte ihr zwar eine strenge, höfisch orientierte Erziehung zukommen lassen, aber das Vermögen der Familie aufgebraucht und sie damit der Ressourcen eines adligen Lebensstils beraubt. Anpassungsfähigkeit, sicheres Auftreten, Beherrschung der Umgangsformen, absolute Korrektheit und lächelndes Erdulden von Kränkungen befähigten sie zum Hofdienst: bei der frühzeitigen Pensionierung ihres Vaters wurde sie 1758 Hofdame Anna Amalias. Am 17. 5. 1764 heiratete sie den Weimarer Oberstallmeister G. E. J. F. von →Stein, dem sie in unerfüllter, gleichgültiger Ehe bis 1774 vier bald verstorbene Töchter und drei Söhne (Carl, Ernst, Friedrich) gebar, für deren Erziehung sie kaum Interesse zeigte. Seither neigte sie oft zu Erschöpfung, Migräne, Resignation, Kälte und Frigidität und suchte einen Ausgleich für ihr emotional unerfülltes Leben in Lektüre, Musik, Zeichnen und eigenen dramatischen Versuchen (*Rino,* 1776; *Dido,* 1794; *Die zwei Emilien,* 1803; *Die Verschwörung gegen die Liebe* u. a.) sowie im aktiven geselligen Leben des Hofes. Schon im Januar 1775 erkundigte sie sich bei J. G. Zimmermann nach dem Dichter des *Werther,* und in dessen Antwort (19. 1. 1775) war er vom Hörensagen »der schönste, lebhafteste, ursprünglichste, feurigste, stürmischste, sanfteste, verführerischste und für ein Frauenherz gefährlichste Mann«. Wenig später, Mitte Juli 1775, zeigte Zimmermann G. in Straßburg eine Silhouette Charlottes, die dieser, wenn auch nicht ganz zutreffend, am 31. 7. 1775 für Lavaters *Physiognomische Fragmente* beschrieb. So waren sie einander nicht ganz unbekannt, als sie sich um den 12. November 1775 in Weimar erstmals begegneten und rasch einen engen gesellschaftlichen Verkehr anknüpften, bei dem G. fast wie ein Familienmitglied im Hause Stein (Kleine Teichgasse 8, ab November 1777: Ackerwand 25) oder seit 6. 12. 1775 auf deren Landgut Schloß →Groß-Kochberg aufgenommen und der ungestüme Stürmer und Dränger in die Geheimnisse höfischer Etikette, zivilisierter Redeweise und gesellschaftlicher Umgangsformen eingeführt wurde. Bei der um sieben Jahre Älteren fand er Verständnis, Anerkennung, Bewunderung, Teilnahme, Rat, Trost, Widerhall und Interesse für alle seine Unternehmungen, und seinerseits stilisierte er die Freundin in idealistischer Überhöhung ihres Wesens zum Spiegelbild seines Ideals, zur Inspirationsquelle und zum Musterbeispiel zartester Sittlichkeit und sanfter Humanität. Die rd. 1600 fast täglichen Briefe und Billets an sie sprechen von Alltäglichem und Gesellschaftlichem ebenso wie von zarter Fürsorge, Hoffnung, Wunsch, Leidenschaft, Beseligung durch die Liebe und Verzicht – einem Verzicht, der angesichts des sozialen Status und des Wesens der Frau den komplizierten Seelenbund in das Fahrwasser einer skandallosen, untadeligen Seelenliebe leitete, deren vergeistigter Charakter erst späteren Generationen fragwürdig und suspekt erschien. Dieser im Frühjahr 1781 wohl infolge von Enttäuschungen in den Amtsgeschäften, 1784 durch gemeinsames Studium Spinozas noch vertiefte Liebes- und Herzenskult erfuhr im September 1786 durch G.s heimlichen Aufbruch von Karlsbad (wo Charlotte, wie schon 1785, ebenfalls weilte) nach Italien einen ersten Stoß, den auch der noch während der Reise wieder aufgenommene Briefwechsel und das Reisetagebuch für Frau von Stein nur überdeckten. Bei G.s Rückkehr im Juni 1788 spürte sie instinktiv seine Veränderung durch das römische Liebesabenteuer, das sie nicht ohne Eifersucht als Treubruch und Verrat an der reinen Seelenliebe empfand. G.s Zusammenleben mit dem »Verhältnis« Christiane offenbarte ihr seine materialistischere Lebenshaltung, entkleidete sie aller Illusionen und führte zu wachsender Entfremdung und im Juni 1789 (letzter Brief G.s vom 8. 6. 1789) zum unnachsichtigen Bruch, zu grollenden, feindseligen Medisancen und zur Rückforderung und Vernichtung ihrer Briefe an G. Ihr Drama *Dido* verschlüsselt die Rache gekränkten Stolzes. Doch nach anfänglichem Vermeiden forderten die gemeinsamen Freunde und die Pflichten gegenüber dem Hof eine kühl-höfliche Duldung. Erst um 1795 boten G.s Gesellschaften und Vorträge sowie G.s Interesse am Studium ihres Sohnes einen vorsichtig benutzten Rahmen zu Begegnungen, und durch Charlottes Anteilnahme an G.s schwerer Erkrankung von 1801 wurden die persönlich-freundschaftlichen Beziehungen durch Briefe, Sendungen, Geschenke und Besuche (am 20. 12. 1808 auch bei Christiane) rücksichtsvoll wieder aufgenommen. Aber auch nach Christianes Tod 1816 blieb die Distanz zu dem Dichter gewahrt, dem sie das Leben in Weimar lebenswert gemacht und der ihrem Alltag einen höheren Wert und neuen Lebensinhalt verliehen hatte. In seiner Blütezeit fand das innige Verhältnis G.s zu Charlotte Ausdruck in zahlreichen Gedichten, Briefgedichten und den sog. Gedichten an →Lida, am eindrucksvollsten in *Jägers Nachtlied, An den Mond, Rastlose Liebe* und »Warum gabst du uns die tiefen Blicke …« und dem späten *Zwischen beiden Welten*. Ihr reines und gelassenes Wesen, wohl nicht ohne Einfluß auf G.s klassische Wendung, spiegelt und verklärt sich u. a. in den Frauenfiguren seiner Dramen *Lila, Elpenor, Die Geschwister, Iphigenie* und *Torquato Tasso*.

H. Düntzer, Ch. v. S., II 1874; E. Hoefer, G. und Ch. v. S., 1878 u. ö.; W. Bode, Ch. v. S., 1910 u. ö.; E. Seillière, Ch. v. S. und ihr antiromantischer Einfluß auf G., 1914; I. Boy-Ed, Das Martyrium der Ch. v. S., 1916 u. ö.; L. Voß, G.s unsterbliche Freundin, 1921 u. ö.; J. Petersen, G. und Ch. v. S., in ders., Aus der G.zeit, 1932; H. Fischer-Lamberg, Ch. v. S, ein Bildungserlebnis G.s, DVJ 15, 1937; A. Nobel, Frau v. S., 1939 u. ö.; E. Redslob, Ch. v. S., 1943; B. Martin, G. und Ch. v. S., 1949; M. Susman, Deutung einer großen Liebe, 1951; W. Hof, Um Mitternacht, Euph 45, 1950; W. Hof, Wo sich der Weg im Kreise schließt, 1957 u. ö., gekürzt als G. und Ch. v. S., 1979; D. Maurer, Ch. v. S., 1985; O. Lohss, G. und Ch. v. S., GJb 103, 1986; Ch. v. S. und J. W. v. G., hg. R. Seydel 1993; G. Neumann, Ch. v. S. in: Festschrift H. Gronemeyer, hg. H. Weigel 1993; J. Klauss, Ch. v. S., 1995.

Stein, Gottlob Ernst Josias Friedrich, Freiherr von (1735–1793). Der Gatte Charlotte von →Steins war nicht der geistlose Landjunker, als der er oft gegenüber G. abwertend dargestellt wird. Sohn eines Reichshofrats und kaiserlichen Gesandten aus altem Adel und Erbherr auf →Groß-Kochberg, absolvierte er das Gymnasium Coburg, ein Studium in Jena und eine Bildungsreise durch Frankreich und Holland. 1755 Kammerassessor, dann Kammerjunker in Weimar, wurde er 1760 Stallmeister Anna Amalias und 1775 Oberstallmeister Carl Augusts mit einem höheren Gehalt (2000 Taler jährlich) als G., das seinem anstrengenden Dienst als Reisebegleiter Carl Augusts und Verantwortlicher für Wagenpark, Marstall und Gestüt entsprach. Ein gutaussehender Kavalier mit besten Umgangsformen, ausgezeichneter Reiter und Tänzer, dazu musikalisch, warmherzig und fromm, war er für die fast mittellose 22jährige Charlotte von Schardt, die er 1764 heiratete, eine glänzende Partie, auch wenn er oft unterwegs war oder der kühlen häuslichen Atmosphäre Hoftafel und Spieltisch vorzog und die Unterhaltung seiner Frau dem Freunde G. überließ. Seit 1777 periodischen Schmerzen und Anfällen ausgesetzt – die Obduktion erbrachte einen Knochensplitter im Gehirn –, versah er dennoch jahrelang weiter treu seinen Dienst.

Stein, Gottlob Friedrich Constantin, Freiherr von, gen. Fritz (1772–1844). Der dritte, jüngste und Lieblingssohn von Charlotte von →Stein verbrachte seine Kindheit, da der Vater oft auf Reisen und die Mutter kaum an der Erziehung interessiert war, teils unter der Obhut G.s, der den lebhaften, nach Wegzug seiner Brüder oft sich selbst überlassenen Jungen an sich zog, liebevoll auf ihn einging und 1779 von Klauer seine Statue modellieren ließ. Vom 25. 5. 1783 bis Ende 1786, nach G.s Abreise nach Italien unter Aufsicht Ph. Seidels, nahm er ihn ganz in sein Haus auf, nahm ihn auf Reisen (1783 2. Harzreise, Juli 1784 Thüringer Wald u. a.) mit und erzog ihn nach seinen eigenwilligen pädagogischen Anschauungen weniger durch Lehre und methodisches Arbeiten als spielend durch die Praxis, Nachahmen, Handeln und Wirkung der realen Welt. W. von Humboldt erkannte später (1809) die Nachteile dieser Erziehungsmethode, doch für Fritz war dies »die glücklichste Periode meiner Jugend«. Auch nach der Italienreise und dem Bruch mit Charlotte von Stein nahm G. Anteil an seinem Leben, seinen Studien (1791 Jena, 1793 Hamburg) und seinen Reisen (1794/95 Holland, England). Carl August ernannte ihn 1794 zum Kammerassessor und ließ ihn 1795 an der preußischen Domänenkammer in Breslau volontieren, gab jedoch nur mit lebhaftem Unwillen seiner Bitte um Entlassung aus dem Weimarer Dienst statt. 1798–1807 war Fritz preußischer Kriegs- und Domänenrat. 1803 erwarb er mit seinem Erbe den schlesischen Besitz Strachwitz, mußte ihn aber hochverschuldet wieder aufgeben, scheiterte in zwei unglücklichen Ehen und blieb seit 1810 resignierend Generallandschaftsrepräsentant in Schlesien. G. sah ihn noch mehrfach (1801, 1807, 1819, 1821, 1822, 1824, 1825, 1827) in Weimar bzw. Jena und im August/September 1821 fast täglich in Franzensbad wieder. Sein Wesen spiegelt sich in G.s Knabenfiguren wie Felix in *Wilhelm Meister.*

W. Milch, F. C. Frhr. v. S., in: Schlesische Lebensbilder 2, 1926.

Stein, Gottlob Carl Wilhelm Friedrich, Freiherr von, gen. Carl (1785–1837). Der älteste Sohn der Charlotte von →Stein wuchs unter G.s Augen auf, ging jedoch schon 1780 zur Ausbildung nach Braunschweig, Helmstedt und Göttingen, wurde 1786 mecklenburgischer Hofjunker und Kammerauditor in Schwerin und übernahm 1796 als Erbherr das Familiengut →Groß-Kochberg, das er vergeblich zu entschulden und hochzuwirtschaften versuchte und das erst sein Sohn mit dem Vermögen seiner Frau retten konnte.

Stein, Heinrich Friedrich Carl, Reichsfreiherr vom und zum (1757–1831). Den späteren bedeutenden preußischen Minister, Staatsmann und Staatsreformer lernte G. am 29. 6. 1774 kennen, als er auf der Reise mit Lavater nach Ems auf Schloß Nassau dessen Mutter, Freifrau Henriette Caroline vom umd zum Stein (1721–1783), besuchte und deren Kindern, darunter ihm und vielleicht auch seiner schon verheirateten Schwester Louise Jeanete, Gräfin von →Werthern-Neunheiligen, Märchen erzählte (*Dichtung*

und Wahrheit III,14). Er sah ihn bei Steins Besuchen in Weimar am
17. 9. 1807, wohl auch am 11. 11. 1813 und in Wiesbaden am 9. 7.
1815 wieder, begegnete ihm am 9. 7. 1815 in Biebrich und folgte
am 24. 7. 1815 seiner Einladung nach Nassau, an die sich am
25.–28. 7. eine spontane gemeinsame Lahn-Rheinreise (Köln,
Bonn, Koblenz) und ein weiterer Aufenthalt bei ihm in Nassau
(29.–31. 7.) anschlossen (*Tag- und Jahreshefte* 1815). Als Ergebnis dieser Reise bat Stein G. um eine Art Gutachten über die Erhaltung
und Ordnung der rheinischen Kunstschätze, das G. ihm in Form des
Aufsatzes *Kunst und Altertum am Rhein und Main* am 1. 6. 1816 übersandte. 1817 bemühte Stein sich vergeblich, G. als eine Art Kultur-
dezernenten für Theater, Musik und Kunst nach Frankfurt zu
ziehen. G. seinerseits nahm starkes Interesse an der 1819 von Stein
in Frankfurt gegründeten →Gesellschaft für ältere deutsche Geschichtskunde, die ihn zum 70. Geburtstag am 28. 8. 1819 zum
Ehrenmitglied ernannte. Der Anteil des gebildeten Aristokraten an
G.s Leben und Werk bekundet sich auch in seinen weiteren Besuchen bei G. in Weimar am 13. 4. 1823 und 7. und 10. 5. 1827. »Er
ist ein Stern, den ich bei meinem Leben nicht möchte hinab gehen
sehen« (G. an A. Brentano 16. 1. 1818).

R. Hering, Frhr. v. S., G. und die Anfänge der Monumenta Germanica Historica,
JFDH 1907; A. Bach, Das Elternhaus des Frhr. v. S., 1927; K. v. Raumer, Der Frhr. v. S.
und G., 1965; H.-R. Wiedemann u. a., G. und der preußische Kultusminister K. Frhr.
v. S., GJb 109, 1992.

Stein, Henriette Caroline, Freifrau vom und zum →Stein, Heinrich Friedrich Carl

Stein, Johann Friedrich, Freiherr vom und zum (1749–1799). Der
ältere Bruder des Reformministers, selbst preußischer Hof- und
Landjägermeister, Kammerherr und 1787 preußischer Gesandter
beim Kurfürsten von Mainz, stand um 1787 mit Carl August von
Weimar in Sachen des Fürstenbundes in enger Verbindung. G. begegnete ihm vor allem bei der Campagne in Frankreich in Mainz
(23. 8. 1792) und bei der Belagerung von Mainz (28. 5. und 4. 6.
1793).

Stein, Karl von →Stein, Gottlob Carl Wilhelm Friedrich

Steinbach →Erwin von Steinbach

Steiner, Carl Friedrich Christian (1774–1840). Der Sohn von
J. F. R. →Steiner, Weimarer Architekt, Baurat und 1816 Hofbaumeister, seit 1808 auch Lehrer an der Freien Zeichenschule, errichtete
nach dem Theaterbrand 1825 nach seinen Plänen das neue, bis 1907
bestehende Weimarer Hoftheater, nachdem Carl August den
interessanteren Bauplan von G. und Coudray verworfen hatte.

Steiner, Johann Friedrich Rudolph (1742–1804). Der wenig schöpferische, doch handwerklich exakte Architekt wurde 1774 Baukondukteur und 1791 Fürstlicher Baumeister in Weimar. Er entwarf u. a. 1779/80 das erste Weimarer Komödienhaus, das sein Sohn C. F. Ch. →Steiner 1825 erneuerte, war aber als Bauführer beim Wiederaufbau des Weimarer Schlosses, ohne es zuzugeben, überfordert und suchte die ihm vorgesetzten Künstler-Architekten durch Quertreibereien zu vertreiben.

Stella. *Ein Schauspiel für Liebende in fünf Akten.* Die erste Fassung des Dramas entstand im Februar–April 1775 in Frankfurt, erschien 1776 als Einzelausgabe, wurde im Dezember 1786 für den Druck in den *Schriften* (4, 1787) leicht revidiert und am 8. 2. 1776 im Hamburger Nationaltheater uraufgeführt. Die 2. Fassung *(Ein Trauerspiel)* entstand 1803–05 in Zusammenarbeit mit Schiller, wurde am 15. 1. 1806 im Weimarer Hoftheater uraufgeführt und erschien 1816 im 6. Band der *Werke.* Das nach der Sage vom Grafen von →Gleichen oft behandelte Motiv der Doppelliebe, des Mannes zwischen zwei Frauen bzw. der Ehe zu dritt war G. aus dem Leben J. Swifts, dessen *Journal to Stella* Namen und Titel abgibt, und F. H. Jacobis, aus Lessings *Miß Sara Sampson* und Ch. F. Weißes Rührstück *Amalia* u. a. bekannt; G. selbst hatte es in der Figur Weislingens im *Götz* aufgegriffen. Zweifel an seiner eigenen Eignung zu einer bürgerlichen Ehe mögen dem Verlobten Lili Schönemanns, der er im Januar 1776 ein Exemplar mit persönlichen Versen (»Im holden Tal …«) widmete, zur Entstehungszeit nicht ganz ferngelegen haben. Dennoch hat der flatterhafte, willensschwache und in seinen Entschlüssen schwankende Frauenheld Fernando kaum Züge G.s. Das straff gebaute Stück wahrt bei allem Überschwang der Gefühle im Sinne der Empfindsamkeit und aller Sturm und Drang-Sprache die Einheiten von Ort und Zeit. Es experimentiert mit dem männlichen Wunschdenken einer permanenten erotischen Glückssuche und einer über alle bürgerlichen Bindungen und gesellschaftlichen Konventionen erhabenen Liebesfreiheit, bei der die beiden Frauenfiguren Wollust und Tugend, einerseits die ideale, weltfremde Geliebte, andererseits die verständnisvoll-tolerante und praktische Hausfrau verkörpern.

Eine Madame Sommer will ihre Tochter Lucie als Gesellschafterin der Baronesse Stella anvertrauen, deren Schicksal sie als ein schwesterlich verwandtes empfindet: Stella hatte sich mit einem Herrn, der als ihr Ehemann galt, hier niedergelassen, war aber von ihm verlassen worden. In seinem Bild erkennt Madame Sommer ihren eigenen, untreuen Ehemann Fernando und versucht zu fliehen. Dieser aber ist gleichzeitig unerkannt zurückgekehrt, hofft auf eine Erneuerung seines Liebesglücks mit Stella, findet bei ihr in Madame Sommer seine Frau Cäcilie wieder und will in raschem Umschwung seiner Gefühle mit ihr und der Tochter Lucie ab-

reisen. Ein Zusammenbruch Stellas und Ferdinands Selbstmord-
wunsch jedoch veranlassen Cäcilie schließlich zum aus der Sage des
Grafen von Gleichen abgeleiteten Vorschlag einer erotischen Drei-
ecksbeziehung (»Eine Wohnung, Ein Bett und Ein Grab«), dem alle
drei als Lösung zustimmen. Die 2. (*Trauerspiel-*)Fassung erweist das
Gleichen-Gleichnis als illusionär und ändert den fragwürdig-frivo-
len Schluß in einen Doppelselbstmord: Stella nimmt Gift, Fernando
erschießt sich. Die Beliebigkeit des Ausgangs belegt nur, daß eine
angemessene Lösung des angeschnittenen Konflikts nur denkbar,
nicht realisierbar ist. G.s vielumstrittenes, mehrfach parodiertes, von
den Moralisten aus Moralgründen, von den Ästheten wegen formaler Schwächen − oder vice versa − verurteiltes Liebesdrama hat
sich vielleicht gerade deswegen und wegen seiner leicht ironischen
Tendenz auf der Bühne bis heute als eminent spielbar behauptet.

H. Düntzer, S., in ders., Abhandlungen zu G.s Leben und Werken 2, 1885; W. Scherer, Bemerkungen über G.s S., in ders., Aufsätze über G., 1886; F. v. Jan, Ein Modell zu
G.s S., Euph 1, 1894; A. Metz, G.s S., PrJbb 126, 1906; B. Luther, Das Problem in G.s
S., Euph 14, 1907; G. Kettner, G.s S., Sokrates NF 68, 1914; W. Kluge, G.s S., Diss. Erlangen 1920; E. Castle, S., in ders., In G.s Geist, 1926 und JbWGV 73, 1969; H. Loiseau, S. et l'opinion de son temps, und S. et la critique moderne, Revue de l'enseignement des langues vivantes 44 und 45, 1927 bzw. 1928; K. Viëtor, Über G.s S., ZDB 5,
1929; K. Leisering, Das S.-Erlebnis G.s, Goethe 5, 1940; H. J. Meesen, Clavigo and S. in
G's personal and dramatic development, in: G. bicentennial studies, Bloomington 1950;
E. Beutler, Zu G.s S., Das neue Forum 1951 f.; R. Bach, Glanz der Hoffnung − Schwermut der Einsicht, in ders., Leben mit G., 1960; P. Pfaff, Das Glücksmotiv im Jugendwerk G.s, 1965; G. H. Hess, S. und Die Wahlverwandtschaften, Seminar 6, 1970; A. Am-
wald, Symbol und Metamorphose in G.s S., 1971; H.-D. Weber, S. oder die Negativität
des Happy End, in: Rezeptionsgeschichte oder Wirkungsästhetik, hg. ders. 1978; G.-M.
Schulz, G.s S., GRM NF 29, 1979; L. Pikulik, S., in: G.s Dramen, hg. W. Hinderer 1980;
P. Pfaff, Das Abenteuer des erotischen Herzens, in: Zum jungen G., hg. W. Große 1982;
H. Nutz, Nur ein vernünftig Wort, LfL 1985; E. Redslob, S., in ders., Schicksal und
Dichtung, 1985; G. K. Hart, Voyeuristic star-gazing, MDU 82, 1990; H. J. Schmidt, G's
S., in: Fide et amore, hg. W. C. McDonald 1990; H. Hillmann, G.s S., in: Utopie und
Krise, Zagreb 1993; D. G. John, Ein neuer Schluß für G.s S., GJb 111, 1994; M. Wil-
lems, S., in: Individualität, hg. K. Eibl 1996.

Stendhal, eigentlich Marie Henri Beyle (1783–1842). Von dem
französischen Schriftsteller las G. am 18./19. 1. 1818 *Rome, Naples et
Florence en 1817*, am 26. 7. 1823 die Essays *Racine et Shakespeare* und
am 15.−21. 12. 1830 *Le Rouge et le Noir*, das er wegen des psychologischen Tiefblicks trotz einiger Übertreibungen und Unwahrscheinlichkeiten schätzte (zu Soret 17. 1. 1831). Er hielt Stendhal
für einen »mittleren Geist …, das Beste, Erste fehlt ihm« (zu F. Mendelssohn 1. 6. 1830).

H. H. Remak, G. on S., in: G. bicentennial studies, hg. H. J. Meessen, Bloomington
1950.

Sterling, Charles James (1804–1880). Der Sohn des englischen
Konsuls in Genua und Freund von Lord Byron überbrachte G. am
27. 5. 1823 eine handschriftliche Empfehlung und Grußbotschaft
Byrons. Er blieb länger in Weimar, knüpfte ein freundschaftliches
Verhältnis zur Familie G.s, besonders zu Ottilie von →Goethe, das
sich 1832 in Mainz noch vertiefen sollte. August von G. besuchte

ihn auf seiner Italienreise im August 1830 in Genua, und Sterling pflegte ihn bei seiner Krankheit in La Spezia. Er besuchte G. wieder am 13. 10. 1831.

J. Hennig, A note on G's relations with Ch. S., MLR 54, 1959.

Sternberg, Caspar Maria, Graf von (1761–1838). Der ursprünglich zum Geistlichen ausgebildete Gelehrte aus böhmischem Reichsadel war 1786–1810 Hof- und Kammerrat des Bischofs von Regensburg, zog sich 1810 zu mineralogischen, paläontologischen und botanischen Studien auf seine böhmischen Güter und nach Prag zurück und pflegte regen gesellschaftlichen und brieflichen Verkehr mit dem böhmischen Adel und Naturforschern aus aller Welt. 1822 wurde er Mitbegründer und Präsident des Vaterländischen Museums in Prag. Nach vereinzeltem naturwissenschaftlichem Briefwechsel mit G. seit 1820 begründeten die »längst gewünschte und immer verspätete« erste persönliche Begegnung (an Knebel 23. 8. 22) am 11. 7. 1822 in Marienbad, die G. als »größten Gewinn« betrachtete (an Zelter 8. 8. 1822), ein zweiwöchiges fast tägliches Beisammensein (bis 24. 7.) und ein gemeinsamer Ausflug auf den →Kammerberg bei Eger am 30. 7. 1822 ein ungewöhnlich enges Freundschaftsverhältnis, das auf gemeinsamen Erfahrungen staatsmännischen und wissenschafts-organisatorischen Wirkens, gemeinsamen politischen Überzeugungen und wissenschaftlichen Standpunkten beruhte und durch einen intensiven Briefwechsel (bis 1832) und Sternbergs Besuche in Weimar am 4.–10. 7. 1824, 11.–19. 6. 1827 und 14.–19. 7. 1830 noch vertieft wurde. Bei diesen Gelegenheiten ließ G. Sternberg im Juli 1824 für seine Sammlung zeichnen, schrieb ihm eine poetische Einladung nach Weimar (»Frühlingsblüten sind vergangen ...«, 11. 6. 1824) und zwei Widmungsverse (»Wenn mit jugendlichen Scharen ...«, 12. 6. 1827; »Ödem Wege ...«, 19. 6. 1827). G. las im Januar 1821 Sternbergs *Versuch einer geognostisch-botanischen Darstellung der Flora der Vorwelt* (IV 1820 f.), unterstützte seine Bestrebungen für das Prager Museum und ließ sich gern von ihm die kulturelle Eigenart Böhmens erschließen. Er gab wiederholt seiner Bewunderung für den vielseitigen Gelehrten Ausdruck: an Carl August 1. 8. 1822, Zelter 8. 8. 1822, Knebel 23. 8. 1822 und zu Eckermann 20. 6. 1827.

R. Springer, G. und Graf v. S., in ders., Essays, 1885; A. Sauer, G.s Freund Graf K. S., in ders., Gesammelte Reden, 1903; F. Fischl, G. und Graf K. S., in: Aus G.s Marienbader Tagen, 1932.

Sterne, Laurence (1713–1768). Der im 18. Jahrhundert in Deutschland vielgelesene, von J. J. Ch. Bode übersetzte englische humoristische Erzähler hatte starken Einfluß auf G.s Entwicklung und literarische Bildung, da sein humaner Humor und seine wohlwollende Ironie auf lächelnder Duldung der menschlichen Eigenheiten beruhen, die erst das Individuum konstituieren. G. lernte seine Hauptwerke *The life and opinions of Tristram Shandy, gentleman* (1759–67) und *A sentimental journey through France and Italy* (1768) 1770/71 in Straßburg kennen, laß sie auch im Alter (1826, 1828, 1830) wiederholt, spielte häufig darauf an und anerkannte seinen Einfluß auch auf *Werther* und die *Italienische Reise*; Sterne war für ihn »der schönste Geist, der je gewirkt hat« (*Maximen und Reflexionen* 742), »dem ich so viel verdanke« (*Lorenz Sterne*). Weitere Bekundungen seiner Wertschätzung: *Tag- und Jahreshefte* 1789, *Maximen und Reflexionen* 742, 760, 1773–87, Aufsatz *Lorenz Sterne* (1827), an Zelter 25. 12. 1829, 5. 10. 1830, zu Riemer 1. 10. 1830.

H. W. Thayer, L. S. in Germany, New York 1905; W. R. R. Pinger, L. S. and G., Berkeley 1920; G. Klingemann, G.s Verhältnis zu L. S., Diss. Marburg 1929; J. Boyd, G's knowledge of English literature, Oxford 1932; G. J. Hallamore, Das Bild L. S.s in Deutschland, 1936; F. Strich, G. und die Weltliteratur, 1946 u. ö.; P. Michelsen, S. und der deutsche Roman des 18. Jahrhunderts, 1962; A. Montandon, La reception de L. S. en Allemagne, Clermont-Ferrand 1985.

Sternthal, Baron →*Lila*

Stiedenroth, Ernst Anton (1794–1858). Der Professor der Philosophie in Berlin und Greifswald übersandte G. im Mai 1824 seine *Psychologie zur Erklärung der Seelenerscheinungen* (II 1824 f.). G. las sie im Juni 1824 (an L. F. Schultz 27. 6. 1824), den 2. Band im Mai 1825 und besprach sie, von dem Werk begeistert, gleich zweimal: in den Heften *Zur Morphologie* (II,2, 1824) und in *Über Kunst und Altertum* (V,2, 1825). Vgl. *Maximen und Reflexionen* 273.

Stieglitz, Christian Ludwig (1756–1836). Der Leipziger Ratsherr, Richter, Baumeister, auch Archäologe und Kunstschriftsteller besuchte G. 1807, 1809, 1810 und 1814 in Weimar, Jena, Karlsbad und Berka. Er schickte G. im Mai 1809 »Schwefelabgüsse seiner ansehnlichen Münzsammlung« (*Tag- und Jahreshefte* 1809), im Februar 1810 eigene Zeichnungen zum *Faust* und 1820 sein Werk *Von altdeutscher Baukunst.*

Stieler, Joseph Carl (1781–1858). Der Hofmaler König Ludwigs I. von Bayern weilte vom 25. 5. bis 6. 7. 1828 in Weimar, um für diesen ein Porträt G.s zu malen. G. saß dazu vom 27. 5. bis 3. 7. zwölfmal unter lebhaften Unterhaltungen über Kunst und Farbenlehre und lobte das entstandene Porträt, von dem er später eine Kopie erhielt. Stielers Porträt ist das wohl bekannteste und in Reproduktionen am weitesten verbreitete Repräsentativbild des Dichters im Alter und hat das Bild des Klassikers weitgehend geprägt. Gleichzeitig malte Stieler ein kleineres Aquarell- und Kreidebild G.s für Ottilie.

U. v. Hase, J. S., 1971; R. Meckler, Das G.-Porträt von J. S., GJb 98, 1981; →Porträts.

Stil. G.s Stilbegriff ist im wesentlichen von der bildenden Kunst und der normativen klassizistischen Kunstauffassung geprägt. So bezeichnet er Stil als höchsten Grad der Kunst aus der Verbindung von Ernst und Spiel (*Einfache Nachahmung der Natur, Manier, Stil*) und als »allgemeine Norm der Gestalten« (*Julius Cäsars Triumphzug*). In der Literatur ist ihm »der Stil eines Schriftstellers ein treuer Abdruck seines Innern« (zu Eckermann 14. 4. 1824). Sein eigener schriftstellerischer Stil, wohl derjenige Individualstil der deutschen Literatur, der der größten Bandbreite und der feinsten Nuancen fähig ist, wird ihm nicht Gegenstand der Reflexion. Er ist jedoch in hohem Maße flexibel je nach Vers oder Prosa, nach den Gattungen und den behandelten Gegenständen, variabel nach Empfängern bzw. Publikum und wandelt sich in den verschiedenen durchlaufenen Stilepochen seiner Zeit, die er maßgeblich mit prägt, über Rokoko/Anakreontik, Sturm und Drang, Klassik und romantische Einflüsse bis zum Altersstil von höchster sprachlicher Konzentration.

H. Friese, G.s S.begriff, NJbbWJ 12, 1936; E. Trunz, G.s Altersstil, WW 5, 1954 f.; N. A. Sigal, Sprache und S. des jungen G., WB 6, 1960; G. Ziegler-Happ, Das Spiel des S., 1989.

Stilling →Jung-Stilling, Heinrich

Stirb und werde! →*Selige Sehnsucht*

Stock, Esther Maria Margarethe, geb. Moritz (1755–1825). Die Tochter von Johann Friedrich →Moritz, Frankfurter Jugendfreundin G.s, heiratete 1778 den Frankfurter Kaufmann, Senator, Ratsherrn und Schöffen Jakob Stock (1745–1808). G. schrieb ihr am 1. 1. 1806 die Verse »Was uns Günstigen …« ins Stammbuch und besuchte sie am 7. und 20. 8. 1797, 14., 16., 20. 9. und 15. 10. 1814 in Frankfurt.

Stock, Johann Michael (1739–1773). Der 1764 aus Nürnberg nach Leipzig übergesiedelte, fleißige Kupferstecher wohnte mit seiner Frau Marie Helene (1733–1782) und seinen beiden jungen Töchtern Johanna Dorothea →Stock (1760–1832) und Anna Maria Jacobine, gen. Minna (1762–1843, später verh. →Körner) in der Mansarde des Breitkopfschen Hauses »Zum silbernen Bären« und arbeitete Radierungen für Oeser, Vignetten für Breitkopf und Buchillustrationen, u. a. zu Thümmels *Wilhelmine* und Cervantes' *Don Quichote*. G. hielt sich 1768 oft bei ihm auf, nahm am Familienleben teil, spielte mit den Töchtern und lernte bei ihm Kupferstechen, Radieren (zwei Landschaften nach J. A. Thiele sind erhalten) und Holzschnitt, bis er sich durch unvorsichtiges Ätzen eine Kehlkopfentzündung zuzog (*Dichtung und Wahrheit* II,8). Mit den Töchtern blieb er durch Ch. G. Körner verbunden.

Stock, Johanna Dorothea, gen. Dora, Doris (1760–1832). Die Pastellmalerin, Tochter und Schülerin von J. M. →Stock, bei dem G. 1768 verkehrte und mit ihr spielte, zeitweilig Verlobte von

L. F. →Huber, lebte später bei ihrem Schwager Ch. G. →Körner und der Schwester Minna →Körner in Dresden und zog 1815 mit ihnen nach Berlin. G. sah sie 1789 in Weimar, mehrfach bei Schiller in Jena, im Juni 1790, September 1810 und April 1813 in Dresden, im Juli/August 1808, September 1810 und Mai 1815 in Karlsbad und Mai/Juni 1813 in Teplitz wieder.

F. Götting, D. S., GKal 31, 1938.

Stock, Anna Maria Jacobine, gen. Minna →Körner, Minna

Stockhausen, Louise Henriette Friederike von →Ziegler, L. H. F. von

Stockum, Caroline und Lisette sowie eine namentlich nicht bekannte dritte Schwester waren Frankfurter Jugendfreundinnen G.s und Cornelias, die in ihrem Tagebuch deren Schönheit preist. G. ließ sie 1765/66 durch Cornelia grüßen.

Stöber, Elias (1719–1778). Der Straßburger Professor der Theologie äußerte sich in Briefen an F. D. Ring vom 4./5. 7. und 7. 8. 1772 nicht gerade schmeichelhaft über die erste, abgelehnte Dissertation des Kandidaten G., eines »überwitzigen Halbgelehrten« und »wahnsinnigen Religionsverächters«.

Stolberg-Stolberg, Auguste Louise (»Gustchen«), Gräfin zu, verh. Gräfin von Bernstorff (1753–1835). G. wußte anfangs nicht einmal ihren Namen, hat sie nie gesehen und hat dennoch jahrelang (1775–82) einen regen, vertraulichen Briefwechsel mit ihr geführt, in dem er seinen persönlichsten Gefühlen und Gefühlskonflikten, seiner Liebe und seinen Sorgen zumal aus der Zeit mit Lili Schönemann unverhüllt Ausdruck gab und die ihm persönlich Unbekannte zu einer angeschwärmten Idealgestalt erhob. Die Schwester der Grafen Christian und Friedrich Leopold zu →Stolberg-Stolberg, später 1783 zweite Gattin ihres Schwagers, des dänischen Ministers Andreas Peter Graf von Bernstorff (1735–1797), war damals eine empfindsame, dem Pietismus nahestehende junge Stiftsdame in Uetersen, literarisch interessiert, Klopstock-Verehrerin und begeisterte *Werther*-Schwärmerin. Am 17. 11. 1774 erkundigte sie sich bei Boie nach G. und schrieb ihm Anfang Januar 1775 einen anonymen Brief, der ihn so beeindruckte, daß er seiner Antwort vom 26. 1. 1775 der »teuren Ungenannten« seinen Schattenriß beilegte. Erst nach dem 2. Brief weiß G. ihren Namen. Der sich anschließende, exaltiert-schwärmerische, vom Freundschaftskult der Empfindsamkeit und des Sturm und Drang geprägte Briefwechsel steht unter G.s Briefwechseln in seiner Offenherzigkeit einzigartig da, ist aber über den unmittelbaren Gefühlsausdruck und eine stark egozentrische, monologische Seelenaussprache zugleich bewußt artistisch im

Werther-Stil auf den Effekt hin komponiert und untermischt Tage-
buchartiges mit Briefgedichten wie »Alles geben Götter …« (17.7.
1777). Erst unter dem Einfluß Ch. von Steins in Weimar läßt G.s
Mitteilungsbedürfnis allmählich nach, das vertrauliche »Du« verschwindet, am 3.6.1780 stellt G. ihr anheim, den »alten Faden«
wieder anzuknüpfen, und mit einem Brief G.s vom 4.3.1782 erlischt die Korrespondenz für vier Jahrzehnte. Einen religiösen Be-
kehrungsversuch im Brief vom 15.–23.10.1822, der ihn in Sorge
um sein Seelenheil zu Christenglauben und Weltabkehr überreden
will, beantwortet G. im erhabenen Brief vom 17.4.1823 in Anerkennung ihrer edlen Absicht und schonungsvoll mit der Versiche-
rung seiner eigenen Redlichkeit und seinem Bekenntnis zur Weltfrömmigkeit.

E. H. Rainalter, G. und A. z. S., Xenien 6, 1913; M. Kuckei, A. v. S., Heimat 47, 1937;
D. W. Schumann, Briefe aus A. S.s Jugend, Goethe 19, 1957; E. Plath-Langheinrich, Als
G. nach Uetersen schrieb, 1989 u. ö.; →Stolberg-Stolberg, F. L.

Stolberg-Stolberg, Christian, Graf zu (1748–1821). Der ältere
Bruder von Friedrich Leopold zu →Stolberg-Stolberg stand immer
im Schatten seines Bruders und rückte G. seit der gemeinsamen
Schweizer Reise 1775 und den Besuchen in Weimar 1775 und
1784 ferner. Er besuchte G. zuletzt mit seiner Frau Louise, geb. Gräfin von Reventlow, einige Tage im April 1792 in Weimar.

Literatur →Stolberg-Stolberg, F. L.

Stolberg-Stolberg, Friedrich Leopold, Graf zu (1750–1819). Der
jüngere, aber dominierende Bruder von Christian zu →Stolberg-
Stolberg studierte mit diesem Jura in Halle und Göttingen, wurde
dort Mitglied des Göttinger Hains und Freund Klopstocks und trat
wohl schon 1774 durch Vermittlung Boies mit G. in Briefkontakt.
Um den 8./12.5.1775 trafen die beiden lebenslustig-exzentri-
schen, sich genialisch gebärdenden und von Tyrannenhaß überspru-
delnden Brüder (»Dioskuren«, »Zwillinge«), von denen Friedrich
einen Liebeskummer überwinden mußte, mit Graf Ch. A. H. K.
von →Haugwitz in Frankfurt ein und verkehrten als die vier »Haimonskinder« viel in G.s Elternhaus. Auf ihre Einladung schloß
sich G. ihnen am 14.5.1775 spontan zu einer Bildungsreise (in
Werthertracht) über Darmstadt (Merck), Mannheim, Heidelberg,
Karlsruhe, Straßburg und Freiburg in die →Schweiz an, bei der sie
ihren jugendlichen Übermut u. a. durch Nacktbaden u. ä. ausließen,
so daß G., wie Merck vorhergesagt hatte, nicht unglücklich war, als
sie sich im Juni 1775 in Zürich von ihm trennten und ihre Reise
durch das Tessin bis Genf (Voltaire) fortsetzten. Auf dem Rückweg
besuchten sie am 26.11.–3.12.1775 G. in Weimar und nahmen am
dortigen Genietreiben teil. Carl August bot Friedrich Leopold eine
feste Position als Kammerherr an; dieser sagte zu, trat sie jedoch
nach einer moralischen Warnung von Klopstock und zugunsten
verschiedener Positionen am dänischen Hof nicht an. Am 27.5.–

2. 6. 1784 besuchte er mit seiner 1. Frau Henriette Eleonore Agnes,
geb. von Witzleben (1761–1788), seinem Bruder und dessen Frau
wiederum G. in Weimar. Nach einer zunehmend christlichen Wendung seit den 1780er Jahren erregte seine offizielle Konversion zum
Katholizismus (1. 6. 1800) großes Aufsehen und heftige Kontroversen; sie überraschte G. nicht, zerriß aber die in ein »allgemeines
Wohlwollen« aufgelösten »schönsten früher geknüpften Bande« der
Freundschaft (*Tag- und Jahreshefte* 1801). 1820 nahm G. den Konvertiten gegen J. H. Voß' ungerechten Angriff (*Wie ward Fritz Stolberg ein Unfreier?*, 1819) in Schutz (an Knebel 29. 12. 1819; *Tag- und
Jahreshefte* 1820; Gedicht *Voß contra Stolberg*, 1820; Skizze *Voß und
Stolberg*, 1825). Bei der letzten Begegnung bei gleichzeitigem Aufenthalt in Karlsbad (13. 6.–9. 7. 1812) suchten die einstigen Jugendfreunde im Bewußtsein des geistigen Abstandes nach Gemeinsam-
keiten in einem an Kontroversen nicht armen Leben: Stolbergs
christliche Kritik an Schillers *Die Götter Griechenlands*, seine betont
christliche *Reise in Deutschland, der Schweiz, Italien und Sizilien
1791–92* (IV 1794), vor allem aber seine Sticheleien gegen das
Weimarer Heidentum in der »abscheulichen« Vorrede (»Sudelei des
gräflichen Salbaders«) zur Übersetzung *Auserlesene Gespräche des
Platon* (1796 ff.) erregten die Weimarer Klassiker (an Schiller
21.–29. 11. 1795, an Humboldt 3. 12. 1795, *Plato als Mitgenosse einer
christlichen Offenbarung*, entstanden 1795, Druck 1826). Sie fanden in
den *Xenien* Nr. 15–17, 52, 72, 116–118, 125, 278 f. und 357 und im
Faust (v. 4271 ff. »Orthodox«) scharfe Abfertigung. Stolberg erwiderte nicht und trug nichts nach. Die spätere Schilderung der Brüder in *Dichtung und Wahrheit* (IV,18–19) mit der Beschreibung durch
Lavater bemüht sich durch versöhnliche Darstellung und Erklärung
der Konversion um den Ausgleich früherer Härten.

H. Düntzer, Abhandlungen zu G.s Leben und Werken I, 1885; D. W. Schumann, G.
and the S.s, JEGP 48 und 50, 1949 bzw. 1951; D. W. Schumann, Aufnahme und Wirkung von S.s Übertritt zur katholischen Kirche, Euph 50, 1956; S. Sudhoff, G. und S.,
in: Festschrift D. W. Schumann, 1970.

Stoll, Joseph Ludwig (1778–1815). Der Wiener Schriftsteller lebte
1801–07 in Weimar, wo das Hoftheater seine rokokohaft leichten
Lustspiele *Scherz und Ernst* 1803, *Streit und Liebe* 1806 und *Amors
Bild* 1807 aufführte. Auf G.s Empfehlung wurde der »langjährige
Freund« 1807 Theaterdichter am Wiener Hofburgtheater. Zumal im
Oktober 1807 war er häufig G.s Gast, und G. entsprach seiner Bitte
um Beiträge für die 1808 mit F. C. L. von Seckendorff zu grün-
dende Zeitschrift *Prometheus*, indem er im November/Dezember
1807 das Festspiel *Pandora* begann, von dem die Verse 1–402 unter
dem Titel *Pandorens Wiederkunft* in Heft 1 und 2 des *Prometheus*
(1808) erschienen. Die Zeitschrift wurde nach sechs Heften eingestellt (*Tag- und Jahreshefte* 1807).

E. Sauer, J. L. S., GRM 9, 1921; R. Hauser, Zur Geschichte der Wiener Zeitschrift
Prometheus, Euph 30, 1929.

Stosch, Philipp, Baron von (1691–1757). Der Diplomat, Archäologe und Kunstsammler in Rom, ab 1731 Florenz, besaß eine stattliche Sammlung von rd. 3000 Gemmen und 28 000 Abgüssen. Von der Gemmensammlung, die Friedrich der Große 1770 für Berlin erwarb, verfaßte Winckelmann 1758 einen Katalog (*Description des pierres gravées*, 1760; vgl. *Winckelmann*, Kap. »Glücksfälle«; *Verzeichnis der geschnittenen Steine*, 1828). G. erwarb 1827 von Berlin Abdrücke der Gemmen (an Boisserée 11. 11. 1827).

Stotternheim. In dem Dorf bei Erfurt wurden 1827 reiche und 1829 bei tieferen Bohrungen noch reichere Steinsalzlager entdeckt. Zur feierlichen Überreichung der ersten gewonnenen Salzproben an Großherzogin Louise an deren Geburtstag am 30. 1. 1828 verfaßte G. auf Bitten des Salinendirektors Glenck das Festgedicht *Die ersten Erzeugnisse der Stotternheimer Saline* mit einigen versteckten Angriffen auf die Vulkanisten.

Strada, Famianus (1572–1649). Das Geschichtswerk *De bello Belgico decades duae* (1640) des römischen Jesuiten und Historikers, das G. im März 1782 in einer Mainzer Ausgabe von 1651 las, bildet eine der Hauptquellen für den *Egmont*. Die lebendige Darstellung aus spanischer Sicht bot ihm manche Motive, einen ausführlichen Bericht über die Unterredung zwischen Egmont und Oranien und über die Verhaftung Egmonts und die fast wörtlich verwendeten Schlußworte des 4. Akts.

Straßburg. Die dreisemestrige Straßburger Studienzeit 1770/71 bedeutet für den jungen G. nach der Frankfurter Rekonvaleszenz nicht nur eine körperlich-geistige Wiedergeburt, eine Erweckung der Persönlichkeit und des Naturgefühls, sondern auch literarisch den Durchbruch zum Sturm und Drang und zur Erlebnisdichtung. Der Aufenthalt in der gemischt deutsch-französischen Universitätsstadt von damals etwa 43 000 Einwohnern mit rd. 500 Studenten ist zugleich der Ausbruch aus der reindeutschen in eine mehrsprachige, kosmopolitische Welt. G. traf wohl am 4. 4. 1770 in Straßburg ein, wohnte zuerst im Gasthof zum Geist, dann beim Kürschner Schlag am Alten Fischmarkt und nahm den Mittagstisch in der deutschen Tischgesellschaft der Jungfern →Lauth in der Knoblochgasse. Er wurde am 18. 4. immatrikuliert, kümmerte sich jedoch wenig um das wenig Neues bietende Jurastudium und überließ seine Vorbereitung auf das Examen dem Repetitor Engelbach. Mit Ablegung des juristischen Vorexamens am 25. und 27. 9. 1770 war er vom Vorlesungsbesuch befreit. Nach der Ablehnung seiner →Dissertation *De legislatoribus* für den Druck 1771 promovierte er am 6. 8. 1771 durch Disputation über seine *Positiones iuris* zum Lizentiaten der Rechte (→Doktortitel). Daneben hörte er 1770/71 Vorlesungen über Staatswissenschaft bei J. D. Schöpflin, über Geschichte bei J. J. Oberlin und Ch. W. Koch, über Anatomie und Chirurgie bei J. F. Lobstein, J. Chr. Ehrmann u. a. und über Chemie bei J. R. Spielmann. Nachdem ihn anfangs Stadt und Universität wenig anzogen und er sich dem engstirnigen Straßburger Pietistenkreis rasch entfremdete, fand er bald im Kreis der Freunde um J. D. Salzmann, J. H. Jung-Stilling, J. M. R. Lenz, H. L. Wagner, F. Ch. Lerse, F. L. Weyland und J. K. Engelbach eine Heimat und unternahm in den Semesterferien Ausflüge ins Elsaß und nach Lothringen. Bedeutende Erlebnisse waren der Eindruck gotischer Baukunst am →Straßburger Münster, der Durchzug Marie Antoinettes am 7. 5. 1770, die Liebe zu Friederike →Brion in →Sesenheim seit Oktober 1770 und vor allem die Begegnung mit →Herder, der vom 4. 9. 1770 bis April 1771 in Straßburg Heilung seines Augenleidens suchte und G. in zeitweise täglichem Umgang Homer, Ossian, Shakespeare, Goldsmith, Sterne, die Bibel und das Volkslied erschloß, ihn auf Pindar und Hamann hinwies und damit die Weichen für den Durchbruch zum Sturm und Drang legte, blieb auch die literarische Ausbeute der Straßburger Zeit noch gering: die Sesenheimer Lieder an F. Brion, Volksliedhaftes wie *Heidenröslein*, die Ossian-Übersetzungen, ein Briefroman-Fragment *Arianne an Welty*, das Fragment eines Caesar-Dramas in Prosa und die Pläne zum *Götz von Berlichingen* und wohl auch *Faust*. Nach dem Wegzug nach Frankfurt am 9. 8. 1771 kehrte G. noch dreimal kurz nach Straßburg zurück: Auf dem Hin- und Rückweg zur 1. Schweizer Reise weilte er am 24.–26. 5. und 12./13. 7. 1775 einige Tage im Kreise der alten Bekannten (Salzmann, Lenz) und begegnete erstmals J. G. Zimmermann. Auf dem Hinweg zur 2. Schweizer Reise mit Carl August besuchte er am 26. 9. 1779 seine frühere Verlobte Lili von Türckheim, geb. Schönemann. Die Darstellung der Straßburger Zeit in *Dichtung und Wahrheit* (II, 9) schildert aus dankbarer Erinnerung die für die Ausbildung des Dichters so außerordentlich formativen Jahre.

E. Martin, G. in S., 1871; J. Leyser, G. zu S., 1871; G. A. Müller, G. in S., 1896; E. Traumann, G., der Straßburger Student, 1910 u. ö.; E. Schmidt, G. und S., in ders., Charakteristiken 2, 1912; E. Vermeil, G. à S., in: G., Paris 1932; P. Witkop, G. in S., 1943; G. Fricke, G.s Straßburger Wandlung, 1944, auch in ders., Studien und Interpretationen, 1956; G. Spillmann, G. à S., Revue des deux mondes I, 1960; P. Grappin, G. in S., Goethe 31, 1969; R. Bauer, Le théâtre à S. vers 1770, RA 3, 1971; →Elsaß.

Straßburger Münster. Die ursprünglich 1015 begonnene, nach einem Brand seit 1176 neuerrichtete gotische Kathedrale, deren Westfront →Erwin von Steinbach entwarf, war G.s erstes bedeutendes Architekturerlebnis und eröffnete ihm den Zugang zu der derzeit noch als barbarisch empfundenen Baukunst der →Gotik. Gleich am ersten Tag (4. 4. 1770 ?) seiner Straßburger Studienzeit besuchte er das Münster, das ihm 1770/1 ständig vor Augen sein sollte, und bestieg die Plattform des Münsterturms, den er auch in den späteren Monaten wiederholt erklomm, um seine Höhenangst zu bekämpfen. Seine Begeisterung und der überwältigende Eindruck dieses »größten Meisterwerks der deutschen Baukunst« (an Röderer 21. 9. 1771) – wobei G. in mißverstandenem Patriotismus »deutsch« für »gotisch« vorzieht – fand ersten Niederschlag in dem wohl noch 1771 in Straßburg begonnenen hymnischen Prosastück →*Von deutscher Baukunst* (1772). Noch dreimal, im Mai und Juli 1775 und im September 1779, sah er bei seinen Aufenthalten in →Straßburg das Münster wieder, und insgesamt viermal beschrieb er es. Impressionen beim Besteigen des Turms am 13. 7. 1775 gibt die Prosa →*Dritte Wallfahrt nach Erwins Grabe im Juli 1775*. Eine sachlich ausgewogenere, den eigenen Standpunkt historisierende Beschreibung bietet die Darstellung in *Dichtung und Wahrheit* (II,9), die 1811 entstand, nachdem er mit Boisserée im Mai 1811 Zeichnungen des Münsters und anderer gotischer Kirchen besprochen hatte. Einem Wiederabdruck des Jugendaufsatzes von 1772 in *Über Kunst und Altertum* (IV,2, 1823) schließlich stellte G. den zweiten Aufsatz gleichen Titels →*Von deutscher Baukunst* (1823) voran, der einen Ausgleich zwischen der jugendlichen Begeisterung für die Gotik und der späteren Bevorzugung des Klassizismus sucht.

Ch. H. Handschin, G. und die Gotik in Straßburg, Modern Philology 7, 1909 f.; L. Pfleger, G. und das S. M., Elsaßland 12, 1932; H. Keller, G.s Hymnus auf das S. M., 1974; R. Liess, G. vor dem S. M., 1985; P. Beckmann, Zur Semiotik der S. M.fassade und der beiden G.-Aufsätze, Kodikos 13, 1990; →Straßburg.

Straube, Johanna Elisabeth, geb. Winckler (1696–1780). Die vermögende Kaufmannswitwe war 1765–68 G.s freundlich-besorgte »alte Wirtin« in der Großen Feuerkugel in Leipzig.

Streben. Ein leitmotivartiger Schlüsselbegriff G.s besonders im *Faust* (v. 317, 697, 767, 1075, 1676, 1742, 1856, 7291, 11936): das unablässige Suchen und Verlangen des Menschen nach dem Besseren, Höheren, Reineren (vgl. *Hermann und Dorothea* V,6 ff.), nach dem – wenngleich unerreichbaren – Ideal, impliziert geradezu notwendig auch das Irren (*Faust* v. 317; vgl. an Eichstädt 15. 9. 1804), bietet jedoch eine Möglichkeit für eine Erlösung (»Wer immer strebend sich bemüht, den können wir erlösen«, ebd. v. 11936 f.; vgl. zu Eckermann 6. 6. 1831). Die Perversion des Begriffs im 19./20. Jahrhundert dahingehend, daß bloßes Streben gleich welcher Art, rastlose Tätigkeit um der Tätigkeit willen, ein ethisch indifferenter oder ambivalenter Aktionismus an sich schon den durch sein Streben gekennzeichneten sog. »faustischen Menschen« erlösungsfähig mache, wurde endgültig durch Th. Manns *Doktor Faustus* (1947) widerlegt.

H. Schwerte, Faust und das Faustische, 1962.

Streckfuß, Adolf Friedrich Carl (1779–1844). Der Berliner Beamte und Dichter wirkte vor allem durch seine Übersetzungen aus dem Italienischen (Ariost II 1818–10; Tasso II 1822, Dante III 1824–26) für eine Weltliteratur im Sinne G.s. Er stand seit 1824, anfangs indirekt über den gemeinsamen Freund Zelter, mit G. in Briefverbindung. G. las im Juli 1824 (»Hölle«) und August/ September 1826 (»Fegefeuer«, »Paradies«) seine Dante-Übersetzung, die er mehrfach lobend erwähnte und die ihm Dante und die Terzinenform nahebrachte. Seinen am 2.–4. 9. 1826 entstandenen, für Streckfuß bestimmten Aufsatz *Dante* legte er dem Brief an Zelter vom 6. 9. 1826 bei. Am 12. 8. 1826 sandte G. ihm über Zelter ein Exemplar von Manzonis Trauerspiel *Adelchi* mit einer Widmung (»Von Gott dem Vater …«, 11. 8. 1826) und der Anregung zur Übersetzung. Diese erschien, nachdem G. am 27. 1. 1827 Proben gesehen und Fragen zur Übersetzung beantwortet hatte, im Mai 1827 mit einer Widmung an G. Im Juli 1827 versuchte G. vergeblich, Streckfuß für eine Übersetzung von Manzonis *I promessi sposi* zu gewinnen, doch besprach Streckfuß diesen Roman und Niccolinis Trauerspiel *Antonio Foscarini* 1827 für *Über Kunst und Altertum*. Eine persönliche Begegnung erfolgte erst am 27. 9. 1827 bei Streckfuß' Besuch in Weimar.

Streicher, Johann Andreas (1761–1833). Ausgerechnet von Schillers Jugendfreund und Fluchtgefährten, dem Musiker und späteren Wiener Klavierhersteller, stammt der Konzertflügel im Junozimmer des Weimarer Goethehauses, den G. durch Vermittlung von Rochlitz im September 1821 aus Leipzig erhielt und auf dem Felix Mendelssohn, Hummel, C. Wieck-Schumann u. a. konzertierten.

Strick van Linschoten, Betty (1800–1846). Am 30. 9. 1815 speiste G. in Mannheim bei dem ihm schon von früher her bekannten holländischen Schriftsteller und Diplomaten Baron Strick van Linschoten (1769–1819), dessen Übersetzung von V. Montis Tragödie *Cajus Gracchus* Weimar am 20. 10. 1810 gespielt hatte. Dabei gab ein Smaragdring seiner schönen Tochter Betty, späterer Gattin des preußischen Gesandten von Arnim, Anlaß zur Entstehung des galanten *Divan*-Gedichts *Bedenklich*.

H. Wahl, Der Smaragd der schönen Holländerin, Goethe 1, 1936, auch in ders., Alles um G., 1956.

Strixner, Johann Nepomuk (1782–1855). Der Münchner Maler, Kupferstecher und Lithograph verbreitete seit 1807 (Dürers *Gebetbuch Kaiser Maximilians*) die Gemälde der Münchner Gemäldesammlungen, seit 1820 auch der Sammlung Boisserée, in Lithographien. G. war von dieser Möglichkeit, Kunstwerke weiter zugänglich zu machen, sehr angetan (*Tag- und Jahreshefte* 1821), besaß selbst viele davon und besprach die Hefte mit J. H. Meyer mehrfach in der *Jenaischen Allgemeinen Literaturzeitung* (67, 1808) und in der Rezension *Steindruck* (*Über Kunst und Altertum* V,3, 1826).

Stromeyer, Carl, eigentlich Strohmeyer, dessen Namen G. 1806 um das h verkürzte (1780–1845). Carl August entdeckte den Braunschweiger Choristen, einen anfangs »miserablen« Schauspieler, aber glänzenden Sänger und vielgerühmten Baß und empfahl ihn am 27.7.1805 seiner Theaterkommission. Am 16.3.1806 debütierte er in Weimar als Sarastro in der *Zauberflöte* und war Januar 1806–November 1828 ein vom Hof protegiertes Mitglied des Weimarer Ensembles. Wichtigster Günstling, Parteigänger und Handlanger der C. Jagemann bei ihren unzähligen Quereleien und Intrigen auch gegen den Intendanten G., enervierte er diesen durch immer steigende Forderungen an Gagen, Vorschüssen, Zulagen und Urlauben, bis G. 1812 die Übernahme der Kosten für diesen unbotmäßigen Untergebenen durch das Hofmarschallamt erwirkte. Im Verein mit der Jagemann (»Compagnie Jagemeyer und Strohmann«) beherrschte er 1808–28 das Musiktheater innerhalb des Hoftheaters, wurde 1809 Kammersänger, 1817 Mitdirektor und Opernregisseur und 1824 als Nachfolger von G. und Kirms Oberdirektor des Theaters mit 2212 Talern Jahresgehalt und ab 1828 1000 Talern Pension. Am Niedergang der Weimarer Sprechbühne nach G.s Abgang ist der phlegmatische, eitle, geistlose und laut J. Schopenhauer (an Tieck 28.5.1826) fast illiterate Kehlkopfartist nicht unbeteiligt.

Studie nach Spinoza →Spinoza

Studierzimmer. Die beiden aufeinanderfolgenden, in Fausts Studierzimmer spielenden (3. und 4.) Szenen des *Faust I* (v. 1178–2072), gerahmt von den Welt-Szenen des Osterspaziergangs und Auerbachs Keller, bringen die Engführung und den Abschluß der Gelehrtentragödie vor dem Aufbruch in die Welt mit (3.) Fausts verfälschender Bibelübersetzung, der Entlarvung Mephistos als »des Pudels Kern«, seinem Entweichen, sodann (4.) der Wette oder Paktszene und der →Schülerszene.

U. Maché, Zu G.s Faust: S. I, Euph 65, 1971.

Studium. Nachdem G.s ursprünglicher Plan, in Göttingen »schöne Wissenschaften« (Poetik und Rhetorik) und klassische Altertumswissenschaft zu studieren, nicht die Zustimmung des Vaters fand, entschloß sich G. auf dessen Wunsch zum Jurastudium, das er im Oktober 1765 in →Leipzig begann und nach dem Frankfurter Intervall von Krankheit und Rekonvaleszenz (August 1768 – März 1770) April 1770 – August 1771 in →Straßburg fortsetzte und nach Ablehnung seiner →Dissertation mit der Verteidigung seiner Thesen →*Positiones iuris* und dem Grad eines Licentiatus iuris abschloß (→Promotion, →Doktortitel). G.s Studiengang war nicht das Schmalspur-Fachstudium des angehenden Juristen. Im Gegenteil brachte er dem juristischen Hauptfach ohne inneren Antrieb nur mäßiges Interesse entgegen, erwarb die nötigen Grundkenntnisse und bestand die Examina mithilfe von Repetitoren und erweiterte stattdessen selbständig seine allgemeine akademische Bildung in Vorlesungen über solche Fächer, zu denen ihn eine eigene Neigung, der Ruf eines Professors oder die Kommilitonen anregten, besonders Philosophie, Literatur, Geschichte, Medizin, Anatomie, Physik und Chemie. Da er der Routine des wenig inspirierenden akademischen Vorlesungsbetriebs mit einiger Skepsis gegenüberstand, ist es nicht verwunderlich, daß er die stärksten Bildungseinflüsse nicht aus Universitätskreisen, sondern von Männern wie Oeser in Leipzig und Herder in Straßburg empfing. An beiden Universitäten schloß sich G. rasch einer akademischen Mittagstafel und einem Kreis meist älterer und literarisch interessierter Freunde sowie deren Unternehmungen an, verkehrte aber auch außerhalb dieser in bürgerlichen Kreisen. Dem rohen studentischen Treiben mit seinen Extravaganzen und Exzessen, wie es teils an den Universitäten Gießen, Halle und Jena stattfand, blieb er fern und versuchte sie auch unter seiner Oberaufsicht über die Universität Jena zu mildern. Reminiszenzen an das studentische Leben gingen übersteigert in die Studentenszenen des *Faust* (Schülerszene, Auerbachs Keller) ein. Auch später hörte G. gelegentlich akademische Vorlesungen in Göttingen, Halle und Jena.

J. Vogel, G.s Leipziger Studentenjahre, 1899 u. ö.; E. Traumann, G. der Straßburger Student, 1910 u. ö.

Stützerbach. Der Ort im Thüringer Wald südlich von Ilmenau war in G.s frühen Weimarer Jahren bei Jagden mit Carl August oder amtlichen Aufenthalten in →Ilmenau (August 1776, September 1777, September 1780 u. ö.) oft Schauplatz jugendlicher Ausgelassenheiten (»In Stützerbach tanzt ich mit allen Bauernmädels im Nebel und trieb eine liederliche Wirtschaft bis nachts um eins«, an Ch. von Stein 6. 9. 1777). Zwei Landschaftszeichnungen G.s von 1776.

W. Ehrlich, Ilmenau, Gabelbach, S., 1979 u. ö.

Sturm und Drang. Die Literaturepoche etwa 1767–1785, auch Geniezeit genannt, ist die deutsche Ausprägung des europäischen Irrationalismus zu Ausgang des 18. Jahrhunderts, den andere Literaturen, in denen das Zwischenspiel der Klassik fehlt, als Vorromantik bezeichnen. Sie war großenteils schon abgelaufen, als ihr der Genieapostel Ch. Kaufmann den Namen prägte, indem er F. M. Klingers Drama *Wirrwarr* 1777 den Titel *Sturm und Drang* gab, der sich bald und schon zu G.s Lebzeiten durchsetzte (vgl. zu Eckermann 10. 2. 1829). Für G. ebenso wie für Schiller und andere Hauptvertreter war sie im Grunde nur ein kurzes, aber wesentliches Durchgangsstadium, aber sie brachte als Reaktion der jungen Generation auf den Rationalismus der Aufklärungszeit den Durchbruch eines entschiedenen Subjektivismus (Herz, Gefühl, Sinne), eine Abwendung vom formalen Regelzwang zugunsten einer Genieästhetik, einer vom schöpferischen »Originalgenie« nach eigenen Normen und Gesetzen organisch geschaffenen »inneren« Form, eine neue, vertiefte und dynamische Auffassung von Sprache, Dichtung, Kunst, Volkstum, Geschichte, nationaler Vergangenheit, Gesellschaft und Natur und den Versuch zur Wiedergewinnung eines naiv-unschuldigen, »natürlichen« Welt- und Gesellschaftsbildes fern aller Zwänge von Zivilisation, Konvention und Stand. Für G. beginnt nach dem Ausklang des Leipziger Rokoko die Sturm und Drang-Zeit mit der Begegnung mit Herder in Straßburg 1770, die als auslösendes Moment der ganzen Bewegung gelten kann, und sie klingt in den frühen Weimarer Jahren um 1776 aus. Herder machte ihn mit dem grundlegenden Gedankengut der Vorläufer Rousseau, Shaftesbury und Hamann vertraut und verwies ihn auf das Volkslied, Percys *Reliques*, Ossian und besonders Homer und Shakespeare als »ursprüngliche« Vorbilder eines nach eigenen Regeln wirkenden Schöpfertums, das sich im →Prometheus-Symbol gestaltete, und die Begegnung mit dem vermeintlich »deutschen« Stil der Gotik am Straßburger Münster bot das visuelle Äquivalent einer Ablösung vom herrschenden Formenkanon. Gleichgesinnte Freunde aus der Straßburger, Frankfurter und Wetzlarer Zeit wie F. M. Klinger, J. M. R. Lenz, H. L. Wagner, J. H. Merck, teils auch F. H. Jacobi, Jung-Stilling, Lavater u. a. folgten ähnlichen literarischen Tendenzen und rechtfertigen die Epochenbezeichnung. Als dichterische Ernte von G.s Sturm und Drang-Zeit entstanden die Sesenheimer Lieder, die großen freirhythmischen Darmstädter Hymnen, die hymnischen Essays *Von deutscher Baukunst* und *Zum Shakespeares Tag*, der *Götz von Berlichingen*, *Die Leiden des jungen Werthers*, *Clavigo*, *Stella*, *Die Geschwister*, kleinere Dramenfragmente der Zeit sowie die Anfänge des *Urfaust*. Schon *Egmont* bezeichnet, obwohl inhaltlich noch Drama eines »großen Kerls«, formal den Übergang zur Klassik. Mit dem Weggang nach Weimar, der Übernahme öffentlicher Verantwortung und dem Einfluß Ch. von Steins beginnt die allmähliche Distanzierung G.s von seiner Sturm und Drang-Jugend und den früheren Weggefährten, die mit der Italienreise zum Abschluß kommt. Auch die verspäteten Sturm und Drang-Dramen Schillers stießen G. als Erinnerung an eine seinerseits bereits überwundene Phase ab und erschwerten die gegenseitige Annäherung der beiden Dichter. Erst im Alter, sich schon historisch sehend, kam G. in *Dichtung und Wahrheit* (II, 7 und 10, III, 13/14) zu einer ausgewogenen Sicht der für die eigene Bildung, sein Selbstverständnis, seinen Weg zur Erlebnisdichtung und damit für sein Dichtertum als Vorbereitung zur Klassik so maßgeblichen Epoche.

R. Weißenfels, G. im S. u. D., 1894; H. A. Korff, Geist der G.zeit I, 1923 u. ö.; W. Andreas, S. u. D. im Spiegel der Weimarer Hofkreise, Goethe 8, 1943; H. B. Garland,

Storm and Stress, London 1952; F. J. Schneider, Die deutsche Dichtung der Geniezeit, 1952; R. Pascal, Der S. u. D., 1963 u. ö.; M. Gerhard, G.s S. u. D.-Epoche in der Sicht des alten G., JFDH 1970, auch in dies., Auf dem Wege zu neuer Weltsicht, 1976; K. O. Conrady, Über S. u. D.-Gedichte G.s, in ders., Literatur und Germanistik als Herausforderung, 1974; S. u. D., hg. W. Hinck 1978.

Sturz, Helferich Peter (1736–1779). Mit den *Schriften* des hervorragenden Prosaisten und Essayisten, dänischen Diplomaten und Politikers unter Struensee, befaßte sich G. am 29. 12. 1809.

Stuttgart. In der schwäbischen Landeshauptstadt und Residenz des Herzogs von Württemberg weilte G. dreimal: 1.) am 11.–18. 12. 1779 auf dem Rückweg von der 2. Schweizer Reise mit dem incognito reisenden Herzog Carl August. Beide besuchten das Theater, die →Hohe Karlsschule, den Wildpark bei der Solitude, Ludwigsburg, Hohenheim und nahmen am 14. 12. am Stiftungsfest und der Preisverteilung der Karlsschule teil, bei der der G. noch unbekannte Eleve Schiller drei Preise erhielt. – 2.) am 29. 8.–7. 9. 1797 auf dem Hinweg zur 3. Schweizer Reise, als G. vorwiegend Künstler, Musiker (teils Jugendfreunde Schillers) und Kunstsammler besuchte und deren Umgang genoß, sich aber in den Briefen an Schiller wie im Bericht an Carl August oft recht kritisch über den Zustand und Verfall der Künste in der Residenz äußerte, deren Kulturleben sich eher in Privatzirkel zurückgezogen habe. Er besichtigte am 30. 8. die Stadt, das Neue Schloß und das Alte Schloß (»jetzt kaum zu einer Theaterdekoration gut«), besuchte die Bildhauer J. H. Dannecker (der ihn auch an den folgenden Tagen meist begleitete), P. H. Scheffauer und A. Isopi, das Maleratelier des abwesenden Ph. F. Hetsch und die Kunstsammler G. H. Rapp und C. A. M. Ruoff. Am 31. 8. besuchte er den Maler A. F. Harper und den Kunstsammler J. D. Weng und sah abends im Theater Schillers *Don Carlos* (»eine Steifheit, eine Kälte, eine Geschmacklosigkeit …«). Am 1. 9. besichtigte G. mit Dannecker das Schloß Hohenheim (»in gar keinem Geschmack gebaut …, bis zum Unsinn ungeschickte Architektur«). Am 2. 9. besuchte er den Architekten N. F. Thouret, der 1798 zum Leiter des Weimarer Schloßbaus berufen wurde, die Bibliothek und den Komponisten J. R. Zumsteeg, am 3. 9. das Lager der kaiserlichen Armee bei Hochberg und Neckarrems, am 4. 9. nach einem Spaziergang mit Dannecker den Kunstsammler C. Abel, von dem er einen (unechten) Claude Lorrain erwarb, und das Theater (*Ludwig der Springer* von Hagemann), am 5. 9. u. a. den Kunstsammler Meyer und las abends bei Rapp *Hermann und Dorothea* vor. Am 6. 9. hatte er eine lange Unterhaltung mit Thouret über die Dekoration des Weimarer Schlosses, traf den Maler V. W. P. von Heideloff, besichtigte das Innere des Neuen Schlosses (»nichts Nachahmenswertes …, gemein vornehm«), besuchte Rapp und Dannecker und sah abends im Theater *Fra i due litiganti il terzo gode* von G. Sarti (»äußerst schwach und unbedeutend«). Vgl. *Reise in die Schweiz 1797.* – 3.) am 1./2. 11. 1797 auf dem Rückweg derselben Reise übernachtete G. in Stuttgart im »Schwarzen Adler«.

Stymphaliden, stymphalische Vögel. Nach der griechischen Heraklessage wurden die riesenhaften Raubvögel am stymphalischen Sumpf in Arkadien, die mit ihren eisernen Federn wie mit Pfeilen Menschen und Tiere erschossen und fraßen, von Herakles in seiner 5. Arbeit aufgescheucht und erlegt. In der *Ode an Herrn Professor Zachariae* (1797) verwechselt G. sie mit den Harpyien, Mädchen-Vogel-Mischwesen, die das Essen besudeln (vgl. *Faust* v. 8819). Ohne nähere Spezifikation ziehen sie unter den Monstern in der Klassischen Walpurgisnacht (*Faust* v. 7214–24) vorüber, wo wiederum die im Entwurf vorgesehenen Harpyien fehlen (zu Eckermann 21. 2. 1831).

Süßmayr, Franz Xaver (1766–1803). Der Schüler Mozarts, Vollender von dessen *Requiem* und Kapellmeister der Wiener Hofoper, komponierte seine »heroisch-komische Oper« *Der Spiegel von Arkadien* (1794) nach einem Textbuch von E. Schikaneder. Für die erfolgreiche Weimarer Aufführung am 2. 2. 1796 schuf Ch. A. Vulpius ein neues, erweitertes Textbuch *Die neuen Arkadier*, und G. entwarf die Dekorationen. Am 26. 1. 1803 folgte in Weimar sein Singspiel *Soliman der Zweite oder Die drei Sultaninnen* (1799).

Sueton, Gaius Suetonius Tranquillus (um 70–140). Mit den einzelnen Kaiserbiographien des römischen Historikers befaßte sich G. nach Ausweis von Anspielungen schon früh und wiederholt; im Zusammenhang las er sie am 5.–9. 3. 1813 und am 13.–27. 9. 1825.

Suezkanal. G.s Wunsch nach einem Durchstich bei Suez, den Eckermann am 21. 2. 1827 notiert, wird mitunter als eigene Zutat Eckermanns angesehen, um G. als Visionär der Technik zu kennzeichnen. Indessen waren Durchstiche schon im 2. und 1. Jahrtausend v. Chr. versucht worden und wieder versandet, Leibniz hatte 1671 die Frage aufgeworfen, Napoleon 1798/99 Berechnungen anstellen lassen, die jedoch irrtümlich einen unterschiedlichen Wasserspiegel beider Meere feststellten. Nachdem neue Messungen 1846 die gleiche Höhenlage ergaben, stand dem Bau 1859–69 nichts mehr im Wege.

Suleika. In zahlreichen persischen Versionen der biblischen Josefsgeschichte nach der 12. Sure des *Koran* ist Suleika (Zolaiha) die Frau des Potiphar, die Josef (Yusuf) im Traum gesehen hat, bei der Begegnung mit ihm in Liebe entflammt, ihre hoffnungslose Leidenschaft jedoch in eine Liebe zum Schönen, Reinen schlechthin und schließlich zu Gott wandelt. G. kannte diese Version aus

H. F. von Diez' *Denkwürdigkeiten von Asien* (1814 f.) und verwendet den Namen im *West-östlichen Divan*, vielleicht noch ohne persönlichen Bezug, erstmals am 24. 5. 1815 im Gedicht »Daß Suleika ihr Jussuf entzückt war«, sodann als poetischen Namen für Marianne von →Willemer als die Frauenfigur, deren leidenschaftliche Gedichte – teils von ihr, mitunter als bloße Chiffrengedichte aus Hafis-Zitaten, entworfen, von G. umgedichtet oder erweitert – den weiblichen Part in dem von Hoffnung, Erwartung, Begegnung, Seligkeit, Schwermut, Schmerz, Trennung und Entsagung redenden Liebeszwiegespräch mit →Hatem im »Buch Suleika« ausmachen, das großenteils 1815 in Frankfurt entstand. Über die biographische Situation hinaus ist Suleika ebensowenig mit Marianne von Willemer gleichzusetzen wie G. mit Hatem; beide sind literarische Figuren oder angenommene poetische Rollen im stilisierten literarischen Spiel in einer eigenen, dichterischen Welt.

C. Becker, Das Buch S. als Zyklus, in: Varia Variorum, Festschrift K. Reinhardt, 1952; H. Sachse, Neues Leben, neue Liebe, 1982; →West-östlicher Divan, →Willemer, M. von.

Sulzer, Friedrich Gabriel (1749–1830). Den Hofarzt aus Ronneburg/Thüringen lernte G. 1807 in Karlsbad kennen, wo der »treue Naturforscher und emsige Mineralog« (*Tag- und Jahreshefte* 1807) G.s mineralogische Sammlungen unterstützte.

Sulzer, Johann Georg (1720–1779). Der Moralphilosoph und Ästhetiker der Aufklärung wurde mit seiner an Batteux, Bodmer u. a. orientierten Enzyklopädie *Allgemeinen Theorie der Schönen Künste* (II 1771–74) viel beachtet und hoch angesehen, von den Stürmern und Drängern jedoch als rückständig abgelehnt, so in Mercks Rezension in den *Frankfurter Gelehrten Anzeigen* (Nr. 12, 11. 2. 1772). G. beschäftigte sich 1772/73 mit dem Werk, kritisierte vor allem Sulzers Grundmaxime, der Zweck der Kunst sei die sittliche Vervollkommnung und der Künstler solle moralische Wirkungen anstreben, und fand das Werk, das ihm auch in Italien immer wieder begegnete, mehr für Halbgebildete und für Liebhaber als für Künstler geeignet (*Dichtung und Wahrheit* III,12; *Italienische Reise* 15. 11. 1786, 15. 3. 1787). Entsprechend lehnte er den Einzeldruck des Artikels »Künste« aus Sulzers Theorie *Die schönen Künste in ihrem Ursprung, ihrer wahren Natur und besten Anwendung betrachtet* (1772) in seiner Rezension (*Frankfurter Gelehrte Anzeigen* Nr. 101, 18. 12. 1772) scharf ab, benutzte und zitierte die *Theorie* jedoch wiederholt (*Von deutscher Baukunst*, 1772; *Werther*, 17. Mai). Die persönliche Bekanntschaft Sulzers, dem das »wahre Originalgenie« G. sehr »angenehm und liebenswürdig« schien (Sulzer, *Tagebuch*, 1780), machte G., als er den Durchreisenden am 2./3. 9. 1775 in Frankfurt besuchte (*Dichtung und Wahrheit* III,15). Auf Sulzers Abhandlung Über die Unsterblichkeit der Seele spielt das Xenion 352 an.

R. Hering, J. G. S., JFDH 1928.

Summarische Jahresfolge Goethescher Schriften. Für die Ausgabe der *Werke* (XX 1815–19) wurde von Freunden eine chronologische Anordnung der Texte vorgeschlagen. In seinem am 19./20. 3. 1816 entstandenen Aufsatz *Über die neue Ausgabe der Goetheschen Werke* (*Morgenblatt* Nr. 101, 26. 4. 1816) erklärte G. dies aus verschiedenen Gründen als impraktikabel und stellte für den 20. Band der *Werke* (1819) im Anschluß an einen veränderten Abdruck dieses Aufsatzes im Februar/März eine summarische Chronologie seiner Hauptwerke nach den Enstehungsjahren 1769–1818 zusammen. Sie wurde von den Nachlaß-Herausgebern im 60. Band der Ausgabe letzter Hand bis zu G.s Tod fortgeführt.

Supplement zu Schillers Glocke. Für eine zeitlich nicht bestimmbare szenische Aufführung von Schillers *Lied von der Glocke* (10. 8. 1805, 10. 5. 1806, 9. 5. 1810, 10. 5. 1815?, letztere mit G.s *Epilog*) entwarf G. aus dem Stegreif einige zusätzliche Verse für eine Schauspielerin, die bei der Rollenverteilung übergangen worden war.

Sutor, Christoph Erhard (1754–1838). Der Erfurter Bäckerssohn war 1776–1795 G.s zweiter Kammerdiener neben Philipp Seidel. G. benützte den tüchtigen Mann meist für praktische Arbeiten im Hause und mitunter auch als Schreiber. Nach seiner Heirat 1782 unterhielt er mit G.s Einverständnis als Nebenverdienst auch eine Spielkartenfabrik und eine Leihbücherei und war später angesehener Bürger, Hausbesitzer und Ratsdeputierter. Er erzählte Eckermann im November 1823 die Legende, G. habe im Februar 1783 das →Erdbeben von Messina geahnt oder gespürt.

Swanefelt, Herman van (um 1600–1655). G. schätzte den niederländischen Landschafts- und Architekturmaler und Radierer in der Nachfolge Claude Lorrains, der 1629–38 in Rom gearbeitet hatte, ganz besonders und lobte seine innige Liebe zur friedlichen Natur (*Italienische Reise,* Bericht Dezember 1787; zu Eckermann 21. 12. 1831). Besonders faszinierte ihn 1768 eine Landschaft, die er bei Ch. L. Hagedorn in Dresden sah (*Dichtung und Wahrheit* II,8). Er besaß von Swanefelt u. a. Handzeichnungen und zwei Radierungsfolgen (*Diverses veues desseignées en la ville de Rome* und *Diverses veues dedans et dehors de Rome*, 1653).

M. D. Henkel, S. und Piranesi in G.scher Beleuchtung, Zeitschrift für bildende Kunst 58, 1924 f.

Swedenborg, Emanuel (1688–1772). Der besonders durch seine Visionen und Berichte über angeblichen Verkehr mit der Geisterwelt Aufsehen erregende schwedische Naturforscher, Theosoph und Mystiker war G. wohl seit der Frankfurter Rekonvaleszentenzeit 1768–70 vertraut, als er sich vermutlich mit S. von Klettenberg

mit F. Ch. Oetingers Anthologie *Swedenborgs und anderer irdische und
himmlische Philosophie* (1765) beschäftigte, die neben zwei anderen
Werken Swedenborgs in des Vaters Bibliothek stand. Auch für
1772/73 und wieder Herbst 1776 ist G.s Swedenborg-Lektüre bezeugt. Von bleibendem Eindruck war Swedenborgs Vorstellung (in
Arcana coelestia, 1749), daß ein Geist andere Geister in sich aufnehmen und durch seine Augen schauen lassen könne, die G. häufig
aufgreift (an Ch. von Stein 1. 10. 1781, an die Mutter 3. 10. 1785, an
F. A. Wolf 28. 11. 1806, an J. S. Ch. Schweigger 25. 4. 1814; auch
Faust v. 11906 ff.). Swedenborgs Überzeugung von der Verbindung
der Menschenseele mit der Geisterwelt spiegelt sich in Fausts erstem Monolog (v. 443 ff.) und der Figur der Makarie in *Wilhelm
Meisters Wanderjahre*. Späterhin erklärt G. Swedenborgs Erfolg, »sich
in geheimnisvolles Dunkel zu hüllen, Geister zu berufen« skepti-
scher aus seinem entlegenen Wohnort (*Tag- und Jahreshefte* 1805).
Die *Geschichte der Farbenlehre* referiert Swedenborgs Erklärung
der Farberscheinungen im *Prodromus principiorum rerum naturalium*
(1754).

L. Weis, G. und S., GJb 3, 1882; M. Morris, S. im Faust, Euph 6, 1899; W. C. Peebles,
S's influence upon G., GR 8, 1933; G. Gollwitzer, Die Geisterwelt ist nicht verschlossen, 1968; M. Heinrichs, E. S. in Deutschland, 1979.

Swift, Jonathan (1667–1745). Herder, der wegen seiner Vorliebe für
den englischen Satiriker (*Gulliver*, 1726) und Dubliner Dekan in
Freundeskreisen »der Dechant« hieß, wies G. in Straßburg auf Swift
hin, von dem zwei Bände in der Bibliothek des Vaters standen. Ein-
gehendere Lektüre Swifts ist jedoch nicht nachweisbar. Swifts
bekannte Doppelliebe zu Esther Johnson (»Stella«) und Vanessa
Vanhomrigh gab wohl Titel und Namen für G.s →*Stella* ab.

Symbol →Allegorie und Symbol

Symbolum. G.s Logengedicht von 1815, das Parallelen zwischen
der Entwicklung eines Freimaurers und des Menschen allgemein
zieht und die freimaurerischen Symbole als solche des Lebens interpretiert, entstand wohl Anfang (4.?) Dezember 1815 anläßlich
der Aufnahme Augusts von G. in die Weimarer Loge »Anna Amalia«
am 5. 12. 1815.

Synkrisis und Diakrisis →Systole und Diastole

Syrakus. Eine merkwürdige Entscheidung: Am 27. 4. 1787 be-
schloß G. in Agrigent, statt des vorgesehenen Weges über Syrakus
dessen Besichtigung aufzugeben und stattdessen quer durch das
Landesinnere Siziliens nach Catania zu gehen, bloß um die Wei-
zenfelder der »Kornkammer Italiens« zu sehen. Als Grund gibt er
an, »daß von dieser herrlichen Stadt wenig mehr als der prächtige
Name geblieben sei« (*Italienische Reise* 27. 4. 1787).

Systole und Diastole. Im Alter faßt G. die Grundbegriffe seiner Weltsicht gern im anschaulichen Bild des Pulsschlags. Der rhythmische Wechsel entgegengesetzter Bewegungen (→Polarität), von denen jede wiederum die andere voraussetzt, ist ihm Grunderscheinung und Grundlage allen organischen (pflanzlichen, menschlichen, geistigen) Lebens: Systole und Diastole (Zusammenziehung in das Ich und Ausdehnung in die Welt), Synkrisis und Diakrisis (Verknüpfung und Trennung), Vereinigung und Entzweiung, Anziehung und Abstoßung, Einatmen und Ausatmen (*Divan*-Gedicht *Talismane*: »Im Atemholen …«), Gestaltung und Umgestaltung, Denken und Tun (*Wanderjahre* II,9), Verselbstung und Entselbstigung u. a. m. Hauptstellen: *Maximen und Reflexionen* 278, 571, 1079; *Farbenlehre* Paragr. 38 und 739; *Einwirkung der neueren Philosophie*.

Szymanowska, Maria, geb. Wolowska (1789–1831). Die bedeutende, auf ihren Konzertreisen durch Europa gefeierte Klaviervirtuosin und Komponistin, 1822 russische Hofkomponistin in Petersburg, begeisterte nicht nur G. und nicht nur durch ihr seelenvolles, weiches Spiel, sondern auch durch ihre Schönheit und Liebenswürdigkeit, die er in Briefen wiederholt betont (an Ottilie 18. 8. 1823, an Zelter 24. 8. 1823, an L. F. Schultz 8. 9. 1823, an J. J. von Willemer 9. 9. 1823 u. a.). G. begegnete ihr und ihrer Schwester Casimira Wolowska am 14., 16. und 18. 8. 1823 in Marienbad und am 4. 9. 1823 in Karlsbad, unterhielt sich mit ihr, die neben Polnisch, Russisch und Französisch nur wenig Deutsch sprach, auf Französisch und fand in labiler Gefühlslage tiefbewegende Eindrücke und Trost in ihrer Musik. Auf ihre Bitte um Stammbuchverse entstand am 16.–18. 8. in Marienbad das Gedicht →*An Madame Marie Szymanowska*, das G. sofort auch ins Französische übersetzte – am 19. 1. 1824 bat er Soret um eine neue Übersetzung – und in der Ausgabe letzter Hand 1827 neben dem Einzeldruck auch unter der Überschrift *Aussöhnung* als Schlußstück der →*Trilogie der Leidenschaft* eingliederte (zu Eckermann 1. 12. 1831). Am 24. 10.–5. 11. 1823 weilte sie mit ihrer Schwester zu Besuch in Weimar, speiste täglich bei G., spielte ihm oft vor, gab am 27. 10 bei ihm ein Hauskonzert und auf seinen Vorschlag am 4. 11. ein öffentliches Konzert im Weimarer Stadthaus. Der gefühlvolle Abschied gestaltete sich schmerzlich unter Tränen und Umarmungen. Noch 1829 in dem Widmungsgedicht an Adam →Mickiewicz, der 1834 ihr Schwiegersohn wurde, gedenkt G. »unserer Freundin«, der er wohl die ihn persönlich am tiefsten ergreifenden Musikeindrücke verdankte.

G. Karpeles, G. in Polen, 1890; E. Wachtel, G. und die polnischen Schwestern, in: Aus G.s Marienbader Tagen, 1932; M. Iwanejko, M. S., Krakau 1959; A. Swartz, G. and S., Germano-Slavica 4, 1984; J. Papiór, Lassen Sie uns vom Wiedersehen träumen, in: Von der Natur zur Kunst zurück, hg. M. Bassler 1996.

Ta'abbata Sharran, Thabit ibn Djabir al-Fahmi. Das Lied des vorislamischen arabischen Dichters um Totenklage und Blutrache unter Beduinen fand G. in S. W. Freytags *Carmen arabicum* (1814) und gab in den *Noten und Abhandlungen* (Kap.»Araber«) eine Nachdichtung in Freien Rhythmen (»Unter den Felsen am Wege …«).

Tabak →Rauchen

Tabulae votivae (»Votivtafeln«). In Schillers *Musen-Almanach für das Jahr 1797*, dem sog. Xenienalmanach, erschienen im Oktober 1796 unter diesem Titel 103 weniger pointiert, aggressiv und persönlich gehaltene Epigramme in Distichen, als deren Verfasser »G. und S.« (G. und Schiller) gemeinsam zeichneten. 1800 nahmen Schiller 40 und G. 17 der Votivtafeln – davon beide dreimal dieselben – in ihre Werkausgaben auf, so daß eine restlos eindeutige Zuschreibung der doppelten und der übrigen Epigramme aufgrund thematischer und stilistisch-formaler Kriterien nicht möglich ist. G. übernahm die 17 Epigramme, teils verändert und nunmehr ohne Überschrift, als die Nummern 40–47, 49–56 und 58 in die Gruppe »Herbst« der Epigrammsammlung →*Vier Jahreszeiten.*

G. Kurscheidt/N. Oellers, Zum Verständnis poetischer Texte aus Varianten, Editio 4, 1990.

Tacitus, Publius Cornelius (um 55 – um 120). Mit den Schriften des römischen Historikers befaßte sich G. seit seiner Jugend, als ihm der Hofmeister von der *Germania* erzählte (*Dichtung und Wahrheit* II,6), wiederholt, wie Einträge in den *Ephemerides* 1770 und im Tagebuch vom 31. 7. 1777 belegen. In Terni, dem Geburtsort des Tacitus kurz vor Rom, hatte er »größte Sehnsucht, den Tacitus in Rom zu lesen« (*Italienische Reise* 27. 10. 1786). Intensivere Lektüre der *Historiae* und des *Agricola* folgt im Februar/März 1807. In der Unterredung mit Napoleon 1808 bekennt sich G. gegen den Kaiser als Verehrer des Tacitus. Weitere Lektüre, nunmehr auch des *Dialogus* u. a., meist in der Übersetzung von C. L. von Woltmann, folgt im Juli 1810, Juli 1811, Januar/ Februar 1813 und März 1823, dazu am 11. 10. 1823 J. W. Süverns Vortrag *Über den Kunstcharakter des Tacitus* (1823), der vielleicht den Anstoß zur Bezeichnung »Annalen« für die *Tag- und Jahreshefte* gab.

Tätigkeit →Tat

Tafelrunde Anna Amalias. Nach der Übergabe der Regierungsgeschäfte an Carl August 1775 versammelte die geistig rege, literarisch, musikalisch und künstlerisch interessierte Herzogin →Anna Amalia meist montags in ihrem Weimarer Wittumspalais, sommers in Ettersburg und ab 1781 in Tiefurt, in ungezwungen heiterer Atmosphäre Adlige, Hofleute, Schriftsteller und Künstler zu kultivierter Geselligkeit, zu Unterhaltungen über Kunst und Literatur, Vorlesungen, Zeichnen, Malen und Musizieren. Ständige oder gelegentliche Teilnehmer der Unterhaltungen, aus denen auch das →*Tiefurter Journal* hervorging, waren vielfach auch Mitglieder des höfischen Liebhabertheaters: Wieland, Herder, G., Musäus, Bertuch, Bode, J. H. Meyer, von Knebel, von Seckendorff, von Einsiedel, M. G. Kraus, Ch. Gore, L. von Göchhausen, Ch. von Stein, später auch Schiller sowie Gäste wie die Stolbergs, Merck, Oeser u. a. Stärker als die anderen, privaten Salons und Gesellschaften war die Tafelrunde ausschlaggebend für Entwicklung und Zusammenhalt des Weimarer →*Musenhofes*. Ein Aquarell von G. M. Kraus von 1795 hält ein solches Treffen im Bild fest.

Das Tagebuch. Kein Gedicht G.s erweist so stark den Geschmackswandel innerhalb zweier Jahrhunderte wie das Stanzengedicht mit der harmlosen Überschrift *Das Tagebuch*. G. schrieb es, angeregt 1808 von G. Castis *Novelle galanti in ottave rime* (1793), am 22.–30. 4. 1810, las es in der Folgezeit nur wenigen Vertrauten (Riemer, Knebel, Eckermann) vor, hielt es sonst geheim und dachte nicht an eine Veröffentlichung, »da die Welt dergleichen unsittlich zu nennen pflegt« (Eckermann 25. 2. 1824). Auch nach einem Privatdruck in ganzen 24 Exemplaren von Salomon Hirzel 1861 – spätere Liebhaberdrucke wurden mehrfach polizeilich konfisziert – blieb die Handschrift bis 1914 sekretiert. Die meisten Werkausgaben übergingen, die meisten Monographien verschwiegen das Gedicht oder qualifizierten es als geschmacklos oder anstößig ab, obwohl es evident Rollen-, nicht Erlebnislyrik ist und überdies aus einer verfänglichen Situation eine höhere Moral ableitet: Ein lange von seiner Ehefrau getrennter reisender Kaufmann (II,2) erzählt mit Selbstironie und Humor sein erotisches Fiasko in einer offensichtlich aus der Ordnung geratenen Welt. Wegen eines zerbrochenen Wagens muß er planwidrig eine Nacht in einem fremden Gasthof verbringen, kann der reizvollen Kellnerin, die freiwillig sein Bett teilt, jedoch nicht beiwohnen, da sein »Meister Iste«, d. h. »dieser andere da« – er reimt sich auf Christe –, sein eigenwilliges männliches Glied, ihm den Dienst versagt und sich erst im Gedanken an die Sinnenfreuden mit der fernen Ehefrau wieder regt. Eheliche Liebe und Treue siegen über die Verlockung des Abenteuers. Da außereheliche Liebesabenteuer der Literatur des 19. Jahrhunderts nicht gerade unbekannt sind, mag eher die unbefangene Darstellung sexuellen Versagens – das Tabu der Impotenz – als die erotische Thematik allgemein zur Unterdrückung des Gedichts zugunsten eines »bereinigten« Klassikers beigetragen haben. Nüchterner Betrachtung in einer weniger schamhaften, von Tabus unbelasteten Zeit erscheint das Rollengedicht, das thematische Vorbilder bei Tibull (I,5,39 f.), Ovid (*Amores* III,7), Ariost u. a. hat, als heiterfreimütige Schilderung nicht menschlichen Versagens, sondern unbewußter innerer Sittlichkeit, wie sie das Motto von Tibull besser ausdrückt als etwa Ovids »Ut desint vires, tamen est laudanda voluntas« (voluptas? *Epistulae ex Pontu* 3,4,79).

J. Niejahr, G.s Gedicht D. T., Euph 2, 1895; H. Driesmans, Manzonis Innominato und G.s T., Xenien 7, 1914; S. Unseld, D. T. G.s und Rilkes Sieben Gedichte, 1978; H. Sachse, Textkritisches zu den Drucken von G.s Gedicht D. T., GJb 96, 1979; H. R. Vaget, Der Schreibakt und der Liebesakt, GYb 1, 1982; ders., G., der Mann von 60 Jahren, 1982; N. van der Bloom, Iste, Duitse Kroniek 33, 1983; H. Sachse, G.s Logogryph und D. T., GYb 2, 1984; ders., Gespräch über E. T. A. Hoffmanns Märchen vom Meister Floh und G.s Gedicht D. T., GJb 101, 1984; W. Dietrich, Die erotische Novelle in Stanzen, 1985; W. Dietrich, D. T., in: G.s Erzählwerk, hg. P. M. Lützeler 1985; H. Sachse, G.s Gedicht D. T., 1985; D. Borchmeyer, Die geheimgehaltenen Dichtungen des Geheimrats G., in: Verlorene Klassik?, hg. W. Wittkowski 1986; H. R. Vaget, G. als erotischer Dichter, ebd.; O. Schönberger, Dichtung und Liebe, JFDH 1988; H. Hommel, Bemerkungen zu G.s T., in ders., G.-Studien, 1989; W. Riedel, Eros und Ethos, SchillerJb 40, 1996.

Tagebuch der italienischen Reise für Frau von Stein → *Reisetagebuch für Frau von Stein*

Tagebuch der Reise in die Schweiz 1775. Das Tagebuch der 1. Schweizer Reise enthält nur flüchtige Aufzeichnungen und Notizen für die Zeit vom 15.–21. 6. 1775, darunter die 1. Fassung von → *Auf dem See* und die Verse *Vom Berge in die See* (»Wenn ich, liebe Lili …«). G. verwendete sie für den Schluß von *Dichtung und Wahrheit* IV, 18.

Tagebücher. In der Epoche der Empfindsamkeit waren Tagebücher oder »Diarien« eine beliebte und weitverbreitete Art der Aufzeichnung von Empfindungen, Erlebtem, Gehörtem, Stimmungen, Gedanken, Betrachtungen, Bekenntnissen, Lesefrüchten und Sentenzen, wie sie auf fiktionaler Ebene etwa noch »Ottiliens Tagebuch« in den *Wahlverwandtschaften* darstellt (vgl. dagegen → Lenardos Tagebuch in den *Wanderjahren*). G. schätzte das Tagebuchschreiben sehr hoch, regte auch andere wie August und seine Diener zur Führung von Tagebüchern an und bedauerte in *Die guten Weiber,* daß solche aus der Mode kämen. Seine eigenen Aufzeichnungen »solcher täglichen Buchführung mit sich selbst« (zu F. von Müller 23. 8. 1827) beginnen mit den → *Ephemerides* von 1770/71, noch mehr Lesefrüchte und Notizen ohne Tagesdaten, setzen dann im → *Tagebuch der Reise in die Schweiz 1775* kurzfristig ein und erstrecken sich, anfangs teils unregelmäßig und mit vielen Unterbrechungen (besonders 1782–95) geführt, von 1776 bis 1832, wobei literarisch aufgearbeitete Teile (*Italienische Reise, Campagne in Frankreich, Belagerung von Mainz*) teils anschließend vernichtet wurden. Aus Selbstgesprächen, Bekenntnissen, Gemütsergüssen und Rechenschaftsberichten über eigene Entwicklungsprobleme werden sie allmählich zu sachlichen Notizen über Erlebnisse, Ereignisse, Begegnungen, Besuche und Besucher, Fahrten und Reisen, Lektüre, amtliche Tätigkeiten, literarische Arbeiten und Korrespon-

enzen von schlichter Nüchternheit. Anfangs bis 1782 und im
→*Reisetagebuch für Frau von Stein* 1786 selbst geführt, dazu bis 1817
in vorgedruckten Kalendern, werden sie ab 1797 den Schreibern
diktiert. Ursprünglich rein für den Privatgebrauch und zur
selbstvergewisserung gedacht, stellen sie kaum eine ersprießliche
Lektüre für Außenstehende dar und bedürften zum vollen Ver-
tändnis eines ausführlichen Kommentars. Ab 1817 benutzt sie G.
als Stoffgrundlage für die ausgearbeitete Zusammenfassung des
Wichtigsten nach Jahren in den →*Tag- und Jahresheften*. Die Tagebücher bleiben daneben eine Hauptquelle für die Datierung der
Entstehung der Werke und geben darüberhinaus einen mitunter
faszinierenden Einblick in G.s Leben von Tag zu Tag und seine
Hauptbeschäftigungen zu einer bestimmten Zeit.

O. Harnack, G.s T., in ders., Essais und Studien, 1899; H. G. Gräf, Aus G.s T., 1909;
G. Hager, Grundform und Eigenart von G.s T., DVJ 25, 1951; B. Reifenberg, G.s T., in
ders., Lichte Schatten, 1953; P. Boerner, G.s Tagebuch der Jahre 1776–1782, Diss.
Frankfurt 1954; G. Baumann, Die T. G.s, Euph 50, 1956; H. H. Reuter, G. im Spiegel
seiner T., Goethe 23, 1961; P. Boerner, hg., T., Ausw. 1964; R.-R. Wuthenow, G.s T. als
Lektüre, GJb Tokyo 7, 1965, auch in ders., Das Bild und der Spiegel, 1984.

Tage der Wonne   →*Frühzeitiger Frühling*

Tag- und Jahreshefte. In der 2. Ausgabe seiner *Werke* (XX
1815–19) ergänzte G. seine autobiographischen Schriften als Notbehelf durch die →*Summarische Jahresfolge Goethescher Schriften*. Etwa
gleichzeitig, am 19.–26. 8. 1817, begannen auf Anregung von
Freunden, die »nach der Folge seiner Lebensereignisse« fragten, die
Vorarbeiten für eine Darstellung seiner »schriftstellerischen Epochen«, die also ursprünglich größere Zeitabschnitte zusammenfassen sollten, doch während der Planung die Form von Annalen oder
einer »Chronik meines Lebens« (an Cotta 30. 5. 1824) annahmen.
Nach archivalisch-chronologischer Ordnung seiner Papiere (Le-
bensdokumente, Akten, Druckschriften, Manuskripte, Briefwechsel
und vor allem →Tagebücher) durch die Sekretäre Kräuter und
John, später durch Riemer und Eckermann, als stoffliche Grundlage
und ersten Entwürfen und Schemata für die Jahre 1800–07 im
August 1817 begann 1819 die Abfassung der summarischen Jahresberichte, die G. als »Epitomator mein selbst« (an Boisserée 27. 1.
1823) nicht in chronologischer Abfolge, sondern nach Belieben
und Neigung zwischen den Jahren springend vornahm. Sie wurde
im April 1820 um die Jahre 1797 und 1798 fortgesetzt und dann
von Mitte Oktober 1822 bis Frühjahr 1826 neben anderen Arbeiten in verschiedenen Arbeitsphasen ohne größere Unterbrechungen bis zum Jahr 1822, das den Abschluß bildet, ausgeführt. Der
Erstdruck erschien 1830 in der Ausgabe letzter Hand (Band 31 und
32) als *Tag- und Jahreshefte als Ergänzung meiner sonstigen Bekenntnisse*.
Den später oft gebrauchten Titel →*Annalen* benutzt erst Eckermann
für die Quartausgabe 1836/37. Der Zeitabschnitt 1749–1788, durch

Dichtung und Wahrheit und die *Italienische Reise* abgedeckt, findet in den *Tag- und Jahresheften* nur summarische Behandlung, ab 1789 setzt eine jährliche Berichterstattung ein, die ab 1794 und besonders ab 1806 an Ausführlichkeit bis zu pedantischer und fast ermüdender Breite zunimmt.

Im Unterschied zu *Dichtung und Wahrheit* sind die *Tag- und Jahreshefte* nicht mehr die innere Entwicklungsgeschichte des Dichters, sondern Bericht und Dokument eines Menschen, der sich selbst historisch und darüberhinaus in die Weltgeschichte eingebettet sieht. Sie erheben keinen Anspruch auf literarischen Kunstwert, sondern sind als Alterswerk eine schlicht-sachliche, oft trockene, distanzierte und stoffreiche Darstellung des äußeren Lebens in der Welt, des literarischen Schaffens, der amtlichen Tätigkeiten und der naturwissenschaftlichen Forschung in schematisch-thematischer Gliederung, nur selten durch liebevoll ausgemalte Erzählepisoden (z. B. →Beireis) unterbrochen. Das Persönliche, das Gefühlsleben und die Frauen in G.s Leben, auch Christiane, werden teils aus Rücksicht auf noch Lebende weitgehend ausgespart, Innenleben schlägt sich nicht nieder; weltgeschichtliche Ereignisse wie die Französische Revolution, Napoleon, die Freiheitskriege u. ä. werden oft eigenwillig kühl und ohne größere politische Zusammenhänge gesehen, wie es die Annalenform und die Retrospektive mit sich bringt. Trotz gelegentlicher chronologischer Irrtümer bieten die *Tag- und Jahreshefte*, lesbarer als die Tagebücher, einen aufschlußreichen Überblick über die Vielseitigkeit von G.s Leben von Jahr zu Jahr, sein Schaffen, seine Theaterarbeit und seine sonstigen Beschäftigungen, doch sie sind nur das Gerüst, dem die Dichtungen erst das ganze Leben verleihen. Über ihre Entstehung äußert sich G. in *Entstehung der biographischen Annalen, Archiv des Dichters und Schriftstellers* und *Lebensbekenntnisse im Auszug* (alle in *Über Kunst und Altertum* 4,1, 1823), in der *Anzeige von G.s sämtlichen Werken* (1826) und zahlreichen Briefen (an Boisserée 27. 1. 1823, an Ch. L. F. Schultz 8. 7. 1823, 31. 5. 1825, an Zelter 24. 7. 1823, 21. 5. 1825, an Cotta 30. 5. 1824 u. a.).

W. v. Biedermann, Erläuterungen zu den T. u. J. von G., 1894; H. Boeschenstein, T. u. J., GLL NS 10, 1956 f., auch in ders., Selected essays, 1986; G. Wackerl, G.s T. u. J., 1970; I. Schmid, Erhellung autobiographischer Texte durch Aufdeckung ihrer Quellen, Editio 9, 1995.

Talismane. Unter dieser Überschrift vereint G. im »Buch des Sängers« des *West-östlichen Divan* fünf spruchhafte Gedichte einer leicht an orientalische Vorbilder angelehnten religiösen Weltschau. Das erste, »Gottes ist der Orient …«, knüpft an ein Zitat aus der 2. Sure des *Korans* an, das G. als Motto in Hammers *Fundgruben des Orients* begegnete. Das letzte, »Im Atemholen …«, greift G.s beliebtes Bild von →Systole und Diastole auf, das er in der Vorrede von →Saadis *Gulestan* in Olearius' Übersetzung fand. Den orientalischen Brauch glückbringender oder Unheil abwehrender Talismane verwenden

u. a. auch das *Divan*-Gedicht *Segenspfänder* und das 1. Gedicht des »Buches der Sprüche« sowie *Die natürliche Tochter* (v. 2003 und 2853).

Talleyrand-Périgord, Charles Maurice, Duc de (1754–1838). Dem französischen Diplomaten, Außenminister unter Napoleon wie Ludwig XVIII. und später erfolgreichen Vertreter der Interessen Frankreichs am Wiener Kongreß, begegnete G. erstmals am 2. 10. 1808, als Talleyrand bei der Unterredung mit Napoleon zugegen war und ihn anschließend zum Diner einlud. Eine zweite Begegnung erfolgte am 6. 10. 1808 beim Weimarer Hofball zu Ehren Napoleons. Beide Gespräche G.s mit Napoleon zeichnete Talleyrand in seinen Memoiren ausführlich auf. G. schätzte den geschickten Politiker als »den ersten Diplomaten des Jahrhunderts« (*Collection de portraits historiques de M. Le Baron Gérard*, 1826) und als »le Voltaire de la diplomatie« (Soret 17. 2. 1830).

Talma, François Joseph (1763–1826). Der gefeierte Schauspieler des Théâtre Français begleitete mit einer Schauspieltruppe Napoleon zum Erfurter Fürstenkongreß im September/Oktober 1808. Dort sah G. ihn u. a. am 30. 9. 1808 als Nero in Racines *Britannicus.* Von Erfurt zog die Truppe mit den Fürsten nach Weimar, und dort spielte Talma am 6. 10. 1808 den Brutus in Voltaires *La mort de César.* Am 14. und 15. 10. 1808 waren Talma und seine Frau bei G. zu Gast, luden ihn dringend zu sich nach Paris ein und erwogen eine Dramatisierung des *Werther.* Im Aufsatz *Französisches Haupttheater* (1828) schildert G. Talmas Darstellungsstil und sein »Bestreben, das Innerlichste des Menschen vorzustellen«.

Talvij →Jakob, Therese Albertine Louise von

Tamerlan →Timur Lenk

Tancred. *Trauerspiel in fünf Aufzügen nach Voltaire.* Ein Jahr nach der Übersetzung von →Voltaires →*Mahomet* unternahm G. in einer schöpferischen Pause (an Schiller 25. 7. 1800) am 22.–30. 7. und 22. 11.–24. 12. 1800 die Übersetzung des von Carl August geschätzten Trauerspiels *Tancrède* (1760) von Voltaire in Blankversen. Nachdem Iffland ursprünglich eine Berliner Aufführung für den 18. 1. 1801 geplant hatte, wurde das Stück am 31. 1. 1801 im Weimarer Hoftheater aufgeführt, wobei Schiller die Proben leitete und G. der Darstellerin der Amenaide, M. →Caspers, bei der Einstudierung ihrer Rolle half. Bei späteren Wiederholungen des erfolgreichen Stücks übernahm C. Jagemann diese Rolle. Die Buchausgabe erschien 1802. *Tancred*, fast eher Nachdichtung als bloße Übersetzung, verknappt Voltaires Rhetorik und war zugleich auch als Übung zur »rhythmischen Deklamation«, dem vernachlässigten

Versesprechen der Schauspieler, gedacht (*Weimarisches Hoftheater*). G.s Vorhaben, dem Anfang und Ende des Stücks eigene Chöre einzugliedern (an Schiller 1. 8. 1800), kam nicht zur Ausführung, beeinflußte aber Schillers *Braut von Messina*. Schelling urteilte, G. habe »den Voltaire in Musik« gesetzt.

J. Weiss, G.s T.übersetzung, 1886; J. Graul, G.s Mahomet und T., Diss. Berlin 1914; R. J. Kilchenmann, G.s Übersetzung der Voltairedramen Mahomet und T., CL 14, 1962; →Voltaire.

Tantalus. Der Sohn des Zeus, Gesellschafter und Ratgeber an der Tafel der olympischen Götter, läßt seine sterblichen Freunde von der Götterspeise kosten, plaudert die Geheimnisse der Götter aus und erprobt ihre Allwissenheit, indem er ihnen seinen Sohn Pelops zum Mahle vorsetzt (was G. wegläßt). Er muß dafür im Tartarus durch ewigen Hunger und Durst büßen, da Früchte und Wasser sich seinem Zugriff entziehen (Tantalusqualen, vgl. Xenion 346 *Tantalus* und *Proserpina* v. 58–61). Tantalus steht am Anfang des wegen Hybris, Anmaßung göttlicher Rechte und Überschreitung menschlicher Grenzen vom Geschlechterfluch betroffenen Geschlechts der Tantaliden (Pelops, Atreus, Thyestes, Agamemnon, Ägisth, Orest, Iphigenie, Elektra), zu dem sich auch Iphigenie bekennt (*Iphigenie* v. 306–432, 968); sie berichtet Thoas vom Geschlechterfluch besonders der Atriden (→Atreus). G.s Humanisierung des Tantalus-Mythos läßt den Sohnesmord an Pelops weg und nähert die Figur dem Prometheus an.

Tanzen. In Frankfurt unterrichtete der Vater G. und Cornelia in den Anfangsgründen des Tanzens, die G. jedoch schon in Leipzig verlernt hatte und sich beim Ball blamierte. Im tanzlustigen Straßburg nahm G. erneut Tanzstunden bei einem Franzosen (Sauveur?) und berichtet in einer novellistischen Episode von der Doppelliebe seiner beiden Töchter Lucinde und Emilie zu ihm (*Dichtung und Wahrheit* II,9). In Sesenheim tanzte er mit Friederike Brion gern Allemande, Walzer, Menuett und Contredance (ebd. III,11; an Salzmann 29. 5. 1771). In den frühen Weimarer Jahren galt G. dort als ausgezeichneter Tänzer. In Italien genoß er die italienischen Tänze mehr als Zuschauer, dann fachte die begeisterte Tänzerin Christiane auch seine Tanzlust wieder an, und bei festlichen Gelegenheiten tanzte G. noch im Alter. Im Schema *Über den Dilettantismus* (1799) gibt G. ein Schema über Nutzen und Schaden des Tanzes, betrachtet ihn als gesellige Ausbildung des rhythmischen Gefühls und unterscheidet repräsentative, naive und charakteristische Tänze. Die Pädagogische Provinz schließt den Tanz in die Lehrfächer ein (*Wanderjahre* II,8). In G.s Dichtung erscheint der Tanz als Ausdruck des Lebensgefühls vor allem für Lotte im *Werther* (16. Juni), im Bauerntanz des Osterspaziergangs im *Faust* (v. 949 ff.), ferner in Gedichten wie *Auf Christianen R.* und *Der Musensohn*.

C. A. Schierling, Der Tanz in G.s Leben und Werken, 1976.

Taormina. In der vorletzten Station seiner Sizilienreise, dem antiken Tauromenium, weilte G. am 6.–8. 5. 1787, besichtigte das griechische Theater des 3. Jahrhunderts v. Chr. mit dem kaiserzeitlichen Bühnengebäude, beschrieb die grandiose Aussicht auf die Küste und den Ätna, geriet auf dem Rückweg in einen Agavendschungel und entwarf am 8. 5. in der anregenden Landschaft den näheren Plan zur Tragödie *Nausikaa*.

Tarnowitz. Die oberschlesische Bergwerkstadt besuchte G. mit Carl August auf der schlesischen Reise am 3./4. 9. 1790 und besichtigte in der Friedrichsgrube die erste Dampfmaschine auf dem Kontinent, die er »Feuermaschine« nennt (an C. G. Voigt 12. 9. 1790).

Taschenbuch auf das Jahr 1804. Das von Wieland und G. gemeinsam herausgegebene Taschenbuch erschien im Herbst 1803 bei Cotta in Tübingen. Es enthält neben zwei Erzählungen Wielands unter der Überschrift »Der Geselligkeit gewidmete Lieder« 22 →gesellige Lieder G.s aus den Jahren 1801–03, die z. T. für das Mittwochskränzchen gedichtet wurden, und bildet gewissermaßen eine Nachlese zur Gedichtsammlung in den *Neuen Schriften* (Band 7, 1800).

J. A. McCarthy, Die gesellige Klassik, GYb 4, 1988.

Taschenbuch für Damen. In dem von Huber, Lafontaine und Pfeffel seit 1798 bei Cotta alljährlich jeweils im Herbst des Vorjahrs herausgegebenen sog. »Damenkalender« veröffentlichte G. u. a. 1801 *Die guten Weiber*, 1817 zwölf *Divan*-Gedichte und 1809–1819 als Vorabdrucke die später in *Wilhelm Meisters Wanderjahre* integrierten Novellen: 1809 *Die pilgernde Törin*, 1810 *Sankt Joseph der Zweite*, 1816 *Das nußbraune Mädchen*, 1817 und 1819 *Die neue Melusine* und 1818 *Der Mann von fünfzig Jahren*.

W. Bunzel, »Das ist eine heillose Manier …«, JFDH 1992.

Taschenbuch für 1798. Das im Oktober 1797 bei Vieweg in Berlin in fünf verschiedenen Ausstattungen, teils mit Kalender und Kupferstichen ohne Bezug zum Text, erschienene Taschenbuch brachte als einzigen Textbeitrag den Erstdruck von *Hermann und Dorothea*. G., dessen Honorar 1000 Taler betrug, bevorzugte die Ausgabe ohne Kalender und Kupferstiche.

Tasso, Torquato (1544–1595). Der italienische Renaissancedichter, ab 1565 Hofdichter des Kardinals Luigi d'Este, 1572 dessen Bruders Herzog Alfonso II. d'Este in Ferrara, gehörte vor allem mit seinem Kreuzzugsepos *Das befreite Jerusalem* (*Gerusalemme liberata*, 1575, Druck 1581) bis gegen Ende des 18. Jahrhunderts zum allgemeinen Bildungsgut. Für den jungen G., der in der Bibliothek des Vaters eine italienische Ausgabe und die Übersetzung des *Befreiten Jerusalem* von J. F. Koppe (1744) vorfand, war dieses ein Lieblingsbuch, dessen Lektüre er 1765–67 von Leipzig aus wiederholt auch der Schwester Cornelia empfahl. Wenn Wilhelm Meister von Tassos Schilderung des Zweikampfs zwischen Tancredi und Clorinda fasziniert ist und diese Episode, freilich ohne ausgearbeiteten Text, zur Aufführung bringen will (*Wilhelm Meisters theatralische Sendung* I,9 bzw. *Lehrjahre* I,7), mag diese Begeisterung durchaus autobiographischen Hintergrund haben. Auf der Italienreise, bereits mit seinem eigenen →*Torquato Tasso* beschäftigt, besuchte G. am 16.10. 1786 Tassos Gefängnis in Ferrara und am 2.2.1787 sein Grab im Kloster S. Onofrio in Rom, wo er in der Klosterbibliothek Tassos Büste sah (*Italienische Reise* 16.2.1787). Tassos Biographie freilich wurde schon durch den ersten Biographen Giovanni Battista Manso (*Vita di Torquato Tasso*, 1619) und dessen Nachfolger (A. Charnes, *La vie au Tasse*, 1690; J. F. Koppe im Vorwort seiner Übersetzung, 1744; Wilhelm Heinse in der *Iris* 1774/75 bzw. in der Vorrede seiner Übersetzung, 1781) unhistorisch zur tragischen Legende entstellt: Tasso sei durch seine unglückliche, hoffnungslose, weil unstandesgemäße Liebe zur Prinzessin Leonore d'Este, die er hinter einer vorgeblichen Liebe zu einer anderen Leonore verschleiert habe, in den Wahnsinn getrieben worden. In Wirklichkeit entsprechen die poetischen Huldigungen Tassos an die Prinzessin nur den Pflichten eines Hofdichters. Dagegen zeigten sich infolge von Intrigen der Neider, Rivalen und Feinde am Hofe (darunter des Dichters G. B. Guarini sowie der Staatssekretäre G. B. Pigna und →Antonio Montecatino, die G. zu einer Person zusammenzieht) und von aufreibenden Auseinandersetzungen um die Rechtgläubigkeit seines Epos bereits 1575 Anzeichen von religiöser Angst, Verfolgungswahn, Selbstzweifeln und geistiger Zerrüttung. Sie wirkten sich in tätlichen Angriffen auf Hofleute, ungerechtfertigten Anschuldigungen, Beschimpfungen, Tobsuchtsanfällen und mehrfachen Fluchten aus und führten 1579–86 zu seiner Unterbringung im Hospital Sant'Anna. G. folgte im *Torquato Tasso* ursprünglich der Liebeslegende, stellte sie jedoch zugunsten der Dichtertragödie zurück, als er 1788 seine neue Hauptquelle, Pierantonio Serassis *La vita di Torquato Tasso* (1785) kennenlernte, die statt der von ihm bestrittenen Liebesaffäre politische Spannungen in den Mittelpunkt stellt. In der einzig erhaltenen 2. Fassung des Dramas sieht sich der sensible, egozentrische Künstler Tasso als Genie, das sich keinen gesellschaftlichen Regeln unterworfen glaubt und die Anpassung an die Umgangsformen der Hofgesellschaft verweigert, bis sich seine Lebensfremdheit zu Verfolgungswahn und Verblendung steigert.

H. Wagner, T. daheim und in Deutschland, 1905; O. Dietrich, Die deutschen T.dramen vor und nach G.s Torquato Tasso, Diss. Wien 1912; I.-M. Cattani, Studien zum deutschen T.bild des 17. und 18. Jahrhunderts, Diss. Fribourg 1941; A. Aurnhammer, T. T. im deutschen Barock, 1994; T. T. in Deutschland, Katalog Düsseldorf 1995; K. Ley, Sii grand'uomo e sii infelice, GRM 46, 1996; →Torquato Tasso.

Tassoni, Alessandro (1565–1635). Das komische Epos *Der geraubte Eimer* (*La secchia rapita*, 1622) des italienischen Dichters las G. am 16. 5. 1799.

Tat, Tätigkeit. Zwar geht Faust (v. 1224–37) mit seiner Übersetzung des Johannesevangelium I,1 als »Am Anfang war die Tat« mächtig in die Irre und dokumentiert damit zunächst nur seinen eigenen Aktionismus (»Die Tat ist alles«, v. 10188), doch auch für G. waren rastlose Tätigkeit Lebensprinzip und tätiges Dasein Lebensbedingung und zugleich Heilmittel bei schweren seelischen Erschütterungen wie z. B. dem Tod Augusts (»Über Gräber vorwärts«, an Zelter 23. 2. 1831), da neues Tun neue Hoffnung erweckt. Die Tat bilde den Charakter, während bloßes Reden oder leere Spekulation ohne praktische Anwendung ihm suspekt erscheint (»Es ist besser, zu tun als zu reden«, *Italienische Reise* 23. 8. 1787). Aus solcher zunächst fragwürdigen Überschätzung des Handelns an sich stammt G.s Bewunderung für große Männer wie Napoleon, daher steht die Ermunterung zum Tätigwerden im Mittelpunkt der Pädagogischen Provinz und die praktisch-nützliche Berufsarbeit als Ziel der *Wanderjahre*. Zugleich jedoch warnt G. vor überspanntem, blindem Aktionismus: »Unbedingte Tätigkeit, von welcher Art sie sei, macht zuletzt bankrott« (*Maximen und Reflexionen* 461). In den *Wanderjahren* (II,9) findet Montan die Formel für den gesunden Wechsel von Denken und Tun, die in G.s Bild vom Aus- und Einatmen, von →Systole und Diastole den angemessenen Ausgleich findet.

W. Flitner, Reine Tätigkeit, Goethe 3,1938; W. Vernekohl, Sein und Wirken in ders., Über das Unzerstörbare, 1952; Ch. Dill, Die Bedeutungsentfaltung der Wörter Tat, tätig und Tätigkeit bei G., Diss. Berlin 1957; C. Riemann, Tatforderndes Leben in G.scher Sicht, WZ Jena, ges.- und sprachwiss. Reihe 9, 1959; W. Vulpius, Arbeit, Tätigkeit und Tat in G.scher Sicht, Greifenalmanach 1962; H. Hartmann, Das Tatethos im Werk G.s, WZ Potsdam 1975; K. Vivian, Der Begriff Tätigkeit im Frühwerk G.s, in: G.zeit, hg. G. Hoffmeister 1981; M. A. Kirby, The concept of Tätigkeit in G's later writings, Diss. Toronto 1988.

Taufe. G. wurde am 29. 8. 1749 in Frankfurt durch den Pfarrer J. Ph. →Fresenius mit seinem Großvater J. W. Textor als Taufpaten protestantisch getauft. Sein Sohn August wurde am 27. 12. 1789 in der Weimarer Jakobskirche mit seiner Tante Juliane Vulpius als Taufpatin als unehelich auf den Namen Julius August Walther Vulpius getauft.

Tauris. Der griechische Name bezeichnet das Land der skythischen Taurier, auch Taurien genannt. Es entspricht der heutigen Krim und ist im griechischen Mythos wie in G.s *Iphigenie auf Tauris* das Land, in das Artemis Iphigenie, die in Aulis für günstigen Fahrtwind der Griechen nach Troja geopfert werden sollte, zum Dienst in ihrem Tempel entrückt.

Tausendundeine Nacht (*Alf laila wa-laila*). Die arabisch-ägyptische Märchensammlung mit den Erzählungen der Scheherazade wurde in Europa durch die französische Übersetzung von Antoine Galland (*Les mille et une nuits,* XII 1704–07) bekannt und gehörte in dieser Form schon vor 1780 zu G.s Lieblingsbüchern, in denen er immer wieder las (September/Oktober 1799, April 1807, Juli 1824), später auch in der deutschen Ausgabe von M. Habicht, F. H. von der Hagen und C. Schall (XV 1824 f.), und aus denen er für die eigene Dichtung zahlreiche Anregungen, Motive, Situationen und Abläufe adaptierte, besonders für *Wilhelm Meisters Wanderjahre* und *Faust II* (Mummenschanz, Helena-Akt u. a.). Insbesondere studierte G. die Technik der zyklischen Rahmenerzählung für die *Unterhaltungen deutscher Ausgewanderten* und die *Wanderjahre.* Während schon der Kaiser in *Faust II* (v. 6031 ff.) *Tausendundeine Nacht* (in welcher Übersetzung eigentlich?) durchaus schätzt, lehnt die Baronesse in den *Unterhaltungen deutscher Ausgewanderten* deren verwirrende Technik der geschachtelten Rahmenerzählungen ab. M. von Schwinds Illustrationen der Märchensammlung besprach G. kurz in *Über Kunst und Altertum* (VI,2, 1828).

K. Mommsen, G. und T. N., 1960 u. ö.

Tausendundein Tag. Das persische Gegenstück obskurer Herkunft zu *Tausendundeine Nacht,* aus dem der Turandot-Stoff stammt, erschien in einer deutschen Übersetzung nach dem Französischen (1710–12) von F. H. von der Hagen (X 1827 f.). G. las es im Juli 1827 und Mai 1828 und besprach es ermutigend in *Über Kunst und Altertum* (VI,2, 1828).

Tavernier, Jean Baptiste (1605–1689). Den Reisebericht des französischen Juwelenhändlers und Orientreisenden *Les six voyages en Turquie, en Perse et aux Indes* (1678) las G. im Zusammenhang seiner Orientstudien im Juni 1815 und erwähnt ihn in den *Noten und Abhandlungen.*

Taylor of Norwich, William (1765–1836). Der englische Schriftsteller wurde durch seine Übersetzungen (*Lenore*; *Nathan* u. a.) der seinerzeit bedeutendste Vermittler deutscher Literatur in England und gehörte zu den »englischen Freunden« G.s um Carlyle. Von seiner 1793 anonym in London erschienenen Übersetzung der *Iphigenie* machte Unger in Berlin 1794 auf G.s Rat einen Nachdruck. Taylors *Historic survey of German poetry* (1828–30) erhielt G. 1831.

Technik. Von der Frühzeit der industriellen Revolution, die in seine letzten Jahrzehnte fällt, blieb G. im ländlichen Weimar weitgehend unberührt (→Industrie), zeigte jedoch schon früher und auch außerhalb seiner ministeriellen Resorts Interesse an technischen Entwicklungen an anderen Orten, so der Bergwerks- und Hüttentechnik in Lothringen und Schlesien, der Dampfmaschine in Tarnowitz, der mechanischen Webindustrie, die die Heimindustrie, z. B. in Apolda, bedrohte (*Wilhelm Meisters Wanderjahre* III,13), der Entwicklung von Lokomotiven und Eisenbahnen (G. besaß ein Spielzeug-Modell der ersten englischen Eisenbahn Manchester–Liverpool von 1830), der Montgolfiere und der großen technischen Zukunftsprojekte wie Suez-, Panama- und Rhein-Donau-Kanal, die zunächst wie Fausts Landgewinnung noch menschliche Arbeitskraft einsetzen. »Das überhandnehmende Maschinenwesen quält und ängstigt mich, es wälzt sich heran wie ein Gewitter, langsam, langsam; aber es hat seine Richtung genommen, es wird kommen und treffen«, sagt Nachodine (*Wanderjahre* III,13). Die Verdrängung der Kunst durch die Technik antizipiert G. im Gespräch mit Riemer am 14. 11. 1810. Ein positiveres Bild der Technik dagegen zeichnet aus gegebenem Anlaß die Personifikation der Technik im Festgedicht *Die ersten Erzeugnisse der Stotternheimer Saline* vom 30. 1. 1828.

M. Geitel, Entlegene Spuren G.s, 1911; C. Matschoß, G. und die T., FuF 8, 1932; P. Walden, G. als Chemiker und Techniker, 1943; I. Langen, Zur Rolle der T. im Denken G.s, Deutsche Zeitschrift für Philosophie 31, 1983.

Tegel. Das damalige Dorf nordwestlich von Berlin mit seinem Landhaus des 16. Jahrhunderts, das seit 1765 im Besitz des Majors Alexander von Humboldt, Vaters von Alexander und Wilhelm von →Humboldt, war, besuchte G. am 20. 5. 1778 auf dem Weg von Berlin nach Potsdam, ohne die jungen Humboldts, die anderwärts studierten und die er erst später kennenlernte, zu sehen. Den Umbau zum klassizistischen »viertürmigen Schlosse«, den W. von Humboldt 1822–24 durch C. F. Schinkel vornehmen ließ, kannte G. nur aus Beschreibungen. Das wäre kein Grund, Tegel im *Faust* zu erwähnen, hätte sich nicht im Herbst 1797 in Berlin das Gerücht verbreitet, im Tegeler Haus des Oberförsters Schulz habe man nächtliches Gepolter gehört, das gewiß einem Gespenst zuzuschreiben sei, und hätte nicht Ch. F. →Nicolai diesen längst als Schabernack aufgeklärten Spuk in seinem Vortrag vom 8. 2. 1799 vor der Berliner Akademie der Wissenschaften *Beispiel einer Erscheinung mehrerer Phantasmen* (*Neue Berliner Monatsschrift*, Mai 1799) erwähnt. Daher legt G. dem Erzaufklärer und »Proktophantasmisten« Nicolai die Unlogik in den Mund »Wir sind so klug, und dennoch spukt's in Tegel« (*Faust* v. 4161).

Tegnér, Esaias (1782–1842). Von der *Frithiofs saga* (1825) des schwedischen Dichters veröffentlichte Amalie von Helvig im *Morgenblatt* (Nr. 165, 1822) im Vorabdruck Proben ihrer Übersetzung (1826). G. las sie am 15. 3. 1824 und verfaßte am 16./17. 3. eine die »kräftige, gigantisch-barbarische Dichtart« lobende Besprechung und eine Inhaltsangabe dieser Teile, die zusammen mit einem weiteren Bruchstück der Übersetzung in *Über Kunst und Altertum* (V,1, 1824) erschienen.

A. Werin, G. och T., in ders., Svensk idealism, Lund 1938; C. Fehrman, T. och G., in: En G.bok, hg. ders., Lund 1958.

Telchinen. Die gnomenhaften Telchinen aus Rhodos, die zum Meerfest der Klassischen Walpurgisnacht stoßen (*Faust II*, v. 8275–8312), vielleicht die Urbewohner von Rhodos, galten in der sehr uneinheitlichen mythologischen Überlieferung als zauberkundige Dämonen oder tückische Menschen mit bösem Blick. Als kunstfertige Schmiede schufen sie zuerst metallene Geräte wie den Dreizack Poseidons/Neptuns (v. 8275, sonst meist den Kyklopen zugeschrieben) und errichteten zuerst Götterbilder (v. 8302; Koloß von Rhodos). Als Geweihte des Helios (v. 8285) und zugleich Diener Poseidons vereinigten sie die Gewalten von Feuer und Wasser. Für ihre Charakteristik stützte sich G. auf das mythologische Lexikon von →Hederich.

Telesio (Thylesius), Antonio (1482–1533). Der italienische Gelehrte und Dichter, Professor in Mailand, Rom und Venedig, veröffentlichte eine kleine Schrift über die Etymologie der Farbbezeichnungen *Libellus de coloribus* (1528), deren lateinischen Text G. in der *Geschichte der Farbenlehre* abdruckt und würdigt.

Telesio (Telesius), Bernardino (1508/10–1588). Der italienische Mathematiker, Naturforscher und Naturphilosoph, Neffe von Antonio →Telesio, leitet in seiner Schrift *De colorum generatione* (1570) die verschiedenen Farben aus den Prinzipien (Kräften) von Wärme und Kälte ab. G. widmete ihm in der *Geschichte der Farbenlehre* ein kurzes Kapitel, konnte der Schrift jedoch erst im Januar 1811 habhaft werden und berichtet darüber in den *Nachträgen zur Farbenlehre* (*Zur Naturwissenschaft überhaupt,* 1822).

Tell, Wilhelm. Die unhistorische Sage vom Schweizer Freiheitshelden mit der bereits in der nordischen Sagenwelt auftauchenden Apfelschußszene lernte G. auf der 1. Schweizer Reise kennen, als er am 19. 6. 1775 deren Örtlichkeiten Tellsplatte, Tellskapelle und Rütli sah (*Dichtung und Wahrheit* IV,18). Die spätere Darstellung des Geßlerschusses als »der ganzen Welt als heroisch-patriotisch rühmlich geltender Meuchelmord« (ebd. IV,19) steht jedoch bereits unter dem Eindruck der Reaktionszeit und der Ermordung Kotzebues. Bereits *Die Aufgeregten* (IV,1) parodieren den Rütlischwur von 1307. Auf der 3. Schweizer Reise mit Meyer verdichtet sich angesichts der Tellstätten am Vierwaldstätter See im Oktober 1797 die Tellsage bei G. zum Plan eines Hexameterepos, in dem Tell als »kräftiger Lastträger« das bedrückte Volk, Geßler aber einen behaglichen, doch herzlosen Tyrannen verkörpern sollte (*Tag- und Jahreshefte* 1797, 1804; zu Eckermann 6. 5. 1827). Am 9.–18. 10. beginnt G. in Stäfa mit den Quellenstudien in Aegidius Tschudis *Chronicon Helveticum* und erkennt, »daß das Märchen durch die Poesie erst zu seiner vollkommenen Wahrheit« gelangen könne (an Schiller

14. 10. 1797). Seit Mitte 1798 jedoch wird der Plan, von dem sich nichts Schriftliches erhalten hat, durch andere Arbeiten verdrängt, und als Schiller eine dramatische Behandlung des Stoffes erwägt, die einer späteren epischen ja nicht im Wege stand, überläßt G. ihm gern den Stoff, verhilft ihm zu lebendiger Anschauung der Lokalitäten und kümmert sich selbst um das Bühnenbild für die Weimarer Uraufführung des *Wilhelm Tell* am 17. 3. 1804. Nach Schillers Tod erwacht G.s Interesse am Tell-Stoff im Januar 1806 kurzfristig neu, doch zweifelt er angesichts der unruhigen Zeiten an der Ausführbarkeit (*Tag- und Jahreshefte* 1806). Als G. im *Maskenzug 1808* Schillers Dramenfiguren auftreten läßt, lautet sein Urteil über Tells Tat weniger günstig.

W. Fischli, G.s T., Innerschweizerisches Jahrbuch für Heimatkunde 12/14, 1949 f.

Teller, Louise (1755–1810). Die seit Januar 1799 in Weimar engagierte Schauspielerin vorwiegend für Mütterrollen spielte u. a. die Gräfin Terzky im *Wallenstein*. Ihre Tochter Sophie, 1802–13 ebenfalls Schauspielerin in Weimar, war 1807/08 häufig Mittagsgast bei G.

Tellskapelle, Tellsplatte →Tell, Wilhelm

Tempel zu Puzzuol →Pozzuoli

Tennstedt, Bad Tennstedt. In dem »heiteren Landstädtchen«, »sehr anmutig gelegen« (an Zelter 9. 8. 1816), mit Schwefelbad nordwestlich von Erfurt, durch das G. schon am 30. 9. 1776 gekommen war, nahm er vom 24. 7. bis 10. 9. 1816 (30. 7.–28. 8. mit J. H. Meyer) einen Kuraufenthalt, nachdem die am 20. 7. bereits angetretene Rheinreise binnen weniger Stunden kurz hinter Weimar durch einen Achsenbruch des Wagens, bei dem Meyer verletzt wurde, aus Unmut und Aberglauben abgebrochen worden war. Hier beschäftigte er sich mit der Lage und Geschichte des Ortes und Thüringens, studierte J. Becherers *Neue Thüringische Chronik* (1601), besuchte die örtlichen Honoratiori und Feste, machte geologische Exkursionen ins Unstruttal, empfing am 26.–28. 8. den Besuch von F. A. Wolf und begann die Ausarbeitung des *Sankt Rochus-Fests zu Bingen* (*Tag- und Jahreshefte* 1816).

W. Limpert, Auf G.s Spuren im Kreis Langensalza, 1932.

Tepl. Im Prämonstratenserkloster, zu dessen Grundbesitz das von ihm unterstützte, aufstrebende Marienbad gehörte, besuchte G. von Marienbad aus auf Einladung am 21. 8. 1821 und wieder am 9. 7. 1822 dessen Abt, den Prälaten Karl Reitenberger (1779–1860), in seinem »weitläufigen, regelmäßig gebauten … Stiftspalaste« (an Carl August 12. 9. 1821).

M. Urban, G. und das Prämonstratenser-Stift T., Unser Egerland 35, 1931; B. Brandl, Stift Tepler G.-Festschrift, 1932.

Teplitz. Fast ein halbes Jahr seines Lebens, sechs Monate, verbrachte G. bei drei Aufenthalten in dem bei Adel und Militärs beliebten nordböhmischen Kurort; er genoß auf Spaziergängen die Landschaft der Umgebung, die er in Handzeichnungen und vielleicht auch in der *Novelle* festhielt, und im Badeort das abwechslungsreiche gesellschaftliche Leben mit Theater und Konzerten. Beim ersten Aufenthalt am 6.8.–16.9.1810 verkehrte er u.a. mit Zelter (7.–23.8.), Carl August, den Prinzen Bernhard von Sachsen-Weimar, Heinrich von Preußen, Friedrich Ludwig von Mecklenburg, der Herzogin Anna Charlotte Dorothea von Kurland, Louis Bonaparte, den Fürsten Clary, Windischgrätz, de Ligne, Fürstin Solms, Graf Waldstein, General von Marwitz, Rühle von Lilienstern, von Pfuel, Friedrich von Gentz, Fichte, Savignys, Bettina von Arnim, Frau von Grotthuß, von Eybenberg, von Berg und von Levetzow. Der zweite Aufenthalt in Teplitz am 14.7.–11.8.1812 fand seinen höfischen Höhepunkt im Umgang mit der Kaiserin Maria Ludovica, auf deren Veranlassung am 29./30.7.1812 das Lustspiel *Die Wette* entstand, und seinen künstlerischen Gipfel in den Begegnungen mit Beethoven am 19.–23.7.1812. Ferner pflegte G. Umgang mit Carl August, Erbprinz Carl Friedrich von Sachsen-Weimar, den Fürsten Lichnowsky, Clary, de Ligne und Esterhazy, Graf Buquoy, Gräfin O'Donell u.a. Beim dritten und längsten Aufenthalt am 26.4.–10.8.1813 traf G. Carl August, die Großfürstinnen Catharina und Maria von Rußland, Fürst Lichtenstein, die Grafen Brühl und Uvarov, Generale Freiherr von Heß und Freiherr von Thielmann, Oberst von Kleist, Rühle von Lilienstern, den polnischen Dichter J.U. Niemcewicz, den Maler Neuendorf, die Doktoren Ch.E. Kapp und C.W. Stark u.a.m. Hier entstand am 22.5.1813 das Gedicht *Die wandelnde Glocke*.

B. Seuffert, T. in G.s Novelle, 1903; F. Grabenhorst, G. und T., 1910; W. Pleyer/J. Tetzner, G. in T., 1932; J. Urzidil, G. in Böhmen, 1962.

Terborch (Ter Borch), Gerard (1617–1681). Bilder des holländischen Genremalers sah G. u.a. in der Dresdner Galerie. Wenn er jedoch Luciane in den *Wahlverwandtschaften* (II,5) Terborchs bekanntes Gemälde »Die väterliche Ermahnung« nach dem Kupferstich von Johann Georg Wille als lebendes Bild nachstellen läßt und dabei interpretiert, so unterliegt er derselben Fehldeutung wie Wille, der seinen Kupferstich »L'instruction paternelle« betitelt hatte. Dargestellt ist nicht eine Geste der Ermahnung, sondern im Gegenteil, wie die Goldmünze in der Hand des sich spreizenden Kavaliers und das Bett im Hintergrund erweisen, ein finanzielles Angebot an ein wohlgekleidetes Mädchen in einem besseren Bordell, und die vermeintlich verlegene Mutter ist die weinschlürfende Kupplerin oder Bordellwirtin.

S.J. Gudlaugsson, G. T.B., Den Haag II 1959 f.; G. T.B., Katalog Münster 1974; J. Aubenque, G. et la prétendue Remontrance paternelle de T., EG 32, 1977.

Terenz, eig. Publius Terentius Afer (um 195–159 v. Chr.). Den bis ins 18. Jahrhundert vorbildhaften und auch als Schullektüre benutzten römischen Komödiendichter versuchte G. schon in seiner Jugend nachzuahmen (*Dichtung und Wahrheit* I,3; II,6). Als Weimarer Theaterleiter bemühte er sich mit mäßigem Erfolg um Wiederbelebung der antiken Maskenkomödie durch Aufführungen der Komödien von Terenz, meist in Übersetzungen und Bearbeitungen von F. H. von Einsiedel: 24. 10. 1801 *Die Brüder* (*Adelphi*); vgl. *Weimarisches Hoftheater*; 19. 2. 1803 *Die Mohrin* (*Eunuchus*); 6. 6. 1803 *Die Fremde aus Andros* (*Andria*) in Bearbeitung von A. H. Niemeyer; 30. 4. 1804 *Der Heautontimorumenos*. Im Oktober 1826 freute sich G. über Felix Mendelssohns Übersetzung von *Das Mädchen aus Andros*, und noch am 9. 10. 1830 bewunderte G. nach Ausweis seines Tagebuchs bei Terenz »die allerzarteste theatralische Urbanität, womit halb unsittliche Gegenstände behandelt sind«. Aus eigener Erfahrung bestätigte er wiederholt den Ausspruch von Hugo Grotius, Knaben läsen den Terenz anders als Männer (*Zahme Xenien* IV; *Dichtung und Wahrheit* II,6; an Zelter 8. 8. 1822; Tagebuch 9. 10. 1830).

Terni. Im Geburtsort des Tacitus am Westhang der Apenninen »in einer köstlichen Gegend« (*Italienische Reise* 27. 10. 1786) übernachtete G. nach einem Rundgang um die 1785 von einem Erdbeben betroffene Stadt am 27./28. 10. 1786. Die *Italienische Reise* erwähnt hier eine (im Tagebuch unter dem 22. 10. aufgeführte) erneute gedankliche Beschäftigung mit dem Epos vom *Ewigen Juden*, wohl angeregt durch den Priester als Reisegefährten und den bevorstehenden Einzug in Rom.

Terracina. Durch den Ort in Latium kam G. am 23. 2. 1787 nach der Reise durch die →Pontinischen Sümpfe auf dem Weg nach Neapel.

Terzinen. Die Strophenform von Dantes *Divina Commedia* aus je drei Endecasillabi oder fünffüßigen Jamben in der Reimfolge aba bcb usw. verwendet G. zu feierlich-ernsten, würdigen Stimmungen im Gedicht →*Bei Betrachtung von Schillers Schädel* und am Anfang von *Faust II* (v. 4679–4725).

E. Feise, G.s T., PMLA 59, 1944; R. Bernheim, Die Terzine in der deutschen Dichtung, 1954.

Testamente. Von G. sind zwei Testamente mit verschiedenen Nachträgen erhalten. Das erste, vor der 3. Schweizer Reise am 24. 7. 1797 ausgefertigt und durch ein Kodizill vom 4. 7. 1800 über das Gut Oberroßla ergänzt, setzt August von G. zum Universalerben und Christiane in den Nießbrauch des Erbes ein. Das zweite, nach dem Tod von August von G. am 6. 1. 1831 in Beratung mit Kanzler

F. von Müller als Testamentsvollstrecker ausgefertigt und durch zwei
Kodizille vom 22. 1. 1831 über literarische Werke und Honorare
und vom 15. 5. 1831 über die Herausgabe des literarischen Nachlasses ergänzt, setzt die drei Enkel Walther, Wolfgang und Alma als
Universalerben zu gleichen Teilen ein, gewährt Ottilie von G. freie
Wohnung und eine Rente bis zu deren evtl. Wiederverheiratung
und kleinere Legate an Sekretäre und Diener. Es bestimmt Eckermann zum Herausgeber der nachgelassenen Werke und Riemer
zum Herausgeber des Briefwechsels mit Zelter, dessen Honorar mit
Zelters Erben hälftig zu teilen sei. Die Originalmanuskripte des
G.-Schiller Briefwechsels sollten bis 1850 bei der Weimarer Regierung sekretiert werden, ein evtl. Veräußerungserlös sei mit den
Erben Schillers hälftig zu teilen. Für alle Sammlungen G.s wird
Bibliothekar Kräuter zum Kustos bestimmt. Die Kunst- und naturwissenschaftlichen Sammlungen sollten nach G.s Wunsch an eine
(möglichst Weimarer) öffentliche Anstalt veräußert werden oder
wie die Archivalien (Briefe, Tagebücher u. a.) und die Bibliothek bis
zur Volljährigkeit der Enkel aufbewahrt werden; sie fielen erst 1885
durch das Testament Walther von G.s an den Staat Sachsen-Weimar.

Teufel →Mephistopheles

Teutscher Merkur. Die von Wieland 1773–89 herausgegebene
und 1790–1810 als *Neuer Teutscher Merkur* fortgesetzte Monatsschrift
wurde dank ihrer Vielseitigkeit und Liberalität zwischen Tradition
und Moderne bald zur führenden Literaturzeitschrift des deutschen
Sprachraums. G.s Verhältnis zu ihr war ähnlichen Schwankungen
ausgesetzt wie das zu →Wieland selbst. Nach anfänglich hohen Erwartungen enttäuschte ihn die Mittelmäßigkeit. Der negativen Kritik seines *Götz von Berlichingen* durch Ch. H. Schmid im September
1773 folgte im Juni 1774 eine lobende Besprechung durch Wieland. G.s Satire *Götter, Helden und Wieland* (1774) auf Wielands dort
1773 veröffentlichte *Briefe an einen Freund über das Singspiel* pries
Wieland als »Meisterstück von Persiflage«. In Weimar unterstützte
G. die Zeitschrift 1776–78 durch den Erstdruck zahlreicher Gedichte, im Oktober 1788–März 1789 durch die vom Italienerlebnis
gespeisten Miszellen *Auszüge aus einem Reisejournal* (u. a. *Rosaliens
Heiligtum; Zur Theorie der bildenden Künste; Frauenrollen auf dem römischen Theater; Lebensgenuß des Volks in und um Neapel; Einfache Nachahmung der Natur, Manier, Stil; Naturlehre; Volksgesang*) und im Dezember 1789 durch den Aufsatz *Über Christus und die zwölf Apostel.*

H. Wahl, Geschichte des T. M., 1914 u. ö.; C. Miquet, C. M. Wieland, directeur du
Mercure allemand, 1990; T. C. Starnes, Der T. M., ein Repertorium, 1994; →Wieland.

Textor, Familie →Textor, Johann Wolfgang

Textor, Anna Margaretha, geb. Lindheimer (1711–1783). G.s Großmutter mütterlicherseits war die Tochter des Anwalts am Reichs-

kammergericht in Wetzlar Cornelius Lindheimer und mütter-
licherweis Nachfahrin über zehn Generationen von Lucas Cranach.
Sie heiratete 1726 in Wetzlar Johann Wolfgang →Textor (*Dichtung
und Wahrheit* I,1–2).

E. Beutler, G.s Ahne in Mörfelden, in ders., Essays um G. 1, 1941 u. ö.

Textor, Catharina Elisabeth →Goethe, C. E.

Textor, Johann Jost (1739–1792). G.s Onkel, Sohn von Johann
Wolfgang →Textor und einziger Bruder von G.s Mutter, war Jurist,
Dr. jur. und Advokat in Frankfurt. Zu seiner Hochzeit mit der
Buchhändlerstochter Maria Magdalena Möller 1766 schickte G. auf
Wunsch der Familie aus Leipzig ein (nicht erhaltenes) Festgedicht
(*Dichtung und Wahrheit* II,7). Nach dem Tode seines Vaters wurde er
in dessen Nachfolge 1771 Senator, 1788 Schöffe, und übergab G.,
der als sein Verwandter von Ratsstellen ausgeschlossen war, 1771
kleinere Rechtsfälle aus seiner Praxis. Nach seinem Tod erwog man
in Frankfurt, G. für eine durch Los zu besetzende Ratsherrnstelle in
Betracht zu ziehen, doch auf die Anfrage seiner Mutter lehnte G.
am 24. 12. 1792 zugunsten Weimars ab (*Campagne in Frankreich*
29. 10. 1792).

Textor, Johann Wolfgang (1693–1771). G.s Großvater mütterlicherseits, von dem als Taufpaten er seine Vornamen erhielt,
stammte aus einer alten Juristenfamilie. Er war der älteste Sohn des
Frankfurter Advokaten und kurpfälzischen Hofgerichtsrats Christoph Heinrich Textor (1666–1716) und Enkel des Heidelberger
Professors und Frankfurter Juristen und Syndikus Johann Wolfgang
Textor (1638–1701). Er hatte einen Bruder Johann Nikolaus Textor, Stadtkommandant von Frankfurt, der ein Fräulein von Klettenberg heiratete (daher G.s Verwandtschaft mit S. C. von →Kletten-
berg), und mehrere Schwestern. Als junger Jurist und Prokurator
am Reichskammergericht in Wetzlar war er in eine Liebesaffäre
verwickelt, bei der er (wie Dorfrichter Adam in Kleists *Zerbroche-
nem Krug*) seine Perücke am Tatort zurückließ, und heiratete 1726
Anna Margaretha Lindheimer (→Textor, A. M.). Aus der Ehe gingen ein Sohn Johann Jost →Textor und vier Töchter hervor, um
deren Ausbildung er sich wenig kümmerte: Catharina Elisabeth, G.s
Mutter; Johanna Maria Jacobäa (1734–1823, →Melber, J. M. J.) heiratete 1751 den Frankfurter Materialienhändler Georg Adolf Melber (1725–1780); Anna Maria (1738–1794) heiratete den Frankfurter Pfarrer Johann Jacob →Starck (1730–1796); Anna Christine
(1743–1819) heiratete 1767 den späteren Oberst und Stadtkom-
mandanten von Frankfurt Georg Cornelius Schuler (1730–1810).
G. schildert seine Tanten in *Dichtung und Wahrheit* (I,1) und sah sie
z. T. 1797 in Frankfurt wieder, hatte später aber wenig Kontakt mit
den Textors. G.s Großvater Textor wurde 1731 Schöffe in Frankfurt,

1738 und 1743 älterer Bürgermeister und Reichstagsabgeordneter Frankfurts, Kaiserlicher Rat und 1747 auf Lebenszeit Reichs-, Stadt- und Gerichtsschultheiß, d. h. höchstbezahlter Beamter und höchster Justizbeamter Frankfurts und Stellvertreter des Kaisers am Ort, war jedoch nicht wohlhabend. Bei ihm speisten G.s fast jeden Sonntag, ihm und seiner Gattin widmete der Knabe G. alljährlich zum Neujahrsessen in Schönschrift geschriebene poetische Neujahrswünsche (»Erhabner Großpapa! …«, 1757; »Großeltern, da dies Jahr …«, 1762; noch aus Leipzig 1765). Politisch war der Großvater wie die Familie Textor Anhänger der kaiserlich-österreichischen Partei, soll jedoch die Erhebung in den Adelsstand abgelehnt haben. Seine Parteinahme für die Franzosen im Siebenjährigen Krieg führte zu starken Spannungen mit G.s preußisch gesinntem Vater; dessen Anschuldigung, Textor habe, durch Geld bestochen, die Franzosen in die Stadt gelassen, führte fast zu einer Metzelei (*Dichtung und Wahrheit* I,2) und unterbrach die Beziehungen für längere Zeit. *Dichtung und Wahrheit* (I,1) zeichnet ein von Pietät, Liebe und Ehrfurcht getragenes Bild des Familienpatriarchen.

S. Rösch, G.s Verwandtschaft, 1954.

Thackeray, William Makepeace (1811–1863). Der spätere englische Romanschriftsteller hielt sich als Neunzehnjähriger auf einer Deutschlandreise 1830/31 länger in Weimar auf, verkehrte im Kreis junger Engländer bei Ottilie von G. und wurde am 20.10.1830 von G. zu einem halbstündigen Gespräch empfangen. Geschickt im Karikaturenzeichnen, schuf er eine charakteristische Skizze des alten G., die in einer englischen Zeitschrift veröffentlicht wurde.

W. Vulpius, T. und Weimar, WMh 129, 1921; S. S. Prawer, T's G., PEGS 62, 1991 f.

Thaer, Albrecht Daniel (1752–1828). Dem verdienten Landwirtschaftsreformer, Begründer einer Landwirtschaftsschule und einer rationalen Landwirtschaftslehre schrieb G. auf Bitten Zelters am 7.3.1824 das Festgedicht zur Feier seines 50jährigen Wirkens am 14.5.1824 *Zu Thaers Jubelfest,* das von Zelter vertont und aufgeführt wurde.

Thal-Ehrenbreitstein →Ehrenbreitstein

Thales von Milet (um 650–560 v. Chr.). Der griechische Naturphilosoph lehrte, alles Leben sei aus dem Wasser als dem Urstoff entstanden. In der Klassischen Walpurgisnacht (*Faust II,* v. 7851–7950, 8082–8159, 8223–8473) macht G. ihn anachronistisch zum Wortführer der Neptunisten, der die gewaltsame Veränderung der Erde als »nur gedachte« Theorie leugnet und in allem organischen Wachsen und Werden die stille Wirkung des Wassers sieht, und läßt ihn ein langes Streitgespräch mit dem unhistorisch zum Vulkanisten avancierten →Anaxagoras führen. Als Homunculus nach vollem

Leben verlangt, führt er ihn entsprechend dem feuchten Element, dem Fest der Meergötter, Nereus und Proteus zu.

Literatur →Anaxagoras.

Tharandt. An der Forstakademie in Tharandt besuchte G. am 23.4.1813 von Dresden aus den Forstrat Heinrich →Cotta und ließ sich die Forstanlagen zeigen.

Theater. Bleibender als G.s Verwaltungstätigkeit, bedeutender als seine naturwissenschaftlichen Forschungen, wichtiger als seine künstlerischen und kunstwissenschaftlichen Bestrebungen, erfolgreicher als seine Bemühungen um die Musik und an Rang und Wirkung nur der eigenen Dichtung nachgeordnet, auch wenn sie sich weniger schriftlich niederschlägt, bleibt G.s praktische Arbeit für das Theater.

FRÜHE THEATERERFAHRUNGEN. G.s Liebe zur Schauspielkunst ist zweifellos ein Erbteil seiner theaterbesessenen Mutter. Nach den kindlichen Spielen mit dem →Marionettentheater und gelegentlicher Mitwirkung in Kinderaufführungen im Familienkreis (J. D. von →Olenschlager) bringt das französische Theater zur Zeit der französischen Besetzung Frankfurts 1759–62 mit seinen Aufführungen des klassischen und zeitgenössischen französischen Repertoires, zu denen der Großvater Textor ihm ein permanentes Freibillet gibt, dem Knaben die ersten intensiven Theatererlebnisse vor und hinter den Kulissen (→De Rosne). Während der Studienzeit in →Leipzig besucht G. oft das Theater (*Leipziger Theater 1768*), sieht dort zeitgenössische deutsche, englische und französische Dramen und die Singspiele G. A. Hillers und spielt 1767/68 bei Laienaufführungen im Schönkopfschen Kreis u. a. den Wachtmeister Werner in Lessings *Minna von Barnhelm*. Weniger beeindruckt den Shakespeare-Enthusiasten und angehenden Stürmer und Dränger das klassizistische Straßburger Theater. Auch auf späteren Reisen von Weimar aus nimmt G. nicht nur aus beruflichem Interesse gern Gelegenheiten wahr, sich mit den örtlichen Theatern und Theaterzuständen vertraut zu machen, so vor allem in Italien, zumal Venedig, auch mit der Oper, ferner in Leipzig, Dresden, Mannheim, Berlin, Frankfurt, den böhmischen Bädern und 1806 in Napoleons französischem Theater in Erfurt (→Talma).

WEIMARER THEATER. Weimar besaß als erstes Theater einen 1696 eingerichteten, 1697 verbesserten und am 19.10.1697 eingeweihten Opern- und Theatersaal im Ostflügel des Schlosses mit Bühne, Bühnenmaschinerie, Orchestergraben für 22 Musiker und einem Zuschauerraum für rd. 100 Personen, in dem zunächst Wandertruppen vor geladenen Gästen aus der Hofgesellschaft Singspiele und Schauspiele aufführten. Seit 1756 wurden besonders dank dem Theaterinteresse Anna Amalias Theatertruppen für mehrere Spielzeiten engagiert und deren drei wöchentliche Vorstellungen auch dem bürgerlichen Publikum zugänglich gemacht. 1756–58 spielten die Doebbelinsche, 1768–71 die Kochsche und ab 1771 die Seylersche Truppe mit Conrad Ekhof zeitgenössische deutsche, englische und französische Stücke, auch solche von Weimarer Autoren, und besonders Singspiele. Der Schloßbrand vom 6. 5. 1774 setzte mit dem Schloßtheater noch vor G.s Eintreffen auch dieser ersten Blütezeit des für deutsche Höfe beispielhaften Weimarer Theaters ein Ende, und die Schauspielertruppe zog nach Gotha. An ihre Stelle trat 1775 als geselliges Provisorium das vom Hof, besonders Anna Amalia, tatkräftig unterstützte →Liebhabertheater mit Laienspielern aus Adel und Bürgertum, das unregelmäßig an verschiedenen Spielorten (Redoutenhaus, Fürstenhaus, Ettersburg, Park von Tiefurt, zuletzt im Komödienhaus) spielte. Es konnte und wollte ein vollwertiges Berufstheater nicht ersetzen, gab aber G. eine erste praktische Gelegenheit, die Prinzipien des klassischen deutschen Theaters zu erproben. 1779 errichtete A. G. Hauptmann nach einem Plan von J. F. R. Steiner am heutigen Theaterplatz ein am 7. 1. 1780 eröffnetes →Komödienhaus, das zugleich als Ball- und Festhaus diente und 1784–91 ebenso wie das Theater in →Lauchstädt von der →Bellomoschen Truppe bespielt wurde. Mißbehagen mit deren künstlerischem Niveau führten nach Erwerb des Hauses durch den Hof (1780) am 5. 4. 1791 zu Bellomos Verabschiedung und zur Neueröffnung als Herzogliches Hoftheater am 7. 5. 1791 mit G.s *Prolog* und Ifflands *Jägern*. Die künstlerische Leitung wurde im Januar 1791 G. als Intendant anvertraut. Dieses Komödienhaus wurde 1798 von G. nach Plänen von N. F. Thouret durch Erweiterung des Zuschauerraums vom Mehrzweck-Vergnügungsetablissement zum ausschließlichen Rangtheater umgebaut, am 12. 10. 1798 mit Schillers *Wallensteins Lager* eröffnet (*Eröffnung des weimarischen Theaters*, 1798) und bedurfte 1811 und 1821 nur geringer Veränderungen. Es brannte in der Nacht des 21./22. 3. 1825 nieder. Für den Neubau entwarfen G. und C. W. Coudray einen großzügigen Plan nach Art eines antiken Rundbaus; Carl August stimmte ihm ursprünglich zu, doch verhinderten Intrigen der Jagemann seine bereits begonnene Ausführung, und in sechsmonatiger Bauzeit entstand nach Plänen C. F. Ch. Steiners der am 3. 9. 1825 eröffnete, schmucklose und traditionelle Neubau, der bis 1907 benutzt und 1908 durch den neoklassizistischen Neubau des seit 1919 sog. »Deutschen Nationaltheaters« ersetzt wurde.

GOETHES THEATERLEITUNG. Die Unzufriedenheit mit der künstlerischen Leistung und dem »Schlendrian« von Bellomos Truppe veranlaßte Carl August 1790, sich nach einem neuen Direktor umzusehen und die Position am 17. 1. 1791 einer »Oberdirektion« mit G. als künstlerischem Leiter und Franz Kirms als Administrator zu übertragen, denen noch Kapellmeister J. F. Kranz und Dramaturg Ch. A. Vulpius zugeordnet wurden. Diese Oberdirektion wurde vor G.s 3. Schweizer Reise im Juli 1797 in eine Hoftheater-Kommission umgewandelt, in die G. L. von Luck und später August von G. als Vertreter bzw. Assistenten G.s eintraten. Das Theater spielte in der Weimarer Spielzeit (Anfang Oktober bis Mitte Juni) dreimal wöchentlich, unterhielt zur Ausnutzung des Ensembles und Repertoires sommers Abstecherbühnen in →Lauchstädt, Erfurt und Rudolstadt und unternahm Gastspiele in Eisenach, Gotha, Halle und Leipzig. Bei niedrigen Eintrittspreisen für Bürger war es zur Deckung seiner Unkosten zu etwa einem Drittel auf jährliche Zuschüsse des Herzogs von 1000–7500, durchschnittlich 2000–3000 Talern angewiesen, konnte sich bei wöchentlichen Schauspielergagen von 2–7 Talern (Ehepaare 10 Taler) nur junge oder mittelmäßige Kräfte leisten und mußte gelegentlich zu merkwürdigen Sparmaßnahmen greifen. Das Ensemble bestand neben den Bühnendarstellern, die für Schauspiel wie für Oper und Singspiel verwendbar sein mußten (u. a. H. Becker, Ch. Becker-Neumann, J. J. Graff, C. Jagemann, A. Malcolmi-Wolff, P. A. Wolff), aus den Regisseuren F. J. Fischer bzw. ab 1793 J. H. Vohs, die 1797 durch einander wöchentlich abwechselne Regisseure (»Wöchner«) wie A. Genast, H. Becker, Ch. H. Schall u. a. abgelöst wurden, sowie der als Theaterorchester herangezogenen Hofkapelle von anfangs 24, später 32 Kammer- und Hofmusikern.

G. betrachtete seine Aufgabe zuerst als interimistisch bis zu einer besseren Lösung, ging mit Reformen behutsam zu Werke und behielt die brauchbaren Schauspieler und die besseren Repertoirestücke zunächst bei, sah sich jedoch nach der Rückkehr aus Frankreich am 24. 12. 1792 zu einer »Generalkündigung« des bisherigen Personals und einem Revirement veranlaßt und verpflichtete die alten wie neuen Schauspieler auf ein Theatergesetz zur Regelung der Disziplin. Er setzte sich seither selbst aktiv für eine Hebung des schauspielerischen Niveaus ein, studierte einzelne Rollen mit jungen Darstellern ein, wohnte z. T. den (jeweils rd. 2–6) Leseproben und Bühnenproben bei, griff bei Neuinszenierungen zugunsten einheitlich-harmonischer Ensemblewirkung mitunter in die Regie ein, führte bisweilen auch selbst Regie. Er verlangte mundartfreie, variationsreiche, gut artikulierte und gut vernehmbare Sprache, erzwang gegen die »Rhythmophobie« der Schauspieler sicheres Versprechen, regelte künstlerisch wie ein Dirigent die Tempi und Forti, Mimik und Gestik, Kommen, Gehen und Gruppenbildung auf der Bühne zu harmonischen Bildwirkungen bis hin zur Pedanterie der →Regeln für Schauspieler und kümmerte sich teils selbst um stilvoll-schlichte Bühnenbilder und Dekorationen, für die er G. M. Kraus und J. H. Meyer heranzog und 1815 F. Ch. Beuther verpflichtete. Auf eine Periode der Theatermüdigkeit angesichts anderer Aufgaben und Pläne brachten die Zusammenarbeit mit Schiller 1796–1805, die GastspieleIfflands (1796, 1798, 1810) und Thourets neugestaltetes Theatergebäude neue Impulse auch für den Spielplan. Die Uraufführungen aller späteren Dramen Schillers (außer

der *Jungfrau von Orleans*), die Inszenierung der sonst meist zurückgehaltenen eigenen Dramen, →Bühnenbearbeitungen von Voltaire,
Racine, Shakespeare, Gozzi u. a. und die umstrittenen Aufführungen von A. W. Schlegels *Ion* und F. Schlegels *Alarcos* begründeten
den Ruf Weimares als eines hochrangigen Literaturtheaters. An
Aufführungs- und Besucherzahlen dagegen überwog weiterhin die
Tagesware der Kotzebue, Iffland und Schröder mit 638, 354 bzw.
117 Aufführungen. Insgesamt wurden in den 26 Jahren von G.s
Leitung rd. 650 Stücke an 4136 Abenden gegeben; von diesen ent-
fallen auf Sprechdramen 2797, auf Musiktheater 1084 und auf Ballette 255 Abende. Ein Resümee des Geleisteten ziehen G.s Aufsätze
Weimarisches Hoftheater (1802) und *Über das deutsche Theater* (1815)
sowie die zu Beginn oder Ende der Spielzeit oder zu einzelnen
Werken gesprochenen →Prologe und →Epiloge. Schillers Tod, die
Theaterpause nach der Schlacht bei Jena (14. 10.–25. 12. 1806) und
der Wegfall der Zuschüsse erschwerten die Fortsetzung der Theaterarbeit mit der großen Dramatik der Weltliteratur: Corneille,
Molière, Calderon, Shakespeare, Kleist u. a. m., bis schließlich die
wiederholten Sticheleien und Intrigen der Fraktion Jagemann/
Stromeyer, die G.s Sturz anstrebte, zuerst 1808 praktisch die Trennung von Oper und Schauspiel bewirkten und am 12. 4. 1817
durch das von G. verbotene Auftreten eines dressierten Hundes auf
dem Theater (in *Der Hund des Aubri de Mont-Didier*) G.s Bitte um
Entlassung provozierten, der Carl August am 13. 4. 1817 einwilligte.
Mit G.s Rücktritt sank das Weimarer Theater rasch wieder auf die
Stufe provinzieller Mediokrität zurück, und von der hohen Zeit
klassischer deutscher Theaterkunst blieb nur die Erinnerung.

E. Pasqué, G.s Th.leitung in Weimar, II 1863; E. W. Weber, Zur Geschichte des Wei-
marischen Th.s, 1865; C. A. H. Burkhardt, Das Repertoire des Weimarischen Th.s unter
G.s Leitung, 1891; J. Wahle, Das Weimarer Hofth. unter G.s Leitung, 1892; E. Mentzel,
Der junge G. und das Frankfurter Th., in: Festschrift zu G.s 150. Geburtstagsfeier, 1899;
P. Stein, G. als Theaterleiter, 1904; V. Tornius, G. als Dramaturg, 1909; V. Tornius, G.s
Th.leitung und die bildende Kunst, JFDH 1912; J. Höffner, G. und das Weimarer
Hofth., 1913; B. T. Satori-Neumann, Die Frühzeit des Weimarischen Hofth.s unter G.s
Leitung, 1922; L. Schrickel, Geschichte des Weimarer Th.s, 1928; A. Weichsberger, G.
und das Komödienhaus in Weimar, 1928; W. Kunze, G.s Theaterleitung im Urteil der
Zeitgenossen, Diss. München 1931; M. Lederer, G. und das Th., Neophil 21, 1936;
M. Lederer, Theaterdirektor G., GR 18, 1943; H. Kindermann, Th.geschichte der G.zeit,
1948; W. H. Bruford, G. and the theatre, in: Essays on G., hg. W. Rose, London 1949;
M. Colleville, G. et le théâtre, EG 4, 1949; H. Knudsen, G.s Welt des Th.s, 1949;
W. Flemming, G.s Gestaltung des klassischen Th.s, 1949; A. Orel, G. als Operndirektor,
1949; W. H. Bruford, Theatre, drama and audience in G's Germany, London 1950 u. ö.;
G. Ziegler, Theaterintendant G., 1954; G. Sichardt, Das Weimarer Liebhaberth. unter
G.s Leitung, 1957; L. J. Scheithauer, Zu G.s Auffassung von der Schauspielkunst, in: Ge-
staltung, Umgestaltung, hg. J. Müller 1957; W. Hinck, Der Bewegungsstil der Weimarer
Bühne, Goethe 21, 1959; W. Flemming, G. und das Th. seiner Zeit, 1968; Gesang und
Rede, sinniges Bewegen. G. als Th.leiter, hg. J. Göres 1973; J. E. Prudhoe, The theatre of
G. and Schiller, Oxford 1973; E. Catholy, Bühnenraum und Schauspielkunst, in: Büh-
nenformen, hg. R. Badenhausen 1974; H. Huesmann, G. als Th.leiter, in: Ein Theater-
mann, hg. I. Nohl 1977; M. Carlson, G. and the Weimar theatre, Ithaca 1978; W. Hinck,
G. – Mann des Th.s, 1982; G. et les arts du spectacle, hg. M. Corvin, Bron 1985;
D. Görne, Th.direktor, in: G. in Weimar, hg. K.-H. Hahn 1986; W. Kopelke, Was wir
bringen, 1987; H. de Leeuwe, G. und die Welt des Th.s, Duitse Kroniek 38, 1988;
W. Hinck, Weltth. in Weimar, in ders., Th. der Hoffnung, 1988; J. Linder, Ästhetische
Erziehung. G. und das Weimarer Hofth., 1990.

Theaterreden →Prologe, →Epiloge

Theatralische Sendung →*Wilhelm Meisters theatralische Sendung*

Theokrit (um 310 – um 250 v. Chr.). Mit dem griechischen Idyllendichter beschäftigte sich G. um 1771/72 (an Herder um 10. 7. 1772). *Wandrers Sturmlied* verweist ihn und seine zahlreichen, aber schwächlichen Nachahmer in der Idyllendichtung des 18. Jahrhunderts (»an Theokriten war kein Mangel«, *Dichtung und Wahrheit* II,7) auf ihre Plätze hinter Pindar. Auch *Zum Shakespeares-Tag* und *Wilhelm Tischbeins Idyllen* (1822) erwähnen den Idylliker.

Theophrast (372–287 v. Chr.). Den griechischen Philosophen und Naturforscher, Schüler des Aristoteles, erwähnt G. beiläufig als Botaniker im *Faust II* (v. 5137). Die ohne Sicherheit ihm oder Aristoteles zugeschriebene Schrift *De coloribus* lieh er sich seit 15. 2. 1798 wiederholt in der Ausgabe von Simon Portius (Paris 1549) aus, übersetzte sie (mit Kürzungen) am 19.–29. 1., 15.–21. 6. und 20. 10. 1801 (*Tag- und Jahreshefte* 1801), sah die Übersetzung am 28./29. 6. 1802 mit F. A. Wolf in Halle durch (an Schiller 28. 6. und 5. 7. 1802) und veröffentlichte sie in der *Geschichte der Farbenlehre* (1810).

Theorie. Mephistos Wort »Grau, treuer Freund, ist alle Theorie« (*Faust* v. 2038) scheint, auch wenn er sich gleich anschließend in den Farben verhaspelt, G. aus der Seele gesprochen, dem die Theorie als unfruchtbar für das wirkliche und schöpferische Leben erschien, da »alles Theoretisieren auf Mangel oder Stockung von Produktionskraft hindeutet« (*Dichtung und Wahrheit* III,12). Er anerkennt die Theorie nur für den Aufweis des Zusammenhangs einzelner Erscheinungen (*Maximen und Reflexionen* 529) und der Erkenntnislücken, sieht sie als Gegensatz der Erfahrung (ebd. 1231), da alles Faktische schon die Theorie sei (ebd. 575), lehnt sie als selbstzweckhaft ab, wenn sie die Phänomene durch bloße Begriffe ersetzt (ebd. 428, 614), und stellt dagegen jene »zarte Empirie, die sich mit dem Gegenstand innigst identisch macht und dadurch zur eigentlichen Theorie wird« (ebd. 565).

H. Hamm, Der Theoretiker G., 1975.

Therese. In *Wilhelm Meisters Lehrjahren* ist die ausgeglichene, tüchtige und ordnungsliebende Therese zunächst die Verlobte Lotharios, der sie verläßt, als er glaubt, ein Verhältnis mit ihrer leichtlebigen, vermeintlichen Mutter gehabt zu haben. Wilhelm Meister begegnet ihr, als er Lydia zu ihr bringt (VII,5), läßt sich ihre Lebensgeschichte erzählen (VII,6), wirbt um ihre Hand und erhält ihr Jawort durch Natalie, zu der er inzwischen eine wachsende Neigung entwickelt hat (VIII,4). Nach Aufklärung ihrer Herkunft kann sie daher

Lotharios erneuter Werbung nachgeben, falls Wilhelm Natalie heiratet (VIII,10).

R. Kawa, Die Klarheit Th.s, RG 25, 1995; J. Haupt, Die etwas materielle Th., LfL 1982.

Thersites →Zoilo-Thersites

Thesen Goethes →*Positiones iuris*

Theseus. Dem sagenhaften athenischen Prinzen, König und Nationalheros widmet G. zwar keine eigene Dichtung, spielt aber häufig auf dessen Taten an. Seine Überwältigung des Minotaurus, seine Rückkehr aus dem Labyrinth auf Kreta mithilfe des Fadens der Ariadne und die Rettung der Minotaurus-Opfer beschreibt G. an einem pompejanischen Wandbild in *Philostrats Gemälde* und der Besprechung von Spontinis Oper *Die Athenerinnen* (1832), sein Verlassen der Geliebten Ariadne auf Naxos an einem anderen Gemälde Philostrats und der XIII. *Römischen Elegie.* Auf seine Entführung der jungen Helena, die er im Dianatempel in Sparta hatte tanzen sehen, und ihre Befreiung durch die Dioskuren Kastor und Pollux spielt *Faust* (v. 7415–18 und 8848–53) an.

Theuerdank →Maximilian I.

Thibaut, Anton Friedrich Justus (1772–1840). Den Professor der Rechte, 1802–06 in Jena, dann in Heidelberg, Musikfreund und Förderer der Hausmusik, »eine weiche, musikalische Natur« (an Zelter 28. 6. 1818), kannte G. von Jena und seinen Besuchen in Weimar her. 1808 hörte August von G. in Heidelberg bei ihm Vorlesungen und verkehrte in seinem Haus. Bei seinen Aufenthalten in Heidelberg sah G. ihn fast täglich am 25. 9.–8. 10. 1814 und am 20./21. 9. 1815 und las 1814 seine Abhandlung *Über die Notwendigkeit eines allgemeinen bürgerlichen Rechts für Deutschland* und 1825 *Über Reinheit der Tonkunst* (1824).

H. Poppen, A. F. J. T., in: G. in Heidelberg, 1949.

Thiele, Johann Alexander (1685–1752). Der Landschaftsmaler und Kupferstecher war seit 1738 Hofmaler in Dresden. In Leipzig radierte G. 1768 unter Anleitung von J. M. Stock als vereinfachte Reproduktionsstiche »verschiedene Landschaften nach Thiele« (*Dichtung und Wahrheit* II,8), deren Originalvorlagen nicht mehr zu identifizieren sind. Von den zwei erhaltenen Blättern ist eines seinem Vater, das zweite dem Studienfreund Ch. G. Hermann gewidmet. G.s Graphiksammlung umfaßte später mehrere Radierungen Thieles.

Thielmann, Johann Adolph von (1765–1824). Den erst sächsischen, dann russischen, dann preußischen General, teils unter Carl

August, traf G. am 25./26. 10. 1808 in Weimar und verkehrte mit ihm am 19.–24. 9. 1810 in Dresden und am 17.–26. 6. 1813 in Teplitz.

Thiene. In dem Ort nördlich von Vicenza besichtigte G. am 22. 9. 1786 eine nach altem Plan neuerbaute Villa, vermutlich die Villa Sarcedo des Orazio Claudio Capra, und freute sich über die Renaissance des Palladio-Stils (*Italienische Reise*).

Thoas. Der König von Tauris wird in G.s *Iphigenie* im Gegensatz zu der Vorlage des Euripides, wo die Griechen ihn als eitlen Tölpel düpieren, zum Musterfall wirksamer Humanität: Iphigenie zuliebe bricht er mit dem barbarischen Brauch, landende Fremde am Altar Dianas zu opfern, befiehlt jedoch, nachdem Iphigenie seine Werbung ablehnt, die Erneuerung der Menschenopfer, nunmehr an Orest und Pylades. Iphigenies Abscheu vor List und Heimlichkeit, ihre Aufrichtigkeit und Wahrheitsliebe auch dem unberechenbaren Barbaren gegenüber, dem sie ihre geplante Flucht verrät, und ihr Appell an seine edle Menschlichkeit bewirken seine Wandlung zu Selbstüberwindung und Großmut, indem er sie ziehen läßt. Alternd, einsam und ohne Thronerben in einem unruhigen Land zurückbleibend, ist er am Ende die tragischste Figur des Dramas.

F. M. Fowler, »Doch mir verzeih Diane …«, NGS 10, 1982.

Thoranc, François de Théas, Comte de (1719–1794). Mit dem gebildeten, weltgewandten provenzalischen Adligen aus Grasse tritt erstmals ein Vertreter französischer Kultur in G.s Blickfeld. Schon 1734 französischer Leutnant, machte er den Italienfeldzug mit, wurde im Siebenjährigen Krieg zur französischen Rheinarmee unter dem Prinzen von Soubise und Marschall de Broglie versetzt, war maßgeblich an der französischen Besetzung Frankfurts am 2. 1. 1759 beteiligt und wurde dort zum Königsleutnant (lieutenant du roi, d. i. Statthalter des Königs) ernannnt. Von Januar 1759 bis 30. 5. 1761 nahm er zum großen Verdruß des Vaters G. sein Quartier in G.s gerade renoviertem Elternhaus, wo der ritterliche und musterhaft rücksichtsvolle Offizier die Unannehmlichkeiten der Einquartierung auf ein Minimum zu reduzieren suchte. Dennoch brachten seine Aufgabe, Streitfälle zwischen Bürgern und Militär zu schlichten, seine offene Tafel und seine hohen Besucher viel Unruhe in das Haus. Selbst ein unkluges Aufbrausen von G.s preußisch gesinntem Vater nach der preußischen Niederlage bei Bergen 1759 wurde durch ein geschicktes Plädoyer des Frankfurter Dolmetschers J. H. Diene, das G. rekonstruiert, folgenlos beigelegt. Für den jungen G. besonders eindrucksvoll war der Umgang Thorancs mit den Frankfurter Malern (F. W. Hirt, Ch. G. Schütz, J. C. Seekatz, J. G. Trautmann, J. A. B. Nothnagel und J. Juncker), die im Auftrag Thorancs teils in G.s Mansardenzimmer an 400 großflächige Leinwände für

sein Schloß in Grasse malten, von denen einige später ins Frankfurter G.haus zurückkehrten. G. lernte den großmütigen, kunstliebenden Thoranc als edlen, beherrschten, rechtschaffenen und
unbestechlichen Mann von strengem Gerechtigkeitssinn schätzen,
der selbst seine Probleme und inneren Konflikte hatte, zeitweilig
zur Hypochondrie neigte und sich dann ganz zurückzog. Er setzte
ihm 1811 in *Dichtung und Wahrheit* (I,3) als Kontrastfigur zum
hypochondrischen Vater ein wohlwollend rühmliches Denkmal, das
noch um die von ihm eingeführten Neuerungen in Frankfurt
(Straßenbeleuchtung, Hausnummern, Bürgersteige, Müllabfuhr,
Sittenpolizei u. a.) zu ergänzen wäre. Wegen seiner humanen Verwaltung wurde er auf Ersuchen der Frankfurter Bürger 1762 vom
Kaiser in den Reichsgrafenstand erhoben. 1761 bezog Thoranc ein
anderes Frankfurter Quartier, 1763–68 war er Generalmajor und
Gouverneur von St. Domingo, kehrte (abweichend von G.s Bericht) als Kommandant der Landschaft Roussillon nach Frankreich
zurück, nahm schließlich seinen Abschied, gründete 1783 auf seinem Schloß in Grasse eine Familie und verarmte während der
Französischen Revolution.

M. Schubart, F. de Théas, 1896; M. Bréal, Deux études sur G., Paris 1898; H. Grote-
fend, Der Königsleutnant Graf T. in Frankfurt, 1904; O. Donner von Richter, Die
T.-Bilder in der Provence und im Goethehaus, JFDH 1904; O. Heuer, G. und die Kö-
nigsleutnantsbilder, JFDH 1907; O. Heuer, Der Königsleutnant und sein Gemäldesalon,
Velhagen und Klasings Monatshefte 30, 1915 f.; Ch. d'Héristal, Un officier de l'an-
cienne France, RA 6, 1932; O. Weissel, G.s Königsleutnant, ChWGV 48/50, 1946.

Thorvaldsen, Bertel (1768–1844). Der dänische klassizistische
Bildhauer, 1797–1838 meist in Rom, mit dessen Werken G. z. T.
vertraut war, lieferte für das am 28. 8. 1819 in Frankfurt in seiner
Anwesenheit beschlossene G.-Denkmal, das dann nicht zur Ausführung kam, zwei Skizzen zu Basreliefs. Er gehörte 1830 zu den
letzten Freunden August von G.s in Rom.

Thouret, Nicolaus Friedrich (ab 1808) von (1767–1845). Der
schwäbische klassizistische Künstler, als Karlsschüler und in Paris
zum Maler und 1793–96 in Rom zum Architekten ausgebildet,
1798–1818 württembergischer Hofbaumeister und Professor, war
ein Mann nach G.s Geschmack. G. lernte ihn auf seiner 3. Schweizer Reise am 2. und 6. 9. 1797 in Stuttgart kennen und war von seinen (verschollenen) Gemälden und architektonischen Arbeiten sehr
beeindruckt. Auf seine Anregung wurde Thouret, um dessen Beurlaubung man Herzog Friedrich I. von Württemberg ersuchte, 1798
als Nachfolger von J. A. Arens zum Leiter des Schloßbaus in Weimar berufen (*Reise in die Schweiz 1797; Tag- und Jahreshefte* 1798).
Während seiner zwei Weimarer Aufenthalte (Ende Mai – Ende Oktober 1798, Dezember 1799 – Ende Februar 1800) arbeitete er an
der klassizistischen Innendekoration des Ostflügels und am Umbau
des Komödienhauses (→Theater) und war mehrfach Gast G.s, der

an seinen Arbeiten lebhaften Anteil nahm. Doch verschleppte sich
der Schloßbau durch Thourets zögernde Übersendung von Plänen
und Materialien infolge seiner Beanspruchung in Stuttgart. Als er
1800 infolge dieser, der Kriegswirren und einer unglücklichen Liebesaffäre trotz mehrfacher Zusagen und dringender Mahnungen
weder in Weimar erschien noch antwortete, nahm Carl August die
Verbindung mit Heinrich →Gentz auf und entließ Thouret im
November 1800 aus seinen Verpflichtungen.

P. Färber, N. F. T., Württembergische Vierteljahrsschrift für Landesgeschichte NF 29,
1920; P. Färber, T., 1949.

Der Thronfolger Pharaos. In Leipzig entwarf G. im Oktober
1766–Frühjahr 1767 den Plan zu einer Tragödie dieses Titels um
die »Erschlagung der Erstgeburt in Ägypten« (an Cornelia 13. 10.
1766, 11. 5. 1767). Er hat sich nicht erhalten, und die Ausführung
unterblieb.

Thümmel, Moritz August von (1738–1817). Den Schriftsteller,
1768–83 sachsen-coburgischen Geheimrat und Minister kannte G.
von seinen Reisen an thüringische Höfe spätestens seit Mai 1782,
korrespondierte mit ihm in Angelegenheiten der Universität Jena
und sandte ihm 1795 *Wilhelm Meisters Lehrjahre.* Thümmels komisches Epos *Wilhelmine* (1764), »eine kleine, geistreiche Komposition, so angenehm als kühn« (*Dichtung und Wahrheit* III,13), stand
schon in der Bibliothek des Vaters. Weniger schätzte G. die *Reisen in
die mittäglichen Provinzen von Frankreich* (X 1791–1805); auf sie bezieht sich das Xenion aus dem Nachlaß 160. →*Jägers Abendlied.*

Thüringen. Mit seiner zweiten Heimat, die er schon 1765 und
1768 auf den Reisen zur und von der Universität Leipzig durchquert hatte, machte sich G. in den ersten Weimarer Jahren durch
Wanderungen, Ritte und Reisen wie auf Jagdexpeditionen vertraut, so 4. 9.–9. 10. 1777, 6. 9.–Oktober 1780, 6.–15. 12. 1781 und
10.–19. 7. 1784, die seit 1780 auch geologisch-mineralogischen Interessen dienen (*Mineralogie von Thüringen,* 1782). Hinzu kommen,
teils damit verbunden, die Reisen in diplomatischem Auftrag an die
Thüringer Höfe (29. 3.–18. 4. und 8.–18. 5. 1782 u. ö.).

V. Tornius, Mit G. durch T., 1927; H. Eberhardt, G.s Umwelt, 1951; W. Vulpius, G. in
T., 1955 u. ö.

Thukydides (um 460 – nach 400 v. Chr.). Mit dem Werk des griechischen Historikers befaßte sich G. Mitte Dezember 1797 (»zum
erstenmal eine ganz reine Freude«, an Schiller 16. 12. 1797) und im
März/ April 1813.

F. Lillge, Eine Th.reminiszenz bei G., Sokrates NF 4, 1916.

Thule. Das sagenhafte Reich, in dem G. den →*König in Thule* ansiedelt, war nach dem antiken Geographen Pytheas von Massilia

und den Schriftstellern Vergil, Tacitus u. a. eine Insel am äußersten Nordrand der Welt. In G.s Briefen erfüllen ironischerweise schon Jever in Ostfriesland und Reval in Estland die Qualifikationen einer »ultima Thule« (an Hegel 17. 8. 1827, an Zelter 3. 2. 1831).

Thun. In der Schweizer Stadt am Thuner See übernachtete G. auf den 2. Schweizer Reise mit Carl August am 8./9. und 14./15. 10. 1779 vor und nach einem Abstecher in das Berner Oberland (Lauterbrunnen, Grindelwald, Scheidegg, Brienz, Interlaken) und ritt von dort wieder nach Bern zurück.

Thurn und Taxis, Carl Alexander Joseph, Fürst von (1770–1827). Mit dem Kronoberstpostmeister, dessen Familie seit 1595 das kaiserliche Postmonopol als Erblehen innehatte, verkehrte G. im Mai 1820 in Karlsbad und fast täglich am 31. 7.–14. 8. 1821 in Marienbad, wo er Interesse an G.s Mineraliensammlung zeigte.

Thylesius, Antonius →Telesio, Antonio

Thym, Johann Heinrich (1723–1789). Der gebildete »Kalligraph und Privatinformator« für bessere Frankfurter Kreise unterrichtete Oktober 1756 – Januar 1760 und 1762 – Herbst 1765 G. teils einzeln oder mit Cornelia, später auch in Gruppen mit anderen Privatschülern, zunächst im Schreiben und Rechnen, später auch in Geographie und Geschichte und veranstaltete bei seinen Schülern Schönschreibwettbewerbe. Er setzte den Unterricht Cornelias (neben einer Schreiberstelle beim Kriegszeugamt seit 1764) auch nach G.s Studienbeginn in Leipzig fort, von wo aus G. ihn am 6. 12. 1765 grüßen ließ.

E. Mentzel, Wolfgang und Cornelia G.s Lehrer, 1909.

Tibull(us), Albius (um 54–19 v. Chr.). Mit dem dritten der drei Hauptvertreter der römischen Liebeselegie neben Catull und Properz, den »Triumvirn«, mit denen G. in den *Römischen Elegien* wetteifert und von denen er sich inspirieren läßt (*Römische Elegien* V.), befaßte sich G. intensiver im Oktober 1788, als Knebel ihm eine Ausgabe der drei Elegiker (Göttingen 1762) schenkte. Er las ihn erneut am 23. 5. 1797 und beschäftigte sich am 6. 5. und 23. 10. 1810 mit Koreffs deutscher Übersetzung, die er mit dem Original verglich.

Ticknor, George (1791–1871). Der später bedeutende amerikanische Literaturhistoriker und Professor für Französisch und Spanisch in Harvard studierte 1815–17 in Göttingen und besuchte am 25. 10. 1816 G. in Weimar.

F. G. Ryder, G. T. and G., PMLA 67, 1952; F. G. Ryder, G. T. and G., MLQ 14, 1953.

Tieck, Christian Friedrich (1776–1851). Der bedeutende Bildhauer des Berliner Klassizismus, Bruder von Ludwig Tieck und Schüler von Schadow und J. L. David, kam Anfang September 1801, von W. von Humboldt für die skulpturale Ausgestaltung des Schlosses empfohlen, nach Weimar, besuchte G. zuerst am 6. 9. 1801, beteiligte sich mit einer Federzeichnung an den Weimarer Preisaufgaben 1801 und führte sich mit einer geistreichen, technisch perfekten Porträtbüste G.s als Probearbeit ein. Sie entstand am 24. 9.–12. 10. 1801 in fast täglichem Umgang mit G., der »seine Gegenwart immer anmutig fördernd« nennt (*Tag- und Jahreshefte* 1801), sich aber gleichzeitig über Tiecks Vorurteilhaftigkeit und Eigensinn beschwert (an Humboldt 29. 11. 1801). Die Büste fand allgemein Anklang; G. lobt sie als »mit großer Sorgfalt gefertigt« (*Tag- und Jahreshefte* 1801) und zeigte sie in der 4. Weimarer Kunstausstellung im September 1802; A. W. Schlegel besprach sie und widmete ihr ein Distichon. 1807/08 schuf Tieck danach leicht verändert die Kolossalbüste G.s in Marmor für die Walhalla bei Regensburg. Vom Sommer 1802 bis Frühjahr 1805 führte Tieck in Weimar Dekorationsarbeiten am Weimarer Schloß aus, schuf Reliefs, Medaillons und Statuen für dessen Treppenhaus, Weißen Saal und Teesalon und daneben Porträtbüsten von Schiller, Brentano, F. A. Wolf, Carl August, C. Jagemann, J. H. Voß, Erbprinz Carl Friedrich, Maria Paulowna u. a., die z. T. in der 5. Weimarer Kunstausstellung 1803 gezeigt wurden, und verkehrte bei G. Nach einem Besuch bei G. am 24./25. 4. 1819 kam Tieck mit Rauch, Schinkel und Ch. L. F. Schultz am 16. 8. 1820 nach Jena, wo er und Rauch am 17./18. 8. unter »leidenschaftlichen Kunstunterhaltungen« die sog. Atempo-Büsten G.s modellierten und ihn am 22. 8. auch in Weimar besuchten (*Tag- und Jahreshefte* 1820). Die von Tieck zurückgezogene Büste kam erst 1871 aus seinem Nachlaß zum Vorschein. Auch späterhin interessierte sich G. für die Berliner Arbeiten des Bildhauers, der einen ihm angenehmen, an der Antike und Winckelmann geschulten Klassizismus, kühle Idealität und diszipliniertes Pathos zu überzeugenden Individualporträts verband. Vgl. *Heroische Statuen von Tieck*, 1828.

E. Hildebrandt, F. T., 1906; B. Maaz, Ch. F. T., 1995.

Tieck, Johann Ludwig (1773–1853). Das Verhältnis zwischen G. und dem vielseitigen, belesenen Dichterfürsten der Romantik beruhte stärker auf der Verehrung Tiecks für G., der gleichwohl dem »Talent von hoher Bedeutung« und den »außerordentlichen Verdiensten« des Romantikers und seinem Eintreten für Shakespeare wiederholt gebührende und wohlwollende Anerkennung zollte und nur seine falsche Verherrlichung durch die Schlegels bedauerte (zu Eckermann 30. 3. 1824). Von früh auf ein Bewunderer von G.s Werk, sandte Tieck G. am 10. 6. 1798 *Franz Sternbalds Wanderungen* (II 1798), auf die G. indirekt kritisch reagierte (»Es ist unglaublich, wie leer das artige Gefäß ist«, an Schiller 5. 9. 1798); kritische Bemerkungen zu einer für die *Propyläen* geplanten Rezension fanden sich im Nachlaß. Nach einem ersten Besuch mit A. W. Schlegel und Novalis bei G. in Weimar am 21. 7. 1799 nennt G. ihn »eine recht leidliche Natur« (an Schiller 24. 7. 1799). Während Tiecks Aufenthalt im Kreis der Jenaer Romantiker 1799/1800 trafen sich die Dichter in Jena, und am 5./6. 12. 1799 las Tieck dort bei G. *Leben und Tod der heiligen Genoveva* vor, deren »wahrhaft poetische Behandlung« G. lobte (*Tag- und Jahreshefte* 1799). Zur gleichen Zeit verwies Tieck G. auf Ben Jonsons *Volpone*. Die persönlichen Kontakte blieben flüchtig, Besuche Tiecks bei G. in Weimar folgten am 11. 6. 1800, 21. 9. 1806, 2. 9. 1817, 8./9. 6., 8. 10. und zuletzt 10. 10. 1828. Tiecks Bitte vom 9. 12. 1801 um Empfehlung als Regisseur nach Frankfurt lehnte G. am 17. 12. 1801 höflich abratend ab. Von den späteren Werken Tiecks hielt G. *Prinz Zerbino* einer Bühnenbearbeitung für wert (*Tag- und Jahreshefte* 1814), den *Kaiser Octavianus* dagegen fand er zu diffus (an A. W. Schlegel 3. 5. 1802). Über Tiecks *Altenglisches Theater* (II 1811) und seine Shakespeare-Studien urteilte G. positiv; dagegen nimmt der von und mit Meyer verfaßte Aufsatz *Neudeutsche religios-patriotische Kunst* (1817) Stellung gegen die in Tiecks und Wackenroders *Herzenergießungen eines kunstliebenden Klosterbruders* (1797) entwickelte und von den Nazarenern verwirklichte Kunstauffassung der Romantik. Tiecks Auftreten gegen J. F. W. Pustkuchens falsche *Wanderjahre* in der Novelle *Die Verlobung* (1823) fand G.s Beifall, er lobte sie im Gedicht »So ist denn Tieck …« und besprach sie in *Über Kunst und Altertum* (IV,3, 1824), ebenso Tiecks *Dramaturgische Blätter* (1826, postum gedruckt). Tiecks Einschätzung G.s, dessen Sturm und Drang-Werke er über das spätere Schaffen stellte, fand Ausdruck in der Einleitung »Goethe und seine Zeit« zu seiner Ausgabe der *Gesammelten Werke* (I, 1828) von J. M. R. Lenz.

A. W. Porterfield, G. and T., JEGP 36, 1937; M. Thalmann, T.s G.bild, MDU 50, 1958.

Tiedge, Christoph August (1752–1841). Der Dichter, dessen seinerzeit modisches und vielgelesenes empfindsames Lehrgedicht *Urania* (1801) G. wegen seines aufdringlichen Unsterblichkeitsglaubens ein Ärgernis war (zu Eckermann 25. 2. 1824), war seit 1803 Seelenfreund, Hausgenosse und Reisebegleiter der Freifrau Elisa von der →Recke. Als solchen lernte G. ihn am 20. 7. 1807 in Karlsbad kennen und sah ihn dort 1808, 1811, 1812, 1820 und zuletzt am 25. 8. 1823 in Zwotau wieder.

Tiefenort. Das weimarische Kammergut bei Salzungen besuchte G. auf einer diplomatischen Reise am 6. 4. 1782.

Tiefurt. Das um 1765 auf älteren Grundmauern errichtete schlichte, zweigeschossige Gutspächterhaus des seit 1587 herzoglichen Kammerguts an der Ilmschleife nordöstlich von Weimar wurde 1775 vom Hof requiriert und im Mai 1776 von der kleinen Hofhaltung des Prinzen Constantin mit seinem Erzieher C. L. von Knebel bezogen, der 1776–80 auch mit der Umgestaltung des Gartens und der Wiesen in einen Park begann. Im Juli 1781 erwarb Anna Amalia das Schlößchen als Sommersitz anstelle von Ettersburg und ließ den Park 1782–88 nach Muster von Wörlitz und unter Mitwirkung G.s zu einem englischen Landschaftspark umgestalten und erweitern. Unter ihr wurden Schloß und Garten besonders in den Sommern 1781–85 zum Lieblingsort der Weimarer Hofgesellschaft, der Literaten und Künstler, eine arkadische Stätte einfachen Landlebens rousseauistischen Stils und unkonventioneller, zwanglos rustikaler Geselligkeit für die Teilnehmer ihrer Tafelrunde, die sich winters im Wittumspalais traf und dort wie hier Gespräche führte, zeichnete, musizierte, sang, las oder vorlas und ländliche Feste feierte. Zu ihr gehörten u. a. G., Schiller, Wieland, Herder, Bertuch, L. von Göchhausen, J. H. Voß und Gäste wie Jean Paul und die Brüder Humboldt. Hier las das G. erstmals Szenen seines *Torquato Tasso* vor. Bei der bescheidenen Enge der Wohnräume wurde besonders der Tiefurter Park mit seinen Bauten wie Borkenhütte (ab 1805 Teesalon), Musentempel, Vergilgrotte und seinen Statuen, Altären, Büsten und Gedenksteinen (Mozart, Herder, Wieland, Herzog Maximilian Leopold von Braunschweig, Prinz Constantin, C. Schröter u. a.), meist von G. M. Klauer, und seiner Naturkulisse für Freilichtaufführungen von Schäfer-, Schatten- und Singspielen des Liebhabertheaters benutzt. Zu G.s Geburtstag am 28. 8. 1781 führte man das Schattenspiel *Minervens Geburt, Leben und Taten* mit Musik von S. von Seckendorff auf, und als Höhepunkt folgte am 22. 7. 1782 die Aufführung bei Fackelbeleuchtung von G.s *Die Fischerin* mit C. Schröter in der Titelrolle. Die fröhliche Unbeschwertheit dieser Tiefurter Literaturgesellschaft fand Niederschlag im →*Tiefurter Journal*. Im Oktober 1806 wurde das Schloß von den Franzosen geplündert, beherbergte dann 1814–19 das Landwirtschaftliche Institut und wurde ab 1820 von Erbprinz Carl Friedrich aufwendig neu dekoriert und als Sommersitz und Raritätenkabinett benutzt. Bei Restaurierungen 1907–09 und 1979–81 in den ursprünglichen Zustand zurückversetzt, legt es heute Zeugnis ab für die bescheidene, doch gediegene Lebenswelt und Wohnkultur des klassizistischen Weimar zu G.s Zeit.

W. Kuno, T., 1902 u. ö.; W. Hegeler, T., 1913; H. Wahl, T., 1929 u. ö.; S. Anger, Schloß T., 1955; D. Eckhardt und J. Seifert, Schloß T., 1982 u. ö.; J. Beyer und J. Seifert, Weimarer Klassikerstätten, 1995; →Weimar.

Tiefurter Journal, *Journal von Tiefurt.* In ihrem ersten Tiefurter Sommer 1781 gründete Anna Amalia »zur Beförderung der Fröhlichkeit und guten Laune« die ironisch nach dem berühmten *Journal de Paris* benannte und an F. M. von Grimms *Correspondance littéraire*

Tiene 1072

orientierte Zeitschrift, erst Wochen-, dann (mit langen Unterbrechungen) Monatsschrift, die nach einem scherzhaft-pompösen, gedruckten »Avertissement« vom 15. 8. 1781 vom 16. 8. 1781 bis Juni 1784 in 49 Nummern (Nr. 17 und 41 nicht erhalten) in jeweils elf von professionellen Schreibern handschriftlich gefertigten Kopien für den engsten Freundeskreis »erschien«. Sie umfaßte Lyrik, Prosa, Erzählungen, Übersetzungen alter und neuer Literatur, aber auch Rätsel, Scharaden, Preisfragen u. a. Insider-Scherze in lockerem Durcheinander und ihre grundsätzlich anonymen Beiträge stammten von den Mitgliedern des Kreises: Carl August, Anna Amalia, G., Wieland, Herder, von Knebel, von Einsiedel, von Seckendorff, C. Herder, L. von Göchhausen, E. von Werthern, S. von Schardt und dessen Gästen (Prinz August von Gotha, C. Th. von Dalberg, J. H. Merck, Louise von Werthern-Neunheiligen, F. L. zu Stolberg). G. steuerte vor allem Gedichte bei: *Meine Göttin, Nachtgedanken, Der Becher, An die Zikade, Das Göttliche* und als Extraheft Nr. 23 im März 1782 *Auf Miedings Tod*. Das Journal ist ein bedeutendes Dokument der menschlichen und geselligen Bildung des Weimarer Musenhofs in frühklassischer Zeit.

C. A. H. Burckhardt, Das T. J., Die Grenzboten 30–31, 1871 f.; Das Journal von Tiefurt, hg. E. v. d. Hellen 1892.

Tiene →Thiene

Tiepolo, Giovanni Battista (1696–1770). Von dem letzten großen Vertreter der venezianischen Malerei sah G. zumindest am 24. 9. 1786 die berühmten Fresken in der Villa Valmarana in Vicenza, am 26. 9. 1786 das »Martyrium der Hl. Agathe« in der Basilika St. Antonio in Padua und am 3. 10. 1786 die Deckengemälde und das Bild »Maria mit Kind und den Heiligen Katharina, Rosa und Agnese« in der Kirche Santa Maria dei Gesuati in Venedig, war jedoch von Tiepolos heiter-gefälligem Rokokostil wenig beeindruckt (*Tagebuch der italienischen Reise*).

Timur Lenk (1336–1405). Der mongolische Tyrann und Eroberer, dessen in Europa zu ›Tamerlan‹ entstellter Name zum Inbegriff orientalischer Grausamkeit wurde, unterwarf in an Greueltaten reichen Feldzügen Persien, den Kaukasus, Indien und die Türkei und starb vor einem Feldzug gegen China. Nach ihm nennt G. im *West-östlichen Divan* das »Timur Nameh/Buch des Timur« als Buch der »ungeheuren Weltbegebenheiten« und »Widerschein eigener Schicksale« (*Noten und Abhandlungen*). In dem jeder moralischen Weltordnung spottenden Gewalttäter sah G. Parallelen zu Napoleon als einem außerordentlichen, dämonischen Menschen, für den die Moralgesetze nicht gelten (zu Boisserée 8. 8. 1815).

J. Müller, Zu G.s T.gedicht, in ders., Der Augenblick ist Ewigkeit, 1960; P. Michelsen, G.s Gedicht Der Winter und T. und seine Vorlage, in: Formen innerliterarischer Rezeption, hg. W. Floeck 1987.

Tintoretto, eig. Jacopo Robusti, gen. Tintoretto (1518–1594). Von dem Hauptvertreter der venezianischen Malerei des Manierismus sah G. auf beiden Italienreisen eine Reihe wichtiger Gemälde, die heute vielfach andernorts hängen. Im Palazzo Bevilacqua in Verona sah er am 17. 9. 1786 das »Paradies«, Skizze zum Gemälde im Dogenpalast (s. u.), und fand darin »den ganzen Reichtum des glücklichen Genies«, »Leichtigkeit des Pinsels, Geist, Mannigfaltigkeit des Ausdrucks« (*Italienische Reise*). In Venedig sah er – nunmehr nur noch im *Tagebuch der italienischen Reise* erwähnt – am 3. 10. 1786 in Santa Maria della Salute die »Hochzeit zu Kana«, am 4. 10. 1786 im Dogenpalast das große »Paradies« und die anderen großen Gemälde, am 7. 10. 1786 und wieder am 6. 4. 1790 in der Scuola di San Marco die Gemälde zur Geschichte des Hl. Markus und am 8. 10. 1786 sowie 3. 4. 1790 die Gemälde in der Scuola di San Rocco, u. a. die große »Kreuzigung«. G.s im Grunde konventionellen Urteile beeinflußten die spätere Hochschätzung Tintorettos; gelegentlich kommentiert er über die Nachteile der Großformate (*Tagebuch der italienischen Reise* 8. 10. 1786) und über die »abscheulichen Gegenstände« der Märtyrerszenen (*Ältere Gemälde*, 1825).

Tirol. Die Alpenlandschaft durchquerte G. dreimal: auf dem Hinweg nach Italien am 7.–10. 9. 1786 auf der Strecke Mittenwald – Innsbruck – Brenner – Sterzing – Bozen – Trient, auf dem Hinweg nach Venedig am 20.–24. 3. 1790 auf der Strecke Füssen – Reutte – Fernpaß – Innsbruck – Brenner – Bozen – Trient und auf dem Rückweg am 1.–9. 6. von Trient über Innsbruck nach Augsburg.

S. M. Prem, G.s Fahrt durch T., 1888; M. Enzinger, G. und T., 1932; H. M. Voelckel, G. in Südtirol, Der Schlern 58, 1984.

Tischbein, Johann Heinrich d. Ä. (1722–1789). Von dem Kasseler Hofmaler im Stil des Rokoko, dem Onkel und Lehrer J. H. W. Tischbeins, besaß G., wohl 1794 aus der Gemäldesammlung seines Vaters übernommen, zwei verkleinerte Fassungen von 1756 seiner Gemälde »Sappho und Anakreon« und »Herkules und Omphale«.

J. H. T. d. Ä., Katalog Kassel 1989.

Tischbein, Johann Heinrich Wilhelm (1751–1829). Zu dem Porträt- und Historienmaler aus der bekannten hessischen Künstlerfamilie hatte G. seit 1781 durch Lavater und Merck Beziehungen, kannte einzelne seiner Werke, zumal das ohne G.s Wissen für Carl August gemalte Bild »Götz von Berlichingen und der gefangene Weislingen« (1782), und verwandte sich 1781 neben anderen beim Herzog Ernst II. von Sachsen-Gotha um ein Italien-Stipendium für ihn. Am Tag seines Eintreffens in Rom, 29. 10. 1786, erbat G. seinen Besuch, und ab 30. 10. 1786 wohnte er in Tischbeins Wohnung am Corso. Tischbein, »ein trefflicher, originaler Mensch« (an Herder 13. 12. 1786, ähnlich an Ch. von Stein 25. 1. 1787), wurde rasch sein erster, engster und vertrautester Freund, Mentor und Cicerone in Rom. Er führte G. in den deutschen Künstlerkreis Roms ein, durchstreifte mit ihm Rom und die Campagna, studierte die Kunstwerke der Antike und der Renaissance, erörterte mit ihm künstlerische Probleme und beriet ihn im Zeichnen. Ein bereits 1786 geplantes Gemeinschaftswerk mit Zeichnungen Tischbeins und Versen G.s (*Italienische Reise* 20. 11. 1786) kam jedoch nicht zur Ausführung und wurde Jahrzehnte später in →*Wilhelm Tischbeins Idyllen* (1821) verändert wieder aufgenommen. Tischbein begleitete G. am 22.–25. 2. 1787 nach Neapel und führte ihn durch die Stadt und Umgebung (Pompeji, Herculanum und Portici), schlug jedoch als G.s Begleiter nach Sizilien an seiner Stelle →Kniep vor. In Neapel ließ G.s Begeisterung für Tischbein nach; im Oktober 1787 kam es wohl wegen Tischbeins Egoismus und seinem unfairen Verhalten gegenüber dem Herzog von Gotha, dem er keine erbetenen Werke sandte, zu einer Entfremdung (*Italienische Reise* 2. 10. 1787; an Herder 2. 3. 1789), und erst 1806 erfolgte eine vorsichtige Annäherung (vier kleine Gedichte *An Tischbein* vom 18. 4. 1806) mit Werkaustausch; G. besaß zahlreiche Zeichnungen Tischbeins. Von Tischbeins Werken entstanden in Italien das reizvolle-frische Aquarell »Goethe am Fenster der römischen Wohnung am Corso« (1787), das Ölgemälde »Iphigenie und Orest« (1788) für Prinz Christian August von Waldeck, für dessen Figuren Lady Hamilton Modell war, und im Dezember 1786 – August 1787 in Rom das berühmte, lebensgroße Ölgemälde »Goethe in der Campagna« (»wie er auf den Ruinen sitzt und über das Schicksal der menschlichen Werke nachdenkt«, Tischbein an Lavater 9. 12. 1786), heroisch-idealisierendes Werk der Verehrung G.s, das dieser »sehr gleichend« fand und dessen Entstehen er in der *Italienischen Reise* (29. 12. 1786 u. ö.) beschreibt, gleichwohl durch historienhaftes Pathos, synthetische Hintergrundskulissen und mißratene Proportionen hinter der imponierenden Idee zurückbleibend. (Der oft gerügte »linke Fuß am rechten Bein« ist jedoch kein Fehler: die Unterscheidung rechter und linker Schuhe setzte sich erst um 1830 durch.)

F. Noack, T. und der Künstlerhaushalt am Corso, GJb 25, 1904; F. Landsberger, W. T., 1908; W. Sörrensen, J. H. W. T., 1910; W. v. Oettingen, G. und T., 1910; F. Rintelen, Über T.s G.-Porträt, Zeitschrift für bildende Kunst NF 27, 1916, auch in ders., Reden und Aufsätze, 1927; J. H. W. T., Katalog Oldenburg 1930; E. Beutler, T.funde, GKal 27, 1934; Ch. Beutler, J. H. W. T.: G. in der Campagna, 1962; H. v. Einem, Der Wanderer auf dem Obelisk, in: Kunst als Bedeutungsträger, hg. W. Busch 1978; Ch. Lenz, T.: G. in der Campagna, 1979; H. Mildenberger, J. H. W. T., Katalog Oldenburg 1987; R. M. Bisanz, The birth of a myth. T's G. in the Roman Campagna, MDU 80, 1988; →Porträts.

Tischgesellschaft in Straßburg →Lauth, Anne Marie

Tischlied. Von G.s zwei Liedern dieses Titels entstand das erste »Mich ergreift, ich weiß nicht wie ...« am 17.–19. 2. 1802 für das Mittwochskränzchen vom 22. 2. 1802 anläßlich der Abreise von Erbprinz Carl Friedrich nach Paris am 24. 2. 1802. Es greift Vers-

maß, Melodie und Motive des »Meum est propositum« des Archipoeta auf, wurde aber darüber hinaus noch 16mal vertont, u. a. von
Eberwein, Reichardt, Schubert und Zelter. – Das zweite Tischlied
»Lasset heut am edlen Ort ...« entstand am 6. 12. 1828 zu Zelters
70. Geburtstag am 11. 12. 1828 und wurde von F. Mendelssohn vertont.

Titania. Die mit ihrem Gatten →Oberon versöhnte Elfenkönigin
aus Shakespeares *Sommernachtstraum* bzw. Wielands *Oberon* erscheint
als Figur im epigrammatischen Intermezzo »Walpurgisnachtstraum«
im *Faust I* (v. 4223 ff. bzw. 4247 ff.) und im *Maskenzug 1818*. Vgl.
auch das Epigramm *Warnung*.

Titel   →Amtliche Tätigkeit, →Doktortitel

Tivoli. Im antiken Tibur, in der römischen Kaiserzeit Landsitz mit
den Villen reicher Römer, auch des Horaz, der Prunkvilla Kaiser
Hadrians und der Villa d'Este des 16. Jahrhunderts, in den Bergen
nordöstlich von Rom nahm G. ab 11. 6. 1787 einen etwa zweiwöchigen Aufenthalt mit C. Ph. Moritz und J. Ph. Hackert, der G.
im Landschaftszeichnen anleitete (mehrere Landschaften erhalten).
Er genoß die Landschaft mit den Wasserfällen des Anio und den
römischen Tempelruinen als »eins der ersten Naturschauspiele«, das
»uns im tiefsten Grunde reicher macht« (*Italienische Reise* 16. 6.
1787).

Tizian, eig. Tiziano Vecellio (um 1488/90–1576). Gemälde des
von ihm wegen seiner Klarheit wie seines Kolorits sehr geschätzten
Meisters der venezianischen Hochrenaissance sah G. auf der Italien-
wie der Venedigreise. Er erwähnt vor allem: am 16. 9. 1786 »Himmelfahrt Mariae« im Dom von Verona (*Italienische Reise* 17. 9.
1786), am 27. 9. 1786 drei Fresken zu Geschichte des hl. Antonius
in der Scuola di Sant' Antonio in Padua, am 3. 10. 1786 die
Deckenfresken von Santa Maria della Salute in Venedig, am 8. 10.
1786 die »Ermordung des hl. Petrus Martyr« in Ss. Giovanni e Paolo
in Venedig (ebd. 8. 10. 1786) und am 3. 11. 1786 im Quirinalspalast
von Rom die »Madonna mit Kind und Heiligen« (ebd. 3. 11. 1786
ausführlich beschrieben) und wird in Neapel wohl auch die von
Hackert restaurierte »Danae« gesehen haben. Zahlreiche weitere
Gemälde Tizians waren G. aus über 80 Kupferstichen seiner Graphiksammlung bekannt, und von »Himmlische und irdische Liebe«
besaß er eine Teilkopie der rechten Frauengestalt von F. Bury. Tizian
und seine Maltechnik erwähnt G. im Gutachten *Über die Ausbildung
eines jungen Malers* und in den Aufsätzen *Ältere Gemälde* und *Landschaftliche Malerei*. Einen Kupferstich von Cornelis Cort nach einer
Zeichnung von Tizian, den Zelter ihm am 17. 3. 1822 sandte, deutet G. im Antwortbrief vom 31. 3. 1822 (erweitert zu *Kupferstich
nach Tizian* in *Über Kunst und Altertum* IV,3, 1824) allerdings als

»St.Georg mit dem Drachen und der ausgesetzten Schönheit« (*Tag-und Jahreshefte* 1822), wo es sich um »Roger und Angelika« nach Ariost handelt.

Tobler, Georg Christoph (1757–1812). Den Schweizer Theologen, Schüler und Freund Lavaters, später Pfarrer in Wald bei Zürich und Übersetzer griechischer Tragödien, besuchte G. auf Lavaters Empfehlung im Oktober 1779 in Genf, fand aber keinen rechten Kontakt (»Mein Geist ist ihm nah, aber mein Herz ist fremd«, an Lavater 2.11.1779). 1781 kam Tobler auf einer Fußwanderung durch Deutschland nach Weimar und blieb dort von Anfang Mai bis Juni und von Juli bis Ende August 1781 als Gast Knebels, wobei ihm das Ungeschick passierte, in einer zum Schneider gebrachten Hose einen nicht abgesandten Brief an Lavater mit wenig günstigen Urteilen über einige Weimarer Personen zurückzulassen, der bald in Weimar kursierte (an Knebel 27.7.1782). Aus Gesprächen mit G. entstand 1781/82 sein Prosafragment →*Die Natur,* das Knebel und F. von Müller für ein Werk G.s hielten. G. las 1781/82 und 1797 Toblers Übersetzungen des Aischylos.

H. Funck, G. Ch. T., in: Zürcher Taschenbuch NF 44, 1923; →Die Natur.

Tod. Das Motiv des Todes erscheint in zahlreichen Dichtungen G., prononziert in *Götz, Werther* (→Selbstmord), *Wahlverwandtschaften* und *Faust*. Dabei ist das literarische Motiv des Sterbens aus der Unmöglichkeit des Weiterlebens keineswegs immer mit G.s eigener Todesneurose und seinem Horror vor allem, was an den Tod gemahnt, gleichzusetzen.

W. Rehm, Der Todesgedanke in der deutschen Dichtung, 1928; G. Andreae, Die Thematik des T. in den Wahlverwandtschaften, Diss. Marburg 1963; G. Schmidt, Die Krankheit zum T., 1968; J. Göres, G.s Gedanken über den T., in: Der T. in Dichtung, Philosophie und Kunst, hg. H. H. Jansen 1978; S. Adamzik, Subversion und Substruktion, 1985; D. Blondeau, Mort et création, 1994.

Tod und Bestattung. Trotz mehrerer schwerer, gut überstandener →Krankheiten (1801, 1823, 1830) befand sich G. Mitte März 1832 bei voller körperlicher und geistiger Gesundheit, empfing am 15.3. wie gewöhnlich Gäste, u. a. die Großherzogin Maria Paulowna und Bettinas Sohn L. S. von Arnim, machte eine Spazierfahrt und schrieb noch am 17.3. seinen letzten Brief (an W. von Humboldt). Eine bei der Spazierfahrt oder beim Wechsel zwischen überheizten und kalten Räumen zugezogene Erkältung leitete seine letzte, einwöchige Krankheit ein. Den 16.3. verbrachte er »wegen Unwohlseins im Bette« (letzter Tagebuch-Eintrag). Auf heftige Anfälle von Katarrhfieber mit anschließender Mattigkeit am 16.3. folgte am 17.–19.3. eine scheinbare Besserung, so daß G. aufstand, darauf nachts 19./20.3. Schüttelfrost, am 20.3. wohl Herzinfarkt mit Katarrh der oberen Luftwege, nachts 20./21.3. schwere Angstzustände, am 21.3. zeitweise Besinnungslosigkeit. Der Tod traf G. im

Lehnstuhl seines Schlafzimmers sitzend am 22. 3. 1832 gegen 11. 30 Uhr vormittags als ein sanftes Erlöschen in Gegenwart von Ottilie, C. W. Coudray und Dr. Carl Vogel, während die Enkel und Freunde (F. von Müller, Soret, Eckermann, Kräuter, Riemer) in Nebenzimmern sorgten. G.s legendäre letzte Worte »Mehr Licht!« werden von keinem der direkt Anwesenden bestätigt. »›Macht doch die Fensterladen in der Stube auf, damit mehr Licht hereinkomme.‹ Dies waren die letzten Worte, die *ich* hörte« (F. von Müller an Zelter 29. 3. 1832) steht gegen Sorets wahrscheinlicheres Zeugnis »Frauenzimmerchen! Frauenzimmerchen! Gib mir dein Pfötchen« zu Ottilie. G.s Diener Friedrich Kräuter dagegen behauptet, sein Name sei das letzte Wort G.s gewesen, als dieser ihn um ein Nachtgeschirr bat (*Gespräche* III/2, Nr. 7019). Am 23. 3. zeichnete →Preller als letztes Porträt G.s seine (später veränderte) Skizze »G. auf dem Totenbett«. Die sterblichen Überreste wurden am 26. 3. in der Vorhalle des Hauses am Frauenplan feierlich aufgebahrt. Am gleichen Tag nachmittags um 5 Uhr geleitete sie ein langer Trauerzug unter dem Geläut aller Glocken Weimars zur →Fürstengruft, wo sie an der Seite Schillers und Carl Augusts beigesetzt wurden. Die Leichenrede hielt Generalsuperintendent J. F. Röhr. →Testament.

G.s Tod, hg. C. Schüddekopf 1907; M. Hecker, G.s T. u.B., JGG 14, 1928; M. Hecker, G.s Tod, Insel-Almanach 1932; K.-H. Hahn, Zu G.s T. u. Begräbnis, Goethe 19, 1957; K. S. Guthke, Gipsabgüsse von Leichenmasken, SchillerJb 35, 1991.

Töpfer, Carl Friedrich Gustav (1792–1871). Der Schauspieler in Breslau, Brünn und Wien, nach 1820 Schriftsteller und Dramaturg in Hamburg, verfaßte neben Novellen und leichten Unterhaltungslustspielen eine Dramatisierung von G.s Epos u. d. T. *Hermann und Dorothea. Idyllisches Familiengemälde in vier Akten nach Goethes Gedicht,* die ab 6. 11. 1820 am Wiener Burgtheater, ab 20. 10. 1823 im Berliner Schauspielhaus und ab 20. 3. 1824 auch in Weimar erfolgreich aufgeführt wurde. G. sah sie dort am 2. 10. 1824 (zu Eckermann 4. 2. 1829).

Töpffer, Rodolphe (1799–1846). Der Genfer Maler und Schriftsteller, Freund Sorets, 1832 Professor an der Genfer Akademie, sandte einige seiner Aquarelle, Federzeichnungen, Karikaturen und komischen Bildgeschichten – Vorläufer Wilhelm Buschs und der Comics – u. a. *Le Docteur Festus* (nicht Faustus!; Druck 1840) 1830/31 an Soret nach Weimar, und dieser zeigte sie mehrmals G., der sie wiederholt betrachtete und sie sehr originell und »ganz unübertrefflich« fand (zu Soret 27. 12. 1830, 4. und 11. 1. 1831, 5. 1. 1832). G. besaß von ihm eine Atelierszene, vielleicht nach *Des Künstlers Erdewallen.*

W. Vulpius, G. und R. T., WMh 124, 1918.

Tomaschek, Wenzel Johann (1774–1850). Der Prager Musiker und Komponist vertonte über 40 Lieder und Balladen G.s (*Gedichte* *von G.,* IX 1815 u. a.), die G. z. T. schon bekannt waren, als Tomaschek ihn am 6. 8. 1822 morgens in Eger besuchte, ihm mittags am Klavier beim Advokaten Frank eine Reihe seiner Kompositionen vorsang und abends in Gesellschaft bei ihm war. G. fand seine strophischen Kompositionen »mitunter sehr gut getroffen« (Tagebuch) und schrieb ihm Verse aus *Äolsharfen* ins Stammbuch. Zu einer weiteren Begegnung kam es im Juli/August 1823 in Marienbad.

W. Handrick, G.s Beziehungen zu V. J. T., Goethe 29, 1967.

Tonlehre. G.s Bemühungen um eine parallel zur *Farbenlehre* zu entwickelnde Tonlehre einschließlich der Akustik lassen die Einheit von G.s Natur- und Kunstauffassung unter dem Prinzip der Polarität und von Systole und Diastole erkennen (*Farbenlehre,* Paragraph 747–750). Bereits 1791 wollte er mit Reichardt eine musikalische Schallehre ausarbeiten. Im November 1808 studierte er mit J. F. Ch. Werneburg den Zusammenhang von →Musik und Mathematik. Seit 1808 diskutierte er im Briefwechsel mit Zelter die Gleichwertigkeit von Dur und Moll. Im täglichen Umgang mit Zelter in Karlsbad im Juli/August 1810 werden Prinzipienfragen geklärt, und am 16./17. 8. 1810 entwirft und diskutiert G. mit ihm ein tabellarisches Schema der *Tonlehre,* das die Tonphysiologie und Tonpsychologie in den Vordergrund stellt. Das Schema wurde 1815 an Ch. H. Schlosser und 1826 an Zelter gesandt und hing seit 1827 an der Wand von G.s Arbeitszimmer. Vgl. *Tag- und Jahreshefte* 1810.

E.-J. Dreyer, G.s Tonwissenschaft, 1985; J. Neubauer, On G.'s Tonlehre, in: Music and German literature, hg. J. M. McGlathery, Columbia 1992; →Musik.

Torbole. In dem Ort am Nordende des →Gardasees kam G., der von Rovereto den Umweg über den Gardasee nach Verona machte und dort am 12./13. 9. 1786 in einem primitiven Gasthof ohne Türschlösser und Glasfenster übernachtete, am meisten aber durch das Fehlen hygienischer Anlagen perturbiert wurde, zum erstenmal in völlig italienisches Milieu (»ein nachlässiges Schlaraffenleben«, *Italienische Reise*) und sah seine ersten Feigen- und Olivenbäume. Von der italienischen Alpenseelandschaft tief beeindruckt, rückte er seinen Tisch vor das Zimmer, zeichnete sie und arbeitete angesichts des Gardasees an der *Iphigenie.* Am 13. 9. früh ging es per Boot nach Malcesine weiter.

R. Payer von Thurn, T., ChWGV 13, 1899; I. Stolzenberg, Eine unbekannte G.zeichnung: Der Hafen von T., Goethe 30, 1968.

Torfhaus. Der Ort unterhalb des Brocken war am 10. 12. 1777 der Ausgangspunkt von G.s Besteigung des winterlichen Brocken, auf der ihn der Förster, der das Unterfangen zuerst für unmöglich erklärt hatte, dann doch begleitete. Nach dem Abstieg zeichnete G. dort in Kohle den »Brocken im Mondlicht« und ritzte die Verse »Und Altar des lieblichsten Danks ...« (*Harzreise im Winter*) in das Fenster des Forsthauses, in dem er übernachtete (an Ch. von Stein

10./11. 12. 1777). Bei der Brockenbesteigung am 21. 9. 1783 fand
G. sich mit Trebra und Fritz von Stein wieder in Torfhaus ein.

Torquato Tasso. Von G.s Schauspiel in fünf Akten, dessen Konzeption das Tagebuch auf den 30. 3. 1780 datiert, entstanden zunächst die ersten beiden Akte Mitte Oktober 1780 bis August 1781
in poetischer Prosa. Diesen »Ur-Tasso«, in dessen Mittelpunkt die
legendäre Liebesbeziehung des Dichters zur Prinzessin Leonore
von Este stand, las G. am 25. 8. 1781 bei der Herzogin Louise vor
und nahm das Manuskript nach Italien mit, um es nach Abschluß
der Versfassung zu vernichten. In Italien plante er seit Februar 1787
die Umarbeitung in Blankverse (*Italienische Reise* 1. 2. 1788), kam
jedoch über Teilstücke und gedankliche Ansätze u. a. auf der Überfahrt nach Sizilien wohl kaum hinaus, zumal die Lektüre der neuen
Tasso-Biographie von Serassi die Thematik von der Liebesaffäre auf
das Verhältnis des Dichters zur Gesellschaft und zur politischen
Macht verlagerte, so daß die Niederschrift wohl erst August
1788–31. 7. 1789 in Weimar erfolgte und der Text, sorgsamer als
jedes andere Drama G.s ausgefeilt, im Februar 1790 einzeln und in
Band 6 der *Schriften* erschien. Die Uraufführung in einer gekürzten
Bühnenbearbeitung fand am 16. 2. 1807 im Weimarer Hoftheater
statt. Die Breitenwirkung der handlungsarmen Seelentragödie in
klassizistisch strenger Wahrung der Einheiten von Ort, Zeit und
Handlung war zunächst gering, doch bald folgten diesem ersten
reinen Künstlerdrama zahlreiche weitere Tasso-Dramen, die die
Handlung bis zu Tassos Tod fortsetzen (W. Smets, *Tassos Tod*, 1819;
J. Ch. von Zedlitz, *Kerker und Krone*, 1833; J. D. Hoffmann, *Tassos
Tod*, 1834; E. Raupach, *Tassos Tod*, 1835), sowie spätere Künstlerdra-
men. Bühnenmusiken und Ouvertüren zum *Tasso* komponierten
A. E. Titl um 1835, K. Schulz-Schwerin 1870, K. J. Brambach 1871,
A. Bungert 1891, dazu F. Liszts sinfonische Dichtung von 1856.
G. Donizettis Oper *Torquato Tasso* von 1833 geht auf ein Libretto
von J. Ferretti zurück.

Stoffliche Grundlage des Dramas sind teils historische, teils
legendäre Episoden aus dem unglücklichen Leben des italienischen
Epikers Torquato →Tasso am Hof der →Este in Ferrara, mit dem
G. von früh auf vertraut war. Als Hauptquellen benutzte er die Biographien von G. B. Manso (1619) und P. Serassi (1785, →Tasso).
Daneben gingen eigene Erfahrungen aus G.s – allerdings ganz
andersartiger – Stellung am Weimarer Hof in das Drama ein (zu
Eckermann 6. 5. 1827), ohne daraus ein Schlüsseldrama zu machen
oder die Suche nach Vorbildern zu legitimieren.

Nach der Fertigstellung seines Epos *Gerusalemme liberata* von seiner Muse, Prinzessin Leonore von Este, der Schwester des Fürsten,
mit einem Lorbeerkranz bekränzt, nimmt Tasso diese konventionelle Geste in Erinnerung an ein intimes Gespräch mit ihr als
Zeichen ihrer Zuneigung und entsagungsvollen Liebe. Als er sich

im Bestreben, die eigene, von Mißtrauen und Argwohn beherrschte Lebensferne zu überwinden, auf Wunsch seines Fürsten in freundschaftlicher Offenheit dem auf seinen Erfolg eifersüchtigen Hofmann →Antonio anvertraut, wird er von ihm kalt in die Schranken seiner ästhetischen Existenz und des gesellschaftlichen Reglements zurückverwiesen, zieht impulsiv seinen Degen und wird zur Strafe in sein Zimmer verbannt, wo ihn neues Mißtrauen, Weltfremdheit, Entwirklichung und Verfolgungswahn ergreifen. Zur Bewältigung seines Leids bleibt ihm nur seine Kunst. Im Milieu von Ferrara hat die Kunst keinen aktiven Lebensbezug mehr, sie gilt als nur noch dekoratives Spiel mit unverbindlichen Illusionen zur höfischen Selbstbespiegelung und Selbstverherrlichung, als arkadisches Refugium vor der wirklichen Welt. Die höfisch entpersönlichte, sozial kodifizierte und formelhafte Stilisierung gesellschaftlicher Zustände in geschmeidiger, doppelzüngiger, preziös verschleiernder Sprache macht den schönen Schein zur sozialen Provokation. Im Zusammenstoß des gefühlhaft naiven poetischen Genies in seiner Innerlichkeit mit dem hochmütigen, praxisbezogenen Diplomatentum und seinem Decorum geraten Ästhetik, Gefühl und kalte Politik in Konflikt, erweist sich die »Disproportion des Talents mit dem Leben« (zu C. Herder März 1789). Tasso als Vertreter der emotionalen Werte gegen konventionell erstarrte Verhaltensnormen und in seiner extremen Introspektion, die natürliche Empfindlichkeit bis ins Pathologische steigert, ist »ein gesteigerter Werther« (zu Eckermann 3. 5. 1827). Als er schließlich in unverhüllter Leidenschaft gegen die Konventionen verstößt, als sich die Prinzessin trotz ihrer Zuneigung seiner spontanen Umarmung entzieht, bleibt dem von der Gesellschaft verstoßenen Künstler nur der Rückzug in die Kunst, »zu sagen, wie ich leide« (v. 3433). Damit bezeichnet G.s erstes großes Künstlerdrama der Weltliteratur die Grenzscheide zwischen höfisch-moralisch gebundener Kunst und anvisierter Autonomie der Kunst.

F. Kern, G.s T. T., 1884; K. Fischer, G.s T. T., 1890 u. ö.; H. Düntzer, Der Ausgang von G.s T., ZDP 28, 1896; E. Scheidemantel, Zur Entstehungsgeschichte von G.s T. T., 1896 und GJb 18, 1897; G. Witkowski, G.s T. als dramatisches Kunstwerk, JFDH 1903; H. Rueff, Zur Entstehungsgeschichte von G.s T., 1910 u. ö.; H. Fischer, G.s T. und seine Quellen, GRM 6, 1914; G. Roethe, Der Ausgang des T., JGG 9, 1922; J. G. Robertson, The tragedy of G's T., PEGS NS 5, 1928; W. Gaede, G.s T. T. im Urteil von Mit- und Nachwelt, Diss. München 1929; E. M. Wilkinson, G's T., PEGS NS 15, 1946, auch in dies., G., London 1962, deutsch in: Das deutsche Drama 1, hg. B. v. Wiese 1958; E. M. Wilkinson, T. – ein gesteigerter Werther, MLR 44, 1949, auch in dies., G., London 1962, deutsch Goethe 13, 1951; L. Blumenthal, G.s Bühnenbearbeitung des T., Goethe 13, 1951; E. L. Stahl, T's tragedy and salvation, in: German studies, Festschrift L. A. Willoughby, Oxford 1952; W. Rasch, G.s T. T., 1954; E. A. Saupe, T. T., Diss. Frankfurt 1956; W. Silz, Ambivalences in G's T., GR 31, 1956; S. Burckhardt, The consistency of G's T., JEGP 57, 1958; L. Blumenthal, Arkadien in G.s T., Goethe 21, 1959; J. Mantey, Der Sprachstil in G.s T. T., 1959; E. Papst, Doubt, certainty and truth, PEGS NS 34, 1964; G. Neumann, Konfiguration, 1965; L. Ryan, Die Tragödie des Dichters in G.s T. T., SchillerJb 9, 1965; C. P. Magill, T. T. oder die feindlichen Brüder, GLL 23, 1969 f.; G. Bevilacqua, T., eroe positivo?, Studi Germanici 9, 1971; S. Atkins, Observations on G's T., CGP 1, 1973; I. Graham, T. T., in dies., G. and Lessing, London 1973; G. Kaiser, Der Dichter und die Gesellschaft in G.s T. T., in ders., Wandrer und Idylle, 1977; H. Kobligk, J. W. G., T. T., 1977; H. Gockel, G.s T. – die Sprache der Symbole, DVJ 54,

1980; W. Hinderer, T. T., in: G.s Dramen, hg. ders. 1980; H. Vaget, Um einen Tasso von außen bittend, DVJ 54, 1980; Ch. Grawe, J. W. G.: T. T., Erläuterungen und Dokumente 1981; G. Girschner, G.s T., 1981 u. ö.; G. Girschner, Zum Verhältnis zwischen Dichter und Gesellschaft in G.s T. T., GJb 101, 1984; G. Martin, T. oder der Augenblick, GJb 101, 1984; D. Borchmeyer, T. oder das Unglück, Dichter zu sein, in: Allerhand G., hg. D. Kimpel 1985; G. K. Hart, G's T., GYb 3, 1986; K. Schulz, G.s und Goldonis T. T., 1986; H. Kraft, G.s T., GJb 104, 1987; H. Merkl, Spiel zum Abschied, Euph 82, 1988; H. Ammerlahn, Aufbau und Krise der Sinn-Gestalt, 1990; J. Kruse, Die Innenwelt der Außenwelt der Innenwelt, GYb 5, 1990; H. Reiss, G's T. T., MLR 87, 1992, auch in ders., Formgestaltung und Politik, 1993; J. D. Adler, Modelling the renaissance, PEGS 63, 1992 f.; G. Seubold, Die Disproportion des Talents mit dem Leben, in: Idealismus mit Folgen, hg. H. J. Gawoll 1994; T. T. in Deutschland, hg. A. Aurnhammer 1995.

Torre Annunziata. In dem Küstenort am Golf von Neapel südlich des Vesuvs speiste G. nach einem Besuch in Pompeji am 11. 3. 1787 mit Tischbein, Georg Hackert und dem Ehepaar Venuti in einer Osteria am Meer zu Mittag. Während die Gesellschaft nach Tisch am Strand tobte, untersuchte er die Gesteine (*Italienische Reise* 13. 3. 1787).

Torremuzza, Gabriele Lancelotto Castello, Principe di (1727–1794) →Palermo

Der Totentanz. Auf der Reise nach Teplitz erzählte sein Kutscher G. die alte Volkssage vom Totentanz, und dieser zeichnete sie sogleich am 18. 4. 1813 in Leipzig zu einer Ballade »in paßlichen Reimen« auf (an Christiane 21. 4. 1813), die mit dem Entsetzen Scherz treibt. Nicht der aus der mittelalterlichen Malerei bekannte Tanz des gleichmachenden Todes mit den Vertretern aller Stände ist das Thema, sondern der Tanz der Totengerippe zur Geisterstunde im Mondlicht auf dem Friedhof, denen der Tod auch die Geschlechtsdiskriminierung im »es« erspart. Den beobachtenden Türmer sticht der Hafer, sich (nach einem alten Sagenmotiv) eines der von den Tanzenden zwecks größerer Bewegungsfreiheit abgelegten Totenhemden als Souvenir zu stehlen. Von dem/der Bestohlenen verfolgt, sieht er in Antizipation seines grausigen Endes bereits sein letztes Stündlein geschlagen, als eben jener Stundenschlag die Geisterstunde beendet und ihn rettet. Die ironisch verspielte Ballade mit ihrem meisterhaften Gebrauch aller sprachlichen Mittel vom Stakkato-Rhythmus bis zur Lautmalerei erschien zuerst in Band I der *Werke* von 1815. Sie fand zahlreiche Vertonungen, u. a. von C. F. Zelter, C. Loewe, H. Zöllner und W. Berger. Camille Saint-Saens' sinfonische Dichtung *Danse macabre* (Op. 40, 1874) greift zwar nicht auf G.s Ballade, sondern auf ein themengleiches Gedicht von Henri Cazalis zurück, bietet jedoch eine kongeniale musikalische Umsetzung der grotesk-makabren Atmosphäre.

G. Mayer, G.s T., PrJbb 187, 1922; H. Stegemeier, G. and the T., JEGP 48, 1949; M. Horst, J. W. G.: D. T., in: Wege zum Gedicht 2, hg. R. Hirschenauer 1963 u. ö.

Tragelaph. Den griechischen Ausdruck (= »Bockshirsch«) für ein fabelhaftes orientalisches Mischwesen verwendet G. im Sinne von

»mixtum compositum« zur Bezeichnung eines uneinheitlichen, unorganischen, unharmonischen Werkes, so für Jean Pauls *Hesperus* (an Schiller 10. und 18.6.1795) und Anton Edler von Kleins Epos *Anthenor*, aber auch, wohl wegen seiner Mischung mittelalterlich-nordischer und antik-klassischer Elemente, für seinen *Faust* (ebd. 6.12.1797). Der Plan, Tragelaphen auch unter die »sämtlichen Ungetüme des Altertums« in der Klassischen Walpurgisnacht einzuführen, gelangte nicht zur Ausführung (Paralipomena, 2. Entwurf der *Helena*-Ankündigung).

Tragödie. G. war sich dessen bewußt, daß ihm, von Natur und Temperament kein Tragiker, die theatralische Zuspitzung unausweichlicher Tragik im Drama wenig lag. Er bezweifelte, »ob ich eine wahre Tragödie schreiben könnte« (an Schiller 9.12.1797), und bekannte: »Ich bin nicht zum tragischen Dichter geboren, da meine Natur konziliant ist; daher … kommt mir das Unversöhnliche ganz absurd vor« (an Zelter 31.10.1831). Zwar setzt er sich, meist im Gefolge Schillers und nur ansatzweise, mit der Theorie der Tragödie auseinander, erkennt sie als Konflikt von »einem unausweichlichen Sollen« und einem »entgegenwirkenden Wollen« (*Shakespeare und kein Ende*), als »Konflikt, der keine Auflösung zuläßt« (zu Eckermann 28.3.1827) oder »unausgleichbaren Gegensatz« (zu F. von Müller 6.6.1824), doch »eine Söhnung, eine Lösung ist zum Abschluß unerläßlich, wenn die Tragödie ein vollkommenes Dichtwerk sein soll« (*Nachlese zu Aristoteles' Poetik*). Von daher erklärt sich, daß G. für *Stella* neben dem tragischen einen friedlichen Ausgang anbieten kann, daß er trotz stark tragischer Züge *Götz von Berlichingen, Egmont* und *Torquato Tasso* nur als Schauspiele bezeichnet und nur *Clavigo* und *Die natürliche Tochter* Tragödien nennt, daß *Faust* trotz des Untertitels beider Teile in höherem Sinne über das Tragische hinausragt und daß eigentlich tragische Motive fast eher im Roman (*Werther, Wahlverwandtschaften*) als im Drama Gestaltung finden.

H. Düntzer, G.s Ansicht über das Wesen der T., GJb 3, 1882; R. Petsch, G. und das Problem des Tragischen, JGG 4, 1917; Ch. Janentzky, G. und das Tragische, Logos 16, 1927; R. Kayser, G. und das Tragische, MDU 31, 1939; E. Busch, Die Idee des Tragischen in der deutschen Klassik, 1942; O. Mann, G.s Auffassung vom Tragischen, Hamburger Akademische Rundschau 3, 1948 ff.; E. Heller, G. und die Vermeidung der T., in ders., Enterbter Geist, 1954 u. ö.; R. Eppelsheimer, Tragik und Metamorphose, Diss. München 1958; K. Schaum, G. und das Problem des Tragischen, MDU 53, 1961; J. Müller, Zum Problem des Tragischen bei G., in: Tragik und T., hg. V. Sander 1971; R. Gray, G. and tragedy, PEGS 56, 1985 f.; W. Keller, Wollen und Sollen, in: Literatur und Gesellschaft, hg. F.-R. Hausmann 1990.

Tragödie aus der Zeit Karls des Großen. Im Anschluß an die Lektüre von Einhards (Eginhards) Biographie Karls des Großen befaßte sich G. am 20.8.1807 in Karlsbad und am 8.9.1807 in Hof mit dem Plan eines (titellosen) Dramas um Konflikte zwischen Heidentum und Christentum in der Karolingerzeit nach Art des barocken christlichen Märtyrerdramas im Stil Calderons und Z. Werners. G. erwähnte den Plan 1810 als »Halbausarbeitung« (an Kirms 27. 6. 1810). Ein Gliederungsentwurf und Bruchstücke aus dem 1. Akt wurden 1836 im Nachlaß veröffentlicht. Die Tochter eines heidnischen Fürsten hat sich mit dem Christen Eginhard verbunden und ist vom Vater in den Kerker geworfen worden, aus dem sie nach langen Religionskonflikten schließlich befreit wird.

J. Müller, G.s Fragmente einer Tragödie, 1965.

Trapp, Augustin. Der Frankfurter Jugendfreund G.s aus Worms war ein Vetter von G.s Freundin Charitas →Meixner. Wohl um ihretwillen stand G. 1766–70 aus Leipzig und Straßburg mit ihm in Briefkontakt.

Trarbach (Traben-Trarbach). In der Stadt an der Mosel übernachtete G. am Schluß der Campagne in Frankreich nach einer stürmisch-nassen Bootsfahrt von Trier am 31. 10./1. 11. oder 1./2. 11. 1792 beim Kaufmann L. Böcking und fuhr am Folgetag nach Koblenz weiter.

H. Rodewald, G. in T., 1926; E. Müller, G.s sturmgefährdete Bootsfahrt auf der Mosel, GJb 95, 1978.

Trautmann, Johann Georg (1713–1769). Der Frankfurter Maler, Spezialist für religiöse Themen, Nachtstücke im Stil Rembrandts und besonders nächtliche Feuersbrünste, malte Bilder für G.s Vater und 1759–62 in G.s Elternhaus für den Königsleutnant Thoranc zwei Brandstücke, u. a. den Brand von Troja, die Geschichte Josephs und eine Jahrmarktszene, die G.s *Jahrmarktsfest zu Plundersweilern* beeinflußte.

R. Bangel, J. G. T. und seine Zeitgenossen, 1914.

Travers. G. hatte den französischen General bereits im August/ September 1810 als Begleiter Louis Bonapartes in Teplitz kennengelernt, als dieser »zu seiner höchsten Verwunderung« vor der Leipziger Schlacht am 4.–10. 1813 in Weimar bei ihm einquartiert wurde (*Tag- und Jahreshefte* 1813).

Travestie →Parodie

Trebra, Friedrich Wilhelm Heinrich von (1740–1819). Den Bergbaufachmann, Berghauptmann in Marienberg, Zellerfeld und Clausthal, 1801 Oberberghauptmann in Freiberg/Sachsen, lernte G. am 16. 6. 1776 in Weimar kennen. Am 18. 7.–2. 8. 1786 war er zur Begutachtung der Wiederaufnahme des Bergbaus in Ilmenau, wo G. ihm näher trat und den »ganz herrlichen Mann« (an J. J. von Fritsch 3. 8. 1776) zum Freunde und bald Duzfreunde gewann. Am 18.–24. 9. 1783 besuchte G. ihn in Clausthal und bestieg mit ihm am 21. 9. den Brocken, und am 26.–28. 9. 1810 besuchte er ihn auf der Rückreise von Dresden in Freiberg. G. studierte wiederholt die mineralogisch-geologischen Schriften des »so nachsichtigen als nachhelfenden Freundes« (*Tag- und Jahreshefte* 1819), der eigentlich sein Interesse an der Mineralogie weckte, besonders 1812/13 die *Erfahrungen vom Innern der Gebirge* (1785), sandte ihm *Dichtung und Wahrheit*, empfing von ihm wiederholt Mineralien und stand zumal seit 1810 in freundschaftlichem Briefwechsel mit ihm.

H. Trommsdorff, F. W. H. v. T., in: G. und der Brocken, 1928; W. Herrmann, G. und T., 1955; ders., Neue Untersuchungen über G.s Verhältnis zu T., Goethe 27, 1965.

Trenck, Friedrich, Freiherr von der (1726–1794). Die *Merkwürdige Lebensgeschichte* (III 1786) des Günstlings und Ordonanzoffiziers Friedrichs des Großen, der wegen Verleumdungen und Verdächtigungen (u. a. eines Liebesverhältnisses mit des Königs Schwester Amalie) 1745/46 und nach seiner Flucht erneut 1754–63 in Haft gehalten wurde und 1794 in Paris durch die Guillotine starb, las G. noch zu dessen Lebzeiten im September 1787 in Rom.

Treufreund. Die Hauptfigur in G.s satirischer Aristophanes-Nachdichtung →*Die Vögel* spielte G. bei der Uraufführung am 18. 8. 1780 in Ettersburg selbst in der Maske des Scapin. Bei mehreren Gelegenheiten der Italienreise, wo er in die Rolle des Volksredners gedrängt wurde, z. B. in Malcesine und auf der Rückfahrt nach Neapel, kam G. diese Praxis zustatten (*Italienische Reise* 14. 9. 1786, 14. 5. 1787).

Trient (Trento). In der »uralten« Stadt im Etschtal kam G. auf der Hinreise nach Italien am 10. 9. 1786 abends an, besichtigte am 11. 9. die Kirche Santa Maria Maggiore mit einem Gemälde des Tridentiner Konzils von Elia Naurizio, die barocke Jesuitenkirche San Francesco und den als »Teufelshaus« verschrienen, 1603 für G. Fugger erbauten Palazzo Galasso (heute Via Roma), und fuhr um 5 Uhr nachmittags nach Rovereto weiter (*Italienische Reise*). Auch auf der Venedigreise 1790 berührte er zweimal Trient.

Literatur →Tirol.

Trier. In der Römerstadt an der Mosel, »einem alten Pfaffennest, das in einer angenehmen Gegend liegt« (an Christiane 25. 8. 1792), hielt sich G. auf dem Hin- und Rückweg der Campagne in Frankreich auf und wohnte dort beide Male bei einem Kanonikus (L. B. Prestinary?). Beim kurzen Aufenthalt auf dem Hinweg wohl am 25./26. 8. 1792 (die Daten in der →*Campagne in Frankreich* sind unzuverlässig) irritierte ihn das Gewirr der Militärs und Flüchtlinge; auf dem Rückweg blieb er mit Carl August vom 22. 10. bis 31. 10. oder 1. 11. 1792 in Trier und fuhr dann, um die überfüllten Heerstraßen zu vermeiden, auf der Mosel nach Trarbach und

Koblenz weiter. Den zweiten Aufenthalt benutzte er zur Ordnung seiner Notizen zur Farbenlehre und zum Zeichnen von Farbtafeln und beschäftigte sich unter der Führung des späteren Historikers J. H. Wyttenbach sowie in der Benediktinerabtei St. Maximin mit der Geschichte und den Bauten der Stadt, von denen er jedoch nur die »respektablen« Reste des Amphitheaters, nicht die Porta Nigra, erwähnt, während die romanischen und gotischen Baudenkmäler ihn nicht interessierten: »Sie sprechen nicht zum gebildeten Sinn« (29. 10.). Sein Hauptinteresse galt dem →Igeler Monument. In Trier entstand 1792 auch der Vierzeiler »Trierische Hügel beherrschte Dionysos …«.

R. Kaulitz-Niedeck, Die Geele Box, 1924; H. Schiel, G.s Tage in T., 1949; G. in T. und Luxemburg, Katalog Trier 1992; K.-H. Weiers, G.s Epigramm über T., Kurtrierisches Jahrbuch 33, 1993.

Trilogie der Leidenschaft. Die drei Gedichte dieses Zyklus, →*An Werther* vom 24./25. 3. 1824, →Marienbader *Elegie* vom 5.–19. 9. 1823 und *Aussöhnung* (zuerst u. d. T. →*An Madame Marie Szymanowska*) vom 16.–18. 8. 1823, waren »ursprünglich nicht als Trilogie konzipiert, vielmehr erst nach und nach und gewissermaßen zufällig zur Trilogie geworden«, da sie »von demselbigen liebesschmerzlichen Gefühle durchdrungen« waren (zu Eckermann 1. 12. 1831). Erst am 21. 1. 1825 bei der Zusammenstellung seiner Gedichte für die Ausgabe letzter Hand (*Werke* 3, 1827) kombiniert G. die ursprünglich selbständigen, doch aus derselben Stimmung hervorgegangenen Gedichte in der umgekehrten Reihenfolge ihrer Entstehung so, daß die zwei eigentlichen Gelegenheitsgedichte I und III die Marienbader *Elegie* rahmen und in dieser Anordnung die Grundstimmung der Wehmut über vergangene, unerreichbare oder entschwindende Liebe ein wenig als musikalisch verklingenden Schmerz neutralisieren. Vgl. die Einzeltitel.

G. v. Loeper, Zu G.s Gedichten T. d. L., GJb 8, 1887; G. v. Graevenitz, Die T. d. L., GJb 29, 1908; E. Castle, T. d. L., Archiv 158, 1925, auch in ders., In G.s Geist, 1926; K. Viëtor, G.s Altersgedichte, Euph 33, 1932; M. Kommerell, Gedanken über Gedichte, 1943; A. Pfeiffer, G.s T. d. L., 1951; E. M. Wilkinson, G.s T. d. L. als Beitrag zur Frage der Katharsis, 1957; V. Nollendorfs, Time and experience in G's T. d. L., in: Husbanding the golden grain, hg. L. T. Frank, Ann Arbor 1973; J. Müller, G.s T. d. L., JFDH 1978; R. T. Llewellyn, T. d. L., GLL 36, 1982 f.; E. Heller, G., der Poet gegen den Strom, in ders., Im Zeitalter der Prosa, 1984; M. Wünsch, Zeichen, Bedeutung, Sinn, GJb 108, 1991; E. Stelzig, Memory, imagination and self-healing, JEGP 90, 1991.

Trinklieder. Nur ärztlicherseits auf das gesundheitsfördernde Mineralwasser eingeschworen und sonst keineswegs Verächter eines guten Tropfens, dichtete G. zu verschieden Anlässen eine Reihe von Trink- und Weinliedern, die anders als die Typen in Auerbachs Keller oder der Trunkene im *Faust II* (v. 5263 ff.) die geselligen Tugenden, eine stilvolle Geselligkeit und vergeistigten Genuß geistiger Getränke preisen. Sie finden sich vor allem in der Gruppe der »Geselligen Lieder« (*Bundeslied*, 1775; *Tischlied*, 1802; *Generalbeichte*, 1802; *Vanitas*, 1806; *Rechenschaft*, 1810; *Ergo bibamus*, 1810), im

»Schenkenbuch« des *West-östlichen Divan* und in den Nachlaßge-
dichten »Hab ich tausendmal geschworen« (um 1814/19) und *Hans
Liederlich und der Kamerade* (undatiert). →Wein.

Trippel, Alexander (1744–1793). Den seit 1778 in Rom ansässigen
klassizistischen Schweizer Bildhauer lernte G. im November 1786
gleich nach seiner Ankunft in Rom kennen. Im August/September
1787 (Marmorfassung 1788; jetzt Schloß Arolsen) modellierte Trippel im Auftrag des Fürsten Christian August von Waldeck seine Kolossalbüste G.s, deren apollinischer Stil vielleicht von einer gerade
wiederaufgefundenen Apoll-Büste (Apollo Pourtalès) angeregt
wurde. G. genoß dabei die »höchst angenehme, belehrende Unterhaltung« über menschliche Gestalt und Proportionen und fand die
Büste »in einem schönen und edlen Stil gearbeitet, und ich habe
nichts dagegen, daß die Idee, als hätte ich so ausgesehen, in der Welt
bleibt« (*Italienische Reise* 23. und 28. 8. 1787, Bericht August 1787,
12. 9. 1787). Bei ihrem Rom-Aufenthalt bestellte Anna Amalia ein
zweites, gering abweichendes Exemplar, das bis Frühjahr 1790 vollendet wurde (jetzt Weimar, Bibliothek). G. besaß von Trippel auch
eine Marmorbüste Herders von 1789, übrigens die einzige Marmorbüste seiner Sammlung.

A. T., Katalog Schaffhausen 1993; →Porträts.

Der Triumph der Empfindsamkeit. Bereits drei Jahre nach Erscheinen der *Leiden des jungen Werthers*, im September – Dezember
1771, schreibt G. mit seiner »dramatischen Grille« in sechs Akten,
anfangs *Die Empfindsamen* oder *Die geflickte Braut* genannt, eine
übermütige, satirische Karikatur unwahrer Empfindungsseligkeit
und lechzender Natur-Beweihräucherung, genauer: eine Satire auf
die modischen falschen Sentimentalitäten, die Inflation des bloß
nachahmenden literarischen Gefühlskults und die von ihm selbst
initiierte Wertherkrankheit. Der melancholisch-narzißtische Prinz
Oronaro (Vorbild: J. M. R. Lenz), auf einer Reise durch das Reich
des »humoristischen Königs« Andrason befindlich, ist zwar ein Na-
turschwärmer, jedoch in einer eingebildeten, von der Wirklichkeit
abgeschirmten Welt. Ihm erscheint die unverstellte Natur unrein
und verbesserungswürdig. Ihr ausgesetzt zu sein, ist seiner Gesundheit nicht zuträglich, so daß er sich mithilfe von im Reisegepäck
mitgeführten Kulissen und Versatzstücken eine vom »directeur de la
nature« und seinen Künstlern entworfene, illusionäre Kunstnatur
errichtet, um durch die künstliche Scheinwelt die Natur zu über-
bieten. Ein umgekehrter Pygmalion, zieht er auch die nach dem
Bilde seiner Traumliebe, der angebeteten, doch unerreichbaren Königin Mandanane, geformte und mit empfindsamen Büchern (u. a.
Rousseau und *Werther*) ausgestopfte, lebensgroße Puppe der wirklichen Geliebten vor. Das dramatische Nebenwerk ist weniger
durch seinen dichterischen Rang als durch seine Stellung in G.s

Entwicklung interessant, da es die Abkehr G.s vom Gefühlskult des
Sturm und Drang auf dem Weg zur klassischen Epoche bezeichnet.
Das Stück wurde am 30. 1. 1778 zum Geburtstag der Herzogin
Louise vom Weimarer Liebhabertheater mit G. als Andrason,
Corona Schröter als Mandanane und Musik von C. S. von Seckendorff uraufgeführt und enthielt schon damals die »freventlich eingeschaltete« →*Proserpina* in der Prosafassung (*Tag- und Jahreshefte* bis
1780). Für den Erstdruck (*Schriften* 4, 1787) arbeitete G. besonders
den 1. Akt stärker um. Neue Bühnenmusik von E. Krenek (1926).

M. F. Hecker, D. T. d. E., 1902; R. Buchwald, G.s T. d. E., Euph 15, 1908; C. Fasola, La
parodia Goethiana D. T. d. E., Rivista di letteratura tedesca 2, 1908; E. Feise, Quellen zu
G.s Lila und T. d. E., GR 19, 1944; W. Vordtriede, Das Problem des Dichters in G.s
T. d. E., MDU 40, 1948; F. Braun, Gedanken über G.s T. d. E., JbWGV 73, 1969;
A. Lange-Kirchheim, Spiel im Spiel, Traum im Traum, in: Psychoanalytische und
psychopathologische Literaturinterpretation, hg. B. Urban, 1981.

Triumph der Tugend. Die beiden moralischen Verserzählungen
aus dem Leipziger Buch →*Annette,* vielleicht unter Einfluß S. Richardsons entstanden, mit ihrer Spannung von schwüler Erotik und
tugendhaftem Ende entsprechen als Gegenbilder den beiden Verserzählungen →*Kunst, die Spröden zu fangen.*

Trost in Tränen. G.s Wechselgesang beginnt als Umdichtung eines
Volksliedes, das in F. Nicolais *Kleinem feinen Almanach* (1778) als *Ein
Liebesreigen zwischen A. und B.* und in anderer Fassung 1806 auch in
Des Knaben Wunderhorn erschien. Er entstand wohl im Frühjahr
1803, wurde im September 1803 von Zelter vertont, im gleichen
Jahr in Wielands und G.s *Taschenbuch auf das Jahr 1804* unter den
»Der Geselligkeit gewidmeten Liedern« gedruckt und fand über 35
Vertonungen, u. a. von Brahms, P. Cornelius, Loewe, Reichardt,
Schubert, Tomaschek und Zelter.

Tschenstochau →Czenstochau

Tschudi, Ägidius (1505–1572). Mit dem *Chronicon Helveticum*
(Druck Basel 1734) des Schweizer humanistischen Historikers und
Politikers befaßte sich G. am 9.–18. 10. 1797 in Stäfa und wieder
am 11. 7. 1799 in Weimar im Zusammenhang seiner Quellenstudien zum gerade aufgetauchten Wilhelm →Tell-Plan.

Tübingen. Die schwäbische Universitätsstadt, die G. auf der
2. Schweizer Reise mit Carl August im Dezember 1779 nur gestreift hatte, besuchte er auf dem Hinweg der 3. Schweizer Reise
am 7.–16. 9. 1797 (und wieder auf dem Rückweg am 29. 10.–1. 11.
1797) und wohnte auf Einladung J. F. Cottas als Gast bei diesem. Er
besichtigte den Ort (»die Stadt selbst ist abscheulich«, an Christiane
11. 9. 1797), am 9. 9. das Schloß, am 11. 9. die Stiftskirche (Aufsatz
Über Glasmalerei), spazierte mit Cotta im Neckartal, genoß die Aus-

sichten und verkehrte mit einigen Professoren der Universität (Anatom C. F. Kielmeyer, Orientalist C. F. von Schnurrer, Jurist J. C. Majer, Naturwissenschaftler G. K. Ch. Storr, Philosoph J. F. Abel u. a.), fand aber die Universität ein wenig rückständig (an Carl August 11. 9. 1797; *Reise in die Schweiz 1797*).

Türckheim, Anna Elisabeth und Bernhard Friedrich von →Schönemann, Anna Elisabeth

Türmerlied →Lynkeus

Der Tugendspiegel. Im November 1767 begann G. in Leipzig das einaktige Prosa-Lustspiel im Stil der sächsischen Komödie und sandte eine Expositionsszene daraus, die leicht an Lessings *Minna von Barnhelm* anklingt, am 27. 11. 1767 an Behrisch nach Dessau, der darin zu G.s Ärger Anklänge an Clodius' *Medon* fand. Weitere Szenen versprach G. bis März 1768, doch ist nur die übersandte Szene erhalten; evtl. weitere mögen einem Autodafé zum Opfer gefallen sein.

Turmgesellschaft. Der unbefangene Leser ist wohl ebenso erstaunt wie Wilhelm Meister, wenn er gegen Schluß von *Wilhelm Meisters Lehrjahren* erfährt, daß sein bisheriger Entwicklungs- und Bildungsgang auch in seinen Irrungen ohne sein Wissen insgeheim von der geheimen Gesellschaft im Uneingeweihten unzugänglichen Turm und deren Vertretern (Jarno, Abbé u. a.) beaufsichtigt und gelenkt wurde und daß er nunmehr mit Erhalt des »Lehrbriefs« losgesprochen sei (*Lehrjahre* VII,9). Weitere Aufklärung über Wesen und Ziele der Turmgesellschaft erhält er von Jarno (ebd. VIII,5): daß diese ursprünglich als jugendlicher Geheimbund mit Anklängen an das Ritual der Freimaurerlogen gegründete Gesellschaft sich bemühe, junge Menschen pädagogisch zur Selbstfindung zu leiten, sich jedoch jetzt im Zustand einer Wandlung befinde. Mit der Turmgesellschaft greift G. Motive aus dem seinerzeit modischen Geheimbundroman auf und gibt ihnen zugleich sozialpädagogische Akzente.

R. Haas, Die T. in Wilhelm Meisters Lehrjahren, 1975; W. Barner, Geheime Lenkung, in: G's narrative fiction, hg. W. L. Lillyman 1983; M. Windfuhr, Herkunft und Funktion der Geheimgesellschaft vom Turm, in ders., Erfahrung und Erfindung, 1993; →Wilhelm Meisters Lehrjahre.

Turnen →Sport

Turra, Antonio (1730–1796). Den Arzt, Botaniker und Gründer eines Herbariums besuchte G. am 21. 9. 1786 in Vicenza, ohne indessen seine Sammlungen sehen zu dürfen (*Italienische Reise*).

D. de Tuoni, V. G. a Vicenza e la sua visita al dottor A. T., Ateneo Veneto 132, 1941.

Tûtî-nâmé. Die orientalische Märchensammlung des sog. *Papageienbuchs*, in der ein weiser Papagei seine Besitzerin allabendlich durch spannende Erzählungen vom Besuch bei ihrem Liebhaber abzuhalten versteht, stammt aus dem Indischen (*Sukasaptati*), wurde gekürzt um 1329 von Ziyâ od-Dîn Nachshabî als *Tûtî-nâmé* ins Persische übersetzt und von Mohammad Qâderî im 17. Jahrhundert zu einer schlichteren Fassung gekürzt. Diese übersetzte C. J. L. Iken 1822 ins Deutsche, G. las sie 1820 im Manuskript, besprach sie lobend in *Über Kunst und Altertum* (IV,1, 1823) und wünschte nach den von Kosegarten beigegebenen Proben der Version Nachshabîs auch deren Übersetzung, die bisher nicht erfolgt ist.

Tuttlingen. Durch die schwäbische Stadt am Oberlauf der Donau kam G. wohl schon auf dem Heimweg von der 2. Schweizer Reise Anfang Dezember 1779. Auf der 3. Schweizer Reise übernachtete er dort auf dem Hin- und Rückweg am 16./17. 9. und 27./28. 10. 1797.

Tyche →*Urworte. Orphisch*

Typus. Mit dem Begriff Typus oder Urbild bezeichnet G. im Sinne der vergleichenden Morphologie und Anatomie das von allen individuellen, rassen- und artenbedingten Eigenarten abstrahierte Urbild einer Gattung, aus dem sich durch →Metamorphose die einzelnen Arten entfalten, im Pflanzenreich daher die →Urpflanze, in der Zoologie, d. h. im Tierreich einschließlich des Menschen, eine entsprechende Urgestalt (»Urtier«) aus den allen Gattungen gemeinsamen Grundeigenschaften vor deren Auffächerung und Spezialisierung. Die Idee des Typus beschäftigte G. vor allem seit 1790 (*Tag- und Jahreshefte* 1790; *Versuch über die Gestalt der Tiere*, 1790); sie fand ausführlichste Darstellung im *Ersten Entwurf einer allgemeinen Einleitung in die vergleichende Anatomie* (1795) und wurde wieder aufgegriffen im Vorwort (»Den Inhalt bevorwortet«) der Hefte *Zur Morphologie* (1817).

W. Zinkernagel, G.s Urmeister und der T.gedanke, 1922; W. Bergfeld, Der Begriff des T., Diss. Bonn 1933; H. Spinner, G.s T.begriff, 1933; F. Waaser, G.s T.-Idee und das Problem der organischen Form, Zeitschrift für die gesamte Naturwissenschaft 6, 1940; M. Loesche, T. und Metamorphose, ZfD 56, 1942; H. Bräuning-Oktavio, Vom Zwischenkieferknochen zur Idee des T., 1956; H. Henel, Type and proto-phenomenon in G's science, PMLA 71, 1956, deutsch in ders., Goethezeit, 1980; H. B. Nisbet, Herder, G. and the natural type, PEGS 37, 1967; I. I. Kanajew, Die Entwicklung des Problems des morphologischen T. in der Zoologie bei G., Goethe 30, 1968; D. Kuhn, T. und Metamorphose, 1988.

Über das deutsche Theater. G.s Aufsatz im *Morgenblatt für gebildete Stände* (Nr. 85/86 vom 10./11. 4. 1815) behandelt Probleme eines breiteren Repertoires spielbarer, auch älterer deutscher Dramen, Schillers dramaturgische Arbeit für das Weimarer Theater durch Bühnenbearbeitungen eigener Stücke und der G.s für die Theaterpraxis als »produktive Kritik«, darunter die »grausame« *Egmont*-Bearbeitung, und seinen Plan einer Sammlung bearbeiteter Stücke u. d. T. *Deutsches Theater* im Sinne einer Überwindung des »natürlichen« Bühnenstils zugunsten eines straffen, höheren, klassischen Stils.

Über das Lehrgedicht. G.s Aufsatz in *Über Kunst und Altertum* (VI,1, 1827) führt eine Betrachtung als Beilage zum Brief an Zelter vom 29. 11. 1825 weiter aus. Er wendet sich gegen die Einstufung der inhaltsbestimmten Lehrdichtung als eigene Gattung neben die formbestimmten Dichtarten Lyrik, Epik und Drama, schreibt jeder Dichtung ein unmerklich belehrendes Element zu, betrachtet die Lehrdichtung generell als »Mittelgeschöpf zwischen Poesie und Rhetorik«, spricht jedoch den besseren Beispielen durchaus ästhetische Werte zu.

Über den Dilettantismus →Dilettantismus

Über den Granit →Granit

Über den Zwischenkiefer des Menschen und der Tiere →Zwischenkieferknochen

Über die Gegenstände der bildenden Kunst. Das Problem der Wahl mehr oder weniger geeigneter Sujets (Motive, Bildthemen) für die verschiedenen Gattungen der bildenden Kunst beschäftigte G., dessen Kunstbetrachtung stark vom Sujet ausging, zeitlebens als eine der Grundfragen der Kunst (zu Eckermann 3. 11. 1823). Nachdem er das Thema mit Schiller erörtert (Schiller an G. 15. 9. 1797), in der Korrespondenz mit J. H. Meyer (15. 9. 1796, 28. 4. 1797) angeschnitten und auf der gemeinsamen St.Gotthardreise mit Meyer ausführlich besprochen hatte, entwarf er am 13. 10. 1797 bei Meyer in Stäfa einen ersten Versuch für die *Propyläen* und kündigte diesen am 14./17. 10. 1797 Schiller an. Da Meyer selbst in einem stark schematisierenden Aufsatz zum gleichen Thema die gemeinsamen Erwägungen zusammenfaßte (*Propyläen* I, 1798), wurde G.s Aufsatz nicht weiter ausgearbeitet und erst 1896 im Nachlaß veröffentlicht.

G. Schulz-Uellenberg, G. und die Bedeutung des Gegenstandes für die bildende Kunst, 1947; G. Majunke, G.s Lehre von den Gegenständen der bildenden Kunst, Diss. Münster 1955.

Über die Spiraltendenz der Vegetation →Spiraltendenz der Vegetation

Über die verschiedenen Zweige der hiesigen Tätigkeit. Der etwa im November 1795 ausgearbeitete Vortrag für die Freitagsgesellschaft – ob er gehalten wurde, bleibt unklar – gibt einen Überblick über die wissenschaftlichen und künstlerischen Aktivitäten im Herzogtum Sachsen-Weimar-Eisenach. Die ebenfalls geplanten Teile über die politischen und wirtschaftlichen Aktivitäten wurden nicht mehr ausgeführt.

Über epische und dramatische Dichtung. Sein Plan einer dramatischen Bearbeitung des epischen *Nausikaa*-Stoffes und seine Arbeit an *Hermann und Dorothea* lenkten G.s Aufmerksamkeit verstärkt auf die Gattungsgrenzen und -unterschiede von Epos und Drama, die er auch im Gespräch zwischen Wilhelm Meister und Serlo über Drama und Roman (*Wilhelm Meisters Lehrjahre* V,7) anschneidet. Seit April 1797 steht das Thema, begleitet von der Lektüre Homers und der griechischen Tragiker, im Mittelpunkt des mündlichen und brieflichen Gedankenaustauschs mit Schiller. Dessen Ergebnisse faßt G. im Dezember 1797 im kleinen Aufsatz *Über epische und dramatische Dichtung* zusammen und sendet ihn am 23. 12. 1797 mit der Bitte um Änderungen und Ergänzungen an Schiller, der am 26. 12. antwortet. Der Aufsatz, zusammen mit der diesbezüglichen Korrespondenz vom 23.–29. 12. 1797 erst in *Über Kunst und Altertum* (VI,1, 1827) gedruckt, ist trotz seiner Beschränkung auf Fragen wie Vortragsweise, Zeitstruktur, Held und Motive G.s bedeutendster Beitrag zur Frage der →Gattungen.

K. Gerlach, Zur Neudatierung eines Aufsatzes von G. und Schiller, GJb 104, 1987.

Über Kunst und Altertum. G.s Kulturzeitschrift ging aus der am 9.–12. 3. 1816 im *Morgenblatt für gebildete Stände* angekündigten Schrift →*Kunst und Altertum am Rhein und Main* durch Ausweitung des Themas hervor und erschien unter diesem Titel ab Juni 1816 bei Cotta in zwangloser Folge von insgesamt 6 Bänden zu je drei Heften bis 1832 (VI,3 »aus seinem Nachlaß«). Mitarbeiter waren u. a. Meyer, Boisserée und Eckermann, teils unter der Chiffre W. K. F. (= Weimarische Kunstfreunde), doch war die Zeitschrift weitgehend G.s Hauszeitschrift für seinen Freundes- und Bekanntenkreis, Sprachrohr und Publikationsorgan des alten G. für alle ihn interessierenden kulturellen Fragen. G.s eigene Beiträge sind Aufsätze zur Kunst, Kunstwerken, Kunststätten, Kunstpublikationen, zur Literatur, Geschichte, Geistesgeschichte, Philosophie und zu Altertümern, Rezensionen (außer zur zeitgenössischen deutschen Literatur), liegengebliebene ältere Manuskripte und Fragmente, Gedichte und Maximen. Die Generallinie der Zeitschrift ist eine klassizistische und gegen die romantische Kunst zog gleich im 2. Heft Meyers mit G.s Hilfe verfaßter Aufsatz *Neudeutsche religiospatriotische Kunst*. Daß 1909 noch fast alle Hefte beim Verlag lieferbar waren, spricht nicht gerade für einen reißenden Absatz des Blattes.

E. von dem Hagen, G. als Herausgeber von Kunst und Altertum und seine Mitarbeiter, 1912; K.-H. Hahn, G.s Zeitschrift Ü. K. u. A., GJb 92, 1975.

Über Laokoon →Laokoon

Übermensch. Der durch Nietzsche populäre Begriff findet sich schon in theologischen Schriften des 16. Jahrhunderts und war ein Lieblingswort Herders. G. hat ihn weder geprägt noch gutgeheißen. Entsprechend erscheint er bei ihm nur verächtlich-ironisch mit imaginären Anführungszeichen als tadelnde Zurückweisung einer Anmaßung: im *Urfaust* (v. 137 f.) bzw. *Faust* (v. 489 f.) und im Gedicht *Zueignung* (v. 61).

R. M. Meyer, Der Ü., Zeitschrift für deutsche Wortforschung 1, 1901; S. D. Hoslett, The superman in Nietzsche's philosophy and in G's Faust, MDU 31, 1939.

Übersetzungen. Von früh auf im Fremdsprachenunterricht das Übersetzen gewohnt, mit einem erstaunlichen Selbstvertrauen des polyglotten Autodidakten ausgerüstet und doch vor solchen Fehlleistungen wie Faust bei seiner Bibelübersetzung gefeit, übersetzt G. im Laufe seines Lebens fremdsprachige Texte im Gesamtumfang von über 1000 Druckseiten, teils als eigene Verständnisübungen, teils bei ihm nicht geläufigen Fremdsprachen auf dem Umweg über lateinische, französische u. a. Übertragungen. Dabei kommt es ihm oft weniger auf eine pedantische, wortwörtlich-textgetreue Wiedergabe als auf eine sinngemäße und lesbare, stilistisch freie deutsche Adaptierung an. Auch hier galt ihm die Praxis mehr als die Methodik. Ein eigener oder neuer Übersetzungsstil lag ihm fern, und die eher allgemeinen Bemerkungen zur Kunst der Übersetzung in den *Maximen und Reflexionen* und den *Noten und Abhandlungen* zielen auf deren Hochschätzung im Sinne einer Weltliteratur. Fast unnötig ist der Hinweis, daß G. andererseits selbst Opfer von Übersetzungen in alle Weltsprachen wurde, deren früheste Ergebnisse er selbst noch wohlwollend beurteilte.

Die wichtigsten Übersetzungen G.s in chronologischer Folge: 1767(?) Szenen aus Corneilles *Lügner*, 1773 Gesänge Ossians, 1775(?) Pindars *5. Olympische Ode*, 1775 das *Hohelied Salomons*, 1789 Chöre aus Racines *Athalie*, 1793 ff. Fragmente aus Homers *Ilias* und *Odyssee*, 1795 die nachhomerische Hymne *Auf die Geburt des Apollo*, 1795 Mme de Staëls *Versuch über die Dichtungen*, 1796/97 B. Cellinis Autobiographie, 1799 Voltaires *Mahomet,* 1799 Diderots *Versuch über die Malerei*, 1800 Voltaires *Tancred*, 1805 Diderots *Rameaus Neffe*, um 1813 Bruchstück aus Sophokles' *Oedipus*, 1817 Szenen aus Maturins *Bertram*, 1817 Fragmente aus Byrons *Manfred*, 1820 die Hymne *Veni creator spiritus*, 1820 Stücke aus Manzonis *Graf Carmagnola*, 1821 aus Euripides' *Bacchantinnen*, 1822 Manzonis Ode *Der 5. Mai* und Stücke aus dessen *Adelchi,* ferner zahlreiche griechische, italienische, böhmische u. a. Lieder und Gedichte sowie mehrere Texte zur *Geschichte der Farbenlehre.*

H. Rüdiger, G. und Schiller als Übersetzer aus den klassischen Sprachen, Rivista di letterature moderne 4, 1953, auch in ders., G. und Europa, 1990; D. B. Richards, G's search for the muse, Amsterdam 1979; G. Radó, G. und die Ü., Babel 28, 1982; W. Butzlaff, G. als Übersetzer, 1987 und JbWGV 92f., 1988f.

Über Wahrheit und Wahrscheinlichkeit der Kunstwerke. G.s
Dialog entstand in der Erstfassung am 18. 8. 1797 in Frankfurt nach
einem Besuch der Aufführung von A. Salieris Oper *Palmyra* am
17. 8. und einem Gespräch mit dem Frankfurter Bühnenbildner
Giorgio →Fuentes vom 18. 8. 1797 und wurde in den *Propyläen*
(I,1, 1798) zuerst gedruckt. Er nimmt das Bühnenbild zum Anlaß,
die Kunst gegen die populäre Erwartung der Vortäuschung von
Natur zu verteidigen, und stellt die innere Wahrheit und Konsequenz des Kunstwerks gegen die äußere Wahrheit in der Nachahmung der Natur, also die Kunstwahrheit, d. h. Schlüssigkeit des
Kunstwerks in sich selbst, gegen Naturwahrheit.

Ueltzen, Hermann Wilhelm Franz (1759–1808). Der Schriftsteller
und Pfarrer in Langlingen bei Celle gab mit seinem Gedicht *Ihr*
Anlaß zu G.s Kontrafaktur →*Gegenwart.*

Ufenau. Die Insel im Zürichsee, während der Reformation Zu-
fluchtsort des Ritters Ulrich von Hutten, besuchte G. mit Meyer
von Stäfa aus am 24. 9. 1797.

Uffenbach, Johann Friedrich von (1687–1769). Einer der vor-
nehmsten Bürger und Kunstmäzene Frankfurts, Naturforscher,
Kunst- und Musikaliensammler, Kupferstecher, Dichter, Mitglied
der Gesellschaft Frauenstein und Mitwirkender des von Telemann
gegründeten Collegium musicum, zeitweilig Schöffe und Bürgermeister, war entfernt mit der Familie Textor verwandt und gehörte
zum Bekanntenkreis von G.s Vater. Er veranstaltete in seinem Haus
Konzerte und Oratorien, in denen er zur Verblüffung der Gäste
selbst sang (*Dichtung und Wahrheit* I,2).

Uf'm Bergli　→*Schweizerlied*

Uhland, Ludwig (1787–1862). Der Lyrik des schwäbischen Dichters konnte G. wenig abgewinnen; sein Verdikt gegen den »sittig-
religios-poetischen Bettlermantel« der Schwäbischen Schule (an
Zelter 4. 10. 1831) griffen K. Gutzkow und H. Heine gern auf. Dagegen erkannte G. in Uhlands Balladen »ein vorzügliches Talent«
(zu Eckermann 21. 10. 1823) und bedauerte später die seiner Dichtung abträgliche politische Betätigung Uhlands als Landtagsabge-
ordneter (ebd. März 1832).

Ulfilas oder Wulfila (um 311–383). Mit der gotischen Bibelübersetzung des Westgotenbischofs beschäftigte sich G. im Zuge seines
Interesses an altdeutscher Literatur wiederholt, so am 13. 3. 1807,
14. 4. 1809 und 6. 4. 1830.

Ulrich, Caroline →Riemer, Caroline

Ulysses →Odysseus

Ulysses auf Phäa →*Nausikaa*

Umbreit, Friedrich Wilhelm Karl (1795–1860). Der Heidelberger Professor für Theologie und Orientalist besuchte G. am 24. 9. 1823 in Weimar. G. kannte bereits seit 16. 9. 1820 Umbreits kommentierte Übersetzung des *Hohenliedes (Lied der Liebe, das älteste und schönste aus dem Morgenlande,* 1820), zu dem er 1820 eine erst im Nachlaß 1833 gedruckte Besprechung entwarf, und las am 1. 1. 1825 Umbreits *Übersetzung und Auslegung des Buches Hiob* (1824).

Um Mitternacht. (»Um Mitternacht ging ich, nicht eben gerne …«). G. schrieb das Gedicht am 13. 2. 1818 in Jena »mit dem Schlag Mitternacht im hellsten Vollmond aus … geistreich-anmutiger Gesellschaft zurückkehrend … aus dem Stegreif nieder … ohne auch nur früher eine Ahnung davon gehabt zu haben« (*Neue Liedersammlung von C. F. Zelter,* 1822). In den *Tag- und Jahresheften* (1818) spricht er vom »wundersamen Zustand bei hehrem Mondenschein«, und in *Geneigte Teilnahme an den Wanderjahren* nennt er es »ein Lebenslied, das mir seit seiner mitternächtigen unvorhergesehenen Entstehung immer wert gewesen«. Das ist keine Mystifizierung unbewußter Inspiration, sondern Zeugnis für einen allezeit hellwachen Kunstverstand, der ein Erlebnis spontan zu verallgemeinern und in den Lebensbezug zu setzen vermag, hier ein lockeres, syntaktisch unverbunden schwebendes Nebeneinander dreier Lebensstufen und -zustände in der Mitternachtssituation: Der trotz der Sterne leicht dumpfe Weg des kleinen, beängstigten Knaben, die im Nordlicht gespiegelte dämonische Leidenschaft des Mannes und die klare, geistige Sicht des Alters im kühlen Mondlicht mit einem Ausblick auf ein – noch helleres? – »Künftiges«. G. sandte das Gedicht am 18. 2. 1818 an Zelter, in dessen *Neuer Liedersammlung* (1821) es zuerst mit einer Vertonung erschien, die G. sehr schätzte (zu Eckermann 12. 1. 1827). N. B.: Mit den Worten »Um Mitternacht« beginnen auch die Gedichte →*Der Bräutigam* (1824) und »Um Mitternacht, wenn die Menschen erst schlafen …« (1780).

A. Heuß, G.-Zelters Lied U. M., Zeitschrift für Musik 91, 1924; W. Hof, G. und Ch. von Stein im Alter, Euph 45, 1950; A. Goes, Freude am Gedicht, 1952; E. Bosshardt, G.s späte Landschaftslyrik, 1962; W. Schadewaldt, Zwei Lebensgedichte G.s, in: Festschrift H. Heimpel 3, 1972; V. Lange, »Wie Du bist, wie Du warst …«, in: Herkommen und Erneuerung, hg. G. Gillespie 1976, auch in ders., G.-Studien, 1991; H. J. Schrimpf, Ein Lebenslied, Castrum Peregrini 31, 1982.

Undine. Die zuerst bei Paracelsus so benannten weiblichen Elementargeister des Wassers ruft Faust bei der Beschwörung des Pudels (*Faust* v. 1274 ff.) vergeblich an, ihre hündische vermeintliche Behausung zu verlassen. Erfolgreicher bemüht Mephisto die »Wasserfräulein«, das feindliche Heer durch vorgetäuschte Überschwemmung zu verwirren (ebd. v. 10712 ff.). Auch der *Prolog zur Eröffnung des Berliner Theaters* (1821) erwähnt die Undinen. Einer Freundin Ottiliens, Wilhelmine von Münchhausen, die unter Bezug auf Fouqués Märchen *Undine* 1822 auf einem Maskenball als Undine erschien, schrieb G. am 19.2.1822 die Widmungsverse *Der zierlichsten Undine*, welcher Superlativ mangels Goethescher Autopsie des Angebots wohl als Elativ zu verstehen ist.

H. Schauer, Die zierlichte U., Goethe 5, 1940.

Undulisten oder »Schlängler«. G.s Bezeichnung in Anlehnung an W. Hogarths S-förmig gewellte Schönheitslinie (line of beauty, in *The analysis of beauty*, 1753) hat sich nicht durchgesetzt. Sie meinte diejenigen Künstler und Kunstsammler, die »das Weichere und Gefällige ohne Charakter und Bedeutung lieben, … eine gleichgültige Anmut … einen gewissen lieblichen Schein« (*Der Sammler und die Seinigen*, 4. Abteilung).

Unger, Friederike Helene, geb. von Rothenburg (1751–1813). Die Gattin des Verlegers J. F. →Unger, selbst Schriftstellerin und Übersetzerin, vermittelte G. die Bekanntschaft Zelters, indem sie ihm am 3.5.1796 Kompositionen von ihm übersandte und seinen Wunsch, ihn kennenzulernen, weckte. Ihren Roman *Melanie das Findelkind* (1804) allerdings besprach G. recht zurückhaltend (*Jenaische Allgemeine Literaturzeitung* 16.7.1806).

S. Zantop, The beautiful soul writes herself, in: In the shadow of Olympus, hg. K.R. Goodman, Albany 1992.

Unger, Johann Friedrich (1753–1804). Der Berliner Verleger, Buchdrucker, Schriftkünstler (Unger-Fraktur) und Schriftgießer, 1800 auch Professor der Holzschneidekunst an der Berliner Kunstakademie, war mit Zelter, Reichardt und C. Ph. Moritz befreundet, der 1788 die Verlagsbeziehung zu G. vermittelte. Persönlich lernte G. den Verleger erst am 10.5.1800 auf der Leipziger Messe kennen. Unger druckte zuerst G.s *Das Römische Carneval* (1789) mit kolorierten Kupferstichen, dann G.s *Neue Schriften* (VII 1792–1800), daraus als Einzelausgaben den *Groß-Cophta* (1792), *Wilhelm Meisters Lehrjahre* (IV 1795 f.) und *Neueste Gedichte* (1800), ferner den *Bürgergeneral* (1793) und William Taylors englische Übersetzung der *Iphigenie* (1794), mit deren sorgfältigem Schriftbild G. sehr zufrieden war. Unger veranstaltete jedoch von den *Neuen Schriften* mehrere nicht ganz legale Doppeldrucke, d.h. nicht gemeldete Nachdrucke mit Neusatz, und machte sich als Verleger des nationalkonservativen Journals *Deutschland* bei G. unbeliebt (vgl. Nachlaß-Xenion 36 *Die Eiche*), so daß G. den Verleger wechselte.

F. v. Biedermann, J. F. U. im Verkehr mit G. und Schiller, 1927; E. Hölscher, J. F. U., Imprimatur 6, 1935; I. C. Loram, G. und J. F. U., GR 26, 1951; G. Kutzsch, Die Ungers, Der Bär 7, 1988; S. Unseld, G. und seine Verleger, 1991 u. ö.

Die ungleichen Hausgenossen. Während Kayser noch *Scherz, List und Rache* komponierte, begann G. im November 1785–13. 4. 1786 ein nächstes Singspiel, dessen Stoff, an F. W. Gotters Gozzi-Bearbeitung *Das öffentliche Geheimnis* (1781) anklingend, ihn seit 1782 bewegt hatte. Nunmehr sollten sieben Figuren eine breitere Auffächerung der Musik erlauben, und die Handlung sollte neben Humor und Satire durch extrem unterschiedliche, scharf kontrastierte Charaktere sowie Zärtlichkeit und Rührung dem Publikumsgeschmack entgegenkommen. Der jagdbesessene Baron mit seinem rüpelhaften Jäger Pumper und die melancholische Baronesse mit ihrem sentimentalen Modepoeten Immerwahr sind einander entfremdet und werden durch Intrigen, Verwirrungen und Verwechslungen der angereisten Gräfin wieder zusammengeführt; ebenso finden sich der Hofkavalier Flavio und die Kammerzofe Rosette. Im Ehepaar Baron/Baronesse finden sich Züge von Carl August und Herzogin Louise, im Poeten Immerwahr vielleicht eine Selbstkarikatur G.s. Das Stück blieb bis auf sieben längere Bruchstücke unvollendet, da Kaysers kompositorische Langsamkeit G. nicht zur Weiterarbeit anspornte und die Motive in Beaumarchais' und Mozarts *Figaros Hochzeit* bereits vorweggenommen wurden. Die Arien, u. a. *Erster Verlust*, nahm G. später unter seine Gedichte auf, die Fragmente erschienen 1836 aus dem Nachlaß in der Quartausgabe. Vgl. *Tag- und Jahreshefte* 1789, an Kayser 23. 12. 1785, 23. 1. 1786.

M. Morris, D. u. H., ChWGV 18–19, 1904 f.; L. Eitel Peake, The problem of G.'s D. u. H., in: Music and civilisation, hg. E. Strainchamps, New York 1984.

Das Unglück der Jacobis. Ende September 1772 schrieb G. eine dramatische Satire gegen den ihm nur vom Hörensagen und aus Anekdoten bekannten sentimentalen Gefühlskult der Brüder →Jacobi, die diese sowie Wieland und Johanna Fahlmer in jugendlichem Übermut schonungslos lächerlich machte und die er S. von La Roche, Merck und Herder zu lesen gab. Als sie durch die Freundschaft mit den Jacobis untragbar geworden war, vernichtete er sie 1775, so daß darüber nur Berichte aus zweiter Hand vorliegen.

Universitäten. G. kannte aus eigener Anschauung vom Studium her die Universitäten Leipzig und Straßburg, von Besuchen und Aufenthalten her die Universitäten Gießen, Jena, Erfurt, Göttingen, Halle, Helmstedt, Tübingen und Heidelberg und von der Italienreise her die Universitäten Padua und Bologna. Selbst wirkte er durch seine →amtliche Tätigkeit und die →Oberaufsicht direkt oder indirekt im Rahmen seiner Möglichkeiten auf die Berufungen, die Institute, die moderne Ausgestaltung und das akademische Leben der Universität →Jena ein.

O. Kern, G. und die U., 1932; F. Schultz, G. und die deutschen U., 1932.

Unschuld →*An die Unschuld*

Unsterblichkeit. G.s wiederholt geäußerte Vorstellungen von Unsterblichkeit, Fortdauer nach dem Tod bzw. ewigem Leben entsprachen nicht der dogmatischen kirchlichen Auffassung und waren zeitlebens, soweit die kurzen mündlichen Äußerungen ein Urteil erlauben, nur geringen Schwankungen unterworfen. Die Berechtigung des Unsterblichkeitsglaubens leitet er weder aus dem Dogma noch aus anderen Beweisversuchen ab, die ihm als müßige Spekulation über unbegreifliche Dinge erscheinen, sondern aus der Ewigkeit der Natur und der Monade und seinem persönlichen Begriff unermüdlicher Tätigkeit und Tüchtigkeit, die sich auch in einer anderen Existenzform fortsetzen müßten. Als Pragmatiker hielt er im übrigen »die Beschäftigung mit Unsterblichkeitsgedanken« für eine Angelegenheit der Müßiggänger (zu Eckermann 25. 2. 1824). Wichtigste Äußerungen: an Knebel 3. 12. 1781; zu J. D. Falk 25. 1. 1813; zu F. von Müller 29. 4. 1818, 15. 5. 1822, 19. 10. 1823, 16. 2. 1830; zu Eckermann 25. 2. 1824, 4. 2. 1829, 1. 9. 1829.

W. Bode, G.s U.sglaube, in: Stunden mit G. 5, hg. ders. 1909; R. Petsch, G.s Stellung zur U.sfrage, Neophil 9, 1924, auch in ders., Gehalt und Form, 1925; R. Unger, Der U.sgedanke im 18. Jahrhundert und bei unseren Klassikern, Zeitschrift für systematische Theologie 7, 1929, auch in ders., Zur Dichtungs- und Geistesgeschichte der G.zeit, 1944; F. Koch, G.s Stellung zu Tod und U., 1932; M. Enzinger, G.s Auffassung von Tod und U., Innsbrucker Universitätskalender 7, 1932 f.; H. Scholz, G.s Stellung zur U.sfrage, 1934; →Religion.

Unterhaltungen deutscher Ausgewanderten. G.s vom November 1794 bis September 1795 entstandener Novellenzyklus geriet lange deswegen in Mißkredit, weil er quasi als »unterhaltendes« Fortsetzungswerk aus Gefälligkeit für eine Zeitschrift, Schillers *Horen* (1795), entstand und teilweise Adaptionen fremder Erzählungen integrierte. Dabei ist dieser immerhin erste und zukunftweisende deutsche Novellenzyklus nach romanischen Vorbildern, besonders Boccaccios, durchaus kein Nebenwerk und mehr als eine Fingerübung in der Novellenform, indem Rahmen und Binnenerzählungen, letztere wieder als Parallelgeschichten, eng miteinander verknüpft sind, einander interpretieren und das Thema der Französischen Revolution im Rahmen direkt, in den Binnenerzählungen verschlüsselt ansprechen und die vorgegebene unpolitische Haltung der *Horen* insgeheim untergraben.

Nach der Besetzung linksrheinischer Gebiete durch die französische Revolutionsarmee 1793 flieht die Baronin von C. mit ihren Kindern und Freunden auf ihr rechtsrheinisches Gut. Dort vertreibt man sich die Zeit mit Erzählungen, die zwar ebenso politische Tagesthemen ausklammern und zur Überwindung des Chaos durch die Form eine ästhetische Literaturgesellschaft etablieren sollen, jedoch nicht umhin können, ständig unter der Hand auf das hinzuweisen, was sie vermeiden sollen. Auf die Profilierung der Figuren

des Rahmens je nach ihrer politischen Haltung (vom konservativen
Geheimrat bis zum liberal-revolutionsfreundlichen Sohn Karl) er-
zählt der Geistliche zunächst Gespenstergeschichten: die von der
Sängerin →Antonelli (nach den *Memoiren* der Mlle →Clairon, mit
Parallelen zum Schicksal Ludwigs XVI.), an die sich die vom Klopf-
geist (Anspielung auf Revolutionsgelüste und Klubisten) und vom
geborstenen Schreibtisch (Bedrohung der mit dem französischen
Königshaus verwandten Herrscherhäuser) anschließen. Karl erzählt
zwei Liebesgeschichten nach den *Memoiren* des Marschalls von
→Bassompierre, und am nächsten Tag bietet wiederum der Geistliche zwei moralische Erzählungen als Muster der Entsagung und
der Rückführung leidenschaftlicher Menschen in die soziale Ordnung: die Novelle vom →Prokurator (nach den *Cent nouvelles nouvelles*) und als erster eigener Beitrag G.s (mit Anklängen an Ifflands
Verbrechen aus Ehrsucht) die Novelle von →Ferdinand und Ottilie.
Abschluß und Krönung des ursprünglich umfassender geplanten
Zyklus bildet etwas abrupt das surreal-symbolische →*Märchen*, mit
dem sich der Zyklus vom politischen Tagesthema zum rein ästhetischen Wunschbild einer allgemeinen Versöhnung aller Gegensätze
steigert. G.s Erzähltechnik der Verknüpfung von Rahmen und Binnenerzählungen mit- und untereinander wurde vorbildlich für spätere Novellenzyklen (Wieland, Arnim, Tieck, Stifter, Storm u. a.).

M. Goldstein, Die Technik der zyklischen Rahmenerzählungen Deutschlands, 1906;
H. Pongs, G.s Novellenform in den U. d. A., JFDH 1930, auch in ders., Das Bild in der
Dichtung 2, 1939 u. ö.; A. Raabe, Der Begriff des Ungeheuren in den U. d. A., Goethe
4, 1939; I. Jürgens, Die Stufen der sittlichen Entwicklung in den U. d. A., WW 6, 1955 f.;
T. Ziolkowski, G's U. d. A., MDU 50, 1958; G. Fricke, Zu Sinn und Form von G.s
U. d. A., in: Formenwandel, hg. W. Müller-Seidel 1964; J. Müller, Zur Entstehung der
deutschen Novelle, in: Gestaltungsgeschichte und Gesellschaftsgeschichte, hg. H. Kreu-
zer 1969, auch in ders., Epik, Dramatik, Lyrik, 1974; H. Popper, G's U. d. A., in: Affini-
ties, hg. R. W. Last, London 1971; J. K. Brown, G's cyclical narratives, Chapel Hill 1975;
B. Bräutigam, Die ästhetische Erziehung der deutschen Ausgewanderten, ZDP 96,
1977; R. Geißler, Zur Einheit von G.s U. d. A., LfL 1979, auch in ders., Zeigen und
Erkennen, 1979; W. Beyer, G. im Themenfeld von Flüchtlingsgesprächen, GJb 98, 1981;
J. Söring, Die Verwirrung und das Wunderbare in G.s U. d. A., ZDP 100, 1981; J. Ostbo,
Bildungsintention und Gattungspoetik, in: Dikt og idé, hg. S. Dahl, Oslo 1981; H. Brandt,
Entsagung und Französische Revolution, Impulse 6, 1983; G. Neumann, Die Anfänge
der deutschen Novellistik, in: Unser Commercium, hg. W. Barner 1984; B. Gajek, Sitt-
lichkeit statt Revolution, in: Vielfalt der Perspektiven, hg. H.-W. Eroms 1984; S. Bauschinger, U. d. A., in: G.s Erzählwerk, hg. P. M. Lützeler 1985; U. Gaier, Soziale Bildung
gegen ästhetische Erziehung, in: Poetische Autonomie?, hg. H. Bachmaier 1987;
T. Stammen, G.: U. d. A., in: Große Werke der Literatur, hg. H. V. Geppert 1988; G. Da-
mann, G.s U. d. A. als Essay über die Gattung der Prosaerzählung, in: Der deutsche
Roman der Spätaufklärung, hg. H. Zimmermann 1990; Ch. Träger, G.s U. d. A., GJb
107, 1990; R. A. Clouser, Love and social contracts, 1991; G. Ueding, Gesprächsgesell-
schaft in Utopia, in ders., Aufklärung über Rhetorik, 1992; H. J. Rindisbacher, Procurator or procreator, GYb 7, 1994; J. C. Meister, Weltbegebenheiten und Privatgeschich-
ten, Siegener Periodicum 13, 1994; G. Pickerodt, Seriale Momente in G.s U. d. A., in:
Endlose Geschichten, hg. G. Giesenfeld 1994; C. Niekerk, Bildungskrisen, 1995.

Unterredung mit Napoleon →Napoleon

Der untreue Knabe. Im Singspiel *Claudine von Villa Bella* (1776)
trägt der edle Räuber Crugantino als Parodie der modischen Gespensterballaden im Stil von Bürgers *Lenore* die Schauerballade »Es

war ein Buhle frech genung …« vor, die G. vielleicht schon im Zusammenhang des Singspiels vor der Rheinreise 1774 gedichtet hatte und am 24. 7. 1774 in Köln den Jacobis rezitierte (*Dichtung und Wahrheit* III,14): Ein treuloser Liebhaber irrt nach dem Tod der verlassenen Geliebten erschüttert umher; als er in einer Höhle Zuflucht sucht, zieht die Macht der Totenwelt den schuldigen Lebenden zu sich hinab, und er sieht seine Geliebte beim unterirdischen Totenmahl. Hier wird im Singspiel Crugantinos Vortrag im rechten Moment gerade vor dem grausigen Höhepunkt effektvoll durch einen Schrei unterbrochen, und die Ballade bleibt scheinbar – so auch unter den Gedichten der *Neuen Schriften* (Bd. 7, 1800) – ein Torso, der die Phantasie der Leser/Hörer provoziert und ihr freien Lauf läßt, einen schauderhaften Abschluß zu ersinnen, demgegenüber jedes weitere Wort nur ein Abfallen bedeuten würde. G. kannte das rein stoffliche Interesse der Leser am Ausgang der Handlung und spielt ihrer neugierigen Spannung einen Streich, doch ist das Ende absehbar, daß der untreue Liebhaber bei der Geliebten im Totenreich verbleiben und dort Treue erlernen soll. Dem Aufbau entspricht die kunstbewußte Verwendung der siebenzeiligen Lutherstrophe (»Aus tiefer Not …«) mit einer Waise (reimlosen Verszeile) am Strophenschluß: Ausdruck der Verlassenheit, des vergeblichen Haltsuchens und Vorwegnahme des unvorhergesehen Abbrechens. Die lässige Sprache mit ihren volkstümlichen Wendungen, ihrer arrangierten Primitivität und ihren Archaismen in Wortwahl und Syntax verweist auf ein Milieu, in dem der Gespensterglaube noch lebendig ist.

F. Bruns, G.s D. u. K., MDU 30, 1938; I. Feuerlicht, G.s früheste Balladen, JEGP 48, 1949; W. Hinck, G.s Ballade D. u. K., Euph 56, 1962; P. H. Neumann, G.s Ballade vom U. K. …, in: Herkommen und Erneuerung, hg. G. Gillespie 1976; →Balladen.

Unzelmann, Carl August Wolfgang (1786–1843). Seiner Mutter Friederike →Unzelmann zuliebe engagierte G. am 29. 11. 1802 nach einer Leseprobe aus einem Märchenbuch deren 16jährigen – nicht, wie G. (*Tag- und Jahreshefte* 1802) meint, 12jährigen – Sohn »auf gut Glück« für das Weimarer Theater, kümmerte sich persönlich intensiv um seine Schauspielerausbildung und zog ihn gelegentlich als Tischgast in sein Haus. Nach anfänglichen Schwierigkeiten (an F. A. Unzelmann 14. 3. 1803) blieb Unzelmann besonders als Schauspieler für komische Rollen bis März 1821 in Weimar und heiratete, hübsch nacheinander, erst die Schauspielerin →Silie, dann die Schauspielerin Antonie Luise Christiane Genast, Tochter von Anton Genast.

E. v. Bamberg, Drei Schauspieler der G.zeit, 1927.

Unzelmann, Friederike Auguste Caroline, geb. Flittner, verh. Bethmann (1760–1815). Verwandtschaftsverhältnisse unter Schauspielern sind mitunter krisenhaft verwirrt, so daß auch G.-Experten sie gelegentlich mit ihrer Schwiegertochter, ihren Sohn mit ihrem ersten Mann und ihren zweiten Mann mit ihrem Vater verwechseln, was ihr selbst gewiß fernlag. Jedenfalls war die berühmte Berliner Schauspielerin die Stieftochter des G.s Mutter nahestehenden Frankfurter Schauspieldirektors G. F. W. Großmann. Aus ihrer 1. Ehe (1785–1803) mit dem Schauspieler Carl Wilhelm Ferdinand Unzelmann, der mit G.s Mutter eng befreundet war, ging der Weimarer Schauspieler Carl August Wolfgang →Unzelmann hervor. Nach deren Scheidung heiratete sie den Berliner Schauspieler Heinrich Eduard Bethmann. G. lernte sie im Juli 1795 in Karlsbad kennen und stand mit ihr 1798–1814 im Briefwechsel. Nach mehreren aufgeschobenen Besuchen war sie am 19. 9.–1. 10. 1801 in Weimar, war häufig in G.s Gesellschaft, u. a. am 22. 9. zum »großen Tee« ihr zu Ehren, und gab am 21.–30. 9. 1801 acht Gastvorstellungen im Weimarer Theater, die diesem »unschätzbare Anregung«, »Steigerung« und Belebung boten (*Tag- und Jahreshefte* 1801; *Weimarisches Hoftheater*; an G. Sartorius 10. 10. 1801). G. sah sie im Juli/August 1806 in Karlsbad und Eger wieder. 1802 schenkte ihm Ch. F. Tieck seine Büste der »allerliebsten Künstlerin« (*Tag- und Jahreshefte* 1802).

I. Laskus, F. B.-U., 1927.

Urania →Roussillon, Henriette von

Urbild, Urgestalt →Typus

Urfaust. Am 5. 1. 1887 entdeckte Erich Schmidt im Nachlaß der Louise von →Göchhausen in Dresden eine zwischen 1776 und 1786, vermutlich 1776/77, von ihr für sich selbst gemachte Abschrift einer frühen (Sturm und Drang-)Fassung des →*Faust* in etwa der Form und dem Bestand, wie er 1773–75 in Frankfurt entstanden war, wie G. ihn nach Weimar mitgenommen und dort wiederholt vorgelesen hatte, und veröffentlichte sie 1887 u. d. T. *Goethes Faust in ursprünglicher Gestalt*. Die Abschrift scheint nicht nach dem Originalmanuskript erfolgt zu sein; die Bezeichnung *Urfaust* im Sinne einer allerersten oder Urfassung ist daher irreführend; sie mag überdies abgebrochene Skizzen, unvollständige Szenen und Notizen zu anderen Szenen weggelassen haben. Als balladeskes Stationenstück hat sie jedoch ein eigenes Leben und den Reiz des Ursprünglichen, Unmittelbaren und Kraftvollen in der Sprache (teils noch Prosa) des jungen G. Die enthaltenen Szenen (Gelehrtentragödie/Studierzimmer, Schülerszene, Auerbachs Keller und fast vollständig die Gretchentragödie) sind noch ohne Zusammenhang, Osterspaziergang, Begegnung mit Mephisto, Paktszene und Hexenküche fehlen noch. →*Faust*.

R. Petsch, Neue Beiträge zur Erklärung des U., GRM 10, 1922, auch in ders., Gehalt und Form, 1925; H. Meyer-Benfey, Die Entstehung des U., PrJbb 192, 1923; G. Schuchardt, Die ältesten Teile des U., ZDP 51–52, 1926 f.; G. Roethe, Die Entstehung des U., in ders., G., 1932; W. Krogmann, G.s U., 1933 u. ö.; E. Beutler, Der Frankfurter Faust, JFDH 1936/40; A. Wahlheim, Studien zum U., ChWGV 45–55, 1940–51;

W. Richter, U. oder Ururfaust, MDU 41, 1949; H. Schneider, U. ?, 1949; R. M. Browning, On the structure of the U., PMLA 68, 1953; E. Grumach, Zum U., Goethe 16, 1954; H. Fischer-Lamberg, Zur Datierung der ältesten Szenen des U., ZDP 76, 1957; V. Nollendorfs, Der Streit um den U., Den Haag 1967; H. Reich, Die Entstehung der ersten fünf Szenen des G.schen U., 1968; S. Scheibe, Bemerkungen zur Entstehungsgeschichte des frühen Faust, GJb 32, 1970; I. Graham, Geeinte Zwienatur?, in: Tradition and creation, hg. C. P. Magill, Leeds 1978; W. Binder, Die Einheit der Faustgestalt im U., WW 33, 1983; F. Dieckmann, Annäherung an U., SuF 36, 1984; U. Gaier, U.-Kommentar, 1989; D. Farrelly, Auktoriale Distanz zur Faust-Figur in G.s U., WB 38, 1992; W. Keller, G.s U., historisch betrachtet, in: Geschichtlichkeit und Gegenwart, hg. H. Esselborn 1994; →Faust.

Urgötz →*Geschichte Gottfriedens von Berlichingen*

Urian. Der niederdeutsche Name unbekannter Herkunft im *Faust* (v. 3959), wohl Ausgangspunkt der volksetymologischen Bezeichnung »Auerhahn«, meint wie diese den Teufel, dem ursprünglich in der Walpurgisnacht eine Huldigungsszene zugedacht war.

Urmeister →*Wilhelm Meisters theatralische Sendung*

Urpflanze. Der Begriff meint in G.s Terminologie zunächst noch nicht die historisch-genetisch älteste aller Pflanzen, sondern den →Typus der Pflanze als Idee, morphologisches Muster oder abstrahierend konstruiertes Modell für die Entstehung der ursprünglich identischen, dann verschiedenen Pflanzenteile durch →Metamorphose des Blattes. Die Idee beschäftigte G. schon in Weimar (an Ch. von Stein 10. 7. 1786), dann vor allem angesichts der sich neu auftuenden Pflanzenvielfalt auf der Italienreise und nahm in den botanischen Gärten von Padua, Neapel und Palermo Gestalt an (*Italienische Reise* 27. 9. 1786, 17. 4. und 17. 5. 1787, Bericht Juli 1787). Sie erscheint abgewandelt im →*Versuch die Metamorphose der Pflanzen zu erklären* (1790) und gab den Anlaß zum ersten näheren Gespräch mit →Schiller in Jena am 20. 6. 1794.

A. Bliedner, G. und die U., 1901; J. Wiesner, G.s U., in ders., Natur, Geist, Technik, 1910; H. Weyland, G.s U., Goethe 3, 1938; P. Sprengel, Die U., in: Un paese indicibilmente bello, hg. A. Meier, Palermo 1987; K. U. Leistikow, G.s U., Forschung 8, 1990; A. Waenerberg, U. und Ornament, Helsinki 1992; →Botanik.

Urphänomen. Urphänomene sind in G.s Begriffssprache gemäß seiner intuitiven, produktiven Phantasie, die Phänomene auf ihren Urquell bis an die Grenze des Erkennbaren zurückverfolgt, letztgültige, abstrahierte Grunderscheinungen der physischen wie der sittlichen Welt, die alle übrigen Erscheinungen umfassen und auf die alle abgeleiteten Erscheinungen des betreffenden Feldes sich zurückführen lassen (*Maximen und Reflexionen* 412, 434, 577, 1369; zu Eckermann 13. 2. 1823).

J. König, Das U. bei G., in ders., Der Begriff der Intuition, 1926; G. Bianquis, L'U., in dies., Études sur G., Paris 1951.

Urseren →Andermatt

Urworte. Orphisch. Der feierlich-ernste Gedichtzyklus aus fünf
achtzeiligen Stanzen entstand am 7./8. 10. 1817 und erschien zuerst
in den Heften *Zur Morphologie* (I,2, 1820). Noch im gleichen Jahr
sah G. sich zu nüchternen eigenen Erläuterungen genötigt, die in
Über Kunst und Altertum (II,3, 1820) erschienen, doch späteren Ver-
dunkelungen durch weitere Spekulationen nicht im Wege standen.
Anlaß des Zyklus war der Gelehrtenstreit über die antike Ur-
mythologie zwischen G. Hermann und G. F. Creuzer in beider
Briefe über Homer und Hesiodus (1818), die G. am 27. 9. 1817, gefolgt
am 6./7. 19. 1817 durch *Georg Zoëgas Abhandlungen* (1817), las. Dort
fand er die aus der orphischen Literatur (→Orpheus) entwickelten
»heiligen Wörter« (hieroi logoi, was er als »Urworte« übersetzte),
nämlich nicht personifizierte Begriffe für die vier Grundmächte des
Lebens, die der Geburt des Menschen beistehen: Daimon/Dämon
(»Charakter«), Tyche/Zufall, Eros/Liebe, Ananke/Not (»Beschränkung, Pflicht«) und dazu Elpis/Hoffnung, die er als Gegenreaktion
gegen esoterische Geheimlehren in den Stanzen mit aufklärerischer
Klarheit spruchhaft erläuterte. Nicht also die Gedichte selbst, nur die
Begriffe der Überschriften sind orphisch. Ihre halb begriffliche,
halb allegorische Vagheit gestattete es G., sie mit eigenem Gehalt
nach seiner Weltanschauung zu erfüllen.

K. Borinski, G.s U. O., Philologus 69, 1910; H. G. Gräf, Zu G.s Gedicht U. O., JGG
2, 1915; J. Hoffmeister, G.s U. O., Logos 19, 1930, auch in ders., Die Heimkehr des Geistes, 1946; R. Petsch, U. O., GRM 21, 1933; O. A. Piper, G.s orphische U. und die biblischen Urgestalten, Zeitschrift für christliche Theologie 11, 1934; W. Flitner, Elpis,
Goethe 4, 1939; R. Schantz, G.s U. O. in ihrer geschichtsphilosophischen Bedeutung,
Zeitschrift für Religions- und Geistesgeschichte 3, 1951; G. Schmidt, G.s U. O., Zeitschrift für philosophische Forschung 11, 1957; J. A. E. Leue, G.s U. O., AG 2, 1967;
W. Dietze, U., nicht sonderlich orphisch, GJb 94, 1977; M. R. Minden, U. O., GLL 36,
1982 f.; W. Kraft, U. O., in ders., G., 1986; Th. Buck, G.s U. O., 1996.

Uvarov (Uwarow, Ouvaroff), Sergej, Graf von (1786–1855). Der
russische Gelehrte, Schriftsteller und Politiker war nach dem Studium in Göttingen Gesandtschaftsattaché in Wien und Paris, 1811
Kurator der Universität und 1818 Präsident der Akademie der Wissenschaften in Petersburg, die G. 1826 als auswärtiges Ehrenmitglied
aufnahm, und 1832–48 russischer Erziehungsminister. G. korrespondierte 1810–30 mit ihm u. a. über sein *Projet d'une académie
asiatique* (1810) und sein Forschungsvorhaben zur indischen Literatur (*Tag- und Jahreshefte* 1811) und lernte ihn im Juli 1813 in Teplitz
kennen. Uvarov widmete G. seine Schrift *Nonnos von Panopolis, der
Dichter* (1817), die G. in *Über Kunst und Altertum* (I,3, 1817) anzeigte, und 1832 eine Gedenkrede in der Akademie.

Uz, Johann Peter (1720–1796). Den Juristen in Ansbach und
Nürnberg und Freund Knebels, dessen anakreontische Lyrik G.s
Leipziger Rokokodichtung mit bestimmte, erwähnt G. nebenher in
Dichtung und Wahrheit (II,10).

A. Ewald, U. und G., Euph 20, 1913.

Vaduz. In der Hauptstadt des Fürstentums Liechtenstein übernachtete G. am 1. 6. 1788 auf dem Heimweg von Italien.

Valentin. Der Bruder Gretchens im *Faust* (v. 3620–3775) gehört
als Erfindung G.s schon dem *Urfaust* an und entspricht im Motiv –
der Bruder als Rächer der Ehre seiner Schwester – der Figurenkonstellation im *Clavigo.* Ebenso spiegelt die Gruppe Gretchen –
Faust – Valentin die Gruppe Ophelia – Hamlet – Laertes in Shakespeares *Hamlet,* aus dem auch Mephistos neckisches Ständchen
(v. 3682 ff.) wohl um des Namens willen Ophelias »Tomorrow is
Saint Valentine's day« (*Hamlet* IV,5) nachgebildet ist; nur der Name
Kathrinchen (v. 3684) fand darin über A. W. Schlegels Übersetzung
Eingang (zu Eckermann 18. 1. 1825). In v. 3120 (»Mein Bruder ist
Soldat«) vorbereitet, tritt der derbe, aber ehrliche Landsknecht, dessen Stolz auf die Schönheit und Tugend seiner Schwester durch das
Gerede über sie einen tödlichen Stoß erlitten hat, v. 3260 vor Gret-
chens Haus auf, attackiert erst Mephisto und wird im Gefecht von
Faust, dem Mephisto den Degen führt, erstochen. Er stirbt in
opernhaftem Arrangement, wenig ritterlich und ehrenwert, phari-
säerhaft selbstgerecht und mehr auf die eigene Reputation als auf
die Ehrenrettung der Schwester bedacht, mit einem pathetisch-
derben Fluch auf Gretchen, der sie wider besseres Wissen vor den
Umstehenden als öffentliche Hure anprangert. Sein Tod beraubt
Gretchen des letzten Schutzes, da auch Faust als Mörder von der
Szene fliehen muß.

A. Benda, Zur V.sszene, GJb 11, 1890; R. Petsch, Zur V.sszene in G.s Faust, Archiv
118, 1907; E. Eiserhardt, Zur Funktion und Psychologie der V.sszene, GR 12, 1937.

Valentinus, Basilius. Unter diesem Namen eines angeblichen Erfurter Benediktinermönchs und Alchemisten des 15. Jahrhunderts
veröffentlichte ein unbekannter Verfasser, vielleicht auch deren
Herausgeber Johann Thoelde, 1602–26 eine Reihe später wiederholt nachgedruckter alchemistisch-pansophischer Schriften, die G.
während der Frankfurter Rekonvaleszenzzeit las (*Dichtung und
Wahrheit* II,8) und deren Vorstellungen z. T. in die alchemistische
Fachsprache Fausts eingingen.

Valerine →*Das nußbraune Mädchen*

Valle, Pietro della (1586–1652). Die *Reißbeschreibung in unterschiedenen Theilen der Welt* (IV 1674) des italienischen Orientreisenden las
G. 1815 im Zuge seiner Orientstudien (*Tag- und Jahreshefte* 1815);
er referiert sie ausführlich in den *Noten und Abhandlungen.*

F. Kemp, G. und P. d. V., Philobiblon 25, 1981.

Valmy. Das französische Dorf bei Sainte Menehould in der Champagne war am 20. 9. 1792 Ort der weltgeschichtlich äußerst

nebensächlichen »Kanonade von Valmy«, einem Artillerieduell zwischen der Koalitionsarmee unter Carl Wilhelm Ferdinand von Braunschweig und der französischen Revolutionsarmee unter den Generalen Dumouriez und Kellermann, das mit dem Rückzug beider Seiten endete. G. ritt selbst als Beobachter durch das heftige Kanonenfeuer und beschreibt das Ereignis ausführlich in der →*Campagne in Frankreich* (19. 9. 1792). Sein prophetischer, aber die Bedeutung des Treffens überschätzender Ausspruch im abendlichen Lager der verstörten Offiziere »Von hier und heute geht eine neue Epoche der Weltgeschichte aus, und ihr könnt sagen, ihr seid dabei gewesen« ist nur von ihm selbst überliefert, in seiner Authentizität umstritten und mag bei der Niederschrift 1820 durch einen Ausspruch in A. L. von Massenbachs *Memoiren* (1809) nachträglich und im Hinblick auf die späteren Erfolge der französischen Armee unter Napoleon angeregt worden sein. Eine dem »Dabeigewesen« ähnliche Wendung (nach Vergil, *Aeneis* II,6) findet sich im Brief an Knebel vom 27. 9. 1792.

G. Faure, G. à V., in ders., Pèlerinages passionnés, Paris 1919; A. Borst, V. 1792, DU 26, 1974; M. Schilar, Epochenzäsur und Realismus, WB 36, 1990; R. Dufraisse, G. und V., in: G. in Trier und Luxemburg, Katalog Trier 1992; →Campagne in Frankreich.

Vampire. Die blutsaugenden »lebenden Leichname« aus dem Volksglauben der Balkanvölker macht G.s →*Braut von Korinth* (1797) literaturfähig. Über die daran sich anschließende Vampirliteratur der romantischen »Nacht- und Grabdichter« macht er sich, nunmehr in die Rolle seines Zauberlehrlings gedrängt, bereits im *Faust* (nach v. 5289) lustig und verurteilt den »gräßlichen Vampirismus mit allem seinen Gefolge« im unterdrückten Teil der Rezension von P. Mérimées *La Guzla* (1828).

S. Hock, Die Vampirsagen, 1900; Von den V.en, hg. D. Sturm, K. Völker 1968 u. ö.

Vanitas! vanitatum vanitas! (»Ich hab' mein Sach auf nichts gestellt«). Das Anfang 1806 entstandene, einen fröhlichen Nihilismus predigende Trinklied ist die Kontrafaktur des Kirchenliedes von Johannes Pappus »Ich hab mein Sach Gott heimgestellt«.

Varnhagen von Ense, Karl August (1785–1858). Der Schriftsteller, Offizier und Diplomat, seit 1819 in Berlin mit seiner Frau Rahel (→Varnhagen, R.) Mittelpunkt des Kreises Berliner G.-Verehrer, knüpfte die bis 1832 anhaltende Verbindung zu G. an, indem er ihm am 20. 9. 1811 chiffrierte Auszüge seines Briefwechsels mit Rahel über G. übersandte, die G. 1812 im *Morgenblatt für gebildete Stände* veröffentlichte. Seinem ersten Besuch bei G. in Weimar am 19. 11. 1817 folgten weitere, meist mit Rahel, am 8. 7. 1825, 19. 9. 1827, 22./23. 7. und 19. 9. 1829. Für seine verständnisvollen *Briefe über die Wanderjahre* im *Gesellschafter* (1821) dankte G. in *Geneigte Teilnahme an den Wanderjahren* (1822). Zur ersten Sammlung zeit-

genössischer Urteile in Varnhagens *Goethe in den Zeugnissen der Mit-
lebenden* (1823) schlug G. im *Vorschlag zur Güte* ein Gegenstück der
»mißwollenden Zeugnisse« vor. Varnhagens *Biographische Denkmale*
(V 1824–30) besprach G. wohlwollend in *Über Kunst und Altertum*
(V,1, 1824 und VI,1,1827), und für die von Varnhagen mit herausgegebenen *Jahrbücher für wissenschaftliche Kritik* steuerte er 1830
Rezensionen der *Monatsschrift der Gesellschaft des vaterländischen Museums in Böhmen* (von Varnhagen redigiert) und Pückler-Muskaus
Briefen eines Verstorbenen bei. In seinen Schriften überlieferte Varnhagen manche nette Anekdote über G.

Varnhagen von Ense, Rahel Antonie Friederike, geb. Levin
(1771–1833). Die intellektuelle, vor allem durch ihre Briefwechsel
literarisch bekannte Berliner Kaufmannstochter führte schon früh
einen literarischen Salon und wurde nach ihrer Heirat (1814) mit
Karl August →Varnhagen von Ense, den sie 1808 kennengelernt
hatte, eine der führenden Frauengestalten des literarischen Lebens
und begeisterte G.-Verehrerin, die Ruhm und Verständnis von G.s
Werken in ihren Kreisen förderte. G. lernte sie im Juli 1795 in Karlsbad kennen, besuchte sie am 8. 9. 1815 in Frankfurt und sah sie mit
ihrem Gatten am 8. 7. 1825, 22./23. 7. und 19. 9. 1829 in Weimar.
Er las 1811 und 1824 Auszüge ihrer Briefe und zollte ihrem einfühlsamen Verständnis für sein Werk hohe Anerkennung.

Ch. Albarus, R. V. s G.-Erlebnis, Diss. Jena 1930; K. Hamburger, R. et G., Revue
Germanique 25, 1934, deutsch in: Studien zur G.zeit, hg. H. Holtzhauer 1968 und
dies., Kleine Schriften, 1976.

Vasari, Giorgio (1511–1574). Der italienische Maler, Architekt
und Kunstschriftsteller wurde mit seinen *Vite de' più eccellenti architetti, pittori e scultori italiani* (II 1550) zum Begründer der neueren
Kunstgeschichtsschreibung. G. besaß das Werk in einer Ausgabe von
1681 und zog es häufig für seine Studien zur italienischen Kunst,
z. B. zu Mantegna, zu Rate.

Vaterland →Patriotismus

Vatikan →Rom

Vaudreuil, Alfred, Graf von. Der am 20. 7. 1831 eingetroffene französische Gesandte in Weimar (1831–33) machte zwei Tage später,
am 22. 7. 1831, seinen ersten Besuch bei G. Er und seine Gattin verkehrten seither häufiger bei G. und dessen Schwiegertochter Ottilie. Noch am 21. 3. 1832 sandte die Gräfin G. als Geschenk ihre
Porträtzeichnung von F. H. Müller, deren Schönheit G. lobte.

Vega Carpio, Lope Felix de (1562–1635). Der produktive, volkstümliche spanische Dramatiker stand im Schatten des von der

Romantik wiederentdeckten Calderon und erreichte erst nach G.s Theaterleitung die Weimarer Bühne. G. las Schauspiele von ihm im Juni 1824 in der Übersetzung von E. F. von der Malsburg.

Das Veilchen. Die volksliedhaft schlichte, doch kunstvolle Ballade entstand Herbst/Ende 1773, fand als Lied Erwins in ähnlicher Situation Eingang in das Singspiel *Erwin und Elmire* und erschien zuerst mit dessen Erstdruck in der *Isis* (II,3, März 1775), dann in verschiedenen Liedersammlungen und erstmals mit der Überschrift *Das Veilchen* 1800 in den *Neuen Schriften*. Sie zeigt wörtliche Anklänge an K. A. von Bismarcks Gedicht *Lalange* (*Leipziger Musenalmanach* 1772) und schließt sich in Stil und Strophengliederung eng an ihr Gegenstück *Heidenröslein* von 1771 an, dreht jedoch dessen Verhältnis um, indem hier nicht ein Frauenschicksal geschildert wird, sondern das offensichtlich männliche Veilchen von der unachtsamen Geliebten verraten und zertreten wird und dennoch seine Liebe in der Selbstpreisgabe erfüllt sieht.

Das Gedicht fand rd. 40 Vertonungen, u. a. von J. André, Anna Amalia, P. C. Kayser, J. F. Reichardt, S. von Seckendorff (*Volks- und andere Lieder*, 1779), am berühmtesten Mozarts Komposition (KV 476) vom 8. 6. 1785. Sie ging vermutlich von der *Sammlung deutscher Lieder* (1778) von J. A. Steffan aus, wo der Text Gleim zugeschrieben wird, so daß Mozart G.s Autorschaft und umgekehrt G. Mozarts einzige Vertonung seiner Gedichte verborgen blieben.

A. Heuß, Das Geheimnis von Mozarts V., Zeitschrift für Musik 93, 1926; W. E. Delp, Die symbolische Bedeutung des V. in der deutschen Dichtung, PEGS NS 7, 1930; P. Nettl, D. V., New York 1949.

Veit, Dorothea →Schlegel, Dorothea

Velletri. In der alten Volskerstadt am Südhang der Albaner Berge besuchte G. am 22. 2. 1787 die (später aufgeteilte) Kunst- und Antikensammlung des Cavaliere Borgia (Museo Borgiano), übernachtete auf der ersten Station der Reise nach Neapel in einer »sehr üblen Herberge« und setzte tags darauf die Reise bis Fondi fort (*Italienische Reise*).

Veltheim, Röttger, Graf von (1781–1848). Von Helmstedt aus besuchte G. mit Beireis, F. A. Wolf und August am 19.(?) 8. 1805 den bekannten Pferdezüchter, mit dessen Vater August Ferdinand (1741–1801) ihn früher gemeinsame geologisch-mineralogische Interessen zusammengeführt hatten, auf seinem großangelegten (in der DDR-Zeit völlig verwahrlosten) Schloßgut in Harbke und gab eine ausführliche Beschreibung der damals gepflegten, 1754 als barocker Lustgarten angelegten, 1803 in einen englischen Park umgestalteten Parkanlage mit ihren alten und exotischen Baumbeständen (*Tag- und Jahreshefte* 1805).

B. Becker, G.s Reise nach Harbke und Helmstedt, 1925.

Venedig. In der »wunderbaren Inselstadt«, die man »nur mit sich selbst vergleichen kann« (*Italienische Reise*) verbrachte G. bei zwei stimmungsmäßig sehr unterschiedlichen Aufenthalten insgesamt fast 10 Wochen und studierte die Architektur, die Kunst und das Volksleben.

Beim ersten Aufenthalt (28. 9.–14. 10. 1786) auf der Hinreise nach Italien kam er zu Schiff von Padua die Brenta abwärts in der Lagunenstadt an, stieg im Gasthof »Königin von England« im Palazzo Molin-Querini am Rio Memmo nahe dem Markusplatz ab und reiste später zu Schiff weiter nach Ferrara. Er flanierte zunächst allein, dann mit einem deutschen Stadtführer durch die engen Gassen, machte Gondelfahrten, sah Markusplatz, Canale Grande, Rialtobrücke und bestieg zweimal den Campanile, um sich einen Überblick zu verschaffen und am 30. 9. erstmals das Meer zu sehen, durchquerte auch die ärmeren Viertel der schon damals im Niedergang begriffenen Stadt und stieß sich an Gestank und Unreinlichkeiten. Von Vicenza her auf →Palladio eingeschworen, den er (später neben Vitruv) intensiv studierte, konzentrierte G. sein Architekturinteresse fast ausschließlich auf Bauten Palladios wie den Convento di S. Maria della Carità (jetzt Gallerie dell' Accademia) und die Kirchen San Giorgio Maggiore, Il Redentore und S. Francesco della Vigna. Er besuchte auch die Schiffswerft des Arsenale mit den Marmorlöwen und dem Prunkschiff Bucentoro, zeigte jedoch kein Interesse für San Marco (»jedes Unsinns wert … ein kolossaler Taschenkrebs«, Tagebuch), wo ihn nur die vergoldeten Pferde und die Mosaiken fesselten, für die gotischen Kirchen und die Päläste am Canale Grande – der Dogenpalast war ihm »das Sonderbarste, was der Menschen Geist glaub ich hervorgebracht hat« (ebd.) – für die barocke Kirche Santa Maria della Salute (»Muster eines schlechten Geschmacks«, ebd.), Sansovinos Biblioteca Marciana oder Verrocchios Reiterstandbild des Colleoni. Das Interesse an antiker Skulptur förderte der Besuch der Antikensammlung im Palazzo Farsetti; der venezianischen Malerei, besonders Tintoretto, Tizian und Veronese, galten die Besuche im Dogenpalast, in der Scuola di San Marco, der Scuola di San Rocco, im Palazzo Pisani Moretta und der Gesuati-Kirche. In der Kirche dei Mendicanti (S. Nicolò dei Mendicoli) hörte G. zweimal Oratorien, im Teatro S. Moisè seine Oper, im Teatro S. Crisostomo (jetzt Teatro Malibran) sah er eine Tragödie von P. J. de Crébillon d. Ä. und im Teatro S. Luca (jetzt Teatro Goldoni) Komödien von Gozzi, Goldoni (*Baruffe Chiozzotte*) u. a. und beobachtete scharf die Reaktionen des Publikums. Volksleben und Gebräuche Venedigs studierte er überdies bei den Straßen-Geschichtenerzählern, den öffentlichen Rednern, auf dem Fischmarkt, bei einer Gerichtsverhandlung und dem Aufzug des Dogen und der Nobili vor S. Giustina; auch ließ er sich von den Gondolieri im Wechselgesang Verse von Tasso und Ariost vorsingen (*Volksgesang*). Ausflüge führten ihn an den Lido, wo er erstmals am 6.10. das Meer erreichte, und nach Pellestrina am Südende des Lido; bei diesen Gelegenheiten studierte G. die Strandfauna und -flora. Nebenher ging die Arbeit an der *Iphigenie* weiter (*Tagebuch der italienischen Reise; Italienische Reise*; beider Daten stimmen nicht überein).

Unter einem anderen Stern stand der weniger ausführlich dokumentierte zweite »längere Aufenthalt in der wunderbaren Wasserstadt« (31.3.–22.5.1790), als G. unfreiwillig dem Wunsch Anna Amalias folgte, sie auf ihrer Rückreise aus Süditalien in Venedig zu erwarten und auf der Heimreise zu begleiten. Einsamkeit, Ungeduld, die Sehnsucht nach Christiane und August, trübes, regnerisches Frühjahrswetter, dazu das »Sauleben dieser Nation« im »Stein- und Wassernest« (an Herder 3. und 15.4.1790) bedrücken ihn, der angibt, »daß meiner Liebe für Italien durch diese Reise ein tödlicher Stoß versetzt wird« (an Carl August 3.4.1790). Durch das verspätete Eintreffen Anna Amalias (6.5.) mit Meyer und Bury sieht sich G. auf ein eingehendes Studium der venezianischen Malerei anhand von A. M. Zanettis *Della pittura veneziana* (V 1771) verwiesen, besucht dieselben und weitere Kirchen und Sammlungen, am 15.4. auch Murano, und beobachtet die Restaurierung alter Gemälde. Ein am Lido gefundener »glücklich geborstener Schafschädel« führt ihn zu osteologischen Studien zur Wirbeltheorie des Schädels (*Tag- und Jahreshefte* 1805). Auch die ersten → *Venetianischen Epigramme* entstehen dort.

L. Vianello, W. G. a Venezia, Ateneo Veneto 27, 1904; R. M. Meyer, G. in V., in ders., Gestalten und Probleme, 1905; J. Vogel, G. in V., 1918 u. ö.; T. v. Seuffert, V. im Erlebnis deutscher Dichter, 1937; R. d'Harcourt, G. et Venise, in: Venezia nelle letterature moderne, hg. C. Pellegrini, Venedig 1961; →Italienische Reise.

Venetianische Epigramme. G.s zweiter, unfreiwilliger und unmutiger Aufenthalt in → Venedig im April/Mai 1790 gab wenig Anlaß für dichterische oder gar lyrische Höhenflüge. In dieser verdrossen-kritischen Stimmung entstanden dagegen rd. 170 scharfbissige Epigramme, die nach der Rückkehr bis Juli 1790 und wieder in Schlesien bis Oktober 1790 erweitert, einzelnen Freunden (Herder, Knebel) vorab mitgeteilt und in einer Abschrift wohl zum 24.10.1790 Anna Amalia gewidmet wurden. Eine erste Auswahl von 24 Stücken erschien u. d. T. *Sinngedichte* im Juni und Oktober 1791 in der Berliner *Deutschen Monatsschrift*. Auf Schillers Bitte um Beiträge für seinen *Musenalmanach* bot G. ihm am 26.10.1794 seine Epigramme an und sandte ihm am 17.8.1795 eine Auswahl von 103 teils auf seinen Wunsch abgeschwächten Epigrammen, die im Dezember 1795 anonym als *Epigramme. Venedig 1790* im *Musen-Almanach für das Jahr 1796* erschienen. Für die Aufnahme in die *Neuen Schriften* (Band 7, 1800) wurde dieselbe Auswahl um ein Stück (34a, Lobgedicht auf Carl August) vermehrt, stilistisch und nach Hinweisen von A. W. Schlegel auch metrisch überarbeitet und erschien unter demselben Titel; der eingebürgerte Titel *Venetianische*

Epigramme stammt nicht von G. Die in Form, Stil, Motiven und Metrik (meist Distichenpaare, aber auch Kurzelegien) am Muster Martials geschulten Epigramme greifen knapp, scharf, unmutig und teils bissig Themen aus dem persönlichen Leben (Trennung von Christiane, Beschwerden der Reise), der eigenen Dichtung, der Politik (Französische Revolution) auf und kritisieren nunmehr auch die Schattenseiten und Blößen Italiens, den Antike-Kult, die Kirche, die Gesellschaft u. a. m. Mit Erotika untermischt, ist die Sammlung im Aufbau weniger einheitlich als die *Römischen Elegien* und fand als Nebenwerk geteilte Aufnahme.

A. Bossert, Les epigrammes vénetiennes de G., in ders., Essais de littérature française et allemande, Paris 1913; E. Maaß, Die V. E., JGG 12, 1926; J. Jarislowsky, Der Aufbau in G.s V. E., JGG 13, 1927; M. Nußberger, G.s V. E. und ihr Erlebnis, ZDP 55, 1930; E. Jahn, Ein Buch des Unmuts, GJb Japan 6, 1937; W. Preisendanz, Die Spruchform in der Lyrik des alten G., 1952; W. Rasch, Die Gauklerin Bettine, in: Aspekte der G.zeit, hg. S. A. Corngold 1977; R. Hexter, Poetic reclamation and G's V. E., MLN 96, 1981; M. K. Flavell, The limits of truth-telling, OGS 12, 1981; W. Dietze, Libellus Epigrammatum, in: Ansichten der deutschen Klassik, hg. H. Brandt 1981, auch in ders., Kleine Welt, große Welt, 1982; A. Fink-Langlois, Die Religion in G.s V. E., RG 23, 1993; H. Gfrereis, Die Einweihung ins Gewöhnliche, GJb 110, 1993.

Venus von Medici. Die berühmte Kopie aus der römischen Kaiserzeit einer griechischen Aphrodite-Statue des 1. Jahrhunderts v. Chr. sah G. Anfang Mai 1788 in den Uffizien in Florenz: sie »übertrifft alle Erwartung und übersteigt allen Glauben« (an Carl August 6. 5. 1788).

Venuti, Domenico, Marchese di (1745–?). Der Sohn des Ausgräbers von Herculaneum, Maler, Modelleur und 1781–99 Leiter der königlichen Porzellanmanufaktur in Capodimonte, die unter seiner Leitung und nach seinen Entwürfen neuklassische Formen pflegte, war ein Freund Tischbeins und einer der ersten Bekanntschaften, die G. in Neapel machte. Er zeigte ihm seine Kunstsammlungen, u. a. eine (verschollene) Marmorbüste des Odysseus, führte ihn durch die Ausgrabungen in Pompeji (→*Torre Annunziata*) und Herculaneum, durch das Museum in Portici und die Porzellanmanufaktur in Capodimonte. G. machte seinen Abschiedsbesuch bei ihm am 1. 6. 1787.

Verdun. Bei der französischen Maasfestung lag G. während der Campagne in Frankreich am 31. 8.–10. 9. 1792. Er beobachtete die Bombardierung und Übergabe der Stadt (2. 9.), ritt am 3. 9. dort ein und weilte auf dem Rückmarsch am 9.–11. 10. 1792 wieder in Verdun (→*Campagne in Frankreich*).

Vereinigte Staaten →Amerika

Der Verfasser teilt die Geschichte seiner botanischen Studien mit. Der historische Überblick über G.s Studien zur Botanik entstand stückweise im April 1817, 1824 und Juli/August 1828 –

Mai 1830. Er erschien zuerst in kurzer Form u. d. T. *Geschichte meines botanischen Studiums* in den Heften *Zur Morphologie* (I,1, 1817) als Einleitungskapitel zum Wiederabdruck des →*Versuchs die Metamorphose der Pflanzen zu erklären* (hier u. d. T. *Zur Metamorphose der Pflanzen*) und dann in längerer Fassung als Nachtrag zu Sorets deutsch-französischer Ausgabe *Versuch über die Metamorphose der Pflanzen* (1831).

Verführung. Das in der Aufklärung und im Sturm und Drang häufige Motiv der sexuellen Verführung einer (damals noch meist: unschuldigen) Person (damals noch immer:) anderen Geschlechts erscheint bei G. sehr viel seltener, als die biographistischen Interpreten des angeblich dominierenden Friederike Brion-Schuldkomplexes es gern hätten. In der Lyrik taucht es nach den unverbindlich-spielerischen Leipziger Rokokogedichten in Balladen, etwa im *Heidenröslein*, in *Der untreue Knabe* und als Verführung des Mannes im *Fischer* und der *Braut von Korinth* auf, in den Novellen des *Wilhelm Meister* und der *Unterhaltungen deutscher Ausgewanderten* als gelegentliches Nebenmotiv. Erst im Drama wird es konsequent mit dem Motiv treulosen Liebesverrats verbunden und gipfelt nach *Götz von Berlichingen* (Verführung des Mannes: Adelheid – Weislingen) und *Clavigo* in der Gretchentragödie des *Faust*, und allein hier tritt die im Sturm und Drang beliebte Koppelung mit dem Motiv des Kindesmordes in Erscheinung.

W. Krogmann, Das Friederikenmotiv in den Dichtungen G.s, 1932 u. ö.; H. Petriconi, Die verführte Unschuld, 1953.

Vergil (Virgil, d. i. Publius Virgilius Maro, 70–19 v. Chr.). Der römische Epiker gehörte zur G.zeit zu den Schulautoren, doch stand sein Ruhm bereits im Schatten Homers. G. kannte sein Werk seit seiner Jugend (*Dichtung und Wahrheit* I,1 und 4), las es wiederholt, fertigte am 29. 3. 1798 ein Schema zur *Aeneis* an und zitiert ihn wiederholt, u. a. anläßlich der Laokoon-Gruppe, 1786 in Torbole und 1790 in Venedig (*Venetianische Epigramme* 2). Im *Torquato Tasso* (I,1; II,3) dient die Herme Vergils als Vergleichsobjekt zu dem Dichter Tasso.

M. Erxleben, G. und V., in: V., hg. J. Irmscher 1995.

Vergleichende Anatomie →Anatomie

Verleger. Im Literaturbetrieb um 1800 waren die Funktionen des Verlegers, Druckers und Buchhändlers oft in einer Firma vereinigt, und Herstellung und Vertrieb von Werken der »schönen Literatur« bildeten keineswegs immer eine lohnende Investition oder sichere Einkommensquelle, da gerade die gängigeren solcher Werke mangels eines Urheberrechts für geistiges Eigentum und mangels Druckprivilegien für den ganzen deutschen Sprachraum rasch eine

Beute der →Nachdrucker wurden, wogegen sich einige Verleger durch Fortdrucke oder Doppeldrucke über die vereinbarte Auflage hinaus zu schützen suchten. Angesichts dieser Rechtsunsicherheit war G.s Verhältnis zu den Verlegern seiner Werke, auch wo er, wie bei Frommann oder Cotta, persönlich mit ihnen verkehrte, in geschäftlicher Hinsicht durchaus kompliziert und von merkantilen Erwägungen bestimmt, da er sich hoch taxierte und in geschäftlichen Dingen hart blieb: »Liberalität gegen seine Verleger ist seine Sache nicht« (Schiller an Cotta 18. 5. 1802). G. hegte zunächst unter Einfluß von Behrisch eine Abneigung gegen Druck und Publikation. Seine frühesten Werke erschienen anonym, so die *Neuen Lieder mit Melodien* 1770 bei →Breitkopf, und im Selbstverlag über Eichenberg/→Deinet (*Von deutscher Baukunst; Brief des Pastors …; Zwo wichtige bisher unerörterte biblische Fragen*) oder in Verbindung mit Merck wie die 1. Auflage des *Götz von Berlichingen* 1773, die dem Autor nur Unkosten verursachte. Die nächsten Werke erschienen 1774 bei Ch. F. →Weygand: *Clavigo, Neueröffnetes moralisch-politisches Puppenspiel* und *Die Leiden des jungen Werthers* und 1776 bei →Mylius: *Stella* und *Claudine von Villa Bella.* Durch Vermittlung Bertuchs schloß G. noch vor der Italienreise einen Verlagsvertrag mit →Göschen für die erste rechtmäßige Ausgabe seiner *Schriften* (VIII 1787–90). Ihnen folgten nach dem Bruch mit Göschen die *Neuen Schriften* (VII 1792–1800) sowie Einzeldrucke daraus und *Der Bürgergeneral* (1793) bei J. F. →Unger, dem Drucker des *Römischen Carneval* (1789), doch noch vor Abschluß dieser Ausgabe gab G. *Hermann und Dorothea* (1798) →Vieweg in Verlag. Durch Vermittlung Schillers wird schließlich →Cotta zum Hauptverleger G.s. Auf die *Propyläen* (1798) folgen dort zunächst kleinere Werke wie 1802 die Voltaire-Übersetzungen und *Was wir bringen,* 1803 *Benvenuto Cellini,* 1804 *Die natürliche Tochter,* 1805 *Winckelmann,* dann die großen →Werkausgaben (XIII 1806–10, XX 1815–19) und schließlich nach einer Art Auktion unter 36 Verlagsangeboten, bei der die Boisserée vermittelte, die »Ausgabe letzter Hand« (LX 1827–42), die durch das von G. erwirkte Nachdruckprivileg trotz des hohen →Honorars von 72 500 Talern auf lange Sicht auch verlegerisch lukrativ wurde.

O. F. Vaternahm, G. und seine V., Diss. Heidelberg 1916; G. Witkowski, G. und seine V., in ders., Miniaturen, 1922; F. A. Hünich, G. und seine V., GKal 18, 1925; K. Markert, G. und der Verlag seiner Werke, GJb 12, 1950; H.-D. Steinhilber, G. als Vertragspartner von Verlagen, Diss. Hamburg 1960; I. C. Loram, G. and his publishers, Lawrence 1963; Quellen und Zeugnisse zur Druckgeschichte von G.s Werken, hg. W. Hagen u. a. IV 1966–86; R. Wittmann, Die Buchhändler sind alle des Teufels, Börsenblatt 38, H. 27, 1982; S. Unseld, G. und seine V., 1991 u. ö.

Verlohren, Heinrich Ludwig (1753–1832). Mit dem sächsischen Offizier und seit 1806 Weimarer Geschäftsträger am sächsischen Hof in Dresden, der für G. dort amtliche und private Aufträge ausführte, verkehrte G. u. a. am 20.–25. 4. 1813 in Dresden.

Vermächtnis. Nach Eckermanns Bericht vom 12.2.1829 entsprang das späte, spruchhafte Gedankengedicht des 80jährigen G. im Februar 1829 dem Mißbehagen darüber, daß ein Berliner Naturwissenschaftler-Kongreß die Schlußzeilen seines Gedichts *Eins und Alles* aus dem Zusammenhang gelöst, isoliert und absolut gesetzt und »in goldenen Buchstaben ausgestellt« habe. Führte dort das Beharrenwollen des einzelnen in der jeweiligen Gestalt zum Zerfall, so stellt G. ihm hier das »Wesen«, das allgemeine Seiende als Ganzes, entgegen, das sich durch allen Gestaltwandel hält. Auf die Feststellung der zeitlosen Gesetzlichkeit von Natur und Kosmos folgen die Anwendung dieser Erkenntnis auf Gewissen, Verstand und Vernunft des Individuums im Sinne Kants und die Konsequenzen für den kleinen Kreis der Wissenden im Wirken auf die Gesellschaft. Insofern das Gedicht, nunmehr in Rhythmus und Musikalität der Verse, Gedanken, Lebenslehren und Bilder wieder aufnimmt, die, schon bei Ovid (*Metamorphosen* XV) vorgeprägt, auch andernorts im Werk erscheinen, wird es zur Summe von G.s Welt- und Naturauffassung und trägt als poetisches Testament seiner Altersweisheit die Überschrift zu Recht. Da die Gedichtbände der Ausgabe letzter Hand bereits vorlagen, stellte G. das Gedicht im 22. Band (1829) an den Schluß des 2. Teils der *Wanderjahre*.

R. Paasch, G.s Gedicht V., JGG 7, 1920; P. Lorentz, G.s Gedicht V., ZfD 44, 1930; F. W. Wentzlaff-Eggebert, Zu G.s Gedicht V., in: Stoffe, Formen, Strukturen, hg. A. Fuchs 1962, auch in ders., Belehrung und Verkündigung, 1975; N. Boyle, Kantian and other elements in G's V., MLR 73, 1978; E. Trunz, Drei weltanschauliche Gedichte G.s, JFDH 1992.

Vermehren, Johann Bernhard (1777–1803). Der Jenaer Privatdozent für Philosophie und »mittelmäßige« romantische Lyriker, den G. 1800 in Jena kennenlernte, widmete G. mehrere Sonette und gab für 1802 und 1803 einen romantischen *Musenalmanach* heraus, zu dem G. einen Beitrag in Aussicht stellte (an Cotta 29.1.1801), den er aber nicht hoch einschätzte (an Schelling 5.12.1803, an Schiller 2.12.1803).

Vermischte Gedichte. Unter dieser Verlegenheits-Überschrift sammelt G. in der ersten Gesamtausgabe seiner Gedichte (*Schriften* Band 8, 1789) in einer 1. bzw. 2. Sammlung einmal die frühen Liebesgedichte und zum anderen die reimlosen Gedichte, Hymnen und Kunstgedichte. In der zweiten Gesamtausgabe (*Werke* Band 1, 1806) werden die Liebesgedichte den »Liedern« zugewiesen und beide Sammlungen als »Vermischte Gedichte« vereint. In der dritten Gesamtausgabe (*Werke* Band 1–2, 1815) werden daraus wieder die Gruppen »Antiker Form sich nähernd« und »Kunst« herausgelöst.

Vermögen. Die Familie G. war von Haus aus keineswegs unvermögend, doch verschlang G.s spätere, mitunter aufwendige Lebenshaltung lange Zeit mehr als sein →Einkommen als Gehalt aus der →amtlichen Tätigkeit und seinem →Honorar. G.s Großvater hinterließ G.s Vater eine Erbschaft in Bargeld und Sachwerten von 90 000 Frankfurter Gulden, von deren Zinsen und Renten der Vater ohne eigenes Einkommen lebte und die sich bei seinem Tod auf 70 000 Gulden vermindert hatte. Nach dem Tod der Mutter 1808 erbte G. 22 000 Gulden, und bei seinem Tod hinterließ er ein Vermögen von 30 000 Sächsischen Talern zuzüglich der (geschenkten) Immobilien (Goethehaus, Gartenhaus), des Inventars und der Sammlungen. Historische Geldwertvergleiche sind wenig ergiebig, da Kaufkraft, Lebenshaltungskosten (Warenkorb) und Steuerabgaben zu stark divergieren; in etwa ließe sich ein Frankfurter Gulden mit 20 DM, ein Sächsischer Taler mit 40 DM vergleichen.

E. Beutler, Das G.sche Familienvermögen, GKal 32, 1939, auch in ders., Essays um G. 1, 1941 u. ö.; U. Küntzel, Die Finanzen großer Männer, 1984; Genie und Geld, hg. K. Corino 1991.

Verona. In der Stadt an der Etsch, der ersten größeren rein italienischen Stadt seiner Reise, hielt sich G. auf dem Hinweg zur Italienreise am 14.–19. 9. 1786 auf. Er besichtigte die Arena (Amphitheater) als seinen ersten römischen Monumentalbau, das Teatro Filarmonico an der Piazza Brà, das Museo Lapidario Maffeiano mit den ihn begeisternden griechischen und römischen Grabreliefs, die Porta Stuppa oder del Palio von Sanmichele, den Dom mit Tizians »Himmelfahrt Mariae«, die Kirche San Zeno Maggiore, den Palazzo dei Tribuni und Palazzo del Seminario und den Giardino Giusti an der Etsch sowie die Kunstsammlungen in der Kirche San Giorgio und in den Palazzi Gherardini, Canossa und Bevilacqua mit Gemälden von Tizian, Tintoretto, Veronese u. a., vor allem thematisch unergiebigen religiösen Darstellungen, bei deren Betrachtung ihm erstmals Gedanken über geeignete Gegenstände der bildenden Kunst kommen. Die Scaligergräber erwähnt er nicht, wohl aber gilt sein Interesse der Lebensart der Italiener, dem öffentlichen Volksleben, den Volkstrachten, Wohnverhältnissen und der Unreinlichkeit der Stadt sowie der Vegetation, dem Klima und der italienischen Zeitmessung. Hier kleidet er sich italienisch ein. Neben der Arbeit an der *Iphigenie* schreibt er am 18. 9. von Verona aus (noch ohne Absendeort) die ersten Briefe von der Italienreise an Ch. von Stein, Herders, Carl August und C. G. Voigt. Auch auf der Venedigreise weilte G. auf dem Hinweg am 25.–28. 3. 1790 und auf dem Rückweg kurz wohl am 26. 5. 1790 in Verona und besuchte teils dieselben Stätten (*Italienische Reise; Tagebuch der italienischen Reise*).

G. Rodenwaldt, G.s Besuch im Museum Maffeianum zu V., 1942; E. Guidorizzi, G. a V. nel Museo Maffeiano, in: Per Guido Trojani, hg. G. F. Viviani, Verona 1973.

Veronese, eig. Paolo Caliari, gen. Il Veronese (1528–1588). Den venezianischen Maler im Gefolge von Tizian und Tintoretto schätzte G. sehr hoch; in Italien sah er eine Reihe seiner Gemälde;

er erwähnt insbesondere »ein paar Porträts« im Palazzo Bevilacqua in Verona (*Italienische Reise* 17. 9. 1786), darunter wohl auch die »Dame mit Knaben und Hund« (jetzt Paris, Louvre) und »Die Familie des Darius vor Alexander« im Palazzo Pisani Moretta in Venedig (jetzt London, National Gallery), deren »köstliche Harmonie« er beschreibt (ebd. 8. 10. 1786). Auf die »Hochzeit zu Kana« (damals Venedig, San Giorgio Maggiore, jetzt Paris, Louvre) spielt das *Venetianische Epigramm* Nr. 36 an. Mit Veroneses Maltechnik befaßt sich der Aufsatz *Ältere Gemälde* (1790).

Verrocchio, Anastasio, eig. Domenico Batacchi (1748–1802). Die *Novelle galanti* des italienischen Padre und Schriftstellers las G. im Februar/März und September 1811 (*Tag- und Jahreshefte* 1811).

Verschaffelt, Maximilian von (1754–1818). Der Sohn und später Nachfolger des Mannheimer Akademiedirektors und Hofbildhauers Peter Anton von Verschaffelt (1710–1793), den G. beim Besuch des Mannheimer Antikensaals kennengelernt hatte, selbst Maler, Zeichner und Architekt, weilte 1782–93 in Rom, wo G. ihn 1786 im Kreis der deutschen Künstler kennenlernte. Im August 1787 nahm G. an einem Abendkurs Verschaffelts in perspektivischem Zeichnen teil und ließ sich von ihm in die »Kunststücke der Perspektive«, der Komposition und Farbgebung einweihen (*Italienische Reise* 11. 8. 1787 und Bericht August 1787).

Verskunst. Im Hinblick auf die Metrik ist G. nicht schöpferischer Neuerer, sondern feinfühliger Erfüller und Vollender der mannigfaltigen vorgegebenen Vers- und Strophenformen aus eigenem rhythmisch-metrischem Gefühl je nach Stimmung und Aussagewert des Inhalts und ohne allzu strenge Handhabung der metrischen Schemata. Es ist bezeichnend, daß G. der puristischen Verstheorie von J. H. Voß hinsichtlich der Quantitäten im Hexameter verständnislos gegenüberstand und, an der Theorie wenig interessiert, seine (vor allem antiken) Verse von Freunden (Herder, Moritz, A. W. Schlegel, Humboldt, J. H. Voß u. a.) auf ihre metrische Reinheit durchsehen ließ, im Sinne seines persönlichen rhythmischen Gefühls jedoch keineswegs alle Änderungsvorschläge mit dem Ziel metrischer Glättung übernahm. Es widerstrebte ihm, durch metrische Formglätte poetische Nichtigkeiten zu erhöhen.

G.s Bevorzugung einzelner Versformen in bestimmten Epochen und Schaffensphasen kann hier nur in groben Zügen umrissen werden. Die Jugenddichtung bis zur Leizpiger Zeit ist bestimmt von den durch Lektüre, Hören und Auswendiglernen angeeigneten metrischen Formen des Barock in geistlichen Oden, des Rokoko in reimlosen anakreontischen Liedern sowie des durch das französische Theater vertrauten Alexandriners im Drama. Seit der Straßburger Sturm und Drang-Zeit setzen sich nach dem Vorbild der

Volkslieder schlichte, volkstümliche Liedformen, unter Einfluß von Hans Sachs in den Fastnachtsspielen und Satiren bis 1782 Knittelverse und 1771–81 nach Vorbild Pindars und Klopstocks Freie Rhythmen durch. In der Zeit der Klassik bevorzugt G. strengere, antike Versmaße wie das Distichon (Hexameter und Pentameter) für Elegien und Epigramme, den Hexameter für die Versepen. In den Versfassungen der teils zunächst in Prosa angelegten und späteren Dramen und Singspiele tritt seit dem Italienaufenthalt 1786 der reimlose jambische Blankvers in den Vordergrund, der von Shakespeare her und zumal über Lessing zum deutschen Dramenvers schlechthin wurde und bei G. nur gelegentlich, so im Helena-Akt des metrisch unerhört vielgestaltigen *Faust*, durch den Trimeter der griechischen Tragödie abgelöst wurde. Seltener sind die von den Romantikern bevorzugten italienischen Vers- und Gedichtformen wie die Terzine/Stanze (*Die Geheimnisse*), das →Sonett oder der spanische Dramenvers reimloser trochäischer Vierheber (*Pandora*). Mit dem *West-östlichen Divan* und allgemein in der Altersdichtung werden antikisierende Versformen zusehends durch auch früher benutzte Liedverse, auch Knittelverse, in großer Variationsbreite zurückgedrängt. Orientalische Versformen setzen sich auch im *Divan* neben den aus dem persönlichen Altersstil entwickelten sangbaren oder spruchartigen Versen nicht durch.

A. Koch, Von G.s V., 1917; A. Heusler, G.s V., DVJ 3, 1925, auch in ders., Kleine Schriften 1, 1943 u. ö.; E. Feise, Studien zu G.s V., GR 8, 1933; W. Mohr, Zu G.s V., WW 4, 1953 f.; E. Staiger, G.s antike Versmaße, in ders., Die Kunst der Interpretation, 1955 u. ö.; L. L. Albertsen, Klassizismus und Klassik in der Metrik, in: Unser Commercium, hg. W. Barner 1984.

Der Versuch als Vermittler von Objekt und Subjekt. Der auf den 28. 4. 1792 datierte Aufsatz entstand im Zusammenhang mit G.s ersten Publikationen zur Farbenlehre (*Beiträge zur Optik*), war ursprünglich als Einleitung eines größeren Werkes gedacht und faßt G.s methodische Überlegungen zum Stellenwert des Versuchs in der Naturwissenschaft zusammen. Er nennt eine kritische, unvoreingenommene und emotionsfreie Beobachtung der Objekte in ihrem Verhältnis zu sich selbst und zu einander als Voraussetzung und warnt vor allzu raschen Schlußfolgerungen, Hypothesen und Theorien auf schmaler Versuchsbasis wie vor Versuchen, die von vornherein als Beweise einer Theorie angelegt sind. G. sandte ihn am 10. 1. 1798 an Schiller, der brieflich am 12. 1. reagierte, ihn mit Randbemerkungen versah und einen separaten Druck empfahl, und am 10. 9. 1822 an Riemer zur Begutachtung. Er erschien erst 1823 in den Heften *Zur Naturwissenschaft überhaupt* (II,1, 1823).

H. Freundlich, Einige Bemerkungen zu G.s Aufsatz D. V. a.V. v. O. u. S., Scientia 52, 1932.

Versuch die Metamorphose der Pflanzen zu erklären. G.s erster und wichtigster Niederschlag seiner botanischen Studien entstand aufgrund von Beobachtungen besonders in Italien seit 1786, wurde November 1789–Januar 1790 ausgearbeitet und erschien, nachdem Göschen kein Interesse gezeigt hatte, Ostern 1790 bei Ettlinger in Gotha. Ein Neudruck mit nur unwesentlichen Korrekturen erfolgte u. d. T. *Die Metamorphose der Pflanzen* in den Heften *Zur Morphologie* (I,1, 1817) und wurde um mehrere Aufsätze zur Entstehung und Wirkungsgeschichte des Werkes erweitert. Eine deutsch-französische Ausgabe mit der Übersetzung Sorets erschien im Juni 1831 bei Cotta u. d. T. *Versuch über die Metamorphose der Pflanzen*. Der für G.s Begriff der →Metamorphose und damit der ursprünglichen Einheit der Natur (→Urpflanze) grundlegende Aufsatz gewinnt seinen Wert als autodidaktische Forschungsarbeit zu einer Zeit, da Naturwissenschaft kein Schulfach war, und durch die klar gegliederte, konsequente Darstellung eher als aufgrund wissenschaftlicher Neuheit. Im Gegensatz zum statischen Klassifikationssystem Linnés zieht G.s morphologische Naturforschung eine genetische Betrachtungsweise vor, die Gestaltwandel und Formenübergänge in der Pflanzenwelt untersucht. Sie geht von der »ursprünglichen Identität aller Pflanzenteile« aus und zeigt auf, wie die sehr differenzierten Formen der Pflanzen (Blatt, Stengel, Kelch, Blüte, Frucht usw.) sich stufenweise durch Metamorphose aus dem einfachsten Grundorgan, den Samenblättern bzw. dem Blatt, entwickeln und die verschiedenen Pflanzenarten durch voneinander abweichende Entwicklungen aus einer ideellen Urpflanze entstanden. Die Arbeit fand allgemeine Zustimmung der Naturwissenschaft und gab Anregungen zu vertiefenden Untersuchungen. Bildhaftere, poetische Gestaltung fand das Thema 1828 im Lehrgedicht →*Die Metamorphose der Pflanzen*. Die aus der Pflanzenwelt abgeleitete gegenständliche Symbolik für Vorgänge der Entwicklung und Bildung wirkte überdies stark auf G.s Dichtung (*Wilhelm Meister*, *Wahlverwandtschaften* u. a.).

A. Hansen, G.s M. d. P., II 1907; J. Schuster, G.s M. d. P., 1924; G. Schmidt, G.s M. d. P., in: G. als Seher und Erforscher der Natur, hg. J. Walther 1930; O. Schonewille, Die Bedeutung von G.s Versuch über die M. d. P. für den Fortgang der botanischen Morphologie, Botanisches Archiv 42, 1941; G. Overbeck, G.s Lehre von der M. d. P. und ihre Widerspiegelung in seiner Dichtung, PEGS 31, 1961; R. Michéa, La métamorphose des plantes devant la critique, GJb 24, 1969; W. Lötscher, G. und die Pflanze, JFDH 1982; M.-L. Kahler, Alle Gestalten sind ähnlich, 1991; N. Puszar, G.s M. d. P., EG 45, 1990; In der Mitte zwischen Natur und Subjekt, hg. W. Ziegler 1992; →Botanik, →Metamorphose, →Morphologie, →Naturwissenschaft.

Versuch einer Witterungslehre. Die Mitte Januar–16. 2. 1825 für Carl August als Förderer der meteorologischen Forschung geschriebene knappe und allgemeinverständliche Einführung in die Probleme der →Meteorologie wurde erstmals postum in der Ausgabe letzter Hand (Band 51, 1833) gedruckt. Noch ohne Kenntnis der physikalischen Grundlagen atmosphärischer Erscheinungen, entspricht sie dem Wissensstand der Zeit, gibt Anregungen zur Erforschung der den sichtbaren Erscheinungen zugrundeliegenden

Gesetzmäßigkeiten und der Zusammengehörigkeit der Einzelvorgänge und fordert als deren Voraussetzung regelmäßige praktische meteorologische Messungen.

H. v. Ficker, Bemerkungen über G.s V. e. W., Die Naturwissenschaften 22, 1934; →Meteorologie.

Versuch über die Gestalt der Tiere. Im Anschluß und in Parallele zum *Versuch die Metamorphose der Pflanzen zu erklären* begann G. auf und nach der Schlesien-Reise von 1790 diesen Aufsatz, der auf der Suche nach dem osteologischen Typus das Prinzip der ursprünglichen anatomischen Einheit der Tierwelt, zumal der Säugetiere, entwickelte. Die kurze Schrift, die er wiederholt Freunden ankündigte, sollte ursprünglich Ostern 1791 erscheinen, wurde jedoch nach 1791 aufgegeben. Das Fragment erschien 1893 in der Weimarer Ausgabe (II/8).

Vertonungen. Die Kompositionen von G.s Dichtungen, besonders seiner Gedichte, Lieder, Balladen und der Lieder aus den Dramen und Romanen, sind Legion und zahlenmäßig unübersehbar, zumal G. nicht nur zu Lebzeiten auf Komposition seiner Lieder drang, da Sangbarkeit deren Verbreitung sicherte, sondern auch späterhin wie kein zweiter Dichter durch die Anziehungskraft seines musikalischen und rhythmischen Wortes die Komponisten anregte. An die 2000 Komponisten aller Rangstufen vom Dilettanten bis zum Meister haben Vertonungen geschaffen, von den bekannteren (alle Zahlen nur approximativ): Reichardt (146 Kompositionen), Zelter (92), Schubert (64), Loewe (60), H. Wolf (58), Schumann (44), Tomaschek (44), C. Eberwein (25), Beethoven (23), A. Rubinstein (21), Brahms (19), Mendelssohn (17), F. Hiller (17), Spohr (11), R. Wagner (8), Haydn (7) und Mozart (1: →*Das Veilchen*). Von den an 800 vertonten Gedichten fanden die meisten Kompositionen: *Wandrers Nachtlied I* und *II* und *Heidenröslein* (je über 200), *Nähe der Geliebten* (86), *Mignon* (»Kennst du das Land …« 82; »Nur wer die Sehnsucht …« 57), *Mailied* (76), *Erlkönig* (70), *Der König in Thule* (66), *Der Fischer* (52) und *An den Mond* (51). Da G. gewohnheitsgemäß die Strophenliedform der durchkomponierten, arienmäßigen Vertonung vorzog, um dem Wort den Vorrang zu erhalten, fanden nicht alle Vertonungen seinen Gefallen. Die ersten Kompositionen von 20 (anonymen) Liedern G.s lieferten B. Th. Breitkopfs *Neue Lieder* (1769), es folgten die Frankfurter Freunde J. André (7) und Ph. Ch. Kayser (20). In Weimar komponierten zunächst Musikliebhaber wie Anna Amalia (7), Corona Schröter (6) und C. S. von Seckendorff (12) G.s Lieder und Singspiele. Anschließend bevorzugte G. Reichardts und Zelters Vertonungen. In der Folgezeit waren fast alle bedeutenden Komponisten der Zeit (s. o.) an G.-Vertonungen beteiligt, im 20. Jahrhundert dazu besonders O. Schoeck (35), N. Medtner (27), R. Strauss (26), G. Mahler (24),

H. Reutter (11), H. Pfizner (10), E. Krenek (10) u. a. Die wichtigsten Vertonungen der Gedichte und Bühnenwerke, besonders auch
der Singspiele, sowie die Bühnenmusiken zu den Dramen sind
unter den betreffenden Einzelartikeln angeführt; dazu vgl. →*Faust*-
Vertonungen.

A. Schaefer, Historisches und systematisches Verzeichnis sämtlicher Tonwerke zu den
Dramen Schillers, G.s usw., 1886; M. Friedländer, Gedichte von G. in Kompositionen
seiner Zeitgenossen, II 1896–1916 u. ö.; M. Friedländer, G.s Gedichte in der Musik,
GJb 17, 1896; H. Holle, G.s Lyrik in Weisen deutscher Tonsetzer bis zur Gegenwart,
1914; R. Weber, V. G.scher Gedichte im Einzellied, GKal 21, 1928; H. J. Moser, G.s
Dichtung in der neueren Musik, JGG 17, 1931; G. Kinsky, Zeitgenössische G.-V., Philobiblon 5, 1932; A. Foos, Musik nach G., 1938; W. Schuh, G.-V., 1952 und in: G., Artemis-Gedenkausgabe Bd. 2, 1953; J. M. Smeed, The composer as interpreter, GLL 35,
1982; →Musik, →Singspiele.

Verwaltung →Amtliche Tätigkeit

Vesuv. Die Besteigung des damals noch anders geformten Vulkans
bei Neapel war schon ein Höhepunkt der Italienreise von G.s Vater
gewesen; für G. und die Italienreisenden der Zeit brachte der neue
Ausbruch im November 1786 zusätzliche Attraktivität (*Italienische
Reise* 24. 11. 1786, 19. 2. 1787), und für G. wurde er zum Symbol
der potentiell zerstörerischen Naturkräfte, das vom ersten Anblick
am 24. 2. 1787 von Itri aus während seines Aufenthalts in Neapel
Tag und Nacht in Sicht war. G. bestieg den Vesuv mit einheimi-
schen Führern dreimal. Am 2. 3. 1787 »bei trübem Wetter und um-
wölktem Gipfel« aufsteigend, mußte er kurz vor dem Krater wegen
Sichtbehinderung durch Rauch umkehren und konnte nur die
Lava studieren. Am 6. 3. 1787 umkreiste er mit Tischbein den Krater und konnte zwischen zwei Eruptionen vom Kegel in den Krater blicken, »ein großes, geisterhebendes Schauspiel«. Am 19. 3.
1787 beobachtete und beschrieb er aus nächster Nähe den Ausbruch feuerflüssiger Lava und stellte Überlegungen über deren Entstehung, Alter und Arten an (ebd. 2., 6. und 20. 3.). Am letzten
Abend in Neapel, quasi als Abschiedsgeschenk, sah er am 2. 6. 1787
vom Fenster der Herzogin von Giovane im Palazzo Reale aus einen
besonders starken nächtlichen Ausbruch glühender Lava (ebd. 2. 6.
1787).

Via Mala. Die enge Gebirgsschlucht zwischen Splügen und Chur
passierte G. auf dem Heimweg von Italien am 31. 5. 1788 bei strö-
mendem Regen (Zeichnung).

Vicenza. Die norditalienische Stadt war auch für G. wie schon für
seinen Vater die »Stadt Palladios«; er rühmte ihre »herrliche« Lage,
ihre schönen Frauen, hätte sich, wie er wiederholt versichert, gern
längere Zeit dort niedergelassen und plante ursprünglich, sie zur
Heimat Mignons zu machen (Tagebuch), die er später an den Lago
Maggiore verlegte. Auf dem Hinweg nach Italien wohnte G. am

19.–26. 9. 1786 in Vicenza und besichtigte vor allem die von →Palladio errichteten, begonnenen oder geplanten Bauwerke: die sog. Basilika (Palazzo della Ragione), das Teatro Olimpico (»unaussprechlich schön«, Tagebuch), die Loggia del Capitano, die Villa Rotonda und die ihn besonders beeindruckende sog. Casa di Palladio (Casa Cogollo), an deren Fassade Palladio zwar beteiligt war, die er jedoch nie bewohnte. Von anderen Bauten erwähnt G. das Santuario della Madonna del Monte, die Villa Valmarana mit Fresken von Tiepolo, die Dominikanerkirche S. Corona mit Gemälden und Skulpturen, die Biblioteca Comunale und das Teatro Eretenio (jetzt zerstört). Er war am 19. 9. von der Oper wenig begeistert und fand nur das Ballett »allerliebst« (Tagebuch), besuchte am 21. 9. den Botaniker A. →Turra und den Architekten O. →Bertotti-Scamozzi, machte am 22. 9. einen Ausflug nach →Thiene, nahm am gleichen Tag an einer Sitzung der Accademia Olimpica teil, schuf einige Zeichnungen und arbeitete an der *Iphigenie* weiter (*Italienische Reise*). Auch auf der Venedigreise übernachtete G. am 29. 3. 1790 auf dem Hinweg in Vicenza, das er auf dem Rückweg mit Anna Amalia um den 24. 5. 1790 wieder besuchte.

G. Zanella, W. G. a V., in ders., Ricordo di nozze, Vicenza 1863; D. de Tuoni, V. G. a V., Ateneo Veneto 132, 1941; B. Tecchi, G. in Italia, Vicenza 1967; →Italienische Reise.

Vico, Giovanni Battista (1668–1744). Mit dem geschichtsphilosophischen Werk *Principi di una scienza nuova* (1725) des Neapolitaner Philosophen und Historikers befaßte sich G. auf Anregung von G. Filangieri in flüchtiger Lektüre Anfang März in Neapel (*Italienische Reise* 5. 3. 1787). Nach Riemer trug er sich zeitweise mit dem Plan einer Übersetzung.

Vier Haimonskinder →Haimonskinder

Vier Jahreszeiten. Für die Sammlung seiner neueren Gedichte in den *Neuen Schriften* (Band 1, 1800) stellte G. Anfang bis März 1800 unter diesem Titel einen Zyklus von 100 (durch Zählfehler aber nur 99) seiner Distichen aus den *Xenien* und *Tabulae votivae* aus Schillers *Musen-Almanach für das Jahr 1797* (sog. *Xenien*-Almanach) zusammen und fügte vier neue (Nr. 38, 48, 65 und 84) hinzu. Dabei wird die Almanach-Gruppe »Vielen« zur Gruppe »Frühling«, die Gruppe »Einer« zu »Sommer«, »Die Eisbahn« zu »Winter«, und die Gruppe »Herbst« aus verstreuten Distichen der *Xenien* und *Tabulae votivae* neu zusammengestellt, und die Einzelüberschriften der Gruppen »Frühling« und »Herbst« verschwinden zum Nachteil der Zielschärfe. Die Distichen Nr. 45, 54, 55 und 61 (aus den *Tabulae votivae*) fanden auch in Schillers Werke Aufnahme.

Vierwaldstätter See. Auf dem Schweizer Alpensee reiste G. auf jeder seiner Schweizer Reisen auf dem Wege zum oder vom

St. Gotthard per Schiff von Küßnacht, Vitznau oder Brunnen nach Altdorf und zurück, so am 19. und 23./24. 6. 1775, am 15. 11. 1779 (Altdorf–Luzern) und am 30. 9. und 6. 10. 1797. Landschaft und Tell-Stätten am See erweckten in ihm den Plan eines Wilhelm →Tell-Epos.

Vieweg, Johann Friedrich (1761–1835). Der Berliner, ab 1799 Braunschweiger Verleger erwarb im Januar 1797, ohne das Werk vorher gesehen zu haben, das Verlagsrecht für G.s *Hermann und Dorothea*, indem sein Honorarangebot durch Zufall oder Indiskretion genau mit G.s versiegelt bei C. A. Böttiger hinterlegter Honorarforderung von 1000 Talern übereinstimmte, und brachte das Epos, das rasch zum großen Bucherfolg wurde, im Oktober 1797 als →*Taschenbuch für 1798* in fünf verschiedenen Ausstattungen heraus. G. lernte Vieweg im Mai 1800 auf der Leipziger Messe kennen. Die unklare Vertragsbedingung, daß G. das Werk nach zwei Jahren in seine Schriften aufnehmen durfte, wurde von G. später als auf zwei Jahre befristetes Verlagsrecht verstanden, während Vieweg in seiner eigenwilligen Auslegung ein permanentes Verlagsrecht für den Bestseller ableitete und 1805–30 mindestens 13 Neudrucke und darüber hinaus 1799–1812 fünf Ausgaben mit dem Haupttitel *Göthe's neue Schriften* herausbrachte. Er erhielt kein weiteres Werk G.s in Verlag.

Literatur →Verleger.

Vigny, Alfred Victor, Comte de (1797–1863). Der französische Romantiker gehörte zu den Schriftstellern, deren Werke und Reliefporträts G. am 7. 3. 1830 von David d'Angers als Geschenk erhielt. G. las in Vignys Roman *Cinq-mars* am 25. 3. 1830 und 31. 7. 1831.

Vinci →Leonardo da Vinci

Virgil →Vergil

Vischer, Peter d. Ä. (um 1460–1529). Von dem Nürnberger Bildhauer und Erzgießer sah G. 1805 das »herrliche« Bronzedenkmal für Erzbischof Ernst von Sachsen im Magdeburger Dom (*Tag- und Jahreshefte* 1805). 1813 erhielt er Gipsabgüsse der Apostel vom Sebaldusgrabmal in Nürnberg (ebd. 1813). – Von Vischers Sohn Peter Vischer d. J. (1487–1528) erhielt G. 1818 als Geschenk des Fürsten Biron eine kolorierte Federzeichnung (1524) von Luther als Herkules, Allegorie auf die Reformation (G.s Anmerkungen zum Gedicht »Als Luthers Fest ...«).

K. E. Anhalt, G.s kunstgeschichtliches Verhältnis zu P. V.s Werken, Fränkische Monatshefte 8, 1929.

Vitruv, eig. Marcus Vitruvius Pollio (1. Jahrhundert v. Chr.). Die Kaiser Augustus gewidmeten *Zehn Bücher über die Architektur* (*De* *architectura libri decem*) des römischen Architekten über Technik, Formen und Anlage antiker Bauten und Stadtplanung waren noch im Mittelalter bekannt, wurden 1416 wiederentdeckt und seither in zahlreichen Ausgaben und Übersetzungen lange Zeit die kanonische Grundlage für Verständnis und Studium der Architektur und die Bibel der Renaissance-Architekten. Da →Palladio sich in seinem Werk ständig auf Vitruv bezieht, kaufte sich G. 1786 in Venedig die Vitruv-Ausgabe mit italienischer Übersetzung von Bernardo Galiani (II 1758 f.), tat sich jedoch schwer mit dem Studium des Werkes, das er mehr aus Pietät als zur Belehrung las (*Italienische Reise* 12. 10. 1786). Dennoch wurde ihm Vitruv nächst Palladio zum Führer zur antiken Architektur. In Rom wich die Begeisterung unter Einfluß Hirts kritischerer Betrachtung, und im Aufsatz *Baukunst* von 1788 wandte G. sich gegen Vitruvs These von der Hütte als Ausgangsform des Steintempels.

Vitznau   →Vierwaldstätter See

Vivona, Antonio, Baron. Der Jurist in Palermo und Rechtsvertreter Frankreichs in Sizilien erforschte im Auftrag Frankreichs die Herkunft von →Cagliostro, d.i. Giuseppe Balsamo, und sandte ein Memoire darüber nach Paris. Bei G.s Besuch am 13.(?) 4. 1787 gab er G. Einsicht in die Dokumente und den Stammbaum und vermittelte G.s Besuch bei der Familie Balsamo (*Italienische Reise* 13./14. 4. 1787).

Die Vögel. *Nach dem Aristophanes.* G.s leichtes Prosalustspiel mag seit der Aristophanes-Lektüre von 1778 geplant gewesen sein; zur Ausführung kam es erst 1780, als G. den Text am 18. 6.–28. 7. 1780 Fräulein von Göchhausen diktierte. Bei der Uraufführung am 18. 8. 1780 durch das Liebhabertheater in Ettersburg mit Dekorationen von Oeser spielten G. den Treufreund und Einsiedel den Hoffegut in Halbmasken. Der in den Schlußszenen etwas veränderte Erstdruck erfolgte 1787 im 4. Band der *Schriften* und separat. Die Satire »voller Mutwillen, Ausgelassenheit und Torheit« (an Knebel 24. 6. 1780) überträgt die im wesentlichen politische Satire aus Aristophanes' Komödie *Die Vögel,* in der zwei Athener ausziehen, den idealen, friedlichen Staat (»Wolkenkuckucksheim«) zu suchen, mit zahlreichen, teils harmlosen, teils unverständlichen Anspielungen auf die gemeinsame Schweizer Reise von G. und Carl August, auf die Weimarer Verhältnisse der Zeit, auf die Ausbruchsversuche der Stürmer und Dränger auf der Suche nach dem angeblich von ihnen besessenen Schlaraffenland, das leicht zu gewinnende Publikum und die besserwisserischen Kritiker. Sie enthält sich jedoch persönlichen Spotts, so daß den Dramenfiguren keine realen Vorbilder unterstellt werden können. Die vorliegende Fassung gestaltet nur den

1. Akt; die geplante Fortdichtung kam nicht zustande. Bei Volks-
reden in Italien hatte G. mehrfach das Gefühl, zu den »Vögeln« zu
reden.

H. Köpert, Über G.s V., 1873.

Voeux, Charles des →Des Voeux, Charles

Vogel, Carl (1798–1864). Der Arzt, der in Schillers früherem Haus
an der Esplanade lebte, war seit Juli 1826 großherzoglich weimarischer Hofmedikus und G.s letzter Hausarzt, der sein volles Vertrauen genoß und auch an gesunden Tagen sein Hausgast war,
»einer der genialsten Menschen, die mir je vorgekommen sind« (zu
Eckermann 24. 1. 1830; ähnlich an Zelter 27. 6. 1826, an Carl
August 12. 7. 1826). Nach dem Tod von August von G. wurde Vogel
dessen Nachfolger in der →Oberaufsicht; nach G.s Tod veröffentlichte er *Die letzte Krankheit Goethes* (1833), *Goethes physische Konstitution* (*Morgenblatt* 6.–8. 5. 1833) und *Goethe in amtlichen Verhältnissen* (1834).

Th. Vogel, G.s Gehilfe in der Oberaufsicht, GJb 30, 1909; C. Kahn-Wallerstein, G.
und sein letzter Arzt, in dies., Der alte Mann am Frauenplan, 1979.

Vogel, Christian Georg Karl (1760–1819). Der geschickte Privat-
schreiber besorgte schon die Vervielfältigung des *Tiefurter Journals*
und war 1782–86 ununterbrochen, auch 1786 in Karlsbad, G.s
Schreiber, der u. a. die Abschriften der ungedruckten Texte für die
Schriften bei Göschen herstellte. Obwohl seit 1789 Kanzlist in der
Staatskanzlei, zog er 1792, begleitet von einem schwarzen Pudel,
mit in die Campagne in Frankreich, wo der »treue Kanzleigefährte«
(*Campagne in Frankreich* 12. 9. 1792) G. mehrfach als Schreiber für
naturwissenschaftliche Beobachtungen diente (»Mir, dem Un-
schreibseligen, stand der gute Genius abermals schönschreibend zur
Seite«, *Schicksal der Druckschrift*). 1815 wurde Vogel Kanzleirat in
Weimar.

Vogel (ab 1831) **von Vogelstein,** Carl Christian (1788–1868). Der
Dresdner Porträt- und Historienmaler, 1824 Hofmaler, 1820–53
Professor an der Kunstakademie, besuchte am 23. 5. 1824 G. in Wei-
mar, der ihm am 24.–26. 5. 1824 für eine Porträtzeichnung saß.

Vogesen. Auf seinem Ritt von Straßburg nach Saarbrücken mit
Weyland und Engelbach im Juni/Juli 1770 durchquerte G. das
elsässische Gebirge und genoß besonders die verschiedenen Aussichten ins Land und die Kammstraße der →Zaberner Steige zwischen Zabern und Pfalzburg (*Dichtung und Wahrheit* II,10). →Elsaß.

Vohs, Johann Heinrich Andreas (1762–1804). Der leidenschaftliche, von G. gelobte und vom Publikum begeistert aufgenommene

Schauspieler kam im Mai 1792 als Darsteller jugendlicher Helden und Liebhaber (Max Piccolomini, Mortimer) vom Mannheimer Nationaltheater an das Weimarer Hoftheater. »Von der Natur höchst begünstigt« (*Tag- und Jahreshefte* 1792), empfahl er sich auch durch ein von ihm 1793 formuliertes Theater-Gesetz, das nach den Satzungen des Mannheimer Nationaltheaters die Disziplin im Bühnenbetrieb regelte, wurde 1793–96 auch Regisseur, mußte im Oktober 1800 jedoch bekennen, daß er von Schulden bedrückt, gesundheitlich und nervlich ruiniert sei, und ging im September 1802 als Hoftheaterdirektor nach Stuttgart. Er heiratete 1793 die ebenfalls 1793–1802 in Weimar engagierte junge Schauspielerin Friederike Margaretha, geb. →Porth.

Voigt, Christian Gottlob (seit 1807) von, d. Ä. (1743–1819). G.s »treuer und ewig unvergeßlicher Geschäftsfreund« (*Tag- und Jahreshefte* 1806), der ihm von allen Weimarer Verwaltungsbeamten menschlich und freundschaftlich am nächsten stand, war der Sohn eines Justizbeamten, Bruder des Bergrats J. C. W. Voigt und Vater von Ch. G. von Voigt d. J. Er durchlief nach dem Jurastudium in Jena eine langwierige Beamtenkarriere: 1766 unbesoldeter Hofadvokat in Weimar und Akzessist an der Bibliothek, 1769 Nachfolger seines Vaters als Justizamtmann in Allstedt, 1777 Regierungsrat in Weimar, 1783 Geheimer Archivarius, 1788 Mitglied des Kammerkollegiums (Finanzressort), 1789 Geheimer Regierungsrat, 1791 Geheimer Assistenzrat mit Sitz und Stimme im Geheimen Consilium, dessen Leitung bald in seine Hände als Minister des klassischen Weimar überging, 1794 Geheimrat, 1803 Kammerpräsident, 1807 Oberkammerpräsident und 1815 Präsident des Staatsministeriums. G. zog den tüchtigen, gebildeten, umsichtigen und loyalen Verwaltungsbeamten bald als seinen engsten Mitarbeiter heran, ohne dessen Einsatz und absolute Vertrauenswürdigkeit G.s Amtstätigkeit kaum denkbar gewesen wäre: 1783 in die Ilmenauer Bergwerks- und Steuerkommission, 1794 in die Verwaltung der neugegründeten Botanischen Anstalt in Jena, 1797 in die Leitung der Bibliotheken in Jena und Weimar sowie des Münzkabinetts, 1803 in die Leitung der Jenaer naturwissenschaftlichen Sammlungen und besonders, offiziell seit 1809, in die →Oberaufsicht der Anstalten für Wissenschaft und Kunst u. a. m. (*Tag- und Jahreshefte* passim). Auch außerhalb der Amtstätigkeit teilte der Kenner und Liebhaber der Antike, Mineralien- und Münzsammler viele Interessen G.s an Wissenschaft und Kunst, verkehrte bei G., war 1785 auch in Karlsbad, nahm die Anwesenheit Christianes kommentarlos hin, kümmerte sich während G.s Reisen um August (zu dessen Vormund G.s Testament von 1797 ihn bestimmte) und vermittelte, stets hilfsbereit, in Zeiten der Entfremdung geschickt zwischen G. und Carl August. Beider Briefwechsel aus den Jahren 1784–1819 (hg. IV 1949–62), der umfassendste Briefwechsel G.s überhaupt, dokumentiert die

Weite und Intensität des Verhältnisses und gibt Einblicke in G.s Verwaltungstätigkeit und sein Verhältnis zu politischen Zeitfragen: »Es bleibt … der schönste Teil meines armen Lebenslaufes, mit Ihnen für Vaterland und Wissenschaft gelebt zu haben« (an G. 19. 7. 1816). Zum 50jährigen Dienstjubiläum Voigts faßte G. als »Denkmal vieljährigen und mannigfachen Zusammenwirkens« »geprüfter Freunde« (»Aufklärende Bemerkungen«) die Zeiten gemeinsamen Strebens in Bergbau, Geselligkeit, Kriegsnot und Wiederaufbau in einem Gedicht zusammen, das mehr als ein Fest- und Gelegenheitsgedicht ist: *Herrn Staatsminister von Voigt zur Feier des 27. Septembers 1816*. Voigts letzte Zeilen vom Sterbebett lauteten: »Ach lieber Goethe, wir wollen doch innig zusammenleben« (22. 3. 1819).

L. Geiger, C. G. v. V., in ders., Aus Alt-Weimar, 1897; W. Huschke, Ministerkollegen G.s, Genealogie und Heraldik 1, 1948 f.; W. Andreas, G. und der Minister V., Euph 48, 1954; A. B. Wachsmuth, Der Briefwechsel G.-V., Goethe 25, 1963; H. Tümmler, G. in Staat und Politik, 1964; H. Tümmler, G. der Kollege, 1970; H. Tümmler, J. W. G. und C. G. V. Ein Briefwechsel, 1989.

Voigt, Christian Gottlob von, d. J. (1774–1813). Der einzige Sohn des Ministers Ch. G. von Voigt, seit 1806 Geheimer Regierungsrat in Weimar, verkehrte häufig bei G., der wiederum am 24. 8. 1798 Gast bei seiner Hochzeit mit Amalie Ludecus war. Am 18. 4. 1813 von den Franzosen wegen Spionageverdachts verhaftet, starb er an den Folgen der Haft am 19. 5. 1813. Vgl. G.s Kondolenzbrief an den Vater aus Teplitz vom 26. 7. 1813.

W. v. Biedermann, G. und C. G. v. V. d. J., in ders., G.-Forschungen, 1879.

Voigt, Friedrich Siegmund (1781–1850). Mit dem Sohn von J. H. Voigt, Botaniker, Professor der Arzneikunde und Vorstand des Botanischen Gartens in Jena, einem »unterrichteten, geistreichen jungen Mann« (an Ch. von Stein 11. 5. 1810), verkehrte G. seit 1806 in Jena, Weimar und 1828 in Dornburg, wo er sich intensiv mit Voigts botanischen Schriften befaßte. Voigt übernahm als einer der ersten ihren häufigsten Gesprächsgegenstand, G.s Metamorphosenlehre (*Tag- und Jahreshefte* 1807, 1809, 1810, 1815, 1817, 1822).

Voigt, Johann Carl Wilhelm (1752–1827). Der Bruder des Ministers Ch. G. von Voigt studierte 1773–75 Jura in Jena, dann auf Veranlassung G.s und Carl Augusts 1776–79 Mineralogie, Geologie und Bergwesen in Freiberg. 1780/81 unternahm er nach G.s schriftlicher Instruktion, teils mit G. und Carl August, eine *Mineralogische Reise durch das Herzogtum Weimar und Eisenach* (II 1782–85), später auch durch andere Landschaften (an Merck 11. 10. 1780, an Herzog Ernst II. von Sachsen-Gotha 27. 12. 1780). 1783 Bergsekretär bei der Bergwerkskommission in Weimar, wurde er 1789 Bergrat in Ilmenau und leitete dort mit G.s Unterstützung den schwierigen Bergbaubetrieb. Überzeugter Vertreter des Vulkanismus, dem G. anfangs z. T. zustimmte, geriet er 1789–91 in den sog. Neptunistenstreit über die Herkunft des Basalts mit seinem Lehrer, dem Neptunisten A. G. Werner, blieb jedoch G. trotz unterschiedlicher Vorstellungen zeitlebens durch geologische Interessen und als gelegentlicher Teilnehmer der Freitagsgesellschaft verbunden und entwarf mit ihm die Hypothese von der Herkunft der Findlinge (erratischen Blöcke) durch Gletschertransport aus der skandinavischen Eiszeit. G. referiert die Hypothese in *Wilhelm Meisters Wanderjahre* (II,9) und im Nachlaß-Aufsatz *Herrn von Hoffs geologisches Werk* (1823), nahm jedoch statt Gletscherschub schwimmende Gletscher auf höherem Meeresspiegel an.

Voigt, Johann Heinrich (1751–1823). Bei dem Vater von F. S. Voigt, seit 1789 Professor für Physik und Mathematik und zeitweise Prorektor in Jena, holte sich G. gelegentlich Rat in physikalischen Fragen, erörterte die Farbenlehre und sandte ihm im Juni/Juli 1791 den Aufsatz *Über das Blau.*

Voigts, Johanne (gen. Jenny) Wilhelmine Juliane von, geb. Möser (1752–1814). Mit der Gattin eines Osnabrücker Justizrats, Tochter von Justus →Möser und Herausgeberin von dessen *Patriotischen Phantasien* (IV 1774–78), begann G. nach der Unterredung mit Carl August über Möser vom 11.12.1774 eine Korrespondenz (bis 5.5. 1782) und dankte ihr für die Herausgabe des 1. Bandes – nicht, wie *Dichtung und Wahrheit* (III,13), schon vor Erscheinen des 1. Bandes als Ermunterung zur Veröffentlichung.

L. Bäte, J. v. V., 1926.

Volkmann, Johann Jacob (1732–1803). Die sachlich-nüchternen *Historisch-kritischen Nachrichten von Italien* (III 1770 f., 2. Auflage 1777 f.) des Leipziger Reise- und Kunstschriftstellers und Übersetzers, Freundes von Winckelmann und Mengs, eine durch eigene Anschauung erweiterte Kompilation englischer und französischer Reisehandbücher, waren, und zwar in 1. Auflage, G.s meistbenutzter Reiseführer auf der Italienreise. Ihm folgte er in der Auswahl des zu Besichtigenden bis in die Museen hinein, hakte das Gesehene darin ab, bemängelte oder bezweifelte gelegentlich seine schiefen Urteile, verwies jedoch oft der Einfachheit halber im *Reisetagebuch* Ch. von Stein durch Seitenangaben auf Volkmanns Ausführungen.

C. de Lollis, Il Baedeker di G. in Italia, Nuova Antologia 39, 1904; O. Stiller, J. J. V., Programm Berlin 1908; H. Prang, G. als Benutzer von italienischen Reiseführern, Goethe 1, 1936; H. Krohn, J. J. V., Aus dem Antiquariat 12, 1993; W. Adam, Das Italien-Bild in J. J. V.s Historisch-kritischen Nachrichten, in: L'image de l'Italie dans les lettres allemandes, hg. G.-L. Fink, Straßburg 1994.

Volksbücher. In *Dichtung und Wahrheit* (I,1) erzählt G., er habe in seiner Jugend die (vom Frankfurter Verleger Johann Spies) »auf das schrecklichste Löschpapier fast unleserlich gedruckten« Volksbücher beim Trödler gekauft und gelesen, und erwähnt davon *Eulenspiegel, Die vier Haimonskinder, Melusine, Kaiser Oktavianus, Die schöne Magelone, Fortunatus* und *Der ewige Jude,* merkwürdigerweise aber nicht das ihm wohl auf gleichem Wege bekannt gewordene →Faustbuch. Die Passage in der 1811 geschriebenen Autobiographie nimmt den von J. Görres (*Die teutschen Volksbücher*, 1807) geprägten Begriff auf, widerlegt jedoch zugleich den Anspruch der Romantiker (Tieck, A. W. Schlegel), diese angeblich vergessenen Werke erst wiederentdeckt, erneuert und zu neuer Wertschätzung gebracht zu haben, indem G. darauf hinweist, daß er sie schon in seiner Jugend gekannt habe. Auch später beschäftigte G. sich gelegentlich mit den Volksbüchern. – Zu G.s Plan eines lyrischen Volksbuchs für die Deutschen →Niethammer, F. I.

Volksdichtung →Volkslied

Volkslied. Nach der artifiziellen, rational-witzigen Phase der Leipziger Rokokolyrik sah sich G. 1770 in Straßburg von Herder auf die Volksdichtung und besonders das Volkslied verwiesen, das zugleich seiner gelösten, nunmehr für die Natur aufnahmebereiten Haltung entgegenkam, und sammelte 1771 auf Herders Anregung zwölf elsässische Volkslieder direkt aus dem Volksmund (an Herder September 1771). Im Unterschied zur romantischen Vorstellung vom Ursprung des Volkslieds aus der singenden Volksseele betrachtete er sie als »eigentlich weder vom Volk noch fürs Volk gedichtet«, sondern als etwas Natürliches, »Stämmiges, Tüchtiges«, das das Volk »faßt, behält, sich zueignet und mitunter fortpflanzt« oder zersingt, denn »wer weiß nicht, was ein Lied auszustehen hat, wenn es durch den Mund des Volkes … eine Weile hindurchgeht« (Rezension *Des Knaben Wunderhorn*, 1806; vgl. die frühe Rezension *Zwei schöne neue Märlein*, 1772). Das Volkslied ist für G. Dichtung individueller, allenfalls anonymer Herkunft, doch überindividueller Aussage, die ihre volkstümlichen Stoffe und »Motive unmittelbar von der Natur« nimmt, derer sich auch der »gebildete Dichter« bedienen könnte (*Maximen und Reflexionen* 514). Entsprechend vermag sich G. in seinen eigenen Liedern stilsicher der volkstümlichen Züge und Motive und des volksliedhaften Tons zu bedienen (z. B. *Schweizerlied, Erlkönig,* Lieder Gretchens), wie denn auch sein *Heidenröslein* anonym in Herders Volksliedersammlung Eingang fand, und gelegentlich seinen Dramen (*Die Fischerin*) Volkslieder einzufügen. Diese Offenheit für die naiv-poetischen Reize des Volkslieds bezeugt sich auch in G.s späterem Interesse an deutschen Volksliedern wie Arnim/Brentanos *Des Knaben Wunderhorn* (1806), volkstümlichen Gedichten wie J. P. Hebels *Alemannischen Gedichten* (1803) und den ihm durch Freunde und Bekannte vermittelten böhmischen, serbischen, neugriechischen, lettischen, litauischen, irischen und hebräischen Volksliedern. Mit ihrer Wertschätzung,

Hervorhebung und z. T. Übersetzung oder Bearbeitung wird G. zum großen Vermittler des Volksliedguts für die Weltliteratur.

W. v. Biedermann, G. und das V., in ders., G.-Forschungen 2, 1886; M. v. Waldberg, G. und das V., 1889; J. Suter, Das V. und sein Einfluß auf G.s Lyrik, 1897; H. Lohre, Von Percy zum Wunderhorn, 1902; A. Götze, G. und das V., NJbb 16, 1913; E. Blochmann, Die deutsche Volksdichtungsbewegung, DVJ 1, 1923; J. Müller-Blattau, G. und das V., Schola 4, 1949; J. Mittenzwei, G.s Verhältnis zum V., WZ Jena, ges.- u.sprachwiss. Reihe 7, 1957 f.; U. Wertheim, Das V. in Theorie und Praxis bei Herder und G., in dies., G.-Studien, 1968; J. Müller-Blattau, G., Herder und das elsässische V., GJb 89, 1972; M. v. Albrecht, G. und das V., 1972 u. ö.; L. Schmidt, G. und das V. auf dem Theater, JbWGV 81/83, 1977 ff.

Vollmondnacht. Das Gedicht vom 24. 10. 1815, der ersten Vollmondnacht nach G.s Abschied von Marianne von Willemer, aus dem »Buch Suleika« des *West-östlichen Divan* spielt auf das Versprechen der Liebenden an, in der Trennung jeweils angesichts des Vollmonds aneinander zu denken. Auf die die Situation ausmalenden Strophen der vertrauten Dienerin, die fast zum Medium des Geliebten wird, antwortet Suleika, in der magischen Stunde ganz entrückt, nur mit dem (Hafis entlehnten) sehnsuchtsvoll-verzückten Kehrreim, der am Schluß aus der Vergangenheit ins Präsens umschlägt und den abwesend-anwesend beschworenen Geliebten anspricht.

J. Göres, Zum 28. August, Düsseldorfer Hefte 9, 1964; G. Ueding, V., in: G.: Verweile doch, hg. M. Reich-Ranicki 1992.

Vollrads. Das verlassene und verfallende Schloß der Freiherrn Greiffenclau bei Winkel am Rhein besuchte G. am 2. 9. 1814. In *Im Rheingau Herbsttage* beschreibt er die »Spuren einer alten Familie, die sich selbst aufhebt«.

Volpato, Giovanni (1735–1803). Den italienischen Kupferstecher lernte G. 1787 im Kreis um A. Kauffmann kennen und lud ihn u. a. zu seinem Hauskonzert. In Weimar besaß G. u. a. Volpatos berühmte Stiche nach Raffaels Fresken in den Stanzen des Vatikan und den des Grabmals der Caecilia Metella. Volpatos Sohn Giuseppe heiratete 1788 G.s »schöne Mailänderin« Maddalena →Riggi (*Italienische Reise,* Bericht April 1788).

G. Marini, G. V., Katalog Bassano 1988.

Volpertshausen. In dem Jagdhause des kleinen Dorfes bei Wetzlar besuchte G. am 9. 6. 1772 mit anderen Juristen einen Ball von 25 Personen, auf dem er Charlotte →Buff kennenlernte, deren Bräutigam J. Ch. Kestner ihm seit wenigen Tagen bekannt war. Die in *Dichtung und Wahrheit* nicht erwähnte Szene fand dichterische Ausgestaltung in den *Leiden des jungen Werthers* (16. Junius).

Voltaire, eig. François Marie Arouet (1694–1778). Die dominierende Rolle des französischen Dichters und Philosophen der Aufklärung, des »Wunders seiner Zeit« (*Dichtung und Wahrheit* III,11), in

ganz Europa und sein Einfluß auch auf den jungen G. bedingten
zugleich eine frühe Distanzierung und Abneigung gegen ihn zugunsten einer eigenen Entwicklung »in ein wahreres Verhältnis zur
Natur« (zu Eckermann 3. 1. 1830). In den Anmerkungen zu Diderots *Rameaus Neffe* (1805) fand G. im Hinblick auf seine eigenen
klassizistischen Bestrebungen zu einem ausgewogeneren Urteil
(»der höchste unter den Franzosen denkbare, der Nation gemäße-
ste Schriftsteller«); in der *Geschichte der Farbenlehre* widmet er
Voltaire als Popularisator Newtons ein Kapitel, und im Alter anerkannte er Voltaires großes Talent und seine Dezenz und pries vor
allem seine kleinen Widmungsgedichte als »liebenswürdigste
Sachen … voller Geist, Klarheit, Heiterkeit und Anmut« (zu Eckermann 16. 12. 1828). Die Bekanntschaft mit Voltaires Dramen verdankt G. der väterlichen Bibliothek; damals stieß ihn besonders Voltaires aufklärerische Religionspolemik im *Saul* ab (*Dichtung und
Wahrheit* III,12). In Leipzig sah er Ende 1765 Voltaires Drama *Zaïre*
auf der Bühne und übersetzte im Buch *Annette* ein Madrigal Voltaires an Prinzessin Ulrike von Preußen. Die Abwendung von dem
»Altvater und Patriarchen« und seiner »parteiischen Unredlichkeit«
in der Straßburger Zeit unter Einfluß Shakespeares zeichnet *Dichtung und Wahrheit* (III,11) nach. Angesichts von G.s Votum für Weimar benutzte G.s Vater überdies die von Preußen erwirkte Verhaftung Voltaires in Frankfurt (1753) als abschreckendes Beispiel für
die Folgen des Hofdienstes (*Dichtung und Wahrheit* III,15). Die *Xenien* 118–120 beziehen sich auf Voltaire. Im Januar 1799 beschäftigte
sich G. mit Voltaires Tragödien *Mérope* und *Mahomet*. Im September–November 1799 übersetzte er auf Wunsch Carl Augusts und
zur Schulung der Schauspieler den →*Mahomet* und im 2. Halbjahr
1800 den →*Tancred (Tancrède)*, die am 30. 1. 1800 bzw. 31. 1. 1801
im Weimarer Hoftheater erfolgreich aufgeführt wurden. Ersterer
war 1808 auch Gesprächsthema bei der Unterredung mit Napoleon, und bei dieser Gelegenheit sah G. in Erfurt Voltaires *Oedipe*
und in Weimar *La mort de César* auf dem französischen Theater. Im
Mai 1810 las G. in Karlsbad die Briefe Voltaires und 1825 sein Geschichtswerk *Le siècle de Louis XIV.*

W. Münch, G. als Übersetzer V.scher Tragödien, Archiv 57, 1877; K. Schirrmacher,
Der junge V. und der junge G., in: Festschrift H. Morf, 1905; J. Graul, G.s Mahomet und
Tankred, Diss. Berlin 1914; H. A. Korff, V. im literarischen Deutschland des 18. Jahr-
hunderts, 1917; H. Glaesner, G. imitateur et traducteur de V., RLC 13, 1933; P. Bertaux,
G. et V., in: Mélanges H. Lichtenberger, Paris 1934; F. Strich, G. und die Weltliteratur,
1946; G. Bianquis, G. et V., RLC 24, 1950, auch in dies., Etudes sur G., Paris 1951; R. J.
Kilchenmann, G.s Übersetzung der V.dramen, CL 14, 1962; P. Grappin, G. und V., in:
Deutschland – Frankreich Bd. 3, 1963; G.-L. Fink, G. und V., GJb 101, 1984; A. Betz, G.
et V., Revue des deux mondes 4, 1994.

Volterra, Daniele da, eig. Daniele Ricciarelli (1509–1566). Von
dem italienischen Maler der Spätrenaissance entdeckte Tischbein
1787 in einem Kloster an der Porta del Popolo in Rom eine
eigenhändige Leinwandkopie seines berühmten »Kreuzabnahme«-

Freskos von 1541 in S. Trinità dei Monti in Rom. Angelica Kauffmann erwarb das Gemälde 1788 für sich, sein weiterer Verbleib
(Neapel?) ist unbekannt. G. nahm an dem Handel lebhaften Anteil
(*Italienische Reise* 16. 6. 1787), ließ sich später von Angelica berichten und besaß eine aquarellierte Federzeichnung eines Ausschnitts
von J. H. Meyer.

E. Steinmann, Das Schicksal der Kreuzlegende des D. d. V., Monatshefte für Kunstwissenschaft 12, 1919; P. Barolsky, D. d. V., London 1979.

Vom Vater hab ich die Statur … G.s vielzitierte und objektive
Einschätzung seines väterlichen und mütterlichen Erbteils erschien
undatiert erstmals 1827 in Band 4 der Ausgabe letzter Hand in der
Gruppe *Zahme Xenien* VI. Die Anspielung auf das Liebesabenteuer
des »Urahnherrn« bezieht sich wohl auf den Großvater Johann
Wolfgang →Textor, den ein Wetzlarer Ehemann wegen Ehebruchs
verklagte und als Beweis seine bei der Flucht am Tatort zurück-
gelassene Perücke vorlegte.

Von deutscher Art und Kunst. *Einige fliegende Blätter.* Der von
Herder 1773 anonym bei Bode in Hamburg herausgegebene Sammelband ging aus den Straßburger Erörterungen hervor und ist ein
Dokument für Geisteshaltung und Stil des frühen Sturm und
Drang. Er enthält: Herders *Auszug aus einem Briefwechsel über Ossian
und die Lieder alter Völker* (1773 auch separat), Herders *Shakespeare*
(mit Hinweis auf G.s *Götz*), G.s →*Von deutscher Baukunst* (zuerst
separat 1772), Paolo Frisis *Versuch über die gotische Baukunst* (Übersetzung aus dem Italienischen) und Justus Mösers *Deutsche Geschichte* (Einleitung zur *Osnabrückischen Geschichte*).

R. Otto, V. d. A. u. K., Impulse 1, 1978; C. S. Muenzer, V. d. A. u. K., in: Zwischen
Traum und Trauma, hg. C. Mayer-Iswandy 1994.

Von deutscher Baukunst. *D*(ivis) *M*(anibus) *Ervini a Steinbach.*
Der 1771/72 in Sesenheim, Straßburg, Frankfurt und evtl. Wetzlar
entstandene Aufsatz, G.s erste Prosaschrift, erschien als anonyme
Flugschrift im November 1772 mit der Jahreszahl 1773 bei Deinet
in Frankfurt und wurde in Herders Sammelband →*Von deutscher Art
und Kunst* (1773) wiederholt. G. druckte ihn wieder ab in *Über
Kunst und Altertum* (IV,3, 1824), vorbereitet durch einen gleichnamigen Aufsatz (ebd. IV,2, 1823). Der Preis →Erwins von Steinbach
als vermeintlichen Erbauers des →Straßburger Münsters und die
enthusiastische Verherrlichung von Schönheit und Gesetzmäßigkeit, innerer Wahrheit und Logik der bisher als unnatürlich-über-
trieben verachteten gotischen Architektur bezeichnet G.s Hinwendung zur →Gotik, die er jedoch irrtümlich mit einer
charakteristisch »deutschen Baukunst« gleichsetzt und nationa-
listisch vereinnahmt. Wie G. später selbst einsah, verdunkelt der sub-
jektiv-hymnische und dithyrambisch dunkle Stil des frühen Sturm

und Drang in diesem »Blatt verhüllter Innigkeit« (→*Dritte Wallfahrt nach Erwins Grabe*) jedoch eher das genuine, leidenschaftliche Erlebnis (*Dichtung und Wahrheit* II,9; III,12). – Der zweite Aufsatz gleichen Titels vom März 1823 trägt der inzwischen erfolgten Erforschung der Gotik und dem Interesse der Romantiker an ihr Rechnung, beschreibt G.s Abkehr von der Gotik und seinem früheren Enthusiasmus durch das Erlebnis klassischer Architektur in Italien, unterstützt jedoch die Bestrebungen Boisserées zur Vollendung des →Kölner Doms.

R. Sander, V. d. B., Diss. Halle 1922; E. Beutler, V. d. B., 1943; F. Götting, G.s Straßburger Credo, Frankfurter Hefte 2, 1947; R. C. Zimmermann, Zur Datierung von G.s Aufsatz V. d. B., Euph 51, 1957; W. D. Robson-Scott, On the composition of G's V. d. B., MLR 54, 1959; N. Knopp, Zu G.s Hymnus V. d. B., DVj 53, 1979; K. Eibl, Mehr als Prometheus, SchillerJb 25, 1981; P. Beckmann, Zur Semiotik der Straßburger Münsterfassade, Kodikas 13, 1990; B. Fischer, Authentizität und ästhetische Objektivität, GRM 73, 1992.

Vorfahren →Familie

Vor Gericht. Das wohl 1776 entstandene, 1815 zuerst gedruckte Gedicht ist die Monologrede eines unehelich schwangeren, doch selbstbewußten Mädchens, das der (schon damals als problematisch erachteten) gerichtlich vorgeschriebenen Nachforschung über die Vaterschaft trotzt, jede Auskunft verweigert und sich lieber Spott und Hohn aussetzt, als obrigkeitsstaatliche oder kirchliche Eingriffe in ihre private Gefühlssphäre um Geliebten und Kind zu dulden. G. behandelt das Thema fern von moralischer Anklage oder sentimentalem Bedauern der »Gefallenen« und verknüpft es nicht mit den seinerzeit beliebten Motiven von Verführung oder Kindesmord.

W. Müller-Seidel, Balladen und Justizkritik, in: Gedichte und Interpretationen 2, hg. K. Richter 1983.

Vorspiel auf dem Theater. Der zweite der drei Prologe zum *Faust I* (v. 33–242) zwischen »Zueignung« und »Prolog im Himmel« entstand vermutlich 1797 oder im 2. Halbjahr 1798, entfernt angeregt durch ein ähnliches Vorspiel in Kalidasas Drama *Sakuntala*, das G. 1791 in G. Forsters Übersetzung las. Das humoristisch-ironische Gespräch in Madrigalversen (der Dichter anfangs in Stanzen) zwischen dem Theaterdirektor, der seine geschäftlichen Interessen betont, dem Dichter, der die Eigengesetzlichkeit der Kunst vertritt, und dem zwischen beiden als »lustige Person« vermittelnden Schauspieler, der auf gute Rollen, viel Aktion und eine bunte Bilderwelt aus ist, erörtert Aspekte des Theaters, die G. als Theaterleiter, Dichter und gelegentlichem Schauspieler nur allzu vertraut waren. Es lenkt erst in den Schlußversen (v. 233–242) mit sehr vagen Worten und reichlich Selbstironie auf das aufzuführende Stück wie auf ein großes Ausstattungsstück ein. Diese Tatsache gab Anlaß zu der Vermutung, das Vorspiel sei ursprünglich für *Der Zauberflöte zweiter Teil* oder ganz allgemein zur Eröffnung des umge-

bauten Weimarer Theaters am 12.10.1798 konzipiert oder geschrieben (vgl. an Kirms 14.8.1798) und später dem *Faust* vorangestellt worden. Das dieser als ein noch zu schreibendes Werk behandelt wird und dann doch unmittelbar anschließend über die
Bühne geht, setzt das Stück selbst in eine zeitliche Distanz zu der
Vorgabe. Dies und der geringe Bezug zum Drama selbst führen in
der Aufführungspraxis oft zur Weglassung des »Vorspiels auf dem
Theater«.

O. Seidlin, Ist das V. a. d. T. ein Vorspiel zum Faust?, PMLA 64, 1949, deutsch Euph 46, 1952, auch in ders., Von G. zu Th. Mann, 1963; W. Ross, V. a. d. T. und Prolog im Himmel, WW 12, 1962; A. Binder, Das V. a. d. T., 1969; W. Keller, Der Dichter in der Zueignung und im V. a. d. T., in: Aufsätze zu G.s Faust I, hg. ders. 1974 u. ö.; B. Bennett, V. a. d. T., GQ 49, 1976; J. Schillemeit, Das V. a. d. T. zu G.s Faust, Euph 80, 1986; F. J. Lamport, Faust-Vorspiel und Wallenstein-Prolog, Euph 83, 1989; P. Michelsen, G.s V. a. d. T. als Vorspiel zum Faust, in: Geschichtlichkeit und Gegenwart, hg. H. Esselborn 1994; →Faust.

Vorspiele. Im Unterschied zu →Prologen für einen Sprecher sind
Vorspiele mit mehreren Sprechern oder Darstellern bei G. selten.
Hierher gehören die verschiedenen Versionen von →*Was wir bringen* (1802 ff.), das →*Vorspiel zur Eröffnung des Weimarischen Theaters*
(1807) und das →»Vorspiel auf dem Theater« zu *Faust I*.

Vorspiel zur Eröffnung des Weimarischen Theaters *am
19. September 1807 nach glücklicher Wiederversammlung der Herzoglichen Familie.* Anläßlich der Rückkehr Carl Augusts aus preußischen Kriegsdiensten (am 12.9.1807) und der nach Schleswig geflohenen Maria Paulowna nach dem Zusammenbruch von 1806
schrieb G. am 12.–19.9.1807 dieses allegorische Festspiel von
Kriegsnöten, Kriegswirren, Flucht, Frieden, Wiederherstellung der
Ordnung durch die Majestät und den Aufgaben des Wiederaufbaus.
Es rät von hochtrabenden politischen Zielen ab, hebt das Mütter-
lich-Bewahrende der Fürstinnen hervor und klingt mit einer Huldigung für die kürzlich verstorbene Anna Amalia aus. Am 19.9.
1807 im Weimarer Hoftheater aufgeführt, erschien es zuerst im
Morgenblatt für gebildete Stände (Nr. 252/253 vom 21./22.10.1807)
mit einer Nachschrift, die das aus dem Text nicht ersichtliche
visuelle Seite der Aufführung wenigstens andeutet.

M. Morris, Das V. z. E. d. W. T., in ders., G.-Studien 1, 1897 u. ö.; Ch. Siegrist, Dra-matische Gelegenheitsdichtungen, in: G.s Dramen, hg. W. Hinderer 1980.

Voß, Ernestine, geb. Boie →Voß, Johann Heinrich d. Ä.

Voß, Heinrich →Voß, Johann Heinrich d. J.

Voß, Johann Heinrich d. Ä. (1751–1826). Der Eutiner Schulrektor,
Mitglied des Göttinger Hains und Herausgeber des Göttinger
Musenalmanachs, Dichter des idyllischen Epos *Luise* (1783/84) und
Übersetzer Homers (*Odyssee* 1781, *Ilias* 1793) u. a. antiker Autoren,
wurde für G. u. a. von Bedeutung durch seine Theorie der korrek-

ten deutschen Nachbildung antiker Versmaße mit Berücksichtigung deutscher Längen (*Zeitmessung der deutschen Sprache*, 1802; Vorrede zur Übersetzung von Vergils *Landbau*, 1789, über deutsche Hexameter). Bei seinem ersten Besuch bei G. in Weimar am 5./6. 6. 1794, wo er aus seiner *Odyssee* vorlas, gab ihm G. sein Epos *Reineke Fuchs* zur Durchsicht der Hexameter mit. Voß, äußerst selbstkritisch und ständig an seinen Hexametern feilend (*Campagne in Frankreich; Tag- und Jahreshefte* 1793; *Epoche der forcierten Talente*), beurteilte am 17. 7. 1794 G.s metrisch freie Hexameter recht kritisch als fehlerhaft, gab Ratschläge zur Verbesserung, auf die G. nicht einging (ebd. 1794), und sandte ihm seine Homer-Übersetzung. Das dadurch etwas getrübte Einvernehmen wandelte sich mit Voß' Übersiedlung nach Jena, dem Studienort seiner Söhne (→Voß, J. H. d. J.), am 2. 9. 1802 und G.s häufigen Besuchen rasch in ein herzlich-freundschaftliches Verhältnis, das besonders im April 1803 zu intensiven Erörterungen der metrischen Probleme bei der Nachbildung antiker Versmaße im Deutschen führte (*Tag- und Jahreshefte* 1802, 1804). Im Juni 1805 folgte Voß zu G.s großem Bedauern und trotz einer angebotenen Pension dem Ruf auf eine Sinekure-Professur nach Heidelberg. Ein Wiedersehen in Jena am 23./24. 7. 1811 verlief höflich kühl. Im September/Oktober 1814 und September 1815 besuchte G. Voß in Heidelberg, wo der im Grunde spätaufklärerische Schriftsteller inmitten der Romantiker vereinsamte. Die späte Kontroverse von Voß (*Wie ward Fritz Stolberg ein Unfreier?*, 1819) mit F. L. zu →Stolberg 1819/20 wegen dessen Konversion zum Katholizismus (1800) fand G.s starkes Interesse, doch trotz der antiromantischen Haltung seine Mißbilligung (*Tag- und Jahreshefte* 1820; Gedicht *Voß contra Stolberg*, 1820; *Voß und Stolberg*, 1825). G. gab seiner Hochschätzung für Voß' *Luise*, die er gern im Freundeskreis vorlas und zum Vorbild für *Hermann und Dorothea* nahm, wiederholt Ausdruck (Xenion 129: »*Luise*« *von Voß*; Gedicht *Hermann und Dorothea*; *Campagne in Frankreich*, November 1792). Die *Ilias*-Übersetzung las er im Oktober/November 1794 in der Freitagsgesellschaft mit eigenen Erklärungen vor (*Tag- und Jahreshefte* 1796) und pries sie in den *Noten und Abhandlungen* (Kap. »Übersetzungen«) als vorbildlich. Aus der wiederholten Beschäftigung mit Voß' *Gedichten* (IV 1802) im August 1802, Januar und April 1804 ging G.s ausführliche Rezension in der *Jenaischen Allgemeinen Literaturzeitung* (16.–17. 4. 1804) hervor, die Voß »ein unsterbliches Verdienst um die deutsche Rhythmik« zuerkennt, seiner Rezeption nachgeht und sich selbst mit Voß' demokratisch-revolutionsfreundlichen Neigungen abfindet. – Voß' Frau Ernestine (1756–1834), die Schwester von H. Ch. Boie, gibt in ihren Briefen lebendige Schilderungen der Begegnungen mit G. und schrieb ein Gedicht *An Goethe*. Vgl. zu Eckermann 7. 10. 1827.

E. Metelmann, J. H. V. und G., ZDP 62, 1937; W. Müller-Seidel, G.s Verhältnis zu J. H. V., in: G. und Heidelberg, 1949.

Voß, (Johann) Heinrich d. J. (1779–1822). Der Sohn von J. H. →Voß d. Ä., Philologe und Übersetzer, studierte 1801–04 Philologie in Jena und erlebte G. dort häufig in seinem Elternhaus. Er wohnte am 12.–20. 2., 29. 3.–8. 4. 1804 u. ö. auch bei G. in Weimar (an Ch. G. von Voigt 13. 2. 1804), wurde auf dessen Vorschlag 1804–06 Gymnasiallehrer für Griechisch in Weimar, verkehrte in dieser Zeit als gern gesehener, schüchterner junger Freund viel bei G. und Schiller, unterrichtete August von G. und zeichnete viele leicht romantisierte Begegnungen und Gespräche auf (*Mitteilungen über Goethe und Schiller*, 1834). Seit 1807 Professor der klassischen Philologie in Heidelberg, sah er dort 1808 August von G. und 1814 und 1815 G. selbst zu Gast, sandte ihm u. a. 1821 zahlreiche seiner mit Vater und Bruder verfaßten Übersetzungen und sah ihn zuletzt am 30. 3. und 1. 4. 1817 in Jena. (Obwohl sein schauspielerisches Talent gering gewesen sein mag, wird er mitunter verwechselt mit dem Schauspieler J. H. A. →Vohs).

H. G. Gräf, H. V. d. J. und sein Verhältnis zu G. und Schiller, GJb 17, 1896, auch in ders., G., 1924; M. Koschlig, G.s Anteil an der Sophokles-Rezension des jungen V., Goethe 13, 1951; D. W. Schumann, H. V., JbWGV 84/85, 1981.

Votivtafeln → *Tabulae votivae*

Vulkanismus →Neptunismus und Plutonismus

Vulpius, Christian August (1762–1827). Die mitunter bespöttelte Tatsache, daß ausgerechnet ein »berüchtigter« Trivialautor wie dieser Bruder Christiane von →Goethes zum Schwager G.s wurde, verliert durchaus an Seltenheitswert, zieht man die Verwandtschaften anderer literarischer Größen der Zeit in Betracht. Überdies trügt der Schein. Der gescheite Sohn des kinderreichen, doch ärmlichen Weimarer Amtskopisten und Amtsarchivarius Johann Friedrich Vulpius war mit Energie, unermüdlicher Arbeitskraft und allen Mitteln bemüht, dem sozialen Status der Familie zu entkommen. Als Kind vielfach sich selbst überlassen, absolvierte er trotz wenig sorgfältiger Erziehung das Gymnasium, finanzierte sein Studium von Jura und Geschichte in Jena und Erlangen wohl mit aus literarischen Einkünften und spezialisierte sich auf Heraldik, Diplomatik und Numismatik. Nach dem Tod des Vaters 1786 auf sich selbst angewiesen und zur Unterstützung der jüngeren Schwestern herangezogen, nutzte er seine frühe schriftstellerische Neigung zum Broterwerb auf ertragreichstem Wege, nämlich durch phantasievoll-sentimentale Erzählungen und Liebes-, Abenteuer- und Schauerromane im Zeitgeschmack. Zeitweilig fand er schlechtbesoldete und bald aufgegebene Stellungen als Privatsekretär des Freiherrrn von Soden in Nürnberg und des Grafen Egloffstein auf Egloffstein. Seine Bittschrift um empfehlende Unterstützung, am 12. 7. 1788 durch seine Schwester Christiane an G. überreicht, der ihm schon vor der Italienreise geholfen hatte, führte bekanntlich zur Verbindung G.s mit Christiane und aktivierte G.s Hilfsbereitschaft, der ihn mit warmen Worten in die Ferne empfahl, so am 9. 9. 1788 an F. Jacobi nach Düsseldorf, ferner an Professor Hufnagel in Erlangen und an die Leipziger Verleger Breitkopf und Göschen. Von einem bescheidenen Posten bei Göschen kehrte Vulpius 1790 nach Weimar zurück, wurde erst von Bellomo, dann von G. als eine Art Dramaturg und Theaterdichter, Opern- und Operettenlibrettist, Bühnenbearbeiter und Übersetzer von Dramen und Opern beschäftigt und erwies sich als so praxisnah, daß einige seiner 45 Bühnenbearbeitungen von anderen Theatern übernommen wurden. Eine feste Anstellung verschaffte ihm G. 1797 als Registrator, 1800 als Sekretär und 1805 als Bibliothekar der unter G.s Oberaufsicht stehenden Weimarer Bibliothek. Sie ließ Vulpius bei seiner Wendigkeit und seinem Arbeitseifer Zeit für die an 60 Unterhaltungsromane seiner »Romanfabrik« (Cotta), von denen der anonym erschienene *Rinaldo Rinaldini, der Räuberhauptmann* (III 1799) zum Bestseller seiner Zeit und vielfach nachgeahmt, fortgesetzt, dramatisiert und übersetzt wurde, ohne daß sich der ungeheure Erfolg auch finanziell niederschlug. Daneben veröffentlichte Vulpius Zeitschriften und wissenschaftliche Arbeiten wie das *Handwörterbuch der Mythologie der deutschen … Völker* (1826), die ihm einen Ehrendoktor der Universität Jena eintrugen. Um die Reorganisation von deren Bibliothek hatte sich Vulpius schon 1817 große Verdienste erworben, und G. verfehlte nicht, Pflichteifer, Energie und Vielseitigkeit seines Schwagers an geeigneter Stelle gebührend zu loben. Die verwandschaftlichen Beziehungen zum Haus G. blieben auch nach Christianes Tod aufrechterhalten. Nach G.s Tod stellten dessen Erben Vulpius' Witwe Helene und den Söhnen Felix und Rinaldo →Vulpius die 1834 von J. H. →Herter u. a. erworbenen Nachbarhäuser des Goethehauses, Am Frauenplan 3–4, die sog. Vulpiushäuser, mietweise zur Verfügung. Von Vulpius' Werken las G. den *Rinaldo Rinaldini* 1799 »mit Vergnügen« und bot ihm Verbesserungsvorschläge an (an Vulpius 7. 8. 1799); daß er allerdings auch alle modische literarische Tagesware seines Schwagers verschlungen hat, dafür gebricht es an Anzeichen.

W. Vulpius, Die Familie V., in: Stunden mit G. I, hg. W. Bode 1905; O. Lerche, Der Schwager, 1927; W. Vulpius, Ch. A. V., Thüringen 3, 1927; W. Vulpius, G.s Schwager, G.-Almanach 1967.

Vulpius, Christiane →Goethe, Christiane von

Vulpius, Ernestine (1779–1806). Christiane von G.s kränkliche Stiefschwester aus der 2. Ehe ihres Vaters lebte seit 1788 mit ihr und der Tante J. A. →Vulpius in G.s Hauswesen.

Vulpius, Juliane Auguste (1734–1806). Christiane von G.s Tante, die Schwester ihres Vaters, lebte seit 1788 mit ihr in G.s Hauswesen,

um ihr Gesellschaft zu leisten und ihr in der anfänglichen gesellschaftlichen Isolation besonders bei G.s Abwesenheit familiäre und
menschliche Wärme zu bieten.

Vulpius, Rinaldo (1802–1874). Der nach dem Bucherfolg seines
Vaters benannte älteste Sohn von Ch. A. →Vulpius, den G. als Kind
gern litt, wurde nach dem Jurastudium Aktuar, später Justizrat in
Weimar. G. zog ihn nach dem Tod seines Sohnes August 1830 zur
Erledigung schwieriger Fragen seiner Vermögensverwaltung und
bei der Abfassung seines Testaments mit Kanzler von Müller heran.

W. Vulpius, R. V. in seinen Beziehungen zur Familie G., Archiv für Sippenforschung
9, 1932.

Wachler, Johann Friedrich (1767–1838). Der Theologe, Historiker
und Literarhistoriker, Professor in Rinteln, 1801 Marburg und 1814
Breslau, sandte G. jeweils seine literaturgeschichtlichen Veröffentlichungen, die G. näher ansah, lobte und häufig benutzte: *Handbuch
der Geschichte der Literatur* (1804, 2. Aufl. 1822–24, angezeigt in *Über
Kunst und Altertum* V,2, 1825: »gibt mir die angenehmste Unterhaltung«), *Vorlesungen über die Geschichte der teutschen National-Literatur*
(II 1818 f.) und *Lehrbuch der Literaturgeschichte* (1827; Dankbrief-
Entwurf 14. 11. 1827). Vgl. *Maximen und Reflexionen* 269.

Wackenroder, Heinrich Wilhelm Ferdinand (1798–1854). Der
Chemiker und Pharmazeut, seit 1828 Professor der Chemie in Jena,
besuchte G. 1828–31 mehrfach in Weimar und stand mit ihm bis
21. 1. 1832 im Briefwechsel über Fragen der Pflanzenchemie und
Metamorphose.

Wackenroder, Wilhelm Heinrich (1773–1798). Die von L. Tieck
1796 anonym herausgegebenen *Herzensergießungen eines kunstliebenden Klosterbruders* seines Freundes Wackenroder formulierten
mit ihrer Wiederentdeckung der mittelalterlichen und Renais-
sance-Kunst die Kunstauffassung der Frühromantik und beeinflußten die Brüder →Boisserée. G. meldete schon damals Vorbehalte an
(an Tieck Juli 1798) und sprach wiederholt vom »klosterbrudrisie-
renden Unwesen« (ähnlich *Tag- und Jahreshefte* 1802). Zur heftigen
Ablehnung kam es erst 20 Jahre später im Angriff auf die fröm-
melnde Kunst der →Nazarener, als deren Wegbereiter G. den
»schwindsüchtigen Pfaffenfreund« Wackenroder (Briefentwurf an
Varnhagen November 1827) verstand, in J. H. Meyers von G. mit-
verfaßtem Aufsatz *Neudeutsche religios-patriotische Kunst* (1817).

R. Benz, G. und die romantische Kunst, 1940; A. Schlagdenhauffen, G. et W., Bulletin de la faculté de lettres de Strasbourg 29, 1950; D. Kemper, G., W. und das »kloster-
brudrisirende, sternbaldisirende Unwesen«, JFDH 1993.

Wär' nicht das Auge sonnenhaft ... Der Vierzeiler formuliert
G.s Gedanken, »nur von Gleichem werde Gleiches erkannt« (*Far-

benlehre, Einleitung) nach →Plotin (*Enneaden* VI,9) und Manilius (*Astronomica* II,115 f.; dies als lateinisches Zitat schon am 4. 9. 1784 in ein Gästebuch auf den Brocken eingetragen). Er erscheint zuerst als Stammbucheintragung in Lauchstädt am 1. 9. 1805, wurde 1810 in der Einleitung zur *Farbenlehre* zuerst gedruckt und in der Ausgabe letzter Hand unter die *Zahmen Xenien III* eingeordnet.

L. Weniger, Wär nicht das Auge …, NJbb 39, 1917; A. Gemoll, Ein Spruch G.s, ZfD 38, 1924; A. A. M. Esser, Die antiken Quellen von G.s Spruch, Klinische Monatsblätter für Augenheilkunde 97, 1936; H. Rölleke, G.s W. n. d. A. s., in: Laborintus litteratus, hg. U. Ernst 1995.

Wagener, Johann Daniel (1748–1836). G.s Leipziger Studiengenosse, Theologe und Jurist, dann Spanisch-Professor in Hamburg, sandte G. 1826 als Gruß durch seinen Sohn Friedrich Gerhard Ludwig, der 1826–28 Schauspieler und Regisseur in Weimar war, seine *Spanische Sprachlehre*. G. erwiderte am 7. 9. 1827 mit einem Exemplar der Jubiläumsausgabe der *Iphigenie* und dem Widmungsgedicht *An Johann Daniel Wagener*. Auch der Sohn erhielt im August 1826 das Gleiche mit einem Widmungs-Vierzeiler als Dank für ein kleines Festspiel zu G.s Geburtstag.

Wagenknecht, Anne Dorothee (1736–1806). Sie findet in G.s Werken und Briefen keine Erwähnung, und niemand wird sie hier suchen. Gerade deswegen sollte ihr Beitrag zu G.s physischem Wohlbehagen nicht unerwähnt bleiben: sie war 1775–89 G.s Köchin im Junggesellenhaushalt im Gartenhaus wie anfangs im Haus am Frauenplan.

Wagenlenker. Das Symbol des Wagenlenkers auf der Lebens- und Schicksalsfahrt verwendet G. im Anschluß an Pindars häufige Benutzung etwa im Brief an Herder (um 10. 7. 1772), in *Wandrers Sturmlied* (v. 101 ff.), im *Egmont* (II,2), aufgegriffen am Schluß von *Dichtung und Wahrheit* (IV,20), sowie mehrfach in *Hermann und Dorothea* (II,22 ff.; VI,295 ff.) und im *Faust* (→Knabe Lenker).

L. A. Willoughby, The image of the horse and charioteer in G's poetry, PEGS NS 15, 1946.

Wagner (*Faust*). Der Famulus Fausts gehört von Anbeginn an zur Tradition des Fauststoffes in den Volksbüchern, bei Marlowe und in den Puppenspielen. Ihm vermacht Faust dort seine Habe und beauftragt ihn, seine Geschichte zu schreiben. Nach der üblichen Ausbeutung von Bestsellerstoffen läßt schon J. →Spies seinem Faustbuch als (wenig ergiebige) Fortsetzung 1593 ein *Leben Christoph Wagners* folgen. Im Unterschied zu Wagners mehr dienerhafter Rolle in der Tradition erhöht G. ihn schon im *Urfaust* zum Gelehrten, zwar »Magister« (nur *Urfaust* v. 195), doch zum pedantischen Musterschüler, eitlen Fachidioten, zur Humanistenkarikatur. Als »trockner Schleicher« (*Faust* v. 521; *Urfaust* v. 168 noch: »trockner

Schwärmer«) ist der nur aus Karrieresucht beflissene und lernbegierige, keiner eigenen Ideen fähige Kleingeist Wagner gleich bei seinem ersten Auftreten (*Faust* v. 522 ff.) zum Gegenbild des genialisch imponierenden Faust gestaltet: Das erlernbare Formale wirkungsvoller Rhetorik (v. 546) und das Wiederkäuen humanistischen und aufklärerischen Gedankenguts sind ihm wichtiger als Ergriffensein von Ideen, Erkenntnisstreben, Forscherdrang und tiefere Einsicht. Fausts Verzweiflung an der Möglichkeit letzter Erkenntnis muß ihm fremd bleiben. Auch beim Osterspaziergang (v. 941 ff.) erweist er sich als nüchterner, weltfremder Stubengelehrter (»steckt in den Büchern übernächtig«, *Maskenzug 1818*), bei dem Gewissenhaftigkeit und Pünktlichkeit (v. 1059) das Genie ersetzen. Eine ihm möglicherweise zugedachte größere Rolle in der Universitätssatire kam nicht zur Ausführung. Im *Faust II* (v. 6642 ff.) hat Wagner es bis zum Doktor, Professor mit eigenem Famulus und – nach Mephistos Worten – zum angesehenen, nützlichen und fleißigen Gelehrten gebracht, ist jedoch von der Philologie (vermutlich zu deren Vorteil) zur Naturwissenschaft und Alchemie umgesattelt. Während Faust dem Urbild menschlicher Schönheit nachstrebt, erzeugt er, und zwar nur mit Mephistos Hilfe, als groteskes Produkt lieblos-kalter Berechnung in der Retorte den gestaltlosen künstlichen Menschen →Homunculus, der ihn vor seiner Weltreise ins Laboratorium zurückschickt. Nach dem Entwurf vom 17. 12. 1826 sollte Wagner noch an der Klassischen Walpurgisnacht teilnehmen und dem Homunculus ein »chemisch Weiblein« einzufangen versuchen.

R. Petsch, Das erste Gespräch Fausts mit dem Famulus W., GJb 29, 1908, auch in ders., Gehalt und Form, 1925; A. Bartscherer, Kein schellenlauter Tor, Euph 21, 1914; R. Blume, Der geschichtliche W. in den ältesten Volksbüchern vom Faust, Euph 26, 1925; G. F. Hartlaub, Zwei Seelen auch in W. s Brust?, in: G. und Heidelberg, 1949; H. Mayer, Der Famulus W. und die moderne Wissenschaft, in: Gestaltungsgeschichte und Gesellschaftsgeschichte, hg. H. Kreuzer 1969, auch in ders., Doktor Faust und Don Juan, 1979; K. Köhnke, Vom Philologen zum Humangenetiker, in: Textkritik und Interpretation, hg. H. Reinitzer 1987.

Wagner, Heinrich, Leopold (1747–1779). Eine Dichterfreundschaft, die durchaus auch ihre peinlichen Seiten hatte, verband G. mit dem Straßburger Bürgersohn, der 1770/71 zugleich mit ihm und zunächst ohne Abschluß in Straßburg Jura studierte und den er im Kreis um Salzmann kennenlernte. Ende 1774 siedelte Wagner als Privatlehrer, Schriftsteller und Übersetzer nach Frankfurt über, wo sich ein enges Freundschaftsverhältnis mit G. ergab. Im März 1775 erschien die anonyme Farce →*Prometheus, Deukalion und seine Rezensenten*, die die Kritiker des *Werther* in Knittelversen mit Holzschnittfiguren verspottete, wegen des Stils und intimer Einblicke in G.s Situation allgemein für ein Werk G.s galt, ihm übelgenommen wurde und ihm selbst wegen scharfer Angriffe auf Wieland ein Ärgernis war. Durch Stilanalyse schloß G. auf die Autorschaft Wagners, die dieser zugab. Aber auch eine *Öffentliche Erklärung* G.s vom 9. 4.

1775 in Einzeldrucken und den *Frankfurter Gelehrten Anzeigen* vom 21. 4. 1775, die Wagner als Verfasser nannte, konnte den Verdacht nicht überall ausräumen. 1776 übersetzte Wagner auf G.s Rat L. S. Merciers antiklassizistische Schmähschrift *Du théâtre* (1773) als *Neuer Versuch über die Schauspielkunst* (1776). G. hatte ursprünglich Anmerkungen dazu beisteuern wollen, überließ Wagner aber stattdessen zwei Aufsätze und einige Gedichte zum Druck in einem Anhang →*Aus Goethes Brieftasche*. 1776 promovierte Wagner in Straßburg und wurde Rechtsanwalt in Frankfurt. Sein Drama *Die Kindermörderin* (1776) bezeichnete G. wegen Motivverwandtschaft zur Gretchentragödie des *Urfaust*, den Wagner kannte, etwas zu Unrecht als »Gedankenraub« (*Dichtung und Wahrheit* III,14). Im Rückblick schildert G. den dritten der Sturm und Drang-Dramatiker nach Lenz und Klinger als »nicht ohne Talent, Geist und Unterricht«, doch von »keinen außerordentlichen Gaben« (ebd.).

E. Schmidt, H. L. W., 1875 u. ö.; J. Froitzheim, G. und H. L. W., 1889; W. v. Biedermann, G. und H. L. W., in ders., G.-Forschungen 3, 1899; E. Genton, La vie et les opinions de H. L. W., 1981.

Wagner, Johann Conrad (1737–1802). Der Kammerdiener (»Kämmerier«) Carl Augusts begleitete diesen auf seinen zahlreichen Reisen, so auch 1779 auf der 2. Schweizer Reise mit G., 1792 in die Champagne und 1793 nach Mainz. Sein umfangreiches, wenn auch naives handschriftliches Tagebuch über die Feldzüge diente G. neben eigenen Aufzeichnungen 1820 als Hauptquelle für die →*Campagne in Frankreich*, die ihn mehrfach erwähnt, und 1822 für die *Belagerung von Mainz*.

A. G. Steer, The diary of J. C. W. and G's Campagne in Frankreich, GR 37, 1962; E. Zehm, Der Frankreichfeldzug von 1792, 1985.

Wagner, Johann Martin (ab 1829) von (1777–1858). Der Würzburger Maler, Radierer und Bildhauer, später Kunstagent des bayrischen Königs in Italien und Griechenland, war Preisträger der Weimarer Kunstausstellung 1803 mit seiner Flaxman nachempfundenen Zeichnung »Odysseus überlistet Polyphem«, die G. im Aufsatz *Weimarische Kunstausstellung vom Jahre 1803* (*Jenaische Allgemeine Literaturzeitung*, 1. 1. 1804) würdigt. Die *Tag- und Jahreshefte* 1803 nennen irrtümlich Prof. Hoffmann als Preisträger.

H. Möbius, G. und M. W., Goethe 22, 1960.

Wagner, Otto (1803–1861). Der Dresdner Landschafts- und Architekturmaler besuchte G. im Mai 1827 und schuf die beiden weitbekannten Ansichten von G.s Haus am Frauenplan und G.s Gartenhaus. Zu den danach angefertigten Stichen von Ludwig Schütze lieferte G. dem Dresdner Kunsthändler A. Skerl die Vierzeiler-Unterschriften »Warum stehen sie davor ...« und »Übermütig sieht's nicht aus ...«.

Wahlheim →Garbenheim

Wahlverwandtschaft. G.s Roman →*Die Wahlverwandtschaften*
(1809) wendet einen Begriff aus der Theorie chemischer Verbindungen auf menschliche Beziehungen an. Der ursprünglich aus
dem menschlichen Bereich entlehnte Begriff der Verwandtschaft
wurde erstmals 1718 durch Etienne François Geoffroy auf das Verhältnis chemischer Substanzen zueinander übertragen: Eine Verbindung von zwei Substanzen kann bei Hinzutritt einer dritten, mit
einer dieser Substanzen näher verwandten zu einer Neuverbindung
dieser Substanz mit der neu Hinzutretenden führen. Pierre Joseph
Macquer griff in seinen *Elemens de chymie théorique* (1749) Geoffroys
Verwandtschaftstafeln auf, erweiterte deren Gesetze und benutzte
sie in seinem G. bekannten *Dictionnaire de chymie* (II 1766, deutsch
III 1768) zu einer umfangreichen Klassifikation chemischer Verwandtschaften. Den speziellen Begriff der Wahlverwandtschaft entnahm G. dem Werk des schwedischen Chemikers Torbern Olof
→Bergman *De attractionibus electivis* (1775, deutsch 1785), das
Geoffroys Theorie ausweitete und den Begriff der Affinität betonte.
Dieser wurde zum Zentralbegriff des Hauptmanns im »chemischen
Gespräch« (*Die Wahlverwandtschaften* I,4), das eine Montage verschiedener chemischer Texte darstellt und in Aufbau und Beispielen Johann Friedrich August Göttlings *Handbuch der theoretischen und
praktischen Chemie* (1798) folgt: Beim Zusammentreten von zwei
verschiedenen Verbindungen wie etwa der von A (Charlotte) und B
(Eduard) mit der von C (Hauptmann) und D (Ottilie) können diese
bestehenden Verbindungen sich auflösen und sich nach Wahlverwandtschaft zu neuen Verbindungen vereinigen. Bei G., der den aus
dem Humanbereich in die Chemie übertragenen Begriff wieder in
den zwischenmenschlichen Bezugsrahmen zurücknimmt, scheint
sich zunächst eine gleichgeschlechtliche Paarbildung, AD und BC,
zu etablieren, die jedoch instabil bleibt und in die gegengeschlecht-
liche von AC und BD überwechselt. Noch vor G.s Roman jedoch
war Bergmans vom Hauptmann vertretene klassische Theorie
durch Claude Louis Berthollets G. bekannte *Recherches sur les lois de
l'affinité* (1801) umgestürzt worden. Berthollet führte neben Affinität bzw. Attraktion der Elemente weitere Faktoren wie den der
chemischen Masse bzw. Quantität und eine Reihe von mitwirkenden Nebenumständen ein und erklärte eine Vorhersage der Reaktion und der evtl. Neuverbindung für unmöglich. Für *Die Wahlverwandtschaften* bedeutet das, daß die auf dem klassischen Begriff der
einfachen Affinität entwickelte Wahlverwandtschaft im Romanver-
lauf ironischerweise nicht dauerhaft ist und in die tragische Konstellation AD und BC umschlägt: Nicht nur sind die Ergebnisse
chemischer Experimente nicht immer eindeutig vorhersagbar, sondern von Imponderabilien abhängig; noch weniger läßt sich trotz
reicher Anwendung chemischer Terminologie mit Menschen expe-

rimentieren, die nicht allein naturgesetzlichen Notwendigkeiten
folgen, sondern neben der sittlichen Entschlußfreiheit auch dem
Gewissen und dem Moralgesetz unterstehen.

Literatur →Die Wahlverwandtschaften.

Die Wahlverwandtschaften. G.s formal geschlossenster, tiefgrün-
digster und vieldeutigster Roman wurde am 11. 4. 1807 wegen des
Entsagungsmotivs zunächst als Novelleneinlage für *Wilhelm Meisters
Wanderjahre* geplant. Mit unter Einfluß eigenen Erlebens im ersten
Ehejahr (*Tag- und Jahreshefte* 1809; zu Eckermann 9. 2. 1830) wuchs
er während der Arbeit am 29. 5.–30. 7. und Ende August 1808 und
15. 4.–4. 10. 1809 zum komplizierten selbständigen Roman heran
und erschien Ende Oktober 1809. G. verwandelt das simplistische
Thema von »Liebe über Kreuz« oder Partnertausch im deutschen
Landadel um 1800 zu einem Beispielfall für den Wesensunterschied
zwischen gesetzmäßiger Natur und der anderen Spielregeln folgenden menschlichen Gesellschaft, indem er den chemischen Begriff
der →Wahlverwandtschaft auf die menschliche Sphäre der Ge-
schlechterbeziehungen zurücküberträgt und seine Unzulänglich-
keit aufweist: Menschliche Beziehungen unterstehen nicht wie die
anorganische Natur zwanghaft-ausweglosen Naturgesetzen, sondern bewußten sittlichen Entscheidungen.

In die vermeintlich wohlgeregelte (jeweils zweite) Ehe des charakterschwachen Landedelmanns Baron →Eduard und →Charlottes
im Rahmen einer kultivierten, symbolischen Parklandschaft bricht
mit dem Hinzutritt des Eduard befreundeten →Hauptmanns und
von Charlottes Nichte →Ottilie ein neues, unruhestiftendes Element ein, das aufgrund der Charaktereigenschaften der Figuren zu
einer Umgestaltung der Verhältnisse und zum Ehezerfall bis zum
doppelten geistigen Ehebruch als Gedankensünde führt und in
Eduards und Charlottes Kind →Otto zutagetritt, das die Gestalt des
Hauptmanns und die Augen Ottilies hat. In den sich entfaltenden
Konflikten von institutionalisierter Ehe und elementarer Leidenschaft, von gesellschaftlichen Vernunftnormen und zerstörerischem
Naturtrieb, von sittlichem Anspruch und Selbstverwirklichung erweist sich die Experimentalanordnung des chemischen Modells als
ungeeignetes, eigentlich nur halbherzig entschuldigendes Bezugs-
netz, um das ausufernde Chaos menschlicher Beziehungen einzu-
fassen. Während die Natur sich durch Gartenkunst und Architektur
in eine Kulturlandschaft umgestalten läßt, spottet das menschliche
Herz einer Domestizierung seiner unbedingten Leidenschaft, die
nicht nur blind-dämonischer Naturtrieb, sondern zugleich auch
bewußte Liebe ist. Zwar vermögen der Hauptmann und Charlotte
als das eine den Wahlverwandtschaften ausgesetzte Paar ihrer gegenseitigen Neigung entschlossen entgegenzutreten und erwarten
auch von Eduard und Ottilie dasselbe. Doch der bloße Gedanke an
eine Trennung von Ottilie läßt Eduards haltlose sinnliche Leiden-

schaft umso stärker ausbrechen und eigensinnig jeden Verzicht ablehnen. Ottilie selbst, anfangs unbewußt-unschuldiges Opfer des Gefühlschaos, gibt schließlich nur bedingt ihre Zustimmung zur Ehe. Doch der Ertrinkungstod von Eduards und Charlottes Sohn bei ihrem Wiedersehen mit Eduard, an dem Ottilie sich schuldig fühlt und den sie als Schicksalszeichen deutet, führt sie zu endgültiger Entsagung, Verzicht auf Liebeserfüllung, religiöser Wendung, Verstummen, Nahrungsverweigerung und Rücknahme ihrer Existenz. Der Konflikt von Leidenschaft und Sittlichkeit im Bewußtsein bleibt unlösbar. Die Nebenfiguren aus der von ziellosem Müßiggang geprägten, dekadenten Gesellschaft reflektieren ihrerseits eigene Lösungsversuche und komplettieren das Bild gesellschaftlich-sittlichen Verfalls in Rausch und Genuß, Langeweile und ironisiertem Weltverbesserertum, aus dem sich die Hauptfiguren positiv abheben.

Der aufsehenerregende Roman fand anfangs nur in G.s Freundeskreis größere Zustimmung (Abeken, Solger, Rochlitz, von Arnim, Zelter, von Reinhard u. a.); von den Zeitgenossen wurde er vielfach vordergründig und zu Unrecht der Immoralität in Bezug auf die Ehe gezogen (»Himmelfahrt der bösen Lust«, F. H. Jacobi 12. 1. 1810), deren Verbindlichkeit G. gerade im Gegensatz zu den Romantikern betont. Erst um 1900 erlangte er allgemeine Anerkennung als einer der großen, tragischen Eheromane der Weltliteratur von symbolhafter Dichte. Verfilmungen 1975, 1982, 1986 und 1997.

O. Walzel, G.s W. im Rahmen ihrer Zeit, GJb 27, 1906; A. François-Poncet, Les affinités électives de G., Paris 1910, deutsch 1951; G. Gabetti, Le affinità elettive del G., Mailand 1914; E. Aulhorn, Der Aufbau von G.s W., ZfdU 32, 1918; P. Hankamer, Zur Genesis von G.s W., in: Festschrift B. Litzmann, 1921; W. Benjamin, G.s W., Neue deutsche Beiträge 2, 1925 u. ö.; M. Sommerfeld, G.s W. im 19. Jahrhundert, JFDH 1926, auch in ders., G. in Umwelt und Folgezeit, Leiden 1935; A. Vetter, Wahlverwandtschaft, JGG 17, 1931; T. Lockemann, Der Tod in G.s W. JGG 19, 1933; K. May, D. W. als tragischer Roman, JFDH 1936/40, auch in ders., Form und Bedeutung, 1957 u. ö.; G. Schaeder, Die Idee der W., Goethe 6, 1941; E. L. Stahl, D. W., PEGS NS 15, 1945; K. W. Maurer, G's Elective affinities, MLR 42, 1947; P. Hankamer, Spiel der Mächte, 1948; H. C. Hatfield, Towards the interpretation of D. W., GR 23, 1948; P. Stöcklein, Stil und Sinn der W., in ders., Wege zum späten G., 1949 u. ö., auch in ZDP 71, 1951 f.; H. M. Wolff, G. in der Periode der W., 1951; H. Brinkmann, Zur Sprache der W., in: Festschrift J. Trier, 1954; B. Jeremias, Symbolik in G.s W., Diss. Köln 1954; H. M. Wolff, G.s Novelle D. W., 1955; H. G. Barnes, Bildhafte Darstellung in der W., DVJ 30, 1956; H. J. Scholte, Die Urfassung von G.s W., Neophil 40, 1956; H. Emmel, Weltklage und Bild der Welt in der Dichtung G.s, 1957; H. J. Geerdts, G.s Roman D. W., 1958 u. ö.; B. v. Wiese, G.s D. W., in ders., Der Mensch in der Dichtung, 1958; S. Hajek, G.s W., DU 11, 1959; H. Jaeger, G.s Novelle D. W., GR 34, 1959; H. G. Barnes, Ambiguity in D. W., in: The era of G., Oxford 1959; F. J. Stopp, Ein wahrer Narziß, PEGS NS 29, 1960; W. Staroste, Raumgestaltung und Raumsymbolik in G.s W., EG 16, 1961; P. Ammann, Schicksal und Liebe in G.s W., 1962; W. Killy, Wirklichkeit und Kunstcharakter, 1963; W. Danckert, D. W., in ders., Offenes und geschlossenes Leben, 1963; K. Dickson, The temporal structure of D. W., GR 41, 1966; H. G. Barnes, G's D. W., Oxford 1967; J. Kolbe, G.s W. und der Roman des 19. Jahrhunderts, 1968; P. Böckmann, Naturgesetz und Symbolik in G.s W., JFDH 1968; H. B. Nisbet, D. W., DVJ 43, 1969; E. Loeb, Liebe und Ehe in G.s W., WB 16, 1970; H. Reiss, Mehrdeutigkeit in G.s W., SchillerJb 14, 1970; G.-L. Fink, Les W. de G., RG 1, 1971; J. Milfull, The idea of G's W., GR 47, 1972; L. F. Helbig, Der Einzelne und die Gesellschaft in G.s W., 1972; F. Nemec, Die Ökonomie der W., 1973; B. Allemann, Zur Funktion der chemischen Gleichnisrede in G.s W., in: Untersuchungen zur Literatur als Geschichte, hg. V. J. Günther 1973; S. Blessin, Erzählstruktur und Leserhandlung, 1974; G.s Roman D. W., hg. E. Rösch 1975; J. Müller, G.s Roman D. W., JbWGV 80, 1976; R. Peacock, The ethics of G's D. W., MLR 71, 1976; H. Turk, G.s W., in: Urszenen, hg. F. Kittler 1977; S. Atkins, D. W., GQ 53, 1980; M. Swales, Consciousness and sexuality, PEGS NS 50, 1980; H. R. Vaget, Ein reicher Baron, SchillerJb 24, 1980; B. Allemann, G.s W. als Transzendentalroman, in: Studien zur G.zeit, hg. H.-J. Mähl 1981; G.s W., hg. N. W. Bolz 1981; H. Ehrke-Rotermund, Gesellschaft ohne Wirklichkeit, JFDH 1981; U. Pörksen, G.s Kritik naturwissenschaftlicher Metaphorik, SchillerJb 25, 1981; G.: D. W., Erläuterungen und Dokumente, hg. U. Ritzenhoff 1982; W. Seifert, J. W. G., D. W., in: Deutsche Romane, hg. J. Lehmann 1982; W. Wiethölter, Legenden, DVJ 56, 1982; I. Graham, Wintermärchen, GJb 99, 1982; D. W. Eine Dokumentation der Wirkung, hg. H. Härtl 1983; W. Schwan, G.s W., 1983; J. Steinbiß, Der freundliche Augenblick, 1983; A. Henkel, Beim Wiederlesen von G.s W., JFDH 1985; D. Wellbery, D. W., in: G.s Erzählwerk, hg. P. M. Lützeler 1985; M. Hielscher, Natur und Freiheit in G.s W., 1985; J. Ryan, Kunst und Ehebruch, GYb 3, 1986; B. Buschendorf, G.s mythische Denkform, 1986; J. Adler, Eine fast magische Anziehungskraft, 1987; J. Winkelmann, G's Elective affinities, 1987; M. Niedermeier, G.s Roman D. W., WB 34, 1988; A. G. Steer, G's Elective affinities, 1990; T. Elm, G.: D. W., 1991; M. Niedermeier, Das Ende der Idylle, 1992; Ch. Hoffmann, Zeitalter der Revolutionen. G.s W. im Fokus des chemischen Paradigmenwechsels, DVJ 67, 1993; G. Brandstetter, Poetik der Kontingenz, SchillerJb 39, 1995; S. Konrad, G.s W. und das Dilemma des Logozentrismus, 1995; E. Dye, G's D. W., GYb 8,1996; G. Bersier, G.s Rätselparodie der Romantik, 1997.

Der wahre Genuß. Das Gedicht, das G. am 4. 12. 1767 an seinen Freund Behrisch sandte, bereitete ihm mehr Verdruß als Genuß und wurde schließlich aus verschiedenen Rücksichten bis fast zur Unverständlichkeit entstellt. Der 1. Teil wendet sich aufgrund eines Mißverständnisses als sittliche Warnung vor käuflicher Liebe an den Fürsten →Leopold III. Friedrich Franz von Anhalt-Dessau, der eine preußische Prinzessin geheiratet und Behrisch zum Erzieher seines natürlichen Sohnes aus einem Liebesverhältnis mit einem Bürgermädchen gemacht hatte. Im Brief an Behrisch vom 3. 11. 1767 versetzt sich G. in die Rolle des Fürsten. Auf Behrischs Einspruch war G. bereit, die Anrede »Fürst« in »Freund« umzuwandeln, doch hat der Erstdruck in *Neue Lieder* (1770) »Fürst« und läßt die 7. Strophe weg. In der völlig umgearbeiteten Fassung für die *Schriften* (1789) ersetzte G. zuerst »Fürst« durch »Freund«, zog aber dann das ganze Gedicht vor Drucklegung zurück, da man es mittlerweile auf Carl August oder Christiane beziehen könnte. Die erneute Umarbeitung für den ersten Druck unter G.s Namen im Nachlaß (1833) läßt die Strophen 2–3 weg und vermeidet den mittlerweile sexuell eingeengten Begriff »Wollust« (für »Vergnügen«). Die fiktive Schilderung von G.s eigenem Liebesglück im 2. Teil entlehnt Motive aus Rochon de Chabannes' *Les jeunes amans* (1766).

Waitz, Johann Christian Wilhelm (1766–1796). Der »geschickte Zeichner« und Kupferstecher in Weimar, Schüler und 1788 Lehrer der Freien Zeichenschule, wurde von G. vielfach zu naturwissenschaftlichen Illustrationen herangezogen. Er schuf 1784 anatomische Zeichnungen zum Zwischenkieferknochen und 1781–95 botanische Zeichnungen zur *Metamorphose der Pflanzen*.

Walch, Christiane Friederike Wilhelmine →Herzlieb, C. F. W.

Walchensee. Am oberbayrischen See begegnete G. am 7. 9. 1786 dem Vorbild für Mignon und den →Harfner.

Waldeck. In dem Forsthaus Waldeck bei Bürgel nahe Jena beim Wildmeister T. F. Slevoigt, dem späteren Schwiegervater Bertuchs, verlebte G. am 23.–26. 12. 1775 mit den jungen Hofleuten F. H. von Einsiedel, J. A. von Kalb, F. J. J. Bertuch und G. M. Kraus seine ersten Weihnachtstage in Thüringen. Während der Weimarer Hof in Gotha feierte, sehnte er sich in dieser »homerisch einfachen Welt« nach Homer-Lektüre (an Carl August 24. 12. 1775).

A. Leiß, G.s Beziehungen zu W., Geschichtsblätter für Waldeck 23, 1926.

Waldeck, Christian August, Fürst von (1744–1798). Der jüngere Bruder des regierenden Fürsten und österreichische General lebte zeitweilig mit seiner Geliebten und deren Gatten in Rom, wo G. ihn im Januar 1787 kennenlernte (an Ch. von Stein 20. 1. 1787), und war während G.s Aufenthalt in Neapel auch dort. G. unternahm mit ihm Ausflüge nach →Pozzuoli (1. 3. 1787) und Capodimonte (9. 3. 1787), lehnte jedoch seinen Vorschlag einer gemeinsamen Dalmatien-Griechenland-Reise im März 1787 ab (*Italienische Reise* 28. 3. 1787). Im Auftrag des Fürsten modellierte A. Trippel im August–November 1787 in Rom seine Büste G.s (ebd. 28. 8. 1787, Bericht August 1787). In Neapel malte Tischbein in seinem Auftrag Emma Hart (→Hamilton) als Iphigenie und gab Orest die Züge G.s.

Waldner von Freundstein, Louise Adelaide (1746–1830). Das elsässische Stiftsfräulein wurde 1775–1830 Hofdame der Herzogin Louise in Weimar und 1780–84 Erzieherin von deren Tochter Prinzessin Louise Auguste Amalia. Die lebenslustig-kokette und muntere Dame beteiligte sich zum Horror der konservativen Hofgesellschaft am munteren Treiben des Weimarer Hofes und stand in regem Verkehr mit Ch. von Stein und G. Ihre Freundschaft mit F. H. von Einsiedel führte mangels Mittel für einen standesgemäßen Hausstand nicht zur Ehe.

Waldsassen. Die ausgedehnten Besitzungen des 1133 gegründeten Zisterzienserklosters zwischen Fichtelgebirge und Böhmerwald bestaunte G. am ersten Tag seiner Italienreise (*Italienische Reise* 3. 9. 1786). Das 1803 säkularisierte Kloster besuchte er wieder am 11. 8. 1822 mit J. S. Grüner von Eger aus und besichtigte die Kirche von Dientzenhofer, den ehemaligen Bibliothekssaal und das Refektorium.

Waldstein, Graf →Dux

Wall, Anton, eigentlich Christian Leberecht Heyne (1751–1821). Von dem volkstümlichen Dramatiker wurden die Komödien *Die* *beiden Billets* (1782) nach J. P. Claris de Florians *Les deux billets* (1779) und seine eigene Fortsetzung *Der Stammbaum* (1791) in Weimar erfolgreich aufgeführt. Die beliebte Figur des Dorfbarbiers Schnaps nahm G. in seiner Komödie →*Der Bürgergeneral* (1793) wieder auf, die er im Untertitel als »Zweite Fortsetzung der Beiden Billets« bezeichnete (*Campagne in Frankreich*).

S. R. v. Schöppl, Von Florians Les deux billets zu G.s Bürgergeneral, Programm Laibach 1909.

Walldorf →Adelheid von Walldorf

Wallis. Durch den Schweizer Kanton am oberen Rhonetal reisten G. und Carl August auf der 2. Schweizer Reise (→Schweiz) am 6.–12. 11. 1779 von Chamonix über Martigny und den Furkapaß zum St. Gotthard.

Wallraf, Ferdinand Franz (1748–1824). Der Kölner Kanonikus und Professor legte mit seiner nach der Säkularisation der Klöster zusammengetragenen bedeutenden Kunstsammlung besonders mittelalterlicher rheinischer Kunst, die er 1824 der Stadt Köln vermachte, den Grundstock zum späteren Wallraf-Richartz-Museum. G. besuchte ihn und seine Sammlungen auf der Rheinreise am 26. 7. 1815 und würdigte seinen Sammlerfleiß in *Kunst und Altertum am Rhein und Main* (1816) sowie in den *Tag- und Jahresheften* 1815.

Walpole, Horace (1717–1797). Der Klassiker G. hatte auch über seine eigenen Balladen hinaus durchaus Verständnis für die modische Schauerliteratur seiner Zeit. Am 19.–23. 11. 1798 erörterte er mit Schiller ausführlich Walpoles Schauerroman *The castle of Otranto* (1764), und auf Schillers Anregung vom 9. 3. 1798 erwogen beide eine Bearbeitung von Walpoles Greueltragödie *The mysterious mother* (1768), die jedoch, nachdem G. das Stück zweimal gelesen hatte, unterblieb (*Tag- und Jahreshefte* 1800).

Walpurgisnacht. Die erste, sogenannte nordische oder deutsche Walpurgisnacht in *Faust I* (v. 3835–4222) im Unterschied zur →Klassischen Walpurgisnacht entstammt zwar einer frühen Planungsphase von 1797, wurde jedoch erst im Winter 1800/01 niedergeschrieben, dann bis 1805 redigiert und zuletzt am 3./4. 4. 1806 durchgesehen. Die Kernszenen der Gretchen-Liebeshandlung (mit Ausnahme der Kerkerszene) werden in *Faust I* gerahmt durch »Hexenküche« und »Walpurgisnacht«, Szenen aus dem mephistophelisch-satanischen Herrschaftsbereich mit ihrer betonten Sexualmotivik. Die »Walpurgisnacht« ist darüber hinaus, auch formal in der Verwendung von Chören, das satanische Gegenstück zum »Prolog im Himmel« und wie dieser Neuzuwachs zum Fauststoff. Die Verbindung zum Fauststoff hatte erst Johann Friedrich Löwens komisches Epos *Die Walpurgis Nacht* (1756) hergestellt, die G. kannte (*Dichtung und Wahrheit* II,6). Für den Höhepunkt des satanischen Treibens machte sich G. mit der dämonologischen Literatur des 17. Jahrhunderts über Teufel-, Zauber- und Hexenwesen (Francisci, Meyfart, Praetorius u. a. m.) vertraut und entwarf einen großangelegten Plan eines Stationenstücks, dessen ursprüngliche Intention die schließlich im Hinblick auf Faust unvollkommen redigierte und fragmentarische Szene nur erahnen läßt. Sie sollte das dem Volksaberglauben entlehnte Hexen- und Teufelsfest (Hexensabbath) auf dem Blocksberg (Brocken) in der Walpurgisnacht zum 1. Mai mit Aufstieg auf den Brocken, Huldigung für Satan, Satansmesse, Audienzen, Beleihungen, drastisch-chaotischen und grotesken Sexualorgien, erneuter Verlockung Fausts und Abstieg darstellen und in Fausts Vision von Gretchen auf dem Hochgericht ihren Wendepunkt finden. Faust erfährt vom Schicksal der Geliebten, stellt Mephisto zur Rede und leitet damit zur Szene »Trüber Tag. Feld« über. Nach der aus Rücksicht auf Leser und Zensur vorgenommenen ruinösen Kürzung und Redaktion des Materials mit inkohärenten Bestandteilen und blinden Vorausdeutungen fügte G. ihr zum Überfluß noch den inkongenialen →»Walpurgisnachtstraum« mit Überbleibseln der Xenien-Satiren an, der den chaotischen Charakter dieses Werkteils in der veröffentlichten Fassung von 1808 nur verstärkt und das Gewollte durch das in Auswahl Vorgelegte verdunkelt. Für den Handlungsverlauf des Dramas ist dabei einzig entscheidend, daß sich Faust auf seiner Weltfahrt in die Sphäre der ungehemmten Geschlechtlichkeit und Verbalerotik nicht einfangen läßt, sondern inmitten derbdrastischer Sinnlichkeit Worte der reinen Liebe zu Gretchen (v. 4184–4205) findet. Nur dies, daß inmitten der unreinen Fleischeslust Fausts Wesen sich innerlich unberührt nach Liebe sehnt, daß die Provokationen des Sexus seinen latenten Gegentrieb auslösen, kann den Verzicht auf die weitere Ausgestaltung des – damit irrelevanten – Satansfestes rechtfertigen.

G. Witkowski, Die W. im 1. Teile von G.s Faust, 1894; V. Valentin, G.s erste W., Euph 2, 1895; C. B. Furst, The W. in the chronology of G's Faust, MLN 12, 1897; M. Morris, Die W., Euph 6, 1899, auch in ders., G.-Studien I, 1902; R. Petsch, Die W. in G.s Faust, NJbb 19, 1907, auch in ders., Gehalt und Form, 1925; J. Frankenberger, W., 1926; B. Fairley, The two W. s, in ders., G's Faust, Oxford 1953; S. Scheibe, Zur Entstehungsgeschichte der W. im Faust I, in: G.-Studien, hg. ders. 1965; A. Schöne, Götterzeichen, Liebeszauber, Satanskult, 1982 u. ö.; H. Hatfield, The W., Journal of European Studies 13, 1983; →Faust.

Walpurgisnachtstraum *oder Oberons und Titanias goldne Hochzeit.* Im Gefolge der *Xenien* war G.s satirisch-zeitkritischer Impetus so schön im Zuge, daß er Schiller eine weitere Sammlung satirischer Epigramme, jetzt in gereimten Vierzeilern, als Fortsetzung der *Xenien* für den *Musenalmanach* 1798 anbot, zu der die Versöhnung von →Oberon und Titania aus Shakespeares *Sommernachtstraum* einen lockeren Rahmen abgab. Schiller riet am 2. 10. 1797 von solcher Fortsetzung ab, und am 20. 12. 1797 meldet G., die Sammlung habe sich seit Oktober aufs Doppelte erweitert und werde wohl im *Faust* »am besten ihren Platz finden«. Dort steht sie nun als handlungsloses Einschiebsel oder »Intermezzo« (*Faust I*, v. 4223–4398), den Ästhetikern ein Greuel (»ein unverantwortlicher Leichtsinn«, F. Th. Vischer 1875) und eher durch den Wunsch entschuldbar, die Verse irgendwo unterzubringen, als durch eine Verbindung zu den zeitkritischen Spitzen in der »Walpurgisnacht« selbst, die dort ihrerseits nur Einschiebsel sind. Die Interpreten bemühen sich vergebens um ihre Rechtfertigung, da sie weder die dramatische und sprachliche Kraft des Stückes erreicht noch schon den Zeitgenossen zur Gänze verständlich war und den Späteren nur durch Kommentare anhand der Zeitprobleme erläutert werden muß, was den Lustgewinn minimalisiert. G. tat gut daran, den »Walpurgisnachtstraum« 1812 beim Aufführungsplan des *Faust* selbst zur Streichung vorzuschlagen.

O. Maurer, Der W. als Gehalt- und Gestaltteil der Faustdichtung, ZfD 43, 1929; H. Jantz, The function of the W. in the Faust drama, MDU 44, 1952; R. Hippe, Der W. in G.s Faust, Goethe 28, 1966; A. Raphael, Alchemistic symbols in G's W., Yearbook of comparative criticism 1, 1968; W. Dietze, Der W. in G.s Faust, PMLA 84, 1969, auch in ders., Poesie der Humanität, 1985; W. K. Stewart, Sex on the Brocken, CG 20, 1987; →Walpurgisnacht, →Faust.

Waltershausen, Freiherr von →Sartorius, Georg

Wamik und Asra. Das klassische Liebespaar der vorislamischen persischen Dichtung überlebte nach Vernichtung der vorislamischen Werke nur als symbolhafter Name für ein Liebespaar. Darauf spielt G.s *Divan*-Gedicht im »Buch der Liebe« *Noch ein Paar* an.

Die wandelnde Glocke. Die am 22.5.1813 in Teplitz entstandene, u. a. von Loewe und R. Schumann vertonte Ballade in drei- und vierhebigen Jamben macht keinen Hehl aus ihrer erzieherischen Intention: Das Wandeln bzw. »Wackeln« der Glocke bewirkt zugleich den Wandel und die Umkehr des Knaben zum Gehorsam und zum freiwilligen Kirchgang. Nach Riemers Mitteilungen wurde die Ballade veranlaßt durch einen Scherz, den Riemer und August von G. mit einem Knaben aus der Nachbarschaft trieben, der sonntags beim Kirchenläuten Furcht zeigte und dem sie einredeten, die Glocke könne auch herabsteigen und sich über ihn stülpen. Hinsichtlich der Pädagogik der Mutter, dem Kind vor der Glocke Angst zu machen, mag Zweifel angebracht sein, hinsichtlich ihrer Wirksamkeit wohl kaum.

Wanderer. Schon im Darmstädter Kreis wurde G. wegen seines Hin- und Herwanderns zwischen Frankfurt und Darmstadt, Homburg und Wetzlar 1772 »der Wanderer« genannt (*Dichtung und Wahrheit* III,12). Von frühester Jugend zeigte er eine Vorliebe für Ausflüge und Fußwanderungen um Frankfurt und im Taunus, später im

Elsaß, der Schweiz, im Harz, in Thüringen, Italien, Böhmen u. a. m.
als ein ihm gemäßes Mittel der Welterfahrung in freier Natur. Als
Sinnbild der Weltfreude und Weltbegegnung durchzieht das Wan-
derer-Motiv in vielen Abwandlungen sein ganzes Werk von Gedichten wie *Der Wandrer, Wandrers Sturmlied, Wandrers Nachtlied,
Wandrer und Pächterin, Wanderlied, Wandersegen* u. a. bis zu *Wilhelm
Meisters Wanderjahren* und der Figur des Wandrers in der Philemon
und Baucis-Szene des *Faust II* (V).

L. A. Willoughby, The image of the w. and the hut in G's poetry, EG 6, 1951;
H. J. Schrimpf, Gestaltung und Deutung des Wandermotivs bei G., WW 3, 1952 f.;
B. Schmidlin, Das Motiv des Wanderns bei G., 1963; E. Baron, Das Symbol des W. in
G.s Jugend, DBgÜ 5, 1965; T. G. Gish, The evolution of the G.an theme of the w. and
the cottage, Seminar 9, 1973; G. Kaiser, Wandrer und Idylle, 1977; F. Dieckmann, Hüt-
ten-Pfade des jungen G., Goethe 32, 1970; H. Henel, Der Wandrer in der Not, DVJ 47,
1973, auch in ders., G.zeit, 1980.

Wanderjahre   →*Wilhelm Meisters Wanderjahre*

Wanderlied. Das im Frühjahr 1821 entstandene Lied erschien zuerst, als Quintessenz des Wanderns auf mehrere Stellen verteilt, in
der Erstfassung von *Wilhelm Meisters Wanderjahren* (1821). In einem
Abdruck zu G.s Geburtstag 1826 wurde es durch Wegfall der
2. Strophe und Hinzufügung einer versöhnlichen Schlußstrophe
zum geselligen Lied umgestaltet. Zahlreiche Vertonungen u. a. von
Zelter 1826.

Wandern, Wanderungen   →Wanderer, →Reisen

Der Wandrer. Die Idylle entstand im Frühjahr 1772. Am 13. 4.
1772 erwähnt Caroline Flachsland sie in einem Brief an Herder, am
1. 6. 1772 schickt sie ihm eine Abschrift der frühesten Fassung.
Nach dem Erstdruck vom September 1773 im Göttinger *Musen-
almanach 1774* wurde sie 1789 sprachlich normalisiert in die *Schriften* aufgenommen. Anregungen gaben wohl G.s Ritt von Straßburg
nach Saarbrücken im Sommer 1770, besonders das Erlebnis in
→Niederbronn (*Dichtung und Wahrheit* II,10), sowie Motive aus
S. Geßners Idylle *Daphnis und Micon* und O. Goldsmiths *The traveller*. Nach antikem Vorbild ist die Idylle teils Monolog, teils Wechselrede zwischen dem Wanderer, der um einen Trunk Wasser bittet,
und der Bäuerin, die ihn durch antike Trümmer zu ihrer in antike
Tempelruinen eingebauten Hütte führt. In den Reflexionen des
modernen Wanderers erscheinen auch nach der Zerstörung des
Tempels Natur und Kunst vereint. Das einfache, ländlich-naturhafte
Familienleben ist eingebettet und identisch mit der homerischen,
zeitlosen Urform des Lebens, zu der der Wanderer Zugang findet
und nach der er sein weiteres Leben ausrichten will: Vorausklang
der Klassik in G.s Sturm und Drang-Zeit. – Übrigens glaubte
F. Mendelssohn (an Zelter 7. 5. 1831), die Hütte »drei Meilen von

Cumae« zwischen Pozzuoli und Bajä wiederentdeckt zu haben, und G. bat Zelter (28. 6. 1831), ihm das frühe Entstehungsdatum des Gedichts nicht zu verraten.

H. Thiele, Frühe Andacht vor Antiken, Die Sammlung 15, 1960; W. Silz, D. W., in: Stoffe, Formen, Strukturen, hg. A. Fuchs 1962; D. Breuer, G.s Gedicht D. W., WW 20, 1970; A. Bohm, From politics to aesthetics, GR 57, 1982; →Wanderer.

Wandrers Nachtlied (I: »Der du von dem Himmel bist …«). Das vollendete Gedicht entstand am 12. 2. 1776 am Hang des Ettersbergs bei Weimar, wurde am gleichen Tag an Ch. von Stein gesandt und erschien zuerst mit der Überschrift *Um Friede* und der Vertonung durch Kayser in J. C. Pfenningers *Christlichem Magazin* (III,1, 1780). Es hatte damals noch in Vers 2 die jegliches Übermaß meinende Wendung »alle Freud und Schmerzen stillest«, die in den *Schriften* 1789 durch »alles Leid und Schmerzen« ersetzt wurde. Friedlosigkeit, Unrast, Umgetriebensein und Sehnsucht nach dem »himmlischen« Frieden sprechen sich in einem einzigen Satz aus, der mit drei vorangestellten, verkürzten Relativsätzen beginnt, deren Bezug noch durch eine eingeschobene Parenthese (v. 5–6) offengehalten wird, bis in v. 7 die nachgeholte Anrede in vier jeweils ganztaktigen, die Zeile mit Hebungen allein füllenden Silben den Spannungsstau löst und das quasi im Flüsterton vorgetragene sehnsüchtige Verlangen erfüllt. Das Gedicht fand an 200 Vertonungen, u. a. von Kayser, Liszt, Loewe, Marschner, Pfitzner, Reichardt, Schubert, Weber und Zelter.

W. Kraft, Über W. N., ZDB 8, 1932, auch in ders., Wort und Gedanke, 1959, und G., 1986; B. Tecchi, Sette liriche di G., Bari 1949; F. Neumann, W. N., Muttersprache 59, 1949; H. Glinz, Sprache, Sein und Denken, DU 6, 1954; H. Penzl, The linguistic semantics of lyrical poetry, in: The semiotic bridge, hg. I. Rauch 1989; J. Erben, Textlinguistische Bemerkungen zu W. N., in: Grammmatik, Wortschatz und Bauformen der Poesie, hg. H. Wellmann 1993.

Wandrers Nachtlied (II: »Über allen Gipfeln …«). G.s berühmtestes Gedicht wurde am Abend des 6. 9. 1780 (nicht, wie bei G. mehrfach: 1783) mit Bleistift auf die Bretterwand der Jagdhütte auf dem →Kickelhahn bei Ilmenau geschrieben, wo G. es noch am 27. 8. 1831 wiederfand. Nach unautorisierten Erstdrucken im Londoner *Monthly Magazin* (Februar 1801) und danach in Kotzebues Zeitschrift *Der Freimütige* (20. 5. 1803) nahm G. es 1815 in die *Werke* auf, stellte es unter das themenverwandte →*Wandrers Nachtlied* (I: »Der du von dem Himmel bist …«) und überschrieb es *Ein Gleiches* im Sinne von: noch ein Nachtlied des Wanderers. Die Überschrift verweist also nicht, wie gelegentlich angenommen, auf die thematische Gleichsetzung von Natur und lyrischem Ich im Gedicht. Das ungeheuer schlichte und leicht nachvollziehbare, doch tiefgründige Naturgedicht kommt ohne Gleichnisse oder Symbole aus und nimmt die objektive Feststellung der Sachverhalte und deren Erfahrung ganz in die Wortbilder und deren Reihung hinein. Sein Blick gleitet von der Ferne zur Nähe, vom Dauernden zum Vergänglichen, vom Ruhigen zum Ruhelosen, von der unbelebten Natur (Gipfel) über Pflanzenwelt (Wipfel) und Tierwelt (Vögelein) zum Menschen, der in den Rahmen der Naturevolution gestellt wird. Die einfachen, beeindruckenden Verse wurden über 200mal vertont (Liszt, Loewe, Marschner, Reger, Schubert, Schumann, Zelter u. a. m.), übersetzt, verballhornt, parodiert, interpretiert und mißinterpretiert, ohne glücklicherweise der lakonischen Monumentalität des Originals, die sich letztlich immer wieder herstellt, Einbruch zu tun.

K. Muthesius, W. N. im Wandel der Zeit, ZfdU 24, 1910; W. Kraft, W. N., ZDB 8, 1932, auch in ders., Wort und Gedanke, 1959, und G., 1986; A. Götze, Werden und Wandlungen des Ilmenauer Nachtlieds, Schöpferische Gegenwart 2, 1949; B. Tecchi, Sette liriche di G., Bari 1949; E. M. Wilkinson, G's poetry, GLL NS 2, 1949; W. Roß, Abendlieder, GRM 36, 1955; H. Lund, Über allen Gipfeln, Edda 58, 1971; H. A. Müller-Solger, Kritisches Lesen, Seminar 10, 1974; W. Heise, Zehn Paraphrasen zu W. N., in ders., Bild und Begriff, 1975, und Realistik und Utopie, 1982; P. Heller, Gedanken zu einem Gedicht von G., in:Versuche über G., hg. V. Dürr 1976; W. Segebrecht, Der Erstdruck von G's Nachtlied, Euph 72, 1978; W. Segebrecht, J. W. G.s Gedicht Über allen Gipfeln und seine Folgen, 1978; L. P. Johnson, W. N., GLL 36, 1982 f.; A. Astel u. a., Zu G.s berühmtestem Gedicht, 1983; O. Durrani, The fortunes of G's nocturnal traveller, PEGS 53, 1984; H. Geißner, G.: Ein Gleiches, in: Gedichte sprechen und interpretieren, hg. S. Berthold 1985; R. Schober, Zu G.s W. N., ZfG 8, 1987, auch in dies., Vom Sinn oder Unsinn der Literaturwissenschaft, 1988; R. Hetzron, G's graffito, GR 65, 1990.

Wandrers Sturmlied. Was G. 1812 als »Halbunsinn« bezeichnete (*Dichtung und Wahrheit* III,12), zu kommentieren ablehnte (an Jacobi 31. 8. 1774) und erst 1815 in seine *Werke* aufnahm, bildet noch heute ohne deren Verschulden eine Crux und ein Streitobjekt der Interpreten. Die extrem kühne, freirhythmische Hymne nach Vorbild der (vermeintlich freirhythmischen) Oden Pindars entstand wohl als früheste Hymne G.s im Frühjahr 1772, evtl. auch später, während einer Wanderung durch einen Regensturm als Versuch, auf Anregung Herders (der eine solche Möglichkeit abstritt) eine innere Begeisterung unmittelbar dithyrambisch auszusprechen, wurde jedoch wohl später ausgearbeitet und nur wenigen Freunden gezeigt. Auf der am 31. 8. 1774 an Jacobi gesandten Abschrift beruht der unautorisierte Erstdruck mit der Überschrift *Dithyrambe* im den Hamburger *Nordischen Miszellen* vom 1. 3. 1810. Der Spontaneität und Unmittelbarkeit der Entstehung entsprechen in diesem extremen Grenzfall der Sturm und Drang-Lyrik trotz folgerichtigen Aufbaus die Gedankensprünge und Assoziationen, einzelne Unklarheiten, der um des Rhythmus willen gelegentlich durcheinandergewirbelte Satzbau sowie die unterschiedlichen Strophenlängen, weniger wohl die steten Anspielungen auf klassische Mythologie und der bewußte Themenwechsel zwischen der realen Sturmwanderung, der erhabenen Idealwelt des schöpferischen Genius und einer mythologisch inspirierten Innerlichkeit.

E. Vincent, Zwei Gedichte des jungen G., in: Festschrift A. Leitzmann, hg. ders. 1937; W. F. Michael, Zur Interpretation von W. S., GR 19, 1944; L. Spitzer, Nochmals zur Interpretation von W. S., GR 20, 1945; H. J. Weigand, W. S., GR 21, 1946, auch in ders., Fährten und Funde, 1967; E. M. Wilkinson/L. A. Willoughby, W. S., GLL 1,

1947f., auch in dies., G., London 1962, deutsch 1974; A. Henkel, W. S., 1962, auch in ders., G.-Erfahrungen, 1982; G. Kaiser, Das Genie und seine Götter, Euph 58, 1964, auch in ders., Wandrer und Idylle, 1977; F. van Ingen, Dionysos und Apoll, Neophil 52, 1968; H. Henel, Der Wanderer in der Not, DVJ 47, 1973, auch in ders., G.zeit, 1980; H. J. Weigand, Noch einmal W. S., GJb 91, 1974 und GR 51, 1976; K. Mommsen, W. S., JbWGV 81/83, 1977/79; M. Lee, A question of influence, GQ 55, 1982; J. Schmidt, Gelehrte Genialität, SchillerJb 28, 1984; J. Brummack, W. S. auf dem Hintergrund von Herders Ode An den Genius der Zukunft, in: Von der Natur zur Kunst zurück, hg. M. Bassler 1996; R. C. Zimmermann, W. S. von G., in: Traditionen der Lyrik, hg. W. Düsing 1996; →Wanderer.

Der Wandsbecker Bote →Claudius, Matthias

Wappen Goethes. Bereits 1775 wählte sich G. den »herrlichen Morgenstern« zum Wappen (an Carl August 24. 12. 1775). Als ihm nach der Erhebung in den →Adelsstand 1782 die Führung eines Wappens gestattet war, zeigte dieses nach einem Entwurf von Carl August einen blauen Schild mit silberner Einfassung und in dessen Mitte einen sechsstrahligen silbernen Morgenstern.

Warden, David Baillie (1772–1845). Mit dem Werk des amerikanischen Diplomaten *A statistical, political and historical account of the United States of North America* (III 1819), das J. G. Cogswell ihm schenkte, befaßte sich G. im Mai 1819.

Wartburg. Die 1067 begründete, durch den sagenhaften Sängerkrieg (vgl. Maskenzug *Die romantische Poesie*, 1810) und Luthers Aufenthalt 1521/22 berühmte Burg der Landgrafen von Thüringen über Eisenach war 1741 mit Eisenach an Sachsen-Weimar gefallen, doch zu G.s Zeiten halb vergessen, kaum bewohnt und großenteils verfallen (Wiederaufbau bzw. Restaurierung seit 1838). G. entdeckte das alte Gemäuer als Zuflucht für sich, zog sich im ersten Weimarer Jahrzehnt wiederholt von Hofjagden oder bei dienstlichen Aufenthalten in →Eisenach dorthin zurück und genoß die stille Berglandschaft, so zuerst am 13. 9.–9. 10. 1777, als Merck ihn dort am 21.–28. 9. besuchte, ferner am 13.–17. 9. 1778, im Juni 1784 u. ö. Der Anblick der Wartburg auf der Rheinreise am 26. 7. 1814 inspirierte das *Divan*-Gedicht *Im Gegenwärtigen Vergangenes.* →Wartburgfest.

W. Greiner, G. auf der W. und in Eisenach, 1923; W. Scheidig, G. und die W., 1961 u. ö.

Wartburgfest. Am 18./19. 10. 1817 versammelten sich rd. 500 Mitglieder der Burschenschaften von zwölf deutschen Universitäten auf Einladung der Jenaer Burschenschaft auf der Wartburg, um, wie G. selbst vorgeschlagen hatte, die Gedenkfeiern zum Reformationstag und zur Leipziger Völkerschlacht auf einen Tag als überkonfessionelles »Fest der reinsten Humanität« zu vereinen (*Zum Reformationsfest*). Die Feier, an der sich die Jenaer Professoren Oken und Fries beteiligten und der Jenaer Student Riemann die Festrede hielt, mündete in Aufrufe zur nationalen Einheit und Freiheit

Deutschlands und wurde durch die nicht geplante Verbrennung reaktionärer Schriften (u. a. Kotzebues) und Symbole als antiautoritäre Kundgebung verstanden, die in Preußen und Österreich Aufsehen und Mißtrauen erregte und nach der Ermordung Kotzebues (26. 3. 1819) mit Anlaß zu den →Karlsbader Beschlüssen, dem Verbot der Burschenschaften u. a., wurde und zu den Demagogenverfolgungen führte. G. stand dem Wartburgfest anfangs wohlwollend (*Tag- und Jahreshefte* 1817; an Willemer 17./19. 10. 1817), dann mit Gleichmut gegenüber (an Carl August 14. 12. 1817) und genoß die Abfertigung Kotzebues (Invektive »Du hast es lange genug getrieben ...«), sah aber bald die Folgen des »garstigen Wartburger Feuerstanks« voraus (an Zelter 16. 12. 1817), die auch für ihn zu unerquicklichen Auseinandersetzungen um die liberale Haltung Weimars und der Universität Jena führten, und distanzierte sich beunruhigt vom Geist der Burschenschaftsbewegung.

H. Kühn, Das W., 1913; H. Haupt, G. und die deutschen Burschenschaften, 1925; H. Tümmler, Wartburg, Weimar und Wien, Historische Zeitschrift 215, 1972.

Warum gabst du uns die tiefen Blicke ... Eines der großartigsten, intimsten und zugleich dunkelsten Gedichte G.s blieb zu seinen Lebzeiten ganz unbekannt: Am 14. 4. 1776 als Briefgedicht an Ch. von Stein gesandt, ist es nur in dieser Handschrift überliefert, wurde nicht einmal abgeschrieben, nicht in die Werkausgaben aufgenommen und erst 1848 innerhalb des Briefwechsels mit Frau von Stein gedruckt. Thematisch zeigt es Anklänge an ein Brieffragment an Wieland vom 10.(?) 4. 1776 im Bemühen, für die intime Seelenverwandtschaft und Seelenliebe zu Ch. von Stein und ihren besänftigenden Einfluß auf ihn ein mythisch-poetisches Bild zu finden. Monologisch als Frage an das Schicksal gestellt, findet es die Antwort im platonisch-neuplatonischen Gedanken der Seelenwanderung, nicht als Glaubensinhalt G.s, sondern als poetische Formel für die anders unerklärliche Nähe und gegenseitige Durchdringung ihrer Wesen. Im fiktiven Bild einer vermuteten gemeinsamen Existenz in der Vergangenheit kann G. aussprechen, was für die Gegenwart unzulässig wäre und allenfalls Ahnung einer erfüllten Zukunft sein könnte. Die reinen, »tiefen Blicke« unterscheiden diese seelische Bindung von den »schnellen Freuden« ohne Tiefe eines gewöhnlichen Liebesverhältnisses.

H. Kuhn, W. g.d.u., Dichtung und Volkstum 41, 1941, auch in ders., Text und Theorie, 1969; H. Kaufmann, G.s Gedicht an Frau von Stein vom 14. 4. 1776, WB 10, 1964, auch in ders., Analysen, 1973; I. Graham, Transmigrations, GLL 24, 1970 f., auch in dies., G., 1977; J. Beug, W. g.d.u., in: Versuche zu G., hg. V. Dürr 1976; E. Timms, The matrix of love, GLL 36, 1982 f.

Wassen. In dem Schweizer Ort im Reußtal übernachtete G. auf der 1. und 3. Schweizer Reise jeweils vor bzw. nach dem Aufstieg zum St. Gotthard am 20. 6. 1775 (*Dichtung und Wahrheit* IV,18) und am 1. und 4. 10. 1797 (*Reise in die Schweiz 1797*).

Wasser. Von den vier Elementen der Alten besaß das Wasser wohl den stärksten Gefühlsappell für G. persönlich (→Baden als stärkende communio mit der Natur) wie für seine Dichtung, und zwar in allen seinen Erscheinungsformen, als Regen (*Wandrers Sturmlied*), als Tau, Nebel, Quelle, Bach, Fluß, Strom (*Das Märchen*), oft als Wasserfall (*Faust* v. 4715 ff., 11866; *Gesang der Geister über den Wassern*; *Mächtiges Überraschen*), als Teich (künstliche Teiche in *Die Wahlverwandtschaften*), See (*Auf dem See*) und →Meer der Seefahrt, aber auch als Eis (→Eislauf, *Faust* v. 903 ff.). Als literarisches Symbol kann es je nach Kontext für die menschliche Seele (*Gesang der Geister über den Wassern*), für den Ursprung des Lebens, das alles Belebende (*Pandora*), die Fruchtbarkeit (*Mahomets Gesang*) und das unerschöpflich fließende Leben schlechthin stehen, aber auch dämonische Anziehungskraft (*Der Fischer*), bedrohliche Macht (*Der Zauberlehrling*) oder zerstörendes Element für Ertrinkende sein (*Der Fischer, Johanna Sebus, Die Wahlverwandtschaften, Die wunderlichen Nachbarskinder,* Felix in *Wilhelm Meisters Wanderjahre*) u. a. m. In der Geologie gibt G. der sanften Gewalt des Wassers den Vorzug vor Kräften gewaltsamplötzlicher Umgestaltung (→Neptunismus/Plutonismus).

E. Bukinac, Die Erscheinungsformen des W. und ihre Bedeutung in G.s Werken, Diss. Graz 1914; W. Müller, Die Erscheinungsformen des W. in Anschauung und Darstellung G.s, Diss. Kiel 1914; D. V. Hegemann, The significance of the river in G's writings, MDU 44, 1952; R. M. Müller, Die deutsche Klassik. Wesen und Geschichte im Spiegel des Strommotivs, 1959; E. Loeb, Die Symbolik des Wasserzyklus bei G., 1967; H. A. Glaser, Der Mythos des W. bei G., in: Europa provincia mundi, hg. J. Leerssen, Amsterdam 1992; W. Kayser, Zur Symbolisierung des W. bei G., 1992.

Wasserbaukommission. Als Leiter der Wasserbaukommission von ihrer Gründung am 21. 10. 1790 bis zur Auflösung am 1. 9. 1803 hatte G. die Aufsicht über alle Wasserbauwerke des Herzogtums: Flußregulierungen, Kanalisierungen, Auffüllung von Schloß- und Stadtgräben und Teichen sowie Wasser- und Abwasserleitungen. Sein Interesse an Wasserbauwerken bekundet sich bereits in Italien (Spoleto, Caserta, Rom), äußert sich auch in der Antizipation des Panama-, Suez- und Rhein-Donau-Kanals und schlägt sich literarisch in Fausts Deichbau und Landgewinnung nieder.

Was wir bringen. *Vorspiel bei Eröffnung des neuen Schauspielhauses zu Lauchstädt.* Für die Einweihung des neuerbauten Hauses schrieb G. am 6.–11. 6. 1802 ein allegorisches Spiel in 23 Auftritten um die dramatischen Gattungen, Ausdrucks- und Darstellungsweisen und deren Steigerung von der bürgerlichen Komödie zur hohen Tragödie, von der Prosa zur Poesie, um den Kunstanspruch des Theaters und das Verhältnis von Natur und Kunst (das gleichnamige Sonett ist Teil des Vorspiels) mit vielen Andeutungen auf seine Prinzipien des Theaters und den Theaterneubau. Das Vorspiel wurde am 26. 6. 1802 vor Mozarts Oper *Titus* in Anwesenheit von F. A. Wolf, A. W. Schlegel, Hegel, Schelling, Reichardt u. a. erfolgreich aufgeführt und erschien 1802 bei Cotta. Schillers Kritik »Es hat treffliche Stel-

len, die aber auf einen platten Dialog wie Sterne auf einen Bettlermantel gestickt sind« (an Körner 15. 11. 1802) bezieht sich auf den
gedruckten Text ohne Berücksichtigung der visuellen und musikalischen Komponenten der Aufführung. Bei der Eröffnung der Weimarer Spielzeit am 25. 9. 1802 wurde das Vorspiel mit einem vorangestellten Prolog wiederholt.

*Was wir bringen. Fortsetzung. Vorspiel zur Eröffnung des Theaters in
Halle im Juli 1814.* Für die Eröffnung der Spielzeit des Weimarer
Theaters in Halle erbat die Badedirektion von Halle Anfang Mai
1814 von G. ein Vorspiel, das zugleich eine Totenfeier für den von
G. geschätzten Begründer des Solbad-Kurbetriebs in Halle, den
Arzt und Professor J. Ch. →Reil, sein sollte. G. sagte zu und arbeitete am 5.–24. 5. 1814 in Berka einen Entwurf aus, der an das
Lauchstädter Vorspiel von 1802 anknüpft, mußte dann jedoch dem
von Iffland für Berlin erbetenen Festspiel *Des Epimenides Erwachen*
den Vorrang geben und überließ die Abänderung und Ausführung
des Plans Riemer, so daß G.s Anteil an der Gemeinschaftsarbeit unklar bleibt. Das Vorspiel wurde am 17. 6. 1814 in Halle aufgeführt.

J. Rudolph, Ein neues Haus, ein neuer Mensch, in dies., Lebendiges Erbe, 1972;
Ch. Siegrist, Dramatische Gelegenheitsdichtungen, in: G.s Dramen, hg. W. Hinderer
1980.

Watteau, Jean Antoine (1684–1721). Von dem französischen Meister der fêtes galantes, dem »galanten Maler lüsterner Grazie« und
»ungestalten Auswuchs in der Kunst« (J. H. Meyer), sah G. Gemälde
in Leipzig, Dresden, Berlin und Potsdam und besaß trotz Meyers
grober Ausfälle gegen Watteau zwei Handzeichnungen und 15
»leicht frevelhafte Radierungen« (an Meyer 26. 3. 1818) – einer der
seltenen Fälle, daß G. sich nicht Meyers Kunstdiktat beugt. Wenn er
Watteau noch leben läßt, als G. M. Kraus 1761 nach Paris kam
(*Dichtung und Wahrheit* IV,20), liegt wohl eine Verwechslung mit
einem anderen Maler vor.

Weben, Webstuhl   →*Antepirrhema* .

Weber, Bernhard Anselm (1764–1821). Der Musiker und konventionelle Komponist, seit 1792 Musikdirektor am Berliner Theater
und 1804 Kapellmeister, schrieb 1814 die Musik zu G.s *Des Epimenides Erwachen* und besuchte zur Beratung über Komposition,
Aufführung und kleinere Änderungswünsche am 24.–30. 6. 1814
G. in Berka und Weimar. Er war am 25. 1.–10. 2. 1816 auch bei der
leicht veränderten Weimarer Einstudierung und Erstaufführung des
Werkes behilflich und anwesend. Weber vertonte ferner G.s *Jägers
Abendlied* und *Der Junggeselle und der Mühlbach* und schrieb Bühnenmusiken zu Schillers Dramen.

L. Pariser, Pustkuchens Gedanken über die Oper und B. A. W. s Musik zu G.s Festspiel Des Epimenides Erwachen, in: Abhandlungen zur deutschen Literaturgeschichte,
1916.

Weber, Carl Maria von (1786–1836). Dem bedeutenden Komponisten der deutschen Romantik, 1813–16 Leiter der Prager Oper, ab 1816 Kapellmeister der Dresdner Oper, stand G. unter Einfluß Zelters recht voreingenommen gegenüber und verletzte den Anerkennung Gewohnten durch kränkende Kälte und Kürze, so bei der gegenseitigen Vorstellung nach einem Weimarer Hofkonzert mit dem Klarinettisten H. J. Bärmann am 29. 1. 1812, während dessen G. sich laut unterhalten hatte, und beim zweiten Hofkonzert am 2. 2. 1812. Eine Begegnung am 27. 10. 1812 nennt Weber »recht angenehm«, doch sein Besuch bei G. am 6. 7. 1825 verlief kurz und förmlich. Bei der Besetzung der Weimarer Hofkapellmeisterstelle 1818 wurde ihm J. N. Hummel vorgezogen. Webers in Weimar erfolgreich aufgeführte Opern allerdings lockten auch G. ins Theater; den *Freischütz* (1821, erstmals Weimar 9. 11. 1822) sah G. zu seinem Geburtstag am 28. 8. 1824 (»gutes Sujet«, zu Eckermann 9. 10. 1828), *Euryanthe* (1823, erstmals Weimar 23. 6. 1824) sah er am 21. 8. 1824 (»ein schlechter Stoff«, ebd. 20. 4. 1825) und *Oberon* (1826) bei der Weimarer Erstaufführung am 21. 5. 1828 (»viel Aufwand um nichts«, Tagebuch).

L. Geiger, G. und C. M. v. W., GJb 23, 1902.

Wedel, Johanna Marianne Henriette von, geb. von Wöllwarth-Essingen (1750–1815). Seit 1775 Hofdame, später Oberhofmeisterin der Herzogin Louise von Weimar, heiratete sie 1782 O. J. M. von →Wedel und wohnte seither im gleichen Haus wie Ch. von Stein. Obwohl im Grunde konservativ wie der ihr verwandte Graf Görtz und dem Weimarer Genietreiben abgeneigt, spielte sie im Weimarer Liebhabertheater (u. a. in *Die Laune des Verliebten* 1779) mit und ließ sich als leidenschaftliche Zeichnerin 1781 von G. »ein Collegium über die Perspektiv« lesen (an Carl August 25. 1. 1781).

Wedel, Otto Joachim Moritz von (1752–1794). Der »schöne Wedel«, aufrichtig, rechtschaffen, wohlgelaunt und ohne höhere geistige Ambitionen, begann seine Karriere als Jagdjunker Anna Amalias. Enger Jugendfreund Carl Augusts, wurde er 1776 dessen Kammerherr und als tüchtiger Jäger und Forstmann bald darauf Oberforstmeister. Er wirkte am Liebhabertheater mit, begleitete Carl August mit G. 1778 nach Berlin, 1779 (als »der Graf«) auf der 2. Schweizer Reise u. a. m. Seit 1782 mit J. M. H. von →Wedel verheiratet, wurde er 1789 Mitglied des Kammerkollegiums und vertrat G. als Vorsitzender der Ilmenauer Bergwerkskommission. G. würdigt den Freund, der sein ganzes Vertrauen besaß, und seine Bemühungen um die Forstwirtschaft u. a. in der *Geschichte meines botanischen Studiums* und entlieh Züge von ihm für die Figur des Jägers Pumper in *Die ungleichen Hausgenossen.*

Weenix, Jan (1640/42–1719). Tierstücke und Stilleben mit erlegtem Wild des von ihm geschätzten niederländischen Malers be wunderte G. am 24. 7. 1774 im Jagdschloß Bensberg bei Köln (jetzt München und Schleißheim; *Dichtung und Wahrheit* III,14), weitere in Dresden und am 14. 9. 1815 in der Sammlung Brentano in Frankfurt.

Wegebaukommission. Vom 19. 1. 1779 bis zur Abreise nach Italien 1786 übernahm G. im Auftrag Carl Augusts als Teil seiner →amtlichen Tätigkeit die Leitung der Wegebaukommission. Sie involvierte Planung und Linienführung (auch evtl. Steigungen) sowie Inspektion der Bauarbeiten beim Ausbau des Straßenwesens im Herzogtum, umfaßte jedoch angesichts der Zerstückelung des Gebiets meist kleinere Strecken.

T. Friedrich, Wegebaudirektor G., WMh 159, 1935 f.

Weigl, Joseph (1766–1846). Der österreichische Komponist der Wiener Klassik, seit 1792 Kapellmeister der Wiener Hofoper, war mit zehn Opern und Singspielen einer der in Weimar meistgespielten Opernkomponisten zur Zeit G.s. G. selbst sah am 13. 5. 1797 *Das Petermännchen* (mit Christiane Becker-Neumann als Euphrosyne, die letzte Rolle, in der er sie sah), am 6. 1. 1798 *Die Prinzessin von Amalfi,* am 20. 1. 1810 *Das Waisenhaus,* am 30. 3. 1811 *Die Schweizerfamilie,* Weigls Haupterfolg, am 25. 9. 1813 *Kaiser Hadrian,* am 3. 12. 1814 *Die Uniform* (deren Hauptrolle bei der Uraufführung in Schloß Schönbrunn 1800 Kaiserin Maria Theresia gesungen hatte) und am 18. 11. 1815 *Der Bergsturz (bei Goldau).*

Weilburg. Den Ort an der Lahn besuchte G. im Sommer 1772 von Wetzlar aus mit Gotter und durchquerte ihn im September 1772 bei der Flucht aus Wetzlar.

Weimar. Die Haupt- und Residenzstadt des Herzogtums →Sachsen-Weimar-Eisenach war, als G. dort am 7. 11. 1775 auf Einladung Carl Augusts zunächst besuchsweise eintraf, ein Ort von rd. 6000 (1832: rd. 10 000) Einwohnern, neben der etwa 60 Personen umfassenden Hofgesellschaft Hofbeamte, Unternehmer, Kaufleute (es gab drei Ladengeschäfte), Handwerker und Ackerbürger, ein »unselig Mittelding zwischen Hofstadt und Dorf« (Herder an Knebel 28. 8. 1785) abseits der Verkehrsadern, das überdies gerade sein gesellschaftliches Zentrum und sein Theater im Schloßbrand von 1774 (→Schloß) verloren hatte, in dem die herzogliche Familie in Ausweichquartieren (Fürstenhof, Wittumspalais) Unterkunft gefunden hatte, in der täglich das Vieh durch die ungepflasterten und nachts unbeleuchteten Gassen getrieben wurde, Nachtgeschirre (bis 1793) auf die Straße entleert werden durften und geruchsstarke Bäche die Abfälle und den Unrat wegschwemmten. G. wohnte zunächst in verschiedenen →Wohnungen in der Stadt, bezog das 1776 ihm von Carl August geschenkte →Gartenhaus am Stern und mietete 1782 einen Teil des →Goethehauses am Frauenplan, das

Carl August ihm 1792 schenkte. Von angesehenen Schriftstellern hatte Anna Amalia 1763 Musäus und 1772 Wieland an ihren kleinen »Musenhof« gezogen, doch erst mit dem Zuzug von G., Herder (1776) und Schiller (1799) entstand die sog. Weimarer Klassik. Nähere persönliche Beziehungen G.s ergaben sich ferner zum Hof (Anna Amalia, Carl August, Herzogin Louise) zur Hofgesellschaft (Ch. von Stein, Ch. G. von Voigt, F. von Müller, C. L. von Knebel, F. J. Bertuch, C. W. Coudray u. a.), zu seinen eigenen Mitarbeitern J. H. Meyer, F. W. Riemer und J. P. Eckermann sowie zu einem weiteren gebildeten, an Literatur, Theater, Kunst und Wissenschaft interessierten Kreis, der sich bei Hof und in privaten Gesellschaften traf. Neben das jugendliche Sturm und Drang-Genietreiben und die Eskapaden an der Seite Carl Augusts, beliebten Themen der gern aufbauschenden Gerüchteküche des klatschsüchtigen Weimar, trat mit Überwindung der jugendlichen Verworrenheit rasch die disziplinierte, verantwortliche Verwaltungstätigkeit, die G., abgesehen von Texten und Aufführungen des höfischen →Liebhabertheaters, zunächst und zum Mißbehagen seiner Dichterfreunde von der Dichtung weg praktischen Aufgaben zuführte. Seine amtlichen Obliegenheiten in Weimar selbst betrafen u. a. die Neu- und Umgestaltung des Parks an der Ilm in einen englischen Garten, den Bau eines neuen Hoftheaters, die Verwaltung und Erweiterung der Bibliothek, den Wiederaufbau des Schlosses und natürlich die Leitung des Theaters.

Für G. bedeutete der Schritt aus dem Schutz des großbürgerlichen Milieus der Freien Reichsstadt Frankfurt in die zwar fürstliche, aber kleine, arme und ländliche Provinzstadt einen Schritt in die gesellschaftliche Wirklichkeit zur Entfaltung und Reifung seiner Anlagen, zu Selbständigkeit, Selbstprüfung der eigenen Kräfte und Übernahme von Verantwortung in einer überschaubaren Modellwelt. Trotz der von ihm mitunter als beengend empfundenen kleinen Verhältnisse unter dem grauen »nordischen Himmel« kehrte G. von seinen zahlreichen Reisen immer wieder gern nach Weimar zurück, an das der Herzog ihn durch seine Freundschaft und großzügig eingeräumte Freiheiten zu binden wußte und mit dem er bald durch Familie, Freunde, Geselligkeit, Haus und Sammlungen und einen seinen Interessen entsprechenden Wirkungskreis verbunden war, wie ihn wohl kein anderer Ort geboten hätte. Über fünf Jahrzehnte residierte er dort, von bedeutenden wie belanglosen Besuchern heimgesucht und belästigt, als »Weltbewohner und Weimaraner« (*Zahme Xenien* V) und gab der kleinen Provinzstadt zeitweise das Flair einer »geistigen Hauptstadt Deutschlands« (Mme de Staël), von der in der Windstille der ästhetischen Provinz noch heute die Dichterstätten, Museen, Sammlungen und Archive Zeugnis ablegen. »O Weimar! Dir fiel ein besonder Los! / Wie Bethlehem in Juda, klein und groß.« (*Auf Miedings Tod*). Vgl. →Tiefurt, →Belvedere, →Ettersburg.

H. S. Wilson, G. and W., PEGS 2, 1887; P. Kühn, W., 1908 u. ö.; G. Schnaubert, W.s
Stadtbild um das Jahr 1782/84, 1909; E. Kriesche, Die Stadt W., 1914; H. A. Korff, G.
und W., JGG 12, 1926; L. Schrickel, Führer durch W., 1930; F. A. Hohenstein, W. und
G., 1931 u. ö.; F. Fink, Alt-W., 1932; V. Tornius, Das klassische W., 1949; A. Oswald-
Ruperti, G.s W. im Bild, 1949; A. Fauchier-Magnan, G. et la cour de W., Paris 1954;
T. Piana, W., 1956 u. ö.; W. H. Bruford, Kultur und Gesellschaft im klassischen W., 1966;
W. Grube, W., 1971; I.-M. Barth, Literarisches W., 1971; G. in W., Katalog Weimar 1975;
K.-H. Hahn, G. und W., GJb 93, 1976; A. Paszkowiak/W. Ehrlich, W., 1977; I. und
L. Burghoff, Reisen zu G., 1982; T. J. Reed, Die klassische Mitte, 1982; P. Meßner, Bau-
ten und Denkmale in W., 1984; G. in W., hg. K.-H. Hahn 1986; S. Seifert, W., 1988;
H. Greiner-Mai, W., 1989; F. Sengle, Die klassische Kultur von W., sozialgeschichtlich
gesehen, in ders., Neues zu G., 1989; P. Raabe, Spaziergänge durch G.s W., 1990 u. ö.;
E. Biedrzynski, G.s W., 1992 u. ö.; G. Hendel/P. Meßner, W., 1992 u. ö.; W. Lexikon zur
Stadtgeschichte, 1993; J. Beyer/J. Seifert, Weimarer Klassikerstätten, 1995; G.-M.
Günther, W. Eine Stadtgeschichte, 1996.

Weimarer Ausgabe →Werkausgaben

Weimarer Bibliothek. Dieser inoffizielle Name hält sich länger
als die offiziellen Bezeichnungen: Fürstliche, Herzogliche, Groß-
herzogliche Bibliothek, 1918 Thüringische Landesbibliothek, 1969
Zentralbibliothek der deutschen Klassik, 1991 Herzogin Anna
Amalia Bibliothek. Die auf das 16. Jahrhundert zurückgehende,
ursprünglich in den Räumen des Weimarer Schlosses aufgestellte
oder gelagerte herzogliche Büchersammlung wurde unter Anna
Amalia 1766 in das zur Bibliothek umgebaute →Grüne Schloß
überführt, damit unwissentlich vor der Vernichtung im Schloßbrand von 1774 bewahrt, und der Öffentlichkeit zugänglich gemacht. Ihre Bibliotheksdirektoren Johann Christian Bartholomaei
(ab 1750) und Friedrich Christoph Ferdinand Spilker (ab 1778)
unterstanden der Oberaufsicht von Christian Friedrich Schnauß.
Nach dessen Tod übernahm am 9. 12. 1797 G., mit 2276 Entlei-
hungen ihr eifrigster Benutzer, mit seinem Amtskollegen Christian
Gottlob Voigt die Oberaufsicht über die Bibliothek und das ihr zu-
geordnete Münzkabinett, unterstützt von Christian August Vulpius,
später Friedrich Theodor Kräuter und Riemer. G. widmete sich
intensiv dieser Aufgabe, setzte am 28. 2. 1798 eine neue Biblio-
theksordnung in Kraft, führte am 15. 4. 1799 ein Dienstbuch über
die Arbeit der Angestellten ein, trieb die Katalogisierung voran,
plante, allerdings vergeblich, einen Zentralkatalog der Bibliotheken
des Herzogtums, koordinierte Neuerwerbungen vorwiegend
wissenschaftlicher Literatur mit der Universitätsbibliothek Jena,
intensivierte die Öffentlichkeitsarbeit der Bibliothek und setzte
eine Erhöhung des Anschaffungsbudgets von (1781) 600 auf (1830)
12 000 Taler durch. Durch Einzelkäufe wie Erwerbungen ganzer
Privatbibliotheken und säkularisierter Klosterbestände verdoppelte
sich der Bestand der Weimarer Bibliothek unter ihm von rd. 60 000
auf (1832) 130 000/140 000 Bände. Die Weimarer Bibliothek mit
ihrem repräsentativen, dreigeschossigen Rokokosaal von 1766, der
z. Z. G.s auch für Kunstausstellungen benutzt wurde, dokumentiert
eindrucksvoll Rang und Kontinuität der Literatur in der Stadt der
deutschen Klassik.

O. Lerche, G. und die W. B., 1929; E. v. Keudell, G. als Benutzer der W. B., 1931 u. ö.; Aus der Geschichte der Landesbibliothek zu Weimar, hg. H. Blumenthal 1941; E. Paunel, G. als Bibliothekar, Zentralblatt für Bibliothekswesen 63, 1949; H. Henning, Die Bibliothek der Nationalen Forschungs- und Gedenkstätten, 1974; R.-M. Kiel, G. und das Bibliothekswesen in Jena und Weimar, Bibliothek und Wissenschaft 15, 1981; K. Kratzsch, Staatsbeauftragter für die W. B., in: G. in Weimar, hg. K.-H. Hahn 1986; K. Kratzsch, Die W. B. und G., Auskunft 9, 1989; K. Kratzsch, Die W. B., Bibliothek und Wissenschaft 26, 1992 f.

Weimarer Klassik →Klassik

Weimarer Liebhabertheater →Liebhabertheater

Weimarer Schloß →Schloß

Weimarische Kunstausstellungen →Kunstausstellungen, →Preisaufgaben für bildende Künstler

Weimarische Kunstfreunde (W. K. F.). Unter dieser anonymen, ein größeres Gremium vorspiegelnden Bezeichnung bzw. deren Abkürzung W. K. F. veranstalteten G. und J. H. Meyer, zeitweise in Zusammenarbeit mit Schiller und ab 1804 C. L. Fernow, 1799–1805 die jährlichen →Preisaufgaben für bildende Künstler und die Weimarischen →Kunstausstellungen der eingesandten u. a. Werke. Die dogmatische Enge des klassizistischen, antiromantischen Kunstprogramms mit seinem einseitigen, unduldsamen Insistieren auf den unverbrüchlichen Normen und der Vorbildlichkeit antiker Kunst erwies sich für junge Künstler als wenig attraktiv, fand nur geringe Resonanz und löste in der Kunstwelt Widerspruch aus. Unter der Chiffre W. K. F. veröffentlichten G. und Meyer seit 1802 Aufsätze zu Kunstfragen, »die von uns, oder ganz in unserm Sinne sind« (an Zelter 28. 3. 1804), so noch 1817 Meyers Aufsatz *Neudeutsche religiös-patriotische Kunst* und 1821 G.s *Weimarische Pinakothek.*

H. Holtzhauer, Die W. K., Goethe 29, 1967 und WB 13, 1967.

Weimarische Pinakothek. Unter diesem Titel veröffentlichen die →Weimarischen Kunstfreunde 1821 ein erstes (und einziges) Heft mit vier Lithographien des Weimarer Lithographen Franz Heinrich →Müller nach Gemälden aus herzoglichem Besitz, zu denen G. namens der Weimarischen Kunstfreunde im April/Mai 1821 die Erläuterungen schrieb, die auch in *Über Kunst und Altertum* (III,2, 1821) erschienen. Die geplante Serie wurde mangels Interesse des Publikums nicht fortgesetzt.

Weimarisches Hoftheater. Ein Meisterstück von G.s Theaterpolitik: Über die umstrittene Aufführung von A. W. Schlegels Drama *Ion* in Weimar am 2. 1. 1802 schrieb C. A. Böttiger für Bertuchs *Journal des Luxus und der Moden* eine scharf ironisch-kritische Besprechung. G. erfuhr von der »Infamie«, las den schon halb gesetz-

ten Artikel, stellte Bertuch am 12. 1. ein Ultimatum, die Veröffentlichung zu unterdrücken, drohte mit Einschreiten des Herzogs und
warnte am 13. 1. auch Wieland wegen des *Teutschen Merkur* vor
deren Abdruck. Böttigers Rezension blieb ungedruckt. An ihrer
Stelle erschien am 3. 3. 1802 im *Journal des Luxus und der Moden* der
von G. am 18. 1.–12. 2. verfaßte, »Die Direktion« unterzeichnete
nüchterne Aufsatz *Weimarisches Hoftheater*, der die Stückwahl rechtfertigt, einen Überblick über die Geschichte des Weimarer Theaters,
insbesondere des Jahrzehnts unter G.s Leitung, gibt und sich zu
einer Grundsatzerklärung über Ziele und Absichten der Hoftheater-
intendanz und die Prinzipien der Schauspielkunst ausweitet (*Tag-
und Jahreshefte* 1802). Zum Weimarer Hoftheater allgemein →Thea-
ter.

Wein. Jawohl, G. trank nicht nur Wasser, sondern auch Wein. Sein
auch nach wohlwollenden Berichten keineswegs geringer Wein-
konsum erregt mitunter das Stirnrunzeln der Abstinenzler, die es
trotz ihrer alkoholischen Enthaltsamkeit nicht zum Range eines G.
gebracht haben. G. war ein vorzüglicher Weinkenner – er bevorzugte Rotwein und später den »Eilfer« (Rheinwein des Jahrgangs
1811; →Johannisberg; vgl. *Sankt Rochus-Fest zu Bingen*), den Willemer ihm sandte –, befaßte sich mit Fragen des Weinbaus, entwarf im
August 1828 in Dornburg eine Abhandlung *Über den Weinbau*, ließ
sein Wissen auch seinen Gästen wie seinen →Trinkliedern zugute
kommen, pries den Wein als Steigerung des Lebensgefühls und
seine »produktiv machenden Kräfte« (zu Eckermann 11. 3. 1828),
warnte aber auch vor Übermaß (an August von G. 3. 6. 1803).

W. Bode, G.s Lebenskunst, 1900 u. ö.; K. Burdach, G.s Ghasel auf den Eilfer, in ders.,
Vorspiel 2, 1926; K. Christoffel, Rebe und W. in G.s Weltbild, 1948; F. v. Bassermann-
Jordan, G. und der W., 1949; A. Stummer, G.s Wissen vom Bau und Leben des
W.stockes, ChWGV 52/53, 1949.

Weinbrenner, Friedrich (1766–1826). Der Architekt des Klassizismus und Oberbaudirektor in Karlsruhe, dem die Stadt ihr einheit-
liches Stadtbild verdankt, besuchte G. am 5. 8. 1811 in Weimar. Bei
seinem Aufenthalt in Karlsruhe besuchte G. ihn am 5. 10. 1815, betrachtete seine Stadt- und Gebäudepläne und ging mit ihm durch
das Museum und Naturalienkabinett.

Weinheim. In der Stadt an der Bergstraße übernachtete G. am
30. 10. 1775 auf dem geplanten Weg nach Italien. Später durchquerte er sie auf der 3. Schweizer Reise (25. 8. 1797) und auf dem
Weg nach und von Heidelberg (27. 9. bzw. 9. 10. 1814).

Weinsberg. Die Eroberung der Stadt Weinsberg bei Heilbronn
durch die aufständischen Bauern in den Bauernkriegen am 16. 4.
1525 und die anschließende grausame Ermordung vieler Ritter
und Bürger bildet den historischen Hintergrund und die ethische
Begründung für die halb erzwungene Teilnahme des Götz von

Berlichingen am Bauernkrieg, die weiteres Brennen und Morden verhindern sollte (*Götz von Berlichingen* V,1). G. sah die Stadt erstmals am 28. 8. 1797 (*Reise in die Schweiz 1797*).

Weislingen, Adelbert von. Der Schurke in *Götz von Berlichingen* ist keine historische Figur, sondern eine fiktive Verkörperung derjenigen freien Reichsritter, die im Gegensatz zu Götz ihre ritterliche Unabhängigkeit aufgeben und als Höflinge in den Dienst der aufstrebenden Reichsfürsten treten, um an deren Macht teilzuhaben: Symptom der Umschichtung vom ritterlichen zum höfischen Adel. Erst Jugendfreund von Götz, dann dessen Gegner, entdeckt er als sein Gefangener diese Freundschaft wieder, tritt ganz auf seine Seite und verlobt sich mit Götz' Schwester Maria. Vom Glanz des Bamberger Hofes und der erotischen Anziehungskraft →Adelheids von Walldorf zu erneutem Frontwechsel verführt, verläßt er Maria, heiratet Adelheid und bekämpft wieder den alten Freund. Von Adelheid vergiftet, zerreißt er reuevoll das Todesurteil gegen Götz und stirbt in den Armen Marias. Als treuloser, erotisch bestimmbarer Mann, dessen Flatterhaftigkeit sich in den auf ihn angewandten Vogelbildern spiegelt, und wankelmütiger Verräter ist er nicht nur Gegenspieler, sondern zugleich negatives Gegenbild von Götz. Im Alter erklärte G. Weislingen mit als Produkt »selbstquälerischer Büßung« und »reuiger Betrachtungen« angesichts seines Abschieds von Friederike Brion (*Dichtung und Wahrheit* III,12).

Weiß, Christian Samuel (1780–1856). Der Mineraloge, 1808 Professor der Physik in Leipzig, 1810 der Mineralogie in Berlin, hatte 1805 eine Übersetzung von R. J. Hauys *Handbuch der Physik* publiziert. G. kritisierte in der *Farbenlehre* (Paragraph 422), ohne ihn zu nennen, eine Anmerkung Weißes darin. In Berlin erwies sich Weiße als strikter Gegner von G.s *Farbenlehre* (an Zelter 18. 3. 1811). Dennoch hatte G. am 21. 8.–13. 9. 1818 in Karlsbad fast täglichen Umgang und »sehr belehrende kristallographische Unterhaltungen« mit ihm (*Tag- und Jahreshefte* 1818) und empfing ihn am 12. und 13. 10. 1820 in Jena zu geologischen Gesprächen.

E. Fischer, G.s Beziehungen zu C. S. W., FuF 35, 1961.

Weissagungen des Bakis. In Wielands Übersetzung der *Ritter* des Aristophanes fand G. am 11. 1. 1798 Orakelparodien mehrerer griechischer Seher namens Bakis zitiert – echte Orakel zitiert Herodot (VIII,20 und 77) – und schöpfte daraus die Idee einer den antiken Sammlungen ähnlichen Sammlung von Orakelsprüchen in Doppeldistichen für jeden Tag des Jahres, die auch als Stech- oder →Buchorakel Verwendung finden könnten. Diesen Einfall, »noch toller als die Xenien«, schlug er am 27. 1. 1798 Schiller für den *Musenalmanach* vor. Doch entstanden seit 23. 3. 1798 wohl bis Anfang 1800 nur 32 Doppeldistichen, zu wenig, um »durch die Masse ver-

wirrt« zu machen, da ihn »der gute Humor, der zu solchen Torheiten gehört«, oft verließ, wie G. am 20. 3. 1800 an A. W. Schlegel mit
der Bitte um metrische Durchsicht des Manuskripts schrieb. Der
Erstdruck erfolgte in Band 7 der *Neuen Schriften* (1800). Wenn G.
beabsichtigte, die Zeitgenossen im Sehergestus durch ein rätselhaf-
tes Verwirrspiel in der Nähe der Unsinnspoesie (an Zelter 4. 12.
1827) spielerisch, ironisch und parodistisch über das Dubiose und
Obskure von Seherkult und Orakelglauben aufzuklären, indem er
den reichlich vagen Formulierungen seiner Rätseldichtung ohne
eindeutig klaren Sinn möglichst viele verschiedene Deutungsmög-
lichkeiten offenhielt, so bestätigt die Reaktion der Kritik wie der
Interpreten den Erfolg dieses Versuchs. Schon am 19. 10. 1827
sandte der Karlsruher Maler und Schriftsteller Karl Nehrlich G.
einen »Schlüssel zu den Weissagungen des Bakis«, den G. unmutig
ablehnte, und die Bemühungen um den ernsten oder ironischen
Sinn der einzelnen Sprüche, den tiefsinnigen oder allegorischen
Kern und das Kompositionsprinzip (Windrose) haben seither nicht
aufgehört.

M. Ehrlich, Anmerkungen zu den W. d. B., GJb 1, 1888; H. Baumgart, G.s W. d. B.
und die Novelle, 1886; M. Morris, Die W. d. B., in ders., G.-Studien 1/2, 1897 f. u. ö.;
G. Schaaffs, G.s Schatzgräber und die W. d. B., 1912; G. Schaaffs, Zu G.s W. d. B., JEGP
12, 1913; F. Weinhandl, Aus den W. d. B., in ders., Die Metaphysik G.s, 1932; M. Hecker,
Karl Nehrlich, JGG 21, 1935; W. Buch, G.s W. d. B., Diss. Berlin 1957; H. Jantz, The
soothsayings of B., Baltimore 1966; D. Hölscher-Lohmeyer, Die Einheit von Naturwissenschaft und poetischer Aussage bei G., in: Frühmittelalterliche Studien 12, 1978;
L. L. Albertsen, Bakis oder die Verhinderung der Literaturwissenschaft, Archiv 134,
1982.

Weiße, Christian Felix (1726–1804). Der Leipziger Kreissteuerein-
nehmer, Freund Lessings und Gellerts und ebenso fruchtbare wie
vielseitige Schriftsteller beherrschte bei G.s Ankunft in Leipzig mit
seinen Lust-, Trauer- und Singspielen, vertont von J. A. Hiller, die
dortige Bühne. G. sah von ihnen u. a. 1765 *Die Poeten nach der Mode,*
aus denen er das satirische Heldengedicht auf Gottsched *Goliath* im
Brief an Riese vom 30. 10. 1765 parodiert, und 1768 die Shake-
speare-Bearbeitung *Romeo und Julie,* die ihn rührte (*Leipziger Theater 1768*); ferner erwähnt er u. a. *Die verwandelten Weiber oder Der
Teufel ist los, Großmut für Großmut, Die Jagd* und *Amalia,* die seine
Stella beeinflußte, wie auch Weißes Singspiele auf die G.s einwirk-
ten. Verse aus Weißes anakreontischen *Scherzhaften Liedern* (1758)
dichtet er im Brief an Cornelia vom 11.–15. 5. 1767 um. G. schildert Weiße aus persönlicher Bekanntschaft als »heiter, freundlich
und zuvorkommend, … von uns geliebt und geschätzt« (*Dichtung
und Wahrheit* II,8). Er sah ihn am 30. 12. 1796 in Leipzig wieder, ließ
ihn noch 1801 grüßen, als Weiße sich wegen G.s Krankheit besorgt
gezeigt hatte, und behielt ihn trotz der seichten »Weißischen Was-
serflut« (an Zelter 27. 3. 1830) in gutem Angedenken.

J. Minor, Ch. F. W., 1880; M. Herrmann, Leipziger Theater während G.s Studentenzeit, GJb 11, 1890.

Weißer, Carl Gottlob (1779–1815). An der Berliner Kunstakademie zum Bildhauer ausgebildet, wirkte Weißer 1802–05 als Gehilfe Ch. F. Tiecks an der bildhauerischen Ausgestaltung des Weimarer Schlosses mit, versuchte 1805, von G. unterstützt und ermutigt, sich in ärmlichen Umständen mit einer eigenen Werkstatt durchzuschlagen, wurde 1807 mit geringem Salär als Nachfolger M. G. Klauers Hofbildhauer in Weimar und verkehrte häufig bei G. Neben Büsten für den Rokokosaal der Weimarer Bibliothek, einer Büste Christianes (1812) u. a. nahm er G. auf Veranlassung des Phrenologen F. J. Gall am 16. 10. 1807 eine Lebendmaske ab, nach der er 1807/08 seine G.-Büste gestaltete. Sie wurde auch für andere, spätere Büsten (Schadow, 1823) herangezogen, da G. eine erneute Prozedur verweigerte (»Es ist keine Kleinigkeit, sich solchen nassen Dreck auf das Gesicht schmieren zu lassen«, zu Riemer 1808). »Ein sehr schönes Talent«, doch unsicher, menschenscheu, einsiedlerisch, voll Widerspruchsgeist und tiefer Hypochondrie (an Carl August 26. 5. 1816), wählte Weißer den Freitod.

Literatur →Porträts.

Weißer Schwan. In dem seit dem 16. Jahrhundert bestehenden, seinem Haus am Frauenplan unmittelbar gegenüberliegenden Weimarer Gasthof »Zum Weißen Schwan« (Frauentorstraße 23) brachte G. gern auswärtige Besucher (Zelter, Rauch, Schultz, Z. Werner) unter, deren Nähe ihm angenehm war.

Weißhuhn, Friedrich August (1759–1795). Der Privatdozent für Philosophie in Jena (seit 1794), erst Freund, dann Gegner Fichtes und geschätzter Mitarbeiter von Schillers *Horen,* machte G. durch Eigenwilligkeit und Streitsucht innerhalb der Universität 1795 zu schaffen (*Tag- und Jahreshefte* 1795; an Schiller 28. 10. 1794, 25. 2. 1795 u. ö.).

Welcker, Friedrich Gottlieb (1784–1868). Der bekannte klassische Philologe und Archäologe, 1806 Hauslehrer bei W. von Humboldt in Rom, dann 1809 Professor in Gießen, 1816 in Göttingen, 1819 in Bonn, besuchte G. im Herbst 1805 (?) in Weimar und am 6. 8. 1814 in Wiesbaden. G. las seine Schriften, ärgerte sich jedoch über einen ihm irrtümlich von Welcker unterstellten Fehler in der *Farbenlehre* (Papiere zu den *Tag- und Jahresheften* 1817).

Weller, Christian Ernst Friedrich (1790–1854). 1818 Assistent, dann Bibliotheksbeamter an der Universitätsbibliothek Jena, Freund und Hausgenosse Knebels und 1832 fürstlich reußischer Legationsrat, kommunizierte Dr. Weller häufig mündlich wie schriftlich mit G. über Angelegenheiten der Jenaer Bibliotheken und deren Zusammenlegung und Neuordnung (*Tag- und Jahreshefte* 1818), besorgte auch andere Aufträge G.s und diente ihm in Jena gelegentlich als Sekretär.

Welling, Georg von (1652–1727). Der Bergwerksdirektor in Baden-Durlach, Spätling barocker Pansophie, verband in seinem *Opus mago-cabbalisticum et theosophicum* (entstanden 1721, Druck 1735) alchemistische Lehren mit christlichen Gottesvorstellungen und einem kosmischen Geschichtsmythos von der Lichtwelt Gottes und der Engel, dem Fall Luzifers und der Erschaffung der Erde. G. besorgte sich und studierte das Werk auf Anregung S. von Klettenbergs während der Frankfurter Rekonvaleszentenzeit im Frühjahr 1769 und schritt, da ihm manches »dunkel und unverständlich genug« blieb, von dort zu weiteren pansophisch-alchemistischen Werken fort (*Dichtung und Wahrheit* II,8). Das Werk, das G. auch in Weimar besaß, wirkte mit seinen Vorstellungen auf den *Faust*, besonders den »Prolog im Himmel«, ein.

H.-M. Rotermund, Zur Kosmogonie des jungen G., DVJ 28, 1954; R. C. Zimmermann, Eine Beschreibung G. v. W.s?, Goethe 23, 1961.

Welscher Garten →Ilm

Weltbürgertum. Das Gefühl der Enge des Duodezfürstentums Sachsen-Weimar-Eisenach und Weimars selbst veranlaßten G., sich zwar geographisch als »Weimaraner«, zugleich aber geistig als »Weltbewohner« (*Zahme Xenien* V) bzw. Weltbürger zu bezeichnen, d. h. seine Existenz in einem weiteren geistigen Raum anzusiedeln, der weniger auf dem politischen Sektor als im humanen Bereich der »Künste und Wissenschaften« (*Einleitung in die Propyläen*) über nationale Grenzen hinausgreift, wie G. es auch im Begriff der →Weltliteratur versteht. In anderem Sprachsinn klingt im Weltbürger auch der Mann von Welt bzw. Weltmann an, wenn G. meint, ein »verwöhnter Weltbürger« wie er könne sich nicht mit der Gutswirtschaft begnügen (*Tag- und Jahreshefte* 1802).

Weltfrömmigkeit. G.s Wortschöpfung (*Wilhelm Meisters Wanderjahre* II,7) bezeichnet bei ihm noch das rechte, menschlich-soziale Denken und Handeln in die Welt hinaus aus weltweitem Humanitätsdenken im Sinne einer Förderung der ganzen Menschheit. Das schließt nicht aus, daß die spätere, erst im 20. Jahrhundert aufgekommene Bedeutung im Sinne einer mehr diesseitigen Religiosität, die ihren Ursprung und ihre Offenbarung aus der Welt, der Natur, den Naturgesetzen und der Ordnung des Kosmos empfängt, sich als geeignete Bezeichnung für diesen Grundzug von G.s Weltanschauung empfiehlt.

F. K. Feigel, G.s W., in: Begegnung mit G., hg. R. Daur 1939; E. Spranger, W., 1941; G. Niggl, »Fromm« bei G., 1967.

Weltliteratur. G.s Begriff der Weltliteratur, wie er ihn von Wieland übernimmt und seit 1827 in Rezensionen, Aufsätzen, Briefen und Gesprächen entwickelt, entspricht weder dem modernen und trivialen quantitativen Konzept einer Gesamtheit der Literaturen aller

Zeiten, Kulturen, Sprachen und Völker, noch der qualitativen Definition als Summe oder Kanon der über die Nationalliteraturen hinausragenden literarischen Meisterwerke von zeitlosem Rang und universaler Gültigkeit. Wie in den parallelen Begriffen Weltverkehr, Welthandel und z. T. Weltgeschichte, deren globale Dimensionen nationale Eigenarten und Sonderformen nicht ausschließen, ist Weltliteratur für G. ein dynamischer Begriff der zunehmenden internationalen Kommunikation, des fortschreitenden geistigen Austauschs der Völker und der wechselseitigen künstlerischen Beeinflussung ihrer Literaturen, und zwar nicht nur durch gegenseitiges Kennenlernen ihrer Werke und Achtung vor deren nationaler Eigenart, sondern darüber hinaus auch durch persönliche Begegnungen der Schriftsteller und ihre gemeinsame, harmonische und weltoffene gesellschaftliche Wirksamkeit für die Völkerverbindung und das Humanitätsideal (*Die Zusammenkunft der Naturforscher in Berlin,* 1828). G.s Definition von Weltliteratur zielt daher nicht auf einen kumulativen Literaturbegriff, wie er ihm durch sein frühes Interesse an außerdeutschen (griechischen, römischen, hebräischen, französischen, italienischen, englischen, slawischen, orientalischen u. a.) Literaturen und Volksdichtungen nahelag und bereits von den Romantikern, besonders A. W. Schlegel (Berliner Vorlesungen 1802), vorgeprägt wurde. Die Kenntnis fremdsprachiger, zumindest klassischer Literaturen war von der römischen Antike bis in seine Zeit eine Selbstverständlichkeit der Gebildeten. G.s Vorstellung von Weltliteratur ist nichts bereits Bestehendes, sondern eine Forderung, eine Aufgabe für die Gegenwart und Zukunft. Sein Bild einer erst im Entstehen begriffenen, direkten und vorurteilsfreien Kommunikation und Begegnung der Völker im geistigen Raum resultiert vielmehr aus 1. dem Erlebnis zunehmender Rezeption auch der kleineren Literaturen in seiner Gegenwart, 2. der Erfahrung der Rezeption und Anerkennung seiner eigenen Werke im Ausland, besonders Frankreich und England, durch die Lektüre französischer und englischer Literaturzeitschriften, die ihn sich selbst als Exponenten der Weltliteratur erleben lassen, 3. dem eigenen Beitrag zum gegenseitigen Kennenlernen der Literaturen, besonders im *West-östlichen Divan,* und 4. dem eigenen weltweiten Freundes- und Kollegenkreis (z. B. Carlyle) und dessen Bemühungen um gegenseitiges Verständnis der Völker in ihren Eigenarten durch Austausch als literarisches Brückenschlagen. Weltliteratur in G.s Sinn ist das gegenseitige Geben und Nehmen der Literaturen untereinander bei aller Anerkennung der Eigenarten der Nationalliteraturen als harmonischer Zusammenklang der Völker und Sprachen im Bewußtsein ihrer menschheitlichen Aufgaben.

Die wichtigsten Bemerkungen G.s zum Begriff Weltliteratur finden sich in den Rezensionen von *Über Kunst und Altertum* (VI,1–2, 1827/28: *Le Tasse; German Romance; Edinburgh Reviews*), in den *Maximen und Reflexionen* 690 und 767, in der Einleitung zu Carlyles

Leben Schillers 1830 und deren Entwurf, in Gesprächen mit Eckermann (31. 1. und 15. 7. 1827) und in den Briefen an Streckfuß
(27. 1. 1827), Carlyle (20. 7. 1827), Boisserée (12. 10. 1827), Zelter
(4. 3. 1829) und Reinhard (18. 6. 1829). Im handschriftlichen
Nachlaß fanden sich mehrere Entwürfe zum Thema Weltliteratur
aus den Jahren 1826–28.

E. Martin, G. über W., in: Straßburger G.vorträge, 1899; E. Beil, Zur Entwicklung
des Begriffes der W., Diss. Leipzig 1915; F. v. d. Leyen, G. und die W., JGG 5, 1918;
F. Michael, G.s W., Inselschiff 1, 1920, auch in ders., Der Leser als Entdecker, 1983;
F. Strich, G.s Idee einer W., in ders., Dichtung und Zivilisation, 1928; T. Frühm, Gedanken über G.s W., 1932; F. Strich, G. und die W., JGG 18, 1932; A. Gillies, Herder and
the preparation of G's idea of W., PEGS NS 9, 1933; F. Strich, G. und die W., 1946 u. ö.;
A. R. Hohlfeld, G's conception of world literature, in ders., 50 years with G., Madison
1953; H. J. Schrimpf, G.s Begriff der W., 1968; R. M. Samarin, G. und die W., Goethe
33, 1971; V. Lange, Nationalliteratur und W., Goethe 33, 1971, auch in ders., Bilder,
Ideen, Begriffe, 1991; M. Naumann, G.s Auffassung von den Beziehungen zwischen W.
und Nationalliteratur, Goethe 33, 1971 und WB 18, 1972; H. Brackert, Die Bildungs-
stufe der Nation und der Begriff der W., in: G. und die Tradition, hg. H. Reiss 1972;
H. Rüdiger, Europäische Literatur – W., in: Komparatistik, hg. F. Rinner 1981; P. J.
Brenner, W., GJb 98, 1981; P. Weber, G.s Begriff der W., WB 28, 1982; M. Naumann,
Zwischen Realität und Utopie, Poetica 17, 1985; H.-J. Weitz, W. zuerst bei Wieland,
Arcadia 22, 1987; R. Wild, Überlegungen zu G.s Konzept einer W., in: Bausteine zu
einem transatlantischen Literaturverständnis, hg. H. W. Panthel 1994; H. Birus, G.s Idee
der W., in: W. heute, hg. M. Schmeling 1995.

Weltseele. Das »wahrhaft enthusiastische Lied« (an Zelter 20. 5.
1826) entstand wohl im Jenaer Kreis junger Naturforscher um
Schelling, angeregt durch dessen *Ideen zu einer Philosophie der Natur*
(1797) und *Von der Weltseele* (1798), erschien zuerst mit der Überschrift *Weltschöpfung* Herbst 1803 im *Taschenbuch auf das Jahr 1804*
von G. und Wieland unter den »der Geselligkeit gewidmeten Liedern«, sodann 1806 in *Werke* I als *Weltseele* und wurde 1827 auch in
die Gruppe »Gott und Welt« übernommen. Vertonungen von Zelter und Reichardt. Das in seiner Mischung von Scherz, Ironie und
Naturphilosophie reichlich schwierige, schon den Zeitgenossen
rätselhafte Gedicht, dessen Sprecher (Weltseele oder G.?) unklar
bleibt, verbindet das Thema der Kosmogonie, des Makro- und Mikrokosmos mit dem von Expansion und Kontraktion, menschlicher
Bindung und Trennung, durchaus konkret nach einem geselligen
Mahl. G. erklärte es aus der Stimmung der Zeit, »wo ein reicher
jugendlicher Mut sich noch mit dem Universum identifizierte, es
auszufüllen, ja es in seinen Teilen wieder hervorzubringen glaubte«
(an Zelter 20. 5. 1826). Der bei Schelling von Plato übernommene
Begriff der Weltseele als das organisierende Prinzip des Weltsystems,
»sichtbarer Geist«, hier auf die Natur, die Vernunft und als deren
Träger den Menschen übertragen, die das Werden der Natur nachvollziehen (und im *Versuch einer Witterungslehre* mit der Elektrizität
verglichen), erscheint in anderem Sinn auch im Gedicht *Eins und
alles.*

E. Jäckle, G.s Morphologie und Schellings W., DVJ 15, 1937; H. Glockner, Eins und
alles, Die Sammlung 15, 1960; J. Müller, W., 1984; D. Hölscher-Lohmeyer, Verteilet euch
…, in: Weimar am Pazifik, hg. D. Borchmeyer 1985.

Wenck, Helfrich Bernhard (1739–1803). Der Theologe und Historiker, Rektor des Darmstädter Pädagogiums, gehörte zum →Darmstädter Kreis und 1772 wie G. zu den Mitarbeitern der →*Frankfurter Gelehrten Anzeigen* (*Dichtung und Wahrheit* III,12).

Wer ist der Verräter? Die leichte, lustspielhafte, nur locker in die Rahmenhandlung eingefügte Novelle innerhalb von *Wilhelm Meisters Wanderjahren* (I,8–9) wurde gedanklich am 29./30. 5. 1820 konzipiert, am 4.–23.6. und im September 1820 niedergeschrieben und am 29. 9. 1820 abgeschlossen. Mit offensichtlicher Erzählfreude aus der einseitigen Perspektive des Helden gestaltet und vorwiegend in dessen Monologen und einem Dialog arrangiert, schildert sie die Verwirrungen des selbstbefangenen Mustersohns und Musterbeamten (Juristenspott) Lucidor, der durch vermeintliche Komplikationen und pädagogische Winkelzüge der Gegenpartei nie dazu kommt, jemandem seine Liebe zu Lucinde zu erklären, bis er unter unwissentlicher Lenkung durch fremde Hand seine Selbstbefangenheit überwindet und das wohlarrangierte Happy End als eigene Entscheidung in Freiheit versteht: Erziehung zur Selbstfindung und Selbstbestimmung, zur Wahl der rechten Liebesworte zur rechten Zeit.

K. Pestalozzi, Versteckte Anspielungen in G.s Novelle W. i. d. V., in: Verbergendes Enthüllen, hg. W. M. Fues 1995; →Novellen, →Wilhelm Meisters Wanderjahre.

Werkausgaben. Gesamtausgaben von G.s Werken bis zum Erscheinen der jeweiligen Edition:

1. Unrechtmäßige →Nachdrucke vor der ersten rechtmäßigen Werkausgabe:
   Sämtliche Werke. III Biel: Heilmann 1775–76
   Schriften. IV Berlin: →Himburg 1775–79 u. ö.
   Schriften. IV Karlsruhe: Schmieder 1778–80 u. ö.
   Schriften. IV Reutlingen: Fleischhauer 1778–83 u. ö.
2. Rechtmäßige Ausgaben zu G.s Lebzeiten:
   →*Schriften*. VIII Leipzig: Göschen 1787–90 u. ö. (Faksimile Zürich 1968)
   →*Neue Schriften*. VII Berlin: Unger 1792–1800 u. ö.
   Werke. XIV Tübingen: Cotta 1806–10 und (14. Band) 1817
   Werke. XX Stuttgart und Tübingen: Cotta 1815–19
   Werke. XXVI Wien: Kaulfuß und Armbruster/Stuttgart: Cotta 1816–22 (Lizenzausgabe von Cotta zum Schutz gegen österreichische Nachdrucke)
   Werke. Vollständige Ausgabe letzter Hand. LX Stuttgart und Tübingen: Cotta 1827–42 (davon Band 41–60 *Nachgelassene Werke*, 1833–42). Gleichzeitig erschien als »Taschenausgabe« ein seitengleicher Paralleldruck in kleinerem Format.
3. Postume Ausgaben im 19. Jahrhundert:

Poetische und prosaische Werke, hg. F. W. Riemer und J. P. Eckermann. II Stuttgart und Tübingen: Cotta 1836–37, 2. A.
1845–47 (sog. »Quartausgabe«, Auswahl, aber z. T. mit Erstdrucken)

Werke. XXXVI Berlin: Hempel 1868–79 u. ö. (mit Kommentar)

Werke. XXXVI Stuttgart: Union 1882–97 (= Kürschners
Deutsche National-Literatur Bd. 82–117, mit Kommentar)

*Werke. Herausgegeben im Auftrage der Großherzogin Sophie von
Sachsen.* CXXXIII in CXXXXIII Weimar: Böhlau 1887–
1919. Neudruck München 1987 (sog. »Weimarer Ausgabe«
oder »Sophien-Ausgabe« in vier Abteilungen: Werke 55 Bde.,
Naturwissenschaftliche Schriften 13 Bde., Tagebücher 15 Bde.,
Briefe 50 Bde., dazu 3 Bde. Nachträge und Gesamtregister der
Briefe von P. Raabe, München 1990. Grundlegende, trotz edi-
torischer Schwächen bis heute maßgebliche historisch-kritische Ausgabe, ohne Kommentar, doch mit allen Lesarten)

4. Wichtigere Ausgaben im 20. Jahrhundert:

Werke, hg. K. Heinemann. XXX Leipzig: Bibliographisches Institut 1901–08 (mit Anmerkungen)

Sämtliche Werke. Jubiläumsausgabe, hg. E. v. d. Hellen. XL Stuttgart
und Berlin: Cotta 1902–07 (mit Kommentar und Bd. 41: Register, 1912)

Sämtliche Werke. Großherzog Wilhelm Ernst Ausgabe. XVI bzw.
(1925) XVII Leipzig: Insel 1905–17 u. ö.

Werke, hg. K. Alt. XL Berlin: Bong 1909–26 (dazu 2 Bde. Anmerkungen, 2 Bde. Register)

Sämtliche Werke. Propyläen-Ausgabe. VL+IV München: Müller/
Berlin: Propyläen 1909–32 (chronologisch, ohne Kommentar)

Werke. Festausgabe, hg. R. Petsch. XVIII Leipzig: Bibliographisches Institut 1926–27 (mit Kommentar)

Gedenkausgabe der Werke, Briefe und Gespräche, hg. E. Beutler.
XXIV+III Zürich: Artemis 1948–71 u. ö. (mit Einführungen
und Registerband)

Werke. Hamburger Ausgabe, hg. E. Trunz. XIV Hamburg: Wegner 1948–60 u. ö. (Auswahl mit ausführlichem Kommentar
und Register)

Werke, hg. Deutsche Akademie der Wissenschaften zu Berlin.
XXIV Berlin: Akademie 1952–73 (historisch-kritische Ausgabe, als Ersatz der 1. Abteilung der Weimarer Ausgabe geplant; unvollständig)

Sämtliche Werke. Münchner Ausgabe, hg. K. Richter. XXI in
XXX München: Hanser 1985 ff. (chronologisch, mit Kommentar und Register)

Sämtliche Werke, Briefe, Tagebücher und Gespräche, hg. D. Borchmeyer u. a. XL Frankfurt: Deutscher Klassiker Verlag 1985 ff.
(»Frankfurter Ausgabe«, mit Kommentar).

W. Hagen, Die Gesamt- und Einzeldrucke von G.s Werken, 1956 u. ö.; Quellen und Zeugnisse zur Druckgeschichte von G.s Werken, III 1966–86; W. Hagen, G.s Werke auf dem Markt, GJb 100, 1983.

Werneburg, Johann Friedrich Christian (1777–1851). Mit dem Mathematiker und Physiker, 1808 Lehrer an der Pagenschule in Weimar, 1818 Dozent in Jena, verkehrte G. seit September 1806, hatte ihn seit Oktober 1808 oft als Tischgast und diskutierte mit ihm am 19.–22. 11. 1808 die Zusammenhänge von Mathematik und Musik (an Knebel 25. 11. 1808). Für Dr. Werneburgs digitales Notationssystem brachte er 1810 kein Verständnis auf und sandte das »wunderliche Werk« des »etwas seltsamen Mannes« *Allgemeine neue, weit einfachere Musikschule für jeden Dilettanten und Musiker* (1812) am 12. 12. 1812 an Zelter zur Beurteilung.

Werner. Die Nebenfigur in *Wilhelm Meisters Lehrjahre* (I,10, 15 u. ö.) ist der nüchterne, bedächtige Jugendfreund und spätere Schwager Wilhelms, der ihm Mariane auszureden versucht, seinen Kontakt mit ihr unterbindet (VII,8) und ihn zur Vernunft bringen will. Als erfolgreicher Kaufmann und reiner Erwerbsmensch (VIII,1) ist er bei allem Verständnis für den Freund das unkünstlerische, bürgerliche Gegenbild Wilhelms.

H. Macher, Wilhelm und W., in: Ansichten der deutschen Klassik, hg. H. Brandt 1981.

Werner, Abraham Gottlob (1740–1817). Der angesehenste Mineraloge und Geologe seiner Zeit, Bergrat und seit 1775 Professor der Mineralogie und Bergbaukunde an der Bergakademie in Freiberg, verdient um die systematische Mineralbeschreibung, war in der Geologie, allerdings ohne eigene Anschauung von Vulkanen, der führende und radikale Vertreter des →Neptunismus, für den er durch seine Autorität auch G. gewann, verlor allerdings im Alter die meisten Anhänger seiner Theorie (*Zahme Xenien* VI: »Kaum wendet der edle Werner den Rücken ...«). G. schätzte den »trefflichen Mann« (zu Eckermann 1. 2. 1827) außerordentlich und verdankte ihm viele Anregungen für seine mineralogischen und geologischen Studien. Werner besuchte G. in Weimar am 16. 9. 1789 und 20.–22. 9. 1801 und traf mit ihm in Karlsbad im August 1806, September 1807 und Juli/August 1808 zu geologischen, aber auch sprachwissenschaftlichen Unterhaltungen zusammen (*Tag- und Jahreshefte* 1806–08). Werners *Neue Theorie über die Entstehung der Gänge* (1791), mit der sich G. 1815–18 wiederholt beschäftigte, fand jedoch seine Ablehnung.

M. Guntau, A. G. W., 1984.

Werner, Friedrich Ludwig Zacharias (1768–1823). Der Dramatiker und Lyriker der Romantik, 1796 in Warschau, 1805 in Berlin, sandte G. am 9. 7. 1804 mit einem demütigen Schreiben sein

Drama *Die Söhne des Tales* (1803), in dem G. jedoch wie in Werners
Martin Luther oder die Weihe der Kraft (1807), das er am 10. 2. 1807
las, »widerliche Entgegenstellungen« fand (an Zelter 26. 6. 1806,
Tag- und Jahreshefte 1806). Bei Werners Aufenthalt in Jena und Weimar am 3. 12. 1807–28. 3. 1808 entwickelte G. in näherem Umgang
mit ihm Sympathien für den »sehr genialischen Mann, der einem
Neigung abgewinnt« (an Meyer 11. 12. 1807; ähnlich an F. A. Wolf
16. 12. 1807, an Jacobi 7. 3. 1808), beteiligte sich, von Werner an
→Sonetten angeregt, am Sonettenstreit um M. Herzlieb, fand Zugang zu den Dramen, die Werner vorlas, führte am 23.–27. 3. 1808
lange Gespräche mit ihm über Heidentum und Christentum und
veranlaßte die Uraufführung von Werners *Wanda* (1808) in Weimar
am 30. 1. 1808. Trotz mehrerer G. verherrlichender Gedichte und
Briefe mit langen Reiseschilderungen Werners distanzierte G. sich
rasch von Werners »schiefer Religiosität« (H. Steffens) und seinem
mystizistischen christlichen Obskurantismus. Am 21. 12. 1808–4. 6.
1809 wieder in Weimar und Jena, zog Werner G.s ganzen Groll auf
sich, als er in einem am 31. 12. 1808 vorgelesenen Sonett auf Genua
den Mond mit einer Hostie verglich. Nach erneuter Versöhnung
besorgte G., »Werners bedeutendes Talent zu begünstigen«, am
24. 2. 1810 die Uraufführung von Werners von G. angeregtem
Schicksalsdrama *Der 24. Februar* (*Tag- und Jahreshefte* 1809 und
1810) und plante eine Aufführung von *Das Kreuz an der Ostsee*
(1806), an deren Bühnenbearbeitung Werner jedoch scheiterte.
Werners Konversion zum Katholizismus 1810 in Rom, die er im
Brief an G. vom 23. 4. 1811 mit dem Selbstopfer Ottiliens in den
Wahlverwandtschaften motivierte, fand G.s schärfste Verurteilung (an
Ch. Schlosser 26. 9. 1813; Invektive »Herr Werner, ein abstruser
Dichter …« vom 6. 2. 1814). Werners *Die Mutter der Makkabäer*
nennt G. »unerfreulich« (*Tag- und Jahreshefte* 1820), und in der Re-
zension englischer Zeitschriften (*Über Kunst und Altertum* VI,2,
1828) lehnt er es ab, sich mit dem Komplex Werner nochmals zu
beschäftigen. Eine ausführlichere Schilderung seines Verhältnisses zu
Werner gibt das Paralipomenon zu den *Tag- und Jahresheften* 1807.

T. Undesser, G. und Z. W., Diss. Wien 1944; E. Stopp, Ein Sohn der Zeit, PEGS 40,
1970, auch in dies., German romantics in context, London 1992; G. Kozielek, Fuß-
angeln aus der Dornenkrone, in: G. und die Romantik, hg. ders., Breslau 1992.

Wer nie sein Brot mit Tränen aß … →Harfner

Wernigerode. In der Stadt am Harz traf sich G. auf der 1. Harzreise am 3. 12. 1777 unerkannt mit F. V. L. →Plessing.

G. v. Gynz-Rekowski, Wo wohnte G. in W.?, Goethe 31, 1969.

Werther. Der schwärmerisch-empfindsame, hochgradig subjektive
und sensible junge Jurist, Hauptfigur und Icherzähler in →*Die Leiden des jungen Werthers*, hat Schwierigkeiten mit der Realität der

Menschenwelt und deren Grenzen. Seine Liebe zu der mit seinem
Freund Albert verlobten Lotte schlägt vom anfänglichen Glückstaumel, in den er sich wirklichkeitsfremd hineinsteigert, angesichts
ihrer Unmöglichkeit in Verzweiflung um und führt ihn in den
Selbstmord als Schritt zur Wiedervereinigung mit der von ihm
schwärmerisch verehrten Natur. In der Figur schreibt sich G. von
ähnlichen Erfahrungen des Konflikts von leidenschaftlichem Gefühlsüberschwang mit den gesellschaftlichen Normen frei.

E. Feise, G.s W. als nervöser Charakter, GR 1, 1926, auch in ders., Xenion, Baltimore
1950; F. Marx, Erlesene Helden, 1995; →Die Leiden des jungen Werthers.

Wertherfieber, Wertheriaden, Wertherliteratur →*Die Leiden
des jungen Werthers*

Werthern-Beichlingen, Emilie von, geb. von Münchhausen-
Steinburg (1757–1844). Sie sorgte mit ihrem »Roman« in Weimar
für Aufregung und Aufsehen. Die Tochter eines hannoverschen Ministers in London wuchs in Hannover auf und wurde 1774 mit Carl
Augusts Kammerherrn und Stallmeister (1776–80) Baron Christian
Ferdinand Georg von Werthern-Beichlingen (1738–1800) verheiratet. Die mit Phantasie, Humor, Kunstsinn, Gefühl, guter Laune
und Leichtfertigkeit begabte, auch literarisch im *Tiefurter Journal*
und auf der Liebhaberbühne tätige, kokette Schönheit kompen-
sierte die Langeweile ihrer Ehe mit dem ältlichen Stallmeister,
indem sie zum Entsetzen der Gräfin Görtz ungeniert mit den Männern des Weimarer Hofes, vor allem Carl August, Knebel und
F. H. von Einsiedel, flirtete und ihnen die Köpfe verdrehte. Als
August von →Einsiedel im Mai 1785 zu einer (1786 abgebrochenen) Afrika-Expedition aufbrach, eilte sie zu ihrem Bruder auf das
Gut Leitzhau bei Zerbst, ließ dort das Gerücht von ihrem Tode ver-
breiten, feierlich eine Strohpuppe statt ihrer begraben und eilte ihm
nach, wurde jedoch in Straßburg mit ihm gesehen. Als die Strohpuppe und die Wahrheit aufkamen, wandelte sich die Trauer um sie
in Weimar nicht ganz unberechtigt in Empörung. Geschieden und
seit 1788 mit A. von Einsiedel in schwieriger Ehe verbunden, wagte
sie sich erst 1795 wieder nach Weimar, wurde aber von den Damen
gemieden und nur von Anna Amalia und Herders freundlich aufgenommen. G., selbst nicht interessiert (»Sie will mir gar nicht gefallen«, an Knebel 3. 2. 1782), fand den »sonderbarsten Roman …
höchst lustig« (an Ch. von Stein 9. 7. 1786; vgl. ebd. 11. 6. 1785).

K. Th. Gaedertz, Zwei Damen der Weimarer Hofgesellschaft, in ders., Bei G. zu
Gaste, 1900.

Werthern-Neunheiligen, Jacob Friedemann, Graf von (1739–
1806). Der ehemalige spanische Gesandte heiratete 1773 Jeanette
Louise Freiin vom und zum Stein (→Werthern-Neunheiligen, J. L.)
und lebte mit ihr auf seinem Schloß Neunheiligen bei Langensalza,

wo G. das Ehepaar am 25. 5. 1780, 7.–15. 3. 1781 und 12. 12. 1782 besuchte und u. a. Blätter von Allaert van Everdingen kopierte. Er und seine Gattin gaben wohl ein Vorbild für Graf und Gräfin in *Wilhelm Meisters Lehrjahren* (III.).

Werthern–Neunheiligen, Jeanette (Johanna) Louise, Gräfin von, geb. Freiin vom und zum Stein (1752–1816). Die »talentvolle, höchst liebenswürdige« Schwester des Reichsfreiherrn H. F. C. vom und zum →Stein hatte G. vielleicht schon am 29. 6. 1774 beim Besuch in ihrem Elternhaus in Nassau kennengelernt (*Dichtung und Wahrheit* III,14 und IV,20), wo G. M. Kraus zeitweilig ihr Zeichenlehrer war. Nach ihrer Heirat mit dem Grafen J. F. von →Werthern-Neunheiligen 1773 zog sie auf sein Schloß Neunheiligen bei Langensalza und weilte öfter in Weimar, wo G. sie häufiger wiedersah. Im Tagebuch verwendet er seit 14. 6. 1776 den Spiegel der Venus als Zeichen für die »schöne Gräfin«. Am 25. 5. 1780, 7.–15. 3. 1781 und 12. 12. 1782 besuchte er das Ehepaar in →Neunheiligen, die beiden letzten Male als Begleiter Carl Augusts, der die Gräfin fast zu aufdringlich verehrte. G. begünstigte das Verhältnis in der Hoffnung, sie werde einen ähnlich veredelnden Einfluß auf den Herzog haben wie Ch. von Stein auf ihn. Gleichzeitig ist er selbst von ihr außerordentlich beeindruckt, preist in den Briefen vom März 1781 an Ch. von Stein unbekümmert ihre Vornehmheit, Lebenskunst, Delikatesse und Aisance (»Diese hat Welt«) und sendet ihr seine Werke. Weitere Begegnungen erfolgten u. a. im September 1781 in Erfurt, am 26. 8. 1782 in Tiefurt und im Juli/August 1785 in Karlsbad.

E. Schulz, Luise Reichsgräfin v. W., in: Karl Prümer zum 75. Geburtstag, hg. ders. 1921; H. Gutbier, G.s Besuch beim Grafen W., in: Auf G.s Spuren im Kreis Langensalza, hg. W. Limpert 1932.

Werthers Leiden   →*Die Leiden des jungen Werthers*

Werthertracht. Die Kleidung Werthers in →*Die Leiden des jungen Werthers* entspricht der einfachen norddeutschen Tracht nach englischem Muster im Gegensatz zur gezierten Rokokomode, wie sie C. W. Jerusalem in Wetzlar trug und *Der poetische Dorfjunker* Masuren sie in L. A. Gottscheds Komödie auf die Wetzlarer Bühne brachte: Blauer Frack mit Messingknöpfen, ledergelbe Weste und Hosen, braune Stulpstiefel und breitkrempiger, runder Filzhut. Durch G.s Beschreibung im Roman wurde sie zur »Werthertracht«, die er selbst und die Grafen zu Stolberg und Haugwitz bei der 1. Schweizer Reise trugen und die G. auch bei seiner Ankunft in Weimar dort zur Mode machte.

Werthes, Friedrich August Clemens (1748–1817). Der Lyriker, Dramatiker und Übersetzer, später Professor der Ästhetik in Stuttgart und Budapest, dessen frühe Arbeiten G. im August 1774 durch

F. H. Jacobi kennenlernte, besuchte G. Anfang Oktober 1774 in Frankfurt. In seiner Übersetzung von Alberto Fortis' *Viaggio in Dalmazia* u. d. T. *Die Sitten der Morlacken* (1775) fand G. die Vorlage zu seiner Ballade →*Klaggesang der edlen Frauen des Asan Aga*, deren Quelle er in *Serbische Lieder* (1825) irrtümlich der Gräfin Rosenberg zuschreibt.

Westermayr, Konrad (1765–1834). Der u. a. 1800–06 in Weimar bei J. H. Lips ausgebildete Maler und Kupferstecher heiratete 1800 die Weimarer Malerin Christiane Henriette Stötzer (1772–1841) und wurde 1806 Professor, später Direktor der Zeichenakademie in seiner Heimatstadt Hanau. G. besuchte das Ehepaar dort auf seiner Rheinreise Ende Oktober 1814 und lobte ihre kunstfördernde Arbeit in *Kunst und Altertum an Rhein, Main und Neckar* (Kap. »Hanau«). Beide Künstler besuchten G. gelegentlich in Weimar.

West-östlicher Divan. G.s umfangreichster Gedichtzyklus entstand vorwiegend vom 21. 6. 1814 (*Erschaffen und Beleben*) bis Oktober 1815, zumal auf den beiden Rheinreisen 1814 und 1815, mit Ergänzungen bis 1818 und Nachträgen (Gedichte zum »Buch des Paradieses«) bis 1820 und wurde zuerst im März 1815 gruppiert, dann November 1815 und wieder 1818 in Bücher eingeteilt. Nach einer ersten Ankündigung im *Morgenblatt* vom 24. 2. 1816 erschienen Vorabdrucke von zwölf Gedichten 1816 in Cottas *Taschenbuch für Damen auf das Jahr 1817* und zwei weitere in F. W. Gubitz' *Gaben der Milde* (1817). Die Erstausgabe, seit März 1818 im Satz, erschien 1819, eine um teils früher entstandene Spruchgedichte vermehrte Fassung 1827 in der Ausgabe letzter Hand (Band 5), als G. die orientalische Welt bereits »wie eine abgestreifte Schlangenhaut« fremd geworden war (zu Eckermann 12. 1. 1827).

Der Hinwendung zur römischen Antike in den *Römischen Elegien* entspricht hier die Hinwendung zum Orient. Die »west-östliche« Begegnung ist die Begegnung des westlichen Dichters mit der östlichen Kultur und Dichtung, eine Begegnung im Medium des Dichters, der mit spielerischer Leichtigkeit Westliches und Östliches, Heiteres und Ernstes, Derbes und Zartes, Sinnliches und Übersinnliches, Alltagssprache, Scherze und religiöses Pathos, östliche Bilder und Formen und westlichen Geist vermischt und verschränkt. Die bei Hafis vorgegebene Dialektik von Leidenschaft und Weisheit, Mystik und ironischem Spielbewußtsein findet ihre Einheit allein in der Person des Dichters, der sich in östlichen Masken spiegelt und das ihm Zusagende der orientalische Poesie seinem Werk anverwandelt. Den Anstoß dazu gab die Beschäftigung mit dem *Divan* (»Versammlung, Liedersammlung«) des →Hafis, die G. ab 7. 6. 1814 in der Übersetzung J. von Hammers in Berka und später wiederholt las und als geistes- und wesensverwandt empfand. Sie führte in der Folgezeit zu intensiver Beschäftigung mit dem

→Orient, besonders →Persien und →Arabien, durch Lektüre orientalischer Dichter (Firdausi, Saadi, *Koran* u. a.) in Übersetzungen (Jones, Hammer, Diez u. a.) und europäischer Reiseberichte aus dem Osten (Marco Polo, P. della Valle, Olearius, Chardin, Tavernier), die sich auch in den →*Noten und Abhandlungen zum besseren Verständnis des West-östlichen Divans* niederschlugen.

Der Zyklus gliedert sich in zwölf Bücher verschiedenen Umfangs nach Themenkreisen, wobei einzelne Motive durch alle Gruppen hindurchgehen: 1. *Buch des Sängers*: Begegnung mit der östlichen Kultur und Einführung in die orientalische Welt, gleichzeitig Flucht des Dichters aus den politischen Wirren des Westens (*Hegire*). – 2. *Buch Hafis*: Preis des Vorbildes und Darstellung der Eigenart östlicher Dichtung, ihrer Themen, Formen und Religion. – 3. *Buch der Liebe*: Musterbilder berühmter orientalischer Liebespaare und persönliches Leid des Dichters. – 4. *Buch der Betrachtungen*: Orientalische Merksätze und eigene Erfahrungen. – 5. *Buch des Unmuts*: Abrechnung mit Gegnern, Neidern und dem Unverständnis der Masse in Satiren und Invektiven. – 6. *Buch der Sprüche*: Knappe Lebens- und Weisheitslehren aus praktischer Alterserfahrung. – 7. *Buch des Timur*: Parallelen zwischen Timurs China- und Napoleons Rußlandfeldzug. – 8. *Buch Suleika*: Das vorwiegend 1815 entstandene, umfangreichste Kernstück des Zyklus im Liebesgespräch zwischen Hatem und →Suleika, die zuerst als fiktive Geliebte gedacht war und an deren Stelle im August 1815 Marianne von →Willemer trat, ein poetischer Wettstreit im Austausch von Liebesliedern in blumenreicher orientalischer Verhüllung, deren Frauenstrophen G. mit teils nur geringen Veränderungen integriert, wechselnd zwischen romantischer Verkleidung und echter Liebesleidenschaft, die Verjüngung mit sich bringt, symbolhaft in Trennung und Wiedervereinigung (*Gingo biloba*) und fast unverhüllt im Gedicht »Locken halten mich umfangen …«, in dem »Hatem« (statt »Goethe«) sich auf »Morgenröte« reimen soll. – 9. *Das Schenkenbuch*: Weniger bloße Trinklieder als thematisch um die Liebe des Hafis zu einem anmutigen Knaben kreisend, den er zu seinem Schenken macht. – 10. *Buch der Parabeln*: Alltägliche Begebenheiten mit tiefsinniger Deutung als gleichnishaft für ethisch-religiöse Fragen. – 11. *Buch des Parsen*: Die Lehre Zarathustras als Bekenntnis zum Pantheismus und Anbetung der Schöpferin Natur. – 12. *Buch des Paradieses*: Romantische Ironie mit der islamischen Vorstellung des Paradieses, zum dem seine Liebesgedichte dem Dichter Einlaß sichern; Verbindung von irdischer und himmlischer Liebe.

Die Rezeption des *West-östlichen Divan* zeigt ein dem Rang des Werkes nicht entsprechendes, weitgehendes Unverständnis bei den G. fernerstehenden Zeitgenossen, dagegen große literarische Wirkung auf die nachfolgende »orientalisierende Dichtung« (Rückert, Platen, Bodenstedt u. a.) und das Interesse an östlicher Dichtung überhaupt.

H. A. Korff, Der Geist des W. ö. D., 1922; K. Burdach, Vorspiel II, 1926; L. L. Hammerich, G.s W. ö. D., Kopenhagen 1932; H. H. Schaeder, G.s Erlebnis des Ostens, 1938; W. Schultz, G.s Deutung des Unendlichen im W. ö. D., Goethe 10, 1947; H. A. Korff, Die Liebesgedichte des W. ö. D., 1947; E. Beutler, Der W. ö. D., EG 5, 1950; G. Konrad, Form und Geist des W. ö. D., GRM 32, 1951; A. Fuchs, Le W. ö. D., PEGS NS 22, 1953, deutsch in ders., G.-Studien, 1968; W. Kayser, Beobachtungen zur Verskunst des W. ö. D., PEGS NS 23, 1954, auch in ders., Kunst und Spiel, 1961; F. Strich, G.s W. ö. D., 1954, auch in ders., Kunst und Leben, 1960; K. Burdach, Zur Entstehungsgeschichte des W. ö. D., 1955; H.-E. Hass, Über die strukturelle Einheit des W. ö. D., in: Stil- und Formprobleme in der Literatur, hg. P. Böckmann 1959; M. Rychner, G.s W. ö. D., in ders., Antworten, 1961; E. Middell, G.s W. ö. D., Diss. Leipzig 1962; M. Mommsen, Studien zum W. ö. D., 1962; S. Atkins, Zum besseren Verständnis einiger Gedichte des W. ö. D., Euph 59, 1965; I. Hillmann, Dichtung als Gegenstand der Dichtung, 1965; H. A. Maier, G., W. ö. D., Kommentar 1965; U. Wertheim, Von Tasso zu Hafis, 1965 u. ö.; F. W. Burkhardt, Über die Anordnung der Gedichte in G.s W. ö. D., Diss. Mainz 1965; E. Ihekweazu, G.s W. ö. D., 1971; Studien zum W. ö. D. G.s, hg. E. Lohner 1971; E. Bahr, Die Ironie im Spätwerk G.s, 1972; Interpretationen zum W. ö. D. G.s, hg. E. Lohner 1973; H. Ohlendorf, Prophet, Despot und Dichter, Diss. Stanford 1973; W. Solms, G.s Deutscher Divan von 1814, LJb 15, 1974; W. Solms, Interpretation als Textkritik, 1974; G. Henckmann, Gespräch und Geselligkeit in G.s W. ö. D., 1975; W. Solms, G.s Vorarbeiten zum Divan, 1977; F. Sengle, Die didaktischen und kulturkritischen Elemente im W. ö. D., OGS 12, 1981, auch in ders., Neues zu G., 1989; E. Ileri, G.s W. ö. D. als imaginäre Orient-Reise, 1982; W. Frühwald, Deklinierend Mohn und Rose, in: Im Anschaun ewger Liebe, hg. W. Böhme 1982; K. Krolop, Lebens- und Welterfahrung in G.s W. ö. D., WB 28, 1982; W. Solms, Des Reimes holder Lustgebrauch, GJb 99, 1982; H. H. Reuter, Dichters Lande im Reich der Geschichte, 1983; K. Richter, Lyrik und Naturwissenschaft in G.s W. ö. D., EG 38, 1983; M. Eickhölter, Die Lehre vom Dichter in G.s Divan, 1984; S. Heine, Zur Gestalt des Dichters in G.s W. ö. D., GJb 101, 1984; A. Muschg, G. als Emigrant, 1986; M. Lemmel, Poetologie in G.s W. ö. D., 1987; D. Lee, Zur Textüberlieferung des W. ö. D., GYb 4, 1988; H. Schlaffer, Furor poeticus, Poetica 22, 1990; H. Birus, G.s imaginativer Orientalismus, JFDH 1992; G. v. Graevenitz, Das Ornament des Blicks, 1994; J. Wohlleben, Des Divans Poesie und Prose, GJb 111, 1994.

Die Wette. Das harm- und belanglose kleine Gelegenheitslustspiel entstand am 29./30. 7. 1812 in Teplitz im Gefolge einer Unterhaltung im Kreise der Kaiserin →Maria Ludovica von Österreich am 28. 7. 1812 über die Frage, ob Mann oder Frau zuerst das Liebesgeständnis ablegen dürften, und die Aufforderung der Kaiserin, »das Betragen zweier durch eine Wette getrennter Liebender« in einem Lustspiel darzustellen (Tagebuch). Der am 30. 7. 1812 dem Sekretär Carl Augusts diktierte, von G. durchkorrigierte Text, dessen für den 9. 8. 1812 geplante Aufführung wohl wegen G.s Krankheit unterblieb, erschien erst 1836 postum in der Quartausgabe. Er läßt vermuten, daß die Kaiserin selbst ein moralisch-empfindsames Stück improvisierte, das G. nur oberflächlich für die Bühne bearbeitete. Das schwache, spannungsarme Stück zum Problem der Geschlechterpsychologie gibt nur eine blasse, sehr allgemeine Charakteristik eines traditionellen Liebespaars.

S. Atkins, G's last play, MLN 97, 1982; W. Kraft, D. W., in ders., G., 1986; →Maria Ludovica.

Wetten im *Faust*. Das Motiv einer Wette oder (vulgo) eines Pakts erscheint im *Faust* in zwei aufeinander bezogenenen Stellen. Im »Prolog im Himmel« spricht nur Mephisto von »wetten« und »Wette« (v. 312, 331), ohne daß der Herr aus besserer Kenntnis seiner Geschöpfe die Möglichkeit einer Niederlage auch nur in

Betracht zieht und für diesen Fall eine Gegenleistung oder Konzessionen vereinbart. Vielmehr bestätigt er Mephisto nur seine Freiheiten, ohne auf seine Wünsche einzugehen: zur Debatte steht im Grunde gar nicht Faust, sondern die Qualität der Schöpfung. – Hinsichtlich der Wette zwischen Faust und Mephisto (v. 1692 ff.) weicht G. bewußt von der Tradition des Faust-Stoffes ab, in dem Faust sich verpflichtet, Mephisto nach 24 Dienstjahren seine Seele zu übereignen. Gegenstand des mit Blut unterzeichneten Vertrags ist hier wieder kein befristetes, zeitlich begrenztes Recht auf die Dienstbarkeit Mephistos und, als Gegenleistung, Fausts Anheimfallen an diesen nach dem mechanischen Ablauf einer vorbestimmten Frist, sondern die zeitlich unbestimmte Möglichkeit, daß Faust irgendwann einmal in seinem Streben nachlassen, für einen Augenblick volle Zufriedenheit empfinden werde und den Zeitablauf anhalten wolle. Daß Mephisto schließlich seine Wette gewonnen glaubt, als Faust scheinbar wortwörtlich die Formulierung der Wette ausspricht (v. 1699 f. und 11581 f.), beruht nur auf einem Mißverständnis Mephistos und seiner Unkenntnis der Grammatik, die das Hypothetische des in die Zukunft weisenden Konjunktivs (»dürft' ich sagen …«) übersieht, und bedarf gar keiner juristischen Klarstellung der Vertragsbedingungen. Das »Vorgefühl von solchem hohen Glück« (v. 11858) ist noch nicht das Glück. Faust gibt sein unbefriedigtes Streben, sein rastloses Vorwärtsdrängen nicht auf, sondern deutet nur hypothetisch-potentiell eine solche Möglichkeit für die Zukunft an – eine Möglichkeit aber, deren Existenz schon der Herr im »Prolog im Himmel« verneinte.

E. Landsberg/J. Kohler, Fausts Pakt mit Mephistopheles in juristischer Beleuchtung, GJb 24, 1903; A. Frederking, Mephistos Monolog und die beiden W. in G.s Faust, ZfdU 25, 1911; J. Burghold, Die Faust-W. und ihre scheinbaren Widersprüche, GJb 34, 1913; O. Pniower, Der Teufelspakt in G.s Faust, JGG 7, 1920; A. R. Hohlfeld, Pact and wager in G's Faust, Modern Philology 18, 1920 f., auch in ders., 50 years with G., Madison 1953, deutsch in: Aufsätze zu G.s Faust I, hg. W. Keller 1974; H. Rickert, Die W. in G.s Faust, Logos 10, 1921 f.; L. Mader, Zum Pakt in G.s Faust, ZfD 37, 1923; H. Steinhauer, F's pact with the devil, PMLA 71, 1956; F. R. Schröder, Fausts W. und Tod, GRM 39, 1958; H. J. Weigand, W. und Pakt in G.s Faust, MDU 53, 1961, auch in ders., Fährten und Funde, 1967; M.-J. Fischer, Mythos und Aufklärung, TuK Sonderband G., 1982; G. v. Molnár, Die Wette biet' ich, in: Geschichtlichkeit und Aktualität, hg. K.-D. Müller 1988; →Faust.

Wetter, Wetterkunde →Meteorologie

Wetzlar. Die alte Freie Reichsstadt an der Lahn mit um 1770 rd. 5000 Einwohnern war 1693–1806 Sitz des →Reichskammergerichts, an dem G. wie 1735 schon sein Vater und auf dessen Wunsch von Mitte Mai (Eintragung in die Matrikel 25. 5. 1772) bis 11. 9. 1772 zur Vervollständigung seiner juristischen Ausbildung als einer von damals 18 Praktikanten hospitierte, ohne indessen sich des Übereifers bei der Aneignung juristischer Kenntnisse schuldig zu machen. In der »zwar wohl gelegenen, aber kleinen und übel gebauten Stadt« (*Dichtung und Wahrheit* III,12) wohnte er am Kornmarkt neben dem Gasthaus zum römischen Kaiser, speiste an der

→Rittertafel im Gasthaus zum Kronprinzen am Buttermarkt, verkehrte mit den Kollegen der Rittertafel F. W. Gotter, A. S. von Goué, C. A. von Hardenberg, Ch. A. Freiherr von Kielmannsegg, J. H. von Born u. a., seiner Großtante S. M. C. Lange und vor allem mit J. Ch. →Kestner und dessen Braut Charlotte →Buff, die mit ihrer Familie im →Deutschen Haus (Deutschordenshof, Lottehaus) wohnte, las Pindar, Homer, Goldsmith, Lessing, Herder und Rousseau, schrieb Rezensionen für die *Frankfurter Gelehrten Anzeigen* und unternahm Ausflüge in die landschaftlich schöne Umgebung, z. B. nach →Garbenheim, →Volpertshausen und Gießen. Der Umgang mit Kestner, die Liebe zu Lotte und der Selbstmord von C. W. →Jerusalem am 30. 10. 1772 nach G.s Weggang gaben Motive und Handlungsgerüst für G.s ersten Roman →*Die Leiden des jungen Werthers*, in dem Wetzlar allerdings nicht genannt wird. Nach seiner durch Liebeskummer veranlaßten Flucht aus Wetzlar am 11. 9. 1772 mit schriftlichem Abschied von Kestner und Lotte machte G. am 6.–10. 11. 1772 als Begleiter Schlossers auf dessen Geschäftsreise noch einen letzten Besuch in Wetzlar. Nach der Veröffentlichung seines Romans sah er die Stadt, der er zu literarischer Berühmtheit verholfen hatte, nicht wieder (*Dichtung und Wahrheit* III, 12).

W. Herbst, G. in W., 1881; H. Gloël, G.s W.er Zeit, 1911; H. Gloël, Welche Gedichte G.s sind in W. entstanden?, JGG 3, 1916; H. Gloël, W.er G.-Büchlein, 1922; H. Gloël, Der W.er G., 1932; H. Mignon, G. in W., 1949 u. ö.; P. Köhler, G. und W., Mitteilungen des Wetzlarer Geschichtsvereins 16, 1954.

Weyden, Rogier van der (1399/1400–1464). Von dem niederländischen Maler gibt es kein einziges signiertes Werk. Am 1. 10. 1814 bewunderte G. in Heidelberg in der Sammlung Boisserée den durch Boisserée Jan van →Eyck zugeschriebenen Dreikönigsaltar (um 1462) aus S. Columba in Köln mit Anbetung der Könige, Verkündigung und Darstellung im Tempel und beschrieb ihn ausführlich in *Kunst und Altertum am Rhein, Main und Neckar.* Der Altar (jetzt München, Pinakothek) gilt seit 1841 als Werk des Rogier van der Weyden. Ferner sah G. dort eine Kopie von van der Weydens sog. Lukasmadonna (Der hl. Lukas zeichnet Maria mit Kind, jetzt ebd.). Ein van der Weyden (mit den falschen Daten 1480–1528) zugeschriebener Flügelaltar mit Anna, Maria und der hl. Sippe aus dem Frankfurter Weißfrauenkloster, den G. am 16. 9. 1814 bei Ch. G. Schütz d. J. in Frankfurt sah, ist nicht mehr nachweisbar.

Weygand, Christian Friedrich (um 1742–1807). Der ursprünglich Helmstedter Buchhändler und Verleger siedelte 1770 nach Leipzig über und wurde rasch zum führenden Verleger der Autoren des Sturm und Drang. Von G. verlegte er 1774 *Götter, Helden und Wieland, Clavigo, Neueröffnetes moralisch-politisches Puppenspiel* und vor allem im Herbst 1774 anonym *Die Leiden des jungen Werthers*, deren Manuskript er im Mai 1774 erhielt. G.s Darstellung in *Dich-*

tung und Wahrheit (III,13), er habe am Hochzeitstag seiner Schwester (1. 11. 1773) Weygands Bitte um Manuskript erhalten und den
damals bereits abgeschlossenen *Werther* umgehend abgesandt, ist
irrig. Für die zum 50jährigen Erscheinen des Romans 1824 vom
damaligen Inhaber der Weygandschen Buchhandlung, J. Ch. Jasper,
vorgelegte Jubiläumsausgabe des *Werther* schrieb G. statt der erbetenen Vorrede am 25. 3. 1824 das Gedicht →*An Werther* (zu Eckermann 1. 12. 1831).

Weyland, Friedrich Leopold (1750–1785). Der Straßburger Medi-
zinstudent aus Buchsweiler, G.s Tischgenosse bei den Schwestern
Lauth, machte mit G. und J. C. Engelbach am 22. 6.–4. 7. 1770 die
Reise zu Pferde durch Unterelsaß und Lothringen, wo sie in
Buchsweiler von Weylands Eltern und in Saarbrücken von Weylands
Schwager Schöll, dem Bruder von Friederike Brions Mutter,
freundlich aufgenommen wurden, unternahm mit ihm auch kleinere Exkursionen ins Elsaß und führte G. im Oktober 1770 bei der
Familie →Brion in →Sesenheim ein, wohin er ihn wiederholt begleitete (*Dichtung und Wahrheit* II,10–11). Später Arzt in Frankfurt,
vermied er wohl wegen G.s Verhalten gegenüber Friederike Brion
dessen Kreis.

Weyland, Philipp Christian (1766–1843). Der jüngere Bruder von
G.s Straßburger Studienfreund F. L. Weyland wurde 1790 Geheimsekretär Carl Augusts in Weimar, begleitete ihn 1792 auf dem
Frankreichfeldzug, wurde 1794 Kriegsrat, Legationsrat, 1818 Präsident des Landschaftskollegiums und 1840 Geheimrat. Selbst
Schriftsteller, verkehrte er mit seiner Frau bei G. und Johanna Schopenhauer.

Widmann, Georg Rudolf →Fauststoff

Wieck, Clara und Friedrich →Schumann, Clara

Wiedeburg, Johann Ernst Basilius (1733–1789).Von dem Physiker
und Astronom, seit 1760 Professor der Mathematik und Physik in
Jena, ließ sich G. im Mai 1786 bei seinen algebraischen Studien leiten. Nach seinem Tod veranlaßte G. den Ankauf seiner Apparate für
die Universität Jena, um der Witwe und den Kindern zu helfen.

Wiederfinden. Das wohl am 24. 9. 1815 bei der Wiederbegegnung mit M. von Willemer in Heidelberg entstandene, 1820 von
Zelter vertonte Gedicht im »Buch Suleika« des *West-östlichen Divan*
stellt das Wiedersehen zweier liebender Menschen als Teil und Fortführung der Weltschöpfung dar. Die ursprüngliche Einheit der Welt
wird nach dem Auseinanderstreben der Elemente und deren Pola-
risierung in der Liebe erneut hergestellt. Persönliches Erleben wird
beispielhaft als kosmischer Vorgang verstanden.

J. Cohn, G.s Gedicht W., Archiv für Philosophie 1, 1947; W. Schneider, Liebe zum deutschen Gedicht, 1952 u. ö.; W. Marg, G.s W., Euph 46, 1952; H. Haller, G.s Gedicht W., Pädagogische Rundschau 15, 1961; G. Luther, G.s W., in: Interpretationen zum West-östlichen Divan, hg. E. Lohner 1973; W. Mohr, G.s Gedicht W. und der Frühlingsreien Burkarts von Hohenvels, in: Festschrift F. Beißner, hg. U. Gaier 1974, auch in ders., Gesammelte Aufsätze 2, 1983; D. R. Midgley, W., GLL 36, 1982 f.; M. Böhler, Poeta absconditus, in: Verbergendes Enthüllen, hg. W. M. Fues 1995.

Wiederholte Spiegelungen. Der kurze Aufsatz entstand am 29. 1. 1823 als Dank für die G. von J. W. E. d'Alton am 5. 12. 1822 übersandte Handschrift der Schilderung von A. F. Näkes Besuch in Sesenheim 1822 (Druck als *Wallfahrt nach Sesenheim*, 1840) und erschien erst im Nachlaß (Ausgabe letzter Hand Bd. 49). Der dem Text entnommene Titel (von Eckermann) aus der Optik bzw. Farbenlehre verweist auf die Erscheinung, daß mehrfache Reflektionen das ursprüngliche Bild und die Erinnerung daran verschärfen und vervollkommnen können, hier angewandt auf G.s Erlebnis in Sesenheim. Auch in seiner Dichtung verwendet G. die Technik der »sich gleichsam ineinander abspiegelnden Gebilde« zur Offenbarung direkt nicht mitteilbarer Erfahrungen (an C. J. L. Iken 27. 9. 1827).

L. A. Willoughby, Literary relations in the light of G's principle of W. S., CL 1, 1949, auch in ders., G., London 1962, deutsch 1974; K.-P. Hinze, Zu G.s Spiegelungstechnik im Bereich seiner Erzählungen, OL 25, 1970; R. Terras, G's use of the mirror image, MDU 67, 1975; W. Brednow, Spiegel, Doppelspiegel und Spiegelungen, 1976; W. Secker, W. S., 1985; R. Konersmann, Spiegel und Bild, 1988.

Das Wiedersehn. Das wohl im Juli 1793 entstandene Gedicht wurde am 19. 7. 1793 an F. H. Jacobi gesandt, 1795 in J. H. Voß' *Musenalmanach fürs Jahr 1796* zuerst gedruckt (leicht verändert in *Neue Schriften* Bd. 7, 1800) und von J. F. Reichardt vertont. Im Liebesdialog enthüllt sich das unterschiedliche Zeitempfinden der Partner: Dem liebenden Mann ist der Zeitablauf irrelevant und die Begegnung wiederholbar, während die sehnende Frau ihn als trennend und das Vergangene für unwiederbringlich hält.

Wieland, Christoph Martin (1733–1813). Der nächst Lessing bedeutendste deutsche Schriftsteller der Aufklärung wurde im August 1772 durch Anna Amalia von einer Professur für Philosophie in Erfurt als Prinzenerzieher für Carl August nach Weimar berufen – ein Glücksfall für Weimar und der erste Schritt zur klassischen Epoche der Stadt. Seit der Volljährigkeit Carl Augusts 1775 lebte Wieland, durch eine jährliche Pension von 1000 Talern abgesichert, in Weimar, 1797–1803 auf seinem Gut →Oßmannstedt, dann wieder in Weimar als freier Schriftsteller, Förderer des Theaters, Freund und häufiger Gesellschafter in Anna Amalias Tafelrunde und Musenhof.

Er war G. kein Unbekannter, als er ihm bei dessen Ankunft in Weimar 1775 erstmals persönlich begegnete. Wielands Grazie und Epikureismus hatten schon im »Leipziger Liederbuch« Spuren hinterlassen. 1767/68 hatte G. sich mit Wielands Prosaübersetzung

Shakespeares (VIII 1762–66) beschäftigt, durch die er wie Wilhelm Meister »überhaupt Shakespeare zuerst kennenlernte« (*Lehrjahre* V,5) und deren kritische Anmerkungen bis zur *Hamlet*-Deutung in *Wilhelm Meisters Lehrjahren* nachwirkten. 1768 las G. noch in Aushängebogen Wielands Epos *Musarion* (1768), dessen Verlebendigung der Antike ihm einen tiefen Eindruck machte (*Dichtung und Wahrheit* II,7 und 8), und *Idris* (1767), der G.s *Die Mitschuldigen* beeinflußte, und 1770 *Der Rasende Sokrates oder die Dialogen des Diogenes von Synope* (1770) u. a. So konnte er noch vor der Begegnung mit Herder bekennen, nach Oeser und Shakespeare sei Wieland »noch der einzige, den ich für meinen echten Lehrer erkennen kann« (an Ph. E. Reich 20. 2. 1770). 1773 las G. Wielands Fürstenspiegel *Der goldne Spiegel* (1772) und befaßte sich kritisch-zurückhaltend mit Wielands populärer Zeitschrift →*Der Teutsche Merkur* (1773–89), der er 1776–78 selbst lyrische Beiträge und 1788/89 die Italien-Berichte *Auszüge aus einem Reise-Journal* liefern sollte. Erst die assimilierende Behandlung der Antike in Wielands *Alceste* (1773) und deren Rechtfertigung in den *Briefen an einen Freund über das Singspiel Alceste* (*Teutscher Merkur* 1773) gaben im Oktober 1773 Anlaß zu G.s an einem Tag niedergeschriebener dramatischer Farce →*Götter, Helden und Wieland* (Druck März 1774), in der Euripides und Wielands Figuren sich bei ihm beklagen (*Dichtung und Wahrheit* III,15). Wieland jedoch reagierte zu G.s Beschämung versöhnlich mit einer anerkennenden Rezension der Satire und einer ausführlichen, lobenden Besprechung des *Götz von Berlichingen* (*Teutscher Merkur* Juni 1774). Die großherzige Überlegenheit des Älteren und die Vermittlung von Freunden (S. von La Roche, F. H. Jacobi, Knebel) veranlaßten G., Wieland im Dezember 1774 einen Versöhnungsbrief zu schreiben.

So stand bei G.s Eintreffen in Weimar einer engen Freundschaft und einem fast 40jährigen wohlwollenden Einvernehmen der Schriftstellerkollegen nichts im Wege. Wieland war nach Zeugnis überschwenglicher brieflicher Äußerungen und seines Gedichts *An Psyche* (Januar 1776) von G.s Wesen begeistert, nahm ihn freundschaftlich mit offenen Armen auf und sah alle Erwartungen übertroffen. G. erwiderte Wielands Freundschaft und Güte, verkehrte in den ersten Weimarer Jahren oft in seinem Haus mit Wielands Frau Anna Dorothea (1746–1801) und den Kindern (»göttlich reine Stunden«, an Ch. von Stein 2. 7. 1776), schätzte sein so andersartiges Werk und pries sein unermüdliches Streben nach dessen Vervollkommnung (*Literarischer Sansculottismus*). Dem Verfasser des Epos *Oberon* (1780), das er als »ein Meisterstück poetischer Kunst« bewunderte (an Lavater 3. 7. 1780), sandte er einen Lorbeerkranz, half ihm 1796 bei der Neudurchsicht des Werkes und verwendete dessen Rahmen später im »Walpurgisnachtstraum« des *Faust*. Er verfolgte mit Interesse die Übersetzungsarbeiten des Freundes (Aristophanes, Lukian, Horaz, Cicero), entnahm der

Übersetzung von Aristophanes' *Rittern* 1798 die Anregung zu den
→*Weissagungen des Bakis*, vertraute ihm *Iphigenie, Götz von Berlichingen* und 1793 *Reineke Fuchs* zur Durchsicht an und gab ihm als
einem der ersten 1789 Einblick in die *Römischen Elegien*. Während
G.s Freundschaft mit Schiller, der Wieland fernlag, trat das Verhältnis zu Wieland in deren Schatten, zumal Wieland mehr in den Kreisen um Anna Amalia und Herder verkehrte und an den *Xenien,* die
ihn nicht ungeschoren ließen (z. B. Nr. 280), Anstoß nahm (*Teutscher Merkur* Januar 1797). G.s Erwerb des Gutes Oberroßla 1798
brachte eine Periode freundnachbarlichen Verkehrs mit Wieland als
Gutsnachbar in Oßmannstedt, der fortdauerte und dessen gelegentliche Meinungsverschiedenheiten dank der Konzilianz des Lebens-
künstlers Wieland stets rasch beigelegt wurden. Diese Verbindung
dokumentiert sich literarisch in dem im Herbst 1803 gemeinsam
herausgegebenen →*Taschenbuch auf das Jahr 1804* mit zwei Erzählungen Wielands und den gesellígen Liedern G.s Nachruf auf
Wieland in der Logenfeier am 18. 2. 1813 *Zu brüderlichem Andenken
Wielands*, Zeugnis der Zuneigung und Bewunderung, entwirft
noch einmal aus G.s Sicht das Bild des Mannes, der »unendlich viel
auf die geistige Bildung der Nation gewirkt« habe und »in Deutschland einzig in seiner Art« gewesen sei (an Reinhard 25.1.1813).
Auch der *Maskenzug. Den 18. Dezember 1818* würdigt Wieland und
seine Dichtung. Wielands Kosmopolitismus, seine weise Lebenskunst, Konzilianz, Liberalität und skeptische Heiterkeit, seine »heitere Nachgiebigkeit und zähe Hartnäckigkeit« (an Carl August 25. 1.
1816) als komplimentäre Wesenszüge ergänzen in gewissem Sinne
G.s Charakterzüge und blieben als Korrektiv nicht ohne Einfluß
auf ihn.

B. Seuffert, Der junge G. und W., ZDA 26, 1882; B. Seuffert, W., JGG 1, 1914; A. Teu-
tenberg, W. und G., Xenien 7, 1914; A. Fuchs, G. et W. après les années d'Italie, in: G.,
Paris 1932; H. Wahl, W. und G., in: Festschrift zum 200. Geburtstag des Dichters
Ch. M. W., 1933, auch in ders., Alles um G., 1956; W. Niemeyer, G. und W., Programm
Zwickau 1934; F. Sengle, W., 1949; F. Sengle, W. und G., in: Wieland, 1954, auch in ders.,
Arbeiten zur deutschen Literatur, 1965; F. Sengle, G.s Nekrolog Zu brüderlichem An-
denken W., MLN 99, 1984, auch in ders., Neues zu G., 1989; T. C. Starnes, Ch. M. W.,
III 1987.

Wieliczka. In der damals zum österreichischen Galizien gehörigen
polnischen Bergbaustadt südlich von Krakau besichtigten Carl
August und G. Anfang September 1790 den Steinsalzbergbau und
die Salinen.

Wiener Kongreß. Die Versammlung europäischer Fürsten und
Staatsmänner unter Vorsitz des Fürsten Metternich in Wien vom
18. 9. 1814 bis 9. 6. 1815, die über die Umgestaltung Europas nach
den Napoleonischen Kriegen zumeist im Sinne einer Restauration
der vorrevolutionären Verhältnisse entschied, brachte für →Sachsen-
Weimar-Eisenach die Erhebung zum Großherzogtum und eine
mäßige Gebietserweiterung. G., während des Kongresses teils am

Rhein und Neckar, teils schwer erkältet und zum Orient orientiert, ließ sich von Ch. G. von Voigt über die laufenden Verhandlungen berichten, an denen Weimar durch den Minister E. A. Freiherr von →Gersdorff vertreten war.

Wiesbaden. Das jetzige Weltbad am Taunus spielte als Kurort noch kaum eine Rolle, als G. es in seiner Jugend auf Taunuswanderungen und im Juni 1765 mit seinem Vater besuchte (*Dichtung und Wahrheit* II,6), am 28. 6. 1774 mit Lavater auf der Reise nach Ems dort Pause machte und am 28. 7. 1793 nach der Belagerung von Mainz dort einkehrte. Der rasche Ausbau zum Kurort zu Anfang des 19. Jahrhunderts und die Nähe zur Heimat veranlaßten ihn jedoch, Wiesbaden zweimal für einen Badeaufenthalt zu wählen: Unterbrochen von Ausflügen nach Bingen, Mainz, Winkel a. Rh. und Nassau-Köln, weilte er dort am 29. 7.–12. 9. 1814 und 27. 5.–11. 8. 1815, das zweite Mal im Schatten der Kriegsereignisse (Waterloo), arbeitete am *West-östlichen Divan*, benutzte die Bibliothek, speiste oft sonntags an der Hoftafel des Herzogs Friedrich August von Nassau in →Biebrich, verkehrte mit Bergrat L. W. Cramer, Bibliothekar Hundeshagen und (1815) Erzherzog Carl von Österreich und empfing 1814 Besuche vom Freiherrn vom Stein, Carl August, Zelter, Ch. H. und F. J. H. Schlosser, J. J. Riese, J. I. von Gerning und J. J. von Willemer (am 4. 8. 1814 erste Begegnung mit Marianne Jung, späterer von Willemer), 1815 von Boisserée, W. M. von Haxthausen, dem Freiherrn vom Stein u. a. m. Über den kulturellen Aufschwung Wiesbadens berichtet das Kapitel in *Kunst und Altertum am Rhein und Main*.

R. A. Zichner, G. als Kurgast in W. und am Rhein, Das schöne Nassau 3, 1931 f.; D. Wahl, G. und Zelter damals zu W., JbSKipp 1, 1963; A. Schaefer, G. in W. 1814 und 1815, Goethe 27, 1965; A. Schaefer, G. in W. und am Rhein, 1973.

Wilhelm. So heißen mehrere Figuren G.s, u. a. 1. der Adressat der Briefe Werthers in *Die Leiden des jungen Werthers,* 2. der vermeintliche Bruder der Marianne in *Die Geschwister,* 3. Wilhelm →Meister in *Wilhelm Meisters theatralische Sendung,* den *Lehrjahren* und *Wanderjahren.*

Wilhelm I., deutscher Kaiser (1797–1888). Als solchen hat ihn G. nicht mehr erlebt, aber Friedrich Wilhelm Ludwig, der zweite Sohn von Friedrich Wilhelm III., der 1861 als Wilhelm I. König von Preußen und 1871 deutscher Kaiser wurde und am 11. 6. 1829 in Weimar die Prinzessin →Augusta von Sachsen-Weimar-Eisenach heiratete, besuchte als Prinz Wilhelm bei seinen Aufenthalten in Weimar, meist mit Prinz Carl von Preußen, wiederholt G., so am 12. 11. 1826, 1. 2. 1827 (»seine Gegenwart höchst erwünscht gefunden«, an Boisserée 17. 2. 1827), am 9. 11. 1828, 16. 2., 11. 3. (mit seiner Braut) und 11. 11. 1829.

Wilhelm I., Prinz von Oranien, Graf von Nassau (1533–1584). Der Sohn des Grafen Wilhelm I. von Nassau-Dillenburg erbte 1544 das Fürstentum Oranien (um Orange in Südfrankreich) und größere niederländische Herrschaften und wurde 1553 von Kaiser Karl V. zum Generalleutnant der in den Niederlanden stehenden Armeen ernannt. Als vorsichtiger Politiker um die alten Privilegien und die Einführung der Inquisition Philipps von Spanien besorgt, nahm er 1561 mit Egmont und Philipp Graf von Hoorne den Widerstand gegen die Spanier auf, den er nach Ankunft Albas von seinen Stammlanden aus weiterführte. 1572 von den Wassergeusen zum Statthalter der nordniederländischen Seeprovinzen ernannt, die sich 1581 von Spanien lossagten, wurde er vom spanischen König geächtet und 1584 in Delft erschossen. Der Begründer der niederländischen Unabhängigkeit wird in G.s *Egmont* zum Gegenbild Egmonts, der bedachtsam handelt, die Gefahr in Alba erkennt und Egmont in einem Gespräch am 2. 4. 1567 in Willebroek (nicht in Brüssel, wie bei G.) vergeblich warnt und zur Flucht überreden will.

Wilhelm I. Friedrich Karl, König von Württemberg (1781–1864). Der Sohn von König Friedrich I. Wilhelm Karl, ab 1816 selbst König, besuchte G. in Weimar am 9. 4. 1820 (*Tag- und Jahreshefte* 1820) und am 14. 7. 1832 (an J. H. Meyer 30. 7. 1831).

Wilhelm Meister. Eingeführte zusammenfassende Bezeichnung für die beiden Romane →*Wilhelm Meisters Lehrjahre* und →*Wilhelm Meisters Wanderjahre* als Einheit. Allgemeine Literatur zu beiden Romanteilen wird hier unter *Wilhelm Meisters Lehrjahre* verzeichnet. Zur Figur →Meister, Wilhelm.

Wilhelm Meisters Lehrjahre. ENTSTEHUNG: Die Arbeit an G.s wegweisendem, klassischen Bildungsroman begann in den frühen Weimarer Jahren und vollzog sich in zwei separaten Stufen. Vom 16. 2. 1777 bis 11. 11. 1785 entstand die fragmentarische Urfassung, die erst 1910 entdeckt und 1911 u. d. T. →*Wilhelm Meisters theatralische Sendung* veröffentlicht wurde. Nach gedanklicher Beschäftigung mit dem Werk 1787 in Italien und einzelnen kürzeren Arbeitsphasen, u. a. am 3.–11. 1. 1791 und Januar–März 1793, ließ G. im März 1793 eine neue Abschrift des bisherigen Manuskripts mit dem Titel *Wilhelm Meisters Lehrjahre* anfertigen und begann im April 1794 die Umarbeitung dieser Fassung, die mit einschneidenden inhaltlichen wie gehaltlichen Änderungen aufgrund seiner gewandelten Weltanschauung seit der Italienreise in die Bücher I–V,3 der *Lehrjahre* integriert wurde, und schloß das Werk, seit Dezember 1794 begleitet vom Drängen und den kritischen Anmerkungen Schillers, am 26. 6. 1796 ab. Diese Druckfassung erschien im Januar, Mai und November 1795 und Oktober 1796 in vier Bänden von

je zwei Büchern als Einzelwerk und als Band 3–6 der *Neuen Schrif-
ten*. Bereits am 12. 7. 1796 (an Schiller), dann im April 1810 dachte
G. an eine mögliche Fortsetzung, die 1821 bzw. 1829 als → *Wilhelm
Meisters Wanderjahre* erschien.

HANDLUNG: Grundthema des Romans ist der Entwicklungs- und
Bildungsgang des musisch empfänglichen Kaufmannssohns Wilhelm Meister, der aus der Enge seines bürgerlichen Elternhauses
ausbricht und in der Begegnung mit der Theaterwelt (Bildung
durch die Kunst), der Adelswelt und in einer Reihe anderer Begegnungen, Erlebnisse, Gespräche und Liebeserfahrungen sich
selbst findet und im Annehmen der Welt zum verantwortlich tätigen Mitglied der Gesellschaft, zum erfüllten Dasein als Ehemann
und Vater reift. – I. Buch: Wilhelms Liebe zur jungen Schauspielerin Mariane, deren alte Gefährtin Barbara ihr jedoch den zahlenden
Liebhaber Norberg aufredet; Wilhelms Erzählung seiner Kindheits-
erinnerungen, besonders seiner durch ein Puppentheater geförderten Theaterträume und seiner Zukunftsträume von der Schaffung
eines Nationaltheaters; Ablenkung durch eine Geschäftsreise und
Streitgespräche mit seinem Freund Werner über Handel und Kunst;
Wilhelms Pläne, zum Theater zu gehen und Mariane zu heiraten,
scheitern an der Entdeckung ihrer Untreue, nach der Wilhelm sie
verläßt. – II: Der enttäuschte Wilhelm versucht sich als Geschäftsmann; schwere seelische und körperliche Krise; auf einer Geschäftsreise begegnet Wilhelm einer versprengten Schauspielertruppe mit der koketten Lebenskünstlerin Philine, finanziert
Melinas Theatergründung, kauft die junge, verschlossene Mignon
einer Seiltänzertruppe ab und nimmt sie, der stets der rätselhafte
Harfner folgt, in seinen Dienst; erste Begegnung mit dem Abbé,
dessen geistige Überlegenheit Wilhelm bestürzt. – III: Wilhelm
zieht mit Melinas Truppe, die ein Graf für ein Gastspiel engagiert,
auf das Grafenschloß (Begegnung mit der Adelswelt), zeichnet sich
bei der Aufführung als Schauspieler, Dramaturg und Regisseur aus
und wird durch den gebildeten Weltmann Jarno für Shakespeare
begeistert; seine heimliche, aber erwiderte Neigung zur schönen
Gräfin und Betrachtungen über den Adel. – IV: Unter Wilhelms
Leitung gerät die Truppe in gefährliche Verwicklungen; Wilhelm
wird bei einem Raubüberfall schwer verwundet und von einer geheimnisvollen »Amazone« (= Natalie) gerettet; Philine pflegt ihn
auf dem Krankenlager; er verbindet sich und seine Truppe dem
erfahrenen Theaterdirektor Serlo (Urbild: F. L. Schröder); lange
Gespräche mit diesem und seiner Schwester, der Schauspielerin
Aurelie, über Theater, Regie, Schauspielerberuf und *Hamlet*. –
V: Nach dem Tod seines Vaters trifft Wilhelm die endgültige Entscheidung zur Bühnenlaufbahn in Serlos Gesellschaft als (vermeintlich) einziger Möglichkeit eines Bürgers zur vollständigen, harmonischen Persönlichkeitsbildung durch die Kunst; Höhepunkt und
Ende seiner Theaterlaufbahn als Hamlet infolge eines Theaterbran-

des und Auflösung der Truppe; der ausbrechende Wahnsinn und
Fluchtversuch des Harfners nötigen zu dessen Unterbringung bei
einem Landgeistlichen; die an tragischer Exaltation sterbende
Aurelie bittet Wilhelm, ihre Vorwürfe ihrem untreuen Liebhaber
Lothario zu bringen; Gespräche über Spießbürgertum, Publikumsgeschmack, Drama und Roman. – VI: Einschub der →»Bekenntnisse einer schönen Seele« nach Aufzeichnungen der Susanne von
→Klettenberg; als individuelle Selbsterforschung Gegenbild zur
äußeren Theaterwelt; das religiös-pietistische Element bleibt jedoch
ohne Einfluß auf Wilhelm. – VII: Auf dem Landgut Lotharios, dem
Wilhelm Aurelies Brief bringt, begegnet er dem Abbé und Jarno
wieder, erhält Zutritt zur →Turmgesellschaft, einer Geheimgesellschaft, die seinen bisherigen Lebensweg gelenkt und überwacht hat,
und wird mit einem Lehrbrief losgesprochen; Wilhelm erfährt, daß
Felix sein Sohn von der im Elend gestorbenen Mariane ist; endgültige Absage an die falsche Welt des Theaters zugunsten einer Welt
der Tätigkeit auch angesichts der Vaterpflichten; weitere Verwirrungen um Lotharios Geliebte Lydie, Ex-Geliebte Therese und eine
Pächterstochter. – VIII: Wiedersehen mit dem zum besitzgierigen
Spießbürger gewordenen Werner; Liebeswirren um eine um Felix'
willen übereilt geschlossene Verlobung mit der lebenstüchtigen
Therese, die jedoch nach Aufdeckung ihrer wahren Herkunft
Lothario folgen kann; Wilhelms Liebe zu Lotharios edler, ihm
wahlverwandter Schwester Natalie; Verbindung Friedrichs mit Philine, Lotharios mit Therese, Wilhelms mit Natalie; Tod Mignons,
ihre Totenfeier und ihre Geschichte als Kind des Harfners aus einer
Geschwisterehe; Selbstmord des Harfners nach deren Aufklärung;
Amerika-Pläne der Turmgesellschaft (als Klammer zur Fortsetzung
in den *Wanderjahren*).

GEHALT UND FORM: Die Handlung des Romans, einer von G.s
»inkalkulabelsten Produktionen« (zu Eckermann 18. 1. 1825), ver-
läuft trotz der angeblichen Lenkung von Wilhelms Entwicklung
durch die Turmgesellschaft, die ihn absichtlich streckenweise auch
falschen Tendenzen folgen läßt, keineswegs organisch und gerad-
linig, sondern episodisch, vielfach von romanhaften Zufällen abhängig, und wird dem Leser wie seinem Helden überdies durch
eine Reihe geheimnisvoller, erst später enthüllter Identitäten und
Zusammenhänge verunklart, deren Entschlüsselung im VIII. Buch
mitunter etwas gewaltsam erfolgt. Wilhelms anfangs idealistisch-
schwärmerischer Bildungsbegriff, der den Schein des Theaters dem
Sein des (keineswegs makellosen) Adels gleichstellt, und seine Erziehung in wechselhaften Liebeskonflikten unterliegen zwar der
Entlarvung als Übergangsstufen durch die Erzählerironie, doch mit
dem Hervortreten eines neuen und tieferen Bildungsideals im
VII. Buch treten Held und Erzähler zugunsten neu eingeführter
Figuren und Verbindungen in den Hintergrund. Auch die zugleich
utopische und besitzsichernde Turmgesellschaft, Relikt des Ge-

heimbundromans, wird von einigen Figuren (Natalie, Friedrich) als problematisch empfunden. Die populären »romantischen« Figuren Mignons und des Harfners dagegen bilden als isolierte Figuren der Phantasie, der Poesie und der lyrischen Innerlichkeit (Liedeinlagen) das Gegenbild zum tätigen Gemeinschaftsideal des Turms. Ihr Untergang, Folge von seelischen Beschädigungen und Lebensunfähigkeit, galt den Romantikern als Aufgeben der Poesie zugunsten der Ökonomie. Alle einander widersprechenden Identifikationsangebote erweisen sich letztlich als unzureichend, alle Einsichten als nur bedingt richtige Teileinsichten, zwischen denen der Mensch seinen eigenen Weg finden muß. Trotz einiger Inkonsequenzen und Inkongruenzen gestaltet der Roman in der Fülle seiner Figuren unterschiedlicher Herkunft im weitesten Sinne, auch in ihrem Scheitern, die Bildungseinflüsse seiner Zeit und nutzt den Handlungsrahmen zur gesprächsweisen Erörterung einer Vielzahl geistiger und sozialer Probleme als grundlegender Bildungselemente: Kunst, Theater, Erziehung, Religion, Politik, Ökonomie, Bürgertum, Ständegesellschaft, Geschlechterrollen u.a.m. Wegen dieser Weltoffenheit und Komplexität konnte er zum Vorbild des deutschen Bildungsromans werden, der von Schiller, Körner, Humboldt, Novalis, Jean Paul u.a. begeistert begrüßt, von F. Schlegel zu den »größten Tendenzen des Zeitalters« (*Fragmente*) gerechnet und eingehend besprochen wurde (*Athenäum* I,2 1798) und über eine Vielzahl von Bildungsromanen bis ins 20. Jahrhundert nachwirkt: H. Hesse, *Das Glasperlenspiel* (Figur des Josef Knecht!), G. Grass, *Die Blechtrommel* u.a.m.

J. Minor, Die Anfänge des W. M., GJb 9, 1888; H. Berendt, G.s W. M., 1911 u. ö.; A. Fries, Stilistische Beobachtungen zu W. M., 1912; M. Wundt, G.s W. M. und die Entwicklung des modernen Lebensideals, 1913 u. ö.; R. Lehmann, Anton Reiser und die Entstehung des W. M., JGG 3, 1916; M. Gerhard, Der deutsche Entwicklungsroman, 1926 u. ö.; W. Krogmann, Die Anfänge des W. M., ZDP 57, 1932; W. H. Bruford, G.s W. M. as a picture and criticism of society, PEGS NS 9, 1933; A. Hellersberg-Wendriner, Soziologischer Wandel im Weltbild G.s, PMLA 56, 1941; J. Rausch, Lebensstufen in G.s W. M., DVj 20, 1942; W. Baumgart, G.s W. M. und der Roman des 19. Jahrhunderts, ZDP 69, 1944 f.; E. A. Meyer, G.s W. M., 1947; G. Lukács, W. M. L., in ders., G. und seine Zeit, 1947; E. Ruprecht, Das Problem der Bildung in G.s W. M., in ders., Die Botschaft der Dichter, 1947; G. Müller, Gestaltung – Umgestaltung in W. M. L., 1948, auch in ders., Morphologische Poetik, 1968; G. Storz, W. M. L., in ders., G.-Vigilien, 1953; K. Schlechta, G.s W. M., 1953 u. ö.; H. Beriger, G. und der Roman, 1955; K. May, W. M. L., ein Bildungsroman?, DVj 31, 1957; J. Steiner, Sprache und Stilwandel in G.s W. M., 1959, u. d. T. G.s W. M., 1966; J. Müller, Phasen der Bildungsidee in W. M., Goethe 24, 1962, auch in ders., Neue G.-Studien, 1969; A. Henkel, Versuch über den W. M., Ruperto-Carola 31, 1962, auch in ders., G.-Erfahrungen, 1982; H.-E. Hass, G.: W. M. L., in: Der deutsche Roman I, hg. B. v. Wiese 1963; W. Rasch, Die klassische Erzählkunst G.s, in: Formkräfte der deutschen Dichtung, 1963 u. ö.; E. A. Blackall, Sense and nonsense in W. M. L., DBgÜ 5, 1965; H. Eichner, Zur Deutung von W. M. L., JFDH 1966; H. Seidler, Der Weg W. M.s, JbWGV 70, 1966; G. Röder, Glück und glückliches Ende in deutschen Bildungsroman, 1968; J. Strelka, G.s W. M. und der Roman des 20. Jahrhunderts, GQ 41, 1968, auch in ders., Auf der Suche nach dem verlorenen Selbst, 1977; M. Kommerell, W. M., in ders., Essays, 1969; R. D. Miller, W. M. L., Harrogate 1969; E. Braemer, Zu einigen Problemen in G.s Roman W. M. L., in: Studien zur Literaturgeschichte, hg. H.-G. Thalheim 1970; M. Schneider, Etüden zum Lesen sprachlicher Formen in G.s W. M., 1970; K. F. Gille, W. M. im Urteil der Zeitgenossen, Assen 1971; J. Jacobs, W. M. und seine Brüder, 1972; H. Emmel, Was G. vom Roman der Zeitgenossen nahm, 1972; G.-L. Fink, Die Bildung des Bürgers zum »Bürger«, RG 2, 1972; H. Himmel, Die Urmeister-Frage, JbWGV 77, 1973; W. H. Bruford, G., W. M. L., in ders., The German tradition of self-cultivation, Cambridge 1975; R.-P. Janz, Zum sozialen Gehalt der Lehrjahre, in: Literaturwissenschaft und Geschichtsphilosophie, hg. H. Arntzen 1975; G. Mayer, W. M. L., GJb 92, 1975; A. Berger, Ästhetik und Bildungsroman, 1977; O. Reincke, G.s Roman W. M. L., GJb 94, 1977; E. Mannack, W. M. L., in: Deutsche Literatur zur Zeit der Klassik, hg. K. O. Conrady 1977; P. Oehrgaard, Die Genesung des Narcissus, Kopenhagen 1978; K. F. Gille, G.s W. M. Zur Rezeptionsgeschichte, 1979; U. Stadler, W. M.s unterlassene Revolte, Euph 74, 1980; K. L. Berghahn, B. Pinkerneil, Am Beispiel W. M., II 1980; H. Schlaffer, W. M., 1980; H.-J. Ortheil, Der poetische Widerstand im Roman, 1980; H. Jantz, G.s W. M., in: Studien zur G.zeit, hg. H.-J. Mähl 1981; E. Bahr, G. : W. M. L., Erläuterungen und Dokumente, 1982 u. ö.; I. Sagmo, Bildungsroman und Geschichtsphilosophie, 1982; G.s narrative fiction, hg. W. J. Lillyman 1983; U. Schödlbauer, Kunsterfahrung als Weltverstehen, 1984; H. Steinecke, W. M. und die Folgen, in: G. im Kontext, hg. W. Wittkowski 1984; H. S. Reiss, Das Poetische in W. M. L., GJb 101, 1984; G. Marahrens, Über die Schicksalskonzeption in G.s W. M.–Romanen, GJb 102, 1985; H. Koopmann, W. M. L., in: G.s Erzählwerk, hg. P. M. Lützeler 1985; U. Gradl, Säkularisierung und Bildung, 1985; M. Fick, Destruktive Imagination, SchillerJb 29, 1985; M. Kieß, Poesie und Prosa. Die Lieder in W. M. L., 1987; M. Fick, Das Scheitern des Genius, 1987; M. Mayer, Selbstbewußte Illusion, 1989; H.-J. Schings, W. M. und die Geschichte, in: Literatur und Geschichte 1788–1988, hg. G. Schulz 1990; I. Ladendorf, Zwischen Tradition und Revolution. Die Frauengestalten in W. M. L., 1990; G. Hartung, W. M. und das Faustische, WB 36, 1990; Reflection and action, hg. J. Hardin, Columbia 1991; M. Neumann, Roman und Ritus. W. M. L., 1992; W. Beller, G.s W. M.–Romane, 1995; J. Blair, Tracing subversive currents in G's W. M's Apprenticeship, Columbia 1997; →Romane.

Wilhelm Meisters theatralische Sendung. Die fragmentarische Vorform von →*Wilhelm Meisters Lehrjahre* entstand als G.s zweiter Roman seit dem 16. 2. 1777 und schritt fast jedes Jahr um ein Buch voran (I: Januar 1778, II: August 1782, III: November 1782, IV: November 1783, V: November 1784, VI: November 1785). Am 11. 11. 1785 lag das VI. Buch vor. Teile des VII. Buches und der Plan zur Fortsetzung in sechs Büchern sind nicht erhalten. Während der Entstehung sandte G. Abschriften von Schreiberhand u. a. an Barbara →Schultheß, die die Kopie vor Rücksendung nochmals für sich abschrieb. Diese Abschrift einer Abschrift, die einzige Handschrift, wurde im Januar 1910 von Gustav Billeter in ihrem Nachlaß in Zürich entdeckt und 1911 von H. Maync veröffentlicht. *Wilhelm Meisters theatralische Sendung* ist daher kein fertiges, abgeschlossenes, druckreifes und vom Autor zum Druck freigegebenes Werk, sondern ein erster Entwurf. Er gestattet einen Einblick in die Entstehung von *Wilhelm Meisters Lehrjahren*, in deren erste Teile (I – V, 3) die Urform umgestaltet und umgeordnet einging. Anders als die *Lehrjahre* ist die *Theatralische Sendung* nicht ein Bildungsroman, sondern ein Künstlerroman aus der Welt des Theaters, also als Theaterroman angelegt, der in der Praxis und in Gesprächen alle Aspekte, Formen und Probleme des zeitgenössischen Theaters und seine Rolle in der Gesellschaft vorführt und als Grundidee den damals vieldiskutierten Gedanken verfolgt, der fehlenden Einheit der Nation auf dem Wege ästhetischer Bildung und Erziehung durch ein Nationaltheater nachzuhelfen.

Der Roman erzählt in chronologischer Folge. Die Handlung beginnt daher mit dem Puppentheater des jungen Wilhelm, seinen Kindervorstellungen und Theaterträumen, denen er auch in seinem

Liebesverhältnis zur Schauspielerin Mariane bis zur Entdeckung ihrer Untreue anhängt (I.). In der folgenden gesundheitlichen Krise erscheint Wilhelm als Sturm und Drang-Dramatiker, dem G. seine eigenen Jugenddichtungen, aber auch Erkenntnisse zur Tragödie aus der klassischen Zeit zuschreibt. Im Gespräch mit dem Schauspieler Melina erfährt Wilhelm Näheres von Mariane und vom Schauspielerleben und entschließt sich, auf einer Geschäftsreise die Gelegenheit zu guten Theatererlebnissen zu nutzen (II.). Auf der Reise begegnen ihm die verschiedenen Formen des Theaters vom Laienspiel und der Liebhaberbühne über eine Seiltänzertruppe bis zur Truppe Melinas unter der Prinzipalin Mme de Retti. Bei ihr sieht er Mignon, lernt einen in der Literatur der friderizianischen Zeit belesenen Offizier kennen und springt bei der Uraufführung seines Schauspiels *Belsazar* erfolgreich für den erkrankten Schauspieler Bendel ein (III.). Nach Wilhelms vergeblichem Versuch, sein der Prinzipalin geliehenes Geld zurückzuerhalten, einem Theaterskandal und ihrer Flucht mit ihrem Liebhaber Bendel übernimmt Melina die Truppe. Von der Schauspielerin Philine, der rätselhaften Mignon und dem Harfner angezogen, bleibt Wilhelm bei ihr und folgt der Einladung der Truppe auf das Grafenschloß (IV.). Dort lernt er die schöne Gräfin und eine kokette Baronesse kennen, dichtet ein höfisches Festspiel und wird von Jarno auf Shakespeare verwiesen. Beim Weiterziehen wird die Truppe von Räubern überfallen und Wilhelm verwundet (V.). Auf dem Krankenlager unter der Pflege Philines beschäftigt sich Wilhelm mit *Hamlet*, folgt dann der Truppe Melinas nach Hamburg zum Theaterdirektor Serlo und wird dort mit dessen Schwester Aurelia bekannt. Nach dem Tod seines Vaters tritt Wilhelm der Truppe Serlos bei, vermutlich um seine Sendung als Schöpfer des Nationaltheaters zu erfüllen (VI.). Über die Fortsetzung fehlen Aufzeichnungen, so daß offenbleibt, ob die Begründung einer bürgerlichen Theaterkultur Endziel oder Durchgangsphase sein soll. Im Vergleich mit den *Lehrjahren* zeigt die *Theatralische Sendung* stärkere autobiographische Züge, einen frischen, lebendigeren, anschaulichen und realistischeren Stil, der in später gestrichenen Teilen bis ins Derbkomische geht und damit noch den Nachklang des Sturm und Drang betont.

A. Köster, W. M. t. S., ZfdU 26, 1912; G. Rosenhagen, W. M., GRM 4, 1912; G. Roethe, G.s Helden und der Urmeister, JGG 1, 1914; B. Seuffert, G.s Theater-Roman, 1924; M. Herrmann, W. M. t. S., Neues Archiv für Theatergeschichte 2, 1930; H. Müller, Ende und Idee des Ur-Meister, 1936; A. Leitzmann, Studien zum Urmeister, Goethe 10, 1947; D. Pilling, W. M. t. S., Diss. Leipzig 1964; H. Reiss, W. M. t. S., SchillerJb 11, 1967; H. Himmel, Die Urmeister-Frage, JbWGV 77, 1973; F. Martini, Ebenbild, Gegenbild, GJb 93, 1976; W. Köpke, W. M. t. S., in: G.s Erzählwerk, hg. P. M. Lützeler 1985; →Wilhelm Meisters Lehrjahre.

Wilhelm Meisters Wanderjahre oder Die Entsagenden. ENT-

STEHUNG: Den Gedanken an eine Fortsetzung von →*Wilhelm Meisters Lehrjahren* ergreift G. zuerst im Brief an Schiller vom 12.7. 1796. Sie war anscheinend zuerst als reiner Briefroman gedacht

(»Briefe eines Reisenden und seines Zöglings«, an Cotta 27./28. 5. 1798). Der erste Schub der Niederschrift erfolgte vom 17. 5. 1807 bis Oktober 1810. Gleichzeitig entstehen bis 1812 einige der Novelleneinlagen, die vorab in den Jahrgängen 1809–19 von Cottas *Taschenbuch für Damen* erscheinen, und am 29. 9. 1820–8. 5. 1821 erfolgt im zweiten Schub die Schlußredaktion der 1. Fassung, die in 18 Kapiteln bis III,9 der späteren 2. Fassung führt und als »Erster Teil« 1821 erscheint. Die ablehnende Publikumsreaktion und das Erscheinen der »falschen Wanderjahre« von J. F. W. →Pustkuchen (1821 ff.) verzögern die Fortsetzung. Statt ihrer entschließt sich G. im Juni 1825 zu einer Neukonzeption des ganzen Werkes. Diese umgearbeitete und wesentlich erweiterte Fassung entsteht mit Unterbrechungen vom 27. 6. 1825 bis 27. 1. 1829 und erscheint im Frühjahr 1829 in drei Teilen als Band 21–23 der Ausgabe letzter Hand, zum Ausgleich der Banddicke umfangmäßig erweitert und bereichert durch die beiden der Gedankenwelt des Romans verwandten Aphorismensammlungen »Betrachtungen im Sinne der Wanderer« und »Aus Makariens Archiv« und die Gedichte *Vermächtnis* und »Im ernsten Beinhaus war's« (später *Bei Betrachung von Schillers Schädel*), die Eckermann auf G.s Rat (zu Eckermann 15. 5. 1831) in den Ausgaben ab 1837 wieder beseitigt und darin z. T. bis in die Gegenwart Nachfolge findet.

HANDLUNG: Im Unterschied zu den *Lehrjahren* sind die vielschichtigen *Wanderjahre* ein offenes »Aggregat« (zu F. von Müller 18. 2. 1830) multiperspektivischer Erzählteile, deren Erzähler sich weitgehend als Herausgeber oder Redaktor vorgefundener Papiere gibt, und weniger auf eine zielstrebige, geschlossene Handlung im Nacheinander als (gemäß dem Prinzip des Wanderns) auf ein episodisches Durchschreiten verschiedener räumlich nebeneinander liegender Bezirke, Bereiche oder Figurengruppen in Einzelbildern angelegt. – I: Wilhelm und sein Sohn Felix begegnen auf einer Reise, bei der ihnen Ortswechsel binnen drei Tagen zur Pflicht gemacht ist, im Gebirge der patriarchalischen Idylle in der Familie Josephs des Zweiten. Im Gespräch mit Jarno, der sich jetzt als Mineraloge Montan nennt, verengt sich das bisherige Ideal vielseitiger, allgemeiner Bildung auf einen bestimmten praktischen Beruf als Endziel. Ein gebildeter Schloßherr, bei dem sie nach illegalem Eindringen freundliche Aufnahme finden, erläutert seine philanthropischen Prinzipien, seine Güter zum Nutzen aller zu verwalten; Felix verliebt sich in seine Nichte Hersilie. Ein Briefwechsel Lenardos, der eine Pächterstochter, das »nußbraune Mädchen« (= Nachodine), sucht, führt Wilhelm zu dessen edler, weiser Tante Makarie, die, mit kosmischen Kräften begabt, in einem eigenartigen Verhältnis zu den Gestirnen steht, und weiter zu Lenardo, der von seiner Jugendliebe zu Nachodine erzählt und Wilhelm ersucht, die Verschollene zu suchen. Ein Antiquitätensammler, bei dem sie ein von Felix gefundenes, verschlossenes →Kästchen zurücklassen, empfiehlt sie an den Vorsteher der →Pädagogischen Provinz, in der Wilhelm Felix unterbringt. – II: Nach der Einführung in die Pädagogische Provinz, ihre praktischen und theoretischen Erziehungsprinzipien, die Lehre von den →Ehrfurchten und ihre Bildergalerie spürt Wilhelm Nachodine in zufriedenen Umständen als Leiterin eines Heimweberunternehmens auf. Er reist mit einem Maler in Mignons Heimat am Lago Maggiore weiter und trifft dort Hilarie und die schöne Witwe (Figuren aus der Binnennovelle *Der Mann von 50 Jahren*). Auf seinen Wunsch, Medizin zu studieren, wird er vom Wandergelübde befreit. Nach einigen Jahren kehrt er in die Pädagogische Provinz zurück und läßt sich von Felix deren merkwürdige Erziehungsgrundsätze berichten, die z. B. Drama und Theater verbannen. Bei einem Bergfest unterhält er sich mit Jarno/Montan über Erdgeschichte, Neptunismus und Vulkanismus und bestätigt seinen Entschluß, Wundarzt zu werden. – III: Wilhelm stößt auf einen von der Turmgesellschaft geförderten Auswandererbund mit Lenardo und Friedrich, liest Lenardos Tagebuch über das Leben der Spinner und Weber im Gebirge (nach J. H. Meyer) und hört Lenardos Rede zu den Auswanderern über eine neue Sozialordnung auf der Basis des Arbeitsethos. Inzwischen sind das geheimnisvolle Kästchen und der wiedergefundene Schlüssel dazu in Hersilies Hand. (Ende der 1. Fassung von 1821). Als Alternative zum Amerikaplan der Auswanderer entwickelt Odoardo ein europäisches Projekt einer kollektiven Binnensiedlung. Lenardo findet Nachodine wieder, die sich angesichts der Bedrohung des Handwerks durch die Technik den Auswanderern anschließen möchte (und nach einem Aufenthalt bei Makarie Lenardo heiratet). In einem etwas gewaltsamen Kehraus der Figuren sind Lothario, Therese, Natalie und der Abbé bereits nach Amerika unterwegs, Lenardo, Friedrich, Philine, Lydie und Jarno/Montan folgen. Felix erhält bei seiner übereilten Werbung um Hersilie eine ebenso übereilte Zurückweisung. Seine Rettung nach einem Sturz in den Strom und seine Genesung dank Wilhelms ärztlicher Kunst bezeichnen zum Abschluß den Triumph des praktischen Berufs. – Die Rahmenhandlung begleiten die eingeschobenen, z. T. mit der Haupthandlung verflochtenen oder sie kontrastierenden Novellen, Anekdoten und Märchen als individuelle Schicksalsberichte oder Fallstudien von Figuren, die noch nicht zur Entsagung reif sind: →*Sankt Joseph der Zweite,* →*Die pilgernde Törin,* →*Wer ist der Verräter?,* →*Das nußbraune Mädchen,* →*Der Mann von fünfzig Jahren,* →*Die neue Melusine,* →*Die gefährliche Wette* und →*Nicht zu weit.*

FORM UND GEHALT: Im Unterschied zum Bildungsroman der *Lehrjahre* steht in diesem panoramischen Zeitroman nicht mehr die innere Ausbildung des Individuums im Vordergrund, sondern die Sammlung von Lebenserfahrung und Erweiterung des Weltbildes durch Wandern als Begegnung mit verschiedenen Kulturstufen, Gesellschaften, Lebens- und Berufsformen und ihren Problemen mit dem Ziel aktiver Eingliederung in eine Gemeinschaft, geprägt vom Ethos der Entsagung als Erkenntnis menschlicher Bedingtheit, Zurückstellung persönlicher Wünsche zugunsten konkreter, nutzbringender Tätigkeit für die Gemeinschaft, Ordnung und Harmonie von Individuum und Gesellschaft. Das bedingt zugleich die Erörterung allgemeiner sozialer Probleme der Zeit wie Technisierung und Industrialisierung, Neigung zum Spezialistentum, Überbevölkerung Europas, multinationale Verflechtungen von Handel und Industrie, Organisation in Genossenschaften, Berufs- und Interessenverbänden, Reform der Erziehung u. a. m. Der vielsträngigen Thematik im Hinblick auf die Totalität der Welt entspricht in der zyklischen Erzählstruktur die Auflösung der klassisch strengen, um eine Hauptfigur konzentrierten, zielgerichteten Handlung in kausal motiviertem Nacheinander zu einem teils nebeneinander bestehenden Geflecht teils wechselseitig bezogener, einander spiegelnder Erzähl-, Berichts-, Gesprächs-, Brief-, Tagebuch- und Reflexionsformen, Themen, Motive und Symbole. Die Vielgestaltigkeit solcher teils die wenig straffe Romanhandlung überdeckender Formen in dem nur scheinbar etwas flüchtig redigierten Konglomerat erschwerte nicht nur den Zeitgenossen den Zugang zu G.s Altersroman; sie irritiert alle am Entwicklungs- und Steigerungsmodell der *Lehrjahre* orientierten Erwartungen. Erst das 20. Jahrhundert hat über den experimentellen Roman, den Roman des Nebeneinander, den Essay-Roman und multiperspektivische Erzählformen tieferes Verständnis für die komplexe Struktur gefunden, deren Einheit im Menschenbild des alten G. und seiner Verbindung von Denken und Tun liegt. Die Forschung bemüht sich weiter, Zusammenhänge, Verschlüsselungen, symbolische Bezüge und kontextuelle Botschaften aufzudecken: »Es sei ja alles nur symbolisch zu nehmen und stecke überall noch etwas anderes dahinter« (zu F. von Müller 8. 6. 1821).

Literatur zu »Wilhelm Meister« allgemein →Wilhelm Meisters Lehrjahre; zu den Novellen vgl. diese. – E. Wolff, Die ursprüngliche Gestalt von W. M. W., GJb 34, 1913; E. Sarter, Zur Technik von W. M. W., 1914 u. ö.; E. Krüger, Die Novellen in W. M. W., 1927; G. Küntzel, W. M. W. in der 1. Fassung, Goethe 3, 1938; G. Dichler, W. M. W. und ihre Aufnahme, ChWGV 44, 1939; D. Fischer-Hartmann, G.s Altersroman, 1941; W. Flitner, W. M. W., in ders., G. im Spätwerk, 1947; W. Emrich, Das Problem der Symbolinterpretation im Hinblick auf G.s W., DVJ 26, 1952, auch in ders., Protest und Verheißung, 1960; A. Gilg, W. M. W. und ihre Symbole, 1954; A. Henkel, Entsagung, 1954 u. ö.; C. David, G.s W. als symbolische Dichtung, SuF 8, 1956, auch in ders., Ordnung des Kunstwerks, 1983; W. Flitner, G.s Erziehungsgedanken in W. M. W., Goethe 22, 1960; A. B. Wachsmuth, G.s naturwissenschaftliche Erfahrungen und Überzeugungen in dem Roman W. M. W., WB 6, 1960; H. S. Reiss, W. M. W., DVJ 39, 1965; E. Trunz, Die W. als Lebensgeschäft, in: Natur und Idee, hg. H. Holtzhauer 1966, auch in ders., Studien zu G.s Alterswerken, 1971; H.-J. Bastian, Die Makrostruktur von W. M. W., WB 14, 1968; M. Karnick, W. M. W. oder die Kunst des Mittelbaren, 1968; V. Neuhaus, Die Archivfiktion in W. M. W., Euph 62, 1968; B. Peschken, Entsagung in W. M. W., 1968; H. Gidion, Zur Darstellungsweise von G.s W. M. W., 1969; C. H. Schädel, Metamorphose und Erscheinungsformen des Menschseins in W. M. W., 1969; V. Lange, Zur Entstehungsgeschichte von G.s W., GLL 23, 1969 f.; P. Böckmann, Voraussetzungen der zyklischen Erzählform in W. M. W., in: Festschrift D. W. Schumann, 1970; E. Bahr, G's W. as an experimental novel, Mosaic 5, 1971 f.; A. Klingenberg, G.s Roman W. M. W., 1972; W. H. Bruford, G., W. M. W., in ders., The German tradition of self-cultivation,

Cambridge 1975; J. K. Brown, G's cyclical narratives, Chapel Hill 1975; G.-L. Fink, Die Auseinandersetzung mit der Tradition in W. M. W., RG 5, 1975; R. L. D. Cope, A structural analysis of G's novel W. M. W., Diss. UNSW 1975; A. G. Steer, G's science in the structure of the W., Athens 1979; A. Henkel, W. M. W., GJb 97, 1980, erw. in ders., G.-Erfahrungen, 1982; U. Wergin, Einzelnes und Allgemeines, 1980; G. Schulz, Gesellschaftsbild und Romanform, in: Literaturwissenschaft und Geistesgeschichte, hg. J. Brummack 1981; T. Degering, Vom Elend der Entsagung, 1982; E. Bahr, Revolutionary realism in G's, in: G's narrative fiction, hg. W. J. Lillyman 1983; H. R. Vaget, J. W. G.: W. M. W., in: Romane und Erzählungen zwischen Romantik und Realismus, hg. P. M. Lützeler 1983; B. K. Langer, Schöne Praxis, Diss. Berlin 1983; E. Bahr, W. M. W., in: G.s Erzählwerk, hg. P. M. Lützeler 1985; G.-L. Fink, Tagebuch, Redaktor und Autor, RG 16, 1986; W. Larrett, Weder Kern noch Schale, PEGS 56, 1987; M. Zenker, Zu G.s Erzählweise versteckter Bezüge in W. M. W., 1990; W. Maierhofer, W. M. W. und der Roman des Nebeneinander, 1990; E. Bahr, W. M. W., in: Reflection and action, hg. J. Hardin, Columbia 1991; S. Dowden, Irony and ethical autonomy in W. M. W., DVJ 68, 1994; E. Bahr, The death of the author, Columbia 1997; H. Herwig, Das ewig Männliche zieht uns hinab, 1997; →Romane.

Wilhelmsburg →Schloß (Weimar)

Wilhelmshöhe. Die barocke Parkanlage bei →Kassel mit ihren Kaskaden besuchte G. mit Carl August am 15.10.1779. Das inzwischen (1786–1803) erbaute kurhessische Schloß Wilhelmshöhe sah er erst am 16.8.1801 mit Christiane.

Wilhelmsthal bei Eisenach. Eine 1712 in engem Waldtal als Sommerresidenz der Herzöge von Eisenach begonnene großzügige Schloßanlage mit Pavillons und barockem Terrassengarten wurde um 1790/1800 von Carl August, der sie als Jagdrevier bevorzugte, unter Leitung von J. C. Sckell in ein klassizistisches Lustschloß mit Landschaftspark umgewandelt, dessen Stille Herzogin Louise gern zum Sommeraufenthalt wählte. Auch G. hielt sich auf Jagden mit Carl August oder Dienstobliegenheiten in Eisenach gelegentlich und mit Unterbrechungen dort auf, so 4.–30.9. und 5.10.1777, 11.9.1778, 9.–12.12.1781, 16.–18.6.1783, 10.6.1784, Ende Juni 1789 und 23.8.1801. Er bevorzugte jedoch die weniger beengende und betriebsame Wartburg. Daß er selbst an der Umgestaltung von Schloß und Park beteiligt war und diesen zum Vorbild für den Park in den *Wahlverwandtschaften* nahm, ist Legende.

F. Facius, W. bei Eisenach, in: Geistiger Umgang mit der Vergangenheit, hg. ders. 1962; F. Facius, Schloß und Park W., in: Im Bannkreis des klassischen Weimar, hg. H. Hönig 1982.

Wilhelm Tell →Tell, Wilhelm

Wilhelm Tischbeins Idyllen. Ein an der Geschichte gescheiterter Versuch der Symbiose von Kunst und Dichtung: Im November 1786 planten G. und J. H. W. →Tischbein auf dessen Anregung in Rom ein Gemeinschaftswerk, eine Reihe von Idyllen als Vereinigung von bildlicher Darstellung und lyrischen Begleitversen, in der Kunst und Dichtung einander ergänzen und erhellen sollten (*Italienische Reise* 20.11.1786). Schon war das Titelkupfer entworfen, doch durch die zeitweilige Entfremdung blieb es zunächst beim Plan, der erst 35 Jahre später in gewandelter Form seine Ausführung finden sollte. 1819–20 schuf Tischbein eine Serie von 45 kleinen Gemälden für das Oldenburger Schloß, die mit Menschen und Naturgottheiten bevölkerte arkadische Landschaften darstellen und z. T. auf Ideen von 1786 zurückgehen. Auf Wunsch G.s sandte er diesem am 19. 5. 1821 das sog. »Grüne Buch« mit 17 aquarellierten Skizzen der Gemälde, in das G. vor der Rücksendung (25. 7. 1821) seine am 16.–22. 7. 1821 entstandenen Begleitverse neben die Bilder eintrug; weitere kamen später hinzu. G. veröffentlichte die 22 Gedichte im Zusammenhang von gleichzeitig entstandenen Bildbeschreibungen in Prosa ohne Abbildungen u. d. T. *Wilhelm Tischbeins Idyllen* in *Über Kunst und Altertum* (III,3, 1822), die Verse 1827 auch separat unter den Gedichten der Ausgabe letzter Hand. Ein Problem entstand erst dadurch, daß das »Grüne Buch« mit Tischbeins Skizzen seit 1944 verschollen ist und auch die Originale im 19. Jahrhundert umgehängt wurden, so daß die Zugehörigkeit bestimmter Verse zu bestimmten Oldenburger oder anderen Originalgemälden Tischbeins, wie sie die Ausgaben von E. Trunz (1949) und H. W. Keiser (1970) versuchen, nicht mit letzter Sicherheit feststellbar und damit die Symbiose aufgelöst ist.

E. Wünsche, Der Oldenburger Idyllenzyklus W. Tischbeins, Diss. München 1956; J. W. G., W. T. I., hg. H. W. Keiser 1970; E. Trunz, Über G.s Verse und Prosa zu T. I., in: Studien zu G.s Alterswerken, hg. ders. 1971; P. Reindl, J. H. W. Tischbein, Idyllen, 1982; H. Mildenberger, Die Oldenburger Idyllen, in: G. und die Kunst, hg. S. Schulze 1994; →Tischbein.

Wille, Johann Georg (1715–1808). Der deutsche Kupferstecher, der seit 1736 als angesehener Reproduktionsstecher in Paris lebte, von deutschen Reisenden gern aufgesucht wurde und mit deutschen Schriftstellern korrespondierte, war G. als Lehrer Hackerts und G. M. Kraus' (*Dichtung und Wahrheit* IV,20) bekannt. G. besaß mehrere Stiche von ihm und erwähnt einen Stich nach G. →Terborch als Vorlage für lebende Bilder in den *Wahlverwandtschaften* (II,5).

Willemer, Anna Rosina von →Städel, Anna Rosina

Willemer, Johann Jacob (ab 1816) von (1760–1838). Der gebildete und kunstsinnige Frankfurter Bankier, zu dessen Bankhaus schon G.s Vater Beziehungen hatte und den die Briefe der Mutter wiederholt erwähnen, war zugleich Kommunalpolitiker, Kunstförderer (1800–04 Mitglied der Theaterdirektion) und Schriftsteller mit Arbeiten zu zeitkritischen, aufklärerisch-pädagogischen und lokalen Themen sowie Lustspielen, von denen G. den *Schädelkenner* wegen Verspottung der Lehre Galls am 24. 1. 1803 für Weimar ablehnte. G. kannte ihn flüchtig seit den 1770er Jahren, verhandelte im September 1788 mit ihm über ein Darlehen für den finanziell bedrängten

Merck und mag ihm im August 1797 in Frankfurt wieder begegnet sein; jedenfalls bedankt er sich am 5. 12. 1808 für seine Hilfe bei
der Regelung der mütterlichen Erbschaft durch Christiane. Eine
nähere Bekanntschaft ergab sich erst auf G.s Rheinreisen und zweifellos Marianne von →Willemer zuliebe, die Willemer G. bei einem
Besuch in Wiesbaden am 4. 8. 1814 vorstellte und die er, zweimal
Witwer mit vier Kindern, am 27. 9. 1814 heiratete. Nach einem erneuten Besuch Willemers in Wiesbaden am 26. 8. 1814 besuchte G.
ihn am 15. und 18. 9. in Frankfurt und auf seiner →Gerbermühle,
verkehrte dort am 11.–19. 10. 1814 näher mit dem jungen Paar und
verbrachte vor allem den gefeierten Jahrestag der Leipziger Schlacht
am 18. 10. 1814 auf der Gerbermühle. Im April 1815 sandte G. ihm
das auf März 1815 datierte Gedicht *An Geheimerat von Willemer*
(»Reicher Blumen …«). Auf G.s 2. Rheinreise besuchte Willemer
ihn am 3. 7. 1815 in Wiesbaden. Bei der Rückkehr nach Frankfurt
lebte G. am 12. 8.–18. 9. 1815 in der Gerbermühle und (8.–15. 9.)
in Willemers Stadthaus, mit Marianne-Suleika am *Divan* webend.
Das Paar folgte ihm am 23.–26. 9. 1815 nach Heidelberg. In der
Folgezeit tauschte man Briefe und kleine Geschenke. Am 25. 3.
1819 besuchte Willemer auf der Durchreise nach Berlin, um Be-
gnadigung des Mannes zu ersuchen, der seinen Sohn Abraham im
Duell erschossen hatte, G. in Weimar, und noch 1828 träumte er
von einer Reise mit G. durch Italien, die G. am 12. 1. 1829 natürlich ablehnen mußte.

A. Müller, J. J. v. W., 1925; G. Jacobs, J. J. W., Diss. Frankfurt 1971.

Willemer, Marianne von, eigentlich Maria Anna Katharina Theresia, geb. Pirngruber, gen. Jung (1784–1860). G.s →Suleika war die
uneheliche Tochter des Linzer Instrumentenmachers Jung und der
Wiener Schauspielerin M. A. E. Pirngruber. Das geistig rege und
musisch begabte Kind erhielt früh Schauspiel- sowie Literatur- und
Sprachunterricht bei einem Geistlichen, kam 1798 mit der Mutter
in der Truppe des Ballettmeisters Traub nach Frankfurt und entzückte dort auf der Bühne durch Grazie und Anmut. Zumal der
zweimal verwitwete Bankier, Kunstmäzen und Theaterfreund
J. J. von →Willemer zeigte lebhaftes Interesse an ihrer Entwicklung,
traf eine finanzielle Vereinbarung mit der Mutter zur Sicherung von
deren Zukunft und nahm Marianne als Pflegetochter in sein Haus
und seine Familie auf, um sie mit den eigenen Töchtern erziehen
und ihr musisches und schauspielerisches Talent ausbilden zu lassen.
Sie erhielt u. a. Gitarrenunterricht bei Clemens Brentano, der ihr in
den *Romanzen vom Rosenkranz* huldigte, und Zeichenunterricht bei
J. G. Schütz, wurde aber im Grunde trotz der künstlerischen Ausbildung wohl aus persönlicher Zuneigung Willemers eher dem
Theater entzogen. Ihre Heirat mit dem 24 Jahre älteren, durch den
Wegzug der Töchter vereinsamten Willemer am 27. 9. 1814 lega-
lisierte wohl formell die schon länger bestehende Hausgemein-

schaft. G. lernte sie am 4. 8. 1814 beim Besuch Willemers in Wiesbaden kennen. Bei seinen Aufenthalten in Frankfurt und in der
→Gerbermühle 1814 und 1815 (Daten →Willemer, J. J. von) ergab
sich rasch ein enger freundschaftlich-vertraulicher Umgang mit der
liebenswürdigen, lebensprühenden und schalkhaften Marianne, die
den Dichter verehrte und ihm eine »temporäre Verjüngung« (zu
Eckermann 11. 3. 1828) schenkte. In der glücklichen Zeit der aufkeimenden und bald leidenschaftlichen Liebe inspirierte ihn die
feinsinnige, talentierte Frau zu den Hatem- und Suleikaliedern des
West-östlichen Divan. Nach der letzten Begegnung in Heidelberg am
26. 9. 1815 und dem Scheitern von G.s dritter Rheinreise (1816)
entzog sich G. der begehrten Wiederbegegnung, bis er innere Distanz zur *Divan*-Periode gewonnen hatte, doch blieb die Verbindung
durch einen lockeren, verhaltenen Briefwechsel, knappe Briefgedichte und gegenseitige Geschenke zeitlebens erhalten. Drei Wochen vor seinem Tode, am 29. 2. 1832, sandte G. ihr mit den Versen
vom 3. 3. 1831 »Vor die Augen meiner Lieben …« ihre Briefe in
versiegeltem Paket zurück, so daß bis zu deren Veröffentlichung
1877 niemand Einblick in das Verhältnis erhielt. Erst in den 1850er
Jahren enthüllte sie Herman Grimm gegenüber das Geheimnis
ihres Anteils an den Suleika-Liedern als Korrespondentin und kongeniale Mitdichterin dieses poetischen Liebes-Wechselgesprächs,
in das G. u. a. ihre Gedichte »Hochbeglückt in deiner Liebe …«,
»Was bedeutet die Bewegung …« und »Ach, um deine feuchten
Schwingen …« integriert hatte. Und erst die Aufdeckung des
vermeintlich autobiographisch-erotischen Hintergrunds veranlaßte
die Forschung zu näherer Beschäftigung mit dem Rollen- und
Maskenspiel des *West-östlichen Divan*.

H. Grimm, G. und Suleika, PrJbb 24, 1869, separat 1947; H. Düntzer, G. und
M. v. W., WMh 28, 1870; E. Kellner, G. und das Urbild seiner Suleika, 1876; W. Sche-
rer, Eine österreichische Dichterin, in ders., Aufsätze über G., 1886; E. Schmidt, Marianne – Suleika, in ders., Charakteristiken I, 1886; H. Pyritz, G. und M. v. W., 1941 u. ö.;
H. Pyritz, M. v. W., 1944; W. Milch, Bettine und Marianne, 1947; E. Zellweker, M. W.,
1949; J.-F. Angelloz, Un couple exemplaire, Mercure de France 308, 1950; C. Kahn-
Wallerstein, M. v. W., 1961 u. ö.; H. Pyritz, G. und M. v. W., in ders., G.-Studien, 1962;
M. und J. J. W. : Briefwechsel mit G., komm. H.-J. Weitz 1965; M. v. W., Katalog Frankfurt 1984; G. Wacha, M. W., 1984; P. Meuer, Einmal in meinem Leben, in ders., Fülle
des Augenblicks, 1985.

Willkommen und Abschied (»Es schlug mein Herz …«). Das berühmteste der →Sesenheimer Lieder entstand wohl im Frühjahr
1771 anläßlich eines abendlichen Ritts nach Sesenheim zu Friederike →Brion, doch mag die harmlosere Parallele in *Dichtung und
Wahrheit* II,11 nachträglich hergestellt worden sein. Es liegt in vier
zunehmend stereotyperen Fassungen vor: die ersten zehn Zeilen
aus Friederikes Nachlaß; im vollständigen Erstdruck, noch ohne
Überschrift, in der Zeitschrift *Iris* (II,3, 1775); verändert mit der
Überschrift *Willkomm und Abschied* in den *Schriften* (8, 1789) und
unter der jetzigen Überschrift in *Werke* (1, 1806). Auf die stim-

mungsvolle Schilderung der selbsterschaffenen Schrecken des (übrigens etwa fünf Stunden dauernden) Nachtritts mit den anthropomorphen Naturbildern und Ossian-Reminiszenzen im Sturm und Drang-Stil der ersten beiden Strophen folgen in der 3. Strophe Ankunft und Empfang bei der Geliebten, wiederum nicht als Vorgang, sondern als gefühlsstarke Stimmung. Im sprunghaften Stil kann der dazwischenliegende Aufenthalt (Liebesnacht?) übergangen werden – karikierende Parallele des Motivs in der Bildkunst wäre W. Hogarths Serie *Before and after* (1736), und die Schlußstrophe konzentriert sich auf den leidenschaftlichen Abschied und den Jubel des Liebenden und Geliebten. Daß dieser Abschied ein endgültiger sei und das Schuldbewußtsein des Autors gegenüber dem verlassenen Mädchen reflektiere oder antizipiere, ist eine textlich nicht belegbare Vermutung einiger Interpreten aufgrund der biographischen Situation.

J. Müller, Wirklichkeit und Klassik, 1955; K. May, Form und Bedeutung, 1957; J. M. Ellis, G's revision of W. u. A., GLL 16, 1962 f.; P. Müller, Zwei Sesenheimer Gedichte G.s, WB 13, 1967; P. Michelsen, G.: W. u. A., Sprachkunst 4, 1973; J. R. McWilliams, A new reading of W. u. A., GLL 32, 1978 f.; A. Wolf, Der Abend wiegte schon die Erde, in: Bild und Gedanke, hg. G. Schnitzler 1980; D. Wellbery, The spectacular moment, GYb 1, 1982; P. Hutchinson, W. u. A., GLL 36, 1982 f.; G. Sauder, W. u. A., in: Gedichte und Interpretationen 2, hg. K. Richter 1983; G. Kaiser, Was ist ein Erlebnisgedicht, in ders., Augenblicke deutscher Lyrik, 1987; E. Meyer-Krentler, W. u. A., 1987.

Winckelmann, Johann Joachim (1717–1768). Auf den führenden Archäologen seiner Zeit und Begründer der Kunstwissenschaft, dessen an der attischen Kunst entwickeltes Stilideal »edle Einfalt und stille Größe« zum klassizistischen Glaubensbekenntnis auch G.s wurde, war G. 1765/66 in Leipzig durch Winckelmanns Freund und Verehrer A. F. Oeser hingewiesen worden (*Dichtung und Wahrheit* II,8). Er studierte damals mit mehr Interesse als praktischem Verständnis Winckelmanns frühe Schriften, besonders die *Gedanken über die Nachahmung der griechischen Werke in der Malerei und Bildhauerkunst* (1755). Die Nachricht von Winckelmanns »seltsamem und widerwärtigem Ende«, nämlich die Ermordung des Homosexuellen durch einen Strichjungen in Triest am 8. 6. 1768, traf G. schwer (ebd.). Auch beim Wiedersehen mit Oeser in Leipzig im Mai 1778 war Winckelmann Gesprächsthema. G.s genaueres Winckelmann-Studium jedoch begann erst im Dezember 1786 in Rom (*Italienische Reise* 3. und 13. 12. 1786 u. ö.), als er Winckelmanns Briefe (II 1777–80) und seine *Geschichte der Kunst des Altertums* (1764) las, die ihm in Italien »zur Richtschnur auf seinen Wegen« wurde (zu Boisserée 3. 8. 1815). Nunmehr überzeugt von Winckelmanns Bedeutung, vertiefte G. seit August 1798 sein Studium der Werke und beschäftigte sich seit 1799 mit dem Plan einer Darstellung seiner Persönlichkeit, der 1805 in dem Sammelband →*Winckelmann und sein Jahrhundert* Verwirklichung fand (*Tag- und Jahreshefte* 1804 und 1805). In der Folgezeit nahm G. tätigen Anteil an der Winckelmann-Ausgabe von Fernow, Meyer und Schulze

(VIII 1808–20). Seine anhaltende Verehrung und Wirkung faßt G. später zusammen:»Man lernt nichts, wenn man ihn liest, aber man wird etwas« (zu Eckermann 16. 2. 1827).

E. Castle, W.s Kunsttheorie in G.s Fortbildung, in ders., In G.s Geist, 1926; E. M. Butler, G. and W., PEGS NS 10, 1934; H. Koch, W. und G. in Rom, 1950; W. und G., Katalog Weimar 1969; J. J. W. tra letteratura e archeologia, hg. M. Fancelli, Venedig 1993; R. Fisher, G.s W.bild, in: Ethik und Ästhetik, hg. ders. 1995; M. Jaeger, Der glück-liche Heide, WW 46, 1996.

Winckelmann und sein Jahrhundert. *In Briefen und Aufsätzen herausgegeben von Goethe.* Der 1805 bei Cotta erschienene Sammel-band, an dem G. von Sommer 1804 bis 20. 4. 1805 arbeitete, enthält J. H. Meyers *Entwurf einer Geschichte der Kunst des 18. Jahrhunderts* mit C. L. Fernows *Bemerkungen eines Freundes,* drei *Skizzen zu einer Schilderung Winckelmanns:* G.s Schilderung des Menschen, entstan-den Dezember 1804 – April 1805, Meyers Schilderung seiner Ent-wicklung und F. A. Wolfs Schilderung seiner wissenschaftlichen Bedeutung, ferner 27 bisher ungedruckte Briefe Winckelmanns an seinen Jugendfreund H. D. Berendis, die 1783 nach dessen Tod in den Besitz Anna Amalias gekommen waren und deren Veröffent-lichung, eigentlicher Anlaß des Bandes, G. seit 1799 plante, und schließlich ein Verzeichnis der bisher gedruckten Briefe Winckel-manns. Der Sammelband stellt den ersten Versuch dar, →Winckel-mann vor dem Hintergrund des 18. Jahrhunderts historisch zu sehen und zu deuten. Darüber hinaus diente er, wie vorher die *Propyläen* und die Preisaufgaben, mit seinem betonten Bekenntnis zu Winckelmanns Griechenbild zugleich der Propagierung des klassizistischen Kunstideals und der Absage an die Romantik. Vgl. *Tag- und Jahreshefte* 1804 und 1805.

H. Althaus, G.s Winckelmann, in ders., Ästhetik, Ökonomie und Gesellschaft, 1971; Ch. Michel, G.s W.-Schrift und Delphi, Arcadia 11, 1975; J. Irmscher, Antikebild und Antikeverständnis in G.s W.-Schrift, GJb 95, 1978; R. Müller, Weltanschauung und Tra-ditionswahl in G.s W.-Schrift, GJb 96, 1979; L. Uhlig, Klassik und Geschichtsbewußt-sein in G.s W. schrift, GRM NF 31, 1981; R. Gould, G's Skizzen zu einer Schilderung Winckelmanns, GLL 47, 1994; →Winckelmann.

Winckler, Johann Heinrich (1703–1770). Bei dem Leipziger Pro-fessor der Philosophie, Philologie und Physik, Anhänger der Auf-klärungsphilosophie Ch. Wolffs, hörte G. 1765/66 Vorlesungen über Philosophie und Physik. Während sein Collegium philosophi-cum et mathematicum in der Schülerszene des *Faust* zum Spott ge-reicht, erinnert sich G. in der *Geschichte der Farbenlehre* (Kap.»Kon-fession des Verfassers«) der physikalischen Vorlesungen Wincklers mit Experimenten zu Newtons Optik und lobt ihn als »einen der ersten, der sich um die Elektrizität verdient machte«.

Windischmann, Carl Joseph Hieronymus (1775–1839). Der Schelling-Schüler, Arzt, Naturforscher und Naturphilosoph, 1803 Professor der Philosophie in Mainz, 1818 in Bonn, besprach in der *Jenaischen Allgemeinen Literaturzeitung* im Januar 1813 zustimmend

G.s *Farbenlehre,* wofür G. nach Einsicht in das Manuskript am 28. 12. 1812 ausführlich dankte. Von seinen zahlreichen Schriften, die G. z. T. las, fand allerdings *Über etwas, das der Heilkunst nottut* (1824) wenig Beifall (*Über Kunst und Altertum* V,2, 1825). Persönlich lernte G. ihn am 17. und 20. 9. 1814 in Frankfurt kennen.

Winkel. In dem kleinen Ort im Rheingau war G. am 1.–8. 9. 1814 von Wiesbaden aus Gast auf dem Landgut von Franz und Antonie Brentano und unternahm von dort täglich Ausflüge in die Umgebung, die er in →*Im Rheingau Herbsttage* ausführlich beschreibt: am 1. 9. Kloster Eibingen und Rüdesheim, am 2. 9. Schloß Vollrads und Johannisberg, am 3. 9. Geisenheim und Niederwald, am 4. 9. Freiweinheim und Niederingelheim (Kaiserpfalz), am 5. Rüdesheim, Bingen, Rochuskapelle und Oberingelheim, am 6. 9. in Winkel an die Stätte von C. von Günderodes Selbstmord.

Winkler, Gottfried (1731–1795). Der Leipziger Kaufmann, Bankier und Ratsbaumeister begründete mit seinen Einkünften in seinem Haus an der Katharinenstraße die größte und berühmteste private Gemälde- und Graphiksammlung Leipzigs im 18. Jahrhundert (1768: 628, 1795: an 1200 Gemälde und rd. 15 500 Kupferstiche). Sie wurde 1768 in einem Katalog von F. W. Kreuchauff erfaßt und dem Publikum zugänglich gemacht. G. besuchte sie 1768 und seither öfter (1776, 1782) und bot bei der sukzessiven Versteigerung durch Rochlitz mit.

Winter, Peter (ab 1814) von (1754–1825). Der Münchner Hofkapellmeister und Opernkomponist vertonte 1790 G.s Singspiele *Jery und Bätely* und *Scherz, List und Rache* für das Theater des Grafen Törring in Seefeld bei München und 1811 G.s Kantate *Rinaldo* für Prinz Friedrich von Gotha. In Weimar wurde seine Oper *Das unterbrochene Opferfest* (1796) seit 10. 6. 1797 oft und erfolgreich aufgeführt.

Winterthur. In der Schweizer Stadt übernachtete G. auf dem Hinweg zur 1. Schweizer Reise am 8. 6. 1775 und auf dem Rückweg von der 2. Schweizer Reise am 2. 12. 1779.

Wirbeltheorie des Schädels. In Übertragung seiner Metamorphosenlehre auf die Osteologie war G. seit seinem Fund eines Schafschädels auf dem Lido von Venedig 1790 davon überzeugt, daß die Schädelknochen der Wirbeltiere aus ursprünglichen Wirbelknochen abzuleiten seien (*Tag- und Jahreshefte* 1790). Er legte diese Auffassung jedoch nicht schriftlich in einer Abhandlung nieder, sondern verfolgte sie zunächst in Einzelstudien weiter und diskutierte sie zurückhaltend mit Fachleuten, bis ihm Lorenz Oken mit seiner Arbeit *Über die Bedeutung der Schädelknochen* (1807) zuvorkam. Späterhin verwies G. wiederholt auf seine Theorie, ohne sie jedoch im Detail auszuführen, besonders in den Heften *Zur Morphologie* I,2, 1820 (*Nachträge VIII*), II,1, 1823 (*Bedeutende Fördernis durch ein einziges geistreiches Wort*) und II,2, 1824 (*Das Schädelgerüst aus sechs Wirbelknochen auferbaut*).

R. Zaunick, Oken, Carus, G., in: Historische Studien und Skizzen, Festschrift G. Sticker 1930; B. Peyer, G.s W. d. Sch., 1950; G. Mann, »daß aus Knochen alles deduziert werden kann«, in: In der Mitte zwischen Natur und Subjekt, hg. W. Ziegler 1992.

Wirkung, Rezeption. Eine auch noch so summarische Skizze des Nachlebens von G. in der Literatur (→Goethe in der Dichtung) und seiner Wirkung auf die Künste, die Wissenschaften und das Denken der Mit- und Nachwelt in ihren wechselnden Epochen, Generationen, Strömungen, Gruppierungen und nationalen Varianten sowie auf einzelne Individuen im schmalen Umfang eines Lexikonartikels wäre ebenso vermessen wie unbefriedigend und könnte dem umfassenden Thema in keiner Weise gerecht werden. Stattdessen sei hier nur auf die wichtigsten Standardwerke und Textsammlungen zur Wirkung und Nachwirkung G.s verwiesen:

G. im Urteile seiner Zeitgenossen, hg. J. W. Braun III 1883–85 u. ö.; F. Strich, G. und die Weltliteratur, 1946 u. ö.; R. Buchwald, G.zeit und Gegenwart, 1949; H. Kindermann, Das G.bild des 20. Jahrhunderts, 1952 u. ö.; G. und seine Kritiker, hg. O. Fambach 1953; W. Leppmann, G. und die Deutschen, 1962 u. ö.; G. im Urteil seiner Kritiker, hg. K. R. Mandelkow IV 1975–84; G. unter den Deutschen, hg. B. Lecke 1978; K. R. Mandelkow, G. in Deutschland, II 1980–89; D. J. Farrelly, G. in East Germany 1949–1989, Columbia 1997.

Wirkung in die Ferne. Die mehr geistreiche als poetische Ballade, wohl im Januar 1808 entstanden, in *Werke* Band I (1815) zuerst gedruckt und von C. Loewe u. a. vertont, spielt in Überschrift und Text mit dem im 18. Jahrhundert umstrittenen naturphilosophischen Begriff der »actio in distans« für Erscheinungen wie Gravitation, Magnetismus und Elektrizität, den G. auch in *Wilhelm Meisters Wanderjahren* (II,6; III,5) aufgreift und in Briefen und Gesprächen gelegentlich auch scherzhaft verwendet.

Wissenschaften. Durch seine →amtliche Tätigkeit für die Universität Jena und zumal die →Oberaufsicht, aber auch auf Reisen und an anderen Universitäten wie privaten Kontakten kam G. mit einer Vielzahl von Wissenschaften und deren Vertretern in Berührung. Da, abgesehen von der →Mathematik, die →Naturwissenschaften seinerzeit keinen Platz in den Schullehrplänen hatten, eignete er sich vielfach die Grundkenntnisse der ihm näherliegenden Gebiete autodidaktisch an und interessierte sich dabei vorwiegend für die Erkenntnisverfahren, Methoden und Geschichte der einzelnen Wissenschaften (→Anatomie, →Astronomie, →Botanik, →Chemie, →Farbenlehre, →Geologie, →Mathematik, →Meteorologie, →Mineralogie, →Optik, →Physik, →Tonlehre u. a.), zu denen er teils Wesentliches beitrug. In den noch wenig als Fachwissenschaften ausgebildeten Geisteswissenschaften (→Geschichte, →Kunst, →Musik, →Philosophie, Archäologie, Klassische Philologie, Literaturwissenschaft, Orientalistik u. a.) dagegen standen deren Gegenstände gegenüber ihrer wissenschaftlichen Behandlung im Vordergrund seines Interesses.

E. Barthel, G.s W.lehre, 1922; A. Groth, G. als W.shistoriker, 1972; C. Gögelein, Zu G.s Begriff von W., 1972; J. Blasius, Zur W.theorie G.s, Zeitschrift für philosophische Forschung 33, 1979; G. und die W., hg. H. Brandt 1984; Allerhand G., hg. D. Kimpel 1985.

Wit, Ferdinand Johannes, gen. von Dörring (1800–1863). Der Mann, den G. mit den Worten verabschiedete »Finden Sie sich damit ab, daß ich Sie bitte, nicht wiederzukommen. Adieu«, war der uneheliche Sohn des französischen Ministers de Serre und der Hamburger Pferdehändlersfrau Wit, die nach dem Tod ihres Mannes einen dänischen Offizier von Dörring heiratete, ein politischer Abenteurer der Reaktionszeit, Student in Jena, Burschenschaftler, Verschwörer, Spion und Denunziant, der vor einer reichen Heirat Deutschland, Frankreich, England, Italien und Dänemark und deren Gefängnisse kennenlernte. G. las im Oktober 1827 seine durch Vorliebe für Unwahrheiten bestechenden *Fragmente aus meinem Leben und meiner Zeit* (IV 1827–30) und *Lucubrationen eines Staatsgefangenen* (1827) und im September 1828 die Schrift *Über das Wesen und Unwesen des deutschen Theaters* (1827): »unerfreulich … ganz Null« (Tagebuch) und empfing den »Lumpenkerl« aus Neugier am 1. 3. 1828 in Weimar, wurde jedoch durch seine Indiskretionen so unangenehm berührt, daß er ihn wie oben beschrieben entließ (zu F. von Müller 6. 3. 1828, zu Soret 15. 2. 1830).

H. H. Houben, Der Lebensroman des W. v. D., 1912.

Wittenberg. Die Lutherstadt durchquerte G. am 23. 5. 1778 auf dem Heimweg von Berlin.

Witterungslehre →Meteorologie

Wittumspalais. Das ansehnliche, dreigeschossige, spätbarocke Stadthaus, das sich der Geheimrat und Minister Jacob Friedrich Freiherr von Fritsch 1767–69 durch J. G. Schlegel unter Mitwirkung von A. T. Oeser in Weimar am Abschluß der Esplanade zwischen der inneren und äußeren Stadtmauer und unter Einbeziehung von Teilen des früheren Franziskanerklosters hatte errichten lassen, blieb nicht lange in seinem Besitz. Nach dem Weimarer Schloßbrand vom 6. 5. 1774 stellte er es der Herzogin Anna Amalia als Wohnsitz (Witwensitz, daher der Name) zur Verfügung, die es 1775 für 20 100 Taler erwarb und vor allem im Winter 33 Jahre lang bis zu ihrem Tod 1807 bewohnte. 1775 ließ sie den Festsaal durch ein Deckengemälde von A. T. Oeser ausmalen, der 1784/85 auch die Räume des 1779 angebauten, zweigeschossigen Nordflügels zum späteren Theaterplatz ausschmückte. Nördlich schloß sich entlang der Stadtmauer im früheren Klostergarten ein größerer Hausgarten an, und nach Westen blickte man bis zur Errichtung des Komödienhauses und der Bebauung des Theaterplatzes in freie, grüne Landschaft. Durch die Aufschüttung des Theaterplatzes und der Esplanade wurden die Wirtschafts- und Dienstbotenräume und Stallungen im Erdgeschoß verdeckt und nur vom Innenhof zugänglich. Zu Lebzeiten Anna Amalias waren die Empfangs- und Festräume des Wittumspalais der Ort vielseitiger, kultivierter Geselligkeit und Unterhaltung, Stätte der Begegnung von Dichtern, Künstlern, Wissenschaftlern, bürgerlichen Intellektuellen, auswärtigen Besuchern und Adligen des Hofes ohne Standesunterschied. Anna Amalias berühmte →Tafelrunde machte es zum Zentrum des Weimarer Musenhofes. Im Festsaal fanden kleinere Aufführungen des Liebhabertheaters statt, hier tagte seit 1791 G.s Freitagsgesellschaft, und in der Mansardenwohung L. von Göchhausens traf man sich am Samstagmorgen ungezwungen zum Frühstück (»Freundschaftstag«). Nach 1808 tagte im Festsaal die Freimaurerloge »Anna Amalia«, und dort hielt G. 1813 seine Gedenkrede auf Wieland. Seit 1870/71 wurde durch Restauration des teils vernachlässigten Gebäudes und Rückführung der verstreuten Möbel und Kunstgegenstände die stilvolle, schlicht-festliche, adlige Wohnkultur der klassischen Zeit wiederhergestellt, seit 1949 erlebte das 1945 bombengeschädigte Gebäude längere Restaurierungsphasen.

G. Schnaubert, Das W. der Herzogin Anna Amalia, 1912; H. Wahl, Das W. der Herzogin Anna Amalia, 1927; S. Anger, Das W. zu Weimar, 1954; W. Ehrlich, Das W. in Weimar, 1970 u. ö.; J. Beyer/J. Seifert, Weimarer Klassikerstätten, 1995; →Weimar.

Witzleben, Friedrich Hartmann von (1722–1788). Der freundlich-behäbige, nonchalante Herr aus Thüringer Uradel wurde 1756 Oberstallmeister und Oberschenk in Weimar, dem auch die Direktion des Theaters unterstand, 1758 Chef des Wittumshofes von Anna Amalia und Geheimrat, schließlich 1775 Oberhofmarschall Carl Augusts. G. verkehrte bei ihm in Weimar und besuchte ihn mehrfach auf seinem Jagdschloß →Elgersburg bei Ilmenau.

W. K. F. Abkürzung für →Weimarische Kunstfreunde.

Wöllwarth-Essingen, Johanna Marianne Henriette von →Wedel, J. M. H. von

Wörlitz. Das frühklassizistische Schloß bei →Dessau, das sich Fürst →Leopold III. Friedrich Franz von Anhalt-Dessau 1768–73 von F. W. von Erdmannsdorff als Sommerresidenz hatte errichten lassen, besuchte G. mehrfach mit Carl August, so am 3.–19. 12. 1776, 13./14. und 23.–25. 5. 1778 und 30. 7. 1794 (Handzeichnung G.s). Insbesondere der vom Fürsten angelegte Landschaftsgarten im englischen Stil mit seinen Seen, Kanälen, Brücken, Tempeln und

Schlößchen, der als erster in Deutschland eine Integration von Stadt, Landschaft, Wasser und Architektur, von Nützlichem und Schönem in einem traumhaften Arkadien, bot, imponierte G. außerordentlich; er verglich ihn mit den Elyseischen Feldern (an Ch. von Stein 14. 5. 1778) und entnahm ihm viele Anregungen zur Gestaltung des Weimarer Parks an der →Ilm und des Park von Schloß Tiefurt.

R. Kießmann, W. und Weimar, 1934; H. Holtzhauer, G. und W., G.-Almanach 1968.

Wohlgemeinte Erwiderung. Den kurzen Aufsatz legte G. seinem Antwortbrief vom 22. 1. 1832 an Melchior Meyr bei, der G. um ein Urteil über seine Gedichte gebeten hatte. Eckermann veröffentlichte ihn unter dem Titel *Für junge Dichter* in *Über Kunst und Altertum* (VI,3, 1832) und ließ ihm im Nachlaß (Band 45, 1833) den aus gleichem Geiste entstandenen Aufsatz *Noch ein Wort für junge Dichter* folgen. Der Text ist eine allgemeine Erwiderung auf Einsendungen mit der Bitte um Begutachtung; er warnt vor dem durch die Leichtigkeit der Produktion geförderten Dilettantismus, vor Subjektivismus und falschem Gebrauch der Einbildungskraft; verantwortliche Kunst sei ein Vernehmlichmachen der vorgegebenen Ordnung der Welt.

Wohnungen Goethes in Weimar. Nach seiner Ankunft in Weimar am 7. 11. 1775 wohnte G. bis 18. 3. 1776 mehrere Monate, bevor er sich zum Bleiben entschied, als Gast des Kammerpräsidenten C. A. von Kalb, dessen Sohn ihn nach Weimar geführt hatte, in dessen Haus, dem damaligen Schwarzburger Hof, später →Sächsischen Hof am Töpfenmarkt (jetzt Eisfeld 12, am Herderplatz). Am 18. 3. 1776 bezog er eine Wohnung im 2. Stock des Hauses von Hofkassierer König hinter der Wache (Am Burgplatz 1) mit Blick auf die Schloßruine und behielt diese Wohnung als städtisches Absteigequartier bis Ostern 1777 bei, auch nachdem er am 18. 5. 1776 das ihm von Carl August geschenkte →Gartenhaus als Hauptwohnsitz bezogen hatte, das ihm mitunter unbequem zu erreichen war. Dem gleichen Zweck als städtische Unterkünfte dienten ihm von Ostern 1777 bis 2. 8. 1779 einige Zimmer im Erdgeschoß des →Fürstenhauses und vom 2. 8. 1779 bis 2. 6. 1781 das ehemals Vogelstädtische Haus in der Seifengasse 16 in unmittelbarer Nähe zum Haus der Frau von Stein. Ab 2. 6. 1782 mietete G. einen Teil des späteren →Goethehauses am Frauenplan, den er auch während der Italienreise beibehielt. Als im Herbst 1789 diese Wohnung wegen Christianes Schwangerschaft unhaltbar wurde, stellte Carl August im November 1789 ihm und Christiane je eine Wohnung im →Jägerhaus, Marienstraße 3, zur Verfügung. Im Mai 1792 erwarb Carl August für die Kammer das spätere →Goethehaus am Frauenplan, stellte es G. im Spätsommer 1792 als Dienstwohnung mietfrei zur Verfügung und machte es G., der erst im Dezember 1792 nach der Rückkehr aus Frankreich dort einzog, offiziell am 17. 6. 1794 zum Geschenk.

C. A. H. Burkhardt, Über G.s unbekannte Stadtwohnungen in Weimar, GJb 9, 1888.

Wolf, Caroline, geb. Benda (1742–1820). Die Tochter des Komponisten Franz Benda, seit 1761 Hofdame Anna Amalias und herzogliche Kammersängerin in Weimar, heiratete 1770 Ernst Wilhelm →Wolf und wirkte aktiv am Weimarer Liebhabertheater mit.

Wolf, Ernst Wilhelm (1735–1792). Von dem seinerzeit sehr beliebten Komponisten, Musiklehrer Carl Augusts, 1761 Konzertmeister und 1768 Hofkapellmeister in Weimar, und seiner Gattin Caroline →Wolf hatte G. M. Kraus G. schon in Frankfurt vorgeschwärmt. Als fruchtbarer Komponist von Singspielen u. a. war er maßgeblich am Aufstieg des Weimarer Musiklebens unter Anna Amalia beteiligt und pflegte engen Kontakt zu deren Musenhof. G., dessen *Veilchen, Erwin und Elmire* (1780) sowie die Chöre zu den *Vögeln* (1780) er komponierte, hielt ihn, zumal seit er Alkoholiker wurde, im Gegensatz zu anderen Zeitgenossen für wenig originell und versuchte 1781 vergebens, ihn durch Ph. Ch. Kayser zu verdrängen.

Wolf, Friedrich August (1759–1824). Auf den berühmten klassischen Philologen und Begründer der neueren Altertumswissenschaft, 1783 Professor an der Universität Halle, nach deren Auflösung durch die Franzosen 1807 in Berlin, und seine *Prolegomena ad Homerum* (1795), die G. Anfang Mai 1795 las, wies W. von Humboldt G. im April 1795 hin. Er vermittelte ihm auch die persönliche Bekanntschaft Wolfs, der G. am 22.–28. 5. 1795 in Weimar besuchte. In den *Xenien* (264, Nachlaß-Xenion 85) wurde Wolf trotz Schillers Ablehnung seiner Thesen nur schonend bedacht. Weitere Begegnungen mit G. erfolgten am 7. 7. 1798 in Jena und im Mai 1800 in Leipzig. Doch erst im Sommer 1802 entwickelte sich trotz Wolfs berüchtigtem Widerspruchsgeist ein herzlich-freundschaftliches Verhältnis, das G. besonders nach Schillers Tod pflegte, mit wechselseitigen Besuchen und Begegnungen in Halle bzw. in Giebichenstein bei Reichardt (22.–24. 5. und 9.–20. 7. 1802, 5.–8. 5. 1803, 17. 8.–3. 9. 1804), in Lauchstädt (25.–26. 5. und 26.–29. 6. 1802 zur Eröffnung des dortigen Theaters) und Weimar (28. 12. 1803–6. 1. 1804, 30. 5.–14. 6. 1805 mit seiner Tochter Wilhelmine). Am 12.–14. 8. 1805 besuchte G. Wolf in Halle, hörte heimlich seine Vorlesungen und bewunderte das »ungeheure Wissen« des »unablässig arbeitenden Mannes« (*Tag- und Jahreshefte* 1805), anschließend am 14.–25. 8. 1805 unternahm er mit August von G. und Wolf eine Reise nach Bernburg, Magdeburg, Helmstedt, Harbke, Nienburg, Halberstadt, Ballenstedt und Aschersleben (ebd.). 1805 beteiligte sich Wolf an G.s →*Winckelmann und sein Jahrhundert,* 1805–07 mit

Beiträgen zur *Jenaischen Allgemeinen Literaturzeitung*. Am 26.–27. 9. 1806 traf man sich in Jena, am 12.–16. 4. 1807 besuchte Wolf G. wiederum in Weimar, hielt einen Vortrag vor der Mittwochsgesellschaft und empfing von ihm Trost und Zuspruch angesichts seiner persönlichen Krise durch Aufhebung der Universität Halle. Dankbar huldigt Wolf in der Einleitung zu seiner Zeitschrift *Museum der Altertumswissenschaft* (1807) G. als dem Wiedererwecker antiken Geistes. Nach Wolfs Übersiedlung nach Berlin traf man sich im Juli 1810 in Karlsbad. Am 8.–16. 6. 1814 besuchte Wolf G. in Berka, am 26.–28. 8. 1816 in Bad Tennstedt und am 22.–26. 10. 1820 und 18.–24. 4. 1824 in Weimar.

G.s Stellung zu Wolfs vieldiskutierten *Prolegomena ad Homerum*, die die »Homerische Frage« nach der Autorschaft von *Ilias* und *Odyssee* aufwerfen und sich für die Verfasserschaft einer Mehrzahl von Rhapsoden entscheiden, schwankte im Laufe der Zeit. Anfangs skeptisch ablehnend (an Schiller 17. 5. 1795) und zweifelnd (an Wolf 5. 10. 1795), beschäftigt sich G. wiederholt mit Wolfs Theorie, macht sie sich während der Arbeit an *Hermann und Dorothea* und *Achilleis* praktisch zunutze (Elegie *Hermann und Dorothea* v. 27 ff.), betont dann F. Schlegel gegenüber seine Auffassung von der poetischen Einheit der Homerischen Epen (an Schiller 28. 4. 1797, 16. 5. 1798), die er 1820 wieder als aufgegeben erklärt (an Knebel 17. 12. 1820). Nach C. E. →Schubarths Widerlegung von Wolfs Theorie geht er endgültig zu dessen Ansicht über (*Tag- und Jahreshefte* 1820; an Zelter 14. 10. 1821, 8. 8. 1822; *Homer wieder Homer,* um 1821; *Homer noch einmal*, 1827).

R. Sellheim, Halle und der Neuhumanismus, 1931; O. Ostertag, F. A. W., Aus Unterricht und Forschung 5, 1933; F. A. W., hg. S. Reiter III 1935; F. Schmidt, G. über die historische Kritik F. A. W.s, DVJ 44, 1970; J. Wohlleben, F. A. W.s Prolegomena ad Homerum in der literarischen Szene der Zeit, Poetica 28, 1996; M. Riedel, Zwischen Dichtung und Philologie: G. und F. A. W., DVJ 71, 1997.

Wolff, Amalie →Malcolmi, Amalie

Wolff, Caspar Friedrich (1734–1794). Mit den Schriften des Naturforschers, 1766 Professors für Anatomie und Physiologie in Petersburg und Begründers der modernen Entwicklungslehre (*Theoria generationis*, 1759) beschäftigte G. sich 1807 und besonders im Oktober 1816 (*Tag- und Jahreshefte* 1807, 1816) und fand in ihm einen Vorläufer seiner eigenen Metamorphosenlehre. Er würdigt Wolff in den Aufsätzen *Bildungstrieb, Entdeckung eines trefflichen Vorarbeiters* und *C. F. Wolff über Pflanzenbildung.*

G. Uschmann, C. F. W., 1955; A. Mette, Im Zeichen C. F. W.s, GJb 90, 1973.

Wolff, Christian (ab 1745) Freiherr von (1679–1754). Mit dem berühmten Aufklärungsphilosophen, Popularisator von Leibniz, 1707 Professor der Physik und Mathematik in Halle, der Philosophie in Marburg, befaßt sich G. nur kurz im Zusammenhang der *Geschichte der Farbenlehre* (Kap. 18. Jahrhundert).

Wolff, Oscar Ludwig Bernhard (1799–1851). Der vielsprachige Hamburger Lehrer, Schriftsteller und Improvisator (Stegreifdichter und -darsteller) besuchte auf einer größeren Kunstreise 1826 Weimar, am 18.1.1826 auch G., und gab ihm am 28.1. eine Probe seiner Kunst, deren allzugroße Subjektivität G. tadelte (an Carl August 31.1.1826). Ab Mai 1826 Professor für neuere Sprachen am Gymnasium Weimar, verkehrte er gelegentlich bei G. und wurde 1829 Professor der Literaturgeschichte in Jena. Sein *Büchlein von Goethe* (1832) und seine *Portraits und Genrebilder* (III 1839) schildern die Weimarer Begegnungen.

Wolff, Pius Alexander (1782–1828). G.s bedeutendster Schauspielschüler (zu Eckermann 11.10.1828, an Zelter 23.2.1832), ein vielseitig musisch gebildeter Augsburger Buchhändlerssohn, entdeckte nach Abschluß einer Kaufmannslehre in Berlin bei Liebhaberaufführungen in Straßburg seine schauspielerischen Neigungen. Vom Ruf des Weimarer Hoftheaters angezogen, kam er am 21.7.1803 mit Carl Franz Grüner nach Weimar, wo G. sein Talent erkannte, die Mutter am 1.9.1803 wegen des Berufswechsels ihres Sohnes beruhigte und ihn und Grüner während der Lauchstädter Spielzeit des Theaters in Weimar durch Vorträge und praktische Übungen für die Bühne ausbildete und engagierte (*Tag- und Jahreshefte* 1803; an Zelter 4.5.1816). Aus dem Unterricht gingen die 1824 von Eckermann zusammengestellten →*Regeln für Schauspieler* hervor. Wolff heiratete 1805 die Schauspielerin Amalie →Malcolmi, spielte meist jugendliche Helden: Hamlet, Marquis Posa, Tasso, Clavigo, Pylades, Leicester in *Maria Stuart*, Calderons Standhaften Prinzen u.a. und verkörperte durch stilvoll gehobene Deklamation und edle, würdevolle Gestik G.s Ideal des Weimarer Hoftheaterstils. G. fand rasch ein freundschaftliches Verhältnis zu ihm, dessen wachsendes Talent er lobte (*Tag- und Jahreshefte* 1810, 1811) und dessen lästige Eitelkeiten und hohe Forderungen er z.T. übersah. Er holte mehrfach seinen Rat in Theaterfragen ein, zog ihn 1811 bei der Bühnenbearbeitung von *Romeo und Julia* zu Rate und ermutigte ihn 1812, den *Faust* für die Bühne einzurichten und den *Egmont* zu bearbeiten (ebd. 1812). Nach einem erfolgreichen Berliner Gastspiel 1811 und insgeheim geführten Verhandlungen ging das Paar zum großen Bedauern G.s Anfang 1816 an das Königliche Schauspielhaus in Berlin, blieb aber in brieflichem Kontakt mit G., der sich über ihre Erfolge freute. Am 25.6.1819 und 10.9.1824 besuchte Wolff G. in Weimar, wo er auf einer Reise starb, während G. sich vor den Trauerfeierlichkeiten für Carl August nach Dornburg zurückgezogen hatte. Wolffs Grabinschrift (»Mögt zur Gruft …«) wird G. wohl fälschlich zugeschrieben. Von seinen 17 teils erfolgreichen Lust- und Singspielen hat sich nur *Preciosa* (1821) durch die Vertonung von C.M. von Weber erhalten.

M. Martersteig, P.A.W., 1879; →Theater.

Wolken, Wolkengedichte. Durch die Schriften L. W. →Gilberts und L. →Howards wurde G. 1815 zur wissenschaftlichen Beschäftigung mit der Wolkenlehre (→Meteorologie) angeregt, die sich 1818 im Aufsatz *Wolkengestalt nach Howard* und 1820–22 im Gedichtzyklus *Howards Ehrengedächtnis* (→Howard) niederschlug, in den auch die Beschäftigung mit Kalidasas *Meghaduta* (*Der Wolkenbote*) einging. Schon früher und durchgängig verwendet G. die Wolken als Motiv der Naturdichtung und als Symbol für die Metamorphose der Formen wie für das immerstrebende Aufsteigen, Steigerung, Emporstreben und das Sichauflösen im Geistigen in Gedichten wie *Ganymed, Ilmenau, Gesang der Geister über den Wassern, Zueignung* (»Der Morgen kam …«), *Elegie*, »Du Schüler Howards …« u. a. und zumal in den Hochgebirgs- und Bergschluchten-Szenen des *Faust II* (IV,V).

V. Valentin, W. in Vision und Wissenschaft bei G., NJbb 2, 1899; K. Lohmeyer, Das Meer und die W. in den beiden letzten Akten des Faust, JGG 13, 1927; K. Badt, G.s W.gedichte, PEGS NS 20, 1951; K. Badt, W.bilder und W.gedichte der Romantik, 1960; W. Keller, Die antwortenden Gegenbilder, JFDH 1968; A. Schöne, Über G.s W.lehre, in: Der Berliner Germanistentag 1968, 1970 und Jahrbuch der Akademie der Wiss. in Göttingen, 1968; E. Staiger, G.s W.gedichte, in ders., Spätzeit, 1973; G. Martin, G.s W.lehre im Atomzeitalter, GJb 109, 1992; G. Martin, G.s W.theologie, ZDP 114, 1995.

Wolkengestalt nach Howard →Howard, Luke

Wolowska, Casimira →Szymanowska, Maria

Woltmann, Carl Ludwig (ab 1805) von (1770–1817). Der Oldenburger Schriftsteller und Historiker war 1794–99 a. o. Professor der Philosophie und Geschichte in Jena und pflegte in dieser Zeit Umgang mit G. und Schiller, zu dessen *Horen* und Musenalmanachen er beitrug. G. fand seine ihm übersandte *Einleitung zur älteren Menschengeschichte* (1797) unkritisch und veraltet (an Schiller 22. 4. 1797), Schiller nannte sie schlichtweg »ein Greuel von einem Geschichtsbuch« (an G. 18. 4. 1797). Auch nach seinem Umzug als Diplomat und Herausgeber nach Berlin 1800, später Breslau und Prag, blieb er mit G. in Kontakt, sandte ihm seine Schriften, u. a. die Tacitus-Übersetzung (1811–17), und besprach im März 1814 *Hermann und Dorothea* und im Januar und März 1815 *Dichtung und Wahrheit* lobend in der *Jenaischen Allgemeinen Literaturzeitung*, letzteres auch 1813 in seinen *Deutschen Blättern*.

P. Raabe, Der junge K. L. W., Oldenburger Jahrbuch 54, 1954.

Wolzogen, Caroline (Friederike Sophie Caroline Auguste) von, geb. von Lengefeld, gesch. von Beulwitz (1763–1847). Die leidenschaftlich-ruhelose Tochter der L. J. von →Lengefeld, in deren Haus in Rudolstadt Schiller 1788 verkehrte und am 7. 9. 1788 in Gesellschaft erstmals persönlich G. begegnete, wurde durch Schillers Heirat mit ihrer jüngeren Schwester Charlotte 1790 dessen Schwägerin. Sie heiratete nach der Scheidung ihrer unglücklichen Ehe mit

dem Geheimrat Friedrich von Beulwitz 1794 ihren Vetter, Schillers
Jugendfreund Wilhelm von →Wolzogen, und führte in Weimar ein
geselliges Haus, an dem G. gern ebenso teilnahm wie sie an seinen
Gesellschaften und dem Mittwochskränzchen. Nach dem Tod des
Gatten und ihrer Freunde zog sie sich 1825 nach Jena zurück. Als
Schriftstellerin gehört sie zu den wichtigeren Randgestalten der
Weimarer Klassik. Ihr 1796/97 in Schillers *Horen* anonym erschienener, empfindsamer Roman *Agnes von Lilien* wurde weithin, u. a.
von F. Schlegel, für ein Werk G.s gehalten, der am 7. 12. 1796 von
Schiller »so lange als möglich die Ehre, als Verfasser der *Agnes* zu
gelten«, erbat und das Werk einer sorgfältigen Überarbeitung für
wert hielt (an Schiller 7. 2. 1798). Zu einer intensiveren Korrespondenz kam es in den 1820er Jahren, als G. den Briefwechsel mit
Schiller edierte und C. von Wolzogen an ihrer mit Briefen doku-
mentierten Biographie *Schillers Leben* (1830) arbeitete, die G. 1829
z. T. im Manuskript las.

C. Kahn-Wallerstein, Die Frau im Schatten, 1970.

Wolzogen, Wilhelm Ernst Friedrich von (1762–1809). Der
Jugendfreund Schillers von der Stuttgarter Karlsschule her, dessen
Mutter dem aus Stuttgart geflohenen Schiller 1782/83 ungeachtet
möglicher Gefahren für ihre Söhne in Bauerbach Zuflucht bot,
wurde später württembergischer Legationsrat und 1794 durch seine
Heirat mit Caroline von Beulwitz (→Wolzogen, C. von) Schillers
Schwager. Mit durch Fürsprache Schillers und G.s (an Schiller
9. 12. 1796) ernannte ihn Carl August im März 1797 zum Weimarer
Kammerherrn und Kammerrat, wegen seiner Architekturkennt-
nisse zum Mitglied der Schloßbau-Kommission, 1801 zum Oberhofmeister und schließlich zum Geheimrat und Mitglied des Geheimen Consilium. Er gewann G.s Anerkennung für seine Tätigkeit
und stand mit ihm in gesellig-freund- schaftlichem Verkehr. Der
häßliche, schwierige und scheinbar träge Hofmann erwies sich als
intelligenter Politiker, dessen Diplomatie 1804 zur Heirat des Erbprinzen Carl Friedrich mit der russischen Großfürstin Maria
Paulowna führte. In den Napoleonischen Wirren erlag der vielversprechende Politiker einem schweren Lungenleiden.

Wonne der Wehmut. Nicht immer sind G.s eigene Änderungen
seiner Gedichte zugleich Verbesserungen. Von der älteren Fassung
dieses wohl im Herbst 1775 entstandenen, kurzen Stimmungs-
gedichts gibt es eine Abschrift Herders von 1784/85 noch ohne
Überschrift, die den ursprünglichen Sinn ergibt: dem liebenden
Gemüt gehe auch und gerade in der Wehmut der tiefste Sinn der
Welt auf. Die verschlimmbesserte erste Druckfassung der *Schriften*
(Bd. 8, 1789) macht aus der metaphysischen Thematik »heiliger«
und »ewiger« Liebe eine unglückliche profane Liebschaft. Über 35
Vertonungen, u. a. von Beethoven, Marschner, Reichardt, Schubert,
Zelter.

Wordsworth, William (1770–1850). Der englische romantische Lyriker, dessen Werk G. kaum vertraut war, gehörte zu den 15 englischen G.-Verehrern, die G. unter Federführung von Th. →Carlyle zum Geburtstag 1831 ein goldenes Petschaft übersandten.

R. A. J. Meusch, G. und W., PEGS 7, 1893; B. Fairley, G. and W., PEGS NS 10, 1934, auch in ders., Selected essays, 1984.

Worms. Beziehungen G.s zur alten Domstadt am Rhein ergaben sich durch seine Liebe zu Charitas →Meixner, die er 1764 in Frankfurt kennenlernte und Ende Dezember 1769 in Worms besuchte. Vermutete frühere Besuche sind nicht bezeugt.

R. Wisser u. a., Eine Stadt erinnert sich, 1982.

Wort für junge Dichter →*Noch ein Wort für junge Dichter*

Worthley, Sir Richard de (1751–1805). Die Kunstsammlungen und Zeichnungen des von Reisen in Griechenland und Ägypten (1781–87) zurückgekehrten englischen Archäologen und Kunstsammlers besichtigte G. in Rom am 22. 8. 1787 und gewann durch seine Zeichnungen erste Eindrücke von den Parthenon-Skulpturen. Worthley publizierte seine Kunstschätze später als *Museum Worthleyanum* (II 1824).

Wouwerman, Philips (1619–1668). Werke oder zugeschriebene Werke des von ihm geschätzten niederländischen Pferde-, Jagdund Schlachtenmalers sah G. u. a. in der Dresdener Galerie, 1797 in Stuttgart bei Abel und 1815 in Frankfurt bei Brentano.

Wranitzky, Paul (1756–1808). Das »romantische Singspiel« *Oberon, König der Elfen* (1790, nach Wieland) des Orchesterdirigenten am Wiener Hofburgtheater wurde seit 28. 5. 1796 in Weimar häufig und erfolgreich aufgeführt und beeinflußte in der Handlung den »Walpurgisnachtstraum« im *Faust*.

Wreden, Ferdinand Joseph (ab 1790) von (1722–1792). Im Hause des kurpfälzischen Regierungsrats in Heidelberg mit seiner Frau Katharina (1729–1804) und den beiden Töchtern Marie Louise Josepha (1754–?) und Franziska Charlotte Josepha (1756–?) verkehrte G. gern 1775 in Heidelberg vor der Abreise nach Weimar, denn »die eine Tochter ähnelte Friederiken«, und S. E. →Delph entwickelte bereits zweckentsprechende Pläne (*Dichtung und Wahrheit* IV,20).

Wünsch, Christian Ernst (1744–1828). Der Professor der Mathematik und Physik in Frankfurt/Oder reduzierte in seiner Schrift *Versuche und Beobachtungen über die Farben des Lichtes* (1792), die G. im März 1794 studierte, Newtons sieben Grundfarben auf drei. G.

verspottete seine Theorie im Xenion 175 sowie im Brief an Schiller vom 13. 1. 1798 und polemisierte in der *Farbenlehre* scharf gegen Wünsch.

Würzburg. In der fränkischen Bischofsstadt am Main übernachtete G. am 8./9. 10. 1815 auf dem Heimweg von der 2. Rheinreise. Hier nahm er am 9. 10. schweren Herzens Abschied von S. Boisserée, der ihn seit 2. 8. 1815 von Wiesbaden aus begleitet hatte.

Die wunderlichen Nachbarskinder. Die kurze, 1809 entstandene und in die *Wahlverwandtschaften* (II,10) eingelegte Novelle von ursprünglicher Zuneigung, Entzweiung, Trennung, Wiederbegegnung, Erkenntnis der Liebe, Rettung und Wiedervereinigung eines füreinander bestimmten Paares, angeblich ein Jugenderlebnis des Hauptmanns, dient mit ihrer Wunscherfüllung in einer einfachen, hellen und klaren Welt und mit ihrer Überwindung des Wassertods als glückliche Parallele und Kontrasthandlung zum tragischen Ausgang der Haupthandlung des Romans.

W. Günther, G. und Kleist, in ders., Form und Sinn, 1968; J. Milfull, The function of the novelle D. w. N., GLL 25, 1971 f.; R. Gould, G's D. w. N., Neophil 59, 1975; J. Jacobs, Glück und Entsagung, JFDH 1979; →Wahlverwandtschaften.

Wyttenbach, Jacob Samuel (1748–1830). Den Berner Pfarrer, Naturforscher und Mineralogen, dessen Reiseführer (*Kurze Anleitung …*, 1777) G. für den Abstecher ins Berner Oberland im Oktober 1779 benutzt hatte, besuchte G. am 17. 10. 1779 in Bern.

Wyttenbach, Johann Hugo (1767–1848). Der junge Historiker, Lehrer, zuletzt Gymnasialdirektor in Tier, führte G. im Oktober 1792 unter lehrreichen Gesprächen durch die Sehenswürdigkeiten und historischen Bauwerke von →Trier (*Campagne in Frankreich* 25. und 29. 10. 1792).

H. Schiel, Eine unbekannte G.-Erinnerung, Trierisches Jahrbuch 1950; →Trier.

Xenien. Das bei den Zeitgenossen am meisten Aufsehen erregende Gemeinschaftswerk von G. und Schiller entsprang einer Idee G.s vom 28. 10. 1795, scharf mit den Gegnern von Schillers elitärer Zeitschrift *Die Horen*, ablehnenden Kritikern, den literarischen Rivalen und deren Zeitschriften, schließlich mit der ganzen Seichtheit und Mittelmäßigkeit der zeitgenössischen Literatur in der Form von Epigrammen aus jeweils einem Distichon nach dem Muster von →Martials *Xenien* (»kleine Gastgeschenke«) abzurechnen. Vom Dezember 1795 bis Herbst 1796 trugen beide Dichterfreunde entsprechende Distichen zusammen, die sie teils einzeln, teils gemeinsam, etwa aufgeteilt in Idee und Ausführung, 1. und 2. Vers, verfaßten und gegenseitig verbesserten (zu Eckermann 16. 12. 1828). Für die Sammlung zeichneten beide gleichermaßen als verantwortlich, sie sollte nie nach den Eigentumsrechten der Verfasser aufgeteilt werden, und jeder durfte – was nie geschah – den gesamten Zyklus seinen Werkausgaben einverleiben (Schiller an Humboldt 1. 2. 1796). Entsprechend ist eine eindeutige Zuschreibung einzelner *Xenien* an G. oder Schiller bis heute z. T. unmöglich, auch wo Autographen vorliegen, die ja Abschriften oder Diktate sein können. Der Rahmen des Konzepts weitete sich zusehends vom ursprünglichen Plan G.s vom 23. 12. 1795, alle Zeitschriften mit je einem Epigramm zu verspotten, dem Schiller am 29. 12. 1795 begeistert zustimmte, zu einer sehr viel breiteren Attacke auf die zeitgenössische Kultur und zeitigte Schillers Vorschlag einer Zyklenbildung. Bis Ende Mai 1796 spielten beide sogar mit dem Plan eines ganzen Xenien-Buches. In der Ende Juni 1796 von Schiller zusammengetragenen und kunstvoll gegliederten Sammelhandschrift von 676 *Xenien*, die er am 27. 6. 1796 G. sandte, überwogen zu beider Bedauern die »ernsthaften und wohlmeinenden« Distichen (an Schiller 9. 7. 1796) die eigentlichen polemisch-satirischen Attacken, so daß Schiller in einer neuen Auswahl und Anordnung von Mitte Juli 1796 die polemisch-literatursatirischen Distichen der eigentlichen Gruppe der *Xenien* zuordnete und die harmlosen, allgemein reflektierenden und sentenzhaften Epigramme in anderen Gruppen (*Tabulae votivae, Vielen, Einer*) unterbrachte. Die endgültige Anordnung im lockeren Rahmen einer fiktiven Reise ist das Werk Schillers: Ankunft der *Xenien* bei der Leipziger Messe, Begegnungen und Begrüßungen mit einzelnen Autoren und Zeitschriften, mit den nach Flüssen geordneten literarischen Gruppen, allgemeine literarische Erscheinungen, Polemik gegen einzelne Journale und Almanache, schließlich Besuch der *Xenien* in der Unterwelt und ihre Begegnung mit philosophischen und literarischen Größen der Vergangenheit, besonders Shakespeare. Diese Auswahl der 414 »eigentlichen« *Xenien* erschien anonym im September 1796 in Schillers *Musen-Almanach für das Jahr 1797*, dem sogenannten »Xenienalmanach«, der binnen eines Jahres zweimal nachgedruckt werden mußte.

Schon den Zeitgenossen waren nicht alle Anspielungen und oft nur leicht verhüllten Adressaten der *Xenien* deutlich, unter denen Nicolai, Reichardt, Kotzebue, Lavater, Stolberg, Manso, Ramler, Adelung, F. Schlegel u. a. an der Spitze standen, obwohl sie nicht als Personen, sondern als Symptome der Zeitkultur galten, charakteristisch für platte Alltagsnatürlichkeit, veraltete Aufklärungsphilosophie, Empfindsamkeit, Modephilosophie, Pedanterie der Kritik, moralischen Purismus, Mittelmäßigkeit, Dilettantismus u. a. m. Die Zeitgebundenheit und Zielgerichtetheit der *Xenien* erweisen sich ohne Kommentar dem Verständnis späterer Generationen oft als hinderlich, wenngleich die meist elegante dialektische Formung und die treffsicheren Mittel unbekümmert frecher Satire, Parodie, Karikatur, Ironie, Witz und Pointe ein willkommenes Korrektiv zum herkömmlichen Bild der Klassik liefern. Auf der persönlichen Ebene bedeutet die an sich schon ungewöhnliche Zusammenarbeit zweier nach Natur und Temperament so unterschiedlicher Dichter an einem Werk die Etablierung einer starken Gemeinsamkeit in der Frontstellung gegen das Mittelmaß.

Die Wirkung der *Xenien* glich einem Blitz aus heiterem Himmel, der die Plattheiten der zeitgenössischen Modeliteratur und des Publikumsgeschmacks schlagartig erhellte und Gelächter, Verwunderung, Aufregung und Ärger bei dem Teil der Leserschaft auslöste, die der aggressive Inhalt mehr interessierte als die geschliffene Form. Im nachfolgenden »Xenienkrieg« wehrten sich einige der Betroffenen wie Fulda, Manso und Dyk durch teils gehässige, teils geschmacklos persönliche Anti-Xenien u. a. Gegenschriften. Im 19. Jahrhundert griffen Hebbel, Grillparzer, Immermann u. a. Form und Geist der *Xenien* zur eigenen Auseinandersetzungen auf. →*Zahme Xenien.*

NB. Das 1893 veröffentlichte Gesamtkorpus der *Xenien* und der 225 Xenien aus dem Nachlaß umfaßt 926 Distichen. Da die G.-Werkausgaben bedauerlicherweise durch unterschiedliche Numerierung Verwirrung stiften, werden die *Xenien* hier nach den Nummern der Weimarer Ausgabe zitiert.

E. Boas, Schiller und G. im X.kampf, II 1851; H. Henkel, Über G.s Anteil an den X., ZfdU 14, 1900; G. Thiemann, Schiller und G. in den X., Diss. Münster 1909; A. Kippenberg, Zu den Antixenien, JbSKipp 6, 1926; R. Samuel, Der kulturelle Hintergrund des X.kampfes, PEGS NS 12, 1937, auch in ders., Selected writings, Melbourne 1965; R. Alder, Schiller und G. im X.kampf, Schweizerisches Gutenbergmuseum 41, 1955; K. Klinger, Der X.krieg, Die Horen 25, 1980 und LK 17, 1982; F. Sengle, Die X. G.s und Schillers als Teilstück der frühen antibürgerlichen Bewegung, IASL 8, 1983, auch in ders., Neues zu G., 1989; F. Sengle, Die X. G.s und Schillers als Dokument eines Generationskampfes, in: Unser Commercium, hg. W. Barner 1984; B. Leistner, Im Spiegel der Antixenien, NDL 32, 1984; F. Schwarzbauer, Die X. von 1796/1893, ZDP 105, 1986; B. Leistner, Der X.streit, in: Debatten und Kontroversen I, hg. H.-D. Dahnke 1989; F. Schwarzbauer, Die X., 1993.

Xenophon (um 430 – um 354 v. Chr.). Mit den sokratischen Schriften (*Memorabilia*) des griechischen Historikers befaßte sich G. 1771/72 im Hinblick auf ein geplantes Sokrates-Drama. Im Januar 1829 las er Xenophons Schrift *Über die Reitkunst.*

Ynkle und Yariko   →*Inkle und Yariko*

Young, Edward (1683–1765). Der englische Geistliche und Schriftsteller wirkte mit seinen düster-melancholischen Blankverselegien *The complaint, or Night thoughts* (1742–45), Meditationen über die Nichtigkeit des Lebens, stark auf die deutsche Empfindsamkeit. G. kannte sie vor 1766 und empfahl sie seiner Schwester (*Dichtung und Wahrheit* III,13). Youngs *Conjectures on original composition* (1759) wirkten durch Herders Hinweis auf den Geniebegriff des Sturm und Drang.

J. L. Kind, E. Y. in Germany, New York 1906 u. ö.

Ysenburg von Buri →Buri

Zabern, französisch Saverne. Bei seinem Ritt mit Weyland und Engelbach durch das Unterelsaß und Lothringen im Juni 1770 besuchte G. den »kleinen, freundlichen Ort« und besichtigte und bewunderte das (1779 abgebrannte) Alte Schloß der Bischöfe von Straßburg und dessen Park, »geistlicher Vorposten einer königlichen Macht«. (Das Neue Schloß wurde erst 1779–89 unter dem durch die Halsbandaffäre berüchtigten Kardinal Louis René de Rohan begonnen). In Fortsetzung der Reise nach Pfalzburg ritten die Freunde tags darauf die 1728–37 kühn angelegte Bergstraße über die Vogesen, die berühmte »Zaberner Steige«, entlang, die G. voll Bewunderung beschreibt (*Dichtung und Wahrheit* II,10).

Zachariae, Justus Friedrich Wilhelm (1726–1777). Der Rokokodichter, dessen komisches Epos *Der Renommiste* (1744) G. als Zeitdokument schätzte, 1748 Lehrer und 1761 Professor am Collegium Carolinum in Braunschweig, war schon in der Bibliothek von G.s Vater vertreten. Im Mai 1767 besuchte er zur Ostermesse für einige Wochen Leipzig; dort lernte G. den »großen, wohlgestalteten, behaglichen Mann« am Mittagstisch bei Schönkopf kennen, wo schon sein Bruder Georg Ludwig Friedrich Stammgast war (*Dichtung und Wahrheit* II, 6 und 8), und widmete ihm bei der Abreise die pompöse Ode *An Zachariae* (»Schon wälzen schnelle Räder …«). 1799 beschäftigte sich G. mit Zachariaes Milton-Übersetzung und im September 1811 für *Dichtung und Wahrheit* wieder mit seinen Schriften.

F. Schmidt, G. und der Dichter J. F. W. Z., Mitteilungen des Vereins für Geschichts- und Naturwissenschaften in Sangershausen 17, 1928.

Zahme Xenien. Im Unterschied zu den polemischen →*Xenien* in Distichen aus der Zusammenarbeit mit Schiller 1796 benannte G. seine spätere Spruchdichtung ironisch mit der »contradictio in adjecto« (an Conta 11. 9. 1820) *Zahme Xenien*, auch wenn einzelne, zumal die mitunter nur roh formulierten Verse aus dem Nachlaß, an Schärfe, Aggressivität und sogar Derbheit nichts zu wünschen übrig lassen. Die wenigsten der 585 Verssprüche sind datiert oder datierbar, so läßt sich nur mit Vorsicht annehmen, daß die meisten *Zahmen Xenien* seit 1815 und die Verse einer Gruppe jeweils nach Erscheinen der vorigen entstanden. Zu G.s Lebzeiten erschienen die Gruppen I–III in *Über Kunst und Altertum* (II,3, 1820, III,2, 1821 und IV,3, 1824) und wurden in der Ausgabe letzter Hand in Band 3 (1827) wieder abgedruckt; dazu kamen in Band 4 (1827) die etwa 1824–27 entstandenen Gruppen IV–VI, die G. mit Hilfe von Riemer und Eckermann meist im Februar–Mai 1825 aus dem »konfusesten Konvolut« (Eckermann 6. 5. 1824) von Notizzetteln, Papierstreifen und Notizbüchern bewußt und systematisch als dialektisch angelegtes Werk komponierte. Aus dem Nachlaß erschienen die Gruppe VII in Band 47 (1833) und die Gruppen VIII und IX in Band 56 (1842) der Ausgabe letzter Hand. Statt der Distichen der *Xenien* verwenden die *Zahmen Xenien* je 2–10 knittelversartige 3–4-hebige Verse mit freier Senkung. Ihre Themen umfassen alle Aspekte im Weltverständnis des späten G., die mit Souveränität und innerer Freiheit im lakonischen Altersstil durchaus subjektiv reflektiert werden, teils auch autobiographische Reflexionen (»Vom Vater hab' ich die Statur …«) und Umdichtungen vorgefundener Spruchweisheit. An die Stelle der Satire auf Einzelpersonen tritt die generelle, pauschale Kritik an Zeitströmungen, Zeitmoden und Eigenheiten der zeitgenössischen Kultur, die Abrechnung G.s mit der Umwelt.

O. H. Smital, G.s Z. X., Diss. Wien 1951; W. Preisendanz, Die Spruchform in der Lyrik des alten G., 1952; H. H. Reuter, G.s Z. X., Goethe 26, 1964, auch in ders., Dichters Lande im Reich der Geschichte, 1983; T. Dietzel, G.s Z. X., in: G., hg. T. Clasen 1984; F. Sengle, G.s Z. X. aus dem Nachlaß, in: Stets wird die Wahrheit, hg. G. Cepl-Kaufmann 1990.

Zahn, (Johann Karl) Wilhelm (1800–1871). Der Maler, Lithograph, Architekt, Kunsthistoriker und Archäologe, 1829 Professor an der Akademie der bildenden Künste in Berlin, war 1824–27 und nach 1830 an den Ausgrabungen in Pompeji beteiligt. Er besuchte G. auf der Rückreise von Italien am 7.–15. 9. 1827 (später auch 1829 und 13.–16. 3. 1830) in Weimar, berichtete über den Stand der Ausgrabungen, legte G. seine farbigen Durchzeichnungen und Probedrucke pompejanischer Wandgemälde vor, von denen G. eine Neuorientierung der deutschen Kunst zur Antike erhoffte (Tagebuch 10. 9. 1827) und schenkte ihm die Durchzeichnung der Gruppe »Telephus von der Hinde gesäugt«, die G. in *Über Kunst und Altertum* (VI,2, 1828) erwähnt. G. besaß sein Tafelwerk mit 100 farbigen Lithographien *Die schönsten Ornamente und merkwürdigsten Gemälde aus Pompeji, Herculanum und Stabiä* (1828–30; 2. Folge 1841–45, 3. Folge 1849–59), das er in *Über Kunst und Altertum* (VI,2, 1828) kurz anzeigte, in einer am 28. 4.–14. 5. 1830 entstandenen, eingehenden, sehr positiven Besprechung in den Wiener *Jahrbüchern der Literatur* (51, 1830) würdigte und häufig intensiv betrachtete. 1830 führte Zahn August von G. durch Pompeji, und am 6. 3. 1832 sandte er G. den Grundriß der auf seinen Vorschlag sogenannten »Casa di G.« in →Pompeji und eine Durchzeichnung des darin befindlichen Mosaikfußbodens mit Darstellung der Alexanderschlacht.

B. v. Hagen, Pompeji im Leben und Schaffen G.s, Goethe 9, 1944.

Zampieri, Domenico →Domenichino

Zanetti, Antonio Maria, Conte di →Venedig

Der Zauberflöte zweiter Teil. Nachdem G.s Bemühungen um das deutsche →Singspiel schon durch →Mozarts *Entführung aus dem Serail* überholt worden waren, begeisterten ihn die Weimarer Aufführungen von Mozarts *Zauberflöte* (ab 16. 1. 1794) wegen des symbolischen Gehalts im Libretto Emanuel Schikaneders zu einer steigernden Fortsetzung und Weiterdichtung der Handlung mit denselben Figuren als »komisch-heroisches Drama« in zwei Akten vom Kampf der lichten (Sarastro) und finsteren Mächte (Königin der Nacht, Monostatos) um das Kind von Tamino und Pamina. Sie sollte alle Stimmungsregister ziehen, »bloß für musikalischen und theatralischen Effekt arbeiten« (an Kirms 27. 6. 1810), mit einer an Bühnenzauber reichen Geisterschlacht enden und ein Zugstück für das Weimarer Theater werden. G. arbeitete seit 1795 gelegentlich, besonders am 5.–10. 5. 1798 und 25.–30. 5. 1800, von Iffland ermutigt, an dem Operntext. Dennoch wurde das etwa zur Hälfte ausgeführte Werk, nicht zuletzt mangels eines interessierten Komponisten, um 1801 aufgegeben und blieb ein Fragment von hohem dichterischem Rang und szenischer Spannung. Die fertiggestellten Teile erschienen im August 1801 in Wilmans *Taschenbuch auf das Jahr 1802* und dann in *Werke* (Band 7, 1807). Die Beschäftigung mit der symbolhaften Bühnendichtung hinterließ ihre Spuren besonders im Helena-Akt des *Faust.*

V. Junk, G.s Fortsetzung der Mozartschen Z., 1899 u. ö.; V. Junk, Zweiter Teil Faust und Zweite Z., Neues Mozart-Jahrbuch 2, 1942; O. Seidlin, G.s Z., MDU 35, 1943, auch in ders., Von G. zu Th. Mann, 1963 u. ö.; P. Nettl, G. und Mozart, 1949; H. G. Gadamer, Vom geistigen Lauf des Menschen, 1949; A. Henkel, G.s Fortsetzung der Z., ZDP 71, 1951; J. Müller-Blattau, D. Z. z. T., Goethe 18, 1956; R. Samuel, G. und D. Z., GLL NS 10, 1956 f.; E. Jaeckle, G.s Z.-Fragment, in ders., Die Elfenspur, 1958; J. Rosteutscher, Mythos und Ethos in G.s Entwurf D. Z. z. T., JbWGV 67, 1963; A. Rosenberg, D. Z., 1964; H.-A. Koch, G.s Fortsetzung der Schikanederschen Z., JFDH 1969; A. Henkel, G.s Hommage à Mozart, in: Philomathes, hg. R. B. Palmer, Den Haag 1971, auch in ders., G.-Erfahrungen, 1982; P. Branscombe, D. Z., PEGS NS 48, 1978; W. Weiss, Das Weiterleben der Z. bei G., in: Studien zur Literatur des 19. und 20. Jahrhunderts in Österreich, hg. J. Holzner 1981; F. Oberkogler, Die Z., 1982; I. Graham, Der geflügelte Genius, in dies., G., 1988; M. Waldura, D. Z. z. T., Archiv für Musikwissenschaft 50, 1993; D. Borchmeyer, G., Mozart und die Z., 1994.

Der Zauberlehrling. Die populäre Ballade vom Zauberlehrling, der die Geister, die er rief, nicht loswird, entstand wohl in der ersten Julihälfte 1797 und erschien vor Jahresende in Schillers *Musenalmanach für das Jahr 1798* (»Balladenalmanach«). Der Stoff greift auf Lukians *Lügenfreund* (*Philopseudes*) zurück, den Wieland 1788 übersetzt hatte und auf den G. schon früher in *Wilhelm Meisters theatralische Sendung* (V,8) und später in *Dichtung und Wahrheit* (III,15 und IV,20) anspielt. Die einfache Handlung spiegelt sich bis auf den Schluß (v. 93–98) im teils sarkastischen Monolog des Lehrlings und weist mit keinem Wort darüber hinaus auf eine gleichnishafte Bedeutung hin. Die vielseitige Anwendbarkeit des Kernsatzes v. 91/92 legte Bezüge auf den Xenienkampf, die Französische Revolution oder die zunehmende Technisierung nahe; generell bleibt es eine drastische Parodie des naiven Dilettanten, der sich der Kunstmittel des erfahrenen Meisters nur zur Hälfte und dann zu seinem eigenen Schaden und zu seiner Schande zu bedienen weiß. Unter dem Dutzend von Vertonungen (Loewe, Zelter, Zumsteeg u. a.) ragen Paul Dukas' symphonisches Scherzo *L'apprenti sorcier* (1897) und J. Doebbers dramatisches Capriccio (1907) hervor.

L. Brügger, D. Z. und seine griechische Quelle, Goethe 13, 1951; A. Christiansen, D. Z., in: Gedichte aus 7 Jahrhunderten, hg. K. Hotz 1987; →Balladen.

Zauper, Joseph Stanislaus (1784–1850). Der böhmische Philologe, Chorherr, 1809–32 Professor der Poetik und Rhetorik am Benediktinergymnasium in Pilsen, dann dessen Präfekt, sandte G. am 18. 3. 1821 seine *Grundzüge zu einer deutschen theoretisch-praktischen Poetik, aus Goethes Werken entwickelt* (1821), die dieser im April 1821 zustimmend las (an Zauner 9. 4. 1821; *Tag- und Jahreshefte* 1821; *Maximen und Reflexionen* 404/405), ebenso den Nachtrag *Studien über Goethe* (1822) und die 1823 im Manuskript übersandten, erst 1840 erschienenen *Aphorismen moralischen und ästhetischen Inhalts, meist in Bezug auf Goethe*. Persönliche Begegnungen ergaben sich am 6. 8. 1821, 30. 6./1. 7. 1822 und 19./20. 7. 1823 in Marienbad. G.s bedeutende Briefe an Zauner 1821–29 enthalten aufschlußreiche Bemerkungen über seine Werke, wobei allerdings zu berücksichtigen ist, daß G.s leicht katholisierende Äußerungen dem das religiöse Element betonenden und durch seine Verehrung für den »heidnischen« Dichter in Glaubenskonflikte geratenen Interpreten taktvoll Zweifel ersparen wollen.

M. Urban, G. und Z., in: Aus G.s Marienbader Tagen, 1932.

Zeichenschule →Freie Zeichenschule

Zeichnungen Goethes →Handzeichnungen; anderer: →Kunstsammlungen

Zeitgeist. Für G. ein negativ belasteter Begriff: die Gesamtheit der sich in einem Zeitalter offenbarenden, von den öffentlichen Meinungsmachern gesteuerten, gleichartigen, ähnlichen oder vorherrschenden Denkweisen, Geisteshaltungen, Ideen, Gesinnungen, Meinungen und Vorurteile, die zu einer bestimmten Zeit das Übergewicht haben, zumal in neuerer Zeit, einander immer rascher ablösend, zu Generationskonflikten führen können und gegen die nach G. das in sich ruhende, selbstsichere Individuum vergeblich aufbegehrt (*Faust* v. 570–79; *Wahlverwandtschaften* II,8; *Maximen und Reflexionen* 477–481; *Homer noch einmal*).

Zeitschriften Goethes. Über seine aktive Mitarbeit an Zeitschriften wie den *Frankfurter Gelehrten Anzeigen*, der *Jenaischen Allgemeinen Literaturzeitung* und Schillers *Horen* hinaus trat G. als Herausgeber eigener, weitgehend von ihm selbst bestrittener Zeitschriften auf, so mit: →*Beiträge zur Optik* (1791–92), →*Propyläen* (1798–1800), →*Über Kunst und Altertum* (1816–32) und →*Zur Naturwissenschaft überhaupt, besonders zur Morphologie* (1817–24).

Zeitungen. G.s unzählige Male (u. a. an Zelter und in den *Zahmen Xenien*) drastisch betonte Abneigung gegen die banalen oder entstellenden Tageszeitungen, deren Lektüre er zumal im Alter als Zeitverschwendung ansah, veranlaßte ihn 1830/31, monatelang keine Zeitungen mehr zu lesen und die Zeit nutzbringender anzuwenden – allerdings hielt er zum Vorteil der Blätter diesen Vorsatz nicht lange durch.

W. Schöne, G. und die Z., Buch und Schrift 6, 1932.

Zellerfeld →Clausthal-Zellerfeld

Zelter, Carl Friedrich (1758–1832). Der Berliner Musiker, Dirigent, Komponist und Musikorganisator wäre heute weitgehend vergessen, wäre er nicht fast 30 Jahre lang einer der engsten und vertrautesten Freunde des späten G. gewesen. Ursprünglich wie sein Vater 1783 Maurermeister, verfolgte er nebenher die Ausbildung seiner Musikleidenschaft, wurde 1800 als Nachfolger seines Lehrers K. Fasch Leiter der Berliner Singakademie, 1808 Gründer der Liedertafel, 1809 Professor der Musik an der Berliner Akademie der schönen Künste und 1822 Gründer und Leiter des Instituts für Kirchenmusik. Seit 1799 stand er in Verbindung mit G., der seinen kraftvoll-männlichen, energischen und urwüchsigen Charakter und seinen breiten künstlerischen Interessenkreis zu schätzen wußte, seine Sensibilität hinter der mitunter derben Fassade erkannte und sich sein musikalisches Urteil zu eigen machte. Zwar lehnte Zelters konservatives Empfinden, an J. S. und C. P. E. Bach, Händel und Haydn geschult, das junge zeitgenössische Musikschaffen, u. a. Berlioz und Weber, ab und engte damit zum Nachteil des Weimarer Musiklebens G.s musikalischen Horizont ein, zwar erscheinen viele seiner dem Text gegenüber zurückhaltenden Liedkompositionen, darunter an 90 Lieder G.s, im Rückblick eher blaß und nüchtern, doch G. fühlte seine Kompositionen »sogleich mit meinen Liedern identisch« (an Zelter 11. 5. 1820), sandte ihm seine Lieder zur Vertonung und zog Zelters strophische Kompositionen mit ihrer Unterordnung der Musik unter das Dichterwort wider musikalisches Verdienst auch aus persönlichen Gründen vielen anderen vor. Der Kontakt begann im Juni 1796 mit der Übersendung von Zelters *Zwölf Liedern am Klavier zu singen* (1796), die auch einige Lieder aus *Wilhelm Meisters Lehrjahren* enthielten, durch die Frau seines Verlegers Unger. Sie erregten G.s Wunsch, den Komponisten kennenzulernen, und mit dem ersten Brief Zelters vom 11. 8. 1799 und G.s Antwort vom 26. 8. 1799 begann der bald intim-vertrauliche und rückhaltlos offene Briefwechsel (über 850 Briefe, davon rd. 500

von Zelter), der 1812 zum Du überging, sich bis zum Lebensende beider intensivierte und G.s Verbindung zum Berliner Theater-, Musik- und Kulturleben darstellte. Obwohl schon seit 1823 im Hinblick auf eine spätere Veröffentlichung gedacht (Vertrag darüber am 28. 12. 1830) und daher mitunter etwas posenhafter Selbstzweck, enthält er unverhüllt freimütige und temperamentvoll kritische Bekenntnisse und Urteile über das Geistes-, Kunst- und Kulturleben der Zeit und gewährt tiefe Einblicke in G.s Selbstsicht seines Schaffens. 1833 von Riemer herausgegeben, erreichte er allerdings nicht die Popularität des G.-Schiller-Briefwechsels und der *Gespräche* Eckermanns, denen er als dritter Dokumentarband zur Seite stehen sollte.

Neben den Briefwechsel als Kerndokument der Freundschaft tritt eine Reihe von persönlichen Begegnungen bei Besuchen und gemeinsamen Aufenthalten, die zusammen fast 20 Wochen ausmachen: 24.–28. 2. 1802 und Juni 1803 in Weimar, August 1805 in Lauchstädt, 15.–20. 7. 1810 in Karlsbad, 7.–23. 8. 1810 in Teplitz (Beschäftigung mit der Tonlehre), 24. 6.–7. 7. 1814 in Berka und Weimar, 29. 7.–31. 8. 1814 in Wiesbaden, 5.–8. 7. 1816, 28. 9.–2. 10. 1816 und 25. 10.–1. 11. 1818 in Weimar, 22.–27. 6. 1819 in Weimar, Dornburg und Jena, 4.–19. 11. 1821 in Weimar mit Tochter Doris und Mendelssohn (der G. vorspielt; am 11. 11. liest Zelter seine Lebensbeschreibung vor), 24. 11.–13. 12. 1823 und 7.–19. 7. 1826 in Weimar mit Tochter Doris (10. 7. Porträtzeichnung Schmellers), 12.–18. 10. 1827, 14.–21. 9. 1829 (mit Ausflug nach Dornburg) und zuletzt 22.–26. 7. 1831 in Weimar. 1822 besprach G. Zelters *Neue Liedersammlung* (1821) in *Über Kunst und Altertum* (III,3), zum Geburtstag 1828 erhielt er Zelters Ölporträt von Carl Begas. Zu Zelters 70. Geburtstag am 11. 12. 1828 widmete G. ihm die Kantate *Zelters 70. Geburtstag* und das *Tischlied zu Zelters 70. Geburtstage,* zum Geburtstag 1831 das Gedicht *An Zelter.*

G. R. Kruse, Z., 1915 u. ö.; K. F. Z., hg. W. Reich 1956; M. L. Blumenthal, Die Freundschaft zwischen G. und Z., Die Sammlung 12, 1957; M. Mommsen, G.s Freundschaft mit Z., Goethe 20, 1958; K. H. Taubert, C. F. Z., 1959; W. Victor, C. F. Z. und seine Freundschaft mit G., 1960 u. ö.; D. Wahl, G. und Z. damals zu Wiesbaden, JbSKipp NF 1, 1963; P. Boerner, Musikalisches, märkische Rübchen und sehr ernste Betrachtungen, JFDH 1989; B. Hey'l, Der Briefwechsel zwischen G. und Z., 1996; D. Fischer-Dieskau, K. F. Z., 1997.

Zensur →Pressefreiheit

Zentaur →Chiron

Zettel und Einschlag →*Antepirrhema*

Zeus von Otricoli. Die kurz zuvor bei Ausgrabungen unter Papst Pius VI. in Otricoli im Tibertal gefundene Zeusbüste (Kopf und Brust), römische Kopie der frühen Kaiserzeit nach einer wohl sitzenden Zeusstatue des Bryaxis aus dem 4. Jahrhundert v. Chr., sah

G. Anfang Dezember 1786 in der Sala Rotonda des Museo Pio Clementino im Vatikan. Ende Dezember 1786 erwarb er einen Gipsabguß, den er in seiner römischen Wohnung aufstellte (*Italienische Reise* 25. 12. 1786), jedoch bei der Abreise zurückließ. 1813 erwarb er einen neuen Abguß, der im »Gelben Saal« des Hauses am Frauenplan Aufstellung fand. An die Skulptur erinnern die *Römischen Elegien* (XI,10). Bei der Berliner Privataufführung des *Faust I* 1819 wählte man den Kopf für die Erscheinung des Erdgeists, was G.s Intentionen entsprach (an Graf Brühl 2. 6. 1819).

Zeuxis (um 400 v. Chr.). Von dem berühmten Maler des griechischen Altertums, nach dessen gemalten Weintrauben angeblich laut Plinius die Vögel pickten, sind keine Bilder oder Kopien, sondern nur Bildbeschreibungen erhalten; sein Ruf und seine mehrfachen Erwähnungen in G.s Schriften zur Kunst beruhen also auf Überlieferung und Hörensagen.

Ziblis. *Eine Erzählung.* Das im November 1766 entstandene Anfangsgedicht des Buches →*Annette* ist eine flotte rokokokette Verserzählung im Stil der »moralischen Erzählungen« von Daniel Schiebeler (*Pan und Syrinx*) und Wieland (*Aurora und Cephalus*), deren Moral freilich mehr in der aufgesetzten Lehre als im ironisch schmunzelnden Stil zum Vorschein kommt.

Zichy von Vásonykeö, Franz, Graf (1774–1861). Mit dem ungarischen Grafen, österreichischen Gesandten in Berlin, und seiner Gattin Amalia, geb. Gräfin Esterhazy (1776–1817), verkehrte G. häufig im Mai/Juni 1812 in Karlsbad. Er begegnete ihm wieder am 16. 12. 1817 in Jena (Gespräch über das Wartburgfest) und im August 1818 in Karlsbad.

Ziegenberg, Schloß →Diede zum Fürstenstein

Ziegesar, Anton, Freiherr von (1783–1843). Mit dem Sohn von A. F. C. von →Ziegesar, 1814 Nachfolger seines Vaters als Generallandschaftsdirektor in Weimar, 1817 Oberappellationsgerichtspräsident in Jena, verkehrte G. amtlich wie privat in Jena und Weimar.

Ziegesar, August Friedrich Carl, Freiherr von (1746–1813). Der Kammerherr, Geheimrat und Kanzler von Sachsen-Gotha-Altenburg, ab 1809 Generallandschaftsdirektor von Sachsen-Weimar, verlebte die Sommermonate meist mit seiner Frau Magdalene Auguste, geb. von Wangenheim (1751–1809), und seinen Kindern Anton und Silvie auf seinem Erbgut →Drackendorf bei Jena. G., der ihn sehr schätzte und rasch mit der weitverzweigten Familie befreundet war, war dort ab 25. 9. 1776 und auch später bis 1820 häufig sein Gast (Daten →Drackendorf), traf mit ihm in der Folgezeit in Jena und Weimar zusammen und verlebte den Sommer 1808 mit ihm und seiner Familie in Karlsbad (8. 6.–1. 7. 1808) und (9.–22. 7. 1808) Franzensbad, wo seine Neigung zur Tochter Silvie von →Ziegesar sich entfaltete (*Tag- und Jahreshefte* 1808). Am 5. 4. 1810 schrieb ihm G. die Begleitverse zu einer Geburtstagstorte »Frisch hinaus, wo große Köste …«.

Ziegesar, Silvie, Freiin von (1785–1855). Die Tochter des ihm befreundeten A. F. C. von →Ziegesar wuchs bei G.s häufigen Besuchen auf dessen Erbgut →Drackendorf praktisch unter G.s Augen auf und stand ihm erstmals 1802 nahe, als seine Besuche sich mehrten. Damals, jedenfalls vor 1806, entstand das Vierzeilerpaar *An Silvien* (»Wenn die Zweige …«). Nach einer Wiederbegegnung in Jena im Mai 1807 erreicht die leidenschaftliche Neigung ihren Höhepunkt beim gemeinsamen Aufenthalt G.s und der Familie Ziegesar, teils im gleichen Hause, in Karlsbad und Franzensbad (8. 6.–1. 7. bzw. 9.–22. 7. 1808) mit fast täglichen gemeinsamen Ausflügen, Spazierfahrten und Spaziergängen (»Fräulein Silvie ist gar lieb und gut, wie sie immer war«, an Christiane 2. 7. 1808). Zu ihrem Geburtstag am 21. 6. 1808 schreibt G. ihr am 18./20. 6. das Gedicht *An Silvie von Ziegesar* bzw. *Zum 21. Juni* (»Nicht am Susquehanna …«), das sie »Tochter, Freundin, Liebchen« nennt. 1808–10 folgt ein reger, herzlicher Briefwechsel. Weitere Begegnungen erfolgten in Drackendorf und 1809 und 1811 in Jena. 1814 heiratete Silvie den Jenaer Garnisonsprediger und Theologieprofessor F. A. Koethe, und G. besuchte das junge Paar dort am 7. 12. 1814. Eine Beziehung Silvies zur Ottilie-Figur in den *Wahlverwandtschaften* und zu G.s →Sonetten wurde vermutet, ist aber fraglich.

H. M. Wolff, G. in der Periode der Wahlverwandtschaften, 1952; H. Koch, G. und S. v. Z., Goethe 16, 1954; H. J. Schrimpf, S. v. Z. und die G.schen Altersdichtungen, DVJ 29, 1955; G. und Sylvie, hg. P. Raabe 1961; H. Koch, Prinzeß Karoline von Weimar, G. und S. v. Z., Goethe 30, 1968.

Ziegler, Louise Henriette Friederike von, gen. Lila (1750–1814). Die Hofdame der Herzogin von Hessen-Homburg lebte in einer Mansardenwohnung des Homburger Schlosses. Eine reichlich empfindsame Schwärmerin, legte sie sich in einem Privatgarten ihr künftiges Grab an und führte an einem rosa Band ein weißes Lämmlein mit sich. G. lernte sie Mitte April 1772 bei einer Wanderung mit Merck nach Homburg kennen, besuchte sie wohl noch öfter und sah sie Anfang Mai 1772 in Darmstadt wieder, wo sie zum →Darmstädter Kreis der Empfindsamen gehörte und von den Damen dieses Kreises G. wohl am nächsten stand, so daß Caroline Flachsland sich bereits mit Ehestiftungsplänen trug (»Wenn G. von Adel wäre …«, an Herder 8. 5. 1772). Ihr ist das auf dem Weg nach Wetzlar entstandene Gedicht →*Pilgers Morgenlied* gewidmet, im Grunde auch das Gedicht *Elysium. An Uranien*, die G. ihr im Mai

1772 von Wetzlar aus übersandte. Sie heiratete 1774 den späteren
Generalmajor Gustav von Stockhausen.

H. Jacobi, G.s Lila, 1957.

Zillbach. In dem weimarischen Jagdrevier mit Forstschule im
Thüringer Wald bei Schmalkalden weilte G. mit Carl August am
12./13. 9. 1780.

Zimmer, Johann Georg (1777–1853). Der Heidelberger Buchhändler und Verleger der jüngeren Romantik überbrachte G. am
12. 5. 1810 in Jena auf der Reise zur Leipziger Messe eine Sendung
von S. Boisserée mit sechs Zeichnungen des Kölner Doms von
M. Quaglio, die am Anfang der Freundschaft mit Boisserée stehen.
Zimmer wurde später reformierter Pfarrer in Frankfurt.

Zimmermann, Catharina →Zimmermann, J. G.

Zimmermann, Johann Georg (ab 1786) von (1728–1795). Der
seinerzeit angesehene und nicht zuletzt wegen seiner hypochondrischen Eitelkeit vielbeachtete Schweizer Arzt (1754 Stadtphysikus in
Brugg, 1768 königlicher Leibarzt in Hannover) und durch seine
literarischen Fehden weitbekannte popularphilosophische Schriftsteller (*Betrachtungen über die Einsamkeit*, 1756; *Von der Erfahrung in
der Arzneikunst*, II 1763 f. u. a.) stand seit 1774 als Freund Lavaters
und Bewunderer des *Werther* mit G. im Briefwechsel. Mitte
Juli 1775 begegnete er dem aus der Schweiz heimkehrenden
G. in Straßburg und zeigte ihm unter vielen anderen auch eine
Silhouette der ihm seit 1773 von Pyrmont her bekannten Charlotte
von Stein, der er auf ihre Anfrage schon am 19. 1. 1775 vom
Hörensagen über G. berichtet hatte. Ende September 1775 war der
»weltmännische Arzt« mehrere Tage zu Gast bei G. in seinem
Elternhaus, wo G. seine lehrreichen Gespräche über Naturwissenschaft genoß. Bei dieser Gelegenheit wollte Zimmermanns Tochter
Catharina (1756–1781) dem »innerlich ungebändigten Charakter«
und der »Härte und Tyrannei« des Vaters entkommen und bei G.s
Mutter bleiben, doch deren Erwägung, G. könne sie heiraten, fand
angesichts des schwierigen prospektiven Schwiegervaters keinen
Beifall. *Dichtung und Wahrheit* (III,15) gibt ein ausführliches und aus-
gewogenes Bild Zimmermanns, von dem sich G. infolge unbeson-
nener, kränkender Äußerungen seit 1779 zurückzog. Spuren von
Zimmermanns Wesen könnten in die Figur des Harfners in *Wilhelm
Meisters Lehrjahre* eingegangen sein.

R. Ischer, J. G. Z.s Leben und Werke, 1893; A. A. Bouvier, J. G. Z., Genf 1925.

Zincgref, Julius Wilhelm (1591–1635). Der Schriftsteller und Epi-
grammatiker des Barock sammelte in seinen *Apophthegmata* (*Der
Teutschen scharpfsinnige kluge Sprüch*, II 1626–31) eigene und fremde

Spruchweisheit. G. besaß das Werk, befaßte sich vor allem im Mai 1807 damit und übernahm einiges umgestaltet, anderes direkt in seine Sprüche und *Maximen und Reflexionen* (320, 817).

Zinnwald. Von Teplitz aus besichtigte G. am 9.–11. 7. 1813 Zinngruben und Zinnwerk im Dorf Zinnwald, ging auch unter Tage und sammelte einige Mineralien. Der im Anschluß daran am 13.–16. 7. 1813 entstandene Aufsatz *Ausflug nach Zinnwalde und Altenberg* erschien in den Heften *Zur Naturwissenschaft überhaupt* (I,3, 1820).

A. Klengel, Vereinigt Zwitterfeld-Fundgrube zu Z., 1932.

Zinzendorf, Nikolaus Ludwig, Graf von →Herrnhuter

Zitate. G., der selbst gern und viel zitierte oder wie der Major in *Der Mann von fünfzig Jahren* (*Wanderjahre* II,4), »um nicht als Pedant zu erscheinen«, Zitate paraphrasierte, fiel natürlich im 19. Jahrhundert den autoritätsgläubigen Festrednern zum Opfer, die ihre Reden mit Goethezitaten schmücken oder mit einem Goethewort schließen wollten, und sein umfangreiches Werk wurde als Zitatquelle nur von den schlagkräftigeren Formulierungen Schillers überboten. G. dagegen bot den Vorteil, daß sich zu vielen Themen sowohl Pro- als auch Contra-Zitate finden ließen. Seither hat sich der Zitatwert des Klassikers abgenutzt, und die Zitatnachfrage hat sich anderen Vorsitzenden zugewandt, so daß die Zitatenlexika wieder dem sinnvolleren Zweck dienen können, Fundorte nachzuweisen oder G.s klassische Formulierungen und nicht selten divergente Meinungen zu einzelnen Themen zu belegen.

R. Dobel, Lexikon der G.-Zitate, 1968 u. ö.; W. Mieder, »Nach Z.n drängt, am Z. hängt doch alles«, Muttersprache 92, 1982; A. Henkel, Z.-Spiele G.s, in: Antike Tradition und neuere Philologien, hg. H.-J. Zimmermann 1984.

Zoilo–Thersites. Im Doppelnamen dieser Maske in der antikisierend-allegorischen Revue am Kaiserhof (*Faust II*, v. 5457 ff.), hinter der sich vermutlich, ohne daß dies direkt gesagt wird, der ewige Verkleinerer Mephisto verbirgt, kombiniert G. zwei antike Lästerer: den athenischen Rhetor Zoilos des 3. Jahrhunderts v. Chr., der Homer gehässig herabzusetzen suchte, und den häßlichen Thersites im Griechenheer vor Troja, der schimpfend alles Heldentum verkleinerte (*Ilias* II,212 ff.). Unter dem Schlag des Heroldsstabes verwandelt sich die »Doppelzwerggestalt« (v. 5474) in Otter und Fledermaus.

A. P. Cottrell, Z.-T., MLQ 19, 1968.

Zollikofer, Georg Joachim (1730–1788). Den Schweizer reformierten Theologen und Schriftsteller, Prediger in Murten und ab 1758 in Leipzig, rühmt G. wegen des guten Stils und Geschmacks seiner moralerzieherischen *Predigten* (1769–71) und Abhandlungen (*Dichtung und Wahrheit* II,7). Eine persönliche Begegnung in Leipzig ist nicht auszuschließen; jedenfalls nahm Zollikofer in seiner Korrespondenz mit Garve und Basedow regen Anteil an Leben und Werk des von ihm verehrten Dichters.

Zoologie. Innerhalb von G.s naturwissenschaftlichen Arbeiten stehen die Arbeiten zur Zoologie im engeren Sinne denen zur Botanik nach, da die Schriften zur Zoologie allgemein die vergleichende →Anatomie, →Morphologie, →Osteologie, die →Wirbeltheorie des Schädels, den →Zwischenkieferknochen und die →Metamorphose betreffen. Neben gelegentlicher Beschäftigung mit Insekten und kleineren Arbeiten (*Fossiler Stier, Lepaden*) gehören hierher die →*Metamorphose der Tiere,* der →*Versuch über die Gestalt der Tiere* und die →*Principes de philosophie zoologique.*

Literatur →Naturwissenschaft.

Zschokke, Johann Heinrich Daniel (1771–1748). Von dem erfolgreichen Erzähler und Dramatiker erlebte die Tragödie *Aballino, der große Bandit* (1795) 1795–1800 in Weimar unter G.s Regie zwölf Aufführungen (*Tag- und Jahreshefte* 1795). Im April/Mai 1825 erhielt und las G. die ersten sechs Bände seiner *Ausgewählten Schriften* (XL 1825–28). Auf die Übersendung von Zschokkes Vortrag *Die farbigen Schatten* (1826) folgte im Februar–Mai 1826 ein kurzer Briefwechsel, da G. in Zschokke einen Anhänger von Newtons Farbenlehre sah.

L. Hirzel, G. und H. Z., Grenzboten 29, 1870.

Zu brüderlichem Andenken Wielands →Wieland

Zucchi, Antonio (1726–1795). Der italienische Architektur- und Dekorationsmaler, 1766–81 in London tätig, heiratete dort 1781 Angelica →Kauffmann und zog mit ihr über Venedig (1781) nach Rom (1782), wo G. 1787/88 häufig in ihrem gastlichen Haus verkehrte und mit dem Ehepaar Museen besuchte und Ausflüge unternahm (*Italienische Reise*).

Zueignung (»Der Morgen kam …«). Das allegorische Stanzengedicht entstand Anfang August 1784 auf der Reise nach Braunschweig als Einleitung zu dem unvollendet gebliebenen Stanzenepos *Die Geheimnisse.* Seinen *Schriften* (1787) wollte G. im 1. Band, der den *Werther* enthielt, ursprünglich eine »Zueignung an das deutsche Publikum« voranstellen, führte diese jedoch nicht aus, sondern stellte die *Zueignung* quasi als Vorspruch dem Gesamtwerk voran. In den *Werken* von 1806 steht das Gedicht wieder vor den *Geheimnissen,* seit den *Werken* von 1815–19, deren 1. Band die Gedichte enthält, steht es als Widmung dem Gesamtwerk voran. Mit

der Stellung ist eine leichte Akzentverschiebung verbunden: war
vor den *Geheimnissen* das »göttlich Weib« die Erscheinung der
Wahrheit, die ihm »der Dichtung Schleier« überreicht, durch den
allein die Wahrheit den Menschen zuträglich ist, so ist sie als Einleitung der Werke zugleich seine Muse, die ihm die Dichterweihe
erteilt.

H. Henkel, Über G.s Z., ZfdU 10, 1896; F. Saran, Melodik und Rhythmik der Z. G.s,
in: Studien zur deutschen Philologie, 1903; G. Kraatz, Zur Entstehungsgeschichte von
G.s Gedicht Z., Diss. Göttingen 1921; R. Klarmann, G.s Z., PrJbb 197, 1924; O. Walzel, Der Dichtung Schleier, Euph 33, 1932; G. Bianquis, Etudes sur G., Paris 1951;
F. Meinecke, Lebenströster, Goethe 16, 1954; J. Aler, Der Dichtung Schleier, in: Stil-
und Formprobleme in der Literatur, hg. P. Böckmann 1959.

Zueignung (zu *Faust,* v. 1–32). Das wohl am 24. 6. 1797 bei der
Wiederaufnahme der Arbeit am *Faust* entstandene, die damalige
Stimmung spiegelnde Widmungsgedicht in vier feierlich-klang-
vollen Stanzen wurde dem vollständigen Erstdruck des *Faust I* von
1808 als eine Art subjektiver Widmung und erster der drei Prologe
vorangestellt, obwohl es weder am Anfang noch am Abschluß des
Dramas entstand, da es viel über G.s zartes Verhältnis zu seinem
Werk aussagt: Dichtung als eine dem Klang der vom Wind
angerührten Äolsharfe ähnliche, fast passive Bewältigung der an-
drängenden Visionen und Gestalten, die noch nicht feste Form
angenommen haben (»schwanken«); elegische Erinnerung an inzwischen verstorbene Jugendfreunde, denen er die einst entstandenen Teile mündlich vortrug und deren Andenken er die Dichtung
widmet; Zurücktasten in die Tiefenschichten, aus denen das noch
unvollendete Werk emporstieg, und Scheu vor der Veröffentlichung
des Werkes gegenüber einer neuen, unbekannten, anonymen Leserschaft, der die *Zueignung* das Drama als Spiel der poetischen Imagination vorstellt. N. B. : Der vermutliche Druckfehler des Erstdrucks
v. 21 »Leid« statt »Lied« wurde von G. 1809 in einem Druckfehler-
verzeichnis von Riemers Hand korrigiert, jedoch später vergessen
oder als Variation des zweimaligen »Lied« gebilligt und stehen
gelassen.

D. Kuhn, Ihr naht euch wieder …, Goethe 14/15, 1952 f.; W. Keller, Der Dichter in
der Z. und im Vorspiel auf dem Theater, in: Aufsätze zu G.s Faust I, hg. ders. 1974; P. Michelsen, Wem wird G.s Faust zugeeignet?, in: Momentum dramaticum, hg. L. Dietrick,
Waterloo 1990.

Zürich. Die kulturelle und geistige Metropole der Schweiz besuchte G. auf allen drei Schweizer Reisen: auf der 1. Schweizer
Reise mit den Stolbergs wohnte er am 9.–15. 6. 1775 bei Lavater,
half ihm bei der Redaktion der *Physiognomischen Fragmente,* verkehrte mit J. H. Lips, J. J. Bodmer, J. L. Passavant, Ph. Ch. Kayser und
Barbara Schultheß, trennte sich von den Stolbergs, reiste am
26. 6.–6. 7. mit Passavant über den Züricher See, wo das Gedicht
→*Auf dem See* entstand, und Einsiedeln zum St. Gotthard und war
am 26. 6.–6. 7. 1775 wieder bei Lavater (*Dichtung und Wahrheit*

IV,18). Auf der 2. Schweizer Reise mit Carl August wohnte G. am
18. 11.–2. 12. 1779 wieder bei Lavater, ließ sich von Lips porträtie-
ren und wurde bei Bodmer kühl empfangen. Auf der 3. Schweizer
Reise am 19.–21. 9. 1797 und nach einer Reise mit J. H. Meyer
zum St. Gotthard am 21.–26. 10. 1797 wieder in Zürich, wich er
Lavater aus, wohnte im Gasthaus zum Schwert, besuchte mehrere
Sammlungen und verkehrte mit Barbara Schultheß, J. H. Meyer,
J. von Müller, Lavaters Bruder u. a. (*Reise in die Schweiz 1797*).

L. Hirzel, G.s Beziehungen zu Z., 1888; H. Bodmer, G. und der Zürichsee, 1905;
F. Zollinger, G. in Z., 1932; H. Gattiker, G. in der obern Zürichseegegend, 1932 u. ö.;
→Schweiz.

Zug. Im Schweizer Ort am Zuger See, »reinlich und alt, aber gut
gebaut«, machte G. jeweils auf dem Rückweg vom St. Gotthard
nach Zürich Halt, so mit Passavant am 25. 6. 1775 und mit Meyer
am 7./8. 10. 1797, als er im Wirtshaus zum Ochsen übernachtete,
dessen gemalte Glasfenster ihm einen bleibenden Eindruck machten (*Dichtung und Wahrheit* IV,19; *Reise in die Schweiz 1797*; *Über
Glasmalerei*).

Zu malende Gegenstände. Der kurze, skizzenhafte und unvollendete Entwurf zu einem Aufsatz über mögliche Bildthemen aus
G.s Spätzeit (1832?) mit der vermutlich von Eckermann stammenden Überschrift erschien erst 1832 aus dem Nachlaß (Ausgabe
letzter Hand, Band 44).

Zu meinen Handzeichnungen. Als C. A. →Schwerdgeburth
1821 eine Folge von sechs Radierungen nach (teils nicht erhaltenen) Handzeichnungen G. herausgeben wollte (*Radierte Blätter nach
Handzeichnungen von Goethe*, 1821), empfand G. die »Unzuläng-
lichkeit« seiner dilettantischen Skizzen und schrieb am 23.–25. 9.
1821 eine kurze Einleitung und sechs kleine Gedichte dazu, die mit
ihnen erschienen und als Nachhilfe zur Einstimmung den inneren
Sinn des Beschauers erregen und dem Seelenzustand des Zeichners
bei der Arbeit annähern sollten.

Zum 21. Juni   →Ziegesar, Silvie, Freiin von

Zum neuen Jahr. Das für die Silvesterfeier 1801 des Mittwochs-
kränzchens entstandene, vielfach (u. a. von J. F. Reichardt) vertonte
Lied erschien innerhalb der »Der Geselligkeit gewidmeten Lieder«
in Goethes und Wielands *Taschenbuch auf das Jahr 1804*.

Zum Shakespeares-Tag. G.s im Herbst 1771 entstandene,
emphatisch-hymnische Rede zum (protestantischen) Namenstag
→Shakespeares am 14. 10. 1771 war wohl ursprünglich für eine im
Kreis der Straßburger Deutschen Gesellschaft Salzmanns veranstaltete Feier zu Ehren Shakespeares gedacht (an Röderer 21. 9. 1771).

Ob sie bei dieser Feier, bei der G.s Freund Lerse die Festrede hielt, auch verlesen wurde, bleibt ungewiß. Mit Sicherheit hielt G. sie am gleichen Tag bei einer Feier vor kleinem Publikum im Elternhaus. Nach einer Abschrift G.s aus dem Besitz F. H. Jacobis wurde sie 1854 erstmals im April 1854 in der *Allgemeinen Monatsschrift für Wissenschaft und Literatur* gedruckt. Die pathetische Ansprache ist weniger eine literarische Würdigung Shakespeares als eine vom Gefühlsüberschwang getragene Huldigung vor dessen Genius, dessen kolossalischer Größe und seiner Schöpferkraft, die ihn Prometheus gleichstellt, ein Bekenntnis des Sturm und Drang-Dichters zur Natur und der Ganzheit des Lebens im Guten wie Bösen als Quellgrund der Dichtung und dazu Absage an den künstlichen, konventionellen Regelkanon der französischen Tragödie.

Literatur →Shakespeare.

Zumsteeg, Johann Rudolf (1760–1802). Der Freund und seit 1770 Mitschüler Schillers an der Stuttgarter Karlsschule wurde 1781 Hofmusikus, 1784–94 Musikmeister der Karlsschule und 1793 Konzertmeister in Stuttgart. G. besuchte ihn auf der 3. Schweizer Reise am 2. 9. 1797 in Stuttgart und erwog eine szenische Aufführung seiner Kantate (1793) nach G.s Ossian-Übersetzung *Colma* (*Reise in die Schweiz* 1797). Auf Schillers Bitte führte er ab 3. 12. 1804 Zumsteegs hinterlassene Oper *Elbondokani* zum Wohl der Witwe in Weimar auf. Als Liedkomponist zwischen Berliner Schule und Schubert vertonte Zumsteeg einige Lieder und Balladen G.s, darunter *Der Junggeselle und der Mühlbach* (1797), *Der Zauberlehrling,* Mignon-Lieder u. a.

L. Landshoff, J. R. Z., 1902; F. Szymichowski, J. R. Z., 1932.

Zum Sehen geboren →Lynkeus

Zur Farbenlehre →*Farbenlehre*

Zur Logenfeier des 3. Septembers 1825. G.s Festgedicht zum 50jährigen Regierungsjubiläum Carl Augusts am 3. 9. 1825, das in Weimar mit großem Girlandenschmuck an den Häusern, auch an G.s Haus, als großes Volksfest begangen wurde, entstand am 25.–30. 7. 1825, wurde von Hummel vertont, bei der öffentlichen Feier der Weimarer Loge am 13. 9. 1825 gesungen und erschien gleichzeitig als Sonderdruck. Tüchtigkeit, Tatkraft und Beständigkeit des Großherzogs bekunden sich hier vor allem visuell in der Verschönerung der Stadt durch Gebäude und Parks sowie die gleichzeitig eingeweihte neue Bürgerschule (v. 37 ff.).

Weimars Jubelfest am 3. September 1825, II 1825.

Zur Morphologie →*Zur Naturwissenschaft überhaupt*

Zur Naturwissenschaft überhaupt, besonders zur Morphologie. G.s Zeitschrift, eher eine unregelmäßig erscheinende Schriftenreihe, für vorwiegend eigene und einige fremde naturwissenschaftliche Aufsätze erschien von Juli 1817 bis Oktober 1824 bei Cotta in Tübingen, gedruckt bei Frommann in Jena, in zwei Bänden bzw. sechs Lieferungen (I,1–4; II,1–2), deren jede einen Teil »Zur Naturwissenschaft überhaupt« und einen Teil »Zur Morphologie« in gemeinsamen Umschlag enthielt. Mit ihr verwirklichte G. seinen seit 1806 konzipierten Plan einer Sammlung seiner morphologischen Studien, nunmehr erweitert um andere, auch neuere naturwissenschaftliche Arbeiten. Die Zeitschrift, mit deren Redaktion G. seit 18. 3. 1816 häufig beschäftigt war, bringt daher G.s geologische, meteorologische, anatomische, osteologische, morphologische, zoologische und botanische Studien, Nachträge zur Farbenlehre, allgemeine wissenschaftstheoretische wie auch autobiographische Aufsätze, Notizen, Rezensionen und gelegentlich auch Erstdrucke von Gedichten (z. B. *Prooemion; Urworte. Orphisch*).

D. Kuhn, Das Prinzip der autobiographischen Form in G.s Schriftenreihe Z. N. ü., in dies., Typus und Metamorphose, 1988.

Zweibrücken. Auf dem Rückweg seines Ritts durch Niederelsaß und Lothringen Anfang Juli 1770 sah G. die »schöne und merkwürdige Residenz« der Herzöge von Pfalz-Zweibrücken, das »große, einfache Schloß«, die Esplanaden und Bürgerhäuser und versäumte nicht, dem herzoglichen Weinkeller einen Besuch abzustatten (*Dichtung und Wahrheit* II,10).

A. Becker, G. und Z., 1923; ders.,G. in Z., in: Z. 600 Jahre Stadt, 1952.

Zwischen beiden Welten. G.s poetischer Dank an Charlotte von Stein (Lida) und Shakespeare (William) als den beiden überragenden Einflüssen in der für seine Persönlichkeitsbildung ausschlaggebenden Zeit erschien zuerst in *Über Kunst und Altertum* (II,3, 1820). Wegen einer Parallele im Brief an Zelter vom 11. 5. 1820 wird er um diese Zeit datiert, doch mögen die Verse 1–6 Jahrzehnte früher entstanden sein.

Zwischenkieferknochen (Os intermaxillare). Der bei den Wirbeltieren zwischen die beiden Hauptknochen des Oberkiefers eingeschaltete dreieckige Knochen, der bei Säugetieren die Schneidezähne des Oberkiefers trägt, verwächst beim Menschen schon im Säuglingsalter fast nahtlos mit dem Oberkiefer. Sein Vorhandensein war zwar schon von früheren Anatomen vermutet worden, jedoch zur Zeit G.s mangels Untersuchungen an Embryonen unbekannt. Als der holländische Anatom Petrus →Camper ihn bei einem jungen Orang entdeckte, argumentierte er, der Mensch unterscheide sich grundsätzlich vom Affen, indem er keinen Zwischenkieferknochen habe – eine These, die von religiös orientierten Naturwissenschaftlern als Beleg für die göttliche, nichttierische Herkunft des Menschen und seine Sonderstellung in der Schöpfung dankbar aufgenommen wurde. G., der seit 1781 in seinen anatomischen Studien nach einem allgemeinen Knochentypus forschte, stieß sich an den Widersprüchen der Fachgelehrten, entdeckte mit Hilfe Loders am 27. 3. 1784 an menschlichen Embryonenschädeln des Anatomischen Instituts in Jena die Gaumennaht (an Herder 27. 3. 1784, an Knebel 17. 11. 1784) und schloß mit dem Beweis der Einheit aller Wirbeltiere die letzte Lücke in der Verwandtschaft von Mensch und Tier. Gleichzeitig kamen übrigens ohne G.s Wissen der französische Anatom Félix Vicq d'Azyr und der Tübinger Mediziner J. H. F. Autenrieth zu demselben Ergebnis. G. beschrieb seine Ergebnisse im März–Mai 1784, erweitert bis 1786, in einem handschriftlichen Aufsatz *Versuch aus der vergleichenden Knochenlehre, daß der Zwischenknochen der obern Kinnlade dem Menschen mit den übrigen Tieren gemein sei*, las ihn Anfang November 1784 Herder vor, sandte ihn am 17. 11. 1784 an Knebel zur Begutachtung und sandte eine Pracht-handschrift mit lateinischer Übersetzung von Loder (*Specimen osteologicum*) und Tafeln von J. C. W. Waitz am 19. 12. 1784 an Merck zur Weitergabe an S. T. Sömmering und P. Camper, der sie erst am 15. 9. 1785 erhielt und die Behauptung eines Zwischenkieferknochens beim Menschen ebenso wie J. F. Blumenbach und Sömmering ablehnte. Nur Loder machte G.s Entdeckung 1788 in seinem *Anatomischen Handbuch* bekannt (*Tag- und Jahreshefte* 1790). Enttäuscht über die negative Reaktion der Fachwelt, veröffentlichte G. den Aufsatz mit Ergänzungen erst 1820 in den Heften *Zur Morphologie* (I,2, 1820) unter dem Titel *Dem Menschen wie den Tieren ist ein Zwischenknochen der obern Kinnlade zuzuschreiben*. Erst 1831 erlebte er mit Genugtuung die wissenschaftliche Anerkennung seiner Entdeckung, indem die Leopoldinisch-Carolinische Akademie der Naturforscher seinen Text leicht verändert u. d. T. *Über den Zwischenkiefer des Menschen und der Tiere* in ihren *Nova Acta* druckte und damit G.s zugrundeliegende Auffassung von der Einheit des Typus der höheren Tiere akzeptierte.

G. Hartenstein, G. über den Zwischenkiefer, Diss. Freiburg 1922; V. Franz, G.s Z.-Publikation, Ergebnisse der Anatomie und Entwicklungsgeschichte 30, 1933; H. Bräuning-Oktavio, Die Zeichnungen und Tafeln zu G.s Abhandlung über den Zwischenknochen, Goethe 16, 1954; G. Kötzschke, Der Z. und G., Zahnärztliche Reform 56, 1955; H. Bräuning-Oktavio, Vom Z. zur Idee des Typus, 1956; G. A. Wells, G. and the intermaxillary bone, British Journal for the history of science 3, 1967; M. Wenzel, Der gescheiterte Dilettant, in: Gehirn, Nerven, Seele, hg. G. Mann 1988; →Anatomie, →Morphologie, →Naturwissenschaft.

Zwischen Lavater und Basedow ... →*Diné zu Coblenz*

Zwo wichtige bisher unerörterte biblische Fragen *zum ersten-mal gründlich beantwortet, von einem Landgeistlichen in Schwaben.* G.s zweite theologische Untersuchung nach dem *Brief des Pastors ...* entstand wohl Anfang bis 6. 2. 1773 und erschien im Frühjahr 1773 anonym und mit dem falschen Verlagsort Lindau in kleiner Auflage bei Deinet in Frankfurt oder im Selbstverlag Mercks in Darmstadt. Sie greift vermutlich Thesen aus der abgelehnten und verlorenen Straßburger Dissertation auf und versucht, einen Freiraum des individuellen Glaubens und Denkens gegen den Absolutheitsanspruch der etablierten Kirche und ihrer Dogmatik, zumal des intoleranten Frankfurter Kirchenministeriums, abzusichern. Der 1. Teil versucht den Nachweis, die Bundestafeln vom Sinai hätten nur rituale Kultgesetze des jüdischen Volkes und nicht die als ethische Lebensregeln für alle Völker gültigen Zehn Gebote enthalten. Der 2. Teil zur Frage des Pfingstwunders und des Zungenredens wendet sich gegen die Festschreibung des göttlichen Geistes in Regeln und Dogmen und postuliert einen Freiraum für die Inspiration des dichterischen Genies. Die Schrift blieb in Deutschland weitgehend unbeachtet; umso erstaunlicher, daß der 2. amerikanische Präsident John Adams sich am 14.11.1813 bei Thomas Jefferson nach ihr erkundigte.

H. Barner, Zwei theologische Schriften G.s, 1930; K. Galling, G. als theologischer Schriftsteller, Evangelische Theologie 8, 1948 f.

Helmut Koopmann (Hg.)
Thomas-Mann-Handbuch
Mensch und Zeit – Werk – Rezeption

Dieses Handbuch informiert den Thomas-Mann-Leser so vollständig, daß kaum noch Fragen offenbleiben. Das monumentale Erzählwerk, die ganze Fülle der politischen und essayistischen Schriften, aber auch die erst in den letzten Jahren erschlossenen Tagebücher und Briefe werden eingehend – bis in die Entstehungsgeschichte hinein – interpretiert. Daneben sondiert das Handbuch auch die kaum noch zu überblickende Forschungsliteratur und bietet so unverzichtbare Hilfestellungen für eine fundierte und gründliche Lektüre.

2. Auflage 1995. XVIII, 1006 Seiten. Leinen
ISBN 3-520-82802-2

Christian Grawe, Helmuth Nürnberger (Hgg.)
Fontane-Handbuch
ISBN 3-520-83201-1
In Vorbereitung

Gero von Wilpert
Sachwörterbuch der Literatur

Hier wird in rund 5000 Stichwörtern der gesamte Begriffsschatz der Literaturwissenschaft in knapper und auf das Wesentliche gerichteter Formulierung erläutert: Epochen- und Gattungsbezeichnungen, literarische Einrichtungen, Strömungen und Dichterkreise, Begriffe der Stilistik und Metrik, ferner Fachausdrücke aus Sprachwissenschaft, Theaterwissenschaft, Schrift- und Buchwesen.

7., erweiterte Auflage 1989. XI, 1054 Seiten. Leinen
ISBN 3-520-23107-7

Elisabeth Frenzel
Stoffe der Weltliteratur
Ein Lexikon dichtungsgeschichtlicher Längsschnitte

Elisabeth Frenzel beschreibt und analysiert in ihrem bewährten Nachschlagewerk die Quellen, die Gehalte und die Entwicklungen von literarischen Stoffen wie Faust, Amphitryon, Antigone oder Don Juan. Aus dieser vergleichenden Betrachtung ergeben sich erstaunliche Belege über gegensätzliche Stoffbehandlungen und über geistige Verwandtschaften von Dichtern, Nationen und Epochen.

Kröners Taschenausgabe 300
9., überarbeitete Auflage 1998. XVI, 933 Seiten. Leinen
ISBN 3-520-30009-5

Elisabeth Frenzel
Motive der Weltliteratur
Ein Lexikon dichtungsgeschichtlicher Längsschnitte

Dieser Band ist als Pendant zu den »Stoffen der Weltliteratur« gedacht und bildet mit diesen zusammen ein einzigartiges Kompendium über die Stoffe und Motive der Weltliteratur in ihrer Entwicklung von der Antike bis zur Gegenwart. Die jedem Motiv eigene poetische Faszination wird vom Verliebten Alten bis zum Vater-Sohn-Konflikt unter Beschreibung von Wirkung und Variation ausführlich untersucht.

Kröners Taschenausgabe 301
4., überarbeitete Auflage 1992. XVI, 907 Seiten. Leinen
ISBN 3-520-30104-0

Stand Frühjahr 1998